BOUQUINS

COLLECTION DIRIGÉE PAR

GUY SCHOELLER

W9-DFU-542

POUQUINS

COLLECTION DIRIGÉE PAR

GUY SCHOELLER

HISTOIRE ET DICTIONNAIRE DU TEMPS DES LUMIÈRES

par

JEAN DE VIGUERIE

professeur à l'université de Lille

ROBERT LAFFONT

DU MÊME AUTEUR

Une œuvre d'éducation sous l'Ancien Régime. Les pères de la Doctrine chrétienne en France et en Italie, 1592-1792, thèse de doctorat ès lettres, Publications de la Sorbonne, série «NS Recherches», 13, Paris, 1976, 702 p., édition de la Nouvelle Aurore (ouvrage couronné par l'Académie française, prix Marcellin Guérin).

L'Institution des enfants. L'éducation en France XVIᵉ-XVIIIᵉ siècle, Paris, 1978, 330 p., Calmann-Lévy.

Sainte Jeanne Delanoue, Servante des Pauvres (avec R. Darricau et B. Peyrous), 1982, 93 p., CLD.

Les Martyrs d'Avrillé (avec D. Lambert et Ph. Evanno), 1983, 109 p., CLD.

Christianisme et Révolution. Cinq leçons d'histoire de la Révolution française, Paris, 1986, 264 p., Nouvelles Éditions latines ; nouvelle édition revue, corrigée et augmentée, 1988, 280 p. (prix Saint Louis 1986 et prix Renaissance 1987).

Notre-Dame des Ardilliers de Saumur. Le pèlerinage de Loire, Paris, 1986, 249 p., OEIL.

Le Catholicisme des Français dans l'ancienne France, Paris, 1988, 330 p., Nouvelles Éditions latines.

ISBN : 2-221-04810-5

Ce volume contient :

INTRODUCTION

LES ÉVÉNEMENTS EN FRANCE

LES ÉVÉNEMENTS HORS DE FRANCE

DICTIONNAIRE

CHRONOLOGIE

BIBLIOGRAPHIE

INDEX

A Marie, Élisabeth, Christine,
Antoine, Mathilde, et Constance.

INTRODUCTION

Le temps des Lumières mérite sollicitude. Il faut réparer les dommages dont il a souffert. Le Grand Siècle qui le précède et la Révolution qui le suit l'éclipsent depuis quelques années dans la faveur des historiens. Il a pâti du rôle subalterne qui lui était depuis trop longtemps dévolu, celui d'appariteur de la Révolution. Pourtant notre époque lui doit beaucoup ; n'a-t-elle pas hérité de ses valeurs, de sa tolérance en particulier ?

Essayons donc d'étudier ce temps pour lui-même et de le mieux comprendre. Mais c'est difficile. D'abord notre siècle lui ressemble trop et de se ressembler tant ne rapproche pas toujours. Ensuite un écran s'interpose entre lui et nous. On nous propose de lui une image qui en masque la réalité. Une image rassurante. Ce XVIIIᵉ siècle de convention a sans doute des aspects inquiétants (la violence, le crime, les inégalités, la persistance d'un certain fanatisme), mais le rassurant l'emporte. Rois intelligents et de bonne volonté, ministres brillants et éclairés, économie en plein essor, enrichissement, humanisation des mœurs, du droit et de la guerre, meilleure compréhension des enfants, raison libérée, progrès en marche, tels sont les principaux traits de ce siècle satisfaisant et imaginaire placé comme un voile sur le vrai.

Ce voile enrobe et adoucit. Chaque époque a ses crises, ses maladies organiques. Nous connaissons bien maintenant celle du XVIIᵉ siècle. Celles du XVIIIᵉ demeurent inaperçues ou presque. Certes, les historiens ne peuvent ignorer la profonde corruption morale de la grande noblesse, ni les débuts de l'exploitation capitaliste de l'homme par l'homme, ni la domination de la pensée unique. Ils ne peuvent ignorer complètement tout cela. Mais ils ne peuvent en mesurer ni l'importance ni la gravité. Parce que tout est estompé.

Les «lumières» elles-mêmes sont estompées. Ce n'est pas que les historiens n'en parlent pas. Ils en parlent même beaucoup. «Culture des

Lumières», «religion des Lumières», «premières lumières», «secondes lumières», ils ont toujours ces expressions à la bouche. Mais ils connaissent peu ces «lumières» dont ils parlent tant. Pour les connaître il faudrait d'abord les lire et les lire entièrement, et ne pas toujours se contenter de morceaux choisis, soigneusement triés. Si on lisait la philosophie des Lumières, on la verrait dans toute son étendue et dans toute sa force, on comprendrait mieux la signification de ses valeurs et l'on mesurerait avec plus d'exactitude la portée de son influence sur son siècle. Et c'est alors, et seulement alors, que l'on pourrait parler de «siècle des Lumières».

Le passé peut s'éloigner. Nous ne parvenons pas toujours à le retenir. Mais il arrive aussi que nous nous dérobions devant lui. C'est se dérober que de fabriquer un passé commode et inoffensif, un passé qui ne dérange pas le présent. Plus grave, un tel confort engourdit l'historien. Essayons de nous en libérer. Si ce livre peut y aider, il n'aura pas été inutile.

Jean DE VIGUERIE

PREMIÈRE PARTIE
LES ÉVÉNEMENTS EN FRANCE

Chapitre premier

LA RÉGENCE

(1715-1723)

La Régence dure sept ans et demi, de la mort de Louis XIV, le
1er septembre 1715, à la déclaration de la majorité de Louis XV, le
21 février 1723. Non plus comme régent, mais comme premier ministre,
le duc d'Orléans continue à gouverner jusqu'à sa mort, survenue le
2 décembre 1723.

LA MINORITÉ ROYALE ET LA RÉGENCE

Louis XV succède à Louis XIV

Le 1er septembre 1715, à huit heures et quart du matin, le Roi-Soleil
rend le dernier soupir. Aussitôt le Saint-Sacrement, qui était exposé, est
remis dans le tabernacle de la chapelle royale. Au même moment, le duc
de Bouillon, grand chambellan, arborant un plumet noir à son chapeau,
vient sur le balcon de la chambre du roi et crie : « Le roi Louis XIV est
mort. » Ensuite il se retire, change son plumet noir contre un blanc,
revient sur le balcon et crie à trois reprises : « Vive le roi Louis XV. » Ne
voyons pas là une formalité nécessaire. En France la succession est statutaire, donc automatique. Le cri du chambellan n'est qu'une constatation.
À l'instant le nouveau roi est honoré comme tel. Le duc d'Orléans,
premier prince du sang, sort de la chambre où il vient de rendre les
derniers devoirs au roi défunt. Il est suivi des princes, des princesses et
d'un grand nombre de courtisans en habit de cérémonie. Par la galerie
des Glaces, les gardes du corps et les cent-suisses formant la haie, cette
procession se dirige vers l'appartement du jeune roi, âgé de cinq ans et
demi. Parvenu en présence de l'enfant royal, le duc d'Orléans lui
présente la foule en lui disant : « Sire, je viens rendre mes devoirs à Votre
Majesté comme le premier de ses sujets », et désignant les personnes de

la Cour : « Voici la principale noblesse du royaume qui vient vous assurer de sa fidélité. »

Dernière cérémonie de ce rituel sommaire : le nouveau roi est présenté au peuple. L'enfant, très ému et impressionné, verse de grosses larmes. On attend qu'il se calme, puis il est amené sur le balcon, et la foule déjà nombreuse pousse de longues acclamations.

Est-ce tout ? Non. Le pouvoir royal est incarné. La succession est automatique, mais c'est une personne qui succède à une autre. Or les liens qui unissent les Français à la royauté sont des liens personnels de fidélité. Dans les jours qui suivent son avènement, le roi reçoit les compagnies qui viennent le féliciter et l'assurer de leur loyauté. D'abord les Académies, ensuite les cours souveraines et diverses compagnies de magistrats, enfin l'Université de Paris. Chacun y va de sa harangue. Certains discours sont interminables. Le seul à comprendre qu'il ne faut pas parler longtemps à un enfant est M. de Saint-Port, avocat général au Grand Conseil. Voici son propos, remarquable de profondeur et de concision :

> Nous nous présentons au trône de votre Majesté pour renouveler le serment de notre fidélité. Nous espérons revoir en vous la sagesse de M. le Dauphin votre père, la mansuétude de votre aïeul et la gloire du feu roi votre bisaïeul, à qui vous succédez. Les exemples du prince régent raniment déjà leurs cendres, sa sagesse formera votre cœur et la main de Dieu fera le reste [1].

Ces paroles datent du 15 septembre, trois jours après que Philippe d'Orléans a été déclaré Régent. On peut faire une remarque à propos de l'expression « serment de fidélité ». Selon la théorie traditionnelle des jurisconsultes, les sujets ne cessent d'être obligés envers le roi à qui ils doivent leur subsistance. « Vous avez fait, disait, s'adressant aux Français, un magistrat du début du XVIIe siècle, vous avez fait serment de fidélité à votre roi... » Nous sommes, ajoutait-il, « obligez en son endroit plus beaucoup que si solennellement nous luy avions iuré et promis la foi. L'air que nous respirons et la terre sur laquelle nous posons nos premiers vestiges, l'eau et le feu, nécessaires instruments de la vie en laquelle nous entrons, font pour nous ce saint et sacré serment et se constituent comme plèges et caution de notre fidélité [2]. »

Sans attendre, Louis XV fait son office de législateur et de justicier. Le 1er septembre, dès son avènement, par lettre de cachet, il convoque le Parlement. Le 12 septembre il préside le lit de justice où l'arrêt de régence est proclamé.

---

1. Cité par Mathieu Marais, *Journal et Mémoires*, publ. par M. de Lescure, Paris, 1863-1868, 4 vol., t. I, p. 202.

2. *Les Remontrances de messire Jacques de la Guesle*, Jacques de la Guesle, Paris, 1611, p. 441 (8e remontrance).

La régence est organisée

Le nouveau roi est mineur. Il est né le 15 février 1710. A son avènement il a cinq ans et demi.

La folie et la minorité sont les principaux risques de la monarchie héréditaire. La dynastie capétienne n'a compté qu'un seul roi fou. Les minorités ont été plus nombreuses : sept en tout (depuis celle de Philippe Ier jusqu'à celle de Louis XIV). La minorité de Louis XV est la troisième chez les Bourbons, après celles de ses deux prédécesseurs immédiats, Louis XIII et Louis XIV. Louis XIII avait neuf ans à la mort de son père et Louis XIV cinq ans.

Malgré ce risque la constitution non écrite du royaume ne comporte aucune règle fixe organisant la régence. Les lettres patentes de Charles V fixent la majorité des rois à quatorze ans (1374), mais il n'y a rien de plus.

Il n'y a que des précédents et des usages. Trois fois la régence a été attribuée à la reine mère (minorité de Saint Louis, de Louis XIII et de Louis XIV) ; deux fois elle a été partagée entre la reine mère et le prince du sang (minorités de Charles VI et de Charles IX) ; une fois elle a été confiée au premier prince du sang (Philippe Ier) et enfin une fois un conseil de princes et de grands en a reçu les pouvoirs (minorité de Charles VIII).

Il est à remarquer que dans le cas de Louis XV, enfant orphelin, les deux dernières seulement, celle du premier prince et celle du conseil sans régent, peuvent être prises en compte.

Il s'y ajoute les directives du roi défunt dans son testament. Ce document qui comporte huit pages écrites de sa main a été rédigé par Louis XIV à la fin de sa vie et confié par lui au parlement de Paris. Pour en assurer la sécurité, les membres du Parlement avaient pris des dispositions extraordinaires. Ils avaient fait creuser une brèche dans la tour du Palais et renfermer leur précieux dépôt derrière des grilles de fer, une porte de fer et des triples clefs. Lors de la séance du Parlement du 2 septembre, il est procédé à l'ouverture de l'armoire, puis du testament lui-même dont les principales dispositions sont les suivantes : en premier lieu la régence est confiée à un Conseil de régence ; le duc d'Orléans premier prince du sang n'a que la présidence de ce Conseil (il en est déclaré le « chef ») où toutes les affaires doivent être délibérées à la pluralité des voix. Au surplus Louis XIV fixe la composition de ce Conseil ; il y appelle entre autres personnes le contrôleur général et les secrétaires d'État. En second lieu, la garde du roi revient au duc du Maine, nommé surintendant de son éducation. La garde et la régence sont donc distinguées. Louis XIV se méfie de son neveu le duc d'Orléans. Il ne lui confiera ni la pleine autorité de gouvernement, ni la garde du jeune roi.

Par divers codicilles, également rédigés de sa main, Louis XIV a demandé que le petit roi, dès son avènement, soit transporté à Vincennes (où l'air est meilleur qu'à Versailles), et il a nommé les personnes chargées de l'éducation royale : Villeroy, gouverneur, Mme de Ventadour, gouvernante, et Hercule de Fleury, précepteur.

Ces dispositions testamentaires, il faut le remarquer, ne contreviennent pas aux usages du royaume. On peut en effet les rapprocher du statut de régence élaboré en 1484 par les états généraux de Tours, statut par lequel le gouvernement avait été attribué à un Conseil de régence et non à un régent. La seule disposition susceptible de choquer les gardiens de la tradition était celle attribuant à un bâtard, le duc du Maine, la garde du jeune roi. Toutefois aucun usage ne s'y opposait.

Malgré cela, le 2 septembre le parlement de Paris casse le testament de Louis XIV et attribue au duc d'Orléans la régence pleine et entière.

La séance vaut d'être racontée.

Donc, le 2 septembre, convoqué par lettre de cachet, le Parlement siège depuis six heures du matin. La séance est plénière. Les ducs et pairs arrivent à neuf heures, les princes, dont le duc d'Orléans, à neuf heures et demie. Sans plus attendre Philippe d'Orléans prend la parole et réclame la régence comme lui revenant par droit de naissance[1]. Il invoque les dernières paroles de Louis XIV. Le roi mourant lui aurait dit : « Mon neveu, je vous ai conservé le droit de votre naissance. Je crois avoir tout réglé après ma mort, mais comme on ne peut tout prévoir, vous ajouterez et changerez ce que vous jugerez convenable… »

Pour finir l'orateur demande qu'il soit délibéré d'abord sur son droit, ensuite sur le testament du roi défunt.

Le Parlement ne retient pas cette demande et fait procéder en premier lieu à l'ouverture du testament que le premier président et le procureur général sont allés chercher dans sa cachette. Lecture en est faite. Aussitôt le duc d'Orléans proteste et exige son droit :

> La lecture finie, M. le duc d'Orléans a dit qu'il avait lieu d'être surpris de ces dispositions si contraires et au droit acquis par sa naissance et à ce que le roi avait semblé lui désigner dans les derniers moments de sa vie[2]…

La suite de la séance est consacrée à donner satisfaction au premier prince du sang. La régence lui est déférée. Il se soumettra pour « les affaires » à la pluralité des voix, mais il n'y sera pas assujetti pour la distribution des emplois, des grâces et des bénéfices. Il obtient aussi la garde du jeune roi, le duc du Maine ayant renoncé. Régence du royaume et tutelle du jeune roi sont rassemblées sur une seule tête. Le testament de Louis XIV ne vaut plus rien.

---

1. Le récit de Mathieu Marais, *Journal et Mémoires, op. cit.*, p. 158-170, est le plus circonstancié.
2. M. Marais, *op. cit.*, p. 163.

Il faut maintenant «prononcer» l'arrêt de régence. Cela ne peut se faire dans la présente séance. Un lit de justice est convoqué pour le 7 septembre, mais ne peut se tenir à cause d'une indisposition du roi. Le duc d'Orléans bout d'impatience. Il trouve moyen de faire connaître au public la décision du Parlement : une déclaration royale est publiée le 4 septembre, prorogeant les séances de cette compagnie. Il y est dit que les travaux des séances précédentes ont été consacrés à assurer la régence au duc d'Orléans. Enfin, le 12 septembre, le lit de justice peut avoir lieu.

Dans sa définition la plus simple un lit de justice est une séance solennelle du roi au parlement de Paris pour y délibérer sur des affaires importantes. Il faut ajouter que, depuis le début du XVIᵉ siècle, cette assemblée a pris une valeur en quelque sorte constitutionnelle. Il est apparu qu'il était indispensable de la réunir pour garantir le bon fonctionnement de la dévolution de la Couronne. C'est ainsi par exemple que le lit de justice de 1563 avait intronisé Louis XIII. A l'avènement de Louis XV, il n'est pas question d'une telle intronisation. D'ailleurs le roi n'a pas besoin d'être intronisé. La théorie statutaire est si bien entrée dans les esprits que nul ne juge nécessaire de procéder à une telle cérémonie[1]. En revanche le lit de justice apparaît indispensable pour attribuer au Régent l'exercice de la fonction royale.

Cette séance du 12 septembre est la première apparition en majesté du nouveau roi : venant de Vincennes, escorté des troupes de sa maison, l'enfant Louis XV traverse Paris. Arrivé au palais, il est conduit à la Sainte-Chapelle, et de là à la grande chambre du Parlement. Le premier gentilhomme de la chambre le prend dans ses bras et le pose sur son lit de justice. De part et d'autre du fauteuil royal se trouvent le maréchal de Villeroy, son gouverneur, et la duchesse de Ventadour, sa gouvernante. A ses pieds est assis le chancelier. Après les éloges nécrologiques du feu roi et du duc de Bourgogne, on passe au sujet de la réunion. Le procureur général conclut à la régence du duc d'Orléans. Lecture est faite de l'arrêté délibéré le 2. Les voix sont prises. Enfin, assis et découvert, le chancelier prononce l'arrêt de la régence.

Que faut-il penser de cette procédure et de la cassation des testaments de Louis XIV ? Simplement qu'il n'y a rien là de nouveau, ni d'extraordinaire. Le lit de justice avait déjà servi, nous l'avons vu, pour résoudre les difficultés provenant des minorités royales. Ce n'était pas non plus la première fois qu'il n'était pas tenu compte des volontés du roi défunt. Soixante-douze ans plus tôt, le parlement de Paris avait pareillement annulé le testament de Louis XIII. D'ailleurs une telle annulation n'a rien de profanatoire, ni d'irrévérencieux. L'une des lois fondamentales de la

---

1. Voir l'article de S.H. Madden, «L'idéologie constitutionnelle en France : le lit de justice», *Annales E.S.C.*, janvier-février 1982, p. 32-63.

monarchie est que le roi n'est pas tenu des promesses de son prédécesseur. Par conséquent il n'est obligé en rien de respecter ses dernières volontés. Ce n'est pas parce que l'arrêt de régence sert les ambitions de Philippe d'Orléans qu'il faut y voir un coup d'État.

Observons seulement que le parlement de Paris a profité de cette circonstance pour se mettre en valeur. En se montrant docile à la volonté du prétendant à la régence, il a acquis des droits sur lui. Il n'a pas non plus manqué l'occasion de faire la leçon au nouveau roi et, à travers lui, au Régent. Ce fut lorsque le procureur général prétendit dans son discours faire « le portrait d'un grand roi ». Tout le monde remarqua son éloge appuyé du duc de Bourgogne.

Le Parlement proposait publiquement son modèle au nouveau règne. Or ce modèle n'était pas la royauté autoritaire et glorieuse de Louis XIV, mais le pouvoir paternel et débonnaire tel que l'avait conçu, en bon élève de l'auteur du *Télémaque*, le Dauphin disparu.

Les étapes de la minorité. Vers la majorité

Il faut attendre huit années pour que Louis XV soit déclaré majeur. Cependant la minorité n'est pas, si l'on peut dire, un état stationnaire. Elle progresse vers la majorité. Successivement le « passage aux hommes », l'entrée au Conseil et le sacre augmentent la capacité du jeune prince à gouverner.

Le passage aux hommes a lieu le 15 février 1717, le jour où l'enfant royal entre dans sa huitième année. La cérémonie nous est racontée par le *Mercure de France*. Elle a lieu aux Tuileries en présence du Régent. On enlève au jeune prince ses lisières de bébé[1], puis il est déshabillé. Médecins et chirurgiens le palpent et certifient qu'il est en bonne santé. La duchesse de Ventadour le remet alors aux hommes qui auront désormais le soin de l'élever. « Monseigneur, dit-elle au Régent, voici mon ministère fini. Vous me permettrez de baiser la main du roi et de me retirer. » Ce qu'elle fait, au grand désespoir de l'enfant qui l'aimait beaucoup. Une vie nouvelle commence. Louis XV doit désormais se plier aux lois de l'étiquette et mener l'existence royale. Dès le lendemain il doit se lever, se laver et s'habiller en public devant les courtisans admis par sa faveur aux honneurs des entrées royales.

Puis, trois ans plus tard, ses dix ans révolus, le 18 février 1720 très exactement, Louis XV préside pour la première fois son Conseil. Intimidé, il ne dit pas un mot de toute la séance. A partir de cette date il viendra de temps à autre s'asseoir dans le fauteuil royal, en haut de la table du Conseil.

---

1. Il est probable qu'il ne s'agissait pas de lisières à proprement parler mais de ces rubans dans le dos que portaient alors tous les enfants et qui étaient considérés comme le signe de l'enfance.

Enfin, à l'âge de douze ans, il est sacré et couronné à Reims. Cette grande cérémonie a lieu le 25 octobre 1722. Elle se déroule selon le rituel traditionnel, et l'on ne trouve rien dans le sacre de Louis XV qui constitue un changement ou une innovation. D'abord le roi prête les serments, dont « le serment du royaume », ensuite il reçoit les onctions, enfin il est couronné et intronisé. Après le serment du royaume, se conformant à l'usage établi depuis Henri II, les évêques de Laon et de Beauvais « soulèvent SM de sa chaise, et étant debout, demandent (selon l'ancien usage) aux Seigneurs assistants et au peuple s'ils acceptent Louis [...] pour leur Roy¹ ». La demande appelle-t-elle une réponse ? En fait l'assistance ne répond rien. La relation continue : « ... et leur consentement reçu par un respectueux silence, l'Archevêque de Reims présente au Roy le serment du Royaume... » Le respectueux silence n'est pas une particularité du sacre de Louis XV. Depuis que le rite existait, la foule n'avait jamais rien répondu.

LE ROI

Le roi étant un enfant, la grande affaire c'est de l'éduquer.
Trois personnes ont reçu la lourde responsabilité d'élever Louis XV. Le gouverneur, le maréchal de Villeroy, est un personnage « gonflé d'importance » (Gaxotte), mais de peu de finesse. La gouvernante, la duchesse de Ventadour, est naïve et bonne et certainement trop naïve et trop bonne. Reste la troisième personne qui est Hercule de Fleury, ancien évêque de Fréjus chargé du préceptorat. Celui-là est le seul intelligent des trois. En outre il a les deux qualités nécessaires pour réussir une éducation, la méthode et l'obstination. « L'homme, dit Saint-Simon qui ne l'aime pas, le plus superbe au-dedans et le plus implacable. »
Villeroy s'occupe de l'éducation physique et militaire, Fleury des disciplines de l'esprit. L'emploi du temps semble avoir été aménagé avec bon sens. L'enfant étudie le matin et le soir, mais l'après-midi réserve toujours une « grande place » aux divertissements et aux sorties. Comme pour Louis XIV les programmes sont équilibrés et font la part belle aux sciences exactes et naturelles, à l'histoire et à la géographie. Fleury fait appel aux leçons du géographe Delisle et du mathématicien Chevallier. Les thèmes latins sont fournis par les jésuites du collège Louis-le-Grand. Saint-Simon raconte qu'un soir, étant chez Fleury, quelque temps après qu'il eut commencé ses fonctions de précepteur, on apporta à ce dernier un paquet : « ... je voulus m'en aller pour lui laisser ouvrir le paquet. Il m'en empêcha, et me dit que ce n'était rien que les thèmes du roi, qu'il

---

1. *Le Sacre de Louis XV, roy de France et de Navarre dans l'église de Reims, le dimanche XXV octobre MDCCXXII, in fol.*

faisait faire aux jésuites, qui les lui envoyaient[1] [...].» L'histoire ne dit
pas si les jésuites se chargeaient aussi de la correction.

Quelles dispositions montre l'élève? C'est difficile à dire. Il semble
surtout intéressé par la géographie. Selon la Palatine, il «comprend les
cartes de géographie aussi bien que le ferait un homme». «Il sait
beaucoup de choses pour son âge, note Dangeau, et surtout en géographie
où il s'applique avec grand plaisir[2].» Le jeune roi nous apparaît comme
un esprit concret, pratique. On lui donne une petite imprimerie et il
apprend la typographie, composant lui-même des livres. Il s'adonne aussi
à l'astronomie. Son précepteur cultive ces talents et lui fait visiter les
manufactures et les académies scientifiques.

L'instruction noble comporte trois éléments principaux : apprendre à
monter à cheval, apprendre à tirer, apprendre l'art de la guerre. A l'âge
de dix ans, Louis XV est déjà un parfait cavalier et un bon tireur. C'est
aussi à ce moment-là qu'il commence à s'intéresser aux choses militaires. En juillet 1720 — il est alors en séjour aux Tuileries — il crée un
régiment formé de jeunes courtisans de son âge, le distribue en quatre
compagnies qui montent et descendent la garde tous les soirs, après
l'étude du roi, sur la terrasse des Tuileries. Cette troupe enfantine porte
le nom de «royal terrasse». Deux ans plus tard, on passe à des choses
plus sérieuses. Le Régent charge le vieux maréchal de Villars «de faire
voir au roi quelques opérations de guerre, pour le mieux instruire de l'art
militaire[3]». Un camp est construit près de Montreuil. On y fait jeter des
troupes pour défendre un siège. Le roi est passionné par ces manœuvres
et vient tous les jours. Villeroy n'échoue que sur un point : la danse. En
1720, il s'est mis en tête de faire danser un ballet à son élève. A force
d'insister il y est parvenu, mais le roi a été dégoûté pour toujours de ce
genre d'exercice. «Le roi, écrit Saint-Simon, fut si ennuyé et si fatigué
d'apprendre, de répéter et de danser ce ballet, qu'il en prit une aversion
pour ces fêtes et pour tout ce qui est spectacle, qui lui a toujours duré
depuis...[3].» Louis XV ne sera ni musicien ni danseur. Il diffère en cela
de son bisaïeul.

On sait bien peu de choses de sa formation religieuse, sinon que
l'enfant fait sa première communion en 1722, à l'âge de douze ans (c'est
un âge tout à fait normal pour l'époque) et que son professeur de religion
est un homme de grand talent, l'abbé Claude Fleury, auteur d'un ouvrage
très demandé, *Le Catéchisme historique*.

Il est bien difficile de recomposer, avec les témoignages épars dont
nous disposons, la physionomie morale du jeune roi. Sur l'aspect
physique, tout le monde en convient, c'est un bel enfant. Mais le

1. Louis de Rouvroy, duc de Saint-Simon, *Mémoires*, Paris, éd. Ramsay, 1977-1979,
t. XV, p. 311.
2. Cité par Paul Del Perugia, *Louis XV*, Paris, Albatros, 1976, p. 41.
3. Saint-Simon, *op. cit.*, p. 373.

caractère est plus difficile à percer. Il faut se rappeler qu'il a été un enfant unique et orphelin et que l'on a toujours craint de le perdre. Solitaire, il s'est renfermé très tôt sur lui-même. Étant toujours l'objet d'une attention inquiète, il a très vite compris qu'il pouvait user et abuser de la patience de ses éducateurs. Un jour, par exemple, il s'amuse à faire peur à la bonne Ventadour. Se trouvant mal pendant la messe, il se jette dans les bras de sa gouvernante en criant qu'il est mort. Affolement général. On le transporte dans sa chambre. Étendu sur son lit, il fait semblant de perdre connaissance et Mme de Ventadour épuisée d'inquiétude tombe évanouie dans la ruelle. Le Régent, prévenu, accourt et trouve le roi en train de jouer paisiblement. Certains faits et gestes du jeune prince sont d'un enfant mal élevé : par exemple, lorsqu'il crache au visage de Bontemps son valet de chambre, ou lorsqu'il donne un soufflet à son compagnon de jeux, le chevalier de Pezé [1]. Les mémorialistes et gazetiers font leur délices de ces histoires, et l'on dirait même que certains d'entre eux se plaisent à discréditer l'enfant roi. Ils lui font une réputation d'enfant gâté. Pourtant rien ne prouve que l'enfant Louis XV n'ait jamais été réprimandé ni corrigé. Après l'altercation avec Pezé, il est mis en pénitence pendant quelques jours. Quand il se met en colère, son précepteur lui fait copier des maximes de morale condamnant les passions et les emportements. Seulement Louis XV, comme le dit l'Empereur, «est l'enfant de l'Europe» ; le monde entier a les yeux fixés sur lui, et tout ce qu'il dit et fait est monté en épingle et grossi démesurément. En réalité il n'est pas plus sage, ni plus méchant que la plupart des enfants de son âge. Finalement le trait le plus marquant de son caractère est son goût de la facétie et des espiègleries. Un jour il demande au nonce Bentivoglio : «Combien il y a eu de papes jusqu'à présent?» L'autre reste coi. L'enfant jouit de son embarras, et lui récite la chronologie complète des rois de France depuis Mérovée. Autre anecdote : allant à Reims pour son sacre, il passe à Soissons et se met en tête de monter au clocher qui est très haut. Mais il veut aussi y faire monter sa suite, disant aux courtisans en riant : «Gare les gras.» Il y a évidemment un peu de désinvolture dans tout cela. On pourrait y voir l'expression d'une maturité précoce. Cet enfant semble s'amuser de son propre pouvoir.

LA ROYAUTÉ

Pendant cette période de régence, la fonction royale est exercée à la fois par le roi enfant et par le Régent.

---

1. M. Marais, *Journal et Mémoires, op. cit.*, p. 194.

La royauté du roi enfant

Le roi mineur n'est pas un demi-roi, ni un roi relégué. Certes il ne gouverne pas, mais il règne, et sa royauté s'exprime par sa présence aux actes et cérémonies les plus importantes du rituel officiel. Il préside les lits de justice, reçoit les ambassadeurs, remet les sceaux au garde des Sceaux. Nous le voyons encore signer — et ce dès l'âge de cinq ans — des contrats de mariage.

A l'âge de dix ans, nous l'avons vu, il entre au Conseil et occupe le fauteuil royal qui était resté vide pendant les cinq années précédentes. Il est donc initié très tôt aux affaires.

En outre le Régent prend soin de travailler avec lui et de l'entraîner à décider. Dès 1719 (le roi a neuf ans) ils ont des séances en tête à tête. Le Régent présente au roi les affaires de nomination, grâces, bénéfices et pensions, donne son propre avis et lui demande le sien, l'invitant même, dans les questions de peu d'importance, à «choisir et à décider», lui disant : «Mais n'êtes-vous pas le maître ? Je ne suis ici que pour vous rendre compte, recevoir vos ordres et les exécuter[1].» De la part d'un homme tel que Philippe d'Orléans, ce peut être de l'habileté. Ce n'est certainement pas de la flagornerie. En tout cas, il est certain que très tôt, entre le petit roi et le Régent, des rapports de confiance s'instaurent, Louis XV ne cachant pas «le goût intérieur» qu'il a pour son oncle, et Philippe d'Orléans le respect qu'il éprouve pour son roi. Or ce respect n'est pas entièrement affecté. Ce cynique, ce débauché, est capable de s'incliner devant l'innocence. On le voit bien lorsqu'au retour du sacre, il interdit à Mme d'Averne, sa maîtresse, de paraître à Versailles, parce que «cela donnerait un mauvais exemple au Roi[2]».

Enfin la formation politique de Louis XV est complétée par les instructions quotidiennes que lui donnent, sous la présidence du Régent, les commis des ministères et les intendants des finances. Le roi apprend ainsi les méthodes du gouvernement et les rouages de l'administration.

Il resterait à savoir quelle conception de la royauté, à travers les diverses instructions reçues, était inculquée au jeune roi. Nous n'avons pour en juger que les maximes latines (rédigées par Fleury ? Ou par les jésuites ?) qui lui étaient données comme versions. Ces textes sont conservés aujourd'hui à la Bibliothèque nationale. L'ensemble forme un modèle de bon roi chrétien et paternel. Plusieurs maximes invoquent l'exemple de Saint Louis :

> Saint Louis savait fort bien qu'il était le père du peuple [...].
> Lorsque Saint Louis était en particulier, il était d'une grande simplicité en toutes choses [...].

---

1. Cité par Saint-Simon, *Mémoires, op. cit.,* p. 355.
2. M. Marais, *op. cit.,* t. II, p. 368.

Aucun prince n'a été plus soumis au Saint-Siège que Louis, mais cependant de sorte que les droits du roi demeurassent en leur entier[1]...

L'influence de Fénelon se fait aussi sentir. Le bon roi est surtout un roi bon, un père plutôt qu'un chef. Certaines maximes pourraient être extraites du *Télémaque*. Par exemple :

> Rien n'est plus grand qu'un roi bon et laborieux : rien au contraire n'est plus méprisable qu'un roi lâche et fainéant.

ou encore :

> Il est au pouvoir des rois de se faire aimer et c'est leur faute quand on les hait et quand on parle mal d'eux [...].

Cette leçon édifiante était-elle la seule proposée au jeune Louis XV ? Ce n'est pas sûr. Il semble bien en effet que le maréchal de Villeroy (le gouverneur) ne donnait pas quant à lui dans ce ton-là. Ce qui nous le fait penser, c'est l'importance attachée par ce noble militaire aux exercices physiques et de maintien de son royal élève. Et puis il y a cette anecdote significative que nous raconte Saint-Simon. Le roi avait onze ans et venait de se rétablir d'un accès de fièvre qui avait inquiété tout le monde. Une fête était organisée pour célébrer sa guérison, et tous les Parisiens accouraient aux Tuileries pour voir le petit convalescent et l'acclamer. «Cette affluence, conte le mémorialiste, importunait le roi qui se cachait dans les coins à tous moments. Le maréchal de Villeroy l'en tirait par le bras et le menait tantôt aux fenêtres d'où il voyait la Cour et la place du Carrousel toute pleine et les toits jonchés de monde, tantôt à celles qui donnaient sur le jardin et sur cette innombrable foule [... Il] retenait le roi qui voulait aller se cacher. "Voyez donc, mon Maître, tout ce monde et tout ce peuple est à vous. Tout cela vous appartient. Vous en êtes le maître."»

La royauté exercée par le Régent

Au moment où il accède au pouvoir, Philippe d'Orléans est un homme dans la force de l'âge. Il a quarante et un ans. Sa physionomie annonce une personnalité complexe[2] : le long nez bourbonien, les grands yeux bien vivants et le large front présentent un curieux contraste avec le menton petit, poupin, creusé d'une fossette. Sur la bouche gracieuse, presque féminine, s'esquisse un demi-sourire. Plus d'intelligence que de caractère, plus d'habileté que de volonté.

Les seules responsabilités qu'il ait jamais exercées sont des comman-

---

1. Cité par Pierre Gaxotte. *Le Siècle de Louis XV*, Paris, Fayard, 1933, p. 84-85.
2. Et finalement assez mal connue. Les biographies de Claude Saint-André et de Philippe Erlanger sont des études très superficielles. *Le Régent* de Jean Meyer (Paris, 1985) apporte davantage.

dements subalternes dans les armées de la guerre de la ligue d'Augsbourg. S'étant couvert de gloire à Neerwinden, ainsi qu'en d'autres batailles, il avait espéré de plus hautes charges militaires. Vaine espérance. Louis XIV, pour le punir d'une incartade, lui avait interdit de reparaître sur le front. Qu'avait-il fait? On ne le sait pas trop. Il avait, semble-t-il, fréquenté des magiciens et des sorciers. C'était d'ailleurs suffisant pour encourir la vindicte de Louis XIV. Depuis l'affaire des Poisons, le roi ne badinait pas avec ces choses.

Philippe d'Orléans ne se contente pas du titre de neveu du roi. Il est aussi le gendre du roi, ayant épousé à l'âge de dix-sept ans Mlle de Blois, fille de Louis XIV et de Mme de Montespan. De cette union naissent six filles et un garçon. La duchesse d'Orléans est aussi tranquille et lymphatique que son époux est vif et agité. Sa belle-mère, la terrible Palatine, lui reproche de passer sa vie dans sa chaise longue, prenant même ses repas dans cette posture. Le Régent n'est pas vraiment un très mauvais mari : il voit sa femme très souvent, la visite tous les jours. Mais il n'est pas non plus un bon mari. On lui attribue un grand nombre de maîtresses. Mme de Prie (« un air de nymphe ») et Mme de Parabère (« le beau morceau de chair fraîche ») sont les plus connues, mais il y en eut d'autres, par exemple Mme d'Averne « recrutée » en juin 1721. On l'accusa aussi d'avoir entretenu avec une de ses filles, la duchesse de Berry, des relations incestueuses. Mais cela n'est pas prouvé. On sait seulement qu'ils étaient tout le temps l'un avec l'autre. On sait aussi que la duchesse était une étrange personne, presque monstrueuse ; hystérique au dernier degré, d'un côté adonnée aux exercices pieux et aux retraites fermées chez les carmélites de la rue de Grenelle, et de l'autre changeant d'amant comme de chemise, allant même jusqu'à racoler des promeneurs dans le jardin de son palais, le Luxembourg.

Son père, lui, ne fait pas de retraites. Il ne voit dans la religion qu'une affaire d'État. Le maître de la France, celui qui exerce la fonction royale, est un libertin déclaré. Cela ne s'était jamais vu. Si la Régence est scandaleuse, c'est là son plus grand scandale. Scandale de l'incroyance, mais non toutefois du sacrilège. Philippe d'Orléans conserve les formes du respect. A partir de 1717 il ne fait plus ses Pâques, évitant ainsi de profaner l'Eucharistie.

Ses bons côtés — car il en a — sont sa grande sensibilité et sa conscience d'homme d'État.

Sa sensibilité artistique d'abord. Il se plaît à embellir ses résidences, à construire et surtout à collectionner les objets d'art, tableaux peints et orfèvrerie ayant sa préférence. Mais ses émotions ne sont pas seulement esthétiques. Il est capable d'affection, de souffrance. La mort de la duchesse de Berry l'accable de douleur. Prostré devant le lit mortuaire, il ne peut retenir ses pleurs et montre un tel désespoir que Saint-Simon en est impressionné. « M. le duc d'Orléans, raconte le mémorialiste, rentra dans la chambre et approcha du chevet du lit, dont tous les rideaux étaient ouverts : je ne l'y laissai que quelques moments, et le poussai dans le cabinet où il n'y avait personne. Les fenêtres y étaient ouvertes, il s'y mit, appuyé sur le balustre de fer et ses pleurs y redoublaient au point que j'eus peur qu'il ne suffoquât. Quand ce grand accès se fut un peu passé il se mit à me parler du malheur de ce monde et du peu de durée de ce qui y est le plus agréable[1]... » Nous sommes loin ici du cynique et du viveur que l'on dépeint d'ordinaire.

On note aussi chez lui l'assiduité à ses devoirs d'homme d'État. Il travaille moins que Louis XIV, mais de la même façon régulière. Toutes les matinées sont livrées aux affaires. Sitôt levé il donne ses audiences. Puis il reçoit les chefs du Conseil et les ministres. Il est vrai que les années passant il se lève de plus en plus tard et que cela diminue le temps de travail. Vers deux heures et demie de l'après-midi, il se restaure d'une tasse de chocolat, tout en conversant. Suivent d'autres audiences, la visite quasi quotidienne au jeune roi et, pour finir la journée politique, la tenue du Conseil de régence (équivalent du Conseil d'en haut). C'est en fin d'après-midi seulement que le prince commence à songer aux divertissements. Il va à l'Opéra ou à quelque autre spectacle, et puis soupe dans la compagnie de ses compagnons de plaisir, que la rumeur publique a baptisé les « roués ». De telles réunions ne sont rien moins qu'édifiantes. Néanmoins, si le Régent fait la part du plaisir, il sait aussi réserver celle du travail. Malgré une certaine indolence, malgré une grande désinvolture, il est un homme d'État digne de ce nom.

Il a les moyens d'en faire la preuve. Ses pouvoirs, tels que les définit l'arrêt de régence, sont très étendus. Certes, pour les affaires d'État, il est tenu de se conformer au Conseil de régence à la pluralité des voix. Mais pour les charges, emplois, bénéfices et grâces, il peut les accorder à qui bon lui semble, le Conseil de régence ne jouant ici qu'un rôle consultatif. Il est vraiment, selon la formule du parlement de Paris, « régent en France ». Il a vraiment, toujours selon le même Parlement, « l'administration des affaires du Royaume pendant la minorité du Roy[2] ». Il n'est pas le roi, mais il exerce toutes les fonctions gouvernementales de la royauté. Et même, dans certaines circonstances, il tient la place du roi et reçoit les mêmes honneurs. C'est le cas par exemple de la procession du Vœu de Louis XIII, le 15 août 1717. Ce jour-là, raconte Mathieu Marais, « M. le Régent a eu une lettre de cachet du roi pour le représenter, et y assister avec les timbales et les gardes du corps, et a eu tous les honneurs du roi[3]. »

Deux innovations remarquées signalent les débuts du règne du Régent. Il s'agit du mode de gouvernement : l'installation à Paris et l'institution

---

1. Saint-Simon, *Mémoires*, *op. cit.*, p. 243.
2. Cité par Michel Antoine, *Le Conseil du roi sous Louis XV*, Paris-Genève, Droz, p. 78.
3. M. Marais, *Journal et Mémoires*, *op. cit.*, t. I, p. 226.

de la polysynodie. Dès le mois de septembre 1718, Philippe d'Orléans prend ses quartiers au Palais-Royal. Les conseils se tiendront au Louvre et aux Tuileries. Après trente-trois ans d'exil le centre du gouvernement revient dans la capitale. Quant à la polysynodie, c'est une nouvelle manière de répartir les responsabilités. D'ailleurs cette nouvelle organisation est complexe. Il faut l'expliquer et en définir la portée.

Pour cela rappelons d'abord les caractéristiques de l'ancienne organisation. Le gouvernement royal de Louis XIV se composait d'un Conseil, siégeant en quatre sections, et de cinq ministres (le contrôleur général et les quatre secrétaires d'État), ces ministres rapportant au Conseil et se partageant dans leurs départements respectifs toutes les affaires de l'administration du royaume.

Dans la nouvelle organisation (appelée polysynodie) que met en place la déclaration du 15 septembre 1715, et qui va durer jusqu'en 1718, le Conseil du roi ne se réunit plus que sous deux formes (Conseil de régence et Conseil des parties) au lieu de quatre. Deux des cinq ministres disparaissent (le contrôleur général et le secrétaire d'État à la Guerre) et les trois autres, dépossédés de leurs départements, ne font plus de rapports au Conseil. En fait leurs responsabilités sont maintenant attribuées à sept conseils particuliers, sortes de « ministères collégiaux » chargés de préparer les décisions devant être prises au Conseil de régence. Chaque conseil a son président, et ce ne sont plus les ministres qui rapportent les affaires au Conseil, mais les présidents de ces conseils. Les sept conseils sont les suivants : conscience, affaires étrangères, guerre, marine, finances, « affaires du dedans du royaume », et commerce.

Ces nouveautés ont paru considérables. A l'analyse, leur importance n'est pas si grande. Le système louis-quatorzien de gouvernement est conservé pour l'essentiel. Le roi décide en dernier ressort, le chancelier ne retrouve pas son ancienne prééminence. Il faut noter enfin que le Régent, comme Louis XIV, demeure le seul ordonnateur de toutes les dépenses[1]. Le pouvoir royal n'est aucunement affecté.

En revanche — et c'est quand même une modification de taille — la puissance des ministres, le « despotisme ministériel », est anéanti. Trois secrétaires d'État subsistent (Maison du roi, Marine et Affaires étrangères) mais ils n'ont plus que des fonctions d'exécutants. Ils ne rapportent plus les affaires. La fonction ministérielle est désormais assurée d'une manière collégiale, par les différents conseils. Ajoutons que le personnel politique a changé. La polysynodie est le gouvernement de la noblesse. Le duc de Saint-Simon, conseiller du Régent, l'a voulu comme tel : « Mon dessein, écrit-il, fut de commencer à mettre la noblesse dans le ministère, avec l'autorité et la dignité qui lui convenaient. » Revanche sur Louis XIV, réparation d'un règne de « vile

---

1. D'après une déclaration du 23 septembre 1715.

roture », ce sont les gentilshommes qui gouvernent. Le maréchal d'Huxelles préside le Conseil particulier des affaires étrangères, le duc d'Antin celui des affaires du dedans, le duc de Noailles celui des finances. Le cardinal de Noailles est à la Conscience et le maréchal de Villars à la Guerre. Les mêmes, plus quelques autres de semblable rang, se retrouvent au Conseil de régence.

La polysynodie dure trois ans. Un tel système était une invention curieuse, mais inefficace pour deux raisons : l'incompétence de la plupart des conseillers, gens tout à fait inexpérimentés, et leur trop grand nombre. Au Conseil de régence, en particulier, on se trouve à plus de quinze personnes. Saint-Simon, membre lui même de ce Conseil, raconte à ce sujet l'anecdote suivante :

> Une fois que le Roy y vint (au Conseil), un petit chat qu'il avait le suivit et quelques temps après sauta sur lui et de là, sur la table où il se mit à se promener, et aussitôt le duc de Noailles à crier parce qu'il craignait les chats. Le duc d'Orléans se mit en peine pour l'ôter et moi à sourire et à lui dire : « Eh, Monsieur, laissez ce petit chat, il fera le dix-septième[1]. »

Ajoutons que tous ces nobles conseillers non seulement ne savent pas travailler en commun mais encore se disputent sans arrêt pour des questions de préséance. Par exemple, un jour, au Conseil de la marine, Vauvré dispute le rang à Bonrepaux qui est passé avant lui, et déclare qu'il ne viendra plus dans ce Conseil, à moins qu'on ne lui rende sa place.

L'idée de la polysynodie ne venait pas du Régent, mais de Saint-Simon et du cercle de pensée qui avait naguère fondé ses espoirs sur le duc de Bourgogne et sur la théorie politique fénelonienne. Dans la création des conseils particuliers et dans l'abaissement des ministres, Philippe d'Orléans n'avait vu qu'une opportunité. Ayant supporté pendant trois ans les ducs et leurs querelles, il se décida à revenir à l'ancienne organisation. Cette intention se manifeste dès les premiers mois de 1718. Dès ce moment-là, il devient évident que les principales affaires sont traitées hors des conseils et que même le Conseil de régence n'est plus tenu au courant. « On n'y a rien à faire, observe un de ses membres, on n'y traite aucune affaire d'État, on n'en entend même pas parler, hors qu'elle n'ait mal réussi [...]. On peut juger avec cela de l'importance de nos places[2]. »

Il est toutefois des cas où la délibération s'impose. Le Régent la conduit alors de telle manière que tous les conseillers sont obligés de se plier à sa volonté. Un bon exemple de cette façon de faire nous est fourni par la séance du vendredi 26 août 1718[3]. Ce jour-là le duc d'Orléans,

1. Cité par Dom Leclercq, *Histoire de la Régence*, Paris, 1921, 3 vol., t. II, p. 54.
2. *Ibid.*, p. 82.
3. Pour laquelle nous avons une relation détaillée de Saint-Simon, *Mémoires, op. cit.*, p. 15.

passant outre les réticences très fortes de la majorité des conseillers, leur fait adopter un arrêt contre le Parlement et approuver une déclaration contre les princes légitimes.

L'opération mérite d'être racontée. Il y a ce vendredi vingt personnes en séance. Voici la disposition du conseil :

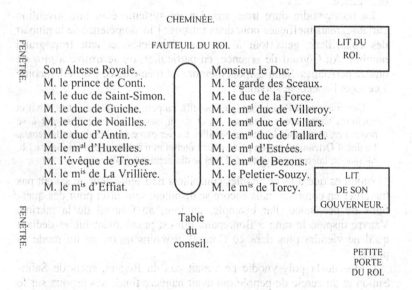

CHEMINÉE.

FAUTEUIL DU ROI.

LIT DU ROI.

FENÊTRE.

Son Altesse Royale.
M. le prince de Conti.
M. le duc de Saint-Simon.
M. le duc de Guiche.
M. le duc de Noailles.
M. le duc d'Antin.
M. le m^{al} d'Huxelles.
M. l'évêque de Troyes.
M. le m^{is} de La Vrillière.
M. le m^{is} d'Effiat.

Monsieur le Duc.
M. le garde des Sceaux.
M. le duc de la Force.
M. le m^{al} duc de Villeroy.
M. le m^{al} duc de Villars.
M. le m^{al} duc de Tallard.
M. le m^{al} d'Estrées.
M. le m^{al} de Bezons.
M. le Peletier-Souzy.
M. le m^{is} de Torcy.

LIT DE SON GOUVERNEUR.

FENÊTRE.

Table du conseil.

PETITE PORTE DU ROI.

PORTE ORDINAIRE D'ENTRÉE.

Dès le début de la séance, le Régent manifeste de manière ostensible sa volonté de contrôler les réactions des conseillers. Il se rapproche du fauteuil vide du roi « pour mieux voir les deux côtés, ce qu'il ne faisait jamais ».

Dans la première partie de la séance, le Régent, « avec un air d'autorité et d'attention » qui frappe beaucoup Saint-Simon, ordonne au garde des Sceaux de lire un arrêt du Conseil cassant ceux du Parlement et fixant pour l'avenir les règles auxquelles cette compagnie devrait se conformer pour ses remontrances. Lecture faite, le Régent « contre sa coutume » montre son avis « par les louanges qu'il donne à cette pièce ». Et puis, au lieu de prendre les voix des conseillers selon la coutume ordinaire, c'est-à-dire en commençant par le bout de la table, il s'écarte délibérément de cette règle et commence par interroger les conseillers les plus haut placés, le duc de Bourbon et le prince de Condé.

Pour la déclaration contre les légitimés, on procède de la même manière. Le Régent, « d'un ton encore plus ferme et plus maître qu'à la première affaire », résume et justifie le texte qui va être lu. Il s'agit, dit-il, de rendre justice aux pairs et par conséquent de réduire les princes légitimes au rang de leur pairie. Le duc du Maine et le comte de Toulouse ne devraient qu'à une faveur indue de passer avant les autres pairs plus anciens qu'eux. Ce discours fini, le Régent dit au garde des Sceaux de lire la déclaration. Puis, comme précédemment, il recueille les opinions en allant des princes du sang aux derniers conseillers. La déclaration achève l'humiliation des bâtards légitimés que l'on avait déjà déchus de leur rang de princes du sang. Les voici maintenant ravalés au dernier ordre de la pairie. C'est une nouvelle offense à la mémoire de Louis XIV. Les conseillers, tenants du parti de la « vieille Cour », sont atterrés. Le maréchal de Villeroy ne cache pas son désarroi. Mais nul ne proteste. Et le duc d'Orléans peut conclure victorieusement : « Messieurs, voilà donc qui a passé, la justice est faite[1]. »

Ce Conseil du 26 août précède d'à peine un mois la suppression de la polysynodie. Le 23 septembre, sont dissous les Conseils de conscience, des affaires étrangères, du dedans, du royaume et de la guerre. Ne subsistent que ceux des finances, du commerce et de la marine. Les secrétaires d'État sont restaurés dans leur fonction de rapporteurs, et l'administration des provinces leur est à nouveau attribuée. L'abbé Dubois, l'homme de confiance du Régent, reçoit les Affaires étrangères. Il ne reste presque plus rien de l'échafaudage polysynodal. Lorsque, le 5 janvier 1720, Law sera nommé contrôleur général, le gouvernement louis-quatorzien sera entièrement rétabli.

Dans sa forme, mais aussi dans son esprit. Désormais le Régent traite le Conseil de régence comme une chambre d'enregistrement. C'est à peine si on le consulte. Par exemple, l'édit de mai 1718 sur la refonte des monnaies est lu devant lui, mais on ne lui demande pas son avis. Bientôt sont créés de nouveaux conseils, qui sont en fait des commissions de spécialistes et qui le dépossèdent de la réalité des affaires : un nouveau Conseil des finances, créé en 1720, un nouveau Conseil de conscience, créé en octobre de la même année, et un Bureau, puis Conseil de santé qui doit sa création à la peste de Marseille.

Après la Régence aristocratique, c'est maintenant la Régence autoritaire, qui ressemble trait pour trait à la royauté de Louis XIV. Le régime dure cinq années pendant lesquelles le Régent « a pu faire ce qu'il a voulu, quand il l'a voulu, comme il l'a voulu[2] ». Le contraste est vif avec la première période. De même on passe d'une attitude de révérence vis-à-vis du Parlement à une certaine sévérité. L'une des premières actions du Régent avait été de rendre aux parlements le droit de remontrances

---

1. Saint-Simon, *Mémoires, op. cit.*, p. 23.
2. M. Antoine, *Le Conseil du roi..., op. cit.*, p. 113.

préalables à l'enregistrement. Les cours souveraines en profitent pour rejeter les édits, faire de continuelles représentations, et même demander au roi le compte précis de ses recettes et dépenses. A partir de 1718, le conflit est ouvert entre le parlement de Paris et le gouvernement royal. Cela se terminera par la translation du Parlement à Pontoise, mesure classique de mise au pas, le 21 juillet 1720.

Philippe d'Orléans aurait-il réussi la reprise en main s'il avait été livré à ses seules forces? Comme on le connaît, c'est peu probable. Mais, à côté de lui, se tenait l'homme le plus acharné qui fut jamais, son ancien précepteur, devenu son ministre, l'abbé Dubois[1].

Fils d'un apothicaire de Brive, Dubois devient archevêque, cardinal, premier ministre. Il y a peu d'exemples d'une élévation aussi extraordinaire. Il est arrivé par le préceptorat. Alors qu'il étudie à l'Université de Paris, comme boursier du collège Saint-Michel, il est nommé sous-précepteur du duc de Chartres, le futur Régent. La diplomatie achève ce que la pédagogie avait commencé. La mission lui est confiée du rapprochement avec l'Angleterre. Le traité de la Triple-Alliance (France, Grande-Bretagne et Provinces-Unies), de 1718, est son œuvre. Il entre au Conseil des affaires étrangères. Son ascension commence, irrésistible: secrétaire d'État en septembre 1718, archevêque de Cambrai sacré le 9 juin 1720, cardinal le 16 juillet, enfin premier ministre en 1722, pour mourir l'année suivante, le 10 août 1723.

L'homme a été vilipendé par tous les mémorialistes. Il n'y a pas de défaut dont on ne l'ait chargé. Au dire de Saint-Simon «tous les vices combattaient en lui». La Palatine le qualifie de «fourbe». Mathieu Marais l'accable: «Un homme d'une naissance très basse [...] qui n'est estimé ni pour son esprit ni pour ses mœurs.» On répétait partout qu'il avait mal élevé le Régent et qu'il l'avait même perverti. On se plaisait à souligner sa vulgarité et sa mauvaise habitude de jurer à tout propos et hors de propos. «On dit, raconte Marais, qu'en répétant sa messe, ne pouvant apprendre l'introït, il dit: "Mord... je n'apprendrai jamais ce b... de verset-là", et un laquais de l'archevêque de Reims, ayant eu querelle auparavant avec un des siens, et étant entré en dispute sur les qualités, celui de l'abbé Dubois dit à l'autre: "Ton maître sacre les rois, mais le mien sacre Dieu tout le long du jour[2]". »

Faut-il prendre tout cela pour argent comptant? Ce n'est pas sûr. Dubois n'avait sans doute que peu de religion, mais rien ne prouve qu'il ait été perdu de mœurs, ni qu'il ait corrompu son élève. Alors pourquoi ce concert de médisances? Probablement à cause de sa terrible ambition. Qu'un fils d'apothicaire veuille être cardinal et premier ministre, dans cette société d'ordres et de rangs, cela paraissait du plus mauvais goût.

---

1. Voir *Dubois cardinal, premier ministre (1656-1723)* par le R. P. Bliard, Paris, s.d., 2 vol.

2. M. Marais, *Journal et Mémoires, op. cit.*, p. 276.

Seul un aventurier sans scrupule pouvait nourrir le projet d'une ascension aussi démesurée.

Bornons-nous à l'homme d'État. Dubois est un habile négociateur, un temporisateur, un prodigieux travailleur. Nous avons l'emploi du temps pour chaque jour de la semaine de l'année où il a été premier ministre. Sa journée vaut celle de Colbert. Le travail commence à cinq heures du matin par l'«ouverture des paquets, le renvoi des lettres et placets dans les différents bureaux et les réponses aux lettres particulières» et finit à six heures de l'après-midi par l'audience du contrôleur général. Entre-temps, son Éminence a assisté au lever du roi, reçu les premiers commis des ministères pour leurs rapports, instruit le roi, signé les dépêches pour les pays étrangers, donné les audiences avec le Régent, et travaillé en tête à tête avec le garde des Sceaux et les secrétaires d'État[1]. Il ne faut pas oublier non plus que Dubois est devenu premier ministre à un moment très critique, celui de l'effondrement du système de Law, et qu'il a su trouver les mesures propres à restaurer, au moins en partie, le crédit de l'État.

LA POLITIQUE ROYALE

On examinera les trois aspects principaux, à savoir le Système[2], la politique vis-à-vis du jansénisme et l'alliance avec l'Angleterre.

Le Système

On appelle ainsi la politique financière et économique pratiquée par le gouvernement de la Régence de 1717 à 1722.

A la mort de Louis XIV, le gouvernement se trouve devant deux très graves difficultés. L'une est la pénurie d'espèces d'or et d'argent (comme tout au long du règne du Grand Roi) et l'autre une dette publique très importante due en partie aux guerres de la fin du règne.

Le 24 octobre 1715, un Écossais nommé John Law propose au Régent un moyen original de résoudre ces difficultés et de renflouer en même temps l'économie du royaume et les finances de l'État. Le Régent est séduit mais ne se décide pas. Law revient à la charge en décembre. Cette fois il est entendu.

Qui est John Law? Peut-être pas un aventurier (si l'on prend ce terme dans son sens péjoratif ordinaire) mais sûrement un homme instable et qui n'est pas parfaitement recommandable. Né le 21 avril 1674 à

---

1. «*Journal de Son Éminence*», *Mémoires secrets et correspondance inédite du cardinal Dubois, premier ministre*, recueillis par M. de Sevelingues, Paris, 1819, 2 vol.
2. Consulter Edgard Faure, *La Banqueroute de Law*, Paris, Gallimard, 1977 et Claude Frédéric Lévy, *Capitalistes et pouvoir au siècle des Lumières*, Paris, 1970.

Édimbourg, fils d'un orfèvre, il doit quitter son pays à l'âge de vingt ans, parce qu'il a tué son adversaire dans un duel pour une histoire de femme. Il reviendra séjourner en Écosse en 1705, mais pour peu de temps. La plus grande partie de sa vie se passera désormais dans les pays étrangers, un peu partout en Europe, en Hollande, à Genève, à Venise et enfin à Paris.

Il est aussi un théoricien de l'économie, et un théoricien de génie. Dans son ouvrage *Money and Trade* (1705) il expose l'idée alors très nouvelle et qui fera fortune de la «monnaie dirigée» (*managed currency*). Il démontre de manière très juste et convaincante que la véritable richesse n'est pas la monnaie mais le commerce, l'industrie, le nombre des habitants, et la bonne culture des terres. Seulement il faut un fluide qui entraîne tout; c'est la monnaie de papier bien supérieure au numéraire parce que beaucoup plus souple et mobile. D'ailleurs, puisque les seules richesses réelles sont les denrées et les marchandises, le choix de la monnaie finalement importe assez peu.

La théorie de Law a des points forts et des points faibles. Elle est forte dans son apologie du crédit bancaire et des avantages du papier. Elle est faible lorsqu'elle estime la quantité de billets à mettre en circulation. Law pense en effet qu'il faut créer dans le public une habitude d'utiliser les billets de banque et que lorsque cette habitude sera créée, on pourra sans risque lancer une circulation supérieure à l'encaisse. Mais s'il y a panique? Ici la réponse de Law est déconcertante. Il ne voit aucune autre solution que de décréter le cours forcé, «singulière inconséquence qui ruine tout l'édifice» (Gaxotte).

Le Régent ne voit pas si loin. Le système de Law ne comporte «ni privation, ni impôt, ni souffrance». Peut-on imaginer formule plus économique? En trois années, toute une organisation va être mise en place, afin de réaliser le projet de John Law.

La Banque et la Compagnie sont les deux institutions clés du Système. La Banque émet les billets. La Compagnie crée et mobilise les richesses réelles. La Banque, créée en mai 1716, devient royale en décembre 1718. Elle est à la fois banque d'émission et banque d'affaires. La Compagnie est constituée en août 1717 sous le nom de Compagnie d'Occident, laquelle deviendra en décembre 1718 Compagnie des Indes. Cette société se voit attribuer le monopole de l'exploitation de la Louisiane, la ferme des impôts indirects (août 1719), puis celle des impôts directs (octobre 1719). Elle émet des actions qui sont distribuées dans le public. Par la Banque et par la Compagnie, toute l'économie est prise en main sous le contrôle de l'État.

Cependant le Système ne peut réussir sans la confiance. Confiance dans les billets, confiance dans les actions de la Compagnie.

Pour créer la confiance dans les billets, on déprécie les espèces. On procède à des manipulations monétaires beaucoup plus importantes que celles du règne précédent. De mai 1718 à mai 1719, le louis est ramené de 86 livres à 35, puis à 34 en juillet, puis à 33 en septembre et à 32 en décembre et ainsi de suite. Le but est de décourager les détenteurs de métal, et de les inciter de cette manière à échanger leurs pièces contre des billets de banque. Pendant ce temps on garantit la fixité des billets. L'arrêt du Conseil du 22 avril 1719 interdit toute diminution de leur valeur : « Comme la circulation des billets, dit ce texte, est plus utile aux sujets de Sa Majesté que celle des espèces d'or et d'argent et qu'ils méritent une protection singulière [...], entend Sa Majesté que les billets stipulés en livres tournois ne puissent être sujets aux diminutions qui pourraient survenir sur les espèces et qu'ils soient toujours payés en leur entrée. »

Quant aux actions, une propagande abusive assure leur crédit. La Louisiane n'est encore qu'une terre déserte et inconnue. Mais on parle de rochers de diamants, de collines d'or, de carrières d'émeraudes. Des images font miroiter aux futurs actionnaires les moissons abondantes, le bétail prolifique, les forêts pleines de bois précieux. On utilise aussi les primes. Le 17 juin 1719, par exemple, la Compagnie des Indes émettant 25 millions de nouvelles actions annonce que leur valeur nominale restant fixée à 500 livres, elles seront néanmoins payables à 550 livres, soit avec une prime de 10 %. Les souscripteurs y voient l'indice d'une hausse qui ne peut aller qu'en se prononçant.

Ainsi disposé, le Système fonctionne de la manière suivante : la masse des billets n'étant pas absorbée par le circuit économique ne va plus servir qu'à alimenter la spéculation. De sorte que les actions vont connaître une hausse incroyable, extravagante. En octobre 1719, elles atteignent 300 % de gain. A la fin de l'année les actions de 500 livres atteignent le cours de 12 000. Les gens se battent pour en avoir. On vend ses terres, ses bijoux, ses dentelles, pour avoir du papier. La rue Quincampoix (entre les rues Saint-Denis et Saint-Martin), qui est le centre des négociations, est du matin jusqu'au soir le siège d'une activité grouillante où les fortunes se font et se défont. Pour soutenir le marché, la Compagnie procède régulièrement à des augmentations de capital, et, pour soutenir les actions, le Conseil du roi autorise de fréquentes émissions de billets. Actions et billets sont liés. Nommé contrôleur général des Finances en janvier 1720, Law autorise de son propre chef les nouvelles émissions. Il coiffe complètement le Système. Enfin l'État trouve son intérêt. Par l'arrêt du 27 août 1719, la Compagnie a été autorisée à prêter de l'argent au roi pour rembourser la dette publique. La première opération réalisée est un prêt de 1 200 millions. La menace de banqueroute était très forte au début de la Régence. Grâce à Law, ce péril semble écarté.

La faiblesse du Système vient de l'énorme disproportion entre la masse de papier émis et l'encaisse métallique. Pendant l'été de 1719 la confiance de certains commence à être ébranlée. C'est le début de la baisse, qui devient vertigineuse lorsque les Anglais et les banquiers ennemis de Law se mettent à peser sur les cours. En peu de jours les actions retombent de 18 000 livres à 10 000, puis à 9 000. Le public affolé se rue aux guichets de la banque pour changer son papier contre les espèces sonnantes, ou bien se dépêche d'acheter des valeurs réelles, immeubles ou marchandises. On finit par se tuer rue Quincampoix. Un jeune gentilhomme, le comte de Horn, assassine un agioteur. Il est roué en Grève. Le gouvernement met fin à l'expérience. Le 10 octobre 1720, un arrêt du Conseil suspend le cours des billets à dater du 1er novembre. Les actions tombent à presque rien. Law, révoqué, reçoit ses passeports pour les Pays-Bas.

Le Système est difficilement défendable. Certes on ne peut lui dénier des effets positifs. Les grands seigneurs enrichis par la spéculation ont investi dans les grands travaux pour améliorer les voies navigables. Par exemple, les ducs d'Antin, de Noailles et de Brancas ont fondé une société pour l'amélioration des eaux de la Durance. On peut compter aussi comme effets favorables le désendettement des paysans et la multiplication des transferts fonciers. Cependant le négatif l'emporte. La baisse venant, les porteurs de papier se sont empressés de se libérer de leurs dettes, et tous ceux dont les rentes constituées formaient l'essentiel du patrimoine ont perdu de ce fait une grande partie de leurs revenus. Or qui étaient les principaux de ces rentiers ? Les communautés religieuses issues de la réforme catholique, les fabriques des paroisses et les hôpitaux. Les hôpitaux, c'est-à-dire les pauvres et les malades. L'hôtel-Dieu d'Angers, chargé de 300 000 livres en papier, est obligé de réduire ses malades au nombre de cent, alors qu'il en avait cinq cent un. Les pauvres sont les grands perdants du Système.

Ainsi que les créanciers de l'État. La dette publique au moment où Law quitte le royaume s'élève à plus de 3 milliards, contre 1,5 milliard en octobre 1719. Une commission désignée en janvier 1721 et dirigée par les quatre frères Paris, banquiers réputés, reçoit la mission d'examiner tous les papiers du Système. Le tiers est annulé, le reste est converti en rentes sur l'État. Quant aux comptes en banque ils sont purement et simplement supprimés. Si ce n'est pas une banqueroute, qu'est-ce que c'est ?

Les tableaux qui sont faits de la situation matérielle du royaume à la fin du Système sont très noirs. «Quelle plume, écrivent les frères Paris, réussirait à peindre le désordre et le chaos du Royaume, à la retraite de M. Law ? [...] Tous les ouvriers étaient sans travail, les manufacturiers, le commerce et l'industrie dans l'inaction [...], les gages des officiers et des pensions n'étaient point payés [...]. Une pauvreté réelle faisait languir tous les citoyens, tandis qu'il y en avait quelques-uns seulement qui regorgeaient de toutes sortes de richesses[1] [...].» Même son de

---

1. Cité par C. F. Lévy, *Capitalistes et pouvoir au siècle des Lumières, op. cit.*, p. 373.

cloche dans Mathieu Marais lequel note dans son *Journal*, en novembre 1720 : « La misère commence à se montrer dans Paris […]. Les billets et les actions ne produisent rien […]. On parle de faire d'autres billets royaux et d'acquitter le papier par un papier nouveau. C'est un abîme irréparable et au fond duquel la France gémit inutilement[1]. »

Cependant l'effet le plus pernicieux du Système est la crise morale qu'il provoque. Les retournements subits de fortune, la passion du gain et de la spéculation, et le désespoir des perdants introduisent, dans la société et dans les mœurs, de nouveaux facteurs de désagrégation et de corruption.

Il se peut que le Système ait eu des effets favorables sur l'économie française, mais les Français ne semblent pas s'en être aperçus, et le souvenir qu'ils en gardent est des plus mauvais. A la fin de novembre 1720, circule dans Paris l'épitaphe de Law. La voici :

> Ci-gît cet Écossais célèbre,
> ce calculateur sans égal,
> qui, par les règles de l'algèbre
> a mis la France à l'hôpital[2].

L'alliance anglaise et la guerre d'Espagne

L'alliance anglaise, pivot de la politique étrangère de la Régence, ne surprend pas moins que le Système. Depuis près de quarante ans l'Angleterre était l'ennemie de la France et l'âme de toutes les coalitions dirigées contre Louis XIV. L'installation des Bourbons à Madrid semblait avoir interdit pour longtemps toute tentative de rapprochement entre les deux Couronnes. C'est donc à l'étonnement général que le Régent, dès son accession au pouvoir, prend l'initiative d'une réconciliation.

Dubois, nous l'avons vu, est chargé de la délicate négociation. Au cours de deux missions, à La Haye d'abord, en août 1716, puis à Hanovre, au mois d'octobre de la même année, il rencontre le secrétaire d'État anglais Stanhope et met au point avec ce dernier les bases d'un traité d'alliance. La mission de Dubois est officieuse, mais le Régent s'est engagé personnellement. Il a fait remettre au ministre anglais une lettre où il lui écrit ceci : « […] Je suis toujours persuadé que vous désirez plus que personne que je sois uni d'amitié avec le Roi de la Grande Bretagne[3]. »

Le 4 janvier 1717 est signé à La Haye le traité dit de la Triple-Alliance entre la France, la Grande-Bretagne et les Provinces-Unies. C'est une alliance défensive. Pour l'obtenir, la France a dû consentir à détruire les

---

1. M. Marais, *Journal et Mémoires*, *op. cit.*, p. 480.
2. *Ibid.*
3. Cité par Dom Leclercq, *Histoire de la Régence*, *op. cit.*, p. 351.

fortifications de Dunkerque, ainsi que l'écluse du canal de Mardyck, pièce importante de ce système de défense. Il a fallu aussi qu'elle s'engage à expulser de son territoire le prétendant Stuart et tous ses partisans.

Pourquoi une telle alliance et à des conditions si humiliantes ?

Massillon prétend dans ses *Mémoires* que le Régent s'était vendu aux Anglais depuis longtemps, et qu'il avait fait « ses conventions avec cette couronne pour la sûreté de ses droits à la Régence[1] ». C'est vraisemblable.

Il est également tout à fait probable que Philippe d'Orléans ait voulu s'assurer, en cas de succession, l'appui de l'Angleterre contre les prétentions de Philippe V. On avait alors quelques inquiétudes au sujet de la santé de Louis XV. De toute façon, le Régent était parfaitement en droit d'envisager la possibilité d'une succession plus ou moins proche dans la branche cadette. C'était même son devoir d'y penser et de la préparer.

L'alliance anglaise est aussi un moyen de confirmer la paix en Europe. Par le traité de La Haye, la France rassure le roi d'Angleterre. C'est une manière indirecte mais efficace de consolider le traiter d'Utrecht et de confirmer la légitimité de Philippe V. Il serait sans doute exagéré d'y voir une rupture totale avec la politique de Louis XIV.

Quoiqu'il en soit, l'alliance anglaise conduit à la guerre avec l'Espagne, cette puissance ayant eu le tort de contrecarrer les plans de la diplomatie britannique.

L'Angleterre tenait beaucoup à élargir l'Alliance. Elle avait projeté de faire entrer l'Empereur dans son jeu, en lui abandonnant les possessions italiennes de l'Espagne, et, en premier lieu, la plus convoitée de ces possessions, la Sicile (pour lors attribuée au duc de Savoie par le traité d'Utrecht). Elle se flattait d'obtenir du Habsbourg (en échange) la reconnaissance de Philippe V.

Or si Charles VI entre dans les vues anglaises, il n'en va pas du tout de même de Philippe V. Car l'Espagne ne se résigne pas à la perte de la Sicile. En 1718, une flotte espagnole tente un coup de main sur l'île. C'est plus que ne peuvent en supporter les Anglais : le 11 août 1718, la flotte anglaise de l'amiral Byng détruit l'espagnole au large du cap Passaro. Le mécanisme est déclenché. Philippe V déclare la guerre à l'Angleterre, et la France, honorant ses engagements de l'alliance défensive de La Haye, déclare la guerre à l'Espagne, le 9 janvier 1719.

L'alliance anglaise avait surpris. La guerre à l'Espagne scandalise. Philippe V n'est-il pas un prince français ? N'a-t-on pas, il y a moins de dix ans, sacrifié des centaines de milliers de vies françaises pour le maintenir sur son trône ? Et maintenant c'est à lui que l'on fait la guerre. La chose est à peine croyable.

---

1. Jean-Baptiste Massillon, *Mémoires*, Paris, 1805, p. 164.

Le Régent sait bien que sa guerre est impopulaire. Il se justifie. Dubois fait écrire par Fontenelle, l'une des meilleures plumes de son temps, un « Manifeste du roi de France » destiné à impressionner le public et à lui prouver l'absolue nécessité de la rupture. Avant de présenter le Manifeste au Conseil de régence, le Régent le fait examiner par un comité restreint composé d'amis et d'intimes. Outre l'argument diplomatique, Philippe d'Orléans invoque celui du complot contre la sécurité de l'État. On vient de découvrir (fort opportunément) que le prince de Cellamare, ambassadeur d'Espagne, intriguait depuis longtemps pour le compte de son maître, qu'il avait noué avec le parti de la vieille Cour les fils d'une conspiration en faveur du petit-fils de Louis XIV, et pour placer ce dernier sur le trône de France. On exhibe (à point nommé) les « manifestes aux Français » signés du roi d'Espagne, les appelant à se révolter contre le gouvernement de la Régence. En fait, ces papiers brûlots étaient rédigés par les conjurés (qui bornaient là toute leur activité). C'étaient des faux, et Saint-Simon se plaint à juste titre de ce que le Régent les ait utilisés contre Philippe V. Disons néanmoins, à la décharge du gouvernement de la Régence, que Philippe V n'avait nullement renoncé à ses droits à la Couronne de France, et que, s'il ne signait pas lui-même la propagande, il l'encourageait en sous-main. Mais disons aussi, à l'opposé, que le Régent ne paraît pas très libre dans cette affaire où il joue trop évidemment le jeu de l'Angleterre. Nous savons en effet qu'au moment de la déclaration de guerre de la France, le cabinet anglais redoutait beaucoup un débarquement du prétendant Stuart en Écosse avec l'appui de la flotte espagnole, et que l'intervention française lui paraissait le moyen le plus approprié pour détourner ce péril[1].

La guerre est donc déclarée. Elle a lieu. Elle est courte et facile. L'armée française, commandée par le duc de Berwick, prend Fontarabie le 16 juin 1719, et Saint-Sébastien le 1er août. Puis elle se transporte à l'autre bout des Pyrénées pour y faire tomber aussi quelques places. C'est la campagne de Catalogne et la prise de la Seu d'Urgel. On s'arrête là. On dirait qu'on est pressé de terminer, que c'est une guerre pour la forme. En janvier 1720, Philippe V signe le traité de Madrid par lequel il renonce à la Sicile et adhère à l'Alliance des grandes puissances, alliance triple en 1717, quadruple en 1718 avec l'entrée de l'Empereur et maintenant quintuple. Les Anglais ont atteint leur objectif. Ils sont les maîtres du système.

C'est peut-être parce qu'ils s'en rendent compte et veulent prévenir le risque de l'hégémonie anglaise sur l'Europe occidentale que le Régent et Dubois amorcent dès 1721 un retour vers l'Espagne.

En tout cas ils accueillent avec empressement la proposition formulée cette année-là par Philippe V de marier le prince des Asturies avec

---

1. Saint-Simon, *Mémoires, op. cit.*, p. 284.

Mlle de Montpensier, fille du Régent, et sa fille unique avec le jeune roi Louis XV.

Avec empressement et soulagement. Le roi d'Espagne n'avait-il pas envisagé un moment de marier le prince des Asturies avec l'héritière d'Autriche, l'archiduchesse Marie-Thérèse? Un tel mariage n'aurait abouti à rien moins qu'à refaire l'empire de Charles Quint.

Les fiançailles espagnoles sont promptement conclues. L'échange des fiancées (Mlle de Montpensier et l'infante) a lieu le 9 janvier 1722 dans l'île des Faisans où s'était fait autrefois le mariage de Louis XIV. Le 2 mars la petite fille fait son entrée à Paris. Veut-on effacer jusqu'au souvenir de la guerre? Des ordres ont été donnés pour que la réception faite à l'Espagnole soit la plus magnifique possible. Toutes les rues et places qui se trouvent sur son passage sont illuminées, et des feux sont allumés devant toutes les portes «à la manière accoutumée dans les occasions de réjouissances». Le soir du 8 mars est donné au Louvre un «grand bal de cérémonie». Les dames y paraissent en robes de Cour, les hommes en «étoffes à fleurs d'or et de toutes couleurs[1]». Le 9, illumination du jardin des Tuileries, le 10 bal à l'Hôtel de Ville, le 14 «grand feu», c'est-à-dire feu d'artifice tiré place du Palais-Royal, illuminée de tous côtés et ornée de décors peints, telle est la succession splendide des cérémonies. Les Parisiens en ont pour leur joie et la petite infante (elle a cinq ans) est émerveillée. On s'attendrit devant cette enfant qui joue à la poupée mais qui en même temps montre beaucoup de gentillesse et une présence d'esprit au-dessus de son âge. «Elle veut embrasser tout le monde, écrit le grave Mathieu Marais. Ses petites mains sont toujours en l'air et elle a beaucoup de grâce dans toute sa personne. Elle aime fort le Roi[2].» La France est le royaume dont les princes sont des enfants. Après s'être émerveillés de leur roi-enfant, les Français s'apprêtent à pouponner leur future reine.

La politique à l'égard des jansénistes

La politique antijanséniste de Louis XIV avait suscité une très forte opposition qui était au plus vif au moment de sa mort. A vrai dire, le conflit entre le jansénisme et le pouvoir royal n'était pas chose nouvelle, ayant commencé avec le jansénisme lui-même. Le jansénisme est une hétérodoxie, c'est-à-dire une théologie qui se sépare sur plusieurs points, entre autres ceux du péché originel et de la grâce, de la doctrine commune traditionnelle. Depuis près d'un siècle, Rome ne cesse d'avertir contre les erreurs jansénistes et de les condamner. Le pouvoir royal ne cesse d'être en parfait accord avec les décisions romaines, qu'il les sollicite ou qu'il se contente de les approuver. La dernière condam-

---

1. M. Marais, *Journal et Mémoires*, *op. cit.*, t. II, p. 249.
2. *Ibid.*, p. 253.

nation, formulée dans la constitution *Unigenitus Dei filius*, frappe cent
une propositions extraites du livre d'un oracle du parti janséniste, le
P. Quesnel, livre intitulé *Réflexions morales sur le Nouveau Testament*.
Malgré une forte opposition des magistrats, Louis XIV oblige le
Parlement à enregistrer la constitution romaine qui devient de ce fait loi
du royaume.

Le Régent se trouve donc, au moment de son accession au pouvoir,
confronté au problème janséniste. La difficulté à vaincre est celle de la très
vive protestation du parti janséniste contre la bulle *Unigenitus*. Le pape,
disent les jansénistes, a condamné à tort la doctrine de Quesnel, car cette
doctrine n'est autre que celle de l'Église. «Les meilleurs théologiens,
écrivent en 1717 des ecclésiastiques parisiens, ne cessent de publier
qu'on ne peut en aucune manière souscrire à la censure de tant de propositions, qui sont le pur langage de l'Écriture et des Saints Pères[1].» Le
pape s'est trompé. Le roi s'est trompé aussi en approuvant la décision du
pape. C'est ainsi que la contestation janséniste remet en cause l'autorité.

Or le parti qui la soutient est puissant. Sinon en nombre, du moins en
influence. Il compte dans ses rangs une pléiade d'«intellectuels», la
plupart docteurs de Sorbonne. De nombreux curés de paroisses des plus
grandes villes du royaume (Paris, Rouen, Orléans, par exemple) se sont
enrôlés sous sa bannière. Il a enfin la sympathie des grands jurisconsultes
comme d'Aguesseau, et de toute une troupe de parlementaires.

Ces derniers apportent au jansénisme le renfort du gallicanisme. Au
Parlement, ce que l'on fait valoir, ce sont les arguments gallicans. La
bulle ne vaut rien parce que les évêques n'ont pas été consultés.

La révolte est donc très grave. Elle nie l'infaillibilité de Pierre. Elle
blesse la royauté, accusée non seulement d'approuver une doctrine
fausse, mais aussi de violer (en ne consultant pas les évêques) les
«saintes libertés gallicanes».

Or quelle est l'attitude du Régent devant ce problème difficile? Il se
flatte d'en venir aisément à bout par la voie de la conciliation. Du
cardinal de Noailles, archevêque de Paris, et chef de l'opposition à la
bulle, il fait un président du Conseil de conscience. Il appelle au Conseil
de régence deux «jansénisants» notoires, d'Aguesseau et l'abbé Pucelle.
Il caresse. Il amadoue. Il écrit à Rome à propos des «affaires de la
religion»: «Ce n'est plus le temps de les terminer par des mesures de
rigueur et des résolutions extrêmes...[2].» Il se croit plus malin que
Louis XIV. Il concilie.

Mais comment concilier? Par les «explications». L'un des reproches

---

1. «Lettre de MM. les Ecclésiastiques de Saint-Jacques du Haut-Pas à S.E. le cardinal
de Noailles», *Le Cri de la foi*, s.l., 1719, 2 vol., 22 janvier 1717.
2. Lettre du 13 septembre 1715, adressée au cardinal de la Trémouille, ambassadeur à
Rome, citée par Jean Carreyre, *Le Jansénisme durant la Régence*, Paris, 1926-1933, 3 vol.,
t. I, p. 23.

adressés à la constitution est son obscurité. Qu'à cela ne tienne! On l'expliquera. Fin 1716, les évêques acceptants[1] se réunissent et préparent des explications afin de rendre le texte plus acceptable aux opposants. Malheureusement, les opposants ne veulent rien savoir. Ils sont intransigeants et irréductibles. Voici l'un d'eux : Mgr de Colbert, évêque de Montpellier. Le 21 décembre 1716 ce prélat écrit au P. Quesnel : «[...] qu'il est impossible de recevoir la Constitution avec quelque explication que ce puisse estre[2]». Pour comble, le 5 mars 1717, les quatre évêques de Montpellier, Senez, Mirepoix et Langres viennent déposer à la Sorbonne un acte notarié par lequel ils appellent de la constitution *Unigenitus* à un concile général, réaffirmant ainsi la doctrine, maintes fois condamnée par Rome, de la supériorité du concile sur le pape. Après les quatre évêques, trois mille ecclésiastiques formulent le même appel. Les «constitutionnaires» réagissent. La bataille fait rage. En maint endroit les fidèles s'en mêlent. Des églises sont le théâtre d'incidents violents et burlesques. A Montpellier, le curé de Notre-Dame refuse de lire en chaire le mandement de l'évêque où celui-ci annonce son appel. Alors le vicaire s'en charge, mais l'assistance antijanséniste lui coupe la parole : «[...] il n'eut pas plutôt ouvert la bouche que tout l'auditoire se souleva et battit des mains : tous les ecclésiastiques de cette église se retirèrent et le peuple sortit.» A Saint-Léger de Soissons, au contraire, le curé et ses paroissiens sont adversaires de la bulle, et, lorsque le grand vicaire de l'évêque veut y lire un mandement constitutionnaire, c'est l'explosion dans l'église : «Le curé étant encore à l'autel, se retourna et cria au peuple de toute sa force : "Sortez, sortez n'écoutez point", puis il dit au sonneur de sonner les cloches et aux religieux de chanter. Ce fut un tumulte indescriptible : les enfants frappaient de leurs sabots sur les bancs, les religieux chantaient de toutes leurs forces...[3].»
    Tels sont les résultats les plus tangibles de la politique d'«explication» et de conciliation. Il faut dire — à la décharge du Régent — que le pape ne lui facilite guère les choses. Clément XI, en effet, ne veut absolument rien retirer de sa bulle, n'accepte aucune modification. Ici Saint-Simon — par ailleurs trop prévenu contre la bulle — a raison quand il écrit : «Le pape, roidi, contre l'usage de ses plus grands prédécesseurs, à ne vouloir donner aucune explication de sa Bulle, ni à souffrir que les évêques y en donnassent aucune de peur d'attenter à sa prétendue infaillibilité [...] ne voulait ouïr parler que d'obéissance immédiate[4].»
    Or les appels se multiplient, le désordre et la confusion s'installent. Impossible de continuer ainsi. Le Régent, après deux années de complaisances, décide qu'il faut se détacher des jansénistes. A vrai dire il n'avait

---

1. Ceux qui acceptent la constitution *Unigenitus*.
2. J. Carreyre, *Le Jansénisme durant la Régence, op. cit.*, t. I, p. 142.
3. *Ibid.*, p. 165, et t. II, p. 136.
4. Saint-Simon, *Mémoires, op. cit.*, t. XIII, p. 80.

de sympathie pour eux que parce qu'ils avaient frondé Louis XIV. Il se décide non pas sur la doctrine (la théologie lui est étrangère) mais sur le critère du nombre. Un jour de 1717 — au moment où les appels battent leur plein — il fait taire Saint-Simon qui plaide auprès de lui la cause des appelants : « [...] il m'interrompit, raconte le mémorialiste, pour me faire remarquer que le grand nombre était pour la Constitution et le petit pour les appels[1]. »

On ne va pas pour autant changer complètement de politique. Mais à la carotte on ajoutera le bâton. D'un côté on continue à chercher le compromis. Un « corps de doctrine », appelé aussi « accommodement » est proposé en 1720 à la signature des évêques, sous le titre « Explication sur la bulle *Unigenitus* ». Mais auparavant (le 13 juillet 1717), le Régent a écrit à tous les évêques et à tous les parlements pour interdire les appels, et la déclaration royale du 7 octobre 1717 a suspendu « toutes les disputes, contestations et différends formés dans le royaume à l'occasion de la Constitution ».

Cette politique à double face n'est guère plus heureuse que la précédente. Certes on enregistre quelques satisfactions. L'« accommodement » est signé par une centaine d'évêques (quatre-vingt-quatorze très exactement à la date du 10 mai 1720). D'Aguesseau, la tête pensante du jansénisme parlementaire, se rallie à cette solution de compromis. Mais le gros du parti ne se calme pas et même récidive. En 1721, trois évêques et mille cinq cents ecclésiastiques renouvellent leur appel. Pour tout arranger, le pape Clément XI a fait savoir (en juillet 1720) qu'il était hostile à tout accommodement. C'est, sur toute la ligne, l'échec de la politique de conciliation.

Le Régent se résigne alors, sur le conseil de Dubois, à réprimer une contestation qu'il n'a pas su modérer. La déclaration royale du 11 juillet 1722 enjoint de signer le Formulaire pour l'accès aux bénéfices, et trois mille lettres de cachet sont expédiées contre les meneurs du parti appelant.

Un instant désarmée, la contestation ne disparaît pas pour autant. Le problème janséniste demeure dans son entier aussi épineux qu'au premier jour. On pourrait même parler d'aggravation. Car le parti janséniste peut maintenant tirer argument des incertitudes et des hésitations du pouvoir. En outre, la fièvre des querelles a énervé l'opinion publique en échauffant les têtes. Car la propagande janséniste a su très habilement, par le moyen de la chanson, du libelle ou de l'image, pénétrer partout et s'infiltrer dans toutes les parties du corps social. Voici par exemple une chanson contre la bulle, chantée à Paris en 1723 sur l'air du *Branle de Metz*. Elle comporte vingt couplets. Citons les deux premiers :

---

1. Saint-Simon, *Mémoires, op. cit.*, p. 94.

Voilà les leçons sublimes
De Prosper, de Célestin,
De Fulgence, d'Augustin,
En ce point tous unanimes.
Dans la bouche du Quesnel
Deviennent-elles des crimes ?
Dans la bouche de Quesnel
Serait-ce un poison mortel ?
C'est pourquoi du très Saint Père
Laissant ma décision
Et sa constitution
J'endure en paix sa colère.
Le concile est plus que lui,
Qu'il décide, qu'il décide,
Le concile est plus que lui
Mon inébranlable appui[1].

L'administration du royaume

Louis XIV avait centralisé l'administration. Des états particuliers avaient été supprimés, les villes, les communautés d'habitants et de métiers placées sous une étroite tutelle administrative.

On aurait pu croire que la Régence libéraliserait. Il n'en est rien. Les états supprimés ne sont pas restaurés, la tutelle administrative est maintenue dans toute sa rigueur. En mars et mai 1716, de nouveaux arrêts du Conseil renouvellent les prescriptions de Louis XIV ordonnant aux communautés de métier de soumettre leurs comptes aux lieutenants généraux de police et aux procureurs du roi. Au grand dam de l'autonomie des villes et de leurs finances, le gouvernement persiste à créer périodiquement des offices municipaux. Quant à redonner vie aux états généraux, personne, sauf Saint-Simon, n'y songe sérieusement. Les seuls corps avantagés sont ceux des officiers des parlements, rétablis dans leur droit de remontrer librement. Au total, l'administration de la Régence prolonge celle de Louis XIV.

Il n'en va pas tout à fait de même de la fiscalité. En matière de répartition de l'impôt, la Régence manifeste des intentions novatrices. Dès le mois d'octobre 1715, le Régent se propose d'établir « une juste égalité dans les impositions ». Le 27 octobre, le Conseil de régence approuve un projet de réforme de la taille. Dans chaque paroisse sera établi un état des biens fonds et un état de l'industrie. C'est le système de la taille « tarifée » ou « proportionnelle ». La réforme, il est vrai, ne reçoit qu'un commencement d'exécution.

Comme sous le régime précédent, l'instruction publique est au premier plan des préoccupations gouvernementales. Le Conseil de conscience

---

1. M. Marais, *Journal et Mémoires*, op. cit., t. II, p. 437.

presse les évêques et les intendants de faire appliquer la déclaration
royale de 1698, concernant les petites écoles. En 1722, sont créées deux
nouvelles universités, Pau et Dijon. Toutefois, par une curieuse contradiction, alors même qu'il s'efforce de multiplier les écoles, le
gouvernement paraît hostile à l'établissement de nouvelles congrégations
enseignantes. Les frères des Écoles chrétiennes, par exemple, se voient
refuser l'autorisation.

La question la plus cruciale à cette époque est celle de la sécurité.
Nous sommes dans un temps d'après-guerre et par conséquent d'instabilité. Nombre de soldats libérés ou licenciés courent les routes, vivant
d'expédients ou de crimes. La chronique de ces années abonde en
histoires de brigands et d'attaques de diligences. L'un de ces bandits,
nommé Cartouche, acquiert une grande notoriété. Après de modestes
débuts en Normandie dans un rôle subalterne de brûleur de pieds, il vient
à Paris et y fonde sa propre bande, dirigée d'une main de fer. Enfin
arrêté, mis dans les prisons du Châtelet, il trouve le moyen de s'évader en
perçant le mur de son cachot. Repris aussitôt, il est jugé, condamné et
rompu vif en place de Grève, le 23 novembre 1721. Mais le grand banditisme ne disparaît pas pour autant. Il faudra attendre plusieurs années
pour en venir à bout.

*
* *

Pendant la Régence, le gouvernement royal a rencontré des oppositions nombreuses. On vient d'évoquer celle des jansénistes, qui n'est pas
la moins forte : après tous les efforts du Régent pour obtenir un accommodement, le rappel de 1721 apparaît comme une provocation. Il existe
aussi, à partir de 1717, une opposition permanente et insolente du
parlement de Paris, qui veut avoir «communication des revenus du roi,
de sa dépense et de l'emploi qui en a été fait», combat le Système et
l'administration du Régent, proteste contre la fermeture de la Banque et
ne cesse de remontrer. Enfin les conspirations de Cellamare et de
Pontcallec témoignent du mécontentement d'une certaine noblesse. En
1718, le prince de Cellamare, ambassadeur d'Espagne à Paris, «aimable
vieillard encore qu'un peu gourmé», réunit chez lui, rue Neuve-des-
Petits-Champs, quelques gentilshommes du parti dit de la «vieille Cour»,
hostiles à l'alliance anglaise et à la rupture avec l'Espagne. Puis il
rencontre Bénédicte de Bourbon, duchesse du Maine, dont le château de
Sceaux est devenu le foyer de l'opposition nobiliaire au Régent. Il excite
les ressentiments, flatte la duchesse, promet le soutien de Philippe V. La
duchesse s'agite, entretient des correspondances, diffuse des manifestes
incendiaires, jusqu'au moment où le Régent, bien informé, fait arrêter
tout ce petit monde et envoie la duchesse méditer au château de Dijon sur
les inconvénients de conspirer. La conjuration de Pontcallec est une
affaire bretonne de l'année 1719, pendant la guerre avec l'Espagne. Cela

commence par une protestation des états et du parlement de Bretagne contre le maintien des droits d'entrée sur les boissons. Le 15 septembre 1718, avait été dressé à Rennes un « Acte d'union pour la défense des libertés de la Bretagne ». Au printemps 1719, quelques gentilshommes se concertent sur les moyens de défendre la liberté bretonne. Ils décident de faire appel à Philippe V, qui leur envoie, mais trop tard, un bateau et un peu d'argent. Ils sont déjà presque tous arrêtés.

Il n'y a pas que les révoltes et les mouvements organisés de protestation. Il y a aussi l'impopularité. Sauf peut-être dans les premiers jours, le Régent a été constamment très impopulaire. On a écrit contre lui des libelles d'une violence inouïe. Le plus terrible a été celui d'un certain La Grange-Chancel, intitulé *Philippiques*. Il s'agissait de cinq satires diffusées partout entre 1717 et 1719. Philippe d'Orléans n'y était accusé de rien moins que de préparer l'assassinat du roi. On y avertissait Louis XV en ces termes :

> Royal enfant jeune monarque
> ...
> Tant qu'on te verra sans défense
> Dans une assez paisible enfance
> On laissera couler tes jours
> Mais quand par le secours de l'âge
> Tes yeux s'ouvriront davantage
> On les fermera pour toujours [1].

D'ailleurs La Grange-Chancel n'était pas le seul à formuler ces accusations. Le mémorialiste Barbier dit avoir appris par deux personnes différentes qu'on jetait dans les carrosses des papiers tracés au crayon portant ces mots « Sauvez le roi, tuez le tyran ».

Tout cela est inquiétant. Doit-on y voir — comme certains historiens [2] — les manifestations d'une crise de la monarchie ? Ce serait exagéré. Les minorités ont toujours été des temps de trouble, et les gouvernements des régences ont toujours été impopulaires. Que l'on se rappelle — entre autres — la Fronde et Mazarin.

Le plus grave est, semble-t-il, le malaise de l'opinion. Nous avons assez nettement l'impression que, pendant la Régence, les Français sont troublés par une politique trop nouvelle pour eux et qui leur semble — au moins au début — rompre trop brutalement avec celle du précédent règne. A propos du Manifeste anti-espagnol et de la déclaration de guerre de 1719, Saint-Simon fait une remarque révélatrice : « Le public ne fut pas si docile. Il le fut encore moins à la déclaration de guerre, qui suivit de près le manifeste contre l'Espagne. Cela ne servit qu'à montrer quelle était la disposition de la Nation ; mais comme rien n'était organisé [...]

---

1. Cité par Dom Leclercq, *Histoire de la Régence, op. cit.*, t. II, p. 509.
2. Par exemple, J. Carreyre.

tout se borna à une fermentation qui ne put faire peur au gouvernement
[…].» Le «public», la «nation», l'emploi de ces termes est intéressant.
Il y a quelque chose qui ne va pas entre la royauté et le peuple. Le
«mystère de la monarchie» est atteint.

Chapitre II

LA ROYAUTÉ AU TEMPS DU DUC DE BOURBON
ET DU CARDINAL DE FLEURY
(1723-1743)

Philippe d'Orléans est mort le 2 décembre 1723, le cardinal de Fleury,
le 29 janvier 1743. Les deux décennies qui séparent ces deux dates
forment le sujet de ce chapitre.

Nous sommes dans la deuxième époque du règne de Louis XV. Le roi
est majeur, il devient adulte. Il fonde une famille. A la mort de Fleury, il
aura trente-deux ans. Le nouveau style de royauté qu'il inaugure diffère
assez sensiblement de celui de Louis XIV. Quant à l'exercice de son
autorité, s'il règne pleinement, il gouverne peu, laissant la conduite des
affaires d'abord à son oncle, le duc de Bourbon, nommé «premier
ministre», ensuite à son ancien précepteur, Fleury, principal ministre
sans en avoir le titre.

LE ROI ET LA ROYAUTÉ

Le roi, la famille royale

Comment est le roi? «Le roi est beau, écrit Mathieu Marais en juin
1724, il a les yeux grands, a le plus beau regard du monde, et fait avec
grâce tout ce qu'il veut faire bien[1].» Ainsi, le vieil avocat un peu
«ronchonneur» et quelque peu sceptique ne sait pas cacher son admiration.

Le meilleur portrait peint de cette époque est celui de Van Loo. On y
voit Louis XV en train de sortir de l'adolescence, mi-enfant mi-homme.
Il n'a pas dix-huit ans. L'enfant l'emporte sur l'homme, malgré les
efforts pour composer une attitude altière. Figure jolie, presque
féminine : nez droit, grands yeux, bouche mince et fine, peu de menton,
et surtout un air de brave enfant, franc et en parfaite santé. «Le roi est
grand, fort», dit encore Marais. Comme il se porte très bien, dès qu'il

---

1. M. Marais, *Journal et Mémoires, op. cit.*, t. II, p. 110.

éternue de travers, c'est l'inquiétude générale. En février 1725, le voilà qui tombe malade. Pas pour longtemps. Le premier jour « grosse fièvre » ; on soigne. Le deuxième jour, plus de fièvre. Le troisième « tout à fait bon ». Ce n'était rien : un simple chaud et froid. Il n'empêche que tout le monde a été affolé. « Il y a eu grande alarme », note encore Marais.

On trouve aussi qu'il se fatigue trop à la chasse à courre. Mais il n'est jamais fatigué. Il chasse presque tous les jours pendant des heures. L'équipage est épuisé. Il ne s'en aperçoit même pas. Un jour il appelle le premier piqueur :

« Lansmate, les chiens sont-ils las ?

— Oui Sire, pas mal comme cela.

— Les chevaux le sont-ils ?

— Je le crois bien.

— Cependant, continue le roi, je chasserai après-demain (Lansmate se tait). Entendez-vous Lansmate ? Je chasserai après-demain.

— Oui Sire, j'entends du premier mot. Mais ce qui me pique, dit-il, en allant gagner son équipage, c'est que j'entends toujours demander si les chiens et les chevaux sont las et jamais les hommes[1]. »

A vingt ans, Louis XV en porte quinze : il fait jeune mais il est aussi très jeune d'esprit. Petit enfant il adorait les farces. Ce goût persiste. En 1724 — il a quinze ans — « il s'amuse à faire des malices à toutes sortes de gens, coupant les cravates, les chemises, les habits...[2] ». Trois ans plus tard — il est marié —, étant à Fontainebleau, et se distrayant au tir à l'arc, il imagine de faire frayeur à un grave personnage de la Cour, le grand prévôt de Sourches, qui se promène tranquillement dans le jardin. Mais le tir est si bien ajusté que le pauvre homme reçoit une flèche dans le ventre. Il en réchappe, mais demeure tout commotionné. Car, dit Marais avec humour, « il ne pensait pas mourir d'une flèche[3] ». Décidément le roi est incorrigible. A vingt-sept ans on le verra monter sur les toits de Versailles avec une bande de jeunes courtisans et atterrir dans les appartements où il s'invite à dîner.

Le plus extraordinaire avec cela est sa timidité. Cet espiègle, ce facétieux, ce rieur est tout d'un coup bloqué à ne savoir quoi dire. Car c'est une timidité de parole et non de contenance. Le roi est parfaitement à l'aise dans les cérémonies, il sait paraître, il n'est pas gauche, il est naturel. Mais dès qu'il faut adresser en public la parole à un personnage important, il perd tous ses moyens. Un soir il convie à souper le maréchal de Belle-Isle et son épouse. Le maréchal est alors ambassadeur à Francfort et mène avec bonheur des tractations diplomatiques fort délicates. On a placé la maréchale à côté du roi. Elle s'attend à recevoir

---

1. Cité par P. Gaxotte, *Le Siècle de Louis XV, op. cit.*
2. M. Marais, *Journal et Mémoires, op. cit.*, t. II, p. 110.
3. *Ibid.*, p. 146.

quelques mots d'approbation pour son mari. Le souper se passe. Rien. Louis XV ne dit même pas un mot du maréchal. Les invités partis, Mme de Mailly lui en fait reproche. Il s'excuse : « Vous connaissez mon embarras et ma timidité. J'en suis au désespoir ; j'ai eu vingt fois la bouche ouverte pour lui parler[1]. »

Le 5 septembre 1725, le roi se marie. Il épouse à Fontainebleau Marie Leszczynska, fille de l'ex-roi de Pologne.

C'est le duc de Bourbon qui a fait le mariage. Les choses sont allées rondement. Le 31 mars, l'affaire a été évoquée au Conseil. Le 29 mai, le roi a annoncé à son lever le nom de l'élue. La précédente fiancée, la petite infante, avait été renvoyée en Espagne le 12 mai, à la grande colère des Espagnols se jugeant outragés.

Le choix d'une princesse polonaise, sans grande beauté, de six ans plus âgée que le roi, fille d'un roi détrôné, paraît peu reluisant. On sait d'ailleurs que le roi Stanislas, père de l'heureuse élue, lorsqu'il apprit la nouvelle, manqua tomber de saisissement. Depuis son exil, il vivait assez misérablement avec sa famille en terre française à Wissembourg, et ne s'attendait pas le moins du monde à pareille fortune. Selon sa propre expression, il « étouffa de joie ».

On peut se demander ce qui a déterminé un tel choix. Il y a deux raisons. D'abord on est pressé. La maladie du roi en 1725 a effrayé le duc de Bourbon. Un témoin raconte qu'il répétait sans cesse : « S'il en réchappe, je le marie. » Ensuite il n'y a pas d'autres princesses possibles. On l'a constaté en dressant la liste. Les plus présentables sont l'infante de Portugal, la grande duchesse Élizabeth de Russie et la fille du prince de Galles. Mais le père de la première est fou, et les deux autres ne sont pas catholiques.

Le mariage est comme il se doit un événement national et triomphal. On avait supputé à l'infini. « Le public qui veut deviner, écrit Marais, marie le roi à plusieurs princesses [...]. Enfin le peuple a tant parlé qu'il a été défendu d'en plus parler, sous peine de prison, et défenses faites dans tous les cafés sur cela[2]. » Le voyage de la jeune épousée depuis Wissembourg jusqu'à Strasbourg et de Strasbourg à Fontainebleau donne lieu, partout où elle passe, à de grandes fêtes. Elle est déjà reine de France, puisque le duc d'Orléans l'a épousée à Strasbourg, comme représentant le roi. Les honneurs qui lui sont rendus s'adressent à la majesté royale. A Provins, où elle arrive le dimanche 2 septembre — c'est la dernière étape avant Fontainebleau — elle est accueillie au son des dix cloches de la ville. Des arcs de triomphe ont été dressés dans les rues. Le maire la complimente. Après quoi les échevins portent un dais devant son carrosse jusqu'aux Bénédictines où elle passe la nuit. Le lendemain,

---

1. Cité par P. Del Perugia, *Louis XV, op. cit.*, p. 92.
2. M. Marais, *Journal et Mémoires, op. cit.*, t. II, p. 150.

à son départ, on lui offre, selon l'usage local, des «conserves de roses».
Mais voici Fontainebleau. Le roi vient à la rencontre de la reine. C'est la
première entrevue. Toute la France en connaîtra les détails. «La reine,
écrit Barbier, descendit, voulut se mettre à genoux; le roi, qui était à
terre, ne lui laissa faire que la façon; il la releva et l'embrassa des deux
côtés avec une vivacité qu'on ne lui avait jamais vue[1].»

Et de fait, ce mariage va être pendant quelque temps un mariage
d'amour. Le roi est amoureux, tous les mémorialistes se plaisent à nous
en avertir. Il est empressé, aux petits soins. «Le roi n'aimait que sa
femme», écrira Maurepas. Il est vrai que Marie est aimable. Nous avons
le portrait de Pierre Gobert, le peintre qui fut envoyé à Wissembourg
l'année du mariage. On y voit une jeune fille gracieuse, bien faite, au
visage plaisant. Le buste de la reine en Junon, par Coustou, est plus
tardif; il montre l'architecture d'un visage allongé et régulier. Le menton
est un peu lourd, l'expression manque de vivacité mais il y a un joli port
de tête.

Dix naissances échelonnées entre 1727 et 1738 viennent consacrer
cette union. Dix enfants en onze ans. Mais l'amour du roi et sa fidélité ne
durent pas tout ce temps-là. Dès 1734, sa liaison avec Louise de Mailly
est connue de la reine. Quand a-t-elle commencé? Peut-être deux ans
plus tôt. C'est en effet en 1732, lors d'un souper, que Louis XV porte un
toast remarqué à l'«Inconnue». Le secret a été bien gardé, protégé par
les rares personnes qui sont dans la confidence et parmi lesquelles se
trouvent la comtesse de Toulouse et la maréchale d'Estrées. Mais en
1734, nul ne peut ignorer le fait. Car cette année-là, le roi loge sa
maîtresse : il lui fait arranger un petit appartement tout près de ses
cabinets, et tendre les pièces de damas cramoisi. Il continue cependant à
coucher avec sa femme, et celle-ci lui donne encore trois enfants, Sophie
en 1734, Thérèse en 1736 et Louise en 1737. C'est en 1738 seulement
que toute relation intime cesse entre les deux époux royaux. Au mois de
juillet de cette année-là, Marie fait une fausse couche et les médecins lui
conseillent de ne plus avoir d'autres enfants, de peur qu'elle ne puisse les
porter normalement. C'est à partir de ce moment qu'elle ferme à son
époux la porte de sa chambre.

La première favorite est loin d'être une beauté. On l'a décrite grande,
anguleuse et sans grâce. Mais elle aime le roi d'un amour sincère et totalement désintéressé. De plus elle s'occupe de lui maternellement, veut lui
donner confiance en lui-même, s'efforce de le délivrer de sa timidité.
Elle lui donne des petits conseils : vous parlerez aimablement à un tel,
vous ferez des frais à tel autre. Le roi se sent protégé, encouragé.

Cela suffit-il à expliquer l'adultère et la rupture d'un mariage qui avait

---

1. Cité par Gauthier-Villars, *Le Mariage de Louis XV d'après des documents nouveaux
et une correspondance inédite de Stanislas Leszczynski*, Paris, 1900, p. 268.

très bien commencé ? Il y a eu certainement d'autres raisons. La première est sans doute que Marie n'a pas su (ou n'a pas voulu) gagner la confiance de Fleury. Elle a même commis la maladresse de soutenir le duc de Bourbon contre le précepteur, et cela quand le duc était déjà perdu dans l'esprit du roi. Louis XV en a été très agacé. L'affaire date de 1726. C'est la première fêlure. Deuxième cause probable : la vie réglée, trop réglée de la reine. Marie Leszczynska est assez gaie, elle n'est pas prude, mais elle se lève toujours à la même heure, n'a jamais de fantaisie. Cela ne peut convenir à un homme tel que le roi, qui est d'une vitalité débordante et adore s'amuser. Et puis surtout Louis XV a un tempérament de garçon, de célibataire. Est-il bien fait pour le mariage ce jeune homme dont le premier soin dès son arrivée à Versailles est de se faire faire des appartements pour lui seul, où il pourra vivre complètement retiré ? Ajoutons à cela les usages de la cour de France où le roi et la reine ne vivent pas vraiment en ménage, mais comme des époux séparés, ayant chacun leurs appartements et leur vie propre. Dans la journée ils se rendent visite cérémonieusement. La reine vient parfois au lever du roi. Le roi va saluer les invités de la reine. Il est bien rare qu'ils prennent un repas ensemble. La nuit, forcément, le roi rejoint la reine, mais il doit avoir regagné sa chambre au petit matin, avant que ne commencent les cérémonies de son lever. Est-ce bien là une vie conjugale ? Est-il indispensable que le ménage royal vive ainsi ? Dans d'autres cours les usages étaient plus humains. En Espagne, le roi et la reine prenaient leurs repas ensemble, en tête à tête.

Revenons sur les enfants royaux. Ils sont deux garçons et huit filles. Sept survivront, un garçon et six filles. Deux enfants sont morts en bas âge, et l'une des filles (Thérèse) à l'âge de huit ans. La série des naissances avait commencé par trois filles. L'arrivée du Dauphin, le 4 septembre 1729, a donc été saluée avec une grande joie. L'enfant « passe aux hommes » le 15 janvier 1736. La veille, il a été visité dans son lit par les médecins et chirurgiens du roi. Un procès-verbal a été dressé. Le 15, la cérémonie de passage a lieu dans le cabinet du roi qui remet l'enfant au comte de Châtillon, gouverneur, à l'évêque de Mirepoix, précepteur, et aux sous-gouverneurs. « Messieurs, leur dit-il, je vous remets entre les mains ce que j'ai de plus cher. » Et se tournant vers son fils : « Vous obéirez à M. de Châtillon comme si c'était moi-même. » Puis l'on se sépare et le Dauphin rentre dans ses appartements où il est régalé, pour la circonstance, d'une représentation de marionnettes. Le duc de Villeroy avait été pour Louis XV un gouverneur très raide. Le comte de Châtillon se montre plus pédagogue. Il voit dans son élève non un adulte en réduction mais un enfant qui a besoin de s'amuser comme tous les enfants de son âge. C'est pourquoi il atténue les corvées proto-colaires et, par exemple, limite le nombre des « entrées », c'est-à-dire des personnes admises à entrer dans la chambre du Dauphin pour assister à son lever et à son coucher. «M. de Châtillon, explique Luynes, a voulu éviter qu'il fut importuné par grand nombre de gens qui auraient droit d'entrer chez lui, et que cependant il connaîtrait, ce qui l'embarrasserait dans les amusements proportionnés à son âge[1].» Le gouverneur sait aussi, à l'occasion, se montrer sévère, et infliger de dures punitions. En mars 1737, par exemple, il met son élève en pénitence pendant plusieurs jours : le Dauphin ne verra personne, il ira à la messe avec un seul valet de pied, et dans la salle des gardes de son appartement on ne prendra pas les armes pour lui, comme à l'ordinaire[2]. Nous ne savons pas la raison de cette mise en quarantaine. Au temps de Louis XIII et de Louis XIV, on aurait préféré le fouet.

Pour l'éducation de ses quatre dernières filles, Victoire, Sophie, Thérèse et Louise, Louis XV innove grandement. Il les fait élever non pas à la Cour, mais à l'abbaye de Fontevrault (en Poitou), qui était alors l'un des pensionnats de filles les plus réputés du royaume. On a beaucoup épilogué sur les raisons qui auraient poussé le roi à confier ses filles aux moniales de Fontevrault. Adopter l'éducation conventuelle, c'était suivre la mode du temps, mais le roi n'aurait pas voulu d'un pensionnat trop mondain (comme ceux de Paris) ou trop proche de Versailles (comme Saint-Cyr). Car choisir un monastère de moniales contemplatives et observantes, c'était aussi assurer aux enfants royales une bonne éducation morale et religieuse et les soustraire aux influences pernicieuses de la Cour. Louis XV dut également tenir compte des liens très anciens qui unissaient l'ordre fontevriste et la famille royale. Cinq abbesses Bourbon avaient gouverné l'ordre aux XVIᵉ et XVIIᵉ siècles. Il n'y avait pas une abbaye de filles en France qui ait compté parmi ses moniales autant de princesses de la maison de Bourbon. Enfin l'abbesse qui la dirigeait alors, Louise Françoise de Rochechouart, à qui Louis XV confia ses filles, n'était autre que la propre nièce de Mme de Montespan.

Les quatre petites filles sont vraiment toutes petites : Victoire a cinq ans, Sophie quatre, Thérèse vingt-cinq mois et Louise onze mois. Parties de Versailles le 12 juin 1738, elles arrivent à Fontevrault le 28, après douze jours de voyage et des arrêts innombrables dans la chaleur et la poussière. C'est à une heure de l'après-midi que le cortège débouche en grand arroi dans la cour de l'abbaye. Arrivée superbe, spectacle chatoyant : les huit carrosses royaux, attelés chacun de huit chevaux, sont escortés par cinq exempts, vingt-cinq gardes du corps, quatre pages et un maréchal des logis, eux-mêmes suivis de deux chaises et de vingt fourgons pour les bagages. L'intendant de Tours, le prévôt d'Angers et la maréchaussée de toute la province sont allés au-devant de Mesdames. Enfin, au moment où les carrosses entrent dans la cour, les gardes du

---

1. Charles Philippe d'Albert, duc de Luynes, *Mémoires sur la cour de Louis XV*, (*1735-1758*), Paris, Didot, 1860-1865, 17 vol., t. I, p. 61, 30 janvier 1736.
2. *Ibid.*, p. 202.

corps se rangent des deux côtés, l'épée nue. Voilà donc les carrosses «précédés de quatre hoctons du Roy habillés en cottes d'armes. Le maréchal des logis devant le carrosse, après eux des pages à cheval a costé du Carrosse.» Et dans les carrosses les petites filles, et tout ce cortège pour quatre enfants. On se croirait dans un conte de Perrault. L'abbesse vient maintenant à la rencontre de ses pensionnaires. Quatre religieuses, désignées comme sous-gouvernantes de Mesdames, l'accompagnent. Toutes sont habillées de blanc et non de noir. Ce sont les ordres du roi. Il ne faut pas faire peur aux enfants royales. Mais les petites filles n'ont pas peur. Elles saluent et envoient des baisers aux moniales, qui, des fenêtres, les regardent passer : «Lorsque Mesdames passèrent, dit une relation du temps, elles aperçurent qu'on les regardait, elles mirent la teste à la portière pour faire le salut en portant leur petite main à leur bouche[1].»

Cependant il est hors de question que Mesdames partagent la vie du pensionnat. Un logis est aménagé pour elles. C'est un bâtiment situé hors de l'abbaye, et que l'on appellera le logis Bourbon. C'est là qu'elles sont élevées. Dans ses *Mémoires*, Mme Campan, qui avait connu Mesdames après leur retour à Versailles, dit beaucoup de mal de l'éducation des moniales. Mais Mme Campan n'est pas un témoin bien sûr. Nous savons que les enfants royales avaient pour la musique et pour la danse des maîtres réputés venus de la Cour. Nous avons aussi maintes preuves de la haute qualité de l'éducation morale et religieuse. Les moniales étaient de grandes âmes. En témoigne cette conversation — que nous rapporte l'abbé Proyart — entre la jeune Louise et sa sous-gouvernante, Mme de Soulange. La petite, qui n'a pas encore quatre ans, demande un jour à Mme de Soulange : «Vous savez bien, Mimie, que j'aime Dieu, et que tous les jours je lui donne mon cœur ; mais dites-moi donc, est-ce que Dieu, à son tour, ne me donnera rien ?» Et la religieuse de répondre ceci qui est une remarquable élévation, à la portée d'un enfant, sur les mystères de la création et sur la dépendance de l'homme vis-à-vis du Créateur :

«Eh quoi, Madame, répondit-elle à son élève, est-ce que vous ne savez pas encore que tout ce que vous avez, et tout ce que vous pouvez jamais avoir, vient de Dieu ? N'est-ce pas Dieu qui vous a mise au monde et qui vous y conserve ? [...] Tout ce que vous êtes et tout ce que vous avez, c'est de Dieu que vous le tenez [...]. Croirez-vous après cela, Madame, que Dieu ne vous donne rien pour le cœur que vous lui offrez tous les jours[2] ?»

Il est permis de le supposer, ce qui a le plus manqué aux Filles de

---

1. «Entrée de Mesdames de France à l'abbaye de Fontevrault, le 28 juin 1738», arch. Maine-et-Loire, 101 H 3.

2. Cité par l'abbé Proyart, *Vie de Madame Louise de France, religieuse carmélite*, Bruxelles, 1793, t. I, p. 26-27.

France n'a pas été l'instruction, mais l'affection de leurs parents. Quand elles atteignirent dix-sept ans, le roi les fit revenir. Mais on est confondu de voir que, pendant ce long exil, elles n'ont pas une seule fois reçu la visite ni de leur père, ni même, ce qui est plus étonnant, de leur mère. L'une des quatre, la petite Thérèse, n'est jamais revenue à Versailles. Elle est morte à l'abbaye à l'âge de huit ans, sans avoir revu ses parents. Il est vrai que c'était en 1744 au moment où le roi était malade à Metz. Mais tout de même, une telle indifférence étonne. On serait en droit de poser la question : Marie Leszczynska aimait-elle ses enfants ?

La royauté

LA VIE ROYALE

C'est d'abord par sa vie royale que le roi exerce sa royauté.

Versailles est de cette vie le principal décor. Pendant cette période, à l'initiative du roi et du duc d'Antin, directeur des Bâtiments, et sous la conduite successivement de Robert de Cotte et de Jacques III Gabriel, premiers architectes du roi, ont lieu quelques embellissements et d'importants aménagements.

La grande réalisation est le salon d'Hercule. La composition peinte au plafond par François Le Moyne de 1731 à 1736 illustre la mythologie de la monarchie. Hercule, figure du roi de France, monte lentement à travers le ciel. Il s'approche de Jupiter qui va lui décerner sa récompense. Son char est tiré par les génies de l'Amour et de la Vertu. Les Monstres et les Vices, domptés par sa Valeur, sont renversés à sa vue et précipités dans les ténèbres. Ainsi paraît l'héroïsme royal dont la bonté et la vertu font l'excellence et non la force brutale.

Les importants aménagements sont ceux des petits appartements que le roi fait installer sur trois étages du côté de la cour des Cerfs, pour y travailler dans le calme et y donner ses soupers. Les travaux ont lieu de 1732 à 1734.

Le parc reçoit aussi des embellissements, mais ici, Louis XV ne fait que reprendre un projet de Louis XIV. Il s'agit de l'immense bassin de Neptune au septentrion du parc. En 1733 et 1734, Gabriel reconstruit le bassin. Ensuite le sculpteur Lambert Sigisbert Adam réalise le groupe central de *Neptune et Amphitrite*, œuvre pleine de vie et de force. A l'extrémité du bassin, Bouchardon sculpte deux amours chevauchant des dragons géants. Dans la gloire et le jaillissement des quatre-vingt-dix-neuf effets d'eau, Louis XV inaugure l'ensemble, le 14 août 1741.

Le roi est un gentilhomme qui possède plusieurs châteaux, et Versailles est loin d'être son unique séjour. Il n'en fait que sa résidence principale. Du temps du ministériat du duc de Bourbon, il s'invite chez le duc à Chantilly, car c'est un domaine fort giboyeux et il peut, comme dit Marais, « y chasser à son aise ». En 1725, année du mariage, il se partage entre Versailles, Marly et Fontainebleau. Dans les dernières années du ministère de Fleury, les « voyages » sont limités à Marly, Rambouillet, La Muette et Choisy. Ce dernier château a la préférence. En 1741, Louis XV y va deux fois par mois passer chaque fois près d'une semaine. Par exemple, en janvier, premier séjour du mercredi 5 au lundi 9, deuxième séjour du 18 au 23. Le roi aime Choisy, parce qu'il s'y promène beaucoup, y fait du bateau, y soigne lui-même ses fleurs. Aussi n'aime-t-il pas y venir en grand nombre. Les invités ne sont que quelques-uns et triés sur le volet. Le 28 février on ne compte que cinq dames, les quatre sœurs de Mailly, filles du marquis de Nesle, et la duchesse d'Antin[1]. A cette époque, la maîtresse en titre n'est plus Louise de Mailly, mais la deuxième sœur, Mme de Vintimille, qui est enceinte des œuvres du roi. Louise de Mailly demeure néanmoins une confidente et une amie. Il y avait d'ailleurs en tout cinq sœurs de Mailly. Louise ne semble pas faire partie des quatre qui accompagnent régulièrement le roi à Choisy pendant cette année 1741. Elle reste à Versailles. Elle a sa semaine, pendant laquelle le roi ne va pas à Choisy et la reçoit souvent. Luynes écrit à la date du 19 mars : « Le roi n'a fait aucun voyage cette semaine, c'est la semaine de Mme de Mailly[2]. »

Qu'il se trouve à Versailles ou dans un autre de ses châteaux, le roi n'est jamais à ne rien faire. Entre le « travail », les audiences, les exercices religieux et les divertissements, il est sans cesse et pleinement occupé. Son emploi du temps varie beaucoup d'un jour à l'autre. Contrairement à ce que l'on pourrait croire, il n'y a pas d'horaire uniforme. Louis XV fait ce qu'il veut faire, et organise son temps lui-même et à sa guise. Comme il jouit d'une grande vitalité, ses journées se déroulent souvent à un rythme précipité. Par exemple, le 4 mars 1737 au matin, il revient de la Muette où il a soupé et couché la veille. A peine rentré, le voilà qui part à la chasse. Toute la journée se passe à courir le cerf. Au retour, souper dans les cabinets. A minuit et demi départ pour Paris, au bal de l'Opéra. Enfin, retour au petit matin du 5 mars. Nullement fatigué, le roi entend la messe de six heures, puis se couche, ordonnant de ne le réveiller qu'en fin d'après-midi. Mais à onze heures, il sort de son lit et retourne à la chasse[3].

La religion, la chasse et les soupers dans les petits appartements, ces trois occupations réunies prennent le plus clair du temps du roi. Louis XV est-il pieux ? C'est bien difficile à dire. En tout cas, il se montre assidu aux cérémonies et observe avec soin les pratiques, tout semblable en cela à Louis XIV. Presque tous les jours il entend la messe et, les jours de fête, le salut du saint sacrement. Il respecte les jeûnes et

---

1. Luynes, *Mémoires, op. cit.*, t. III, p. 335.
2. *Ibid.*, p. 346.
3. *Ibid.*, t. I, p. 197-198.

abstinences. Le mercredi 18 février 1741, Luynes écrit dans son journal : « Ce même jour [...], le roi dîna à quatre heures dans sa chambre en maigre ; il compte faire le carême[1]. » Ce même carême de 1741, le roi restreint ses divertissements. Il continue les jours de chasse à recevoir à souper, mais sans dames, des hommes seulement.

La chasse est le passe-temps favori et pratiquement le seul qu'aime le roi. Adolescent, il jouait beaucoup. Marais note qu'aux voyages de Chantilly, c'était une fureur de jeu. Mais après le mariage, on ne parle plus de jeu. Quant au théâtre, Louis XV n'y va presque jamais. Il n'est pas question non plus de musique. La reine aime la musique, se fait donner des concerts, mais pas le roi. En somme, il n'y a que la chasse. La chasse tous les jours jusqu'à l'année du mariage, au moins trois fois par semaine dans les années qui suivent. La vénerie de Louis XV surpasse de loin celle de Louis XIV. Elle est « bien et magnifiquement entretenue[2] ». Le feu roi n'avait qu'une seule meute. Le roi en a trois. Les chiens sont plus rapides, les chevaux plus coûteux ; on les achète presque tous en Angleterre. Le roi consacre de grands soins à l'élevage des jeunes chiens. Il fait construire pour cela un chenil qui est installé à l'entrée de Versailles sur la route de Sceaux, et dont l'architecte Gabriel dessine les plans.

Les jours de chasse, le roi donne ordinairement à souper dans ses « petits appartements ». Les convives sont peu nombreux, entre dix et vingt personnes, dont trois ou quatre dames. Le souper est servi à sept heures et demie. On se sépare vers minuit.

LA FONCTION ROYALE

Assurément, pendant cette période, le roi gouverne peu. Mais il règne, et cela ne signifie pas seulement un rôle de figurant. Il procède à des nominations, donne des audiences, préside les cérémonies des ordres royaux. Toutes ces différentes actions ont un sens. Ce ne sont pas de simples formalités. Par elles s'exprime la fonction royale, tout autant que par des actes de gouvernement et d'administration.

Le roi gouverne peu. Cependant il gouverne. Il tient son Conseil. Il fait aussi son « travail ». Ce qu'on appelle le « travail » du roi, ce sont des conférences en tête à tête avec le cardinal ou avec l'un des autres ministres. Il semble que le plus souvent le « travail » soit consacré aux nominations. Le roi est présent aux affaires, même si la conduite quotidienne du gouvernement appartient au cardinal. Il ne nomme personne sans consulter Fleury et le ministre compétent, mais c'est vraiment lui qui nomme. Par exemple, le 13 février 1741, au retour de la chasse, il travaille avec Fleury et Breteuil, secrétaire d'État à la Guerre, et décide

---

1. Luynes, *Mémoires, op. cit.*, t. III, p. 329.
2. *Ibid.*

pendant cette séance de la promotion de sept maréchaux de France[1]. Le 19 mai de la même année, nouvelle séance avec Breteuil, cette fois pour donner le régiment et le gouvernement du duc de Gramont, décédé, à son frère, le nouveau duc[2]. Le jour suivant, travail du roi avec Fleury pendant trois quarts d'heure. Il s'agit d'attribuer la charge de premier gentil-homme de la chambre. Au sortir du travail, rien ne transpire. Mais le lendemain matin, à son lever, le roi dit au duc de Fleury (neveu du cardinal) : « Je vous donne la charge de premier gentilhomme de la chambre[3]. »

Le roi donne des audiences et se fait présenter un certain nombre de personnes. Les ambassadeurs étrangers sont reçus en audience : par exemple, le 19 janvier 1737, le roi reçoit le nonce à Bruxelles en audience particulière, et le 10 février suivant il donne audience à l'ambassadeur de Malte. Mais il reçoit également les ambassadeurs de France partant pour leur mission ou qui en reviennent. A la date du 2 juin 1736, Luynes écrit dans son journal : « M. le marquis de Monti est arrivé de son ambassade en Pologne et fait aujourd'hui sa révérence au roi et à la reine[4]. » Des audiences sont également accordées aux supérieurs généraux des ordres religieux. Par exemple, le 23 juin 1736, Louis XV donne audience au général des Carmes.

Le calendrier royal comporte d'autres rencontres personnelles, présentations ou simples visites. Sont présentés au roi des gentilshommes, nouveaux venus à la Cour, ou des ministres récemment nommés. Le 18 juin 1737, Luynes note la présentation du jeune duc d'Ancenis, le 21 février, celle de M. Amelot de Chailloux, intendant des finances, nouveau secrétaire d'État des Affaires étrangères. Après avoir salué le roi, le nouveau ministre prête serment pour sa charge « entre les mains de Sa Majesté[5] ». Enfin Louis XV reçoit volontiers des personnes qui veulent le remercier pour des faveurs ou des nominations. On lit souvent dans le journal de Luynes : « Un Tel est venu remercier le roi. » Par exemple, « M. Le Peletier est venu remercier le roi pour la charge de premier président du parlement de Paris que SM vient de lui donner » (26 mai 1736), ou bien « La duchesse de Béthune remercie le roi pour la survivance accordée au duc d'Ancenis[6] ». Politique et civilité ne sont pas étrangères l'une à l'autre.

Comme Louis XIV, Louis XV assume les fonctions de chef des familles de son royaume. L'exercice de cette responsabilité tient une place non négligeable dans son emploi du temps. Il ne se passe guère de

---

1. Luynes, *Mémoires, op. cit.*, t. III, p. 327.
2. *Ibid.*, p. 395.
3. *Ibid.*, p. 409.
4. *Ibid.*
5. *Ibid.*
6. *Ibid.*, t. I, p. 169, 17 février 1737.

semaine où le roi ne donne son agrément pour un mariage, ne signe à un contrat de mariage ou ne parraine un enfant. Voici quelques exemples. Le 28 décembre 1733, le roi est parrain du fils de M. et Mme Zeno, ambassadeurs de Venise. La cérémonie a lieu à la chapelle, et le sacrement est administré par le grand aumônier après qu'une messe a été célébrée. L'enfant est nommé Louis par le roi qui lui fait un cadeau, son portrait enrichi de diamants[1]. Le 1er mars 1737, il s'agit d'un mariage : après la messe, le roi signe le contrat de mariage du duc d'Ancenis avec la fille aînée du comte de Roye. Le 12 janvier 1741, c'est encore une affaire de mariage : M. de Maniban, premier président du parlement de Toulouse, vient demander au roi son agrément pour le mariage de sa fille avec le fils de M. de Livry. C'est Fleury qui conduit le magistrat chez le roi et le présente au souverain[2].

Par les cérémonies des ordres nous touchons au caractère sacré de la fonction royale. Car les «ordres du roi», le Saint-Esprit et le Saint-Michel, sont, d'une certaine manière, des ordres religieux, comme les ordres militaires et chevaleresques de Malte et du Saint-Sépulcre. Il y a deux sortes de cérémonies, les créations de chevaliers et les processions. Une procession des chevaliers de l'ordre du Saint-Esprit a lieu tous les 1er janvier. Elle est suivie du chapitre de l'ordre. De temps en temps, le roi fait des promotions de nouveaux chevaliers. Le 5 mars 1736, par exemple, il fait dix-huit chevaliers de Saint-Michel. La cérémonie a lieu dans la chambre royale. Tous les récipiendaires sont à genoux, en rond autour du roi. Le greffier de l'ordre lit le serment. Ensuite le roi donne à chacun l'accolade (deux coups de son épée sur les épaules) en prononçant les paroles : «De par saint Michel et saint Louis, je vous fais chevalier», et distribue les croix.

Toutefois c'est le toucher des écrouelles qui exprime de la façon la plus sensible le caractère religieux de la royauté. C'est en principe aux grandes fêtes que le roi touche les malades : veille de Pâques, veille de la Pentecôte, veille de la Toussaint. Il doit s'être confessé et avoir communié. La communion doit avoir lieu le même jour. Le 31 octobre 1736, la cérémonie est annulée parce que le roi n'a pas communié. Luynes écrit : «Il ne doit communier que demain, et par conséquent ce ne sera que demain qu'il touchera les malades[3].» Le jour du toucher, le roi va donc se confesser et communier à la paroisse où il entend la messe. Au retour de la messe, il trouve les malades rangés dans la galerie de pierre au rez-de-chaussée de l'aile des Princes, et s'arrête devant chacun. Pendant que le premier médecin pose sa main droite sur la tête du malade et que le capitaine des gardes lui prend les deux mains jointes, le roi, tête

---

1. Luynes, *Mémoires, op. cit.*, t. I, p. 57-58.
2. *Ibid.*, t. III, p. 307.
3. *Ibid.*, t. I, p. 116-117.

nue, du dos de sa main droite lui effleure la joue en prononçant : « Dieu te guérisse, le roi te touche.» Les malades viennent de toute l'Europe. Car il y a des guérisons. Le 15 juillet 1734, un curé de Paris, Jacquin, de la paroisse de Saint-Sauveur, dresse le procès-verbal d'une guérison jugée par lui miraculeuse, arrivée en la personne d'une jeune Irlandaise nommée Hélène Mac Namarah, touchée par le roi le 12 juin précédent, veille de la Pentecôte, et guérie le même jour des écrouelles. Sans juger sur le fond, nous pouvons constater qu'il s'agit d'un fait extraordinaire. La jeune fille était en effet très malade et les chirurgiens avaient décidé d'amputer la jambe. C'est alors que sa mère l'avait déterminée à venir en France «pour se faire toucher par Sa Majesté ». La guérison avait été quasi immédiate et spectaculaire. Touchée par le roi le samedi, elle était guérie «de façon que le lendemain à son retour à Versailles, on remarquait à peyne les vestiges de ses playes ». Ayant examiné la malade avant et après, le premier chirurgien du roi et le sieur de La Haye, chirurgien de Paris, avaient rendu leur témoignage[1].

L'exercice de la fonction royale comporte donc des obligations très diverses. La charge est-elle au total très lourde et accaparante ? Pour en juger, il faudrait avoir sous les yeux le calendrier et l'emploi du temps heure après heure. D'après nos données, Louis XV ne semble ni suroccupé, ni surmené, ni pressé. Les obligations importantes (compte non tenu du «travail») ne reviennent pas plus de cinq ou six fois par mois en moyenne. «Travail» et Conseil reviennent sans doute plus souvent, mais ne semblent pas non plus peser beaucoup sur l'emploi du temps. Un «travail» dure rarement plus d'une heure. Pourtant le prince n'est jamais inactif. A quoi s'emploie-t-il donc ? Mais à mener la vie royale, c'est-à-dire à vivre tout simplement, en présence ou non de sa cour.

VIE PUBLIQUE ET VIE PRIVÉE

Louis XIV était entièrement sacrifié au public. Il n'avait que peu ou pas de retraite. Il vivait en public. Louis XV a une double vie en quelque sorte, une vie publique et une vie privée.

Nous appellerons vie publique celle qui se déroule sous les yeux de la Cour ou, tout au moins, devant un groupe important de courtisans. Les trois actes principaux — qui reviennent tous les jours — en sont le lever, le coucher et le débotter (après la chasse). Le cérémonial de chacun est long et complexe. Le lever par exemple doit durer au moins une heure. Le roi, en robe de chambre, commence par recevoir sa nourrice, puis Mme de Ventadour, enfin ses médecins qui l'examinent. On passe ensuite à la toilette. L'eau est mise à chauffer, le meuble et le nécessaire

---

1. Ce procès-verbal est reproduit in extenso dans l'ouvrage d'Alfred et Jeanne Marie, *Versailles au temps de Louis XV*, Paris, 1984.

de toilette sont disposés dans la chambre, les valets barbiers font leur entrée et rasent le roi. Tout de suite après, on lui apporte un bouillon. Il se lave la figure et les mains. On le coiffe, on l'habille et la cérémonie s'achève par une prière dans l'alcôve.

Une autre partie de l'existence royale — c'est la nouveauté par rapport au règne précédent — se passe en dehors des regards de la Cour, dans l'intimité des appartements privés et des cabinets. Nous avons vu que Louis XV s'était fait aménager, donnant sur la cour des Cerfs, plusieurs appartements sur trois étages. Au premier étage se trouve un «appartement intérieur» composé de huit pièces. Aux deuxième et troisième sont disposés le petit appartement et les «cabinets» privés. Constitué de toutes petites pièces aménagées autour de la calotte du salon de la Guerre, le petit appartement, inconnu de la plupart des courtisans, est la retraite idéale qui permet au roi, avec ses nombreux bureaux, «de travailler et de laisser sur chacun d'eux les papiers du travail en train que l'on retrouvera plus tard[1]». C'est aussi dans cet appartement que le roi fait installer la salle à manger de ses petits soupers.

Peu de personnes ont accès au petit appartement, mais Louis XV dispose d'une retraite encore plus sûre où il est absolument à l'abri des visites. Ce sont les cabinets privés disposés à côté du petit appartement, desservis par le même escalier ovale. Une seule porte y donne accès. La plupart des courtisans ne connaissent pas leur existence.

L'ENTOURAGE DU ROI

La Cour est un vaste monde, mais il est important de savoir quelles personnes voient le roi et surtout celles qu'il voit de manière fréquente et régulière.

Il y a deux sortes de courtisans, ceux qui ne font que passer à Versailles et ceux qui peuvent résider dans le château, le roi leur ayant attribué un appartement, faveur rare et insigne. S'ils meurent ou encourent la disgrâce, leurs logements sont à nouveau attribués. Par exemple, le 16 décembre 1736, l'appartement du duc d'Antin, décédé depuis peu, est donné à M. de La Rochefoucauld. La plupart des appartements sont minuscules, de véritables nids à rats. On y trouve rarement plus de deux pièces : une petite chambre à coucher et un cabinet salle à manger pour deux ou trois personnes au plus[2].

La plupart des courtisans, et même la plupart des courtisans résidents, n'approchent le roi que d'assez loin. Pour avoir accès librement à la personne royale et aux lieux ordinaires de son existence, pour pouvoir lui parler et être interpellé par lui, il faut en avoir reçu d'une façon expresse le privilège.

---

1. Cité par A. et J. Marie, *Versailles au temps de Louis XV, op. cit.*, p. 235.
2. Voir dans les *Mémoires* de Luynes, 16 décembre 1736, t. I, p. 151, la description de l'appartement de La Rochefoucauld.

Le privilège le plus connu — et le seul officiel — est le droit des « entrées », appelé aussi « entrées de la chambre » parce qu'il donne accès à la chambre du roi pour les cérémonies du lever et du coucher. Les titulaires se retrouvent également au débotter. Une trentaine de personnes jouissent du privilège en raison de leurs fonctions, depuis le premier valet de chambre jusqu'au premier écuyer, sans parler des ministres. S'y ajoutent des courtisans n'ayant aucune fonction, mais qui ont une des entrées en vertu de la faveur royale. Car c'est le roi lui-même, et nul autre à sa place, qui donne les entrées. Luynes dit de cette grâce qu'elle est « fort désirée ». « Le roi, écrit-il, vient de donner les entrées de la chambre à M. le duc de Rohan, gendre de M. le duc de Châtillon. Cette grâce a paru extraordinaire, étant fort désirée et demandée par des gens considérables qui étaient en droit de l'espérer beaucoup plus que M. le duc de Rohan[1]. » On peut user de son droit à sa guise et même n'en pas user. Luynes raconte que son épouse, en sa qualité de dame d'honneur de la reine, avait les entrées de la chambre du roi, mais qu'elle ne se présenta au lever qu'après plusieurs années. Toutefois un tel détachement devait être assez exceptionnel. Lorsque Mme de Luynes parut pour la première fois « le roi, nous dit son mari, a été étonné même qu'elle n'eût pas usé plus tôt de son droit[2] ».

Certains qui n'ont pas les « entrées » jouissent d'un privilège sans doute fort rare et peu connu, le « passe-partout ». C'est-à-dire qu'ils ont la clé ouvrant les portes de l'appartement royal, l'appartement officiel bien sûr, car il n'est pas question d'entrer dans les petits appartements. Luynes nous entretient du « passe-partout » à propos du comte de Noailles qui en aurait été l'un des rares bénéficiaires, et qui avait la permission de s'en servir pour traverser la chambre à coucher et les cabinets attenants, celui des glaces et celui des perruques, traverser seulement et sans s'arrêter. Mais le fait de pouvoir traverser ces lieux augustes était déjà une faveur très enviée, car il se pouvait que le roi vous voie passer et vous arrête pour vous parler. Un peu du même ordre et donnant un accès comparable sont les « quatorze » ou « entrées du cabinet » qui permettent d'aller non seulement dans la chambre, mais encore dans le cabinet « au bout du cabinet ovale ». Le roi se tient là très souvent.

Pour les « voyages » à Marly, Choisy et autres châteaux — c'est encore un autre privilège — sont dressées des « listes » d'heureux bénéficiaires autorisés à tenir compagnie au roi. Par exemple, en janvier 1725, lorsque se prépare un voyage à Marly, une liste est publiée de seigneurs et de dames nommés par le roi, et choisis par lui sur le cahier où, dans les jours précédents, les courtisans aspirant à cet honneur se sont inscrits.

---

1. Luynes, *Mémoires, op. cit.*, t. I, p. 133, 30 novembre 1736.
2. *Ibid.*, t. I, p. 161, 2 janvier 1737.

Le système de la liste vaut également pour les soupers. Mais c'est une liste de dernière heure. Ceux qui souhaitent souper avec le roi se présentent à la porte du cabinet. Le roi sort du cabinet, regarde les têtes, rentre pour faire la liste qui est tout de suite lue à haute voix par l'huissier. Les heureux nommés « entrent à mesure qu'ils sont appelés et vont se mettre à table aussitôt [1] ».

Quels que soient les privilèges, c'est toujours le roi qui les distribue lui-même, n'obéissant qu'à son bon plaisir. Ainsi règle-t-il à sa guise l'accès à sa personne, et fait-il sentir le prix de son intimité.

LE GOUVERNEMENT ROYAL : L'ORGANISATION ET LES HOMMES

L'organisation

Le roi est doublé par un premier ministre. Ce système a été inauguré à la majorité du roi. Successivement, le duc d'Orléans, le duc de Bourbon et le cardinal de Fleury assument cette fonction de premier ministre. Les deux premiers avec le titre de « principal ministre de l'État » décerné par lettres patentes conférant la charge, le troisième, sans le titre. La position de Fleury est assez originale. Le 12 juin 1726, le roi renvoie le duc de Bourbon. Le 15 juin, il déclare au Conseil son intention de gouverner par lui-même et d'imiter son arrière-grand-père :

> Il était temps que je prisse moi-même le gouvernement de mon état, et que je me donnasse tout entier à l'amour que je dois à mes peuples [...]. Je veux suivre en tout l'exemple du feu roi mon bisaïeul...[2].

Mais au moment où il fait part à ses conseillers de ses nobles intentions, Louis XV a déjà choisi le successeur du duc de Bourbon. Il a donné toute sa confiance — et ne la lui retirera jamais — à Fleury, son ancien précepteur. Cela suffit. Cependant, à titre de confirmation, Fleury reçoit un brevet pour que les ministres et secrétaires d'État viennent travailler chez lui, et pour qu'il puisse décider en lieu et place du roi. En outre, le roi l'admet à son « travail ». Désormais Louis XV ne recevra jamais un ministre sans que Fleury ne soit présent. La prééminence de l'ancien précepteur est ainsi assurée. La préséance l'est aussi par l'élévation au cardinalat. Le 5 novembre 1726, Fleury reçoit le chapeau. Il peut maintenant passer au Conseil juste après les princes du sang et devant les maréchaux de France.

1. Luynes, *Mémoires*, *op. cit.*, t. I, 8 janvier 1737.
2. Cité par M. Marais, *op. cit.*, t. IV, p. 423-424.

Avec le roi et le premier ministre, le gouvernement est constitué essentiellement du Conseil et de quelques personnes qui sont placées à la tête des départements ministériels et auxquelles revient la direction des affaires[1].

Un seul Conseil en plusieurs, c'est le mystère de l'institution. Le Conseil d'en haut appelé à cette époque Conseil d'État du roi ou simplement le « Conseil » est celui des grandes affaires, de la grande politique. On y traite surtout de politique étrangère. Il siège le dimanche et le mercredi. Le Conseil des dépêches (le samedi ou le vendredi) est plutôt spécialisé dans la politique intérieure. Le Conseil de conscience s'occupe des affaires ecclésiastiques. Le quatrième conseil s'occupe des finances, comme l'indique son nom de Conseil royal des finances, et siège le mardi. Voilà pour les conseils de gouvernement. Le roi les préside tous les quatre et y siège en personne dans le fauteuil qui lui est réservé, tous les conseillers devant se contenter de tabourets. S'y ajoutent les conseils hors de la présence du roi. Ceux-ci sont au nombre de quatre : le Conseil d'État privé ou Conseil des parties, chargé du contentieux de la justice et de l'administration, la Grande et la Petite Direction des finances, commissions ordinaires traitant les affaires contentieuses relevant de la finance, et l'assemblée des intendants de finance, la mission de ce dernier groupe de travail étant de régler les affaires les plus embrouillées. Les décisions émanant de ces différents conseils prennent la forme d'« arrêts du Conseil du roi ». Tous les conseillers membres de ces divers conseils participent au gouvernement du royaume.

Quelques personnes, en raison de leurs charges, ne sont pas seulement des membres du gouvernement mais dirigent les affaires. Ce sont le chancelier, le garde des Sceaux, les secrétaires d'État et le contrôleur général. Sous Louis XIV, le chancelier était ordinairement garde des Sceaux. Sous Louis XV les deux charges sont disjointes ; de 1722 à 1737 la garde des sceaux est confiée à un autre ministre que le chancelier. A l'époque de Fleury, les attributions respectives des secrétaires d'État sont les suivantes : le secrétaire d'État aux Affaires étrangères s'occupe, comme le veut son titre, des relations extérieures, ainsi que de l'administration des cinq provinces de Guyenne, Normandie, Champagne, Lyonnais et Navarre. Le secrétaire d'État à la Guerre, des affaires militaires et de l'administration des provinces frontières. Le troisième secrétaire d'État est dit « à la Religion prétendue réformée », mais il a aussi dans son département le Languedoc, la généralité de Montauban, la Bourgogne, la Bretagne, le comté de Foix, Moulins et Limoges. Le quatrième et dernier a la conduite de la maison du roi, de la marine, des colonies, des généralités de Paris, Soissons, Orléans, Poitiers et La Rochelle. Quant au

---

1. Pour cette question, nous suivons M. Antoine, *Le Conseil du roi sous Louis XV*, *op. cit.*

contrôleur général, on a pu le qualifier de « personnage le plus important de la monarchie ». Il est à la tête de l'énorme département des finances. Il supervise en outre toute l'administration du royaume, puisque les intendants sont à sa nomination et correspondent sans cesse avec lui. Au Conseil des dépêches, il passe avant tous les secrétaires d'État, même si ces derniers ont une plus grande ancienneté de réception comme intendants des finances.

La distinction que nous opérons entre le Conseil et les ministres n'a qu'une signification limitée. Il est vrai que les titulaires des charges ministérielles ne sont pas les seuls participants des conseils et qu'il y en a beaucoup d'autres, mais ils en sont membres, participent aux délibérations et même y remplissent souvent les fonctions de rapporteurs et de présidents. Le chancelier ne siège pas au Conseil d'en haut, mais il est membre de droit du Conseil des dépêches, du Conseil royal des finances et de la Grande Direction. C'est lui qui réunit le Conseil d'État privé et qui en dirige les travaux. Le contrôleur général est de tous les conseils sauf de celui d'en haut. Quant aux secrétaires d'État, ils sont tous les quatre au Conseil des dépêches, au Conseil d'État privé et à la Grande Direction. Le secrétaire d'État aux Affaires étrangères participe au Conseil d'en haut, où il est même le principal rapporteur. Les ministres ne sont plus des exécutants comme au temps de la polysynodie. Dans un tel gouvernement, la séparation de l'exécutif et du législatif n'a aucun sens. D'abord parce que le Conseil réunit tous les pouvoirs. Ensuite parce que les ministres contribuent très largement à élaborer les décisions dont ils auront à procurer l'exécution.

Le gouvernement royal de Louis XV est-il, comme le veut la constitution non écrite du royaume, un gouvernement par conseil ? Oui, puisque le Conseil réunit tous les pouvoirs ; oui puisque le roi préside effectivement et régulièrement les quatre conseils de gouvernement ; oui enfin parce que Louis XV a l'esprit de conseil. « Le roi mon bisaïeul, dit-il un jour, que je veux imiter autant qu'il me sera possible, m'a recommandé en mourant de prendre conseil en toutes choses et de chercher à connaître le meilleur, pour le suivre toujours[1]. »

Cependant le travail du Conseil pèse plus lourd que ses délibérations. Les affaires qui arrivent sur la table du Conseil ont déjà été traitées, et les décisions possibles sont déjà indiquées. En fait il y a une disproportion croissante entre le travail et la délibération. Cela est dû à plusieurs phénomènes.

Le premier est le déclin de certains conseils. Le Conseil de conscience ne se réunit plus à partir de 1730. Il n'était composé que d'ecclésiastiques. Le conflit avec le Parlement au sujet de la bulle *Unigenitus* rendant nécessaire l'intervention du chancelier et des secrétaires d'État,

---

1. Cité par M. Antoine, *Le Conseil du roi sous Louis XV, op. cit.*

la compétence est alors transférée au Conseil des dépêches. Le Conseil royal des finances se réunit de moins en moins. Il ne totalise en 1736 que vingt-huit séances. Ce n'est pas que les affaires financières manquent, mais on les juge trop détaillées et trop embrouillées pour être rapportées devant le roi.

Le deuxième phénomène est la complexité de plus en plus grande du travail de préparation. Les conseils de gouvernement sont préparés d'un côté par le « travail » du roi, de l'autre par les « comités de ministres ». Ce sont des réunions tenues avant le Conseil d'en haut et avant le Conseil des dépêches (ou après) par les membres de ces conseils sans le roi. Cette pratique existait déjà sous Louis XIV. Fleury la régularise à partir de 1737 : les comités de ministres ont désormais lieu tous les lundis. On suppose que le travail de ces réunions était de digérer et d'assimiler les dossiers, de manière à ce que le roi n'ait plus qu'à décider. Mais si les choses se passaient bien ainsi, il faut admettre que la délibération du Conseil devait perdre beaucoup de son importance. Les autres conseils sont également préparés. Le Conseil d'État privé par cinq bureaux, les Directions par deux bureaux. Il faut compter aussi les deux bureaux spécialisés des Postes et Messageries et de Législation (ce dernier constitué pour assister le chancelier d'Aguesseau dans la rédaction de ses ordonnances). Enfin il y a les nombreuses commissions extraordinaires chargées de l'étude de telle ou telle question particulière. Ajoutons le personnel des différents départements ministériels et nous aurons une idée complète de l'appareil mis en place pour faciliter la besogne gouvernementale. Ce personnel ministériel est composé de quelques dizaines de « commis » et de « secrétaires ».

Le troisième phénomène est l'importance toujours croissante du département des finances et sa séparation de plus en plus accusée d'avec les autres secteurs du gouvernement. On note en effet plusieurs faits significatifs : les comités de ministres sont tenus à l'écart des affaires financières ; la plupart des commissions extraordinaires sont créées pour étudier des questions de finances ; enfin les affaires de finances se traitent de moins en moins en conseil, de plus en plus dans les commissions et dans les bureaux. Le secteur financier, en somme, donne l'exemple du gouvernement hors conseil.

Peut-on dire que l'organisation gouvernementale soit lourde et bureaucratique ? Certainement non. Le personnel gouvernemental est relativement peu nombreux : sept à huit « ministres d'État » (on donne ce titre aux membres du Conseil d'en haut), quatre ou cinq titulaires de départements ministériels (chancelier, contrôleur général, secrétaires d'État) ne siégeant pas au Conseil d'en haut, trente conseillers d'État siégeant au Conseil d'État privé, à la Grande Direction et dans les commissions du Conseil, plus une cinquantaine de maîtres de requêtes chargés des études et des rapports, cela fait au total à peine cent personnes. Si nous y ajoutons les commis et secrétaires, on atteint cent cinquante environ. Nous savons qu'en 1735, à Fontainebleau, il suffisait de cent soixante personnes pour expédier toute la besogne gouvernementale. On ne peut pas dire non plus que les décisions soient prises par les bureaux, c'est-à-dire par le personnel administratif des départements ministériels. Certes, ce personnel commence à être assez étoffé ; il est devenu assez nombreux ; sa compétence augmente. Mais il ne semble pas qu'il pèse sur les décisions de gouvernement. Quant aux « bureaux » qui préparent le travail du Conseil d'État privé et celui des Directions, nous ne pouvons pas les considérer, malgré leur nom, comme des organismes bureaucratiques irresponsables. Ce sont en fait des réunions de travail préparatoires et nous remarquons que des membres des conseils de gouvernement, des « décideurs », comme nous dirions aujourd'hui, participent à leurs travaux. Par exemple, dans les deux bureaux des Directions, siègent le contrôleur général et les deux conseillers d'État membres du Conseil royal des finances. Ceux qui dirigent les affaires, non seulement participent aux délibérations des conseils, mais encore contribuent à préparer ces délibérations.

Les hommes

La composition sociale du personnel gouvernemental est à peu près la même que sous le règne précédent. Quelques-uns sont fils de bourgeois ou de financiers. La plupart sont de robe et issus de vieilles familles d'officiers de justice. Un petit nombre vient de l'ancienne noblesse. Toutefois, c'est le même ton, le même genre de vie, le même style. Le travail en commun et les mariages ont rapproché tout le monde.

Il y a une différence notable avec le gouvernement de Louis XIV. C'est la présence au principal conseil, au Conseil d'en haut, de plusieurs gentilshommes de Cour. Y siègent en effet, outre les princes du sang (le prince de Conti et le duc d'Orléans), trois maréchaux de France.

Cependant les trois hommes qui jouent les rôles les plus importants dans le gouvernement de cette époque n'appartiennent pas à la grande et ancienne noblesse. Fleury est issu de bonne noblesse, mais petite et sans éclat : son père était receveur des tailles. D'Aguesseau a pour père un maître des requêtes, intendant du Limousin. C'est de l'ancienne robe. Quant à Orry, la marchandise chez lui n'est pas loin. Son grand-père était libraire à Paris.

De même que leurs origines, les carrières de ces trois hommes ne sont pas du même modèle. D'Aguesseau est un magistrat. Il est arrivé très jeune. Il a fait presque toute sa carrière au parlement de Paris : à vingt et un ans avocat du roi au Châtelet, à vingt-deux, avocat général au parlement de Paris, à trente-deux procureur général au parlement de Paris, à quarante-sept chancelier de France. Orry, c'est la carrière typique de « serviteur du roi », grand administrateur : conseiller au parlement de

Paris, maître des requêtes, intendant de trois généralités successivement (Soissons, Perpignan, Lille), contrôleur général des finances en 1730. L'élévation de Fleury passe par la charge d'aumônier du roi à laquelle succèdent l'épiscopat et le préceptorat.

Cependant, l'ascension exceptionnelle d'Hercule de Fleury jusqu'au sommet de l'État mérite d'être observée de plus près. D'abord parce qu'elle est lente et progressive. Ensuite parce qu'elle résulte de l'heureuse conjonction d'un grand nombre de facteurs.

Lente et progressive. Aumônier du roi dès l'âge de vingt-trois ans, Fleury attend très longtemps son évêché. Quand il est enfin nommé évêque, il a quarante-six ans. Et c'est un bien petit évêché qu'on lui donne : Fréjus (quatre-vingt-huit paroisses seulement et 25 000 livres de revenus). Et de plus extrêmement loin de la Cour. Il devient principal ministre à l'âge où presque tout le monde est mort : soixante-treize ans. Quand il meurt enfin, dix-sept ans plus tard, à l'âge de quatre-vingt-dix ans, il est toujours à la tête de l'État.

L'Église et le préceptorat ont fait Fleury comme ils avaient fait Dubois. L'aumônerie du roi était d'ordinaire le marchepied de l'épiscopat, et l'épiscopat avait déjà rendu Bossuet et Fénelon dignes du préceptorat. Au départ de la carrière d'Église du futur cardinal ministre, il y avait eu la protection accordée à la famille de Fleury par le très puissant Clément de Bonzi, évêque de Montpellier, lequel avait fait donner au jeune Hercule, alors âgé de quinze ans, la prébende de chanoine de la cathédrale de Montpellier. L'Église toutefois n'aurait pas suffi sans l'heureux caractère de l'homme et sans l'affaire janséniste. Fleury s'est vraiment fait lui-même grâce à sa sociabilité, à son exceptionnelle disposition à rassurer tout le monde et à n'inquiéter personne. A la Cour, où il est arrivé très jeune, il s'est fait beaucoup de relations. Toutefois, cela l'aurait desservi auprès de Louis XIV — qui le trouvait frivole — et aurait donc plutôt compromis sa carrière, s'il n'y avait pas eu l'affaire de la bulle *Unigenitus*. Quand cette affaire éclate, Fleury est évêque de Fréjus. Il prend tout de suite le parti de Rome et du roi. Le 6 mai 1714, il publie un mandement de trente-deux pages qui est une ferme condamnation des erreurs de Quesnel. Cette prise de position éclatante lui vaut l'attention et la faveur royales. Le 23 août 1715, quelques jours avant sa mort, Louis XIV le nomme précepteur du Dauphin. La voie du pouvoir est ouverte.

Il acquiert ensuite facilement l'affection de son royal élève. Louis XV et Fleury étaient faits pour s'entendre. Fleury est un pragmatique, un homme pratique. S'il avait été un doctrinaire, un théoricien (comme Bossuet ou comme Fénelon), il aurait vite fatigué Louis XV qui, tout en étant fort curieux et cultivé, n'était rien moins qu'un intellectuel. En outre, sa manière douce convient au timide qu'est le roi. Au lieu de s'imposer, il se retire et se rend de cette manière plus indispensable que jamais. La journée du 26 décembre 1725 est celle où il assied définitivement son crédit. Ce jour-là, après la chasse, la reine, circonvenue par le duc de Bourbon et probablement (mal) conseillée par son père, presse le roi d'écarter des affaires son ancien précepteur et plus précisément de ne plus le convier à son travail avec le premier ministre. Louis XV aussitôt va raconter la chose à Fleury, lequel, avec habileté, conseille de céder aux instances de la jeune reine, et puis quitte la Cour pour sa retraite d'Issy, non sans avoir laissé une émouvante lettre d'adieu. Il y écrit au roi « que [ses] services paraissant désormais inutiles, [il le] supplie de [le] laisser finir [ses] jours dans la retraite et préparer [son] salut auprès des sulpiciens d'Issy auprès desquels [il se] retire ». Aussitôt Louis XV réagit et envoie un exprès au prélat lui intimant l'ordre de se trouver le lendemain matin à son lever. Le duc de Bourbon est ainsi publiquement désavoué. Le 12 juin suivant, il sera renvoyé. L'astucieux évêque de Fréjus utilisera souvent ce même procédé. Il dira qu'il est trop vieux, qu'il doit se retirer, et chaque fois Louis XV s'accrochera à lui pour qu'il reste. C'est le cas — entre autres — en 1737. « On parle fort, écrit en mars 1737 le mémorialiste Barbier, que le cardinal a envie de se retirer [...]. Le cardinal a, dit-on, proposé à M. d'Orléans, comme premier prince du sang, de se mettre à la tête des affaires[1] [...]. » Mais le duc aurait refusé (?). Finalement Fleury reste, et c'est tant mieux, car « il sera toujours fâcheux de perdre le cardinal ». Tout cela est-il de la comédie ? Fleury est-il un intrigant ? Assurément non. Certains mêmes ont pensé qu'il voulait sincèrement s'en aller et penser à son salut. Car il était un prélat pieux et parfaitement digne. Les bruits que l'on fera plus tard courir sur ses mœurs sont tout à fait dénués de fondement. Villars l'accuse dans ses *Mémoires* d'avoir voulu détacher le roi de la reine. Cela non plus n'est aucunement prouvé. Les lettres échangées entre Marie Leszczynska et le premier ministre prouvent au contraire une grande confiance mutuelle. Et c'est à Fleury que la reine se confie en 1738 quand l'infidélité du roi se révèle au grand jour. Ce qui est certain, c'est que Fleury a été terriblement jalousé à cause de la faveur dont il jouissait. Le marquis d'Argenson dit de lui : « ... il jase, il radote, il débite quelques mauvaises plaisanteries, entrelardées de discours mielleux et communs[2]. » Certains historiens — même parmi les plus avertis — semblent avoir hérité des préventions des contemporains. L'un d'eux le qualifie de « modérateur papelard ». Faut-il préférer ce jugement de Voltaire : « Il resta au cardinal de Fleury la distinction de la modestie ; il fut simple et économe en tout, sans jamais se démentir. L'élévation manquait à son caractère, ce défaut tenait à des vertus qui sont la douceur, l'égalité, l'amour de l'ordre et la

---

1. Edmond Barbier, *Journal historique et anecdotique de la Régence et du règne de Louis XV*, Paris, 1866, t. I, p. 76.
2. Cité par Maxime de Sars, *Le Cardinal de Fleury, apôtre de la paix*, Paris, 1942, p. 100.

paix; il prouva que les esprits doux et conciliants sont faits pour gouverner les autres.» En tout cas c'est nuancé et c'est bien dit. Il reste sans doute que le meilleur moyen d'apprécier Fleury est de considérer son action politique à l'intérieur comme à l'extérieur.

Fleury, Orry, d'Aguesseau, trois carrières, trois longs ministères (Orry, treize ans, Fleury, dix-sept, d'Aguesseau, vingt-six), trois caractères qui ont laissé une empreinte profonde sur le gouvernement de la France. Fleury est doux, mais ferme. Orry est un bougon et un rude. Économe à tout prix, il éconduit les solliciteurs. Les échevins de Troyes viennent lui demander des secours, à cause d'une famine qui a désolé leur ville. Il les apostrophe: «Êtes-vous donc faits vous autres pour entendre ces matières-là[1]?» Quant à d'Aguesseau, c'est celui des trois qui a le moins d'aptitudes au gouvernement. Grand honnête homme, grand magistrat, grand jurisconsulte, mais petit politique. Il souffre d'une irrésolution maladive. Tous les contemporains en sont d'accord. Saint-Simon: «Le chancelier, lent, timide [...] n'avait pas la première teinture du monde ni de cour, toujours en brassière et en doute, en mesure, en retenue, arrêté par le tintamarre audacieux des uns et par les doux mais profonds artifices des autres[2].» Luynes: «On lui a reproché d'être souvent embarrassé dans les différentes combinaisons qu'il apercevait dans une affaire et entre lesquelles il avait peine à se déterminer. Cet embarras avait augmenté sur la fin de sa vie[3].» Avec cela un esprit de système. Gallican exacerbé, il affirme que «l'Église est dans l'État et non pas l'État dans l'Église[4]». Ami des jansénistes, il manifeste contre les jésuites l'hostilité la plus vulgaire, ajoutant crédit à tous les ragots. Il va jusqu'à souscrire au roman selon lequel les fils de Saint-Ignace auraient eu une «chambre de méditations» pour pousser les gens au crime. Dans le différend avec le Parlement, ce chancelier de France, premier des serviteurs du roi, n'épouse pas vraiment la cause du roi. Car, selon lui, ce n'est pas le roi qui incarne en France la voix de la justice, protégeant les faibles contre les forts. C'est le Parlement. Le Parlement qu'il qualifie de «barrière placée entre la puissance absolue et la liberté des peuples[5]». Que reste-t-il alors de l'antique fonction judiciaire du pouvoir royal? D'Aguesseau ne croit pas vraiment non plus à la hiérarchie sociale formant le corps politique de l'ancienne France. Imprégné d'égalitarisme, il est convaincu de l'égalité naturelle des hommes, persuadé que les inégalités ne sont que des préjugés sociaux: «Le premier artifice de la prévention, écrit-il, est de

---

1. Cité dans le *Dictionnaire de biographie française*, art. ORRY.
2. Louis de Rouvroy, duc de Saint-Simon, *Mémoires*, éd. Boislisle, Paris, 1789-1930, t. XXXI, p. 144.
3. *Mémoires*, *op. cit.*, t. XI, p. 39.
4. Formule du jurisconsulte napolitain Giannone (1676-1748), très souvent citée par les théoriciens gallicans, et devenue commune.
5. Henri François d'Aguesseau, *Fragments sur l'origine et l'usage des remontrances*. *Œuvres*, Paris, 1779-1789, 13 vol., t. X, p. 30.

nous faire envisager les hommes sous ce dehors emprunté qu'ils reçoivent des mains de la fortune. Maîtresse pour ainsi dire de la scène du monde, elle y distribue les personnages ; et telle est souvent la faiblesse des spectateurs que la figure leur impose et que le masque fait sur eux plus d'impression que la personne[1]. » On voit que cet irrésolu se montre fort tranchant et radical dans l'expression de ses idées. Cela sans doute parce que sa conception du monde est en opposition avec la réalité de celui-ci. Il est, dans l'histoire de la monarchie française, le premier idéologue accédant au pouvoir.

LA POLITIQUE ROYALE

La politique étrangère

Les pôles de la politique royale sont l'Espagne, l'Angleterre et l'Autriche.

Fleury renoue avec l'Espagne. C'est la grande différence avec la politique étrangère de la Régence. Le rapprochement franco-espagnol est amorcé au congrès de Soissons et réalisé par le traité de Séville (1729) qui unit les trois grandes puissances maritimes (France, Espagne et Angleterre). Philippe V est autorisé à faire occuper militairement les duchés de Parme et de Toscane. Les ambitions italiennes de l'Espagne sont enfin satisfaites. Dès lors Espagne et France marchent la main dans la main. Le traité de Fontainebleau, qui les unit en octobre 1743 pour la guerre contre l'Angleterre, sera appelé le premier « pacte de famille ».

La politique anglophile de la Régence est continuée par Fleury. Si l'Angleterre s'éloigne, c'est surtout du fait des Anglais. Au début, règne la bonne entente bien que Fleury garde son autonomie, refusant par exemple d'envoyer une expédition à Gibraltar pour défendre l'occupation anglaise du fameux rocher contre les Espagnols désireux d'y mettre fin. Il y a plusieurs réticences de ce genre. Quand les Anglais s'en plaignent à Fleury, ce dernier, avec astuce, les met sur le compte de son secrétaire d'État, Chauvelin (nommé à ce poste le 23 août 1727). Le langage du vieux cardinal est à peu près celui-ci : je ne puis répondre de tout ce que fait Chauvelin, mais j'ai besoin d'un ministre tel que Chauvelin. C'est une astucieuse comédie. Signalons aussi que Fleury est très lié à Horace Walpole, ambassadeur à Paris et frère de Robert Walpole, Premier ministre.

Cependant les Anglais deviennent irritables, et la bonne entente des deux pays faiblit peu à peu. Pour plusieurs raisons. La première est la position de plus en plus forte de la France en Europe. Évoquant les

---

1. Cité par Isabelle Storez, *La Philosophie politique du chancelier d'Aguesseau*, mémoire de maîtrise, Angers, 1981, p. 91.

premières années du ministère Fleury, Voltaire écrit : « La cour de France continua d'être regardée comme l'arbitre de l'Europe. » De fait le roi de France est sollicité comme arbitre dans plusieurs conflits, celui de l'Empereur et des Turcs, celui des Genevois entre eux, celui de l'Espagne et du Portugal (1735), enfin celui qui oppose en 1736 la république de Gênes à ses sujets de la Corse. De cette restauration du prestige français, les Anglais ne peuvent se réjouir. Les succès des armées françaises lors de la guerre de Succession de Pologne (1733-1735) augmenteront leurs inquiétudes. Ils se sentiront écartés des affaires du continent. Cependant, la cause principale du ressentiment croissant de l'Angleterre à l'endroit de la France n'est pas en Europe mais en Amérique. C'est la prospérité grandissante de l'Amérique française et son expansion. Un fait est très important : l'occupation, à partir de 1739, par les Français de la vallée de l'Ohio, voie naturelle de communication entre la Louisiane et le Canada. Ainsi se trouve réalisée la liaison entre les deux provinces de l'empire français d'Amérique. Les colonies anglaises ne peuvent plus s'étendre vers les Grands Lacs et les régions du Nord-Ouest. Elles sont menacées d'asphyxie.

A partir de 1730 environ, un puissant courant belliciste commence à se manifester en Angleterre, dirigé contre la France et contre l'Espagne. Menacés dans l'Amérique du Nord, exclus de l'Amérique du Sud par les Espagnols, les milieux d'affaires élèvent la voix et critiquent de plus en plus vivement la politique pacifique du gouvernement de Robert Walpole. Comme l'écrit Émile Bourgeois : « Ils avaient souhaité la paix, pourvu qu'elle leur profitât. Elle leur avait profité, mais ils ne voulaient pas qu'elle servît leurs rivaux également[1]. » Dès 1730 se manifestent les premiers signes de l'exaspération anglaise. Le comte de Broglie, ambassadeur à Londres, avertit Versailles : les chantiers anglais préparent avec activité l'équipement d'une escadre. Au même moment, se forme dans le Parlement un parti « patriotique », ce qui veut dire belliqueux. En 1738, la campagne d'opinion contre l'Espagne atteint son paroxysme. Le 16 mars de cette même année, un capitaine de navire nommé Jenkins exhibe aux Communes un curieux objet racorni qu'il certifie être son oreille tranchée il y a sept ans par un douanier espagnol. Le Parlement n'en veut pas davantage. Il somme le gouvernement d'agir. L'escadre de Gibraltar prend la mer et croise devant les ports espagnols. Le 19 octobre 1739, la guerre est déclarée à l'Espagne. Bientôt l'Espagne ne suffira plus. En janvier 1741, dans la mer des Antilles, une escadre britannique canonne un détachement de quatre navires français. L'année suivante Walpole s'en va et le parti « patriotique » accède au pouvoir. Dès lors les actions de guerre se multiplient en

---

1. Émile Bourgeois, *Manuel historique de politique étrangère*, Paris, 1939, 4 vol., t. I, p. 308.

Méditerranée comme aux Antilles, pour aboutir, en mars 1744, à la guerre officielle et déclarée.

Le troisième volet des affaires étrangères est la politique antiautrichienne. En août 1733, la tentative de Versailles pour replacer Stanislas Leszczynski sur le trône de Pologne se heurte à une mobilisation austrorusse. Une coalition franco-hispano-piémontaise se forme contre l'Empereur. Les Français se portent sur le Rhin et prennent Kehl et Philippsburg. Le Milanais est conquis par le maréchal de Villars. Charles VI demande l'armistice (1735) et c'est alors qu'est conclue la cession de la Lorraine à la France (1736-1737). C'est aussi le moment où Fleury et le roi, très conscients de la menace anglaise, essaient d'amorcer un rapprochement avec l'Autriche. Un nouvel ambassadeur est nommé à Vienne, le marquis de Mirepoix. Il devra travailler, disent ses instructions, à « l'établissement d'une intelligence et d'une union aussi durables qu'intimes entre le roi et l'Empereur [...]. La puissance des deux maisons de Bourbon et d'Autriche est parvenue, de chaque côté, à un degré qui doit leur faire perdre la jalousie qu'elles ont longtemps eue l'une pour l'autre[1]. » Est-ce le début d'un renversement des alliances ? Sans doute, mais le projet n'a pas le temps de se préciser. Le 30 octobre 1740, Charles VI meurt. L'affaire de sa succession va empêcher, pendant de longues années, la réconciliation définitive des deux puissances.

Pourquoi ? Parce que l'Empereur n'a pas d'héritier mâle. La France veut bien reconnaître la pragmatique sanction, par laquelle Charles VI a laissé à sa fille aînée Marie-Thérèse ses états héréditaires. Pour l'élection à l'empire c'est autre chose. L'occasion paraît bonne d'écarter les Habsbourg et d'opposer victorieusement au candidat autrichien, François de Habsbourg-Lorraine, époux de Marie-Thérèse, le candidat de la France, Charles-Albert de Bavière. On va donc se diriger vers une nouvelle guerre avec l'Autriche. Pourtant, le roi et Fleury n'en veulent pas. On raconte qu'à la nouvelle de la mort de Charles VI, le roi dit à ses familiers : « Nous n'avons qu'une chose à faire, c'est de rester sur le mont Pagnotte » (petite butte de la forêt de Chantilly où les chasseurs avaient coutume de faire la curée). Il veut dire sous cette forme amusante son désir de garder la neutralité. Quant à Fleury, selon ses propres confidences, la ligne de la guerre était « contraire » à son « goût » et à ses « principes ». Alors pourquoi la guerre ? Parce que le parti de l'intervention est très nombreux et très fort. Presque toute la France est interventionniste, la Cour, la bourgeoisie (qui a depuis quelques temps beaucoup de ses fils dans l'armée) et même les philosophes. Le marquis d'Argenson s'exclame : « Eh quoi ! laisserons-nous passer ce grand événement de la mort de l'Empereur sans y gagner ? » C'est là l'opinion générale. On ne parle de rien moins que de démembrer l'Autriche. Comme si l'on était encore au temps de Richelieu

---

1. Cité par Maxime de Sars, *Le Cardinal de Fleury...*, *op. cit.*, p. 183.

et de Mazarin. Le comte de Belle-Isle anime ce parti de la guerre. C'est un fervent, un convaincu. Voltaire dira de lui : « Il persuadait sans s'exprimer avec éloquence parce qu'il paraissait toujours persuadé[1]. » Nommé ambassadeur auprès de la diète à Francfort-sur-le-Main, il réussit (à force de démarches et à coup de subsides) à faire prévaloir la candidature de l'Électeur de Bavière. Le 4 janvier 1742, Charles-Albert est élu empereur. Cette grande victoire diplomatique compense en partie les déboires de l'armée franco-bavaroise dans sa campagne de Bohême. En novembre 1741, les alliés ont réussi à s'emparer de Prague, mais en décembre il a fallu abandonner et commencer une difficile retraite à travers un pays hostile. La même politique de guerre a conduit la France à l'alliance avec le roi Frédéric II de Prusse, l'autre ennemi de l'Autriche (mai 1741). Ce dernier avait toutefois été plus heureux dans ses entreprises militaires. Ayant vaincu l'Autriche à Mollwitz, il avait conquis la Silésie et démontré par là même l'éclatante supériorité de l'armée prussienne sur toutes les armées d'Europe et le génie militaire de son chef. Frédéric II affecte de s'inspirer des anciens Romains. Il fait porter devant son régiment des gardes l'aigle romaine éployée en relief en haut d'un bâton doré. Ce roi militaire est aussi un roi philosophe : il fait rayer sur ses drapeaux la mention *Pro Deo*. Curieux allié pour le Roi Très Chrétien.

En janvier 1743, à la mort de Fleury, la situation de la France n'est pas excellente. L'armée d'Allemagne se retire, très affaiblie par la maladie et par la désertion. L'Angleterre soutient Marie-Thérèse de ses subsides. On voit naître le péril d'une coalition austro-anglaise. C'est ce qui entraînera bientôt l'alliance militaire avec l'Espagne, et le retour au partage des forces de 1701.

La politique étrangère de cette époque a généralement été qualifiée de pacifiste. Il y a eu quand même deux conflits armés et cinq années de guerre (de 1733 à 1735 et de 1740 à 1743), ce qui est beaucoup pour un gouvernement pacifiste. Les opérations s'étant déroulées sur des théâtres extérieurs, les populations n'ont pas souffert directement. Il a fallu néanmoins qu'elles contribuent à l'effort de guerre. D'abord par l'impôt. Le dixième, impôt sur les revenus, frappant toutes les sources de richesse, à l'exception du produit du travail, est perçu au moment de la guerre de Succession de Pologne, de 1733 à 1737, puis, de nouveau, à partir de 1741, pour soutenir la lutte contre l'Autriche. A l'impôt, s'ajoute le service militaire de la milice, rétabli en février 1726, sous le duc de Bourbon, mais maintenu par Fleury, et qui oblige chaque paroisse à fournir un milicien. La guerre, il est vrai, aurait pu coûter bien davantage, mais il est dans le tempérament du cardinal d'aller à l'économie et de « soutenir de grandes choses par de petits moyens[2] » (Voltaire). Si bien

---

1. Voltaire, *Précis du siècle de Louis XV*, Paris, 1768, p. 55.
2. Voltaire cité par Maxime de Sars, *Le Cardinal de Fleury...*, *op. cit.*, p. 237.

qu'en définitive on s'en tire au meilleur compte. Plus inquiétante est la faiblesse de ce gouvernement qui, en 1740, se laisse imposer la guerre par une campagne d'opinion, et qui se détermine à la faire sans vraiment croire à sa nécessité. Situation sans précédent, très différente de celles du XVIIᵉ siècle où l'on avait toujours vu des guerres voulues par le gouvernement royal, sans avoir toujours (par exemple lors de l'engagement dans la guerre de Trente Ans) l'assentiment de la nation.

Le grand avantage retiré de cette politique — en tout cas le plus apparent — est la cession de la Lorraine et du Barrois à Stanislas Leszczynski durant sa vie et, après sa mort, à la France. L'affaire se négocie pendant deux ans, de 1735 à 1737. D'un certain côté, grâce aux succès militaires de Berwick et Villars en Italie et sur le Rhin, la France est en position de force. Mais, d'un autre côté, elle est en position de faiblesse parce que la cession est vitale pour elle. En 1735, est décidé le mariage du duc de Lorraine François II avec Marie-Thérèse l'héritière d'Autriche. Comme le dit le négociateur français à Vienne, le roi supporterait mal de « voir devenir empereur, un prince déjà souverain, presque au milieu de la France [1] ». Les ministres autrichiens savent cette crainte et font traîner en longueur. Deux négociateurs échouent. Le troisième, nommé du Theil, premier commis des Affaires étrangères, réussit, mais il a fallu que Chauvelin fasse la grosse voix et menace de garder Kehl et Philippsburg. En tout, trois conventions seront signées, la renonciation de François II (en échange il aura la Toscane) en avril 1736, le traité de cession de la Lorraine et du Barrois le 15 février 1737, et les accords secrets de Meudon par lesquels le roi Stanislas confie pratiquement à la France l'administration de ses nouveaux États. La Lorraine était terre d'Empire depuis le Xᵉ siècle. C'était vraiment une enclave étrangère qu'à chaque guerre avec l'Allemagne il était nécessaire de neutraliser et d'occuper militairement. Le traité de 1737 est donc un événement très important. L'annexion à la Couronne à la mort de Stanislas, en 1766, marquera l'achèvement de la grande œuvre capétienne, la formation territoriale de la France. D'ailleurs, dès le temps de Stanislas, la Lorraine est intégrée à l'administration du royaume. Le chancelier de Stanislas, Chaumont de La Galaizière, est en fait l'homme de la France. Beau-frère du contrôleur général Orry, il exerce les fonctions d'un intendant pour la Lorraine bien qu'il n'en ait pas le titre et qu'il n'ait jamais reçu qu'une simple commission d'intendance des troupes françaises. Il est un agent du contrôle général auquel il rend compte de son administration [2].

---

1. Propos tenus par M. de la Baune, ambassadeur à Vienne, cités par le comte d'Haussonville dans son *Histoire de la réunion de la Lorraine à la France*, Paris, 1859, t. IV, p. 407.

2. Michel Antoine, « "L'intendance" de Lorraine sous le règne de Stanislas », dans *Le Dur Métier de roi*, Paris, 1986, p. 181-193.

La politique religieuse

Le gouvernement royal rompt avec la tolérance du temps de la Régence et combat vivement le jansénisme. Les raisons d'une telle hostilité ne sont pas tant doctrinales que politiques. Fleury veut surtout éviter que la querelle janséniste ne s'envenime et ne nuise à la tranquillité publique. Pour lui, le jansénisme est un parti de désordre et c'est pour cela qu'il faut lutter contre lui. Il souhaite éviter autant que possible le débat de fond. C'est pourquoi Maurepas recommande aux évêques par une lettre du 22 juillet 1731 d'éviter l'expression de « règle de foi » en parlant de la constitution *Unigenitus*, afin qu'elle ne devienne pas « une occasion de nouvelles disputes aussi dangereuses qu'inutiles ». On reconnaît bien ici le pragmatisme du cardinal. Les nominations d'évêques vont dans le même sens. On évite de nommer des « constitutionnaires » trop ardents, des partisans trop déclarés des Jésuites. On préfère nommer des hommes du tiers parti, rigoristes sans être vraiment jansénistes. Par exemple Souillac à Lodève ou Fitz-James à Soissons.

Le jansénisme ecclésiastique et monastique est réduit. Au début, le pouvoir royal se contente d'interventions indirectes. Il fait condamner Soanen, l'évêque appelant de Senez par le concile provincial d'Embrun (1727). Par diverses pressions, il obtient en 1728 la rétractation de Noailles. A partir de 1730, on revient à une politique religieuse beaucoup plus étatique et qui rappelle celle de Louis XIV. La déclaration royale du 24 mars 1730 interdit aux parlements de prononcer sur les appels comme d'abus[1], liés à la bulle. Les bénéfices des ecclésiastiques n'ayant pas signé le Formulaire sont déclarés vacants. Le pouvoir intervient dans la vie interne et dans le gouvernement des ordres religieux réputés jansénistes (Vannistes, Oratoriens, Dominicains, Doctrinaires). Des commissaires royaux sont envoyés dans les chapitres généraux de ces instituts. Ils y assistent, surveillent les élections des supérieurs et veillent à ce que tous les capitulaires aient signé le Formulaire d'Alexandre VII. Si le roi n'envoie pas de commissaire — c'est le cas au chapitre des Doctrinaires de 1737 — il fait convoquer les électeurs par le lieutenant de police « pour leur signifier de n'avoir à élire qu'un homme agréable à la Cour ». Les religieux rebelles aux décisions des chapitres ainsi épurés sont assignés à résidence ou emprisonnés par lettres de cachet. C'est ainsi qu'en 1737, deux pères doctrinaires, professeurs au collège de Villefranche, tous deux opposants obstinés à la bulle, sont arrêtés et conduits au château de Pierre Encise près de Lyon, où ils restent prisonniers six semaines[2].

---

1. Abus signifie ici un empiètement de la juridiction spirituelle sur la temporelle. On appelle « comme d'abus » quand on saisit la justice du roi au sujet de ces empiètements.
2. Jean de Viguerie, *Une œuvre d'éducation sous l'Ancien Régime. Les pères de la Doctrine chrétienne en France et en Italie...* Paris, Nouvelle aurore, 1976, p. 427.

Cette politique vigoureuse porte ses fruits. Bientôt il n'y aura plus d'évêques jansénistes. Le dernier, Tubières de Caylus, mourra en 1754. Quant aux instituts contaminés, leur gouvernement passe entre les mains des constitutionnaires. C'est le cas en particulier de l'Oratoire, où le P. de La Valette est élu général, le 12 juin 1733, au douzième scrutin, et accepte son élection au bout de deux jours, sur les instances de Fleury et l'ordre formel du roi. Le nouveau général réussit le tour de force de faire accepter la bulle *Unigenitus* par les chapitres généraux de 1746 et 1749.

Mais le jansénisme est une plante vivace. Arrachée ici, elle repousse ailleurs. Pendant que le jansénisme épiscopal et le monastique déclinent, nous voyons naître un autre jansénisme à caractère populaire et illuministe. C'est le jansénisme des «miracles» et des convulsions.

Le 1er mai 1727, meurt à Paris sur la paroisse Saint-Médard, où il exerce les fonctions de diacre, un clerc âgé de trente-sept ans nommé François de Pâris, fils d'un conseiller au Parlement. Sa réputation de sainteté est si grande que l'on se presse sur sa tombe. Le 3 mai a lieu le premier d'une longue série de miracles attribué à son intercession. Les malades viennent dans le cimetière, se couchent sur la tombe du diacre Pâris et se déclarent guéris. Quatre-vingt-huit miracles-guérisons de maladies très diverses (rhumatismes, paralysie, hydropisie, maladies de peau) sont recensés entre 1727 et 1737[1].

Aux miracles s'ajoutent les «convulsions». A partir de juillet 1731, une centaine de dévots du diacre Pâris, tous jansénistes ardents comme leur inspirateur, sont saisis de mouvements convulsifs. Des hommes s'agitent comme des furieux. «Celle-ci se faisait tirer par les quatre membres. Celle-là se faisait frapper du plat de la main sur le dos par deux hommes placés à côté d'elle [...]. Il y avait des filles qui ont eu, pendant des mois entiers, des convulsions qui exigeaient des trente à quarante mille coups de bûche sur le corps.» Car les convulsions déclenchent un autre phénomène, celui des «secours», actes violents accomplis sur les convulsionnaires par les spectateurs. On les frappe, on les crucifie, on les suspend. On aboutit à des scènes d'hystérie collective. Miracles et convulsions sont liés. Souvent les malades sont saisis de convulsions alors qu'ils viennent se coucher sur la tombe du diacre Pâris. La guérison survient peu après. Ou bien des convulsionnaires touchent des malades qui se trouvent aussitôt guéris.

Le pouvoir royal a le plus grand mal à enrayer la contagion. En 1732, une ordonnance ferme le cimetière Saint-Médard. C'est l'occasion du célèbre distique :

De par le Roi, défense à Dieu
De faire miracle en ce lieu.

---

1. *Recueil de pièces pour servir à l'histoire des prétendus miracles du diacre Pâris et des convulsionnaires du cimetière Saint-Médard*, 6 vol., in quarto.

Miracles et convulsions continuent à domicile. On applique aux malades des cataplasmes faits de la terre du tombeau. Les convulsionnaires se transforment en thaumaturges. Le jansénisme convulsionnaire gagne plusieurs villages de banlieue, s'étend jusqu'à Corbeil, Pontoise et Auxerre, descend jusqu'à Bayonne et à Lyon.

A la même époque, la propagande janséniste s'est dotée d'un instrument corrosif et très efficace, le journal clandestin publié à partir de 1728 et intitulé Les *Nouvelles ecclésiastiques*. Le genre adopté en assure le succès. Les questions doctrinales n'y sont pas abordées, mais presque uniquement celles de personnes. Pour ridiculiser les constitutionnaires et exalter les appelants. Les nombreuses attaques contre les évêques portent tort au pouvoir royal, le roi nommant les évêques et protégeant les églises. Les recherches pour découvrir l'imprimerie clandestine restent longtemps vaines. Le 27 octobre 1735, le lieutenant de police Hérault opère une descente à Saint-Fargeau dans le diocèse d'Auxerre mais il revient bredouille : les presses avaient déjà été enlevées. Vraiment, cette sorte de jansénisme est insaisissable.

Vis-à-vis des protestants, le gouvernement de Fleury maintient la politique de rigueur de Louis XIV et de la Régence. Une déclaration royale de 1724 réaffirme même de manière solennelle les dispositions prises par Louis XIV. Les arrestations de réfractaires continuent, bien qu'en nombre moins important. Par exemple, Marie Durand, sœur d'un pasteur du Désert, est enfermée en 1730 à la tour de Constance. Elle n'en sortira que trente-huit ans plus tard.

Si nous nous tournons du côté de l'administration de l'Église, il n'y a pas non plus beaucoup de changement. Louis XIV avait cherché à créer un épiscopat plein de science théologique et habile administrateur. Cette politique est poursuivie, mais avec plus d'insistance encore. Désormais, pas un évêque nommé qui ne soit licencié en théologie. Trente-quatre des cent seize nommés par le roi sous le ministère de Fleury sont passés par le séminaire de Saint-Sulpice, le meilleur du royaume. Enfin, tous ont été vicaires généraux et possèdent déjà l'expérience de la gestion d'un diocèse. Seront-ils pieux ? Seront-ils saints ? Peut-être, mais il est sûr qu'ils seront de plus en plus compétents.

La politique financière et économique

La stabilisation de la monnaie est le grand événement.

Depuis la déconfiture du Système on se trouvait devant deux maux. L'un était l'absence de confiance, l'autre la montée anarchique des prix. Le gouvernement avait abusé des «déflations», abaissant la valeur nominale des monnaies d'or et d'argent. Entre 1723 et 1726, le louis était descendu de 24 à 14 livres, l'écu, de 6 à 4. Non seulement la confiance avait disparu, mais aussi l'effet recherché par ces déflations, soit la baisse des prix, ne s'était pas produit. Le contrôleur général Dodun fait donc machine arrière. En janvier 1726, il relève le louis à 24 livres. Et surtout, lui et ses successeurs, Le Peletier des Forts, puis Orry, stabilisent la monnaie.

La stabilisation consiste à établir un rapport fixe entre la valeur intrinsèque de la monnaie et sa valeur nominale. L'édit de janvier 1726 attribue au louis la valeur de 24 livres et au marc d'or fin celle de 740 livres 9 sols, à l'écu d'argent la valeur de 3 livres, et au marc d'argent celle de 51 livres 2 sols 3 deniers. Ces rapports, confirmés par le Conseil le 15 juin, vont être prorogés de six mois en six mois pendant douze ans, jusqu'au jour du 11 novembre 1738, où un arrêt du Conseil les déclare immuables. La monarchie tiendra parole. Il n'y aura plus de variation jusqu'en 1789.

Le fait qu'au même moment, plusieurs États italiens et allemands procédèrent à une réforme analogue ne diminue pas le mérite de Fleury et de ses ministres. De fortes oppositions se manifestèrent (celle du marquis d'Argenson, par exemple). Il fallut les vaincre. Mais cette constance fut amplement récompensée. L'avènement d'une bonne monnaie favorisa le départ du grand mouvement de prospérité.

La même année 1726 voit la constitution de la ferme générale. La ferme avait toujours été l'un des modes de perception des revenus du roi. Et l'un des moins satisfaisants à cause de la multiplicité des baux et des adjudicataires. Depuis 1660, le pouvoir s'efforçait de concentrer les fermes. Colbert avait déjà réussi, en 1664, à joindre en un seul bail plusieurs impôts indirects. Le bail Carlier du 19 août 1726 marque l'étape définitive.

En effet, ce bail attribue à un seul adjudicataire la perception de la quasi-totalité des impôts indirects, les gabelles de toute nature, les cinq grosses fermes, les aides, les entrées, les marques de l'or, de l'argent et du fer, les droits sur les quais et marchés de Paris, les domaines, le contrôle des actes, l'insinuation et le centième denier. Carlier est un prête-nom (un commis du contrôle général). En fait le bail est passé avec une compagnie de financiers dont les fonctions consistent à faire les fonds d'avance et à gérer l'administration de la ferme appelée ferme générale. Ils sont quarante et ont été désignés par le roi. Le bail dure six ans, à la suite de quoi il est renouvelé. Les baux vont se succéder. La ferme restera. C'est une institution permanente installée dans ses propres locaux de l'hôtel des Fermes. Son administration comporte dix-huit départements à l'intérieur desquels se répartissent nos financiers appelés fermiers généraux, par groupes de quatre à dix-huit par département. Ces derniers sont assistés par neuf directeurs à Paris, quarante-cinq directeurs en province et trente et un receveurs généraux également en province[1].

---

1. *Almanach royal*, 1738.

Le système n'est peut-être pas aussi rentable qu'il pourrait l'être. Avec des redevances oscillant entre 80 et 84 millions, l'État perd certainement de l'argent et les fermiers en gagnent certainement beaucoup. Mais la ferme générale assure au pouvoir une grande sécurité financière, ainsi que la régularité des rentrées. Avantages non négligeables.

A côté de la ferme générale subsistait une autre ferme, celle des Postes royales. Fleury la réforme en 1738. Le bail est résilié ; un autre bail est passé. La raison invoquée est la nécessité d'augmenter la redevance, ladite ferme n'ayant «jamais été portée au prix où elle aurait dû être[1]». L'ancien conseil d'administration se recrutait lui-même. Les membres du nouveau conseil seront nommés par le roi. L'État resserre son contrôle. En outre, la ferme se voit peu à peu dépossédée de toute autorité dans la gestion même du service, désormais directement rattachée au contrôle général et placée sous la direction de l'un des intendants délégués pour les divers départements de l'administration financière.

Sur le point particulier de la répartition de l'impôt, le gouvernement de Fleury poursuit l'effort de justice entrepris sous la Régence. En 1730, le projet Noailles de taille proportionnelle est remis en œuvre par Orry. L'arrêt du Conseil du 7 juillet 1733 enjoint aux collecteurs de porter sur les rôles la mention détaillée des facultés des taillables. Le système fiscal demeure comme auparavant fondamentalement inégalitaire, la taille ou fouage n'étant toujours payée que par les roturiers ou par les biens roturiers. Cependant la capitation et le dixième (de 1733 à 1741) sont levés sur tous les sujets du roi, ainsi que les impôts indirects, dont la gabelle. Quant à l'administration financière royale, elle continue à présenter cet avantage d'être peu nombreuse, puisque la perception de la taille incombe à des asséieurs, collecteurs choisis parmi les contribuables, et qu'une partie de la régie des impôts revient à la ferme générale.

La politique royale en matière de droit
et de police du royaume

Autre réforme importante, les ordonnances du chancelier d'Aguesseau représentent une étape décisive de l'unification du droit.

Bien que le roi n'ait pas le droit de modifier les coutumes du royaume, sa mission de conservateur de l'ordre public lui donne sur elles un droit de regard. Il doit veiller à ce qu'elles soient claires et ne comportent aucune ambiguïté ni injustice. Il favorise aussi, dans la mesure du possible, leur uniformisation.

Depuis longtemps, bon nombre d'hommes d'État et de jurisconsultes demandaient que soit entreprise l'unification du droit. Les grandes ordonnances de Louis XIV leur avaient donné un début de satisfaction.

---

1. Cité par Eugène Vaillé, *Histoire générale des postes françaises*, Paris, 1953, t. V, p. 66.

Les ordonnances de Louis XV, rédigées par d'Aguesseau et ses collaborateurs, vont beaucoup plus loin. A la différence des codes louis-quatorziens qui, traitant de la procédure pénale et du commerce, ne touchaient au droit civil que d'une manière indirecte, les ordonnances de 1731 sur les donations, 1735 sur les testaments et 1747 sur les substitutions portent sur quelques-unes des questions essentielles de ce droit.

De cette intervention dans le droit civil, quelle est l'exacte nature? Les ordonnances de d'Aguesseau respectent la diversité des coutumes, mais s'efforcent de simplifier le droit et prétendent l'améliorer. Par exemple plusieurs coutumes, dont celle de Paris, connaissent trois sortes de donations, la donation entre vifs, la donation par testament et la donation à cause de mort[1]. L'ordonnance de 1731 abolit la donation à cause de mort et décide qu'à l'avenir il n'y aura que deux modes de disposer. Autre exemple : certaines coutumes admettaient le testament verbal. L'ordonnance de 1735 spécifie qu'il n'y aura plus désormais de testament de ce genre, et que l'écriture sera partout de l'essence de la disposition. Les textes de d'Aguesseau ont par ailleurs le mérite d'exprimer clairement certains principes et certaines garanties qui n'avaient pas encore été bien dégagées par toutes les jurisprudences, entre autres les principes de l'irrévocabilité des donations et de révocation des donations pour survenance d'enfant au donateur.

Claires, concises, fondées sur les résultats d'une enquête auprès des cours, préparées avec minutie, les ordonnances de d'Aguesseau n'ont rien d'une législation arbitraire. Marquent-elles un grand progrès du droit civil? C'est une autre question. L'unification n'est pas toujours un progrès. Nous pouvons aussi nous demander si les ordonnances n'ont pas introduit dans le droit un certain formalisme et une certaine rigidité.

Considérons maintenant la politique du gouvernement royal dans les matières de la police, c'est-à-dire des règlements établis pour la sûreté et la commodité des citoyens.

En ce qui concerne la «police des grains», elle est maintenue. L'administration royale continue à contrôler la circulation et les prix afin d'assurer l'approvisionnement dans de bonnes conditions. Toutefois, ce contrôle est très souple et les règlements ne sont pas toujours appliqués. L'opinion des milieux gouvernementaux et de la haute administration est semi-libérale. On pense que trop de règlements nuisent au commerce et, par voie de conséquence, au ravitaillement. En cas de menace de cherté on se méfie des mesures préventives qui pourraient inquiéter, provoquant les maux qu'elles sont censées éviter. Par exemple, en 1738, à la veille d'une famine, l'assemblée de police de Paris refuse de promulguer un décret général de réglementation. Quant aux prix, on évite de les taxer. Nous ne connaissons pour toute la période qu'un seul exemple de

---

1. Article 277 de la coutume de Paris (donation à cause de mort).

taxation : en 1725, le lieutenant général de police Hérault taxe la farine aux Halles de Paris.

Les disettes sont rares à cette époque. On en compte seulement deux qui se produisent à Paris et dans une grande partie du royaume : 1725-1726 et 1738-1742. Elles ne tournent nulle part à la famine. D'ailleurs le gouvernement de Louis XV se montre plus efficace que celui de Louis XIV pour ravitailler les populations. Il achète du grain (« le grain du roi ») ou du pain pour être distribué à Paris et aux marchés avoisinants. En 1725, le lieutenant de police Hérault constitue un réseau de greniers de réserve qui servira Paris pendant un demi-siècle[1].

Dans le domaine de la sécurité publique, on observe la même volonté d'efficacité. La Régence avait été une époque d'insécurité. Les gouvernements du duc de Bourbon et de Fleury réagissent avec vigueur. Le vagabondage est réprimé. Toute personne trouvée à mendier et à vagabonder est conduite dans l'hôpital général le plus proche. La création en 1724 des « gardes des ports[2] » (neuf escouades de neuf hommes chacune) augmente d'un tiers les effectifs de police de la capitale. Mais la mesure la plus efficace est la déclaration royale du 7 février 1731 précisant la compétence des prévôts des maréchaux. Les « cas prévôtaux » sont désormais les suivants : vols sur les grands chemins, vols avec effraction ou accompagnés de port d'armes, séditions. Les prévôts jugent en dernier ressort, et ont la main lourde. Ils purgent les campagnes du vagabondage armé. Bientôt, les attaques de diligences ne seront plus que de mauvais souvenirs.

La préoccupation de l'instruction publique entre également dans la police du royaume et le gouvernement attache à cet objet une sollicitude particulière. En 1724, l'institut des frères des Écoles chrétiennes obtient ses lettres patentes, recevant ainsi l'approbation officielle sollicitée en vain pendant la Régence. La même année, une déclaration royale renouvelle l'obligation faite par Louis XIV à toutes les communautés de créer des écoles « pour entrer, dit le texte, [...] dans l'intention du feu roi, notre très honoré seigneur et bisaïeul, qui a toujours été pour que les écoles fussent multipliées dans le Royaume ». Toutefois l'administration contredit parfois les belles intentions du gouvernement. Les intendants se montrent très pointilleux et restrictifs en matière d'ouverture d'écoles. Les commis des fermiers généraux et les agents du fisc prétendent à maintes reprises tenir pour lettre morte les immunités dont jouissent les écoles de charité, ainsi que celles des frères des Écoles chrétiennes.

---

1. D'après Steven L. Kaplan, *Le Pain, le peuple et le roi. La bataille du libéralisme sous Louis XV*, Paris, Perrin, 1986, 461 pages.
2. Voir Suzanne Pillorget, *Claude-Henri Feydeau de Marville...*, Paris, Pedone, 1978, p. 72.

L'administration et la justice

Les gouvernements du duc de Bourbon et du cardinal de Fleury n'ont pas de raison de se montrer plus libéraux que celui de la Régence. Ils ne resserrent pas le carcan administratif, mais ils ne le desserrent pas non plus. Néanmoins, le principe de la « nation organisée » est respecté, et la participation des ordres et des corps à la gestion des affaires publiques demeure encore relativement importante.

C'est d'abord l'assemblée du clergé de France. Représentant le premier ordre du royaume, elle se réunit quatre fois de 1723 à 1743. Son organisation se renforce. A l'Agence générale du clergé s'ajoute en 1726 un Conseil du clergé, consultation régulière d'avocats par les agents généraux.

Les pays d'états représentent encore près de la moitié de la superficie du royaume. Les assemblées d'états ne pourraient maintenant remettre en cause le principe de l'impôt, mais elles en négocient toujours le montant et obtiennent parfois des réductions modiques. Dotées de leur propre administration et de leur propre fiscalité, elles participent de plus en plus activement à la gestion des affaires du pays. Leur rôle fiscal ne cesse d'augmenter, surtout à partir de la création du dixième en 1733, et certains états, comme ceux du Nord, se font même subroger expressément dans les droits du roi. Cela dans un sens diminue leur autonomie, mais d'une autre manière accroît leur importance.

Les états ont à cœur de représenter les intérêts des « pays » contre les abus de la centralisation. Ils recueillent et font valoir toutes les plaintes contre l'administration royale, contre la ferme générale, contre les concessionnaires. Par exemple, les états de Bretagne font leurs les réclamations de certaines paroisses contre les concessionnaires de mines qui avaient construit des chemins gênants pour les cultures. Ces mêmes états s'arrogent une mission de contrôle des intentions royales. Ils ont un noyau dur d'opposition appelé « le bastion ».

Les villes sont moins favorisées. Elles n'ont pas plus d'autonomie que sous Louis XIV et sous la Régence. Les créations d'offices continuent à les brimer. De 1715 à 1743, en vingt-huit ans, les charges ne demeurent électives que pendant dix-neuf ans. Cependant il ne faut pas exagérer le poids de la tutelle administrative. Certains corps de villes jouissent encore de pouvoirs importants. Le consulat de Lyon, entre autres, conserve à cette époque des attributions très étendues, dont le droit d'user presque sans contrôle des deniers publics.

Par ailleurs on voit se maintenir, malgré l'invasion administrative, une véritable liberté villageoise, une véritable démocratie campagnarde. Assurément, c'est une démocratie limitée puisque seuls délibèrent en assemblée les habitants les plus notables, mais elle s'exerce réellement. Dans chaque village de France, l'assemblée des habitants répartit les tailles, gère les communaux et la fabrique, recrute le maître d'école et fait tout cela librement. Sauf dans les provinces du Nord où le pouvoir seigneurial est resté fort, le seigneur n'y a rien à dire. Quant au curé, sauf exception, il n'assiste pas aux délibérations. Les villageois sont maîtres chez eux. Et si on les conteste, ils plaident. En 1742, les paroissiens d'Armaillé, en Anjou, ont taxé à 18 livres de taille un procureur d'Angers ayant une résidence dans leur paroisse. Le procureur est mécontent. Il va devant l'élection d'Angers qui le décharge de cet impôt. Mais les paroissiens d'Armaillé ne l'entendent pas d'une telle oreille. Réunis le 30 novembre 1743 « sous le ballet ou vestibule qui est au-devant de la grande porte de l'église paroissiale », « ayant réfléchi », ils interjettent appel auprès de la Cour des aides de Paris. Il existe donc toujours partout dans le royaume un pouvoir administratif local.

Cependant il faut reconnaître que la plus grande part de l'administration dépend des agents du roi, officiers ou commissaires.

D'abord des intendants. Nous sommes à l'âge d'or de l'intendance. Jamais les intendants n'ont été, jamais ils ne seront plus compétents, plus efficaces. Ils sont sûrs d'eux, ils en imposent. Un tableau de musée de Versailles représente l'intendant La Galaizière prenant possession de la Lorraine au nom du roi. L'artiste l'a peint en robe rouge. La contenance est pleine de majesté, le geste marqué de noblesse et d'aisance. Sous l'édifice de la perruque, on aperçoit nettement un visage assez gras où brille la flamme d'un regard. Au Louvre, voici, par Lemoyne, le buste de Trudaine, intendant d'Auvergne. C'est un visage impressionnant, aux traits fortement marqués : d'énormes sourcils, des yeux comme des escarbilles, un menton carré, un double menton de puissance et de satisfaction. Chacun de ces hommes est une trouvaille, une personnalité hors du commun. Sans donner dans la bureaucratie, les administrations de leurs intendances se développent et s'organisent. Dans la capitale de la généralité, l'hôtel de l'intendance loge le commissaire et ses services. A Rennes, c'est l'ancienne maison abbatiale, aménagée et embellie, de l'abbaye Sainte-Mélanie. L'intendant Feydeau de Brou y fait mettre en état le beau potager d'habitation, entreprendre deux pavillons de part et d'autre de la grille d'entrée et construire des bureaux pour ses services au-dessus des écuries. Un partage des tâches s'instaure. Désormais, chaque intendant a son subdélégué général qui le seconde et le remplace en cas d'absence. Le nombre des subdélégués augmente. Il est de quatre-vingt-deux en Bretagne, passe de quinze à trente en Provence. Car le travail est de plus en plus lourd. L'intendance est expressément chargée de promouvoir le développement économique du pays. Il ne s'agit plus seulement de conduire des enquêtes, d'informer le ministère des ressources du pays. Les intendants ont reçu mission, en 1720, de la construction et du redressement des grandes routes, en 1738, de l'organisation de la corvée royale et, au même moment, de la protection des privilèges d'exclusivité des manufactures. Chaque intendant est un ministre de l'urbanisme. Après l'incendie de Rennes, en 1720, c'est l'intendant Feydeau de Brou qui, avec Gabriel, dresse les grandes lignes du plan de reconstruction. A Bordeaux, c'est l'intendant Claude Boucher qui réussit à imposer aux habitants l'édification de la place Royale (actuelle place de la Bourse) et inaugure ainsi la transformation monumentale de la ville. L'intendant devient de plus en plus l'homme du bien-être matériel et de l'organisation rationnelle de la vie. Son efficacité lui vient de la liberté qu'on lui laisse et du soutien qu'on lui donne. Il est libre parce qu'il n'a pas besoin d'en référer constamment à Versailles, mais s'il est attaqué, Versailles le soutient toujours. En Bretagne, sous des Galois de La Tour, toutes les délibérations des états contraires aux instructions de l'intendant sont cassées par le Conseil du roi. L'intendant n'est jamais désavoué. Il est systématiquement soutenu.

L'exercice de la justice avait déjà fait des progrès notables sous le précédent règne, grâce aux grandes ordonnances sur la procédure civile et sur la procédure criminelle. Le règlement de 1738 du chancelier d'Aguesseau apporte maintenant une autre amélioration. Ce texte précise que le Conseil du roi ne devant casser que pour vice de forme il le fera toujours non dans l'intérêt de la partie, mais dans celui de la loi. Les dispositions de 1738 sont si bien conçues et si claires qu'elles demeureront applicables jusqu'en 1947 aux pourvois formés devant notre Cour de cassation. Le grand défaut du système judiciaire demeure l'étagement des tribunaux. Cela permet de multiplier les appels et de suspendre indéfiniment l'action de la justice. Il faut compter aussi avec les conflits de juridiction. Souvent, les compétences des différents tribunaux empiètent les unes sur les autres. Par exemple dans la capitale, il n'y a pas moins de quatre tribunaux de police (le lieutenant général de police, le Châtelet, le Parlement et le Bureau de la Ville), et les limites de leurs juridictions respectives ne sont pas assez précises pour que l'on puisse éviter les conflits.

*
* *

Le cardinal meurt à Issy le 29 janvier 1743, après une maladie de trois semaines. Ses biographes nous disent qu'il ne fut regretté que du roi.

Une période s'achève. A-t-elle été bénéfique aux Français ? A-t-elle augmenté ou diminué le prestige et l'autorité de la royauté ?

La réponse à la première question pourrait être plutôt positive. La paix à l'intérieur des frontières et la stabilisation monétaire ont certainement contribué à l'amélioration du bien-être. Observons cependant que si la pression fiscale est demeurée, malgré les guerres extérieures, relativement modérée, des charges nouvelles, la milice depuis 1726 et la corvée royale pour l'entretien des chemins (instituée par Orry en 1738), sont venues s'ajouter à celles qui grevaient déjà la population laborieuse.

La corvée représente un travail de six à quarante jours par an. Elle ne s'applique, il est vrai, qu'aux populations voisines des ateliers de construction et de réparation.

Sur la question du prestige de la royauté il est malaisé de se prononcer. La popularité du jeune roi a-t-elle souffert de son installation à Versailles et de son départ de la capitale ? C'est difficile à dire. Une chose est certaine : comme sous la Régence, mais de façon encore plus nocive, l'affaire janséniste a empoisonné le climat politique. Le pouvoir royal est engagé dans un cycle infernal. Il défend la bulle. Les parlementaires protestent. Il tente de les faire taire et la protestation n'en est que plus vive. A la suite de la déclaration du 24 mars 1730, les cours de Rennes, Rouen et Dijon, mais surtout celle de Paris, élèvent des cris d'indignation. Le lit de justice du 3 avril 1730 (où la déclaration est enregistrée) donne lieu à des incidents sans précédent. Le président honoraire Leclerc de Lesseville se jette aux pieds du roi pour le supplier de retirer sa déclaration. Comme l'abbé Pucelle a osé remettre à Maurepas un mémoire de protestation, le roi se tourne vers son ministre et lui dit : «Déchirez.» Le premier président veut interrompre le souverain. Louis XV lui ordonne de se taire. A l'automne 1731, commence la mauvaise affaire que l'on appellera «des billets de confession». L'évêque d'Orléans ayant ordonné de refuser les derniers sacrements à une mourante suspecte de jansénisme, le parlement de Paris s'interpose et rappelle les principes gallicans selon lesquels les ministres de l'Église n'ont pas le droit de recourir à cette sorte de contrainte. En novembre, les parlementaires décident de «déposer leurs protestations au pied du trône». Une délégation de cinquante présidents et conseillers s'empile dans quatorze carrosses et débarque à Marly, où elle ne trouve personne et le château fermé. Ils ne seront reçus que le 10 janvier 1732 à Versailles. Le chancelier leur déclare en présence du roi «que Sa Majesté considérera comme désobéissants et rebelles ceux qui essaieront d'éluder ses ordres». En 1732, à la suite d'un mandement de Vintimille, archevêque de Paris, condamnant les *Nouvelles ecclésiastiques*, le chancelier leur ayant ordonné de ne pas s'en mêler, les parlementaires essaient la grève de la justice, puis la démission collective. Les deux procédés font long feu. Le 18 août, le roi édicte une «déclaration de discipline», où il est ordonné aux parlements — parmi d'autres dispositions — de ne jamais renouveler leurs remontrances. Le 3 septembre, le lit de justice pour l'enregistrement contraint se tient, fait nouveau, à Versailles. Le 4 la grève judiciaire est reconduite. Dans la nuit du 6 au 7, cent trente-neuf parlementaires reçoivent une lettre de cachet, leur ordonnant de quitter Paris le jour-même et de se rendre dans les villes à eux assignées. La lettre de cachet commence par ces mots : «Monsieur, étant mal satisfait de votre conduite...» Tous ces événements coïncident avec le temps des miracles et des convulsions. La présence de ce nouveau jansénisme populaire et illuminé donne un grand retentissement à la rébellion parlementaire.

Quittons la question janséniste. Nous ne trouvons pas d'autres phénomènes d'agitation et de révolte pendant cette période, si ce n'est deux mouvements populaires à Paris, le premier en 1725 à cause du prix du pain, le second en 1740 à cause d'une disette momentanée affectant la capitale. Le 12 juillet 1725, les boulangers du faubourg Saint-Antoine sont pillés. L'« émotion » dure cinq à six heures. Force revient très vite à la loi : on fait venir des troupes. Au dire de Marais, les soldats auraient tiré sur le peuple. Des événements comparables se produisent au même moment à Caen et à Rouen. En 1740, le 23 septembre, place Maubert, le carrosse du cardinal de Fleury, sortant du collège de Navarre, est assailli par une troupe de miséreux. Il s'en faut de peu que le ministre ne soit écharpé. Il s'en tire en jetant de l'argent à ses agresseurs. C'est finalement assez peu de chose.

Les excentricités de la Régence avaient affecté le mystère de la monarchie. Il se peut que le pacifique Fleury ait rétabli l'accord. Sauf dans les parlements, une certaine harmonie semble régner entre le roi et ses sujets. Les idées politiques à la mode ne la menacent pas. Certes, les esprits éclairés sont pénétrés de Bayle et de Boulainvilliers. Ils s'ébaudissent des théories du premier sur le contrat social (« Je suis bayliste », s'écrie Mathieu Marais) et des vaticinations du second sur la liberté parfaite et l'égalité absolue des Francs. Mais cela, pour l'heure, n'est que divertissement de l'esprit, et nul ne songe à remettre en cause la monarchie française.

Chapitre III

L'ÉCONOMIE ET LA SOCIÉTÉ
(1715-1743)

La population française

On a cru pendant longtemps que l'expansion démographique était le fait de la seconde partie du XVIIIe siècle. On doit aujourd'hui réviser cette opinion. En réalité, la population du royaume commence à augmenter dès le début du règne de Louis XV. Plus précisément, il y a d'abord récupération et ensuite augmentation réelle. On serait passé de vingt-deux millions six cent mille habitants en 1710, à vingt-trois millions huit cent mille en 1730 et à vingt-quatre millions en 1740[1]. Toutes les études récentes faites sur des villes confirment l'augmentation. La population de Caen, par exemple, augmente de cinq mille habitants de 1725 à 1752. Le

---

1. Jacques Dupâquier, « Les caractères originaux de l'histoire démographique française au XVIIIe siècle », *Revue d'histoire moderne et contemporaine*, avril-juin 1976, p. 182-202.

cas de Marseille, qui a perdu lors de la peste de 1720 un tiers environ de sa population, doit évidemment être mis à part. En ce qui concerne les régions, celle du Midi toulousain se situerait très nettement au-dessous de la moyenne.

Comment expliquer cet accroissement ? Comment se fait-il qu'après un siècle de stagnation, la population se mette ainsi à augmenter ? C'est bien sûr la fin des grandes famines et des grandes guerres. On est dans un climat nouveau de confiance et de paix. Il y a aussi très probablement, un peu partout, une baisse du taux de mortalité, baisse à peine perceptible, mais suffisante pour permettre une augmentation sensible du nombre des survivants et de l'espérance de vie.

Les mortalités de « crise », comme disent les démographes, ne disparaissent pas complètement·pour autant. On a observé dans plusieurs régions celle des années 1738-1743. Par exemple, dans la ville de Meulan, on compte cent un décès pour l'année 1738, c'est-à-dire le double du chiffre moyen des années précédentes. Pourquoi cette aggravation subite ? Ce n'est pas l'effet d'une mauvaise récolte. Alors est-ce la dureté de l'hiver ? Ou bien une contagion ? A l'exception de la peste de Marseille (qui a d'ailleurs touché aussi une partie de la Provence et du Haut-Languedoc jusqu'au Tarn), il n'y a plus de grandes épidémies. Mais nous avons encore affaire à des populations très vulnérables et à des maladies contagieuses dévastatrices. En août 1723, par exemple, la petite vérole est partout dans Paris, et tue plus de trois mille enfants[1]. La présence de la mort est sans doute moins obsédante que sous le précédent règne, mais elle est toujours inquiétante.

L'économie

La conjoncture s'améliore et la France sort peu à peu de la longue crise. Au début, les progrès sont très lents. Sous la Régence, le mouvement économique général est encore faible. Jusqu'en 1718, plusieurs secteurs connaissent encore le marasme. Le Système permet à de nombreux particuliers de rembourser leurs dettes, et favorise une certaine reprise de l'activité. La stabilisation de la monnaie sous Fleury est cependant beaucoup plus bénéfique pour la vie économique. Elle s'accompagne d'une stabilisation de l'intérêt, qui revient au denier vingt et qui n'abandonnera pas ce taux. Enfin, aux environs de l'année 1730, la France est touchée par le mouvement de hausse des prix. La hausse séculaire commence en 1730 exactement, dans le pays de Caux, en 1733 pour le froment sur le marché de Caen, à la fin de la décennie 1730-1740 en Auvergne. C'est une révolution considérable, un renversement total de conjoncture. L'enrichissement va commencer.

---

1. M. Marais, *Journal et Mémoires, op. cit.*, t. III, p. 1.

Car la rente de la terre, qui est pour la grande majorité des Français la principale source de revenus, va commencer à monter. Partout, entre 1720 et 1730, les biens sont en hausse. Voici une grosse ferme de la Bourgogne du Nord, le domaine de Longchamp. Sa valeur est de 1 500 livres en 1725, 1 800 en 1730, 2 100 en 1738[1]. Enfin la terre va rapporter.

Cependant, des hausses cycliques brutales, liées aux accidents du climat, continuent à se produire, appauvrissant jusqu'à la misère certaines catégories laborieuses de la population. Une première crise survient en 1725 dans le Bassin parisien, lorsque les pluies continuelles de l'été détruisent une partie de la récolte et retardent la moisson. Le prix du pain monte en août de 2 à 5, 6, et jusqu'à 7 sols la livre. A Paris, le faubourg Saint-Antoine entre en ébullition. Le samedi 14 août, un boulanger veut vendre 34 sous du pain qui en valait 30 le matin. Une cliente indignée ameute le quartier. Une foule de mécontents évaluée à près de deux mille personnes se met à piller les maisons des boulangers. Il faut faire intervenir la garde, puis le guet à cheval qui fonce l'épée à la main et disperse enfin les manifestants. Deux séditieux sont pendus. Le prix du pain ne baisse pas pour autant. Le 24 août, Mathieu Marais note dans son journal : « ... Le peuple est dans les gémissements, car le pain est à sept et huit sous la livre, et encore en a-t-on à grand-peine[2]. » Une deuxième hausse du même genre affecte la capitale en 1738. Cependant, le dispositif de stockage pris par le lieutenant de police Hérault après la crise de 1725 réussit à en atténuer les effets et à empêcher la famine. Viennent ensuite les mauvaises années 1740 et 1741, qui, dans beaucoup de régions, sont désastreuses pour les récoltes. En Bourgogne, par exemple, le prix du froment connaît une augmentation variant selon les marchés de 33 à 35 %. Les journaliers, note un contemporain, sont « hors d'état de vivre ». Les années de reprise économique sont donc traversées de périodes difficiles pour les plus pauvres.

Difficiles, mais non insupportables. Il faut ramener les choses à leurs justes proportions. Ces crises n'ont rien à voir avec les terribles famines de 1690 et de 1709. Le peuple souffre beaucoup moins. Il bénéficie par ailleurs d'une augmentation générale des salaires. Par exemple, dans le pays de Caux, entre 1695 et 1730, les salaires augmentent de 10 à 20 %[3]. Il faut tenir compte aussi de la baisse de la taille à partir de 1714. Toutes les catégories de la population, et pas seulement les catégories privilégiées, bénéficient de l'amélioration économique.

---

1. P. de Saint-Jacob ; *Les Paysans de la Bourgogne du Nord*, Bernégaud et Privat, 1960, p. 241.
2. M. Marais, *Journal et Mémoires*, *op. cit.*, p. 225.
3. Guy Lemarchand, « Structure sociale d'après les rôles fiscaux et conjoncture économique dans le pays de Caux : 1690-1789 », *Bulletin de la société d'histoire moderne*, 1969, n° 12 de la 14ᵉ série, p. 7.

L'agriculture est entrée dans une phase de progrès timides, mais certains. Elle efface d'abord les pertes de la fin du règne précédent. Suit un essor modeste mais réel. La production, les rendements augmentent-ils? C'est probable, mais pas dans toutes les régions, et sans que l'on sache vraiment dans quelles proportions. En revanche, nous avons connaissance d'un certain nombre de faits précis qui traduisent un progrès. C'est la généralisation de la culture du maïs en Languedoc et en Gascogne. C'est l'expansion de la pomme de terre, dont la culture déjà bien connue en Flandre commence à se répandre en Alsace et en Lorraine, et fait son entrée en Auvergne en 1739[1]. C'est la progression du vignoble méditerranéen, au point que le gouvernement interdit (en vain) toute plantation nouvelle sans autorisation. C'est 'une meilleure commercialisation grâce aux nouvelles routes; et, dans les provinces languedociennes, grâce au canal des Deux-Mers tout récemment achevé. C'est enfin, dans plusieurs régions, l'amélioration essentielle, le début de l'introduction des plantes fourragères dans la rotation des cultures. Dans plusieurs régions, mais pas dans toutes. On a noté par exemple qu'à Wissous, près de Paris, en 1730, le sainfoin n'entrait pas dans l'assolement.

Pour l'industrie, de même que pour l'agriculture, il est bien difficile de dégager des conclusions générales. Nous n'avons de connaissances précises que sur la législation, sur la carte des manufactures et sur certains secteurs en progrès.

La législation est toujours celle, dirigiste, pointilleuse et prohibitrice du temps du Grand Roi. La production et le travail sont étroitement réglementés, mais aussi les techniques et l'outillage. Le contrôle général autorise l'emploi de certaines machines et en interdit d'autres, faisant toujours preuve dans ce domaine de la plus grande circonspection. Ainsi, il revient en 1721 sur l'autorisation donnée en 1720 d'employer dans le tissage des bas de laine les métiers à vingt-deux plombs de deux aiguilles. Or ces métiers convenaient mieux que ceux à trois aiguilles qui tissaient trop fin[2]. La mesure de 1721 est donc incompréhensible, et tout à fait caractéristique du type de censure exercée.

La carte fait apparaître une grande dispersion des activités. Il n'y a pas de région totalement dépourvue de manufactures. Cela n'exclut pas une certaine spécialisation. Les régions des draps et des toiles sont la Flandre, la Picardie, la Champagne, le Lyonnais, la Touraine, la Normandie, le Perche, le Maine, l'Auvergne, la Provence et la région de Montauban. Les principales forges et manufactures d'armes se trouvent en Champagne, Forez, Bourbonnais et Guyenne. Il y a aussi une France du papier (Troyes, Orléans, Perche, Auvergne, Limousin et Angoumois), une France des

1. Abel Poitrineau, *La Vie rurale en basse Auvergne au XVIIIe siècle*, Paris, 1965, p. 310.
2. Jean-Claude Perrot, *Genèse d'une ville moderne. Caen au XVIIIe siècle*, Paris-La-Haye, Mouton, 1975, p. 351.

tanneries, une autre des faïences et de la porcelaine, une France enfin des raffineries. Toutes les manufactures ne sont pas partout, encore que certaines provinces (comme la Champagne et la Normandie) soient plus manufacturières que les autres, puisqu'elles rassemblent plusieurs secteurs d'activité.

Les fabrications de produits nouveaux se heurtent souvent à la législation prohibitrice. Par exemple, on ne compte pas moins de deux édits et quatre-vingts arrêts, de 1686 à 1748, pour interdire l'importation et la fabrication des toiles de coton peintes dites «indiennes»[1]. C'est la doctrine du mercantilisme. Le but est de protéger les fabricants de laine et soie. Mais en attendant, les ouvriers français qui travaillaient dans les indiennes sont obligés de quitter le royaume et d'aller travailler en Toscane, où ils sont accueillis à bras ouverts.

La législation joue aussi dans le sens de la concentration. Par exemple, l'arrêt du Conseil du 30 mars 1700 avait réservé à dix-huit villes seulement l'autorisation de fabriquer des bas au métier. Dans les villes où cette fabrication est désormais interdite, les métiers sont ruinés et disparaissent. Inversement, les centres autorisés, se trouvant libérés de la concurrence, développent leur production de manière considérable. A Caen, par exemple, le nombre des maîtres fabricants passe en peu d'années de dix-huit à cent-vingt[2].

Parmi les secteurs connaissant une expansion comparable, signalons les étamines du Mans, où l'on dénombre quatre cents métiers en 1712 et le double en 1740, et les glaces de Saint-Gobain, dont les ventes commencent à monter depuis 1725. Les capitaux protestants tiennent dans cette dernière affaire une place de plus en plus importante. La compagnie formée en 1702 — c'est la cinquième depuis la fondation de Saint-Gobain — attribue 51 % des parts à des banquiers protestants franco-genevois[3].

Des différentes parties de l'économie, c'est toutefois le commerce qui réalise les plus grands progrès.

Le commerce intérieur d'abord, grâce au développement tout récent du réseau routier. Le règlement de 1720 prescrit l'élargissement à soixante-douze pieds de tous les chemins du royaume. On entreprend aussi de grandes liaisons, par exemple la route Montpellier-Paris, dont la construction est achevée en 1736 pour sa partie auvergnate. Il a fallu pour cette seule section 412 336 journées de corvéables et 206 000 journées de voitures à bœufs[4].

    1. Serge Chassagne, *Oberkampf. Un entrepreneur capitaliste au siècle des Lumières*, Paris, Aubier-Montaigne, 1980, p. 11.
    2. J.-Cl. Perrot, *Genèse d'une ville moderne, op. cit.*, p. 403.
    3. Maurice Hamon, *Du soleil à la terre. Une histoire de Saint-Gobain*, Paris, Jean-Claude Lattès, 1988, p. 29.
    4. A. Poitrineau, *La Vie rurale en basse Auvergne au XVIIIᵉ siècle, op. cit.*, p. 456.

Le commerce extérieur ensuite, par le mouvement croissant des exportations, le taux annuel moyen de croissance étant de 4,1 % pour la période 1716-1748[1]. L'essentiel du commerce maritime se fait dans les trois directions suivantes : le Levant (où la France tient la première place), les Antilles et l'Extrême-Orient. Notons aussi la place importante des Français dans le commerce de Cadix. Le grand port espagnol sert d'entrepôt pour les toiles françaises expédiées aux Indes. C'est vers Cadix, par exemple, que le grand négociant et fabricant de toiles Lucien Danse de Beauvais fait la plus grande partie de ses expéditions.

Le premier port français à cette époque est celui de Nantes, dont les entrées se chiffrent en 1743 à 65 810 tonneaux[2].

La société

CARACTÈRES GÉNÉRAUX DE LA SOCIÉTÉ

La société française était au XVIIe siècle, et est encore, une société fortement hiérarchisée, organisée, structurée.

C'est une société composée de trois ordres, une société organisée en corps et en compagnies, une société liée à la fonction publique par la dignité attachée à cette fonction et par la vénalité et l'hérédité des offices. C'est aussi une société seigneuriale, nulle terre, en principe, n'étant sans seigneur. Et c'est enfin une société en grande partie rurale et terrienne, 80 % de la population habitant les campagnes, et la plupart des citadins, à l'exception de la catégorie la plus pauvre, possédant de la terre.

En ces premières décennies du XVIIIe siècle, la physionomie de la société française ne change pas sensiblement : ses caractères essentiels demeurent les mêmes. Toutefois, il convient de distinguer. Si certains traits demeurent aussi marqués, aussi forts que dans le passé, d'autres semblent altérés, comme si le despotisme administratif de Louis XIV et le climat d'instabilité de la Régence avaient dérangé l'ordre ancien.

Commençons par les premiers.

La société de corps garde sa vitalité : certes les corps de ville ont vu leurs pouvoirs réduits par Louis XIV, de même que les communautés d'habitants. Mais l'esprit de corps demeure intact. Corps de villes, communautés d'habitants, corporations, universités, compagnies de magistrats restent des sociétés vivantes, auxquelles leurs membres sont attachés, et dont on désire être membre quand on ne l'est pas encore. On note, par exemple, que, dans la ville de Caen, jusqu'en 1740, plusieurs nouvelles corporations se forment, non pas sous la pression du pouvoir,

---

1. Pierre Léon, *Économie et sociétés pré-industrielles*, t. II, *1690-1780*, Paris, Armand Colin, 1970, p. 174.
2. Albert Soboul, Guy Lemarchand, Michèle Fogel, *Le Siècle des Lumières, l'essor, 1716-1750*, Paris, PUF, 1977, p. 164.

mais par la volonté des gens de métier eux-mêmes, désireux de composer des communautés.

De même l'emprise de la terre demeure très forte. La population urbaine dans son ensemble n'augmente pas plus que la population rurale. Six villes seulement, en dehors de Paris (Bordeaux, Nantes, Strasbourg, Orléans, Rennes et Tours) voient leur nombre d'habitants croître de façon notable. La rente foncière procure la plus grande partie de leurs revenus au clergé, à la noblesse et à la bourgeoisie. Enfin, la campagne est toujours proche, même pour les citadins. Les villes sont à la campagne. A Dole, par exemple, les champs, les prés et les vignes représentent les deux tiers du territoire de la commune[1]. Il n'est pas besoin d'aller loin pour quérir ses légumes et son vin. En tout Français sommeille un paysan. Tous les Français sont des terriens.

En revanche, l'attachement au service public semble un peu moins fort. Certes, l'office est toujours honoré, les officiers toujours considérés. En eux est révérée la vertu royale de justice. Et cela est vrai non seulement des membres des cours souveraines, mais aussi des présidents et des conseillers des présidiaux, traités comme de véritables princes par les populations des villes, sièges de ces juridictions. Par exemple, lorsqu'en 1718, le jeune président de Pomayrol, président du présidial de Villefranche-de-Rouergue, revient dans sa ville après son mariage, il lui est réservé une véritable entrée royale. « Il y avait au faubourg du Pont, écrit le mémorialiste Cabrol, plus de deux mille à trois mille personnes pour voir cette entrée[2]. » Mais l'honneur n'est pas tout. L'office est aussi une charge dont la valeur est soumise à la loi de l'offre et de la demande. Or on observe que le prix de ces charges ne cesse de baisser. Par exemple à Paris, entre 1714 et 1719, le prix de la charge de conseiller au Parlement diminue de moitié et ensuite continue à baisser[3]. Logiquement cela devrait être le contraire, les charges offertes sur le marché devenant plus rares à cause de la tendance nouvelle des cours à se refermer sur elles-mêmes. On ne peut pas non plus parler d'un amoindrissement de la fonction : nous sommes juste au moment où le Parlement retrouve un rôle politique. La seule explication possible est donc une baisse de l'estime sociale s'attachant à la fonction publique.

Cela veut-il dire que l'on respecte moins la puissance publique ? C'est probable. Il est fort possible que la disparition de Louis XIV, ce grand prince, si noble, si majestueux, si habile à commander, ait fait tomber d'un coup le prestige de l'autorité. Mais il y a autre chose. Il semble que le service de la nation, de la cité, soit moins en faveur. Dans une nation,

1. Anne Lefebvre-Teillard, *La Population de Dole au XVIIIᵉ siècle*, Paris, PUF, 1969, p. 24.
2. Étienne Cabrol, *Annales de Villefranche-de-Rouergue*, Villefranche, 1860, p. 681.
3. François Bluche, *Les Magistrats du parlement de Paris au XVIIIᵉ siècle*, Paris, Economica, 1986, p. 122.

le service essentiel est celui des armes. Or la population se déprend d'un tel service. Des signes ne trompent pas. Les gentilshommes ne veulent plus servir comme de simples soldats. La milice, réorganisée en 1726, est ressentie généralement comme une charge insupportable. Le militaire et le civil se disjoignent. Cela se voit bien dans les villes où les structures d'autodéfense ont presque disparu. Dans la capitale, les bourgeois ne conservent plus d'armes chez eux. Dans beaucoup de villes, bourgeois et artisans sont toujours requis pour la garde des portes. Mais les remparts des villes éloignées des frontières ne sont plus entretenus, ou même on commence à les démolir. Ce qui fait que la garde devient purement symbolique et n'est plus qu'un prétexte à de joyeuses réunions. A Aurillac, par exemple, l'entretien des remparts est délaissé depuis 1720 mais le service de la garde perdure, bonne occasion pour les braves gens d'échapper à la monotonie de la vie domestique. Cela tourne même à la ripaille. Car il est coutume ici que le capitaine de la garde régale tout le monde, y compris les amis des soldats venant les visiter au poste de garde. C'est ainsi que, le 3 juillet 1721, Pierre Antoine Textoris, capitaine de la garde, achète pour ses « soldats » et pour leurs invités trente pintes de vin, huit petits fromages, des cerises, du girofle et du poivre, de la viande de bœuf, des pigeons, des poulets et de l'huile d'olive[1]. Tout cela n'a plus grand-chose de guerrier : la cité n'est plus vigilante. On est entré dans l'ère du bonheur. Malherbe autrefois avait annoncé cela :

> Les veilles cesseront au sommet de nos tours.
> On n'en gardera plus ni les murs, ni les portes.
> Et le peuple qui tremble aux frayeurs de la guerre,
> Si ce n'est pour danser n'orra plus le tambour.

Reste la distinction des ordres. Est-elle atteinte ? Est-elle altérée ? On le croirait à entendre Saint-Simon : « Une confusion prodigieuse formée peu à peu par un déplacement général parvenu au comble ne présente plus qu'un chaos [...]. »

Et encore : « Les trois états [...] se sont évanouis : plus de loix, nulle suite [...] tout homme choisi au hasard[2]. » Croira-t-on Boulainvilliers : « [...] tous les ordres de l'État se trouvent également détruits, accablés, anéantis[3] ».

Il y a du vrai dans ces lamentations. La monarchie ne réunit plus les états généraux. Elle a supprimé nombre d'états provinciaux. De ce fait, la distinction des ordres a perdu une partie de sa fonction essentielle, la fonction politique. On ne saurait nier non plus que Louis XIV a dévalué le second ordre par ses fournées répétées d'anoblissements. Il en résulte,

---

1. Claude Grimmer, *Vivre à Aurillac au XVIIIᵉ siècle*, Aurillac, 1983, p. 31-32.
2. Cité par Jean-Pierre Brancourt, *Le Duc de Saint-Simon et la monarchie*, Paris, Cujas, 1971, p. 227.
3. *Ibid.*

après sa mort, une réaction de défense de la noblesse, aussi bien de robe que d'épée. Nous avons déjà signalé plus haut cette tendance du milieu parlementaire à se refermer sur lui-même. Après 1715, c'est très net, les cours de Parlement n'admettent plus qu'avec réticence les nouveaux venus. Dans le seul parlement de Besançon, pour la période 1715-1740, le taux d'hérédité atteint 58,18 %[1]. Alors comment devenir noble, si les charges anoblissantes de justice ne sont plus accessibles? Il reste les offices de chancellerie (par exemple, celui de « secrétaire du roi », dit traditionnellement « savonnette à vilain ») mais le prix de ces charges ne cessant de monter, à la différence de celui des autres offices, elles ne deviennent accessibles qu'aux plus riches. Il y a d'ailleurs une volonté répandue, aussi bien dans le gouvernement que dans la noblesse, de restreindre les anoblissements. L'édit de juillet 1724, ramenant de trois cent quarante à deux cent quarante le nombre des charges de secrétaires du roi, le dit clairement. « Le grand nombre d'offices qui donnent la noblesse, dit ce texte, est un mal réel dans l'État, qui attaque également les principaux corps dont il est composé. » Cette réaction de défense traduit un malaise. La noblesse n'est pas toute la société d'ordres, mais elle en est le cœur. Si le cœur est malade, tout le corps est atteint.

La valeur montante est l'argent. Les valeurs en baisse sont la noblesse, le service, les armes. Les spéculations de l'« agio », tant de fortunes élevées en si peu de jours, et tant de ruines brutales ont manifesté au grand jour la puissance immorale de l'argent. La société subit cette inversion des valeurs, mais il n'est pas sûr qu'elle s'y résigne facilement. On peut même penser qu'elle la déplore. C'est à notre avis le sens de cette protestation si caractéristique de l'époque contre les méfaits des richesses et les dangers du luxe, si caractéristique et si générale, venant aussi bien des académies et des littérateurs que des moralistes et des prédicateurs. En 1715, l'Académie française propose au concours de son prix d'éloquence le sujet suivant: « Les inconvénients de la richesse ». En 1725, le P. Maugras publie des *Instructions chrétiennes contre les dangers du luxe*, et la même année le dramaturge Soulal d'Alanval donne au théâtre une comédie intitulée *L'Embarras des richesses*. Ce ne sont là que trois exemples. On pourrait en citer des dizaines. La société se sent dérangée, menacée. Elle réagit. Elle dénonce la puissance qui la menace.

LE CLERGÉ

Le clergé — dans le sens le plus large de ce mot, c'est-à-dire l'ensemble des personnes consacrées à Dieu — comptait, en 1700, deux cent cinquante mille membres environ, soit quatre-vingt dix mille réguliers et cent soixante mille séculiers, ce qui représentait un peu plus de

---

1. Jean-François Solnon, *215 bourgeois gentilshommes au XVIIIe siècle. Les secrétaires du roi à Besançon*, Paris, Les Belles Lettres, 1980, p. 87.

1 % de la population totale. Dans les deux autres grands pays catholiques, l'Espagne et l'Italie, la proportion était assez nettement supérieure, avoisinant les 2 %.

Retrouve-t-on les mêmes effectifs en 1743 ? Nous n'avons pas de statistiques, mais une légère diminution est très probable. Voyons d'abord le clergé séculier. Son recrutement augmente jusque vers 1720. Ensuite, il tendrait plutôt à baisser. Aux environs de 1730, un creux très net se manifeste dans la plupart des diocèses. La querelle du jansénisme et le trouble qui en résulte y sont sans doute pour quelque chose. Dans le clergé « régulier » (nous entendons par là l'ensemble des instituts de perfection), la tendance générale serait plutôt à la baisse du nombre des vocations. Étale dans les congrégations bénédictines de Saint-Maur et de Saint-Vanne, le recrutement baisse légèrement à Fontevrault et à la Visitation d'Annecy, et assez fortement à l'Oratoire et chez les pères de la Doctrine chrétienne[1]. Les seuls instituts qui ne connaissent pas de difficultés sont les compagnies séculières et apostoliques récemment fondées, comme les frères des Écoles chrétiennes ou les sœurs de la Sagesse. Le mouvement des fondations traduit également cette baisse de vitalité. Des quatre grands instituts masculins issus de ″la réforme tridentine (Jésuites, Oratoriens, Doctrinaires et Lazaristes), les Jésuites sont les seuls qui continuent à fonder, le nombre des établissements de la Compagnie de Jésus dans le royaume passant de cent dix-sept en 1710 à cent cinquante et un en 1749. On doit aussi mettre à part les compagnies (fondées à la fin du siècle précédent) de frères et de sœurs enseignants ou hospitaliers, qui sont en pleine expansion. C'est le phénomène le plus intéressant de la période. D'ailleurs on assiste encore à de nouvelles créations d'instituts. Sept congrégations féminines nouvelles enseignantes ou hospitalières (dont la Doctrine chrétienne de Toul, fondée par le prêtre J.-B. Vatelot) sont érigées en France entre 1715 et 1743[2].

La composition sociale du clergé ne se modifie pas sensiblement. Il y a toujours peu de prêtres issus du « simple peuple ». Quant au choix des évêques, la préférence pour la noblesse d'épée provinciale se confirme.

C'est, dans son ensemble, un clergé de bonne qualité, digne de son ministère et de son état. L'épiscopat ne démérite pas. Il n'est pas inférieur à ce qu'il était sous le règne de Louis XIV. La feuille des bénéfices est tenue par Fleury à partir de 1726. Les choix qu'il suggère sont excellents. Presque tous les évêques s'appliquent à visiter les paroisses et à tenir les synodes. Voici par exemple François Honoré Casaubon de Maniban, évêque de Mirepoix, transféré en 1729 sur le siège de Bordeaux : à peine arrivé à Bordeaux, il convoque son clergé à une

---

1. Nous renvoyons ici à notre thèse, *Une œuvre d'éducation sous l'Ancien Régime. Les pères de la Doctrine chrétienne...*, *op. cit.*, p. 188.
2. D'après Charles Molette, *Guide des sources de l'histoire des congrégations féminines françaises de vie active*, Paris, Éditions de Paris, 1974.

retraite qu'il prêche lui-même. Il va déployer pendant les quatorze années de son épiscopat une activité inlassable de visiteur. Les cent quarante-deux procès-verbaux de visite que l'on conserve de lui en sont un sûr témoignage. Il meurt à la tâche. Frappé de maladie pendant une visite, il a juste le temps de rentrer à Bordeaux pour y mourir. Personnage remarquable, mais qui n'est pas une exception[1]. Beaucoup d'évêques en font autant. Les fortes personnalités sont peut-être moins nombreuses qu'au XVIIe siècle. Cependant deux figures se détachent, celle de Belsunce, l'évêque de la peste de Marseille, et celle d'Argentré, évêque de Tulle. La première est bien connue. L'autre mérite de l'être. Charles du Plessis d'Argentré présente cette originalité d'être à la fois un grand visiteur et un grand docteur. Il donnait à l'étude sept heures par jour, quand il n'était pas en visite.

Sous la Régence, la situation matérielle du clergé laisse à désirer. Les amortissements de 1690 et de 1700, puis les remboursements du Système, ont durement éprouvé ses finances. Certes, les décimateurs bénéficient de la hausse des dîmes, hausse perceptible dès 1710 et qui se poursuit pendant toute la période. Mais les dévaluations de la monnaie de compte avant 1730, et la montée des prix ensuite, annulent pratiquement cette augmentation des revenus. Quant à la portion congrue, elle ne bouge pas et demeure à 300 livres pendant toute la période.

Le clergé est toujours vraiment le premier ordre. Rien n'indique une volonté d'affaiblir cette position de prééminence. Bien au contraire : ne voyons-nous pas deux hommes d'Église, Dubois d'abord, Fleury ensuite, exercer les plus hautes fonctions d'État ? Cela ne s'était pas vu depuis un demi-siècle.

LA NOBLESSE

La noblesse française forme un groupe relativement peu nombreux de trois cent cinquante mille personnes environ. C'est une noblesse ouverte. Il existe en effet quatre mille charges anoblissantes. En France, on devient noble par le service public.

Il faut distinguer cependant la noblesse d'épée ou de race et celle de robe, issue des offices.

La noblesse ancienne sort d'un long purgatoire. Sous le précédent règne elle avait été écartée de l'exercice du pouvoir. Elle y est maintenant associée à nouveau. Même après la dissolution de la polysynodie, elle gardera une influence politique et sera toujours présente dans le ministère et dans les conseils du roi. La réglementation de 1732 des « honneurs de la Cour », c'est-à-dire du privilège d'être présenté au roi, de monter dans ses carrosses et de le suivre à la chasse, favorise

---

1. Bernard Peyrous, *Les Visites pastorales des archevêques de Bordeaux (1680-1789)*, Bordeaux, 1972.

également la noblesse ancienne, puisqu'elle réserve ces honneurs aux familles dont la noblesse sans principe remonte au moins à l'an 1400. Il faut préciser toutefois que le roi peut dispenser certaines familles d'ancienneté, à cause de leurs services.

La gentilhommerie n'est plus sacrifiée. Elle n'est plus bonne seulement à se faire tuer sur les champs de bataille. D'ailleurs, elle fait la moderne, l'éclairée. Elle lit davantage, elle se constitue des bibliothèques, elle se dit ouverte au monde. Le marquis de Mirabeau écrit à Vauvenargues : « Un homme de qualité ne doit pas s'enterrer, il se doit à l'État. » Et Vauvenargues tient à son correspondant le même langage : « Je ne crois pas qu'il y ait rien de plus dangereux et qui rétrécisse tant l'esprit, que de vivre toujours avec les mêmes gens [...]. Quel agrément de pouvoir vivre avec des hommes de tous les états, de toutes les provinces, de toutes les nations et de réunir en un point tous les rayons de lumière épars dans cette multitude[1] [...]. » On note en même temps — c'est logique — moins de réticence à se mésallier. Voici deux exemples caractéristiques dans la noblesse d'Anjou. En 1715, Henri Louis Ier d'Espaigne, seigneur de Venevelles, épouse Marie Marthe Ervoil-Doize, fille d'un conseiller au présidial de La Flèche[2], et en 1740, J. B. de Scépeaux, marquis de Beaupreau, épouse E. L. Duché, fille d'un chevalier d'honneur au bureau des finances de La Rochelle, et nièce d'un fermier général[3]. Ne faut-il pas redorer les blasons et refaire les fortunes que les dépenses du temps de guerre ont durement affectées ? On observe enfin ce phénomène nouveau de l'usurpation des titres. On se baptise comte ou vicomte sans y avoir le moindre droit. Par exemple, la Bretagne se découvre trois cents vicomtes pour dix-huit vicomtés. Paradoxalement, ces mêmes gentilshommes vont se montrer fort susceptibles sur les chapitres de leurs droits et de leurs monopoles, et en particulier sur la défense contre les roturiers de leur droit de chasse. Gouverneurs et intendants sont harcelés de plaintes : les paysans conservent des armes et ils braconnent. En 1741, par exemple, une dame de Monteils écrit au duc de Richelieu, commandant en Languedoc, pour lui envoyer la liste nominative des paysans qui braconnent sur ses terres et lui demander de les faire désarmer. Tout cela dénote l'esprit nouveau d'une noblesse finalement moins attachée à l'essence de sa dignité qu'à ses honneurs et à ses droits.

La noblesse de robe est principalement composée des magistrats des

---

1. Cité par Philippe Sagnac, *La Formation de la société française moderne*, Paris, PUF, 1946, t. II, p. 44, note 3.
2. Norbert Dufourcq, *Nobles et paysans aux confins de l'Anjou et du Maine. La seigneurie de Venevelles*, Paris, Picard, 1988.
3. Philippe Béchu, « Noblesse d'épée et tradition militaire au XVIIIe siècle », *Histoire, économie et société*, 1983, p. 518.

cours souveraines. Le milieu de la grande magistrature compte environ trois mille six cents familles et quinze à vingt mille personnes. Au début du XVIIIe siècle, cette noblesse, pourtant de second rang, se présente à nous dans une situation brillante et avantageuse. Le règne qui vient de s'achever lui a été favorable. Le prince lui a demandé tous ses ministres et un grand nombre de généraux, de sorte que cent vingt-huit familles de noblesse nouvelle ont fourni au commandement de l'armée royale un général ou un brigadier d'infanterie. Ainsi encouragée, la noblesse de robe a cherché à se rapprocher de la noblesse ancienne et à l'égaler. Elle a multiplié les grandes alliances et, abandonnant l'ancienne austérité patriarcale, s'est mise à vivre dans des palais et des châteaux, comme les grands seigneurs. On s'y méprendrait parfois.

Pourtant la roture n'est pas loin. A une distance de deux ou trois générations dans la majeure partie des cas. Le père d'un conseiller au Parlement est le plus souvent conseiller lui-même, mais le grand-père était seulement avocat. A la quatrième génération, nous trouvons l'officier non gradé ou le marchand. Par exemple, M. Portail, nommé en 1724 premier président du parlement de Paris, est l'arrière-petit-fils d'un chirurgien gascon, devenu, il est vrai, le chirurgien d'Henri IV[1]. L'ascension des Pellet à Bordeaux est plus rapide : un grand-père marchand, le père négociant et secrétaire du roi, et les deux petits-fils conseillers au Parlement. Il n'y a pas de descension. Une fois parvenues à ces sommets, les familles n'en descendent plus. La robe n'est pas seulement une voie rapide. C'est une voie sûre.

Évoquons maintenant les mœurs nobiliaires. Dans les provinces, elles sont généralement dignes, et cela aussi bien chez les parlementaires que chez les gentilshommes de campagne. Mais il n'en va pas de même à la Cour et à Paris. Sous la Régence, une partie de la grande noblesse étale au grand jour ses débauches. Écoutons la Palatine, témoin lucide et fidèle : «Les marquises de Polignac et de Sabran ne veulent pas permettre que deux duchesses (d'Olonne et de Brissac) se mettent au-dessus d'elles au bal de l'Hôtel de Ville. Elles leur dirent : "Vous voulez vous mettre au-dessus de nous pour montrer vos beaux habits qui sont de la boutique de votre père." Les duchesses répondent : "Si nous ne sommes pas d'aussi bonne maison que vous, au moins nous ne sommes pas des p... comme vous. — Oui nous sommes des p..., et nous le voulons bien être, car cela nous divertit."» Et de fait elles le sont, mais elles ne sont pas les seules. Par leur dépravation, la duchesse de Retz et la comtesse de Gacé scandalisent la Régence elle-même. En juillet 1717, Mme de Gacé soupe chez Mme de Nesle, dans la compagnie de son amant, le prince de Soubise, et de plusieurs amis. On remplit sans arrêt son verre. Lorsqu'elle est ivre, les jeunes gens la font danser presque nue,

---

1. Alexandre Barbier, *Journal, op. cit.*, t. I, p. 215.

puis ils la livrent aux valets[1]. La chronique scandaleuse est également bien fournie par l'histoire des liaisons des jeunes seigneurs avec des actrices ou des danseuses de l'Opéra. Ces demoiselles, en effet, sont de terribles intrigantes et font payer très cher le prix de leurs faveurs. Voici par exemple la triste aventure du jeune marquis de Bully. Ce gentilhomme rencontre en 1717 à l'Opéra la demoiselle de Lecluse, danseuse, et devient son amant. Ils partent cacher leur amour à la campagne. Làdessus — qui l'aurait cru ? — la demoiselle de Lecluse est saisie par une vocation religieuse, et prétend se faire admettre au couvent de Longchamp. Son amant est désespéré, mais bonne âme, il promet de payer la dot de religion, soit 10 000 livres. La demoiselle change d'avis et décide de rester dans le monde. Qu'à cela ne tienne, les 10 000 livres serviront à son établissement. Bully lui installe un délicieux appartement, rue de Richelieu. Elle l'en récompense en le trompant avec tout le monde, et comme il la quitte, elle l'accuse d'avoir « séduit son innocence » et lui intente un procès en reconnaissance de paternité.

Le marquis de Bully n'est pas la seule victime. On en compterait des douzaines. Voici un autre cas, celui de Jean Jacques de Mesmes. Ce digne personnage — il est né en 1675 et il est chevalier de Malte — voit un jour à l'Opéra la demoiselle Fanchonette danser avec succès. En 1715, après plusieurs rebuffades qui l'ont mis en appétit, il est admis comme amant en titre. Nommé la même année ambassadeur de Malte, il a les moyens d'entretenir fastueusement sa maîtresse. Il la loge, il la meuble, lui fait une pension de 6 000 livres par an, et même lui signe un billet portant promesse de lui payer cette pension tant qu'il vivrait. Elle le trompe et le chasse, et comme il refuse de payer la rente, elle obtient une décision de justice qui l'y contraint[2].

C'est donc à cette période de la Régence que l'habitude se prend dans la haute noblesse de se mettre en ménage avec des actrices. Ces sortes de liaisons n'étaient pas admises sous Louis XIV, ou bien elles restaient secrètes. Maintenant il y a scandale, et cela témoigne d'une dégradation. « La société est en vérité blessée, dit un mémoire du temps, de voir les plus dignes des hommes placer si mal leurs affections, consacrer leurs plus beaux jours à des filles de théâtre, nées dans la boue, élevées dans les halles, dont le libertinage, la pompe et l'insolence semblent insulter à toute vertu ! »

Le milieu parlementaire est moins atteint que la noblesse de cour, mais il n'est pas complètement à l'abri. En 1742, plusieurs jeunes conseillers, réputés pour leurs fredaines, sont contraints à la démission. L'exemple vient de haut : le vieux procureur général Joly de Fleury

---

1. Anecdotes et citations tirées de Charles Kunstler, *La Vie quotidienne sous la Régence*, Paris, Hachette, 1960, p. 87-109.
2. Alfred Franklin, *Paris sous la Régence*, Paris, Plon Nourrit, 1897.

est un « galant [...] fort aimé des filles ». Il n'y a pas que les divertissements galants. Un vent de frivolité passe sur la magistrature. Présidents
et conseillers se mettent à tenir table ouverte, à recevoir des littérateurs
et à fréquenter les salons. En vain, dans ses *Mercuriales*, d'Aguesseau
avertit les jeunes magistrats. Le parlementaire, leur dit-il, « ne connaît
les grands que par la justice qu'il leur rend. Il mérite leur estime,
mais il ne recherche point leur amitié [...]. » C'est parler dans le désert.
Le plus grave est peut-être que, dans leur nouveau goût des mondanités,
les parlementaires étudient moins, et composent des pièces légères et
non des traités de droit. Le président Hénault, familier de tous les
salons et de la Cour, est tout à fait représentatif de cette nouvelle
génération. Il écrit une comédie, publiée en 1713 et représentée en
1716. Le sujet de cette pièce intitulée *Cornélie* est l'histoire d'une
passion pour une vestale. Si l'on en croit Sainte-Beuve, l'auteur y avait
peint « quelque ardeur réelle qu'il éprouvait alors et à travers peut-être
une grille du couvent ». On peut lire dans cette pièce des couplets comme
celui-ci :

> Il faut quand on s'aime une fois
> S'aimer toute la vie.

Ce n'est pas là le ton d'un président de Parlement. « L'austère écorce »
— l'expression est de Saint-Simon — se délite.

LES BOURGEOIS

On ne descend pas immédiatement de la noblesse à la bourgeoisie. Ce
qu'il y a de remarquable dans la société française, et de si différent de
toutes les autres sociétés européennes, c'est la multiplicité des catégories
intermédiaires et de transition. Entre les nobles et les bourgeois s'étend
un groupe social difficile à définir, ses membres venant d'accéder à la
noblesse, le plus souvent par l'acquisition d'un office de chancellerie,
mais se trouvant encore attachés d'une certaine manière au milieu bourgeois par leur comportement et leurs activités enrichissantes. On pourrait
les appeler des « bourgeois gentilshommes », si cette expression ne
suggérait pas une ostentation ridicule. Il y a certes chez ces anoblis un
désir très marqué de paraître. A titre d'exemple, les secrétaires du roi de
Besançon achètent des équipages et font graver leurs armes sur leurs
carrosses. Mais leur train de vie, tout en étant de bonne aisance, demeure
prudent et modeste. Ils se gardent d'afficher leur richesse, qui est grande.
Les mêmes secrétaires du roi bisontins n'ont généralement pas plus de
trois ou quatre domestiques[1]. Dans la même ville, un président de
parlement — qui n'est pourtant pas beaucoup plus riche — en a le
double. C'est moins une question de richesse que de rang social. Il est

---

1. J.-F. Solnon, *215 bourgeois gentilshommes au XVIIIᵉ siècle, op. cit.*

rare dans cette société, surtout en province, que le train de vie ne soit pas approprié au rang social.

Nous arrivons aux bourgeois eux-mêmes.

Les « bourgeois » existent. On peut employer le mot pour désigner la catégorie sociale située au-dessous de la noblesse et au-dessus du « simple peuple ». Ce mot a plusieurs sens, mais il a aussi celui-là. « Bourgeois [lisons-nous dans le *Dictionnaire* de Savary (édition de 1723)] se dit de tout Citoyen qui habite une ville. Il s'entend plus particulièrement de ceux des citoyens qui ne sont ni du nombre des Ecclésiastiques, ni de celui des Nobles [...] et sont néanmoins, par leur bien, par leurs richesses, par les emplois honorables dont ils sont revêtus, et par leur commerce, fort au-dessus des Artisans et de ce qu'on appelle le peuple. » C'est donc bien cela : un bourgeois n'est pas de la noblesse, mais il n'est pas non plus du peuple. Alors est-il à égale distance ? Non, si nous en croyons cette même définition. Car il est « fort au-dessus du peuple ». Et ce qui le met tellement au-dessus, c'est sa fortune : ses « biens », ses « richesses ». Nous ne sommes pas forcés d'adhérer entièrement à la définition du *Dictionnaire* de Savary. Mais nous devons au moins en tenir compte. Or, selon cette définition, les « bourgeois » sont sans nul doute une catégorie économique.

Il y a chez eux, semble-t-il, une conscience de groupe, et même une certaine satisfaction d'être des « bourgeois ». Satisfaction qui peut être mêlée de fierté. Nous en avons un témoignage dans la littérature du temps. L'héroïne des *Confessions du comte de...*, roman de Charles Duclos, publié en 1741, s'appelle Mme Pichon. Cette dame est l'épouse d'un marchand parisien et la maîtresse d'un gentilhomme. Elle est intéressante dans les deux rôles, mais surtout dans le second. L'amant gentilhomme, quant à lui, se satisferait de rencontres furtives. La dame ne l'entend pas ainsi. Elle a sa fierté. La liaison sera publique ou ne sera pas :

> Elle ne dit pas que c'eût été la mépriser que de se cacher de l'avoir, et qu'elle était assez jolie pour être aimée ; que si cela ne convenait, elle s'était bien passée jusqu'ici d'un homme de condition [...].

Un « homme de condition » est donc un noble. Il est pourtant des bourgeois de condition. Ce sont les puissants personnages de la finance, Samuel Bernard, Crozat, les quatre frères Pâris, Pâris du Verney, Pâris Montmartel et Pâris dit « La Montagne ». Montmartel est fait marquis. Antoine Crozat est marquis du Châtel. Les deux petites-filles de Samuel Bernard épousent l'une un Lamoignon, l'autre un Mirepoix. Les fermiers généraux des tailles se rangent dans cette catégorie. L'argent ouvre maintenant toutes les portes, celles des honneurs comme celles du pouvoir. Toutes les portes sauf quelques-unes. Crozat avait acheté la charge de grand trésorier de l'ordre du Saint-Esprit. En 1724, on la lui retire : « On ne veut pas, commente Mathieu Marais, que ces charges soient au premier venu qui aura de l'argent[1]. »

Les grands marchands et les armateurs viennent juste au-dessous. Le mot « négociant » est encore peu employé. On le trouve à Paris et à Lyon, mais toujours comme adjectif : on dit « marchand négociant ». Tous ces bourgeois de la grande marchandise sont des hommes entreprenants qui s'efforcent d'élargir toujours davantage le cercle de leurs affaires. David Gradis, négociant à Bordeaux, a fait fortune pendant la guerre de Succession d'Espagne. En 1717, il arme trois bateaux. En 1723 il envoie son fils Abraham aux Pays-Bas pour développer son instruction commerciale. Lucien Danse, marchand de Beauvais, est un négociant-fabricant spécialisé dans le blanchiment des toiles. A partir de 1720, il fait acheter des toiles écrues en Hollande et en Silésie et vend des toiles blanchies dans toute la France, ainsi qu'en Espagne et en Amérique du Sud. Sur ses quatre fils il en emploie deux dans ses affaires. L'aîné est envoyé à Saint-Malo pour assurer l'embarquement des marchandises, le second à Saint-Dominique[2].

La plus grande partie de cette haute bourgeoisie commerçante est rassemblée dans les grands ports : Nantes, Bordeaux, Marseille. A Marseille, les quelque trois cents négociants de la ville tiennent dans leurs mains toute la vie économique. Certains d'entre eux viennent d'accéder à la noblesse. L'un des deux frères Bruny est baron de la Tour d'Aygues, l'autre est marquis d'Entrecasteaux. Les grands marchands parisiens des Six Corps[3], s'ils ne sont pas aussi proches de la noblesse, possèdent des fortunes comparables. Il se produit un enrichissement général de toutes ces familles marchandes. On le mesure à l'accroissement des dots des filles. Par exemple, dans la famille Bouteiller, de Nantes, le chiffre moyen des dots passe de 8 000 livres au début du siècle à 55 000 en 1727.

Une catégorie différente, sans doute moins fortunée, mais certainement plus honorée, est celle des officiers de judicature et de finance, de ces « messieurs » des présidiaux, des baillages, des élections et des greniers à sel. On peut y ajouter les avocats, bien que beaucoup ne le restent pas longtemps et acquièrent des offices. Ce groupe accapare les charges municipales. Il est peu nombreux. C'est une oligarchie. A Angers par exemple, les neuf juridictions de la ville, soit le corps de ville, le présidial, la prévôté, l'élection, le grenier à sel, les traites, la monnaie, les eaux et forêts et la maréchaussée, totalisent à peine cent quarante personnes pour trente mille habitants. On retrouve cette proportion dans

---

1. M. Marais, *Journal et Mémoires, op. cit.*, t. III, p. 88.
2. Pierre Goubert, *Les Danse et les Motte de Beauvais*, Paris, S.E.V.P.E.N., 1959, p. 133 et suiv.
3. On nomme Six Corps les six corporations formant l'élite du commerce parisien : merciers, drapiers, épiciers, orfèvres, changeurs, pelletiers.

toutes les villes capitales administratives et judiciaires mais n'ayant pas de parlement. Besançon compte cent cinquante magistrats en 1709, pour une population deux fois moins importante que celle d'Angers, mais cette ville est siège de parlement.

Vient ensuite le monde des officiers subalternes, comme celui des greffier, et des offices ministériels de procureur, de notaire et d'huissier. Nous sommes ici beaucoup plus loin de la noblesse : les nobles ne peuvent exercer ces offices sans déroger. Si l'on en juge par les alliances, un certain nombre de marchands et de bourgeois rentiers se situent dans le même milieu social. L'ensemble forme la grande réserve de la bourgeoisie. Ce ne sont peut-être pas les mêmes usages, mais c'est la même vitalité populaire, le même souci de se maintenir et de s'élever si l'on peut. Voici par exemple une famille du Valois, les Delahante. Le père était chirurgien à Soissons. Le fils est d'abord notaire à Crépy-en-Valois, ensuite procureur au présidial de Soissons, puis « directeur de fermes du duché de Valois », apanage du duc d'Orléans, et, pour finir, bailli de diverses seigneuries appartenant au maréchal d'Estrées. Il meurt en 1737. L'aîné sera maître des eaux et forêts du duché de Valois, le second fermier général. On est passé en trois générations des confins de l'artisanat aux parages de la noblesse. Certes le cas est rare, mais il n'est nullement exceptionnel[1]. C'est probablement dans cette bourgeoisie moyenne, dans ces familles encore proches du peuple mais qui ont réussi à force de patience et de travail à s'arracher à la condition populaire, que réside la plus grande force d'ascension sociale.

Car l'important semble bien être de décoller, d'échapper à la servitude du travail manuel. Cette étape décisive franchie, les choses sont beaucoup plus faciles. Il y a peut-être une grande et une moyenne bourgeoisie, mais elles ne sont pas séparées. Souvent, les mêmes familles appartiennent aux deux groupes. De fréquents mariages les unissent. La bourgeoisie moyenne monte par ses filles. Ainsi, en 1725, dans les trois quartiers parisiens de Saint-Eustache, les Halles et Saint-Germain l'Auxerrois, sur dix-neuf mariages de marchands des Six Corps, l'élite de la marchandise parisienne, neuf se font dans un milieu social de moindre considération, avec des filles de simples marchands ou de petits boutiquiers, comme des marchands de fruits, des marchands de vin et des rôtisseurs.

LE « PEUPLE » DES VILLES

Artisans, domestiques et journaliers forment les trois principales catégories du peuple des villes.

Les artisans ne sont pas les moins nombreux. A Angers, par exemple, la masse des artisans, maîtres, compagnons et apprentis représente un

---

1. Ph. Sagnac, *La Formation de la Société française moderne, op. cit.*, p. 65-66.

quart de la population active de la ville. Paris, en 1725, ne compte pas moins de trente-cinq mille maîtres de métier[1].

La dignité de l'artisan lui vient de son métier. Le métier en effet n'est pas seulement un travail, mais un « art », et un art défini et protégé. Beaucoup d'artisans sont des spécialistes. Cela est la conséquence du sectionnement extrême de la production. Prenons les métiers du bois : il n'y en a pas moins de dix-sept, du simple bûcheron au coffretier-malletier, en passant par le boisselier (qui fait des mesures) et le tonnelier. A Paris, au début du siècle, si nous recensons toutes les dénominations de métiers rencontrées dans les actes notariés, nous arrivons à près de deux cents. Quand le métier est juré (constitué en communauté ou corporation) — c'est le cas de la plupart des métiers parisiens et d'un assez grand nombre en province — ses statuts fixent de manière précise les limites de la profession. Par exemple, les articles 53 et 54 des statuts des serruriers parisiens font la nette distinction entre serruriers et taillandiers, serruriers et cloutiers, serruriers et chaudronniers[2].

Les métiers les plus nombreux sont, dans la plupart des villes, ceux de savetiers, de cordonniers, de charpentiers et de tailleurs d'habits. Les cordonniers et savetiers viennent toujours en tête des effectifs. Angers, en 1715, a un cordonnier pour deux cent soixante habitants ; Tourcoing, en 1725, un pour deux cent cinquante ; Grenoble, un pour quatre-vingt-six.

Le métier est hiérarchisé. Il y a les maîtres, les compagnons et les apprentis. En principe, les compagnons sont faits pour devenir maîtres, en fait, peu le deviennent. La limitation réglementaire du nombre des maîtres (par exemple, à soixante-douze chez les horlogers parisiens), les droits élevés, et surtout la préférence donnée aux fils de maîtres, rendent malaisé l'accès à la maîtrise. Il existe donc une distance sociale entre maîtres et compagnons. Toutefois, cette différence est réduite au minimum dans les villes de fabriques. A Lyon, par exemple, les compagnons, simples ouvriers en soie, les maîtres et les « maîtres-fabricants » forment une seule et même catégorie : tous travaillent sur le métier, et tous sont dans la même dépendance vis-à-vis des « marchands-fabricants », possesseurs de la matière première et distributeurs du travail[3].

Cependant, un maître de métier ou un compagnon, même ceux des fabriques, ne sont pas des prolétaires. Ils sont presque toujours propriétaires de leur outillage, quelquefois de leur logement, parfois d'un petit bien à la campagne. Sur les cent onze cordonniers d'Angers en 1715, dix-

1. D'après Jacques Savary des Brulons, *Dictionnaire universel du commerce*, Paris, 1723-1730.

2. Statuts d'octobre 1650.

3. Maurice Garden, *Lyon et les Lyonnais au XVIIIᵉ siècle*, Paris, Les Belles Lettres, 1970, p. 321.

sept possèdent de la terre, dont quinze de petits lopins, et deux de véritables exploitations. Une dizaine d'autres possèdent de petites rentes constituées1. Dans les inventaires après décès des artisans parisiens, on ne trouve ni livres, ni tableaux, si ce n'est des tableaux de piété, mais on découvre presque toujours un peu d'argenterie, pour des valeurs de 150 à 300 livres, et une fontaine de cuivre rouge. Voici par exemple Sébastien Bouget, dont l'inventaire après décès date de 1715. Cet artisan était maître bourrelier à Paris. Il s'est marié deux fois et a épousé en secondes noces la fille d'un autre bourrelier. Il laisse trois enfants mineurs. Le logement est loué avec la boutique pour 144 livres par an. Il y a dans la boutique pour 700 livres de matériel et de peaux, et dans le logement pour 153 livres d'argenterie. C'est un cas tout à fait représentatif.

Ici encore les cloisons ne sont pas étanches. Le monde des artisans est relié à ceux de la marchandise et des offices : des filles d'artisans épousent des marchands. Mais on voit aussi des artisans se marier au-dessus de leur condition. Nous avons pour Paris en 1739 un échantillon de cent dix-sept contrats de mariage de gens de métier : cinquante et un de ces artisans épousent des filles de marchands ou d'officiers. Le milieu des métiers manuels n'est pas isolé, n'est pas rejeté. Il y a une communication réelle, et l'on ne peut pas vraiment parler de préjugés sociaux.

Un autre signe montre bien la proximité de la bourgeoisie. Ce sont les avant-noms. Nous voyons maintenant les notaires qualifier assez souvent les artisans de « sieurs », avant-noms jusqu'alors réservés aux bourgeois. Par exemple, en 1725 à Paris, dans un échantillon de deux cent seize contrats de mariage passés dans les trois quartiers de Saint-Eustache, les Halles et Saint-Germain l'Auxerrois, quarante-quatre contrats attribuent au marié l'avant-nom « sieur », et sur ces quarante-quatre mariés, dix sont des maîtres de métiers. Ce n'est certainement pas par hasard ou par distraction. Les notaires sont gens précis et qui ont le sens des nuances. Un artisan qu'ils appellent « sieur » n'est plus très loin de la bourgeoisie.

En revanche, aucun domestique, journalier ou « gagne denier », n'a jamais droit à une telle appellation. C'est là le monde des petites gens et le plus bas niveau de l'échelle sociale.

Les domestiques sont très nombreux. A Lyon, valets et servantes représentent environ 10 % de la population, à Dole 12 %, à Angers près de 25 %. Nous sommes dans une société de clientèles et de fidélités. Le lien de domestique à maître est donc un lien honorable et honoré. Et puis tout le monde aime à se faire servir. Ainsi, beaucoup d'artisans parisiens ont des servantes. Les plus pauvres trouvent là leur luxe. Quant aux riches, le nombre de leurs domestiques varie en fonction de leur rang social. A Besançon, en 1739, un premier président a douze domestiques

---

1. Benoît Garnot, *Les Cordonniers d'Angers au XVIIIe siècle*, mémoire de maîtrise, université d'Angers, 1973.

en moyenne, un procureur général sept, un président à mortier de quatre à cinq, et un simple conseiller au Parlement de trois à quatre[1]. Dis-moi combien tu as de valets, je te dirai qui tu es.

Le groupe des journaliers, « hommes de peine » et « hommes de bras », forme une catégorie à peu près équivalente en nombre à celle des domestiques, soit 10 % à 20 % de la population. A Châteaudun, par exemple, nous avons deux cents familles de journaliers, soit un millier environ de personnes, pour une population totale de cinq mille habitants.

LES CAMPAGNES. CARACTÉRISTIQUES PROPRES DE LA SOCIÉTÉ RURALE

Jusqu'ici, nous avons surtout considéré les sociétés urbaines. Les sociétés rurales ont leurs caractéristiques propres.

A la campagne, ce qui compte avant tout, c'est d'être propriétaire ou détenteur de la terre.

On peut dire que la France est un pays de propriété paysanne, puisque 50 % des terres, en moyenne, appartiennent aux paysans. Cependant, tous les paysans ne sont pas propriétaires, tant s'en faut. Et beaucoup n'ont même pas d'exploitation, ne sont même pas locataires. Il y a en fait deux sortes de paysans, les propriétaires et détenteurs de terres, et les démunis, travaillant comme valets ou journaliers. La proportion varie beaucoup d'une région à l'autre. Par exemple, dans le pays de Caux, d'après les rôles fiscaux de 1730, 61,9 % des contribuables n'ont pas de terres. Mais c'est là, semble-t-il, un des taux les plus élevés. D'ordinaire, la proportion est inférieure à 50 %. Dans la plupart des pays méridionaux, elle peut descendre jusqu'à 20 %[2].

La propriété paysanne est souvent très petite. A Saint-Léon, près de Nailloux, dans le Toulousain, d'après un compoix de 1730, soixante-six des deux cent un propriétaires possèdent de un à cinq hectares, soixante et onze moins de un hectare[3]. Dans beaucoup de régions, certaines propriétés sont si petites que ceux qui les possèdent sont obligés de louer leurs bras. Il n'est donc pas rare que des propriétaires soient aussi des journaliers.

Les locataires de terres les prennent en fermage ou en métayage. C'est le métayage (pratiqué surtout dans les régions méridionales) qui associe le plus étroitement le propriétaire à l'exploitant locataire. Le propriétaire est souvent un bourgeois, habitant de la ville, ce qui ne l'empêche pas de résider une partie de l'année à la campagne, afin de mieux surveiller ses métayers. Voici, par exemple, François Vernhes, avocat au parlement de Toulouse, bourgeois de Rodez, mais habitant plusieurs mois de l'année au village de Salmiech. Il possède une dizaine de métairies, dont il tient

1. Maurice Gresset, *Gens de justice à Besançon*, Paris, Bibliothèque nationale, 1970, p. 270.
2. G. Lemarchand, « Structures sociales... », *op. cit.*
3. Georges Frêche, *Toulouse et sa région. Vers 1670-1789*, Paris, 1974, p. 148.

avec minutie dans son livre de raison le journal de la gestion. En janvier 1736, il a baillé celle d'Alberty à un nommé Alexis Burelle. Entre lui et Burelle, tout est partagé. D'abord les produits : Vernhes touche cette année-là six « cestiers » de blé, cent vingt œufs payés à Pâques, douze livres de fromages, payées à la Saint-Jean, deux paires de poulets et deux gélines. Ensuite les dépenses. On achète du bétail. Vernhes écrit dans son journal : « Le 7 août 1736, nous avons acheté [...] une paire de bœufs de six années, l'un poil blanc et l'autre cabrol [...]. » Enfin les pertes et profits. Un bœuf meurt ; on le dépèce, on vend le cuir et on partage. Nous lisons aux livres des comptes : « Le 29 juillet 1736 nous est mort un bœuf et avons retiré du cuir 5 livres 10 sols [...] [1]. » Une telle précision chronologique suppose des relations quasi-quotidiennes entre l'avocat et son paysan. Or, de tous les liens qui unissent les membres de la société rurale, celui du propriétaire avec le métayer est sans doute l'un des plus forts.

Les institutions seigneuriales et des communautés renforcent le tissu social.

Le seigneur et ses hommes (administrateurs, juges, greffiers, procureurs fiscaux), le syndic de la communauté, le curé de la paroisse et les fabriciens représentent ces différentes institutions. Outre les impôts royaux, les personnes et les biens sont soumis aux droits seigneuriaux, aux taxes des communautés (celle prélevée par exemple pour l'entretien de l'école) et à la dîme. Habituellement, les droits et les dîmes sont affermés. Les fermiers s'enrichissent. Ils deviennent souvent de petites puissances financières et jouent un rôle important dans la vie économique et sociale des campagnes.

Du fait de son organisation poussée, la société rurale est une société complexe et finalement presque plus hiérarchisée et diversifiée que la société urbaine. De haut en bas, dans presque toutes les régions, nous trouvons d'abord le seigneur (qui est souvent noble, mais qui peut être aussi un roturier), puis le curé, puis des bourgeois de la ville acquéreurs de biens-fonds, et ne résidant guère, puis tous les officiers ministériels et seigneuriaux (notaires, juges, procureurs fiscaux), puis les « laboureurs », qui sont les gros exploitants, propriétaires ou locataires des terres qu'ils exploitent, puis les artisans et marchands du village, et enfin la masse des domestiques et des brassiers. Sans parler des mendiants que les crises multiplient. Telle est la structure type, la structure « moyenne » si l'on peut dire.

Il faut compter aussi avec la réalité régionale. Dans chaque province, dans chaque pays, le tempérament des populations, la géographie et l'histoire introduisent d'innombrables variantes.

Prenons les trois exemples de la basse Auvergne, du Quercy et de la

41. Livre de raison de François Vernhes, archives particulières.

basse Bourgogne. La basse Auvergne offre un exemple parfait de société rurale extrêmement complexe, et de société possédant une véritable bourgeoisie rurale. On trouve partout des « bourgeois », même dans les plus petits villages. Par exemple, à Notre-Dame-de-Laurie, minuscule agglomération, le rôle des tailles de 1734 en recense quatre. Sans parler des notaires. Le notaire de campagne est ici un personnage indispensable, à la fois procureur fiscal, fermier de droits seigneuriaux, propriétaire et acquéreur de biens-fonds. Ainsi, maître Jourde, notaire royal de Vodable, est en 1721 procureur fiscal de la terre du même nom, et, sous le prête-nom de Jacqueline Bruhat, sa belle-mère, fermier de la même seigneurie. Les « laboureurs », tout au moins les plus fortunés d'entre eux, ceux qui exploitent des « domaines » ou de gros « héritages », appartiennent à la même catégorie sociale que les notaires. Les fonctions de syndics des communautés et de « luminiers » des fabriques leur reviennent de droit. Leur mobilier dénote un style de vie bourgeois et une aisance certaine. Par exemple, l'inventaire après décès (dressé le 12 mars 1740) de Benoît Pileyre, laboureur à Bort, indique les objets suivants : trente et une livres de vaisselle d'étain, des coffres, une armoire à deux portes, deux buffets bas et une « vaisselière ».

L'inventaire des papiers révèle que le défunt avait placé de l'argent sous forme de cheptels ou de prêts obligataires, pour un montant total de 1 409 livres, sur trente particuliers. Enfin, il a quatre bœufs dans son étable, et son « tassou » (taste-vin) est en argent[1].

En Quercy, après les seigneurs, les « pagès » — on appelle ainsi les propriétaires agriculteurs les plus importants — et les « bordiers » (métayers) forment la catégorie dominante de laquelle dépendent les petits propriétaires, les « brassiers » et les valets de ferme. Ces derniers ne sont probablement pas les plus à plaindre. En 1722, un valet de ferme quercynol gagne 40 livres par an, plus deux chemises, deux culottes, et un « camias », ou blouse de toile[2].

En basse Bourgogne, on va du grand propriétaire, noble ou bourgeois, au journalier proche de la misère, en passant par le laboureur aisé, le métayer plus restreint, et toute une gamme de vignerons. Les inventaires des biens meubles révèlent à l'intérieur de la société paysanne de grandes différences dans les avoirs : beaucoup de gueux n'ayant pas plus de 100 livres, des gens à l'aise avec 500 livres, et des « richards » possédant plus de 1 000 livres. Pour l'ameublement et le cadre de vie, nous nous trouvons en face de deux catégories bien différentes : ceux qui vivent dans une pièce unique, avec un ameublement et des ustensiles pauvres et sommaires, et ceux, beaucoup moins nombreux, dont le mobilier rappelle

---

1. A. Poitrineau, *La Vie rurale en basse Auvergne…*, *op. cit.*, p. 611-612.
2. L. Saint-Marty, *Histoire populaire du Quercy. Des origines à 1800*, Cahors, 1980, p. 184.

le décor de vie noble et bourgeois. Dans la première catégorie se trouvent
la plupart des artisans et des cultivateurs, laboureurs compris. Voici
l'inventaire du logement du cordonnier François Carré, mort en 1735.
Pour les ustensiles, « une mauvaise poelle, un petit chenet, une pieuche
[pioche], un mauvais gouet [serpe] » ; pour le mobilier, « un vieux lit de
plume guarny [...], de mauvaise toile fort usé avec un vieux châlit, un
vieux coffre de bois de chesne, une vieille met ». Tout est « mauvais » ou
« vieux », ce n'est pas brillant. Des laboureurs ne semblent pas mieux
lotis. Par exemple, Sébastien Daugy, « laboureur », couche sur « un
mauvais châlit sur lequel est seulement de la paille ». La différence entre
petits propriétaires et journaliers d'une part et laboureurs d'autre part est
dans l'importance du cheptel. Le laboureur Pierre Boujat laisse à sa mort
(en janvier 1747) un très pauvre mobilier, mais une étable bien fournie.
On lui compte en effet un cheval, deux « mères vaches », quatre brebis,
deux charrettes et une charrue, le tout valant près de 500 livres. L'autre
catégorie de logements est celle des bourgeois de campagne et des très
gros laboureurs. Le contraste est très grand avec les pauvres habitations
paysannes. Par exemple, le cadre dans lequel vit Guillaume Billout
(l'inventaire date de 1735) rappelle les demeures seigneuriales. Ce
personnage se prélasse sur des matelas de laine. Son lit est garni de serge
verte, ses chaises « pareillement recouvertes ». Il a dans sa chambre une
« grande table à deux tirants » et un miroir. Enfin son armoire contient
deux douzaines de draps et quelques menus bijoux [1].

Nous pourrions ainsi continuer le tour des provinces et visiter dans
d'autres pays d'autres maisons de paysans. Mais la condition matérielle
et le décor de la vie ne sont pas tout. Il nous faudrait aussi observer le
déroulement de l'existence, considérer les travaux et les jours, connaître
et comprendre les mœurs, tenter enfin de mesurer le degré de dignité de
vie. Ces paysans savaient-ils s'élever, par une certaine dignité de vie, au-
dessus d'une condition souvent dure et pauvre ? C'est la question
essentielle mais il est bien difficile d'y répondre.

Nous possédons un document précieux, et comme on en voudrait
beaucoup d'autres du même genre, sur les mœurs campagnardes à cette
époque. C'est *La Vie de mon père,* de Restif de La Bretonne. L'auteur
raconte comment on vivait dans son enfance (il était né en 1734) au
domaine de La Bretonne, dans le Tonnerrois, chez Edme Restif, son père.
Cet Edme Restif est un notable : il a un domaine important et de
nombreux valets, il est juge seigneurial. Mais c'est aussi un paysan : il
met la main à la charrue, et se targue même d'être le premier laboureur
du pays. Bien sûr le livre est romancé. Le tableau de la vie à La Bretonne

---

1. Informations données par Gilbert Rouger, dans l'introduction à son édition de
L'Enfance de Monsieur Nicolas, de Restif de La Bretonne, Paris, Club des libraires de
France, 1970.

est un tableau idéalisé, destiné à émouvoir les cœurs purs et les âmes sensibles. C'est le bonheur à la campagne. C'est l'Arcadie en Bourgogne. Il s'y trouve pourtant des traits que l'auteur n'a pu inventer. On y voit décrite cette vie patriarcale qui rapproche les conditions. A La Bretonne, au repas du soir, tout le monde, maître, enfants et valets, mange à la même table et partage le même pain. C'est la maîtresse de maison qui fait le service : les servantes, qui ont travaillé tout le jour, sont maintenant assises et mangent tranquillement. A l'école, les leçons données aux enfants forment leur conscience. Restif se souvient de ce maître qui les exhortait à ne jamais faire le moindre tort à quiconque, et surtout à ne prendre jamais ce qui ne leur appartenait pas. Le respect de la propriété, toujours si fort chez les paysans, s'ajoute ici au sens de la justice chrétienne. L'auteur raconte comment l'esprit religieux de ses compatriotes était nourri par la lecture de la Bible : «As-tu lu la Bible, mon enfant ? — Oh oui ! père Brasdargent, et je la sais quasi par cœur. — Bon, bon mon enfant, tu connais celui qui a fait tout cela : c'est le Dieu d'Abraham, d'Isaac et de Jacob. Il a dit, et tout cela a été fait.» Le soir, après le souper, Edme Restif, le maître de La Bretonne, faisait à la maisonnée une lecture de l'Ancien Testament, et son fils avait noté qu'il commençait toujours par les premiers versets de la Genèse. Nous ne savons pas si beaucoup de maisons paysannes pratiquaient ces sortes de lectures. Mais là où elles se faisaient, la chose est sûre, le travail et la vie tout entière s'en trouvaient anoblies.

LES PAUVRES

A la campagne aussi bien qu'en ville, une partie notable de la population vit en permanence dans une situation économique très précaire. Ce sont tous ces hommes de bras, hommes de peine, manœuvres et gagne-deniers dont nous avons parlé. On peut même y ajouter beaucoup de petits propriétaires. Si la conjoncture est bonne, tous ces gens arrivent à subsister, et même parfois à mettre de côté un peu d'argent. Mais survienne une disette, arrive une augmentation brutale du prix du pain, la plupart d'entre eux basculent dans une pauvreté voisine de la misère, qui dure le temps de la crise et peut même se prolonger au-delà. Comme on s'efforce de les assister — les ateliers de charité, les aumônes générales, les hôpitaux et les villes s'y emploient —, des listes sont dressées, nous permettant ainsi de nous faire une idée de leur nombre. C'est ainsi qu'à Lille, en 1726, la déclaration des «pauvriseurs» autorise à évaluer à vingt-cinq mille le nombre des nécessiteux. Deux ans plus tard, le chiffre tombe à dix-neuf mille. C'est encore beaucoup pour une ville de soixante mille habitants. Le nombre des pauvres atteindrait donc ici, dans des années qui ne sont pourtant pas mauvaises, un tiers environ de la population.

Certains pauvres se font mendiants. Mendiants sédentaires — chaque communauté a ses mendiants répertoriés — ou mendiants vagabonds. Le vagabondage avait pris une grande extension lors des guerres et des chertés de la fin du règne de Louis XIV. Des paysans ne pouvant plus nourrir leurs familles, des artisans pressés de dettes, des déserteurs étaient partis sur les chemins, vivant d'aumônes ou de rapines. Ils sont moins nombreux aujourd'hui, mais ils n'ont pas disparu. Parfois la maréchaussée leur met la main au collet. En 1736, près de Lyon, elle appréhende deux compères, un ancien domestique et un ancien valet de ferme, l'un et l'autre sans domicile fixe, et qui subsistent en mendiant et en raccommodant des corbeilles. Un autre vagabond arrêté en 1741 dans le Beaujolais a quitté son village neuf ans plus tôt pour échapper à ses créanciers. On trouve sur lui trente écus ; il avoue qu'il vient de vendre sa maison[1]. Tous ces vagabonds sont des marginaux, si l'on veut, mais ils ne l'ont pas toujours été : ce sont des gens tombés, des vaincus. Leur nombre inquiète les autorités. La déclaration royale de 1724 ordonne aux mendiants valides et aux vagabonds de prendre un emploi dans les quinze jours sous peine d'emprisonnement et aux mendiants invalides et aux enfants vagabonds de se présenter à l'hôpital le plus proche dans le même délai. Cela ne suffira pas. D'autres ordonnances n'auront guère plus d'effet. Car l'origine est la pauvreté, une pauvreté endémique, d'où sortent sans cesse de nouveaux mendiants et de nouveaux vagabonds.

*
* *

L'économie et la société françaises vivent au temps de Fleury une histoire assez calme, exempte de crises graves et de grands bouleversements.

L'expansion a repris. La population augmente sensiblement. Les rythmes de la production s'accélèrent. L'intensité des échanges s'accroît. Les progrès sont réguliers et continus.

Nulle perturbation ne vient compromettre l'équilibre traditionnel de la société. La stratification ne subit pas de changement important. L'ascension sociale demeure ce qu'elle était, c'est-à-dire lente. Mais la société reste ouverte, étrangère aux séparations de castes. On note seulement une tendance de la noblesse à se replier sur elle-même.

Toutefois l'esprit n'est plus le même. On croit moins à la valeur de la naissance. Le service et les armes sont moins honorés qu'autrefois. La puissance de l'argent est dénoncée comme un fléau. Elle n'en progresse pas moins. Enfin la vie scandaleuse d'une certaine noblesse atteint l'honneur du second ordre tout entier.

---

1. Jean-Pierre Gutton, *La Société et les pauvres*, Paris, Les Belles Lettres, 1971, p. 171.

Chapitre IV

LA CIVILISATION
(1715-1743)

Le mot « civilisation » ne figure pas dans les dictionnaires de l'époque, mais « civil » et « civiliser » sont consacrés par l'usage. L'homme « civil » est celui qui sait vivre en bonne harmonie avec ses semblables. L'homme « civilisé » vaut mieux encore : la religion, les sciences, les lettres et les arts ont « poli » ses « mœurs » et la philosophie nouvelle l'a détaché des vieilles superstitions. Se « civiliser » veut dire s'éloigner de la barbarie des temps obscurs, et c'est dans ce sens que, pour Voltaire, la France « commence à se civiliser » (*Dialogues*, 21).

Les croyances. La religion

La religion chrétienne a été en France pendant des siècles le principal fondement de la civilisation. Sa foi représente encore en ce début du XVIIIe siècle, pour le plus grand nombre des Français, la substance de leurs croyances. Elle est encore la référence et le modèle d'une bonne partie de la réflexion philosophique et de la production littéraire. Elle est pour tous les artistes la principale source d'inspiration. Toute la pensée, tous les arts s'expriment à partir d'elle ou par rapport à elle, et c'est pourquoi il faut commencer par elle.

Sauf pour les cinq cent mille protestants, ce christianisme est le christianisme catholique. Les chrétiens de France ne croient pas seulement à la Trinité et au Dieu rédempteur, mais ils croient aussi à l'Église visible unie autour du pape de Rome. Leur catholicisme est le catholicisme renouvelé, revitalisé par la réforme issue du concile de Trente. C'est un catholicisme profondément religieux, possédant au plus haut point le sens de la transcendance, de la souveraineté divine et de la grandeur de Dieu. C'est donc une religion pure, aussi peu mélangée que possible, même chez le « simple peuple », d'éléments superstitieux. Si les évêques, dans leurs visites pastorales, enquêtent sur les pratiques superstitieuses, ou bien ils ne recueillent que des réponses négatives, ou bien les superstitions qui leur sont signalées par les curés sont anodines. Par exemple, dans le doyenné de Joinville, au diocèse de Châlons-sur-Marne, lors de la visite de 1728, quinze curés sur seize n'ont aucune « superstition » à signaler. Quant à la pratique mentionnée par le seizième elle n'a pas un caractère de grande gravité ; il s'agit de la superstition dite « du vendredi » : les femmes de la paroisse ne veulent pas aller à l'église pour leurs relevailles ce jour-là, « ni couler leur lessive ny se peigner et aultres choses pour leur ménage ».

On a dit que cette religion méprisait l'homme. Elle ne le méprise pas, mais elle le situe par rapport à Dieu, et considérant alors que Dieu est tout, elle voit que l'homme n'est rien. Dans un sens donc, l'homme est minimisé ; c'est la doctrine enseignée au siècle précédent, et toujours gardée, du néant ontologique de l'homme. Mais, d'une autre manière, l'homme est extraordinairement magnifié. Car Dieu l'aime. Le Tout aime le rien. L'homme est créé par amour, et, dit un catéchisme de la fin du XVIIe siècle, « pour être heureux éternellement ». Telle est, en bref, la conception chrétienne. Elle est complexe. La philosophie moderne, pour mieux la discréditer, affectera de n'en voir qu'une partie, la partie négative.

Car les philosophes antichrétiens ont fort à faire. Ce christianisme qu'ils combattent n'est pas en voie d'extinction, il ne décline pas. Le catholicisme est vivant. Il est vivant parce qu'il est pratiqué, parce qu'il est apostolique, parce que les dévotions le renouvellent et enfin parce qu'une pensée religieuse digne de ce nom le soutient.

Il est pratiqué. A quelques exceptions près, tous les Français catholiques assistent le dimanche à la messe de leur paroisse et font leurs pâques. Qui sont les exceptions ? Il y a probablement quelques esprits forts, quelques écrivains libertins, quelques grands seigneurs débauchés (un Fontenelle, un Boulainvilliers, un marquis d'Argens font-ils régulièrement leurs pâques ? Il y a lieu d'en douter). Nous savons toutefois que la plupart des manquements sont le fait de pécheurs d'habitude acceptant de se confesser pour Pâques, mais interdits de communion par leurs curés, pour repentir insuffisant. Ces gens-là ne sont pas antireligieux, ni même irréligieux.

Pour expliquer cette pratique quasi unanime, le conformisme ne suffit pas, ni la crainte révérencieuse des préceptes. Il y a une raison plus importante qui est la connaissance des vérités de la religion. Depuis 1660 environ, de grands progrès ont été accomplis dans ce domaine : les fidèles connaissent de mieux en mieux, comprennent de mieux en mieux leur religion. Mieux adaptés aux populations locales, les catéchismes diocésains se sont multipliés. On réimprime ceux qui datent d'avant 1715. Les diocèses qui n'en avaient pas en sont dotés, par exemple celui de Poitiers par Mgr de La Poype de Vertrieu. La prédication dominicale se généralise. Désormais les curés qui ne font pas de sermons deviennent des exceptions. La nouvelle formule du sermon court et familier met l'art de prêcher à la portée du moindre curé. Il y a aussi des sermons tout faits dont on peut s'inspirer, par exemple les sermons imprimés de M. Hébert, curé de Saint-Louis de Versailles, de M. Lambert, prieur de Saint-Martin-de-Palaiseau et de M. Ballet, curé de Gif. La prédication missionnaire contribue aussi fortement à l'instruction des fidèles, et cela d'autant plus que les premières années du siècle (1700-1720 environ) voient la relance de l'activité des missions intérieures. Les fondations de missions se multiplient, ainsi que les nouvelles compagnies de prêtres missionnaires : par exemple les mulotins ou montfortains, disciples du P. Grignion de Montfort, les prêtres missionnaires de Beaupré, en Franche-Comté, et la communauté de Notre-Dame-de-Sainte-Garde-des-Champs, à Villeneuve-lès-Avignon. Les missionnaires sont infatigables : ils vont de paroisse en paroisse et semblent ne jamais se lasser de prêcher et de convertir. Certains acquièrent un renom particulier de sainteté et d'éloquence, le P. Jacques Bridaine par exemple, et le P. Jean-Baptiste Badou, mort en mission en 1727 après vingt-sept années de campagnes apostoliques.

A la meilleure connaissance des vérités vient s'ajouter une ferveur nouvelle. La dévotion mariale se réveille. Dans les dernières années du siècle précédent, elle avait été moins en faveur. Critiquant ce qu'ils appelaient ses « abus », les jansénistes l'avaient affaiblie. Elle commence maintenant à retrouver force et crédit. Deux saints personnages de l'ouest de la France sont à l'origine de ce renouveau : Jeanne Delanoue et le P. de Montfort. Jeanne Delanoue, ancienne marchande de Saumur, a été convertie par une vision mariale. En son *Traité de la vraie dévotion à la Sainte Vierge* (1712), le P. de Monfort ravive et même enrichit la théologie mariale de l'École française. Il enseigne que Marie est à la fois mère, maîtresse et dépositaire de la Sagesse divine.

La dévotion au Sacré Cœur est la dévotion à l'amour de Jésus pour les hommes. Au siècle précédent, cette forme de piété n'était pratiquée que dans les couvents ou dans des cercles restreints de laïques. En 1720, un événement la fait connaître à toute la France : la peste de Marseille. Afin d'obtenir du Ciel la cessation du fléau, l'évêque de la ville, Mgr de Belsunce, consacre son peuple au Sacré Cœur. L'année suivante, il célèbre la fête. En 1722, la peste ayant repris, ce sont les magistrats municipaux qui, à leur tour, font vœu de célébrer désormais le Sacré Cœur par des messes, des communions et des processions solennelles. L'exemple de Marseille est contagieux et déclenche un grand élan de piété, malgré l'opposition des jansénistes qui qualifient la dévotion de superstition et raillent les « cordicoles ».

Un renouveau se produit. Sa marque la plus originale est sans doute le retour aux Écritures. De plus en plus nombreux sont les fidèles qui lisent la Bible et en particulier le livre des Psaumes. La faveur des psaumes est inimaginable [1]. Entre 1700 et 1744, on publie quatre psautiers latins nouveaux et plusieurs psautiers latin-français. Mais surtout les psaumes

---

1. Jean de Viguerie, « Les psaumes dans la piété catholique française (v. 1660-1789) », *Actes du colloque international de musicologie sur le grand motet français*, Paris, 1986, p. 9-17.

prennent place dans les ouvrages de dévotion, dans les manuels de piété et de pieux exercices. Par exemple un *Manuel du chrétien* de 1740 (sorte de vade-mecum de la dévotion) contient les Psaumes de la Pénitence. Si bien que la récitation des psaumes est en train de devenir l'une des formes usuelles de la prière privée des laïques. « On ne saurait assez louer, écrit le préfacier d'un psautier, la piété des fidèles, qui se font un devoir de réciter chaque jour un certain nombre de psaumes plus ou moins considérables, selon le temps qu'ils peuvent donner à ce saint exercice. » Or les psaumes sont la prière par excellence de la confiance en Dieu. Leur fréquentation introduit dans la religion classique une note nouvelle de détente et d'abandon.

Foi plus confiante, plus amoureuse; est-elle pour autant moins intellectuelle? Il ne semble pas. La pensée religieuse est loin d'être inactive. Certes Bossuet (mort en 1704) n'est pas remplacé. Certes la théologie scolastique ne se renouvelle plus : le dernier commentateur en date de saint Thomas d'Aquin est le P. Massoulié mort en 1706. Mais il y a encore des théologiens. Les uns cultivent la nouvelle théologie, dite « positive », qui prétend tirer toutes ses preuves de l'Écriture et des Pères, et ne recourir nullement à la spéculation rationnelle. Les autres s'adonnent à la fabrication de manuels pour les étudiants des facultés de théologie et des séminaires. Ce sont des travaux très utiles — il n'existait presque rien dans ce genre — et d'ailleurs très bien faits, et qui représentent un remarquable effort de clarification et de synthèse. Citons entre autres la *Théologie* de Tournely en seize volumes (1725-1730) et la *Theologia dogmatica* du P. Paul Gabriel Antoine, jésuite de Pont-à-Mousson (1723). Le deuxième de ces ouvrages connaît un succès européen, et le pape Benoît XIV, théologien lui-même, en fait les plus grands éloges.

Cela représente la formation de base du clergé diocésain. Pour sa formation permanente ont été créées les « conférences ecclésiastiques », institution mise en place au siècle précédent. La nouveauté consiste dans la publication de ces conférences. Celles d'Angers (par Babin) et celles du P. Le Semelier seront ainsi diffusées dans tout le royaume.

Le grand nom de la prédication est celui de Massillon. Son *Petit Carême*, prêché en 1717 devant le jeune roi, suscite une admiration sans bornes, et va devenir un classique. C'est de la morale sociale, comme on l'aime à l'époque. Le prédicateur invite les princes et les grands à réfléchir sur le rôle qui est le leur dans la société, et sur la qualité de leurs exemples : « ... plus on est grand, Sire, plus on est redevable au public. L'élévation qui blesse déjà l'orgueil de ceux qui nous sont soumis, les rend des censeurs plus sévères et plus éclairés de nos vices... » C'était là des paroles faites pour Louis XV, et en quelque sorte prémonitoires. Le jeune roi était-il assez mûr pour en tirer profit?

Depuis l'affaire du quiétisme, le mysticisme était discrédité, tenu en suspicion. Dans l'atmosphère de «réveil» qui est celle du temps, comment s'étonner de le voir renaître ? Voici donc les nouveaux mystiques : le P. de Montfort, contemplateur de la Sagesse divine, Jeanne Delanoue et ses visions mariales, et le P. Caussade, docteur de l'abandon à Dieu dans les diverses circonstances de la vie, théoricien du «moment présent, ambassadeur de Dieu», c'est-à-dire signifiant de «Sa Volonté».

La pensée catholique du temps est donc riche, diverse, féconde. Ses fondements sont solides, les auteurs des traités, ceux des conférences et enfin les professeurs des séminaires s'appuyant sur les preuves thomistes, preuves démonstratives parce que rationnelles. Cela est très important. En effet, dans un siècle où les libertins et les déistes prétendent opposer la raison à la foi, il importe grandement à la religion que les théologiens, ses défenseurs, ne laissent pas à ses adversaires l'usage exclusif de l'arme de la raison.

Néanmoins, malgré toutes ses qualités, la rigueur de cette pensée n'est pas si grande qu'elle ne présente des failles et des faiblesses.

Nous observons d'abord une tendance au déisme. Tendance très nette chez les apologistes et chez les spécialistes de l'enseignement religieux : le dogme de la Trinité serait pour des néophytes beaucoup trop difficile à comprendre ; il est donc plus prudent, plus pédagogique, de leur en différer la présentation. Pour commencer, on leur parlera du Dieu unique, du Dieu Créateur, ensuite seulement — mais rien ne presse — des Trois Personnes. La méthode, les jésuites l'affirment (ils l'ont expérimentée là-bas) fait merveille chez les Chinois. Pourquoi ne pas l'employer avec les païens d'ici, c'est-à-dire les incroyants et les libertins ? On l'emploie donc, et l'on s'inspire d'un manuel d'apologie qui fait fureur depuis sa parution en 1684, le *Traité de la vérité de la religion chrétienne* du protestant Jacques Abbadie. La méthode d'Abbadie est bien la méthode «chinoise». Son livre est divisé en deux parties. La première partie traite du Dieu unique et de la «religion naturelle», la seconde de la Trinité et de la Rédemption. Abbadie est protestant, mais qu'importe ! Sa méthode est jugée bonne et son apologétique prudente. Les jésuites louent et les évêques recommandent cette doctrine étrange, au christianisme affaibli. Car c'est le christianisme du jour. C'est la pensée non seulement des apologistes, mais aussi des littérateurs qui font profession de christianisme. Par exemple le poème de *La Religion* de Louis Racine (1742), apologétique littéraire à l'usage des gens du monde, est une œuvre semi-déiste. Le quatrième chant est consacré à la naissance du christianisme, mais le nom du Christ n'y est jamais prononcé, l'Incarnation n'est pas mentionnée, et le mot «croix» ne figure qu'une fois, sans qu'il soit jamais question de la Rédemption.

Cela est déjà inquiétant, mais on remarque aussi un relâchement de la théologie morale et plus particulièrement de la doctrine de l'usure. Dans leurs catéchismes diocésains, certains évêques, sans aller jusqu'à justifier l'usure, admettent de nouvelles raisons légitimes de prêt à intérêt. Pour Languet de Gergy, archevêque de Sens, par exemple, ne «pèchent par usure» que ceux qui «prêtent de l'argent pour en tirer parti, sans cause légitime» (*Catéchisme* de 1731). Trente ans plus tôt, une telle doctrine eût paru inconcevable chez un évêque. Mais la mentalité économiste a gagné du terrain, même chez les évêques.

Le clergé apparaît donc vulnérable. Il a été plutôt bien formé dans les séminaires, mais peut-être d'une façon trop scolaire, trop peu intellectuelle. Engagé dans le ministère, il a tendance à délaisser l'étude pour les activités pastorales. Les «conférences ecclésiastiques», si utiles soient-elles, ne remplacent pas la lecture. Certes la plupart des curés possèdent maintenant de petites bibliothèques, mais ce sont des livres de spiritualité et de morale et non de théologie dogmatique. On a étudié récemment les inventaires (dressés entre 1725 et 1730) de bibliothèques de prêtres de l'ouest de la France : aucune ne contient la *Somme théologique* de saint Thomas d'Aquin, traité au contraire fort répandu dans les bibliothèques des curés de la génération précédente[1].

Enfin, nous l'avons vu, la querelle janséniste est loin de s'éteindre. La persécution du temps de Fleury affaiblit le parti janséniste mais ne le déracine pas. Surtout la doctrine et la spiritualité jansénistes se renouvellent. Or ce courant du jansénisme a des effets contradictoires. Il le fortifie parce qu'il est la quintessence de la spiritualité de l'École française, de cette spiritualité si haute qu'elle garde les âmes de toute superstition et de toute facilité. Mais l'effet négatif l'emporte. Le jansénisme, ne l'oublions pas, est une hétérodoxie (pour ne pas dire une hérésie). Ses positions sur la grâce et sur les sacrements sont fortement suspectes aux yeux du magistère ecclésiastique. Plusieurs ont été condamnées. Les théories que développent maintenant les nouveaux théologiens jansénistes en matière d'ecclésiologie ne sont pas plus orthodoxes. Celle de Le Courayer, par exemple, sont très proches du protestantisme : l'Église renoncerait à tous les dogmes inconnus des premiers fidèles, et les évêques et les curés seraient élus. Quant au nouveau «mysticisme janséniste», le phénomène convulsionnaire en montre suffisamment le caractère illuminé. Les effets des convulsions sont très fâcheux pour la religion : les faux miracles et les manifestations hystériques réjouissent les libertins qui en font des gorges chaudes, et en tirent argument pour ridiculiser les vrais miracles et la vraie mystique. Par le jansénisme, le catholicisme se divise et se détruit lui-même. D'ailleurs le seul but des auteurs des *Nouvelles ecclésiastiques*, la gazette clandestine du parti, est d'entretenir l'esprit de division et de guerre permanente au sein de l'Église : nous ne voulons rien d'autre, a déclaré

---

1. Jean Quéniart, *Culture et société urbaines dans la France de l'Ouest au XVIIIᵉ siècle*, Lille, service de reproduction des thèses, université de Lille III, 1977, 2 vol., t. II, p. 599.

le manifeste du premier numéro, nous ne voulons rien d'autre que « d'entretenir souvent et peut-être toutes les semaines le public... [des] violences et... [des] injustes procédés des partisans de la Bulle ». Cette guérilla intérieure va ruiner le catholicisme.

Les connaissances : l'instruction

Dans ce domaine, le fait le plus important de la période est la multiplication des petites écoles, avec le progrès qui s'ensuit, l'alphabétisation.

Les petites écoles nouvelles offrent une très grande variété de modèles et d'institutions. Le modèle officiel et dont le caractère public est le plus marqué est celui des écoles des communautés d'habitants, créées avec le financement des contribuables en exécution des édits royaux de 1698 et de 1724. Il y a ensuite les différentes écoles charitables. Certaines sont créées par les évêques et administrées par des « bureaux » de notables : par exemple les écoles charitables du diocèse de Poitiers instituées par Mgr de La Poype de Vertrieu entre 1702 et 1732, et confiées par lui à de jeunes clercs se destinant à la prêtrise. D'autres, écoles de filles, sont fondées par les congrégations féminines enseignantes nouvelles : Filles de la Charité, Filles de la Sagesse, Sœurs de Saint-Paul de Chartres, Sœurs de la Présentation de Tours, et bien d'autres encore. Les sœurs font l'école dans la « maison de charité » où elles habitent à deux ou trois : dans une pièce elles font la classe ; à côté elles tiennent le dispensaire ; et à la porte elles servent le bouillon aux pauvres passants. Les petites écoles des frères des Écoles chrétiennes, disciples de saint Jean-Baptiste de La Salle, constituent un troisième modèle bien à part. Ce sont des écoles de garçons. Les modes de financement varient selon les lieux, les frères ayant été appelés soit par la ville, soit par l'évêque, soit par un fondateur. Ce sont des écoles de villes, alors que beaucoup d'écoles de sœurs sont implantées en campagne ou dans des bourgs. Mais surtout, ce ne sont pas des écoles de charité. Les écoles de charité sont réservées aux enfants pauvres. Les écoles des frères admettent indifféremment riches et pauvres et sont gratuites pour tous. La compétence des maîtres, spécialement formés pour l'enseignement, et l'excellence de la méthode lassallienne font le reste. La réputation des frères ne cesse de grandir. En 1743, soixante-dix villes ont des écoles de frères. Avignon en a trois, et à Marseille « seize Frères, distribués en différents quartiers, instruisent avec grand succès les enfants des pauvres[1] ».

La multiplication des écoles va en effet de pair avec une amélioration très rapide et sans précédent de la pédagogie élémentaire, dans la méthode d'enseignement et surtout dans le contrôle des connaissances.

---

1. Georges Rigault, *Histoire générale de l'Institut des frères des Écoles chrétiennes*, Paris, Plon, 1938, t. II, p. 178.

Les idées de saint Jean-Baptiste de La Salle sont les plus connues à cause de la grande diffusion de l'ouvrage qui les exprime, la célèbre *Conduite des écoles*, publiée pour la première fois à Avignon en 1720. Mais ce ne sont pas les seules. On pourrait citer plusieurs autres pédagogues novateurs et en particulier le P. Barré, fondateur des dames de Saint-Maur, et Mgr de La Poype, évêque de Poitiers, auteur d'une *Méthode des écoles charitables* datant elle aussi des années 1720.

La grande idée des nouveaux pédagogues est de diviser leurs écoles en classes, correspondant à autant de groupes de niveaux, afin de mieux contrôler la progression des enfants. Chez les frères, il y a deux classes de lecture et une troisième d'écriture. Les Filles de la Sagesse séparent leurs écolières en deux chambres, « l'une pour les apprenties en lecture, l'autre pour celles qui lisent couramment et qui apprennent à écrire ». Les écoles charitables de Poitiers subdivisent à l'extrême : les enfants y sont répartis en sept classes. Où est le joyeux pêle-mêle de jadis ? Où sont les écoles d'antan, où cinquante enfants de seize à cinq ans, assis aux mêmes bancs, apprenaient côte à côte des leçons différentes ? Ces désordres sont révolus. La pédagogie élémentaire rejoint celle des collèges et aborde l'âge de la planification.

Et de la participation. Dans toutes ces écoles d'un type nouveau, comme dans les collèges des jésuites, les élèves sont associés à la bonne marche des écoles. Par exemple, une école de frères ne compte pas moins de douze « officiers », c'est-à-dire d'élèves ayant une responsabilité dans l'école : les deux « récitateurs de prières » dirigent l'un la prière du matin, l'autre celle du soir ; le « ministère de la sainte messe » enseigne à ses camarades à servir la messe ; il y a encore trois autres fonctions religieuses, et les six dernières sont pour le temporel : le sonneur, les balayeurs, l'inspecteur (qui peut s'asseoir à la chaire en cas d'absence momentanée du maître), le clavier (qui détient la clé de la classe) et le portier (dont la place est auprès de la porte et qui va ouvrir quand on frappe).

Une autre innovation pédagogique fait grand bruit : l'inversion du latin et du français. Depuis toujours, les enfants apprenaient à lire en latin : les premiers mots qu'ils déchiffraient étaient des textes de prières latines, par exemple le *Pater noster*. Grande affaire quand saint Jean-Baptiste de La Salle décide d'inverser et de n'admettre à la lecture latine que les enfants sachant déjà parfaitement lire le français. Grande affaire mais aussi grand scandale : la méthode nouvelle est adoptée par quelques écoles, mais il s'en faut de beaucoup qu'elle le soit par toutes. Jusqu'à la fin du XVIIIe siècle, la majorité des enfants qui apprennent à lire apprendront en latin, et l'école continuera ainsi à latiniser le peuple.

Des écoles plus nombreuses, des enfants mieux instruits : les taux d'alphabétisation augmentent. Un homme sur trois savait signer son nom à la fin du XVIIe siècle et, en 1740, un sur deux, très probablement. La progression chez les femmes n'est pas moins spectaculaire. En Champagne, par exemple, de 1715 à 1740, on passe d'un taux de 25 % de femmes sachant signer leur nom à un taux de 38 %.

L'enseignement des humanités est donné dans les collèges, dans les écoles latines (très nombreuses dans les petites villes et les bourgs) et, pour les enfants élevés dans leur famille, par les précepteurs. Cet ordre d'enseignement ne connaît pas de transformation aussi spectaculaire que celles affectant l'école élémentaire. Néanmoins il change et change même beaucoup, sinon dans sa forme, du moins dans son fond.

Les institutions, les modèles, les effectifs demeurent les mêmes. Le nombre des collèges congréganistes (jésuites, oratoriens, doctrinaires) est de cent cinquante environ (cent quarante-huit en 1710) et ne varie guère. Le nombre des élèves des collèges n'augmente pas et se tient autour de 50 000 pendant toute la période. Trois collèges (Louis-le-Grand, La Flèche et Juilly) dépassent mille élèves. La plupart des autres varient entre cent et cinq cents. Sur ces élèves, les jésuites en ont à peu près la moitié, soit vingt-cinq mille. C'est beaucoup, mais cela ne permet pas de dire que la Compagnie de Jésus exerce une entière emprise sur la jeunesse.

Stabilité donc du côté des garçons. En revanche, l'enseignement féminin se développe. Le pensionnat de jeunes filles selon le modèle de Saint-Cyr, ou de l'Abbaye-aux-Bois, ou de Fontevrault, connaît auprès des familles un succès de plus en plus grand. On confie plus volontiers les filles aux couvents que les garçons aux collèges. Elles y apprennent, outre les rudiments, l'art d'écrire une lettre, la musique et la danse, un peu d'histoire et de géographie, et beaucoup de religion, sans parler bien sûr de la civilité et de la politesse qui représentent les matières principales : humanités féminines qui valent peut-être les masculines.

L'essentiel de l'enseignement des collèges reste l'apprentissage du latin par les procédés classiques du thème et de la composition. En outre, à partir de la classe d'humanités (notre seconde) et en rhétorique, les jeunes gens s'initient à l'art de parler en public : ils s'y exercent dans les disputes, et en apprenant les règles, posées par Cicéron et Quintilien, de la composition des discours. Le but est de fabriquer des orateurs, c'est-à-dire des hommes qui sachent « communiquer », comme nous dirions aujourd'hui, et s'imposer en faisant prévaloir leur point de vue. C'est une école de réussite. La méthode n'a pas varié depuis le temps de Louis XIII. Des réformateurs pédagogiques audacieux avaient proposé à la fin du XVIIe siècle de réduire la part du latin, de supprimer la rhétorique, de commencer le cursus par des mathématiques. Ces novateurs s'appelaient Lamy, Fleury, Fénelon. Ils n'ont pas été écoutés. Le collège classique ne bouge pas. Il se modifie pourtant. Changements insensibles et lents, mais bien réels, et c'est pourquoi l'on peut dire que la révolution pédagogique des années 1680-1715 n'a pas été tout à fait sans influence.

Car l'enseignement n'est plus, à bien le regarder, celui de la grande tradition de l'humanisme. D'abord, le latin n'est plus la langue vivante des collèges. Autrefois, les élèves le parlaient entre eux et jusque dans les cours de récréation. C'est bien fini, et même dans la classe de latin on parle français. Quant à « l'art de parler », le sens en a changé et le discours n'a plus le même but. Pourquoi faisait-on des discours autrefois ? Pour convaincre. La raison y avait donc la première place. Maintenant, il est seulement demandé, selon l'expression d'un professeur de rhétorique de l'époque, le P. Imberti, de « parler d'une manière persuasive ». Ce n'est pas tout à fait la même chose. La « manière » (c'est-à-dire les procédés, les artifices, le clinquant des mots) va prévaloir sur les arguments de la raison. L'apparence va l'emporter sur le fond. C'est une dérive. La rhétorique est en crise depuis 1680 environ. Elle ne croit plus tellement en elle-même. Or cela est très grave, car elle formait l'ossature de l'enseignement classique. Un autre signe est le déclin du théâtre scolaire. Les représentations de tragédies, de comédies et de ballets, qui se donnaient depuis toujours dans les collèges, avec la participation des professeurs et des élèves devant le public de la ville, avaient un double rôle, celui de rehausser les cérémonies d'ouverture des classes et de distribution des prix, mais également celui de contribuer à la formation des futurs orateurs et des futurs magistrats de la cité. Les enfants, acteurs de ces pièces, apprenaient à s'exprimer en public de façon convaincante. La suppression entre 1730 et 1740, par plusieurs collèges, des représentations théâtrales, pour des raisons de moralité ou autres, est donc une autre preuve que l'idéal pédagogique a changé. En 1728, le collège de l'Esquile de Toulouse (tenu par les pères de la Doctrine chrétienne) décide de remplacer la tragédie par un « exercice littéraire », c'est-à-dire un examen public des meilleurs élèves de chaque classe, devant l'assemblée des notables et des parents. Un peu partout — sauf chez les jésuites —, les « exercices littéraires » vont remplacer le théâtre. Or ces exhibitions de forts en thèmes ont moins de succès que le théâtre. Avec sa disparition, l'enseignement classique perd un peu de son âme et beaucoup de son prestige.

Les théories pédagogiques émises à cette époque vont également dans le sens du déclin des humanités. Car les langues anciennes (le grec et le latin) n'y sont pas honorées en elles-mêmes, mais comme de vulgaires instruments de connaissance. « L'intelligence des langues, écrit tout bonnement Rollin, le grand pédagogue à la mode, sert comme d'introduction à toutes les sciences. » Un tel jugement eût paru injurieux aux grands humanistes du siècle précédent. Pour ces derniers, en effet, la philologie elle-même était une école de sagesse.

Il y a pire : les études sont subordonnées à la morale. « Les bons maîtres, écrit encore le fameux Rollin, estiment peu les sciences, si elles ne conduisent à la vertu. » Les auteurs ne doivent être lus et commentés que dans cette perspective. On se servira de toutes les maximes, exemples et histoires susceptibles d'inspirer l'amour pour la vertu et l'horreur pour le vice.

Une telle moralisation du savoir n'était pas dans l'esprit de l'éducation humaniste. Le savoir était pour le savoir et non pour la morale. Mais l'esprit de l'humanisme tend à disparaître. Cet esprit avait imprégné jusque vers 1680 l'enseignement des humanités. Il était fait non seulement de l'amour du latin et du grec (les « lettres humaines »), mais aussi d'optimisme. On était optimiste au sujet de l'intelligence de l'enfant, au sujet de sa capacité de savoir. On l'est beaucoup moins maintenant. Les théoriciens jansénistes et cartésiens de la pédagogie sont passés par là : Lamy, Nicole et Malebranche ont persuadé les éducateurs que l'esprit de l'enfant était tout empli de ténèbres et que son ignorance était « invincible ».

Seuls secteurs en faveur et en progrès : les sciences exactes et l'histoire. L'enseignement scientifique des collèges, c'est-à-dire celui qui est donné dans le cadre de la classe de physique, en première année de philosophie, s'ouvre largement pour la première fois aux acquis de la science expérimentale. Nous avons par exemple le P. Ricaud, professeur au collège de l'Esquile, qui donne à ses élèves dans son cours de 1740 un enseignement scientifique digne de ce nom. Sur le problème du vide, il dit : « De nombreuses expériences prouvent l'existence du vide. » Dans son chapitre sur la mécanique, il décrit les machines habituelles dont la bombarde pneumatique. Au chapitre « De Visione », il explique le fonctionnement du microscope.

L'enseignement de l'histoire tendrait aussi à marquer des points. C'est l'étude à la mode. Rollin consacre à ses principes et à ses rudiments plus du tiers de son *Traité des études* (1726-1728). Pluche ne recommande qu'un seul auteur français. Or c'est un historien, l'abbé Vertot. « Votre lecture ordinaire doit être l'histoire », conseille à son fils la marquise de Lambert. Il n'y a toujours pas de classes d'histoire spécialisées dans les collèges (sauf à Juilly, à l'intention des seuls pensionnaires), mais c'est un fait certain que le jeune potache lit de plus en plus de livres d'histoire. En tout cas on l'y encourage : les ouvrages de l'abbé Vertot et l'*Histoire romaine* de Rollin figurent dans toutes les bibliothèques des collèges et dans toutes les distributions de prix.

Ces histoires ne sont pourtant guère attrayantes. C'est moins de l'histoire qu'un perpétuel prêchi-prêcha de morale. Dans l'histoire romaine, par exemple, le professeur attachera moins d'importance à une bataille et à un exploit guerrier qu'aux « traits prouvant le mépris des Romains pour les richesses » (Rollin).

Après leurs humanités, la plupart des jeunes gens s'inscrivent dans les universités, auprès des facultés de théologie, de droit ou de médecine. Les études de droit et de médecine ont été considérablement réformées et améliorées sous le règne de Louis XIV, de sorte que les diplômes jadis très dévalués ont retrouvé un certain crédit. En particulier l'enseignement du droit français est illustré par des savants de valeur comme Prévost de La Jannès et Robert Joseph Pothier. Les facultés de médecine se trouvent parfois à la pointe du combat scientifique. Par exemple, le premier défenseur en France de l'animalculisme de Leuwenhoek est un docteur régent de la faculté de médecine de Paris, Nicolas Andry[1].

La formation des futurs officiers militaires demeure à la fois théorique et pratique. Elle commence par les humanités, et se poursuit en même temps dans les corps de troupes et dans les écoles appelées «académies», qui enseignent aux jeunes gens les arts martiaux et l'éducation. Le duc de Croÿ, l'ami de Louis XV, offre un bon exemple de cette formation complète. Entré aux mousquetaires gris, le 6 avril 1736, à l'âge de dix-huit ans, il y fait son service comme cadet. Ce qui ne l'empêche pas de fréquenter l'académie et d'apprendre avec son précepteur les mathématiques et les langues étrangères. Comme il a auparavant suivi les classes d'un collège, il devient un esprit accompli, à la fois humaniste, versé dans les sciences et dûment formé dans l'art militaire. Or il n'est pas une exception. Beaucoup de grands seigneurs, ceux en particulier qui exercent les grands emplois civils et militaires, sont formés ainsi.

L'éducation

Depuis 1680 environ, se manifestent plusieurs signes d'une crise de l'éducation familiale. L'habitude se généralise dans tous les milieux sociaux de mettre les enfants en nourrice et de les y laisser longtemps (parfois même plus de deux ans). Beaucoup de familles nobles ou bourgeoises ne veulent plus du collège pour leurs garçons, mais se déchargent alors du soin de l'éducation sur des domestiques immoraux ou des précepteurs incapables. Par exemple, les parents du futur cardinal de Bernis (né en 1715) le confient successivement à cinq précepteurs tous aussi incapables les uns que les autres : un étudiant en médecine, un séminariste «dont une dévotion mal entendue avait échauffé la tête», deux ignorants et un libertin.

L'autorité — parentale ou professorale — ne s'exerce pas toujours avec la même assurance qu'autrefois. Il y a déjà beaucoup d'enfants trop choyés. Marmontel (né en 1723) écrira dans ses *Mémoires* qu'il était un véritable enfant gâté, que sa mère avait un faible pour lui et l'accablait de caresses. Dans les collèges, la discipline laisse à désirer. Par exemple, au collège de Vitry, en février 1734, le professeur de philosophie est

1. Sur ce sujet des universités, voir notre étude «Quelques remarques sur les universités françaises au XVIIIe siècle», *Revue historique*, juillet 1979, p. 29-49.

« insulté » dans sa classe par plusieurs de ses écoliers. Aucune sanction n'est prise, et, quand le professeur exige des excuses et menace de ne pas reprendre ses cours, les autorités locales de qui dépend la police de collège lui donnent tort.

Il y a donc ici et là un certain relâchement. Mais il ne faudrait pas en exagérer l'importance. Dans le fond, l'éducation reste la même. Car les principes et les valeurs ne changent pas.

A commencer par la civilité. Il est toujours posé en principe que l'enfant doit être civil, c'est-à-dire qu'en tout lieu et en toutes circonstances, à la maison, à l'église, à table et en compagnie, il doit observer les règles de la bonne tenue. Ces règles sont codifiées dans les manuels que les enfants apprennent à l'école. En 1703, saint Jean-Baptiste de La Salle a jugé bon de publier son propre manuel de civilité pour ses propres écoles. Cet ouvrage, intitulé *Règles de la bienséance et de la civilité chrétienne*, aura un grand succès et sera réédité trente-trois fois au XVIIIᵉ siècle. Or cette civilité lassallienne qui va marquer les nouvelles générations n'est plus tout à fait la même que celle du Grand Siècle. Elle est nettement plus contraignante : le bon enfant lassallien est silencieux, il éternue même en silence, il ne bâille ni ne se mouche. Il ne joue pas sur son lit. La morale est aussi beaucoup plus pudibonde, car l'enfant lassallien « ne regarde ni ne touche son corps sans une nécessité indispensable ».

La politesse concurrence la civilité. Dans les salons, chez les gens de condition, le mot civilité n'a plus cours. Il est remplacé par celui de politesse, qui n'est pas à vrai dire un mot nouveau. Le mot et la chose existaient déjà. Cependant nulle époque n'a mieux défini la politesse, ne l'a mieux exprimée, ne l'a mieux louée.

Dans les traités d'éducation à l'usage des gens du monde, elle est devenue la valeur essentielle. Dans les *Avis d'une mère à son fils et à sa fille*, de Mme de Lambert (1732), dans le *Traité du vrai mérite de l'homme* de Le Maistre de Claville (1734), elle est l'idéal suprême, le principe auquel tout se rapporte.

Elle n'est pourtant rien d'autre que la civilité, mais la civilité naturelle, celle qui ne s'apprend pas dans les livres, celle qui est spontanée, celle qui s'exerce sans y penser. Elle est en somme à la civilité ce que l'éloquence est à la rhétorique. Elle est la civilité qui se moque de la civilité. Le jeune homme poli, dit Le Maistre de Claville, « sait s'approcher et se retirer à propos : que d'empressement à faire plaisir, que d'attention à ne dire que des choses gracieuses ! S'il fait un conte, chacun y trouve une honnêteté. S'il est à table, que de petits soins officieux (point d'art, point d'affection, tout est aisé, tout coule de source)[1]. »

La médaille a son revers. La politesse est sans artifice, mais elle est

---

1. Le Maistre de Claville, *Traité du vrai mérite de l'homme*, édition de 1777, t. I, p. 110.

sans âme. La civilité n'était qu'un instrument, un moyen de vie en société. La politesse peut devenir une fin en soi, un art pour l'art, et perdre alors tout son sens.

Car elle a un sens. La civilité est plus scolaire, la politesse est plus raffinée, mais les principes fondamentaux sont les mêmes — discrétion et modestie. Il ne faut pas déranger autrui, il faut respecter son prochain. Ce sont là des principes de civilisation. Enseignée à tous les enfants à l'école et dans la famille, à tous les adolescents lors de leurs débuts dans le monde, ils deviennent les règles de la société tout entière. Tout Français du XVIIIe siècle est civil ou poli, ou les deux à la fois.

Quelle est maintenant dans cette éducation la part de la religion ? Il y a une instruction religieuse dont nous avons vu qu'elle était très poussée, très bien faite, très efficace. Mais il y a aussi une éducation religieuse en vue d'associer la vie morale et la vie sociale au christianisme. On s'efforce de faire comprendre aux enfants qu'il n'y a pas de mœurs dignes de ce nom sans christianisme, que la morale chrétienne est une composante nécessaire de l'honnêteté sociale. Le Maistre de Claville consacre à « La morale » un quart de son *Traité du vrai mérite de l'homme*. Il écrit que « le moyen le plus sûr de devenir homme de bien, c'est de méditer souvent ce qu'on doit à Dieu et ce qu'on doit à soi-même ». La religion est ici utilisée à des fins morales et sociales, mais on ne peut nier que ce soit de la vraie et de la haute religion.

Les idées modernes

Les idées modernes influent à la fois sur les croyances, sur les connaissances, sur les mentalités et sur les mœurs.

Mais que faut-il entendre par « idées modernes » ? Nous entendons par là les idées engendrées en Occident depuis le début du XVIIe siècle, idées philosophiques, politiques et religieuses, idées tout à fait différentes de la pensée traditionnelle ayant prévalu jusqu'alors, issue de la Grèce et du Moyen Age latin.

Ces idées modernes s'épanouissent au XVIIIe siècle. Elles y prennent une consistance, un brillant, un éclat, qui les feront qualifier de « Lumières ». Mais leur enfantement date du siècle précédent. Les idées des Lumières sortent du Grand Siècle.

Car le XVIIe siècle a vu la plus grande révolution philosophique de tous les temps. Des systèmes y sont nés, qui ont proposé des conceptions tout à fait nouvelles de l'homme et de la société, tout à fait nouvelles et radicalement différentes de celles qui avaient jusqu'alors dominé les esprits.

Ces systèmes sont ceux de Descartes, Malebranche, Spinoza, Locke, Grotius, Pufendorf et Fénelon (pour ne citer que les principaux).

En 1715 ils ne sont connus que des philosophes et des savants, des professeurs et de quelques cercles intellectuels. Maintenant leur influence grandit, et s'étend à un public plus large, et la conception du monde qu'ils portent avec eux commence à se répandre dans la société. Le premier tiers du XVIIIᵉ siècle ne voit naître aucun système nouveau original. Le génie de cette période consiste à exploiter les virtualités des systèmes déjà conçus et à fabriquer des « idées forces » capables de communiquer au public l'esprit de la philosophie moderne. Considérons d'abord le sort des différents systèmes, ensuite ces nouvelles idées forces.

En philosophie, le système dominant, celui qui est admis par la grande majorité des hommes de réflexion et de science, celui qui est considéré presque partout comme la seule philosophie qui vaille, est celui de Descartes. L'événement décisif a été la conversion de toutes les congrégations enseignantes, jusqu'alors attachées à la philosophie traditionnelle aristotélo-scolastique. Cet événement s'est produit entre 1700 et 1715[1]. En l'espace de ces quinze années, tous les professeurs de philosophie des collèges se sont mis à enseigner la physique de Descartes. L'influence du cartésianisme est désormais considérable et s'étend à toutes les personnes de quelque culture.

Cela signifie que, en ce début du XVIIIᵉ siècle, beaucoup de Français cultivés voient la nature humaine comme la voyait Descartes, et qu'ils conçoivent la connaissance intellectuelle comme la concevait Descartes. Cela signifie qu'ils sont devenus dualistes, qu'ils ne croient plus à l'union substantielle de l'âme et du corps (enseignée par la philosophie traditionnelle), mais qu'ils pensent que l'âme est simplement l'hôte du corps, ou qu'elle est dans le corps « comme le pilote dans son navire ». Cela veut dire aussi qu'ils ne croient plus à la connaissance réaliste et que pour eux l'expression « vérité objective » n'a plus de sens. Pour eux, désormais, la certitude ne vient plus de la considération des objets et des faits (car le témoignage des sens doit être révoqué en doute), mais seulement d'un certain mode de perception. Ne sera vrai que ce qui sera perçu de façon claire et distincte. Nous sommes ici à l'origine de l'idéalisme moderne, philosophie selon laquelle la réalité n'est pas telle qu'elle est, mais telle que nous la concevons et, à la limite, telle que nous voulons qu'elle soit. Cet étrange mode de penser, si différent du réalisme traditionnel, et dont les conséquences dans tous les domaines, politique, social, religieux, ont été si grandes, c'est précisément dans ce premier tiers du XVIIIᵉ siècle qu'il commence à devenir commun et à se répandre non seulement chez les personnes faisant profession de penser et d'écrire, mais aussi chez toutes celles exerçant dans la société politique une responsabilité de quelque importance. Les Lumières commencent par le cartésianisme. Les premières Lumières sont cartésiennes.

---

1. Voir notre thèse, *Une œuvre d'éducation sous l'Ancien Régime...*, *op. cit.*

L'unanimité cartésienne dure une vingtaine d'années environ (v. 1715-v. 1736). Elle est rompue par les progrès de Locke. En 1715, le célèbre philosophe anglais n'était connu en France que de rares initiés. Il n'était et ne sera enseigné nulle part jusqu'à la fin de notre période, mais ses idées pénètrent peu à peu par l'intermédiaire des salons, des cafés et des gazettes. En 1734, dans ses *Lettres philosophiques*, Voltaire fait le panégyrique de Locke :

> Tant de raisonneurs ayant fait le roman de l'âme, un sage est venu qui en a fait modestement l'histoire ; Locke a développé à l'homme la raison humaine, comme un excellent anatomiste explique les ressorts du corps humain[1].

C'est la grande réclame, le grand coup de publicité. Locke est lancé.

Or que sont les idées de Locke ? Justement le contraire de celles de Descartes. L'excès inverse, si l'on peut dire. Alors que pour Descartes toutes les idées sont innées, nulle ne provenant du témoignage des sens, pour Locke il n'est nulle idée qui ne vienne des sens. Locke va heurter les spiritualistes, mais les hommes de science vont le préférer à Descartes, parce qu'il leur semble justifier, mieux que ne le fait Descartes, les méthodes de la science expérimentale.

LES SYSTÈMES POLITIQUES

Ce que Descartes est en philosophie, Fénelon l'est pour la politique. L'ouvrage de théorie politique le plus souvent lu en France pendant cette période, celui que l'on trouve le plus fréquemment dans les bibliothèques, le plus souvent réédité, est le *Télémaque*[2]. Ce livre n'est d'ailleurs pas à proprement parler un traité politique. C'est un roman, ou, si l'on préfère, un livre de politique-fiction. En somme, le modèle politique du temps, le modèle unanimement admiré, est une fiction, c'est le royaume imaginaire de Salente avec son roi Idoménée.

Fénelon ne veut pas que le prince accomplisse des actions mémorables, ni qu'il procure la gloire à la nation, mais qu'il exerce la justice et assure le bonheur et la liberté de ses sujets. La perspective est assez nouvelle. On avait toujours pensé qu'un roi devait être juste, mais on n'avait jamais imaginé qu'il puisse ne pas être glorieux.

Curieusement ce roi philanthrope n'a rien de constitutionnel. Il dispose de tous les pouvoirs. Ne le voyions-nous pas fixer lui-même la hiérarchie sociale, redistribuer les terres et enlever les enfants à leurs parents pour les faire éduquer par l'État ? Il a cent fois plus de pouvoirs, ce roi modèle, que le roi de France actuellement régnant. Car ses pouvoirs à lui ne sont limités par rien, ni par les lois fondamentales ni par des privilèges ou des libertés. Ce roi est un despote. Certes il gouverne

---

1. Voltaire, *Lettres anglaises* ou *Lettres philosophiques sur l'Angleterre*, édition critique par Gustave Lanson, Paris, Hachette, 1915, p. 169.
2. Ouvrage publié en 1699.

par conseil, certes il s'efface devant la loi, certes il respecte la volonté de ses sujets, mais il ne se modère ainsi que parce qu'il est vertueux. Nulle constitution ne l'y oblige, nulle règle politique, aucun usage, aucune coutume. En d'autres termes, dans cette royauté idéale, dans cette royauté modèle, la seule garantie contre le despotisme est la vertu du roi. Et si le roi n'est pas vertueux, alors il n'y a plus de liberté. Tel est le système de Fénelon. On voudra bien en convenir, c'est un système fragile. En tout cas, c'est un système qui établit mal la liberté. C'est un système pauvre et même indigent, puisqu'il ne parvient pas à distinguer la politique et la morale. Et c'est pourtant le plus admiré de ce temps[1].

Après Fénelon, l'auteur le plus lu est Boulainvilliers. Les principales œuvres de ce dernier, l'*Histoire de l'ancien gouvernement de la France* et l'*État de la France*, ont été écrites à la fin du règne de Louis XIV et sous la Régence, mais elles ne sont publiées qu'en 1727, cinq ans après la mort de leur auteur, et connaissent aussitôt un éclatant succès. Boulainvilliers fait le procès de la monarchie française et propose une royauté idéale. Pour lui la monarchie française est un despotisme depuis le règne de Louis XI. Le gouvernement de Louis XI a été «comme l'origine du despotisme exercé sans ménagements et sans bonne foi à la ruine totale des sujets petits et grands». Ensuite Louis XIII et Louis XIV ont porté atteinte aux privilèges. L'institution des intendants acheva l'ouvrage du despotisme : «... j'ose donc assurer que la magistrature des intendants ruine l'ancienne économie de l'État [...]». La royauté idéale proposée à la place est copiée sur une prétendue royauté primitive qui aurait été celle des Francs : les rois n'y seraient que des «magistrats civils» désignés librement par le peuple et gouvernant avec le concours d'états généraux.

Fénelon et Boulainvilliers ont au moins ceci de commun qu'ils critiquent tous les deux la royauté française, le premier de manière implicite, le second ouvertement. Au moment où commence le règne de Louis XV, les deux théoriciens politiques les plus connus sont l'un et l'autre des adversaires du régime politique en vigueur.

LE SYSTÈME ANTICHRÉTIEN

L'antichristianisme qui sévit après 1715 n'est pas en soi une nouveauté. Le siècle précédent avait connu les libertins et ces «rationaux» qui s'inspiraient des déistes anglais. Mais le courant est aujourd'hui beaucoup plus fort et puissant. Au XVIIe siècle, les écrits des adversaires du christianisme étaient rares, peu diffusés et prenaient souvent une forme poétique, de sorte qu'on pouvait les tenir pour inoffensifs. Un

---

1. Pour une analyse plus détaillée, voir notre article «Aux origines du libéralisme : les pré-libéraux français», *Bulletin de la Société française d'histoire des idées et d'histoire religieuse*, no 3, 1986, p. 5-29.

seul écrivain déiste avait atteint à la grande notoriété : Saint-Évremond. En revanche, dans les toutes dernières années du règne de Louis XIV et sous la Régence, on assiste à un véritable déploiement de l'offensive antichrétienne : circulent alors sous le manteau des écrits d'une virulence jusqu'alors inconnue, les uns polémiques, les autres dogmatiques, tous acharnés à prouver l'absurdité et la nocivité du christianisme. Certains sont imprimés, comme *La Vie et l'esprit de Benoît de Spinoza* (1719) ou *L'Analyse de la religion chrétienne* de Dumarsais (1743). D'autres demeurent manuscrits, mais des copies en sont diffusées dans tout le royaume, tels *Le Militaire philosophe* (1711) ou le *Testament du curé Meslier* (mort en 1729). *Le Militaire philosophe* est une réfutation en règle des Écritures et des dogmes chrétiens, au nom de la raison. « La Trinité et la transsubstantiation, écrit l'auteur, sont d'une pareille impossibilité. Cela révolte l'esprit et offense la raison. »

Cependant le fait le plus nouveau, le plus lourd de conséquences, est l'adoption de certaines thèses déistes et antichrétiennes par les littérateurs à succès, qui leur assurent une diffusion très large, les mettent à la mode et les font bénéficier du prestige attaché à leur talent. Avec Corneille, Racine et Pascal, la littérature était chrétienne. Avec Fontenelle et La Bruyère elle avait commencé à ne plus l'être. Avec Voltaire elle ne l'est plus. Le Voltaire des *Lettres anglaises*, des *Discours en vers sur l'homme* (1738) et de *La Henriade* (1723) apparaît déjà comme un déiste avéré. Mais il n'est pas le seul. Montesquieu, dans les *Lettres persanes*, se moque de l'autorité du pape, raille les miracles et suggère cette idée que toutes les religions se ressemblent. Le ton est plus cruel encore chez le marquis d'Argens, dont *Les Lettres chinoises* (1739-1740) ridiculisent saint Ignace de Loyola et les missionnaires catholiques. Du fondateur de la Compagnie de Jésus, d'Argens raille la « passion pour être fouetté », le « zèle outré pour la dévotion » et la prétention de ses disciples de le déifier : « Le peuple toujours crédule, ajoute-t-il, et amateur de la nouveauté, regarda Ignace comme un des plus puissants dieux subalternes[1]. » Autrefois Pascal avait raillé cruellement les fils de saint Ignace, mais il n'avait raillé qu'eux. Chez le marquis d'Argens, à travers les Jésuites, c'est toute la « superstition » catholique qui est visée.

LES IDÉES DOMINANTES

Dans ces différents systèmes philosophiques ou politiques, certaines idées, particulières à l'un ou l'autre de ces systèmes ou communes à plusieurs, émergent et bénéficient d'une plus grande force d'attraction. Le public les reçoit mieux que les autres. Elles plaisent et, pour plaire au public, les littérateurs les cultivent. C'est donc par elles que se fait la percée de la pensée moderne.

---

1. Édition de 1755, La Haye, t. I, p. 115.

Nous en retiendrons trois, l'idée de l'âge d'or, l'idée d'égalité, l'idée de tolérance.

L'idée de l'âge d'or est commune à beaucoup d'auteurs, mais ce sont principalement Fénelon et Ramsay qui l'ont lancée.

Le *Télémaque* évoque à trois reprises le mythe de la restauration de l'âge d'or : dans la description de la Bétique par le Phénicien Adoam (« Ce pays semble avoir conservé les délices de l'âge d'or » [livre X]), dans l'évocation de la Salente d'Idoménée réformée par Mentor, et dans les ultimes recommandations de l'incarnation d'Athéna à son jeune disciple (« Lorsque vous régnerez, mettez toute votre gloire à renouveler l'âge d'or » [livre XVIII]).

Le chevalier de Ramsay, né en 1686 en Écosse, converti au catholicisme par Fénelon à l'âge de vingt-trois ans, occupe très jeune dans la franc-maçonnerie anglaise le grade élevé de « grand orateur ». Il s'efforce d'implanter la maçonnerie en France, d'y convertir la noblesse et le roi, et de réaliser ainsi grâce à la France l'idéal de fraternité qui l'habite et dont « l'âge d'or » lui paraît avoir été la plus sublime illustration[1].

Il enseigne donc dans tous ses livres, et en particulier dans ses *Voyages de Cyrus* (1727), la doctrine de l'âge d'or. L'humanité a connu un âge d'or, et cet âge reviendra. Ce sont là des certitudes, car toutes les religions anciennes évoquent l'âge d'or et en annoncent le retour, qu'il s'agisse de la doctrine de Zoroastre, de l'ancienne théologie égyptienne, de l'orphisme, du pythagorisme ou même des prophètes de la Bible. Cet âge si beau, et que l'humanité ne manquera pas de revoir, était un âge d'harmonie. « Pendant le siècle d'or, fait dire Ramsay à Pythagore, les habitants de la Terre vivaient dans une innocence parfaite. Tels sont les champs Élysées pour les héros, tel était alors l'heureux séjour des hommes. On n'y connaissait point les intempéries de l'air ni le combat des éléments [...]. La mort, les maladies, les crimes n'osaient approcher de ces lieux fortunés [...]. Là les âmes voyaient la vérité, la justice et la sagesse dans leur source [...] » (*Voyages de Cyrus*, p. 7). Et dans la bouche d'un prêtre de l'ancienne Égypte, il met les paroles suivantes : « Les hommes vivaient alors sans discorde, sans ambition, sans faste, dans une simplicité parfaite [...]. L'état primitif de l'homme était bien différent de ce qu'il est aujourd'hui ; au-dehors toutes les parties de l'Univers étaient dans une harmonie constante ; au-dedans tout était soumis à l'ordre immuable de la raison ; chacun portait la loi dans son cœur, et toutes les nations de l'Univers n'étaient qu'une république de sages [...] » (*Voyages de Cyrus*, p. 102).

Certes Ramsay se défend d'ajouter une foi entière à ces fables. Il

---

1. Sur ce personnage, voir les pages très suggestives de Bernard Faÿ, dans *La Franc-Maçonnerie et la révolution intellectuelle du XVIIIᵉ siècle*, Paris, La Librairie française, 1961, p. 135-142.

rappelle qu'il est catholique et que pour lui la vérité sur le passé et sur l'avenir de l'humanité se trouve dans les Écritures et dans la Révélation. Il assure ne voir dans les mythes du paganisme que des versions déformées et grossières de la révélation judéo-chrétienne, dans l'âge d'or passé qu'une contrefaçon du paradis terrestre et dans l'âge d'or à venir qu'une image du retour du Christ. Mais devons-nous le croire ? Pouvons-nous le croire ? A bien regarder en effet, ni son paradis terrestre ni son retour du Messie ne paraissent très orthodoxes. Son paradis terrestre ressemble peu à celui de la Bible, car il y fait habiter non un seul homme et une seule femme, mais l'humanité tout entière. Son retour du Messie n'est pas celui annoncé dans l'Évangile, car il ne s'accompagne ni de la fin des temps ni de l'anéantissement de l'Univers, mais seulement de la destruction du mal physique. « Le Messie, écrit-il, viendra enfin dans sa gloire pour détruire le mal physique et renouveler la face de la Terre » (*Voyages de Cyrus,* p. 187-188). Nous avons là, non pas le christianisme, mais un mélange de christianisme et de paganisme. Ramsay est le prophète d'un nouveau messianisme appelé à une grande fortune et qui se résume à cette seule annonce : un jour le paradis terrestre reviendra.

L'idée d'égalité signifie l'égalité de nature entre les hommes[1]. Elle n'est pas soutenue par des utopistes ou par des poètes, mais par deux grands jurisconsultes, Jean Domat (mort en 1696) et Henri François d'Aguesseau, son disciple. Dans l'*Essai sur l'état des personnes,* d'Aguesseau écrit : « Tous les hommes sont sortis égaux des mains de la nature, également libres, également nobles, tous enfants d'un même père et membre d'un même corps. » Or l'auteur de ces lignes n'est pas n'importe quel polygraphe. On sait que d'Aguesseau occupe l'une des plus hautes charges de l'État ; il est chancelier de France et garde des Sceaux. Pour la thèse de l'égalité de nature c'est une caution de poids.

De poids certes, mais qui n'aurait pas suffi à l'imposer sans l'adhésion de Voltaire. Avec Voltaire l'égalité devient une idée à la mode. Le premier des *Discours en vers sur l'homme* s'intitule « De l'égalité des conditions » et commence ainsi :

> Les mortels sont égaux, leur masque est différent.
> Nos cinq sens imparfaits, donnés par la nature
> De nos biens, de nos maux sont la seule mesure.
> Les rois en ont-ils six ? Et leur âme et leur corps
> Sont-ils d'une autre espèce, ont-ils d'autres ressorts ?
> . . . .
> C'est du même limon, que tous ont pris naissance.
> [...]
> On dit qu'avant la boîte apportée à Pandore

---

1. Voir Isabelle Storez, « Pascal et l'égalité », *Bulletin de la Société française d'histoire des idées et d'histoire religieuse,* n° 2, 1985, p. 13-29 et, du même auteur, *L'Égalité dans l'œuvre des jurisconsultes jansénistes,* mémoire de D.E.A., Angers, s.d.

Nous étions tous égaux ; nous le sommes encore.
Avoir les mêmes droits à la félicité,
C'est pour nous la seule et parfaite égalité.

En somme, pour Voltaire (qui dit les choses plus innocemment que d'Aguesseau, mais c'est la même pensée), nous sommes égaux pour deux raisons ; la première est que nos corps sont conformés de la même manière, la seconde est que nous avons tous un droit égal au bonheur.

Une telle manière de penser — faut-il le souligner — est profondément révolutionnaire. Elle est absolument contraire à la pensée traditionnelle et à l'opinion qui avait prévalu jusqu'alors. Le principe généralement admis avait toujours été non l'égalité, mais l'inégalité.

Il importe de rechercher les raisons d'un changement aussi radical.

L'explication la plus plausible est la transformation de l'anthropologie sous l'influence de la philosophie cartésienne. Pour la philosophie traditionnelle, l'âme ne se réduisait pas à la raison. Elle était beaucoup plus que la raison, elle était, selon l'expression scolastique, la « forme » du corps, se trouvant étroitement associée à lui dans un « composé substantiel ». Chaque forme était unique, chaque composé unique, chaque homme unique. On pouvait donc à la rigueur parler de similitude, mais parler d'égalité était absurde. La philosophie cartésienne est très différente. L'âme y est réduite à la raison. Elle n'y est rien d'autre que la *res cogitans*. Or la raison étant chez tous les hommes, tous ayant la même raison, ils sont égaux.

En outre, l'expression « nature humaine » n'a pas du tout le même sens dans la pensée traditionnelle et dans la pensée moderne. Dans la pensée traditionnelle, la nature humaine n'était qu'une norme, une règle posée par le Créateur, et à laquelle chacun devait se plier pour accomplir sa vocation propre. Elle était la même pour tous, mais elle n'était pas notre condition, chaque homme ayant sa condition, sa vocation propre. On ne pouvait donc pas parler d'égalité de nature entre les hommes. Au contraire, la pensée moderne attribue la nature à l'état, à la condition, et de plus transfère à l'état le caractère d'égalité de la norme. De sorte que tous les hommes se trouvent désormais avoir la même nature, et que l'on peut parler d'égalité de nature entre eux.

C'est donc dans la révolution philosophique moderne que nous devons situer l'origine de l'idée d'égalité. Toutefois il est permis de penser que cette idée n'aurait jamais pris de force et qu'elle n'aurait même sans doute jamais été exprimée sans le concours d'une pensée religieuse. Cette pensée religieuse est celle du jansénisme. Ce sont les jansénistes du XVIIe siècle qui, les premiers, ont parlé de l'égalité de nature. Et parmi eux, principalement, Pascal et Nicole. Car ces deux théoriciens étaient persuadés du caractère purement artificiel de la société civile. Pascal avertissait les grands « de se souvenir de l'égalité naturelle » qui était

« entre leurs inférieurs et eux ». Pour Nicole, l'inégalité des conditions n'était qu'un désordre et une conséquence du péché originel, l'état d'innocence (antérieur au péché originel) ayant été un état d'égalité. Toujours pour Nicole, il n'y avait d'inégalité que par raison ou par force :

> Chaque homme, écrivait-il, voudrait estre le maistre et le tyran de tous les autres ; et comme il est impossible que chacun réussisse dans ce dessein, il faut par nécessité que la raison y apporte quelque ordre, ou que la force le fasse ou que les plus puissants devenant les maîtres, les faibles demeurent assujettis[1].

Les deux jurisconsultes doctrinaires de l'égalité de nature, Jean Domat et Henri François d'Aguesseau, sont l'un et l'autre à la fois cartésiens et jansénisants. Ils subissent l'une et l'autre influences. L'idée d'égalité qu'ils expriment représente la synthèse de ces deux courants de pensée, le philosophique et le religieux.

Il se peut qu'une troisième influence ait également joué, celle de l'« économisme[2] ». Nous appelons « économisme » cette mentalité nouvelle et très répandue depuis Colbert chez les hommes d'État et les théoriciens politiques selon laquelle la multiplication des échanges commerciaux doit faire le bonheur de l'espèce humaine. Or la relation que fonde le commerce est une relation égalitaire, contrairement à l'ancienne relation féodale, établie sur un don mutuel. La relation commerciale est égalitaire parce que justement elle ne comporte pas de don. Comme le dira un jurisconsulte janséniste, « la justice des contrats onéreux consiste dans l'égalité. Personne ne veut donner ; chacun des deux contractants cherche une valeur égale à celle de l'objet qu'il transporte ; la justice de ces contrats consiste donc dans l'égalité morale[3]. » Et Montesquieu d'écrire : « Le commerce est la profession des gens égaux. » Dans ce monde où les relations de type féodal, c'est-à-dire fondées sur la fidélité, ont tendance à décliner, supplantées par des relations de type économique, il va être tout à fait normal que l'égalitarisme progresse, et qu'il soit latent chez presque tous les penseurs de l'époque.

Chez certains, cela ne va pas sans contradiction. Chez Boulainvilliers par exemple. Celui-ci, en effet, est persuadé de l'égalité de nature, mais il n'en justifie pas moins la supériorité de la noblesse par une supériorité de race. Il pense curieusement que les astres (causes réelles selon lui de tous les événements) ont déterminé l'existence d'une race conquérante, autrement dit d'une noblesse dominante en vertu d'un droit de conquête. Il n'est d'ailleurs pas le seul à professer cette sorte de racisme nobiliaire. On pourrait retrouver l'idée chez d'autres auteurs, par exemple chez

---

1. Cité par I. Storez, dans « Pascal et l'égalité », art. cit., p. 15.
2. Sur ce sujet, voir Claude Polin et Claude Rousseau, *Les Illusions de l'Occident*, Paris, Albin Michel, 1981, p. 214 *sq.*
3. Gabriel-Nicolas Maultrot, cité par I. Storez, dans *L'Égalité dans l'œuvre des juris-consultes jansénistes, op. cit.*, p. 9.

Massillon. L'auteur du *Petit Carême* est en effet persuadé que la supériorité de la noblesse n'est pas fondée seulement sur la vertu, les exemples et l'éducation, mais qu'elle vient aussi de l'excellence de la chair et du sang : « Un sang plus pur, dit-il, s'élève plus aisément[1] [...]. »

Nous sommes ici aux origines de ce que l'on pourrait appeler le racisme des Lumières, et qui s'explique fort bien par cette déviation (dont nous avons déjà parlé) de l'idée de nature. Si la nature humaine est une norme, une vocation, et si chaque existence humaine est un accomplissement unique, qu'importent alors certaines différences visibles ou moins visibles, comme la couleur de la peau ou le degré d'intelligence ? Car ces différences sont bien peu de chose, en définitive, au regard de l'essentielle différence découlant du caractère unique de chaque être humain. En revanche, si la nature humaine est statique, si elle est ce que nous sommes dans l'instant et non ce que nous sommes appelés à devenir, les différences visibles ou moins visibles commençant à prendre une grande importance et, nous autorisant à faire des catégories, elles nous incitent à donner à ces catégories un caractère absolu. Dès lors nous classerons les hommes selon la couleur de leur peau, ou selon leur degré d'intelligence, ou encore selon leur vertu, ce dernier critère étant le critère favori des Lumières. Mais surtout nous les réduirons aux catégories auxquelles ils appartiennent, et ils ne seront pas autre chose que leur catégorie. Il y aura les Noirs et les Blancs, les vertueux et les non-vertueux. Quand Voltaire écrit « Les mortels sont égaux. Ce n'est point la naissance — c'est la seule vertu qui fait la différence[2] », il crée deux parties dans l'humanité, il exclut les non-vertueux, il introduit parmi les hommes une discrimination sans appel. Car — l'effet est curieux mais indéniable — la déviation de l'idée de nature produit à la fois l'idée d'égalité et l'idée de séparation totale entre les catégories.

La troisième idée force est celle de tolérance.

A la différence de l'idée d'égalité, son origine est bien connue. Elle sort tout droit de la philosophie de Locke et plus précisément de ses *Lettres sur la tolérance* (1689). Elle s'inspire aussi de la pensée de Pufendorf, dont le traité *Du droit de nature et des gens* (1672) expose un système très proche de celui de Locke.

Cette nouvelle doctrine de tolérance est assez simple. Son principe est de séparer radicalement le temporel et le spirituel. Tous les maux de l'humanité, en particulier les croisades, l'Inquisition et les guerres de Religion, sont venus de la tyrannie du spirituel sur le temporel. Le temporel doit donc jouir d'une autonomie complète par rapport au spirituel. L'intolérance est née de la confusion des deux ordres, la tolé-

---

1. Jean-Baptiste Massillon, *Petit Carême suivie de sermons divers*, Paris, Delagrave, 1875, p. 50.
2. Voltaire, *Discours en vers sur l'homme*.

rance naîtra de leur séparation. Tout ira bien pour l'humanité dès que le pouvoir temporel, libéré de l'emprise du spirituel, ne s'occupera plus en rien du salut des âmes.

Jusque vers 1730, cette doctrine de libération n'est connue que des penseurs éclairés. Voltaire va la vulgariser. Sa *Henriade* (1728) et son *Mahomet* (appelé aussi *Le Fanatisme ou Mahomet le prophète*) sont des plaidoyers pour la nouvelle tolérance.

Dans le nouveau langage de ce nouveau système, tous les adversaires de la tolérance sont des « fanatiques », et méritent également cette appellation tous ceux qui veulent faire prévaloir une religion sur une autre. Le poème de *La Henriade* est donc principalement consacré à flétrir les excès du fanatisme ligueur. Mais au-delà de la Ligue, c'est le catholicisme lui-même qui est visé. Pourquoi la France a-t-elle été déchirée ? A cause de la religion chrétienne. Parce que la religion est naturellement source d'intolérance et de discorde. C'est ce qu'explique le futur Henri IV à la reine Élisabeth d'Angleterre :

> Reine, l'excès des maux où la France est livrée
> Est d'autant plus affreux que leur source est sacrée :
> C'est la religion dont le zèle inhumain
> Met à tous les Français les armes à la main [1].

Toutes les religions ne sont pas également néfastes. La pire est la catholique. Voltaire a beau dire qu'il « ne décide point entre Genève et Rome », son parti est pris : pour lui le catholicisme est pire que le protestantisme, et son « fanatisme » est de loin le plus funeste. Il confond à dessein Ligue et catholicisme, afin de caricaturer le clergé catholique. Voici par exemple comment il dépeint les prêtres parisiens. C'est une véritable charge et de l'anticléricalisme le plus grossier :

> Ces prêtres cependant, ces docteurs fanatiques
> Qui loin de partager les misères publiques
> Bornant à leurs besoins tous leurs soins paternels
> Vivaient dans l'abondance à l'ombre des autels
> Du Dieu qu'ils offensaient attestant la souffrance,
> Allaient partout du peuple animer la constance.
> Aux uns à qui la mort allait fermer les yeux
> Leurs libérales mains ouvraient déjà les cieux.
> Aux autres ils montraient d'un coup d'œil prophétique
> Le tonnerre allumé sur un prince hérétique [2].

C'est avec *La Henriade*, dont le succès est immense, que l'idée de tolérance devient une idée force et une idée force anticatholique.

---

1. Voltaire, *La Henriade*, rééd. Owen R. Taylor, 2ᵉ éd., 1970, 740 p., chant II.
2. Voltaire, *La Henriade*, *op. cit.*, chant X.

Les connaissances

Au XVIIᵉ siècle, dans les domaines des mathématiques et de la physique, grâce aux découvertes de Pascal, Descartes, Fermat et de bien d'autres savants, la science avait brillé en France de mille feux. Dans ces mêmes secteurs aucune illustration comparable ne marque le premier tiers du XVIIIᵉ siècle. Le seul progrès notable est le perfectionnement du thermomètre par Réaumur. Les premiers thermomètres, construits par Amontons, mesuraient la température à partir de deux points fixes, celui de la fusion de la glace et celui de l'ébullition de l'eau. Réaumur imagine un instrument plus simple, ne conservant qu'un seul point fixe, celui de la glace fondante, défini comme degré 0. Il établit ensuite sa graduation, en fonction de la dilatation de l'esprit de vin, chaque degré correspondant à la dilatation de la millième partie du volume initial de ce liquide. Le nouvel instrument est présenté à l'Académie des sciences dans deux mémoires datés respectivement de 1730 et de 1731.

Sur le sujet de la constitution de la matière, le XVIIᵉ siècle, pourtant si novateur en de si nombreux domaines, n'avait en rien renouvelé la science traditionnelle. On continuait donc, en 1715, à professer la théorie des quatre éléments et les élucubrations des alchimistes. On persistait à croire à la transmutation des métaux. L'apparition, dans les premières années du XVIIIᵉ siècle, d'une nouvelle théorie de la constitution de la matière, la théorie du «phlogistique», est donc un événement d'importance. Son auteur est le médecin allemand Stahl et son principe est le suivant : tous les corps combustibles sont formés d'un principe inflammable ou «phlogiston», combiné à un autre élément variable avec la nature du corps considéré. Plus un corps est riche en «phlogiston», plus il est inflammable, et la combustion n'est que la mise en liberté du phlogiston. Cette théorie a au moins le mérite de relier en un vaste système tous les faits connus. C'est en 1723 que les *Nouveaux Principes de chimie* de Sénac la font connaître en France.

Peu créatrice en physique, mal orientée en chimie, l'époque est au contraire des plus fécondes dans les sciences naturelles et dans la connaissance des êtres vivants. C'est dans ce champ nouveau, encore mal exploré, qu'elle manifeste le plus sa passion du savoir. Le XVIIᵉ siècle avait mécanisé la nature. Le siècle nouveau refuse cette nature mathématique, abstraite, sans vie. Il s'applique à rechercher la véritable nature, à percer ses mystères, à connaître ses secrets. Dans ce retour à la nature, le réveil religieux a sa part : un Univers automate aurait-il besoin de Dieu ? Mais justement l'Univers n'est pas un automate, car il ne présente pas la régularité, l'ordre des automates. C'est ce que prouve le P. Castel, savant (et apologiste) jésuite, dans son *Traité de la pesanteur universelle des corps* (1724) : selon cet ouvrage (mi-apologétique, mi-scientifique), l'impiété des spinozistes et des déistes se réjouit à tort du bel ordre de la nature. Cet ordre, en effet, n'est pas exempt de troubles variés : tonnerre, tremblement de terre, dérangement des saisons, variations de la Lune, taches du Soleil : « Une nature mathématique, écrit le P. Castel, serait parfaitement régulière ; or ce sont là des troubles et des irrégularités bien marquées : tout le monde le dit, tout le monde le pense et la raison le persuade. » La conclusion va de soi : l'Univers imparfait a besoin de l'Être parfait.

Du Verney et Réaumur, les deux grands naturalistes français de cette période, sont avant tout des observateurs de la vie. Du Verney observe les limaçons. Malgré son grand âge, il passe des nuits entières dans les endroits les plus humides de son jardin, sans faire le moindre mouvement, afin de découvrir leur comportement et leur conduite. Réaumur s'attache à l'observation des insectes vivants et agissants. Dans son domaine poitevin, il construit des volières pour insectes, mais il observe aussi dans la nature : sur le bord d'un étang, il étudie la parade des libellules ; du haut d'un mur de son jardin, il regarde se démener la guêpe solitaire, et bouscule même l'édifice qu'elle vient de construire afin de saisir ses réactions face au désastre. Il ne se contente pas de fournir le signalement physique de l'insecte. Il en pratique l'élevage, ce qui lui permet de suivre et de décrire les « moments difficiles » et les « passages subits » des métamorphoses. Sa description des chenilles processionnaires est un des beaux exemples de sa méthode. Il note l'ordre de la procession qui obéit à la première chenille, laquelle, d'ailleurs, ne diffère en rien des autres. Il rapporte la périodicité journalière des processions et aussi qu'elles se promènent pendant la nuit. Il alterne les constatations en laboratoire et dans la nature. « Ce qui se passait dans mon cabinet, écrit-il, se passe tous les jours dans les bois où sont nos chenilles ; c'est un vrai spectacle pour qui aime l'histoire naturelle, que de se trouver dans un des jours chauds d'été, vers le coucher du soleil, dans un bois où il y a plusieurs nids de nos processionnaires sur des arbres peu éloignés les uns des autres [...]. »

La médecine progresse également, mais ses progrès ne valent pas ceux des sciences naturelles, la médecine française se contentant d'assimiler peu à peu l'enseignement novateur du grand clinicien hollandais Herman Boerhaave. Il n'y a pas de découverte notable, mais la nosologie d'une part, la thérapeutique de l'autre progressent. Sauvages publie en 1731 le premier répertoire connu de nosologie. La thérapeutique devient plus réaliste, plus scientifique, plus informée. Elle reçoit le renfort d'un art chirurgical perfectionné et enfin reconnu comme une partie de la médecine : l'Académie royale de chirurgie est instituée en 1731, et, en 1743, les chirurgiens sont séparés d'avec les barbiers.

Le travail des spécialistes des sciences exactes et naturelles est fortement stimulé par l'Académie des sciences. Le règlement de 1716 spécifie que cette institution se compose de vingt membres pensionnaires, de membres honoraires et de membres associés. Réservées aux étrangers, certaines places d'associés sont à la nomination. Par exemple, le comte Marsigli, patricien de Bologne, auteur d'une *Histoire physique de la mer*, hydraulicien réputé, est nommé en 1715 associé étranger.

L'Académie est un véritable institut de recherches. On y entre souvent très jeune, et il n'est pas rare d'y voir des académiciens de vingt-cinq ans. Les communications (appelées « mémoires ») se succèdent au rythme de deux ou trois par mois et sont suivies de débats. Tous les travaux sont publiés. Les études présentées traitent de sujets vraiment scientifiques et spécialisés. Par exemple, en 1730, l'Académie entend une communication sur l'« Anatomie de la poire » par le botaniste Du Hamel et une autre sur les « Règles pour la construction des thermomètres » par Réaumur. Ce n'est pas de la science de salon, ni d'amateur.

Néanmoins le langage reste celui de l'honnête homme, et la lecture des *Mémoires* demeure accessible aux non-spécialistes. Les auteurs emploient une méthode d'exposition qui obéit toujours aux règles de la rhétorique la plus classique. Ils vont du général au particulier, du connu à l'inconnu ; ils s'efforcent d'éveiller l'intérêt par la démonstration de l'utilité du propos. Voici par exemple le plan suivi par Réaumur dans l'exorde de sa communication de 1730 sur les thermomètres :

1° Les thermomètres sont utiles ;

2° actuellement ils sont imparfaits ;

3° par ailleurs, il existe trop de différences entre les modèles utilisés ;

4° il s'agit de proposer des thermomètres « qui se fassent entendre continuellement et en tous pays ».

Officiellement, six sciences sont de la compétence de l'Académie : la géométrie, l'astronomie, la mécanique, l'anatomie, la botanique et la chimie. En fait, ces six dénominations ne recouvrent pas entièrement toute l'activité académique. Il faut y ajouter les mathématiques, la physique et la géographie. Certaines disciplines sont plus cultivées que d'autres. Le nombre élevé des mémoires d'anatomie et de botanique (quatorze mémoires sur trente et un en 1730) traduit le succès croissant des sciences naturelles.

L'Académie s'occupe aussi des techniques. Elle examine des machines et des procédés et leur décerne son approbation. C'est ainsi qu'en 1730 elle est appelée à donner son avis sur trois « machines » : un martinet de forge, une machine à calculer et un « flambeau ou chandelier présenté par Mlle du Château, dont la bobèche est garnie d'un fond mobile [...] pour pousser à volonté la chandelle que l'on y enfonce, soit pour l'en ôter [...] soit pour la faire brûler jusqu'au bout [...] ».

Achevons maintenant l'examen des connaissances. Nous avons fait le tour des sciences exactes et naturelles — celles que soutient principalement l'Académie. Mais l'époque n'est pas moins curieuse de géographie et d'histoire qu'elle ne l'est d'anatomie, de biologie et de chimie.

La géographie physique vit sur les acquis — nombreux et solides — du siècle précédent, et les seuls travaux originaux sont ceux de Philippe Buache (1700-1773), auteur d'une classification des montagnes. En revanche, en géographie mathématique les progrès sont remarquables. Grâce à ses observations sur le mouvement des satellites de Jupiter, Cassini perfectionne la méthode de détermination des longitudes. La question de la forme de la Terre est mise à l'étude et considérablement éclaircie par les missions de l'Académie des sciences.

La question était de savoir si la Terre était parfaitement ronde ou si, comme le pensaient Picard et Cassini, elle était allongée aux pôles, ou encore — troisième hypothèse envisagée — si elle y était au contraire aplatie. Or il n'y avait qu'un seul moyen de résoudre le problème : mesurer sur place.

L'Académie des sciences envoie donc deux missions qu'elle charge de procéder à des mesures, la première à l'équateur, au Pérou, la seconde au pôle Nord, en Laponie.

Ayant pour objectif de mesurer l'arc du méridien à l'équateur, la mission du Pérou s'embarque en 1735, composée de La Condamine, Bouguer et Godin. Son séjour va durer dix ans. Il est riche en péripéties et en explorations périlleuses. Par exemple, La Condamine descend l'Amazone sur cinquante lieues, échappant maintes fois à la mort. Le but scientifique est pleinement atteint. Les trois savants constatent le renflement de la Terre à l'équateur relativement aux pôles. Ils font en outre des observations d'un très grand intérêt pour la physique de l'Univers. Ayant observé que les montagnes attiraient à elles les corps graves et les faisaient dévier de la verticale, ils en déduisent que les masses agissent dans toutes les positions les unes sur les autres en s'attirant réciproquement, et ils étendent ainsi la loi de l'attraction universelle.

La mission de Laponie s'embarque à Dunkerque en 1736. Elle est commandée par Maupertuis et trois autres académiciens en font partie (Clairaut, Camus et Le Monnier). La publicité est bien faite : Voltaire loue publiquement le courage de ces « Argonautes nouveaux chargés de la gloire de la patrie ». Arrivés à Torneo en juillet, les savants commencent aussitôt leurs observations. Ils concluront que la Terre est considérablement aplatie au pôle Nord. Ils publieront, chacun de leur côté, le récit de leur expédition.

L'époque est d'ailleurs aux récits de voyage. La Pottraye donne ses *Voyages en Europe, Asie et Afrique* (1727), le P. Fau son *Voyage au Maroc* (1729), le P. Labat sa description des Antilles (1722). Ainsi se développe le goût pour l'exotisme et la connaissance générale du monde.

L'histoire, elle aussi, passionne le public. Les éducateurs, nous l'avons vu, la recommandent. Mais surtout elle accède à la dignité de genre littéraire. Mieux : les plus grands écrivains s'honorent de produire des ouvrages historiques. C'est l'*Histoire de Charles XII* de Voltaire (1729). Ce sont les *Considérations sur les causes de la grandeur et de la décadence des Romains* de Montesquieu (1734). Dans le même temps, la recherche érudite poursuit sa carrière. Disciples du grand Mabillon, les bénédictins de Saint-Maur continuent et amplifient leurs entreprises. Ils s'attachent maintenant à constituer les corpus des sources de l'histoire nationale. L'*Histoire littéraire de la France* commence à paraître en 1733, le *Recueil des Historiens des Gaules*, en 1738. L'érudition — c'est là aussi un fait important — ne fait plus peur, et l'on voit même ceux qui composent des ouvrages d'histoire accepter d'y recourir. Dans cette collaboration nouvelle, l'Académie des inscriptions et belles-lettres montre la voie. A partir de 1730, tous les ans, des mémoires historiques y sont présentés sur des sujets spécialisés et très érudits. Il y avait des historiens, il y avait des érudits. Il y a maintenant des historiens érudits. Nicolas Fréret est l'un des plus féconds. Son apport est considérable dans les domaines les plus variés : chronologie, archéologie, mythologie, histoire des religions, numismatique. Armé d'une sévère méthode critique, il introduit partout la rigueur. C'est ainsi qu'il rétablit la véritable chronologie des Chinois et des Égyptiens, ayant déclaré chimérique la très haute antiquité que ces peuples s'attribuaient ou qu'on leur attribuait. Avec ce genre nouveau d'historien, il n'est plus permis de rêver. Nous sommes à l'âge des mesures. On mesure l'arc de la Terre ; on mesure le temps révolu.

L'économie politique est représentée par deux grands noms. Montesquieu écrit des *Considérations sur la richesse de l'Espagne*, Melon un *Essai politique sur le commerce*. L'un comme l'autre remettent en cause la théorie mercantiliste. Montesquieu pense que les métaux précieux ne sont que des richesses de fiction et que l'abondance du numéraire est malsaine si elle ne traduit pas la richesse nationale. Pour Melon, l'or et l'argent ne sont que des richesses représentatives. Ces théories — que l'on désignera sous le nom de néo-mercantilisme — ne manquent pas d'intérêt. Toutefois elles sont loin de valoir en intelligence et en originalité la doctrine élaborée à la fin du siècle précédent par Pierre Le Pesant de Boisguilbert, véritable fondateur de l'économie politique moderne.

C'est d'ailleurs une caractéristique générale : à l'exception des sciences naturelles, la recherche scientifique, sans être pour autant stagnante et inefficace, n'a plus la vitalité de l'époque précédente. Sauf pour la géographie mathématique et pour l'histoire, la science française ne peut plus se prévaloir d'aucune supériorité en Europe. Un changement très important s'est produit dans les dernières années du XVIIe siècle : depuis les travaux de Newton et de Leibniz, le centre de gravité de la recherche scientifique fondamentale s'est déplacé de la France vers les pays du Nord.

La littérature

Examinons d'abord les genres.

L'éloquence, le théâtre et la poésie étaient très en faveur à l'époque précédente et le sont toujours.

L'éloquence est religieuse, judiciaire, académique et scolaire. Autant dire qu'elle est partout.

Par éloquence religieuse on entend celle traditionnelle des stations d'avent et de carême et des oraisons funèbres. Sauf chez Massillon, remarquable orateur par la précision de la pensée et l'élégante concision de la phrase, le genre s'essouffle. L'oraison funèbre n'est plus que variations, émaillées de clichés, sur le thème sempiternel des périls de la grandeur. Voici, par exemple, l'abbé Mongin dans l'oraison funèbre d'Henri de Bourbon, prince de Condé (2 septembre 1717) :

> Grands du monde, juges de la terre, instruisez-vous, et escoutez le prince de Condé. Il vous apprendra que, pour éviter les dangers de vostre estat, vous devez comprendre que cette grandeur où vous estes nez, est un ministère que vous devez remplir aussi bien qu'un titre qui vous honore. Que l'autorité qui vous est confiée, est moins pour faire vos volontez que pour maintenir l'ordre public ; que dans l'esclat qui vous environne et au milieu des respects des peuples qui vous révèrent, vous vous devez tout entiers à leurs deffense et à leur bonheur...[1].

Tout le discours est de cette eau. C'est du mauvais Bossuet, du Bossuet dévitalisé.

L'éloquence politique et judiciaire n'est pas moins abondante que l'éloquence sacrée. Les rentrées des cours, les lits de justice, les délibérations des états et les entrées des gouverneurs lui fournissent autant d'occasions de se déployer.

L'éloquence académique est plus prolixe encore. Les nombreuses académies (celles de Paris, et les provinciales) ne cessent de discourir. Parcourons leurs annales : ce ne sont que compliments, discours de réception et de remerciement, éloges de vivants et de morts, sans parler des pièces proposées aux prix d'éloquence institués par ces compagnies. Et tout cela est imprimé, diffusé, proposé à l'admiration du public. Tous les ans l'Académie française publie les meilleurs morceaux de son concours d'éloquence. En 1722, les concurrents classés en premier sont M. Lenoble, M. Fargès de Poligny, avocat du roi au Châtelet et un troisième demeuré anonyme. L'Académie fait imprimer les trois chefs-d'œuvre. Le sujet était cette année-là une sentence de l'Ecclésiaste (VII, 6) : « Qu'il vaut mieux être repris par un homme sage que d'estre séduit par les flateries des insensez. »

---

1. *Recueil de plusieurs pièces d'éloquence présentées à l'Académie française pour le prix de l'année 1722*, Paris, 1723, p. 264.

Bien que plus obscure, l'éloquence scolaire et universitaire n'est pas moins vivace. Elle produit les « compositions » des élèves de rhétorique, et les discours de rentrée des classes (*orationes pro scholarum instauratione*) des recteurs et des professeurs.

L'éloquence académique et celle des collèges se ressemblent par leurs thèmes de prédilection. Ce sont des éloquences patriotiques et moralisantes. Au collège d'Avallon, pour la rentrée de 1728, le professeur chargé du discours traite le sujet suivant : « Le roi modérateur et arbitre de l'Europe ». En 1717, au concours d'éloquence de l'Académie française, les candidats ont à commenter cette maxime : « Les rois ne peuvent bien régner s'ils ne sont instruits de leurs devoirs envers Dieu et envers les hommes. » En 1724, c'est un sujet de morale sociale : « Que le bon usage des richesses fait la gloire du Sage ». Terrible époque où l'on doit toujours et partout moraliser.

Le théâtre n'est pas moins prisé que l'éloquence. Les spectacles de tragédie et de comédie jouissent plus que jamais de la faveur du public. Les premières salles de théâtre permanentes se construisent dans les villes de province. Par exemple à Bordeaux en 1738-1739.

Le théâtre procure la renommée. Avant sa tragédie d'*Œdipe* (1718), Voltaire était connu. Avec *Œdipe* il est célèbre. C'est pourquoi tous les littérateurs font aussi des pièces de théâtre. Par exemple, Jean-Baptiste Rousseau, premier poète de son temps, est aussi un auteur de tragédies. Crébillon fils, le romancier, commence sa carrière au théâtre. Avant d'écrire des romans il compose un certain nombre de pièces satiriques et de parodies pour les comédiens italiens. Seuls Montesquieu et Prévost n'ont jamais écrit pour le théâtre. On ne connaît que ces deux exceptions. Car la règle est impérative : on peut être à sa fantaisie ou poète, ou romancier, ou essayiste, mais il faut toujours être dramaturge. C'est l'auteur de théâtre qui est consacré. Car le public a faim de théâtre et de théâtre nouveau. L'abondance de la production bat tous les records. La Chaussée compose dix-neuf pièces, entre 1738 et 1751, Marivaux trente et une comédies de 1720 à 1744.

La tragédie est le genre noble. Elle est illustrée par de nombreux auteurs, mais surtout par Crébillon, Piron et Voltaire. L'Antiquité demeure la principale source d'inspiration. Citons entre autres *Atrée et Thyeste* de Crébillon père, *La Mort de César* de Voltaire et le *Callisthène* de Piron. Toutefois les histoires grecque et romaine ne suffisent plus. Les auteurs empruntent à l'histoire nationale ou donnent dans l'exotisme. Avec *Adélaïde du Guesclin* et *Tancrède*, Voltaire évoque l'ancienne chevalerie. Piron fait jouer un *Gustave Wasa* et un *Fernand Cortès*, Voltaire un *Mahomet* et un *Orphelin de la Chine*.

Corneille et Racine sont les modèles incontestés. Mais ces modèles sont des jougs. Au lieu de s'en inspirer pour créer, les auteurs ne savent que les imiter. Voltaire est incapable « de s'affranchir du moule racinien[1]», Piron de l'emprise cornélienne. L'un et l'autre reproduisent les héros, les situations et jusqu'aux expressions des héros cornéliens et raciniens. Les analyses psychologiques sont faibles, les portraits pâles. Pour compenser on recherche l'ingéniosité des situations, des histoires. On complique les intrigues, on multiplie les drames. Par exemple, *Gustave Wasa* contient toute l'histoire des révolutions de Suède ; jamais, avant les mélodrames modernes, tant de situations tragiques n'avaient été réunies dans un même foyer. On veut aussi déclencher l'émotion par des effets scéniques. Dans *Zaïre*, l'héroïne est poignardée sous les yeux des spectateurs. Dans *Callisthène*, le héros se suicide en scène. Voltaire fait paraître un spectre dans *Ériphyle*. Tout cela rappelle le drame shakespearien et annonce d'une certaine manière le théâtre romantique. Il arrive que la mise en scène ne suive pas. La pièce alors sombre dans le ridicule. Pendant la première représentation de *Callisthène*, le poignard dont le héros devait se percer le flanc se trouva en si mauvais état que le manche, la poignée, la garde et la lame, tout se déjoignit et se sépara, de façon que Callisthène reçut l'arme pièce à pièce des mains de Lysimaque. Il s'éleva une risée générale au fatal instant où le comédien se poignarda en tenant tous les morceaux à pleine main.

Si la tragédie se «shakespearise», la comédie, elle, s'italianise. En 1715, une nouvelle troupe d'acteurs italiens, dirigée par Luigi Riccoboni, reprend à Paris la place laissée libre par la disparition en 1697 de l'ancien théâtre italien. Le genre instauré par Riccoboni fournit aux auteurs, et en particulier à Marivaux, des types de personnages (Arlequin, Silvia) et le style dramatique des tirades à l'italienne.

On ne sait plus faire de grandes comédies de caractère (comme *L'Avare* ou *Le Misanthrope*). La dernière bonne pièce de ce genre est le *Turcaret* de Lesage, portrait d'un financier odieux et ridicule, en qui se mêlent Harpagon et M. Jourdain (1709). *La Métromanie* de Piron, grand succès de l'année 1738, ne vaut pas *Turcaret*. C'est le portrait d'un versificateur, d'un maniaque de la versification, «qui travaille nuit et jour et jamais ne fait rien». C'est une satire amusante et cruelle, mais on ne peut pas dire que ce soit un caractère.

Le genre dominant est la comédie d'intrigue. Le théâtre de Marivaux l'illustre parfaitement. Ses pièces ont été classées en diverses catégories : allégoriques, héroïques, de mœurs et de caractère. Mais toutes sont surtout d'intrigue. Toutes ressortent du jeu de cache-cache, mais d'un jeu qui est orienté. Les personnages jouent à se tromper afin de se mieux connaître. Le procédé du déguisement apparaît comme essentiel. Dans *La Double Inconstance* (1723), un prince désireux de se faire aimer pour lui-même se déguise en officier du palais. Dans *Le Prince travesti*

---

1. André Lagarde et Laurent Michard, *XVIIIe siècle, les grands auteurs du programme, anthologie et histoire littéraire*, nouv. éd., Bordas, 1985, p. 185.

(1724), deux grands seigneurs recourent à la même ruse, afin d'observer librement et de mieux connaître la princesse qu'ils aiment. Dans *Le Jeu de l'amour et du hasard*, on se déguise des deux côtés, et tel est pris qui croyait prendre : tandis que la fiancée Silvia change de costume et de rôle avec Lisette sa servante, Dorante le fiancé en fait autant avec son valet Arlequin.

Le public, avons-nous dit, manifeste un appétit insatiable de théâtre et de théâtre nouveau. Pour tenter de le satisfaire on invente des genres nouveaux, qui sont le drame et l'opéra-comique. Selon la définition de l'Académie, « le drame est un genre mixte entre la tragédie et la comédie ». *La Fausse Antipathie* de La Chaussée et *L'Homme de fortune*, du même auteur, en seraient les premiers modèles. Quant à l'« opéra-comique », c'est simplement une comédie mélangée de musique. Charles Simon Favart est le père du genre. *Arlequin Deucalion* de Piron, comédie en trois actes, représentée le 25 février 1722, en est à l'époque la meilleure illustration.

La poésie a sans doute moins d'importance, moins d'éclat social et mondain que l'éloquence et que le théâtre. Mais elle n'est pas moins présente ni pratiquée. Dufresny la fait galante ou de circonstance. Elle est satirique avec Gresset, religieuse avec Louis Racine et lyrique avec Jean-Baptiste Rousseau. Ce sont là les poètes connus, mais il en est beaucoup d'autres. Des centaines de milliers de Français versifient. Dès que l'on a reçu quelques teintures d'humanités, on est censé savoir écrire des vers, tourner un compliment en vers, célébrer un hyménée, fabriquer une épigramme. La poésie, d'une certaine manière, fait partie de l'art de vivre en société.

Le roman n'est certes pas un genre nouveau, mais ce n'était pas un des grands genres littéraires. Il accède maintenant à cette dignité. Car il fleurit, se libère, devient agile et vif, souvent licencieux (comme dans *Le Sopha* de Crébillon fils), volontiers satirique (comme les *Lettres persanes* de Montesquieu), parfois psychologique : voyez *La Vie de Marianne* de Marivaux, ou *Manon Lescaut* de l'abbé Prévost. Mais quelque ton qu'il prenne, il est sans doute — avec la comédie — le genre littéraire où s'exprime le mieux le génie de ce temps.

Précisément ce génie est-il fécond ? Est-ce une grande époque littéraire, ou tout au moins une bonne époque ? Question de béotien sans doute, question d'étranger à la littérature. Mais nous ne faisons pas ici d'histoire littéraire. Ce que nous voulons faire, c'est mesurer la vitalité d'une époque et, pour cela, nous devons formuler des jugements de valeur. Ou plutôt — car nous avons déjà marqué certains défauts — nous devons isoler ce qui a de la valeur et préciser quelle valeur.

Le seul grand orateur est Massillon, brillant surtout par sa clarté. Dans ses phrases concises, il exprime des pensées claires et distinctes. Il abonde en maximes : « Plus on est grand, plus on est redevable au public[1] » ; « L'humanité renferme l'affabilité, la protection et les largesses[2] » ; « Dieu est trop sage pour ne pas aimer l'ordre[3] ». Habile et simple à la fois, il réussit à montrer l'accord profond entre la religion et la nature, entre la loi de Dieu et le cœur humain. Il est doux, consolant, persuasif, mais il n'atteint jamais au pathétique. Il reste toujours moins profond, toujours moins élevé que Bossuet.

Marivaux et Piron sont les meilleurs auteurs de théâtre. Marivaux en premier, Piron, loin derrière.

Il est pourtant vrai que le théâtre de Marivaux paraît dépourvu d'action. Voltaire lui a fait ce reproche cruel : « Il pèse des œufs de mouche dans des toiles d'araignée. » Il excelle dans les intrigues, même les plus complexes, mais ses intrigues ne sont pas des actions, parce qu'elles ne sont que des jeux. Il n'y a pas d'action parce qu'il n'y a pas de combat. Les personnages ne luttent pas. Comment lutteraient-ils, puisqu'ils n'ont pas d'adversaires ? Un des axiomes de l'éducation humaniste était que rien de grand ne se fait sans combat. Avec Marivaux, nous serions donc aux antipodes de l'humanisme.

Il ne faut pourtant pas s'y tromper. Il y a bien une action dans ce théâtre, mais elle n'est pas où d'ordinaire on la cherche. Car elle n'est pas dans l'intrigue mais dans les mots. Comme on l'a dit fort justement, « toute l'action est soutenue dans les paroles » (Kleber Haedens). Les mots agissent dans le dialogue et l'art du dialogue est poussé à sa perfection. Les répliques, très coupées, s'enchaînent parfaitement. Il y a comme une complicité entre elles. Voici par exemple l'échange entre Silvia et Flaminia, dans l'acte III de *La Double Inconstance* :

> Silvia. — J'aimais Arlequin ; n'est-ce pas ?
>
> Flaminia. — Il me semblait.
>
> Silvia. — Eh bien je crois que je ne l'aime plus.
>
> Flaminia. — Ce n'est pas un si grand malheur.
>
> Silvia. — Quand ce serait un malheur, qu'y ferais-je ? Lorsque je l'ai aimé, c'était un amour qui m'était venu ; à cette heure je ne l'aime plus ; c'est un amour qui s'en est allé ; il est venu sans mon avis, il s'en est retourné de même ; je ne crois pas être blâmable[4].

A rebondir ainsi les uns contre les autres, les mots les plus anodins décuplent leur importance et leur charge d'émotion. Ce qu'on appelle le marivaudage « n'est pas tant le secret d'un style que l'intuition du rôle joué par le langage dans le drame et dans la vie[5] ». Il arrive en somme au

---

1. J.-B. Massillon, *Petit Carême,* classiques Garnier, s.d., p. 24.
2. *Ibid.,* p. 70.
3. *Ibid.,* « Dimanche de la Passion », « Évidence de la loi ».
4. Pierre Carlet de Chamblain de Marivaux, *La Double Inconstance,* acte III, scène 3.
5. Frédéric Deloffre, *Une préciosité nouvelle. Marivaux et le marivaudage. Étude de langue et de style,* Paris, 1955, p. 216.

théâtre ce qui s'est déjà produit dans l'éloquence : la pensée finit par compter beaucoup moins que la manière dont on l'exprime. Sur la scène comme dans le discours, l'élocution l'emporte sur l'invention.

Marivaux n'en est pas moins créateur. Son monde existe. Il ne faudrait pas réduire ses pièces à des exercices de pur verbalisme : ses personnages sont vivants. Il est vrai qu'ils souffrent peu — mais sans doute souffrent-ils plus qu'il ne paraît. Car ils aiment, ils savent aimer, et surtout ils savent commencer à aimer. Marivaux est le poète de la naissance de l'amour. Écoutons-le, par exemple, dans *La Double Inconstance*. C'est Arlequin, l'amoureux, qui parle de l'amour de Silvia, évoquant les premiers jours de leur bonheur :

> ARLEQUIN. — Vous parlez de Silvia, c'est cela qui est aimable ! Si je vous contais notre amour, vous tomberiez dans l'admiration de sa modestie. Les premiers jours il fallait voir comme elle se reculait d'auprès de moi ; et puis elle reculait plus doucement ; puis, petit à petit, elle ne reculait plus ; ensuite elle me regardait en cachette ; et puis elle avait honte quand je l'avais vue faire, et puis moi j'avais un plaisir de roi à voir sa honte ; ensuite j'attrapais sa main, qu'elle me laissait prendre ; elle [...] était encore toute confuse ; puis je lui parlais ; ensuite elle me donnait des regards pour des paroles, et puis des paroles qu'elle laissait aller sans y songer, parce que son cœur allait plus vite qu'elle ; enfin c'était un charme, aussi j'étais comme un fou. Et voilà ce qui s'appelle une fille mais vous ne ressemblez point à Silvia[1].

Piron n'a aucun génie, mais il n'est dépourvu ni d'imagination ni de talent. Son grand succès, *Arlequin Deucalion*, malgré quelques vulgarités, peut nous séduire encore par sa poétique fantaisie. Au début de la pièce, le déluge universel a submergé la Terre, il ne reste qu'un survivant : Arlequin Deucalion. Lorsque le rideau se lève, « l'orchestre, dit la mise en scène, joue une tempête effroyable. Éclairs, tonnerre, grêle et pluie convenables à un déluge. On voit venir de loin sur les ondes Arlequin, jambe deçà, jambe delà sur un radeau. Le fracasse. » Et Arlequin déclare :

> Je suis sur la Terre le seul animal qui respire à présent [...]. Ma foi, le genre humain vient de boire une belle rasade. Il en a crevé. J'ai été le plus sobre ; seul j'en réchappe. Caron a fait là une belle fournée[2] [...].

Dans le genre du roman, les ouvrages de Crébillon fils supportent encore aujourd'hui la lecture. Le style a de l'alacrité. La satire est cruelle. *Les Égarements du cœur et de l'esprit ou Mémoires de M. de Meilcour* (1739) nous racontent l'entrée dans le monde et les débuts amoureux d'un petit jeune homme. C'est le héros qui parle : « J'entrai, dit-il, dans le monde à dix-sept ans, avec tous les avantages qui peuvent s'y faire remarquer. » Ce monde est dissolu. Le mot amour n'y a plus de sens :

---

1. Marivaux, *La Double Inconstance*, acte I, scène 6.
2. Alexis Piron, *Arlequin Deucalion*, acte I, scène 1.

Ce qu'alors les deux sexes nommaient amour, était une sorte de commerce où l'on s'engageait même sans goût, où la commodité était toujours préférée à la sympathie, l'intérêt au plaisir, et le vice au sentiment.

Les femmes sont d'une facilité décourageante :

On disait trois fois à une femme qu'elle était jolie, car il n'en fallait pas plus ; dès la première assurément elle vous croyait, vous remerciait à la seconde et assez communément, vous récompensait à la troisième [...]. Un homme pour plaire n'avait pas besoin d'être amoureux ; dans les cas pressés on le dispensait[1].

Mais M. de Meilcour est un être rare. Un jour il tombe amoureux. De sa loge de l'Opéra il entrevoit une beauté singulière ; c'est le coup de foudre : « je ne sçai quel mouvement singulier et subit m'agita à cette vue : frappé de tant de beauté, je demeurai comme anéanti[2] [...]. »

Suit l'analyse de cette passion bientôt partagée. Crébillon fils est un psychologue, l'un des plus pénétrants de son temps. Son domaine à lui est « cette obscure région frontière située entre l'âme et le corps, où la physiologie et la psychologie se rencontrent et se mêlent et se compliquent réciproquement[3] ». Son principe est que la psychologie est toujours présente dans tous les genres d'amour depuis l'amour passion jusqu'à l'amour goût. Sa spécialité enfin est l'étude du tempérament féminin. Avec des extraits de ses différents romans, depuis le premier de tous, *Tanzaï et Néadarné : histoire japonaise* (1734) jusqu'à *La Nuit et le Moment*, en passant par *Les Égarements* et *Le Sopha*, on pourrait composer une anthologie de traits de caractère. Ce florilège aurait pour titre : ce que doit savoir tout jeune don Juan. Voici quelques exemples :

Une jolie femme dépend bien moins d'elle-même que des circonstances ; et par malheur il s'en trouve tant de si peu prévues, de si pressantes, qu'il n'y a point à s'étonner si, après plusieurs aventures, elle n'a connu ni l'amour ni son cœur. Il s'ensuit que ce qu'on croit la dernière fantaisie d'une femme est souvent sa première passion.

Les sens ont aussi leur délicatesse, à un certain point, on les émeut ; qu'on le passe, on les révolte.

L'on n'occupe pas longtemps l'imagination d'une femme sans aller jusqu'à son cœur, ou du moins sans que par les effets cela ne revienne au même.

Crébillon fils nous paraît l'un des plus parfaits représentants de ce XVIIIᵉ siècle caractérisé à la fois par le raffinement, la légèreté, l'absence de morale et un esprit d'analyse non dénué de sécheresse.

L'abbé Prévost n'entre pas tout à fait dans la même catégorie. Lui

---

1. Crébillon fils, *Les Égarements du cœur et de l'esprit*, Paris, 1739, p. 7.
2. *Ibid.*, p. 51.
3. Aldous Huxley, « Crébillon fils », *L'Olivier et autres essais*, traduction de Jules Castiès, Paris, 1946, p. 142. Cette étude est la meilleure de toutes celles que nous avons pu lire sur cet auteur.

aussi est un analyste, mais il éprouve aussi des sentiments. Il vibre. Sa *Manon Lescaut* est un grand roman, parce que c'est un vrai roman d'amour. Manon et Des Grieux, les deux amants de l'histoire, occupent toute la scène. Apparaissent de temps en temps, mais toujours en retrait, quatre ou cinq personnages secondaires dont le seul rôle est de faire rebondir l'intrigue. Dans la même tradition que *Tristan et Yseult* et que *La Princesse de Clèves*, Manon Lescaut est l'histoire d'un amour inexorable, d'une passion fatale. Un jour, Des Grieux rencontre Manon dans la cour d'une auberge. De ce jour il est pris.

> J'avais le défaut, dit-il d'être extrêmement timide et facile à déconcerter; mais loin d'être arrêté alors par cette faiblesse, je m'avançai vers la maîtresse de mon cœur[1].

Manon est sa destinée : «Je lis ma destinée dans tes beaux yeux.» Phèdre avait dit :

> Ah, je vois Hippolyte,
> Dans ses yeux insolents, je vois ma perte écrite.

Manon aimant l'argent, son amant devient joueur et son père le renie. Elle le trompe avec un financier. Elle le ruine, le perd de réputation. Qu'importe, il est transporté : «J'étais dans une sorte de transport.» Il sait sa déchéance, mais y consent avec joie :

> Je me sens, dit-il, le cœur emporté par une délectation victorieuse [...]. Je vais perdre ma fortune et ma réputation pour toi[2].

Il se reprend quand même une fois. Trouvant le moyen de s'échapper, il se réfugie au séminaire. Mais elle le retrouve. Dès lors, il s'attache à ses pas. Lorsqu'elle est enfermée à l'hôpital général, avec les femmes de petite vertu, il la délivre. Lorsqu'elle est expédiée en Louisiane avec un convoi de filles publiques, il la suit et c'est là qu'il la verra mourir.

Prévost n'écrit pas toujours très bien. Il use trop souvent d'effets de mélodrame. Par exemple, dans la scène du père et du fils : «Adieu, fils ingrat et rebelle. — Adieu père barbare et dénaturé.» Son Des Grieux n'est pas bien malin. Comme le dit Kleber Haedens, «l'amour n'est pas une excuse à se trouver toujours en posture de nigaud». L'ouvrage toutefois ne manque pas de grandeur et l'on y trouve des pages empreintes d'une discrétion et d'une lucidité toutes classiques. Par exemple le récit de la mort de Manon :

> Nous avions passé tranquillement une partie de la nuit. Je croyais ma chère maîtresse endormie et je n'osais pousser le moindre souffle, dans la crainte de troubler son sommeil. Je m'aperçus dès le point du jour en touchant ses mains qu'elle les avait froides et tremblantes. Je les approchai de mon sein pour les

1. L'abbé Prévost, *Manon Lescaut*, Garnier, s.d., p. 14.
2. *Ibid.*, p. 55.

réchauffer. Elle sentit ce mouvement et, faisant un effort pour saisir les miennes, elle me dit d'une voix faible qu'elle croyait à sa dernière heure. Je ne pris d'abord ce discours que pour un langage ordinaire dans l'infortune, et je n'y répondis que par les tendres consolations de l'amour [...] mais ses soupirs fréquents, son silence à mes interrogations, le serrement de ses mains dans lesquelles elle continuait de tenir les miennes me firent connaître que la fin de ses malheurs approchait...

Mais la valeur de *Manon* ne vient pas seulement de sa qualité littéraire. Le roman est aussi un remarquable témoignage sur l'âme du siècle. Des Grieux incarne tous les amants de cette époque, ces curieux amants d'un genre nouveau, amoureux de leur propre amour. Il représente la nouvelle espèce humaine. L'ancienne espèce n'attendait que le «salut». Celle-ci fait un autre choix : elle préfère les petits bonheurs d'ici-bas, les petits bonheurs sensibles, à ces biens invisibles situés au-delà de la mort : «Le bonheur que j'espère, déclare Des Grieux, est proche et l'autre est éloigné ; le mien est de la nature des peines, c'est-à-dire sensible au corps, et l'autre est d'une nature inconnue qui n'est certaine que par la foi.»

L'époque précédente avait été sans poésie véritable. Celle-ci n'en est pas tout à fait dépourvue. Dans le genre galant et léger, presque licencieux, les pièces charmantes de Dufresny sont des réussites. Par exemple, son «Réveillez-vous, belle endormie», dont voici la première strophe :

> Réveillez-vous, belle endormie
> Si ce baiser vous fait plaisir
> Dormez profondément ma mie,
> Dormez ou feignez de dormir.

Le *Vert-Vert* de Gresset est un poème satirique dans le genre du *Lutrin* de Boileau. Mais les vers ont une légère teinte d'ironie, une finesse aérienne qui rappelle La Fontaine. C'est une histoire très amusante. Les religieuses d'un couvent (la Visitation de Nevers) possèdent un perroquet (un perroquet surdoué, merveille des perroquets) et le chérissent :

> Les petits soins, les attentions fines
> Sont nés, dit-on, chez les Visitandines ;
> L'heureux Vert-Vert l'éprouvait chaque jour
> Plus mitonné qu'un perroquet de Cour[1].

La renommée de Vert-Vert franchit la clôture du couvent :

> Dans tout Nevers, du matin jusqu'au soir,
> Il n'était bruit que des scènes mignonnes
> Du perroquet des bienheureuses nonnes[2].

Comment ne garder que pour soi un pareil trésor ? Les autres visitan-

1. Jean-Baptiste Gresset, *Vert-Vert*, Paris, Librairie des bibliophiles, 1872, chant I.
2. *Ibid.*, chant II.

dines en sont jalouses. Celles de Nantes veulent le connaître. Elles le réclament. Il faut le leur prêter. Donc Vert-Vert s'embarque sur le bateau qui relie sur la Loire Nevers à Nantes. Hélas, ce voyage lui est fatal : au contact des bateliers, gens grossiers, lui qui n'avait jamais connu que des lieux policés, se dévergonde. Il apprend des vilains mots, se met à jurer et sacrer comme un charretier. Si bien que, lorsque les visitandines de Nantes, toutes ravies de l'accueillir, faisant cercle autour de lui, se disposent à l'écouter, il leur lâche des bordées d'injures :

> Les B... Les F... voltigeaient sur son bec
> Les jeunes sœurs crurent qu'il parlait grec
> Jour de Dieu !... mort... mille pipes du diable
> Toute la grille à ces mots effroyables
> Tremble d'horreur, les Nonettes sans voix
> Font en fuyant mille signes de croix...[1].

Jean-Baptiste Rousseau jouit d'une gloire inégalée. Il est le grand poète, le poète officiel en quelque sorte. Nous ne lui accordons plus cette excellence. Nous trouvons qu'il abuse des clichés :

> Loin de vous l'Aquilon fougueux
> Souffle sa piquante froidure
> La terre reprend sa verdure
> Le ciel brille des plus beaux feux.

Il a pourtant du savoir-faire. C'est un bon fabricant de vers. Quelquefois même il s'élève jusqu'à la véritable poésie. Cela dépend des sujets. L'inspiration religieuse est celle qui lui réussit le mieux. Traitant des sujets sacrés, il déploie ses ailes. Le voici par exemple dans le *Cantique d'Ézéchias* :

> J'ai vu mes tristes journées
> Décliner vers leur penchant,
> Au midi de mes années
> Je touchais à mon couchant
> La Mort, déployant ses ailes,
> Couvrait d'ombres éternelles
> La clarté dont je jouis ;
> Et dans cette nuit funeste,
> Je cherchais en vain le reste
> De mes jours endormis.
>
> Grand Dieu, votre main réclame
> Les dons que j'en ai reçus ;
> Elle vient couper la trame
> Des jours qu'elle m'a tissés ;
> Mon dernier soleil se lève,
> Et votre souffle m'enlève

---

1. Jean-Baptiste Gresset, *Vert-Vert*, *op. cit.*, chant IV.

> De la terre des vivants,
> Comme la feuille séchée,
> Qui, de sa tige arrachée,
> Devient le jouet des vents.

Nous avons déjà parlé du poème *La Religion*, de Louis Racine. Mais il s'agissait de sa valeur apologétique. Sa valeur poétique est supérieure. Le poète est capable d'évoquer les grandeurs de la Création et les merveilles de la nature, telles que, par exemple, le cycle de l'eau :

> Mais enfin terminant leurs courses vagabondes,
> Leur antique séjour redemande leurs ondes ;
> Ils les rendent aux mers ; le soleil les reprend :
> Sur les monts, dans les champs, l'Aquilon nous les rend.
> Telle est de l'Univers la constante harmonie.
> De son Empire heureux, la discorde est bannie :
> Tout conspire pour nous ; les montagnes, les mers
> L'Astre brillant du Jour, les fiers tirans des airs.
> Puisse le même accord régner parmi les hommes[1].

C'est à la religion finalement que la poésie est la plus redevable. Cette poésie n'a pas beaucoup d'âme, mais le peu qu'elle a lui vient de l'inspiration religieuse. Et si l'on veut la preuve *a contrario*, *La Henriade* est là pour nous la donner. Car c'est un poème antireligieux et c'est aussi un très mauvais poème. Dans l'épopée il faut du merveilleux. Or Voltaire a banni de sa *Henriade* à la fois le merveilleux païen — d'ailleurs hors de propos — et le merveilleux chrétien (miracles, visions, prophéties) dont il se moquait. Ici la « philosophie » a tué la poésie. *La Henriade* n'est qu'un assemblage de vers de mirliton.

Concluons sur cette littérature. Il est toujours risqué de comparer deux époques littéraires. Disons que la précédente (1680-1715) avait plus de force et de profondeur, et que celle-ci a plus de brillant et de séduction. D'ailleurs, le style a changé. Les phrases sont devenues plus courtes, plus concises, plus percutantes. Cette manière d'écrire est très séduisante pour le lecteur, lui faisait croire qu'il est à même de tout comprendre. D'où une plus large diffusion et un public plus nombreux.

L'autorité de l'écrivain grandit. On voit en lui maintenant, et ce dans quelque genre qu'il écrive, une sorte de sage dans la cité, une manière de prophète propre à guider l'humanité.

Pourquoi cela ?

Il y a au moins deux raisons. La première est que les littérateurs enfourchent les idées modernes (liberté, égalité, tolérance). Ils se donnent ainsi à bon compte des allures de penseurs audacieux.

---

1. Jean-Baptiste Rousseau, « Cantique d'Ezéchias », p. 18, cité par Robert Sabatier, *Histoire de la poésie française. La poésie du dix-huitième siècle*, Paris, Albin Michel, 1975, p. 28-29.

La seconde est l'élévation du statut social de l'écrivain. Cela fait bien d'être un littérateur. Les salons ouvrent large leurs portes à tous ceux qui se flattent d'écrire. Jadis les écrivains étaient des protégés, maintenant ils sont des égaux. Les grands les admettent dans leur compagnie sur un pied d'égalité. «S'il en est, note Duclos, qui les aiment par choix, tous s'en piquent par mode.» C'est une révolution mondaine. Des fils de notaires (Voltaire, Crébillon père), d'officiers de finance (Marivaux), de procureurs du roi et baillis (Prévost), de chapeliers (Houdar de La Motte) ou de pâtissiers (Favart) sont reçus et choyés à l'égal des grands seigneurs. Il est d'ailleurs intéressant de noter que cela ne s'est pas fait tout seul. La mésaventure de Voltaire le montre. Un jour de 1725, se trouvant à table chez le duc de Sully avec une nombreuse compagnie, l'écrivain pérore. L'un des convives, le chevalier de Rohan, très agacé par cet aplomb, demande alors : «Quel est donc ce jeune homme qui parle si haut?» Réponse impertinente de Voltaire : «C'est un homme qui ne traîne pas un grand nom, mais qui sait honorer celui qu'il porte.» Trois jours plus tard, comme l'écrivain dîne à nouveau chez le duc, on vient l'avertir qu'il est attendu à la porte de l'hôtel. Il est attendu en effet, mais par des valets que le chevalier de Rohan a postés là, et qui lui administrent une volée de coups de bâton. L'incident ne fait pas l'unanimité contre le chevalier. Certains s'indignent de la bastonnade, mais la plupart s'en amusent. Le marquis d'Argenson la qualifie d'«amusante tragédie». On voit là que, si les littérateurs deviennent des princes, ils ne le sont pas encore tout à fait. Qui fera taire les dernières réticences? Ce seront les grandes dames qui tiennent des salons littéraires : Mme de Lambert, Mme de Tencin, Mme du Deffand. Marivaux écrit de Mme de Tencin : «Il n'est point question de rangs ni d'états chez elle. Personne ne s'y souvient du plus ou moins d'importance qu'il a [...]. Si vous voulez que je vous dise un grand mot, ce sont comme des intelligences d'une égale dignité; sinon d'une force égale qui ont tout uniment commerce ensemble.»

Il y aurait une question à regarder de plus près : de quoi vivent les écrivains? Sous le Grand Roi, la plupart des talents reconnus émargeaient à la liste des pensions royales. Ce type d'écrivain vivant du mécénat royal n'a pas disparu. Dufresny, par exemple, touche une pension et reçoit en outre le privilège du *Mercure*. Mais les Dufresny sont des exceptions. Désormais les littérateurs, même s'ils sont pensionnés, ont d'autres sources de revenus plus importantes, et la pension ne représente qu'une petite partie de leurs moyens d'existence. Piron ne reçoit une pension du roi qu'en 1733, après son échec à l'Académie française, et cette pension est modique (cinq cents livres). Il a d'ailleurs deux autres pensions, chacune également de cinq cents livres, que lui versent deux grands seigneurs, le comte de Saint-Florentin et le marquis de Livri. Mais, surtout, ses œuvres et son théâtre lui rapportent en moyenne mille livres par année. Enfin Mme Geoffrin lui envoie aux étrennes du sucre, du café et des culottes pour une année entière. Voltaire est un cas encore plus intéressant, car non seulement ses livres lui rapportent de l'argent, mais encore il s'arrange pour spéculer avec cet argent. Il commence par aventurer le produit de *La Henriade* dans la loterie que le contrôleur général avait établie pour liquider les dettes de la ville. Résultat : il quadruple ses écus. Ensuite il risque tout ce qu'il a dans le commerce de Cadix et dans les blés de Barbarie et là encore il réussit. Le voici devenu (en trois ans) six fois millionnaire. Il peut se passer de protection, il ne dépend de personne et peut écrire ce qui lui plaît. C'est bien cela la grande affaire. Quand les littérateurs commencent à vivre de leur plume, qui pourrait les obliger à respecter l'ordre établi ?

Les sociétés intellectuelles, les gazettes et le livre

Nous entendons par sociétés intellectuelles les académies, les salons, les cafés et les loges maçonniques.

Les académies — on l'a déjà vu pour l'Académie des sciences — jouent un rôle de premier plan dans la vie intellectuelle et dans la recherche scientifique du XVIIIᵉ siècle. Le titre d'académicien n'est pas seulement honorifique, les membres de ces compagnies s'engageant à cultiver les lettres et les sciences. Les académies sont des sortes d'universités.

En 1715, le nombre des académies était de quinze : les cinq grandes académies parisiennes (française, sciences, inscriptions, peinture et sculpture, et musique) et dix académies provinciales. En 1743, ce chiffre est passé à vingt-cinq : la création de l'Académie de chirurgie a porté de cinq à six le nombre des académies parisiennes, et il y a maintenant dix-neuf académies provinciales. Le phénomène académique s'est donc développé.

Ce sont des institutions officielles. Comme les universités, elles sont des corps, dont les statuts sont approuvés par lettres patentes et dont les membres prêtent serment. Par elles, comme par les universités, la vie de l'esprit s'intègre dans l'ordre politique du royaume.

D'ailleurs, d'une certaine manière, les académies sont plus politiques, plus officielles que les universités. Chacune a son protecteur, qui est le roi lui-même, ou le gouverneur de la province. Par exemple, l'académie d'Aix est protégée par le gouverneur de Provence. Protection effective : nul n'est reçu dans une académie s'il n'est agréable au protecteur. Aux termes de leurs statuts, ces compagnies soutiennent l'État, exaltent l'idée monarchique et louent la personne du prince. Certaines, comme celles d'Angers, ont été fondées expressément dans ces buts. Toutes les académies littéraires, dans les concours de poésie et d'éloquence qu'elles organisent, proposent comme sujets des panégyriques du roi. Par exemple, tous les sujets mis au concours entre 1717 et 1741 par l'Académie française, pour son prix de poésie, concernent les grandes actions de Louis XIV et son mécénat sur les sciences, les lettres et les arts.

Il est des académies exclusivement littéraires, où l'on ne peut entendre que des discours, des fables, des élégies, des traductions en vers. C'est le cas de Marseille, Angers, Montauban, La Rochelle. Il en est d'autres vouées aux arts. L'académie de Pau, par exemple, et l'une des deux académies de Lyon se consacrent à la musique. D'autres, comme Montpellier, sont purement scientifiques. Enfin, quelques-unes sont mixtes. Bordeaux cultive à la fois les lettres, les arts et les sciences, Béziers les lettres et les sciences. De plus, à partir de 1730 environ, la curiosité pour l'histoire et pour l'érudition historique gagne toutes les compagnies.

Dans leurs premiers temps les académies ne voulaient pas être pédantes. Elles donnaient des réceptions, organisaient des concerts, offraient des collations et des rafraîchissements. C'étaient des lieux de science, mais aussi — à la différence des universités — d'urbanité et de vie civile. A l'époque où nous sommes, cet aspect de civilité a tendance à s'estomper. Par exemple, en 1736, Pau supprime les collations. Il ne faut plus associer le savoir et la vie sociale. Ce faisant, les académies s'intellectualisent. Comme ces collèges qui, à la même époque, suppriment le théâtre, elles se referment sur elles-mêmes.

On a dit que les académies étaient des institutions égalitaires, leurs membres étant tous sur le même pied. C'est vrai de l'Académie française, dont les quarante membres jouissent exactement des mêmes droits et des mêmes devoirs. Mais ce n'est pas vrai de la plupart des autres compagnies où les académiciens sont divisés en classes. Les statuts de Dijon par exemple (qui ont servi de modèle à beaucoup d'autres), prévoient une première classe composée des cinq directeurs nés et perpétuels, de douze honoraires résidents et d'honoraires non résidents, une deuxième classe de pensionnaires au nombre de douze, d'associés ordinaires au nombre de six et d'associés libres résidents, une troisième classe enfin de membres correspondants et d'associés libres non résidents. Seule la première classe a le droit de vote pour l'élection des officiers annuels. Beaucoup d'académies sont donc, à l'image de tous les corps, des sociétés hiérarchisées. Et même il n'est pas rare que la hiérarchie académique reflète la hiérarchie sociale. Par exemple, à Pau, en 1735-1736, la première classe de l'académie est composée de treize membres, dont trois appartiennent à la noblesse titrée, neuf au Parlement et un à l'armée. En revanche, dans la classe inférieure, celle des honoraires, on ne trouve aucun noble, ni aucun officier de justice, mais quatre médecins, trois avocats et six religieux de diverses congrégations.

Les académies jouissent d'un grand prestige et surtout l'Académie française dont les fauteuils sont les plus convoités, et les élections les plus mouvementées. En 1735, la compétition Piron-Bougainville agite beaucoup les esprits. Piron ne fait pas les visites. Bougainville les fait, mais il n'est pas trop bien reçu, les académiciens préférant son concurrent. «Je crois, lui dit Montesquieu, que vous faites les visites de Piron. — Quels sont vos titres? lui demande Duclos. — Un parallèle d'Alexandre et de Thomas Koulé-khan. — Nous n'avons pas lu cela. — Mais, Monsieur, j'ai un autre titre : "je suis mourant".» Duclos sourit et repartit : «Est-ce que vous prenez l'Académie pour l'extrême-onction?» Le jour de l'élection arrive. Piron est nommé tout d'une voix, sans qu'il eût même fait les visites d'usage. Mais il faut encore la sanction du roi, protecteur de l'Académie. Le candidat battu se met en campagne et trouve un allié de choix dans la personne d'un prélat très influent, Mgr Boyer, évêque de Mirepoix, ministre de la feuille. Par Boyer, le roi est informé du libertinage de Piron et en particulier d'une certaine ode licencieuse publiée quelques années auparavant. Louis XV refuse donc sa sanction. Le nom de Piron est rayé. Dès ce jour le poète rédige son épitaphe :

> Ci-gît Piron qui ne fut rien,
> Pas même académicien.

La plupart des académies provinciales s'honorent de compter parmi leurs membres plusieurs magistrats de cours souveraines. Tout le peuple des littérateurs et des savants bénéficie de la considération qu'elles en retirent. Une estime sociale nouvelle s'attache ainsi aux gens de plume et de talent.

Incarnant le savoir en progrès, composées de personnes notables et estimables, les académies ne cessent de retenir l'attention du public. Tout ce qu'elles font, tout ce qu'elles disent paraît important, et les sujets qu'elles mettent aux concours de leurs prix de poésie et d'éloquence deviennent les sujets à la mode, ceux dont tout le monde doit parler. Elles contribuent ainsi à créer l'opinion publique.

Chacun de ces concours est un événement. Ceux de l'Académie française sont très recherchés, mais ceux des académies provinciales ne sont pas dédaignés pour autant. A Pau, en 1737, dix-sept candidats concoururent, en 1739, vingt-quatre, en 1742 vingt-trois. Et comme il y a une vingtaine d'académies, cela fait chaque année dans le royaume quatre ou cinq cents beaux esprits pour briguer les couronnes des prix. Sans compter dans ce nombre les concurrents des jeux Floraux de Toulouse (la plus ancienne des académies), qui sont à eux seuls plusieurs centaines.

Les prix étant d'éloquence et de poésie, les académies entretiennent dans le public le goût de ces formes littéraires. Quant aux sujets proposés, ils ressortent des quatre disciplines suivantes : les belles-lettres, l'histoire, l'économie politique et la morale.

La morale académique est une sorte de morale sociale. Elle traite du bon usage et de la bonne répartition des richesses, des devoirs envers les pauvres et de la façon la plus harmonieuse de vivre en société. Voici par exemple cinq sujets d'éloquence donnés par l'Académie française entre 1715 et 1744 :

    Les inconvénients de la richesse (1715).
    Que le bon usage des richesses fait la gloire du Sage (1727).
    Combien il importe d'acquérir l'esprit de société (1735).
    Qu'il est avantageux de n'être ni pauvre ni riche (1737).
    Qu'il est dû aux malheureux une forme de respect (1741).

Tout cela n'a rien de subversif, mais finit par donner le pli de critiquer. On juge la société existante. Du jugement à la remise en cause il n'y a qu'un pas facile à franchir. Et puis, c'est bien la première fois que l'on traite de ces affaires-là en dehors de l'Église, hors du contrôle de l'Église. La nouvelle morale sociale s'érige en discipline autonome. Déjà, dans chaque académicien moraliste, il y a un réformateur.

Si les académies stimulent les littérateurs, les salons les apprivoisent. Ils y apprennent l'art d'être sociable et la manière de communiquer avec le public.

Ce ne sont pas tout à fait des nouveautés. Le XVIIe siècle avait déjà connu les salons littéraires ; mais à cette époque la Cour éclipsait tous les salons. Maintenant, les salons gagnent en importance, le roi n'exerçant plus vraiment le rôle de protecteur des lettres. Le lieu de la consécration littéraire n'est plus la Cour, mais le salon.

Il y a quatre salons principaux, dont les quatre hôtesses sont la duchesse du Maine, la marquise de Lambert, Mme de Tencin et Mme du Deffand.

Le salon de la duchesse du Maine, en son château de Sceaux, a une très longue existence : depuis la fin du règne de Louis XIV jusqu'à la mort de la duchesse en 1752.

La marquise de Lambert reçoit les écrivains pendant vingt-trois ans (1710-1733). Mme de Tencin, de 1718 jusqu'à sa mort en 1746, et Mme du Deffand, à partir de 1730.

Notons que le salon est un phénomène parisien. A cette époque, tout du moins, il ne semble pas qu'il y ait encore de salons littéraires en province. Sauf à Bordeaux où, dès les années 1730, Mme Duplessy et Mme Desnanots reçoivent dans leurs salons rivaux la fleur de la société et l'élite des talents.

C'est la personnalité de l'hôtesse qui fait le salon. Or toutes ces femmes sont au-dessus du commun. Mme de Lambert allie les dons de l'esprit et du cœur. Passionnée de morale et de psychologie, auteur de traités de pédagogie, elle attire aussi par sa bonté simple et délicate. La duchesse du Maine étonne par sa passion de savoir. Elle apprend tout avec fureur. Malézieu, secrétaire des commandements du duc, lui sert de précepteur et lui enseigne pêle-mêle la philosophie, les sciences et les arts, Descartes, Leibniz et Euripide. Mais il lui faut d'autres leçons. Elle mobilise tous les talents et harcèle de questions tous ceux qui peuvent lui enseigner quelque chose. Elle est délicieusement aimable et redoutablement exigeante. «On ne peut montrer plus d'esprit, dit d'elle le président Hénault, plus d'éloquence, plus de badinage, plus de véritable politesse, mais en même temps on ne saurait être plus injuste, plus avantageuse, plus tyrannique.» Mme de Tencin, dans un genre différent (plus équilibrée) est aussi un phénomène. On ne sait qu'admirer le plus, de sa beauté, de sa grâce ou de son esprit. «Personnifions la beauté, écrira d'elle Marivaux, et supposons qu'elle s'ennuie d'être si sérieusement belle [...], qu'elle tempère sa beauté sans la perdre et qu'elle se déguise en grâces [...].»

On aimerait pouvoir se représenter le décor raffiné où ces femmes charmantes recevaient. Le salon de Mme de Lambert, hôtel de Nevers, rue Colbert, était remarquable, nous dit-on, par la hauteur des plafonds, l'élégance des lignes et la magnifique ampleur. Chez Mme de Tencin, le grand salon ouvrait ses fenêtres rue Saint-Honoré. En son centre, sur une table de marbre ronde était posée une théière de cuivre, objet nouveau et à la mode, depuis que la Compagnie des Indes avait fait connaître l'usage du thé.

Le salon est à jour fixe. Mme de Lambert reçoit le mardi et le mercredi, Mme de Tencin le mardi. La première n'offre que de la conversation, mais la seconde donne parfois, en sus du thé, de grands dîners de plus de cent couverts.

Se mêlent dans les salons toutes sortes de gens : grands seigneurs, abbés mondains, littérateurs, érudits et savants. Compagnie surtout masculine à Sceaux et chez Mme de Tencin, plus féminine chez la marquise de Lambert où fréquentent de jeunes beautés : Mme de Caylus, la très jolie Mme de Flammarens, des femmes de lettres (Catherine Bernard, Mme d'Aulnoy) et la grande actrice Adrienne Lecouvreur.

Le salon n'enchaîne pas ses habitués. Ce n'est ni une chapelle ni une école. D'y être reçu n'empêche nullement d'être reçu ailleurs. Marivaux se partage entre Lambert et Tencin. De même Montesquieu. Fontenelle règne à Sceaux et préside chez Mme de Lambert.

Car le salon est avant tout un lieu de réconfort. On sait que les intellectuels ont souvent des complexes et qu'ils souffrent de solitude. La compagnie des salons les secourt et les stimule. Ils y sont flattés, encouragés. Ils peuvent y parler de ce qui les intéresse le plus : leurs propres œuvres. Mieux, ils peuvent en faire la lecture à voix haute. Surtout le salon leur procure le loisir exquis de la conversation, plaisir de questionner et de répondre, de placer son mot, d'être écouté. Les salons sont des théâtres où chacun joue à la fois le rôle d'acteur et celui de spectateur. «On y arrivait, écrit Marmontel à propos du salon de Mme de Tencin, préparé à jouer son rôle [...] à qui saisirait le plus vite et comme à la volée le moment de placer son mot, son conte, son anecdote, sa maxime ou son trait léger ou piquant [...]. Dans Marivaux, l'impatience de faire preuve de finesse et de sagacité perçait visiblement. Montesquieu, avec plus de calme, attendait que la balle vînt à lui, mais il l'attendait[1] [...].»

Le salon a un autre avantage : il distingue celui qui le fréquente. Il décerne un brevet de talent. A certains même, il procure la consécration académique. Chacun sait que Mme de Lambert fait les académiciens. D'Argenson l'atteste : «On n'était guère reçu à l'Académie que l'on ne fût présenté chez elle et par elle.» Montesquieu lui doit son élection.

C'est une domination. Le salon règne. Il forme le goût et le langage. Les conversations qui s'y tiennent donnent le ton des lettres, et finalement tous les livres ne sont que des conversations de salon écrites, dans ce langage de la conversation «rempli de finesses, d'allusions, d'expressions à double face, de tours adroits, de traits délicats et subtils» (Marmontel). C'est une nouvelle préciosité. C'est le style du marivaudage.

On parle peu philosophie. Parfois chez Mme de Tencin, certaines disputes métaphysiques opposent Helvétius et Marivaux, le premier soutenant l'athéisme, le second le déisme, mais ce sont là des exceptions. D'ordinaire nul n'attaque la religion. L'une de nos dames, la marquise de Lambert, est très croyante, avec une nuance janséniste.

Cependant les idées en faveur sont les idées modernes. Par exemple, les salons sont cartésiens. Au témoignage de Mlle Delaunay, son amie, la duchesse du Maine «croit en Dieu et en Descartes, sans examen et sans discussion». Mme de Lambert, elle aussi, professe Descartes. Fontenelle, le roi de tous les salons, est également un cartésien. Ses *Entretiens sur la pluralité des mondes* ont fait de lui le spécialiste du cartésianisme mondain.

Les salons influencent les mœurs. Ils créent une forme raffinée de sociabilité, mais ils desservent parfois la morale. Mme de Lambert est tout à fait vertueuse et même quelque peu rigoriste, mais Mme du Deffand et de Tencin sont des personnes scandaleuses. Marie du Deffand a participé aux orgies du Régent. Alexandrine de Tencin est sans doute une femme «de sens et d'esprit profond» (Marmontel). Sa carrière n'en est pas moins celle d'une aventurière. Elle a commencé par être religieuse (chez les dominicaines), puis, ayant quitté son couvent, mais toujours en habit de moniale, est venue habiter chez sa sœur Angélique de Ferriol, femme très lancée et plutôt légère. Là elle rencontre beaucoup de monde, de préférence des hommes importants : le duc d'Orléans,

Dubois et Bolingbroke sont successivement ses amants. Les chansonniers font ce couplet :

> Bolingbroke es-tu possédé ?
> Quelle est ton idée chimérique
> De t'amuser à caresser
> La fille de saint Dominique ?

Puis elle rencontre le chevalier Destouches et tombe enceinte de ce
dernier. Elle quitte alors sa sœur et s'installe rue Saint-Honoré. C'est là
qu'elle accouche d'un enfant qui sera d'Alembert, et qu'elle abandonne.
Amante d'un jour de Law, elle a su profiter du Système, ayant fondé le
28 novembre 1719 une société bancaire et ouvert, rue Quincampoix, un
comptoir d'agio, qu'elle fermera à temps (sur le conseil d'Argenson) en
février 1720, juste avant la faillite et après avoir triplé sa fortune. Le
suicide, le 6 avril 1726, de La Fresnaye, son amant depuis quatre ans, la
compromet gravement. Le suicidé a laissé un testament dans lequel il
affirme que Mme de Tencin, responsable de sa ruine, menaçait de le faire
assassiner. Voilà la femme qui reçoit le Tout-Paris et qui règne sur les
lettres françaises.

Cependant les gens de lettres se retrouvent aussi dans les cafés. « Le
café, lit-on dans les *Lettres persanes*, est très en usage à Paris : il y a un
grand nombre de maisons publiques où on le distribue [...]. Dans
quelques-unes de ces maisons, on dit des nouvelles, dans d'autres on joue
aux échecs. Il y en a même où l'on apprête le café de telle manière qu'il
donne de l'esprit à ceux qui en prennent. » Le premier café parisien a été
celui de la veuve Laurent, rue Dauphine, ouvert en 1690. Ensuite, très
vite, ces établissements se sont multipliés. Mais tous ne sont pas littéraires. Il faut aller au Procope et au Gradot ; c'est là que siègent les
grands esprits. Au Procope viennent Crébillon, Duclos, Carle Van Loo,
Boucher, Rameau et Piron. C'est le carrefour des lettres. Piron y siège en
roi. C'est à qui aura un coin de sa table, un trait de son génie. Situé rue
des Fossés-Saint-Germain, en face du Théâtre-Français, le Procope est
aussi le café des acteurs. Compagnie différente au Gradot : d'abord le
grand habitué, le roi du café, Houdar de La Motte qui, perclus des
jambes, s'y fait porter en chaise tous les jours « pour se distraire de ses
maux dans la conversation de plusieurs savants ou gens de lettres qui s'y
rendaient à certaines heures ». Ensuite les habitués, l'économiste Melon
et le physicien Maupertuis étant les plus assidus.

Les cafés sont les clubs des Français. Mais Paris a aussi son club. De
1720 à 1731, le club de l'Entresol, société restreinte et fermée, se réunit
dans l'hôtel du président Hénault, place Vendôme. On y débat de sujets
politiques et philosophiques. Montesquieu y paraît. L'abbé de Saint-
Pierre y fait lecture de son *Projet de paix perpétuelle*.

Les loges maçonniques sont très différentes, car ce sont des sociétés secrètes où l'on entre par initiation et dont les membres sont réunis par le même idéal philosophique.

On ne connaît pas encore très bien l'histoire de la première implantation maçonnique en France. L'aînée des loges françaises serait celle de Dunkerque fondée le 13 octobre 1721. Auraient été fondées ensuite les loges parisiennes de Saint-Thomas (1726) et du Louis-d'Argent et de Saint-Pierre et Saint-Paul (1729). La seconde loge de province aurait été la loge anglaise de Bordeaux (1732) et la troisième, la Parfaite Union de Valenciennes (1733). En 1743, la franc-maçonnerie est implantée dans une quinzaine de villes, sans compter Paris où dix loges sont recensées.

Mais que pensent ces premiers francs-maçons ? Quelles sont leur religion, leur philosophie, leur pensée politique ? Nous ne sommes guère renseignés. Nous ne savons presque rien de l'idéologie du mouvement maçonnique français à ses débuts. Nous savons seulement qu'à l'origine trois influences se sont exercées : l'influence des exilés jacobites, celle de la Grande Loge de Londres (hanovrienne) et celle du chevalier Ramsay. Les premières loges françaises furent fondées par les exilés jacobites. Puis la Grande Loge de Londres, désireuse de ruiner le crédit jacobite, fit de grands efforts pour s'implanter en France. D'abord elle initia les Français de passage. C'est ainsi, par exemple, que le 16 mai 1730 trois voyageurs de marque, MM. de Gouffier, de Sade et le président de Montesquieu, furent reçus « membres de l'ancienne et honorable société des francs-maçons ». Ensuite, les dignitaires de la Grande Loge vinrent à Paris, afin de stimuler le zèle des frères français. Le 20 septembre 1735, le duc de Richemond et le docteur Désaguliers, anciens grands maîtres, et mandatés expressément par le grand maître, convoquèrent une loge en l'hôtel de Bussy, rue de Bussy. Furent reçus dans l'Ordre à cette occasion plusieurs hauts personnages français et anglais, et, parmi les Français, le comte de Saint-Florentin, secrétaire d'État. Le chevalier de Ramsay intervint dans ces années-là. Lui aurait voulu créer une franc-maçonnerie bourbonienne, placée sous la protection du roi de France, comme la franc-maçonnerie anglaise l'était sous celle du roi d'Angleterre. Le 20 mars 1737, il écrit dans ce sens au cardinal de Fleury : « Daignez Monseigneur soutenir la société des francs-maçons dans les grandes vues qu'elle se propose [...]. » Mais il n'y a pas de réponse. La maçonnerie ne sera pas comme en Angleterre un ordre royal. Cependant, bien que société secrète et d'inspiration protestante, elle n'est pas persécutée par les pouvoirs publics. Certes on s'en défie. Le 1er août 1737, au vu de pièces saisies par le lieutenant de police Hérault, l'assemblée de police de Paris examine le cas de « la Société sous le nom de francs-maçons qui doivent être défendus en ne traitant cependant la chose trop sérieusement ». Mais l'élection, en 1738, aux fonctions de grand maître de la nouvelle Grande Loge de France d'un très grand seigneur, très proche du roi, le duc d'Antin, est de nature à rassurer les autorités. Un autre puissant personnage, le comte de Clermont, prince du sang, lui succédera en 1743. Ce ne pourra être qu'avec l'agrément au moins tacite du souverain.

Pourtant la maçonnerie, d'une certaine manière, est subversive. Les maçons répandent en France les idées libérales et parlementaires anglaises absolument contraires à l'idéal monarchique français. Par ailleurs, cette société secrète est suspecte à l'Église et, le 4 mai 1738, le pape Clément XII interdit aux prêtres et aux fidèles d'en faire partie sous peine d'excommunication. Le secret n'est pas seul en cause. Tous les maçons de toutes tendances professent le déisme. Tous se réfèrent aux écrits et aux enseignements du révérend Jean-Théophile Désaguliers, déiste notoire et rédacteur des *Constitutions des francs-maçons* (1723), bible de l'organisation. Ce Désaguliers est un huguenot rochelais, émigré tout enfant en Angleterre avec sa famille au moment de la Révocation. Ancien étudiant d'Oxford, théologien et physicien, admirateur inconditionnel de Newton, il enseigne une sorte de déisme naturaliste : inutile de raisonner, admirons la Nature, preuve évidente et suffisante de l'existence d'un Dieu. D'un Dieu qui est peut-être celui de la Bible, mais qui ne l'est pas forcément, qui est surtout « le grand architecte et ordonnateur du monde ». Dans cette conception, la Révélation n'est pas rejetée *a priori*, mais elle apparaît comme un accessoire et même, à la limite, comme quelque chose de superfétatoire.

Loges, salons, cafés, académies, les sociétés de gens d'esprit abondent. On est étonné qu'il n'en soit pas de même des journaux. En effet les titres sont très peu nombreux : avec *La Gazette*, le *Mercure*, *Le Journal des savants* et les *Mémoires pour l'histoire des sciences et des beaux-arts* dits le *Journal de Trévoux*, on a les quatre principaux. *Le Spectateur français* de Marivaux et le *Pour et Contre* de Prévost n'ont pas duré longtemps. On trouve aussi les gazettes de Hollande et les *Nouvelles ecclésiastiques*, mais il s'agit là d'organes clandestins ou entrés en fraude, et dont la diffusion est en principe interdite.

La Gazette (fondée en 1621) et le *Mercure* sont ce qu'on pourrait appeler des périodiques d'information, paraissant le premier chaque semaine, le second tous les mois. Les informations de tous ordres (politiques, religieuses, littéraires et scientifiques) s'étendent à l'Europe entière. Dans chaque numéro sont publiées des dépêches de presque toutes les capitales européennes et principalement de Rome, Venise, Madrid, Vienne, Londres, La Haye et Varsovie. C'est la politique (faits et gestes des princes, nouvelles des cours, négociations diplomatiques, détail des opérations militaires) qui intéresse le plus les lecteurs. Toutefois le *Mercure*, appelé d'abord *Mercure galant*, puis *Mercure de France* depuis 1724, fait davantage de place aux arts et aux lettres et publie des essais et des pièces de vers.

Le Journal des savants et les *Mémoires pour l'histoire des sciences et des beaux-arts* sont des publications savantes. La seconde paraît tous les mois. La première tous les quinze jours ou tous les mois selon les moments. *Le Journal des savants* aurait dû normalement ne pas avoir de concurrent, ayant reçu du roi lors de sa fondation (en 1665) le monopole du genre. Mais les auteurs du *Journal de Trévoux* (fondé en 1701) contournèrent la difficulté en publiant leur journal dans la principauté de la Dombes (capitale Trévoux) où le monopole n'était pas en vigueur, mais qui faisait partie du royaume et dont un prince français (le duc du Maine) était le souverain.

Ces deux périodiques ont le même principe : fournir à leurs lecteurs des comptes rendus bibliographiques. En somme il s'agit de bulletins critiques. Toutefois on y trouve aussi à l'occasion quelques dissertations rédigées par les auteurs du journal ou par les savants de l'époque, et des nouvelles de la république des lettres, par exemple les rééditions d'ouvrages rares, les concours académiques ou les observations astronomiques. Ici également les perspectives sont européennes : c'est toute l'activité scientifique et littéraire de l'Europe qui est prise en compte. Quant à l'esprit des rédacteurs, il est d'ordinaire très éclectique. Cependant les jésuites du *Journal de Trévoux*, tout en fournissant avec l'impartialité requise des recensions de tous les ouvrages récents, prétendent aussi ne pas rester neutres en matière de religion et défendre le christianisme contre ses détracteurs.

Le mieux est d'ouvrir l'une de ces livraisons. Prenons par exemple le numéro de février 1728 du *Journal de Trévoux*. C'est un volume de cent soixante-quatorze pages de tout petit format (14,5 cm), contenant neuf recensions d'ouvrages fort détaillées allant de dix à quarante pages, les annonces de réédition de trente et un ouvrages en France et dans les autres pays d'Europe, et diverses nouvelles de la république des lettres, par exemple la mort, le 26 juillet 1727, à l'âge de quarante-huit ans, à Goerlitz (Allemagne), d'un M. Jean Milich « qui a légué à cette ville une bibliothèque si riche en livres d'histoire » (p. 364), ou la découverte en 1724 au village de Cloden (Suisse) de « quelques monuments antiques » parmi lesquels « des pierres d'une matière fort déliée avec des noms de légion » ou encore les dates et heures d'immersion et d'émersion des satellites de Jupiter pour le mois suivant (p. 360-361).

Le seul choix des ouvrages recensés constitue déjà une indication précieuse sur les centres d'intérêt et sur les curiosités du public cultivé de l'époque. Il y a d'ailleurs une évolution. En 1728, l'histoire, la religion et les humanités sont dans cet ordre les matières les mieux représentées. En 1742, à la fin de notre période, l'histoire vient toujours au premier rang, mais, au deuxième et au troisième, les sciences exactes et les sciences naturelles remplacent la religion et les humanités.

L'existence de ces journaux de critique représente incontestablement un bienfait pour l'érudition et pour la recherche scientifique. C'est un facteur de progrès, une garantie de sérieux. Les érudits et les chercheurs savent qu'ils seront passés au crible par des censeurs exigeants. Leurs travaux ne peuvent qu'y gagner. Et malheur à celui qui bravera les censeurs ! Un pauvre religieux, natif du Gévaudan, ayant commis un gros livre d'histoire sur son pays natal, tout fier de son savoir et mû par un zèle naïf d'érudit local, avait écrit dans sa préface « qu'il ne craignait aucune censure solide ». Fâcheuse imprudence. Le *Journal de Trévoux* releva le défi. Le malheureux fut taillé en pièces. Sa témérité lui valut trente-cinq pages d'un abattage impitoyable, qui n'épargnait rien de son prétendu savoir.

La critique éclaire le public et corrige les auteurs, mais elle n'est pas exempte de défauts : elle est trop souvent anonyme et abusive. Elle est un des nouveaux pouvoirs qui contribuent à forger l'opinion publique, et ce pouvoir est despotique. Mais on le juge utile. Car il y a de plus en plus de livres et de plus en plus de lecteurs.

Cette période représente en effet une étape décisive de la progression du livre. Dans les dernières années du règne de Louis XIV, la moyenne annuelle du nombre des livres publiés était de deux cents. Au milieu du siècle, elle est passée à trois cents[1].

La progression du nombre des possesseurs de livres paraît être plus spectaculaire encore. Nous n'avons qu'une indication mais significative. Il s'agit d'une étude sur les villes de l'Ouest et d'après les inventaires après décès. Selon ce travail, le pourcentage de possesseurs de livres, par rapport au nombre des inventaires, passe d'un quart à un tiers entre 1700 et 1730 pour demeurer stable ensuite jusqu'en 1789[2]. Bien sûr, il s'agit des villes et non des campagnes, et de l'Ouest seulement, mais enfin l'échantillon est important. Est-il représentatif de l'ensemble du royaume ? Ce n'est pas certain, mais, dans l'affirmative, il faudrait réviser la chronologie des Lumières. On devrait alors admettre en effet que les progrès décisifs de la culture livresque dans la population se sont réalisés au début du siècle et non au temps de l'*Encyclopédie* et des Grandes Lumières.

Dans ces mêmes villes de l'Ouest, toujours d'après la même étude, la noblesse d'épée est la catégorie sociale où le nombre de possesseurs de livres augmente le plus. A la fin du siècle précédent, les nobles n'avaient que peu ou pas de livres. En 1730, quatre-vingts pour cent en ont, et un sur quatre en possède plus de cent. Les gentilshommes deviennent liseurs. C'est une conversion. Désormais, pour eux, les idées vont compter tout autant que les actions[3]. Le nombre des possesseurs de livres

1. Robert Estivals, *La Statistique bibliographique de la France sous la monarchie au* XVIIIe *siècle*, Paris-La Haye, Mouton et Cie, 1955, 459 pages, p. 410.
2. Jean Quéniart, *Culture et société urbaine dans la France de l'ouest au* XVIIIe *siècle, op. cit.*, p. 550.
3. *Ibid.*, t. II, p. 663.

croît également, mais dans une moindre proportion, chez les clercs et gens de commerce.

Il y aurait donc à cette époque dans la société française — tout au moins dans l'ouest du royaume —, un nombre non négligeable de convertis, de néophytes du livre, de gens qui autrefois n'avaient pas de livres, qui ne savaient même pas ce que c'était, et qui tout à coup se mettent à en acheter et à se constituer des bibliothèques. Or les convertis, les néophytes, tout le monde le sait, y croient plus que les autres ; ils ne font pas le détail, ils s'engagent tout entiers. Si donc néophytes du livre il y a, le livre ne peut qu'en retirer un surcroît de prestige et les idées qu'il porte une garantie supplémentaire de crédibilité : c'est écrit, donc c'est vrai. Les Lumières vont bénéficier de cette nouvelle réserve de lecteurs passionnés.

Pour l'instant c'est l'histoire qui intéresse le plus. A la fin du règne de Louis XIV, toujours dans cette même région de l'Ouest, on lisait surtout de la religion. Quarante pour cent des ouvrages recensés dans les inventaires étaient de religion. Venaient ensuite, par ordre d'importance, le droit, les belles-lettres, l'histoire, les sciences et les techniques. Trente ans plus tard — c'est la modification majeure — l'histoire a conquis la première place et détrône la religion. Les rayons des bibliothèques — en particulier celles des nobles d'épée ou de robe — se garnissent de livres d'histoire. François de la Vau, écuyer, auditeur de la chambre des comptes de Nantes, possède une bibliothèque modeste de cinquante livres à peine, mais l'histoire y est majoritaire avec les ouvrages de Boulainvilliers, l'*Histoire de la France* de Mézeray et les trois historiens antiques, Tacite, Plutarque et Velleius Paterculus. Conseiller honoraire au présidial d'Angers, François Grandet, dans une bibliothèque tout aussi modeste, possède lui aussi le Mézeray. Il a également une *Histoire du gouvernement de Venise* et des *Relations d'Espagne*[1].

Dans les campagnes, à cause des progrès de l'alphabétisation, les paysans possesseurs de livres ne sont plus des exceptions. La littérature de colportage où ils se fournissent est traditionnellement composée d'almanachs, d'ouvrages de civilité et d'instruction populaire. Or cette littérature ne dépérit pas, ne se sclérose pas. Les livres anciens sont réimprimés, des livres nouveaux sont publiés, ce qui prouve que la clientèle se maintient et que les genres traditionnels sont toujours aussi prisés. Par exemple, on réimprime toujours le vieux *Compost* ou *Calendrier des bergers*. On réédite cinq fois (la dernière fois en 1751) le *Tableau de l'amour conjugal*, qui date de 1686, et au moins dix fois le *Livre des comptes faits*, premier manuel de comptabilité, publié par François Barrême en 1689. Parmi les titres nouveaux, notons l'*Histoire des imaginations extravagantes de M. Oufle*, de l'abbé Bordelon (1712), recueil de

---

1. Jean Quéniart, *Culture et société urbaine dans la France de l'ouest au XVIIIe siècle*, *op. cit.*, p. 665-667.

recettes de magie blanche, le *Catéchisme à l'usage des grandes filles pour être mariées, augmenté de la manière d'attirer les amants* (1715), ouvrage anonyme qui, malgré son intitulé, n'a rien de déshonnête, et *La Vie et les aventures galantes et divertissantes du duc de Roquelaure* (1727), livre de facéties et de bons mots. Ce que l'on cherche surtout dans la lecture, c'est à se divertir et à s'amuser[1].

Les livres paraissent et circulent plus librement que jadis. La censure royale s'est assouplie. Sous Louis XIV, il n'y avait que deux catégories de livres, les bons et les mauvais, les bons publiés «avec privilège du roi», les mauvais interdits de publication. Le privilège signifiait que le livre avait été jugé orthodoxe du point de vue de la religion et des bonnes mœurs. Tout livre autorisé était «privilégié». Tout livre jugé dangereux était interdit de publication. Il n'y avait pas de milieu. Or, en 1718, se produit un grand changement. Une catégorie intermédiaire apparaît. Ce sont les livres dits «à permission tacite», c'est-à-dire sans privilège, mais autorisés de façon officieuse, ou plutôt tolérés parce qu'on n'a pas la détermination de les interdire, livres plus ou moins hétérodoxes, de critique indirecte ou dissimulée de l'ordre établi. Ces permissions sont accordées par le directeur de la librairie, au nom du chancelier, lui-même commis par le roi. Elles sont données honteusement : pour sauver les apparences, elles sont déposées à la chambre syndicale sous le nom de «permissions pour le débit des ouvrages "étrangers"». Cela prouve que le pouvoir royal sait très bien ce que sont ces livres. Alors pourquoi les laisse-t-il passer ? Peut-être par manque de courage, plus sûrement par manque de conviction : le haut personnel politique croit-il encore à l'orthodoxie ? Il y a aussi l'impossibilité pratique. L'abbé Bignon et le comte d'Argenson exercent successivement les fonctions de directeur de la librairie : peuvent-ils interdire des ouvrages dont ils rencontrent tous les jours les auteurs dans les salons et dans les académies, et dont ils partagent les idées ? D'ailleurs, s'ils n'étaient pas complices, ils seraient débordés. Les ouvrages dangereux ne sont plus une petite minorité. La production littéraire tout entière est gangrenée. S'il fallait interdire tout ce qui est hétérodoxe, à part la religion (encore faudrait-il exclure les livres jansénistes), quels ouvrages subsisteraient ?

Les arts

Le milieu artistique n'est pas le même que celui des lettres. Écrire est à la portée de beaucoup de gens. Peindre et sculpter sont des métiers que l'on acquiert par l'apprentissage et dont le savoir et les secrets se transmettent de père en fils. La plupart des peintres et des sculpteurs sont fils

1. Charles Nisard, *Histoire des livres populaires ou de la littérature de colportage depuis l'origine de l'imprimerie jusqu'à l'établissement de la commission d'examen des livres de colportage*, Paris, 1864, 2 vol. in-12, chap. II et III.

d'artistes (par exemple, les frères Coypel, les frères Slodtz, les frères Adam, les frères Van Loo et Edme Bouchardon). Et ceux qui ne le sont pas ont au moins une hérédité de métier mécanique, d'où leur viennent le goût de l'ouvrage bien fait, ainsi qu'une certaine disposition à la patience.

Seulement le talent ne suffit pas. Il faut le faire reconnaître. Il faut encore qu'il soit protégé et encouragé de manière à garder sa liberté, sans être asservi ni à la mode, ni aux goûts les plus vulgaires du public. L'épanouissement des arts est à ce prix. Mais cela est difficile à réaliser. Il y a différentes solutions, mais aucune n'est parfaite, bien que certaines soient plus ingénieuses et efficaces, par exemple celle du double mécénat de la monarchie. Le roi de France en effet exerce un mécénat direct par ses commandes, et un mécénat indirect par l'intermédiaire de l'Académie royale de peinture et de sculpture fondée en 1648. Cette institution — essentielle à la vie artistique — dispose des locaux du Louvre et, en particulier, du salon Carré, où elle présente chaque année depuis 1737 une exposition des meilleurs tableaux de l'année. Elle est à la fois une école, un jury et une société : école donnant des cours du soir aux jeunes artistes, jury instituant des concours, distribuant des prix et envoyant les lauréats compléter leur formation à l'Académie de France à Rome, enfin société prestigieuse admettant en son sein les artistes reconnus par elle pour les plus grands. Les nouveaux académiciens présentent une œuvre de réception et deviennent professeurs des jeunes artistes. La consécration suprême est le titre de directeur de l'Académie.

L'Académie est la mère et la préceptrice. Elle est la protectrice indispensable. Sans elle nul ne peut arriver, nul ne peut devenir célèbre. On peut se passer d'elle pour apprendre (c'est le cas de Chardin et de Watteau), mais non pour se faire connaître. Tous les artistes fameux (y compris Chardin et Watteau, ces deux grands indépendants) sont de l'Académie, et presque toutes les carrières sont entièrement académiques. Voici, à titre d'exemple, celle de Carle Van Loo : prix de Rome en 1724, séjour à l'Académie de France à Rome, reçu à l'Académie en 1735 ; professeur la même année, nommé en 1749 directeur de l'École des élèves protégés et, en 1762, premier peintre du roi aux appointements de six mille livres par an, mort en 1764 directeur de l'Académie.

La tutelle de l'Académie est dans l'ensemble bienfaisante, parce qu'elle permet aux artistes de se former et de se faire un nom. Mais il est légitime de se demander si elle n'a pas quelquefois entravé la liberté des artistes. A première vue il ne semble pas. L'Académie n'impose ni un genre ni un style mais les favorise tous. Dans ses attributions de prix, dans les élections de ses membres, elle ne manifeste d'ordinaire qu'impartialité et éclectisme.

Pour la peinture, les genres les plus en vogue étaient au siècle précédent la peinture mythologique et le tableau religieux. La peinture mythologique demeure importante, car elle est un moyen d'exprimer les passions humaines et les mystères de la vie et de la nature. C'est la peinture académique par excellence, le morceau de réception représentant presque toujours une scène de la vie des dieux ou des héros : Coypel donne *Jason et Médée* en 1715, Le Moyne, *Hercule tuant Cacus* en 1717, Van Loo *Apollon faisant écorcher Marsyas* en 1735. Toutefois cette peinture mythologique a perdu la noblesse et la dignité qui la caractérisaient jadis. Elle tend à devenir galante et parfois même érotique.

De même le tableau religieux n'est plus ce qu'il était. Il y a beaucoup d'œuvres, mais peu qui soient grandes. Ne méritent une mention que la *Transfiguration* de Le Moyne à l'église Saint-Thomas-d'Aquin à Paris, et *L'Extase de saint Benoît* de Jean Restout, ouvrage dans la tradition puriste de Philippe de Champaigne, avec un petit nombre de personnages vivant intensément dans un espace vide.

Le portrait est plaisant, mais n'atteint pas le grand art. Signalons seulement, de Jean Marc Nattier, la *Duchesse d'Orléans en Hébé*. Lors de son séjour à Paris en 1720-1721, le peintre vénitien Rosalba Carriera crée la mode des pastels de têtes.

C'est dans la peinture dite de genre que l'époque réussit le mieux. Il s'agit de scènes d'intérieur, de repas, de boutique, avec un petit nombre de personnages, dans l'intimité de la famille et de la maison, et c'est là, dans ce mode d'expression peut-être mineur, mais si favorable à la représentation de la vie, que se révèle le génie du temps. Voyez *Le Bénédicité* de Chardin, l'*Enseigne de Gersaint* de Watteau et *Le Déjeuner de jambon* de Lancret. La vie quotidienne entre dans la peinture.

Et la nature y revient. Watteau aime les arbres et les animaux, et ses « fêtes galantes » sont sur fond de bosquets et d'eaux courantes. Le Moyne conseille aux jeunes peintres d'aller dans la campagne « puiser les beaux effets que produisent les saisons différentes ». Presque tous les peintres de l'époque, mais en particulier J.-B. Oudry, C. Van Loo, De Troy, Lancret et Pater, s'essaient dans les scènes de chasse.

Tels sont les meilleurs genres. Venons-en maintenant aux meilleurs peintres. Ils s'appellent Watteau, Le Moyne et Chardin.

Le génie de Watteau est fécond : deux cents tableaux en quinze ans (il meurt à trente-sept ans, comme Raphaël) et dans tous les genres : scènes d'intérieur (*Enseigne de Gersaint*), de la vie militaire (*Les Fatigues et les Délassements de la guerre*), mythologie (*Jupiter et Antiope*), tableaux à figures (*L'Indifférent*), scènes de théâtre (*Les Comédiens français*) et fêtes galantes ou assemblées d'amour. Mais ces trois derniers genres ont sa prédilection. Le monde où il se plaît est un monde imaginaire. C'est celui du théâtre avec ses personnages qui n'existent qu'un moment. C'est le « vert paradis » des fêtes galantes, réunions idéalisées dans un décor de parc de plusieurs groupes d'amoureux, univers magique, irréelle harmonie, bonheur rêvé, fragile, vision qui va s'effacer. Watteau demeure mystérieux.

Le Moyne est beaucoup plus facile à comprendre. Il fabrique de la très bonne peinture mais positive et qui exprime clairement ce qu'elle veut dire. D'abord sa carrière est toute classique : premier prix de peinture en 1711, puis académicien, adjoint à professeur, professeur et pour finir premier peintre du roi. Ensuite c'est le peintre officiel. A lui les plus grandes commandes du temps : la décoration de Saint-Sulpice et le salon d'Hercule à Versailles. Cependant les deux peintures illustrant le mieux son génie sont *Aurora et Cephalus* et *Louis XV donnant la paix à l'Europe*. La première exprime l'amour sensuel : Aurora voudrait captiver Cephalus. Pressée contre lui, elle sourit d'un sourire prometteur, l'invitant à l'aimer. La seconde est une composition politique dans la tradition de Lebrun, mais on n'y sent pas moins l'amour de la vie. La magnificence royale est moins célébrée que le bonheur qu'elle procure. Une jeune mère allaitant deux poupons gracieux est l'une des images de ce bonheur. L'œil est ravi par des rouges et des bleus chatoyants. Le triomphe de Le Moyne, ce sont ses couleurs.

Le Moyne est normand, Watteau valenciennois, Chardin, lui, est parisien. Il est même le plus parisien de nos peintres : né à Paris, mort à Paris, toute sa vie à Paris, formé entièrement à Paris et pas de séjour à Rome. Son père, menuisier des Menus plaisirs du roi, avait sa maison et son atelier rue du Four. Il faisait des buffets, des tables à jeu, des billards, des fauteuils. Toute la famille participait à l'ouvrage. Le père et ses deux fils (dont notre futur peintre) rabotaient, chantournaient et chevillaient. La mère coupait le drap, les filles cousaient. La journée finie, on se groupait autour du souper. On se couchait à huit heures, on était levé à l'aube. Comme tous les intérieurs parisiens, celui-ci était rangé, économe, laborieux. Sauf pour affaires, on ne sortait jamais du quartier. Le dimanche on faisait toilette, on sortait les beaux habits : c'était la messe à Saint-Sulpice, le dîner copieux et les vêpres. S'il faisait beau, on allait prendre l'air au Pont-Neuf ou à la foire Saint-Sulpice. Et, le lendemain, on retournait au travail. C'est tout cela que Chardin mettra dans son œuvre, toute cette vie de labeur, de devoir et de modestie. Lui-même, d'ailleurs, ne vivra pas autrement : marié (à trente-deux ans) avec Marguerite Saintard, il s'établit rue du Four dans la maison paternelle. Il va vivre là des années, casanier, sortant peu, peignant à force avec pour seuls modèles les personnes aimées et les objets familiers : sa femme, sa fille, le bahut de famille, le dressoir, les cuivres, les gobelets.

Il est avant tout un observateur. Incapable de peindre d'imagination, il lui faut avoir continuellement sous les yeux l'objet qu'il veut imiter. Mais il observe avec respect, moins préoccupé des apparences que de l'âme des choses. Certains objets lui parlent plus que d'autres : tel gobelet qu'il aime figure dans plusieurs de ses tableaux. Il n'a jamais fini de le découvrir. Les personnes lui sont encore plus respectables. Il ne veut pas être indiscret, il ne veut pas les déranger ; on dirait même parfois qu'il s'excuse de les peindre. La *Dame cachetant une lettre*, la *Dame prenant du thé*, *Le Dessinateur*, *Le Bénédicité* et surtout *La Pourvoyeuse* témoignent de sa réserve.

Chardin ne cherche pas l'effet. Il ne cherche pas l'argent. Gersaint, le marchand, lui achète cent livres *L'Ouvrière en tapisserie* et le *Jeune Dessinateur*, deux chefs-d'œuvre. Il donne vingt-cinq livres pour le *Toton*, qui est aujourd'hui au Louvre. Ce qui intéresse Chardin, c'est le travail. Il travaille lentement, parce qu'il médite, parce qu'il malaxe sans cesse sa pâte, afin de lier les objets entre eux en accordant leurs teintes. S'il veut peindre un verre d'eau, un tablier bleu et du linge blanc, il met du rouge dans le verre, du rouge dans le tablier bleu et du bleu dans le linge blanc. Ainsi fait-il naître un monde harmonieux, chaleureux, réconfortant. Mais c'est au prix d'un long effort. Sa lenteur est proverbiale. On lui attribue deux mille tableaux. Il n'a certainement pas pu les peindre tous.

Formé en dehors de l'enseignement officiel, étranger à l'Italie et à l'Antiquité, n'ayant jamais peint un paysage ni une scène mythologique, Chardin est un original, un non-conformiste. Il n'en est pas moins reçu (le 25 septembre 1738) à l'Académie. Dans une place mineure, il est vrai, où il ne peut prétendre au professorat, celle de « peintre dans le talens des animaux et des fruits ». N'importe, l'Académie, en élisant Chardin, manifeste un bel éclectisme.

Le public en montre-t-il autant ? Ce n'est pas sûr. Chardin est goûté, recherché, mais il n'est pas apprécié à sa juste valeur. Car il est un étranger dans son temps. Son intelligence de la vie intérieure et sa capacité d'appréhender les formes substantielles font de lui un classique dans un siècle qui ne l'est plus.

Les talents de la sculpture ne sont pas aussi variés que ceux de la peinture. Prenons les plus grands sculpteurs de l'époque : Bouchardon, Lambert Sigisbert Adam, Michel-Ange Slodtz, Coustou. Ils ont tous la même formation académique. Ils sont tous allés à Rome. Ils y sont tous restés plusieurs années. Ce sont tous des baroques. Enfin ils travaillent tous dans les mêmes genres, la religion et la mythologie, les compositions religieuses pour les églises et les figures mythologiques pour l'ornement des jardins ou l'embellissement des villes. Bouchardon fait dix statues en pierre pour le chœur de Saint-Sulpice, et reçoit commande en 1739 d'une fontaine, rue de Grenelle.

Guillaume Coustou décore la chapelle de Versailles. Michel-Ange Slodtz fait le *Saint Bruno* de Saint-Pierre de Rome. On peut voir également de lui à Santa Maria de la Scala un bas-relief représentant l'*Extase de sainte Thérèse*. Adam, après avoir remporté le concours de la fontaine de Trevi (qu'il n'exécutera pas), taille pour le duc d'Orléans les fleuves colossaux de la cascade de Saint-Cloud et pour le roi le groupe central du bassin de Neptune à Versailles. Ce groupe est un chef-d'œuvre. On y voit le dieu Neptune et son épouse Amphitrite, fille de l'Océan. Ils sont assis dans une immense conque de style rocaille que supportent des animaux marins et qui semble courir sur les eaux. De leurs bras tendus ils commandent à la mer et aux monstres qui l'habitent.

Une autre œuvre de l'époque atteint ce même degré de perfection : *Les Chevaux du Soleil*, composition de Le Lorrain, haut-relief sculpté au-dessus de la porte des écuries de Rohan à Paris. Les bustes frémissants des quatre chevaux d'Apollon jaillissent d'une nuée glorieuse. Deux hommes sont représentés au premier plan dans des occupations différentes. Le premier arrête l'un des coursiers. Le second présente au cheval du milieu une vasque remplie d'eau, et celui-ci détournant un instant la tête, mais s'arrêtant à peine, vient y boire. L'élan de ces chevaux et l'impétueuse autorité de Neptune au parc de Versailles sont les dernières apothéoses du baroque.

L'architecture est privatisée. Ce n'est plus le roi, mais les grands seigneurs et les financiers qui donnent l'impulsion à cet art. Paris et toutes les grandes villes s'ornent d'une floraison d'hôtels particuliers, demeures charmantes à la décoration raffinée. Claude Mollet fait l'hôtel d'Humières et celui d'Évreux (l'actuel palais de l'Élysée), Jean Courtonne l'hôtel Matignon, Aubert l'hôtel Biron (actuel musée Rodin), Robert de Cotte l'hôtel du Maine. Dans la décoration intérieure triomphent les lignes courbes du rococo. Les meilleures illustrations de ce style restent les deux salons ovales de l'hôtel de Soubise, que l'on doit à Boffrand : tout s'y soumet au rythme des courbes.

C'est aussi une belle époque pour l'architecture religieuse et surtout pour l'architecture monastique. Les congrégations monastiques réformées ont entrepris depuis 1680 environ la reconstruction de leurs monastères et ce travail se poursuit activement. Le plus bel exemple de ces nouvelles abbayes baroques est le logis abbatial du Bec-Hellouin, construit de 1732 à 1735. Dans ce temps de sécurité et d'enrichissement, nombreuses sont les paroisses de ville et de campagne qui trouvent le moyen de refaire leurs églises. La primatiale de Nancy et Saint-Roch de Paris, œuvre de Robert de Cotte (achevée en 1740) sont parmi les meilleurs modèles de cette architecture religieuse Louis XV.

Cent mécènes choient la musique. De grands seigneurs, comme le prince de Conti et le duc de Gramont, entretiennent des orchestres et des chapelles. Des fermiers généraux, comme La Pouplinière, paient des maîtres de musique. Par ailleurs les concerts publics se multiplient. Il y en a dans toutes les villes. Les gazettes les annoncent. Le concert de Lille est l'un des plus cotés. A Paris, en 1725, Philidor crée les concerts spirituels, c'est-à-dire de musique religieuse, où alternent œuvres instrumentales et œuvres vocales. Ces manifestations, au nombre de trente-deux chaque année, ont lieu en carême, temps de fermeture des théâtres. La salle des Suisses aux Tuileries en est le cadre. Est-ce le déclin de la primauté de Versailles ? En aucune façon. La Chapelle royale et la Chambre sont encore les plus grandes institutions musicales, et les plus grands musiciens du temps s'honorent d'y exercer leurs talents. Delalande est chef des chœurs de la Chapelle. Campra en dirige l'orchestre et Couperin tient l'orgue. Rameau a le titre de compositeur de la Chambre. Il n'empêche que Versailles n'est plus le seul lieu de consécration du talent.

La musique instrumentale évolue. Tandis que la musique d'orgue, après la mort de François Couperin (1733), tombe dans la médiocrité, l'art du clavecin est renouvelé par Rameau. Mais la plus grande nouveauté du temps est l'essor des instruments à corde grâce à la vogue soudaine de la sonate et du concerto à l'italienne. Jusqu'alors les violons étaient employés en groupes. Mais, Couperin ayant découvert en Italie la sonate à trois, une musique de solistes succède à la musique symphonique. Les deux parties supérieures, confiées à des violons solistes, dialoguent, soutenues par une basse continue. La splendide série de concertos de J.-M. Leclair, violoniste et compositeur, illustre le nouveau genre.

Après la disparition de Lulli, l'art dramatique avait faibli. Rameau, qui entame à l'âge de cinquante ans (en 1733) une étonnante carrière de compositeur d'opéras, lui redonne vie. Chacune de ses productions est un chef-d'œuvre. Mais deux surpassent toutes les autres : *Les Indes galantes*, et *Castor et Pollux*. Plus modeste, mais non dénué de charme, est le genre nouveau de l'opéra-comique, spectacle populaire donné à la foire Saint-Germain ou à la foire Saint-Laurent, avec des tréteaux, des arlequinades et des satires improvisées. C'est une parodie de l'opéra. Par exemple *Les Amours des Indes* (1735) parodient *Les Indes galantes*.

Composé sur les paroles du psalmiste, exécuté à la Chapelle pendant la messe du roi ou dans les concerts spirituels, le « grand motet », genre mixte, instrumental et vocal, est toujours très en faveur. Les plus grands artistes s'honorent de s'y adonner. Citons entre autres Delalande, Campra et Mondonville.

Enfin la musique populaire des chansons appelées « burettes », « vaudevilles », « pastorales » ou « airs tendres » n'a jamais été si vivante. Tout le monde en compose, toutes les gazettes en publient. On s'arrache le recueil publié en 1727, intitulé *La Clef des chansonniers ou Recueil des vaudevilles depuis cent ans*. Ce recueil contient plus de trois cents chansons, dont un grand nombre font l'éloge du vin.

Tels sont les genres. Si l'on veut maintenant désigner les ouvrages les plus achevés, il n'y a pas à hésiter. Ce sont les opéras de Rameau et les grands motets de Mondonville.

Œuvres grandioses que ces opéras où le compositeur groupe autour du clavecin plus de cinquante instruments et, grâce à ses ressources orchestrales, crée des mélodies descriptives. La viole et le violoncelle initient les tempêtes, la flûte le chant des oiseaux, la trompette évoque les batailles et les triomphes. Car il importe davantage de décrire les beautés de la vie, plutôt que les ardeurs des passions.

A cet égard Mondonville ressemble à Rameau. Car son art est aussi un art descriptif. Par exemple, dans son *Dominus regnavit*, afin de commenter les paroles «*Elevarunt flumina*», qui évoquent le grondement des fleuves, il déchaîne une tempête vocale et instrumentale : des vocalises rapides expriment le mouvement des eaux et l'orchestre, par ses batteries à la basse et par ses traits composés de notes répétées, imite le grondement sourd et les bourrasques de l'ouragan. Chez les deux plus grands musiciens du temps, l'art s'efforce d'imiter la nature.

Chapitre premier

LA ROYAUTÉ DE LA MORT DE FLEURY
A LA MORT DE MME DE POMPADOUR
(1743-1764)

Cette période de vingt années est celle de la maturité du roi. Ayant perdu son ancien précepteur, il gouverne enfin par lui-même. La première décennie est heureuse. La popularité de Louis XV après sa maladie à Metz en 1744, la victoire de Fontenoy en 1745 et la naissance des enfants du Dauphin, tous ces événements semblent être des gages de réussite et de prospérité. Après 1750, la fortune tourne. C'est d'abord le conflit très dur avec les parlements, puis l'attentat de Damiens en 1757, avec la même année, la défaite de Rossbach, enfin le traité de Paris (1763) et la perte de la Nouvelle-France et de l'Inde. Ces vingt années sont aussi le temps de la Pompadour, devenue la maîtresse du roi en février 1745, et morte le 15 avril 1764, après avoir régné véritablement sur Louis XV et sur la royauté.

LE ROI ET LA VIE ROYALE

Portrait du roi

Passé la trentaine, Louis XV s'est virilisé. Le pastel de Quentin de La Tour qui peint le roi à trente-huit ans nous montre un homme aux traits accusés, de belle contenance et d'allure gracieuse. Un léger sourire éclaire ce visage. Le roi plaît et sait qu'il plaît. Mais il impressionne aussi par « un air de grandeur fort remarquable ». Naturellement timide, il a maîtrisé sa timidité, de telle manière que ses gestes et ses attitudes ne trahissent plus en rien ce défaut. Reste la parole. Devant de grandes assemblées, le roi demeure laconique. En revanche, dans le cercle de ses intimes, il parle volontiers et de la manière la plus aimable. Il sait à l'occasion charmer ses interlocuteurs. Ceux qui l'approchent à ses soupers ou à ses chasses ne connaissent pas d'homme de meilleure compagnie. A la fois spirituel et discret, gai et réservé, simple mais grand, l'homme paraît la perfection même. « Le souverain était gai », témoigne le duc de Croÿ, familier des soupers, « à son aise, mais toujours avec une grandeur qui ne se laissait pas oublier ; il ne paraissait pas du tout timide [...] parlant très bien, beaucoup, et sachant se divertir [...][1] ». Barbier aussi a noté la gaieté du roi. C'était en mai 1744, sur le front à l'armée des Flandres : « On ne parle ici, écrivait-il, que des actions du roi, qui est d'une gaieté extraordinaire, qui a visité les places [...] les hôpitaux, les magasins[2]. » Avec les années, la gaieté s'en ira peu à peu. Il y aura d'abord de brefs accès de tristesse. Puis, à partir des années 1749-1750, ces crises deviendront de plus en plus fréquentes, et le roi aura souvent l'humeur noire. D'Argenson — mais ce n'est pas toujours le meilleur juge — y voit l'effet d'un sentiment d'impuissance et d'échec. « On remarque, écrit-il en février 1749, que le roi tombe dans une entière mélancolie. [...] Il voit, il sent la misère de son peuple, et comment de mauvais choix de tous les côtés l'ont conduit à de très mauvais ministres[3]. » Après l'attentat de Damiens (5 janvier 1757), Louis XV, très impressionné, est l'objet d'obsessions morbides. Il parle de mort, de sa propre mort, il entretient son entourage de dissection et de détails d'anatomie. Craint-il alors d'avoir perdu l'amitié de son peuple ? Certains historiens le pensent.

Quelle que soit son humeur, une chose ne change pas chez lui : le rythme intensif de sa vie. Non seulement ses journées sont pleinement remplies — car il ne néglige aucune de ses obligations, ni le « travail », ni le Conseil, ni l'étude des dossiers, ni les audiences, ni l'inspection de ses troupes —, mais encore il les mène avec un train d'enfer. Il est toujours pressé. C'est ventre à terre que l'on part à la chasse et c'est de même qu'on en revient. Tout est ainsi. La Cour, les ministres, le service doivent suivre. Le cérémonial en souffre parfois. Les gens sérieux, les parlementaires entre autres, n'aiment pas cela. Par exemple, en mai 1744, le roi prévient le Parlement de son départ pour la guerre, alors qu'il est déjà sur le front. Si bien que l'honorable compagnie se trouve dans l'impossibilité de lui envoyer la députation d'usage en pareil cas, pour lui souhaiter bon voyage. Le voyage est déjà fait ! Écoutons Barbier :

> Ce matin, lundi 4 (mai), il y a eu au Parlement assemblée des chambres. La lettre du roi a embarrassé le Parlement. Il n'y a point d'exemple d'un cas pareil. Quand Louis XIV allait à l'armée, il écrivait trois jours auparavant au

---

1. Emmanuel, duc de Croÿ, *Journal inédit 1718-1784*, 4 vol., 1906-1907, t. I, 1906, p. 60.

2. Edmond Barbier, *Journal historique et anecdotique..., op. cit.*, t. III, p. 513.

3. *La France au milieu du XVIIIe siècle (1747-1757)*, d'après les *Mémoires et Journal inédit* du marquis d'Argenson, extraits publiés avec notice bibliographique, par Armand Brette et précédés d'une introduction par Edme Champion, Paris, 1898, p. 51.

Parlement, qui envoyait des députés pour lui souhaiter un heureux voyage. Mais ici le roi était près de Valenciennes, quand on a lu la lettre le lundi[1].

Une santé insolente permet de soutenir le train. La reine est souvent dolente, souffrant de rhumes, de rhumatismes et de fatigues diverses. Le roi, lui, à part quelques maux de dents, n'est jamais malade. Ou plutôt, il n'est malade qu'une seule fois. Mais, comme il ne fait rien à moitié, cette unique maladie manque de peu de le précipiter dans l'autre monde. Il s'agit de la fameuse maladie de Metz[2], qui souleva tant d'émotion dans tout le royaume. Là aussi tout est allé très vite. Le 7 août 1744, le roi tombe malade. Du 7 au 11, il est purgé et saigné trois fois. Du 11 au 14, il est mourant : «... il a été à l'extrémité, dit Barbier, et plus de cinq heures sans parole et sans connaissances.» La nuit du 14 au 15 on l'attend à mourir. Le 16 il est mieux. Le 19 il est sauvé. Le 20 il est guéri. Le 17 encore, Paris le croyait déjà mort, et les gens pleuraient dans les rues. Mais le mal impétueux est parti comme il était venu. Quel est ce mal ? Barbier le qualifie de « mal d'accident et de fatigue ». Il paraît que la veille on avait banqueté, bu et mangé plus que de raison, et même que d'autres excès auraient suivi. Cela suffit-il à expliquer une telle maladie ? On ne saura jamais.

Il est sûr que Louis XV ne mène pas une vie sage. Les maîtresses en titre se succèdent : Mme de Vintimille d'abord, ensuite Mme de La Tournelle, duchesse de Châteauroux, et puis Mme de Pompadour, et enfin, à partir de 1752, les «petites maîtresses», filles très jeunes et faciles logées dans la discrète garçonnière du parc aux cerfs[3]. Tout cela évidemment ne sied guère à un «Roi Très Chrétien». Sans parler de ses escapades nocturnes dans les bals publics. Par exemple, le dimanche 14 février 1745, le roi va s'amuser au bal du Petit Écu à Versailles. Il rentre à six heures du matin. Quand il découche ainsi, la fatigue paraît à peine. Il assiste à la messe, puis se met au lit et dort paisiblement jusqu'à cinq heures de l'après-midi. C'est ainsi que, le 26 février 1745, ayant passé la nuit tout entière à Paris, «il ne fit jour qu'à cinq heures [de l'après-midi] chez le roi[4]».

Une conduite aussi licencieuse n'empêche pas Louis XV de faire ouvertement profession de chrétien et même de «Roi Très Chrétien». Il assiste à la messe presque tous les jours, au salut une fois ou deux par semaine. Ce n'est pas de l'hypocrisie. L'explication est plus simple : il n'a pas perdu la foi, il tient à sa religion. Mais depuis 1739, il ne fait plus ses pâques. La raison de cette abstention ? Comment la connaître avec

1. Edmond Barbier, *Journal historique...*, *op. cit.*, t. III, p. 54.
2. On suivra le récit très circonstancié de Barbier.
3. Bonne mise au point sur ce sujet par Michel Antoine, «Les bâtards de Louis XV», dans *Le Dur Métier de roi, op. cit.*, p. 293-294.
4. Cité par P. de Nolhac, *Louis XV et Mme de Pompadour*, Paris, Calmann-Lévy, 1924, p. 55.

précision[1]? Nous savons seulement que les confesseurs de la période, le P. Pérusseau et le P. Desmarets sont l'un et l'autre des jésuites et donc, en principe, des juges compréhensifs, éloignés d'une trop grande rigueur. Mais on sait aussi que la morale chrétienne commune à cette époque ne badine pas avec le respect des sacrements. Tout pécheur d'habitude, même s'il manifeste à l'occasion du repentir, est exclu sans pitié de la communion. Qu'importe qu'il soit roi, il est traité comme les autres.

Les incidents de Metz illustrent bien cette sévérité. Le 13 août 1744, alors que Louis XV est au plus mal, son premier aumônier, Mgr de Fitz James, évêque de Soissons, force sa porte et lui fait faire une espèce d'amende honorable en public. Le roi demande pardon à Dieu et à ses peuples « des scandales qu'il avait donnés ». Il reconnaît qu'il est indigne de porter le nom de Roi Très Chrétien et de fils aîné de l'Église. Il promet enfin de renvoyer tout de suite de Metz sa maîtresse, la duchesse de Châteauroux, qui l'avait accompagné aux armées.

Scène fort édifiante et qui est applaudie par un grand nombre, comme un honneur rendu à la religion par la réparation publique d'un scandale public. Toutefois, même en se plaçant du point de vue de cette religion, il y a là quelque chose de gênant. Ce n'est pas l'humiliation qui est choquante, mais l'humiliation imposée sous peine de damnation. Certains contemporains jugèrent même la scène de Metz déshonorante pour la royauté. Ce fut l'avis du mémorialiste Barbier. « Pour moi, écrivit-il, je prends la liberté de regarder cette conduite très indécente et cette réparation publique et subite comme un scandale avéré. Il faut respecter la réputation d'un roi, et le laisser mourir avec religion, mais avec dignité et majesté. A quoi sert cette parade ecclésiastique ? » En tout cas, l'effet en est de courte durée. Rentré à Versailles à la mi-novembre, Louis XV rappelle aussitôt la maîtresse qu'il avait fait chasser de Metz et la rétablit dans ses charges et honneurs.

La famille du roi. Le roi et sa famille

Sauf sa fille aînée Élisabeth, mariée à l'infant d'Espagne, Louis XV a tout son monde auprès de lui, son fils, sa belle-fille, ses petits-enfants, ses filles. Cependant la famille est diminuée par la mort de la petite Thérèse à Fontevrault en 1744 et par celle de Mme Henriette en 1752. Thérèse de France est morte à Fontevrault, le 28 septembre 1744 à huit heures et demie du matin, après une maladie de trois jours. Elle avait huit ans et n'avait revu ni son père ni sa mère depuis son entrée au pensionnat de Fontevrault. Ses quatre sœurs le quitteront à l'âge de dix-sept ans, leur éducation terminée, Victoire et Adélaïde en 1746, Sophie et Louise en 1750.

---

1. Si l'on suit le duc de Croÿ, Louis XV ne se serait pas confessé une seule fois entre 1736 et le moment de sa mort en 1774. (Emmanuel, duc de Croÿ, *Journal, op. cit.*, p. 272).

Le Dauphin Louis est lui-même père d'une nombreuse famille. On le marie deux fois. Sa première femme, l'infante Marie-Raphaëlle, épousée en 1745, meurt l'année suivante, en accouchant d'une fille mort-née. On laisse à peine au veuf le temps de se reprendre. En décembre 1746, six mois après la mort de l'infante, le second mariage est annoncé avec la princesse Marie-Josèphe de Saxe. Agréable, sinon jolie, d'esprit vif et de sentiments délicats, la seconde Dauphine se concilie la sympathie du roi et la faveur de la Cour. Son mari s'attachera beaucoup à elle et ils formeront un ménage très uni, bien que, dans les premiers temps, le malheureux Dauphin ait souffert de ce remariage précipité. Au moment où sa seconde épouse arrivait en France, il lui avait écrit « que, quelque charme qu'elle pût avoir, elle ne lui ferait jamais oublier celle qu'il venait de perdre ».

De ce second mariage naissent huit enfants, trois filles et cinq garçons. Le premier garçon, le duc de Bourgogne, vient au monde au milieu de la nuit du 12 au 13 septembre 1751 et tout à fait inopinément. Or il est d'usage et conforme à la tradition royale de France que les reines et dauphines accouchent en public. Le Dauphin sort affolé de son appartement et crie : « Vite, des témoins ! » Le garde du corps en sentinelle et un porteur de chaise qui dormait dans une galerie feront l'affaire. De ces huit enfants, les trois premiers meurent très jeunes : Marie-Zéphirine à cinq ans, le duc de Bourgogne (enfant charmant, d'esprit très éveillé) à onze ans, le duc d'Aquitaine à six mois. Les cinq autres survivront et, parmi eux, trois garçons : le duc de Berry et les comtes de Provence et d'Artois. La succession royale est assurée.

La famille royale tient donc une grande place à la Cour, de même que dans la vie du roi. Certes le roi traite indignement son épouse, puisqu'il la trompe ouvertement et fait de sa maîtresse en titre la véritable reine de la Cour. Mais il n'ignore pas la reine et demeure courtois. Les deux époux se voient très souvent. Il ne se passe pas de jour sans que Louis XV ne rende visite à sa femme. Tous les matins, la reine vient passer quelques instants chez le roi, lors de la cérémonie du lever. Quant à ses enfants, Louis XV aime leur compagnie. Une fois par semaine, il soupe avec eux. Il voit ses filles tous les jours, et celles-ci, amazones intrépides, le suivent dans toutes ses chasses. En 1748, Madame Infante vient d'Espagne rendre visite à ses parents. Le roi en éprouve une grande joie. Il va à la rencontre de sa fille et ne la quitte pas pendant plusieurs jours. Ce sont des larmes de joie et des embrassades sans fin. Lorsqu'une de ses filles est malade, Louis XV s'installe à son chevet et annule tous ses déplacements. Est-il un bon père ? En tout cas c'est un père sensible.

Les maîtresses du roi. Mme de Pompadour

Louis réussit ce tour de force de s'occuper beaucoup et de manière attentive, à la fois de sa famille et de ses maîtresses.

Après Mme de Mailly, le roi élit sa sœur, Mme de Vintimille. Celle-ci étant morte en couches en mars 1742, la troisième sœur, Mme de La Tournelle, « très belle femme », selon le duc de Croÿ, lui succède. Louis XV s'y attache très fort, la titre duchesse de Châteauroux, l'emmène aux armées en mai 1744, la renvoie ignominieusement de Metz, puis, à peine rentré à Versailles, la reprend. Mais elle meurt peu après. Le roi est inconsolable, comme il l'avait été deux ans auparavant, à la mort de Mme de Vintimille.

C'en est fini des maîtresses aristocratiques. Cette fois, Louis XV choisit une roturière. Jeanne Antoinette Poisson est la fille d'un financier. Elle a épousé Charles Guillaume Le Normant d'Étiolles, fils d'un trésorier général des monnaies et neveu d'un fermier général. Roture certes, mais de riche bourgeoisie.

Étiolles étant proche de Choisy, Louis XV avait déjà rencontré plusieurs fois la jeune femme. Il se déclare en la raccompagnant chez elle le 25 février 1745, après le bal donné à l'Hôtel de Ville pour le mariage du Dauphin. Le 22 avril, il la convie à souper à Versailles. Ensuite, c'est l'installation comme maîtresse en titre. Sans la moindre vergogne, le roi prend au vu de tous les dispositions nécessaires. Partant pour les Flandres le 6 mai 1745, il décide que la dame se retirera chez elle à Étiolles, et que l'abbé de Bernis viendra tous les jours lui servir de précepteur, l'initiant aux usages et aux gens de la Cour, lui enseignant les choses de la noblesse, généalogies, alliances et préséances, ainsi que les affaires de la politique. En août il lui achète le marquisat de Pompadour. Enfin, le 10 septembre, il l'installe à Versailles dans l'appartement préparé pour elle dans l'attique, au-dessus des grands appartements. La présentation à la reine le 14 septembre sera la consécration définitive.

La nouvelle marquise de Pompadour a toutes les grâces et tous les talents. « Une des plus jolies femmes que j'aie vues », dit le président Hénault. « Elle me parut charmante de caractère et de figure », écrit le duc de Croÿ. On s'accorde à louer « une taille au-dessus de l'ordinaire », « un ovale parfait », « de beaux cheveux », « un nez parfaitement bien formé », « une bouche charmante », « le plus délicieux sourire », et des yeux d'un « charme particulier qu'ils devaient peut-être à l'incertitude de leur couleur ». En outre cette beauté est animée. La marquise connaît tous les arts d'agrément. Elle sait à la perfection le chant et la déclamation. Sa conversation est pétillante, sa plume spirituelle. Car tous ses attraits ne suffiraient pas sans l'intelligence. Sa position est éminente mais menacée. Environnée d'ennemis, haïe par une partie de la Cour, insultée quotidiennement par les libellistes et les pamphlétaires, elle réussit ce tour de force de garder pendant vingt ans la faveur d'un prince blasé et désabusé. Cela est dû à une prodigieuse énergie mais aussi à beaucoup d'esprit et de compréhension des choses et des gens. Très tôt elle perce à jour le néant de la Cour. « Quant aux courtisans, écrit-elle à son frère, je suis obligée de vous éclairer sur eux. Vous ne les jugez pas tels qu'ils sont [...]. Partout où il y a des humains, mon cher frère, vous trouverez de la fausseté et tous les vices dont ils sont capables [...][1]. » Là où il faut l'admirer le plus, c'est dans ses rapports avec la famille royale. Pendant plusieurs années, les choses vont très mal. Luynes parle de « soulèvement » de la famille. Le Dauphin refuse de parler à la maîtresse. Les filles l'appellent « maman putain ». Peu à peu, à force de diplomatie et de tact, la marquise arrive à retourner la situation. En 1751, le duc de Croÿ peut écrire ceci qui est extraordinaire : « La marquise avait attiré, depuis deux ans, la famille royale et lui prodiguait beaucoup d'attentions et de respect ; elle avait tâché de gagner sa confiance, elle était bien avec tous et même au mieux avec la reine. »

Pour trouver une maîtresse royale aussi officiellement installée et jouissant d'une aussi grande influence, il faudrait sans doute remonter jusqu'à Diane de Poitiers. Il y a la reine de France, mais la marquise est la reine de la Cour. Elle est partout avec le roi. Elle le suit dans tous ses voyages. Elle a dans tous les châteaux son appartement communiquant avec celui du roi. A Trianon, c'est l'ancien logement de Mme de Maintenon qui lui est affecté. La vie privée du roi se transporte chez elle et les soupers, plusieurs fois par semaine, ont maintenant lieu dans son appartement. Elle dirige les plaisirs. Comme elle adore jouer la comédie, par elle renaît à Versailles le divertissement du théâtre. Les acteurs sont ses amis. La scène est d'abord au théâtre des Cabinets — c'est là qu'est jouée la première pièce, *Le Tartuffe*, le 16 janvier 1744 — puis dans le nouvel Opéra au délicat décor bleu et argent : quarante invités y tiennent et autant de musiciens. Elle ordonne et oriente le goût. C'est elle, par exemple, qui supervise la nouvelle décoration intérieure de Trianon. Par elle passent toutes les faveurs, et sans elle nul ne peut entrer dans l'intimité du roi. Le courtisan qui se voit délaissé n'a qu'un recours, s'adresser à elle. Au début de 1751, le duc de Croÿ constate qu'il n'est plus jamais invité, ni aux soupers, ni à Choisy, ni à Marly et autres châteaux. Que fait-il ? Il demande audience à la marquise :

> Mme de Pompadour étant alors au plus haut du pinacle du crédit, où jamais maîtresse ait peut-être été, le 8 je lui demandai audience, et la priai de me remettre dans les faveurs et les voyages de Sa Majesté.

La réponse est satisfaisante et l'effet immédiat :

> ... dès ce soir-là, le roi me regarda différemment.

---

1. Cité par P. de Nolhac, *Louis XV et Mme de Pompadour, op. cit.*, p. 55.

Et dès le lendemain, c'est l'invitation tant souhaitée[1] :

> ... le lendemain [...] je fus nommé des premiers pour souper dans les cabinets.

Dans ces conditions il n'est pas du tout étonnant de voir la marquise intervenir en politique. Qui fait les favoris peut faire aussi les ministres. Ou les défaire. Maurepas l'apprend à ses dépens. Il avait frondé la marquise. Il avait osé la braver. Il est congédié comme un valet, et exilé à Bourges. Pour la première fois, Louis XV autorise une femme à le conseiller. Dans quelle mesure suit-il ses conseils ? C'est une autre question. En tout cas, comme écrit Barbier, « il est certain dans le fait qu'elle entra dans tous les détails, que les ministres lui rendent compte de toutes les affaires [...] ».

Jusqu'où ne va pas son influence ? Elle l'étend jusqu'à la littérature. Grand liseur, Louis XV n'est pourtant pas un « intellectuel », et, surtout, on ne voit pas chez lui la moindre apparence d'intérêt pour les spéculations des « littérateurs » à la mode. En revanche la marquise est proche de ces gens-là. Elle partage leur indifférence pour la religion. Se permettant de n'observer ni les jeûnes ni les abstinences, elle ne craint pas de choquer le roi. Aussi les Voltaire, les Duclos, les abbé Prévost, les Marmontel et bien d'autres sont-ils à ses pieds. Elle les reçoit à Choisy et les protège. Voltaire lui doit son fauteuil à l'Académie française et sa charge de gentilhomme de la Chambre. Si l'on en croit certaines lettres, elle aurait bien voulu convertir les philosophes au roi et le roi aux philosophes. « Ne songez pas, écrit-elle à Voltaire, à aller trouver le roi de Prusse : quelque grand roi qu'il soit et quelque sublime que soit son esprit, on ne doit pas avoir envie de quitter notre maître, quand on connaît ses admirables qualités. » Voltaire, on le sait, fit la sourde oreille. Il avait quand même écrit un *Panégyrique de Louis XV*. Il publiera en 1769 un *Précis du Siècle de Louis XV* loin d'être offensant pour le roi et pour le règne. Le mécénat de la marquise fut une entreprise intéressante pour détourner de la royauté française la vindicte des philosophes.

Aujourd'hui, la plupart des historiens se montrent plutôt indulgents pour Mme de Pompadour. Ils admirent son courage, son goût, s'émerveillent de son retour à la religion à partir de 1752 (on sait qu'à cette date elle n'était plus la maîtresse, mais seulement l'amie et la confidente du roi). Nous ne jugerons pas. Pour être honnête, il faut quand même parler des profits de la liaison : la famille casée et les splendides donations royales, l'oncle Le Normant de Tournehem nommé directeur des Bâtiments du roi, le frère de Vandières, doté de la survivance de cette charge, le père anobli et fait seigneur de Marigny, les nombreux châteaux et hôtels, témoignages de la gratitude royale ; l'Ermitage à Versailles,

---

1. Emmanuel de Croÿ, *Journal, op. cit.*, p. 86.

l'hôtel d'Évreux à Paris, Crécy, Aulnay, et surtout Bellevue construit sur le versant de Meudon qui regarde la Seine, décoré par les plus grands artistes du temps, merveille de l'art, malheureusement détruite par la Révolution.

L'entourage du roi

L'entourage du roi se compose non seulement de sa famille et de sa maîtresse, mais aussi des compagnons et amis qui forment son cercle intime.

On appelle ce cercle le « particulier du roi ». L'expression apparaît au même moment, c'est-à-dire au début de l'année 1744, chez les deux mémorialistes qui sont les meilleurs observateurs de la cour, Luynes et Croÿ. Citons seulement Luynes : « M. de Nivernois, écrit-il, est admis depuis peu dans le particulier du roi[1]. » Comment se fait l'admission ? Par la pure faveur et sans formalité. Un jour vous êtes remarqué, choisi, invité. Ce jour-là, vous entrez dans le cercle de la faveur, vous serez désormais de tous les soupers, de toutes les chasses, de tous les voyages, vous êtes admis dans le « particulier ».

Le nombre du « particulier » varie mais n'excède jamais, semble-t-il, la quarantaine. Croÿ nous donne des listes de noms : trente-neuf invités à Choisy pour le voyage du 13 au 18 janvier 1751 ; vingt et un d'entre eux se retrouvent au souper de la Muette le 7 mars suivant, et douze au souper des petits cabinets de Versailles, le 7 août[2]. Cependant, à ce dernier souper, cinq nouveaux invités, qui n'étaient ni à Choisy ni à la Muette, font leur apparition. Cela donne une idée de la stabilité du groupe. Le roi n'aime guère les nouvelles têtes. Mais il y a aussi ceux qui forment le particulier du « particulier », qui durent plus longtemps que les autres, et que l'on retrouve d'année en année. Par exemple d'Ayen, d'Armentières, Sourches, Maillebois et Croÿ. Le « particulier » est la fleur de la noblesse : tous les noms qui sont parvenus jusqu'à nous sont ceux de gentilshommes de très anciennes familles. Il y a très peu de dames : pas plus de quatre ou cinq par souper ou par « voyage ».

La faveur compose le « particulier », mais la faveur, nous le savons, passe par la maîtresse ou par ses amies de cœur, Mme d'Estrades et de Brancas. Dans l'entourage du souverain, le « particulier » n'est donc pas seulement le groupe des intimes du roi, c'est probablement aussi la coterie de la marquise, son groupe de pression et sa masse de manœuvre.

---

1. Luynes, *Mémoires sur la cour de Louis XV, op. cit.*, t. VIII, 17 janvier 1747, p. 87.
2. Emmanuel de Croÿ, *Journal, op. cit.*, t. I, p ; 89-90.

Le décor de la vie royale

Versailles et les autres châteaux composent ce décor. De moins en moins Versailles, de plus en plus les autres châteaux. Plus encore que dans la période précédente, Louis XV s'attache aux petites résidences, Choisy, Trianon, par exemple, et aux «maisons de campagne» de la marquise de Pompadour.

Il n'y a d'ailleurs pas de grands travaux d'embellissement à Versailles pendant cette époque. On note seulement l'installation en 1743 du théâtre des Cabinets et, en 1749, la transformation de ce petit théâtre en Opéra. Cette nouvelle salle de spectacle, au délicat décor bleu et argent, peut recevoir quarante invités et autant de musiciens.

La grande affaire du roi et de la marquise à cette époque, c'est Trianon et ses jardins. Dans le prolongement du parterre de Louis XIV, le roi fait construire par Gabriel une ménagerie (1749-1753) et installer un jardin botanique dont la création est l'œuvre de Jussieu. En 1750, Gabriel construit au milieu de ce nouveau domaine le Pavillon français, que le nouveau jardinier nommé Richard orne d'un jardin de style «français» appelé «nouveau jardin du roi».

La vie du roi et sa relation au «public»

Louis XV conserve une vie publique.

Les grandes résidences royales, Versailles, Fontainebleau et Compiègne, demeurent ouvertes au public. Le roi y est en quelque sorte en vitrine. On y entre toujours comme dans un moulin, sans être soumis au moindre contrôle ou presque. En 1754, la Dauphine Marie-Josèphe de Saxe se plaint de trouver son antichambre de Versailles encombrée de mendiants et transformée en passage public. Dans la cour d'entrée, des marchands dressent leurs échoppes. Quant aux jardins, ils ne sont pas mieux protégés. On ferme bien les bosquets à clé, mais les gens se font faire des passe-partout. A Trianon, les fleurs et les fruits du roi sont dévalisés. Il n'y a rien à faire pour empêcher cela. Le public se sent chez lui.

Le roi continue à s'astreindre — au moins dans les trois grandes résidences — aux cérémonies du lever et du coucher publics. «Coucher public comme à l'ordinaire», note souvent le duc de Luynes. Il dîne toujours en public (au petit ou très petit couvert) et soupe parfois de même, et c'est alors toujours au «grand couvert» et en compagnie de la reine et de ses enfants. Certes il n'est pas porté par tempérament à mener ce genre de vie de perpétuelle exposition; il ne la goûte pas, mais en saisit le sens et en comprend l'importance. Cela paraît nettement lors de sa maladie de Metz en 1744. C'est en effet en public, devant ses sujets, qu'il fait l'aveu de ses fautes. «Le roi, écrit Barbier, a permis de laisser entrer tout le monde de la ville de Metz, hors la populace. Cela a fait par conséquent un grand concours[1]. »

Il n'en est pas moins vrai que sa vie non publique, cette vie retirée et quasi privée, que nous l'avons vu organiser dans sa jeunesse, dès son arrivée à Versailles, prend une importance croissante et empiète de plus en plus sur sa vie publique.

En quoi consiste-t-elle ? Elle est faite de travail personnel, de réunions familiales ou amicales et de plaisirs. Le roi, pour étudier les affaires de l'État, se réfugie dans ses petits appartements. C'est là également qu'il aime voir ses enfants, dînant ou soupant seul avec eux, hors de toute présence. A partir de 1751, est instauré l'usage d'un souper familial par semaine dans les « cabinets ». D'autres soupers sont réservés au « particulier », ainsi que les fréquents séjours dans les « petits châteaux » qui n'ont pas le statut de résidences royales et où le roi vit à sa guise.

C'est une vie de liberté que l'existence royale à Choisy, à la Muette ou bien à Bellevue chez la marquise. Évoquant un séjour à la Muette, le duc de Croÿ décrit ainsi les loisirs royaux :

> On vivait là avec beaucoup de liberté [...]. Le roi se promenait si le temps était beau, on jouait dans le salon après le dîner. Ensuite Sa Majesté travaillait ou tenait conseil. A huit heures et demie, on se réunissait dans le grand salon où le maître descendait peu après. On soupait à une grande table à dix heures [...][2].

C'est tellement agréable que le roi délaisse Versailles. Il y réside officiellement, mais n'y est presque jamais. En 1750 il y couche 52 nuits, en 1751, 63. Cela lui est reproché. Le public est déçu : si le roi n'est pas à Versailles, comment le voir ? Et puis, en son absence, il n'y a plus d'animation, plus de fêtes. Par exemple, en 1751, pendant les jours gras, le souverain est chez la marquise de Pompadour à Bellevue. Résultat : pendant ce temps traditionnellement consacré aux réjouissances, pas une seule fête à Versailles, et Barbier s'en plaint : « Ce qui est singulier, écrit-il, c'est que pendant les jours gras il n'y a eu aucune fête et aucun divertissement. Tout s'est passé fort tristement [...][3]. »

Réfugié dans ses petits châteaux et dans ses maisons de campagne, Louis XV n'en sort guère et ne semble pas se plaire à se montrer au peuple. A part les trois expéditions de Flandre en 1744, 1745 et 1746 et un voyage très rapide en Normandie en 1751 (cinq jours à bride abattue pour gagner Le Havre et retour, sans même s'arrêter à Rouen), il n'y a pas de déplacement dans les provinces. Quant à Paris, le roi ne s'en montre pas plus curieux. Le dernier séjour parisien a lieu en 1744, après la maladie de Metz. Il dure six jours, du 13 au 19 novembre. Le roi est

---

1. Edmond Barbier, *Journal historique...*, *op. cit.*, t. III, p. 537.
2. Emmanuel de Croÿ, *Journal*, *op. cit.* t. I, p. 92 ; nous sommes en mars 1751.
3. Edmond Barbier, *Journal historique...*, *op. cit.*, 24 février 1751, t. V, p. 24.

venu remercier la capitale pour la vive sympathie exprimée pendant sa maladie. Il s'installe au Louvre et les Parisiens ravis peuvent venir le voir souper en public avec sa famille. Mais, par la suite, le roi se bornera à de brèves visites, une ou deux fois par an, pour un *Te Deum*, pour un lit de justice ou encore pour une réception à l'Hôtel de Ville. En 1751, une seule visite a lieu le 19 septembre, pour le *Te Deum* à Notre-Dame, à l'occasion de la naissance du duc de Bourgogne. En 1752, une seule également, cette fois pour la célébration de la saint Louis, le 25 août. Paris demeure à bien des égards la capitale politique du royaume. Il est d'autant plus étrange que le roi n'y vienne presque jamais. A-t-il peur de la foule ? Craint-il un silence hostile ? S'il lui faut nécessairement traverser sa capitale, il ne le fait jamais que très protégé par une haie serrée de gardes français chargés de « faire ranger la populace », au besoin à coups de crosse. Là aussi, visiblement, le roi ne cherche pas le contact. La relation au public s'est détériorée.

LE GOUVERNEMENT ROYAL

Le roi et ses ministres. L'autorité du roi

Depuis la mort du cardinal de Fleury, Louis XV gouverne seul, sans premier ministre. Gouverne-t-il vraiment ? Nous le voyons en tout cas remplir les devoirs de sa charge, le Conseil, les audiences, le travail. Comme Louis XIV, il fait consciencieusement son métier de roi.

Mais il ne le fait pas de la même manière. Homme d'action, Louis XIV prenait ses décisions au milieu du Conseil ou en travaillant avec ses ministres. Le style de Louis XV est très différent. Il n'aime pas que les réunions du Conseil durent trop longtemps. Il aime réfléchir dans la solitude de son cabinet. C'est un homme de dossiers, de bureau. Des heures durant, il annote, rédige des instructions, donne son avis aux ministres. Louis XIV gouvernait publiquement et par la parole surtout, Louis XV secrètement et par la plume. Il est aussi très respectueux des formes, très scrupuleux. Parfois on a l'impression qu'il administre, plutôt qu'il ne gouverne.

Ce n'est pourtant pas faute de suivre les affaires. Il est exactement informé. Comme il fait tout lui-même et n'a pas de secrétariat particulier, aucun écran ne s'interpose entre lui et ses ministres. Et comme les secrétaires d'État ne veulent ni ne peuvent lui dissimuler aucune information importante, il est vraiment bien informé. Les seules questions qui lui échappent sont d'ordre financier. Les arrêts dressés en finance sont si nombreux qu'il ne peut en avoir entièrement connaissance. Mais pour le reste, il est parfaitement au courant. Gouverne-t-il pour autant ? Contentons-nous de faire observer que l'information et la direction ne sont pas la même chose.

On a parlé de gouvernement « flottant ». Quelques grandes affaires — celle de l'imposition du vingtième par exemple — donnent cette impression. Mais ce n'est pas le cas — tant s'en faut — de toutes les actions de la politique royale. Dans les affaires du Parlement, Louis XV montre souvent de la détermination. C'est également avec beaucoup d'autorité et de fermeté qu'il conduit le grand changement du renversement des alliances.

Un certain goût de la dissimulation, du secret ainsi qu'un fond de « despoticité » font de lui un roi difficile à servir. Il ne fait pas toujours entièrement confiance à ses ministres. Par exemple, il ne les tient pas au courant de sa négociation avec l'Autriche en 1755 et ne les en informe qu'une fois l'affaire très avancée.

Il s'y connaît en hommes. Car, dit Bernis, il a « l'esprit naturellement juste[1] ». Il pourrait donc faire des choix heureux. Mais, le plus souvent, ce n'est pas lui qui choisit. C'est la marquise de Pompadour. Presque tous les ministres de cette période-là sont des protégés de la favorite, presque tous les ministres renvoyés ses victimes. Maurepas, le comte d'Argenson et Machault d'Arnouville, pour ne citer que ces trois, doivent leur infortune à son inimitié. Maurepas (ministre depuis 1718) est renvoyé le 24 avril 1749. Il s'était cru invulnérable et « avait lâché des propos sur Mme de Pompadour[2] ». La disgrâce soudaine de Machault et du comte d'Argenson, tous deux exilés le même jour et à la même heure, le 1er février 1757, surprend tout le monde mais stupéfie les intéressés, qui ne s'y attendaient pas du tout, chacun croyant que ce serait l'autre — ils étaient toujours en opposition — qui serait renvoyé. « Je me souviens, écrit Bernis dans ses *Mémoires*, que deux jours avant son exil M. d'Argenson me disait : "Vous faites le mystérieux, mais vous savez bien que le Machault fait son paquet ; la marquise ne veut plus le voir : c'est une affaire de huit jours au plus..."[3] » D'Argenson n'avait jamais été du parti de la marquise, et celle-ci avait « résolu de tout sacrifier pour l'éloigner ». Mais Machault en avait été. Seulement il n'en était plus depuis quelque temps et ne le savait pas. Selon Bernis, la favorite était persuadée qu'il était devenu son ennemi Cela suffisait. Car le crédit de Mme de Pompadour était alors au plus haut. Ce qui le montre le mieux c'est l'affaire du renversement des alliances. Lorsque la cour de Vienne veut amorcer la négociation et prendre un contact direct et discret avec le roi, c'est à la favorite qu'elle s'adresse.

Qui sont pendant cette période les ministres du roi ? Ils changent plus souvent que dans la période précédente. Au contrôle général nous avons successivement Machault, Moreau de Séchelles, Peyrenc de Moras,

1. François Joachim de Pierre, cardinal de Bernis, *Mémoires*, publiés par Frédéric Masson, Paris, 1878, 2 vol., t. I, p. 249.
2. Emmanuel de Croÿ, *Journal, op. cit.*, p. 72.
3. Cardinal de Bernis, *Mémoires, op. cit.*, t. I, p. 367.

Boullongne, Silhouette et Bertin, aux Affaires étrangères Rouillé, Bernis et Choiseul, à la Guerre le comte d'Argenson, le marquis de Paulmy son neveu et le maréchal de Belle-Isle. Robins et gentilshommes de vieille noblesse sont en nombre à peu près équivalent. Louis XV, à la différence de Louis XIV, admet l'ancienne noblesse aux fonctions du gouvernement. Mais il préfère les robins. Il les trouve plus sûrs, plus énergiques. C'est ainsi qu'il appelle Machault « l'homme selon mon cœur ».

On trouve tous les étages dans cette robe du Conseil. Les Machault sont une ancienne famille : Simon II Machault était conseiller d'État deux siècles plus tôt. Les d'Argenson remontent encore plus haut. Rouillé est le fils d'un conseiller au parlement de Metz, Moreau de Séchelles, d'un bourgeois de Paris et Silhouette d'un receveur des tailles.

Les carrières se ressemblent. On est d'abord maître des requêtes, puis intendant. Les intendances du Nord, surtout en période de guerre, semblent être les meilleurs marchepieds. Machault et Moreau de Séchelles ont été l'un et l'autre intendants du Hainaut.

Pour les gentilshommes, il en va différemment. La faveur joue, mais aussi les services de guerre et de diplomatie. L'ascension de Bernis est peut-être la plus intéressante à observer. Il est le second d'une famille très ancienne et peu fortunée de gentilhommerie languedociennne. Il choisit la cléricature et la littérature. Venu à Paris à vingt ans, il écrit des petits vers, se lie avec les beaux esprits et entre à l'Académie française. Rien alors ne semble le destiner à la politique. Mais il devient le confident, l'ami fidèle et le mentor de Mme de Pompadour. Son élévation est décidée. Deux ambassades en forment le commencement (Venise et Madrid), la mission de négocier en secret l'alliance autrichienne, l'étape décisive. En janvier 1757, il est ministre des Affaires étrangères.

On a dit maintes fois que les ministres de Louis XV n'étaient pas de grands politiciens mais seulement de bons administrateurs. Il faudrait nuancer. Le ministère de cette époque compte au moins un grand politique, Jean-Baptiste de Machault, dont voici le portrait par Sénac de Meilhan : « ... il avait ce qui est nécessaire dans le gouvernement, un sens droit et étendu, de l'instruction, un caractère ferme, de la dignité dans les manières et de la probité[1]. » Machault mérite l'appellation d'homme d'État. Il est vrai qu'à part lui bien peu seraient dignes d'être ainsi qualifiés. Donc peu de grands caractères, mais beaucoup d'hommes de talent. Le comte d'Argenson, qui tint longtemps les charges de la police de Paris et de la Guerre, est le plus remarquable. Il est ferme, courageux et au surplus d'esprit vif et inventif, de relation agréable et gracieuse. Bernis est très intelligent, mais il est davantage fait pour la

---

1. Cité par Marcel Marion, Machault d'Arnouville, *Étude sur l'histoire du contrôle général des finances de 1749 à 1754*, Paris, 1891, p. 9.

dignité que pour l'autorité. Peu de médiocres, ou bien ce sont des gens si appliqués, si consciencieux que leur médiocrité passe. Tel est le cas de Rouillé, secrétaire d'État à la Marine de 1749 à 1751 et aux Affaires étrangères de 1751 à 1757. Bernis, dans ses *Mémoires*, en fait un benêt, presque un imbécile. Mais il est suspect, parce qu'il aspire à la place de Rouillé. Il vaut mieux faire confiance au témoignage de Croÿ. Or ce dernier qualifie notre ministre d'«honnête homme d'un esprit très net, très gelé et même s'affectant trop[1]».

Le gouvernement, l'administration, l'État

L'organisation du gouvernement n'est pas sensiblement modifiée. Il faut cependant souligner l'accroissement notable du rôle du Conseil des dépêches, devenu l'homologue du Conseil d'en haut pour les affaires intérieures. Par ailleurs, la pratique des comités de ministres est institutionnalisée. Les séances préparatoires au Conseil d'en haut et au Conseil des dépêches sont présidées par Tencin jusqu'en 1751 et de 1751 à 1763 par Lamoignon de Blancmesnil, chancelier. Notons au passage ce retour du chancelier. La révolution de 1660 l'avait écarté des plus grandes affaires. Il y revient, bien qu'il ne siège toujours pas au Conseil d'en haut.

L'organisation générale de la machine politique ne change pas notablement. Pourtant, des révolutions s'opèrent qui modifient peu à peu les rapports entre le gouvernement et la nation.

Secrétariats d'État et contrôle général forment maintenant de véritables départements ministériels. Désormais les ambassadeurs, les commandants d'armée, les gouverneurs, les intendants, les présidents et les procureurs généraux ne correspondent plus directement avec le roi, lequel n'est informé que par le canal des ministres.

Le poids du contrôle général devient de plus en plus lourd. Plusieurs grands services s'organisent dans sa dépendance : la Direction du vingtième, la Régie, l'Enregistrement, les Domaines, les Ponts et Chaussées.

La création de plusieurs de ces services augmente la charge de l'État, en élargissant son domaine d'intervention. Les deux meilleurs exemples sont le service public des Ponts et Chaussées institué en 1750, et celui des Mines, qui s'organise peu à peu à partir de 1744. Pour procurer à ces services des agents compétents, l'État se fait enseignant. L'école des Ponts est créée en 1747, celle du Génie en 1749. De la même manière, la formation des futurs officiers est prise en charge. L'École militaire date de 1750.

L'administration renforce sa présence. Aux subdélégués, s'ajoutent les subdélégués généraux des intendances, sortes d'adjoints des intendants.

---

1. Emmanuel de Croÿ, *Journal*, *op. cit.*, p. 73.

Quelques-uns existaient déjà à la fin du règne de Louis XIV. Maintenant nulle intendance qui n'ait le sien. Ceux qui sont investis par les intendants sont dits « des intendants ». Les autres ont une commission royale et sont appelés « des intendances »[1].

Le système commence à se bureaucratiser. Dans les ministères les commis prennent de plus en plus d'importance. Un premier commis de ministère est désormais un personnage considérable. Il reçoit des émoluments confortables qui peuvent aller jusqu'à 25 000 livres. Demeurant longtemps en place, il acquiert une grande expérience. Le Dran aux Affaires étrangères et Arnauld de La Porte à la Marine ont véritablement conduit les affaires. Le secrétaire d'État à la Marine se décharge sur l'un de ses premiers commis de l'administration des colonies. A côté des commis, simples délégués sans statut, apparaît une nouvelle race de serviteurs de l'État, des employés qui ne sont ni délégués ni officiers, mais salariés par l'État et recrutés par concours. C'est le cas des ingénieurs et des inspecteurs des nouveaux services publics, ancêtres de nos fonctionnaires.

Le petit nombre, la grande compétence et l'urbanité du personnel gouvernemental et administratif conservent à l'appareil une certaine souplesse. Toutefois, la centralisation tend à freiner les initiatives. Les intendants n'ont plus la même liberté et se montrent dociles à l'administration centrale. On observe partout les signes d'un alourdissement et d'un commencement de sclérose ainsi qu'un accroissement de l'État au détriment de la royauté.

LA POLITIQUE ROYALE

La politique étrangère. Diplomatie et guerre

ORIENTATIONS ET RÉSULTATS

La guerre de Succession d'Autriche

L'année 1743 marque le début d'une nouvelle phase de la guerre. C'est l'année de la mort de Fleury et de l'engagement de l'Angleterre sur le continent aux côtés de l'Autriche. Le gouvernement de Louis XV rompt avec la tradition de prudence de Fleury et entreprend une série d'offensives contre les Pays-Bas autrichiens. Il ne s'agit plus de soutenir l'empereur Charles VII. Celui-ci meurt en 1745, et son fils, âgé de dix-sept ans, ne prétend pas à l'Empire. L'objectif, traditionnel, réside dans la consolidation de la frontière du Nord et, si possible, dans l'agrandissement du royaume aux dépens de la maison d'Autriche.

---

1. Michel Antoine, « Les subdélégués généraux des intendances », dans *Le Dur Métier de roi, op. cit.*, p. 125-181.

Cette action est couronnée de succès. La victoire de Fontenoy, le 11 mai 1745, est suivie de la prise de nombreuses villes, dont Tournai, Gand, Bruges et Ostende. Bruxelles est occupé le 1er janvier 1746. La même année, le 1er octobre, les Autrichiens du prince Charles sont bousculés à Rocourt. La victoire de Lawfeld et la prise de Maastricht (juillet 1747) consolident l'avantage français.

Cependant Louis XV, tout en faisant la guerre, n'aspire qu'à la paix. Depuis 1746, il offre la paix aux Anglais. Aux négociations qui aboutissent à la paix d'Aix-la-Chapelle (28 octobre 1748), il se garde de toute revendication. De fait le roi de Prusse, qui garde la Silésie, est le seul à tirer bénéfice de ce traité : La France ne garde aucune de ses conquêtes. Louisbourg (en Nouvelle-France) lui est restitué, mais contre Madras. L'infant Philippe, frère du roi d'Espagne et mari d'Élisabeth, fille du roi de France, reçoit le duché de Parme, dont les Habsbourg se dessaisissent. Ce sont les deux seules et maigres satisfactions de ce traité. Pendant ce temps, Frédéric II obtient de garder sa conquête de la Silésie. Après avoir grogné contre la guerre, l'opinion publique française vitupère contre ce traité de paix jugé par trop désavantageux. On dit que la France a « travaillé pour le roi de Prusse ». De fait, il est permis de s'interroger sur les raisons d'un tel désintéressement. Louis XV aurait dit à ses ministres qu'il voulait traiter « non en marchand mais en roi ». On peut le croire, mais il y a aussi probablement quelque habileté derrière cette affectation de magnanimité. Le roi connaît la faiblesse de sa marine. Il sait qu'une prolongation de la guerre serait fatale aux établissements français d'outre-mer, qui seraient très difficiles à secourir. Son système est la paix.

L'expansion française en Amérique

Or, précisément, la France est en train de jouer en Amérique une partie décisive. Il s'agit d'occuper la vallée de l'Ohio, afin d'établir une liaison commode et permanente entre les deux grandes possessions de l'empire français d'Amérique, le Canada et la Louisiane. L'opération présente un autre avantage, celui de barrer la route à l'expédition des colonies anglaises. En juin 1749, sur l'ordre du gouverneur de la Nouvelle-France, La Galissonnière, Joseph de Celoron de Blainville prend possession officiellement au nom du roi des territoires convoités. En un lieu situé aujourd'hui près de l'actuelle ville de Warren en Pennsylvanie, cet officier enfouit une plaque de métal gravée, dont le texte déclare l'Ohio et ses affluents rivières françaises.

Le gouvernement anglais proteste vivement. Louis XV propose alors la création d'une « commission des limites » qui départagera les deux puissances et fixera le tracé des frontières. Son but est de gagner du temps et d'éviter la guerre le plus longtemps possible. L'Amérique française est une œuvre grandiose, mais à la merci d'une agression anglaise. Les Anglais au contraire ont tout intérêt à provoquer un conflit qui, en

Amérique au moins, ne peut que tourner à leur avantage. Ils multiplient les incidents. Le 28 mai 1754, c'est l'affaire Jumonville. Un détachement français patrouillant dans la vallée de l'Ohio rencontre un corps expéditionnaire anglais commandé par le futur fondateur des États-Unis, George Washington. Alors que l'officier français, Joseph Coulon de Jumonville, s'avance pour parlementer, les Anglais l'abattent sans sommation avec neuf de ses hommes. Le 10 juin 1755, deux vaisseaux français de l'escadre de Brest, le *Lys* et l'*Alcide* transportent des troupes vers Louisbourg, sont attaqués et arraisonnés. Les Anglais ont fait preuve d'une traîtrise consommée. Au commandant de l'*Alcide*, M. Hocquart, qui lui demandait par le porte-voix : « Sommes-nous en paix ou en guerre ? » le commandant anglais avait répondu « La paix » et commandé aussitôt « *Fire !* ».

Cependant Louis XV ne dévie pas de ses intentions pacifiques. L'indignation est très grande en France. Les relations diplomatiques sont rompues et le duc de Mirepoix, ambassadeur de France, quitte Londres le 22 juillet. Une partie du Conseil (le comte d'Argenson, Rouillé et les militaires) réclame une riposte immédiate ; Frédéric II écrit à Knyphausen, son chargé d'affaires à Versailles, et lui conseille de pousser Louis XV à la guerre. Rien n'y fait. Louis XV reste attaché à son système de négociation et de paix. Il ne risquera la guerre que un an plus tard, après avoir renversé ses alliances.

Le renversement des alliances

En 1755, la France a deux alliées, l'Espagne et la Prusse. Le traité franco-prussien date de 1741, celui avec l'Espagne (le premier « pacte de Famille ») de 1743. Depuis le début du règne, la politique étrangère est fidèle à la ligne traditionnelle de la lutte contre les Habsbourg. Personne n'imagine qu'il puisse en être autrement.

Pourtant, l'incroyable se produit : le 1er mai 1756, par le traité de Versailles, la France conclut avec l'Autriche une alliance défensive. C'est le renversement des alliances.

Comment l'expliquer ?

L'initiative est venue de l'Autriche, mais les premières avances autrichiennes ont rencontré tout de suite chez Louis XV des dispositions favorables. L'idée est de Kaunitz. Dès 1749, ce conseiller de l'impératrice Marie-Thérèse lui recommande de s'allier à la France, seule puissance capable de l'aider à recouvrer la Silésie. De 1750 à 1758, Kaunitz représente l'Autriche à Versailles et profite de sa mission pour poser les premiers jalons, et créer un climat propice. En septembre 1755, son remplaçant, le comte Starhemberg, ouvre la négociation. Il demande à Mme de Pompadour un rendez-vous pour lui communiquer des propositions secrètes dont il est chargé par l'impératrice. Sitôt informé, Louis XV désigne l'abbé de Bernis comme négociateur, et les pourparlers s'engagent. Les premiers ont lieu dans une petite maison proche du château de Bellevue. Tout se passe dans le plus grand secret. « Je dirai ici en passant, écrit Bernis, que nos rendez-vous avec le comte de Starhemberg furent si secrets, que pendant plus de six mois les ministres étrangers ne soupçonnèrent rien de notre intelligence[1]. »

Au début, Bernis se montre méfiant. Il laisse venir Starhemberg. Mais ce dernier lui apporte tout de suite une information de grande valeur. C'est la révélation du rapprochement qui s'est amorcé depuis le mois de mai 1755 entre l'Angleterre et la Prusse. La cour de Versailles n'en savait rien. La nouvelle est de nature à modifier tout à fait ses perspectives et à l'incliner à l'alliance autrichienne.

Louis XV y est d'ailleurs naturellement disposé. Il n'aime pas le roi de Prusse et n'a pas confiance en lui. Il a aussi des raisons d'ordre religieux, et pense qu'une alliance avec l'Autriche serait plus favorable aux intérêts de la religion catholique. « Le roi, écrit encore Bernis, avait toujours souhaité cette liaison par amitié et estime pour l'impératrice, par un motif de religion et aussi par le peu de confiance que lui inspirait le roi de Prusse[2]. » Les choses vont donc assez vite, surtout à partir du moment où est connu le traité de Westminster entre l'Angleterre et la Prusse (mars 1756). Les clauses de Versailles établissent bel et bien une alliance : au cas où un tiers attaquerait l'une des deux puissances, l'autre viendrait à son secours avec une armée de vingt-quatre mille hommes.

Le renversement des alliances est un événement d'une très grande importance. C'est un avertissement donné à Frédéric II. C'est aussi l'opposition de l'Europe catholique (la France, l'Espagne et l'Autriche) à l'Europe protestante (l'Angleterre, la Prusse et les Provinces-Unies).

La guerre de Sept Ans (1756-1763)

Cette guerre, qui oppose la France et l'Autriche à l'Angleterre et à la Prusse, n'a pas été voulue par Louis XV. Jusqu'au dernier moment, le roi de France cherche à éviter le conflit. Dans sa déclaration de guerre à l'Angleterre (9 juin 1756), il met en cause la responsabilité de son adversaire coupable d'agressions multipliées contre les forts et les vaisseaux français. Les deux théâtres d'opérations sont l'Allemagne et l'Amérique septentrionale.

Dans un premier temps, le gouvernement se propose de faire surtout une guerre antianglaise et donc essentiellement maritime et coloniale. C'est la politique de Machault, secrétaire d'État à la Marine et du comte d'Argenson, secrétaire d'État à la Guerre. Mais, après le renvoi de ces deux ministres, l'orientation change complètement. Sans abandonner les colonies, on opte pour une grande guerre allemande avec soutien affirmé à l'Autriche contre la Prusse.

---

1. Cardinal de Bernis, *Mémoires, op. cit.*, t. I, p. 229.
2. *Ibid.*, p. 227.

On entretient donc en Allemagne pendant près de sept années des effectifs considérables. Le cadre des opérations est le très vaste pays compris entre le Mein, la Saale, le bas Elbe et le bas Rhin. Chaque année les armées française et autrichienne convergent vers Berlin. Chaque fois Frédéric II réussit à déjouer les entreprises de ses adversaires. Il écrase l'armée franco-autrichienne à Rossbach le 5 novembre 1757 et à Minden le 1er août 1759.

En Amérique, c'est l'effondrement prévisible. L'armée anglaise envahit le Canada. Québec est pris le 15 septembre 1759, Montréal le 8 septembre 1760. Les Anglais s'emparent également des territoires français de l'Inde. Mal défendu par Lally de Tollendal, l'empire édifié par Dupleix est une proie facile. Pondichéry capitule en 1761.

Le traité de Paris (10 février 1763) consacre la victoire de l'Angleterre. La défaite française est sans précédent. A Utrecht, en 1713, la France n'avait dû abandonner que Terre-Neuve et l'Acadie. Cette fois-ci, elle perd toutes ses possessions outre-mer sauf les Antilles, une partie de la Louisiane et les Mascareignes. La perte du Canada est particulièrement grave. Le territoire cédé aux Anglais représente à peu près la moitié de l'Amérique septentrionale alors connue. Les Français y sont établis depuis plus de deux siècles. Cet établissement a des origines économiques (la traite des fourrures) mais aussi spirituelles. L'intention majeure qui avait présidé à la colonisation au XVIIe siècle avait été le désir de convertir les sauvages pour fonder avec eux une nouvelle chrétienté. La fin du Canada français affecte l'être de la nation française.

Pourtant, les Français n'y sont pas sensibles. Une partie de l'opinion préfère les Antilles au Canada. Celles-ci sont source d'enrichissement pour la métropole, alors que le Canada ne lui occasionne que des frais. « Le Canada, écrit Voltaire, coûtait beaucoup et rapportait très peu [...]. En voulant le soutenir, on a perdu cent années de peine avec tout l'argent prodigué en retour. » « La Corse, dira Choiseul, est plus utile de toute manière à la France que ne l'était ou ne l'aurait été le Canada. »

COMPORTEMENT ET RÉACTION DE LA PUISSANCE MILITAIRE FRANÇAISE A L'ÉPREUVE DES GUERRES

La période commence par les victoires de l'armée française dans les Pays-Bas autrichiens. Celle de Fontenoy est la plus impressionnante[1].

D'autant plus qu'elle est gagnée *in extremis*. L'objectif du corps anglais commandé par le duc de Cumberland est de débloquer Tournai. Le maréchal Maurice de Saxe, chef de l'armée française, n'a pas fait de circonvallation, mais, inaugurant une nouvelle tactique de la guerre de

---

1. Voir J. Colin et F. Reboul, *Histoire militaire et navale,* in *Histoire de la Nation française* de Gabriel Hanotaux, t. VII, Plon-Nourrit, Paris, 1925, p. 521 et suiv. Voir aussi Voltaire, *Précis du Siècle de Louis XV,* 1769, p. 135-153.

siège, s'est contenté de disposer de place en place des redoutes d'artillerie. Après avoir tenté en vain d'anéantir la redoute du bois de Barry, les Anglais décident de faire la percée. Ils empruntent le passage entre Fontenoy et le bois de Barry et s'engagent en rangs serrés sous les feux croisés des redoutes. En tête les gardes anglaises et le royal écossais. Les premiers adversaires qui se présentent à eux sont les gardes françaises. Milord Charles Hay, capitaine aux gardes anglaises, leur adresse d'une voix éclatante l'invitation fameuse : « Messieurs des gardes françaises, tirez les premiers. » Le comte d'Auteroche, lieutenant des grenadiers, lui répond du même ton : « Messieurs, nous ne tirons jamais les premiers ; tirez vous-mêmes. » Aussitôt le feu roulant des Anglais couche par terre 19 officiers, 95 soldats, tous tués. Les salves ont fait également 295 blessés. C'est le signal de la fuite. Les autres, écrit pudiquement Voltaire dans son récit de la bataille, « se dispersèrent ». Dès lors, l'avance anglaise se poursuit, implacable et massive. « Les Anglais, dit encore Voltaire, avançaient à pas lents, comme faisant l'exercice. On voyait les majors appuyer leurs cannes sur les fusils de soldats, pour les faire tirer bas et droit. » Maurice de Saxe lance plusieurs charges de cavalerie. En vain : « Les efforts de cette cavalerie étaient peu de chose contre une infanterie si réunie, si disciplinée, si intrépide. » La bataille paraît perdue. C'est alors qu'un conseil se tient autour du roi. Le maréchal et tous les officiers présents sont du même avis : le prince doit quitter le champ de bataille, pour ne pas exposer sa vie. Mais le duc de Richelieu survient à cet instant. Il est d'un avis contraire. On peut encore gagner, dit-il. Il faut engager la maison du roi et « tomber » sur les Anglais « comme des fourragères ». Le roi se rend le premier à cet avis. Quatre canons placés en batterie ébrèchent la masse adverse. Dans l'instant qui suit, la maison du roi est jetée dans la bataille, puis la brigade irlandaise. Ces charges furieuses et multipliées retournent le destin. En sept ou huit minutes, la masse d'attaque anglaise est percée de tous côtés. La bataille est gagnée. L'ennemi commence sa retraite. Il a perdu neuf mille hommes, les Français quelques centaines.

Succès glorieux assurément, mais dont il faut convenir qu'il n'a rien d'un chef-d'œuvre. La première phase de la bataille est une défaite et même une panique. Les fuyards sont innombrables et leur torrent si puissant qu'il sépare le roi du Dauphin. Il n'y a aucune savante manœuvre. C'est un choc plutôt qu'une bataille. Finalement la victoire est due au coup d'œil de Richelieu, à l'idée de Maurice de Saxe de faire donner les canons et à la fermeté du roi.

Venons-en maintenant aux revers de la guerre de Sept Ans. Rossbach est celui qui a laissé le plus pénible souvenir. En cette affaire, l'armée franco-autrichienne est allée au-devant de sa défaite. Elle était supérieure en nombre et bien retranchée. Frédéric II, l'ayant jugée inattaquable, s'était contenté de s'établir en face. C'est alors que le général autrichien

Hildeburghausen conçut le maladroit projet de tourner les Prussiens par la gauche, et commença à exécuter son mouvement sans couverture. Frédéric II en profita, renversa l'ordre de ses régiments, et, au moment même où ses adversaires comptaient le surprendre, attaqua de tête et de flanc. En une heure le désastre était consommé. On voit donc ici l'éclatante supériorité de commandement adverse et le génie militaire de Frédéric II. Mais la faute initiale de Rossbach, c'est d'avoir engagé la bataille sans autre motif que le désir de complaire au gouvernement autrichien et à Mme de Pompadour. Les instructions de Soubise, le commandant français, étaient depuis le début de la campagne de 1757 d'amuser le roi de Prusse en Saxe, pendant que les Autrichiens feraient tous leurs efforts pour reprendre la Silésie. Il ne devait en aucun cas s'exposer à une action décisive. Alors pourquoi avoir risqué la bataille ? D'après les *Mémoires* de Bernis, Soubise aurait cédé au dernier moment aux injonctions du gouvernement autrichien : « ... la cour de Vienne, écrit le mémorialiste, jetait feu et flammes de ce que M. de Soubise n'osait attaquer le roi de Prusse avec des forces supérieures [...]. » Une intervention de Choiseul, alors ambassadeur à Vienne, aurait pesé aussi très lourd dans la balance. Choiseul n'est d'ailleurs ici que le commissionnaire de Mme de Pompadour, protectrice de Soubise et acharnée à mettre son protégé en valeur : « ... Mme de Pompadour, relate encore Bernis, avait écrit au duc de Choiseul que le Conseil du roi ne tendait qu'à déshonorer M. de Soubise. M. de Choiseul prit sur lui d'exhorter ce général à plus de hardiesse et de confiance. L'ordre pour marcher au roi de Prusse fut donné à midi [...][1]. » Faut-il croire entièrement Bernis ? Ne veut-il pas ici donner un coup de patte à Choiseul, son successeur aux Affaires étrangères ? Sans doute, mais quel que soit le degré de crédit qu'il mérite, son récit est intéressant. Nous y voyons à nu les faiblesses de l'action militaire : d'abord l'excessive centralisation ; tout se décide au Conseil et dans les cours ; les généraux n'ont qu'une faible marge d'initiative ; ensuite, le poids des influences de cour et des intrigues ; enfin la médiocrité de ces chefs qui laissent les politiques décider pour eux. Ce n'est pas que les armées françaises de la guerre de Sept Ans aient manqué d'officiers de valeur, mais elles ont manqué de généraux capables de conduire la guerre. Le maréchal d'Estrées était « d'un coup d'œil ordinaire ». Contades n'avait pas de talent, Soubise et Louis de Bourbon étaient des indécis. Aucun n'avait d'assurance. Il n'est pas rare, pendant cette curieuse guerre, de voir un général commandant une force supérieure à celle de l'adversaire tenir conseil pour savoir s'il faut livrer bataille et finalement opter pour la négative parce qu'il ne sait pas ce qu'il ferait d'une victoire.

La guerre française en Amérique donne une tout autre impression. Ici

---

1. Cardinal de Bernis, *Mémoires, op. cit.*, t. I, p. 38.

c'est l'ennemi qui est supérieur en nombre et qui trouve devant lui une résistance acharnée. On voit même au début plusieurs victoires françaises en des combats pourtant très inégaux. Le 9 juillet 1755 a lieu à la Monongahela la première grande bataille rangée de l'histoire américaine. Une armée de 2 200 Anglais affronte une troupe composite : 146 Canadiens, 72 soldats réguliers venus de métropole, 23 cadets et 637 sauvages. Les Canadiens, pour effrayer les habits rouges, se sont déguisés en sauvages. L'arme blanche et les casse-tête décident de la journée. Trois ans plus tard, le 8 juillet 1758, la victoire de fort Carillon (à la jonction des lacs Champlain et du Saint-Sacrement) est arrachée avec la même impétuosité. Les 3 000 Français commandés par Montcalm mettent en fuite 15 000 Anglais. La bataille a duré sept heures. Chaque soldat a tiré en moyenne quatre-vingts coups. Ces succès paraissent tellement extraordinaires, compte tenu de l'inégalité des forces, que les pieux Canadiens les attribuent à des secours célestes. Un capitaine dira : « Une petite armée combattait sûrement là-haut pour les Français. » Peu après fort Carillon, un poète local publiera ce quatrain :

> Chrétiens, ce ne fut point Montcalm et sa prudence,
> Ces arbres renversés, ces héros, leurs exploits
> Qui des Anglais confus ont brisé l'espérance.
> C'est le bras de ton Dieu vainqueur sur cette croix.

Cependant le miracle ne dure pas toujours. En 1759 commence l'invasion de la Nouvelle-France. La force qui remonte le Saint-Laurent au mois de juin se compose de 76 vaisseaux, 13 500 marins et 9 000 hommes de troupes, sous le commandement du général Wolfe, l'homme de confiance de Pitt. Les Anglais font une guerre totale. Québec est bombardé pendant soixante-huit jours. La cathédrale est détruite ainsi que l'évêché. Pendant ce temps-là, le pays est dévasté : 1 400 maisons sont brûlées. Malgré tout, la conquête est malaisée. Les milices des paroisses et les Indiens alliés des Français font une guérilla incessante. Après la prise de Québec, deux officiers, Levis et Bigot, réussissent à reformer une armée de 7 000 hommes et à la lancer le 27 avril 1760 sur la capitale devenue anglaise. Les sauvages seront fidèles presque jusqu'au bout. L'un d'eux nommé Pontiac continuera la résistance jusqu'en 1766.

La défaite est néanmoins inévitable. Québec se rend le 17 septembre 1759, Montréal le 8 septembre 1760. Tout l'héroïsme de la résistance ne peut rien sans secours. Les renforts expédiés de France entre 1756 et 1760 sont peu nombreux (à peine 3 000 hommes au total). Certains transports sont interceptés par les Anglais. Par exemple, en 1756, sur 1 200 hommes embarqués, il en débarque seulement 1 074. Le dernier secours envoyé, parti de Bordeaux le 10 avril 1760, et composé d'une frégate et de six bâtiments marchands portant 600 hommes de marine, est anéanti. A cette date, en effet, la marine de guerre française n'existe plus. Déjà, en 1758 (le 4 septembre), Bernis écrivait à Choiseul : « ... Nous avons perdu notre procès, puisque notre marine est perdue, et que, si nous voulons soutenir la guerre maritime, il faut renoncer à l'autre totalement[1]. »

Toutefois, l'infériorité des forces et l'absence de marine ne sont peut-être pas les seules causes de la défaite américaine. Il semble qu'il y ait aussi une cause interne. Nous voulons parler du défaitisme. Une partie de la population s'est montrée vivement résistante, mais pas toute la population. Ce sont les habitants de Montréal, et en particulier les marchands, qui ont exigé du commandement militaire une capitulation immédiate. Chez les militaires aussi il y a des éléments défaitistes ou tout au moins peu résolus à continuer la résistance. En 1759, à Québec, sur les 15 officiers de la garnison, 14 se prononcent pour la reddition. Un seul est pour la résistance. C'est un capitaine d'artillerie, nommé Fiedmont. Il est métropolitain et vient d'arriver au Canada.

La politique intérieure

Les deux principales initiatives du gouvernement de Louis XV pendant cette période sont l'imposition du vingtième et la suppression des Jésuites.

LA POLITIQUE FISCALE. LE VINGTIÈME

Pendant la guerre de Succession d'Autriche, pour subvenir aux dépenses de guerre, et selon un usage désormais établi et admis, l'État avait levé un impôt exceptionnel, le dixième.

Cet impôt est supprimé à la fin de la guerre, mais presque aussitôt remplacé par un autre impôt, de même nature, le vingtième. Ce sont les édits de Marly en mai 1749 qui créent ce nouvel impôt.

Le déficit en est la cause. En 1749, la recette nette et régulière s'élève à 194 millions, la dépense à 220 millions. Il y a 16 à 17 millions de déficit régulier, plus l'arriéré dû à la guerre. On est bien obligé de supprimer le dixième, mais on espère que, débarrassé des abonnements, exemptions et inégalités, le vingtième pourra rapporter autant que le dixième.

Qu'est-ce que le vingtième ?

C'est un impôt sur le revenu et un impôt égalitaire qui n'admet pas d'exemptions.

C'est un impôt sur le revenu, mais cédulaire et non global. Les différentes catégories de revenus (fonciers mobiliers, revenus industriels et commerciaux, revenus des charges et offices) sont imposées, mais non l'ensemble du revenu de chaque contribuable. En fait, c'est avant tout un

---

1. Lettres du cardinal de Bernis, in *Mémoires, op. cit.*, t. II, p. 266.

impôt foncier, la terre représentant à cette époque la principale source de revenu.

Il pèse sur la propriété, mais non sur le travail. Les salaires et les revenus des fermiers et des métayers ne sont pas touchés.

C'est un impôt égalitaire, puisqu'il doit être payé par les trois ordres. Le préambule de l'édit de Marly explique pourquoi le roi s'est déterminé dans ce sens : « par la considération qu'il n'y en a pas [d'imposition] de plus juste et de plus égale, puisqu'elle se répartit sur tous et chacuns de nos sujets dans la proportion de leurs biens et de leurs facultés, et que la levée s'en faisant sans traite ni remise extraordinaire, le produit reste en entier au profit de nostre Etat [...] ».

A vrai dire, ces principes ne sont pas des nouveautés. Le dixième (perçu pour la première fois par Louis XIV en 1710) et le cinquantième, levé de 1725 à 1737, avaient été aussi des impôts sur le revenu et des impôts égalitaires. La nouveauté du vingtième réside en ceci, qu'il n'est pas comme ses prédécesseurs un impôt temporaire de circonstance. C'est un impôt de temps de paix et que l'on prétend établir pour toujours. Seulement l'exécution ne suit qu'assez mal.

D'abord la perception ne se fait pas bien. Un personnel spécial de contrôleurs a été recruté, mais il est peu nombreux (sept contrôleurs par exemple pour toute la généralité de Tours) et souvent peu compétent. Il faut compter aussi avec la mauvaise volonté des contribuables. En Bretagne, en 1750, sur quatre cent mille contribuables, huit mille seulement avaient déclaré leurs revenus.

Ensuite le principe d'égalité n'est qu'imparfaitement appliqué. Le nouvel impôt rencontre l'opposition très vive des pays d'états, des parlements et du clergé. Les états de Languedoc et ceux de Bretagne refusent de voter le don gratuit du vingtième (février 1750, octobre 1749). Tous les parlements protestent, sauf celui d'Aix-en-Provence. Leur grand argument est la misère publique. Enfin l'assemblée du clergé de 1750 fait valoir son attachement à l'immunité. A l'égard des états, le contrôleur général Machault — qui est l'homme du vingtième — se montre inébranlable. Les députés sont renvoyés chez eux et les intendants chargés de la confection des rôles. Mais le gouvernement cède devant le clergé. Une première fois en 1750, en remplaçant le vingtième par une contribution annuelle de 1 500 000 livres, une seconde fois en 1751 en renonçant même à cette contribution annuelle [1].

En définitive, le vingtième ne produit pas les résultats escomptés. Son produit est faible et représente à peine la moitié de celui du dixième. En outre, cette affaire dresse le clergé contre le roi. Les philosophes en profitent pour stigmatiser ce qu'ils nomment l'égoïsme de la caste cléricale. Voltaire écrit avec délice « que le corps destiné

---

1. Arrêt du Conseil du 23 décembre 1751.

particulièrement à enseigner la justice doit commencer par en donner l'exemple ».

LA SUPPRESSION DES JÉSUITES ET LES AUTRES MESURES DIRIGÉES CONTRE LE CLERGÉ

En 1764, le roi supprime la Compagnie de Jésus dans toute l'étendue du royaume. Cette décision est d'une très grande portée, compte tenu du rôle joué par cet ordre religieux dans l'éducation de la société et dans la vie intellectuelle et spirituelle de la nation. Les Jésuites tiennent en effet plus de la moitié des collèges (qui sont les équivalents de nos établissements secondaires). Le haut enseignement scientifique est en grande partie assuré par eux, dans leurs chaires royales d'hydrographie et de mathématiques. Leurs publications érudites, en particulier le *Journal de Trévoux*, tiennent le premier rang. La plupart des grands littérateurs et savants leur doivent leur formation. Voltaire — entre autres — a été leur élève.

Comment leur suppression a-t-elle été possible ?

Tout est parti d'une assez banale affaire judiciaire. Un jésuite, Le P. Antoine La Valette, supérieur général des missions des Antilles, avait eu le tort de se lancer dans des entreprises commerciales risquées. En 1760, il est incapable de faire face à ses échéances, et une maison de Marseille, avec laquelle il est en affaire, les frères Lioncy, l'assigne devant la juridiction consulaire de cette ville, ainsi que devant le consulat de Paris. Ces tribunaux déclarent la Compagnie de Jésus tout entière solidaire de la dette et le supérieur général responsable. Au lieu de payer et de se taire, les Jésuites font une erreur. Ils brandissent le principe de l'autonomie financière de leurs établissements, et en appellent au parlement de Paris. C'est se jeter dans la gueule du loup.

En effet, non content d'adopter la thèse des demandeurs et de condamner les Jésuites à payer, outre leurs dettes, 50 000 livres de dommages et intérêts, le Parlement exige que lui soient remises les constitutions de l'ordre, aux fins d'examen. L'affaire La Valette est terminée. C'est le procès de la Compagnie qui commence.

Le Parlement utilise la procédure classique de l'appel comme d'abus, qui permet à la justice royale d'empêcher les empiétements de Rome et du clergé sur les libertés gallicanes. Le 6 août 1761, le procureur général est reçu appelant comme d'abus de tous les actes qui fondent la Société en France. La thèse parlementaire est que l'institut des Jésuites déroge gravement aux principes généraux du droit français. Car il n'est pas admissible qu'un institut établi en France puisse être gouverné despotiquement par un général étranger, résidant à Rome. La Compagnie ne peut pas avoir d'existence légale. Elle n'existe donc pas.

Le roi tente de proposer un accommodement. Un projet de déclaration est préparé par les commissaires du Conseil. Les Jésuites seraient admis en France à la condition d'adapter leur gouvernement aux libertés gallicanes. Par exemple, il pourrait y avoir, à côté du général de la Compagnie, un vicaire général pour la France, destituable à la volonté du roi. Dans cette organisation nouvelle, les provinciaux des cinq provinces jouiraient d'une autorité souveraine. Enfin, les Jésuites seraient soumis aux évêques et devraient enseigner la doctrine gallicane. Ce beau projet n'aboutit pas. D'un côté, le pape Clément XIII le rejette : « Que les Jésuites soient comme ils sont, aurait-il dit, ou qu'ils ne soient pas » (« *Sint ut sunt, aut non sint* »). De l'autre, les parlements refusent de l'examiner, sous le prétexte qu'ils ont à juger l'appel comme d'abus. Pour couper court à toute tentative de sauvetage, les cours de justice suppriment les collèges. A partir de mars 1762, le parlement de Paris rend une trentaine d'arrêts de suppression et substitue d'autres collèges à ceux qu'il supprime. Le roi est mis de la sorte devant le fait accompli. Comme le remarque justement Barbier, commentant les suppressions : « Quand cela sera exécuté, quelque déclaration qu'il vienne après cela de la part du roi, il ne sera plus possible de rétablir ces maisons ; cette société tombera d'elle-même, sans qu'il soit besoin de la chasser du royaume ou de la séculariser [1]. »

Les jugements définitifs sont rendus à partir de février. Le premier parlement à se prononcer est celui de Rouen (le 12 février). L'arrêt est très dur. C'est un coup décisif. Les vœux des Jésuites sont déclarés nuls, leurs maisons placées sous séquestres. Les autres cours se prononcent dans le même sens, leurs arrêts s'échelonnent de février à août. Le parlement de Paris est le plus dur de tous. Il proscrit les Jésuites et confisque leurs biens.

La décision royale intervient en 1764. Elle est relativement modérée ; l'édit du 19 novembre supprime la Société dans toute l'étendue du royaume et ses biens sont confisqués, mais ses membres peuvent demeurer en France. Ils ne sont pas bannis.

C'est la doctrine gallicane qui a joué, et c'est au gallicanisme parlementaire que les Jésuites doivent leur suppression. Toutefois, d'autres facteurs sont intervenus. Il y a eu le précédent portugais. En 1759, Pombal, le ministre du roi Joseph Ier du Portugal, avait fait expulser du royaume tous les membres de la Compagnie. Il y a eu surtout, la propagande philosophique. Cette campagne de pamphlets avait commencé au Portugal, Pombal, homme d'État « éclairé », l'ayant organisée et financée. Les philosophes français prennent le relais. Ils présentent les Jésuites comme des « fanatiques » coupables d'abrutir et de pervertir la jeunesse. Les magistrats reprennent à leur compte ces accusations et les ajoutent à leurs propres griefs. Nous voyons par exemple en 1761 le procureur général du roi au parlement de Bretagne, Louis René de Caradeuc de La

---

1. Edmond Barbier, *Journal historique...*, *op. cit.*, t. IV, p. 1.

Chalotais, dans son *Compte Rendu des Constitutions des Jésuites*[1] adressé à la Cour, développer toute l'argumentation philosophique. Les Jésuites oppriment la jeunesse : « J'accuse cet esprit de corps aussi souvent nuisible qu'utile, cette violence faite à la liberté des consciences et des esprits. » Les Jésuites, par les *Exercices spirituels* de saint Ignace, fanatisent la jeunesse : « Présenter ces exercices à des jeunes gens d'une imagination vive et forte [...] est inspirer l'enthousiasme et préparer les voies du fanatisme. » Les Jésuites enfin dispensent un enseignement anachronique : « Que penser aujourd'hui d'une institution littéraire, faite vers la fin du XVIe siècle, que l'on n'a jamais songé à perfectionner depuis ? C'est être reculé de deux siècles [...]. »

On voit le ton. Il est démesuré. Quant aux accusations, elles n'ont aucun fondement. Il n'y a guère alors de meilleurs professeurs et de plus savants que les jésuites. La sentence rendue par les parlements est tout aussi excessive. D'abord elle comporte des attendus mensongers. Par exemple, l'arrêt du parlement de Paris accuse les Jésuites d'avoir enseigné la magie. Elle ne tient aucun compte des vœux des évêques, exprimés à plusieurs reprises, de voir la Compagnie maintenue. Elle ne se préoccupe guère des suites fâcheuses que la fermeture du jour au lendemain de cent onze collèges peut avoir pour la jeunesse. Elle est le fait dans les parlements d'une très courte majorité : à Rennes 32 voix pour et 29 contre, à Rouen 20 contre 13, à Toulouse 41 contre 39, à Perpignan 5 contre 4, à Bordeaux 23 contre 18, à Aix 24 contre 22. En ordonnant la confiscation des biens, elle porte atteinte aux intentions des nombreux fondateurs qui avaient doté la Compagnie pour que celle-ci enseigne à la jeunesse. La marque d'une telle décision est donc celle de l'injustice. Un germe de désordre est ainsi introduit dans la société. Après le vote du parlement de Toulouse, un défenseur des Jésuites, le président de Bastard, avertit ses confrères : « Vous venez de donner, messieurs, un exemple funeste : celui des suppressions ; vous serez supprimés à votre tour. »

Ce n'est pas tout. L'affaire des Jésuites administre la preuve d'une certaine faiblesse du gouvernement royal. Car Louis XV n'est pas de connivence avec les ennemis des Jésuites. Il a vraiment voulu sauver la Compagnie et c'est bien malgré lui qu'il l'a supprimée. « Je n'aime point cordialement les Jésuites, disait-il, mais toutes les hérésies les ont toujours détestés, ce qui est leur triomphe. Je n'en dis pas plus. Pour la paix de mon royaume, si je les renvoie contre mon gré, du moins je ne veux pas qu'on croie que j'ai adhéré à tout ce que les parlements ont fait et dit contre eux[2]. » Et certes, nous ne le croyons pas, mais alors il faut

---

1. Louis René de Caradeuc de La Chalotais, *Compte Rendu des Constitutions des Jésuites des 1er, 3, 4 et 5 décembre 1761, en exécution de l'arrêt de la cour du 17 août précédent*, 1762, in 4°, 71 pages, B.N. Ld 39 375.

2. Cité par Jean Egret, « Le procès des Jésuites devant les parlements de France », *Revue historique*, juillet-septembre 1950, p. 27.

convenir qu'il s'est laissé forcer la main, qu'il s'est incliné devant la volonté des parlements, se conduisant ainsi en roi constitutionnel et non en roi absolu.

Cependant, il faut admettre aussi que la suppression des Jésuites s'accorde assez bien avec la politique du gouvernement royal vis-à-vis des privilèges matériels du clergé. Car ce gouvernement multiplie les mesures visant à empêcher l'accroissement de la mainmorte. Cela avait commencé sous Louis XIV, lorsqu'on avait exigé que les droits d'amortissement, payés jusqu'alors de façon très irrégulière, soient versés l'année même de l'acquisition des biens, et lorsqu'on avait soumis les donations à l'Église à des droits d'insinuation. Mais l'édit d'août 1749 va plus loin en restreignant, dans son article XVI, les possibilités de donations pieuses : on ne pourra désormais donner aux gens de mainmorte ni fonds de terre, ni maisons, ni droits réels, ni rentes foncières ou non rachetables, ni rentes constituées sur les particuliers. Il s'ensuivra nécessairement un ralentissement de l'activité caritative du clergé et une diminution du nombre des initiatives privées en matière d'assistance et d'éducation. Entre l'édit de 1749 et celui de 1764, il n'y a qu'une différence de degré, non de nature. En tout cas, l'inspiration est la même : le gallicanisme et sans doute aussi la philosophie, c'est tout du moins l'avis du marquis d'Argenson, qui exprime sa désapprobation en écrivant en 1749 : « La philosophie gagne notre gouvernement, quant à l'extérieur de la religion. Voici qu'on se déclare à force contre les couvents et contre le temporel des églises [...] voici un nouvel édit qui empêche désormais les acquisitions de fonds de terre et de maisons par les mainmortables[1]. » Non, pense-t-il, l'Église n'a pas trop de biens, et d'ailleurs sa richesse profite à l'État : « L'on dit toujours que l'Église est trop riche, mais je ne vois pas à quoi cela nuit : on lui tire de bons lopins de don gratuit à chaque assemblée du clergé, les moines ornent le royaume de bâtiments et entretiennent bien leurs propriétés de campagne. »

*
* *

Les oppositions à la politique royale viennent d'assemblées et de compagnies qui font partie intégrante du corps de la monarchie. C'est d'abord l'opposition des états de Bretagne et du Languedoc à l'instauration du vingtième. C'est aussi l'opposition des parlements.

Le parlement de Paris et trois parlements provinciaux se révoltent contre l'autorité royale à propos de l'affaire des billets de confession.

Cette affaire se présente de la manière suivante. En 1750, pour venir à bout de l'ultime résistance janséniste, Christophe de Beaumont, archevêque de Paris, ordonne à ses prêtres d'exiger des moribonds un billet de

---

1. René Louis de Voyer, marquis d'Argenson, *Mémoires et journal inédit,* publié par la Société de l'histoire de France, t. IX, 1867, p. 70.

confession signé du confesseur, en témoignage de soumission à la bulle *Unigenitus*. Faute de quoi l'extrême-onction et l'inhumation en terre sainte devront être refusées. En 1755, l'assemblée du clergé accepte le principe d'une telle mesure, de sorte que plusieurs évêques vont imposer dans leurs diocèses respectifs la formalité du billet de confession.

Le parlement de Paris s'oppose aux évêques. Il prétend qu'il y a abus et que le refus des sacrements est un cas d'appel comme d'abus. Ses raisons sont au nombre de trois :

— L'acceptation pure et simple de la bulle *Unigenitus* est une atteinte aux maximes du royaume ;

— aucune bulle ne peut être mise en vigueur sans lettres patentes du roi dûment enregistrées ;

— le refus de sacrements nuit à la paix des consciences et divise l'Église gallicane.

Or le roi soutient l'épiscopat. Pour lui les parlements n'ont pas à intervenir dans une affaire qui est purement religieuse. Les juges d'Église y sont seuls compétents. Il interdit « qu'on remette en question les droits sacrés d'une puissance qui a reçu de Dieu seul des canons ou règles de discipline [1]. »

Les parlements se trouvent de ce fait en conflit ouvert avec le pouvoir royal. Ils poursuivent les ecclésiastiques refusant les sacrements. Le Conseil du roi casse leurs arrêts ; ils continuent néanmoins à les poursuivre. Voici un exemple de conflit : en 1758, le bailliage de Tours entame une procédure contre un curé refusant. Le Conseil d'État casse son arrêt. Mais le parlement de Paris se saisit du procès et enjoint au bailliage « de continuer à recevoir les plaintes pour refus de sacrements [2] ».

L'opposition parlementaire se manifeste encore dans les deux domaines de la fiscalité et de l'administration.

La guerre de Sept Ans et ses charges obligent le gouvernement à augmenter la pression fiscale : doublement de la capitation pour certains contribuables, doublement, puis triplement des vingtièmes, relèvement des droits de la ferme générale, telles sont les principales mesures. Les parlements du Dauphiné, d'Aix, Besançon et Rouen, y font une très vive opposition.

Par ailleurs, les cours ne cessent de contester l'administration des intendants. La corvée royale et les bâtiments sont les deux points sur lesquels leurs critiques sont les plus vives. Par exemple il est reproché à L'Escalopier, intendant de Montauban, d'avoir retenu des laboureurs pour ce travail gratuit de la corvée, pendant un temps démesuré. On aurait vu un seul paysan, obligé de fournir, du 10 juin au 22 septembre

---

1. Cité par Philippe Godard, *La Querelle du refus des sacrements...*, thèse de droit, Paris, 1937, p. 210.
2. *Ibid.*, p. 269.

1758, quatre-vingt-six fournées de charrois[1]. Quant aux embellissements des villes par les intendants, les cours les jugent superfétatoires : « les villes se trouvent bien comme elles sont ». Ce sont là de lourdes dépenses et que rien ne justifie.

Le pouvoir royal est constamment mis en accusation. On l'accuse de despotisme et d'arbitraire. Il est pourtant dans son bon droit. Dans l'affaire des billets de confession, en soutenant l'épiscopat, et en interdisant aux cours souveraines d'intervenir, il ne fait que suivre l'opinion commune de la jurisprudence, des auteurs et de la législation. Quant à l'augmentation des impôts, l'état de guerre suffirait à la justifier.

Mais le bon droit n'est pas tout. Il faut savoir le défendre. Or la défense royale est mal avisée. Elle oscille entre le coup de force et la reculade. Dans un premier temps, indigné par les procédés des révoltés qui n'hésitent pas à recourir à la grève ou à la démission, suspendant ainsi l'action de la justice, le roi frappe très fort. En mai 1753, il exile de Paris cent soixante-seize conseillers. En 1757, il ôte leurs charges à seize d'entre eux. Dans un deuxième temps il cède. Tout d'abord en 1754 (c'est l'affaire des billets de confession) : les cent soixante-seize exilés sont rappelés, et la Déclaration dite du silence impose aux évêques de ne plus parler de la bulle *Unigenitus* ; puis en 1757 (cette fois, il s'agit de la Déclaration de discipline qui réduisait à néant le pouvoir de remontrance des parlements) : les seize destitués sont réintégrés et la Déclaration de discipline est suspendue. Même succession de violences et de faiblesses dans l'affaire du parlement de Besançon. Cette cour proteste contre le second vingtième. On lui impose un premier président qui n'est autre que l'intendant de la province. Réponse des magistrats : ils font la grève. D'abord le gouvernement tient bon — les grévistes sont exilés — puis il cède : l'intendant président est remplacé, les magistrats bannis rappelés.

De tout cela, l'autorité royale sort amoindrie. D'abord blâmé pour ses coups de force, ses lits de justice, ses lettres de cachet, le gouvernement est ensuite déconsidéré quand il cède. De son côté, l'opposition ne se relâche pas. A force de toujours intervenir et de toujours contester, les parlementaires finissent par s'imposer comme une force politique et par être regardés, non seulement dans l'opinion, mais chez les ministres, comme des modérateurs de la politique royale. On aboutit à ceci que les contrôleurs généraux leur soumettent pour approbation les projets de législation fiscale. Par exemple les lois fiscales de février 1760 sont préparées en commun par le contrôleur général Bertin et par les principaux membres du parlement de Paris.

Faut-il y voir l'effet de cette contestation permanente, ou bien celui de

---

1. Jean Égret, *Louis XV et l'opposition parlementaire*, Paris, Armand Colin, 1970, p. 112.

la désastreuse guerre de Sept Ans ? Les hommes d'État semblent frappés de découragement. A lire leurs correspondances particulières et les confidences qu'ils échangent, on a l'impression que tout va mal, que l'État se désagrège, qu'une catastrophe menace. Voici par exemple la situation du royaume en 1758, telle que la voit Bernis écrivant à Choiseul : « affaires maritimes désespérées », « disette irrémédiable de l'argent », « nation au désespoir », « point d'armée [...] point de généraux », « désolation de nos côtes », « religionnaires » qui « rebâtissent leurs temples[1] ». Enfin il ne manque aucune calamité ! Les propos des mémorialistes (d'Argenson, Barbier) rapportent le même son. Qui pourrait croire que nous sommes dans le royaume le plus prospère et le plus puissant de l'Univers ?

Les causes purement politiques et militaires ne suffisent pas à expliquer une vision si tragique. C'est une véritable révolution des esprits qui se produit. Depuis 1750, la propagande « philosophique » bat son plein. Le premier volume de l'*Encyclopédie* a paru en 1751. Or la lecture des « philosophes » donne une nouvelle tournure de pensée aux Français ; ils prennent l'habitude de poser un regard critique et distrait sur toutes choses. La monarchie et la royauté sont affectées par cette nouvelle manière de voir. Ce n'est pas qu'on les condamne — les audaces politiques de littérateurs ne vont pas jusque-là. Mais on les regarde autrement. On les juge à l'aune des nouvelles valeurs dont on a plein la bouche, l'égalité, la bienfaisance, la tolérance. On parle un nouveau langage et le charme est rompu. La royauté est de moins en moins comprise. Le roi n'est plus aimé.

Il est aimé encore en 1744, lorsqu'il tombe gravement malade à Metz. La population de la capitale est saisie de douleur à l'annonce de la nouvelle. « Cette nouvelle, relate Barbier, a mis Paris dans une alarme et une consternation qu'on ne peut exprimer, et cela dans tous les états, grands, petits et peuple. » Le 17 août, on croit le roi mort et chacun a « la larme à l'œil », mais, aux environs de dix heures, il arrive un courrier qui détrompe et redonne espoir : « il dit que le roi avait mieux passé la nuit des 15 au 16 ». Pour être mieux informé, le corps de ville de Paris met sur pied un service de poste privé : « Le corps de ville de Paris, n'ayant pas de nouvelles de sa santé aussi souvent qu'on le voudrait, par la difficulté des chevaux de poste sur la route, a fait un établissement le premier jour des dangers de la maladie, ils ont envoyé trente ou trente-cinq hommes sur la route de deux en deux lieues avec des chevaux. » « On peut dire, conclut Barbier que le roi n'aura jamais une occasion plus marquée de l'amour et de l'attachement de son peuple[2]. »

De fait, il ne retrouvera jamais cet assentiment. Et même sa popularité va décroître rapidement. En 1747, d'Argenson prophétise : « ... ce roi

1. Cardinal de Bernis, *Mémoires, op. cit.*, t. II, lettre du 4 septembre 1758, p. 265.
2. Edmond Barbier, *Journal historique...*, *op. cit.*, t. III, p. 533.

bien-aimé de ses sujets les forcera bientôt à la plainte[1] [...].» L'année suivante il constate : «... l'on dit grand mal du roi, et l'on dit : "Que peut-on faire sous un maître qui ne pense, ni ne sent?"[2]». La naissance du duc de Bourgogne en 1751 ne suffit pas à ranimer la ferveur. Le 19 septembre 1751, la famille royale se rend à Notre-Dame pour la célébration du *Te Deum* d'actions de grâces. Sur le passage du cortège, la foule est silencieuse. Presque personne ne crie «Vive le roi!». Voilà l'impopularité.

L'attentat de Damiens, le 5 janvier 1757, se situe dans la suite logique de cette dégradation. Ce soir-là, Louis XV est revenu dans l'après-dîner de Trianon pour voir Madame Victoire qui est malade. Sur les six heures, il sort de l'appartement de la princesse, accompagné du Dauphin. Il va monter en carrosse pour retourner à Trianon quand, passant à travers la haie de gardes, un homme le frappe au côté droit au-dessus de la cinquième côte. Le roi s'écrie : «On m'a donné un coup de coude», puis «je suis blessé», puis «C'est cet homme! Qu'on l'arrête et qu'on ne lui fasse pas de mal!». Le misérable est aussitôt appréhendé et fouillé ; son couteau est saisi : il a deux lames, l'une large et pointue, l'autre de quatre à cinq pouces en forme de canif. C'est avec la deuxième qu'il a frappé.

Il s'appelle Robert François Damiens. Il est né le 9 janvier 1716 au hameau de La Thieuloye dépendant de la paroisse de Mouchy-le-Breton, dans le diocèse d'Arras. Son père, fermier, puis ménager, est demeuré veuf avec dix enfants, dont quatre seulement survivent.

Damiens est un instable : entre le moment où il a commencé à travailler et l'attentat, soit l'espace de vingt années environ, il a occupé au moins douze emplois, la plupart de domestique chez les particuliers. On a essayé en vain de lui faire apprendre la serrurerie, puis la cuisine.

C'est aussi un voleur. Deux fois au moins, il est chassé pour vol. Par M. de La Bourdonnaye qu'il vole de 50 louis et par le négociant Michel, son dernier maître, auquel il dérobe 240 louis[3].

Est-il tout à fait responsable ? Ce n'est pas sûr. Son comportement est parfois bizarre. Il a des tendances suicidaires. En fuite aux Pays-Bas avec le produit de son second vol, il essaie de se détruire à force d'émétique et de poison. Mais il n'a pas agi impulsivement. Il a prémédité son acte. Pendant sa fuite, se trouvant un jour à Poperinge, il dit : «Si je reviens en France... oui j'y reviendrai, j'y mourrai, le plus grand de la Terre aussi et vous entendrez parler de moi.»

Il agit seul. Personne n'a armé son bras. Il n'a pas de complices. Il n'est pas l'instrument d'une opposition. Tout cela semble acquis. Mais il

1. René Louis de Voyer, marquis d'Argenson, *Mémoires et Journal inédit, op. cit.*, 27 décembre 1744.

2. *Ibid.*, 4 mars 1758.

3. Quarré-Reybourbon, *Biographie artésienne. Un régicide. Étude historique*, Béthune, 1886.

a subi des influences, il a agi pour une cause. Laquelle ? Dès la nouvelle de l'attentat, tout le monde a dit : ce sont les Jésuites. Mme Campan se trouve à Versailles ce soir-là : « Un ami de la maison entra, pâle et défiguré, et dit d'une voix presque éteinte : "… le roi est assassiné !" A l'instant deux dames de la société s'évanouissent, un brigadier des gardes du corps jette ses cartes et s'écrie : "Je n'en suis pas étonné. Ce sont ces coquins de Jésuites"[1]. » Pourquoi les Jésuites ? Parce qu'ils passent, selon une fable gallicane qui a la vie dure, pour des tenants du régicide. On rappelle aussi que Damiens a été plusieurs mois durant valet de réfectoire au collège Louis-le-Grand.

Malheureusement pour les jansénistes et pour les magistrats qui interrogent Damiens et voudraient bien lui faire avouer une complicité jésuitique, le seul aveu explicite du prisonnier ne va pas dans ce sens. Il n'accuse pas les Jésuites, mais le parlement. « Je me proposais, dit-il, de venger l'honneur et la gloire du Parlement, et je croyais rendre service à l'État. » Il dit aussi qu'il n'a « pas voulu tuer le roi mais l'avertir ».

L'attentat de Damiens est révélateur de l'état des esprits simples vis-à-vis du roi. Pour les gens du simple peuple comme Damiens, le roi est coupable de laisser se perpétuer le désordre et l'agitation en ne rendant pas justice au Parlement contre l'archevêque de Paris dans l'affaire des billets de confession. « Je ne l'ai fait, dit Damiens, que pour que Dieu pût toucher le roi, et le porter à remettre toutes choses en place et la tranquillité dans ses états. Il n'y a que l'archevêque de Paris seul qui est cause de tous ces troubles[2]. » On voit aussi par là que les affaires de la religion sont ressenties profondément et qu'elles troublent les esprits.

A en croire les mémorialistes, la nouvelle suscite une douleur universelle. « La nouvelle, écrit Dumouriez, en vint à Saint-Germain-en-Laye à sept heures du soir […]. Tout le monde court avec effroi et désespoir à Versailles. Ils y arrivèrent sans chapeau et sans épée à neuf heures du soir. L'amour des Français pour leur roi, leur consternation, leur attendrissement formaient le spectacle le plus touchant[3] […]. » On notera cependant que l'attentat ne désarme pas l'opposition parlementaire. Les magistrats des enquêtes font savoir qu'ils maintiennent leurs demandes au sujet de la Déclaration de discipline. Ils s'en excusent « en disant que le malheureux événement qui est arrivé n'a point de rapports à leurs droits et à leurs prétentions au sujet de cette Déclaration[4] ». On est averti : rien désormais, même pas l'effusion du sang royal, ne fera reculer l'opposition.

Pendant cette période si difficile pour lui, Louis XV, par moments,

---

1. Cité par Pierre Rétat dans *L'Attentat de Damiens. Discours sur l'événement au XVIIIᵉ siècle* (sous la direction de P. Rétat, Paris-Lyon, 1979, p. 298).
2. Cité par Quarré-Reybourbon, *Biographie artésienne…, op. cit.*
3. Cité par P. Rétat, *op. cit.*, p. 298.
4. Cité par Jean Egret, *Louis XV et l'opposition parlementaire, op. cit.*, p. 83.

semble découragé. Après l'attentat de Damiens, il va demeurer prostré pendant plusieurs jours, sans prononcer une parole. Mais il ne perdra jamais sa lucidité. A la fin de 1763, Choiseul et son cousin Praslin manifestent leur intention de démissionner. Le roi leur écrit : « Le moment est si critique que je ne puis croire que vous y pensiez l'un et l'autre[1] [...]. » « Le moment est si critique... », Louis XV n'est donc pas annihilé par l'opposition. S'il ne domine pas toujours l'événement, il reste à sa hauteur.

Chapitre II

LA ROYAUTÉ
(1764-1774)

La royauté de cette décennie porte successivement deux visages, le premier de tristesse et le second de fête. Après les nombreux deuils (dont celui du Dauphin) qui frappent de 1764 à 1768 la famille royale, viennent les brillantes cérémonies de mariage des petits-fils de Louis XV. Le roi, quant à lui, ne ressent guère les atteintes de l'âge. A soixante ans, il intronise une nouvelle maîtresse en titre, la comtesse du Barry, puis mettant à la raison les parlements, transformant les systèmes judiciaire et fiscal, il accomplit ce que les historiens nommeront la « révolution royale ».

LE ROI, SON ENTOURAGE, LA VIE ROYALE

Louis XV conserve longtemps une grande jeunesse d'allure. Le buste de Gois (au moment de la « révolution royale ») montre un homme encore superbe et fier. Le menton est relevé, le regard direct et impérieux. En revanche, le portrait de Drouais, peint trois ans plus tard (1773) nous fait voir un vieillard, un jeune vieillard certes — un « vieillard portant beau » (Gaxotte) —, mais un vieillard quand même : les traits sont empâtés, les paupières lourdes, le regard las. Le vieillissement est venu tout d'un coup. La santé n'est pas affectée. On note cependant que le roi n'a pas bonne mine. Un courtisan écrit : « Je n'aime pas ce teint bilieux que je lui ai remarqué[2]. »

---

1. Lettre autographe non signée de Louis XV au duc de Choiseul, 15 octobre 1763, collection H. Vauthier.
2. Pidansat de Mairobert, *L'Observateur anglais ou Correspondance secrète entre Milord All Eye et Milord All Ear. A Londres 1778-1786*, t. I, lettre du 1er octobre 1773, p. 14.

Il lui faut quand même une belle vitalité pour vivre comme il le fait. On a pu parler d'« existence frénétique ». Il n'arrête pas et son rythme est de plus en plus rapide. Les petits soupers, les chasses, les « voyages », les Conseils, le « travail » et les réceptions diverses se succèdent à une cadence infernale. On dit qu'il veut s'étourdir, effacer l'ennui qui le minerait. « C'est l'ennui qui le poursuit, dit un mémorialiste, qui l'oblige d'être toujours en mouvement et qui lui fait prendre ce train de vie errante dans le cercle étroit d'une douzaine de maisons de plaisance, qu'il parcourt successivement[1]. » L'ennui et peut-être aussi la tristesse de voir mourir sa fille Henriette, son fils le Dauphin, sa belle-fille, la Dauphine et deux de ses petits-enfants, le duc d'Aquitaine et le duc de Bourgogne. On serait triste à moins. Louis XV a toujours eu des penchants morbides. Maintenant il impressionne son entourage en évoquant souvent les aspects physiques de la mort. Par exemple, le 22 novembre 1765, lendemain du décès du Dauphin, il garde le duc de Croÿ pendant une heure dans son cabinet pour lui raconter le rapport d'autopsie[2].

La mort du Dauphin lui est particulièrement pénible. Depuis long-temps il savait son fils perdu et s'en désolait. En 1763, il écrivait à Choiseul à la fin d'une lettre :

> … dernière réflexion qui me perce le cœur et que je n'ay confié à personne, l'état de mon fils. Il est vray qu'en ce moment il paroist mieux mais s'il me manquoit (je scay tout ce qu'on peut dire à cela) mais un enfant pendant bien des années, et quoique je me porte bien, est d'un bien petit secours[3] […].

Plus qu'il ne l'avait fait jusqu'alors, il cherche refuge dans la vie de famille. Ses filles lui sont particulièrement chères. Il les voit trois fois par jour, le matin avant le Conseil, le soir avant son souper et au débotter. Il les affuble de petits noms d'amitié : Victoire est Coche, Adélaïde, Loque, Sophie, Graille et Louise, Chiffe. Lorsque Louise, en 1770, déclare son intention d'entrer au carmel de Saint-Denis, il y consent mais s'en afflige. Il ira voir sa fille une fois par mois dans son monastère. On lui aménagera un appartement à l'intérieur de la clôture, mais pour parler à sa fille il préférera la visiter dans sa cellule, s'y attardant des heures durant. Il a eu moins d'intimité avec son fils, mais l'affection a été la même. Très édifié par les derniers moments du Dauphin, il parle de lui en disant « notre saint héros[4] ». « Ma fille, aurait-il dit à sa fille Adélaïde, tâchons de nous consoler de la perte de votre frère. S'il eût vécu, il aurait trouvé après moi le royaume bien délabré. Peut-être Dieu ne l'a-t-il enlevé à notre tendresse que pour lui épargner les peines affligeantes où

1. Pidansat de Mairobert, *L'Observateur anglais, op. cit.*, t. I, lettre du 1er octobre 1773, p. 14.
2. Emmanuel de Croÿ, *Journal, op. cit.*, p. 201.
3. Lettre autographe non signée du 15 octobre 1763 (collection Vauthier).
4. Cité par Jean-François Marmontel, *Mémoires*, t. II, Maurice Tourneux, 1891, p. 304.

l'eussent réduit les maux incalculables d'une telle calamité[1].» Surprenantes paroles! Si elles ont été réellement prononcées, elles en disent long sur le «moral» du roi et sur sa lucidité quant à l'état de la monarchie. On parle d'ennuis, de chagrins, mais le véritable secret de la mélancolie de Louis XV est peut-être là, dans ce constat de dégradation.

Il ne renonce pas aux plaisirs de l'amour. Il reste un sensuel, un voluptueux. Les années 1752-1764 ont été celles des «petites maîtresses», douillettement logées et entretenues dans une maison du quartier du parc aux cerfs à Versailles. On ignore leur nombre. Cinq d'entre elles eurent des enfants des œuvres du roi : Mlle de Romans, Mlle O'Murphy, surnommée Morphise, ancien modèle de Boucher, Mlle Tiercelin de La Colleterie, Marie-Catherine Hainault et Lucie Citoyenne. Toutes les cinq étaient très jeunes : entre dix-sept et vingt-quatre ans[2]. Le parc aux cerfs est-il fermé dès 1765 (comme le suggère le duc de Croÿ) ou bien seulement en 1768, après la rencontre de Mme du Barry? C'est une question qui n'est pas éclaircie.

A partir de 1765, plusieurs candidates briguent la place vacante de Mme de Pompadour : la duchesse de Gramont, sœur de Choiseul, Mme d'Esparbès et Mme de Séran, sont les plus notables. Toutes échouent. Mme de Séran obtient cependant la faveur de rendez-vous en tête à tête dans les petits appartements. Il se développe alors entre cette très jeune femme et le roi quinquagénaire une sorte d'amitié amoureuse, d'ailleurs parfaitement platonique. Ils se voient tous les dimanches avant le souper. Souvent le roi demande à son amie de l'attendre pendant qu'il soupe au grand couvert, et lui prête un livre de sa bibliothèque pour qu'elle puisse s'occuper en l'attendant. Il lui écrit aussi très souvent[3].

L'avènement de la du Barry met un terme aux compétitions. Pour la deuxième fois, c'est hors du milieu de la Cour que le roi choisit sa maîtresse en titre. Seulement la Pompadour sortait d'une famille assez relevée, bien que roturière. Avec la du Barry, le roi descend beaucoup plus bas. La nouvelle élue est de basse extraction et de médiocre vertu[4]. Jeanne Bécu, future comtesse du Barry, est née à Vaucouleurs, diocèse de Toul, le 19 août 1743. Sa mère, Anne Bécu, est la fille d'un cuisinier. La paternité est attribuée à un moine, J.-B. Gomard de Vaubernier, en religion frère Ange. Venue à Paris avec sa mère, la petite Jeanne a été coiffeuse, femme de chambre, puis, à dix-huit ans, employée chez Labille, marchand de modes. Déjà elle passe pour une fille entretenue.

1. Selon le duc de Gorse, cité par Colette Ziegler, *Les Coulisses de Versailles. Louis XV et sa cour*, Paris, 1965, p. 356.

2. M. Antoine, «Les bâtards de Louis XV», in *Le Dur Métier de roi, op. cit.*, p. 293-313.

3. D'après Jean-François Marmontel, *Mémoires, op. cit.*, t. II, p. 304.

4. A. Fauchier-Magnan, *Les Du Barry. Histoire d'une famille au XVIIIᵉ siècle*, Paris, 1934, 441 pages.

C'est un proxénète mondain qui la procure au roi. Jean-Baptiste du Barry, gentilhomme de Lévignac près de Toulouse, est venu à Paris pour y faire fortune. C'est un «roué». On désigne alors de ce mot les hommes aux dehors séduisants, ayant le don de la repartie et de l'impertinence. Ses moyens de prospérer ne sont guère avouables. Il entretient des filles, les loge et les fait connaître à des amis. Le duc de Richelieu, vieux débauché impénitent, est l'un de ses clients. Lorsqu'il exhibe Jeanne Bécu, sa nouvelle recrue, Richelieu, séduit, en parle au roi. Et c'est ainsi que l'affaire est faite. Nous sommes au début de l'année 1768. Louis XV est conquis. Il déclare à Richelieu : «Je suis enchanté de votre Mme du Barry, c'est la seule femme de France qui trouve le secret de me faire oublier que je suis sexagénaire[1].» Il dit aussi éprouver une «jouissance d'un genre tout à fait neuf». Entre-temps, Jeanne Bécu est devenue la comtesse du Barry. Pour accéder au statut de maîtresse attitrée, il fallait qu'elle fût mariée. Jean-Baptiste avait un frère célibataire, nommé Guillaume. On le fit venir en hâte à Paris. Le mariage fut célébré en juillet, et le mari repartit aussitôt pour Lévignac. Rien de plus simple. La présentation au roi donne plus de difficulté. Aucune dame de la Cour ne veut servir de marraine. On se rabat sur une vieille comtesse de Béarn, dénichée à grand-peine. La présentation a lieu. La *Gazette de France* l'annonce dans son numéro d'avril 1762 : «Le 22 de ce mois, la comtesse du Barry eut l'honneur d'être présentée au roi et à la famille royale par la comtesse du Béarn.»

Tout cela est assez peu reluisant. Décidément, Louis XV s'encanaille. Il faut voir les choses telles qu'elles sont. Le Roi Très Chrétien, le père et grand-père d'une nombreuse famille, intronise dans les fonctions de reine de la Cour la protégée d'un entremetteur.

Il est vrai que la jeune femme est charmante. Si ce n'est pas une excuse, c'est du moins une explication. Tous les hommes qui la voient en départent. «Ses cheveux écrit, le comte de Belleval, étaient du plus beau blond et elle en avait une profusion à n'en savoir que faire ; ses yeux bleus avaient un regard caressant et franc. Elle avait le nez mignon, une bouche toute petite et une peau d'une blancheur éclatante[2].» «Beaux yeux, renchérit le prince de Ligne, blonde à ravir, bouche au rire leste, peau fine, poitrine à contrarier le monde en conseillant à beaucoup de se mettre à l'abri d'une comparaison[3].» Bref une beauté blonde éclatante, mais en même temps vive et mutine comme on les aimait à la fin de ce siècle galant. Plus étonnante, si l'on songe à ses origines, est la finesse de son goût. Car elle a le sens de la parure et de la décoration. Elle sait aussi l'art de la politesse et celui de la conversation. La Cour la plus difficile

---

1. Cité par A. Fauchier-Magnan. *Histoire d'une famille au XVIIIᵉ siècle, op. cit.*, p. 232.
2. Cité par Colette Ziegler, *Les Coulisses de Versailles..., op. cit.*, p. 369.
3. Cité par A. Fauchier-Magnan, *op. cit.*

du monde sur le chapitre des manières n'a jamais pu la prendre en défaut. «Son ton, écrira le marquis de Bouillé, n'avait rien de commun, encore moins de vulgaire[1]. »

Elle exerce très tôt sur le roi un empire absolu. De retour à Versailles, en avril 1770, après une absence de plusieurs mois, le duc de Croÿ en est frappé. Il note dans ses carnets :

> Le 23 avril, j'allai à Versailles. Le roi, malgré ses soixante ans, était plus amoureux que jamais de la nouvelle dame. Elle l'amusait, il avait l'air rajeuni[2] [...].

Choiseul est l'un des rares courtisans à ne pas rendre les armes devant la favorite. Il la poursuit de ses sarcasmes. Il la hait. Lorsqu'il est renvoyé, le 24 décembre 1771, tout le monde y voit la main de Jeanne du Barry.

Louis XV a-t-il vraiment songé à l'épouser ? C'est possible. En tout cas, on y a pensé pour lui. Une lettre de Maupeou est significative. Le 1er juin 1771, le chancelier écrit à la favorite :

> J'ai encore raisonné ce matin avec le duc d'Aiguillon sur le projet de votre mariage avec le roi. Nous n'avons pas du tout trouvé la chose impossible. Vous savez que nous avons l'exemple d'un mariage pareil entre Louis XIV et Mme de Maintenon. Les circonstances nous sont assurément beaucoup plus favorables qu'elles l'étaient à cette dame qui n'avait point sur son amant un ascendant aussi fort que celui que vous avez sur le roi[3].

Le mariage aurait présenté pour le roi l'avantage de mettre sa conscience en repos. Louis XV, en effet, malgré sa vie dissolue, garde la foi. Il manifeste pour la religion un respect ostentatoire. Par exemple, le 3 mars 1766, se rendant au Parlement pour un lit de justice, et rencontrant sur le Pont-Neuf le saint sacrement que l'on porte à un malade, il fait arrêter son carrosse et se met à genoux dans la boue[4]. Le choix qu'il fait en 1772 d'un saint curé de campagne comme confesseur surprend la Cour et indique une âme avisée des choses spirituelles. En tout cas, c'est une bien curieuse histoire que l'élévation du pauvre abbé Maudoux, curé de Brétigny, au poste éminent et convoité de confesseur du roi de France. Un jour où il est à la chasse, Louis XV s'écarte de ses courtisans. Dans sa course, il se trouve seul et, profitant de l'incognito, questionne des paysans qu'il rencontre. La conversation tombe sur leur curé dont ils font un grand éloge. Revenu à Versailles, le roi se renseigne auprès du comte de Noailles, seigneur de Brétigny, et obtient confirmation des renseignements donnés par les villageois. Il mande alors l'abbé Maudoux et le nomme son confesseur, tout en lui permettant de conserver sa

---

1. Cité par Pierre Gaxotte, *Le Siècle de Louis XV, op. cit.*, p. 440.
2. Emmanuel de Croÿ, *Journal, op. cit.*, p. 222-223.
3. Cité par Colette Ziegler, *Les Coulisses de Versailles..., op. cit.*, p. 390.
4. Raconté par Emmanuel de Croÿ, *Journal, op. cit.*, p. 204.

charge de curé. Or l'abbé Maudoux est véritablement un saint prêtre. On peut considérer un tel choix comme annonciateur de la conversion finale du roi[1].

Il faut maintenant parler de la famille royale. La mort y creuse des vides. Le petit duc d'Aquitaine disparaît en 1754, le duc de Bourgogne, fils aîné du Dauphin, à l'âge de neuf ans en 1761, le Dauphin lui-même en 1765 (de tuberculose pulmonaire), la Dauphine en 1767 de la même maladie, et enfin la reine Marie en 1768. Là toutefois s'arrête la série noire et commence celle des mariages. Le 16 mai 1770, le duc de Berry, nouveau Dauphin depuis la mort de son père en 1765, épouse Marie-Antoinette d'Autriche. Suivront en 1771 et 1773 les mariages de ses deux frères, comtes de Provence et d'Artois. Cependant aucune naissance ne surviendra dans ces trois ménages tout le temps que vivra le roi, et celui-ci mourra inquiet de ne pas voir la succession dynastique pleinement assurée.

Le nouveau Dauphin, futur Louis XVI, ne produit pas une très bonne impression sur la Cour. On le juge gauche, balourd. On trouve ses frères plus brillants, plus intelligents. Cependant Louis XV s'intéresse un peu à ce petit-fils qui lui succédera. Il l'emmène avec lui dans ses petits « voyages » de chasse à Saint-Hubert, Marly et Choisy. En ces occasions, le Dauphin soupe avec le roi, Mme du Barry et leur société habituelle. Cette compagnie ne lui est probablement pas très agréable, car il est vertueux et réprouve dans son for intérieur la liaison de son grand-père[2]. Mais il ne fuit pas Mme du Barry et ne prétend pas donner de leçons au roi. En cela il se conforme à l'attitude de ses tantes et de toute la famille. Le grand-père a ses faiblesses, qui sont blâmées, mais la famille demeure unie.

Après la favorite, le personnage certainement le plus influent sur l'esprit du roi est sa fille Louise, devenue carmélite en 1770, à l'âge de trente-trois ans. Cette vocation est ancienne et date peut-être du séjour de la princesse à Fontevrault. Trois circonstances l'ont développée : dans son enfance, à la suite d'une grave maladie, elle a été vouée à la Vierge ; plus tard, à la chasse, son cheval ayant fait une chute, elle est renversée et il s'en faut de peu qu'elle ne soit écrasée par le carrosse de ses sœurs qui suivait de près ; enfin, le 7 octobre 1751, elle entend l'appel distinct de Dieu, alors qu'elle assiste à la vêture, au carmel de la rue de Grenelle, de la comtesse de Rupelmonde, son amie. C'est Mgr de Beaumont, archevêque de Paris, qui annonce à Louis XV l'intention de sa fille et obtient son consentement. L'entrée se fait dans le plus grand secret. Le 5 avril 1770, Mme Louise quitte Versailles, avec une dame d'honneur et un

---

1. C'est du moins l'avis de Paul Del Perugia dans son *Louis XV, op. cit.*, p. 470.
2. Selon Paul Girault de Coursac, *L'Éducation d'un roi : Louis XVI*, Paris, Gallimard, 1972, p. 254.

écuyer, annonçant qu'elle va prier à Saint-Denis sur la tombe de sa mère. Puis elle se rend au carmel et annonce à ses deux compagnons stupéfaits, ainsi qu'aux religieuses incrédules, que son intention est de ne plus en sortir. Elle n'avait rien dit non plus à ses sœurs, et c'est le roi qui leur apprend la nouvelle. «Louise est partie ce matin», leur dit simplement leur père. «Avec qui?» demande Adélaïde. Aucune dérogation ne sera faite à la règle pour la nouvelle carmélite, désormais nommée mère Thérèse de Saint-Augustin. Elle bêchera la terre et récurera les marmites. En 1773, elle sera élue prieure du monastère. Tout laisse penser que, depuis son entrée au carmel de Saint-Denis, elle a eu sans cesse en vue la conversion et le salut du roi, son père. Sur ses cahiers intimes du temps de la vie à Versailles, on lit cette aspiration : «Moi Carmélite ; et le roi tout à Dieu, quel bonheur ! Dieu le peut, Dieu le fera[1] !»

La vie de Cour pendant cette dernière décennie n'évoque nullement le déclin d'un règne. Mme de Pompadour cloîtrait le roi et l'isolait. La guerre de Sept Ans interdisait les dépenses et les fêtes. Mais la Pompadour est morte et la guerre achevée. Le faste royal peut s'épanouir à nouveau, et se manifester en bâtisses et en fêtes.

Versailles reçoit deux embellissements : les appartements de Mme du Barry et le nouvel Opéra. Mme du Barry est installée par Louis XV au second étage de ses cabinets. Le grand appartement aménagé pour elle comporte salon, salle à manger, chambre et bibliothèque, le tout meublé avec un luxe prodigieux mais d'un goût très sûr[2]. La salle d'opéra est l'œuvre de Gabriel. Les travaux commencés en 1753 sont interrompus pendant la guerre, repris en 1767 et terminés pour le mariage du Dauphin en 1770.

Hors de Versailles, deux ravissants châteaux neufs viennent enrichir le décor : Louveciennes et Trianon. Louveciennes est donné par Louis XV à Mme du Barry en 1769. Or, il n'y avait là qu'un bâtiment carré sans grâce. La favorite se fait construire un pavillon composé uniquement de pièces de réception. Elle en confie l'ouvrage à Ledoux, jeune architecte encore inconnu. Le petit palais qui voit le jour est dans le style «à l'antique», plus tard appelé style Louis XVI. Déjà, dans la décoration de ses appartements de Versailles, Mme du Barry avait marqué sa préférence pour le nouveau goût.

L'autre château est le Petit Trianon, dont la construction réalisée de 1763 à 1768 célèbre en quelque sorte le retour de la paix. Des allégories rustiques en décorent les murs : la *Pêche*, la *Chasse*, la *Moisson* et la *Vendange*. Une machinerie complexe y facilite la vie : des tables dites «mouvantes» ou «magiques» montent à l'étage inférieur et permettent de se passer de domestiques. Mme du Barry règne sur la demeure et le roi

1. Cité par Léon de La Brière, *Madame Louise de France*, Hachette, Paris, 1900, p. 111.
2. Pierre Verlet, *Versailles*, Paris, Fayard, 1961, p. 567.

s'y plaît. Il y séjournait en avril 1774, lorsque la maladie l'obligea à rentrer à Versailles.

Chapitres et processions de l'ordre du Saint-Esprit, présentations et revues militaires constituent depuis le début du règne les fastes ordinaires de la vie publique du roi. Cependant, toutes ces cérémonies revêtent une allure nouvelle de splendeur et de vivacité. Le 2 février 1767, a lieu à Versailles la réception de chevalier de l'ordre du Dauphin, ce qui attire, nous dit le duc de Croÿ, «un monde prodigieux[1]». L'armée a été humiliée par les désastres de la guerre de Sept Ans. Afin de lui redonner courage et fierté, le roi multiplie en sa faveur les marques de son intérêt. En 1767, il rassemble à Compiègne un camp de 10 000 hommes et préside aux grandes manœuvres[2]. Le 28 avril 1768, la bénédiction des drapeaux des gardes françaises donne lieu à une brillante parade. Les troupes défilent au son d'une musique turque. Une foule considérable est venue admirer les nouveaux uniformes que soldats et officiers étrennent en cette occasion[3]. Quelques jours plus tard, le roi passe une revue dans la plaine des Sablons, et c'est à nouveau la grande affluence des Parisiens curieux du spectacle[4]. Y a-t-il un changement par rapport à la période précédente? Louis XV se montre-t-il à ses sujets plus souvent qu'il ne le faisait? Est-il plus souvent à Versailles et en présence de la Cour? C'est difficile à dire. Luynes, le précieux mémorialiste, est mort en 1768, et personne ne l'a remplacé dans ce rôle qu'il tenait incomparablement, d'observateur clinique des actions du roi. Nous savons que Louis XV a toujours — et même plus que jamais — cette tendance à se réfugier dans ses petits châteaux et dans ses ermitages perdus au fond des forêts. Mais il y a au moins une différence avec la période précédente. Sûre de son ascendant, bonne et sociable de tempérament, la nouvelle favorite, au contraire de la précédente, ne cherche pas à isoler le roi, à le séparer du reste du monde. Un geste montre bien sa libérale aisance. Pour inaugurer son pavillon de Louveciennes, elle ne donne pas une petite fête intime, mais invite toute la Cour. La réception a lieu le 2 septembre 1771. Représentant le grand dîner aux chandelles, une aquarelle de Moreau le Jeune en conserve le souvenir.

Les trois mariages successifs du Dauphin (1770) et de ses deux frères, le comte de Provence (1771) et le comte d'Artois (1773), surpassent en magnificence tout ce qu'on a vu depuis le début du règne. On se croirait revenu au temps du Grand Roi.

D'abord, chacun de ces mariages est comme une gerbe de fêtes plus somptueuses les unes que les autres. Le mariage du Dauphin a lieu le 16 mai 1770. Le 17, c'est la «présentation générale» de la Cour à la

1. Emmanuel de Croÿ, *Journal, op. cit.*, p. 206.
2. Philippe Henri, marquis de Ségur, *Mémoires*, Paris, 1826-1827, t. I, p. 30.
3. Emmanuel de Croÿ, *Journal, op. cit.*, p. 215.
4. *Ibid.*

Dauphine, le 19 le feu d'artifice dans le parc de Versailles, suivi d'un bal, le 21 le bal masqué, le 23 le théâtre. Le 26, la scène (et la Cour) se transporte à Paris : le soir du 26, souper chez Mercy d'Argenteau, ambassadeur à Paris de l'impératrice Marie-Thérèse, le 29 et le 30 bal masqué, feu d'artifice et illumination de la ville.

Ensuite, chaque mariage princier est une fête à la fois de la musique et du feu. De la musique : presque tous les soirs, la salle du nouvel Opéra de Gabriel retentit des grands airs de l'opéra-comique à la mode. Ou bien la salle est aménagée pour la danse. Les nouveaux mariés dansent le menuet. La Dauphine le danse à ravir, bien qu'elle préfère les danses allemandes. Fêtes du feu : on n'avait jamais vu une telle prodigalité d'illuminations. Le soir du 16 mai 1770, cent soixante mille lampions éclairent le parc de Versailles. Pour le jeu du roi, le même soir, on a disposé dans la galerie des bustes dorés pour soutenir la girandole. « A la nuit, raconte le duc de Croÿ, quand en peu de temps on eut tout illuminé, les vêtements parurent beaucoup plus brillants à la lumière, ainsi que les diamants[1]. » Pour son grand souper donné au Petit Luxembourg, Mercy d'Argenteau éclaire sa galerie de 2 500 bougies. Paris vaut Versailles. Dans la nuit du 29 au 30 mai 1770, les boulevards sont éclairés, depuis la porte Saint-Denis jusqu'à la place Louis XV, par deux rangées de réverbères, des lampions garnissant les arbres. Et quels feux d'artifice ! Ce sont des spectacles inouïs, d'une abondance et d'une générosité incroyables. Celui qui est tiré à Versailles le 19 mai 1770 comporte vingt-quatre mille fusées. Celui du mariage du comte de Provence a été préparé par les « artificiers » du roi, Torré, Morel et Seguin. Il représente, au dire du duc de Croÿ, « une façade d'architecture en feux de couleur[2] ».

Enfin, chaque mariage est une fête populaire. Le bon peuple vient en foule à Versailles voir le feu d'artifice et les illuminations. Le parc est envahi. On a dressé dans les bosquets des petits théâtres, où jongleurs, saltimbanques et farceurs amusent la foule. Dans la nuit du 29 au 30 mai 1770, le Tout-Paris est dehors pour voir le feu d'artifice tiré place Louis XV. Des témoins estiment à quatre cent mille personnes le nombre des spectateurs. Vraiment un peuple entier participe à la fête.

Cependant un accident terrible, survenu précisément dans cette même nuit du 29 au 30 mai, jette comme une ombre sur ces fêtes splendides. Après avoir regardé le feu d'artifice, la foule immense qui remplit la place Louis XV veut gagner les boulevards pour y voir les illuminations. Tout le monde en même temps s'engouffre dans le seul passage qui est la rue Royale. Or cette rue est obstruée par des carrosses et creusée de tranchées à cause des travaux en cours pour l'achèvement des colonnades. Une bousculade terrible se produit. Des malheureux tombent dans les

1. Emmanuel de Croÿ, *Journal, op. cit.*, p. 215.
2. *Ibid.*, p. 242.

trous et sont piétinés. On dénombre des centaines de morts et de blessés, 600 selon le marquis de Ségur[1], « trois cents au moins » pour le duc de Croÿ[2]. Du coup la capitale est plongée dans le deuil. Les Parisiens sont consternés. Le Dauphin et la Dauphine, désolés, s'empressent d'envoyer des secours et montrent une grande sollicitude pour les familles des victimes. Cela ne fait rien. L'effet de la fête est manqué. Une sorte de malédiction semble empêcher le roi et son peuple de se retrouver. D'aucuns voient dans la catastrophe un mauvais présage. « Cette fête, finie aussi tragiquement, écrit le duc de Croÿ, causa une grande consternation dans le peuple et n'était pas d'un favorable augure pour ce remarquable mariage[3]. »

LE SYSTÈME DE GOUVERNEMENT
ET LA POLITIQUE ROYALE

Le système de gouvernement
et les ministres jusqu'en 1770

L'âge venant n'affecte pas la capacité de travail de Louis XV qui continue à remplir sa tâche assidûment, suivant toutes les affaires, lisant tous les dossiers. Lorsque le parlement de Bretagne le prétend mal informé, il lui répond vertement : « J'ai lu vos remontrances. Elles sont écrites avec une chaleur que je désapprouve [...] Vous y dites que je n'ai pas été instruit, rien n'est plus faux. J'ai lu tout ce que vous avez fait et on ne vous a rien adressé que je n'ai ordonné moi-même[4]. »

Le souverain exerce toujours pleinement son pouvoir d'initiative et de décision. Au Conseil d'en haut, il fixe l'ordre du jour et y introduit souvent dans le cours de la séance de nouvelles questions. C'est lui par exemple qui, par de nombreuses interventions, va fixer l'attention du Conseil sur les affaires militaires et orienter ainsi la politique de restauration de l'armée. Les grandes décisions prises, le détail de l'exécution en est arrêté au travail du roi, c'est-à-dire dans les séances de travail en tête à tête avec les ministres. A propos de la réorganisation de l'artillerie de marine, Choiseul écrit à Louis XV : « Votre Majesté en aura à la fin de 1767 tout ce qu'il lui faut [...] ainsi que je l'ai montrée à V. M. dans un de mes derniers travaux avec Elle. »

Il n'y a donc pas à en douter : Louis XV — comme il l'a toujours fait — gouverne véritablement. Cela dit, il y a deux façons de gouverner ; l'une est de gérer les affaires, l'autre est de commander aux affaires. Quelle est celle de Louis XV ? Bien difficile à dire.

---

1. Philippe Henri, marquis de Ségur, *Mémoires, op. cit.*, p. 33-34.
2. Emmanuel de Croÿ, *Journal, op. cit.*, p. 237.
3. *Ibid.*
4. Cité par M. Antoine, *Le Conseil du roi, op. cit.*, p. 616.

L'organisation du Conseil et la répartition des tâches entre les sections ne subissent pas de changements notables. Il faut cependant observer quelques modifications. D'abord le nombre des arrêts du Conseil (4 000 par an en moyenne pendant toute la durée du règne) a tendance à diminuer légèrement. Cela est dû probablement à l'assurance croissante de l'administration.

Ensuite le Conseil royal des finances n'a vraiment plus désormais qu'une existence fictive. Il est maintenant exceptionnel qu'un arrêt de ce conseil fasse l'objet d'une délibération. Quant aux affaires contentieuses de finances, le Conseil ne les examine jamais. Elles sont décidées entre le contrôleur général et les intendants des Finances. Enfin la puissance — de plus en plus grande — de ces derniers renforce l'organisation du département financier du gouvernement, devenu comme un État dans l'État. Ces magistrats, qui sont des officiers, ont le titre de conseiller d'État et entrent au Conseil privé, ainsi qu'aux Directions. C'est un intendant des Finances (d'Ormesson) qui, à partir de 1767, dirige tous les impôts directs, y compris les vingtièmes. Le contrôleur général passe, mais les intendants des Finances restent. Ils ne sont pas au premier rang ; on ne les voit pas aussi bien que le contrôleur général, mais ce sont eux qui animent la politique financière et par conséquent, d'une certaine manière, toute la politique.

Regardons maintenant le personnel. Il s'aristocratise. Depuis qu'en 1757 Bernis, nommé secrétaire d'État, est entré au Conseil, les places de ministres d'État sont de plus en plus souvent attribuées à la noblesse de cour. Le duc de Belle-Isle, le duc de Choiseul, le maréchal prince de Soubise, le maréchal d'Estrées, le duc de Praslin et le duc d'Aiguillon entrent au Conseil d'en haut. Mais on avait déjà, lors des périodes précédentes, observé cette tendance de l'ancienne noblesse à reconquérir le pouvoir politique du Conseil. Ce qui est plus nouveau, c'est l'entrée en force des personnes titrées dans les charges de secrétaires d'État, considérées longtemps comme besogneuses et indignes de la grande noblesse. On a vu, encore en 1757, le maréchal duc de Belle-Isle faire la fine bouche devant l'offre du secrétariat d'État à la Guerre. Mais après lui, il n'y a plus l'ombre de telles réactions. Plus personne ne rechigne. Bien au contraire. Et la carrière de secrétaire d'État se ducalise.

Il n'en va pas de même de celle de contrôleur général. Afin de « désarmer le Parlement[1] », le roi et Choiseul la réservent à des parlementaires : Laverdy et Maynon d'Invault, contrôleurs généraux de 1763 à 1768 et en 1768-1769, ont été l'un et l'autre conseillers au parlement de Paris.

Depuis son entrée au Conseil en 1758, en qualité de secrétaire d'État

---

1. Cité par François Bluche, *Les Magistrats du parlement de Paris au XVIIIe siècle, op. cit.*, p. 29.

aux Affaires étrangères, charge où il succède à Bernis, Choiseul est incontestablement le personnage principal du gouvernement royal. Il cumule à l'occasion avec d'autres secrétariats d'État, celui de la Guerre et celui de la Marine. En 1761, il fait entrer au Conseil son cousin, le duc de Praslin, homme effacé mais sérieux et efficace, qui exerce plusieurs fois lui aussi des charges de secrétaire d'État dans l'un ou l'autre de ces départements. A eux deux ils orientent la politique royale.

Étienne François, comte de Stainville, puis duc de Choiseul, est l'aîné des cinq enfants de François de Choiseul, gentilhomme lorrain de noblesse immémoriale. Il a le tempérament acerbe et le génie sarcastique des Lorrains. Il y ajoute l'ironie et la vivacité d'esprit.

C'est un militaire. Lieutenant en second en 1739, à l'âge de vingt ans, au régiment du Roi-Infanterie, colonel du régiment de Navarre, brigadier en 1745, il a fait avec courage toutes les campagnes de la guerre de Succession d'Autriche.

Comment arrive-t-il à la politique ? Par Mme de Pompadour et par Bernis. A la première, il rend un service signalé : il l'informe d'une manœuvre pour la supplanter. Sa cousine, Charlotte Rosalie de Romanet, baronne de Choiseul-Beaupré, a aguiché le roi. Elle a eu de lui des billets qu'elle a l'imprudence de montrer. Stainville rapporte le fait à la favorite qui se plaint au roi. Charlotte et son mari doivent quitter la Cour. Choiseul est nommé ambassadeur à Rome (novembre 1753). Il a le pied à l'étrier. Cela commence comme pour Bernis. Justement l'amitié de celui-ci fait le reste. Écrivant au roi son désir de quitter sa charge des Affaires étrangères, Bernis lui propose le nom de Choiseul, et ce dernier entre ainsi au Conseil.

C'est un personnage contrasté qui devient ainsi en 1758 (et va le rester plus de onze années) le principal ministre du roi. Il est laid et rouquin, mais toute sa physionomie respire la plus vive intelligence. Il y a dans sa manière une certaine démesure, un «débraillé» (Gaxotte), mais toutes ses actions sont claires et rigoureuses. En ménage il est heureux, ayant épousé en 1750 une jeune fille ravissante et spirituelle, Louise Honorine de Châtel, de dix-sept ans plus jeune que lui. Cela ne l'empêche pas de collectionner ouvertement les maîtresses, d'afficher son goût et de se ruiner pour elles. Sa lucidité en est affectée. En 1770, quand sa disgrâce approche et que tout l'annonce, lui seul n'en sait rien, tout occupé qu'il est de Mme de Brionne, sa conquête du moment.

C'est enfin un esprit «éclairé», comme on disait alors, c'est-à-dire un esprit imprégné de la «philosophie» du siècle. Une relation compte beaucoup dans sa vie : il est l'ami de Voltaire, avec lequel il correspond depuis 1759. Ils se rendent mutuellement de petits services. Choiseul calme les indignations des philosophes. En 1762, lors de l'affaire Calas, il prie Voltaire de bien vouloir excuser le roi («le roi est astreint aux formes»). Sur le fond de l'affaire, lui-même, Choiseul, est tout à fait de l'avis de Voltaire : « Je suis au reste persuadé de son innocence. » Voltaire de son côté ne tarit pas d'éloges sur le duc et la duchesse de Choiseul. Il écrit, le 27 octobre 1770, « qu'il est attaché avec fureur au duc et à la duchesse qui le comblent de bontés [1] ».

La politique royale

Deux actions aboutissent à des résultats nettement positifs. Il s'agit de l'acquisition de la Corse et de la politique militaire.

La Corse est acquise à la France par le traité de 1768 entre le roi et la république de Gênes. Cet accord est très prudent, afin de prévenir toute réaction éventuelle de la part des puissances. La France a prêté à Gênes son concours militaire pour pacifier l'île, et s'apprête à faire d'autres dépenses en vue de réduire la révolte de Paoli. Si Gênes ne lui rembourse pas ces dépenses, elle gardera la Corse. L'île est en quelque sorte une caution. Personne ne peut rien dire. Après cela, on envoie vingt-cinq mille hommes commandés par le comte de Vaux, afin de faire la conquête effective du pays. L'opération se déroule sans difficulté, mais l'opinion n'apprécie pas à sa valeur l'acquisition de ce nouveau territoire. Le duc de Praslin écrit en effet : « Le public n'avait pas senti le prix de cette acquisition [2]. »

La politique militaire est celle d'une grande réorganisation de l'armée et de l'armement, afin de préparer la revanche de la guerre de Sept Ans contre l'Angleterre. En 1763, au lendemain du traité de Paris, l'armée était dans un triste état : il n'y avait aucune uniformité entre les corps, la discipline périclitait, le matériel était à bout de souffle, le recrutement de mauvaise qualité. La réforme essentielle, introduite par Choiseul, est celle du recrutement, confié désormais à des sergents recruteurs désignés par le roi, qui paie directement à l'intéressé le prix de son engagement. L'existence quotidienne du soldat va également être transformée : des casernes sont substituées au logement chez l'habitant. Le matériel d'artillerie est complètement renouvelé par l'inspecteur général Gribeauval. Il y aura désormais quatre artilleries spécialisées : légère de campagne, de siège, de place et de côté. Enfin la marine est reconstituée. De 40 vaisseaux défectueux en 1763, on passe à 64 en 1771, plus 45 frégates.

Trois actions du gouvernement Choiseul portent la marque de l'idéologie, c'est-à-dire de la philosophie des Lumières. Il s'agit de la réforme municipale du contrôleur général Laverdy, de l'activité de la commission des réguliers et de la politique économique.

La réforme municipale est contenue dans deux édits, donnés l'un en août 1764, l'autre en mai 1765, et concerne toutes les localités. La

1. Cité par Gaston Maugras, *Le Duc et la duchesse de Choiseul. Leur vie intime, leurs amis et leur temps*, 2 vol., Plon-Nourrit, Paris, 1903, t. II, p. 427.
2. Cité par P. Gaxotte, *Le Siècle de Louis XV, op. cit.*, p. 332.

mesure la plus importante est la suppression des offices municipaux. Un système d'élections à deux degrés (désignation de députés par les divers corps et communautés, élection par ces députés d'une assemblée des notables, laquelle choisit dans son sein les conseillers de ville) permet à la petite bourgeoisie et à certaines catégories du « simple peuple » de disposer de quelques sièges à l'assemblée des notables : la moitié dans les localités entre 2 000 et 4 500 habitants.

La commission des réguliers est une commission extraordinaire du Conseil, créée par arrêt du Conseil du 23 mai 1766 et composée de cinq évêques et de cinq conseillers d'État. Il s'agit de porter remède à la situation des ordres religieux. De fait, cette situation présente certains caractères alarmants : baisse du recrutement, monastères dépeuplés, temporels mal gérés, dettes accumulées. Il est normal que l'État s'en préoccupe, la police du royaume comportant aussi le bon ordre et la prospérité des monastères. Mais, derrière la création de la commission se cache une autre intention, celle de répondre aux vœux de l'opinion publique éclairée en réduisant l'importance de l'ordre monastique et en le modernisant pour le rendre plus utile à l'État. L'examen de l'œuvre de la commission montre que cette deuxième intention a prévalu : la suppression de 9 ordres religieux (dont les Célestins, les Antonins et les Grandmontains) et celle de 426 maisons religieuses (sous prétexte d'effectifs insuffisants) sont des mesures très graves qui troublent profondément l'Église de France, d'autant plus qu'elles sont prises sans l'accord de Rome et malgré les protestations des intéressés et les avertissements des évêques. Ce sont des actions révolutionnaires. Leur inspiration en est gallicaniste. La doctrine des membres de la commission est que l'Église est dans l'État et qu'il appartient à ce dernier de la réformer s'il en est besoin. Certaines mesures ont un caractère antiromain prononcé, par exemple le relèvement de l'âge des vœux de religion, fixé à vingt et un ans pour les hommes, et à dix-huit ans pour les femmes, disposition contraire au concile de Trente, qui l'avait placé à seize ans pour les deux sexes. Autre exemple, l'obligation imposée à certaines congrégations (comme les Bénédictins de Saint-Vanne) de modifier leurs constitutions, sans qu'il leur soit permis de solliciter pour ces modifications l'approbation de Rome. Après la suppression des Jésuites, l'activité de la commission des réguliers achève d'ébranler l'armature de l'Église de France ; en agissant ainsi, le gouvernement de Louis XV manque à la vocation traditionnelle de la royauté capétienne, à savoir protéger l'ordre monastique.

La politique économique est un essai de libéralisme dans l'esprit des physiocrates, selon lesquels il est nécessaire de valoriser les richesses de la terre et d'établir un « bon prix » du blé, c'est-à-dire un prix assez élevé pour stimuler la culture. La déclaration du 25 mai 1763, préparée par le contrôleur général Bertin, permet la libre circulation du grain à l'intérieur du royaume, et va même plus loin en libérant le commerce de certaines entraves : désormais tout le monde, même les nobles, pourra exercer le négoce des grains. L'édit de juillet 1764 préparé par Laverdy permet l'exportation hors du royaume, lorsque le blé tombera au-dessous d'un certain prix. Une succession de mauvaises récoltes met en échec cette nouvelle police des grains. Le successeur de Laverdy, l'abbé Terray, sera obligé de l'abandonner.

La politique étrangère et la politique financière aboutissent également à des échecs. La première repose sur un solide système d'alliances, l'alliance autrichienne et l'alliance conclue en 1761 avec l'Espagne, appelée le pacte de Famille. Cependant les ambitions de la Prusse et les visées expansionnistes de la Russie constituent des phénomènes inquiétants de nature à déranger l'équilibre européen. L'objectif majeur de Louis XV est de limiter l'expansion russe. « Vous savez déjà, écrit-il en 1762, et je le répéterai ici bien clairement, que l'objet de ma politique avec la Russie est de l'éloigner autant qu'il est possible des affaires de l'Europe. » La Pologne est déjà sous influence : l'élection de Stanislas Poniatowski se fait sous la protection des baïonnettes russes. Le gouvernement français fait ce qu'il peut. Il soutient les confédérés de Radom, ligue de mécontents polonais, leur envoyant de l'argent et quelques officiers volontaires. Il réussit à monter la Turquie contre la Russie. En 1769, la guerre est engagée entre ces deux puissances. Des instructeurs français sont envoyés à l'armée turque. Malheureusement pour la France, l'armée turque se révèle incapable d'affronter sérieusement son adversaire. Les Russes ont partout l'avantage.

La politique financière quant à elle s'efforce comme auparavant d'augmenter les ressources de l'État, par une amélioration du système fiscal. C'est pourquoi des impositions de temps de guerre sont conservées en temps de paix. L'édit d'avril 1763 supprime le troisième vingtième et la double capitation, mais garde jusqu'au 1er janvier 1770 la levée du second vingtième. Une déclaration du même mois soumet à la taxe du centième denier les actes translatifs de propriété des rentes constituées et des offices vénaux. Ces décisions ne constituent en aucune manière une réforme radicale. Elles n'en sont pas moins contestées avec violence par les parlements. Tant et si bien que le roi les retire et les amende (déclaration du 21 novembre 1763). Ainsi, la taxe du centième denier est supprimée. Il est admis que le second vingtième sera bientôt annulé. C'est une reculade. L'opposition parlementaire s'en trouve fortifiée.

L'opposition parlementaire
et le coup de force de 1771

Depuis la grande crise des années cinquante, la pression parlementaire sur le pouvoir royal ne cesse de s'aggraver. En 1763 et 1764, les parlements marquent deux points très importants. Ils arrachent au roi le retrait des édits bursaux et la suppression de la Compagnie de Jésus. Les années qui suivent voient se multiplier de graves différends entre les cours et le pouvoir ou ses représentants, les gouverneurs de provinces. Le parlement de Pau, par exemple, se bat de manière acharnée pour l'abrogation d'un règlement de discipline qui lui a été imposé en 1747 et qui réserve le choix des thèmes de discussion à l'autorité de son premier président. Où bien le parlement de Bretagne reproche au duc d'Aiguillon, gouverneur de la province, les abus de la corvée royale, les dépenses excessives pour l'embellissement des villes, et les tentatives pour asservir les états provinciaux.

Les parlements ont inventé un nouveau moyen de vexer le pouvoir royal. Ils se disent « solidaires ». C'est la théorie des « classes », théorie selon laquelle les différents parlements ne seraient que les sections ou classes d'un même corps. L'idée est lancée dès 1756 par le parlement de Paris. En 1763 elle est définitivement intégrée dans l'argumentaire des cours. On parle désormais communément des « différentes classes du Parlement séantes à Toulouse, à Bordeaux, à Grenoble, à Dijon et à Pau[1] [...] ». Maintenant, lorsque l'un des parlements se trouve engagé dans un conflit contre le pouvoir royal, les autres cours prennent publiquement fait et cause pour lui. C'est ainsi par exemple que, le 11 janvier 1764, le parlement de Bretagne adresse au roi des remontrances en faveur du parlement de Toulouse.

Les arguments mis en avant vont beaucoup plus loin que la protestation traditionnelle contre les abus de pouvoir. Les parlements dénoncent ici une déviation du régime, une violation permanente de la Constitution du royaume. Pourquoi et de quelle manière ? parce que l'administration se mêle de la juridiction. Parce qu'elle, c'est-à-dire les intendants et le contrôle général, décide elle-même des affaires contentieuses qui peuvent être suscitées par leurs interventions. Les cours de parlement et celles des aides n'ont plus jamais à en connaître. Les sujets du roi se trouvent sans recours, et le roi se trouve lui-même dépossédé de sa fonction de justice par sa propre administration.

Toutes les cours plaident contre cette injustice. Mais nulle ne le fait mieux que la Cour des aides de Paris, dont les remontrances[2] sont rédigées avec talent par Chrétien Guillaume de Lamoignon de Malesherbes, fils du chancelier, et lui-même premier président de cette cour depuis 1750. Nous trouvons ici le procès en règle de la monarchie administrative : les lois fondamentales sont enfreintes et une puissance

1. Cité par Lucien Laugier, *Un ministère réformateur sous Louis XV. Le triumvirat (1770-1774)*, La Pensée universelle, Paris, 1975, p. 32.

2. Dionis du Séjour, *Mémoires pour servir à l'histoire du droit public de la France* [...] *Recueil de ce qui s'est passé de plus intéressant à la cour des aides de Paris*, Bruxelles, 1779, p. 776.

intermédiaire nuisible vient séparer comme un écran le roi de son peuple, tels sont les abus dénoncés.

Les lois sont enfreintes :

La cause [des abus], Sire, n'est ni incertaine ni difficile à connaître ; elle se trouve dans l'infraction des lois de votre royaume, de ces lois moins respectables encore par leur antiquité que par la sagesse qui les a dictées[1] [...].

Le roi est séparé du peuple :

Une triste expérience nous a démontré, Sire, qu'il existe entre Votre Majesté et le peuple une sorte de puissance intermédiaire subdivisée à l'infini, puissance inconnue et toujours permanente, dont l'intérêt est le plus souvent contraire à celui du peuple et à celui de Votre Majesté même [...].

Or quelle est cette puissance maléfique ? C'est l'Administration ; c'est ce corps anonyme et multiforme dont l'importance grandit tous les jours :

... l'intérêt des administrateurs, et surtout celui de cette multitude de subalternes dont le nombre et l'autorité s'accroissent tous les jours, est d'avoir des places à donner, et de faire des opérations inintelligibles[2] [...].

A partir de 1765, le conflit entre les cours et le pouvoir devient extrêmement dur. C'est maintenant une lutte sans merci. La caste parlementaire manifeste une agressivité jamais atteinte, comme si elle avait l'assurance de triompher.

Le parlement de Bretagne est l'un des plus agités. Ses réactions spectaculaires le placent au cœur du conflit, et c'est pour le soutenir, par solidarité, que toutes les « classes » du royaume s'engagent dans cette offensive.

Fin 1764, le parlement de Bretagne a pris à son compte la revendication des états contre la levée des deux sols pour livre. Il a fait la grève, renvoyé au roi ses lettres patentes, fait lacérer les affiches portant les arrêts du Conseil. Or, le pouvoir royal riposte avec vigueur. Jugé principal responsable de cette agitation, le procureur général La Chalotais est arrêté avec son fils Caradeuc et trois autres conseillers, dans la nuit du 10 au 11 novembre 1765. Un nouveau parlement, épuré des éléments perturbateurs, est constitué par le duc d'Aiguillon, gouverneur de la province (on l'appelle par dérision le « bailliage d'Aiguillon »). Enfin, on commence à instruire le procès de La Chalotais. Car le pouvoir royal semble être engagé dans la voie de la fermeté. Un autre parlement très contestataire, celui de Pau, a été lui aussi supprimé et remplacé en juin 1765.

Mais ces mesures déclenchent la mobilisation générale de la magistrature. Tous les parlements s'associent à la longue lutte que le parlement

1. Dionis du Séjour, *Mémoires pour servir à l'histoire du droit public de la France...*, *op. cit.*, p. 10, remontrances de 1756.
2. *Ibid.* p. 275, remontrances du 2 septembre 1768.

de Bretagne livre pour défendre ses magistrats emprisonnés et pour tenter d'abattre le duc d'Aiguillon. Ils écrivent à leurs confrères bretons et interviennent auprès du roi en leur faveur. Le duc d'Aiguillon demande à se justifier. Le roi le lui permet et son procès est instruit devant la Cour des pairs. A ce procès, un témoignage est apporté — c'est l'incident décisif — qui accable non seulement le duc, mais aussi le roi.

D'après l'un des commissaires enquêteurs de la cour, le jeune conseiller breton Cornulier de La Lucinière, d'Aiguillon aurait, un jour de 1766, déclaré dans une conversation privée qu'il avait l'ordre du roi d'abattre La Chalotais et même de le faire périr. Un maître des requêtes (Lenoir ou Calonne) lui aurait transmis cet ordre. Devant cette accusation audacieuse, qui met en cause non plus seulement le gouverneur, mais ses ministres et jusqu'à sa propre personne, Louis XV réagit avec vigueur. Il signifie qu'il arrête le procès du duc d'Aiguillon, et qu'il juge la conduite du commandant en chef irréprochable. Nous sommes le 27 juin 1770.

C'est maintenant que les parlements vont aller trop loin. Le 2 juillet 1770, le parlement de Paris, bravant l'autorité royale, déclare le duc d'Aiguillon exclu de la Cour des pairs. En décembre, après les vacations, le même parlement commence la grève de la justice pour protester contre un édit du 27 novembre, interdisant précisément les cessations de service. Le roi lui ordonne de reprendre son activité. Il obéit, mais en même temps proclame son opposition à l'édit du 27 novembre. C'en est trop. Dans la nuit du 20 au 21 janvier 1771, cent soixante-sept magistrats sont exilés et dispersés dans toute la France. Le coup d'État est commencé.

Il était inévitable. L'affaire tournait à la révolution. Depuis 1766 en effet, les cours frondaient ouvertement et continuellement le pouvoir. En outre, elles exposaient dans leurs remontrances (imprimées et largement diffusées dans le public) une théorie politique nouvelle étrangère à la tradition monarchique et remettant en cause la Constitution du royaume.

Selon cette théorie, le roi n'est plus la tête du corps politique, mais il y a deux pouvoirs distincts, celui du roi et celui de la nation. Un pacte lie ces deux pouvoirs, contrat dont les lois fondamentales sont l'expression. Car ces lois fondamentales, selon le parlement de Rennes, « fixent les droits respectifs du monarque et de la nation[1] ». Quant aux parlements, c'est bien simple, ils sont les représentants de la nation. Les cours sont, selon l'expression de Malesherbes, les « assemblées représentatives de la nation[2] ».

Le coup de force de 1771 ne se fait donc pas seulement dans un but de police. Son intention est plus haute. Il se fait au nom des principes tradi-

---

1. Cité par Roger Bickart, *Les Parlements et la notion de souveraineté nationale au XVIIIe siècle*, thèse de droit, Paris, 1932, p. 51.

2. Dionis du Séjour, *Mémoires pour servir à l'histoire du droit public de la France* [...]. *Recueil de ce qui s'est passé de plus intéressant à la cour des aides de Paris*, op. cit., p. 39, remontrances de la cour des aides du 17 août 1770.

tionnels de la monarchie. Dans l'esprit du roi et de ses ministres, il s'agit moins de punir que de restaurer.

Ces principes traditionnels, pour que nul n'en ignore, Louis XV les avait déjà rappelés dans son discours lors de la séance dite de la Flagellation, prononcé lors d'un lit de justice le 3 mars 1766, devant le parlement de Paris, discours remarquable de netteté et de hauteur, et qui peut être regardé comme la préface, en quelque sorte, et comme l'explication du coup d'État. En voici les passages les plus notables :

> Je ne souffrirai pas, dit le prince, qu'il se formât dans mon royaume une association qui ferait dégénérer en une confédération de résistances le lien naturel des mêmes devoirs et des obligations communes, ni qu'il s'introduise dans la monarchie un corps imaginaire qui ne pourrait qu'en troubler l'harmonie [...].

Cela pour les « classes ».

Le roi dit encore :

> ... C'est en ma personne seule que réside la puissance souveraine [...] c'est de moi seul que les cours tiennent leur existence et leur autorité [...] que l'ordre public tout entier émane de moi, que j'en suis le gardien suprême ; que mon peuple n'est qu'un avec moi, et que les droits et les intérêts de la nation, dont on ose faire un corps séparé du monarque, sont nécessairement unis avec les miens et ne reposent qu'en mes mains[1] [...].

Voilà pour les prétendus « représentants de la nation ».

Le coup de force de 1771 est sans exemple et sans précédent. Car il ne s'agit pas seulement comme par le passé de mesures punitives et répressives. On assiste à une refonte complète des compagnies de magistrats et d'une réorganisation entière de la justice. Tous les parlements sont dissous et remplacés par de nouveaux parlements. Le ressort du parlement de Paris est démantelé et partagé entre six conseils supérieurs[2]. La vénalité des offices est supprimée. « La vénalité, déclare le chancelier, introduite par la nécessité des circonstances, semble avilir le ministère le plus auguste en faisant acheter le droit de l'exercer[3]. » Les épices (redevances dues aux juges par les plaideurs) sont également abolies et la justice devient donc gratuite.

Toute l'affaire est menée tambour battant. Le 21, les parlementaires sont exilés. Le 22, le Conseil d'État est convoqué pour assurer provisoirement l'exercice de la justice. Le 13 avril, le nouveau parlement de Paris est installé. Toutes les mises en place des nouveaux parlements de province se feront entre le 5 août et le 11 novembre, date de la rentrée judiciaire. Le fonctionnement normal de la justice n'est donc que très peu dérangé. C'est Maupeou, le nouveau chancelier, qui a tout conçu, tout

---

1. Cité par Lucien Laugier, *Un ministère réformateur..., op. cit.*, p. 54-55, note 5.
2. Les six Conseils supérieurs sont partagés entre Arras, Clermont-Ferrand, Blois, Lyon, Poitiers, Châlons-sur-Marne.
3. Discours du chancelier du 21 février 1771. Cité presque intégralement dans L. Laugier, *Un ministère réformateur...*, p. 85-86.

préparé, tout mené à bien. René Nicolas Charles Augustin de Maupeou possédait l'expérience et le caractère voulus pour accomplir une si grande révolution. Fils de parlementaire, parlementaire lui-même, premier président du Parlement de Paris, il connaissait bien le camp des « Messieurs », pour en avoir été. Sévère, impitoyable, très courageux, il était de taille à combattre et à tenir.

Il importait surtout de tenir. Pour la première fois dans l'histoire de ses démêlés avec les cours, le gouvernement de Louis XV conserve sa réso-lution. Le roi lui-même, lors du lit de justice du 13 avril, affirme avec force sa volonté de persévérer dans son dessein de réforme. Il termine son bref discours en disant : « Je ne changerai jamais. » « Le roi, lisons-nous dans un journal de l'époque, a prononcé ces dernières paroles et surtout le mot "jamais", avec une énergie qui a imprimé la terreur dans toute l'assemblée[1] ».

La fermeté royale fait beaucoup pour le succès de l'entreprise. Maupeou aurait pu échouer devant la grève judiciaire des avocats et des procureurs, mais celle-ci ne dura pas et les grévistes capitulèrent. Il aurait pu se heurter à une campagne d'opinion et à une résistance du public. Il n'y eut rien de cela. Les seules protestations publiées furent celles des princes du sang, qu'il fallut un moment exiler de la Cour. On ne vit même pas l'ombre d'une réaction dans le public. Racontant la dispersion du parlement de Bretagne, auquel il appartenait, M. de La Bourdonnaye écrit :

> En sortant du palais, nous vîmes bien du monde attroupé sur la place, et sur la figure de chacun un air de curiosité, mais rien de plus[2].

La politique royale lors du Triumvirat

Choiseul est renvoyé le 24 décembre 1770. On appelle Triumvirat les trois hommes forts du gouvernement après Choiseul, Maupeou, Terray et d'Aiguillon.

Ils ont en commun la force de caractère, la puissance de travail (Terray comme Maupeou se mettent à l'ouvrage tous les jours à 6 heures du matin) et une grande clarté d'esprit. D'Aiguillon a été vilipendé comme peu d'hommes publics l'ont jamais été. Sans doute est-il autoritaire, mais c'est un homme droit. L'archevêque de Rennes l'appelait le « protecteur déclaré de tous les sujets fidèles et zélés pour le bien ». Nous avons de lui un portrait peint[3] qui est tout à fait parlant : très grand front, des yeux perçants, la bouche mince, « un air d'intelligence, de résolution et de

---

1. Cité par Jean Egret, *Louis XV et l'opposition..., op. cit.*, p. 185.
2. Cité par A. Le Moy, *Le Parlement de Bretagne et le pouvoir royal...*, Angers, 1909, p. 425.
3. Ce portrait se trouve aujourd'hui dans une collection particulière, à l'hôtel d'Aiguillon, rue de l'Université à Paris.

simplicité». De l'abbé Terray, on a pu écrire qu'il était «un esprit net, décidé, remarquablement juste[1]».

C'est donc à juste titre que l'on associe les trois hommes. Observons néanmoins que les dates de leurs ministères respectifs ne coïncident pas exactement. Terray a été nommé contrôleur général à la fin de 1769. Lorsque intervient la réforme des parlements, son œuvre de redressement des finances est déjà commencée. D'Aiguillon est le tard venu. Sa nomination aux Affaires étrangères date seulement du 8 juin 1771. Le Triumvirat proprement dit ne commence que ce jour-là. D'ailleurs le terme a quelque chose de trompeur, dans la mesure où il limite la nouvelle politique royale aux actions de ces trois ministres. Deux autres ministres, Monteynard à la Guerre, et Bourgeois de Boynes à la Marine, accomplissent dans le même temps des réformes importantes et proches dans leur esprit de celles des «triumvirs».

LA JUSTICE

Maupeou met en place les nouvelles institutions. Il supprime un nombre important de juridictions. Il supprime, ou regroupe un grand nombre d'offices.

Les suppressions de juridictions concernent surtout le ressort du parlement de Paris. Le chancelier a besoin de magistrats pour ses conseils supérieurs. Il les prend dans les juridictions qu'il supprime. Ainsi disparaissent la Cour des aides de Paris, le Grand Conseil, la cour des aides de Clermont-Ferrand, la cour des monnaies de Lyon et l'Amirauté de Paris, pour ne citer que ces exemples.

Cependant les autres ressorts sont également touchés. En Normandie, par exemple, le chancelier supprime la cour des comptes de cette province, et, en Franche-Comté, la cour des comptes, aides et finances de Dole. Plusieurs dizaines de juridictions subissent le même sort, dans le même esprit de simplification et de rationalisation.

Disparaissent aussi un grand nombre d'offices dans les juridictions conservées. Par exemple, au Châtelet de Paris, les offices de conseillers passent de 59 à 32, et ceux d'avocats du roi de 4 à 3. A Mâcon l'élection est réunie au bailliage, dont tous les offices sont supprimés, puis recréés en nombre inférieur. Pour le remboursement des offices supprimés, il est tenu compte, selon le principe arrêté par Terray, de la valeur indiquée par les titulaires. On évite ainsi un remboursement trop coûteux. En effet, les titulaires ne croient pas la réforme durable. Vivant dans la perspective du rétablissement de leurs offices, et peu désireux de payer dans ce cas un annuel trop élevé, ils se gardent bien d'en surestimer la valeur.

A ces réformes générales s'ajoutent des réformes particulières au ressort du parlement de Paris, et concernant ses juridictions supérieures.

---

1. M. Marion, cité par P. Gaxotte, *Le Siècle de Louis XV, op. cit.*, p. 457.

Les charges n'en seront plus vénales. Toutes personnes âgées d'au moins vingt-cinq ans et possédant au moins cinq années de pratique du barreau ou d'un office de judicature pourront y être candidates. De plus, les épices étant supprimées, la justice y sera gratuite.

« Prompte, pure et gratuite[1] », telle est la nouvelle justice voulue par Maupeou, et ainsi la définit-il, aidé du roi, dans les édits qui la réforment. Elle est « prompte », parce que la multiplication des tribunaux d'appel la rapproche des justiciables. Elle est gratuite, puisque les épices sont supprimées. Elle est d'ailleurs aussi « moins dispendieuse », parce que plus facile d'accès. Enfin, par la suppression de la vénalité, elle retrouve sa pureté originelle.

LES FINANCES. LA POLITIQUE FINANCIÈRE DE TERRAY

Si l'on en croit Maynon d'Invault, le prédécesseur immédiat de Terray, les finances royales se trouvaient à la fin de l'année 1769 « dans le plus affreux délabrement ». On ne peut que le croire. Arrivant au ministère, Terray fait à son tour la même constatation affligée. Les caisses sont vides. Ce n'est pas une image. Plus tard, évoquant cette situation, le nouveau contrôleur général écrira : « Je n'avais pas un écu pour faire le service de 1770, dont les dépenses devaient monter à 220 millions ; aucune précaution n'avait été prise pour assurer les services[2]. »

Il faut donc de toute urgence trouver de l'argent et réduire les dépenses. Terray lance donc un emprunt. Il augmente le bail de la ferme générale des Postes de 600 000 livres. La caisse est un peu renflouée. Mais ce sont là des expédients, et le nouveau ministre n'est pas un homme d'expédients. Il n'est pas là non plus pour faire comme ses prédécesseurs et pour se lamenter comme eux. Esprit lucide et clair, il voit la profondeur du mal et décide, au risque de l'impopularité, un traitement radical. Il suspend certains paiements et proroge les deux vingtièmes.

La suspension intervient le 18 février 1770. Sont suspendus le paiement des billets des fermes générales unies, qui écherront à compter du 1er mars, et le paiement des rescriptions (équivalents des bons du Trésor) sur les recettes générales des Finances et des assignations sur les fermes générales unies, ferme des Postes et autres revenus du roi, à compter du 1er mars. En même temps, le ministre interdit tout remboursement des emprunts contractés par le Trésor royal par les provinces et par toutes les institutions publiques.

---

1. L'expression revient dans tous les édits. Voir en particulier l'édit de février 1771, « portant création de six Conseils supérieurs » dans Isambert, *Recueil des anciennes lois françaises*, t. XX-XXII, Paris, 1830.
2. Cité par L. Laugier, *Un ministère réformateur…, op. cit.*, p. 166.

La prorogation des vingtièmes est déclarée par l'édit de novembre 1771. Le second pour un temps indéfini. Cette deuxième mesure est postérieure au renvoi de Choiseul et à la réforme des parlements. Sans ce renvoi et sans réforme, elle eût été irréalisable. La réforme de Maupeou soutient la réforme Terray.

Mais Terray ne s'en tient pas là. Il crée de nouvelles taxes, par exemple celle de confirmation des anoblis, « secours en argent, au moyen duquel ils demeureront confirmés dans le privilège de noblesse ». Il rétablit les offices municipaux supprimés par Laverdy. Lors du renouvellement du bail de la ferme, en janvier 1774, il exige des fermiers 20 millions supplémentaires. Comme Maupeou, il s'efforce d'améliorer la perception des vingtièmes et celle de la capitation. Il veut que le vingtième redevienne ce qu'il était, un impôt de quotité, non de répartition, et que la capitation soit fondée sur l'évaluation correcte des immeubles et des habitants. Nous le voyons insister auprès des intendants pour l'établissement d'une assiette correcte du vingtième. Ce n'est pas facile. Les intendants ne sont pas ceux de Louis XIV. Ils subissent des pressions, tolèrent des résistances et ne se montrent guère empressés pour vérifier les revenus des privilégiés. Or aucune vérification n'a été faite depuis 1763. La correspondance de Fontette, intendant de Caen, est tout à fait révélatrice de cette attitude. Lorsqu'il s'agit de percevoir les augmentations du vingtième, Fontette propose tout bonnement de les répartir selon les cotes actuelles. C'est, dit-il, la solution la plus raisonnable, et celle qui suscitera le moins d'opposition : « ... les esprits les plus échauffés ne pourront se plaindre [1] ». Mais Terray n'est pas d'accord. Agir ainsi n'aboutirait qu'à perpétuer les injustices, et même à les amplifier : « Vous revenez toujours, écrit-il à Fontette, à demandez un arrêt du Conseil pour répartir au marc la livre des cotes actuelles, l'augmentation que les vingtièmes peuvent supporter, mais je vous répondrai sans cesse que rien ne serait plus injuste puisque l'inégalité dans les cotes actuelles augmenterait encore d'un neuvième. Je conçois bien que la besogne en serait plus aisée ; elle n'exigerait ni travail, ni examen, ni discussion. Mais aussi il n'en résulterait que d'ajouter une nouvelle injustice à celle qui subsiste actuellement [2]. » Propos significatifs : à l'administrateur épris de sa tranquillité s'oppose le ministre réformateur.

Terray est un homme de principes, de même qu'il est un homme d'organisation. Il n'en fait pas mystère. Au contraire, il se plaît à exposer ses idées et son plan. Par exemple, l'édit de novembre 1771, prorogeant les vingtièmes, est précédé d'un long préambule justifiant l'ensemble de

---

1. Lettre de Fontette à Terray du 9 avril 1772, citée par L. Laugier, *Un ministère réformateur...*, *op. cit.*, p. 212.
2. Lettre de Terray à Fontette du 3 mai 1772, *ibid.* p. 213.

la politique financière entreprise. C'est une démonstration précise, rigoureuse, parfaitement claire, et qui ne se moque pas du public. Les ministres des Finances ne sont pas nombreux qui pourraient se vanter d'avoir donné aux contribuables une explication aussi convaincante. Pour nous, la lecture en est aussi très instructive. Les principes guidant l'action du ministre apparaissent nettement.

Terray justifie d'abord la suspension des paiements. Toutes les catégories sociales doivent participer à l'œuvre de réforme. Les propriétaires et « la partie industrieuse de la nation » sont les plus frappés par l'impôt. Il faut que les autres catégories prennent conscience de leurs devoirs respectifs. Les « créanciers », en particulier, doivent « concourir à la réparation des finances ». On se gardera toutefois de les troubler. La création d'« un fonds réel d'amortissement employé au remboursement des dettes » calmera leur « inquiétude ».

Ensuite le ministre explique ses choix. Plusieurs moyens pouvaient permettre de faire des économies et de trouver des nouvelles ressources. Il n'a pas voulu d'une réduction trop forte des dépenses. C'eût été, à son avis, léser les intérêts d'un trop grand nombre de personnes : « ... Comme les dépenses des départements forment la subsistance d'un grand nombre de nos sujets, l'égalité de protection que nous leur devons à tous ne nous a point permis de porter subitement les réductions à leur dernier terme. » Il n'a pas voulu non plus s'engager dans la « voie dangereuse des emprunts ». Un seul moyen lui restait, celui des impositions nouvelles. Mais, là encore, il fallait opérer un choix : « Dans le choix des impositions nouvelles, nous avons donné la préférence à celles qui exigent le moins de frais de perception, et nous en avons prorogé d'autres déjà existantes [...]. »

Tout cela, explique enfin le ministre, n'a qu'un but : améliorer la « prospérité du royaume », et plus particulièrement le bien-être des plus pauvres. Telle est la grande pensée du prince : « Ces diverses économies, ces améliorations successives, nous les appliquerons [...] à la diminution des impositions les plus onéreuses à la partie la plus indigente de nos sujets ; objet essentiel que nous portons dans notre cœur et que nous ne cesserons jamais de regarder comme un de nos devoirs les plus indispensables. »

Solidarité nationale, égalité, bienfaisance, tels sont donc les principes du ministre et (probablement) du roi. Telle est l'intention de cette politique. Nous en avons examiné les moyens. Reste à en apprécier les résultats.

L'expérience Terray a été très courte : quatre ans et demi. Mais ses effets favorables ont été très vite ressentis. Il arrive au pouvoir en décembre 1769, dix mois plus tard le crédit commence à renaître. L'action de la Compagnie des Indes, cotée 1 000 livres en 1769, était tombée à 700 en avril 1770. Elle remonte à 1 000 en octobre. Deux ans plus tard, le budget est enfin équilibré. Dans le compte rendu de juillet 1772, Terray peut annoncer au roi que les recettes égalent les dépenses. Certes il y a toujours des difficultés de trésorerie, mais la situation est assainie.

LA POLITIQUE ÉCONOMIQUE DE TERRAY

On sait que, dans ce domaine, la question la plus difficile à traiter est celle du commerce des grains. Terray à cet égard n'est pas favorisé. Son ministère coïncide avec une conjoncture de crise et de relative pénurie.

L'essentiel est d'éviter les disettes. Terray n'a pas d'autre but. Sa politique ne doit rien à l'esprit de système, et garde le juste milieu entre dirigisme et libéralisme. La législation prévoyait la suspension des exportations de grains en cas de hausse des cours et de menace de pénurie. Terray applique cette disposition. Le 14 juillet 1770, il interdit l'exportation. Mais, ce faisant, il prend bien soin de rappeler que le commerce intérieur demeure totalement libre. Les lois en vigueur depuis 1763 sont libérales. Terray ne veut rien y changer.

Il pense toutefois que le gouvernement a son rôle à jouer, qu'il doit pouvoir peser sur les cours, et approvisionner rapidement une province dans le cas où le négoce ne suffirait pas. Une régie est donc instituée en 1771. Elle est confiée à deux commerçants, Sorin et Doumerc, et placée sous le contrôle d'une commission de surveillance composée de conseillers d'État. Terray assemble cette commission et, avec sa clarté coutumière, lui explique la conduite à suivre. Le principe fondamental est la liberté du négoce intérieur. L'administration n'intervient que de deux façons et seulement en cas de nécessité. Soit elle encourage les négociants : « Si une province a besoin, et qu'il soit difficile de la secourir [...] on doit proposer des encouragements aux négociants, même leur accorder des remises[1]. » Soit elle demande à la régie d'approvisionner. Mais ce deuxième type d'intervention doit être exceptionnel. La régie n'ouvre ses magasins que lorsque le négoce se révèle incapable d'assurer un approvisionnement suffisant à un prix optimal.

Politique sage, mais difficile à tenir, justement parce qu'elle est modérée. Terray a du mal à garder la ligne qu'il a tracée. Il est accablé de plaintes et de requêtes contradictoires : « Les Bretons me grondent de ce que je demande des permissions ; les Flamands m'envoient des mémoires à l'effet de prendre des précautions pour faire baisser le prix des grains ; le Languedoc veut le faire augmenter[2] [...]. » Il n'en a cure : « Je stipu-

---

1. Communication du contrôleur général à la réunion de la commission du 17 décembre 1771.
2. Cité par L. Laugier, *Un ministère réformateur...*, op. cit., p. 269.

lerai toujours en cette matière par préférence les intérêts de la multitude dont le blé est le principal et souvent l'unique aliment[1] [...]. »

Excellentes intentions. Mais les résultats leur correspondent-ils ? Les intérêts de la multitude ont-ils été préservés autant que le souhaitait le ministre ? C'est bien difficile à savoir. Une chose est sûre : dans la plupart des régions, pendant toute la durée du ministère, et même après la mauvaise récolte de 1772, l'approvisionnement a été normal et à des prix non exagérés. Les seules provinces troublées ont été celles du Languedoc et de Guyenne, où des émeutes graves ont éclaté en avril et mai 1773. Toutefois, même pour ces provinces, il n'est pas sûr que l'on puisse parler de pénurie. Les récits que nous avons des émeutes indiquent un manque d'argent et non de blé. A Toulouse, par exemple, les capitouls proposent aux émeutiers du blé beaucoup moins cher que celui du marché, mais ils répondent qu'ils n'ont pas d'argent, et là-dessus vont piller les boulangers. Et le subdélégué d'écrire à l'intendant « qu'ils ne s'étaient ainsi attroupés que pour piller le blé[2] ». Il aurait fallu en somme faire des distributions gratuites. Mais la bienfaisance de l'administration Terray pouvait-elle aller jusque-là ?

LA POLITIQUE ÉTRANGÈRE. LE DUC D'AIGUILLON

Quatre affaires vont retenir pendant cette période l'attention du roi et du ministre : la guerre turco-russe, la question polonaise, l'affaire des Malouines et la question suédoise. Les deux premières ne sont pas nouvelles. Choiseul, nous l'avons vu, s'en était occupé. L'affaire des Malouines date aussi de cette époque. Elle a commencé en 1769, lorsque les Anglais ont occupé cette possession espagnole de l'Amérique australe. Choiseul était intervenu. Il avait signifié à l'Espagne d'avoir à céder devant les revendications anglaises. La seule question nouvelle est celle de la Suède.

Cette puissance était traditionnellement l'alliée de la France, mais cette alliance comptait peu à cause de la faiblesse de la monarchie suédoise devenue parlementaire et privant le roi de tout pouvoir réel. Or, en 1772, le roi Gustave III fait un coup d'État et restaure l'autorité royale. La Suède devient alors un sujet d'inquiétude pour les puissances expansionnistes du Nord, la Prusse et la Russie, et un élément essentiel du système diplomatique français. D'où la question suédoise.

La guerre turco-russe et la question polonaise sont des affaires « pourries ». Choiseul s'y était engagé à fond. Il avait incité la Turquie à déclarer la guerre à la Russie. Il avait envoyé en Pologne une mission militaire afin de soutenir les confédérés de Radom. Mais ni les Polonais ni les Turcs n'avaient justifié les espoirs du ministre.

---

1. Cité par L. Laugier, *Un ministère réformateur...*, *op. cit.*, p. 269.
2. *Ibid.*, p. 271.

Les confédérés s'étaient montrés incapables d'organisation et de discipline. Leurs quelques «succès», écrivait le colonel Dumouriez, chef de la mission française au ministre le 19 juin 1771, «leur avaient aussitôt tourné la tête. [...] Ils dépouillaient les habitants et commettaient mille excès[1]». Quant aux Turcs, ils n'avaient cessé d'être battus, et dans les conditions les moins honorables. La bataille de Kotchim s'était terminée en déroute. Tous les diplomates prévoyaient son effondrement. Le baron de Tott, consul de France à Istanbul, écrivait au ministre : «... l'expulsion des Turcs en Asie cesse d'être une idée romanesque[2]».

Que faire avec de tels alliés? Le duc d'Aiguillon prend le parti de la circonspection. Il n'est pas possible de se désengager complètement — d'ailleurs on ne le voudrait pas —, mais l'intervention sera limitée au plus juste. Après l'armistice turco-russe du 30 mai 1772, tout l'effort du ministre tend à faire retarder la signature du traité de paix. L'ambassadeur Saint-Priest incite la Porte à répondre négativement aux conditions de paix qui lui seront présentées. Pendant ce temps, l'armée russe est bloquée sur la ligne du Danube, et Catherine II ne peut s'occuper de la Suède autant qu'elle le voudrait. En Pologne, les affaires des confédérés vont un peu mieux. Le 2 février 1772, les officiers de la mission française ont en effet remporté une grande victoire sur l'armée russe. Après un combat acharné, ils se sont rendus maîtres du château de Cracovie. Nous avons de cette bataille une relation très détaillée. Les Français ont accompli «des miracles et [...] des actions d'un courage inouï. [...] Ils se sont tous rués sur le château à la pointe du jour après avoir haché des palissades, des portes et des fenêtres[3] [...]». Malheureusement, ces prodiges arrivent trop tard : le 4 février, le traité de partage de la Pologne commence à être signé. L'une des trois puissances partageuses est l'Autriche, alliée de la France. On va donc rappeler la mission militaire, décorer les vaillants combattants de Cracovie et abandonner la Pologne à son triste sort. L'opinion publique ne proteste pas et semble même indifférente. Voltaire félicite Frédéric II : «... C'est assurément le vrai gâteau des rois; votre destin a été toujours d'étonner la Terre; je ne sais pas quand vous vous arrêterez, mais je sais que l'aigle de Prusse va bien loin[4].»

L'affaire des Malouines, quant à elle, place la France dans une position d'arbitre. Il s'agit d'intervenir entre l'Angleterre et l'Espagne, et de rabaisser les prétentions de l'une, tout en modérant la résistance de l'autre. Le plus difficile est de faire clairement comprendre à Charles III, et cela sans rompre les liens de l'alliance, que la France ne fera pas la

1. Cité par L. Laugier, *Un ministère réformateur...*, *op. cit.*, p. 383.
2. *Ibid.*, p. 379.
3. *Ibid.*, p. 405.
4. Lettre de Voltaire à Frédéric II, 16 octobre 1772, citée par L. Laugier, *op. cit.*, p. 415.

guerre pour les Malouines. Louis XV s'en charge. Sa lettre au roi d'Espagne tranche avec le ton sec de Choiseul. C'est un modèle de diplomatie. Mais l'essentiel est clairement dit : il faut céder à l'Angleterre sinon la souveraineté des Malouines, tout au moins leur possession : « La loi que vous voulez imposer aux Anglais blesse trop essentiellement la vanité de cette nation pour qu'elle puisse l'accepter. »

Dans l'affaire de Suède, toute la difficulté réside en ceci : il faut consolider le pouvoir de Gustave III, et en même temps contenir la Russie et la Prusse. Du côté de la Russie, le risque est très grand. Le 17 février 1773, l'ambassadeur Durand écrit de Saint-Pétersbourg : « La guerre est résolue. » Pour empêcher l'irréparable et préserver son pion suédois, le duc d'Aiguillon mobilise toutes ses ressources. Il donne à Gustave III des conseils de diplomatie, l'incitant à conclure des alliances avec le Danemark et même avec la Russie. Il morigène le chancelier Kaunitz lorsque ce dernier semble considérer l'intervention russe comme inévitable. Enfin, au mois d'avril, voyant la menace russe se préciser, il donne des instructions pour faire sortir l'escadre de Toulon. La flotte russe de Méditerranée est directement visée. Or chacun sait le lamentable état des bateaux russes qui n'ont pas été réparés depuis des mois. La flotte française n'en fera qu'une bouchée. Catherine II comprend tout de suite et change immédiatement de ton. Ses lettres deviennent plus pacifiques. L'escadre de Toulon n'aura même pas à sortir du port.

Au total les succès équilibrent les échecs. La France subit un double échec en Turquie et en Pologne. Le traité turco-russe du 10 juillet 1774 donne à la Russie le libre accès à la Méditerranée. Le démembrement de la Pologne ne peut être évité. Mais les deux affaires des Malouines et de la Suède sont réglées l'une et l'autre de façon satisfaisante et sans compromettre ni les alliances ni la paix.

L'ARMÉE ET LA MARINE. MONTEYNARD ET BOURGEOIS DE BOYNES

L'action menée à la Guerre et à la Marine par Monteynard et Bourgeois de Boynes est sans doute beaucoup moins importante et beaucoup moins spectaculaire que la politique du Triumvirat, mais elle a les mêmes caractères de réalisme et de prudence.

Monteynard s'attaque à trois problèmes : l'impopularité de la milice, les désertions et le scandale des réformes d'armes.

Pour la milice, il ne juge pas opportun de réduire les exemptions pourtant nombreuses, mais interdit les substitutions. Il veut surtout que le service soit effectif, et veille à ce que tous les tirés fassent réellement les neuf jours annuels d'exercices prévus par le statut de la milice.

Pour tenter de diminuer le nombre des désertions, il augmente les avantages accordés aux soldats retirés après seize ans de service.

Enfin, il met un terme au scandale des réformes d'armes. Deux des principaux responsables, un inspecteur de la manufacture de Saint-Étienne et un entrepreneur, sont traduits devant un conseil de guerre. Ils sont accusés d'avoir réformé 472 000 armes, dont 366 000 neuves ou en bon état. Le tribunal les condamne à de lourdes peines de prison. Cependant toute la lumière n'est pas faite sur cette affaire. Il y avait sans doute d'autres coupables, mais haut placés et de ce fait intouchables. Des noms très illustres, celui de Gribeauval, le grand technicien de l'artillerie, et même celui de Choiseul avaient été prononcés.

Le redressement de la marine avait été commencé sous Choiseul. Bourgeois de Boynes le poursuit. Le rythme des constructions navales est maintenu. En 1774, la flotte de guerre française compte 170 bâtiments. Par ailleurs le ministre a deux initiatives originales : il crée d'une part les « écoles royales de marine ». La première est ouverte au Havre le 20 décembre 1773. Il institue, d'autre part, les manœuvres d'escadres. Celles de l'escadre du Ponant auront lieu en 1772, et celles de l'escadre du Levant l'année suivante.

BILAN GÉNÉRAL ET INTERPRÉTATION

Cette période de réformes et de reprise en main a été très courte : de trois à quatre ans et demi selon les ministres.

Malgré ce court laps de temps, le gouvernement réformateur a obtenu des résultats non négligeables : une nouvelle justice a été installée et a fonctionné, l'équilibre budgétaire a été rétabli, les provinces ont été normalement approvisionnées en grains, les alliances ont été conservées et la guerre évitée. Nul doute qu'une telle politique, menée avec une telle énergie, n'ait restauré pour un temps l'autorité de la monarchie.

Toutefois, si l'on veut apprécier l'action du Triumvirat à sa juste valeur, il ne suffit pas d'en souligner l'efficacité ; il faut encore en définir la nature. Il faut essayer de répondre à ces questions : Que signifie cette politique ? Quelle conception de la monarchie exprime-t-elle ?

Sans rentrer dans le détail, nous pouvons donner ici un commencement de réponse.

Cette politique est essentiellement pratique et vise à l'efficacité. A la différence de la politique de Choiseul, elle ne s'inspire d'aucune spéculation théorique. Elle est étrangère à toute idéologie. Tout au moins le dit-elle. Terray écrit : « ... Nous avons rejeté loin de nous pour jamais toutes ces idées systématiques et illusoires, tous ces vains projets [...]. » Et encore : « ... Toutes les idées vagues et générales ne sont donc plus que des idées systématiques[1]. »

La conception de la monarchie qui est alors exprimée est celle d'une monarchie juste. Mais la justice est celle du siècle. C'est une justice qui

---

1. Lettre circulaire de Terray du 6 mai 1772, citée par L. Laugier, *Un ministère réformateur...*, *op. cit.*, p. 226, note 3.

a quelque chose d'égalitaire. C'est le talent et le mérite avant la naissance, c'est la protection royale égale pour tous, c'est la volonté de proportionner les charges aux revenus, et de diminuer les impositions des moins riches. L'ancienne société d'ordres est comme absente de toutes les considérations pourtant fort longues des ministres, des innombrables édits et ordonnances réformatrices. La religion aussi est absente. Le roi parle de son cœur, mais pas de sa religion. Sa justice est un pouvoir, non une vertu[1].

Quant à la praxis adoptée, elle est résolument celle de la monarchie administrative. Cela se voit aux intendants et aux offices. Les premiers sont appelés à de nouvelles responsabilités. Maupeou leur confie la présidence des conseils supérieurs. Terray les rappelle à leurs fonctions fiscales et à leur devoir de résidence : « Vous penserez, leur écrit-il, que vous ne devez point quitter votre résidence. » Pour les offices, leur vénalité est mise en cause, et l'édit de février 1771 réaffirme le « droit inséparable » du roi « de disposer des offices, vacation arrivant ».

Cette volonté pratique et ce choix résolu et clair de la solution administrative n'étaient pas sans mérite. Mais on vivait dans un siècle où l'opinion publique prenait tous les jours plus d'importance. Or, la politique du triumvirat était sans grand pouvoir sur l'opinion. Elle offrait des résultats, présentait des faits, mais elle manquait un peu d'inspiration et d'idéal. C'était une politique prosaïque. Elle ne pouvait ni vaincre les critiques de l'opinion publique ni susciter dans la masse du peuple un véritable renouveau de ferveur monarchique.

On dit communément que, grâce à la dissolution des anciennes cours, cette politique n'a pas rencontré de fortes résistances. C'est vrai, dans une certaine mesure. Mais il ne faut pas oublier la campagne incessante de critiques et de dénigrement, menée du début à la fin par les très nombreux mécontents, magistrats renvoyés, partisans de Choiseul, économistes, physiocrates et autres intellectuels. Afin de discréditer les ministres, des idées fausses furent répandues dans le public. Par exemple, on essaya de faire croire qu'il existait une compagnie ayant le monopole de l'approvisionnement et du commerce des grains. « De pareilles opinions, écrit Terray, rendraient le gouvernement odieux si elles s'enracinaient. » On peut penser qu'elles s'enracinèrent.

Cela, joint à la rancœur des parlementaires, suffirait à expliquer l'interruption de l'expérience, le renvoi des ministres par le nouveau souverain et le rappel des parlements.

---

1. Audience d'installation du nouveau Parlement, 13 avril 1771, discours du chancelier : « Sa Majesté dépose en vos mains la portion la plus noble et la plus essentielle de sa puissance. [...] Mais ce pouvoir qu'elle vous communique [...] ».

La mort de Louis XV (10 mai 1774) [1]

Le roi s'était toujours bien porté. Sa santé n'inspirait aucune inquiétude. Parvenu dans sa soixante-cinquième année, il chassait encore plusieurs fois par semaine. Mais, le 27 avril 1774, il est atteint de la petite vérole. Il meurt quinze jours plus tard. Cette mort inattendue change les destinées du royaume.

Le 27 avril donc, le roi est à Trianon. Ne pouvant se réchauffer à cheval, il termine la chasse en voiture. C'est bien la première fois. Le soir, il traite encore à dîner quelques intimes, et fait encore son café lui-même, comme à l'ordinaire. Mais il est déjà très fiévreux. L'un des convives, le duc des Cars, note son « air de souffrance ».

Le 28, La Martinière, premier médecin, l'examine, et lui dit : « Sire, c'est à Versailles qu'il faut être malade. » Aussitôt le départ est décidé et le roi revient à Versailles. On le couche au milieu de sa chambre sur un petit lit de camp. C'est là, ainsi exposé, qu'il va souffrir et mourir.

Le 29, le mal est diagnostiqué. Il est huit heures du soir. Louis XV est en train de dîner. Tout à coup, il se plaint de ne pas voir son verre. On approche les lumières. Le médecin est là. Il se penche et reconnaît la variole. Le vaccin de cette maladie est connu, mais Louis XV n'avait pas voulu se le faire inoculer. La famille royale est aussitôt prévenue. Les filles de Louis XV s'installent au chevet de leur père. Elles ne le quitteront plus, bravant ainsi la mort. Le duc d'Orléans lui aussi va être constamment présent. Mais lui est vacciné. Le malade ignorera encore la nature de son mal cinq jours entiers.

Les lundi 1er mai et mardi 2 mai se passent assez tranquillement. Le roi se montre assez gai. Il parle à ses visiteurs. Avec le duc de Nivernais, il soutient une longue conversation érudite à propos de l'Académie française. Mais, pendant ces deux jours, le mal progresse. Des pustules recouvrent le corps royal. Le 3 mai, le roi découvre de lui-même le mal dont il souffre. Il regarde les boutons sur sa main, et s'exclame : « Mais c'est la petite vérole ! »

C'est alors qu'il se préoccupe de son salut. Son confesseur, l'abbé Maudoux, n'avait pas encore été appelé, Mme Adélaïde et le duc d'Orléans s'y étant opposés. Dans la nuit du 7 mai, à 3 heures et demi du matin, le roi ordonne d'aller chercher l'abbé et se confesse à lui. Le 5, il avait accueilli pour la dernière fois Mme du Barry et lui avait dit : « Je me dois à mon peuple, il faut que vous vous retiriez demain. »

Après la confession a lieu la cérémonie du viatique. Le roi en a réglé

---

1. Nous nous référons, pour ce passage, aux *Mémoires* du duc de Croÿ ainsi qu'à l'article de Gabriel de Broglie (« La mort de Louis XV d'après des lettres inédites du duc d'Orléans », *Revue des Deux Mondes*, mars 1974, p. 559-575), et à l'ouvrage de P. del Perugia, *Louis XV, op. cit.*, p. 684-710.

lui-même l'ordonnance. Il veut que le Dauphin et ses frères, sans entrer dans la chambre, assistent à la procession. Les troupes sont mises sous les armes. Depuis la chapelle, le cardinal de La Roche-Aymon apporte le saint viatique. Le roi communie. Ensuite le cardinal va jusqu'à la porte de la chambre et prononce la déclaration suivante :

> Messieurs, le roi me charge de vous dire qu'il demande pardon à Dieu de l'avoir offensé et du scandale qu'il a donné à son peuple. Que si Dieu lui rend la santé, il s'occupera de faire pénitence, de soutenir la religion, de soulager ses peuples.

Les trois jours suivants, qui sont les trois derniers de sa vie, Louis XV renouvelle cette promesse « en y joignant, dira son confesseur, l'offrande du sacrifice de sa vie ».

Le lundi 9 mai, il souffre, il étouffe. L'abbé Maudoux lui dit : « Sire, Votre Majesté souffre beaucoup. » Il répond : « Ah, Ah, Ah ! beaucoup. » Des croûtes l'empêchent de voir. Son visage, note le duc de Croÿ, « est cuivreux et enflé ». Mais il garde sa présence d'esprit. A huit heures trois quarts du matin de ce même jour, il demande et reçoit l'extrême-onction, et répond « Amen » d'un ton ferme.

Le matin du 10 mai le trouve assommé mais toujours lucide. A une exhortation de l'évêque de Senlis, qui lui demande s'il entend, il répond distinctement « oui ». A ce moment-là il est dix heures du matin. L'agonie commence peu après. Le roi entend les prières. Il expire à l'instant où l'évêque de Senlis prononce les paroles : « *Proficiscere anima christiana* ».

Nous avons plusieurs relations de cette mort, toutes émanant de témoins oculaires. Elles divergent sur certains détails, mais toutes concordent sur ce point essentiel, la religion du roi. C'est de lui-même, de sa propre initiative, et nullement par complaisance, que Louis XV s'est préparé à une mort chrétienne. C'est lui qui a fait venir son confesseur ; lui qui a ordonné la cérémonie du viatique. C'est lui enfin qui a demandé l'extrême-onction. Malgré ses désordres, la foi l'avait toujours habité. Il en fait la preuve au moment de mourir.

Cette mort a donc été vraiment chrétienne. Elle a été aussi vraiment royale, selon la tradition de la royauté française. Le roi est mort en public, dans sa chambre personnelle, à l'étage royal, au milieu de son palais. Pendant toute la durée de sa maladie, et jusqu'à l'instant suprême, cette chambre n'a pas désempli. Il a manqué seulement au roi mourant de pouvoir exhorter son successeur et sa famille entière assemblée au pied de son lit, comme l'avait fait Louis XIV soixante-cinq ans plus tôt.

Chapitre III

L'ÉCONOMIE ET LA SOCIÉTÉ
(1743-1774)

Démographie

La population du royaume continue à augmenter. Le cap des 25 millions d'habitants est franchi vers 1755[1].

L'explication est simple. Les taux de mortalité avaient commencé à baisser pendant la période précédente. Leur diminution est maintenant beaucoup plus nette et apparente.

D'abord la mortalité infantile et juvénile. Voici quelques chiffres :

1740-1749	1770-1779
Bretagne Anjou : 276 ‰	245 ‰
Région autour de Paris : 278 ‰	241 ‰

Mais on observe aussi cette baisse chez les adultes. On vit plus vieux. En 1761, le *Mercure de France*, sous la rubrique, « Événements singuliers », inaugure sa chronique des décès de centenaires. Nous apprenons ainsi la mort, le 7 avril 1761, du sieur Jacquemont, curé de Barrois en Bourbonnais, à l'âge de cent sept ans. Il desservait cette paroisse depuis soixante-quinze ans. On nous précise que sa boisson ordinaire était le vin de genièvre. Sont également inscrits au palmarès de 1761 un certain Étienne Coussié, mort à Pinsaguel près de Toulouse à cent cinq ans, et la nommée Jeanne Ducluzeau, décédée à Angoulême, à l'âge plus modeste de cent ans, mais ayant conservé toutes ses dents.

Pourquoi la mortalité baisse-t-elle ?

On avance généralement plusieurs explications. Certaines sont peu convaincantes, par exemple le progrès des rendements agricoles et ceux de la médecine et de l'hygiène. Il n'est pas sûr en effet que les rendements aient augmenté de façon sensible, ni surtout qu'ils aient augmenté partout. Quant aux progrès de la médecine et de l'hygiène, ils ne sont pas assez importants pour entraîner une telle baisse.

On invoque aussi l'augmentation de la ration alimentaire quotidienne. Le fait a été constaté dans certaines provinces comme le Vivarais. Il est

---

1. André Armengaud, *La Famille et l'enfant en France et en Angleterre du XVIe au XVIIIe siècle. Aspects démographiques,* SEDES, 1975, p. 78.

dû à plusieurs causes : une meilleure circulation des marchandises, une meilleure conservation des grains, et surtout un recours plus fréquent aux produits d'appoint, comme la pomme de terre et la châtaigne. Mais s'il y a effectivement une augmentation du poids de la ration (15 % dans le cas du Vivarais), la qualité nutritive, c'est-à-dire le rapport calories, éléments minéraux, vitamines, n'est pas modifiée[1]. L'effet sur la baisse de la mortalité est donc fort peu probable. On pourrait croire davantage aux vertus d'une utilisation plus judicieuse des aliments. La science de l'alimentation — que nous appelons aujourd'hui la diététique —, a beaucoup progressé depuis le début du siècle. Le *Traité des aliments* de Louis Lémery (1702) en constitue la base. Il s'y ajoute sans cesse de nouvelles observations. Dans la préface de sa réédition en 1755, le docteur en médecine Jacques-Jean Bruhier écrit :

> On voit donc que le fondement d'une bonne santé, et d'une longue vie, consiste principalement à scavoir approprier à chaque tempérament les alimens qui lui conviennent davantage, et qu'ainsi une des connaissances qui nous doit toucher le plus vivement, est celle des qualités des alimens.

Le même Bruhier fait d'importantes additions au *Traité des aliments,* et met en valeur en particulier les vertus nutritives du maïs :

> C'est une excellente nourriture, très délicieuse et très bonne. Lorsqu'il est presque meur, on le mange grillé sur les charbons, et il est très bon et très sain ; et quand il est tout à fait meur, on le réduit en farine, on en fait des gâteaux, du pain, de la bouillie[2].

Nous ignorons dans quelle mesure ces recommandations des spécialistes ont influencé l'alimentation quotidienne. Mais nous savons que l'administration royale s'est intéressée à la nouvelle science. Par exemple, certains intendants ont essayé de remédier aux disettes en diffusant des recettes de plats nutritifs en même temps que bon marché. En 1747, confronté à une disette de grains, l'intendant de Guyenne fait distribuer un grand nombre de feuilles imprimées, contenant une « Méthode pour faire la soupe dauphinoise, avec laquelle on nourrit à peu de frais beaucoup de personnes ». On pétrit de la farine avec de l'eau un peu salée. On coupe cette pâte en morceaux. On jette les morceaux dans un chaudron d'eau bouillante, avec un peu de beurre, et on laisse bouillir cinq quarts d'heure. « Cette soupe, dit la recette, est agréable au goût, rassasiante et nourrissante[3]. »

Il est donc probable que l'alimentation devient plus abondante et plus appropriée. Mais cela non plus ne saurait expliquer de manière décisive

---

1. Alain Molinier, *Stagnation et Croissance. Le Vivarais aux XVIIe et XVIIIe siècles,* édition de l'École des hautes Études, 1985, p. 266.

2. Jacques-Jean Bruhier, préface du *Traité des aliments* de Louis Lemery, rééd., Paris, 1702, t. I, p. 365.

3. Cité par Jacques-Jean Bruhier, *ibid.,* p. 545.

le recul de la mort. Car les progrès dans ce domaine, s'ils sont certains, ne semblent quand même pas très importants. Et, de toute façon, nous n'en avons qu'une connaissance approximative. On doit certes prendre en compte cette donnée. Pèse-t-elle beaucoup plus que celle des rendements agricoles, ou que celle de la médecine ? On peut se le demander.

Le seul fait absolument certain est la disparition complète dans la plupart des régions, pendant la période 1750-1770, des grandes disettes et des grandes épidémies. Il y a sans doute encore, ici et là, des crises de surmortalité, mais beaucoup moins fortes que par le passé, et surtout très localisées. Ces vingt années représentent un âge nouveau. Il faudrait remonter très haut dans le temps, au-delà de cent cinquante ans, pour retrouver une pareille accalmie. Toutes les hypothèses doivent être examinées. Mais, ici, il s'agit bien d'une certitude. C'est donc pour l'instant, dans l'état actuel des travaux des historiens, l'explication la plus satisfaisante du recul de la mort.

Un autre fait n'est pas moins certain. Si la mort recule, la vitalité tend à décliner. On constate en effet presque partout une baisse de la fécondité, et une diminution de la dimension des familles. Ce n'est pas un phénomène général. Par exemple, on observe la persistance d'une très forte fécondité pendant toute la période 1750-1774 chez les boulangers lyonnais, dont les épouses ont très régulièrement un enfant par an[1]. Mais de tels cas sont exceptionnels. La norme est la diminution des familles. Ce sont les catégories sociales les plus élevées qui ont commencé. Les familles des ducs et pairs comptaient en moyenne plus de six enfants pendant la deuxième moitié du XVIIᵉ siècle ; elles en font maintenant moins de trois. Dans le milieu des gens de justice de Besançon, ce sont les familles des parlementaires qui se réduisent les premières : sept enfants en moyenne pendant la période 1715-1740, entre cinq et dix pendant les années 1740-1771. Les familles des huissiers diminueront aussi, mais seulement après 1770[2].

Ici également, comme pour le recul de la mortalité, plusieurs explications sont possibles.

D'abord, la contraception. Les pratiques contraceptives sont probablement plus répandues qu'elles ne l'étaient. Mais ce n'est nullement certain. En tout cas, nous n'avons à ce sujet et pour cette période aucun témoignage probant.

Certains historiens sont tentés par une autre explication, d'ordre psychologique celle-ci, et qui serait un plus grand intérêt pour l'enfance et pour les enfants. Selon cette thèse, on aurait en ce milieu du siècle redécouvert l'enfant, on se serait davantage soucié de son éducation, et l'on aurait voulu restreindre le nombre de naissances, afin de pouvoir

---

1. Maurice Garden, *Lyon et les Lyonnais, op. cit.*, p. 103.
2. M. Gresset, *Les Gens de justice..., op. cit.*, p. 511.

dispenser une éducation plus attentive. Une telle explication est fort vraisemblable, et nous ne devons pas la rejeter *a priori*. Admettons cependant qu'elle n'est pas entièrement prouvée. Certes l'âge est pédagogique. On le voit au grand nombre de traités et de plans d'éducation qui sont publiés. Nous en parlerons plus loin. Mais il ne faut pas confondre pédagogie et éducation. Que l'on se passionne pour la première ne signifie pas forcément que l'on s'intéresse davantage à l'enfant, ni que les enfants soient mieux élevés.

Par ailleurs, nous voyons des signes indéniables d'une désaffection. Les enfants des traités de pédagogie sont choyés, contrôlés, suivis, mais, les enfants réels, ceux de chair et de sang ne bénéficient pas toujours d'une semblable attention. Sans parler de ceux que l'on abandonne. La période de « l'intérêt pour l'enfant » est également celle de l'augmentation démesurée du nombre des expositions et des abandons d'enfants. A Paris, on passe de 3 489 abandons par an dans la période 1730-1759, à 6 012 pour 1760-1789. C'est presque un doublement. Mais toutes les villes importantes connaissent le même phénomène. A Rouen, le chiffre passe de 120 à 380, à Limoges de 142 à 379, à Lyon, de 364 à 368[1]. Bien sûr, abandonner son enfant ne veut pas forcément dire qu'on s'en désintéresse. Et même, pour des parents misérables, cela signifie sans doute la volonté de les sauver de la misère et de la mort. Mais tous ces abandons nouveaux viennent-ils de la misère ? Rien n'est moins sûr. Nous ne sommes pas dans des années de misère. Il y a bien des années de cherté et donc de grandes difficultés pour les pauvres. Mais ces années-là ne correspondent pas à une progression des abandons. A Strasbourg, par exemple, ni la cherté des années 1760-1763 ni la grave crise des années 1770-1771 ne se soldent par une augmentation des entrées à l'Hôpital des Enfants trouvés. L'abandon, dans ce cas précis, serait dû à un accroissement très important du nombre des naissances illégitimes[2]. Et c'est probablement le cas dans toutes les grandes villes. Mais il n'est pas du tout sûr qu'il n'y ait pas aussi des enfants légitimes parmi les abandonnés. Et, de toute façon, nous ne voyons pas très bien comment concilier ces abandons massifs d'enfants illégitimes ou non, avec un intérêt plus grand pour le premier âge de la vie.

Cela ne veut pas dire du tout qu'un tel intérêt n'ait existé nulle part, ni que des ménages n'aient pas souhaité restreindre le nombre de leurs enfants, pour mieux les élever. Toutefois, même en admettant cela, notre problème ne serait pas réglé. Il faudrait encore savoir comment les naissances ont été limitées. Une plus large diffusion des pratiques contraceptives n'est pas, nous l'avons dit, vraiment prouvée. N'oublions

---

1. Jean-Pierre Bardet, *Rouen aux XVIIᵉ et XVIIIᵉ siècles*, SEDES, 1983, p. 331.
2. Elisabeth Sablayrolles, *L'Enfance abandonnée à Strasbourg au XVIIIᵉ siècle et la Fondation des enfants trouvés*, Strasbourg, Librairie Istra, 1976, 117 pages.

pas que nous sommes dans un pays encore chrétien, et même pour certaines catégories de la population (comme les paysans) beaucoup mieux christianisée en profondeur. Ce n'est pas à la contraception, mais beaucoup plus probablement à la continence que les ménages chrétiens ont recouru.

Un dernier point doit être examiné, celui de la mobilité. A partir de la décennie 1750-1760, partout les grandes villes attirent à elles les populations des petites villes et des campagnes. Le cas le plus spectaculaire est celui de Bordeaux, où la population double dans la deuxième moitié du siècle, et qui ne doit cette croissance qu'à l'immigration. Mais toutes les capitales provinciales reçoivent des immigrants, bien qu'en nombre moins important. Ainsi débute en France la poussée de la ville. L'augmentation de la population urbaine avait déjà commencé dans la période précédente, mais elle n'était pas plus forte que l'augmentation de la population totale. Maintenant, le mouvement s'accélère. Il s'ensuit une modification des équilibres démographique, social et moral du pays.

L'économie

Nous sommes dans une période de forte expansion, et plus forte en France que dans tous les autres pays d'Europe, à l'exception de l'Angleterre. La hausse générale des prix français est l'une des plus vigoureuses. Les prix des céréales augmentent de 50 à 60 % entre le début et la fin de la période. La viande augmente dans la même proportion. La hausse des matières premières et des combustibles est plus modérée, sauf pour le bois à brûler qui augmente de 63 % entre la période initiale 1726-1741 et 1771-1789[1]. Ce mouvement d'expansion stimule toutes les activités économiques, entraîne l'enrichissement d'une grande partie de la population, et amène une modification de l'échelle des valeurs, l'argent étant désormais placé au premier rang.

Les prix agricoles étant ceux qui augmentent le plus, les rentiers de la terre sont les plus grands bénéficiaires de cette expansion. Or il ne s'agit pas ici d'une minorité, si l'on entend par rente de la terre, ou rente foncière, le profit net du propriétaire. Ce bénéfice n'est pas réservé aux prêtres ni aux nobles. Peu de bourgeois, grands ou moyens, qui n'en tirent avantage. Beaucoup de monde en fait profite de la hausse.

Beaucoup de monde, mais pas tout le monde. En particulier ceux des salariés qui n'ont que leur salaire pour vivre, et semblent exclus de cette prospérité. Ils en sont d'autant plus séparés que la hausse des salaires demeure toujours inférieure à celle des prix.

---

1. Camille Ernest Labrousse, *Esquisse du mouvement des prix et des revenus en France au XVIIIᵉ siècle*, Paris, Dalloz, 1933, 2 vol.

Il y a le sort de ces salariés. Il y a aussi le sort de tous les artisans, de tous les petits propriétaires ruraux, tous les petits bourgeois, les uns et les autres souvent chargés de familles très nombreuses, et que la moindre crise fait basculer dans la plus complète pauvreté. Car il ne faut pas se faire une image trop idyllique de l'économie de l'époque. L'expansion n'empêche pas le retour cyclique des crises frumentaires correspondant aux mauvaises récoltes, à la suite des étés pourris ou des hivers trop froids. Les crises les plus graves sont celles des années 1757-1763 et 1771-1773. Elles déclenchent des chertés, des disettes, et, par voie de conséquence, de nombreuses faillites d'entreprises.

Cela dit, considérons séparément les différents secteurs de l'expansion. Et d'abord les progrès de l'agriculture.

Nous assistons à la naissance de l'agriculture scientifique. L'agronomie française était très en retard. Elle se met à l'école des agronomies anglaise et italienne et accomplit dès ce moment de remarquables progrès. Le gouvernement royal s'y intéresse de très près. Seize Sociétés d'agriculture sont fondées par l'État au cours des années 1761, 1762 et 1763. L'arrêt du Conseil créant la société d'agriculture de Rouen définit ses membres comme « autant de personnes éclairées, distinguées chacune dans leur état, zélées pour le bien public, possédant des terres dans la généralité, s'occupant volontiers du soin d'en augmenter la valeur ».

On trouve aussi des sociétés privées, comme la Compagnie d'agriculture du marquisat de Certes. Enfin les académies et les diverses sociétés savantes manifestent un goût de plus en plus vif pour l'agronomie. Certaines mettent au concours des sujets relatifs à cette science. Par exemple, la Société royale des sciences et arts établie à Metz, propose en 1761 pour l'attribution de son prix le sujet suivant : « Quel est le vrai principe de la fécondité des terres ? » Le lauréat est un prêtre nommé Froger, curé du diocèse du Mans. Toute cette activité donne lieu à des publications : traités, mémoires d'académies, articles de journaux, recensions d'ouvrages. En juin 1763, le *Journal économique* publie un compte rendu détaillé du traité d'agriculture de Dupuy-Demportes, les *Observations sur la nature de chaque sol*. Le même périodique dresse chaque année, pour l'information de ses lecteurs, un « Tableau des productions [c'est-à-dire des publications] œconomiques de l'année ». La rubrique « Agriculture » n'est pas la moins fournie. Pour 1762 vingt titres sont signalés, dont deux traités, quinze mémoires et communications, et deux guides pratiques. Les préoccupations des auteurs sont des plus variées. On se demande « quelles sont les branches d'agriculture les plus avantageuses pour la haute Normandie ». Ou bien, on étudie « l'art de cultiver le peuplier d'Italie ». Ou bien encore on propose un « Mémoire sur la mortalité des moutons en Boulonnais ».

Le plus connu de ces agronomes est Duhamel du Monceau. Dans son

Traité de la culture des terres[1], il démontre l'utilité des engrais, et préconise les rotations. Une partie de cet important ouvrage (en six volumes) décrit les expériences agronomiques tentées en diverses provinces, et rapportées à l'auteur par ses correspondants.

Car on effectue des expériences, malheureusement peu nombreuses et de portée limitée. La science influe peu sur la pratique. Il ne semble pas que les usages de la plupart des paysans soient modifiés. En tout cas, sauf en Flandre, où l'on passe de 23 hectolitres de froment à l'hectare en 1715 à 26 en 1780[2], on ne constate nulle part une augmentation sensible des rendements.

Mais s'ils n'augmentent pas, la production elle s'accroît, grâce aux défrichements et à la mise en culture des communaux. On estime à six cent mille hectares environ la superficie défrichée pour toute la France dans la deuxième moitié du siècle, soit 3 % du territoire agricole labourable. Il faut prendre aussi en compte la disparition complète de la jachère dans certaines régions, et la progression des cultures relativement récentes, comme le maïs et la pomme de terre. Le fait est là : il n'y a pas de révolution agricole à proprement parler, mais l'agriculture est désormais capable de nourrir assez régulièrement une population en constante augmentation, et même, le plus souvent, de lui procurer une nourriture plus saine et plus variée.

Dans le domaine de l'industrie, trois faits nouveaux méritent d'être signalés : le progrès technologique, la constitution de plusieurs grandes entreprises, et l'augmentation importante de certaines productions.

Les progrès techniques interviennent principalement dans le textile et dans les mines. Dans le textile, le grand nom est celui de Vaucanson, constructeur virtuose d'automates, mais aussi ingénieur mécanicien. Chargé par Fleury de l'inspection des manufactures de soie, il perfectionne le métier à organsin, et invente d'admirables machines pour dévider la soie et pour former une chaîne sans fin. Dans le tissage de la laine et du coton, il est fait appel à la technologie anglaise. John Kay, l'inventeur de la « navette volante » (grâce à laquelle le travail du tissage est beaucoup plus rapide), est employé par le gouvernement royal, à partir de 1749, pour « enseigner aux Français l'usage » de sa machine. Le cotonnier anglais John Holker, créateur en 1751 d'une fabrique à Saint Severn, est nommé en 1756 inspecteur général des fabriques.

Dans les mines, les perfectionnements sont spectaculaires. On ne procède plus au hasard. On fait des sondages. On étudie le pendage des couches et on établit une véritable géométrie souterraine. A côté des carrières à ciel ouvert, on creuse aussi des puits, et quelquefois même des

---

1. Duhamel du Monceau, *Traité de la culture des terres suivant les principes de M. Tulle,* Paris, 1750-1762, 6 vol. in-12.

2. Georges Duby, *Histoire de la France rurale,* Seuil, 1975, t. II, p. 416.

puits très profonds. A Anzin, en 1746, une fosse descend jusqu'à 205 mètres. L'invention en 1756 par Mathieu du cuvelage carré permet de faire des puits de bien plus grande dimension. Enfin, l'introduction dans les mines des machines à vapeur inventées par l'Anglais Thomas Newcomen, permet d'épuiser beaucoup plus vite l'eau des galeries.

Comparée à la technique minière, la technique métallurgique progresse plus lentement. La théorie chimique dominante du phlogistique empêche que l'on reconnaisse vraiment le rôle de l'air. Le changement le plus important est le passage — presque partout — du charbon de bois au charbon de terre.

Les perfectionnements coûtent cher, mais des entreprises d'un type nouveau se constituent, qui sont capables de les financer.

Dans le secteur minier la formation d'entreprises capitalistes est nettement encouragée par l'État, dont l'arrêt du Conseil du 14 janvier 1744, concernant l'exploitation des mines, représente l'intervention décisive en la matière.

Jusqu'alors, cette exploitation se trouvait entre les mains des propriétaires du tréfonds, lesquels n'avaient le plus souvent ni les capitaux ni l'organisation voulue pour un travail productif. L'arrêt de 1744 rappelle que le roi est propriétaire du tréfonds, et qu'il peut en concéder l'exploitation à qui bon lui semble. C'est choisir le capital contre les propriétaires. Les concessions ne seront faites qu'à des personnes ou des sociétés aux moyens importants et reconnus. Cela ne sera pas du gré de tout le monde.

Il y aura des procès et même des actions armées contre les nouveaux concessionnaires. En avril 1760, par exemple, le sieur La Combe, qui exploite les mines de Rive-de-Gier, doit affronter une véritable émeute. Une foule d'hommes armés de fusils et de sabres force les ouvriers à prendre la fuite. Le matériel est pillé, la mine occupée, l'exploitation interrompue. Des incidents non moins graves sont signalés à Saint-Aubin-de-Luigné en Anjou, à Cransac en Auvergne, à Carmaux et à Alais[1].

Pourtant, les concessionnaires tiennent bon. La nouvelle génération de ces chefs de grandes entreprises est faite d'hommes tenaces et conquérants. Ce sont les Dietrich en Alsace, les Gouvy et les Wendel en Lorraine, les Depret en Hainaut, les Babaud de La Chaussade en Nivernais, les Le Vacher en Normandie, le duc de Croÿ et le vicomte Desandrouin à Anzin, et quelques autres encore.

Dans le textile, la figure la plus intéressante et la plus représentative du capitalisme industriel naissant est sans doute celle de Christophe Philippe Oberkampf, qui fonde en 1762 à Jouy-en-Josas une manufacture de toiles

---

1. Marcel Rouff, *Les Mines de charbon en France au XVIIIᵉ siècle. 1744-1791. Étude d'histoire économique et sociale,* Paris, 1922, LXII, 624 pages.

peintes. Car c'est un praticien de son métier et non un converti de fraîche date à l'industrie — il a commencé à travailler à l'âge de dix ans.

Tous ces chefs d'entreprise constituent des sociétés de divers types, soit anonymes, soit en nom collectif, ou bien en commandite. La compagnie d'Anzin, par exemple, fondée en 1757, est une société anonyme formée entre dix-sept personnes pour l'exploitation du charbon de Fresnes. La Manufacture royale de quincaillerie de La-Charité-sur-Loire est une société de trente parts constituée en 1766 avec le capital important de 900 000 livres. Cependant, les capitaux ne sont pas toujours faciles à trouver. L'argent ne manque pas en France, mais beaucoup de rentiers préfèrent encore les offices aux parts d'entreprises. Or les sommes nécessaires sont très importantes et souvent difficiles à réunir. En 1744, Babaud de La Chaussade ne trouve à emprunter qu'auprès de la Compagnie des Indes. Un mouvement de concentration se dessine. Les plus grandes entreprises gagnent de proche en proche, multipliant leurs implantations et absorbant les petits concurrents. On voit se constituer ainsi des ensembles de forges et de hauts-fourneaux. Dans l'Est, le groupe Depret possède un haut-fourneau et treize forges en Hainaut, et plusieurs autres établissements en Lorraine et Champagne. En Alsace, en 1747, Dietrich possède trois manufactures métalliques dont il est le créateur : Niderbronn, Jaegerthal et Rauschendwasser.

L'effectif moyen de la main-d'œuvre nécessaire au fonctionnement d'une forge étant de trois ou quatre cents personnes, et chaque nouveau site industriel étant composé de plusieurs forges et hauts-fourneaux, on atteint des chiffres dépassant le millier d'ouvriers employés sur le même lieu de travail. Le même phénomène se produit dans les mines. Tubeuf, concessionnaire des mines d'Alès, salarie deux mille cinq cents ouvriers, travaillant douze heures par jour pour des salaires variant de 20 à 22 sols. Comme en Angleterre, on emploie aussi des femmes et des enfants que l'on paye 10 sous par jour. C'est déjà l'exploitation des faibles.

Mais la production augmente. A Anzin, par exemple, on extrait en 1774 210 000 tonnes de charbon, contre 100 000 en 1756. En Forez, on passe de 45 000 tonnes à 55 000, en cinq années seulement (1770-1775). Pour le fer et l'acier, l'augmentation n'est pas chiffrée, mais on a des chiffres assez impressionnants pour la production d'armement pendant la guerre de Sept Ans. On sait par exemple que le marquis de Montalembert, maître de forges en Angoumois, a livré 1 233 canons à la marine dans les années 1755-1760. Un autre secteur particulièrement productif est la fabrication des toiles peintes. En 1774, la manufacture de Jouy produit 59 899 pièces. Depuis 1770, l'augmentation est de 6 000 à 7 000 pièces par an. L'indiennerie n'est plus un produit de luxe. Un nouveau monde industriel est en train de naître. Il s'agit pour ces entrepreneurs capitalistes de produire en grande quantité et au meilleur prix possible.

L'activité commerciale est encore plus intense. Ici les faits caractéristiques de la période sont la très forte croissance des grandes places, et la prédominance du commerce atlantique.

Les quatre grandes places sont Lyon, Marseille, Nantes et Bordeaux. Toutes les quatre progressent, mais Bordeaux connaît une expansion spectaculaire, son chiffre d'affaires passant de 7,5 millions de livres en 1770 à 250 millions en 1782. A la fin du règne de Louis XV, cette place effectuait près du quart du commerce extérieur du royaume[1].

Ce commerce étant principalement un commerce atlantique ou, si l'on préfère, colonial et espagnol, le mouvement est d'une extrême intensité à Bordeaux et à Nantes. En 1770, un contemporain observe qu'à Bordeaux « les expéditions pour Saint-Domingue ne discontinuent pas » et que « les navires ne sont pas plutôt arrivés qu'ils repartent sans caréner ni rien ». A Marseille, la part du trafic atlantique ne cesse d'augmenter, arrivant à égaler, à la fin de cette période, celle du commerce du Levant. Bordeaux est le port du sucre et du café. A Nantes, c'est le trafic négrier qui conditionne tous les autres. Pas un armateur qui n'arme au moins un vaisseau pour l'Afrique. Les chiffres sont énormes. Qu'on en juge par celui de la seule année 1751 : dix mille trois esclaves noirs achetés en Afrique et vendus aux Antilles. Marseille importe les cotons américains et, depuis Cadix, la cochenille et les métaux précieux. Lyon regarde aussi vers la péninsule Ibérique : de 1763 à 1771, l'Espagne et le Portugal accaparent 50 à 60 % des ventes totales du commerce de cette ville à l'étranger. Dans l'importante colonie française de Cadix, les Lyonnais dominent. Nous avons les noms de plusieurs d'entre eux. Nous savons par exemple qu'entre 1750 et 1770 Antoine Granjean, marchand Lyonnais, négocie sur Cadix les étoffes de soie de la fabrique, les articles de la bonneterie mancelle et les tissus d'Amiens et de Beauvais[2]. Les marchés ibériques et américains ne cessent de grandir et l'activité économique de toutes les parties du royaume est stimulée par ces appels du Sud et de l'Ouest.

La société

LE CLERGÉ

La situation politique du premier ordre devient difficile. Sa prééminence et ses privilèges sont contestés par la philosophie, par les cours et par l'État lui-même. L'édit de mainmorte d'août 1749, la création de la commission des réguliers en 1766, et la suppression des Jésuites en 1764, autant de mesures qui ne ressortent pas seulement de la police du royaume, mais signifient une intention de porter atteinte à l'intégrité et à la liberté de l'Église gallicane. Certes, le clergé est bien organisé. Le

1. Pierre Léon, *Économies et sociétés préindustrielles, op. cit.*, t. II, p. 174.
2. *Papiers d'industriels et de commerçants lyonnais. Lyon et le grand commerce au XVIIIᵉ siècle*, sous la direction de Pierre Léon, publié par l'université de Lyon, s.d.

maintien de ses assemblées lui permet une défense énergique et solennelle de ses droits. Il suffit de rappeler les incidents de 1750. Le principe de la libre adhésion au versement des subsides est également conservé et respecté. Il n'empêche que la charge fiscale du clergé ne cesse d'augmenter, et que, si l'on compare 1716 et 1774, ses secours au Trésor royal sont dans la proportion de 1 à 1,6 [1].

Les attaques dont il est l'objet, les reproches d'inutilité qui lui sont adressés, expliquent peut-être le nouveau comportement des évêques. Ceux-ci veulent paraître utiles. Sans pour autant négliger leurs fonctions pastorales, ils interviennent de plus en plus souvent dans les affaires économiques et sociales, et leur objectif, ce faisant, n'est pas seulement de soulager l'indigence, mais aussi de diminuer l'injustice sociale et de créer la prospérité. Aussi bien, certains se font-ils patrons de manufactures. En 1765, Montmorency-Laval, évêque de Metz, crée la verrerie de Baccarat, et embauche sept cents ouvriers. Breteuil, évêque de Montauban, implante des fabriques dans sa ville épiscopale. D'autres se consacrent à l'agriculture : Fontanges, à Lavaur, impose la culture du mûrier, Barral à Grenoble celle de la pomme de terre. Lors d'une épizootie affectant le bétail de son diocèse, l'archevêque de Toulouse, Loménie de Brienne, publie un mandement destiné à limiter autant que possible les progrès de la contagion. Il y prescrit le nettoiement des étables, la séparation des troupeaux, les fumigations antiseptiques et l'abattage des bêtes malades. Quant à Mgr de Partz de Pressy, le très pieux évêque de Boulogne, il plaide auprès du contrôleur général la cause de la « vaine pâture » indispensable selon lui à la nourriture des bêtes, et donc à la subsistance des pauvres. « L'agriculture, dit-il, exige des bestiaux pour engraisser les terres et des bras pour les cultiver. Les changements proposés diminueraient considérablement le nombre des uns et des autres. » Pourquoi ? Voici (en substance) le raisonnement du prélat : un quart des familles du Boulonnais n'a pas de pâturages suffisants pour nourrir ses vaches ; or beaucoup de ces familles tirent « la plus grande partie de leur subsistance d'une ou deux vaches qu'elles ont ». Sans bétail, elles se disperseront et leurs membres iront travailler dans les manufactures. Ou bien elles dépériront sur place, et « n'élèveront que de faibles avortons qui ne seront pas en mesure de donner dans la suite des cultivateurs, dont le nombre diminuera considérablement, et personne n'ignore quelle perte est la dépopulation dans un État [2] ». C'est là un discours « éclairé ». On y remarque l'absence totale de considérations d'ordre spirituel. Les évêques sont donc des administrateurs. Quant aux curés, ce sont des notables. On pourrait sans doute encore trouver ici et là quelques curés pauvres. Mais

---

1. Gabriel Lepointe, *L'Organisation et la politique financière du clergé de France sous le règne de Louis XV*, Librairies du recueil Sirey, p. 317.
2. Cité par Paul del Perugia, *Louis XV, op. cit.*, p. 485-486.

de tels cas seraient exceptionnels. La plupart des curés jouissent de revenus très suffisants, d'un train de vie bourgeois, et sinon de l'affection, tout au moins de la considération de leurs paroissiens. Ils sont plus à l'aise en effet qu'ils n'ont jamais été. En Bretagne, leur revenu ne cesse d'augmenter. Dans le diocèse de Nantes, à l'exception du doyenné de Nantes, les «bonnes cures» sont en majorité[1]. Dans le diocèse de Périgueux, en 1756, plus de la moitié des bénéfices-cures ont 800 livres et plus de revenus. Le cadre de vie et la manière de vivre laissent paraître l'aisance. Ces messieurs logent dans de bons presbytères tout récemment construits. Ils ont cave garnie et grenier plein, domestique et cheval pour leurs courses, salon avec pendule et murs garnis de livres. Les descriptions des inventaires après décès permettent d'imaginer cette atmosphère de confort douillet. Par exemple, chez Louis Dubreuil, curé de Bussac en Périgord depuis 1761, on trouve cinquante-quatre barriques de vin, de l'eau-de-vie, du grain en abondance, une belle batterie de cuisine, dans le salon trois tableaux, onze chaises, deux fauteuils, une pendule, dans l'armoire de la salle haute cinquante draps, trente nappes, soixante-quinze chemises de lin, et dans la bibliothèque les *Conférences* d'Angers et celles de Poitiers[2]. De telles maisons n'ont évidemment rien à voir avec les maisons paysannes. Le curé est un homme à part, non seulement par son caractère sacerdotal, mais aussi par sa manière de vivre. Il inspire de la considération, mais peut-être aussi parfois de la jalousie. Dans certains diocèses, comme celui de Lyon, la fin du règne de Louis XV voit une augmentation sensible du nombre des conflits entre les laïcs et les curés, l'initiative d'assigner venant de plus en plus des premiers.

Des conflits apparaissent aussi avec les évêques, et cela s'explique assez bien. Les curés sont pratiquement inamovibles. Leur position sociale est avantageuse, leur autorité respectée. Plusieurs d'entre eux, imbus de richérisme, se disent les successeurs des 72 disciples du Christ. Ils prétendent à ce titre conseiller les évêques dans le gouvernement des diocèses. Quand un évêque n'a pas la manière — et c'est souvent le cas dans cet épiscopat de gentilshommes fiers et un peu cassants —, il trouve devant lui la coalition des curés. On compte au moins vingt-six diocèses où les évêques ont maille à partir avec leurs curés. Dans le diocèse lyonnais, les curés revendiquent le droit d'approuver les décrets du synode. Cinquante d'entre eux font des pétitions. Le chanoine Bonnin, leur porte-parole, intervient publiquement : «Monseigneur, déclare-t-il à l'évêque, je me crois obligé de réclamer les droits du second ordre, les statuts synodaux ne peuvent faire la loi dans votre diocèse qu'après qu'ils

1. Charles Berthelot du Chesnay, *Les Prêtres séculiers en haute Bretagne au* XVIIIe *siècle*. Presses universitaires de Rennes II, 1984, p. 283-284.

2. Guy Mandon, *Les Curés du Périgord au* XVIIIe *siècle...*, thèse pour le doctorat de 3e cycle, Bordeaux, 1979, ex. dactyl., 5 vol.

auront été [...] approuvés par les pères qui composent ce concile diocésain. »

Dans le diocèse de Lisieux, une soixantaine de curés font de la résistance passive, refusant de suivre les conférences ecclésiastiques et de faire des retraites. L'évêque (Mgr de Condorcet, le frère du philosophe) a beau tempêter, il n'obtient rien. Le conflit va durer plus de quatre ans. C'est un conflit grave. Il ne s'agit pas seulement d'un conflit d'autorité. On peut y voir une contestation de la discipline ecclésiastique post-tridentine[1].

Toutefois, n'exagérons pas l'importance de ces incidents. Le clergé de cette époque, tant les curés que les évêques, est d'ordinaire très digne, très « réglé », comme on dit alors, et assidu à ses devoirs. Il est bien rare maintenant de trouver un curé qui ne fasse pas le catéchisme, ou qui ne prêche pas. Le clergé régulier, sauf les moniales et les religieuses, ne mérite pas les mêmes éloges, mais on ne peut pas dire non plus qu'il soit déchu.

Dans les prochains développements de ce livre, où nous traiterons de la religion, nous examinerons de plus près la qualité de la vie consacrée. Mais nous pouvons déjà, sans crainte de nous tromper, formuler cette appréciation : le clergé demeure le premier ordre, non seulement par sa prééminence politique, mais aussi par la dignité de sa vie.

LA NOBLESSE

Nous sommes dans un temps de conflits armés. Une grande partie de la noblesse est donc employée à la guerre.

Sa valeur militaire n'est pas morte. On pourrait citer d'innombrables traits d'héroïsme. François Alphonse de Lescure, de la noblesse de l'Albigeois, se fait tuer en 1760 avec une telle bravoure que son régiment reçoit le nom de «dragons de Lescure». En 1756, au siège de port Mahón, le duc de Richelieu paie de sa personne, multiplie les actes de bravoure et menace les soldats qui s'enivrent de les priver de l'honneur de l'assaut.

Cependant la gentilhommerie ne produit plus de grands stratèges. Les Turenne, Luxembourg et Villars ont été bien médiocrement remplacés. Le cas de Charles de Rohan, prince de Soubise, militaire valeureux mais chef absolument nul, représente bien la nouvelle génération. Si le courage demeure, le goût de la guerre diminue. Pendant la guerre de Sept Ans, sur 10 000 officiers, 1 500 se retirent du service. En 1758, on dénombrera 303 officiers encore jeunes et parfaitement valides retirés en Bretagne[2].

---

1. Edmond Préclin, *Les Jansénistes du XVIIIe siècle, et la Constitution civile du clergé,* Librairie universitaire Y. Gaulber, 1929, p. 317-327.
2. André Corvisier, «Les officiers retirés en Bretagne au milieu du XVIIIe siècle», *Actes du 103e Congrès national des sociétés savantes,* 1978, t. I, p. 113-133.

C'est à d'autres emplois que, même en temps de guerre, les nobles veulent s'adonner. Certains, comme Tubeuf et le duc de Croÿ, exploitent des mines. D'autres, comme Montalembert, se font métallurgistes. D'autres enfin, tels Montlosier, Franclieu et Mirabeau, se vouent à l'agronomie.

La noblesse traverse une crise d'identité. En témoignent trois livres qui font grand bruit. D'abord celui de l'abbé Coyer, intitulé *La Noblesse commerçante*, et publié en 1756. Au dire de cet auteur, la noblesse est déchue et misérable. Elle n'a qu'un moyen de se sauver : faire du commerce. La raison l'y invite : «… Le flambeau de la Philosophie, écrit cet abbé, éclaire et dissipe nos préjugés. Notre raison a fait un grand pas, si elle nous dit qu'un gentilhomme peut commercer […][1]». L'image du frontispice représente ce choix «éclairé». Nous y voyons un gentil-homme «las de vivre dans l'infortune et l'inutilité». Il «montre ses marques de noblesse, un écusson, un tymbre, ou casque d'armoiries et un parchemin qui renferme ses titres». C'est la preuve de la naissance «dont il n'a tiré aucun fruit». Alors «il s'en détache» et, nous dit le bon abbé, commentant toujours cette image, «va s'embarquer pour servir la Patrie en s'enrichissant par le commerce».

Dans sa *Noblesse militaire, ou le Patriote français,* publié la même année, le chevalier d'Arc fait une réponse indignée à *La Noblesse commerçante*. «Quoi, s'écrie-t-il, dans un État belliqueux, une noblesse commerçante[2]?» D'ailleurs les profits du négoce, faisant naître le luxe, aviliraient les nobles : «Que n'a-t-on point à redouter du luxe?» La noblesse est née pour les armes. Ses fonctions sont de «soutenir la gloire et les intérêts du prince et de la Nation, de verser tout son sang pour défendre ceux dont le travail journalier contribue à sa subsistance et à son bien-être». Le livre se termine sur un appel aux armes, une sorte de *Marseillaise* avant la lettre. Le chevalier apostrophe l'Angleterre : «Nation trop fière […] Vois notre noblesse impatiente d'aller punir ton audace […] France, vois tes enfants s'assembler sur tes côtes pour voler à la vengeance […].»

Le troisième livre est celui du marquis d'Argenson, publié en 1764, et intitulé *Considérations sur le gouvernement ancien et présent de la France*. L'auteur y propose tout bonnement la suppression de la noblesse, et cela au nom de l'égalité : «… Que tous les citoyens fussent égaux entre eux afin que chacun travaillât suivant ses talens et non par le caprice des autres. […] Que chacun fût fils de ses œuvres et de ses mérites : toute justice serait accomplie et l'État serait mieux servi.»

Voilà trois thèses fort différentes, mais qui ont pourtant un point

1. Abbé Coyer, *La Noblesse commerçante*, 1756, p. 11.
2. Le chevalier d'Arc, *La Noblesse militaire, ou le Patriote français*, 1756.

commun. Aucun des trois auteurs ne définit la noblesse. Tous les trois s'interrogent sur les « fonctions » de la noblesse, sur ce qu'elle pourrait faire, sur ce qu'elle fait. Aucun ne se demande ce qu'elle est. La question ne leur vient pas à l'esprit. On s'achemine vers une société fonctionnelle.

Il y a donc l'emploi. Mais l'argent compte aussi, et compte même de plus en plus. Sont-ils même nobles ceux qui n'ont rien ? La différence entre noblesse riche et noblesse pauvre devient trop grande. Elle fait douter. Cette classe existe-t-elle encore ?

Les plus riches sont les favoris de Cour. A eux les honneurs, les gouvernements, les pensions. Louis François Armand, duc de Richelieu, en est le meilleur exemple. Pair de France en 1721, premier gentilhomme de la Chambre en 1744, ambassadeur à Dresde en 1746, gouverneur de Guyenne et Gascogne en 1755, il reçoit pour ces différentes charges, et par la faveur du roi, des traitements et des pensions très élevés. Il fait aussi des affaires, certaines pas toujours très claires. En 1772, il profite de sa position de gouverneur de Guyenne pour s'intéresser aux grands travaux de Bordeaux et se lancer dans la spéculation immobilière. Une société par actions est montée. Il en devient l'un des principaux actionnaires. Voltaire, qui s'y connaît, l'appelle « le grand tripoteur ».

Après ces fortunes de grands seigneurs, viennent les fortunes parlementaires. En province, les membres des cours souveraines se trouvent au sommet de la hiérarchie des fortunes. A Paris, les fortunes parlementaires sont de tailles très variables, depuis les très grandes jusqu'aux plus modestes. Les Laverdy, par exemple, n'ont que 15 000 livres de rente. On dit qu'ils vivent « bourgeoisement[1] ».

La noblesse pauvre est une réalité. La noblesse bretonne — dont beaucoup de membres n'ont pas plus de 1 000 livres par an — est le cas le plus connu. Mais toutes les provinces du royaume ont leurs gentilshommes crottés. Au pays toulousain, tandis que les parlementaires étalent leur opulence dans leurs hôtels et leurs châteaux, les nobles d'antique race, les Latour-Saint-Paulet, les Terson de Palleville, les Bassébat de Pordéac, se rencoignent dans leurs gentilhommières, dont les toits crevés laissent passer la pluie. Car c'est la loi de la noblesse. Plus elle dure, plus elle s'appauvrit, à moins qu'elle ne décroche un jour la faveur du prince.

En ce temps où l'argent est roi, la pauvreté nobiliaire détonne plus que jamais. Les imaginations en sont frappées : lisez le tableau navrant de l'abbé Coyer ; il décrit « ... ces terres seigneuriales qui ne peuvent pas nourrir leur seigneur [...] ces métairies sans bestiaux [...] ces champs mal cultivés ou qui restent incultes, ces moissons languissantes qu'un créancier attend, la sentence à la main, ce château qui menace ses

---

1. F. Bluche, *Les Magistrats...*, *op. cit.*, p. 109.

maîtres, une famille sans éducation comme sans habits, un père et une mère qui ne sont unis que pour pleurer[1] [...]. »

Nous en pleurerions nous aussi, mais nous connaissons la sensibilité du siècle. Ces couleurs sont trop sombres. N'oublions pas la hausse de la rente foncière. Toute la noblesse en bénéficie, qu'elle soit désargentée ou riche. Mais la première ressent plus vivement sa médiocrité, à cause de l'enrichissement général, à cause de la diffusion du luxe et du triomphe des valeurs de l'argent. Et puis les dépenses à faire pour garder son rang deviennent de plus en plus lourdes. Il faut maintenant 10 000 livres de rente si l'on veut servir dans la cavalerie. A quoi il faut ajouter les pensions des garçons et des filles dans les collèges et les couvents, soit pour 4 enfants par exemple, 1 000 livres supplémentaires. Les familles nombreuses n'y arrivent plus.

Un autre grave problème est l'endettement. Et là toute l'ancienne noblesse est concernée, grands seigneurs de la Cour et gentilshommes de province. La noblesse de Cour est endettée à cause de son train de vie luxueux, à cause du jeu et des femmes. Le duc de Richelieu, par exemple, malgré ses énormes revenus, a beaucoup de dettes. Les grands seigneurs des provinces sont endettés, eux, à cause des guerres et des constructions. « Ma fortune », écrit en 1764 le marquis de Beaupreau au ministre de la Guerre, « se trouve entièrement dérangée par le malheur et les grandes dépenses que m'a occasionnés la guerre[2] ». Il pourrait ajouter à cela la négligence. Car il néglige de payer. Certaines de ses dettes sont fort anciennes. En 1748, par exemple, il avait acheté deux pièces de terre, afin d'agrandir son parc de Beaupreau. Trente ans plus tard, ces acquisitions (pour 1 700 livres) ne sont toujours pas payées. Pour éponger les plus grosses dettes, et maintenir le train de vie, on vend. En 1766, le marquis de Beaupreau vend pour 430 000 livres de biens. Dans le Toulousain, le marquis de Chambonas doit vendre à son intendant le château de Saint-Félix-de-Caraman, et Auguste de Chalvet, dont la construction du beau château de Merville a sérieusement entamé la fortune, doit vendre l'hôtel toulousain de la rue Mage[3]. On pourrait multiplier les exemples.

Les châteaux et les diverses autres résidences coûtent cher ; mais on ne conçoit plus de vivre en un seul lieu. Sitôt qu'un gentilhomme a quelque position, il lui faut un château en campagne, un hôtel en ville et au moins un pied-à-terre à Versailles. Et tout cela de préférence dans l'état neuf. Les vieux donjons et les logis sévères ne conviennent plus. En 1753, le président de Boulainvilliers démolit son château, pour le reconstruire

---

1. F. Bluche, *Les Magistrats...*, *op. cit.*, p. 38.

2. Cité par Philippe Béchu, *Noblesse d'épée et tradition militaire au XVIIIe siècle*, art. cit., p. 527.

3. Jean Bastier, *La Féodalité au siècle des Lumières dans la région de Toulouse (1730-1790)*, Bibliothèque nationale, 1975, p. 33 et 49.

aussitôt au goût du jour. Afin d'agrandir sa demeure de Montfermeil, le président Hocquart dépense 24 000 livres. La grande noblesse toulousaine construit ou reconstruit les châteaux de Merville, Gudanes, Pinsaguel, Saint-Géry, Purpan, et bien d'autres encore. Pourtant elle préfère habiter la ville. La campagne est réservée à la saison estivale. Certains n'y viennent presque jamais. Boutaric d'Azas, seigneur d'Ondes, est réputé pour n'avoir « pas paru dans sa terre un quart d'heure depuis vingt ans ». Jean-Jacques Lefranc de Pompignan, président de la cour des aides de Montauban, et membre de l'Académie française, réside très peu à Pompignan jusqu'en 1759. Il apprend qu'en son absence les valets ont eu « l'audace horrible de festoyer dans le château avec leurs invités, perçant les barriques qui sont dans les caves du château, et buvant les meilleurs vins du seigneur[1] ». Mais les domestiques ne sont sans doute pas les seuls dans ce cas.

Régisseurs et fermiers tirent profit de l'absence du maître. Dans *L'Ami des hommes* (1756), le marquis de Mirabeau déplore la désertion et sa conséquence, la mauvaise gestion :

> Les terres, écrit-il, demandant quelque soin et quelque résidence du moins passagère, on ne veut point de cela [...]. Voilà donc un intrigant et souvent un fripon devenu fermier. Comme on s'en fie à lui, et qu'on n'y vient jamais, il arrive malheur sur malheur, cas fortuit, réparations ; et le maître ne trouve au bout de l'an que papier en recette et dépense.

Mirabeau parle d'or. Mais il faut dire que lui-même n'est pas très souvent sur ses terres, et que lorsqu'il y vient ce n'est pas mieux. Car il est fou d'agronomie. On ne compte pas ses ruineux essais agricoles. La Harpe dira de lui qu'il était assez savant agronome pour dégrader les plus belles terres. Ses ouvrages n'en ont pas moins un grand succès et vont inciter plusieurs gentilshommes dans les années 1770 à revenir à la terre.

Tels sont les genres de vie nobiliaires. Il nous reste maintenant à observer les mœurs. La corruption a gagné du terrain depuis la Régence. La plus grande partie de la noblesse de Cour est définitivement pourrie. Les innombrables galanteries, orgies et débauches de Richelieu sont connues de toute la France. Avec les douze maîtresses qu'il entretient à la fois (dont la courtisane Michelon), le prince de Soubise n'est pas loin de le valoir. Mais la Cour et Paris n'ont plus le monopole de ces grands désordres. Il semble que la contagion de l'immoralité commence à toucher les provinces. Le marquis de Lescure, gentilhomme toulousain, se ruine au jeu, fréquente des gens de mœurs douteuses et finira empoisonné. En 1760, toujours à Toulouse, la police fait une descente nocturne chez la comtesse de Duras-Fontenilles, organisatrice de parties fines. Le cas de Mirabeau « l'ami des hommes », est bien connu. Ce grand mora-

1. Cité par Jean Bastier, *La Féodalité au siècle..., op. cit.*, p. 39.

liste n'est pas plus bon mari ni bon père, qu'il n'est bon agronome. Il abandonne sa femme, la laissant seule en Limousin, et vit publiquement avec Mme de Pailly, sa maîtresse, dans sa propriété du Bignon. Cela ne l'empêche pas de piquer des crises d'orgueil nobiliaire, de persécuter son fils pour ses liaisons et pour ses dettes, de l'accuser d'avoir « déshonoré sa race », et de le faire enfermer à l'île de Ré. C'est en les reléguant dans des prisons qu'il fait cesser les plaintes de sa femme et de ses enfants. On a compté que, dans le cours de sa vie, ce grand apôtre de la liberté avait distribué dans sa famille soixante-sept lettres de cachet. Certes Mirabeau n'est pas toute la noblesse, mais celle-ci le révère. Les excès de ce despote et de ce débauché ne diminuent pas l'estime dont il jouit. C'est un signe de la dégradation de l'honneur. C'est un signe des temps.

LA SOCIÉTÉ D'ARGENT VIVANT NOBLEMENT

Nous parlerons ici des fermiers généraux, des financiers, des banquiers, des négociants et des grands marchands. Sans être une véritable catégorie sociale, c'est au moins une strate de la société. Ses membres ont en commun les grandes richesses, le prestige et la vie noble.

Rares y sont les nobles de longue date. Plusieurs sont des anoblis. La plupart seront anoblis. Par exemple, chez les fermiers généraux de 1774, 64 % sont des nobles (d'assez fraîche date pour la majorité d'entre eux), 18 % sont des secrétaires du roi, 18 % des roturiers [1]. Prenons pour autre exemple les 200 familles des armateurs nantais : 22 sont nobles, et, sur les 22, 5 seulement d'ancienne noblesse. Les 17 autres sont des anoblis récents, comme les Montaudouin, faits nobles en 1732 [2].

Mais qu'ils soient nobles, anoblis ou roturiers, ils jouissent tous d'une considération comparable à celle accordée à la noblesse. Pourtant ils travaillent, et le travail qu'ils font (brasser de l'argent, changer des monnaies, vendre et acheter des marchandises) ne peut conférer le prestige nobiliaire. D'où leur vient alors cette estime sociale ?

Pour les fermiers généraux, de la faveur du roi : ils sont ses serviteurs.

Pour les négociants et pour les marchands, des distinctions que le roi leur accorde. L'arrêt du Conseil du 30 octobre 1767 confère aux marchands l'exemption de la milice et le port de l'épée. Deux d'entre eux — cela est prévu par le même texte — seront anoblis chaque année. En fait, les lettres d'anoblissement vont se multiplier. Par exemple, le marchand négrier Laffon-Ladebat est anobli en 1773. On lui tient pour mérite d'avoir fait passer quatre mille nègres aux Antilles en quinze armements.

Les alliances comptent aussi. De nombreux mariages rapprochent

1. Y. Durand, *Les Fermiers généraux...*, PUF, 1971.
2. Jean Meyer, *L'Armement nantais dans la deuxième moitié du XVIII* siècle, Paris, SEVPEN, 1969, 469 pages.

cette société d'argent de la noblesse parlementaire. A Bordeaux, par exemple, il n'est pas rare de voir des négociants épouser des filles de conseillers au parlement. François Armand de Saige, dont le grand-père construisait des bateaux, épouse une Verthamon, et Thomas Clocke, marchand de vin, la fille du conseiller du Paty. Le milieu parlementaire bordelais est ainsi progressivement mercantilisé. Nul ne proteste quand, après 1771, lors de l'expérience Maupeou, de nombreux fils de négociants entrent à la cour des aides de Bordeaux[1].

Rien ne distingue plus apparemment les nobles d'argent de la véritable noblesse. Ils ont les armoiries. Ils ont les titres. Ils font les seigneurs sur leurs terres. Ils vivent en grands seigneurs, ayant châteaux et hôtels, des domestiques en grand nombre, des collections de tableaux, des « cabinets de curiosités », et même des maîtresses. Que n'ont-ils pas ? Dans son hôtel Lambert, l'un des plus somptueux de Paris, le fermier général Marin de La Haye a rassemblé un Le Nain, un Brueghel, un Le Sueur et un Poussin. Copie de celle de la place Vendôme, une statue équestre de Louis XIV orne sa galerie. Aux hôtels et aux châteaux s'ajoutent les « folies », c'est-à-dire les petits pavillons pour entretiens galants. Par exemple, la « folie » du fermier général Caze est une maison, rue de Charonne, où il a installé la demoiselle Rossignol.

Faste de parvenus ? Nullement. D'abord, ces fermiers généraux, ces financiers, ces armateurs ne sont pas issus des couches très basses de la société. Ensuite, ils n'ont pas des manières de parvenus. Au contraire, ils ont plus d'aisance et de goût que beaucoup de grands seigneurs. Ce sont même eux qui donnent le ton. Le style de vie mondaine du XVIIIe siècle, ce mélange inimitable de politesse, de raffinement et de simplicité, leur doit beaucoup. Quels sont à cette époque les deux salons les plus fréquentés de Paris ? Ceux qui font toutes les modes, qui lancent tous les artistes ? Celui de Mme Geoffrin, épouse et héritière de l'actionnaire le plus important (12 % du capital) de la Compagnie de Saint-Gobain, et celui du fermier général La Pouplinière. Le ton et les mœurs de ces deux salons, voilà les modèles de ce que Mme Vigée-Lebrun appellera bientôt « la bonne société ». Or ce n'est pas la noblesse qui crée ces mœurs et ce ton : c'est la société d'argent.

LES AVOCATS ET LA BOURGEOISIE MOYENNE

Dans la nouvelle hiérarchie sociale qui s'établit, non loin de la société d'argent se trouvent les avocats.

Combien sont-ils ? une vingtaine dans les villes de présidial ou de sénéchaussée, une centaine dans les villes parlementaires. Tous ne plaident pas. Quelques-uns ne sont pas inscrits au barreau, et plusieurs

1. Paul Butel, Jean-Pierre Poussou, *La Vie quotidienne à Bordeaux au XVIIIe siècle*, Hachette, 1980, p. 118.

inscrits au barreau ne plaident pas. Mais le titre est recherché. « Les avocats ont grandi. »

D'où leur vient ce prestige ? Peut-être d'un style nouveau. Les avocats font jouer la sensibilité. Les arguments juridiques ne leur suffisent plus. Ils plaident l'« humanité », la tolérance. Le juge en est touché, l'adversaire ébranlé. Jean-Baptiste Gerbier (1725-1788), avocat d'origine rennaise, est un bon exemple de la nouvelle génération du barreau. Ayant déjà plaidé deux causes retentissantes, les frères Lioncy contre les jésuites, et le comte de Montboissier contre sa femme qui demandait la séparation, il devient célèbre en défendant deux filles que leur père ne voulait pas reconnaître. Il émeut cet homme jusqu'à lui faire verser des larmes. Alors, interrompant sa plaidoirie et se tournant vers les juges, il s'écrie : « Jurisconsultes, retirez-vous ! lois, taisez-vous, magistrats, écoutez la voix de la nature ! Voyez ces larmes et jugez[1] ! »

La plus stable partie de la société française, l'une de ses assises les plus solides, reste la bourgeoisie moyenne des notaires, procureurs, commis, médecins et gens à talents. Par ses qualités de persévérance et d'économie, mais aussi par son importance numérique, elle garantit l'équilibre de l'édifice politique. Cette strate sociale, où l'on ne vit pas noblement, mais nettement distincte du peuple, représente en effet maintenant un quart environ de la population des villes du royaume. A Dole, par exemple, la proportion est de 25,84 %, pour 6,46 % à la noblesse, et le reste au peuple[2].

Ce sont des gens laborieux, près de leurs sous, processifs. Ils ont souvent des familles· nombreuses. S'ils vivent en ville, ou dans un bourg, ils ont toujours un bien à la campagne pour leur bois, leur vin, leurs œufs et leurs salades. Voici un représentant de l'espèce : Antoine Alexandre Barbier, notaire à Besançon, né en 1718, mort en 1776, marié deux fois, quinze enfants à nourrir. Petite étude, petit budget. Ses comptes nous apprennent qu'il n'achète rien. Tout fait usage. Le manteau du grand-père Sébastien dure presque cent ans. Il fait d'abord toute la vie du grand-père ; ensuite, transformé en redingote et teint en écarlate, une partie de la vie du fils (notre notaire) ; enfin, trente-quatre ans plus tard, retouché en jaquette, l'adolescence du petit-fils. Il n'y a que pour les chaussures, que le notaire ne regarde pas. C'est la grosse dépense de fonctionnement. On marche beaucoup à cette époque, et plus encore dans cette famille. Il faut aller à Thize, le domaine de campagne, à quelque 3 lieues de Besançon. C'est à peu près l'équivalent de un hectare, tout planté en vigne. Le notaire s'y rend à pied chaque semaine (trois heures de marche matinale), afin de surveiller son valet

1. Cité par Ferdinand Hoefer, *Nouvelle Biographie générale*, Firmin-Didot, 1857, t. XIX, p. 203.
2. Anne Lefebvre-Teillard, *La Population de Dole au XVIIIe siècle...*, op. cit., p. 27.

vigneron. Les enfants participent aux travaux. Barbier note sur son journal : «Mes enfants ont fait toute ma vendange.» C'est bien d'ailleurs, si on l'en croit, toute la satisfaction qu'ils lui donnent. D'après son journal, trois au moins de ses enfants tournent mal. Nicolas, l'aîné, devient un «errant et vagabond». Jeanne Josèphe multiplie les fugues avec des hommes, et Charles assigne son père en justice et l'oblige à vendre sa maison et son domaine de Thize[1]. Tout cela n'est guère idyllique. C'est la vie.

LES GENS DE MÉTIER

Tournons-nous maintenant vers les gens de métier. Que deviennent-ils au milieu des grandes transformations de l'économie et de la société ?

Ils se plaignent. Voici par exemple, à Lyon, les plaintes des boulangers (1752) : «... Plusieurs maîtres ont été contraints de quitter boutique, de se défaire de leurs fonds et sont réduits à la dernière misère[2].»

On observe toutefois dans cette même ville de Lyon une augmentation constante des fortunes artisanales. Il semble par ailleurs que, dans les grandes villes — cela est vérifié pour Bordeaux —, la hausse des salaires compense largement celle des prix. Mais les grandes agglomérations ne contiennent qu'une petite partie de l'artisanat urbain.

En fait, il y a de grandes différences entre les métiers (à Lyon, les cordonniers sont beaucoup plus pauvres que les boulangers), et entre les villes. Toujours à Lyon, pour la période 1749-1751, l'apport moyen au mariage des maîtres de métier est de 1 870 livres. A Paris, en 1755, la dot moyenne s'élève à 1 500 livres chez les boulangers, et à 4 600 livres chez les charcutiers. A Bordeaux, nombreux sont les apports insignifiants de 40 à 100 livres.

Au total cependant, et si l'on considère l'ensemble des salaires et des fortunes, on ne peut parler de grande pauvreté ni d'appauvrissement. L'émeute grave de Lyon (mille grévistes dans la rue) le 5 août 1744 n'est pas une révolte de la misère : les ouvriers de la fabrique manifestent pour obtenir le rétablissement du statut de 1737 plus favorable à leurs intérêts, et la fixation d'un tarif. Ils obtiennent d'ailleurs satisfaction.

Ce n'est qu'à la fin du règne de Louis XV que les travailleurs manuels voient leur condition se détériorer. En mai 1773, plusieurs grandes villes sont troublées par des émeutes frumentaires. A Castres, la fermeture en 1766 des marchés du Levant, et celle en 1763 du marché canadien, provoquent des centaines de faillites. Les salaires tombent à 4 sous pour douze heures de travail. On recense mille deux cents pauvres dans la ville, qui se nourrissent de choux sans sel et de pommes de terre. C'est ce

---

1. Maurice Gresset, *Une famille nombreuse au XVIIIᵉ siècle*, Toulouse, Privat, 1981, 180 pages.

2. M. Garden, *Lyon et les Lyonnais, op. cit.*, p. 341.

qui fait dire à l'évêque : « On n'a certainement pas des idées justes à la Cour sur la misère des peuples[1]. »

LES TRANSFORMATIONS DE LA SOCIÉTÉ URBAINE

Les transformations des villes influent sur les conditions de vie du peuple. Car on ne dit plus comme autrefois « menu peuple » ou « simple peuple », mais tout simplement « peuple ».

Les agrandissements et les embellissements des villes entraînent la spéculation immobilière. Les spéculateurs sont des financiers, des rentiers, des parlementaires comme le président Duret à Paris, des grands seigneurs comme le duc de Richelieu à Bordeaux.

Ils bâtissent les quartiers neufs, mais les conçoivent séparés du « peuple ». Les villes nouvelles qui apparaissent, au faubourg Saint-Germain et à la Chaussée-d'Antin à Paris, au Chapeau-Rouge et au cours de Tourny à Bordeaux, sont des villes fermées, des villes aristocratiques d'un type tout à fait nouveau[2].

Un autre phénomène nouveau est la croissance des faubourgs. C'est là que vient habiter la population immigrée venue des campagnes. On y trouve beaucoup de misérables et aussi, la police étant quasi absente, beaucoup de criminels. A Toulouse, par exemple, les faubourgs sont un monde à part, où prolifèrent les tavernes louches, les bordels et les boutiques de receleurs.

L'importance du courant migratoire fait qu'une notable partie de la population urbaine est composée de gens déracinés. Il en résulte une montée de la délinquance. Les vols se multiplient. C'est maintenant dans les villes un délit tout à fait commun. A Toulouse, il représente 60 à 85 %, selon les années, des crimes constatés.

Sur ce « peuple » des grandes cités, la morale et la religion n'ont plus la même emprise que naguère. Un fait est révélateur. C'est l'augmentation très importante du nombre des naissances illégitimes. Dans les campagnes, comme par le passé, le taux d'illégitimité demeure presque toujours inférieur à 1 %. Mais dans la plupart des villes importantes, il atteint ou dépasse même 10 % vers la fin de notre période. Or la presque totalité des filles mères sont soit des filles venues en ville pour y cacher leur grossesse et leur accouchement, soit des immigrées établies depuis quelque temps dans la ville et presque toujours issues de familles paysannes. Dans cette montée de l'illégitimité, on ne peut que voir le signe d'une dégradation. La société est troublée en profondeur. Son équilibre moral est atteint.

---

1. Nicole Castan, *Les Criminels de Languedoc...*, publications de l'université de Toulouse-le-Mirail, 1980, p. 289-290.
2. Louis Bergeron, « Croissance urbaine et société à Paris au XVIIIe siècle », *La Ville au XVIIIe siècle*, Édisud, 1975, p. 127-134.

LE MONDE DES CAMPAGNES

Si l'on se réfère aux conditions matérielles de la vie, le progrès ici est évident.

Les propriétaires bénéficient de la très forte hausse de la rente foncière. On a calculé qu'en Auvergne, par exemple, ce type de revenu (en déflaté) avait augmenté de plus de 60 % entre la décennie 1720-1730 et 1789. Les exploitants non propriétaires sont moins favorisés, d'autant moins qu'ils paient des fermages proportionnellement plus lourds à leurs revenus. Toutefois, malgré ce prélèvement supplémentaire, leurs salaires augmentent en valeur réelle grâce à la hausse des denrées. La baisse — constatée dans plusieurs provinces, notamment dans celles d'Auvergne et du Languedoc — du poids relatif de l'impôt direct constitue également un facteur favorable.

En revanche, les très petits propriétaires et les journaliers sont confrontés à des difficultés grandissantes. Les prix des terres augmentent, les spéculateurs achètent, et les petites propriétés sont de plus en plus réduites. Les salaires des journaliers ne suivent pas le mouvement des prix. Aussi menacés d'appauvrissement beaucoup de paysans — qui travaillaient déjà pour le textile, mais seulement à leurs heures perdues — sont tentés d'accepter beaucoup plus d'ouvrage. C'est ainsi qu'autour des grands centres textiles (Rouen, Amiens, Lille et Troyes) le salaire de ce travail n'est bientôt plus la ressource d'appoint, mais la principale source de gains. Ces paysans deviennent des ouvriers dépendant des marchands fabricants. On ne saurait toutefois parler de paupérisation véritable. Les seules années vraiment mauvaises de cette période sont les années 1771-1773. Il est vrai que ce sont des années très dures, tout au moins dans certaines régions. Dans le Rouergue par exemple, une partie notable de la population des paroisses rurales est réduite à la plus grande pauvreté. « Toute la paroisse est pauvre, écrit en 1771 le curé de Laguiole ; tout au plus il y a vingt maisons ou familles qui vivent ; tout le reste est aux expédients[1] [...]. » Pourtant, les paysans du Rouergue ont bénéficié, comme les autres paysans du royaume, d'une amélioration sensible de leur sort depuis le début du siècle. On mesure, pendant ces années 1771-1773, à quel point la situation économique d'une certaine paysannerie demeure fragile et vulnérable aux crises.

Mais il n'y a pas que les crises économiques. La société rurale subit d'autres épreuves. Elle est troublée par la spéculation foncière, par la réaction seigneuriale et par le mouvement de partage des communaux.

La spéculation foncière — nous y avons déjà fait allusion — entraîne une concentration des terres.

La réaction seigneuriale avait commencé à ce moment-là. Elle est

1. *L'État du diocèse de Rodez en 1771*, cité par Olwen H. Hufton, *The Poor in Eighteenth Century's, France, 1750-1789*, Oxford At the Clarendon Press, p. 47.

maintenant générale. Elle comporte deux aspects principaux, la révision des terriers et la reconstitution des réserves. Les rénovations de terriers se multiplient à partir de 1745. On en signale dans toutes les provinces. En 1746, La Poix de Fréminville publie sa *Pratique universelle pour la rénovation des terriers*. Ce sera le livre de chevet de tous les feudistes. Pour agrandir la réserve, les seigneurs s'adjugent les terres incultes ou mettent la main sur les communaux. C'est ainsi, par exemple, que Laverdy, marquis de Gambais, ajoute à sa terre de Neuville une partie des landes et bruyères de la paroisse et en commence le défrichement[1].

Les seigneurs ne sont pas les seuls à menacer les communaux. Le pouvoir royal est favorable au partage, et commence à l'autoriser dans certaines provinces. Les premiers édits sont publiés à partir de 1769. Les communautés d'habitants sont divisées. Les « principaux » des communautés souhaitent le partage et, en attendant, s'efforçant de limiter le droit des pauvres. Par exemple, à Saint-Gervais, près de Béziers, les droits sont proportionnés aux impositions : une paire de bétail pour une livre de compoix terrier. De cette manière, tout les pauvres sont privés de l'usage du communal[2].

L'ÉTAT DE LA SOCIÉTÉ FRANÇAISE A LA FIN DU RÈGNE DE LOUIS XV

La généralisation de l'aisance, la grande diffusion de la propriété et l'existence d'une bourgeoisie très nombreuse et diverse constituent de fortes garanties de stabilité.

La société française souffre néanmoins d'un profond malaise. C'est une société déséquilibrée, une société en crise.

Tout d'abord crise d'identité : elle ne sait plus très bien ce qu'elle est. Elle veut être autre chose que ce qu'elle est. Les évêques font les administrateurs, les nobles font les commerçants, les avocats font les philosophes. On ne sait plus sa raison d'être et le désordre s'introduit. La multiplication des mésalliances est un signe très révélateur. Mésalliances des hommes à tous les niveaux de la société. Par exemple à Paris, en 1755, on voit un gentilhomme ordinaire de la Chambre du roi épouser la fille d'un simple juge royal, deux écuyers épouser des filles de robins, des marchands des six corps épouser des filles de petits artisans charcutiers, serruriers, ou de marchands de vin ou de bois. Mais les filles aussi se mésallient, et ce fait est beaucoup plus révélateur d'une crise de conscience. A Paris, en 1755, les filles de marchands des six corps, ou des filles d'officiers royaux ou de procureurs fiscaux, épousent de simples artisans[3]. On n'aurait jamais vu cela auparavant.

---

1. F. Bluche, *Les Magistrats...*, *op. cit.*, p. 146.
2. Nicole Castan, *Les Criminels de Languedoc...*, *op. cit.*, p. 79.
3. Données recueillies dans un échantillon de 278 contrats de mariage passés à Paris en 1756, dans les trois quartiers des Halles, de Saint-Eustache et de Saint-Germain-l'Auxerrois (enquête conduite en 1969 par Roland Mousnier).

Et puis crise de conscience, crise des valeurs traditionnelles. L'honneur et la dignité s'effacent devant l'argent. Au sommet de la hiérarchie sociale, se trouve une catégorie que nous avons appelée la « société d'argent». Quelques nobles en font partie, mais qui ne sont pas la noblesse, et ses idéaux, si tant est qu'elle en possède, ne sont pas les idéaux traditionnels de la noblesse. Elle a les apparences de celle-ci, mais son esprit est essentiellement utilitaire.

L'exaltation de l'utilité favorise l'expansion économique. Mais cette expansion a son revers. Les grandes entreprises nouvelles, minières et sidérurgiques, recrutent une masse croissante d'ouvriers sans organisation et sans défense. Dans ces mêmes entreprises, le travail des femmes et des enfants commence à se généraliser. Les grandes villes sont en partie peuplées d'immigrés venus des campagnes, et déracinés.

La crise sociale s'accompagne, comme toujours en pareil cas, d'une crise morale, d'une crise du mariage et de la famille. Certes la masse du peuple, surtout dans les campagnes, est demeurée profondément croyante et par conséquent respectueuse des normes du mariage chrétien. Mais, dans les grandes villes, les naissances illégitimes et les abandons d'enfants se multiplient. Et, un peu partout, les catégories sociales supérieures, gentilshommes, parlementaires, financiers, négociants, sont gagnés par l'immoralité : la fidélité conjugale devient une anomalie.

L'ordre public lui-même semble atteint, et la sécurité des personnes et des biens. On assiste en effet à la montée de la délinquance. Le nombre des arrêts criminels augmente dans des proportions considérables. A titre d'exemple, le parlement de Toulouse prononçait, depuis 1720, 211 arrêts annuels en moyenne. A partir de 1765, la moyenne monte à 300[1]. Augmente aussi le nombre des mendiants vagabonds. La société prend peur et le pouvoir s'inquiète. La répression est décrétée, plus sévère que jamais. Toute personne n'ayant pas travaillé depuis six mois révolus, et ne possédant ni métier ni biens, sera enfermée dans un «dépôt de mendicité». Les récidivistes seront punis de cinq ans de galères. Mesures exactement appliquées. On a une statistique de 1773 : 72 025 arrestations depuis 1767, et 968 condamnations au bagne[2]. Le siècle est celui de l'«humanité» et de la «bienfaisance». Mais ces vertus ne semblent pas incompatibles avec la rigoureuse punition des misérables et des marginaux.

1. Nicole Castan, *Les Criminels du Languedoc...*, *op. cit.*, p. 8.
2. Olwen H. Hufton, *The Poor in Eighteenth Century's, France, 1750-1789*, *op. cit.*, p. 390.

Chapitre IV

LA CIVILISATION
(1743-1774)

LA PHILOSOPHIE

Dans les années 1750-1760, les mots « philosophie » et « philosophe » prennent un sens nouveau. Dans le langage courant, désormais, le terme de « philosophie » désigne le système des idées modernes, et les « philosophes » sont les littérateurs qui soutiennent ce système et cherchent à le faire prévaloir sur les idées traditionnelles. « Philosophes », écrira Littré, est le « nom donné, en particulier dans le XVIIIᵉ siècle, a des hommes qui cultivaient la philosophie et la faisaient servir au renversement des anciennes opinions ». Le mot est consacré par la pièce de Palissot, *Les Philosophes,* représentés à la Comédie-Française le 2 mai 1760. C'est une charge, mais assez lourde et maladroite, et qui finalement a plutôt servi la cause de ceux qu'elle voulait ridiculiser.

L'Encyclopédie

La publication de ce dictionnaire est sans doute la manifestation la plus spectaculaire du nouvel esprit philosophique. C'est l'événement central dans l'histoire intellectuelle de la période et celui que représente le mieux dans l'opinion de l'époque l'avènement et la victoire du parti philosophique. L'*Encyclopédie* a valeur de symbole. Il y a deux raisons à cela. D'abord, c'est une œuvre collective. Tous les grands noms de la philosophie y figurent. Diderot et d'Alembert ont dirigé le travail, mais Voltaire, Rousseau, d'Holbach, Condillac et Buffon (pour ne citer qu'eux) y ont participé. Ensuite — c'est la deuxième raison — l'*Encyclopédie* a été la cible de l'opposition antiphilosophique. L'entreprise a été combattue avec acharnement et sa réussite a paru d'autant plus éclatante qu'elle avait été obtenue de haute lutte.

L'INITIATIVE ET LE PROJET

L'initiative vient d'André François Le Breton, libraire-juré à Paris. Un Anglais, Ephraïm Chambers, avait publié à Londres en 1728 un dictionnaire universel intitulé *Cyclopaedia or Universal Dictionary of Arts and Sciences.* L'idée de Breton est tout simplement de donner au public français une traduction de cet ouvrage. On ne manquait pas de dictionnaires en France. On avait ceux de Moreri, de Bayle, de Savary et celui de Trévoux. Tous ces ouvrages étaient de qualité, mais certains commençaient à vieillir et, surtout, aucun n'était encyclopédique. Pour réaliser son projet, Breton s'associe (le 18 octobre 1745) avec trois autres libraires parisiens nommés Briasson, Durand et David.

Mais il fallait aussi un maître d'œuvre. Le 16 octobre 1747, contrat est passé avec Denis Diderot, jeune littérateur, déjà connu du public pour avoir publié l'année précédente des *Pensées philosophiques* fort brillantes, mais sentant quelque peu le soufre. Ce Diderot est l'homme de la situation : il a besoin d'argent et doit vivre de sa plume, ne disposant d'autres revenus que ceux de la bourse paternelle. Au surplus, il a prouvé sa capacité de travail, ayant participé pendant deux ans à la publication française du *Dictionnaire de médecine* de l'Anglais James.

Il n'entre pas seul dans l'entreprise. Il s'associe tout de suite le mathématicien d'Alembert. Et avec ces deux hommes, le projet primitif change complètement. Il ne s'agit plus de traduire Chambers, mais de créer une œuvre originale faisant le point de toutes les connaissances. Dans le *Prospectus* de novembre 1750 (rédigé par Diderot), destiné aux éventuels souscripteurs, ce nouveau projet est annoncé au public. L'esprit en sera défini de façon plus précise par d'Alembert dans le *Discours préliminaire* publié en 1751 en tête du premier volume. Enfin, comme si cela ne suffisait pas et comme si la couleur n'était pas déjà suffisamment annoncée, Diderot formulera à nouveau dans l'*Avertissement* du tome VIII les grandes lignes de son dessein. L'*Encyclopédie* n'a donc pas été une surprise. Le public a su à l'avance quelle était l'intention de ses auteurs.

Que veulent donc faire Diderot et d'Alembert ? D'abord rendre service au public en lui fournissant à domicile un résumé clairement présenté et commode d'accès de toutes les connaissances. L'*Encyclopédie* pourra en effet, selon le *Prospectus*, « tenir lieu de bibliothèque dans tous les genres à un homme du monde et dans tous les genres, excepté le sien, à un savant de profession ». On notera le « excepté le sien ». L'*Encyclopédie*, c'est de la bonne vulgarisation, rien d'autre.

Mais, c'est très nettement dit, il s'agit aussi de faire prendre conscience au public des progrès tout récents de l'esprit humain et du caractère exceptionnel de l'époque présente : « Quel progrès, dit le *Prospectus*, n'a-t-on pas fait dans les sciences et dans les arts ? Combien de découvertes aujourd'hui qu'on n'entrevoyait pas alors ? La vraie philosophie était au berceau ; la géométrie de l'infini n'existait pas encore [...]. »

Progrès bienfaisant : il éclaire l'humanité plongée jusqu'alors dans les ténèbres de l'ignorance. C'est le thème appelé à une si grande fortune, de l'opposition entre la nuit (de l'ignorance et de la superstition) et les lumières (de la raison et de la science). D'Alembert, dans le *Discours préliminaire*, exalte ces « grands hommes qui, sans avoir l'ambition dangereuse d'arracher le bandeau des yeux de leurs contemporains, préparaient de loin, dans l'ombre et le silence, la lumière dont le monde devait être éclairé peu à peu et par degrés insensibles». On voit par ces lignes que, pour les auteurs de l'*Encyclopédie,* le progrès des sciences n'est pas quelque chose de naturel, de normal, mais qu'il est une sorte de miracle, et que sa valeur est sacrée. Les sciences sont la nouvelle religion, le nouvel Évangile annoncé aux hommes.

L'*Encyclopédie* est donc un projet inspiré. Par là, elle s'apparente à l'idéal maçonnique fait lui aussi, on l'a vu, de ce messianisme du progrès par les sciences. D'ailleurs, on notera le soutien de la maçonnerie au dictionnaire de Chambers, préfiguration de l'*Encyclopédie*. Ramsay, le prophète maçon, avait exalté jadis le projet de Chambers dans des termes qui annonçaient le *Prospectus* et le *Discours préliminaire* :

> … on réunira, avait-il écrit, les lumières de toutes les nations dans un seul ouvrage qui sera comme un magasin général de tout ce qu'il y a de grand, de beau, de lumineux, de solide et d'utile dans tous les arts nobles […].

Et il concluait par ces mots que d'Alembert aurait pu reprendre et appliquer à l'*Encyclopédie* : «Cet ouvrage contribuera dans chaque siècle suivant à l'augmentation des Lumières.»

LA RÉALISATION, LES PÉRIPÉTIES, LES DIFFICULTÉS

Les dix-sept volumes de l'*Encyclopédie* ont été publiés de 1751 à 1766. La publication des volumes de planches a commencé en 1762 et s'est poursuivie jusqu'en 1777.

L'entreprise est considérable, la tâche énorme. L'impression a fait vivre pendant vingt ans plus de mille ouvriers. La somme des capitaux engagés aurait atteint 7 650 000 livres. Au total, cent quarante-six écrivains (sans compter les collaborateurs anonymes) ont participé à l'ouvrage. «Jusqu'ici, écrivait fièrement Diderot dans le *Prospectus,* personne n'avait conçu un ouvrage aussi grand, ou du moins personne ne l'avait exécuté.»

Les difficultés n'ont pas manqué. Depuis ses débuts jusqu'à son achèvement, l'entreprise n'a cessé d'être combattue. Des adversaires acharnés ont cherché de toutes les manières à empêcher la publication de l'ouvrage.

En 1749, première péripétie : Diderot est arrêté et enfermé quatre mois à Vincennes. C'est une mauvaise année pour les libellistes et les littérateurs. Louis XV commence à devenir très impopulaire et les gens de lettres en sont rendus responsables. D'ailleurs, au début de l'année, Diderot a publié sa *Lettre sur les aveugles* qui est une sorte de manifeste matérialiste et suffirait à le rendre suspect. Enfermé début juillet, il n'est libéré que le 3 novembre.

En 1751 — mais le premier volume de l'*Encyclopédie* est déjà paru —

deuxième alerte. C'est l'affaire de l'abbé de Prades. Cet ecclésiastique avait soutenu le 18 novembre 1751 à la faculté de théologie de Paris une thèse jugée parfaitement conforme le jour de la soutenance, mais dont on s'était aperçu trois mois après qu'elle était complètement hérétique et même scandaleuse. La découverte avait fait grand bruit et Prades avait dû quitter la France. Or, il était l'ami de Diderot et — circonstance aggravante — il avait même fait (pour le deuxième volume de l'*Encyclopédie*), l'article « Certitude ». Aussi le 7 février 1752, en répercussion à cette affaire, un arrêt du Conseil interdit la vente des deux premiers volumes (qui ont paru il y a peu de temps).

Troisième événement malencontreux : le départ de d'Alembert, fin 1757. Celui-ci, très susceptible, supporte mal les attaques dont l'*Encyclopédie* est la cible. De plus, les protestations que lui a values son article « Genève » (il y présentait les pasteurs genevois comme des déistes) l'ont profondément irrité. Il ne tient pas le coup ; il s'en va malgré les reproches de Diderot et les exhortations de Voltaire.

Mais tout cela n'est rien à côté de la campagne antiphilosophique qui commence et à laquelle participent les littérateurs Palissot et Moreau, les jésuites, le « parti dévot » et les jansénistes. Dans *L'Avis utile* de Jacob Nicolas Moreau, les philosophes sont livrés à la vindicte et au ridicule, étant présentés comme des sauvages appelés « Cacouacs », ayant un venin sous la langue. L'affaire de l'ouvrage *De l'esprit* (1758) déclenche les foudres du pouvoir. Dans ce livre ouvertement matérialiste, le philosophe Helvétius réduit à une différence de conformation physique la distance qui sépare l'homme de l'animal. Helvétius n'est pas un collaborateur de l'*Encyclopédie*, mais peu importe. Aux yeux du public dévot, tous les philosophes sont à la même enseigne. Et la pression est si forte, que l'autorité se résout à faire un exemple. Le 6 février 1759, le parlement de Paris condamne *De l'esprit*, l'*Encyclopédie* et six autres ouvrages à être brûlés par la main du bourreau. Et, le 8 mars le Conseil d'État rend un arrêt qui révoque le privilège et interdit la vente et la diffusion des volumes déjà parus. Quelques mois plus tard (le 3 septembre), l'Église à son tour condamne l'*Encyclopédie* ; une sentence romaine prononce une censure sans appel : « *Damnatio et prohibitio operis in plures tomos distributi cujus est intitulus Encyclopédie* » (« Condamnation et prohibition de l'ouvrage en plusieurs volumes, intitulé l'*Encyclopédie* »). Décidément, l'année s'annonce mauvaise.

Malgré toutes ces attaques, malgré ces coups répétés, malgré les interdictions et la condamnation, Diderot et les libraires réussissent à poursuivre l'entreprise et à la mener à son terme. Les deux premiers volumes paraissent en 1751, les tomes III, IV et V de 1752 à 1755, les VI et VII en 1757, et les tomes VIII à XVII sortent en même temps en janvier 1766. Quant aux volumes de planches, ils ont commencé à paraître en 1762.

Comment et pourquoi l'*Encyclopédie* a-t-elle pu finalement triompher ?

Ce n'est sans doute pas la faute de ses adversaires. Ceux-ci étaient acharnés, certains (comme Moreau) avaient du talent. Ils étaient nombreux et avaient derrière eux toute une partie du corps social. La vigueur et la fréquence des attaques le montrent : il y a en France toute une opinion qui n'est pas disposée à avaler la nourriture encyclopédique et qui, même, rejette avec vigueur cette culture philosophique, jugée par elle blasphématoire et empoisonnée. Seulement, cette opinion est divisée en clans : il y a les dévots, les jansénistes, il y a ceux qui ne combattent l'*Encyclopédie* que par jalousie d'auteurs.

Et puis, surtout, l'opposition à l'*Encyclopédie* n'est pas vraiment soutenue par le pouvoir royal. On peut même le dire, ce sont les complaisances de l'autorité qui ont permis à Diderot et aux libraires de résister aux attaques et de mener à bien leur ouvrage.

Cela peut sembler paradoxal. En effet, à deux reprises, le Conseil du roi a prononcé des interdictions qui auraient dû tuer l'entreprise. Mais ces mesures très graves n'ont pas eu l'effet qu'elles auraient dû avoir. On connaît l'explication : l'administration n'a pas suivi et, même, elle a fait tout ce qui était en son pouvoir pour permettre à l'*Encyclopédie* de continuer.

L'administration, c'est-à-dire d'abord et surtout Malesherbes. Nommé en décembre 1750 directeur de la librairie, c'est-à-dire délégué du chancelier à la censure des livres, Guillaume Chrétien de Lamoignon de Malesherbes s'institue le protecteur et le conseiller de l'entreprise encyclopédique. Car il est l'ami des Lumières et veut qu'elles paraissent, mais sans scandale afin de pouvoir poursuivre leur parution. Sa tactique est d'empêcher tout éclat et pour cela de contrôler étroitement la rédaction de l'ouvrage. Il nomme lui-même les censeurs et rappelle aux imprimeurs qu'ils ne peuvent imprimer qu'avec le paraphe de l'un des censeurs. En somme, il oblige les rédacteurs à prendre des précautions. Il est un modérateur. On notera toutefois qu'il ne se contente pas de modérer. En certaines occasions, il protège, il couvre. Par exemple, en 1752, pour éviter que les papiers de Diderot ne soient saisis par la police, il n'hésite pas à les abriter chez lui. Cela est raconté par Mme de Vandeul, la fille de Diderot, dans ses *Mémoires* :

> M. de Malesherbes prévint mon père qu'il donnerait le lendemain ordre d'enlever ses papiers et ses cartons.
> — Ce que vous m'annoncez là me chagrine infiniment ; jamais je n'aurai le temps de déménager tous mes manuscrits, et, d'ailleurs, il n'est pas facile de trouver en vingt-quatre heures des gens qui veuillent s'en charger et chez qui ils soient en sûreté.
> — Envoyez-les tous chez moi, répondit M. de Malesherbes ; on ne viendra pas les y chercher !
> En effet mon père envoya la moitié de son cabinet chez celui qui ordonnait la visite [...].

Curieuse censure, curieux censeur. Curieux pouvoir qui laisse faire d'un côté ce qu'il interdit de l'autre. Car Malesherbes ne prend pas de grands risques. S'il couvre l'*Encyclopédie,* c'est qu'il est lui-même couvert. L'*Encyclopédie* a toujours été protégée en haut lieu. Dès 1745, le chancelier d'Aguesseau lui-même s'était intéressé à l'entreprise et en avait favorisé l'exécution. Il avait reçu Diderot et s'était déclaré «enchanté de quelques traits de génie qui éclatèrent dans la conversation». Rappelons que cette date de 1745 est également celle de l'avènement de la Pompadour. Or la favorite veut du bien aux philosophes. Elle les invite à Trianon et à Choisy et, si elle ne réussit pas à convertir Louis XV à la philosophie, tout au moins obtient-elle du souverain une certaine tolérance. Malesherbes le sait et fait sa cour à la Pompadour en l'informant régulièrement de tout ce qu'il fait pour l'*Encyclopédie.* L'intermédiaire est l'abbé de Bernis. Malesherbes confie à ce dernier combien il lui répugne de surveiller ces écrivains qu'il estime tant : «Ceci posé, monsieur, voyez quelle est ma situation, je peux imposer des gênes aux gens de lettres, contraindre leur génie, me plaindre des fautes qu'ils commettent et je n'ai aucune grâce à leur procurer; je peux leur nuire et je ne puis jamais leur être utile [...].» Là, évidemment, Malesherbes fait le modeste. Si quelqu'un a jamais été utile — et même indispensable — à l'*Encyclopédie,* c'est bien lui.

Lui et Sartine, lieutenant de police nommé peu après la révocation du privilège (le 1er décembre 1759). La neutralité bienveillante de ce dernier a été décisive pour l'achèvement de l'ouvrage.

Il faut tenir compte aussi, bien sûr, de l'acharnement de Diderot, de sa volonté d'aboutir, de son zèle infatigable. «*Labor improbus omnia vincit*», jamais l'adage latin n'a été aussi vrai. Les lettres à Sophie Volland disent bien ce que fut cette besogne incroyable et incessante, et la détermination avec laquelle elle fut menée. Diderot écrit par exemple le 25 novembre 1760 : «Je serai quitte de mon ouvrage avant Pâques ou je serai mort. Vous en croirez tout ce qu'il vous plaira, mais cela sera. Ce qui me prend un temps infini, ce sont les lettres que je suis obligé d'écrire à mes paresseux de collègues pour les accélérer [...].» Ou bien, le 12 septembre 1761 : «Cette terrible révision [des épreuves] est finie : j'y ai passé vingt-cinq jours de suite à dix heures de travail par jour [...].»

ANALYSE DU CONTENU

L'*Encyclopédie* est intitulée *Encyclopédie ou Dictionnaire raisonné des sciences, des arts et des métiers.* Car l'ambition de l'ouvrage est d'embrasser l'universalité des connaissances.

Il serait difficile qu'une telle entreprise puisse être réalisée sans défaut. Beaucoup d'articles ne sont que des compilations ou des «dissertations sans méthode», selon le jugement même de Voltaire.

Malgré cela, on peut considérer l'*Encyclopédie* comme un bon état des connaissances scientifiques et techniques au milieu du siècle. Il faut souligner la qualité des collaborations. La plupart des articles dans ces disciplines ont été confiés non à de simples compilateurs, mais à des spécialistes compétents dont certains étaient même des savants renommés. Après d'Alembert qui a revu toute la partie mathématique, il faut citer Daubenton, premier démonstrateur du jardin du roi (histoire naturelle), Véron de Forbonnais (finances et économies), J.-B. Le Roy (astronomie et horlogerie), Bourgelat (art vétérinaire), La Condamine (mathématiques), Blondel (architecture) et la liste est loin d'être exhaustive. Beaucoup d'articles scientifiques et techniques sont des modèles du genre. Par exemple, l'article «Moulin» (25 pages) donne une description complète non seulement de toutes les sortes de moulins, mais encore de toutes les pièces qui les constituent. Certes, rappelons-le, les rédacteurs ne s'adressent pas à des spécialistes, mais ils font plus que de la vulgarisation, s'efforçant de rendre accessibles et claires les notions les plus complexes. Les planches ont été très attaquées. Les adversaires de l'*Encyclopédie* ont accusé Diderot d'avoir plagié les descriptions des métiers dont l'Académie des sciences avait entrepris le recueil et dont elle avait confié la direction à Réaumur. Cette question est encore débattue aujourd'hui. Nous n'entrerons pas dans cette controverse, nous bornant à retenir l'opinion nuancée de Jacques Proust : «Aucune des planches, écrit ce spécialiste, [...] n'est à proprement parler le plagiat d'une gravure ou d'un dessin des portefeuilles de Réaumur[1].» On sait par ailleurs que des dessinateurs furent envoyés dans les ateliers, et que ces spécialistes prirent des esquisses des machines et des instruments.

Bien que faisant la part belle aux sciences exactes et naturelles et aux techniques, l'*Encyclopédie* est aussi le dictionnaire des disciplines traditionnelles, de la théologie, de la philosophie et des lettres, ainsi que de l'histoire. Ici les contributions de Dumarsais, Jaucourt et Diderot sont essentielles. Dumarsais a rédigé tous les articles de grammaire et de nombreux articles de littérature, et Diderot tous ceux qui concernent l'histoire de la philosophie. Jaucourt s'est exercé dans tous les genres, y compris d'ailleurs les sciences et les techniques. Il est de tous les rédacteurs le plus zélé, le plus prolifique. C'est son nom qui revient le plus souvent. Le 25 novembre 1760, Diderot écrit à Sophie Volland : «Le chevalier de Jaucourt : ne croyez pas qu'il s'ennuie de moudre des articles, Dieu le fit pour cela. Je voudrais que vous vissiez comme sa physionomie s'allonge quand on lui annonce la fin de son travail[2].» Diderot lui aussi a touché à tout. Il a écrit plus de cinq mille articles. Toutefois on ne peut déterminer précisément l'étendue exacte de sa

---

1. Jacques Proust, *Diderot et l'« Encyclopédie »*, Armand Colin, 1962, 521 pages, p. 54.
2. Cité par Pierre Grosclaude, *Un audacieux message, l'« Encyclopédie »*, Paris, 1951, 220 pages, p. 117.

contribution. Les seuls textes que l'on puisse lui attribuer avec certitude sont ceux marqués d'un astérisque. Encore n'est-on pas certain qu'il les ait tous entièrement rédigés.

L'*Encyclopédie* a été jugée en son temps comme un ouvrage subversif. L'est-elle vraiment? et, si elle l'est, dans quels domaines et de quelle manière?

En littérature, elle ne l'est certainement pas. Rien n'est plus conservateur que la doctrine littéraire des rédacteurs. On en reste, pour la poésie et pour le théâtre, aux règles de Boileau. Les deux plus grands poètes français ne sont ni Ronsard ni du Bellay, mais Malherbe et J.-B. Rousseau. Les deux seuls articles où l'on puisse discerner un esprit nouveau sont l'article «Collèges» de d'Alembert, critique féroce de la pédagogie humaine des jésuites, et l'article «Génie» de Diderot lui-même. Ce «génie» en effet n'est pas du tout classique; la raison en est absente; c'est un génie intuitif et visionnaire :

> Le génie [...] voit; il ne se borne pas à voir, il est ému; dans le silence et l'obscurité du cabinet, il jouit de cette campagne riante et féconde; il est glacé par le sifflement des vents. [...] L'âme se plaît souvent dans ces affections momentanées; elles lui donnent un plaisir qui lui est précieux; elle se livre à tout ce qui peut l'augmenter[1] [...].

En politique, ce ne sont pas non plus des idées très révolutionnaires que développe l'*Encyclopédie*. Avec son modèle anglais, Montesquieu est visiblement l'auteur de prédilection des rédacteurs. Aucun d'entre eux, assurément, ne croit au droit divin des rois, mais aucun d'entre eux non plus ne remet en cause l'institution monarchique. Cependant, il faut mettre à part certains articles de Diderot («Citoyen», «Autorité politique»). Là, en effet, se manifeste une théorie politique originale, découlant du matérialisme moniste de son auteur. On ne saurait mieux la résumer que ne l'a fait M. Proust : «... En se soumettant au monarque absolu, le sujet ne se fait pas l'esclave d'un homme mais de la loi, et si cette loi est vraiment l'expression de la volonté générale du corps politique, elle ne peut être qu'une application particulière de la loi universelle qui régit le monde moral, comme le monde matériel[2]. »

En matière d'organisation de la société, les thèses défendues par les encyclopédistes sont bien connues. Ce sont celles que Turgot, lors de son bref passage aux affaires, s'efforcera de réaliser, et entre autres le libéralisme et l'anticorporatisme. Mais, là encore, on ne peut pas considérer qu'il s'agisse de grandes nouveautés. Ces idées avaient des partisans bien avant que l'*Encyclopédie* ne les formule.

Finalement, c'est dans le domaine de la religion, et par leur antichris-

---

1. Cité par P. Grosclaude, *Un audacieux message...*, *op. cit.*, p. 145.
2. Jacques Proust, *Diderot et l'«Encyclopédie»*, *op. cit.*, p. 434.

tianisme, que Diderot et ses collaborateurs montrent le plus d'audace et de nouveauté.

Certes les dogmes ne sont pas attaqués de front, mais on présente avec complaisance et de grandes manifestations d'intérêt les doctrines des hérétiques et des hétérodoxes. Par exemple, l'article «Enfer» expose longuement la conception de l'archevêque anglican Tillotson, lequel aurait entrepris, nous dit-on, de «concilier le dogme de l'éternité des peines avec ceux de la justice et de la miséricorde divine». Ou bien on use d'habiletés en glissant des critiques ou des insinuations dans des articles étrangers à ces questions théologiques. C'est ainsi que nous trouvons dans l'article «Junon» une critique du culte marial. Après avoir exposé les déviations de la religion païenne, l'auteur écrit : «Un homme de génie du siècle passé pensait que c'était de la même source que provenaient les excès d'adoration où les chrétiens sont tombés envers les saints et la Vierge Marie.»

Par ailleurs, chaque fois qu'il est possible, la foi est toujours opposée à la raison. Comme on ne veut pas avoir l'air de douter, on se contente de dire qu'il faut toujours accepter les dogmes quoi qu'il en coûte à la raison. Et il en coûte beaucoup ! Mais il faut s'incliner. C'est le cas — entre autres — du dogme de la damnation et des peines éternelles. Ce dogme, écrit l'auteur de l'article «Damnation», «est clairement révélé dans l'Écriture». Donc pas de discussion : «Il ne s'agit donc plus de chercher par la raison s'il est possible qu'un être fini fasse à Dieu une peine infinie [...] il faut se soumettre à l'autorité des livres saints.» Notons d'ailleurs que ce genre d'argumentation est une véritable caricature de l'apologétique catholique de l'époque, et du fidéisme dominant dans la pensée chrétienne.

Enfin, le christianisme est présenté comme générateur de superstition, de fanatisme et d'intolérance. Et même à l'article «Christianisme», dont il est l'auteur, Diderot ne craint pas de dire que la religion chrétienne est par essence intolérante.

Toutefois, la prudence reste de règle sur les questions de dogme. Il ne faut pas risquer l'interdiction définitive. Alors on préfère le travail de sape au combat à découvert.

Les questions des institutions ecclésiastiques et de la vie chrétienne sont jugées sans doute beaucoup moins risquées. En tout cas ici, les auteurs se montrent beaucoup plus audacieux. Par exemple l'article «Pape» s'attache à faire apparaître ce qui serait, selon son auteur, la dégénérescence de la papauté. Les ordres religieux sont présentés comme des refuges de fainéants : «Depuis que le travail des mains a été méprisé, les religieux rentés se sont abandonnés à la paresse dans les pays chauds et à la crapule dans les pays froids [...].» Enfin on s'efforce de déconsidérer les pratiques de dévotion comme le chapelet, les litanies, le port du scapulaire ou les visites au saint sacrement, comme si elles n'étaient que des gestes sans signification et des hypocrisies : «On peut porter gaiement un scapulaire, dire tous les jours le chapelet ou quelque oraison, sans pardonner à son ennemi, restituer le bien mal acquis ou quitter sa concubine [...].» Cela est d'ailleurs parfaitement vrai, et les auteurs dévots envisagent eux aussi cette possibilité. Seulement la façon de le dire chez les encyclopédistes laisse entendre qu'il ne s'agit pas d'une possibilité, mais de la réalité la plus fréquente.

On ne saurait donc nier l'antichristianisme de l'*Encyclopédie* : il apparaît presque à chaque page. Pierre Grosclaude a parlé d'une «redoutable machine de guerre contre l'Église et même contre le christianisme en général». Ce jugement peut sembler radical. Il n'est pas excessif.

Les philosophes. Essai de description analytique du groupe

On peut considérer qu'il existe un groupe de philosophes, et que ce groupe est formé des écrivains propagandistes des idées philosophiques. Combien sont-ils ? Sans doute plusieurs dizaines. Nous avons retenu trente et un noms. Ce sont les plus connus, ceux dont les écrits, par leur qualité et par leur influence, ont le mieux contribué à la diffusion de l'esprit nouveau.

Voici ces noms (dans l'ordre alphabétique) : d'Alembert, Boucher d'Argis, Boulanger, Buffon, Condillac, Delisle de Sales, dom Deschamps, Diderot, Grimm, Grosley, Helvétius, d'Holbach, Jaucourt, La Harpe, La Mettrie, Mably, Maréchal, Marmontel, Maupertuis, Montesquieu, Morellet, Morelly, Naigeon, Quesnay, Raynal, Rousseau, Saint-Lambert, l'abbé de Saint-Pierre, Toussaint, Turgot et Voltaire.

Ces hommes appartiennent à deux générations. Il y a ceux (comme Voltaire et Maupertuis) qui sont nés sous le règne de Louis XIV, et ceux (comme Marmontel et d'Alembert) qui sont nés après 1715.

Les œuvres se répartissent sur toute la période. La date à laquelle commence la production philosophique n'est pas 1750, mais 1745. En 1750 ont déjà paru plusieurs ouvrages importants tels que l'*Essai sur l'esprit humain* de Morelly (1745), *Le Droit public de l'Europe fondé sur les traités conclus jusqu'en l'année 1740* de Mably (1748) et *L'Homme-machine* de La Mettrie (1748).

Le groupe ne se confond pas avec celui des encyclopédistes. Il faut noter cependant que treize de nos trente et un auteurs ont collaboré à l'*Encyclopédie*. Si nous voulons maintenant analyser la composition de ce groupe, notre première impression est celle d'une grande diversité.

D'abord dans les origines sociales. On va du «simple peuple» à l'ancienne noblesse. Marmontel est le fils d'un pauvre tailleur, le chevalier de Jaucourt vient de la noblesse féodale. Cependant, la distribution n'est pas égale. Il y a finalement très peu de philosophes d'origine vraiment populaire. Le coutelier de Langres, père de Diderot, est plus un marchand qu'un artisan, et il semble fort à l'aise. L'horloger de Genève, père de Rousseau, n'est pas non plus un simple ouvrier. D'ailleurs, la plupart de nos auteurs sont issus de la bourgeoisie et de la noblesse. Sept d'entre eux sont sûrement de famille noble, et huit, si on compte d'Holbach. Mais, si l'on en croit Rousseau, la noblesse de ce dernier serait douteuse, bien qu'il se fasse appeler baron.

Même diversité dans les professions et les qualités. Diderot est le seul qui vive uniquement de sa plume. Voltaire fait de l'argent avec ses livres mais surtout avec ses spéculations. Lui et d'Holbach, qui est très riche, vivent en rentiers et en seigneurs. Rousseau est un cas, vivant surtout de protection et se nourrissant chez ses hôtes et ses hôtesses. Tous les autres ont des emplois. Turgot est maître des requêtes, puis intendant. Il sera ministre. Maupertuis a été officier militaire. Toussaint, Boucher d'Argis et Grosley sont avocats. Il est vrai qu'ils exercent peu. La Mettrie et Quesnay sont médecins et exercent. Mais les deux catégories les plus nombreuses (qui d'ailleurs se recoupent) sont celle des professeurs et précepteurs et celle des ecclésiastiques. Morelly est régent d'école à Vitry-le-François ; Morellet, Condillac, Toussaint et Grimm ont été précepteurs plus ou moins longtemps. Jean-Jacques Rousseau a essayé de l'être, mais l'expérience a vite tourné court. Enfin, quatre de nos philosophes appartiennent au clergé séculier (Condillac, Mably, Morellet et Raynal) et un au clergé régulier (le bénédictin dom Deschamps). Chacun des trois ordres de l'État (même le premier) possède ses philosophes. La philosophie n'est pas un phénomène de classe sociale.

Mais s'ils sont déjà très divers par leurs origines et leurs conditions, nos philosophes le sont encore (et surtout) dans la composition de leurs œuvres.

Ils ont donné dans toutes les disciplines, dans toutes les sciences, dans tous les arts, dans tous les genres littéraires. Nous avons des philosophes naturalistes, économistes, physiciens, des philosophes médecins, historiens, dramaturges, auteurs d'opéras, poètes, et même des philosophes philosophes. La « philosophie » peut se présenter et se présente parfois sous la forme de traités spéculatifs, mais ce n'est pas le plus souvent la forme qu'elle préfère. La philosophie, ce sont des idées forces qui peuvent s'exprimer dans toutes les disciplines, dans toutes les sciences, dans tous les genres littéraires. Un roman peut être philosophique (par exemple *Candide* de Voltaire) de même qu'un ouvrage d'histoire (par exemple l'*Histoire philosophique et politique des établissements et du commerce des Européens dans les deux Indes,* de l'abbé Raynal). La philosophie peut passer partout.

Quelques philosophes sont spécialisés. Buffon, par exemple, dans les sciences naturelles. Son *Histoire naturelle*, publiée de 1749 à 1767, représente la presque totalité de son œuvre. Raynal et Grosley dans l'histoire. Cinq des six grands ouvrages de l'abbé Raynal sont à caractère historique, dont l'*Histoire des deux Indes*. Grosley, qui n'est jamais sorti de Troyes, a consacré sa vie à des travaux d'érudition locale. Il a publié en particulier des *Mémoires pour servir de supplément aux Antiquités ecclésiastiques du diocèse de Troyes par Camusat* (1750). Le terme spécialiste ne convient guère pour désigner Marmontel et Saint-Lambert, mais disons qu'ils sont des littérateurs et ne font que de la littérature, Marmontel des pièces de théâtre et un roman, Saint-Lambert le poème intitulé *Les Saisons* (1769).

Le modèle le plus répandu est toutefois complexe ; il associe plusieurs disciplines et genres, soit deux ou trois spécialités scientifiques ou techniques, soit une science et un genre littéraire, soit des sciences ou des lettres avec des ouvrages de spéculation philosophique proprement dite. Par exemple, la moitié de l'œuvre de Quesnay est consacrée à la médecine, l'autre moitié à la théorie économique ; la moitié de l'œuvre de Mably au droit public, l'autre moitié à l'histoire. L'œuvre de J.-J. Rousseau comporte trois catégories très différentes : le roman, avec par exemple *Julie ou la Nouvelle Héloïse* (1760), la musique avec des traités de théorie musicale et un opéra-comique (*Le Devin du village*, 1752), et la philosophie politique, principalement représentée par l'ouvrage *Du contrat social* (1762). Dans les œuvres du baron d'Holbach et de La Mettrie, on trouve une partie scientifique (de physique et chimie chez d'Holbach, de médecine chez La Mettrie) et une partie de théorie ou de polémique de philosophie proprement dite. Après plusieurs ouvrages de médecine, dont un *Traité de la petite vérole* (1740), La Mettrie publie en 1748 *L'homme-machine* qui est un pamphlet matérialiste.

L'œuvre de Voltaire et celle de Diderot sont celles qui réalisent le mieux l'idéal philosophique parce qu'elles sont universelles. Voltaire est à la fois poète, dramaturge, romancier, historien, théoricien politique et même métaphysicien, puisqu'il écrit pour Mme du Châtelet un *Traité de métaphysique*. L'œuvre de Diderot est répartie entre la psychologie, la métaphysique, les sciences exactes et naturelles, le roman (*Jacques le Fataliste* et *La Religieuse*) et l'histoire (*Essai sur les règnes de Claude et de Néron*). En un sens elle est plus complète que celle de Voltaire, parce qu'elle fait une plus grande part aux sciences et aux techniques. Avec Diderot, c'est le savoir humain tout entier qui devient philosophique.

L'esprit encyclopédique et le désir d'embrasser toutes les connaissances sont donc des traits communs à plusieurs philosophes.

Il y a d'autres ressemblances.

La plupart d'entre eux ont reçu dans les collèges une éducation humaniste. Ils y ont appris la rhétorique, l'art de s'exprimer de façon convaincante et plaisante. De l'humanisme ils n'ont pas gardé l'esprit, mais ils en utilisent les méthodes apprises des meilleurs maîtres. Dix d'entre eux ont étudié chez les jésuites : Voltaire, Helvétius et Turgot au collège Louis-le-Grand à Paris, Marmontel à celui de Mauriac, Morellet à Lyon, Raynal à Pézenas, La Mettrie à Caen, Saint-Lambert à Pont-à-Mousson et Vauvenargues à Aix. Il faut bien le constater, ce sont les pères de la Compagnie de Jésus qui ont fait l'éducation des adversaires de la religion.

Autre situation inattendue : ces esprits subversifs sont généralement choyés par les grands de ce monde. Beaucoup de nos philosophes sont les employés ou les clients de hauts personnages et protégés par leurs patrons. Mably est le secrétaire du cardinal de Tencin qui le charge de missions diplomatiques. Morellet fait partie de la maison de M. de La Galaizière, chancelier de Lorraine, dont il élève les enfants. Plus tard, il sera pensionné par Louis XV pour services diplomatiques. Grimm est le secrétaire du comte de Friesen, neveu du maréchal de Saxe, Raynal, le protégé du prince Henri de Prusse, Rousseau l'hôte et l'amant de femmes du monde (Mme de Warrens, Mme d'Épinay, Mme d'Houdetot). Voltaire, Maupertuis, Toussaint et La Mettrie sont les invités du roi de Prusse, Diderot de l'impératrice Catherine II. Même la cour de France — et pourtant Louis XV n'aime pas les philosophes — se montre libérale. Mme de Pompadour et Bernis reçoivent Voltaire et Diderot. Turgot sera ministre, Voltaire et Marmontel historiographes de France. Marmontel obtient le privilège du *Mercure*. Quesnay est premier médecin du roi. Helvétius est si bien en faveur chez la reine Marie Leszczynska qu'il est nommé son maître d'hôtel. Vraiment les philosophes ne sont pas des rejetés. Ils ne sont pas des parias. Les académies aussi leur sont largement ouvertes. La plus illustre de toutes, l'Académie française, accueille successivement Maupertuis (1743), Voltaire (1746), Marmontel (1763), Condillac (1768) et Saint-Lambert (1770).

Certes il arrive à l'autorité de réagir, à la police de piquer un coup de sang. Plusieurs philosophes font des séjours à la Bastille ou à Vincennes (Voltaire, Diderot, Marmontel, par exemple). Souvent des livres sont condamnés et brûlés par la main du bourreau. Mais la sévérité tombe vite et la rigueur est sans lendemain. Les hautes protections jouent. En 1748, d'Argenson arrête la saisie des exemplaires du *Droit public* de Mably. Réfugié aux eaux de Spa, lors de la censure de son *Bélisaire* (1767), Marmontel ne se montre pas trop inquiet : « J'ai pour moi, dit-il, les têtes couronnées [...]. »

Il y a une unité de ce groupe. Elle est faite des mêmes centres d'intérêt, des mêmes curiosités, des mêmes recherches. Au temps de la Renaissance, les humanistes se passionnaient pour la redécouverte de l'Antiquité. Quelles sont pour les philosophes les questions importantes ? Il suffit de regarder les titres de leurs ouvrages. Nous avons d'abord la catégorie de la critique de la connaissance. Elle est illustrée par les titres comme le *Traité des sensations* et *l'Art de penser* de Condillac, l'*Essai sur l'esprit humain* de Morelly, l'*Introduction à la connaissance de l'esprit humain* de Vauvenargues. La deuxième catégorie est celle des titres pédagogiques ; par exemple le traité *De l'homme, de ses facultés intellectuelles et de son éducation* d'Helvétius, le *Plan d'une université russe* de Diderot et l'*Émile ou De l'éducation*, de Jean-Jacques Rousseau. Les titres politiques forment la troisième catégorie. Citons seulement *Du contrat social* de Rousseau, le *Code de la nature ou le Véritable Esprit de ses lois* de Morelly, les *Réflexions sur la formation et la distribution des richesses* de Turgot. Les titres sont parlants. Trois questions retiennent principalement nos philosophes. On peut même dire qu'elles les passionnent et les obsèdent, occupant tout le champ de leur réflexion, sans presque jamais laisser la place à aucune autre : qu'est-ce que la connaissance intellectuelle ? comment éduquer les enfants ? comment organiser la société politique ? Une question de « théorie », deux de « praxis ». Nos philosophes sont des pragmatiques plus que des théoriciens, au sens grec de ce mot.

Forment-ils un parti organisé ? Leur action est-elle concertée ? Elle l'est sans doute à certains moments. Mais une concertation continue n'apparaît pas. La thèse sera soutenue par l'abbé Barruel dans ses *Mémoires pour servir à l'histoire du jacobinisme* (1799). La première partie de cet ouvrage est intitulée « Conspiration antichrétienne ». Elle commence ainsi : « Vers le milieu du siècle où nous vivons, trois hommes se rencontrèrent, tous trois pénétrés d'une profonde haine contre le christianisme. Ces trois hommes étaient Voltaire, d'Alembert et Frédéric second, roi de Prusse [...]. Il faut à ces trois hommes en ajouter un quatrième. Celui-ci, appelé Diderot, haïssait la religion, parce qu'il était fou de la nature [...]. » Ces quatre hommes auraient été selon Barruel les chefs de la conspiration philosophique. Ils en auraient tenu tous les fils. La thèse peut être jugée excessive, bien qu'il ne faille pas la rejeter complètement.

Ce qui est sûr, c'est que les philosophes se connaissent, correspondent et se reçoivent. Les plus isolés et même les atrabilaires, comme Rousseau, ont des relations et des amis dans le groupe. Condillac est un homme de cabinet très replié sur lui-même. Il a toutefois été lié dans sa jeunesse avec Rousseau, Diderot et Duclos. Dom Deschamps, le bénédictin, vit loin de tout dans son prieuré de Montreuil-Bellay, mais il entretient avec Rousseau, Helvétius et Voltaire des correspondances suivies. Et puis l'époque est sociable, et les philosophes eux-mêmes le sont, et la société, nous l'avons vu, est accueillante aux gens d'esprit. Les philosophes sont reçus, ils reçoivent. Des hôtes et des lieux aimables, des salons, des châteaux favorisent leurs rencontres. Le salon de Mme Geoffrin à Paris, celui de la marquise de Pompadour, la cour du roi Stanislas à Lunéville, celle de Frédéric II. D'Argenson et Choiseul, les deux grands disgraciés, se plaisent à les recevoir dans leurs châteaux des Ormes et de Chanteloup. D'Holbach leur offre à Grandval de longs séjours de repos agreste, et Voltaire les invite à venir goûter auprès de lui les délices de Ferney. Ainsi la philosophie va-t-elle aux champs. Les philosophes respirent l'air des jardins. S'il y a une conspiration philosophique, elle se noue dans les salons et dans les châteaux.

Les idées des philosophes

La philosophie des Lumières est diverse. Les philosophes n'ont pas les mêmes idées sur toutes choses. Les uns sont spiritualistes, les autres matérialistes. Les uns déistes, les autres athées. Les uns moralistes, les autres immoralistes. Les uns monarchistes, les autres démocrates. Cependant ils partent tous des mêmes postulats de base. Ces postulats sont les suivants :

1. Les idées n'existent pas en elles-mêmes, elles ne sont pas innées ; elles dérivent toutes des sensations ; ce ne sont que des sensations transformées.

2. Le surnaturel répugne à la raison ; religion révélée et raison humaine sont inconciliables.

3. L'état de société organisée et policée n'est pas naturel à l'homme.

On voit que ces trois principes sont négatifs. La philosophie des Lumières commence par réduire le champ de la philosophie. Elle est réductrice.

Car son ambition est ailleurs. Elle est dans la praxis et non dans la spéculation. Ces philosophes se soucient d'organiser beaucoup plus que de contempler. Ils veulent améliorer l'homme et la société et peut-être même Dieu. Ils sont des mécaniciens qui observent les défauts de la machine et la reconstruisent ensuite en essayant de supprimer les défauts.

Enfin, il y a une progression logique. On ne peut pas prendre cette philosophie par n'importe quel bout. C'est une philosophie qui commence par une psychologie et s'achève par une éthique, en passant par une réflexion sur la religion et sur la politique. Il faut donc la présenter dans cet ordre sous peine de ne pas la comprendre.

On se bornera nécessairement à une brève analyse. Il serait trop long de remonter aux origines de cette pensée. Cependant il n'est pas inutile de rappeler que toute la philosophie des Lumières était déjà contenue dans la réflexion du siècle précédent, et que la plupart de ses idées forces étaient déjà formulées bien avant 1750.

LA QUESTION DE L'HOMME ET DE L'ESPRIT HUMAIN

Cette question est la première qui se pose aux philosophes. Ils se demandent d'abord d'où vient l'homme et ce qui le distingue de l'animal.

Pour Diderot et La Mettrie, qui donnent les réponses les plus nettes, il n'y a pas de différence de nature entre les hommes et l'animal. « Des

animaux à l'homme, écrit La Mettrie, la transition n'est pas sensible[1]. »
« Il n'y a qu'une substance dans l'Univers, explique Diderot, dans
l'homme, dans l'animal. La serinette est de bois, l'homme est de chair.
Le serin est de chair ; le musicien est d'une chair diversement organisée,
mais l'un et l'autre ont une même origine, une même formation, les
mêmes fonctions et la même fin[2]. »

La Mettrie va jusqu'à dire que les animaux pourraient parler :
« ... serait-il absolument impossible d'apprendre une langue à cet animal ?
Je ne le crois pas[3]. » Selon Diderot, le médecin Bordeu avait imaginé de
fabriquer par des croisements des chèvres assez intelligentes pour
devenir d'excellents domestiques. Il aurait même envisagé de les
baptiser. Le même Bordeu, toujours d'après Diderot, ne tarissait pas
d'éloges sur l'intelligence d'un certain orang-outang du Jardin du roi, ce
même singe auquel le cardinal de Polignac avait dit un jour : « Parle et je
te baptise[4]. »

Donc l'animal est tout proche de l'homme et inversement. D'ailleurs,
pour Diderot (qui se révèle très nettement évolutionniste), l'homme vient
de l'animal. Il n'a pas été créé *ex nihilo*, il est le produit d'une évolution,
qui s'est faite d'elle-même. La matière s'est organisée elle-même,
rejetant peu à peu tout ce qui en elle était contradictoire, et ce processus
d'organisation a fini par aboutir au cerveau humain, merveille d'ordre et
de cohérence :

... les monstres se sont anéantis successivement [...] toutes les combinaisons vicieuses de la matière ont disparu, et il n'est resté que celles où le
mécanisme n'impliquerait aucune contradiction importante et qui pouvaient
subsister par elles-mêmes ou se perpétuer[5].

Cet homme produit, non créé, n'a pas de vocation. Il n'a pas de sens.
Il est pris dans le mouvement du monde sans savoir vraiment la place
qu'il y occupe :

« Qu'est-ce que ce monde, monsieur Holmes ? un composé sujet à des
révolutions qui toutes indiquent une tendance à la destruction [...] nous
passerons tous sans qu'on puisse assigner l'étendue réelle que nous
occupions, ni le temps précis que nous aurons duré [...][6]. »

L'homme ne va nulle part. Il existe, puis il disparaît. Quelle est sa
raison d'être ?

Qui sait [...] si la raison de l'Existence de l'Homme ne serait pas dans son

---

1. Julien Offroy de La Mettrie, *L'Homme-machine*, présentation et notes de Gérard
Delaloye, Jean-Jacques Pauvert, 1966, p. 78.
2. Denis Diderot, *Le Rêve de d'Alembert. Entretien entre d'Alembert et Diderot et suite
de l'Entretien*, édition critique [...] de Paul Vernière, Paris, 1951, p. 29.
3. Il s'agit du singe.
4. D. Diderot, *Le Rêve de d'Alembert, op. cit.*, p. 165.
5. Cité par J. Proust, *Diderot et l'« Encyclopédie », op. cit.*, p. 286.
6. D. Diderot, *Lettre sur les aveugles*, Assézat, 1875, t. II, p. 310.

existence même? Peut-être a-t-il été jeté au hasard sur un point de la surface de la Terre, sans qu'on puisse savoir ni comment ni pourquoi [...][1].

Mais alors comment expliquer ces étranges contradictions que l'on remarque en l'homme, cette double attirance vers le haut et le bas, cette misère et cette richesse de pensée, ce roseau, mais ce roseau pensant? Tous les philosophes ont lu Pascal — ils le citent d'ailleurs fort souvent — tous ont entendu sa question «qui démêlera cet embrouillement?», et tous se sont posé la même question. Mais ils n'y répondent pas tous de la même manière. Pour Pascal, l'«embrouillement» signifie Dieu, et Dieu est seul capable de dire à l'homme ce qu'il est:

... Apprenez que l'homme passe infiniment l'homme et entendez de votre maître notre condition véritable, que vous ignorez. Écoutez Dieu!

Pour les philosophes, ces contrariétés ne signifient rien. Il faut les prendre comme elles sont et ne pas s'en inquiéter davantage. Pour Voltaire, Pascal interprète de travers et sans le moindre bon sens. Il lui répond en substance ceci: «Ces prétendues contrariétés, que vous appelez "contradictions", sont les ingrédients nécessaires qui entrent dans le composé de l'homme, qui est, comme le reste de la nature, ce qu'il doit être[2].»

En somme, il est inutile de définir ce qu'est l'homme. Il suffit de dire qu'il existe et qu'il fonctionne.

De même pour l'esprit humain: l'attitude générale est un refus de s'interroger sur sa nature. On ne veut voir que ce qu'il fait. On ne veut que l'observer: «L'expérience et l'observation doivent seules nous guider ici[3]» (La Mettrie).

Quant à savoir s'il existe une substance spirituelle, cela est indémontrable. «Peut-être me demandera-t-on, écrit Helvétius, si ces deux facultés [la sensibilité physique et la mémoire] sont des modifications d'une substance spirituelle ou matérielle. Cette question, autrefois agitée par les philosophes [...] n'entre pas nécessairement dans le plan de mon ouvrage! [...] nulle opinion de ce genre n'est susceptible de démonstration [...][4].» Diderot va plus loin: il refuse nettement toute distinction de l'âme et du corps. Dans le *Rêve*, d'Alembert lui demande: «Vous en voulez à la distinction des deux substances?» et lui de répondre sans ambages: «Je ne m'en cache pas[5].»

Pourquoi ce qu'on appelle l'âme ne serait-elle pas une partie intégrante du corps? Tendraient à le prouver ces nombreuses corrélations

1. J. de La Mettrie, *L'Homme-machine, op. cit.*, p. 111.
2. C'est ainsi qu'Ernst Cassirer dans sa *Philosophie des Lumières* (Fayard, 1970, p. 162) résume l'argumentation de Voltaire contre Pascal.
3. J. de La Mettrie, *L'Homme-machine, op. cit.*, p. 58.
4. Claude Adrien Helvétius, *De l'esprit*, présentation de F. Châtelet, Paris, 1973, p. 22.
5. D. Diderot, *Le Rêve de d'Alembert, op. cit.*, p. 21.

entre les états de l'âme et ceux du corps. «Autant de tempéraments, autant d'esprits, écrit La Mettrie. [...] Il est vrai que la Mélancolie, la Bile, le Phlegme, le Sang, etc., suivant la nature, l'abondance et les diverses combinaisons de ces humeurs, de chaque homme font un homme différent[1]. Diderot tient le même langage : «Je n'ai jamais douté [...] que nos idées les plus purement intellectuelles [...] ne tiennent de fort près à la conformation de notre corps[2].»

De même pour les idées, qui n'ont pas d'existence distincte. Elles dépendent entièrement des sensations. Dans son *Essai sur l'origine des connaissances humaines*, Condillac explique cela tout au long : «... selon que les objets extérieurs agissent sur nous, nous recevons différentes idées par les sens et selon les opérations que les sensations occasionnent dans notre âme, nous acquérons toutes les idées que nous n'aurions pu recevoir des choses extérieures[3].» En somme, les idées ne sont que des sensations transformées. Les jugements ne sont que des comparaisons de sensations. Mais la comparaison n'est pas faite par un intellect agent. Elle se réduit à la présence simultanée de deux sensations, senties ou imaginées de façon attentive, et par le fait même prédominantes. Il n'y a que des sensations. Condillac s'inspire de l'empirisme de Locke, mais il va plus loin. Pour Locke, il y a une réflexion de l'esprit et c'est cette réflexion qui compare. Chez Condillac toute intellectualité disparaît. On passe de l'empirisme au sensualisme.

Ce dernier système est adopté par la plupart de nos philosophes. Par Diderot, par d'Holbach, par Helvétius. «Je viens à mon sujet, écrit ce dernier, et je dis que la sensibilité physique et la mémoire, ou, pour parler plus exactement, que la sensibilité seule produit toutes nos idées. En effet la mémoire ne peut être qu'un des organes de la sensibilité physique[4].»

Rousseau semble une exception. En effet, il est plus proche de Locke et de son empirisme, que du sensualisme de Condillac. Il écrit dans *Émile* que «juger et sentir ne sont pas la même chose», et il ajoute ironiquement : «Je ne suis donc pas simplement un être sensitif et passif, mais un être actif et intelligent et, quoi qu'en dise la philosophie, j'oserai prétendre à l'honneur de penser[5].» Il n'en reste pas moins que, pour Rousseau comme pour Condillac, les sensations sont à l'origine de toutes les idées.

La psychologie des philosophes, ou plutôt cette partie de leur psychologie, qui est leur critique de la connaissance, explique le grand intérêt qu'ils attachent à l'éducation, et la grande considération qu'ils lui

1. J. de La Mettrie, *L'Homme-machine, op. cit.*, p. 55.
2. D. Diderot, *Lettre sur les aveugles, op. cit.*, p. 288.
3. *Essai sur l'origine des connaissances humaines*, texte établi et annoté par Charles Porset, Paris, Galilée, 1973, p. 108.
4. C. A. Helvétius, *De l'esprit, op. cit.*, p. 24.
5. J.-J. Rousseau, *Émile ou De l'éducation*, La Renaissance du livre, s.d., t. II, p. 126.

portent. En effet, si les sensations produisent les idées, l'éducation est toute-puissante. Car elle est en mesure de fabriquer les idées de l'enfant, grâce à une orientation convenable de ses sensations.

C'est pourquoi plusieurs philosophes ont écrit des traités de pédagogie[1]. Tous ces ouvrages révèlent une même foi dans la puissance de l'éducation, une même volonté de soumettre la vie tout entière de l'enfant au contrôle pédagogique.

« Si je démontrais, dit Helvétius, que l'homme n'est vraiment que le produit de son éducation, j'aurais sans doute révélé une grande vérité aux nations[2]. » Diderot, quant à lui, ne va pas aussi loin. Il critique même Helvétius et soutient contre lui la thèse de l'inégalité naturelle des hommes. Il croit néanmoins à la vertu de l'éducation ; il est persuadé qu'une pédagogie rénovée est capable de fabriquer un nouveau type d'homme, un homme bon, qui soit aussi un « esprit droit », éclairé, étendu[3].

Cet optimisme s'explique : l'enfant ne saurait opposer aucune résistance au bon vouloir du pédagogue. Son esprit n'est-il pas une table rase ? un simple matériau, que l'on modèle à volonté ? Et puis l'enfant est bon. « Assemblez, dit Voltaire, tous les enfants de l'Univers, vous ne verrez en eux que l'innocence, la douceur et la crainte[4] [...]. » « Que si l'enfant, écrit Rousseau, semble avoir plus de penchant à détruire, ce n'est point par méchanceté ; c'est que l'action qui forme est toujours lente, et que l'action qui détruit, étant plus rapide, convient mieux à sa vivacité[5] [...]. »

Tout en donnant confiance à l'éducateur, la psychologie lui indique aussi sa méthode. L'éducation sera sensible. Elle présentera des images, des figures, des objets. Elle sera concrète comme nous disons aujourd'hui. Condillac écrit : « Il faut commencer par des observations. »

LA QUESTION DE DIEU ET DE LA RELIGION

Cette question en contient plusieurs.

Il faut d'abord savoir si Dieu existe.

S'il existe, pensent nos philosophes, on ne le démontrera certainement pas par la raison. La seule démonstration valable est le spectacle de la nature. « Je vois Dieu dans ses œuvres », dit Rousseau. « La structure seule d'un doigt, écrit La Mettrie, d'une oreille, d'un œil, une obser-

1. Voir notre chapitre « Le mouvement des idées pédagogiques au XVIIe et au XVIIIe siècle », dans *Histoire mondiale de l'éducation*, Paris, 1981, t. II, p. 273-299.

2. C. A. Helvétius, *De l'Homme, de ses facultés intellectuelles et de son éducation*, Paris, 1792, p. 11.

3. *Lettre à la comtesse de Forbach sur l'éducation des enfants*, *Œuvres complètes*, Paris, 1818, t. I, p. 539.

4. Voltaire, *Dictionnaire philosophique*, art. « Méchant », Paris, Flammarion, 1964, 384 pages.

5. J.-J. Rousseau, *Émile ou De l'éducation*, *op. cit.*, t. I, p. 54.

vation de Malphigi, prouve tout et sans doute beaucoup mieux que Descartes et Malebranche[1]. »

Mais Dieu existe-t-il ?

Certains, cela est visible malgré leur prudence, n'y croient pas. Rangeons dans cette catégorie La Mettrie, d'Holbach et Helvétius.

D'autres y croient, Voltaire et Rousseau par exemple. Diderot y croyait quand il écrivait les *Pensées philosophiques*. N'écrivait-il pas dans cet ouvrage : « Le déiste seul peut faire tête à l'athée[2]. » Mais, au temps du *Rêve de d'Alembert*, il n'y croit plus.

Mais, si Dieu existe, qui est-il ? Le machiniste de l'Univers pour Voltaire. Un être intelligent, une Providence pour Rousseau. Il y a donc des différences. Certains sont déistes, d'autres théistes. Mais tous sont d'accord sur ce point : si Dieu existe, il n'est certainement pas le Dieu de la Révélation. Car ce Dieu soi-disant révélé n'a rien de divin. Lisez la Bible. Ce Dieu qu'elle nous présente « fut un sultan, un despote, un tyran à qui tout fut permis[3] ». « Leurs révélations, écrit Rousseau, ne font que dégrader Dieu[4]. » En somme, Dieu n'a rien à voir avec les religions.

Les religions se valent toutes. Elles sont toutes inconsistantes. Les peuples n'y tiennent « que par habitude » (d'Holbach) ou par la confiance indue qu'ils accordent aux prêtres. « Le vulgaire, occupé des travaux nécessaires à sa subsistance, accorde une confiance aveugle à ceux qui prétendent le guider. Et c'est ainsi que les opinions religieuses se maintiennent pendant une longue suite de siècles[5]. » Et c'est ainsi que se perpétuent « tant de cultes inhumains et bizarres[6] ».

Il n'y a pas de religion vraie. On avance les miracles. Mais toutes les religions produisent des miracles. « Tous les peuples ont de ces faits à qui, pour être merveilleux, il ne manque que d'être vrais[7]. » D'ailleurs, les faits ne sauraient constituer des preuves. Diderot écrit : « Une seule démonstration me frappe plus que cinquante faits[8]. »

Le christianisme n'est pas plus vrai. Ses miracles ne sont pas mieux prouvés. Ce sont de « prétendus miracles » (d'Holbach). Même les miracles de Jésus sont des fables. « Que l'on ne nous dise point, écrit d'Holbach, que les miracles de Jésus-Christ nous sont aussi bien attestés

---

1. J. de La Mettrie, *L'Homme-machine, op. cit.*, p. 112.
2. D. Diderot, *Pensées philosophiques. Œuvres complètes*, éditions Assézat, 1875, t. I, p. 130.
3. Paul Henri d'Holbach, *Le Christianisme dévoilé ou Examen des principes et des effets de la religion chrétienne*, textes choisis de P. H. d'Holbach, 2 vol., Paris, Éditions sociales, 1957, t. I, p. 104.
4. J.-J. Rousseau, *Émile ou De l'éducation, op. cit.*, t. II, p. 162.
5. P. H. d'Holbach, *Le Christianisme dévoilé..., op. cit.*, p. 100.
6. J.-J. Rousseau, *Émile ou De l'éducation, op. cit.*, t. II, p. 152.
7. D. Diderot, *Pensées philosophiques, op. cit.*, n° 48.
8. *Ibid.*, n° 50.

qu'aucun fait de l'histoire profane[1].» D'ailleurs «quelques traits de ressemblance pourraient les faire confondre avec ceux d'Esculape[2]».

Les dogmes du christianisme sont absurdes, ses livres contradictoires. Comment, par exemple, admettre la Présence réelle? «Ce corps se moisit, ce sang s'aigrit. Ce Dieu est dévoré par les mites sur son autel. Peuple aveugle [...] ouvre donc les yeux[3].» Le christianisme tout entier est contradictoire dans l'usage qu'il fait de la raison, la sollicitant ici, la rejetant là. «Admettre quelque conformité entre la raison de l'homme et la raison éternelle qui est Dieu, et prétendre que Dieu exige le sacrifice de la raison humaine, c'est établir qu'il veut et ne veut pas tout à la fois[4].»

LA TOLÉRANCE[5]

Puisque aucune religion n'est vraie, toute persécution religieuse est absurde. Telle est la tolérance philosophique. Elle ne dit pas : toutes les religions sont bonnes. Elle dit : aucune religion ne mérite que l'on se batte pour elle.

Cette tolérance là existait déjà, nous l'avons vu, vers 1730. Voltaire l'avait déjà professée. Mais, à partir de 1750, elle se renforce, se développe et devient l'une des armes les plus efficaces de l'arsenal philosophique. Vers 1750, en effet, commence un grand débat autour de la tolérance civile des protestants. C'est à cette occasion que paraissent les premiers traités philosophiques de la tolérance : les *Lettres à un grand vicaire sur la tolérance* de Turgot (1753-1754) et le *Conciliateur* de Loménie. Le *Traité de la tolérance* de Voltaire se situe dans un contexte semblable, celui de l'affaire Calas. Il est écrit en 1763 et porte la question devant le grand public : à partir de cette date, tout ce qui compte dans l'État, dans l'Église et dans les lettres doit se prononcer sur la tolérance et, de préférence, en sa faveur.

La tolérance philosophique est définie par ses modèles et par son contraire. Les modèles sont dans l'histoire. On ne l'aurait pas cru, mais l'histoire abonde en tolérants. «Je peux me tromper, dit Voltaire, mais il me paraît, que de tous les anciens peuples policés, aucun n'a gêné la liberté de penser[6].» Selon le même Voltaire, Jésus-Christ était tolérant, les Chinois aussi, les protestants, les anglicans et bien d'autres peuples et sectes. Tout le monde était, tout le monde est tolérant.

---

1. P. H. d'Holbach, *Le Christianisme dévoilé..., op. cit.*
2. Thèse de l'abbé de Prades, neuvième proposition, citée dans Diderot, *Œuvres complètes, op. cit.*, t. I, p. 436.
3. D. Diderot, *Addition aux pensées philosophiques, op. cit.*, n° 30.
4. D. Diderot, *Addition aux pensées philosophiques, op. cit.*, n° 2.
5. Jean de Viguerie, «La tolérance à l'ère des Lumières», *La Tolérance*, XIIIe colloque de l'Institut de recherches sur les civilisations de l'Occident moderne, Presses universitaires de Paris-Sorbonne, 1986, p. 43-55.
6. Voltaire, *Traité de la tolérance*, 1764, s.n.n.l., p. 51.

Tout le monde, sauf les catholiques. L'histoire de l'Église selon la philosophie est celle de l'intolérance. Elle a produit en particulier ces trois monstres, l'Inquisition, la Ligue et la Révocation de l'édit de Nantes.

Il faut donc empêcher les intolérants de nuire. De nuire à l'intérêt public, de nuire aux citoyens. Turgot écrit qu'une religion perd ses droits à la liberté « quand ses dogmes et son culte sont contraires à l'intérêt de l'État[1] ». Or, quelle est la religion qui contrarie la société politique ? C'est le catholicisme des dévots, c'est le « fanatisme ». Il ne faut donc pas tolérer le fanatisme. « ... il faut, écrit Voltaire, que les hommes commencent par n'être pas fanatiques pour mériter la tolérance[2]. » En somme, il est de l'essence de la tolérance d'être aussi intolérante.

LA QUESTION DE LA MORALE

Qui dit morale, dit actes volontaires. Mais la volonté est-elle libre ? Diderot n'en est pas convaincu. Pour lui, l'homme est entièrement déterminé par des forces qui lui sont étrangères.

> Celui qui fait le mal, écrit-il, y est conduit par une série complexe de causes que le juge le plus fin ne saurait retrouver et énumérer toutes. Nul n'est personnellement responsable du mal qui se commet[3].

Rousseau a un point de vue radicalement différent. Lui croit en la liberté : « Les coupables, écrit-il, qui se disent forcés au crime, sont aussi menteurs que méchants ; comment ne voient-ils pas que la faiblesse dont ils se plaignent est leur propre ouvrage ; que leur première dépravation vient de leur volonté[4] [...]. »

Toutefois la morale est aussi une question de principe. Pour la morale traditionnelle, le principe était la finalité de la nature humaine : l'homme doit devenir pleinement ce qu'il est, c'est-à-dire une créature raisonnable aspirant au bonheur éternel. Les principes philosophiques sont très différents de cette ancienne conception. Pour Helvétius, « le sentiment de l'amour de soi est la seule base sur laquelle on puisse jeter les fondements d'une morale utile[5] ». Selon Diderot, il n'est pas d'autre morale que la sociabilité. Or, l'homme véritablement sociable est celui qui préfère l'intérêt de tous au sien propre :

> Le comble de la perfection est de préférer l'intérêt public à tout autre ; et le comble du désordre de préférer l'intérêt étranger, quel qu'il soit, ou l'intérêt personnel à l'intérêt public[6].

1. Anne Robert Jacques Turgot, *Première lettre à un grand vicaire...*, *Œuvres de Turgot*, publiés par Guy Schelle, Paris, 1913, t. I, p. 387.
2. Voltaire, *Traité de la tolérance*, *op. cit.*, p. 172.
3. Cité par J. Proust, *Diderot et l'« Encyclopédie »*, *op. cit.*, p. 320.
4. J.-J. Rousseau, *Émile ou De l'éducation*, *op. cit.*, t. II, p. 158.
5. C. A. Helvétius, *De l'esprit*, *op. cit.*, p. 190.
6. Cité par J. Proust, *Diderot et l'« Encyclopédie »*, *op. cit.*, p. 332.

Cette conception de Diderot semble très répandue dans le milieu philosophique. Elle s'incarne dans une vertu nouvelle, qui est la «bienfaisance». Ce mot signifie une sorte d'altruisme. L'homme bienfaisant est celui qui s'attache à remplir ses devoirs sociaux. Quant à la morale de Rousseau, celle qui s'exprime dans la *Profession de foi du vicaire savoyard,* son principe est harmonique. L'homme doit chercher à s'ordonner lui-même par rapport à l'Univers, par rapport à l'ordre voulu par Dieu : «... J'acquiesce à l'ordre qu'Il établit, sûr de jouir un jour moi-même de cet ordre et d'y trouver ma félicité ; car quelle félicité plus douce que de se sentir ordonné dans un système où tout est bien[1] ? »

La morale philosophique n'ignore pas l'amour, mais elle s'en fait une idée très particulière. Pour Diderot, l'amour est une vertu sociale ; selon lui, l'amour paternel et l'amour fraternel n'ont d'autre raison d'être que de resserrer les liens de la société. L'amour totalement gratuit, l'amour totalement désintéressé, l'amour don de soi, semble étranger à la plupart de nos philosophes. Leur amour est utilitaire. «Aimer c'est avoir besoin», écrit Helvétius[2].

En revanche, ils professent le respect des «passions, c'est-à-dire, selon leur langage, des désirs inspirés par la sensibilité physique. Car les passions — c'est la logique du sensualisme — sont les ressorts de l'esprit. «On déclame sans fin contre les passions, écrit Diderot [...] cependant il n'y a que les passions et les grandes passions qui puissent élever l'âme aux grandes choses[3]. » Pour Helvétius, sans passions, pas d'activité de l'âme qui demeure stérile et sans vie :

> On voit donc que ce sont les passions et la haine de l'ennemi qui communiquent à l'âme un mouvement, qui l'arrachent à la tendance qu'elle a naturellement vers le repos, et qui lui font surmonter cette force d'inertie à laquelle elle est toujours prête à céder[4].

Combattre ses passions serait donc se ruiner soi-même. «C'est le comble de la folie, écrit Diderot, que de se proposer la ruine des passions[5]. » D'ailleurs, pourquoi les passions seraient-elles mauvaises ? Selon le raisonnement du même Diderot, si l'homme éprouve du plaisir à les satisfaire, c'est qu'elles ne sont pas intrinsèquement mauvaises. Nous sommes ici en plein hédonisme.

Ce qui nous amène à l'idée de bonheur, si importante dans cette philosophie. Un bonheur évidemment très différent de celui proposé par la philosophie chrétienne, un bonheur sclérosé, un bonheur qui n'est plus celui procuré par le don de soi, mais un bonheur de satisfaction, sensible, un bonheur besoin : «ce premier besoin de l'homme», écrit Mably.

---

1. J.-J. Rousseau, *Émile ou De l'éducation, op. cit.,* t. II, p. 157.
2. C. A. Helvétius, *De l'esprit, op. cit.,* p. 280.
3. D. Diderot, *Pensées philosophiques, op. cit.,* n° 1.
4. C. A. Helvétius, *De l'esprit, op. cit.,* p. 239.
5. D. Diderot, *Pensées philosophiques, op. cit.* n° 5.

Mais comment le satisfaire ?

Voltaire, au début de sa carrière, professe une philosophie purement hédoniste :

> ... la véritable sagesse
> Est de fuir la tristesse
> Dans les bras de la volupté.

Plus tard, il se convertit à une sorte d'empirisme quelque peu désenchanté : « ... Il faut laisser le monde aller comme il va, car si tout n'est pas bien, tout est passable[1]. »

Pour Jean-Jacques Rousseau, la solution du bonheur est politique et sociale. Dans la société corrompue, l'homme ne peut être que malheureux. La nouvelle société du contrat social le rendra heureux.

LA QUESTION POLITIQUE

Elle est subordonnée à celle de l'origine de la société.

Selon Diderot, l'état de société est naturel à l'homme. « La société, dit-il, est pour ainsi dire inscrite dans la nature même de l'individu[2]. » Pour Rousseau, on le sait, l'homme n'est pas naturellement sociable.

Cependant, tous les deux doutent également de la capacité des hommes à s'organiser en sociétés policées. Diderot pense qu'au début les hommes ont formé un troupeau, puis que celui-ci est devenu une horde de loups se déchirant entre eux, et enfin que les sociétés véritables n'ont apparu que peu à peu grâce aux conseils de quelques sages. Pour Jean-Jacques, le premier pacte social fut mauvais. Ce fut — il partage en cela l'idée de Hobbes — un contrat d'asservissement soumettant les pauvres aux riches :

> Résumons en deux mots le pacte social des deux états. Vous avez besoin de moi car je suis riche et vous êtes pauvre : faisons donc un accord entre nous : je permettrai que vous ayez l'honneur de me servir, à condition que vous me donnerez le peu qui vous reste pour la peine que je prendrai de vous commander[3].

Il faut donc refaire le contrat. Voici la formule de ce nouveau pacte :

> Chacun de nous met en commun sa personne et sa toute-puissance sous la suprême direction de la volonté générale, et nous recevons en corps chaque membre comme partie indivisible du tout.

Que signifie ce langage quasi mystique ? Sans doute que chacun se donne à tous, et que, s'unissant à tous, il n'obéit pourtant qu'à lui-même.

La notion de volonté générale existe chez tous les philosophes qui ont parlé de politique : Rousseau, Diderot, Mably, Condorcet. Le gouver-

1. Cité par E. Cassirer, *La Philosophie des Lumières*, op. cit., p. 165.
2. Cité par J. Proust, *Diderot et l'« Encyclopédie »*, op. cit., p. 409.
3. Cité par E. Cassirer, *La Philosophie des Lumières*, op. cit., p. 261.

nement idéal est celui de la volonté générale, c'est-à-dire de la souveraineté nationale.

La « volonté générale » engendre la loi, qui est de ce fait une loi excellente et sacrée. Tous les philosophes ont la religion de la loi. Diderot interdit de se révolter contre elle. Il est, selon la formule de Proust, partisan d'un « despotisme légal ». Selon Rousseau, il ne peut y avoir de loi injuste : le souverain est chacun de nous et « nul n'est injuste envers soi-même ». Ce qu'il faut, c'est « trouver une forme de gouvernement qui mette la loi au-dessus de l'homme ».

La liberté et l'égalité seront les fruits de ce gouvernement idéal.

Liberté est un mot qui revient souvent sous la plume des philosophes. Mais, à regarder de près, on s'aperçoit qu'elle est surtout un mot. Diderot en effet n'en conçoit guère la réalité. Et comment pourrait-il la concevoir ? « Comment, explique Jacques Proust, le citoyen dont les actions individuelles sont entièrement déterminées, aurait-il une liberté politique ? Il est comme citoyen soumis aux lois du système politique dont il fait partie aussi nécessairement qu'il l'est comme animal raisonnable, aux lois universelles du mouvement[1]. »

Chez Rousseau, la liberté politique naît du contrat ; l'homme devient libre en se soumettant à la volonté générale. Car il ne dépend plus alors des volontés particulières.

Égalité est un autre maître mot. Cependant, la croyance à l'égalité de nature ne semble pas être partagée par tous les philosophes. Pour Diderot par exemple, il y a une hiérarchie de nature entre les hommes, de sorte que plusieurs n'accéderont jamais à ce niveau idéal où tous les hommes sont égaux. Chez Rousseau, l'égalité détruite par une société viciée est restaurée par le contrat social, tous les hommes devenant alors « égaux par convention et par droit ».

Finalement ni la liberté ni l'égalité ne sont des notions essentielles dans ce système. En tout cas, elles importent moins aux philosophes que la notion de souveraineté nationale.

La souveraineté nationale a une très grande importance pour eux. Parce qu'elle incarne la volonté générale, parce qu'elle produit la sacrosainte loi et, enfin, parce qu'elle garantit la morale.

Tous les philosophes insistent sur le rôle moralisateur de l'État. La mission du pouvoir politique dans leur système est très ambitieuse. Elle consiste à révéler aux citoyens la loi de l'Univers et à leur enseigner l'art social, c'est-à-dire la vertu. « La morale sera toujours vaine, écrit d'Holbach, si elle n'est appuyée par l'autorité suprême. C'est le souverain qui doit être le souverain pontife de son peuple ; c'est à lui seul qu'il appartient d'enseigner la morale, d'inviter à la vertu[2] [...]. »

1. J. Proust, *Diderot et l'« Encyclopédie »*, *op. cit.*, p. 430.
2. P. H. d'Holbach, *Le Christianisme dévoilé...*, *op. cit.*, p. 132.

Selon Turgot, l'État se doit d'instituer et de protéger une religion éclairée qui soit un antidote contre le fanatisme et la superstition[1]. Quant à Rousseau, il ne demande rien d'autre qu'une nouvelle religion qui serait la religion de l'État, la religion civile. Les dogmes en seraient «simples, en petit nombre, énoncés avec précision sans explications ni commentaires. L'existence de la Divinité puissante, intelligente, bienfaisante, prévoyante et pourvoyante, la vie à venir; le bonheur des justes, le châtiment des méchants, la sainteté du contrat social et des lois : voilà les dogmes positifs.»

Professer la religion civile serait considérer comme essentiel à l'état de citoyen. Donc «sans pouvoir obliger personne à [...] croire», on «peut bannir de l'État quiconque ne [...] croit pas [...]», on peut «le bannir non comme impie mais comme insociable».

C'est par l'éducation des enfants que l'État fera connaître sa morale et sa religion civile. Car l'éducation, nous le savons, est un moyen tout-puissant. L'État enseignera donc dans les écoles la dévotion qui est due. L'éducation, écrit Rousseau, donnera aux âmes «la forme nationale». Helvétius suggère l'élaboration d'un «catéchisme de morale civique». L'État n'était pas habitué à tenir école, mais il a désormais un rôle nouveau à remplir, un rôle d'éducation, l'idée d'éducation nationale est dans l'air. «C'est au Roi, écrit La Chalotais, qu'il appartient de régler l'instruction de la Nation.»

LA RELIGION

La religion se tient en face de la «philosophie». La philosophie est son adversaire, un adversaire acharné qui lui porte des coups très durs. Comment résiste-t-elle?

La pratique religieuse, les vocations, la vie consacrée

Ce sont les trois domaines où il est le plus facile de tester la capacité de résistance.

La pratique religieuse baisse dans certaines grandes villes. Cependant, nous n'avons pas de chiffres précis et sûrs. Il faut se contenter de témoignages assez vagues. Par exemple nous savons qu'à Bordeaux, en 1772, la moitié des habitants seulement font leurs pâques.

Certaines régions connaissent aussi une baisse notable : la Champagne où l'on relève, au milieu du siècle, dans le diocèse de Châlons, des taux d'abstention importants : par exemple, en 1746, à Mesnil-sur-Orge, 100 abstentions sur 588 communiants, 108 sur 400 à Givry en 1748, 90

---

1. Voir notre article sur la tolérance, cité note 5, p. 274.

sur 300 à Villers-le-Sec à la même date[1]. Autres régions touchées : le Sénonais, l'Auxerrois, l'Orléanais. En 1768, à Saint-Jean-le-Blanc, on ne rencontre que 42 % de pascalisants. En 1767, à Saint-Pellerin-d'Auxerre, la proportion est encore plus faible[2].

Il semble toutefois que ces régions soient des exceptions, et que, dans la plupart des provinces, sauf peut-être dans les plus grandes villes, la quasi-unanimité de la pratique soit la norme. Certes, on trouve des abstentionnistes du devoir pascal dans presque tous les villages. Mais ils sont très peu nombreux. Par exemple, à Donville en Normandie, sur 120 communiants il y a 3 réfractaires en 1753 et 2 en 1764. Dans les campagnes du diocèse de Bordeaux, d'après une étude récente, le chiffre des abstentionnistes au milieu du siècle ne dépassait pas 1 %. En outre, il faut noter que la plupart des abstentions ne sont pas délibérées, le refus de l'absolution en étant la cause, ou bien alors le laxisme de certains curés qui laissent leurs paroissiens s'abstenir par négligence. De l'élévation des taux ici ou là, il serait téméraire de conclure à une irruption de l'esprit voltairien dans les campagnes. Quoi qu'il en soit, dans l'ensemble du pays, la pratique résiste bien.

Le recrutement du clergé, un peu moins bien. Dans le clergé séculier, le nombre des entrées atteint son apogée juste avant 1750, puis décline rapidement, atteignant son point le plus bas en 1770, pour amorcer ensuite une brève remontée. Il y a donc une crise du recrutement des prêtres de paroisse. Cette crise sévit surtout dans les pays de plaine, par exemple dans les diocèses de Paris, Reims, Toulouse et Bordeaux[3].

Crise également, et selon la même chronologie, dans la plupart des ordres et congrégations religieuses. Le mouvement de déclin des entrées commence à se dessiner à partir de 1755-1760. Dans tous les instituts, la courbe des vocations marque un creux entre 1760 et 1770. Cependant, il y a des différences. D'une manière générale, les effectifs féminins se maintiennent mieux que les masculins. C'est le cas en particulier des couvents de carmélites ; c'est le cas aussi de l'abbaye de Fontevrault, laquelle comptait 150 moniales en 1699 et en a 180 en 1778[4]. Cependant, chez les femmes, les instituts nouveaux résistent moins bien que les anciens ordres. Par exemple, nous voyons baisser continuellement depuis 1730 les effectifs de tous les monastères de la Visitation.

Ce déclin numérique des deux clergés est dû à plusieurs facteurs. Les attaques des philosophes contre la vie consacrée, leur dénonciation de

1. G. Le Bras, « Sociologie de la pratique religieuse dans les campagnes françaises », *Études de sociologie religieuse*, t. I, Paris, 1955, p. 54-68.

2. Dominique Dinet, « La déchristianisation des pays du sud-est du Bassin parisien au XVIIIe siècle », *Christianisation et déchristianisation*, Angers, 1986, p. 122.

3. Timothy Tackett, « Histoire sociale du clergé diocésain dans la France du XVIIIe siècle », *Revue d'histoire moderne et contemporaine*, avril-juin 1979, p. 198-234.

4. Patricia Lusseau, *L'Abbaye royale de Fontevrault aux XVIIe et XVIIIe siècles*, Maulévrier, 1986, p. 83-84.

l'inutilité des prêtres et des moines, représentent sans doute la cause principale. Voltaire écrit par exemple : « Les moines sont des parricides qui étouffent une postérité tout entière. Quatre-vingt-dix mille cloîtres qui braillent ou qui nasillent du latin pourraient donner à l'État chacun deux sujets : cela fait cent soixante mille [sic] hommes qu'ils font périr dans leur germe[1]. » Ces critiques et ces moqueries finissent par contaminer l'esprit public, et à travers lui les familles elles-mêmes qui se montrent désormais très réticentes chaque fois qu'un enfant manifeste son désir d'entrer au séminaire ou au cloître. Nous savons par exemple qu'à la Visitation la moitié des religieuses entrées pendant cette période ont eu à vaincre l'opposition familiale. Cependant, la politique royale est un autre facteur important. Notons en particulier l'activité de la commission des réguliers, et l'édit de 1768 relevant l'âge des vœux.

Ce sont là des causes externes. La vie consacrée elle-même n'est pas atteinte sensiblement, et le déclin numérique ne s'accompagne pas d'une diminution notable de la piété.

Toutes les études récentes l'ont montré, le clergé séculier est un clergé « réglé » selon l'expression de l'époque. C'est-à-dire un clergé assidu à ses devoirs, prédication et catéchisme pour les curés, *opus Dei* pour les chanoines. Les cas de prêtres négligents sont rares, ceux de prêtres scandaleux exceptions rarissimes.

Chez les réguliers, il faut distinguer hommes et femmes. Chez les hommes on observe presque partout un certain relâchement, des assouplissements à la règle et une affection grandissante pour le confort. Par exemple, sans être de bons vivants, les bénédictins de Saint-Maur ne sont pas des ascètes. Leur table est abondante et variée. Au monastère de Saint-Georges-de-Bocherville, on boit du thé et du café, et, depuis 1759, de l'eau-de-vie et des liqueurs. Les comptes du cellerier mentionnent des achats de fleurs de genêt confites, de chocolat et de tabac. A Jumièges, le jeudi, les moines vont se récréer à la campagne dans leur ferme de Hauville. Ils y font collation et y jouent au trictrac. Chez les pères de la Doctrine chrétienne, on engage des domestiques, on ne fait plus son lit, on voyage en carrosse, on se chauffe dans sa chambre l'hiver. Tout cela n'est pas très méchant et n'empêche nullement de garder la vie commune et les principales observances. Mais il est évident que l'esprit de pauvreté en souffre.

Chez les religieuses et moniales, en revanche, très rares sont les maisons déchues de leur observance primitive. Et l'on ne trouve presque nulle part de ces signes de relâchement observés dans les maisons masculines. Bien au contraire, le plus souvent, l'observance est scrupuleuse. Par exemple, le registre des visites pour le XVIIIe siècle chez les carmé-

---

1. Voltaire, « L'homme aux quarante écus », dans *Romans et Contes,* éd. Garnier, 1914, p. 318.

lites de Châtillon-sur-Seine prouve une régularité qui confine à la perfection[1].

Au total, que l'on considère la pratique religieuse, les vocations ou la qualité de la vie·consacrée, les éléments positifs l'emportent sur les négatifs. La situation du catholicisme, en butte aux attaques des philosophes, à l'indifférence d'une partie des élites sociales et à la politique anticléricale de la monarchie, n'est certainement pas très bonne. Mais son état n'est pas encore inquiétant.

La vitalité religieuse

Il y a même des signes manifestes de vitalité.

Le mouvement missionnaire, relancé au début du siècle, se poursuit dans beaucoup de provinces et n'a rien perdu de son dynamisme. Les années 1740-1779 sont celles des plus grandes missions des montfortains dans l'Ouest : à Mortagne en 1755-1756, à Aizenay en 1760, à Bouguenais en 1761, à Cholet en 1763, aux Sables-d'Olonne en 1765-1766. Et c'est entre 1730 et 1760 que les jésuites des trois maisons de Sélestat, Molsheim et Hagueneau, conduisent dans les villages d'Alsace leurs plus actives campagnes missionnaires. Dans le Sud-Ouest nous avons les doctrinaires, et dans toutes les régions les lazaristes et les jésuites. Deux missionnaires parcourent la France entière et connaissent la célébrité : les Pères Jacques Bridaine (1701-1767) et François Xavier Duplessis (1694-1771). Ils frappent les imaginations par des formules et des gestes pathétiques. « Savez-vous ce que c'est que l'éternité ? demande par exemple Bridaine. C'est une pendule dont le balancier dit et redit sans cesse deux mots seulement dans le silence des tombeaux : toujours, jamais, toujours, jamais. » Pendant ces effroyables révolutions, un réprouvé demande : « Quelle heure est-il ? » et la voix sombre d'un autre misérable lui répond : « L'éternité. » Une autre fois, après un sermon dont le sujet était la brièveté de la vie, le même Bridaine dit à ses auditeurs : « Je vais vous reconduire chez vous », et il les mena au cimetière.

La mission dans les campagnes est une entreprise de christianisation en profondeur. Dans les villes, elle est une contre-offensive. Elle mord sur le terrain déchristianisé, lui arrache des conversions. Les mémoires ecclésiastiques et les gazettes pieuses nous rapportent plusieurs conversions spectaculaires d'athées notoires et de libertins réputés. Voici par exemple la conversion d'une jeune femme en 1759 dans l'église d'une petite ville de Provence. Le prédicateur s'appelle l'abbé de Salvador. Au beau milieu du sermon, il voit entrer dans l'église une fort jolie femme : « ... une jeune personne du sexe qui, par sa parure et son air dissipé, ne

---

1. Dominique Dinet, *Vocation et fidélité*, Paris, Economica, 1988, p. 207.

paraissait pas être venue au sermon dans l'intention de se convertir, c'était la beauté de la ville. » Mais l'abbé, aussitôt « élève intérieurement son cœur à Dieu pour lui demander cette conversion ». Il n'a pas achevé son discours que le miracle se produit : la jeune femme tombe à genoux et « le lendemain va chez l'abbé, lui dit qu'elle est déterminée à se donner à Dieu et le prie de l'aider à faire une confession générale ».

Le succès du livre de dévotion est un autre signe impressionnant. Ce genre de livre n'avait jamais connu une telle diffusion. Il atteint maintenant presque tous les catholiques de toutes conditions, du moins ceux qui savent lire. C'est soit un livre dit « d'église », contenant les prières de la messe et celles des principaux offices, soit un livre d'« exercices » pour s'entraîner à la méditation, pour se disposer à bien communier, pour se préparer à la mort, soit enfin un livre de morale pratique. On peut citer comme exemples d'« exercices » les ouvrages très répandus de l'abbé Baudrand, et en particulier son *Âme sanctifiée par la perfection de toutes les actions de la vie ou la Religion pratique par l'auteur de « L'Âme élevée à Dieu »*, dont la première édition fut publiée à Lyon en 1766. Et comme exemples de morales pratiques les nombreux traités du lazariste Pierre Collet qui en écrivit au moins douze. Nous citerons seulement le *Traité des devoirs des gens du monde et surtout des chefs de famille* (1763) et les *Instructions en forme d'entretiens sur les devoirs des gens de la campagne*[1] (1770). Mais il faudrait signaler aussi, outre ces trois catégories, les ouvrages de spiritualité proprement dite, peut-être moins accessibles au grand public, mais qui ont exercé une grande influence. Il s'agit le plus souvent de réédition d'auteurs du siècle précédent : François de Sales, Saint-Jure, Rodriguez. Mais on lit aussi un grand auteur contemporain, le P. Ambroise de Lombez, capucin, qui publie en 1757 un *Traité de la paix intérieure*. Ce traité est un ouvrage pratique. La première partie s'intitule « Excellence de la paix ». La deuxième et la troisième parties enseignent les moyens de l'obtenir. La quatrième la manière de la pratiquer. Le « détachement » et la « liberté » sont les deux grands instruments de la paix : le « détachement universel » et la « liberté intérieure ». Que signifie cette dernière expression ? Elle signifie que l'âme s'attache librement à la volonté de Dieu, qu'elle n'en est pas esclave. La liberté s'oppose à la « contrainte ». Elle rend l'âme « douce, simple, modeste, pliante, sociable, unie, toujours disposée à l'oraison ». Alors que la contrainte nous fait « raides, inflexibles, chagrins, pleins de hauteurs, dévots par système et par méthode, plus que par grâce et par fidélité[2] ». Cela nous rappelle les accents de saint François de Sales. Le plus grand spirituel de l'époque est aussi peu janséniste que possible.

1. Marcel Bernos, « La pastorale des laïcs dans l'œuvre de Pierre Collet », *Vincent de Paul*, Rome, Edizioni vincenziane, Rome, p. 289-310.

2. Ambroise de Lombez, *Traité de la paix intérieure*, Toulouse, 1860, p. 192-193.

La dévotion contenue dans tous ces livres, et qui gagne de proche en proche, est à bien des égards une dévotion nouvelle. Son attachement au devoir d'état et son intériorité nous paraissent être ses deux traits les plus originaux.

Le devoir d'état y est considéré comme la première de toutes les obligations chrétiennes. Tous les auteurs le rappellent, le chrétien qui ferait prévaloir les exercices de piété sur les obligations de sa charge ou de son métier serait un mauvais chrétien. « La vraie dévotion, écrit l'abbé Dinouart, est exacte à remplir ses devoirs [...] et ne se répand point dans des exercices qui pourraient la distraire des obligations de son état. »

Quant à l'intériorité, c'est désormais la preuve d'une vraie dévotion. Très bien de faire des « exercices », d'assister à des cérémonies, mais il est encore mieux de prier dans le silence et la solitude. C'est pourquoi la dévotion recourt moins que jadis à l'association pieuse et à la confrérie. Certes les confréries nouvelles apparaissent (Rosaire, Saint-Sacrement, Sacré-Cœur). Mais on aperçoit ici et là des baisses d'effectifs importantes. A titre d'exemple, la confrérie de Saint-Pierre-des-Agonisants d'Angers a 30 confrères en 1740 et 20 en 1789. Celle de l'Ange-Gardien-de-Bellac décline pareillement. Elle avait 120 membres en 1720. Elle n'en a plus que 50 en 1769. Des confréries de pénitents provençales perdent des confrères. D'autres n'existent plus que de nom.

Chaque époque a ses moyens privilégiés de recourir à Dieu. Pour celle-ci, le culte central est le culte eucharistique. La dévotion à la messe prend la forme d'une plus grande participation au saint sacrifice. La mane des fidèles comprend de mieux en mieux la signification des prières et des gestes. A partir de 1750, l'usage se répand de ces « livres d'église » qui permettent de « suivre » la messe.

Cependant la dévotion eucharistique s'adresse plus à la présence réelle qu'au sacrifice de la messe. Le culte du saint sacrement connaît un développement prodigieux. Dans les paroisses et dans les chapelles de maisons religieuses, ce ne sont qu'expositions du saint-sacrement, saluts, processions, adorations perpétuelles, amendes honorables, confréries et œuvres du saint sacrement. Prêtres et fidèles n'ont pas de plus grand désir que de contempler l'hostie. Mgr de Partz de Pressy, évêque de Boulogne, se fait l'interprète des aspirations populaires. Il ordonne qu'« il n'y ait nul jour dans l'année où la divine eucharistie ne soit adorée solennellement dans quelque paroisse de ce diocèse et nulle heure du jour ou de la nuit où elle ne reçoive des hommages particuliers de quelque fidèle ».

La dévotion au Sacré Cœur est liée à la dévotion au saint sacrement : elle consiste surtout en communions fréquentes et visites au saint sacrement. Nous avions vu ses premiers progrès dans la période précédente. Maintenant, elle acquiert droit de cité. Le 1er septembre 1748, dans la paroisse Saint-Sulpice à Paris, est célébrée pour la première fois la fête solennelle des Sacrés Cœurs de Jésus et de Marie. Le nonce du pape est

présent. Le 1er juillet 1766, l'assemblée du clergé de France recommande
à tous les évêques d'instaurer la fête du Sacré-Cœur dans leurs diocèses
respectifs, et de promouvoir la dévotion. En 1744, il y avait déjà
339 confréries du Sacré-Cœur établies en France.

L'état intellectuel du catholicisme :
la doctrine, les études, l'apologétique

Le tableau de la vie intellectuelle du catholicisme est sans doute moins
brillant que celui de sa vie dévote.

La théologie est affaiblie par les luttes doctrinales. Écrasé par l'épiscopat, le parti janséniste n'existe plus. Mais il s'est renouvelé dans le
richérisme, dont le système s'élabore entre 1754 et 1756, à la faveur de
la crise des billets de confession. Ce système consiste tout simplement à
assimiler les curés aux évêques. Successeur des 12 disciples du Christ,
les curés sont de droit colégislateurs du diocèse dans le synode et de
l'Église universelle dans les conciles œcuméniques. Pour administrer le
sacrement de pénitence, ils n'ont pas besoin de l'autorisation de
l'évêque. Selon Nicolas Travers, qui a formulé cette doctrine dans sa
Consultation sur la Juridiction (1734), «tous les prêtres ont par leur
ordination la puissance d'ordre et de juridiction». Le richérisme trouble
la paix de l'Église. Des conflits éclatent entre les évêques et leurs curés.
Les incidents les plus graves ont lieu dans les synodes de 1764 et 1766
du diocèse de Luçon. Une cinquantaine de curés de ce diocèse revendiquent le droit d'approuver les statuts synodaux.

Monseigneur, déclare à l'évêque leur porte-parole, je me crois obligé en
conscience de réclamer les droits du second ordre, les statuts synodaux ne
peuvent être reçus, promulgués ni faire loi dans votre diocèse qu'après qu'ils
auront été examinés et approuvés par les pères qui composent ce concile
diocésain.

Il est difficile de porter un jugement sur les études ecclésiastiques.
Nous connaissons mal l'enseignement dispensé dans les séminaires et
dans les facultés de théologie. La théologie officielle est celle du lazariste
Pierre Collet, continuateur de Tournely. Ses *Institutiones theologicae*
(1749) sont le manuel utilisé dans presque tous les séminaires. La
doctrine en est solide, fondée sur l'Écriture, les pères et les docteurs.
L'orientation est nettement antijanséniste.

L'ANTIPHILOSOPHIE

L'histoire des idées au XVIIIe siècle est une histoire belliqueuse. La
philosophie, pour s'imposer, livre une rude bataille. Car elle est durement
combattue : par les apologistes et par toute une faction de littérateurs.

Le combat des apologistes

L'apologétique, c'est-à-dire la défense de la religion chrétienne, est le genre dominant de la littérature ecclésiastique. Dans son étude sur « les défenseurs français du christianisme », publiée en 1916, Albert Monod ne recensait pas moins de 392 écrits parus de 1745 à 1775. La plupart des auteurs sont des membres du clergé séculier, dont quatorze évêques, parmi lesquels Beaumont, archevêque de Paris, Caylus, évêque d'Auxerre, Lefranc de Pompignan, évêque du Puy et Fumel, évêque de Lodève, s'illustrent particulièrement. La faible contribution du clergé régulier est significative du déclin intellectuel des ordres religieux. La présence dans la liste de quelques laïques (Roustan, Gabry de Moncault, le vicomte d'Alès, Mme Le Prince de Beaumont) mérite d'être soulignée.

Le tableau suivant montre une mobilisation croissante :

Année	Écrits publiés
1745-1750	30
1750-1755	45
1755-1760	80
1760-1765	78
1765-1770	84
1770-1775	75

Dans cette abondante production, nous pouvons distinguer deux catégories d'ouvrages. La première est celle dont les auteurs, selon l'usage traditionnel, recourent aux démonstrations rationnelles et aux preuves par les faits. Dans la seconde, nous placerons les écrits marqués par le sentimentalisme rousseauiste.

L'APOLOGÉTIQUE RATIONNELLE ET POSITIVE

La production est très diverse. Certains auteurs se spécialisent, faisant porter toute leur critique sur tel ou tel point de la pensée philosophique. L'abbé Pluquet, dans son *Examen du fatalisme*, oppose au déterminisme scientifique le système du providentialisme. Le jésuite Nonnotte recense les erreurs historiques de Voltaire. Par exemple, selon lui, Marie Tudor n'a pas brûlé 800 personnes mais seulement 284. Le P. Sennemaud et l'abbé Pichon se consacrent à la critique des conséquences. Ils imputent à la philosophie le désordre croissant des mœurs. Le Dieu des philosophes est si accommodant ! « ... il chérit trop nos félicités pour vouloir contraindre en rien nos inclinations » (Sennemaud).

A partir de 1760, le système de défense tend à devenir de plus en plus élaboré, de plus en plus complet. Il paraît un nombre croissant d'ouvrages d'apologétique générale, destinés à une utilisation pratique.

Ce sont par exemple le *Dictionnaire antiphilosophique* de dom Chaudon (1767), l'*Avertissement du clergé de France* (1770) et le *Catéchisme philosophique* de Feller (1773).

Les points principaux sur lesquels porte cette défense générale sont les suivants : l'existence de Dieu, l'existence d'une âme spirituelle et son immortalité, le problème du mal et l'authenticité des miracles.

Pour démontrer l'existence de Dieu, le *Dictionnaire antiphilosophique* recourt aux deux preuves de l'ordre du monde (« Tout dans la nature annonce un Créateur intelligent, parce que tout y annonce un dessein […] », p. 43) et de la première cause (« L'étude de la physique […] prouve qu'il y a une première cause intelligente »). Le *Catéchisme philosophique* suit une autre méthode et donne la préférence à l'argument du consentement universel (« … consentement de tous les hommes dans la possession d'un Dieu ») et à celui des « causes finales » (« … toutes les opérations de la nature ont un but »).

La spiritualité et l'immortalité de l'âme sont niées par les matérialistes et par les naturalistes. Les apologistes combattent ces philosophes, réfutant ce qu'ils appellent leurs « sophismes ». L'auteur du *Dictionnaire antiphilosophique* écrit par exemple :

> … Quand un philosophe viendra me dire que les arbres sentent et que les rochers poussent, il aura beau m'embarrasser dans ses arguments subtils, je ne puis voir en lui qu'un sophiste de mauvaise foi qui aime mieux donner le sentiment aux pierres, que d'accorder une âme à l'homme.

Comment se fait-il qu'un Dieu bon laisse faire le mal ? C'est depuis toujours la grande objection de l'incrédulité. Nos apologistes y répondent maladroitement : « Dieu peut empêcher le mal, écrit Feller ; mais il ne le veut pas pour des raisons dignes de sa sagesse et de sa justice. »

Quant aux miracles, les défenseurs de la religion y attachent une très grande importance. Pour eux, il est capital que Dieu puisse faire des miracles. Car c'est la preuve de son pouvoir sur la nature. Par ailleurs, les miracles sont des « avertissements salutaires » donnés aux hommes.

L'ancienne philosophie chrétienne avait autrefois constitué tout un arsenal de preuves. Nos apologistes en font assez peu usage. Par exemple, dans la démonstration de l'existence de Dieu, nous les voyons utiliser certaines des preuves classiques, mais qui ne sont pas les plus fortes, et ne jamais recourir aux meilleures comme la preuve par l'existence d'êtres contingents ou celle par les degrés différents de perfection des êtres.

La raison en est simple. Les apologistes n'ont pas été formés à l'ancienne philosophie. Ils en ignorent presque tout. La philosophie qu'ils ont apprise au collège et au séminaire n'est pas celle de la scolastique. C'est la philosophie moderne de Descartes et de Malebranche. Pourquoi recourir aux vieux arguments ? Tout n'a-t-il pas changé avec

Descartes ? Descartes, proclame l'un de nos auteurs, « a éclairci la métaphysique, l'a approfondie, l'a rendue plus accessible à des esprits ordinaires. Par elle il a jeté les fondements de la bonne physique et de la bonne morale. Par elle il a solidement prouvé l'existence d'un Dieu [...]. » Cette adhésion à Descartes explique en grande partie l'appauvrissement de la démonstration. Nous savons en effet que, pour ce philosophe, Dieu est une idée innée et que la démonstration de son existence se réduit au seul argument des vérités éternelles.

On pourrait même dire que l'antiphilosophie est peu métaphysique, dans la mesure où elle utilise fort peu les ressources abondantes de la spéculation métaphysique traditionnelle aristotélo-thomiste. Et l'on pourrait même aller jusqu'à la qualifier d'anti-intellectualiste. Ne voyons-nous pas en effet certains de nos auteurs — et non des moindres — refuser d'admettre l'existence d'une philosophie distincte de la religion ? Pour un Lefranc de Pompignan, par exemple, la vraie philosophie se confond avec l'Évangile : « Telle est, mes frères, dit-il, la source unique [...] où nous devons puiser la philosophie : la parole de Dieu dans l'Ancien et dans le Nouveau Testament » (« Institution pastorale du 15 avril 1763 », *Œuvres complètes*, Migue). Affirmation véritablement stupéfiante et qui va à contre-courant de toute la tradition de la pensée chrétienne, laquelle avait toujours distingué la philosophie (science acquise à la lumière naturelle de la raison humaine) de la théologie. Il est étrange de voir l'apologétique combattre le rationalisme en commençant par nier le pouvoir de la raison.

Tout au moins de la raison spéculative. Car un raisonnement est retenu — et on lui donne même une grande place — mais c'est un raisonnement utilitaire, celui des « avantages » de la religion. C'est l'argument pascalien ; on dit aux incrédules : il vaut mieux croire que ne pas croire, car s'il y avait un enfer, et si vous persistiez dans l'incrédulité, vous seriez damnés. « Aux dangers irréparables de l'incrédulité » s'oppose donc « la sûreté qu'on trouve dans la croyance de la religion » (*Dictionnaire antiphilosophique*). Pascal après Descartes : l'apologétique est presque entièrement tributaire du Grand Siècle.

L'APOLOGÉTIQUE ROUSSEAUISTE

C'est l'apologétique influencée par la démonstration de Jean-Jacques Rousseau.

Selon ce philosophe, la preuve décisive de l'existence de Dieu est la preuve intrinsèque, la preuve par la conscience et par le sentiment. Nous avons conscience de l'existence de Dieu. Mieux : nous sentons en nous la divinité de Jésus. C'est le passage célèbre : « La sainteté de l'Évangile est un argument qui parle à mon cœur. » Rousseau tient donc pour secondaire et même négligeable la preuve par les faits. « L'Évangile, écrit-il encore, est la pièce qui décide et cette pièce est entre mes mains. De quelque manière qu'elle y soit venue et quelque auteur qui l'ait écrite, j'y reconnais l'esprit divin, cela est immédiat autant qu'il peut l'être ; il n'y a point d'homme entre cette preuve et moi. »

Un tel discours est incontestablement spiritualiste. Rousseau combat la libre pensée. Il réhabilite le sentiment religieux. Toutefois, on ne saurait le considérer comme un apologiste chrétien. Il a beau dire (en particulier dans sa *Lettre à Christophe de Beaumont*) qu'il est chrétien, il ne l'est nullement. Car toute sa pensée religieuse se réduit à un vague spiritualisme. Et, même, elle est antichrétienne, puisqu'elle n'admet pas les dogmes révélés, les déclarant du domaine de l'inconnaissable, sans qu'on puisse, dit-il, « les concevoir, ni les croire, et sans savoir ni les admettre ni les rejeter ».

Cette « théologie » fait d'ailleurs l'objet de plusieurs réfutations. La plus solide est celle de l'abbé Bergier. Ce simple prêtre est un homme de province. Il ne fréquente guère les cercles parisiens. Né à Darney dans les Vosges en 1718, docteur en théologie en 1744, nommé en 1749 curé de Flangebouche au diocèse de Besançon, il passe seize années de sa vie dans ce petit village qu'il nomme son « ermitage ». C'est là qu'il écrit *Le Déisme réfuté par lui-même*, qui sera publié en mars 1765. Son procédé favori est l'argument de rétorsion. Il utilise les concessions de Rousseau à la foi et au rationalisme pour l'acculer tantôt à l'orthodoxie, tantôt à la négation radicale. Il lui demande par exemple : « Puisque vous dites Jésus saint, pourquoi repoussez-vous une hiérarchie qu'il a lui-même instituée ? Puisque vous rejetez l'incompréhensible, pourquoi ne rejetez-vous pas Dieu et ses attributs qui le sont [...] ? » Ou bien il fait ressortir l'inconséquence de son intolérance vis-à-vis des athées : « Le même principe nous autorise à persécuter les chrétiens. »

Il n'empêche que Bergier subit d'une certaine manière l'influence du philosophe de Genève. Cela se voit en particulier dans ses imprécisions théologiques sur la notion de surnaturel. Il ne définit pas clairement le caractère surnaturel de la grâce. Nulle part il ne dit clairement que la fin de l'ordre surnaturel est la vision intuitive de l'essence divine. Le flou rousseauiste affaiblit sa doctrine.

Il n'est pas le seul. Désormais peu d'apologistes échapperont à cette influence. Citons un seul exemple — mais bien significatif —, celui de l'abbé Dinouart. Lorsqu'en 1771 cet apologiste veut imposer silence aux philosophes, il tire argument « de la voix intérieure de notre cœur même, qui nous prouve par un genre d'argument supérieur à tous les sophismes [...] que la religion est faite pour l'homme ». Ainsi voyons-nous naître une nouvelle religion, celle du sentiment.

Le combat des littérateurs

La philosophie ne subit pas seulement les coups des apologistes. Elle est également combattue par des gens de lettres, romanciers, auteurs dramatiques, poètes et critiques littéraires. Ces écrivains défendent à l'occasion la religion, mais l'apologétique n'est pas leur spécialité. Leur défense est plus générale, ils s'en prennent à tous les aspects de la philosophie. Toutefois, il arrive que des littérateurs se fassent apologistes et inversement. Par exemple, Palissot et l'abbé Bergier peuvent être placés dans les deux catégories.

On ne doit pas s'imaginer les littérateurs antiphilosophes comme une petite poignée de résistants. Ils semblent bien aussi nombreux que leurs adversaires, même si tous n'accèdent pas à la même notoriété. Pour prendre un exemple, *L'Année littéraire*, le journal antiphilosophique dirigé par Fréron, ne compte pas moins de vingt-deux collaborateurs à la date de 1760.

Trois noms émergent : Palissot, Moreau et Fréron. Et une année : 1757. C'est l'année de la plus grande offensive antiphilosophique. Trois brûlots sont lancés presque simultanément. D'abord le 15 octobre, dans le *Mercure de France*, le *Premier Mémoire sur l'histoire des Cacouacs*, dont l'auteur est l'abbé Odet Giry de Saint-Cyr, sous-précepteur des Enfants de France et confesseur du Dauphin ; ensuite, fin novembre, un nouveau *Mémoire pour servir à l'histoire des Cacouacs*, suivi d'un *Supplément à l'histoire des Cacouacs jusqu'à nos jours*, libelle de Jacob Nicolas Moreau ; et, enfin, les *Petites Lettres sur de grands philosophes* de Palissot.

Essayons d'apprécier les différentes tactiques de ces trois polémistes.

Le pamphlet de l'abbé de Giry est une charge sans nuance et sans la moindre ironie. La trouvaille amusante des Cacouacs est bien la seule chose piquante de ce pamphlet. Il n'y a pas de défaut dont les pauvres Cacouacs — on a compris que ces Cacouacs étaient les philosophes — ne soient chargés. Ils sont cruels (« Toutes leurs armes consistent en un venin »), inhumains (« ils ne respectent aucune liaison de société »), faux frères (« ils se craignent mutuellement »).

Palissot est plus subtil et plus juste. Selon lui, les philosophes ont rompu avec la tradition de sociabilité et de respect du public, tradition qui avait toujours été celle des écrivains français : « On déclara que l'on estimoit très peu le public [...] le public fut donc outragé dans des préfaces. » Et ce langage : « un langage que l'on eût condamné partout ailleurs, comme celui du fanatisme ». « J'ai vécu », disait l'un, « J'écris de Dieu », disait fastueusement l'autre ; « Jeune homme prends et lis », écrivait-il encore.

Cependant le meilleur des trois est Moreau. Il reprend la fiction des Cacouacs, mais la traite avec beaucoup de talent. L'histoire commence par un portrait d'ensemble des Cacouacs, de leur tempérament, de leurs idées religieuses et politiques. Ensuite vient un récit : l'auteur raconte comment les Cacouacs l'ayant fait prisonnier l'ont initié à leur philosophie, pour enfin le libérer, le chargeant d'apporter le message cacouac à tout l'Univers.

Moreau n'accuse pas, ne polémique pas. Il se moque et, même, il s'amuse et nous amuse. Pour faire rire des Cacouacs, il utilise deux procédés. Le premier est le paradoxe. Ainsi, à propos de l'athéisme des Cacouacs : «... les Cacouacs, écrit-il, ne sont point des sauvages, car les Hurons même croient en un Dieu, et en conviennent bonnement.» Le deuxième procédé est l'exagération sans en avoir l'air. Voici par exemple pour le matérialisme : [les Cacouacs] ont pris le parti de se conduire dès à présent par l'instinct, en attendant tranquillement que les bêtes, dont les facultés se développent peu à peu, se conduisent par la raison. Et pour la théorie de l'état de nature : «... l'anarchie est une de leurs maximes fondamentales, car, comme ils sont persuadés que c'est le hasard qui a réuni les individus de l'espèce humaine, destinés d'abord à vivre isolés dans les forêts, ils ne veulent s'écarter que le moins qu'il est possible de cette institution primordiale si conforme à la nature de l'homme.» Enfin, pour épingler le déisme, Moreau imagine ce titre de livre aperçu dans la bibliothèque des Cacouacs : *Plan d'une religion universelle à l'usage de ceux qui ne peuvent s'en passer, et dans laquelle on pourra admettre une divinité, à condition qu'elle ne se mêlera de rien.* Le livre s'achève sur une trahison burlesque. Valentin, le laquais de l'auteur, abandonne son maître pour rejoindre les Cacouacs. Mais il ne se contente pas de le quitter, il le vole au nom de l'égalité de nature :

> Mon cher Maître, lui écrit-il, pour se justifier, tous les êtres vivans sont égaux par la nature, et ont le droit aux mêmes biens [...]. La justice n'est fondée que sur l'intérêt [...] et la loi fondamentale de la société est de faire son propre bien avec le moindre mal d'autrui qu'il est possible. Or, mon cher Maître, j'ai besoin de votre argent : en l'emportant avec moi je ne vous fais précisément que le tort inséparable de mon bien-être [...].
>
> Signé : le Cacouac Valentin.

C'est presque le ton des contes de Voltaire. L'arme de l'ironie, l'arme de prédilection des philosophes, a été retournée contre eux.

Fréron, lui, est ce que nous appelons un «critique littéraire». Pendant trente ans, il écrit dans les journaux et y passe au crible de sa critique acérée les productions de ses contemporains. Il entre à vingt et un ans dans le journal de Desfontaines, *Observation sur les écrits modernes,* puis fonde successivement trois périodiques littéraires, dont le troisième, *L'Année littéraire* aura la plus longue carrière.

Il n'a rien du bohème. Il est solidement enraciné. Breton de Quimper, il est fortement attaché à sa Bretagne. Son patriotisme français n'est pas moins vif. Pendant la guerre de Sept Ans, il le démontrera dans son journal, écrivant par exemple ceci : «Tandis que nos braves militaires vengeront par le glaive la patrie insultée, les gens de lettres la serviront de leurs plumes» (*L'Année littéraire,* 1756, III, p. 316). Marié (deux fois), père de six enfants, riche de nombreux amis, bien logé dans ses deux résidences de ville (un appartement rue de Seine) et de campagne (le logis qu'il nomme « la Fantaisie »), c'est un tempérament amoureux de la vie et par bien des côtés très heureux. Voltaire le raillera d'aimer la bonne chère et la bouteille.

Pour les philosophes, il va être un adversaire redoutable, parce que persévérant : *L'Année littéraire* paraîtra contre vents et marées, tous les huit jours, pendant vingt et un ans. De plus, Fréron n'est ni fielleux ni de mauvaise foi. Il attaque, mais ne démolit pas de façon systématique. Il reconnaît par exemple le génie de son grand adversaire Voltaire. Ses critiques n'en ont que plus de prix. Il a du goût, il a aussi du bon sens. Il excelle à dégonfler la démesure. Par exemple, à propos du *Discours sur les sciences et les arts* de Rousseau, il écrira en substance ceci : Pourquoi vouloir accuser les sciences et les arts ? qu'on s'en prenne donc à « la perversité de notre nature ».

Ce n'est pas un dévot, bien qu'il serve la religion. C'est un homme tout à fait de son siècle. Il juge selon l'utilité, forme des vœux pour le bonheur, loue la science agronomique et le populationnisme. Ce qu'il reproche aux philosophes — un peu comme le fait Palissot — c'est de tout briser, de tout casser. Leur grand péché, selon lui, c'est de livrer l'homme à lui-même. Il met en garde son lecteur qui pourrait être tenté par les sortilèges de la fausse philosophie :

> Pour vous, monsieur [...] vous n'auriez garde de substituer à nos lumières des erreurs dangereuses ou des actes désespérants dont les suites ne visent rien moins qu'à dissoudre les éléments mêmes de la société.

Il combat les philosophes, mais les philosophes se défendent et, même, ils lui font une guerre acharnée. Voltaire surtout. On connaît le fameux quatrain :

> L'autre jour, au fond d'un vallon,
> Un serpent piqua Jean Fréron
> Devinez ce qu'il arriva
> Ce fut le serpent qui creva.

Le 26 juillet 1760, Voltaire fait jouer à la Comédie-Française une pièce intitulée *Le Café ou l'Écossaise*, où Fréron est représenté sous les traits d'un personnage méchant et bavard nommé Flélon. Les Comédiens-Italiens jouent aussi la pièce pendant deux mois, ainsi que l'opéra-comique de la foire Saint-Laurent. Tous les grands théâtres parisiens font leur cour à Voltaire.

En 1757, le directeur de *L'Année littéraire* avait tâté de la Bastille pour avoir rendu compte d'un livre de l'un de ses amis, ouvrage où l'intolérance des Navarrais à l'endroit des Français était stigmatisée.

L'ambassadeur d'Espagne avait protesté. Au lieu de couvrir Fréron, le ministère l'avait fait incarcérer. En 1765, il s'en faut de peu qu'il ne retrouve la Bastille. L'actrice célèbre, la Clairon, s'est plainte d'un article désobligeant pour elle. Richelieu, son protecteur, obtient de Saint-Florentin un ordre d'incarcération. Fréron ne doit sa liberté qu'à une intervention de la reine en sa faveur.

Le coup de grâce lui est donné par la décision du Conseil du roi le 2 avril 1775 de supprimer son privilège. Depuis l'avènement de Louis XVI, les philosophes sont devenus tout-puissants. Turgot, qui est l'un d'eux, est entré au Conseil. Le nouveau roi subit incontestablement l'influence philosophique et Fréron est sacrifié. Il mourra moins d'un an après, le 10 mars 1776.

LES SCIENCES ET LES TECHNIQUES

Les progrès

Au début du siècle, nous l'avions vu, les sciences naturelles s'étaient complètement renouvelées. Elles demeurent à la mode et continuent à susciter un vif intérêt — le succès de l'*Histoire naturelle* de Buffon en témoigne ; mais, après la mort de Réaumur (1757), elles ne font plus de progrès notables. L'*Histoire naturelle* de Buffon est une œuvre remarquable par l'ampleur de son dessein et par la qualité de son style, mais elle ne fait pas état de découvertes importantes.

Sur le problème de la génération, les naturalistes français ne sont pas plus avancés qu'ils ne l'étaient au début du siècle. Ils se partagent toujours en trois écoles : les ovistes, pour lesquels la véritable semence est fournie par la femelle, les spermatistes, pour qui elle provient du mâle, et les partisans de la double semence mâle et femelle. Avec sa théorie des « molécules organiques », Buffon se rattache à cette troisième école. Les « molécules organiques » sont la substance vivante de la matière du corps humain ; elles pénètrent dans des moules sous l'action de « forces pénétrantes » et finalement, grâce à une sorte de fermentation, y réalisent les germes. Cette formation des germes a lieu chez la femme comme chez l'homme, si bien que la liqueur séminale féminine contient des germes comme la masculine. La théorie est compliquée. Elle fait appel à des forces purement imaginaires (les « forces pénétrantes ») et ne s'appuie pas sur une base expérimentale solide.

Les sciences naturelles marquent donc le pas. Il n'en va pas de même des sciences exactes.

Dans les différents domaines des mathématiques, de la mécanique, de l'astronomie et de la physique, les savants français retrouvent le prestige qui avait été le leur au temps de Pascal et de Fermat.

D'Alembert et Clairaut sont les deux plus grands mathématiciens. Leurs travaux sont consacrés principalement à l'étude des quadratures des fonctions algébriques et à l'intégration des équations différentielles ordinaires. Toutefois, d'Alembert, comme mathématicien, est très inférieur à Clairaut. Sur le calcul des probabilités, par exemple, il se trompe complètement, soutenant, parmi d'autres affirmations erronées, qu'au jeu de croix, ou pile, la probabilité d'amener croix au moins une fois en deux coups est égale à deux tiers et non à trois quarts.

En revanche, d'Alembert est un mécanicien hors pair. Son *Traité de dynamique* publié en 1743 est un chef-d'œuvre[1]. Il y expose dans une première partie les «Lois générales du mouvement et de l'équilibre des corps», et dans une seconde le «Principe général pour trouver le mouvement de plusieurs corps qui agissent les uns sur les autres d'une manière quelconque, avec plusieurs applications de ce principe». Le «principe général» est celui qui immortalisera son nom. Toutes les lois du mouvement, explique-t-il, peuvent être ramenées à trois, «la force d'inertie, le mouvement composé et l'équilibre». Le «principe général» résultera de la combinaison du mouvement composé et de l'équilibre. En ramenant le problème de mouvement à celui du repos, et convertissant tout problème de mécanique en problème de statique, il offre une méthode générale permettant de résoudre ou de mettre en équation toutes les questions de dynamique.

En astronomie s'illustrent particulièrement l'abbé de Lacaille et Clairaut. Le premier détermine dans le ciel austral la position de 10 035 étoiles, le second calcule les perturbations, dues à l'attraction de Jupiter et de Saturne, de la trajectoire des comètes. Son travail le plus connu est sa série de recherche sur la comète de Halley. Halley avait annoncé que la comète de 1682 passerait à sa plus grande proximité du Soleil vers la fin de 1758 ou au commencement de 1759. Après un énorme travail de calcul, Clairaut annonce le passage pour le 4 avril. L'événement se produit le 12 mars donnant une erreur de vingt-trois jours seulement sur la prédiction du géomètre.

Les progrès de la physique s'observent dans trois branches particulières : les études sur les propriétés des corps, l'optique et l'électricité. Le *Mémoire sur le mouvement des projectiles* du chevalier de Borda (1756) inaugure la série des travaux de ce savant sur la résistance de l'air. Le *Traité d'hydrodynamique* (1771) de l'abbé Bossut marque également une étape très importante. C'est en effet dans cet ouvrage que, pour la première fois, l'influence du frottement de l'eau sur les parois est prise en considération. En optique, les travaux de Pierre Bouguer ouvrent à la science un nouveau domaine de recherches. Il s'agit de l'étude de la

1. On peut le consulter facilement dans des éditions contemporaines, par exemple celle de 1921 en 2 volumes (collection «Les maîtres de la pensée scientifique»).

force des rayons. Au début de son *Traité d'optique sur la graduation de la lumière* (1760), Bouguer écrit : « ... Comme on s'est presque toujours borné jusqu'ici à examiner la seule situation ou direction des rayons, il doit manquer à l'optique une partie tout entière qui auroit la force ou la vivacité de la lumière pour objet. » En matière d'électricité, les premières recherches méthodiques sont celles de Du Fay. Elles avaient été publiées entre 1733 et 1737 dans les *Mémoires de l'Académie des sciences*. Après 1740, Du Fay poursuit ses expérimentations en collaboration avec l'abbé Nollet, et Le Monnier étudie la vitesse de propagation de l'électricité.

La recherche s'applique à perfectionner ses instruments : microscopes, montres, machines électriques, conducteurs d'électricité, sextants. De nombreuses publications de dessins et de planches font connaître ces perfectionnements. Par exemple, en 1768, le duc de Chaulnes publie en un magnifique volume les dessins d'exécution de son microscope, dont toute la partie optique a été réalisée en Angleterre.

L'État tire profit de l'avancement des sciences. Il en utilise les applications pratiques. L'école du Génie fondée en 1750, et l'Académie de marine réorganisée en 1769, auront pour fonction d'appliquer aux arts militaires et navals les derniers perfectionnements de la physique. Les travaux des astronomes, en permettant de réaliser la triangulation générale de la France, aboutissent à la réalisation de la carte complète du royaume. Le grand travail de cartographie est entrepris en 1750 par l'astronome Cassini de Thury avec le soutien financier du gouvernement.

La diffusion dans le public

Plus encore que les progrès des sciences, le phénomène marquant de cette période est leur diffusion dans le public.

Deux publications méritent ici une mention particulière : l'*Encyclopédie* de Diderot et l'*Histoire naturelle* de Buffon. L'intention de Diderot dans l'*Encyclopédie* était de mettre toutes les sciences à la portée des non-spécialistes. L'*Histoire naturelle*, dont les trois premiers volumes paraissent en 1749 et les 12 autres de 1750 à 1767, est aussi un ouvrage immense, comprenant une « histoire générale de la Terre », une « histoire de l'homme » et une « histoire des animaux ». L'« histoire de la Terre » fait état d'une cosmogonie que Buffon emprunte pour l'essentiel à Réaumur, et selon laquelle, dans les premiers temps, les terres étaient entièrement recouvertes par les mers :

> Il paraît certain écrit notre auteur, que la terre, actuellement sèche et habitée, a été autrefois sous les eaux de la mer, et que ces eaux étaient supérieures au sommet des plus hautes montagnes, puisqu'on trouve sur ces montagnes et jusque sur leurs sommets, des productions marines et des coquilles[1] [...].

---

1. Georges Louis Leclerc, comte de Buffon, *Œuvres complètes*, Paris, Labigre-Duquesne, s.d., t. I, p. 98.

L'«histoire des animaux» commence par les animaux domestiques. Viennent ensuite les descriptions de près de 3 000 espèces d'animaux sauvages. Chaque espèce a droit à une notice dont la longueur varie de une à plus de vingt pages. L'exposé de chaque notice suit à peu près toujours le même plan. Prenons les animaux domestiques. Pour chaque animal, Buffon décrit d'abord ses mœurs, puis la manière dont il convient de l'élever, et enfin les différentes races constituant l'espèce. Les premières lignes de la notice sont toujours fortement frappées. Voici le cheval : « La plus noble conquête que l'homme ait jamais faite est celle de ce fier et fougueux animal, qui partage avec lui les fatigues de la guerre et la gloire des combats [...] ». Et voici le chat : « Le chat est un domestique infidèle qu'on ne garde que par nécessité, pour l'opposer à un autre ennemi domestique encore plus incommode [...]. » Le tigre : « Dans la classe des animaux carnassiers, le lion est le premier, le tigre est le second ; et comme le premier, même dans un mauvais genre, est toujours le plus grand et souvent le meilleur, le second est ordinairement le plus méchant de tous [...]. » Le « noble » l'« infidèle », le « méchant » : Buffon use et abuse de ces qualificatifs qui donnent à son ouvrage un ton sentencieux et moralisateur et finissent par imposer une vision anthropomorphique des animaux. Le critère d'utilité tient aussi une grande place. L'animal est bon ou méchant, mais il est aussi utile ou inutile. La girafe par exemple est inutile :

> La girafe est un des premiers, des plus beaux, des plus grands animaux et qui, sans être nuisible, est en même temps l'un des plus inutiles[1] [...].

Il reste que ces portraits sont vivants, souvent pittoresques, toujours agréables à lire parce que très bien écrits. Tous les publics peuvent s'y intéresser, tous les âges s'y récréer. C'est de l'« instruction populaire » avant la lettre. Buffon popularise l'histoire naturelle par la magie du style.

Après ces deux sommes que représentent l'*Encyclopédie* et l'*Histoire naturelle*, il convient de signaler les nombreux manuels et ouvrages didactiques, comme par exemple les *Éléments d'algèbre*, de Clairaut [1746] (ce grand savant ne dédaigne pas de s'adresser aux commençants), l'*Astronomie des marins* du P. Esprit Pézenas, ou les *Leçons de physique expérimentale* de l'abbé Nollet, ouvrage en 6 volumes, réédité neuf fois de 1743 à 1784. Avec de tels auteurs, le manuel devient un genre noble.

Le même abbé Nollet inaugure en 1753 au collège de Navarre un enseignement public de physique expérimentale, et le succès en est tel qu'il faut construire un amphithéâtre spécial capable d'accueillir les centaines d'auditeurs. Il faut dire que cet abbé a le don d'éveiller la

---

1. G. L. Buffon, *Œuvres choisies*, Tours, Mane, 1872, t. II, p. 45.

curiosité par ses expériences spectaculaires. Il s'illustre particulièrement dans les expériences sur l'électricité. Il fabrique des machines à produire l'électricité et répète à plusieurs reprises en public l'expérience dite de Leyde parce qu'elle a été réalisée pour la première fois dans l'université de cette ville. Soit une machine électrique reliée à une bouteille pleine d'eau par un fil et un conducteur. L'eau de la bouteille est électrifiée. Si l'on touche le fil reliant la bouteille à la machine, on reçoit une très forte décharge capable même de vous renverser.

Le Tout-Paris avait entendu parler de cette expérience et tout le monde voulait recevoir la fameuse décharge. L'abbé Nollet la fait passer à travers une compagnie de gardes-françaises qui lui avait été prêtée par le gouvernement : 180 gardes-françaises se tiennent par la main. Le premier reçoit la décharge qui passe ensuite à travers tous les autres. L'abbé opère ensuite avec 300 moines des couvents de la capitale. L'expérience réussit parfaitement : les 300 moines sautent en même temps au moment de la décharge de la bouteille.

Mais les expérimentateurs abondent. L'abbé Nollet n'est que le plus illustre. La mode de l'expérimentation gagne la société tout entière C'est à qui aura son microscope, sa machine électrique ou son « polémoscope ». Les collèges et les académies mais aussi des particuliers se constituent des « cabinets de physique ».

Les savants et les institutions savantes

Le savant n'est pas solitaire. Les périodiques, par leurs recensions, et les diverses sociétés scientifiques l'encouragent à produire et à faire connaître ses travaux. L'Académie des sciences joue à cet égard un rôle de plus en plus important. D'abord elle révèle les nouveaux talents : C'est à l'âge de douze ans et demi que Clairaut y lit son premier mémoire « sur quelques courbes du quatrième degré ». Ensuite elle stimule les chercheurs par des prix. C'est ainsi par exemple que l'abbé Bossut obtient deux prix (en 1762 et 1764) pour ses travaux d'hydraulique. Enfin, elle s'associe tout ce qui compte dans les différentes sciences. Il serait difficile de citer un seul nom de savant connu qui ne lui ait pas appartenu.

Presque tous les savants sont donc académiciens, soit de l'Académie des sciences, soit des académies provinciales. Plusieurs occupent en même temps des charges et des chaires de fondation royale. Par exemple, Buffon est intendant du jardin du Roi, Bossut professeur dans la chaire d'hydraulique créée spécialement pour lui au Louvre en 1764, Nollet, professeur dans une chaire publique de physique à Paris, puis, à partir de 1761, professeur à l'école du génie de Mézières. De telles fonctions procurent à ceux qui les exercent des moyens de recherche, un public digne de leur savoir et un supplément de prestige.

Sciences et philosophie

Il arrive souvent que la philosophie des Lumières invoque à l'appui de ses thèses l'autorité des sciences.

Buffon, par exemple, présente volontiers comme des vérités scientifiques des thèses en réalité philosophiques. C'est le cas, entre autres, de sa thèse transformiste par laquelle il fait descendre toutes les espèces animales d'un seul animal originel : «... tous les animaux, écrit-il, sont venus d'un seul animal, qui dans la succession du temps, a produit en se perfectionnant et en dégénérant, toutes les races des autres animaux[1].» C'est le cas également de sa thèse de l'homme-animal, cousin germain du singe, thèse développée dans sa « Nomenclature des Singes». Certes, explique-t-il, le «singe ne fait aucun acte de l'homme», mais «c'est peut-être faute d'éducation», ou bien parce que l'on compare le singe à «l'homme des villes», alors qu'il faudrait le comparer à l'«homme sauvage», c'est-à-dire à l'homme primitif, celui qui vivait dans l'état de «pure nature». Si l'on pouvait faire cette comparaison de l'homme originel et du singe, on verrait sans doute «combien l'intervalle qui les sépare est difficile à saisir[2]».

Diderot, lui, n'est pas à proprement parler un savant, mais un amateur très instruit. Il procède donc autrement. Il ne mélange pas science et philosophie, mais il fait servir la science à la philosophie. C'est ainsi que, dans *Le Rêve de d'Alembert*, il utilise certaines expériences médicales et les constatations qui en résultent (par exemple l'alternance de conscience et d'inconscience au cours d'une trépanation, ou bien les illusions des sens des amputés) pour démontrer que l'«âme», ou ce qu'on appelle ainsi, non seulement dépend d'une organisation matérielle mais encore n'est que cela.

Les sciences sociales et humaines

En économie politique la doctrine dominante est celle des physiocrates.

Depuis la redécouverte de l'œuvre de Boisguilbert, la physiocratie ne peut plus être considérée comme la première doctrine économique de ce nom. Elle n'en garde pas moins son intérêt. Et cela pour deux raisons principales. D'abord, elle n'est pas restée une pure théorie. Des hommes politiques (Turgot, par exemple) ont essayé de l'appliquer. Ensuite, elle est un aspect non négligeable de la philosophie des Lumières.

Les «physiocrates» tirent leur nom du titre de l'ouvrage de Dupont de Nemours, *Physiocratie ou Constitution essentielle du gouvernement le*

---

1. G. L. Buffon, *Œuvres choisies, op. cit.*, p. 45.

2. G. L. Buffon, *Histoire naturelle*, dédiée au citoyen Lacépède, Paris, 56 vol., t. VII, p. 42-44.

plus avantageux au genre humain. Physiocratie veut dire gouvernement de la nature ou ordre naturel. Cependant, les physiocrates eux-mêmes préfèrent s'intituler « économistes ».

Ils constituent une véritable école, avec un maître, des dogmes, un vocabulaire. Le maître est le docteur Quesnay, médecin de Louis XV et de Mme de Pompadour. Les dogmes sont contenus dans son ouvrage, le *Tableau économique,* publié en 1758. Ses principaux disciples sont le marquis de Mirabeau (auteur de *L'Ami des hommes,* publié en 1756), Mercier de La Rivière (auteur de l'*Ordre naturel et essentiel des sociétés politiques*), et l'abbé Baudeau, qui a écrit 80 volumes, la plupart consacrés au commerce des grains. Turgot est le plus illustre des physiocrates. Il a écrit plusieurs ouvrages de théorie économique, dont les *Réflexions sur la formation et la distribution des richesses* (1766). Cependant, il ne partage pas toutes les idées de Quesnay et ne peut être considéré comme son disciple.

La doctrine physiocratique comporte deux éléments bien distincts. L'un est une philosophie, l'autre est la théorie économique proprement dite.

La philosophie est celle de l'« ordre naturel » ; les physiocrates entendent par cette expression l'ordre idéal qui devrait être dans la nature et tel que la raison le conçoit. L'expression est trompeuse. On pourrait croire en effet qu'il s'agit d'un ordre découlant de la nature des choses, alors qu'il s'agit d'un ordre rationnel, existant dans l'esprit, la nature n'étant pas son principe mais son terrain d'application. La formule de Turgot est à cet égard très éclairante : « Il ne s'agit pas de savoir ce qui est ou ce qui a été, mais ce qui doit être[1]. »

Cet ordre naturel est vrai parce qu'il est « évident ». Les physiocrates entendent par évidence la lumière qui se fait dans l'esprit des véritables philosophes et qui leur fait voir la vérité d'une manière claire et irréfutable. Ils voient clairement la vérité et cela suffit. Il y a une forte analogie entre cette évidence et l'« idée claire et distincte » des cartésiens. L'« ordre naturel » des physiocrates n'est pas celui que l'observation des faits aurait pu leur apprendre, mais celui qu'ils portent en eux-mêmes.

Ils lui attribuent une valeur quasi religieuse. Car ils pensent que cette idée, comme toutes les idées innées, a été placée en eux par Dieu. C'est le sens de ce propos de Mercier de La Rivière : « Les lois sont irrévocables [...] elles sont l'expression de la volonté de Dieu. »

La théorie économique comprend deux principes. Le premier pourrait être formulé ainsi : la seule activité productrice, créatrice de richesses, est l'agriculture. Le second est la liberté du commerce.

Du premier principe découle une théorie générale de l'organisation de

---

1. Cité par Charles Gide et André Rist, *Histoire des doctrines économiques depuis les physiocrates jusqu'à nos jours,* Paris, 1926, p. 11.

la société. Selon cette théorie, il existe trois classes, la classe productrice (celle des agriculteurs), la classe des propriétaires fonciers et la classe « stérile » (celle des industriels et des commerçants) qui gagne de l'argent mais n'en produit pas. La classe dominante doit être celle des propriétaires parce que ce sont eux qui ont défriché les terres et qui font les « avances foncières » pour les travaux nécessaires à l'amélioration et à l'extension du domaine cultivé. En contrepartie, on leur assigne de nombreux devoirs, dont celui de payer la totalité des impôts.

Le principe du libre échange préconisé par les physiocrates n'est pas justifié par des considérations matérielles. Il ne s'agit pas d'enrichissement. Il s'agit seulement de « laisser faire » la nature. Comme le sang dans le corps humain, les richesses doivent circuler librement dans le corps social. Cependant, les physiocrates visent aussi par le libre échange — qu'ils entendent surtout comme la libre exportation de grains — à maintenir des prix élevés pour l'agriculture, source de la richesse nationale.

Bien que nettement distinctes, la philosophie des physiocrates et leur théorie économique sont étroitement liées. C'est en effet la doctrine de l'« Ordre naturel » qui soutient les principes de la théorie économique, leur conférant la valeur de vérités éternelles. On a fait remarquer, par exemple, que la différence instituée entre la production agricole et la production industrielle était d'ordre quasi théologique, la production de la terre étant l'œuvre de Dieu. On peut expliquer de la même manière cette espèce de sacerdoce social dont les physiocrates investissent les propriétaires.

Il reste que, considérée du point de vue de la pure science économique, la théorie des physiocrates est assez simpliste et marque plutôt un recul de la réflexion dans ce domaine. Elle manifeste en particulier une inintelligence totale de la valeur, à cause d'une conception grossièrement matérialiste et terrienne de la production.

Dans les premières décennies du siècle, par les travaux de La Condamine et de Maupertuis, la géographie mathématique avait réalisé des progrès sensibles. Dans la période qui nous occupe, les progrès les plus notables sont ceux de la géographie physique et de l'exploration.

Depuis les travaux du P. Fournier, au XVIIe siècle, la géographie physique française avait connu une longue éclipse. Elle retrouve tout son éclat grâce à Philippe Buache. Ce cartographe est aussi l'inventeur du premier système cohérent fondé sur la connaissance physique du globe, et principalement des montagnes. Il distingue trois classes de montagnes :

— les chaînes principales qui « ceignent notre globe d'occident en orient » ou qui « le soutiennent d'un pôle à l'autre » ;

— les chaînes de moyenne grandeur ou de « revers » qui, perpendiculaires aux précédentes, séparent les bassins fluviaux ;

— les petites chaînes qui partent en « patte d'oie » des moyennes et sont généralement parallèles aux côtes.

La clé de voûte du système de Buache est cette idée que les montagnes constituent l'armature ou la « charpente » du globe. L'ensemble de ces vues est adopté en 1752 par l'Académie des sciences.

Dans le domaine des grandes découvertes, le fait majeur est le voyage de Bougainville avec la reconnaissance par ce navigateur de l'archipel de Tahiti.

Parti de Brest le 5 décembre 1766 avec deux navires, *la Boudeuse* et *l'Étoile*, de retour à Saint-Malo le 15 mars 1769, n'ayant perdu que 7 hommes sur les quelques 400 composant son expédition, Louis Antoine de Bougainville, mathématicien, membre de la Société royale de Londres et officier, est le premier Français à réaliser le tour du monde. C'est au début d'avril 1768 qu'il découvre Tahiti. Débarqué sur l'île, frappé par la douceur de son climat, l'abondance de ses ressources naturelles et la beauté de ses femmes, il la nomme d'abord la « Nouvelle Cythère ». Dans son *Voyage autour du monde,* il raconte le spectacle enchanteur qu'offrit à tout l'équipage le 6 avril 1768 la première jeune Tahitienne montée à bord :

> Malgré toutes les précautions que nous pûmes prendre, écrit-il, il entra à bord une jeune fille, qui vint sur le gaillard d'arrière se placer à une des écoutilles qui sont au-dessus du cabestan ; cette écoutille était ouverte pour donner de l'air à ceux qui viraient. La jeune fille laissa tomber négligemment un pagne qui la couvrait et parut aux yeux de tous telle que Vénus se fit voir au berger phrygien ; elle en avait la forme céleste. Matelots et soldats s'empressaient pour parvenir à l'écoutille et jamais cabestan ne fut viré avec une pareille activité[1].

Cependant, Bougainville ne borne pas là ses observations. Il a emmené avec lui plusieurs savants dont le fameux botaniste Philibert Commerson, lequel enrichit considérablement le catalogue de la flore australe. Plusieurs plantes inconnues sont baptisées par lui, dont la « bougain-villée ».

Un « Indien » de Tahiti, nommé Aotourou, a accepté de suivre Bougainville en France. Ce spécimen d'humanité polynésienne devient en peu de temps la coqueluche de Paris. Il est reçu par la cour et la ville. Les philosophes voient en lui le type même du « bon sauvage ».

Mais Bougainville — et c'est sans doute là une des conclusions les plus intéressantes de son voyage —, depuis qu'il a visité Tahiti, ne croit plus au « bon sauvage ». Certes, à Tahiti, il a vu les apparences du bonheur. Mais il a constaté aussi que ces Tahitiens apparemment idylliques étaient en réalité farouches et cruels :

---

1. Extrait de *Voyage autour du monde* de Bougainville, publié par René Antona, Paris, 1975, p. 94-95.

> Ils sont presque toujours en guerre avec les habitants des îles voisines [...]
> La guerre se fait chez eux d'une manière cruelle. Suivant ce que nous a appris
> Aotourou, ils tuent les hommes et les enfants mâles pris dans les combats ; ils
> leur lèvent la peau du menton avec la barbe, qu'ils portent comme un trophée
> de victoire [...].

Ce n'est pas tout. Face à l'opinion philosophique toute-puissante, Bougainville ose énoncer ce blasphème : « L'homme à l'état de nature que la société n'a pas encore dépravé n'existe pas. » Et d'ajouter : « La haine, la guerre, l'injustice sociale, le malheur règnent à Tahiti, mais on ne veut pas l'entendre ici, préférant faire écho aux récits enthousiastes de mes compagnons qui n'ont fait état que des délices des îles. » Ici la réflexion se conjugue avec l'expérience. L'exploration du vaste monde ne se limite pas à la découverte de nouvelles terres. Elle comporte aussi la découverte de l'homme.

La découverte du passé fait des progrès non moins remarquables. Il faut distinguer comme il convient l'érudition et l'histoire.

L'érudition demeure pour l'essentiel l'affaire des mauristes qui poursuivent avec persévérance toutes leurs entreprises. Les volumes successifs de leurs grands recueils de sources, l'*Histoire littéraire de la France* et le *Recueil des historiens des Gaules et de la France*, paraissent à intervalles réguliers. Il s'y ajoute de nouveaux instruments de recherche, comme l'*Art de vérifier les dates,* publié en 1750, ouvrage très utile présentant les différents calendriers et fournissant des tableaux de concordance ; ajoutons que les mauristes ne se contentent plus de la pure érudition. Ils s'adonnent maintenant à l'histoire elle-même. C'est ainsi que sont engagées les grandes histoires des provinces. Neuf sont entreprises, mais seules trois aboutiront, l'*Histoire de la Bretagne* par dom Morice, l'*Histoire de la Bourgogne* par dom Urbain Plancher et celle du Languedoc par dom Devic et dom Vaissète. Car l'ambition des mauristes dépasse maintenant très largement le projet qui avait été le leur au temps de Mabillon. Ils ne veulent plus seulement servir l'histoire monastique. Ils veulent, disent-ils, « être utiles à l'Église et à l'État », et, par conséquent, faire revivre le passé de l'Église gallicane et celui de la Nation française. Les subventions que leur versent l'assemblée du clergé de France et les états provinciaux pour la publication de leurs travaux les encouragent dans cette voie.

Toutefois, les plus grandes nouveautés ne se remarquent pas dans le domaine de l'érudition, ni même dans celui de l'histoire érudite, mais dans celui de la littérature historique destinée au public cultivé. Nous voulons parler des deux grandes synthèses historiques de Voltaire, *Le siècle de Louis XIV* (1751) et l'*Essai sur les mœurs* (1756). Étonnantes nouveautés en effet que ces deux livres. Ils innovent en ceci qu'ils ne se limitent pas comme l'histoire traditionnelle aux événements politiques, militaires et religieux, mais envisagent la totalité de l'histoire, et que, tout en étant destinés au grand public, ils sont fondés sur les sources. Dans *Le Siècle* par exemple, Voltaire intègre dans son tableau l'histoire de l'économie et celle de la pensée, des sciences, des techniques et des arts. Il utilise pour cet ouvrage non seulement les mémoires et les témoignages oraux, mais aussi les documents d'archives dépouillés pendant six mois de travail ininterrompu dans les bureaux de la Guerre et des Affaires étrangères. Enfin, s'il n'est pas le premier à définir les bonnes règles (éviter la précipitation, point d'enthousiasme, pas d'esprit de parti), il est l'un des premiers à les appliquer, méfiant à l'endroit des sources douteuses (les mémoires, par exemple), constamment préoccupé de la cohérence externe des témoignages. Il est vrai que son histoire n'est pas parfaite. Par exemple, il décide trop facilement de ce qui doit passer à la postérité («Tout ce qui s'est fait ne mérite pas d'être écrit»). Ou bien il accrédite des ragots et des contes (voyez ce qu'il dit du Masque de fer). Mais ce ne sont là que des petits défauts qui ne diminuent pas le mérite de l'ouvrage. S'il y a une faiblesse, elle est dans l'interprétation et non dans l'histoire elle-même. Car l'interprétation est naïve et philosophique. Voltaire ne se contente pas de croire au progrès humain. Il y croit naïvement, et le siècle de Louis XIV lui paraît être le dernier mot de ce progrès. Ce fut, dit-il, «le siècle le plus éclairé qui fût jamais».

Il y a au moins une ressemblance entre Voltaire et les mauristes. Voltaire exprime le vœu que son œuvre historique puisse «servir d'instruction et conseiller l'amour de la vertu, des arts et de la patrie». Les mauristes, nous l'avons vu, veulent être «utiles à l'Église et à l'État». Un même esprit anime les moines érudits et l'historien philosophe. C'est l'esprit patriotique.

LES LETTRES

Beaucoup d'auteurs dans tous les genres, une production accrue, mais peu d'œuvres de qualité, ainsi pourrait-on définir l'activité littéraire de cette époque. La langue française est maintenant parlée dans toute l'Europe, mais son génie commence à décliner.

Passons rapidement sur l'éloquence. Qu'elle soit profane ou sacrée, elle ne se renouvelle plus. On réutilise indéfiniment les mêmes clichés dans le même style ampoulé. On est devenu incapable de grandeur et de simplicité. Un prédicateur a beaucoup de renom. C'est l'abbé Torné, dont les *Sermons prêchés devant le roi pendant le Carême de 1764* connaissent le meilleur succès. Or, nous avons là un modèle de platitude. Pas une idée neuve, pas l'ombre d'une émotion. Et toujours cette manie inquiétante de vouloir diminuer la raison par la foi. Il y revient sans cesse :

Foi divine venez soumettre ma raison…
Taisez-vous ma raison : vous n'êtes ici que ténèbres et faiblesses…

La poésie — ou ce qu'on appelle la poésie, c'est-à-dire la fabrication de vers — ne s'est jamais mieux portée. Toute la société lui fait fête. Pas de salons, pas de cafés, pas de sociétés littéraires sans lectures de poèmes. Quant aux gazettes, elles n'ont jamais publié tant de vers. Il n'y a plus de poète inconnu. Cela encourage le métier.

La poésie lyrique survit avec peine. C'est un genre conservé, mais que nul n'arrive à faire honorer. Jean Dorat s'y essaie dans les *Héroïdes* (1766), mais cet ouvrage, d'ailleurs très faible, n'a pas le moindre succès. « M. Dorat, écrit Grimm, nous promet de ne nous plus donner rien d'héroïque. Il conçoit que nous pouvons en avoir assez et il vaut mieux le sentir tard que jamais […]. » Il réussira mieux dans un second recueil, *Les Baisers,* publiés en 1770. On y trouve quelques beaux vers, par exemple ceux du poème « Le Casque » destiné à chanter les amours de Mars. Dans un genre différent, le bucolique Ponce Denis Écouchard Lebrun n'est pas plus heureux. Dans son *Triomphe de nos paysages* (où il prétend décrire les environs de Paris), il nous étouffe de mythologie : Vincennes est pour lui l'« espoir des dryades », Passy « fameux par ses naïades » et Vanves est la cité « qu'habite Galatée ».

Il y a plus de santé dans la poésie satirique et dans la poésie galante. Ce que l'on réussit le mieux, ce qui plaît le mieux aussi, ce sont les petits vers, les versiculets, les vers légers, les vers de l'épigramme ou de la chanson, ou encore de la charade. Réussite au moins dans la forme toujours vive et plaisante. Le fond est moins brillant. La gauloiserie en forme l'essentiel. L'invention s'enlise dans l'érotisme et même souvent la pornographie. Charles Collé est sans doute l'auteur le plus représentatif de cette littérature à la mode. Poète appointé et amuseur de la société du duc d'Orléans dans les châteaux de ce dernier (Villers-Cotterêts, Bagnolet, Saint-Cloud), il a pour fonction d'inventer des divertissements dans la manière galante. Par exemple en 1761, pour la saint Étienne (la maîtresse du duc se prénomme Étiennette), Collé prépare une « petite facétie ». Au souper, après le dessert, on apporte à l'héroïne du jour une corbeille de fleurs. Chacune de ces fleurs, aussitôt distribuée aux assistants, sert de prétexte comparatif à une chanson très galante où les charmes — même les plus intimes — de l'intéressée sont copieusement détaillés et commentés. Tous les couplets sont d'une obscénité volontaire et recherchée. La facétie est intitulée « Le bout de jardin à Étienne ». Il paraît que ces gaillardises faisaient pâmer de joie l'assistance. Collé publie en 1765 un recueil de *Chansons joyeuses* et quelques années plus tard un autre recueil intitulé *Chansons que mon censeur a pu me permettre*. C'est de la pornographie toute pure.

Le théâtre gagne en considération sociale. Il est devenu un élément indispensable de la vie civilisée. Toutes les grandes villes vont faire construire leurs salles de spectacle permanentes. Toutes les cours et tous les salons s'adonnent à la comédie de société. Le théâtre est partout : à Versailles, chez Mme de Pompadour à Berny, chez le comte de Clermont et chez les ducs d'Orléans, de La Vallière, d'Aumont et de Brancas, chez Choiseul, Clermont-Tonnerre, Gramont et Boufflers. Financiers et parlementaires suivent la mode. C'est sur la scène de la présidente Lejay, rue Garancière à Paris, que débute Adrienne Lecouvreur. Car on invite les acteurs professionnels, tout en préférant les amateurs. Pas un grand seigneur, pas une grande dame qui n'adorent jouer la comédie. Quand autrefois (par exemple sous Louis XIV) des princes et des grands se montraient sur les planches, c'était dans les genres nobles, la tragédie scolaire ou le ballet de cour. C'est aujourd'hui dans des pièces légères et parfois même d'une « galanterie » appuyée. Quelques-uns de ces acteurs mondains se plaisent à s'encanailler.

On produit grande quantité de tragédies et de comédies. Cependant le genre à la mode, celui qui convient le mieux à la sensibilité du temps, est le « drame ». Nous en avons un bon exemple avec *Le Père de famille* de Diderot, pièce en cinq actes et en prose, représentée pour la première fois le 18 février 1761. Ce père de famille est un noble cœur très éprouvé par les malheurs de la vie : il se ruine, son fils fait la fête et sa fille veut entrer au couvent. Mais il fait front avec beaucoup de sagesse et beaucoup de sentences admirables. Il n'en pleure pas moins. D'ailleurs, il n'est pas le seul à pleurer. Tout le monde pleure dans cette pièce : Le père de famille pleure, son fils (Saint-Albin) pleure, sa fille (Cécile) pleure. Il n'y a qu'un personnage qui ne pleure pas, c'est le « méchant », un certain commandeur d'Auvillé, beau-frère du père de famille. En somme, pour être bon, il faut pleurer. Nous supposerons que les spectateurs pleuraient aussi.

La « parade » et le « proverbe », genres nouveaux sont en faveur : ils conviennent au théâtre de société. L'*Encyclopédie* définit la « parade » comme il suit : « espèce de farce, originairement préparée pour amuser le bon peuple et qui souvent fait rire la meilleure société ». En principe, le « proverbe » comme son nom l'indique, est le développement scénique d'une sentence comme « il ne faut jurer de rien » ou « pierre qui roule… ». On fait avec cela de petites pièces en un ou deux actes, destinées à être jouées dans les salons. Le maître du genre est Carmontelle, l'autre amuseur (avec Collé) du duc d'Orléans et de ses compagnies. C'est un grand fabricant de « parades ». Il en produit jusqu'à une centaine. Doué d'une facilité prodigieuse, il lui suffisait, paraît-il, d'une matinée pour composer entièrement ses deux actes. C'était une sorte de jeu de société, comparable au jeu du portrait : on lui donnait un caractère, il devait en faire un personnage drôle. Les dialogues ne sont faits que de courtes répliques. Coq-à-l'âne et quiproquos sont les procédés comiques. Par exemple, dans *Le Distrait*, le personnage principal, M. de Mazière, « pense [...] et parle tout à la fois, mais la chose dont il parle est rarement celle à quoi il pense ». Il est amoureux d'une comtesse aussi tête folle que lui est distrait. Alors, quand ils se parlent, leurs propos font rire :

LE MARQUIS (M. de Mazière). — C'est que si vous voulez vous remarier...

LA COMTESSE, cherchant sur sa toilette. — Eh bien ! avec qui ?

LE MARQUIS. — Qu'est-ce que vous cherchez encore ?

LA COMTESSE, cherchant. — Parlez, parlez toujours.

LE MARQUIS. — Vous seriez la plus heureuse femme du monde avec moi.

LA COMTESSE, cherchant toujours. — Avec vous ?

LE MARQUIS. — Oh ! sûrement.

LA COMTESSE, cherchant. — Je ne trouve pas, c'est inconcevable...

LE MARQUIS. — Mais qu'est-ce que vous cherchez donc ?

LA COMTESSE. — Un papier que j'avais tout à l'heure.

LE MARQUIS. — Est-ce une chose de conséquence ?

LA COMTESSE. — Oui et non, c'est une chanson.

LE MARQUIS. — J'en ai un recueil ; si vous le voulez, je vous le prêterai [...].

Et voilà M. le marquis ayant perdu à nouveau le fil de son discours. Il paraît que les habitués des salons raffolaient de tels dialogues. Cela valait toujours mieux que les obscénités de Collé.

Les deux grands auteurs de théâtre — ou plutôt ceux que l'on considère comme grands — sont Voltaire et Sedaine. C'est le brillant succès de *Mérope* (20 février 1743) qui a mis Voltaire au rang des premiers poètes tragiques. Le parterre enthousiasmé avait demandé l'auteur à grands cris et l'avait porté en triomphe.

La production de Sedaine est énorme. Ce sont des opéras-comiques, des comédies et des drames. *Le Philosophe sans le savoir*, drame en cinq actes et en prose, représenté pour la première fois le 2 décembre 1765, est jugé un chef-d'œuvre. Diderot, transporté d'enthousiasme, se jette dans les bras de l'auteur en s'écriant : « Mon ami, si tu n'étais pas si vieux, je te donnerais la main de ma fille. » Sedaine a fait là du théâtre de mœurs. Le philosophe est un noble ruiné devenu commerçant pour pouvoir élever dignement sa famille. Toute la pièce est à la gloire du commerce et de l'industrie. Les négociants sont exaltés : « Ils tiennent dans leurs mains les fils qui lient ensemble les nations, et les ramènent à la paix par la nécessité du commerce. » Le philosophe n'est d'ailleurs pas seulement un bon commerçant. C'est un patron social. Pour le mariage de sa fille, il veut « que la table des commis soit servie comme la sienne ». Il s'y rendra pour y « recevoir leur santé et boire à la leur ». Quant aux domestiques, on les soignera aussi, mais « sans profusion du côté du vin ». Cet homme pense à tout. Sedaine appelle cette pièce une comédie. Les critiques voulurent que ce fût un drame. En fait, il ne s'y trouve rien ni de comique ni de tragique. Et même, on pourrait dire qu'il ne s'y passe presque rien. Le grand événement de la pièce est le duel du fils. Ce jeune homme au grand cœur, se trouvant au café, a entendu dénigrer le commerce et mettre en cause l'honnêteté des commerçants. Il a relevé le propos et provoqué l'offenseur. Le duel a lieu. On croit le fils mort (grande émotion) mais il ne l'est pas (grand bonheur).

Les seuls genres qui produisent des œuvres fortes sont le roman et le conte. Citons en particulier *Candide* de Voltaire (publié en 1760), *Julia ou la Nouvelle Héloïse* de J.-J. Rousseau (publiée en 1761) et *Le Neveu de Rameau,* écrit par Diderot en 1762.

Ce sont pour le sujet, la manière et la forme, des livres très différents. *Le Neveu de Rameau,* écrit comme un dialogue de théâtre, n'est rien d'autre qu'une conversation à bâtons rompus entre l'auteur («moi») et une sorte de bohème et parasite («lui»), qui serait le neveu du grand Rameau. C'est le neveu surtout qui parle. Et de quoi parle-t-on? De tout, comme toujours chez Diderot. L'auteur («moi») vante sa philosophie et sa bonté: «Il m'est infiniment plus doux encore d'avoir secouru les malheureux [...]», dit-il par exemple. Le neveu se vante lui aussi, mais de ses expédients, de ses ruses et de ses mauvais coups. C'est un duo de vanteries, c'est le concert du bien et du mal. *Julie ou la Nouvelle Héloïse* est, dans un tout autre registre, celui des histoires d'amour et des romans qui font rêver les jeunes filles. En voici l'argument: Julie d'Étanges aime Saint-Preux, son précepteur, et Saint-Preux aime Julie. Amour chaste bien sûr et que ne trouble qu'un seul baiser pris dans un bosquet. Mais le mariage ne peut se faire: Saint-Preux n'est pas bien né. Julie fait donc un mariage de raison; elle épouse M. de Wolmar, gentilhomme étranger, et Saint-Preux est éloigné. L'histoire pourrait s'arrêter là. Or, non seulement elle ne s'arrête pas, mais encore, si l'on peut dire, elle recommence. Voici Saint-Preux et Julie à nouveau réunis. Que s'est-il passé? Julie a-t-elle quitté M. de Wolmar? a-t-elle sombré dans l'adultère? Rien de tout cela. Simplement Saint-Preux est revenu dans le pays (c'est la Suisse) après un long exil à Paris, et M. et Mme de Wolmar l'ont prié de s'installer chez eux. Ce qu'il a fait. Bien sûr, il aime toujours Julie et Julie l'aime toujours, mais tous deux ont la force de résister à leur penchant. D'ailleurs, M. de Wolmar leur fait pleinement confiance. Ils vivent ainsi l'un près de l'autre, dans le bonheur mêlé de souffrance d'un amour forcément platonique, jusqu'à ce que la mort de Julie dénoue l'histoire en simplifiant la situation.

Candide est aussi, dans un sens, une histoire d'amour: le héros aime Cunégonde, fille du baron allemand Thunder-ten-Tronckh, et ne connaît d'autre bonheur au monde que «de la voir tous les jours». Mais on sait qu'il ne la voit guère et que cet amour est terriblement contrarié. La vie du pauvre Candide n'est qu'un enchaînement de mésaventures toutes plus affreuses les unes que les autres. « Élevé dans un beau château » — c'est là qu'il a connu Cunégonde — « il est chassé d'icelui ». Dès lors le mauvais sort s'acharne sur lui et toutes les calamités l'accablent : ici la guerre, là l'Inquisition, ailleurs la peste ou le tremblement de terre et partout la perfidie des hommes. Où aller ? Finalement, il comprend qu'il ne faut aller nulle part, qu'il faut rester chez soi et « cultiver son jardin ». Il acquiert une petite terre en Transylvanie, épouse Cunégonde enfin retrouvée, rassemble chez lui ses quatre meilleurs amis et connaît un petit bonheur.

Telles sont ces trois histoires. On voit qu'elles n'ont rien de commun. Elles sont aussi fort dissemblables par le ton. *Le Neveu de Rameau* est un feu d'artifice de répliques, un déluge de mots. C'est du baroque redondant, du rococo. Lisez par exemple cette évocation des opéras de Rameau :

> … de ce musicien célèbre […] de qui nous avons un certain nombre d'opéras où il y a de l'harmonie, des bouts de chants, des idées décousues, des fracas, des vols, des triomphes, des lances, des gloires, des murmures, des victoires à perte d'haleine, des airs de danse qui dureront éternellement […].

Quelle différence avec l'économie de moyens, avec la concision, avec la perfection classique de *Candide* ! Toutefois la perfection de Voltaire n'est jamais ennuyeuse. Le pittoresque et l'ironie relèvent tous ses développements. Il sait aussi à merveille prendre le ton du conte. Il le parodie, mais c'est une parodie attendrie. Voici par exemple le début de l'ouvrage :

> Il y avait en Westphalie, dans le château de M. le baron de Thunder-ten-Tronckh, un jeune garçon à qui la nature avait donné les mœurs les plus douces. Sa physionomie annonçait son âme. Il avait le jugement assez droit, avec l'esprit le plus simple : c'est, je crois, pour cette raison qu'on le nommait Candide.

Quatre lignes plus bas, l'ironie l'emporte :

> Monsieur le baron était un des plus puissants seigneurs de la Westphalie, car son château avait une porte et des fenêtres […].

Quant au style de *Julie ou la Nouvelle Héloïse,* c'est nettement le moins bon des trois. On peut même le qualifier de lourdaud. Tous les clichés y passent. Le matériel est usé, l'invective factice. « Homme artificieux, écrit par exemple Julie à Saint-Preux, c'est bien plus mon amour qui fait ton audace. Tu vois l'égarement de mon cœur, tu t'en prévaux pour me perdre. » Une telle façon de s'exprimer, sur des centaines de pages, c'est fatigant. Si l'on résiste, c'est grâce aux changements de lieux (l'action se déroule en des endroits différents), aux évocations de la nature (on lira par exemple la promenade de Saint-Preux dans le Valais, au milieu de ce « mélange étonnant de la nature sauvage et de la nature cultivée »), aux descriptions de la vie des champs, par exemple celle-ci des vendanges : « Vous ne sauriez concevoir avec quel zèle, avec quelle gaieté tout cela se fait. On chante, on rit toute la journée, et le travail n'en va que mieux [...] ». Tout cela n'est ni très lyrique ni très pittoresque, mais nous change agréablement du pathos amoureux.

Chacune de ces trois œuvres possède sa propre grandeur. La grandeur du *Neveu de Rameau* est dans le personnage même du neveu, qui est un monstre, mais un monstre humain. Dans *La Nouvelle Héloïse*, la grandeur est chez Julie. Rousseau parle mal de l'amour, mais il a compris l'éternel féminin, sa puissance d'amour et sa capacité de bonheur. Si Julie reste fidèle à M. de Wolmar, c'est parce qu'elle espère ainsi mériter d'être heureuse avec Saint-Preux dans la vie éternelle. Voici ses paroles au moment de mourir : « La vertu qui nous sépara sur Terre nous unira dans le séjour éternel. Je meurs dans cette douce attente : trop heureuse d'acheter au prix le droit de t'aimer toujours sans crime, et de te le dire encore une fois ». La grandeur de Candide n'est pas dans les personnages, tous plus ou moins niais, mais dans la vision planétaire. Voltaire promène son héros dans quinze pays différents, de la Westphalie à Buenos Aires et de la Hollande à la Transylvanie. Mais ce n'est pas seulement pour le pittoresque, c'est aussi pour l'édification. Candide est un autre essai sur les mœurs, mais c'est aussi le tableau du malheur des hommes. Pourtant, le thème de l'ouvrage est celui du bonheur. Candide, ayant cherché partout le bonheur sans le trouver, finit par le découvrir dans le travail.

Chacun des trois ouvrages illustre à sa façon la quête du bonheur. Candide prouve qu'il n'y a qu'un petit bonheur, celui, comme il dit, de « cultiver son jardin ». *Le Neveu de Rameau* démontre au contraire que, pour être heureux, il faut vivre à sa suffisance et sans travailler : « ... Il me faut un bon lit, dit-il, une bonne table, un vêtement chaud en hiver, un vêtement frais en été, du repos, de l'argent et beaucoup d'autres choses que je préfère de devoir à la bienveillance, plutôt que de les acquérir par le travail. » Quant à la Julie de *La Nouvelle Héloïse*, le plus grand bonheur pour elle ici-bas est de vivre avec ceux qu'elle aime. « Je n'oublierai jamais, écrit-elle, un jour de cet hiver où [...] songeant à la félicité que Dieu m'envoyait en ce monde je vis tout autour de moi mon père, mon mari, mes enfants, ma cousine, milord Édouard, vous, sans compter la Fauchon qui ne gâtait rien au tableau et tout cela rassemblé pour l'heureuse Julie. Je me disais : cette petite chambre contient tout ce qui est cher à mon cœur, et peut-être tout ce qu'il y a de meilleur sur la Terre [...] ; je n'ai rien à désirer [...] O ! mort, viens quand tu voudras, je ne te crains plus [...]. »

La grande littérature classique, celle du siècle précédent, avait été une littérature de conflits. Les héros qu'elle avait mis en scène vivaient et mouraient dans les combats. Cette littérature-ci est encore classique, tout au moins dans la forme et dans le ton. Mais la substance a changé. C'est une littérature de la tranquillité. Les héros ne cherchent plus les affrontements. Ils cherchent à être tranquilles et, souvent, y parviennent. D'ailleurs sont-ils encore des héros ? Il ne leur reste rien d'héroïque, si ce n'est la passion de la quête du bonheur. Les auteurs de ce temps sont étrangers à l'héroïsme.

A une exception près : Vauvenargues. Cet auteur est à part. Il n'a rien de commun avec tous les autres. Sa vie a été courte — il est mort à trente-deux ans en 1744 — et malheureuse. Il a eu un père tyrannique, une carrière militaire médiocre, une santé mauvaise et la mort lui a enlevé son seul ami.

Son œuvre est celle d'un moraliste, comme celle de Montaigne ou de La Rochefoucauld. Elle traite de la condition de l'homme et de tout ce qui a rapport avec elle : la vie, la mort, les facultés de l'âme, le monde, la fortune, les passions, Dieu et la gloire. La première édition des œuvres complètes a été publiée en 1746 par le libraire Briasson, l'un des libraires associés de l'*Encyclopédie*.

Ce qui distingue Vauvenargues, c'est sa passion de la gloire. Il y revient sans cesse :

> Ce n'est [...] pas la gloire qu'il faut mépriser, c'est la vanité et la faiblesse [...].

> L'homme se survit ; et la gloire qui ne vient qu'après la vertu subsiste après elle [...].

Mais qu'est-ce que la gloire ? Ce n'est pas ce qu'un vain peuple pense. Ce n'est ni l'éclat de la puissance ni le triomphe du génie. Ce n'est que l'estime de la vertu. La gloire ne vient pas non plus de la foule. Elle ne vient que de soi-même. En somme, pour obtenir la gloire, il faut pouvoir s'estimer soi-même. Étrange idée de la gloire et si différente de l'idée commune. Pourtant, c'est bien celle exprimée dans toute l'œuvre, et plus précisément dans ce passage :

> Pratiquons la vertu ; c'est tout. La gloire, mon très cher ami, loin de vous nuire, élèvera si haut vos sentiments, que vous apprendrez d'elle-même à vous en passer, si les hommes vous la refusent, car quiconque est grand par le cœur, puissant par l'esprit, a les meilleurs biens, et ceux à qui ces choses manquent ne sauraient porter dignement ni l'une ni l'autre fortune.

La faiblesse — ou la naïveté — de Vauvenargues a été de croire qu'il pouvait porter sur tout un jugement éclairé. Or ce n'était pas tout à fait le cas. Par exemple, ses goûts littéraires ne sont pas très sûrs. Et c'est le moins qu'on puisse dire. Il écrit de La Fontaine : « Je crois qu'on peut trouver dans ses écrits plus de style que d'invention et plus de négligence que d'exactitude. »

La grandeur de Vauvenargues est dans sa passion de la gloire. Son mérite dans sa liberté d'esprit. Ce moraliste — les philosophes le louèrent et se l'annexèrent — ne croit pas au progrès : «Détrompons-nous, dit-il, de cette grande supériorité que nous nous accordons sur tous les siècles.» Il se raille des philosophes. «Ces esprits si fins, écrit-il, ont paru après les grands hommes du siècle passé. Il ne leur était pas facile de donner à la vérité la même autorité et la même force que l'éloquence lui avait prêtées [...].» Et de les comparer à cet Isocrate qui, «privé de sentiment pour la simplicité et l'éloquence, s'attache bien plus à détruire qu'à rien établir. Ennemi des anciens systèmes et savant à saisir le faible des choses humaines il voulut paraître à son siècle comme un philosophe impartial qui n'obéissait qu'aux lumières de la plus exacte raison [...]». Enfin, Vauvenargues est chrétien. Il a composé une *Méditation sur la foi* qui est un texte d'une grande élévation et qui se termine par cette prière : «O Christ, prenez-moi sous votre aile ! Esprit saint, soutenez ma foi jusqu'à mon dernier soupir.» Nous sommes loin des «facéties» de Collé, l'amuseur de Bagnolet. Nous sommes loin du jardin de Candide. Nous sommes en un lieu de noblesse et d'austérité, lieu solitaire, où revit l'ancienne dignité des lettres.

CULTURE ET SOCIÉTÉ
LA DIFFUSION DES CONNAISSANCES ET DES IDÉES

La diffusion des Lumières est ici la question majeure. Il s'agit de savoir si l'esprit des Lumières pénètre profondément dans la société française et de quelle manière il y pénètre.

Livres, journaux et sociétés

Le nombre des livres imprimés s'accroît notablement. La moyenne annuelle passe de 300 en 1750 à 400 en 1770 et à 600 en 1779[1]. Encore ne s'agit-il que de livres permis et déposés. En ajoutant les livres imprimés clandestinement, on obtiendrait sans doute des chiffres très supérieurs. Nous ne connaissons pas exactement l'importance de cette production clandestine, mais il est permis de penser qu'elle représente au moins la moitié, sinon les deux tiers de la production légale[2]. Ces livres sont imprimés soit à l'étranger, soit en France. Paris compte des compagnons imprimeurs au chômage munis de presses portatives. En outre, les livres étrangers clandestins entrent assez facilement dans la capitale : la

1. Robert Estivals, *La Statistique bibliographique de la France,* Paris-La Haye, Mouton et Cie, 1965, p. 410.

2. Jean-Paul Belin, *Le Commerce des livres prohibés à Paris de 1750 à 1789,* thèse complémentaire pour le doctorat ès lettres, Paris, Lenox, 1913, 129 p.

douane est peu vigilante et la chambre syndicale de la librairie (où tout ballot de livres doit être amené pour visite à son arrivée à Paris) se montre accommodante : certains grands seigneurs obtiennent que les ballots soient apportés directement à leur domicile et ne soient visités qu'ensuite.

La vente du livre clandestin est assurée par les colporteurs. On compte environ 120 colporteurs à Paris. Ils sont enregistrés et soumis à des règlements. La police les surveille et tous ont fait un ou plusieurs séjours à la Bastille. Cela ne les empêche pas d'exercer leur commerce illicite. Pour plus de sûreté, ils n'ont pas de boutique et gardent les livres chez eux. Ils font du porte-à-porte, vantant leur marchandise. Cela comporte des risques. Un jour de 1759, par exemple, le colporteur Sybourg (un pauvre diable d'origine suisse) se présente chez la comtesse de Chastenay, et lui propose de lui vendre un manuscrit subversif intitulé *État des affaires du royaume, des revenus du roi, de ses dépenses particulières*. La comtesse est à table ; elle dit à la femme de chambre de faire entrer le vendeur. « Je lui dis — c'est la comtesse qui parle : "Est-ce vous qui écrivez cela ?" Il me répondit : "Oui, madame." […] Je lui dis que, dans le moment, je ne pouvais voir son ouvrage […] qu'il pourrait venir jeudi à 3 heures, que je l'examinerais. » Elle l'examine en effet. Lorsque Sybourg revient le jeudi chez la dame, il y trouve l'inspecteur de police d'Hémery qui l'arrête et l'embastille.

La vente la moins risquée est celle qui se fait dans les lieux privilégiés : maisons royales et des princes du sang, théâtres royaux ou princiers. Là, paradoxalement, les colporteurs peuvent sans aucun danger — la police n'a pas le droit d'y entrer — exposer leurs étalages, et « c'est de cette façon, écrit l'inspecteur d'Hémery, que tous les livres contre la religion se répandirent ». Certains colporteurs sont d'ailleurs intouchables : ils bénéficient de la protection ouverte de grands seigneurs ou même de princes du sang. C'est le cas, entre autres, d'un certain Robin, protégé du duc d'Orléans, vendeur actif et impuni des ouvrages les plus défendus, comme ceux de La Mettrie.

Le commerce du livre clandestin fleurit aussi en province. Chaque ville importante a son intermédiaire. Besançon, par exemple, a un nommé Fanter. Ce Fanter, d'origine lyonnaise, s'est installé dans la ville en 1750. Il est officiellement « relieur et teneur de billards ». En fait il vend des livres, les uns à l'étalage (ce sont les livres permis), les autres à l'intérieur de sa maison, dans son « cabinet à secret », dont il garde la clef. Lorsque la police y perquisitionne en 1766 (donc après seize années de tolérance), elle y trouvera sept exemplaires du *Dictionnaire philosophique*, *De l'esprit* d'Helvétius, *Du contrat social*, et quelques romans graveleux (*Margot la Ravaudeuse*, *Le Sopha*, *La Nuit et le Moment*…)[1].

---

1. M. Gresset, *Gens de justice à Besançon, 1674-1789, op. cit.*, t. II, p. 663.

La presse aide beaucoup à la diffusion des livres. Car le nombre des journaux spécialisés dans les recensions d'ouvrages a beaucoup augmenté. Dans les années 1730, on en comptait seulement quatre ou cinq. En 1765, un recensement officiel en dénombre dix-neuf. Les principaux titres nouveaux sont *L'Année littéraire* de Fréron, la *Correspondance littéraire* de Grimm, le *Journal encyclopédique* du Toulousain Pierre Rousseau, *Le Journal étranger*, le *Journal économique*, le *Journal d'éducation* et le *Journal chrétien* de l'abbé Joannet. Les journaux d'information, comme la *Gazette* ou comme les *Affiches* des grandes villes de province, donnent aussi quelquefois des recensions de livres et contribuent ainsi à faire connaître à un large public les nouveautés de la littérature et de la philosophie. Toute cette production est d'un intérêt inégal. Dirigée par des hommes de talents, *L'Année littéraire* et la *Correspondance littéraire* sont d'une qualité très supérieure à celle des autres journaux.

L'Année littéraire est remarquable non seulement par la vigueur de ses polémiques, mais aussi par la grande place faite aux littératures étrangères. On a calculé qu'en l'espace de trente années le journal de Fréron avait publié 552 annonces ou comptes rendus d'ouvrages étrangers, dont 317 anglais et 94 allemands[1]. Aucun périodique du XVIIIe siècle ne fournit un total aussi élevé.

Quant à la *Correspondance littéraire*, c'est plus un récit, une chronique, qu'un journal. Grimm, qui en est le principal, et, pour certains numéros, le seul rédacteur, raconte à ses abonnés — des princes allemands pour la plupart — les histoires de la république des lettres. Il fait un agréable mélange des recensions de livres nouveaux, des nouvelles de la philosophie « et des faits divers et des ragots de la cour et de la ville ». Prenons par exemple la livraison du mois de juin 1770. Ce numéro comporte dix-huit articles, répartis comme suit : neuf recensions de livres, six informations sur le mouvement philosophique, deux nouvelles des arts et une nouvelle de la cour.

Les ouvrages recensés sont de toutes sortes : commerce, généalogie, géographie, belles-lettres et métaphysique. Le compte rendu le plus circonstancié est celui d'un traité de philosophie, *La Philosophie de la nature, ou Essai sur la morale de l'homme*, « d'un jeune oratorien nommé Delille ». Parmi les nouvelles de la philosophie, on trouve celle de la souscription de Rousseau pour la statue de Voltaire. Les nouvelles des arts sont la mort du peintre Boucher, et les débuts très admirés de Mlle Ménard à l'Opéra-Comique. Grimm admire lui aussi le talent de la demoiselle, mais il ne partage pas tout à fait l'enthousiasme du public pour la beauté de ses bras. « On a beaucoup parlé, note-t-il, de la beauté

---

1. Paul Van Thieghem, « *L'Année littéraire* » *(1754-1790), comme intermédiaire des littératures étrangères*, F. Rieder, Paris, 1917, 162 p.

de ses bras ; ils sont très blancs, mais ils sont trop courts et ont l'air de pattes de lion. »

Les sociétés où l'on parle des choses de l'esprit ne sont pas moins florissantes que les journaux. Car il existe un rapport de plus en plus étroit, et presque nécessaire, entre l'appartenance à telle ou telle de ces sociétés, et la dignité de penseur. C'est-à-dire que, pour être jugé digne de penser, il convient de fréquenter soit un salon, soit une académie, soit une loge maçonnique, soit même un café.

Il existe à cette époque quatre grands salons parisiens. Mme Geoffrin, rue Saint-Honoré, Mme du Deffand au couvent de Saint-Joseph, Mlle de Lespinasse, rue de Bellechasse, et Mme Necker (la dernière venue), réunissent tout ce qui compte à Paris, et même en France, dans les lettres, les sciences et les arts. Et comme elles invitent aussi des ministres et des grands seigneurs (Choiseul, par exemple, fréquente chez Mme du Deffand), l'esprit des littérateurs et le goût des artistes passent naturellement dans la haute aristocratie et dans le gouvernement. Chacune de ces femmes excelle à sa manière à mettre en valeur les talents de ses hôtes. « Je suis devenue leur amie, dit Mme Geoffrin des artistes qu'elle reçoit à dîner chaque lundi, je suis devenue leur amie, parce que je les vois souvent, les fais travailler, les caresse, les loue et les paie très bien. » De Mme du Deffand, l'un de ses amis fera cet éloge : « De quelque sentiment qu'on eût l'âme remplie, elle faisait éprouver le besoin de le lui communiquer. » Ces quatre compagnies sont à dominante philosophique. Mme Geoffrin ne veut pas chez elle de propos subversifs, mais elle correspond avec Voltaire et loge et nourrit Marmontel. Lorsque d'Alembert, le plus bel ornement de son salon, la délaisse pour Mlle de Lespinasse, Mme du Deffand se déclare brouillée avec la coterie philosophique : « nos seigneurs et maîtres les encyclopédistes », dit-elle sarcastiquement. Néanmoins, la grande noblesse qu'elle accueille après la trahison de d'Alembert (1764) — les Choiseul, les Luxembourg, les Caraman, les Beauveau — sont tous très ouverts à l'esprit nouveau. Julie de Lespinasse tient table ouverte pour Condorcet. Elle reçoit parfois Diderot et Grimm. Avec Turgot et Malesherbes, elle prépare les réformes politiques de l'avenir. Enfin, Boisgelin et Loménie de Brienne, ecclésiastiques éclairés, se forment chez elle à l'art social. Quant à Mme Necker, née Suzanne Curchod, fille de pasteur, son dîner du 17 avril 1770 fait sa réputation philosophique. A cette réception, en effet, le projet est formé et mis au point de lancer une souscription afin d'élever une statue à Voltaire.

Les salons donnent le ton à la France, mais aussi à l'Europe. Le corps diplomatique les fréquente. Les grands seigneurs et les écrivains étrangers les visitent obligatoirement. Mme Geoffrin est la plus habile à ce genre d'hospitalité. Elle s'est faite une sorte de spécialité de ces relations européennes. Elle reçoit — entre autres — Kaunitz, Hume, Creutz, le ministre de Suède, le savant italien Galiani, Stanislas Poniatowski, le futur roi de Pologne, et la princesse d'Anhalt — Zerbst, dont la fille deviendra l'impératrice Catherine II.

Il est d'autres salons qu'à Paris. Chaque grande ville a désormais le sien. Par exemple, à Bordeaux, depuis 1760, l'hôtel du gouverneur, le duc de Richelieu, est le lieu de réceptions nombreuses et brillantes où fréquentent tous les beaux esprits de la Guyenne. Cependant, les Lumières aiment la nature et mettent à la mode un autre type de salon, le salon rustique, celui du château. La formule en est celle-ci : quelques hôtes sont à demeure, d'autres viennent pour la journée ; on se promène, on fait de la musique, on dîne en compagnie, on parle de tout, des grands et des plus petits sujets. C'est ainsi, de cette manière si aimable et si libre, que reçoivent Mme d'Épinay à la Chevrette, d'Holbach à Grandval, Voltaire à Ferney, le comte d'Argenson aux Ormes et Choiseul à Chanteloup. Autant de petites cours séditieuses, où l'on fronde le pouvoir avec d'autant plus de liberté que l'on est plus loin de Paris. L'on y refait aussi le monde. Aux Ormes, par exemple (l'«académie des Ormes», disent les habitués), l'hôte permanent est le bénédictin dom Deschamps, métaphysicien utopiste, dont l'œuvre, demeurée longtemps inédite, sera invoquée comme «antécédente de Hegel[1]».

Bien que moins recherchées, moins prisées — leur grande vogue est au début du siècle — les académies demeurent en province les arbitres des modes intellectuelles. Leur nombre passe de dix-neuf à trente : il y a désormais une académie dans presque toutes les provinces. Si l'on en juge par les sujets donnés aux concours, l'évolution est partout la même : les académiciens s'intéressent de moins en moins aux belles-lettres, à la philosophie pure et à la morale, de plus en plus à l'histoire et surtout à l'économie, aux sciences et aux techniques. On en jugera par les sujets donnés à Bordeaux à partir de 1750 :

1750 : Ductilité des métaux
Le tonnerre et l'électricité
1751 : La grêle
Médicaments propres aux diverses parties du corps
1752 : Corruption des grains de blé dans les épis
Influence de l'air sur le corps humain
1754 : Taille de la vigne
1755 : Influence de l'air sur les végétaux[2]...

Les sujets des années suivantes sont à l'avenant. Entre 1743 et 1774, on ne trouve que trois sujets qui ne soient pas de sciences et de tech-

1. Expression citée par André Robinet dans *Dom Deschamps et sa métaphysique*, publié sous la direction de Jacques d'Hondt, Paris, 1974, 248 pages.

2. Pierre Barrière, *L'Académie de Bordeaux, centre de culture internationale au XVIIIᵉ siècle (1712-1792)*, Bordeaux, éd. Bière, p. 129-132.

niques. Pourquoi s'éloigne-t-on ainsi de l'humanisme ? Parce qu'il faut être « utile » au public. L'« utilité sociale », voilà le maître mot. En 1752, l'académie de Bordeaux déclare qu'« elle n'a d'autre objet que le bien public ; la simple curiosité ne la satisfait pas ; il lui faut de l'utile. Elle veut tirer parti de nos connaissances, faire en un mot le bien de la société ; toute la science du monde, sans ce but honeste, n'est que vanité[1] ». Pourrait-on mieux dire ? Cet utilitarisme croissant profitera aux sciences et aux techniques, mais on peut se demander s'il n'a pas contribué par ailleurs à stériliser la réflexion philosophique et politique.

Les loges maçonniques sont des sociétés fraternelles, comme des confréries séculières. Différentes en cela des académies, elles ne recherchent pas l'avancement des sciences. Mais leur idéal philanthropique les porte à favoriser le progrès des Lumières. Les années du milieu du siècle sont précisément celles du développement de la maçonnerie en France. Dans la plupart des régions du royaume, les premières loges apparaissent en 1744, 1745, 1746. Par exemple, les deux premières loges lilloises, l'Ancienne de Saint-Jean et l'Union indissoluble, sont fondées, la première en 1744, la seconde en 1746. Prenons la région du Val de Loire : les deux premières loges y sont celles de Saint-Louis de la Gloire à Saumur, et de Jeanne d'Arc de la Parfaite Union à Orléans : la loge saumuroise date du 12 avril 1745, l'orléanaise du 17 décembre 1746. En 1770, le nombre total des loges françaises s'élèverait à 104, dont 23 à Paris, plus 10 loges militaires et 45 en formation. En 1743, on en comptait une trentaine tout au plus.

Les loges maçonniques sont des sociétés secrètes, initiatiques et hiérarchisées. Comme dans les corporations et les universités, les postulants doivent se lier par un serment. Par exemple, à la loge Saint-Jean dite l'Harmonie, de Dijon, le postulant au premier grade, celui d'apprenti, s'engage à ne jamais révéler les secrets de la maçonnerie, à conserver et à développer « l'amitié sincère et fraternelle », à « se soumettre à tous les statuts et règlements » et à « secourir ses frères ». Si par malheur il venait à enfreindre sa promesse, que ses frères le renient : « ... Je consens que comme un homme sans foi, honneur et probité, je ne mériterais pas plus longtemps de vivre parmi les maçons et les honnêtes gens, et qu'il n'y ait plus souvenance de moi parmi les hommes. » Ces formules n'ont rien d'extraordinaire ; elles ne sont pas particulières à la maçonnerie. Avec moins d'emphase, nous les retrouvons dans tous les serments de l'ancienne France, qui sont tous des serments de « *non facere* ».

Quant à la promesse de ne pas révéler les secrets de la société, elle se trouve aussi dans tous les serments. La spécificité de la maçonnerie n'est donc pas tellement dans l'engagement de ses membres. Elle est plutôt dans l'esprit qui l'anime et dans ses activités. La Grande Loge de France,

---

1. Pierre Barrière, *L'Académie de Bordeaux...*, *op. cit.*, p. 85.

et les loges qui lui sont affiliées, offrent un curieux mélange de catholicisme affiché (elles font dire des messes) et de déisme. Certaines loges
de province, par exemple celle de Saint-Jean dite l'Harmonie de Dijon,
se cantonnent dans une très vague religiosité : la formule du serment des
postulants ne fait pas mention de Dieu. Les prières sont de type déiste et
se contentent de l'invocation traditionnelle, « A la gloire du Grand
Architecte ».

Sur les occupations des francs-maçons dans leurs séances, les historiens de la maçonnerie (ou les documents ?) sont fort discrets. D'après le
témoignage d'un officier germanique, fait prisonnier de guerre par les
Français, assigné à résidence à Dijon, et initié dans la loge Saint-Jean dite
l'Harmonie de cette ville, les maçons dijonnais suivent une véritable
formation théorique et pratique :

> Le soir, de cinq à sept heures, écrit-il, nous devrions apprendre tout ce qui
> concerne l'architecture et la géométrie, dessin, etc., et, de 7 à 8 heures 30, nous
> avions loge de l'instruction dans l'Ordre, toutes sortes de discours agréables,
> de questions que nous débattions et tout ce qui concerne l'art moral. C'est là
> que j'ai appris les principes de la géométrie [...].

Reste à savoir ce qu'on entendait par « art moral ». Sans doute
s'agissait-il de la morale sociale, de cette morale philanthropique chère à
la philosophie.

L'élection, le 24 juin 1771, à la grande maîtrise de la Grande Loge de
France du duc de Chartres (succédant au comte de Clermont) est suivie
de profondes réformes. La maçonnerie française s'unifie et adopte une
organisation beaucoup plus centralisée. La Grande Loge de France se
transforme en Grand Orient de France. Le premier chapitre des nouveaux
statuts du 24 mai 1773 prévoit que « le Grand Orient de France sera
composé de la Grande Loge et de tous les vénérables en exercice, ou
députés des Loges tant de Paris que des provinces, qui pourraient s'y
trouver lors des assemblées ». Toutes les loges du royaume sont donc
invitées à renouveler leur affiliation à l'organisation centrale. La maçonnerie française tend à se transformer en une société unique.

Salons, académies et loges représentent les principales formes de
sociétés de gens d'esprit. Cependant, pour être complet, il faudrait encore
mentionner les sociétés royales d'agriculture et les sociétés de lecture de
journaux. Nous connaissons l'une de ces dernières, celle fondée à
Strasbourg, le 21 avril 1757, par contrat d'association de souscripteurs à
des abonnements et des journaux. La plupart des associés sont des
juristes. Leurs choix sont éclectiques. Ils s'abonnent en même temps à
L'Année littéraire et au *Journal encyclopédique*[1]. La multiplication dans
toutes les grandes villes des moyens de communication et de diffusion

---

1. Louis Chatellier, « Une société de lecture de journaux à Strasbourg au milieu du
XVIIIᵉ siècle », *Bulletin de la Société académique du Bas-Rhin*, 1973-1974, p. 72-86.

des idées et des connaissances produit une sorte d'effervescence intellectuelle. Prenons par exemple le cas de Marseille. Dans cette ville, entre 1770 et 1779, le nombre des imprimeurs passe de trois à neuf, celui des bibliothèques privées et des collections de tableaux et de médailles augmente considérablement. Comme à Paris, la douane se révèle incapable d'empêcher l'entrée des livres clandestins. Enfin, à partir de 1760, la ville a son propre journal, le *Journal d'annonces, affiches et faits divers*, publié par l'imprimerie Mossy. Or, Marseille n'est pas une exception. Toutes les villes importantes s'«intellectualisent», s'il est permis d'employer cette expression. Il se peut que le nombre des gens qui pensent n'augmente pas, mais il est certain que celui des gens qui prétendent penser croît sensiblement.

L'influence des Lumières et ses limites

Essayons d'abord de mesurer l'influence du livre.

Après 1730, le nombre des possesseurs de livres n'a sans doute pas augmenté. Peut-être y a-t-il eu augmentation du nombre des lecteurs, mais nous n'en avons aucune preuve. Le grand changement n'est pas là. Il est dans l'accroissement des bibliothèques et du nombre de livres lus. Ceux qui lisent ordinairement des livres ne sont sans doute pas beaucoup plus nombreux qu'avant. Peut-être ne lisent-ils pas plus souvent. Mais une chose est certaine : ils lisent une plus grande quantité et surtout une plus grande variété d'ouvrages. La raison en est simple : c'est l'engouement pour la nouveauté, pour les productions du siècle, imprégnées de son esprit. Les possesseurs de livres vont donc en posséder davantage. Cela se remarque surtout dans les catégories sociales où l'on avait très peu de livres. On a observé par exemple que, chez les artisans des villes de l'Ouest, le nombre des bibliothèques de plus de cinquante volumes, inventoriées de 1755 à 1760, avait augmenté sensiblement[1] par rapport à celles des inventaires des années 1725-1730.

Mais qui dit nouveauté, ne dit pas forcément philosophie. L'examen des bibliothèques est éclairant à cet égard : le livre philosophique ne pénètre que très lentement le pays et la société. Dans un échantillon de quarante-cinq bibliothèques d'ecclésiastiques inventoriées de 1755 à 1760 à Rennes, Nantes, Angers et autres villes de l'Ouest, on ne trouve pratiquement aucun ouvrage philosophique. L'échantillon correspondant de bibliothèques nobiliaires (cinquante-huit inventaires) est un peu plus marqué par les idées nouvelles : le nom de Voltaire revient souvent, ainsi que celui du marquis d'Argens. On trouve aussi parfois Fontenelle, Saint-Évremond et Montesquieu, ainsi que le *Journal encyclopédique*.

---

1. J. Quéniart, *Culture et société urbaine dans la France de l'Ouest au XVIIIe siècle, op. cit.*, p. 762.

Toutefois, sauf dans une bibliothèque (celle de Gabriel du Haussay, directeur du dixième à Caen, à dominante véritablement philosophique), ces auteurs éclairés font figure d'exceptions[1]. Les trop rares et trop courtes études faites sur d'autres régions semblent aller dans le même sens. Par exemple, l'analyse qui a été faite de quelques bibliothèques de notables lyonnais de la seconde moitié du siècle ne semble pas indiquer dans ces milieux une pénétration massive de la littérature philosophique[2].

Cependant, nous l'avons vu, le livre n'est pas le seul moyen de diffusion des Lumières. Les sociétés où l'on pense, académies et loges (surtout loges) servent aussi à leur propagation. Un bon moyen d'évaluer l'avancée des Lumières serait donc de compter les académiciens et les maçons. Pour les académies le comptage est possible : il donne 6 402 académiciens pour tout le siècle. La statistique maçonnique est beaucoup plus aléatoire. Les loges des seules villes académiques auraient compté dans tout le siècle 18 539 maçons ; c'est un ordre de grandeur. Peut-être y a-t-il dans le royaume, pendant cette période 1743-1774, 50 ou 60 000 maçons. De toute façon, le nombre total des personnes, dont nous sommes certains par leur appartenance à ces sociétés qu'elles fréquentent les idées nouvelles, ne dépasse pas quelques dizaines de milliers.

On peut voir aussi, grâce aux analyses de composition sociale, quelles parties de la société sont les plus proches des Lumières. Il est intéressant de noter par exemple que près de la moitié des académiciens appartiennent à la noblesse, moins d'un quart au clergé, un peu plus d'un quart au tiers état. Il est remarquable aussi que la place de ce dernier soit beaucoup plus importante dans les loges. On a calculé en effet que 80,2 % des francs-maçons des villes académiques appartenaient au troisième ordre. C'est par les loges très probablement, plus que par le livre et par les journaux, que l'idéal des Lumières s'est répandu dans les milieux de la bourgeoisie d'affaires, de la boutique et de l'artisanat, imprégnant ainsi peu à peu des catégories sociales habituellement peu curieuses des choses de l'esprit[3].

Cependant, la culture des Lumières n'est pas la seule qui se répande et qui fasse de nouveaux adeptes. Il existe toujours à Paris et dans les provinces des foyers rayonnants de culture traditionnelle à la fois huma-niste et théologique, centres sur lesquels le nouveau savoir et la nouvelle vision du monde n'ont que très peu de prise. Ce sont les universités et les collèges (nous en reparlerons au chapitre de l'enseignement), les grands monastères et couvents, leurs maisons d'études et leurs bibliothèques. Par exemple, la bibliothèque des dominicains de Bordeaux, riche de

---

1. J. Quéniart, *op. cit.*, p. 613-630 et 676-692.
2. Maurice Garden, *Lyon et les Lyonnais au XVIII⁸ siècle, op. cit.*, p. 467.
3. Daniel Roche, *Le Siècle des Lumières en province*, Paris, Mouton, 1978, tableau 38.

4 022 ouvrages, met à la disposition des religieux ainsi que du public cultivé toutes les grandes œuvres de la théologie et de la philosophie thomistes. Le bibliothécaire ne manque pas d'acheter les nouveautés les plus importantes, mais pour guider le choix de ses lecteurs il rédige à leur intention sur son catalogue de courtes notices critiques. Par exemple, il accorde à *L'Anti-Lucrèce* du cardinal de Polignac (1749) une mention très élogieuse, tandis qu'un ouvrage de Voltaire est égratigné au passage : « veut jouer les Pascal et ne fait que le Pasquin[1] ».

Pour la plus grande partie du « simple peuple », le livre est religieux et n'est que religieux. Dans les villes de l'Ouest, si l'on en croit les inventaires après décès, le livre unique est à 90 % religieux, et le livre religieux domine toutes les bibliothèques de moins de cent volumes. La production religieuse est considérable : elle représente en 1762-1763, 25,6 % du total des privilèges parisiens et une proportion peut-être beaucoup plus élevée par rapport à l'ensemble des tirages et réimpressions provinciales. Nous avons déjà parlé de ce livre religieux. C'est celui de la dévotion : il est fait pour élever les âmes et les former aux pratiques de la vie chrétienne. Répandu dans tous les milieux, diffusé dans tout le peuple, il témoigne d'une autre conquête.

Peut-on dire pour autant que des secteurs entiers de la société soient totalement inaccessibles aux Lumières et plus précisément à l'esprit philosophique ? Ce n'est pas si sûr. Certes, le monde paysan est un monde à part et les rares ouvrages qu'on y garde sont des bibles, des almanachs ou des contes bleus. Mais on ne saurait certifier que d'autres livres n'y pénètrent pas. Il faudrait recueillir le témoignage des curés. Nous avons noté celui du curé de Gesté au diocèse d'Angers, à la date de 1773, dans le registre de sa paroisse : « Voltaire et Rousseau, fameux impies et libertins de nos jours, ont causé un grand dommage à la religion par leurs infâmes écrits. Les jeunes gens et les libertins ne lisent que ces mauvais livres [...]. »

Ne perdons pas de vue que les Lumières ne sont pas seulement un système abstrait de philosophie. Elles sont aussi, nous l'avons dit, une vision du monde, une manière de considérer les hommes et les choses, un état d'esprit en somme. Or un état d'esprit n'a pas forcément besoin ni de livre, ni des journaux, ni même d'académies ou de loges pour se répandre. Il est porté par l'air du temps, par la mode, par les conversations, par le théâtre. Des petites villes n'ont pas de salon littéraire, pas de loge maçonnique, mais des troupes d'acteurs ambulants les visitent et y jouent des pièces nouvelles. A Aurillac par exemple, ville sans académie, sans salon et sans loge, une troupe vient donner en 1770 le drame de

1. Charles Teisseyre, « Le catalogue de la bibliothèque du couvent des dominicains de Bordeaux au XVIIIe siècle », *Revue française d'histoire du livre*, no 54, janvier-mars 1987, p. 69-89.

Joseph Saurin, *Beverley*. La représentation a lieu dans une grange, mais la population y a pris goût : en 1774, une scène permanente est aménagée dans le grenier de l'hôtel de ville[1]. Ici comme en bien d'autres villes et bourgs, drames et comédies introduisent en douceur de nouvelles façons de penser et de juger.

N'oublions pas enfin que l'esprit des Lumières est celui des riches et des puissants, ou tout au moins de la plupart d'entre eux. Il s'impose donc naturellement à toute la société, par les voies ordinaires du prestige et de l'autorité. C'est ainsi que, simplement, et beaucoup plus facilement que par les livres, les journaux et les sociétés, il devient l'esprit dominant, régentant la politique, l'administration, l'économie et toutes les relations sociales. Il s'agit vraiment d'un nouveau pouvoir despotique. Ceux qui en prennent conscience l'appellent l'«opinion publique». L'expression devient commune à la fin des années soixante-dix.

En 1775, devant l'Académie française, Malesherbes tentera d'en expliciter le sens : «Le public, dira-t-il, porte une curiosité avide sur les objets qui autrefois lui étaient le plus indifférents. Il s'est élevé un tribunal indépendant de toutes les puissances, et que toutes les puissances respectent, qui apprécie tous les talents, qui prononce sur tous les gens de mérite.» Définition fort judicieuse quant au pouvoir, mais beaucoup moins exacte quant à l'indépendance. Peut-on qualifier de «tribunal indépendant» une opinion qui n'est que celle des détenteurs du pouvoir, de la fortune et du prestige social?

LA VIE DES ARTS

Les conditions favorables à la création artistique

En ce deuxième tiers du XVIIIe siècle, la création artistique reçoit de nouveaux encouragements.

La multiplication des résidences royales entraîne celle des commandes. Le mécénat de Mme de Pompadour n'est pas moins fastueux que celui du roi. A Crécy et à Ménars, ainsi que dans ses ermitages de Fontainebleau et de Compiègne, la marquise emploie de nombreux artistes. Toutefois, c'est à Bellevue (près de Meudon), son château préféré, qu'elle engage les dépenses les plus importantes. La construction, commencée en 1750, dure deux ans et demi. Elle coûte 2 millions, 589 000 livres, 11 sols 10 deniers.

Le décor intérieur est la principale beauté de ces demeures. Le goût de la marquise en inspire le raffinement[1]. Les peintres et les sculpteurs, ainsi

---

1. Claude Grimmer, *Vivre à Aurillac au XVIIIe siècle, op. cit.*, p. 231-232.

que les ébénistes, les tapisseries et les orfèvres, ont associé leurs talents pour le créer. A Bellevue, les peintres Oudry et Carle Van Loo ont peint les dessus de portes, les sculpteurs Falconet et Pigalle ont fait les statues qui ornent les salons. Les meubles sont tous de la plus exquise qualité : commodes de chêne, tables de nuit et tables à écrire, toutes bâties en chêne et plaquées de bois satiné, «bras de lumière» sortant de la manufacture de porcelaine fondée à Sèvres par la marquise en 1760, lanterne en glace à pans pour le vestibule et l'escalier du roi, feux de bronze dorés et ciselés représentant des sujets mythologiques. La grâce et le charme d'un tel décor séduisent la France et l'Europe entière. Il n'est pas de demeure noble ou bourgeoise qui n'adopte le style Pompadour. Le rôle de la favorite est considérable et ne se limite pas au mécénat. Deux membres de sa famille, Le Normant de Tournehem, son oncle, et Marigny, son frère, occupent successivement la charge de directeur des Bâtiments. Par leur intermédiaire, Mme de Pompadour influence le mécénat royal.

Le Normant et Marigny sont d'ailleurs deux hommes remarquables, chacun dans son genre. L'un et l'autre font beaucoup pour la création artistique. Le Normant de Tournehem, ancien fermier général, est un esprit méthodique et consciencieux. Marigny n'a que vingt-quatre ans lors de son accession à la charge, mais il a été très bien préparé. Son oncle Le Normant l'avait envoyé se former en Italie. Il y avait passé vingt et un mois (de décembre 1749 à septembre 1751) en compagnie de trois conseillers, le dessinateur Cochin, l'architecte Soufflot et l'abbé Leblanc, critique d'art. Il y avait acquis «les connaissances nécessaires pour servir dignement un grand roi dans la direction des monuments» (Cochin). De ce voyage lui restera aussi le goût de l'Antiquité, ainsi que l'admiration pour les grands artistes de la Renaissance. Sa direction en sera marquée. Le voyage en Italie de Marigny annonce le retour au classicisme.

Le Normant, puis Marigny, s'emploient de toutes les manières à renouveler la création. Ils s'efforcent de multiplier les commandes. Ils instituent des concours. Par exemple, en 1747, désireux de stimuler les peintres, Le Normant lance un concours entre onze officiers de l'Académie. L'année suivante, c'est le concours des architectes pour la future place Royale; plus de cent projets sont envoyés. Cependant, l'effort principal des deux directeurs porte sur l'enseignement académique. La formation des peintres et sculpteurs est systématisée et graduée. Ils doivent d'abord copier des estampes et des dessins de nudités. Ensuite ils copient l'antique d'après des moulages. Enfin, à «l'École du modèle», ils dessinent des modèles vivants, surtout des hommes, les modèles femmes étant très chers, et la décence interdisant de faire poser des femmes nues à l'Académie.

Cela est destiné à tous les élèves; mais Le Normant a créé en 1748 une formation supérieure, réservée aux seuls élèves primés aux concours et appelée « École royale des élèves protégés ». Avant cette création, les lauréats partaient tout de suite à Rome. Mais ils étaient mal préparés au séjour romain, ne connaissant bien ni les antiques ni l'antiquité. L'« École des élèves protégés » a pour but de leur donner cette formation préparatoire. Outre les séances pratiques de dessin, il y a trois fois par semaine des leçons théoriques, données par Lépicié, « d'histoire, de fable et de géographie ». Les élèves sont logés. La formation dure trois ans. C'est la scolarisation de l'art.

Le phénomène est amplifié par les nombreuses créations en province d'écoles de dessin et d'académies de peinture et de sculpture. Vingt-deux institutions de ce genre naissent pendant cette période. En 1774, toutes les provinces en seront pourvues. N'en comptant pas moins de quatre (Lille, Douai, Valenciennes et Cambrai), la Flandre et le Hainaut sont parmi les mieux dotées. L'avantage de ces écoles est de faciliter l'accès à une véritable formation. La création artistique ne peut qu'en bénéficier. Cependant l'enseignement est calqué sur celui de Paris, les maîtres sont souvent les mêmes, de sorte qu'on aboutit par ces écoles à l'uniformisation du goût.

En revanche, la critique d'art, genre naissant, départage les talents et stimule le génie. Lafont de Saint-Yenne, l'abbé Leblanc et Diderot en sont les illustrations les plus remarquables. Surtout Diderot. Les *Salons* étincellent de vie et de verve. Diderot ne ménage ni l'éloge ni le blâme. Il dit de Boucher : « Quelles couleurs ! quelle variété ! quelle richesse d'objets et d'idées ! », mais il écrit de Hallé, exposant au même salon : « ... Il est sans génie. Il ne connaît pas la nature ; il n'a rien dans la tête, et c'est un mauvais peintre. » « Sans la liberté de blâmer il n'est pas d'éloge flatteur. »

Les arts et les genres

La musique s'appauvrit. Après la mort de Rameau et de Leclair, tous les deux disparus en 1764, deux grands genres dépérissent : l'opéra classique et le concerto pour violon. Il reste le grand motet religieux, mais ce genre donne lui aussi des signes de fatigue. Il est toujours — jusqu'à la fin du règne de Louis XV, et même au-delà — l'ornement des messes de la chapelle royale, mais à Paris, au « concert spirituel », sa carrière est contestée. Bachaumont écrivait en 1762 « qu'on en avait par-dessus les oreilles ». Trois ans plus tard, un observateur notera que « peu de compositeurs veulent se donner la peine de mettre en musique des paroles latines[1] ». Le genre à la mode est léger et frivole. C'est celui de l'opéra-comique, issu de l'*opera buffa* italien.

---

1. Cité par Bernadette Lespinard, « Aspects du grand motet dans les années 1760-1770 », *Le Grand Motet français*, Paris, 1986, p. 259-277.

A vrai dire, ce type de composition n'est pas une entière nouveauté. On fait des opéras-comiques bien avant 1760. Les auteurs des livrets sont Regnard, Dufresny, Sedaine et quelques autres. Les compositeurs sont des Italiens comme Gherardi. La nouveauté n'est donc pas le genre lui-même, mais sa promotion, son élévation. De grands compositeurs s'y adonnent : Ruette, Gluck et surtout Philidor. On connaissait ce dernier pour sa musique spirituelle. A partir de 1754, il commence à écrire pour le théâtre de la foire Saint-Germain où se donnaient habituellement les opéras-comiques. Avec *Blaise le Savetier*, représenté pour la première fois le 9 mars 1759, il assure sa renommée dans le genre.

La sculpture ne connaît pas la même diminution. Son inspiration demeure vivante et variée. Cependant, l'étude du visage humain est sa meilleure réussite. Du saint Bruno, œuvre de jeunesse de Houdon pour l'église Sainte-Marie-des-Anges à Rome, le pape Clément XIV fait cet éloge malicieux : « Si la règle de son ordre ne lui prescrivait pas le silence [il] parlerait. » Le même Houdon réalise en 1773 une *Catherine II*, un *Galitzine* et un *Diderot*, qui sont criants de vérité. Pigalle fait la célèbre statue de Voltaire ; il montre le philosophe maigre et décharné, réduit à l'état de squelette : la nature humaine dans toute sa misère.

Les architectes continuent à faire des châteaux, des hôtels particuliers — ces hôtels Louis XV, avec leurs fenêtres cintrées et leurs balcons en avancée — et des palais. Toutefois leur ambition va plus loin et vise à réaliser des ensembles. Ils veulent rationaliser l'espace et organiser les villes en les embellissant. Ce sont des urbanistes. Ils construisent des monuments publics, dessinent des places, des perspectives et des quartiers nouveaux. On ne compte pas les villes ainsi transformées. Citons seulement la place Royale de Paris (notre place de la Concorde), le quartier neuf de Lyon (entre la Croix-Rousse et le Rhône) selon le projet de Soufflot, la place Stanislas à Nancy, par Héré, le nouvel hôtel de ville de Tours, et les places Louis XV de Reims et de Valenciennes. Dans ces organisations nouvelles, le théâtre est un élément essentiel. Les deux théâtres de Lyon et de Montpellier sont achevés l'un et l'autre en 1756.

En peinture, les genres à la mode sont le portrait (Quentin de La Tour et Greuze) et les scènes galantes ou égrillardes. Le talent d'un Boucher ou d'un Fragonard sauvent cette peinture semi-érotique de la vulgarité. *Le Baiser à la dérobée* (1766) et *L'Escarpolette* de Fragonard sont des modèles du genre. On prise aussi les natures mortes (Chardin) et les scènes de la vie quotidienne, où Greuze excelle. Les tableaux de ce dernier, d'ailleurs chatoyants et gracieux, illustrent les valeurs d'un sentimentalisme familial et facilement pleurard. On y voit des vieillards qui bénissent et des ingénues rougissantes. C'est de la peinture touchante et philosophique ; d'ailleurs les philosophes sont conquis. Diderot ne sait plus comment exprimer son admiration. Au Salon de 1761, contemplant

L'Accordée de village, qui est le chef-d'œuvre du peintre, il écrit : «Le sujet est pathétique et l'on se sent gagné d'une émotion douce en le regardant.»

Le succès des scènes de boudoir ou de chaumière pouvait faire oublier la peinture noble, appelée la «peinture d'histoire», cette expression désignant non seulement les scènes historiques, mais aussi les mythologiques et les religieuses. Le Normant et Marigny, par les concours qu'ils instituent et par les commandes officielles, s'attachent à sauver le «grand goût». Les «peintres d'histoire» (Carle Van Loo, Deshays, Vien, Brenet, Hallé, Restout, Doyen, Lagrenée) sont honorés et distingués. On leur passe commande pour les châteaux et les chapelles. Ils ornent le Petit Trianon de scènes mythologiques, et la Chapelle de l'École militaire de scènes de la vie de saint Louis. Là également la philosophie dit son mot. La peinture d'histoire qui lui conviendrait serait une peinture à son image, c'est-à-dire laïque et humanitaire. En 1764, l'occasion semble toute trouvée avec le château de Choisy, résidence favorite du roi. Cochin, conseiller de Marigny, adjoint de Carle Van Loo, premier peintre du roi, est très proche de la philosophie. Il présente pour Choisy un projet de décoration philosophique à la gloire de la bienfaisance : «On a tant célébré, écrit-il, les actions guerrières qui ne vont qu'à la destruction du genre humain ; n'est-il pas raisonnable de représenter quelquefois les actions généreuses et pleines d'humanité qui, chez les bons rois, ont fait le bonheur de leurs peuples ?» Le projet est retenu. Les peintres d'histoire l'exécutent et sont ainsi placés à Choisy, sous les yeux de Louis XV, «quelques-unes de ces actions qui ont fait la gloire des empereurs Auguste, Trajan, Titus, Marc Aurèle...». Mais on avait compté sans le goût du prince. En a-t-il à la manière ? ou au sujet ? le fait est que ces «actions généreuses» lui inspirent un mortel ennui. Il demande qu'on les enlève et qu'on les remplace par des Boucher. Décidément, il n'y aura pas, tout au moins sous ce règne, d'académisme philosophique.

Le changement de style

Mais il y a un changement de style. Il se produit entre 1750 et 1760 et consiste en ceci. Le baroque et le rococo cèdent la place à un nouveau classicisme.

On observe donc un double mouvement. D'une part sont rejetées les formes trop tourmentées et les grâces trop maniérées. D'autre part, on retourne — une fois de plus — à l'Antiquité.

La grecque plutôt que la romaine. Ce sont les peintures d'Herculanum et de Pompéi (reproduites par Cochin dans ses *Lettres sur les peintures d'Herculanum* (1751) et ce sont les temples grecs de Paestum et de la Sicile (visités par Soufflot et Cochin en 1750), qui forment le nouveau goût. Caylus, l'antiquaire et collectionneur, publie de 1752 à 1767 son *Recueil d'antiquités égyptiennes, étrusques, grecques et romaines.* Il y place, au-dessus de tout, le « goût grec ». Tout l'art en sera marqué. Car l'influence de Caylus est considérable. Il a l'oreille de Marigny. Il met ses collections à la disposition des artistes : « Les antiquailles m'arrivent, écrit-il, je les étudie, je les fais dessiner à des jeunes gens. » Marmontel évoque, non sans rancœur, « l'espèce de domination qu'il avait usurpée sur les artistes ». Car — il faut l'observer — ce mouvement de retour à l'antique, à son début tout au moins, ne doit rien à la philosophie. Le goût des philosophes les portait plutôt vers le rococo. L'Antiquité les ennuyait. Marmontel n'avait éprouvé devant la Maison carrée de Nîmes que « le plaisir que fait une petite chose régulièrement travaillée ». Ce n'est que plus tard qu'ils y viendront. En 1761, à propos du *Socrate condamné à boire la cigüe,* de Challe, Diderot écrit :

On dirait que c'est une copie d'après quelques bas-reliefs antiques, il y règne une tranquillité, une simplicité qui n'est guère de notre temps ; pour remarquer ce morceau, il faut être fait à la sagesse de l'art antique, il faut avoir vu beaucoup de bas-reliefs, beaucoup de médailles, beaucoup de pierres gravées.

Propos surprenants, quand on sait l'animosité qui avait opposé Diderot à Caylus.

Il est vrai qu'à cette date le goût nouveau a déjà transformé la peinture. La transformation a commencé vers 1755. D'abord était apparue l'antiquité pompéienne, avec ses marchandes d'amour et ses jeunes grecques blessées par Éros. Puis était venue la peinture d'histoire inspirée des fastes gréco-romains.

L'architecture aussi se transforme[1]. La première phase est celle du « néoclassicisme tempéré ». Le Petit Trianon et l'École militaire, œuvres de Gabriel, en sont les expressions les plus pures. Viennent ensuite les églises de style antique : Saint-Wasnon à Condé-sur-l'Escaut (par Contant d'Ivry), Saint-Philippe-du-Roule (par Chalgrin) et, grandiose illustration du genre, Sainte-Geneviève-de-Paris (le Panthéon actuel) par Soufflot. La construction de cette dernière église a commencé en 1764 et le roi en a posé la première pierre. Car il s'agit d'un monument national élevé en reconnaissance à la patronne de la France et à la protectrice de Paris. Le projet de l'architecte, qui s'inspire à la fois des églises gothiques et des temples grecs, est digne de cette grande destination. Les colonnes cannelées de la nef et celles du portique, semblables à celles des temples grecs, respirent la majesté et la force.

1. Pierre Georges Pariset, *L'Art néoclassique*, Paris, PUF, 1974, 184 pages.

Gabriel et Boucher

Cependant, s'il fallait comparer les mérites et désigner le plus grand, Gabriel, sans doute, l'emporterait sur Soufflot.

Jacques Ange Gabriel est notamment l'auteur du Petit Trianon, de l'École militaire et du bâtiment oriental de la nouvelle place Royale. Le Petit Trianon est sans doute son chef-d'œuvre. Établi sur un plan carré, le bâtiment comporte un soubassement peu élevé, un étage noble et un attique surmonté d'une balustrade dissimulant le toit plat. Cependant les 4 façades sont différentes : pilastres vers la cour, colonnes et perron vers le jardin français, pilastres et perron vers le Belvédère et façade sans ornement vers le temple de l'Amour. L'ensemble procure une impression d'harmonie parfaite. Rien qui sente le plan ou l'école. C'est la spontanéité du génie.

Dans le domaine de la peinture le grand nom est celui de Boucher[1]. L'aisance de François Boucher le place au-dessus de tous les autres. L'invention lui est naturelle.

Remarquable d'abord, la diversité de son œuvre. On peut y distinguer au moins six grandes catégories, en les illustrant chacune d'un exemple :

— les compositions mythologiques à grands sujets (La Naissance de Vénus, 1742-1743) ;

— les petits sujets mythologiques (Toilette de Psyché, 1741. Ce tableau a été ainsi décrit : « Sous un portique, Psyché nue assise, entourée de femmes qui lui présentent un miroir ») ;

— les sujets galants. Un bon exemple est ici La Toilette intime de 1742. La jeune femme montre généreusement ses fesses. Ce genre d'exposition revient très souvent chez Boucher (par exemple, dans L'Odalisque ou la Femme couchée, de 1743) ;

— les scènes d'intérieur et de genre ; par exemple La Marchande de modes ou le Matin, de 1746. On voit une dame à sa toilette et une marchande de modes, très jeune, agenouillée à ses pieds. Par la grande fenêtre à gauche, entre une lumière douce et blonde. La pièce est lambrissée. Un chat dort sur un fauteuil. Au fond, dans la pénombre, on aperçoit l'alcôve ;

— les paysages ; à vrai dire, ce sont plutôt des vues de maisons de campagne, de chaumières, de moulins. Par exemple, le Moulin à eau de 1743 ;

— les chinoiseries. A partir de 1742, Boucher a peint toute une série chinoise pour les tapisseries de Beauvais.

Boucher a une vision heureuse de la vie. Mais le bonheur qu'il évoque est un bonheur tranquille. Il ne peint ni les passions ni le désir, mais la

---

1. Alexandre Ananoff, François Boucher, Lausanne-Paris, La Bibliothèque des arts, 1976, 2 vol.

paix de la satisfaction. Même ses dieux sont calmes. Par exemple, sa *Naissance de Vénus* n'a rien d'une explosion. Ce n'est qu'une pacifiante apparition : Vénus, une très jeune femme, est assise au milieu des naïades et de colombes. Le groupe est légèrement balancé par la mer. Dans l'eau bleue nagent les dauphins. Dans le ciel flotte une grande écharpe rose tenue par les amours.

Le rose et le bleu tendre sont les couleurs préférées du peintre dans ses grands tableaux mythologiques. Dans ses tableaux galants (par exemple, dans *Pensent-ils au raisin ?* de 1747) il réalise d'heureuses symphonies mêlant le brun, le rose, le rouge, le bleu et le vert.

Cette peinture n'est pas un rêve comme celle de Watteau. Elle est peut-être moins poétique. Mais elle a le charme du bonheur. On ne rêve pas, on est bercé.

L'INSTRUCTION ET L'ÉDUCATION

La mode de la pédagogie

Nous sommes à une époque où une véritable frénésie pédagogique saisit l'opinion. La question de l'éducation n'a jamais été plus à la mode. C'est même une question obligatoire. Tout ce qui écrit doit y sacrifier. Il faut être pédagogue ou ne pas être.

Le genre qui triomphe est celui du traité d'éducation. L'auteur de cette sorte d'ouvrage est investi d'une mission quasi prophétique. Il commence en disant : « On vous a beaucoup parlé de l'éducation, mais ce n'est rien. Moi je vais vous en parler d'une manière tout à fait nouvelle […]. » Suivent diverses considérations, toujours marquées de philosophie, car le pédagogue est philosophe. Le plan est toujours tripartite, l'éducation formant tour à tour le « corps », le « cœur » et l'« esprit ».

Cependant la forme du « traité » peut varier. *Émile*, de Rousseau et *Le Gouverneur* de La Fare, sont des ouvrages de synthèse pédagogique. Dans le *Cours d'études* de Condillac et dans le traité *De l'homme et de son éducation* d'Helvétius, la pédagogie n'est qu'un élément d'un ensemble philosophique. On voit aussi cette science devenir le sujet de prédilection des orateurs académiques. Par exemple, le *Plan d'études*, du P. Navarre, doctrinaire, est le discours qui remporte le prix aux jeux Floraux de 1762.

Pourquoi ce succès de la pédagogie ? D'où vient l'importance qu'on lui attache ? Il y a plusieurs raisons. D'abord la philosophie sensualiste qui est la philosophie régnante : les idées n'étant que des sensations transformées, la recette sera simple : pour former l'esprit de l'enfant, il suffira de lui servir des connaissances sensibles. D'où l'optimisme éducatif, d'où la prolifération des « plans ». Les deux autres raisons principales sont la controverse de l'*Émile* en 1762 (avec la condamnation du livre par l'archevêque de Paris) et la suppression des Jésuites en 1764. Ces événements amènent à poser la question de la meilleure éducation possible et à proposer des solutions pratiques. La pédagogie quitte alors le terrain de la pure spéculation théorique. Elle devient une affaire urgente et d'une brûlante actualité.

Les réalités de l'instruction :
l'alphabétisation et les petites écoles

Devant cette mode pédagogique, on s'attendrait à de grands progrès de l'instruction élémentaire et à sa plus grande diffusion.

Or il n'y a pas de progrès notables. La grande avance de l'alphabétisation date de la première moitié du siècle. Après 1750, l'élan retombe. C'est particulièrement net pour l'alphabétisation masculine, dont la croissance s'essouffle (en France du Nord-Est par exemple) ou s'arrête. L'alphabétisation féminine continuerait à progresser, mais plus lentement. Il y a même très probablement ici et là des régressions. La ville d'Angers en serait un exemple frappant. On a calculé en effet que, dans les cinq plus grosses paroisses de cette ville, la proportion des signatures de parrains et marraines aux baptêmes était passée de 72,5 % en 1750 à 59,5 % en 1790[1].

Que se passe-t-il pour les petites écoles ? Le mouvement des fondations n'est pas complètement interrompu, mais il est sérieusement ralenti. Surtout pour les écoles de garçons. Par exemple, les frères des Écoles chrétiennes, de 1751 à 1777, sous les généralats des frères Claude et Florence, ouvrent seulement 20 maisons nouvelles. A titre de comparaison, dans la seule période 1740-1749, ils s'étaient installés dans 29 villes. Les écoles de filles connaissent un meilleur sort. Curieusement, la deuxième moitié du siècle est très bonne pour certaines congrégations féminines, comme les filles de la Charité, qui sont à la fois hospitalières et enseignantes, et multiplient le nombre de leurs petites écoles. L'enseignement élémentaire des filles est maintenant organisé partout, en campagne comme en ville. A Paris, le réseau des petites écoles de filles est d'une très forte densité. En 1760, pour la seule paroisse Saint-Eustache, on ne compte pas moins de 17 petites écoles payantes, de 2 écoles paroissiales de charité et de 3 écoles de communautés religieuses, les filles de Charité, les filles de Saint-Thomas, et celles de Saint-Agnès, ces dernières accueillant 450 écolières externes et 30 pensionnaires[2]. Toutefois, il semble bien que la plupart des fondations de ces écoles datent de la fin du siècle précédent ou du début de ce siècle.

---

1. André Sarazin, « L'alphabétisation en Anjou au XVIIIe siècle d'après les registres paroissiaux », *Éducation et pédagogies au siècle des Lumières*, Angers, 1985, p. 63-71.
2. Martine Sonnet, *L'Éducation des filles au temps des Lumières*, Paris, Cerf, 1987, p. 294.

Comment expliquer que l'alphabétisation et la scolarisation ne progressent pas davantage en un temps si féru d'éducation ?

L'explication est simple. Une chose est d'écrire des traités de pédagogie, une autre est d'instruire les enfants. On le voit bien ici, avec une opinion publique passionnée de pédagogie et en même temps plutôt défavorable à la diffusion de l'instruction populaire.

Les « philosophes » y sont pour beaucoup. Car plusieurs de ces amis des Lumières se montrent des obscurantistes déclarés. Surtout Voltaire, dont voici quelques propos : « Il me paraît essentiel qu'il y ait des gueux ignorants. Si vous faisiez valoir une terre, si vous aviez des charrues, vous seriez de mon avis. » « Il faut que la lumière descende par degrés ; celle du bas-peuple sera toujours fort confuse. Ceux qui sont occupés à gagner leur vie ne peuvent l'être d'éclairer leur esprit ; il leur suffit de l'exemple de leurs supérieurs. » Et ceci qui est encore plus net : « Il est à propos que le peuple soit guidé et non qu'il soit instruit ; il n'est pas digne de l'être. » Citons aussi La Chalotais (auteur d'un *Essai d'éducation nationale*) : « Les frères de la Doctrine chrétienne, écrit ce pédagogue, sont survenus pour achever de tout perdre ; ils apprennent à lire et à écrire à des gens qui n'eussent dû apprendre qu'à dessiner et à manier le rabot et la lime, mais qui ne le veulent plus faire [1]. » Ce ne sont là que des échantillons. La collection complète serait volumineuse.

On voit l'idée. Il faut des bras pour le travail manuel. Des travailleurs trop instruits ne voudront plus travailler. C'est l'idée aussi des ministres et des intendants des généralités. Nous en avons mainte preuve. En 1769, par exemple, les curés de l'archiprêtre de Vézelay doivent batailler contre l'administration pour défendre les petites écoles de leur ressort : « Quelques-uns de nos seigneurs les intendants, écrivent-ils dans leur mémoire, refusent d'homologuer les actes des paroisses pour les appointements des maîtres d'écoles. » A Montpellier, le 13 avril 1754, le maire Cambacérès fait déclarer par le conseil de ville que l'« utilité » des frères des Écoles chrétiennes est fort contestable. En 1762, l'intendant de Brest, François Xavier Le Bret, refuse d'agréer la dépense annuelle de 400 livres qu'eût entraînée l'adjonction de deux frères à la communauté de la ville. Brest est selon lui « dans le cas de songer à des dépenses beaucoup plus essentielles »… En Provence, un avocat du nom de Mézard, membre de la municipalité d'Apt, écrit en 1769 à l'intendant : « Plusieurs pensent que les Ignorantins (c'est le nom que l'on donne aux disciples de Jean-Baptiste de La Salle) sont plus nuisibles qu'utiles dans les villes et lieux d'un rang inférieur […] ils enlèvent une infinité de cultivateurs. […] Ils forment une légion de bons artisans qui ne pourront gagner leur vie […]. » L'intendant (des Galois de La Tour) se rend aux vues de ce Mézard : il interdit à la

---

1. Citations de G. Rigault, *Histoire générale de l'Institut des frères des Écoles chrétiennes, op. cit.*, t. II, p. 419-421.

municipalité de payer les gages des frères et supprime l'école[1]. » Autant de propos et de faits significatifs. On pourrait en produire beaucoup d'autres. A partir des années 1750-1760, la haute administration royale, cela est sûr, freine le développement de l'école élémentaire.

Les réalités de l'instruction : collèges, études classiques et pensionnats de jeunes filles

Si l'école élémentaire est attaquée, le collège classique passe par de dures épreuves.

La plus grave est sans doute le départ des jésuites. En 1764, du fait de l'édit de la suppression de la Compagnie, plus de cent collèges se trouvent totalement désorganisés. La formule des «bureaux d'administration», créés par l'édit de février 1763, n'est guère susceptible de remédier au désordre. L'ancienne formule était simple et efficace : chaque collège de jésuites était subventionnée par la ville ou par le revenu de quelque fondation, et s'administrait lui-même. Maintenant le mode de financement ne change pas, mais le collège ne s'administre plus lui-même : il est géré par ce bureau d'administration, conseil hétéroclite où l'on trouve huit personnes : l'évêque, les deux premiers officiers de justice du siège; les deux premiers officiers municipaux, 2 notables choisis par la ville, et le principal. Personne n'est content : l'évêque parce qu'il n'a qu'un siège, la ville parce qu'elle n'en a que deux, les professeurs parce qu'ils ne sont plus que des employés.

Les anciens collèges des jésuites subissent donc des sorts différents. Certains, après une courte période de difficultés, réussissent à retrouver leurs élèves et leur prestige (par exemple, La Flèche, Dijon, Arras). D'autres, comme Besançon, perdent la plupart de leurs élèves et de leurs revenus : le collège de Besançon avait plus d'un millier d'élèves avant 1760; il en possède moins de quatre cents en 1765; la ville, qui versait une rente annuelle de 2 000 livres, en interrompt le paiement. Deux années d'efforts seront nécessaires pour améliorer les effectifs et redresser la situation financière[2]. Enfin, il y a des collèges qui ne s'en remettent pas. C'est le cas de celui d'Angoulême. Les pères une fois partis, la municipalité de cette ville n'arrive pas à recruter des maîtres. Elle s'adresse successivement et inutilement aux barnabites, aux oratoriens et aux doctrinaires. Sur leur refus, elle convoque tous les maîtres ès arts de la ville, qui se récusent. En désespoir de cause, elle ferme l'établissement[3].

1. G. Rigault, *Histoire générale..., op. cit.*, p. 427-429.
2. Bernard Lavillat, *L'Enseignement à Besançon au XVIIIᵉ siècle*, Besançon, Les Belles Lettres, 1977, p. 44-46.
3. Augustin Sicard, *Les Études classiques avant la Révolution*, Paris, Librairie académique Didier, 1887, p. 396.

Il n'y a pas que les collèges des jésuites. Presque tous les collèges du royaume traversent une période de difficultés financières. La cause principale est l'augmentation de la charge fiscale et surtout des décimes du clergé. Par exemple, le collège d'Avallon paie 109 livres en 1747 et 131 livres 4 sols en 1764. Par ailleurs, les prix augmentent, mais les revenus ne suivent pas en proportion. L'administration royale ne fait rien pour améliorer le sort des établissements. Si par hasard le collège parvient à obtenir du roi ou des états quelque ressource supplémentaire, l'intendant s'arrange pour en limiter le montant. Ces commissaires n'aiment pas les petites écoles, mais les collèges ne leur plaisent guère plus. D'ailleurs, n'oublions pas que, dans le passé, des hommes d'État (Richelieu et Colbert) avaient désiré — sans y parvenir — diminuer le nombre des collèges. La haute magistrature n'est pas plus favorable. Guyton de Morveau, avocat général au parlement de Bourgogne, déclare qu'il faut craindre le « progrès excessif des lettres ». Nous retrouvons ici encore l'influence des philosophes. Selon Rousseau, les collèges forment des « babillards ». Pour Diderot, ils ne procurent que la « science des mots ».

Le collège n'étant plus à la mode, les milieux parlementaires et la grande bourgeoisie des finances et du négoce auraient plutôt tendance à le délaisser. Au collège d'Avallon par exemple, nous constatons une diminution sensible du nombre des écoliers provenant de ces catégories sociales (de 23 % pour la période 1712-1728 à 8 % pour la période 1757-1777).

Où vont alors ces garçons ? ils restent à la maison avec des précepteurs, ou bien on les met dans des « pensions ». Il s'agit d'établissements « de pointe », où l'on pratique un enseignement moderne selon une pédagogie éclairée et soucieuse du bien-être des enfants. Voici, par exemple, selon le prospectus envoyé aux familles, la pension de M. Lebon à Beauvais, en 1768 :

— le prix est de 250 livres par an (ce qui n'est pas cher) ;

— l'air est « pur et doux » ;

— la nourriture, « bonne, simple, uniforme […] par conséquent propre à la constitution des enfants » ;

— les enfants suivront les cours du collège de la ville, mais on aura soin de leur donner dans la pension des leçons complémentaires. Ils auront constamment sous leurs yeux « une représentation sensible des éléments de leurs études », soit des cartes, des tableaux, des images.

Il est une catégorie de pensionnats qui n'a pas besoin de prospectus ni de publicité : les élèves y accourent en foule. Ce sont les établissements fondés à Saint-Yon, Saint-Omer, Reims, Nantes, Angers, Marseille, Montpellier, Mirepoix et Carcassonne par les frères des Écoles chrétiennes, pour enseigner (selon un prospectus de 1774) « le commerce, la finance, le militaire, l'architecture et les mathématiques, en un mot tout ce qu'un jeune homme peut apprendre, à l'exception du latin ». Il s'agit en somme d'un enseignement technique et pratique, radicalement différent de celui des collèges, et capable de lui faire, dans ce siècle pragmatique et utilitaire, la plus rude concurrence.

De fait la crise des collèges est également celle des humanités. Les nouveaux plans d'éducation proposent une refonte totale des études classiques. C'est une véritable révolution pédagogique, la deuxième de l'histoire, la première ayant eu lieu à la fin du XVIIᵉ siècle.

Les nouveaux pédagogues ont deux principes. Selon le premier, l'enseignement doit être proportionné au développement d'esprit des enfants, c'est-à-dire qu'aux petits il ne faut pas trop apprendre (Rousseau dit même qu'il ne faut rien leur apprendre). Selon le second, il faut commencer les études par les connaissances « sensibles » (où les sens ont plus de part que le jugement), par exemple les « leçons de choses », l'histoire et la géographie, la botanique et la physique. Le latin ne sera que pour plus tard et, d'ailleurs, la part en sera réduite. Dans son *Essai d'éducation nationale* de 1762, La Chalotais ne fait pas apprendre un seul mot de latin avant l'âge de dix ans. Le jeune enfant apprend d'abord à lire ; ensuite il s'applique aux « connaissances sensibles » : l'histoire, la géographie, l'histoire naturelle et la « physique curieuse ». Par exemple, on lui révèle qu'il « faudrait vingt-cinq ans à un boulet de canon pour parvenir jusqu'au soleil ». A dix ans commence l'apprentissage des langues. Mais attention ! Pas trop de grammaire et le français doit égaler le latin : cours de français le matin et de latin l'après-midi ; quant à la philosophie, elle sera réduite à la logique et à la critique. Sur cette dernière discipline — tout à fait nouvelle —, l'auteur n'est pas trop explicite. On croit comprendre qu'il s'agit d'un état d'esprit plus que d'une discipline ; un état d'esprit moderne et résolument éclairé ; l'esprit critique est ce qui fait la grandeur du siècle présent, ce grâce à quoi il « surpasse tous les précédents ».

A vrai dire ces plans révolutionnaires ne sont pas encore appliqués. Cependant les responsables des études classiques (membres des bureaux d'administration, principaux des collèges, supérieurs des congrégations enseignantes) ne peuvent pas les ignorer complètement. On voit ainsi s'introduire dans le programme des études quelques nouveautés remarquables. A la grammaire et à la rhétorique viennent s'ajouter, désormais enseignées à part, la poétique, la mythologie, la géographie, l'histoire ancienne et même l'histoire contemporaine. Au collège d'Aix-en-Provence, en 1769, les élèves de troisième sont interrogés sur « le règne à jamais mémorable de Louis XIV, et sur les glorieux événements de celui de Louis XV, notre monarque bien-aimé ».

Beaucoup d'éducateurs pensent aussi qu'il faut donner aux études la « forme nationale », c'est-à-dire les uniformiser autant que possible. Ainsi réalisera-t-on l'égalité entre les citoyens. C'est l'idée de ces magistrats (La Chalotais, Guyton de Morveau, Rolland d'Erceville) qui, après la suppression des Jésuites, se penchent sur la réforme de l'enseignement. « L'uniformité dans l'enseignement, et surtout de celui que l'on reçoit dans la plus tendre jeunesse, peut seule opérer l'uniformité dans les mœurs, dans les coutumes et dans les usages. » Certaines réformes accomplies dans l'Université de Paris semblent aller dans ce sens et répondre, au moins en partie, aux souhaits des réformateurs. En 1762, en effet, l'Université supprime tous ses petits collèges et réunit tous leurs boursiers au collège Louis-le-Grand. En 1766, elle décide d'instituer un concours unique de recrutement pour tous les professeurs de son ressort. C'est le concours d'agrégation qui existe encore de nos jours.

Si nous regardons pour finir du côté de l'enseignement féminin, nous constatons la stabilité et la prospérité du pensionnat de jeunes filles. Cette institution ne connaît pas les difficultés dont souffre le collège. Elle semble au contraire à son apogée. La formule est fixée. La plupart des familles nobles et bourgeoises y recourent. Les filles entrent au pensionnat au moment de leur première communion (entre douze et quatorze ans). Elles en sortent trois à quatre ans plus tard, souvent pour se marier. Les établissements sont nombreux. En 1765, la seule ville de Paris ne compte pas moins de 45 couvents-pensionnats. Il y en a pour toutes les bourses (à part celles du simple peuple), les pensions variant de 100 à 1 000 livres par an.

Que vaut cette instruction ? Si l'on en croit les libellistes, romanciers et autres littérateurs, les jeunes filles n'apprennent rien au couvent. Voici, par exemple, dans le roman de Nougaret, *Les Passions des différents âges*, ce portrait peu flatté d'une demoiselle de pensionnat :

> Sortie du couvent depuis peu de jours, que pouvait-elle savoir ? Son éducation avait pourtant été excellente, les révérendes mères s'étaient surpassées ; Mlle d'Issoir faisait la révérence avec grâce, jouait de la vielle, était en état de chanter une douzaine de cantiques remplis de dévotion et sa mémoire était ornée de petits compliments faits à la louange de la mère supérieure, de la mère économe et des autres révérences embéguinées [1].

On pourrait citer bien d'autres textes du même genre. Et d'ailleurs les philosophes renchérissent, condamnant sans appel l'éducation du pensionnat. Dumarsais, par exemple, écrit : « Des femmes qui ont renoncé au monde avant que de le connaître sont chargées de donner des principes à celles qui doivent y vivre. »

Nous devons toutefois nous montrer prudents. Ce sont là des propos de littérateurs et non des témoignages vécus. La lecture des mémoires laisse une impression un peu différente. Il semble d'abord que le séjour de ces couvents n'était nullement morose et que les jeunes filles s'y plaisaient.

---

1. Cité par le comte de Luppé, *Les Jeunes Filles à la fin du XVIIIᵉ siècle*, Paris, Édouard Champion, 1925, p. 78.

Voici par exemple un extrait des mémoires d'Henriette de Mombielle d'Hus, sur la vie à Fontevrault (le plus célèbre pensionnat de l'époque), en 1754 :

> Je me trouvai très contente d'être avec quarante au moins de jeunes personnes ; il y avait des heures de plaisir et surtout beaucoup moins de gronderies et d'humeur comme à la maison paternelle[1] [...].

Mais qu'apprenait-on ? Certainement la musique et la danse (pas de couvent qui n'ait son maître de danse et son maître de « basse de viole »). Certainement aussi la religion et la piété. Et là c'étaient les religieuses qui donnaient les leçons. Or ces religieuses n'étaient pas des niaises. Elles étaient capables d'enseigner une religion exigeante et haute, et elles l'enseignaient en effet.

Il existe à cette époque un idéal féminin chrétien qui n'est pas celui des philosophes et des salons à la mode. Cet idéal ne manque pas de grandeur. Il est enseigné sans doute dans beaucoup de pensionnats. On le trouve aussi formulé dans des ouvrages qui ont eu beaucoup de succès à l'époque, ceux de Mme Le Prince de Beaumont. Cette femme de talent a écrit des contes de fées (entre autres *La Belle et la Bête*) mais aussi des ouvrages pédagogiques de valeur. Dans l'un de ces ouvrages, intitulé *Le Magasin des adolescentes ou Dialogues d'une sage gouvernante avec ses élèves de la première distinction* (Lyon, 1760), elle dit comment elle conçoit l'éducation des filles.

> Je le répète ici pour la vingtième fois, et je ne cesserai de le répéter jusqu'au dernier moment de ma vie. L'éducation ne consiste ni dans l'acquisition, ni dans la culture des talents, ni dans l'arrangement extérieur ; cependant c'est à cela qu'on borne les meilleures. Il faut penser à former dans une fille de quinze ans une femme chrétienne, une épouse aimable, une mère tendre, une économe attentive ; un membre de la société qui en puisse augmenter l'utilité et l'agrément [...].

Et lisons la suite :

> On a trop mauvaise opinion de l'esprit des jeunes femmes ; elles sont capables de tout, pourvu qu'on les accoutume au raisonnement petit à petit. Aujourd'hui, les femmes se piquent de tout lire : histoire, politique, ouvrages de philosophie et de religion : il faut donc les mettre en état de porter un jugement sûr par rapport à ce qu'elles lisent[2].

Après cela, il est curieux de lire dans *Émile* que « la recherche des vérités abstraites et spéculatives [...] n'est point du ressort des femmes ». De Mme Le Prince de Beaumont ou de Rousseau, qui est le plus « éclairé » ?

---

1. Henriette de Mombielle d'Hus, marquise de Ferrières-Marsay, *Souvenirs en forme de mémoires (1744-1837)*, Saint-Brieuc, 1910, p. 13.
2. *Le Magasin des adolescentes...*, Lyon, 1760, p. 10.

Réalité de l'éducation :
la manière de traiter l'enfant

Il faudrait pour finir considérer la manière de traiter l'enfant. La définir ne serait pas facile, car elle semble complexe et même contradictoire.

En effet, d'un côté on aggrave le contrôle pédagogique et de l'autre on a plutôt tendance à gâter les enfants. On aggrave le contrôle pédagogique : l'enfant n'a plus un moment à lui. Toutes ses activités — même ses loisirs — doivent être éducatives. Par exemple, à la pension de M. Lebon à Beauvais, si l'on en croit le prospectus, « les promenades deviendront par l'application du maître une école de religion et d'agriculture. Les réflexions qu'on fera faire aux jeunes élèves sur le cours des astres [...] leur fixeront dans l'esprit l'idée d'un Dieu tout-puissant et infini [...] On leur fera connaître l'ordre des travaux de la campagne, les longues fatigues de ceux qui y sont employés [...] ». Pauvres élèves de M. Lebon ! Pour eux, même les promenades sont des leçons.

Car il ne faut pas perdre une minute. Voyez *Émile*. Le « gouverneur » de l'enfant ne le lâche pas d'une semelle. Tout est éducation, tout est leçon. Et cela n'est pas seulement dans la théorie. On le retrouve aussi dans la réalité. Nous connaissons par exemple l'emploi du temps des journées du jeune duc de Berry (le futur Louis XVI), alors âgé de onze ans : deux heures pour les repas, dix heures pour le sommeil, sept pour les études principales et cinq pour les matières secondaires (langues vivantes, géographie, sciences exactes). Pas de récréation. C'est à peine si on laissait au jeune prince une heure le samedi pour une partie de barres à Trianon[1].

Tel est donc le premier aspect : l'enfant prisonnier, écrasé.

Et voici le second : l'enfant gâté, l'enfant roi. « L'enfant gâté » est le sujet d'un tableau de Greuze. Dans les collèges on ne punit plus, et si un maître se hasarde à punir, il peut arriver qu'il soit blâmé par ses supérieurs ou que les magistrats de la ville lui en fassent reproches. Jean-Jacques Rousseau, évoquant dans *Émile* son expérience de précepteur, se souvient avec horreur des enfants terribles qu'il lui avait fallu affronter.

Ce sont deux aspects bien différents, mais très souvent, sans doute, c'est le même enfant. Le même à la fois prisonnier et gâté. Cela surprend mais n'étonne pas. Toute la pédagogie de ce temps n'est-elle pas finalement un curieux mélange de sentimentalisme et de volonté de puissance ?

---

1. P. Girault de Coursac, *L'Éducation d'un roi, Louis XVI*, Paris, Gallimard, 1972, p. 189-190.

Chapitre premier

LE ROI ET LA COUR

Le roi[1]

C'est à l'âge de dix-neuf ans que Louis XVI accède au trône de France. Pour la première fois depuis l'avènement d'Henri IV, le nouveau roi n'est pas un enfant, mais un jeune homme. Il est vrai que ce jeune homme, s'il garde l'innocence de la jeunesse, n'en respire aucunement l'éclat. Son aspect physique n'est pas déplaisant, mais l'expression manque de force, la contenance de majesté. De sa mère, il tient la bouche épaisse mais bien dessinée, les yeux légèrement à fleur de tête, de son père le front haut et le fameux nez bourbonien. Les yeux sont bleus et myopes, les cheveux blonds. Au total, une physionomie intéressante, mais qui n'en impose pas. Si l'on croit les portraits, il était encore mince au moment de son mariage. En 1774, il a déjà beaucoup épaissi. A trente ans, il sera gros. C'est sa constitution, son hérédité saxonne. On ne lui connaît pas d'excès de nourriture ni de boisson. Nul n'est plus sobre. Son régime de vie est parfaitement équilibré et régulier. Il se lève très tôt, se couche tous les soirs à onze heures. Très robuste, un peu sanguin, la promenade et la chasse lui procurent la dépense d'énergie dont il a besoin. La chasse est son plus grand plaisir. En treize ans, ses tableaux seront de 189 251 pièces, dont 1 274 cerfs. Il chasse à courre et à tir, mais les années passant, sa vue s'améliorant, il préférera le tir. Très méticuleux, il tient lui-même le journal de ses chasses et note chaque jour le lieu et le tableau. C'est le fameux carnet dont on s'est tant gaussé. Les malveillants ont feint d'y voir un journal politique. Mais ce n'était qu'un agenda de chasse. Quand le roi pour un jour marquait « Rien », cela voulait dire jour sans chasse.

---

1. Pour ce portrait de Louis XVI, nous avons utilisé les mémoires du temps et principalement le duc de Croÿ, l'abbé de Véri, Mme Campan et le comte d'Hézecques. Parmi les ouvrages récents, ce sont les travaux de François Bluche (chapitre II de sa *Vie quotidienne au temps de Louis XVI*, Paris, LGF, 1984) et ceux de Mme Girault de Coursac (surtout *L'Éducation d'un roi, Louis XVI*, Paris, Gallimard, 1972) qui nous ont été les plus utiles.

Il manque de majesté, c'est indéniable, mais depuis son mariage son maintien s'est beaucoup amélioré. A seize ans, il était un ours véritable, ne sachant ni marcher, ni saluer, ni danser. Mais l'aisance lui viendra. «Ce qui cause un vrai étonnement dans le public, écrit Mercy d'Argenteau en 1774, c'est la tournure sociable et polie que le roi a prise envers ceux qu'il admet dans sa société[1].» Est-ce l'influence de Marie-Antoinette? Est-ce la fonction royale? Peut-être tout simplement l'hérédité. Louis XVI a pris naturellement l'affabilité des princes de sa maison. Il a d'ailleurs des regards, des gestes, des prévenances qui rappellent Louis XV. Le duc de Croÿ, jadis familier du roi défunt, en est tout saisi. Selon lui la ressemblance est frappante. «Je lui trouvai, dit-il, beaucoup de choses du feu roi, à la façon de se tenir près[2].»

Car la façon de se tenir pèche encore et péchera toujours. Ce n'est pas une question d'aisance. Ce n'est plus une question d'aisance. C'est une question d'allure. Le roi n'est plus embarrassé, mais il demeure pataud. Un pataud gentil. Car il est gentil, il est même gai. Ne l'imaginons pas morose, mais «cherchant à rire» ou à «faire des plaisanteries sur des riens». Il est seulement dommage que ce rire et ces plaisanteries manquent de finesse. A plus de trente ans (selon le témoignage du comte d'Hézecques, relatant des souvenirs de 1785 et 1786), il se livre encore à des facéties de collégien. Quand, par exemple, afin de rafraîchir l'atmosphère d'un été brûlant, on arrosait avec des pompes des toiles tendues sur le grand balcon de sa chambre, il s'amusait à y pousser quelqu'un pour le mouiller, «surtout quand c'était une personne qui paraissait tenir à l'élégance de l'énorme frisure en usage en ce temps-là[3]». Même les courtisans les plus fidèles désapprouvent. Le duc de Croÿ, si respectueux qu'il soit, laisse échapper un regret: «J'aurais bien désiré un meilleur ton pour lui.» La Cour est un pays de raffinés et de cyniques. Le roi y détonne. Il n'est pas jusqu'à son «air de bonté» — que tous les contemporains soulignent — qui ne le desserve.

Car il professe la bonté. Il professe d'être bon, digne et vertueux, et il est sans doute à la fois tout cela. Personne n'a jamais pu mettre en doute ni la pureté de ses mœurs ni sa bonne volonté. «Il est sans passion, écrit le marquis de Castries, désirant le bien, consentant facilement aux privations, bon homme enfin[4].» Le portrait moral est facile à faire.

Le religieux ne l'est pas moins. Le roi est religieux, mais il n'est pas dévot. Rien ne subsiste chez lui de la dévotion accusée de ses père et

---

1. 18 décembre 1774, cité par Pierrette et Paul Girault de Coursac, «Un Dauphin très horrible», *Cahiers Louis XVI*, n° 1, s.d. [1987], p. 45.

2. Emmanuel de Croÿ, *Journal*, op. cit., t. III, p. 221, octobre 1775.

3. *Souvenirs du comte d'Hézecques, page à la cour de Louis XVI*, présentés par E. Bourassin, Paris, Tallandier, 1987, p. 42.

4. Cité par le duc de Castries, *Maréchal de Castries, serviteur de trois rois*, Albatros, Paris, 1979, p. 94.

mère. Les épreuves de la Révolution mûriront son âme et donneront plus de consistance à sa foi. Mais, avant 1789, il ne manifeste aucun zèle particulier pour tel ou tel exercice de piété, pour telle ou telle forme de culte. Il se contente d'une pratique très exacte, faisant ses pâques, assistant à la messe tous les jours, observant les jeûnes et les abstinences. Cependant, nous ne retrouvons pas dans son emploi du temps cette pratique habituelle à Louis XVI et à Louis XV, l'assistance fréquente aux saluts du saint sacrement.

Ses connaissances sont très étendues. Son savoir est universel. Il lui vient d'abord des leçons de ses maîtres. Son gouverneur, le duc de La Vauguyon, et ses principaux précepteurs, Jacob Nicolas Moreau et l'abbé de Radonvilliers, ont fait en sorte qu'il apprenne tout : les humanités et les sciences, l'histoire, la géographie, le droit et l'économie politique. Jamais aucun roi de France n'avait bénéficié d'une instruction aussi poussée. Son éducation achevée, il a continué à apprendre par lui-même. Nous restons confondus de cette curiosité inlassable, de cette application studieuse continuée après l'âge des études. En cela d'ailleurs, il procède méticuleusement, comme pour le relevé de ses chasses. «J'ai senti, confiera-t-il un jour à Malesherbes, j'ai senti au sortir de mon éducation que j'étais loin encore de l'avoir complétée. Je formai le plan d'acquérir l'instruction qui me manquait. Je voulus savoir les langues anglaise, italienne et espagnole : je les appris seul[1].» Il se perfectionne aussi en histoire de France : «... je m'arrêtai plus spécialement à l'histoire de France, je m'imposai la tâche d'éclaircir ses obscurités». Enfin il joint à ce travail la lecture «de tous les bons ouvrages» qui paraissent. Sa bibliothèque personnelle ne cesse de s'accroître. Le catalogue en sera dressé en deux volumes pendant la Révolution. Le seul premier volume dénombrera 7 862 ouvrages. Visitant cette bibliothèque à la fin du règne, Mallet du Pan, rédacteur du *Mercure de France*, en admire la diversité, mais aussi l'usage qui en est fait. Ce n'est pas une bibliothèque d'apparat. «Le roi, écrit Mallet du Pan, lit beaucoup et, excepté l'*Encyclopédie*, tous les ouvrages de sa bibliothèque lui sont passés entre les mains.» Les ouvrages anglais ou concernant l'Angleterre sont les plus souvent consultés. Louis XVI est un véritable expert en civilisation anglaise. Il sait par cœur l'*Histoire d'Angleterre* de Hume. «Plusieurs fois, raconte Mme Campan, je l'ai entendu traduire les passages les plus difficiles du poème de Milton.» Anglophilie, mais non anglomanie. Louis XVI connaît aussi et goûte la littérature française. Il sait apprécier les classiques et récite par cœur des tirades entières de Racine. Un jour à Choisy, la conversation vient sur le théâtre et l'une des dames présentes accuse Molière de «mauvais goût». Le roi prend sa défense : «Le roi

1. Cité par François Hue, *Dernières Années du règne et de la vie de Louis XVI*, Paris, 1860, p. 423.

répondit que l'on pouvait trouver dans Molière beaucoup de choses de mauvais ton, mais qu'il lui paraissait difficile d'en trouver qui fussent de mauvais goût[1]. »

De l'habileté manuelle de ce prince, de son goût pour la serrurerie et l'horlogerie, on a beaucoup parlé. Mais on a exagéré. Visitant la forge royale en 1785 (ou 1786), Hézecques la trouve dans un état de quasi-abandon : « Je puis assurer, dit-il, qu'elle avait l'air très négligé, et, passé midi, le roi était dans une toilette qui ne lui permettait guère un exercice aussi violent[2]. » D'ailleurs, son application aux arts mécaniques ne représente qu'un des aspects de son intérêt pour les questions techniques et scientifiques. Il se passionne pour la physique et la chimie. C'est à Versailles et en sa présence que Montgolfier réalise l'une de ses premières expériences. Il suit de très près les découvertes de Lavoisier. Ses connaissances en hydraulique sont remarquables. Lors du voyage à Cherbourg, ingénieurs et marins s'en émerveilleront. Enfin, il est sans doute l'un des géographes les plus accomplis de son royaume. Tout enfant il a appris à lever des cartes, et l'on avait publié une carte de la forêt de Compiègne, dressée par ses soins. Il tracera lui-même son itinéraire à La Pérouse. Philippe Buache, membre de l'Académie des sciences, l'a initié à la lecture des cartes marines. Ce roi — son règne le confirmera — connaît peu la nature humaine. Mais il sait de l'univers tout ce que la science moderne en connaît.

Il a aussi des idées politiques. Certaines lui viennent de son éducation, d'autres de l'influence de ses ministres et amis, Turgot et Malesherbes[3].

Les idées politiques inculquées au jeune prince ont été des idées modernes, des idées qui n'avaient jamais été enseignées ni à Louis XIV ni à Louis XV, des idées étrangères à la conception traditionnelle de la monarchie française. Ce sont les idées de Fénelon, Domat, d'Aguesseau et Duguet, auteurs qu'on lui a fait lire et qui lui ont été présentés comme les maîtres incontestés de la science politique. A leur contact, il s'est fait un système à la fois démocratique, égalitaire et moralisateur.

Démocratique : chez Fénelon se trouve le projet d'une représentation nationale permanente. Les états généraux s'assemblent tous les trois ans et continuent leurs délibérations aussi longtemps qu'ils l'estiment nécessaire. Votant l'impôt et délibérant sur toutes les matières de gouvernement, ils contrôlent le pouvoir royal.

Égalitaire, car Domat et D'Aguesseau sont convaincus de l'égalité de nature. S'il est des conditions différentes, cela vient non de la nature

---

1. Jeanne Louise Campan, *Mémoires*, éd. J. Chalon, Paris, Mercure de France, 1979, p. 83.

2. *Souvenirs du comte d'Hézecques, page à la cour de Louis XVI*, *op. cit.*, p. 41.

3. Nous renvoyons ici aux articles que nous avons publiés sur ce sujet et, entre autres, à celui-ci : « Les idées politiques de Louis XVI sont-elles démocratiques ? », *Mémoire*, 1985, t. II, p. 17-31.

humaine mais de la volonté de Dieu. Dieu produit des « engagements », c'est-à-dire des « états » et des « situations ». Bien sûr, il tient compte de la naissance, de l'éducation, des inclinations mais enfin la société n'est qu'un arrangement divin, et l'inégalité qui en résulte n'est qu'artificielle.

Moralisateur : pour Fénelon et pour Duguet la politique et la morale sont la même chose, et le seul devoir des rois est d'être bons. Le roi, selon le *Télémaque*, n'est pas un chef, mais un père de famille ; il vit dans la plus grande simplicité, ne fait pas la guerre et ne se soucie que du bonheur de ses peuples. C'est un idéal très beau mais très incomplet, puisque l'autorité n'y trouve pas sa place. Fénelon oublie tout simplement que pour gouverner il faut d'abord commander. Cette politique fénelonienne est extrêmement fausse, mais elle est aussi extrêmement séduisante et de nature à marquer de jeunes esprits. Par ailleurs, les lectures historiques du futur Louis XVI le disposaient à confondre la politique et la morale. Son historien préféré, le P. Daniel (auteur d'une monumentale *Histoire de France* en 17 volumes), moralise sans cesse et ne juge les rois de France que d'après leurs vertus et leurs défauts. Par exemple, il écrit ceci de Louis XIII :

> Louis XIII eut très peu de défauts et beaucoup de vertus qui ont toujours été sans éclat.

Dans ses innombrables « portraits », il n'apprécie jamais le roi en tant que roi, le ministre comme ministre, le chef militaire comme chef militaire. Mais il les mesure tous à l'aune de la seule morale. Il fabrique ainsi une image sulpicienne de l'histoire de France, avec ses rois vertueux (Charles V, Henri IV) et ses rois fourbes ou débauchés (Louis XI, François Ier). Louis XVI a lu et relu cet ouvrage. Il le sait par cœur. A son procès, il en citera plusieurs passages, notamment ceux qui concernent Charles V, roi fort admiré de lui.

Il n'y a pas eu que les lectures. Les gouverneurs et précepteurs du futur roi ont exercé aussi une influence et cette influence est allée dans le même sens. Les éducateurs de Louis XVI lui ont communiqué des idées démocratiques non seulement par les auteurs qu'ils lui ont fait lire, mais aussi par leurs propres enseignements. Son gouverneur, le duc de La Vauguyon, lui a fait recopier l'exemple d'écriture suivant : « Vous êtes exactement égal par la nature aux autres hommes et par conséquent vous devez être sensible à tous les maux et à toutes les misères de l'humanité[1]. » Nous sommes très loin de l'exemple donné à Louis XIV : « L'hommage est dû aux rois ; ils font ce qui leur plaît. »

Jacob Nicolas Moreau avait été invité par le Dauphin, père de Louis XVI, à composer un cours d'histoire pour les enfants de France. Il

---

1. Cité par Jean-Pierre Lemonnier, *Les Sources de l'histoire des idées politiques et du gouvernement du roi Louis XVI dans les dépôts publics d'archives de Paris*, Angers, 1981, (dactyl.), p. 51.

est également l'auteur d'un *Discours sur la justice*, composé à l'intention du duc de Berry. La philosophie de ces ouvrages était tout à fait celle de Fénelon : l'histoire est une leçon de morale, non de politique ; le roi n'est qu'un père ; on ne le juge que sur la bienfaisance et, s'il veut se juger lui-même, qu'il interroge l'opinion :

> Voulez-vous savoir, Monsieur, où est ce contrepoids redoutable à la tyrannie ? Il est dans la conscience publique. Il est, ce contrepoids, dans le cri de la raison, de l'humanité, qui ne manque jamais de se faire entendre chez une nation libre et instruite [1].

Cette exhortation de Moreau n'a pas été vaine. Louis XVI sera toujours à l'écoute de l'opinion publique. C'est même cette opinion qui, au témoignage de Malesherbes, lui dictera le choix de ses ministres : «Tant que vécut le comte de Maurepas, ce principal ministre, arbitre de tous les choix, fit et défit les ministres. Après sa mort, le roi ne crut pouvoir mieux faire que de se déterminer par l'opinion publique [2] [...].»

Car le futur roi ne s'était pas contenté de lire et d'apprendre. Avec beaucoup d'application et un sérieux inhabituel à son âge, il s'était efforcé de réfléchir et d'assembler les leçons de ses lectures et de ses maîtres. Il n'avait guère plus de douze ans lorsqu'il avait rédigé sur les instructions de La Vauguyon un recueil de *Maximes morales et politiques, tirées du «Télémaque»*, ouvrage qui fut imprimé de sa propre main à vingt-cinq exemplaires. C'était comme un résumé de l'humanitarisme fénelonien. On pouvait y lire des formules comme celle-ci : «... le bon exemple du prince inspire la vertu. Le luxe enseigne aux hommes un esprit de dissipation et de libertinage qui les détourne de leurs occupations les plus essentielles [...].» Il s'y trouvait aussi des maximes dignes de Rousseau. On y apprenait par exemple que la politique, «en elle-même fondée sur l'honnêteté et la bonne foi, mais corrompue par les passions des hommes», n'était plus aujourd'hui «qu'un tissu de perfidies, d'infidélités et d'intrigues».

Un peu plus tard, à l'âge de treize ou quatorze ans, le jeune prince avait composé un écrit intitulé *Réflexions sur mes entretiens avec M. le duc de La Vauguyon*. Il s'agissait des remarques inspirées au jeune homme par les leçons du gouverneur. Ces remarques sont intéressantes. Elles dénotent une maturité d'esprit rare à cet âge, ainsi qu'une certaine indépendance du jugement. Il arrive en effet que l'élève corrige le maître. Toutefois aucune de ces corrections ne semble indiquer des divergences

---

1. Jacob Nicolas Moreau, «Discours sur la justice ou des devoirs du prince réduits à un seul principe» dans *Leçons de morale, de politique et de droit public, puisées dans l'Histoire de notre monarchie*, Versailles, 1773, p. 59.

2. Cité dans François Hue, *Dernières années du règne et de la vie de Louis XVI...*, Paris, 1860, p. 427.

fondamentales. Dans l'ensemble le jeune homme adhère à la pensée de son gouverneur, pensée fénelonienne et utopique.

Il avait fait un travail analogue pour un écrit de Jacob Nicolas Moreau, à lui également destiné, le *Discours sur la justice*. Ici aussi les variantes étaient de peu d'importance, sauf en deux ou trois endroits. Par exemple, à propos des devoirs du roi, Moreau avait écrit : « ... il est inutile d'entrer dans le détail de ces devoirs privés ; mais ce qu'il est important de vous faire apercevoir, c'est qu'à cet égard les sujets du prince n'ont chacun que leur dette privée à acquérir. Le monarque au contraire est pour ainsi dire chargé de la dette publique, toute injustice particulière devient la sienne s'il n'a pu l'empêcher. » Le Dauphin avait transposé dans un sens nettement plus démocratique : « ... tous ces différents devoirs, avait-il écrit, forment une dette de chaque particulier, mais le souverain, obligé comme citoyen aux mêmes devoirs, est encore chargé seul de la félicité publique. Toute injustice qu'il n'a pu empêcher devient la sienne. »

Dire que le souverain est « chargé seul de la félicité publique » n'est évidemment pas démocratique, et le Dauphin insiste sur le « seul ». Mais qualifier le prince de « citoyen » et l'astreindre aux mêmes devoirs que les autres « citoyens », c'est vraiment faire le démocrate. Moreau lui-même n'y avait pas songé. On peut vraiment dire qu'à la fin de son éducation le futur roi est imbu de principes égalitaires et démocratiques.

Toutefois l'histoire de l'éducation politique de Louis XVI ne s'arrête pas là. Car elle doit tenir compte de l'influence exercée par Turgot et par Malesherbes dans les débuts du règne. En effet, les relations entre Louis XVI et ses deux ministres « éclairés » ont été des relations empreintes de sympathie. Elles ont été des relations amicales fondées sur l'estime mutuelle et sur une certaine communauté d'idées. Le jeune souverain a lu les écrits de ses ministres. Il adhère pleinement, semble-t-il, tout au moins pour un temps, à l'économisme et au « tolérantisme » de Turgot. Il connaît bien les théories politiques de Malesherbes, exposées par ce dernier dans ses *Remontrances* à la Cour des aides. Ces théories sont extrêmement révolutionnaires. Malesherbes, en effet, soutient cette idée que le roi et la nation ne sont pas un seul corps, mais forment deux êtres distincts. Il prétend que le roi n'incarne pas la nation, mais n'en est que l'interlocuteur. C'est lui qui a parlé le premier des « droits de la nation ». Or ces idées de Malesherbes vont devenir celles de Louis XVI. Il ne les avait peut-être pas lors de son accession au trône, mais il va les acquérir très rapidement au contact de son ministre, et les garder jusqu'à la fin. Cela ressort à l'évidence de toutes ses paroles et de tous ses actes. Il ne croit pas comme ses prédécesseurs que le roi fasse corps avec la nation. Il est persuadé que la nation est distincte de lui. Son idée de la royauté est tout à fait nouvelle, et c'est de Malesherbes, sans doute, qu'il la tient.

Voilà pour les idées du roi. Elles apparaissent assez nettement.

L'intelligence de ce prince est plus difficile à cerner.

Une chose est sûre : sa capacité d'analyser est excellente. Tous les témoignages concordent : « son raisonnement est toujours bon » ; « ses réflexions pleines de bon sens » ; « tous les ministres disent qu'il avait le meilleur bon sens[1] ». « Le roi, observe le marquis de Langeron, le roi a du bon, et il raisonne juste sur tous les objets que nous devons discuter devant lui[2]. » Raisonnement juste, bon sens, jugement perspicace, ce sont là toutes les qualités de l'homme de dossiers. On peut être sûr que Louis XVI discerne l'important du secondaire, qu'il voit le bon et le mauvais.

Roi vertueux, savant, judicieux. Que lui manque-t-il ? Peut-être l'essentiel, c'est-à-dire l'art et le goût de régner.

Il est excellent pour les dossiers. Il l'est beaucoup moins pour les hommes. Il ne sait guère les juger, les choisir, les stimuler. Comme le dit le marquis de Langeron, « il est bien maladroit pour exciter les gens à le servir ».

On lui a tout appris sauf la pratique du pouvoir. Commander, décider, manier des hommes : Mazarin avait enseigné ces choses au jeune Louis XIV, le Régent et Dubois au jeune Louis XV. Pour Louis XVI, on ne s'est occupé de rien. On s'est seulement soucié de la théorie, des idées, du droit. Pour comble, on s'est appliqué à le persuader que sa naissance ne le distinguait pas. Et comme il n'avait pas l'âme dominatrice, il en a été convaincu.

D'où son désarroi. Le 10 mai 1774, il a ce cri d'angoisse : « Nous sommes trop jeune pour régner. » Quelques jours après, il écrit à Maurepas : « ... Je suis roi [...] mais je n'ai que vingt ans et n'ai pas toutes les connaissances qui me sont nécessaires [...]. » Comme si gouverner était une affaire de connaissances. A Malesherbes démissionnaire, il dira : « Vous au moins vous pouvez partir. » Il se plaindra cent fois du « malheur de régner ». Jamais il ne goûtera le métier qu'il fait. A cet égard (et à bien d'autres), il est exactement l'opposé de Louis XIV.

Son caractère ne l'aide pas. Il ne sait pas exécuter. Il est incapable d'entrer dans l'action. « Le projet et le fait, écrit l'abbé de Véri, ne vont pas ensemble chez lui. » « Il a certes bien des vertus, mais ses vertus sont "inertes" » (Mirabeau). Il ne se décide pas, et, s'il décide, c'est « à moitié » (Véri), ou bien il ne s'y tient pas : « ses décisions sont versatiles » (Véri). Son frère Provence le compare à « des boules huilées qu'on s'efforcerait en vain de retenir ensemble ». Autrement dit il glisse entre les doigts. Loin de corriger ce défaut, les années vont l'aggraver. En 1778 déjà, Maurepas s'en plaint à l'abbé de Véri : « ... le roi, dit le

1. Emmanuel de Croÿ, *Journal, op. cit.*, t. III, p. 224, 21 décembre 1775.
2. Cité par l'abbé de Véri, *Journal*, éd. J. de Witte, Paris, 1928, p. 67.

ministre, se déforme tous les jours au lieu d'acquérir. J'avais voulu le rendre un homme. Quelques premiers succès me l'avaient fait espérer. L'événement me prouve le contraire[1]. »

Est-il un faible ? Assurément ; mais sa faiblesse est moins un défaut naturel que le résultat de son éducation, d'une éducation toute moralisante et livresque, faite pour énerver la conscience et non pour former le caractère. Nul ne lui a donné la faculté de vouloir.

La volonté n'est pas en cause. Louis XVI sait être ferme à l'occasion (par exemple pendant la guerre des Farines). Il sera courageux devant d'adversité. Sa faiblesse est relative à la structure de son intelligence. Il ne sait pas dominer sa propre pensée. Toujours partagé entre deux sentiments contradictoires, il ne peut ni choisir ni concilier. D'un côté, en effet, il respecte le passé, de l'autre il aspire à des réformes radicales, de type révolutionnaire. Il y a deux hommes en lui et qui se combattent. Par exemple, vis-à-vis des protestants, il ne désire que leur liberté, mais en même temps il lui répugne d'annuler un édit de Louis XIV : « Je conviens avec vous, dit-il à Malesherbes, que l'humanité réclame la tolérance [...] mais la loi qui statue sur le sort des protestants est une loi de l'État. Louis XIV en est l'auteur [...] Ne déplaçons pas les bornes anciennes, la sagesse les a posées[2]. » Finalement la tolérance prévaudra, mais il faudra de longues années au roi pour se décider. Nous retrouvons une réaction analogue devant la révolte américaine. L'opinion publique désire l'intervention, et Louis XVI croit de son devoir de souverain éclairé de suivre l'opinion publique. Mais cela ne l'empêche pas de trouver « d'un mauvais exemple l'appui donné à une insurrection républicaine contre une monarchie légitime ». Il va donc tergiverser longtemps. A chaque moment important du règne, la même contradiction interne recommence. L'indécision habituelle de Louis XVI ne vient pas tant de la faiblesse de son caractère que de l'opposition entre ses sentiments et ses idées.

L'entourage du roi, la Cour et la vie royale

Le règne de Louis XVI représente les derniers jours de la cour de France. Cette cour était depuis longtemps la plus brillante de tout l'univers. L'éclat en subsiste au temps de Louis XVI, et l'on peut même dire qu'il est plus intense que jamais. C'est la lumière trop vive d'une lampe qui jette ses derniers feux et qui va bientôt s'éteindre.

La jeunesse fait le premier ornement de la Cour. Jeunesse de la famille royale, jeunesse du roi et de la reine, des frères du roi et de leurs épouses, des deux jeunes sœurs du roi, Clotilde et Élisabeth et bientôt des enfants

---

1. Cité par l'abbé de Véri, *Journal, op. cit.*, p. 102, mars 1778.
2. Cité par François Hue, *Dernières Années du règne et de la vie de Louis XVI, op. cit.*, p. 426.

royaux. Louis XVI et Marie-Antoinette auront quatre enfants, deux filles et deux garçons, mais deux seulement survivront, Madame Royale née le 20 décembre 1778 et Louis Charles, duc de Normandie, né le 27 mars 1785, et devenu le 2 juin 1789, par la mort de son frère aîné, le second Dauphin. Le ménage du comte de Provence est stérile, mais celui du comte d'Artois a deux enfants, Angoulême et Berry. La race des Bourbons n'est pas près de s'éteindre.

Les seuls témoins de la génération précédente sont Mesdames, tantes du roi, les princesses Adélaïde et Victoire. Elles ne sont plus jeunes (quarante-deux et quarante et un ans). Elles ne sont pas belles. On les a souvent dépeintes comme des vieilles filles acariâtres, et il est vrai que leur dévotion et leur morale rigoureuse sont de nature à intimider et à refroidir. Mais elles valent beaucoup plus qu'on ne l'a dit. Ces deux femmes ne sont pas n'importe qui, ayant gardé l'âme héroïque et la jeunesse du cœur. Dans les derniers moments de leur père, elles ont tenu à le veiller malgré le risque de contagion. Elles ont d'ailleurs contracté la terrible maladie et n'ont dû d'en réchapper qu'à leur robuste constitution. Car il n'est pas d'amazones plus accomplies ni de chasseresses plus infatigables. Leur dernière sœur, Madame Louise, n'est plus à la Cour mais au carmel de Saint-Denis, où elle mourra en 1787, exténuée de mortification, ayant prié de toutes ses forces pour le repos de l'âme de Louis XV, ayant lutté de toute son énergie contre les progrès de l'incrédulité. Ces trois femmes indomptables forment autour du jeune roi comme une sorte de garde et de protection.

Mais elles n'ont plus le premier rôle. Le soleil de la Cour est maintenant la jeune reine Marie-Antoinette. C'est vers elle que se tournent tous les regards, toutes les adorations. Jamais aucune reine de France n'avait attiré à elle autant d'hommages. Elle est belle, elle est jolie. Tout dans sa personne est parfait. On ne peut lui reprocher que la mâchoire un peu forte de l'hérédité Habsbourg. Mme Vigée-Lebrun, qui l'avait peinte plusieurs fois, dira d'elle : « Elle était grande, admirablement faite, des bras superbes. C'était la femme de France qui marchait le mieux, portant la tête élevée sur son beau col grec [1]. » Horace Walpole, l'ayant vue dans un bal de la Cour en 1775, est dithyrambique : « Les Hébès et les Flores, écrit-il, les Hélènes et les grâces ne sont que des coureuses de rues à côté d'elle. On dit qu'elle ne danse pas en mesure, mais alors c'est la mesure qui a tort [2]. » On pourrait citer cent témoignages du même genre. La reine est un chef-d'œuvre de beauté et de charme.

Elle est belle. Elle est bonne. On remplirait un livre de ses traits de bonté, d'une bonté vive et spontanée. Un jour à la chasse, un postillon est

---

1. Cité par Louis Villat, « Louis XVI et les origines des mouvements révolutionnaires », *Revue bimestrielle des cours et conférences*, 15 mars 1934, p. 588.

2. *Ibid.*

blessé. Elle arrête la chasse, se penche sur le malheureux, envoie chercher du secours, fait transporter l'homme au palais où elle le soigne. Une autre fois, dans la galerie des Glaces, lors d'une remise de récompenses aux combattants de la guerre d'Amérique, elle est la seule à s'apercevoir de la défaillance d'un enseigne dont le pansement vient de se défaire. Quittant sa place elle s'agenouille près du jeune officier et refait elle-même son pansement.

A ce charme, à cette gentillesse elle joint beaucoup de qualités d'esprit. Elle n'est pas du tout l'ignorante que l'on a dit. Fort bien instruite de la langue française par son précepteur l'abbé de Vermond, elle en a parfaitement compris le génie. Elle en a fort bien saisi tous les tours de prévenance et de politesse. Elle a aussi l'usage de la langue italienne. Elle est excellente musicienne, «sachant déchiffrer à livre ouvert comme le meilleur professeur[1]». Le jugement et la perspicacité ne lui manquent pas. Cette jeune femme réputée légère et superficielle se révèle une mère attentive et fine. Il faut lire par exemple les instructions qu'elle rédige en 1789, à l'intention de Mme de Tourzel, pour l'éducation du Dauphin. C'est un modèle de pénétration psychologique et de sûreté de jugement. Citons ce seul passage :

> On a toujours accoutumé mes enfants à avoir grande confiance en moi et, quand ils ont eu des torts, à me les dire eux-mêmes. Cela fait qu'en les grondant j'ai l'air plus peinée et affligée de ce qu'ils ont fait que fâchée. Je les ai accoutumés à ce que, oui et non, prononcé par moi, est irrévocable, mais je leur donne toujours une raison à la portée de leur âge, pour qu'ils ne puissent pas croire que c'est humeur de ma part[2].

Nous retrouverons le même équilibre, la même sagesse dans ses réponses à son procès. On lui reprochera d'avoir avec le roi «trompé le peuple». Elle répondra que, «sans doute, le peuple a été trompé, qu'il l'a même été cruellement; mais que ce n'est assurément ni par le roi ni par elle, qui l'ont toujours également aimé[3]».

Elle est sobre, pudique, modeste. Tous les jours, depuis le début du règne, une propagande crapuleuse la salit et l'insulte. Mais nulle n'est plus modeste. Nulle n'est plus chaste. Par exemple, elle se baigne vêtue d'une longue robe de flanelle boutonnée jusqu'au col et, lorsqu'elle sort du bain, veut que «l'on tienne un drap devant elle[4]».

Peut-être même est-elle trop réservée, et ce serait là finalement l'explication la plus vraisemblable de la non-consommation de son mariage. Durant sept années en effet — très exactement jusqu'en août 1777 —, ce

---

1. J. L. Campan, *Mémoires, op. cit.*, p. 35.
2. Cité par le docteur Cabanès, *Mœurs intimes du passé*, IVᵉ volume, Paris, 1976, p. 133.
3. Cité dans *Note historique sur les procès de Marie-Antoinette d'Autriche, reine de France, et de Madame Elizabeth de France au Tribunal révolutionnaire*, par Mr Chauveau-Lagarde, avocat, leur défenseur, Paris, Gide, 1816, p. 16.
4. J. L. Campan, *Mémoires, op. cit.*, p. 72.

mariage n'a pas été consommé, ou ne l'a été que d'une manière imparfaite. Les historiens ont longuement conjecturé à ce sujet. L'hypothèse
d'une mauvaise conformation de Louis XVI a été souvent avancée, mais
rien ne le prouve. Il vaut mieux invoquer l'extrême jeunesse des époux
(« La femme est jeune, écrivait Louis XV à l'infant de Parme, et encore
enfant, et rien ne presse »), la timidité du jeune roi devant la brillante fille
des Habsbourg, et très probablement aussi une certaine froideur de
tempérament chez la reine.

Mais, dira-t-on, n'a-t-elle pas eu un sentiment pour Fersen, le jeune
officier suédois ? Certes, ce sentiment a existé. Le témoignage du comte
de Creutz, ambassadeur de Suède, ne permet pas d'en douter. « J'avoue,
écrivait ce diplomate à son souverain, le 10 avril 1779, que je ne puis
m'empêcher de croire qu'elle avait des penchants pour lui : j'en ai vu des
indices trop sûrs pour en douter[1]. » Il est donc très possible que la reine
ait éprouvé pour Fersen plus que de l'amitié. Mais une liaison est invraisemblable ; Marie-Antoinette avait trop de dignité et de pudeur (et trop
peu de tempérament) pour manquer à son devoir.

D'ailleurs, elle aime le roi. Elle ne l'aime peut-être pas de passion.
Elle l'aime d'estime, d'amitié, de pitié et de gentillesse.

Le roi, de son côté, a été d'abord indifférent. Tout au moins il en avait
l'air. L'amour est venu peu à peu, puis l'admiration. Au début du règne,
il ne comprend pas bien sa femme. Il est séduit par elle comme malgré
lui, et cède à ses caprices tout en montrant parfois quelque agacement.
Plus tard, au Temple, il la comprendra. Il évoquera avec tendresse la
jeune fille qu'il avait épousée :

> Vous l'avez vue, dira-t-il à Malesherbes, vous l'avez vue arriver à la Cour ;
> elle sortait à peine de l'enfance. Ma grand-mère et ma mère n'étaient plus ;
> mes tantes lui restaient mais leurs droits sur elle n'étaient pas les mêmes.
> Placée au milieu d'une Cour brillante [...] quelle opinion ne dut-elle pas
> concevoir de sa puissance et de ses droits, elle qui réunissait sur sa tête tant
> d'avantages[2] !

On souligne ce qui sépare les époux. On oublie ce qui les réunit ;
Marie-Antoinette partage bien des sentiments et des idées de son époux.
Elle a la même bonne volonté, le même penchant pour la vertu et pour la
bienfaisance. Elle se fait de la royauté la même idée utopique. Elle croit
elle aussi à la paternité et à la simplicité royale, persuadée de n'avoir
qu'une mission, « travailler au bonheur » des Français. Cette expression
revient sans cesse dans sa bouche. Elle l'emploiera des dizaines de fois à
son procès. Par exemple, lorsque le président lui demandera « si elle
prenait intérêt aux armées de la République », elle lui répondra qu'elle

---

1. Cité par Paul Gaulot, *Un ami de la reine*, Paul Ollendorf, 1892, p. 40.
2. Cité par François Hue, *Dernières Années du règne et de la vie de Louis XVI, op. cit.*,
p. 435-436.

désirait « par-dessus tout le bonheur de la France [1] ». C'est le langage de Louis XVI et de Fénelon, son maître. Marie-Antoinette a-t-elle reçu elle aussi la marque de Fénelon ? C'est plus que probable. En tout cas nous savons qu'elle a dans sa bibliothèque le *Télémaque* et les *Œuvres spirituelles* [2].

Qu'elle ait influencé certaines décisions royales, cela n'est pas douteux. Toutefois, cette influence a été exagérée. C'est Louis XVI qui gouverne et non sa femme. Les décisions politiques, où l'on peut discerner clairement l'influence de la reine, sont rares. Avant 1789, on ne peut guère lui attribuer que l'exil du duc d'Aiguillon en 1776 et le choix de Loménie de Brienne comme principal ministre en 1787. Et même en ce qui concerne le duc d'Aiguillon, il se trouve aujourd'hui des historiens pour nier toute influence réelle de la reine dans cette décision [3].

Il faudrait d'ailleurs distinguer les interventions de la reine elle-même des intrigues de sa coterie, menées le plus souvent à son insu.

Sa coterie, c'est le cercle d'amis qui lui sont chers. Elle veut les voir souvent et à sa guise, en dehors des cérémonies et de l'étiquette. Elle est assoiffée d'amitié.

Tous ses amis ne la valent pas. Du côté des hommes, surtout des galantins et des frivoles. Les ducs de Coigny et de Lauzun ne sont pas des personnages bien intéressants. Besenval, que la reine adore, est un bellâtre quinquagénaire, aux manières trop libres et d'une galanterie de mauvais ton. En outre, c'est un agent du parti Choiseul, une sorte d'espion, qui va régulièrement rendre compte à Chanteloup. Les Polignac, le mari (Jules) et la femme (Yolande Diane Gabrielle), « la plus jolie femme de son temps » au dire de Besenval, usent de leur faveur pour accumuler les pensions, les titres et les charges : pour Jules, la charge de premier écuyer de la reine, le titre de duc héréditaire et la Direction générale des postes ; pour Yolande, la place de gouvernante des enfants de France. La reine ne sait pas mesurer ses bienfaits. L'insolente ascension du clan Polignac agace la Cour et aggrave l'impopularité de la reine.

La seule de l'entourage qui mérite vraiment l'amitié de Marie-Antoinette est Marie-Thérèse de Savoie Carignan, princesse de Lamballe, veuve à vingt ans, beauté blonde aux yeux languides, âme angélique et fidèle. Surintendante de la maison de la reine et grande confidente de sa souveraine, elle sera supplantée dans sa faveur par Mme de Polignac. Elle en aura de la tristesse, mais non de l'amertume, et son amitié ne se démentira jamais.

1. Cité par Claude-François Chauveau-Lagarde, *Note historique sur les procès de Marie-Antoinette... et de Madame Elizabeth...*, *op. cit.*, p. 17.
2. Albert Chérel, *Fénelon au XVIIIe siècle en France, 1715-1820. Son prestige, son influence*, Paris, Slatkine, 1970 ; reprod. en fac-similé de l'édition de Paris, 1917, p. 385.
3. Paul et Pierrette Girault de Coursac, *Marie-Antoinette et le scandale de Guines*, Paris, Gallimard, 1962.

Autant que ses amis, on reproche à Marie-Antoinette ses dépenses. La propagande antiroyale les grossit à plaisir. Qu'en est-il exactement ? Il faut distinguer. Dans certains domaines la reine se montre beaucoup moins dépensière que ne l'avaient été les favorites de Louis XV. Elle ne se fait construire aucun château. Au Petit Trianon, que le roi lui a donné, elle garde le mobilier de la Pompadour et n'apporte aucun changement. Campan lui reproche d'y coucher dans un « lit très fané », et ajoute cette remarque : « Je pourrais prouver qu'elle portait l'économie jusqu'à des détails d'une mesquinerie blâmable, surtout dans une souveraine[1]. » Il est vrai que, par ailleurs, la reine a des goûts dispendieux, mais sans avoir toujours les moyens de les satisfaire. Elle raffole des bijoux, mais doit le plus souvent refréner ses envies. Le duc de Croÿ raconte qu'un soir de décembre 1775, après un souper de cabinet, elle montre à ses amis « de belles boucles d'oreilles qu'elle aurait bien voulu acheter ». Mais, ajoute le duc, « elle les cachait au roi, ce qui me fit voir qu'il tenait bon sur la dépense[2] ». Le seul domaine où elle peut dépenser sans compter — et elle ne compte pas — est celui des divertissements. Les bals (donnés une fois par semaine) coûtent très cher à cause des plumes et des dorures des habits de quadrilles : 100 000 livres pour la seule année 1776. Il y a aussi les spectacles de théâtre et les ballets. Ajoutons que la jeune femme aime donner, soulager les malheureux, obliger ses amis et ses familiers. Là aussi elle ne compte pas, et beaucoup en profitent. Par exemple en 1777, Papillon de La Ferté, l'intendant des menus plaisirs, reçoit l'ordre de payer un mémoire de 6 000 livres que la reine lui a fait remettre pour les dettes de son maître de harpe. L'intendant paie, mais il trouve que la reine est trop bonne : « Je n'ai pu me dispenser, note-t-il dans son *Journal*, de conseiller à M. le maréchal de Duras de représenter à Sa Majesté qu'on abusait de ses bontés[3]. »

Son tort — mais est-ce bien son tort ? le roi n'aurait-il pu l'avertir ? — est d'oublier parfois sa condition de reine de France. Rivarol dira : « Elle oubliait qu'elle était faite pour vivre et mourir sur un trône réel[4]. » Elle oublie ou veut oublier. Alors elle s'adonne à ses fantaisies. Par exemple, durant l'été torride de 1778, enceinte de son premier enfant et ne pouvant trouver le sommeil, elle imagine d'aller se promener dans le parc à quatre heures du matin, afin d'admirer le lever du jour. Cela suscite les commérages. Elle alimente aussi la malveillance par ses équipées nocturnes au bal masqué de l'Opéra. Ses beaux-frères l'y accompagnent, lui servant de chaperons. Elle s'imagine que personne ne la reconnaît, mais elle est à peine entrée dans la salle que tout le monde est averti de sa présence. Et

1. J. L. Campan, *Mémoires sur la vie privée de Marie-Antoinette*, Paris, 1823, p. 75.
2. Emmanuel de Croÿ, *Journal, op. cit.*, p. 224, 21 décembre 1775.
3. Denis Pierre Papillon de La Ferté, *Journal (1756-1780)*, publié avec une introduction et des notes par Ernest Boysse, Paris, 1887, p. 404, samedi 22 février 1777.
4. Cité par Paul Gaulot, *Un ami de la reine*, Paris, Ollendorf, 1892, p. 96.

puis, un jour, il y a un accident : une roue de carrosse est cassée ; il faut héler un fiacre, et, de ce transport en fiacre de la reine de France, tout Paris affecte de se scandaliser. Car la critique s'empare de tout ce qu'elle fait. On aurait dû l'avertir du danger de ses frasques innocentes. On aurait dû lui dire qu'elle était surveillée, et que le moindre de ses divertissements donnerait lieu à des libelles accusateurs, à des chansons ordurières, et à toute une propagande acharnée à salir la royauté à travers la reine.

Les frères du roi, les comtes de Provence et d'Artois sont des jeunes gens brillants et amis des fêtes et des plaisirs. Ils sont mariés tous les deux à des princesses de Savoie, et cela fait donc trois jeunes ménages au milieu de la Cour. Ces trois ménages se voient beaucoup. On peut même dire qu'ils sont inséparables, prenant leurs repas du soir en commun, s'invitant mutuellement, vivant en somme sur un pied de grande intimité. Y a-t-il entre eux une affection réelle ? C'est difficile à dire. Une chose est sûre : Provence et Artois admirent leur belle-sœur et s'indignent des calomnies dont elle est l'objet. D'ailleurs Marie-Antoinette, en bonne Habsbourg, est très « famille ». La bonne entente entre les ménages princiers est, selon Mme Campan, « l'ouvrage de la reine [1] ».

La Cour prend un nouveau style, celui de la simplicité familiale. Les souverains entendent donner le spectacle du bonheur conjugal. Ils se promènent la main dans la main, et même, nouveauté inouïe, s'embrassent en public. Écoutons le duc de Croÿ nous raconter l'une de ces scènes attendrissantes :

> Une fois, la reine, jolie comme le jour et remplie de grâces, alla au bois sur un cheval qu'elle menait supérieurement, et rencontra le roi, qui se promenait au milieu de son peuple après avoir renvoyé ses gardes, ce qui avait beaucoup plu au public. Elle se jeta au bas de sa monture, il courut à elle et l'embrassa au front. Le peuple applaudit, sur quoi Louis XVI appliqua deux bons baisers sur les joues de Marie-Antoinette [2].

« Le peuple applaudit... » Il est certain que Louis XVI, en agissant avec cette simplicité bonhomme, correspond aux vœux de l'opinion publique. Louis XV avait passé sa vie à fuir ses sujets, cherchant des retraites où il pût se dérober à leurs yeux ; cette attitude avait largement contribué à rendre la royauté impopulaire. Il était nécessaire de renverser le courant, de se rapprocher à nouveau des sujets, de retrouver d'une manière ou d'une autre une relation avec le public. Mais il ne fallait pas oublier non plus que la vie des rois n'est pas celle des particuliers, qu'une certaine solennité doit toujours accompagner leurs actions et que la considération des peuples est à ce prix. Cela est surtout vrai dans la monarchie française, où les cérémonies de la Cour ne sont pas

---

1. J. L. Campan, *Mémoires, op. cit.*, p. 50.
2. Emmanuel de Croÿ, *Journal, op. cit.*, p. 290.

seulement destinées à marquer la supériorité royale, mais signifient aussi l'abnégation du prince et son dévouement à la chose publique. Louis XVI comprend-il ce sens profond? Ce n'est pas certain. Nous le voyons en effet s'attacher à réduire le cérémonial et à simplifier le décorum.

Certains usages de la vie publique sont retranchés. C'est le cas en particulier du grand et du petit couverts; le grand couvert, c'est-à-dire le repas du soir pris en public devant la Cour et les curieux, n'a lieu maintenant que le dimanche et les jours de cérémonie. Les «soupers de cabinet», dans l'intimité de la famille royale et de quelques privilégiés, le remplacent le plus souvent. Quant au «petit couvert» (repas du matin semi-public), il a pratiquement disparu. Déjà Louis XV avait commencé à prendre ses repas dans son particulier. Les Français aimaient beaucoup voir leur roi manger. Ce plaisir leur est aujourd'hui mesuré. Louis XVI maintient, et même avec la plus grande exactitude, le lever, le coucher et le débotter publics, mais la raréfaction des repas de Cour ôte à la vie royale un peu de son caractère public.

L'influence de la reine y est certainement pour beaucoup. Nous savons que «l'étiquette et les cérémonies l'ennuyaient[1]». Très vite elle a écourté son lever public. Elle s'est mise à circuler librement dans le palais, sans être accompagnée de ses dames d'honneur; elle a voulu aussi «privatiser» les fêtes: à partir de 1777, elle organise à Trianon des fêtes réservées à un tout petit nombre et qui, à la différence des bals de Versailles, n'admettent aucun public.

Le roi est parfaitement consentant. Cela correspond à ses goûts, à sa philosophie. Il veut faire le souverain «éclairé», c'est-à-dire ennemi du cérémonial et du faste. Il se rase lui-même, supprime les harangues aux enfants royaux et, dans les cérémonies, au lieu de marcher seul devant tous il se confond avec la foule des courtisans. On ne le voit plus. Le comte d'Hézecques écrit: «A peine le spectateur accouru du fond de sa province pouvait-il, au milieu d'une troupe d'officiers, reconnaître le roi. L'éclat de ses pierreries brillait seul un instant, tandis qu'on aurait dû laisser le prince seul, l'entourer à distance et laisser aux sujets le temps de l'examiner, de se pénétrer de son image et de la graver pour longtemps dans leur souvenir[2].»

Dans le même esprit commence dès 1774 la réduction des dépenses de la Cour. On ne touche pas (au moins jusqu'en 1788) aux fêtes et aux spectacles. Mais on réduit les services et les personnels. Par exemple, on retranche plusieurs équipages de chasse (en 1744, l'équipage des petits chiens[3]); on supprime l'extraordinaire de la bouche[4]; on abolit toutes les

---

1. Duc de Lévis cité par Paul Gaulot, *Un ami de la reine, op. cit.*, p. 99.
2. *Souvenirs du comte d'Hézecques, page à la cour de Louis XVI, op. cit.*, p. 62.
3. Emmanuel de Croÿ, *Journal, op. cit.*, p. 144, août 1774.
4. Il s'agit d'une partie du service de la cuisine et de la table du roi.

charges d'intendant de la maison civile. En 1775, le comte de Saint-Germain, ministre de la Guerre, fait des coupes sombres dans la maison militaire, supprimant certains corps, réduisant les effectifs des autres. Plus tard, en 1787, Loménie de Brienne réforme les pages, supprimant les quarante pages de la petite écurie et les deux de la vénerie, ne gardant que ceux de la grande écurie. Autant d'économies substantielles certes, mais modiques par rapport à l'ensemble des dépenses de la Cour, et finalement néfastes pour l'éclat du trône et de la majesté souveraine.

Si, cependant, Louis XVI, allant jusqu'au bout de sa logique de prince éclairé, s'était rapproché de ses sujets dans l'exercice de sa souveraineté, si, renonçant à l'isolement où son prédécesseur s'était confiné, il s'était montré davantage à ses peuples, le mal eût été moindre : il aurait compensé par cette démarche la baisse de prestige résultant de la simplification du décorum. Mais il n'en a rien fait. Ses visites à Paris ne sont pas plus fréquentes que celles de Louis XV : deux ou trois fois par an, pour un lit de justice au Parlement, ou pour un *Te Deum* à Notre-Dame. Elles sont tout aussi vite expédiées, comme s'il s'agissait de corvées. Quant aux provinces, le roi en est absent. On ne lui connaît qu'un voyage, celui de Normandie, du 2 au 28 juin 1786. Il y a certes la tradition perpétuée des séjours périodiques dans les résidences royales de Fontainebleau, Compiègne, Marly et Choisy. Ces «voyages» de la Cour créent une relation avec le public. Les gens voient passer le cortège royal ; ils peuvent entrer librement comme à Versailles dans les jardins des résidences. Cependant le contact ne vaut pas celui de Versailles où le bon peuple a ses habitudes et qui est vraiment la vitrine de la royauté. Or Louis XVI en est absent en moyenne soixante-huit jours par an de 1774 à 1781[1]. Et quand, à partir de 1783, des raisons d'économie l'obligent à espacer les «voyages» et même à renoncer complètement à son séjour à Marly, au lieu d'en profiter pour demeurer plus longtemps à Versailles, il se réfugie de plus en plus souvent à Trianon où la reine l'attire et où l'exiguïté des lieux ne permet pas d'admettre le public[2]. Au total, il n'y a guère de différence avec le règne de Louis XV : le roi n'est guère plus visible qu'il ne l'était. Le prestige de la royauté s'en trouve altéré.

Certes, l'aspect de la vie royale garde encore toute sa beauté. On peut même dire que, depuis la jeunesse de Louis XIV, la cour de France n'avait jamais été plus séduisante et que l'on n'y avait jamais vu autant de spectacles de théâtre, autant de ballets, autant de bals, autant de fêtes. La grande saison théâtrale est l'automne à Fontainebleau. En 1777, par exemple, la Cour arrive dans cette résidence le 9 octobre, et le premier spectacle est donné le 10. L'intendant des Menus plaisirs parle de

---

1. François Bluche, *La Vie quotidienne au temps de Louis XVI, op. cit.,* p. 58.
2. J. L. Campan, *Mémoires, op. cit.,* p. 144, et Louis Bachaumont, *Mémoires secrets,* Slatkine, 1967, reprod. en fac-similé de l'édition d'Amsterdam 1737-1744, t. X, p. 211.

« quantité de spectacles et de ballets qui ont été donnés[1] ». Il semble que cette année-là, pendant toute la durée du séjour de la Cour, une représentation ait été donnée chaque jour. A Versailles, la fréquence des spectacles, bien qu'un peu moins forte, est quand même très élevée. Nous savons par exemple qu'au printemps 1778, on donne trois représentations par semaine. Il faut y ajouter ces divertissements d'un nouveau genre (lancés par la jeunesse de la Cour) que sont les courses de chevaux et celles de traîneaux. Les courses de chevaux ont commencé en 1775. Elles ont lieu trois fois par an, soit dans la plaine de Barban, soit dans celle des Sablons. Les musiques des gardes françaises et des gardes suisses viennent en rehausser l'éclat. Mme Campan nous a laissé une description poétique des parties de traîneaux, de ces « promenades triomphales », où la princesse de Lamballe paraissait « enveloppée de fourrures, avec l'éclat de la fraîcheur de ses vingt ans, et on pouvait croire que c'était le printemps sous la marte et sous l'hermine ». Cependant rien de tout cela n'égale la splendeur des bals de la reine, donnés à Versailles tous les mercredis, du 1er janvier jusqu'au carême. Le cadre est une ancienne salle de spectacle agrandie par des maisons de bois. On entre dans un bosquet de verdure illuminé. La salle de bal est séparée de celle de jeu par une vitre qui permet aux joueurs de se récréer du spectacle des danseurs. Seules les personnes présentées sont admises à danser, mais le public peut entrer et regarder le bal depuis la galerie courant autour de la salle. Les pages font les honneurs, servent les rafraîchissements, tiennent le vestiaire et raccompagnent les invités. A minuit, la famille royale vient souper et se retire ensuite.

Il n'est pas vain de nous remémorer ces images. Elles sont celles de la beauté et de la grâce. Elles sont les derniers attraits d'une certaine douceur de vivre. Et quand on sait la fin tragique de ces beaux jours, elles acquièrent une grande puissance d'évocation. Elles s'imprègnent alors d'une inexprimable mélancolie et d'une tristesse poignante et d'une délicieuse tristesse comparable à celle des accents d'*Orphée*. On croit entendre l'air « J'ai perdu mon Eurydice » que la reine, précisément, aimait à écouter et à chanter.

L'heure de la fin a déjà sonné. Les fêtes de la Cour sont terriblement impopulaires. L'opinion publique les a condamnées et discréditées. Il a suffi pour cela d'en grossir démesurément le coût. Voici un exemple qui donne une idée du procédé. Lorsque la jeune reine accouche de son premier enfant, il y a un feu d'artifice à Versailles et des illuminations ordonnées par les menus plaisirs. On prétend alors que ces réjouissances modestes ont coûté 200 000 livres, alors que la dépense, au dire de l'intendant des Menus, n'excède pas 15 000 livres[2]. Il en est ainsi toutes

---

1. D. Papillon de La Ferté, *Journal, op. cit.*, p. 412.
2. *Ibid.*, p. 423.

les fois. Chaque nouveau spectacle, chaque nouvelle fête donnent lieu à de nouvelles estimations fantastiques, et entretiennent ainsi le climat d'hostilité.

La politique d'économies de Louis XVI n'est pas judicieuse. Il choisit de garder les fêtes et de retrancher le décorum. Mais il perd sur les deux tableaux. S'il garde les fêtes, on le taxe de prodigalité. S'il retranche le décorum, il diminue son autorité.

De même pour le genre de vie. Il croit plaire à ses sujets en vivant plus simplement. Or il se fait mépriser d'eux. Il ne sait pas que, pour les impressionner, il devrait se montrer plus souvent, et dans tout l'appareil de sa puissance. « Il est avantageux, écrira Sénac de Meilhan, que le monarque se rapproche de ses sujets, mais c'est par l'exercice de la souveraineté et non par la familiarité de la vie sociale [...]. Cette familiarité laisse trop voir l'homme et diminuer le respect pour le monarque. »

Le roi dans l'exercice du métier de roi

Voyons maintenant Louis XVI dans l'exercice de son métier de roi. Nous constatons d'abord qu'il gouverne seul.

Jusqu'en 1787 il n'a pas de premier ministre. Dans les premières années de son règne, de 1774 à 1781, il a une sorte de tuteur en la personne de Maurepas. Ce dernier exerce une grande influence. Il habite l'appartement voisin de celui du souverain, qui le consulte à tout instant. Mais ce mentor n'est pas un premier ministre. Il n'a que les titres de ministre d'État et de chef du Conseil royal des finances. En arrivant, dès sa première entrevue avec le roi, il a mis les choses au point : « Vos secrétaires d'État, a-t-il dit à Louis XVI, travailleront avec vous et je ne me chargerai pas de vous parler pour eux. En un mot, je serai votre homme à vous tout seul et rien au-delà. »

A la mort de Maurepas, en 1781, tout le monde voit en Vergennes le successeur désigné[1]. Certains même lui prédisent le ministériat. Il est, dit le comte de Maillebois, « l'homme capable, sage et honneste qui peut et qui doit tendre la main au meilleur des rois ». En fait Vergennes ne sera ni premier ministre ni même mentor. Il sera seulement un ministre plus écouté que les autres, plus honoré aussi : après la guerre d'Amérique, le roi lui décerne la charge de chef du Conseil royal des finances. Mais il n'ira pas plus loin. Pourquoi ? Sans doute parce que son tempérament ne l'y porte pas. Ce ministre intelligent est un homme sans grand caractère. Le marquis de Bombelles le décrit « tremblant de se compromettre, n'ayant ni éloquence ni élévation », ne sachant « alléger aucun fardeau à son maître ». Un fidèle tout au plus, mais certainement pas un secours et encore moins un guide.

---

1. Voir J.-F. Labourdette, « Vergennes ou la tentation du "ministériat" », *Revue historique*, n° 245, p. 73-107.

C'est seulement vers la fin de son règne que Louis XVI abandonne à des premiers ministres la conduite directe des affaires.

Il s'agit de Loménie de Brienne et de Necker.

A son entrée au ministère, le 2 mai 1787, Brienne n'a que le titre de ministre d'État, avec toutefois autorité sur le contrôleur général, qui ne doit voir le roi que devant lui. Le 26 août 1787, il est nommé « ministre principal » et désormais toutes les affaires lui passent par les mains.

Un an après, Jacques Necker, déjà directeur général des Finances, lui succède dans cette position éminente de « principal ministre d'État ».

Mais ces délégations viennent tard. Louis XVI est un roi jaloux de son autorité. Pendant la plus grande partie de son règne, il n'admet aucun intermédiaire entre lui-même et ses ministres. Sitôt son avènement, il a voulu gouverner lui-même et imposer ses idées. Le recours à un premier ministre est tardif. C'est sans doute le signe d'un grand désarroi. Le souverain n'a plus confiance en lui-même.

S'il veut gouverner seul, sa tendance naturelle est aussi de gouverner en solitaire et hors du Conseil. Déjà, sous ses prédécesseurs immédiats, le gouvernement traditionnel par conseil avait perdu une grande partie de sa réalité. Avec lui ce mode de gouvernement devient presque insignifiant.

Les Conseils sont maintenus, et le roi préside ceux d'en haut et des dépêches, mais le Conseil d'en haut est le seul qui se réunisse souvent et régulièrement : deux fois par semaine, le mercredi et le samedi. Le Conseil des dépêches avait lieu tous les samedis au début du règne, mais, en 1784, on ne le voit plus se réunir que deux fois par mois. Quant au Conseil royal des finances, tenu chaque mardi sous Louis XV, il n'est plus convoqué sous Louis XVI que sept ou huit fois par an[1]. La plupart des affaires importantes se décident dans les comités de ministres, instances créées autrefois par Fleury pour l'aider à préparer les Conseils. Maintenant les comités de ministres sont devenus une institution : ils se substituent aux Conseils eux-mêmes[2]. Necker les réunit trois fois par semaine. Le roi y assiste parfois (ce qu'il ne faisait pas sous le règne précédent) et leur donne ainsi une importance nouvelle. Il travaille aussi beaucoup en tête à tête avec chacun de ses ministres, et c'est bien encore là le mode de gouvernement qu'il préfère. Dans les Conseils, il est mal à son aise. Une fois, pendant un Conseil des dépêches, comme il ne sait où donner de la tête, il se lève et quitte la salle, devant ses conseillers éberlués. L'esprit de la monarchie par conseil semble lui être étranger. Par ses méthodes, par sa manière de concevoir la royauté, il est finalement beaucoup plus proche du despotisme éclairé de son temps que de la monarchie « royale » de la tradition française.

1. François Bluche, *La Vie quotidienne au temps de Louis XVI, op. cit.*, p. 65-68.
2. François Olivier-Martin, *Histoire du droit français*, Paris, Éditions du CNRS, 1984, p. 445-446.

Chapitre II

LE GOUVERNEMENT DE LOUIS XVI
(Première période : 1774-1783)

L'avènement (1774-1776)

On peut appeler politique de l'avènement celle qui commence le 10 mai 1774, jour de l'accession au trône, pour s'achever le 12 mai 1776, avec le départ de Turgot ; c'est la période de la rupture avec le règne précédent. C'est aussi le temps des grandes expériences, celles de Turgot et de Saint-Germain.

LES CHOIX DE L'AVÈNEMENT (1774-1775)

Ce règne commence brutalement. La plupart des choix opérés marquent une volonté de changement radical. Mais pourquoi cette volonté ? Quel est ce dessein de changement ? Il faut essayer d'en comprendre les raisons. Il faut tenter de discerner dans la trame complexe des intrigues et du jeu politique les influences déterminantes. Le mieux est d'isoler les différentes décisions et de les considérer successivement dans leur ordre chronologique, depuis l'appel à Maurepas, le 12 mai 1774, jusqu'à la nomination de Malesherbes, le 21 juillet 1775.

L'appel à Maurepas

Le 12 mai 1774, le nouveau roi demande à Jean Frédéric Phélypeaux, comte de Maurepas, ancien ministre de Louis XV, de venir l'aider à gouverner. Il lui écrit en termes pressants :

> La certitude que j'ai de votre probité et de votre connaissance profonde des affaires m'engage à vous prier de venir m'aider de vos conseils. Venez donc le plus tôt qu'il vous sera possible et vous me ferez grand plaisir.

L'élu du roi est un vieillard. Il a soixante-treize ans. Il a été — de 1723 à 1748 — un excellent secrétaire d'État à la Marine. Mais enfin il n'est plus aux affaires depuis très longtemps. Un tel choix est donc surprenant et d'ailleurs personne ne l'a expliqué de façon tout à fait satisfaisante.

La raison la plus plausible est celle-ci : Louis XVI se serait conformé au vœu de son père. Nous savons en effet que le lendemain de son avènement une cassette lui a été remise — les uns disent par Madame Adélaïde, les autres par Nicolaï, évêque de Verdun — et que cette cassette était remplie de documents provenant du Dauphin. Selon l'abbé Proyart, « on peut imaginer que s'y trouvaient des avis et des secrets importants[1] ». Il y aurait même eu dans cette cassette un testament politique donnant au futur roi le conseil de choisir pour ministre, en première ligne Maurepas, en deuxième d'Aiguillon et en troisième Machault.

Que Louis XVI ait suivi les directives posthumes du Dauphin, cela est fort possible. Nous savons que le jeune roi vénérait la mémoire de son père. Il reste à savoir la raison de la préférence du Dauphin. Pourquoi Maurepas ? Était-ce à cause de l'inimitié portée à ce ministre par la Pompadour ? Y avait-il des liens d'amitié entre le fils de Louis XV et le ministre disgracié ? Nous l'ignorons. Ce qui est curieux, c'est que Maurepas va favoriser l'entrée des «philosophes» (Turgot et Malesherbes), et l'on est en droit de se demander comment le choix du pieux Dauphin a pu se porter sur un ami de la secte antichrétienne. La question n'est donc pas entièrement résolue.

Le renvoi du Triumvirat

Très peu de temps après son accession au trône, Louis XVI se sépare du Triumvirat, c'est-à-dire des trois grands ministres (d'Aiguillon, Maupeou et Terray) qui avaient restauré depuis 1770 le crédit et l'autorité de la royauté.

Maupeou et Terray sont renvoyés le 24 août. C'est ce qu'on a appelé à la Cour la «Saint-Barthélemy des ministres». D'Aiguillon n'a pas été renvoyé. Sachant ce qui l'attendait (il se savait détesté de la reine), il avait remis au roi dès le 2 juin sa double démission de la Guerre et des Affaires étrangères.

Son départ était prévu, mais non celui des deux autres. Le renvoi de Maupeou, surtout, provoque la surprise. On croyait Louis XVI plein de bonnes dispositions pour le chancelier. Ne l'avait-il pas félicité de son courage dans l'affaire des parlements ? «... Étant Dauphin, raconte le duc de Croÿ, il avait dit au chancelier, lors de la cassation du Parlement, qu'il venait de mettre la couronne sur la tête du roi, et on croit qu'il le lui avait répété dès qu'il fut roi[2]. »

Il y a donc un revirement chez Louis XVI. Maurepas et Turgot y ont contribué. Maurepas est d'une famille de parlementaires. Il partage la haine de son milieu pour le destructeur des anciens parlements. Turgot n'a pas les mêmes motifs, mais il ambitionne de remplacer Terray au Contrôle général, et il sait Terray invulnérable tant que Maupeou gardera les sceaux.

Cependant ni Maurepas ni Turgot n'auraient décidé le roi, si l'opinion publique ne s'en était mêlée. Dès le mois de juillet, une campagne d'opinion avait commencé pour le renvoi de Maupeou et le rappel des anciens parlements. Deux partis animaient cette campagne : les choiseulistes et les «patriotes» recrutés dans le monde des anciens magistrats et

---

1. Abbé Proyart, *Louis XVI et ses vertus...*, Paris-Lyon, 1808, t. I, p. 135.
2. Emmanuel de Croÿ, *Journal, op. cit.*, t. III, p. 135.

dans celui de la basoche. Les jansénistes s'agitaient aussi contre Maupeou. Adrien Le Paige, l'un des grands canonistes richéristes, avait composé un mémoire démontrant la nécessité de chasser Maupeou et de restaurer les parlements. Ce Le Paige était d'ailleurs un officier du prince de Conti, lui-même acquis au parti des anciens parlementaires. Il était connu aussi du duc d'Orléans qui avait donné son mémoire à lire au roi. Le renvoi de Maupeou n'est pas chez Louis XVI une décision mûrement réfléchie. Le roi ne fait que céder à une coalition et à la pression de l'opinion publique.

Turgot a gagné. Le 24 août, le jour même du départ de Terray, il est nommé au Contrôle général. La charge de chancelier étant inamovible, Maupeou refuse de s'en séparer. Mais il doit rendre les sceaux. Répondant au duc de La Vrillière venu de la part du roi lui demander sa démission, il déclare avec dignité :

> Monsieur, le roi ne peut avoir d'autre reproche à me faire que mon trop de zèle pour le maintien de son autorité. Je lui avais fait gagner un procès qui durait depuis trois cents ans. Il veut le reprendre, il est le maître.

Le choix de Turgot

Jacques Turgot, intendant de Limoges, est nommé secrétaire d'État à la Marine le 20 juillet, contrôleur général le 24 août et ministre d'État le 26. C'est Maurepas qui suggère à Louis XVI le choix de Turgot. Lui-même tenait l'idée de son ami, l'abbé de Véri, ancien condisciple de Turgot à la Sorbonne. Ce n'est donc pas le souverain qui a pensé le premier à faire ce choix.

Mais il n'a pas hésité à le retenir. Dès que la suggestion lui est faite, il y adhère entièrement. C'est avec empressement qu'il accueille son nouveau ministre : « Je sais que vous êtes timide, lui dit-il, mais je sais aussi que vous êtes ferme et honnête et que je ne pouvais mieux choisir. » Et comme Turgot lui fait cette étrange réponse : « Ce n'est pas au roi que je me donne, c'est à l'honnête homme », le roi lui prend les deux mains et lui dit : « Vous ne serez point trompé. » Un tel accueil n'est pas commun. Le roi manifeste ici une confiance que l'on ne donne pas habituellement à un ministre débutant. Il nomme certes, mais surtout il choisit, et il veut le montrer. On dirait qu'il a conscience de faire un choix exceptionnel.

De fait c'est un choix exceptionnel, et l'on peut même dire révolutionnaire.

Ce n'est pas le fait qu'il fasse carrière. Jacques Turgot a tous les titres voulus pour devenir ministre. Successivement conseiller au Parlement, maître des requêtes et intendant, il a suivi une filière classique, et qui en a conduit plusieurs avant lui au Contrôle général.

Sa carrière est conforme, mais pas ses idées. Turgot est un « économiste », un théoricien proche de la physiocratie, et il a écrit plusieurs

ouvrages de théorie économique. Il est aussi et surtout un « philosophe »,
et même un des membres les plus en vue de la secte philosophique. On le
connaît pour ses articles de l'*Encyclopédie*, et pour ses *Lettres à un
grand vicaire* (1753-1754), où il a défendu une conception de la tolérance qui n'est pas très différente de celle de Voltaire : il faut tolérer tout
et tous, mais il ne faut pas tolérer les « fanatiques », c'est-à-dire, selon le
langage de la secte, les catholiques convaincus de la vérité et de l'excellence de leur religion. « Il faut craindre le fanatisme, lisons-nous dans cet
ouvrage, et le combat perpétuel des superstitions et de la lumière. »
Indiscutablement nous avons affaire à un adversaire non déguisé du
christianisme catholique, et voilà l'homme que le Roi Très Chrétien
appelle au poste le plus important du gouvernement. Innovation singulière : jusqu'alors le ministère avait parfois compté des hommes proches
des « philosophes » (Choiseul par exemple), mais jamais de « philosophes » proprement dits.

Les « dévots » — c'est-à-dire les catholiques convaincus — sont
probablement inquiets d'un tel choix. Mais que peuvent-ils dire ? Turgot
est le candidat de Maurepas, et Maurepas a été désigné par le pieux
Dauphin. Turgot est donc presque inattaquable. On ne l'attaque donc pas.
Du moins pas encore. On se borne à quelques pointes. On fait remarquer
au roi que Turgot ne va pas à la messe, qu'il a écrit dans l'*Encyclopédie*.
Louis XVI fait la sourde oreille. Son nouveau ministre a toute sa
confiance. Alors la philosophie exulte. Le 12 août 1774, Voltaire écrit à
Condorcet : « Vous avez rempli mon cœur d'une sainte joie quand vous
m'avez mandé que le roi avait répondu aux pervers qui lui disaient que
M. Turgot est encyclopédiste : "Il est honnête homme et éclairé, et cela
me suffit"[1]. »

Les philosophes ont d'autres raisons d'être satisfaits. Turgot n'entre
pas seul au gouvernement. Il excelle à placer ses amis, tous hommes
« éclairés » s'il en fut. De Vaines, ancien collaborateur de l'*Encyclopédie*
et ancien directeur des Domaines à Limoges, est nommé premier commis
du Contrôle général. L'abbé Morellet, autre encyclopédiste, est chargé de
dépouiller la correspondance ministérielle et les placets. Dupont, le
physiocrate, et Condorcet, la nouvelle tête pensante de la « philosophie »,
sont inspecteurs généraux du commerce et des manufactures. D'Angiviller de La Billarderie, dont l'épouse tient un salon philosophique, reçoit
la Direction générale des bâtiments de France. Guibert, l'amant de Mlle de
Lespinasse, entre à l'état-major. Tout le monde profite ou veut profiter.
Comme l'a écrit H. Carré, « les philosophes et les économistes
semblaient se jeter à une curée[2] ». Le roi laisse faire. Ce n'est pas lui qui
nomme. C'est Turgot, ou mieux encore les salons. Nous avons une lettre

1. Condorcet, *Œuvres, 1847-1849, op. cit.*, t. I, p. 38-39.
2. Ernest Lavisse, *Histoire de France*, t. IX, Paris, Tallandier, 1983, p. 25.

étonnante de Mlle de Lespinasse demandant à Condorcet son avis sur la nomination du futur ministre de la feuille à la succession du cardinal de La Roche-Aymon : « Savez-vous, lui écrit-elle, que nous sommes menacés de perdre M. le cardinal de La Roche-Aymon [...] On nomme pour cet héritage l'ancien évêque de Limoges, M. de Narbonne et M. l'abbé de Véry. Pour lequel prononceriez-vous[1] ? » Le Contrôle général est le poste clé du ministère. En mettant la main sur ce poste, les philosophes et les économistes se sont emparés de tous les leviers de commande. Le duc de Croÿ, qui est un dévot, y voit « le plus grand coup porté à la religion, peut-être, depuis Clovis ». Il exagère sans doute. La monarchie des Bourbons n'avait pas attendu 1774 pour porter des « coups » à la religion. Mais on peut croire le duc lorsqu'il ajoute ceci : « Les Voltaire, Diderot, d'Alembert et tant d'autres encyclopédistes avaient tout bien préparé. Par le choix de MM. de Maurepas et Turgot, ils étaient au pinacle et seuls écoutés au Conseil[2]. »

Louis XVI est-il seulement le souverain circonvenu, celui dont on force la main, ou qui laisse faire ? Sachant son intérêt pour les écrits et pour les idées, on peut se le demander. Lorsqu'il livre le Contrôle général et la haute administration aux philosophes et aux économistes, il ne peut pas ne pas savoir ce qu'il fait. Est-il acquis lui-même à ce moment-là aux idées principales de la secte philosophique ? C'est bien difficile à dire. Il est permis seulement de verser au dossier une lettre adressée à Malesherbes plusieurs années plus tard. Louis XVI y fait cet aveu qu'il a autrefois adhéré aux idées philosophiques : « Voltaire, écrit-il, Rousseau, Diderot et leurs pareils [...] un instant ont obtenu mon admiration[3]. » On a émis des doutes sur l'authenticité de ce document, mais rien, dans l'état actuel des recherches, ne prouve qu'il soit apocryphe. De toute façon, la question d'une adhésion (momentanée) du jeune roi aux principales idées de la philosophie reste posée.

Le rappel des parlements

Louis XV en 1770 avait dissous les parlements et mis fin de cette manière à l'opposition persistante qui usait la monarchie. Louis XVI, en 1774, revient sur la décision de son prédécesseur, annule son acte d'autorité, et réinstalle les anciens parlements.

A vrai dire, le rappel des parlements ne figurait pas dans le programme initial du nouveau souverain. C'est dans l'été, probablement à la fin d'août, ou au début de septembre, qu'il commence à envisager cette mesure et à la juger nécessaire.

---

1. Julie de Lespinasse, *Lettres inédites à Condorcet, à d'Alembert, à Guibert, au comte de Crillon*, publiées par Charles Henry, Paris, 1887, p. 149.
2. Emmanuel de Croÿ, *Journal*, *op. cit.*, t. III, p. 153.
3. Louis XVI, *Lettres*, publiées par Barnabé Chauvelot, Paris, 1862, décembre 1786, p. 85.

Il y est conduit d'abord par le renvoi de Maupeou. Le départ du garde des Sceaux apparaît comme un désaveu de son œuvre. Et d'ailleurs comment garder les parlements Maupeou sans Maupeou ?

Le roi subit également la pression de l'opinion. Lancée d'abord contre Maupeou, la campagne d'agitation exploite immédiatement l'avantage acquis et se déchaîne contre les nouveaux parlements. Fin août, des scènes de violence troublent Paris. Le 26 les magistrats du parlement Maupeou sont outragés. Maupeou et Terray sont brûlés en effigie. Le 15 septembre, dans une parodie de funérailles, dix mille personnes suivent le convoi du chancelier, et l'exécutent en effigie une nouvelle fois. Le parti « patriote » est derrière, avec sa propagande et ses affidés. Dans leurs libelles les « patriotes » font valoir deux arguments, l'un politique, l'autre humanitaire. L'argument politique est celui de la représentativité des anciens parlements : ces cours représentent la nation. L'argument humanitaire fait valoir le « malheur » des anciens magistrats chassés et dépossédés. « La continuation de l'exil des magistrats, écrit Mme de Boufflers, est un sujet de mécontentement général parmi les gens de bien. On pense qu'il n'y avait pas un moment à perdre pour finir le malheur de tant de familles qui souffrent sans l'avoir mérité. Plusieurs de ces gens-là ont déjà péri de chagrin ; d'autres sont ruinés [...]. » Aux « patriotes » se joignent les « choiseulistes », et, bientôt, après quelques réticences, les « philosophes ». Ces derniers au début n'étaient guère favorables au rappel des anciens parlements, leur gardant rancune à cause de l'*Encyclopédie* et de Calas. Mais ils ont changé, admettant au moins la possibilité d'une dissolution du parlement Maupeou. « Le Parlement Maupeou, écrit Condorcet, était vil et méprisé. L'ancien était insolent et haï, tous deux étaient sots et fanatiques. Il en faut un troisième et j'espère que c'est ce qui va arriver. » Pourquoi cette nouvelle attitude ? La raison est très simple : Turgot est pour le rappel. Or Turgot est un homme précieux pour la secte. Il faut donc le soutenir, même si certaines de ses options ne correspondent pas toujours aux idées de la secte.

Turgot n'est pas le seul ministre pour le rappel. Maurepas y travaille avec acharnement depuis son arrivée au pouvoir. A la fin du mois d'août, tous les ministres — sauf Vergennes, il faut le souligner — sont acquis au projet. Un comité secret, composé de Turgot, Maurepas, Miromesnil (le nouveau garde des Sceaux) et Sartine (ministre de la Marine) en étudie les modalités avec le roi.

Mais Louis XVI n'est pas encore tout à fait décidé. Peut-être parce qu'il n'est pas encore parfaitement convaincu. L'intervention qui va emporter sa conviction et déterminer finalement sa décision est celle de Malesherbes. Ce dernier n'est pas encore ministre. Mais on y songe déjà. Turgot, dont il est l'ami, sait l'estime que lui porte le roi. Il juge donc opportun de solliciter son intervention :

[Turgot] me demanda, écrira Malesherbes, de travailler au rétablissement de la magistrature dans des principes tendant à la justice et au bonheur des peuples sans détenir l'autorité du roi[1].

Malesherbes accepte et rédige quatre « mémoires » successifs — il excelle, il excellera toujours dans ce genre démonstratif — qui sont placés sous les yeux du roi. Le quatrième de ces écrits fait voir dans les parlements le « corps immuable » assurant la conservation des lois et garantissant leur inviolabilité. C'était particulièrement habile. Car si Louis XVI est un réformiste, il est aussi, nous l'avons vu, un conservateur et un conservateur de l'espèce superstitieuse. Lui dire que les parlements conservaient, c'était donc ce qu'il fallait faire. Malesherbes touche juste. Louis XVI est maintenant persuadé de fortifier la monarchie en rappelant les parlements.

La réinstallation de l'ancien parlement de Paris a lieu dans le lit de justice du 12 novembre. L'acte est impolitique. En désavouant la « révolution royale » de Louis XV, il discrédite l'autorité monarchique. De plus on réussit ce tour de force de mécontenter tout de suite les magistrats réinstallés. Le roi les humilie : dans son discours, il leur présente leur rappel non comme un acte de justice, mais comme l'effet de son pardon. L'édit enregistré les amoindrit : quatre chambres sont supprimées, deux des enquêtes et deux des requêtes ; les assemblées des chambres ne pourront être convoquées que par le premier président. La compétence des présidiaux est augmentée au détriment des cours souveraines. Quant aux remontrances, elles seront désormais sans effet, ne pouvant empêcher d'aucune manière l'enregistrement des actes royaux. Enfin l'édit inquiète les magistrats. L'avertissement qu'il leur délivre a clairement forme de menace. Il est stipulé en effet que toutes démissions concertées et cessations de service seront considérées comme forfaitures et jugées par une « cour plénière » — c'est un vieux mot qui réapparaît — composée des princes du sang, des ducs et pairs, des membres du Grand Conseil et de notables. Si la forfaiture était prononcée, le Grand Conseil serait *ipso facto* substitué au Parlement.

Toutes ces dispositions sont jugées offensantes. Arrêtées dès le 30 décembre, les remontrances du parlement de Paris font au souverain de vifs reproches sur son édit, condamnent la cour plénière et s'insurgent contre le recours au Grand Conseil. Louis XVI peut ainsi tout de suite prendre la mesure de la mauvaise volonté des parlementaires. Ceux-ci non seulement ne lui vouent aucune reconnaissance, mais encore ils sont remplis d'animosité contre lui, ne désirant qu'une chose, reprendre la guerre jadis menée contre Louis XV. Ainsi donc, d'abord, le pouvoir royal s'affaiblit en rappelant les parlements. Ensuite, par des dispositions

---

1. Cité par Pierre Grosclaude, *Malesherbes, témoin et interprète de son temps*, Paris, Fischbacher, 1961, p. 291-292.

de défiance, il mécontente ces mêmes parlements pourtant restaurés par lui. On chercherait en vain dans toute l'histoire des nations un exemple aussi parfait de maladresse politique.

Le sacre[1]

Le sacre fait du prince l'oint du Seigneur et le roi thaumaturge. Ce sont là des vertus dont la «philosophie» se gausse et qu'un siècle aussi «éclairé» ne comprend plus. Louis XVI lui-même est un prince «éclairé». Il gouverne avec des ministres philosophes. Mais tout éclairé qu'il soit, il ne renonce pas au sacre. Le 11 juin 1775, dimanche de la Trinité, les onctions lui sont appliquées selon les rites traditionnels.

Le parti philosophique a fait ce qu'il a pu. Il ne pouvait pas faire supprimer le sacre. Au moins a-t-il tenté d'en atténuer le sens. Turgot, son mandataire, a rédigé pour le roi deux mémoires contre le sacre traditionnel. Dans le premier (daté de novembre 1774), il proposait de transférer la cérémonie à Paris. Dans le second (d'avril ou de mai), il suggérait de modifier les formules des serments, et de supprimer la promesse d'«exterminer» les hérétiques. Louis XVI a refusé. Le sacre aurait lieu à Reims et sans changement. Turgot n'a pas insisté. On peut même noter que depuis décembre il a montré beaucoup de zèle pour les préparatifs. C'est lui qui a fait ajouter au budget primitif les dépenses de diverses décorations de la cathédrale et celle de la gravure de la cérémonie des onctions[2]. En somme, le philosophe chez Turgot a très vite cédé le pas au courtisan. Il ira même à Reims. Maurepas restera à Versailles, mais Turgot le philosophe assistera à cette cérémonie d'un autre âge. La secte en sera mécontente, mais, comme Turgot lui est précieux, elle n'osera trop protester. Le 1er juin 1775, Mlle de Lespinasse écrit à Condorcet : «Vous savez que M. Turgot va au sacre. Mon premier mouvement a été d'en être fâchée. Je voyais que cela lui donnerait bien du temps [...] mais tout ce qui l'entoure dit qu'il fallait qu'il y allât, que cela était absolument nécessaire. Sans en pénétrer les motifs, je me joins à eux [...][3].»

Le sacre a donc lieu, et tous les rites sont accomplis : le réveil, le chant du *Veni Creator*, les serments, les onctions, les bénédictions, le couronnement et l'intronisation. Tous les assistants notent le sérieux avec lequel le jeune roi se plie à toutes les exigences de l'interminable cérémonie. En comprend-il vraiment le sens? Retenons l'observation du duc de Croÿ, témoin judicieux. Il dit que Louis XVI montrait «beaucoup de résignation et d'attention respectueuse», et qu'il était pratiquement le seul, la Cour ne voyant que le spectacle. Il y a donc de la bonne volonté chez

1. Herman Weber, «Le sacre de Louis XVI», *Le Règne de Louis XVI et la guerre d'Indépendance américaine*, actes du colloque international de Sorèze, Dourgne 1977, p. 13-22.
2. D. Papillon de La Ferté, *Journal, op. cit.*, p. 373, 1er décembre 1774.
3. Julie de Lespinasse, *Lettres inédites, op. cit.*, p. 199.

le roi, mais cela ne veut pas forcément dire qu'il entre pleinement dans l'esprit de son sacre.

Qui pourrait l'y aider ? Personne ne comprend plus la vertu du sacre. Nous avons des extraits du sermon prononcé la veille du sacre, dans la cathédrale de Reims, par Jean de Boisgelin, archevêque d'Aix, en présence du roi. Nous y voyons que pour cet illustre orateur, l'un des prélats les plus brillants de son temps, le sacre n'a aucune vertu par lui-même. C'est une cérémonie parmi d'autres et une occasion pour le roi de remercier Dieu. Voici le passage important :

> Comme membre du premier ordre de l'État, je dois ici déclarer ce que pense la nation entière ; elle ne croit pas que le sacre ajoute rien à votre puissance. Dieu vous a sacré lui-même, au moment que l'autorité vous est dévolue. Mais vous venez reconnaître devant lui qu'Il est l'auteur de toute puissance ; vous venez consacrer la vôtre à sa gloire, et au bonheur de vos peuples [1] [...].

Telle est la doctrine officielle. Elle vide le sacre de son sens biblique et prophétique. Mais gardant une sorte de milieu, elle ne consent pas pour autant à le séculariser. Certains avaient voulu voir dans cette cérémonie « la consécration du mariage politique entre le prince et la nation ». Pour d'autres, le sacre de Reims ne faisait que célébrer le pacte social. Boisgelin écarte ces interprétations. Car, dit-il, « ce n'est point par un pacte que les sujets et les rois sont liés à leur obligation : elle est plus qu'un pacte, puisque aucun pacte ne saurait la rompre ». Il y avait dans le cérémonial en usage depuis Henri II un rite de l'élection : avant le serment du sacre, les évêques de Laon et de Beauvais soulevaient le roi et demandaient au peuple s'il l'acceptait pour son roi. Le peuple ne répondait que par un « silence respectueux » et ce rite n'avait pas beaucoup de signification. Néanmoins, pour ôter tout prétexte à une interprétation démocratique, ce simulacre d'élection disparaît du cérémonial. Lors du sacre de Louis XVI, pour la première fois depuis Henri II, l'« élection » n'aura pas lieu ; la doctrine officielle est donc très nette : le sacre ne fait le roi d'aucune façon ni religieusement ni démocratiquement. Comme le note Croÿ, « on convenait que c'était une chose inutile et hors d'usage ».

Le 14 juin, à Saint-Rémy, a lieu la cérémonie des écrouelles. Le roi, stoïque, touche deux mille quatre cents malades. « A cause de la chaleur, note le duc de Croÿ, cela puait, et c'était d'une infection très marquée, de sorte qu'il fallait bon courage et force au roi pour faire toute cette céré-monie [2]. » Le toucher des écrouelles est d'autant plus remarquable qu'il est le premier depuis 1738. Mais c'est aussi le dernier de l'Ancien

---

1. Cité par H. Weber, art. cité., *Le Règne de Louis XVI et la guerre d'Indépendance américaine*, p. 18.
2. *Ibid.*, p. 20.

Régime. Louis XVI ne touchera plus jamais les écrouelleux. Cela aussi est un signe. Il n'a pas conscience d'être un roi sacré. Le sacre est pour lui un usage antique et infiniment respectable. Ici encore, il n'est qu'un conservateur.

Il se peut qu'il ait compris plus tard. Il se peut que les malheurs lui aient révélé qui il était, c'est-à-dire un roi sacrifié parce que sacré. On retiendra ce détail : partant pour l'échafaud, au matin du 21 janvier, s'étant dépouillé de tous ses objets personnels, il ne gardera sur lui que l'anneau du sacre.

La nomination de Malesherbes [1]

Le 21 juillet 1775, Malesherbes est nommé secrétaire d'État à la Maison du roi. On sait l'importance de ce département qui a dans ses attributions, outre la maison du roi, les affaires du clergé, celles des protestants, l'administration de nombreuses provinces et de Paris. La nomination de Malesherbes à ce poste parachève l'ensemble des grandes décisions fondamentales de l'avènement.

Le choix de Turgot avait été surprenant. Celui-ci ne l'est pas moins. Guillaume de Lamoignon de Malesherbes n'est pas comme Turgot un membre déclaré du parti philosophique, mais nul n'ignore que toutes ses sympathies vont à ce parti. Comme président de la Cour des aides, il a été un adversaire acharné et redoutable du régime. Il ne s'est pas contenté en effet de défendre les prérogatives des cours souveraines, mais il a soutenu cette idée nouvelle et subversive, que la nation existe indépendamment du roi. Cet ami de la philosophie, cet opposant radical, ce démocrate devient ministre. Il faut bien convenir qu'une telle nomination a quelque chose d'extraordinaire.

Et l'on ne peut pas dire que Malesherbes se soit imposé, qu'il ait profité de son amitié avec Turgot. Au contraire. Il ne voulait pas être ministre. Il disait à Turgot : « Je ne pense pas être ministre. Je n'ai pas de caractère [2]. » Il craignait aussi, en acceptant, d'indisposer la reine. Il a fallu des instances répétées, et les supplications conjuguées de Maurepas, Turgot et Véri, pour vaincre ses réticences. Il a fallu pour le décider une lettre personnelle du roi, lui enjoignant d'accepter.

Car il n'a pas été non plus imposé au roi. Certes les principaux ministres soutenaient vivement sa candidature. Mais il semble bien que, depuis plusieurs mois, Louis XVI lui-même désirait son entrée au ministère. Le jeune roi était séduit par la personnalité de Malesherbes et par ses idées. Il avait suivi ses avis pour le rappel des parlements. Il avait sans doute été sensible aux vifs éloges que celui-ci, dans son discours de réception à l'Académie française, le 16 février 1775, avait décernés à sa

---

1. Voir Pierre Grosclaude, *Malesherbes, témoin et interprète de son temps, op. cit.*, p. 318 et suiv.
2. *Ibid.*

modestie et à sa simplicité : « Sa grande âme, avait dit Malesherbes en parlant du roi, s'indigne de la louange dès qu'elle approche de la flatterie[1]. »

Le roi éprouve de la sympathie pour Malesherbes. Il l'admire. Il juge son acceptation « nécessaire pour le bien de l'État » et le lui écrit le 30 juin. Ce n'est pas une clause de style. C'est bien l'expression de sa pensée.

*
* *

On ne soulignera jamais assez le caractère révolutionnaire de l'avènement de Louis XVI.

Les premières décisions du nouveau roi marquent en même temps la rupture avec la politique de Louis XV et une volonté déclarée de gouverner de manière « éclairée ».

Il ne s'agit pas d'un programme délibéré, ni d'un plan concerté avant l'accession au trône. La plupart des choix du jeune roi lui sont suggérés par son entourage ou par l'opinion publique. Il obéit aux influences de ses conseillers. Il suit les avis des différentes factions (« patriotes », « choiseulistes » ou « dévots »).

Mais il le fait de son plein gré. Il consent. Il n'est nullement forcé. Il donne son assentiment réel aux suggestions qui lui sont faites. On ne peut pas dire qu'il soit manœuvré. Non seulement il n'est pas manipulé, mais il est d'accord sur le fond. Ses idées politiques humanitaires et égalitaires s'accordent facilement avec celles de ses conseillers les plus éclairés. Louis XVI doit enfin rentrer dans l'histoire de son règne. C'est lui et lui seul qui porte la principale responsabilité des décisions de son avènement.

LES EXPÉRIENCES DE L'AVÈNEMENT

La politique de l'avènement est faite de réformes hardies, fondamentales et, pour la plupart d'entre elles, de très brève durée. On s'efforce d'améliorer le « corps social ». On veut aller vers le « bien » : c'est le mot à la mode. On dit que le roi « veut le bien », et qu'avec les « ministres vertueux » de son choix « le bien se fera sûrement[2] ». Ces ministres « vertueux » (Turgot, Malesherbes et Saint-Germain) sont d'abord portés par l'opinion, mais ils deviennent vite impopulaires.

Turgot, ses réformes, sa disgrâce

Turgot en impose. C'est un homme de quarante-quatre ans, de belle figure et prestance, assez froid et autoritaire. Toutefois cette allure inti-

---

1. Cité dans *Malesherbes, le pouvoir et les Lumières*, textes réunis et présentés par Marek Wyrwa, Paris, France-Empire, 1989, p. 97.

2. Julie de Lespinasse à Condorcet, *Lettres inédites, op. cit.*, 21 mai 1775, p. 157. Le 4 septembre 1775, Morellet écrit à lord Shelburne : « Enfin nous marchons vers le bien » (cité par E. Faure, *La Disgrâce de Turgot*, Gallimard, 1961, p. 54).

midante voile une certaine timidité. « L'embarras, écrit son ami l'abbé de
Véri, fait partie de son caractère[1]. » Il a du caractère, il sait commander,
mais non communiquer. Ayant été pendant treize ans l'administrateur
avisé d'une grande province, il n'est pas dépourvu d'expérience. Mais
c'est essentiellement un doctrinaire. Il vit avec les idées plutôt qu'avec
les hommes. « Notre science, dira Malesherbes, parlant de Turgot et de
lui-même, était toute dans les livres ; nous n'avions nulle connaissance
des hommes[2]. » Le nouveau contrôleur général va donc gérer les affaires
publiques d'une manière entièrement nouvelle et inusitée dans les
cabinets ministériels de la monarchie. Avant lui on considérait des
besoins, on remédiait à des nécessités. Lui va appliquer des idées. Il va
réaliser ses principes, car ses principes sont « le bien ». Par exemple, la
liberté absolue du commerce des grains est « le bien ». Il faut donc
qu'elle soit instaurée. « Il faut en venir là-dessus aux grands principes,
déclare-t-il dès la fin août 1774, et déshabituer les peuples de s'effrayer
d'en voir sortir[3]. » Tout Turgot est là : puisque les vrais principes sont
« le bien », le peuple doit suivre. Jamais ministre ne fut plus résolu.
« C'était la première fois, dira l'économiste Blanqui, qu'il était donné de
rencontrer un ministre disposé à réaliser toutes ses conceptions et à tenter
sur le vif toutes ses expériences[4]. »

La politique de Turgot est inspirée par une conception générale du
bien plutôt que par des nécessités particulières.

C'est le cas plus précisément de la politique financière et de la politique économique.

La situation financière dont Turgot hérite est relativement bonne.
Terray avait rétabli le crédit public et comblé une grande partie du
déficit. Ayant donné la préférence à l'impôt indirect, il avait augmenté
les recettes d'environ quatre-vingts millions. Comme l'écrit Edgar
Faure, « la situation des finances publiques était sinon idéale, du moins
l'une des plus encourageantes dans l'histoire de l'Ancien Régime[5] ». La
voie était donc bonne. Mais le nouveau contrôleur général se garde de
l'adopter. Il ne cherchera pas à créer de nouvelles recettes ni à éteindre la
dette publique. Sa méthode à lui, ce sont les « retranchements ». Il n'a
qu'un mot à la bouche : les « économies ». Ce choix obéit à deux raisons.
La première est pratique : le nouveau ministre voudrait procéder à
quelques allégements fiscaux. Mais la seconde est d'ordre idéologique
ou moral, si l'on préfère : pour Turgot en effet, il y a des dépenses immorales et principalement celle du roi pour sa maison et pour sa cour. Le

1. Cité par E. Faure, *La Disgrâce de Turgot, op. cit.*, p. 54.
2. Cité par François Hue, *Dernières Années du règne et de la vie de Louis XVI, op. cit.*,
p. 427.
3. Cité par Emmanuel de Croÿ, *Journal, op. cit.*, t. III, p. 142.
4. Cité par Louis Villat, art. cité, *Revue bimestrielle des cours et conférences*, 15 mars
1934, p. 207.
5. E. Faure, *La Disgrâce de Turgot, op. cit.*, p. 160.

nouveau contrôleur général ne cherche pas tant l'équilibre financier que la moralisation des dépenses. « Il faut, dit-il à Louis XVI, vous armer de votre bonté contre votre bonté même, considérer d'où vous vient cet argent que vous pouvez distribuer à vos courtisans. » Le souverain, nous le savons, entre tout à fait dans les vues de son contrôleur général ; le comte de Saint-Germain, ministre de la Guerre, les partage lui aussi. C'est donc sans la moindre difficulté que Turgot arrive à ses fins dans ce domaine et obtient des réductions importantes de la maison civile et de la maison militaire. Mais d'un point de vue pratique, cette politique n'est pas une réussite. D'une part les économies obtenues sont modiques par rapport à la somme des dépenses de l'État. D'autre part la lourde insistance du ministre sur les dépenses de la Cour nuit au prestige de la royauté : l'opinion sera persuadée que la prodigalité royale est la cause principale du déficit.

Les réformes économiques de Turgot portent la même marque de l'idée préconçue. Le ministre est un libéral. Il applique son libéralisme. D'abord dans le commerce des grains. Ensuite dans le domaine de l'organisation du travail.

En matière de commerce des grains, le système établi associait liberté et réglementation. Les édits de Bertin et de Laverdy (1763 et 1764) avaient instauré la liberté de circulation à l'intérieur du royaume. Mais cette liberté demeurait sans risque, une réglementation minutieuse garantissant l'approvisionnement constant des marchés. Par exemple, le grain ne pouvait se vendre que sur les marchés publics et les producteurs ne pouvaient pas conserver leurs grains au-delà d'une certaine période. En outre l'abbé Terray avait constitué à Corbeil, sous régie royale, d'importantes réserves, devant parer à toute éventualité. Tout cela formait un ensemble complexe, peut-être compliqué, mais en tout cas d'une efficacité certaine. Depuis plusieurs années, on parait assez bien aux menaces de disette et d'émeutes frumentaires. Comme l'écrira le lieutenant de police Lenoir, « il y avait eu à Paris peu d'insurrections populaires tant qu'on y avait tenu la main à l'observation des anciennes ordonnances[1] ».

Turgot n'en a cure. Qu'importent pour lui ces petits « biens-là » ? Il est persuadé que la liberté totale du commerce est *le bien*, et donc il l'applique. C'est l'édit du 13 septembre 1774 qui abolit toutes les règles de marché. On pourra vendre et acheter où l'on voudra, à qui l'on voudra, comme l'on voudra. D'ailleurs il ne s'agit pas seulement de grains. Il ne s'agit pas seulement de médiocres questions de marchandises. Il s'agit d'instaurer l'âge d'or et la félicité universelle. Voltaire se porte garant des sentiments de la province qui, dit-il, « verse des larmes

---

1. Jean-Charles Pierre Lenoir, « Essai sur la guerre des farines », publié par Robert Darnton, « La guerre des farines et l'approvisionnement de Paris », *RHMC*, octobre-décembre 1969, p. 612.

après en avoir longtemps versé de désespoir». Et d'ajouter : «Il semble que voilà de nouveaux cieux et de nouvelles terres.»

Les édits de février 1776 sur la corvée et sur les jurandes procèdent de vues analogues.

Ce sont les édits de la liberté du travail. La corvée royale, ce travail obligatoire que devaient fournir les populations campagnardes pour la construction ou la réfection des routes, est remplacée par une taxe additionnelle aux vingtièmes et donc payable par les seuls propriétaires. Toutes les corporations et jurandes du royaume sont supprimées, sauf celles des pharmaciens, orfèvres, libraires et imprimeurs, conservées pour des raisons d'ordre public. Le travail des métiers, par conséquent, est aussi proclamé libre. C'est là répondre aux vœux de l'opinion éclairée. La corvée était jugée depuis longtemps une charge trop lourde, vexatoire et peu productive. L'*Encyclopédie méthodique*, évaluant à douze ou treize millions le coût réel des travaux faits par la corvée, estimait qu'ils auraient pu être beaucoup mieux faits pour six ou sept. Quant aux corporations et jurandes, la philosophie les avait condamnées, leur reprochant d'être cause du grand nombre de fainéants, de bandits et de voleurs qui infestaient la France. Selon l'*Encyclopédie*, «elles rendaient l'entrée des arts et du négoce si difficile et si pénible que bien des gens, rebutés par ces premiers obstacles, s'éloignaient pour toujours des professions utiles et ne subsistaient que de mendicité, de fausse monnaie, contrebande, vol, etc.». Les édits de 1776, comme l'édit de septembre 1774 sur le commerce des grains, sont le type même de ces réformes éclairées destinées à conduire la nation vers «le bien».

Pourtant elles ne réussissent pas.

La réforme du commerce des grains est compromise par les troubles de la guerre des Farines.

Le nom de guerre des Farines a été donné à un ensemble de manifestations populaires de protestation contre la disette des grains et le renchérissement du pain.

Le renchérissement avait commencé en plusieurs endroits dès l'automne 1774, mais les premiers incidents datent du mois de mars 1775. L'agitation commence en Bourgogne. Elle touche l'Ile-de-France en avril. Des pillages de marchés et de boulangeries ont lieu le 27 avril à Beaumont-sur-Oise, le 29 à Pontoise, le 1er mai à Saint-Germain, le 2 mai à Versailles et le 3 à Paris. Le 4 on pille encore un peu autour de Versailles, mais le 5, semble-t-il, tout est fini. Partout la cause des troubles a été l'augmentation des prix du pain passé de 2 à 4 sous, à 6 et même 7 sous la livre. Le 1er mai, le pain valait 6 sous à Paris et montait à 7 le 3.

Les émeutes se déroulent toujours de la même manière. La foule pille les marchés et les boulangeries. A Paris le 3 mai, les émeutiers se dirigent d'abord vers les marchés, mais la troupe mobilisée leur en interdit l'accès. Alors ils se portent vers les boulangeries et les vident systématiquement. Mais ils s'en tiennent là et ne pillent pas les autres boutiques. Le sang ne coule pas. Le lieutenant de police Lenoir note avec un certain étonnement : « Le peuple se conduisait sans violence. » En d'autres villes, à Versailles par exemple, le peuple exige le « rabais », c'est-à-dire la taxation du blé.

Le gouvernement réagit avec vigueur. Il se refuse à voir dans ces manifestations un désaveu de sa politique frumentaire ; il maintient ses positions. Le commerce restera libre. Le 4 au matin, Turgot fait renvoyer le lieutenant de police Lenoir, partisan de la réglementation traditionnelle, et le remplace par un de ses séides, nommé Albert. Le même jour le roi donne l'ordre aux troupes d'empêcher le « rabais » du pain.

La répression est vive et efficace. Turgot fait front. « Notre ami, écrit Mlle de Lespinasse, est resté calme dans l'orage ; son courage et sa bonne tête ne l'ont point abandonné ; il a passé les jours et les nuits à travailler. » « Il répondit de tout dans le Conseil, note avec admiration le duc de Croÿ. Seul il donna des ordres avec un grand talent [1] ! »

Louis XVI soutient à fond son ministre et ne lui cède en rien pour la fermeté. Non seulement il accepte de prendre toutes les mesures d'urgence que Turgot lui demande, mais encore il veille lui-même au maintien de l'ordre. Il croit à un complot de malveillants contre la liberté du commerce. On le sent heureux de défendre son ministre chéri. Lui écrivant, le 4 mai, il lui dit : « ... On aura vu de ceci que je ne suis pas si faible qu'on croyait. » De fait, la répression est rondement menée. Le 5 mai, un soldat est placé à la porte de chaque boulangerie. En moins de huit jours, cent cinquante personnes sont emprisonnées, en vertu de lettres de cachet, comme soupçonnées d'avoir participé aux différentes émeutes. Deux ouvriers servent d'exemple et sont pendus. Des troupes nombreuses sont campées et cantonnées à Paris et dans ses environs pendant six mois. On peut s'étonner de voir ce roi éclairé et ce ministre philanthrope si prompts l'un et l'autre à réprimer. Mais il s'agit pour eux de garantir le progrès et de protéger la marche de la nation vers le bien. Cela justifie que l'on procède avec vigueur.

Il est difficile de désigner avec précision la cause de ces troubles. C'est sans doute la mauvaise récolte de 1774. C'est peut-être aussi la suppression brutale de toutes les dispositions garantissant la fourniture des marchés. « Il n'est plus douteux, écrira plus tard le lieutenant de police Lenoir, que l'introduction du système de liberté illimitée dans le commerce des grains n'ait été la cause principale des émeutes qui, en 1775, troublèrent la tranquillité de Paris et de quelques provinces du royaume [2]. » Cependant Lenoir a été démissionné par Turgot et son témoignage est forcément partial.

---

1. Julie de Lespinasse à Condorcet, *Lettres inédites...*, *op. cit.*, p. 149, mai 1775.
2. J.-Ch. Lenoir, « Essai sur la guerre des farines », art. cité, p. 14.

Une explication ne peut pas être retenue, celle donnée par Turgot et son clan, celle du complot. Turgot, dit le duc de Croÿ, fut persuadé « que tout cela n'était que pour renverser ce système ». « On vous aura dit, écrit Mlle de Lespinasse à Condorcet, que les révoltes étaient annoncées, et qu'elles ont eu lieu comme si elles eussent [été] imprévues[1]. » Le roi lui-même n'est pas loin de partager cette croyance. Écrivant au roi de Suède le 15 juillet, et faisant allusion aux événements de mai, il incriminera « la mauvaise récolte et le mauvais esprit de quelques personnages dont les manœuvres étaient concertées ». Ces diverses accusations ne sont pas fondées. Les historiens en ont fait justice. « La fable de l'émeute provoquée, écrit Edgar Faure, ne résiste pas à l'examen[2]. »

Il n'empêche que le crédit de Turgot sort amoindri de l'affaire. D'abord des administrateurs avisés comme Lenoir l'accusent d'avoir péché par imprudence. Ensuite les ennemis du contrôleur général saisissent l'occasion. Ils n'ont certainement pas suscité les troubles, mais ils en tirent parti. Or ces ennemis sont nombreux : il y a les dévots, très hostiles à ce ministre philosophe. Il y a certains milieux de finance très irrités par l'édit du 25 septembre 1774, réduisant les droits de la ferme générale. Il y a enfin le clan Necker avide de supplanter le clan Turgot. Jacques Necker est un richissime banquier genevois. Il représente la république de Genève auprès du roi de France. Mais il est aussi l'un des grands hommes de l'opinion publique. Car il ne se contente pas de gagner de l'argent. Il fait encore métier de penser, et de penser sur les grands sujets du jour, en particulier le commerce des grains. Il a même publié en avril 1775 — juste au début des troubles, donc à point nommé — un *Essai sur la législation et le commerce des grains*, critique non déguisée des thèses physiocratiques de Turgot. Il y dénonçait quelques-uns des droits des propriétaires et y prenait parti, avec un art démagogique certain, pour l'ensemble du public appelé par lui la « classe des citoyens ». Un nouvel astre se levait et cet astre avait sa cour. Mme Necker, l'épouse du grand homme, tenait salon. Le Tout-Paris « éclairé » défilait chez elle. Pendant ce temps-là, Mlle de Lespinasse, l'amie et le soutien de Turgot, se mourait de consomption et ne recevait plus. La philosophie changeait de salon et de grand homme. Cela compta.

Les édits du 6 février 1776 n'ont pas un meilleur succès que celui du 13 septembre 1774. Certes l'annonce de la suppression de la corvée réjouit le populaire. On chante dans les campagnes le couplet suivant :

> Je n'irons plus aux chemins
> Comme à la galère
> Travailler soir et matin

---

1. Julie de Lespinasse à Condorcet, *Lettres inédites*, *op. cit.*, p. 149, mai 1775.
2. Edgar Faure, *La Disgrâce de Turgot*, *op. cit.*, p. 241.

Sans aucun salaire.
Le roi, je ne mentons pas
A mis la corvée à bas
Oh la bonne affaire
Oh la bonne affaire.

Cependant il n'est pas sûr que la suppression des corporations ait suscité l'enthousiasme des gens de métier. Quant aux privilégiés, touchés par la nouvelle taxe additionnelle, ils ne peuvent que s'opposer. Le parlement de Paris se constitue leur défenseur et se dresse en leur nom contre les édits. On doit en venir à l'enregistrement forcé. Et les remontrances du 2 mars et le discours de l'avocat général Séguier lors du lit de justice du 12 mars jettent les fondements de l'argumentation qui sera désormais opposée à toutes les tentatives de réforme de Louis XVI. Le Parlement pose la question : Y a-t-il ou non trois états en France ? S'il y a trois états, si cette distinction est réelle, et si chacun des trois états a bien sa fonction dans le corps politique, alors les nouveaux édits, et principalement celui sur la corvée, portent gravement atteinte à la constitution du royaume. Car ils dénaturent les états en les confondant. N'est-ce pas en effet les confondre que de leur imposer le joug uniforme de l'impôt territorial ? Le clergé et la noblesse ont certains droits. C'est les dégrader que les leur enlever. Or, « si l'on dégrade la noblesse, déclare l'avocat général Séguier, si on lui enlève les droits de sa naissance, elle perdra bientôt son esprit, son courage, cette élévation d'âme qui la caractérise ». D'ailleurs les états n'existent pas seulement par leurs droits, mais aussi par leurs fonctions. Au clergé reviennent le culte et l'instruction du peuple. A la noblesse la guerre. Au tiers état le travail : « La dernière classe de la nation, lisons-nous dans les remontrances, qui ne peut rendre à l'État des services aussi distingués, s'acquitte envers lui par le tribut, l'industrie et les travaux corporels. » Pour toutes ces raisons, la corvée royale doit demeurer. Il serait difficile de le dire plus fortement. Le Parlement élève le débat. Il ne se contente pas de défendre des privilèges. Il soutient le caractère intangible de l'ordre politique. « Les sujets, déclare Séguier, sont divisés en autant de corps différents qu'il y a d'états différents dans le royaume. Il en a toujours été ainsi. »

Ce mode de défense est d'abord un procédé tactique, une manière de diversion, une façon d'impressionner un souverain que l'on sait attaché aux anciens usages. La bataille se situe effectivement sur ce plan-là. Il est plus que probable que Turgot veut atteindre l'ancienne distinction des ordres. Le Parlement le sait et le dit. Et ce disant, il ne fait pas au ministre un procès d'intention. L'édit sur la corvée est déjà un signe révélateur. Les parlementaires ont aussi dans l'esprit le grand projet de réforme politique et administrative élaboré dans les bureaux du Contrôle général, et rédigé par Dupont de Nemours à la fin d'août 1775. Ce projet en effet remet en cause les structures fondamentales du corps politique. Il prévoit de confier toute l'administration et toute la gestion financière du pays à une hiérarchie d'assemblées cantonales, provinciales et nationales, composées des seuls propriétaires, l'unique critère de la citoyenneté active étant la propriété terrienne, à l'exclusion de toute autre qualité. Ce texte porte le titre anodin de «Mémoire sur les municipalités». En fait c'est une dénonciation de tout l'Ancien Régime, et ses auteurs expriment une volonté très nette de lui substituer un ordre nouveau. «La cause du mal, Sire, écrivent-ils, s'adressant au roi, vient de ce que votre royaume n'a point de constitution. C'est une société composée de différents ordres et d'un peuple dont les membres n'ont entre eux que très peu de liens sociaux, où par conséquent chacun n'est occupé que de son intérêt particulier.» Les choses sont donc des plus nettes. Le débat est engagé non pas sur de simples questions d'exemptions fiscales, mais sur la constitution du royaume.

Et c'est sur la constitution que Turgot est tombé.

Louis XVI en effet veut bien des réformes, mais il ne veut pas de révolution. Il avait soutenu son ministre pour les édits de février. Lorsque Turgot avait présenté les textes au Conseil, le prince avait manifesté le plus vif intérêt. «Tout le monde, avait écrit Morellet à Shelburne, fut touché de l'attention et de l'intérêt qu'il avait manifestés pendant trois heures entières[1].» Mais il ne soupçonnait pas la portée de ces réformes. Lorsque, par les soins du Parlement, le véritable sens lui en est révélé, il s'effraie. Dès lors le départ de Turgot est décidé. D'autres considérations ont peut-être joué. Il y a eu les prolongements de l'affaire de Guines. Il y a eu l'influence de Maurepas devenu très hostile à Turgot. Le contrôleur général n'est renvoyé que le 12 mai. Mais il est très probable que dès la fin de mars, après le réquisitoire du Parlement, il était condamné dans l'esprit du roi.

L'expérience Malesherbes

Malesherbes ne fait que passer au ministère. Pourvu de sa charge le 21 juillet 1778, il en est démissionnaire le 12 mai de l'année suivante. Si l'on regarde aux réalisations, il n'a pratiquement rien fait. Des fins de non-recevoir opposées à des demandes de pension, voilà tout ce qu'on peut inscrire à son actif.

Son bref passage a néanmoins marqué le règne. Son ministère est riche en observations et en projets. Plusieurs réformes seront réalisées plus tard, qui avaient été proposées par lui.

Il projette de faire supprimer les lettres de cachet. On le voit dès son entrée au ministère visiter les prisons d'État pour s'en faire une idée personnelle. Son intention est de libérer certaines des victimes

---

1. Cité par Edgar Faure, *La Disgrâce de Turgot, op. cit.*, p. 434.

des lettres de cachet dont le duc de La Vrillière, son prédécesseur, avait abusé. En décembre 1775, il adresse une circulaire aux gouverneurs et intendants de son département, afin de leur annoncer une réforme du système. Il n'aura pas le temps d'aller plus loin, mais dans ses *Réflexions sur les lettres de cachet*, publiées après son départ du gouvernement, il reprendra et systématisera ses idées. Depuis le temps de ses fameuses *Remontrances* sa pensée n'a pas varié ; son combat reste le même : il s'agit toujours de défendre la liberté des citoyens et de lutter contre le despotisme administratif : « ... dans un pays où il y a des lois, les citoyens n'ont pas besoin d'ordres extrajudiciaires [1] ».

La liberté des consciences est également chère au cœur du ministre. Il entreprend d'y convertir le roi : « A peine arrivé, écrira-t-il, je m'occupai de rendre au roi le cœur d'une partie de ses sujets et aux Protestants la jouissance de l'état-civil. J'eus à cet égard plusieurs entretiens avec lui [2]... »

Mais il est encore trop tôt. La seule pensée d'annuler un édit de Louis XIV effraie le jeune Louis XVI. Cependant, il n'oubliera pas les conseils de Malesherbes.

L'expérience Saint-Germain

Le 25 octobre 1775 le comte de Saint-Germain est nommé secrétaire d'État à la Guerre. Ce choix ne manque pas de surprendre. Cet officier général a cinquante années de service, mais quinze seulement dans l'armée française, et les trente-cinq autres au service de souverains étrangers, l'Électeur palatin, celui de Bavière, l'Empereur et pour finir le roi de Danemark dont il a été le ministre. On ne sait pas très bien qui l'a recommandé à Louis XVI. Sans doute Maurepas et peut-être aussi Turgot. Avec ce dernier d'ailleurs il a plusieurs ressemblances : une « grande opinion de son métier et de sa supériorité », la considération des « philosophes » (Voltaire écrira dès février 1776 : « J'aime fort les réformes de Messieurs de Saint-Germain et de Turgot... »), et un appétit forcené de réformes. Le nouveau ministre ne vient au ministère que pour réformer. Son activité dans ce domaine va être prodigieuse. En vingt et un mois de ministère, de décembre 1776 à septembre 1777, il n'édicte pas moins de quatre-vingt-dix-huit ordonnances, qui remanient de fond en comble l'armée française.

Le despotisme éclairé est son modèle. Depuis 1764, déjà, l'armée française avait adopté l'exercice à la prussienne. Mais l'ordonnance du 1er juin 1776 codifie le « dressage ». L'art de la guerre est réduit en système. Saint-Germain invite l'armée française à copier les recettes des

---

1. Cité dans *Malesherbes, le pouvoir et les Lumières, op. cit.*, p. 105.
2. Cité par François Hue, *Dernières Années du règne et de la vie de Louis XVI, op. cit.*, p. 425-426.

victoires frédériciennes[1]. Moralisateur et humanitaire, tel est l'esprit qui l'inspire. Il veut réhabiliter le mérite et réveiller la vocation. L'ordonnance du 25 mars 1776 éteint la vénalité des charges dans toute l'armée, à l'exclusion de la Maison du roi. L'accès au grade de colonel est réglementé : il faudra désormais avoir quatorze ans de service comme colonel en second. On ne verra plus de colonels à la bavette. La Maison du roi est réduite parce qu'elle est un corps privilégié donc anormal. Les mousquetaires et les grenadiers à cheval sont supprimés. L'effectif total de la Maison passe de 2 518 à 1 527. Le monarque déclare « sacrifier » ainsi « une partie de l'éclat qui l'environne ». La discipline est humanisée. On la veut « douce et paternelle ». La peine de mort pour désertion en temps de paix est supprimée par la « tendresse » du roi. Les coups de plat de sabre (jugés plus dignes et plus humains) remplacent les coups de bâton. L'ordre moral est instauré. Les soldats doivent assister à la messe : les officiers y veilleront. Les bonnes mœurs sont à l'ordre du jour : les officiers observeront la conduite la plus stricte. Ils s'abstiendront de faire des dettes, de jouer, et même de recevoir avec trop de somptuosité, leurs tables devant être « servies militairement ». Enfin, dans les douze écoles royales militaires qu'institue le règlement du 28 mars 1776, les jeunes cadets gentilshommes, boursiers du roi, se prépareront sérieusement à leur futur métier d'officiers ; ils y seront instruits dans les sciences, les langues et les humanités. Ils acquerront « une connaissance approfondie des devoirs de la morale et de la religion ». Austérité, nivellement, égalisation : l'armée française devient une sorte de séminaire laïque.

Saint-Germain ne dure pas longtemps. A peine deux ans. Il est renvoyé en septembre 1777. Parce que les militaires n'en veulent plus. Ils lui reprochent non sans raison de vouloir une armée étrangère à l'esprit français. Quant à l'opinion publique, elle s'est montrée à son égard curieusement versatile. Après l'avoir acclamé, elle le rejette, le critiquant sur tout, lui faisant même grief de ses coups de plat de sabre. Il part comme Turgot victime de son empressement. Comme le contrôleur général, il a voulu faire trop de choses en trop peu de temps.

Qui a parlé d'un Louis XVI indécis ? Les choix de l'avènement font voir au contraire un homme résolu. Ce roi de vingt ans sait oser. Dès son accession au trône, il met en place des ministres réformateurs et même, dans un sens, révolutionnaires. Et il ne se contente pas de les nommer. Il participe à leur politique et les soutient dans leurs entreprises.

L'indécision n'apparaît qu'ensuite. Le souffle est trop court. Ses ministres, Louis XVI les choisit, les soutient, mais pas jusqu'au

1. Jean Chagniot, « L'armée de Louis XVI », *Le Règne de Louis XVI et la guerre d'Indépendance américaine*, *op. cit.*, p. 34-48.

bout. Quand vient le temps des grandes difficultés il les abandonne. Il agira ainsi pendant tout son règne. Mais sa réputation est déjà faite. Louis XVI n'a pas régné depuis trois ans que déjà son autorité passe pour velléitaire.

Des réformes de Turgot, presque rien ne va subsister. Son successeur au Contrôle général, l'intendant de Bordeaux, Ogier de Clugny (mai-octobre 1776), révoque en cinq mois tous ses édits. Le 11 août, la corvée est rétablie; le 28, les corporations. L'œuvre de Saint-Germain est plus durable. Ses écoles militaires et son code de discipline seront conservés jusqu'en 1789.

Quoiqu'il en soit, les ministres réformateurs de l'avènement ont donné le ton du règne. On désavouera certaines réformes, mais la volonté de réforme subsistera.

Le premier ministère Necker
et la guerre d'Amérique (1776-1781)

Instruits par l'échec de Turgot, Louis XVI et Maurepas ne quittent pas la voie des réformes, mais ils s'adressent pour les accomplir à un homme réputé plus pratique et plus prudent, l'ancien banquier Jacques Necker. Ce dernier va tenir le Contrôle général pendant près de cinq années, ce qui est très long sous ce règne. Il aura donc le temps de réaliser d'importantes réformes de structure et d'amorcer une politique d'économies raisonnées.

Le ministère Necker coïncide avec l'engagement de la France dans la guerre d'Indépendance américaine. Le gouvernement de Louis XVI, après de longues hésitations, décide de porter secours aux Insurgents, et de tenter ainsi une revanche sur l'Angleterre. La guerre est victorieuse mais coûteuse. Necker, pour la financer, est obligé de recourir à des emprunts dont le remboursement va compromettre le succès de sa politique et creuser encore davantage le déficit.

LE PREMIER MINISTÈRE NECKER

Le successeur de Turgot, Ogier de Clugny, meurt le 12 octobre 1776. Taboureau des Réaux, ancien intendant de Valenciennes, réputé nous dit-on pour son « caractère et sa douceur d'esprit », est nommé à sa place au Contrôle général. Mais il est convenu qu'il n'aura que le titre. La réalité de la fonction appartiendra à Jacques Necker nommé le 12 novembre « conseiller des finances et directeur général du Trésor royal ». On l'aurait bien nommé contrôleur général, mais c'est impossible car il est protestant, et un protestant ne saurait être ministre du roi de France. Le 29 juin 1777, Taboureau démissionne. Il n'est pas remplacé. Necker reçoit un nouveau titre qui dit mieux son importance, celui de « directeur général des Finances ».

Choix insolite que celui de ce protestant, étranger de surcroît (citoyen de Genève). Le personnage a l'expérience de l'argent. Agé de quarante-quatre ans, il est entré à seize ans dans la banque genevoise Thélusson et en est devenu l'associé. Il a beaucoup d'argent lui-même, et l'on peut évaluer sa fortune à 7 millions de livres. Les fonctions d'administrateur de la Compagnie des Indes exercées de 1764 à 1769 lui ont procuré aussi une certaine connaissance des affaires commerciales et de l'administration. Mais il ne sait rien ni du gouvernement ni de l'administration royale. Sa seule expérience politique est celle de résident de Genève auprès de la cour de France, charge qu'il exerce depuis 1768. Il n'est pas passé par les bureaux. Il n'a jamais travaillé sous un ministre. Il n'a jamais rempli la moindre fonction d'État. Il ne s'est même pas instruit par les livres : de l'aveu même de sa femme — et on peut la croire, n'est-elle pas sa plus grande admiratrice ? — il ne lit rien, et, par exemple, il ignore presque tout de l'histoire de la France et de sa monarchie. Il va donc passer sans la moindre préparation pratique ou théorique de ce poste assez mince de représentant d'une petite république étrangère à celui de principal ministre du roi de France.

Comment expliquer ce choix curieux ?

D'abord Necker est connu et bien connu du ministère et de la Cour. Comme banquier il a avancé plusieurs fois (notamment en 1772) des sommes importantes au Trésor royal. Choiseul et Terray ont entretenu avec lui des relations presque amicales. Auprès de Louis XVI et de Maurepas il dispose de deux recommandations très puissantes, celle du marquis de Pezay, informateur secret du roi, amant de Mme de Montbarrey, elle-même amie intime de Mme de Maurepas, et celle de la duchesse d'Anville, sorte d'égérie philosophique et cousine préférée de Maurepas. Necker n'a peut-être pas beaucoup intrigué lui-même, mais plusieurs ont intrigué pour lui.

D'ailleurs, sa cause est entendue. Il correspond au modèle souhaité. On cherche quelqu'un de tout à fait nouveau avec des solutions nouvelles et surtout simples et pratiques. Turgot a fatigué tout le monde avec son dogmatisme et son libéralisme intransigeant. On veut un homme qui ne soit ni un doctrinaire ni un libéral à tous crins. La physiocratie est en baisse. On cherche un anti-Turgot, un antiéconomiste.

Or, il semble bien que le banquier Necker soit cet homme-là. On le sait, non seulement parce qu'on le connaît, mais aussi parce qu'on a lu les livres — déjà nombreux — où il expose ses idées et se présente lui-même. Dans ces différents ouvrages — un *Mémoire sur la Compagnie des Indes*, un *Éloge de Colbert* (1773) et un *Essai sur la législation et le commerce des grains* (sorti des presses le 19 avril 1775, au moment le plus critique de l'expérience Turgot), il dresse en effet de lui-même le portrait le plus avantageux et surtout celui qui correspond tout à fait à la demande du moment. Il se présente comme esprit «moelleux et flexible ». Il raille doucement l'économie politique : « C'est une science, dit-il, où l'on erre à sa fantaisie [1]. » Il dit en somme : je suis le pragmatiste que l'on attend. Et tout le monde ne demande qu'à le croire.

Et tout le monde le répète après lui. La moindre de ses paroles est parole d'Évangile. Il ne peut pas publier un livre sans qu'on se l'arrache. Ses trois ouvrages — pourtant rébarbatifs tous les trois — font des succès de librairie étonnants. Nul ne peut dire qu'il ne les a pas lus. Les femmes les ont sur leurs toilettes. Extraordinaire phénomène d'opinion publique ; l'auteur Necker n'a même pas besoin de s'imposer. A peine a-t-il commencé d'écrire que tout le monde proclame son génie.

Cet étonnant succès n'est pas seulement le fruit des circonstances. Assurément, Necker est précédé d'une réputation de sage et d'empiriste. Il est donc le bienvenu. Mais cette réputation extraordinaire ne lui vient pas seulement d'une forme d'esprit correspondant au goût du jour. Il la doit aussi en partie au travail patient de son épouse qui pendant des années a tenu salon et noué d'utiles relations avec les littérateurs les plus influents de l'époque. Suzanne Curchod, fille de pasteur, belle blonde aux yeux bleus, a épousé Necker en 1764. Elle adore son époux, lui voue un véritable culte. « Un homme que je croirais un ange si l'attachement qu'il a pour moi ne prouvait sa faiblesse [2] », voilà ce qu'elle dit de lui. Cet ange est aussi un génie, mais il ne faut pas que ce génie soit méconnu. Son épouse va donc s'employer à le faire connaître. Dans le salon qu'elle tient rue de Cléry, elle réussit peu à peu, à force de méthode et de diplomatie, à rassembler tous les littérateurs qui comptent. Grimm, Morellet, Marmontel et Suard deviennent les familiers de la maison. Ils se feront bientôt les thuriféraires du maître de maison.

La philosophie a donc aidé Necker et favorisé son élévation. Comme elle avait aidé Turgot en 1774. Mais ce n'est pas tout à fait la même coterie. Derrière Turgot il y avait d'Alembert et Julie de Lespinasse. Derrière Necker il y a le salon de Mme Necker.

Le soutien philosophique à Necker ne s'explique pas seulement par les beaux yeux de son épouse, ni par ses dîners du vendredi (d'ailleurs chiches). Sur plusieurs points, Necker est très proche des « philosophes », et sur deux notamment : la question de la propriété et celle de la religion. Sur la propriété, Necker dit nettement (dans son *Éloge de Colbert*) que ce n'est pas un droit naturel, mais une « loi des hommes », une loi imposée par la violence, et que toute la société se trouve ainsi fondée sur un « traité de force et de contrainte [3] ». C'est du rousseauisme pur. Quant à la religion, Necker s'en expliquera dans un ouvrage intitulé : *De l'importance des opinions religieuses*. On y voit que pour lui l'importance de la

1. Cité par Jean Egret, *Necker, ministre de Louis XVI*, Paris, Champion, 1975, p. 38.
2. Cité par E. Chapuisat, *Necker (1732-1804)*, Paris, librairie Sirey, 1939, p. 17.
3. *Ibid.*, p. 65.

religion vient de son rôle social. L'injustice des rapports sociaux, explique-t-il, peut provoquer à tout instant des troubles. D'où la nécessité d'une morale religieuse « pour contenir le peuple ». D'où la nécessité de la morale chrétienne, « la seule qui puisse persuader avec célérité parce qu'elle émeut en même temps qu'elle éclaire[1] ».

L'action de Necker au Contrôle général est une action réformatrice — pourrait-on sous ce règne gouverner autrement ? Mais beaucoup moins radicale et précipitée que celle de Turgot. Cette action s'exerce dans deux domaines, celui de l'administration et celui des finances.

En matière d'administration, Necker choisit délibérément le parti de la monarchie administrative. Il renforce le pouvoir du Contrôle général et le bureaucratise en supprimant un grand nombre d'officiers remplacés par des commis. Disparaissent ainsi les six intendants des Finances, les quarante-huit receveurs généraux des Finances établis dans les généralités et vingt-sept trésoriers généraux et contrôleurs généraux de la Guerre et de la Marine. Les employés qui sont mis à la place ont des traitements fixes et sont révocables. On peut parler de fonctionnarisation.

Va dans le même sens la réforme du mode de recouvrement de l'impôt. Le contrôle de l'État est renforcé. La compétence de la ferme générale est réduite aux impôts suivants : gabelle, tabac, droits des traites et des entrées de Paris. Le nombre des fermiers généraux est diminué de soixante à quarante. Les droits d'aides sont confiés à une régie générale, et les droits domaniaux, ainsi que la perception des revenus du domaine corporel, à une administration générale des domaines distincte de la ferme et dirigée par des administrateurs à traitement fixe.

Monarchie administrative donc, mais d'un style nouveau. Car ce pouvoir renforcé de l'administration, Necker le veut aussi moins arbitraire, plus juste. Les cours des aides se plaignaient de ce grand nombre d'arrêts de finances, baptisés arrêts du Conseil, mais qui n'étant jamais délibérés en conseil, ne représentaient finalement que les décisions arbitraires du seul contrôleur général. Necker tente de remédier à cet abus. Il crée un « comité des finances » chargé de préparer les arrêts et d'introduire un minimum de concertation dans la politique financière. Les brevets des tailles étaient augmentés à la discrétion du ministre et par de simples arrêts. Cela aussi est corrigé. La déclaration royale du 13 février 1780 pose une règle de justice : le montant de la taille ne pourra plus être accru par arrêt du Conseil. Il faudra des lettres patentes enregistrées. Voilà de quoi plaire aux parlements. Il les satisfait aussi en fixant pour le renouvellement des vérifications des déclarations de revenus du vingtième une périodicité de vingt ans. Il maintient comme ses prédécesseurs l'exigence de la vérification et le principe de la mutabilité des cotes, mais il s'efforce de rendre l'une et l'autre plus acceptables. Monarchie admi-

---

1. Cité par J. Egret, *Necker, ministre de Louis XVI, op. cit.*, p. 193.

nistrative soit, mais capable de se régler elle-même et tendant à plus de justice.

Capable aussi de rapprocher l'administration des administrés. Plusieurs mesures sont prises par Necker pour réaliser ce rapprochement. Il favorise la publicité des actes administratifs. Pour lui, l'État doit être une maison de verre et tout doit être connu du public. C'est dans cette intention — et non pas seulement pour se justifier — qu'il publie en 1781 le *Compte rendu au roi* qui est un exposé complet du mécanisme des finances royales et des principes guidant son administration. Le ministre veut aussi associer les administrés à l'administration. C'est l'idée des «assemblées provinciales», idée reprise de Turgot avec toutefois une modification importante. Turgot ne faisait pas de différence entre les membres de ces assemblées, Necker, en revanche, distingue les trois ordres : ses assemblées provinciales seront du type de celles des états. Quatre assemblées sont établies : Berry, Haute-Guyenne, Dauphiné et Bourbonnais. Les deux premières vont commencer à fonctionner immédiatement. Ces assemblées ont une très large compétence. Elles sont chargées de répartir et lever les impositions, de diriger la construction des grands chemins et de faire des représentations au roi sur les règlements utiles à la province. Les pouvoirs des intendants se trouvent donc réduits, mais aussi, de la même manière, la compétence administrative des parlements, ainsi que la possibilité pour ces cours d'approuver ou de rejeter les impositions. On peut véritablement parler d'un nouveau style de monarchie administrative : plus administrative que jamais, les parlements se trouvant confinés dans leurs tâches judiciaires, mais aussi moins administrative, l'autorité des intendants étant réduite.

A quoi sert un tel régime ? A «faire le bien». Turgot parlait déjà de «faire le bien». Necker en parle à tout instant. Mais Turgot voulait faire le bien par la liberté économique. Necker veut le faire par l'assistance de l'État. Cela résulte de sa conception de la société. Il n'y a selon lui que des rapports de force maintenant les pauvres dans leur pauvreté. C'est ainsi. On ne saurait l'empêcher. Mais l'État peut tout au moins adoucir la condition des pauvres en les assistant. C'est là plus que de la miséricorde. C'est une œuvre sociale, puisqu'il s'agit en somme de consolider l'équilibre de la société. La fonction d'assistance de l'État est une fonction vitale. «C'est au gouvernement, écrit Necker, c'est au gouvernement interprète et dépositaire de l'harmonie sociale, c'est à lui de faire pour cette classe déshéritée tout ce que l'ordre et la justice lui permettent[1].» Sous-entendu : on évitera ainsi la révolte des opprimés. Ajoutons-y de la «morale religieuse» et l'on ne risquera plus rien.

Si l'on met à part l'abolition de la mainmorte dans les domaines du roi et les domaines engagés, le «bien» social de Necker consiste surtout

---

1. Cité par Jean Egret, *Necker, ministre de Louis XVI, op. cit.*, p. 141.

dans la réforme des hôpitaux et celle des prisons. A vrai dire, dans l'un et l'autre domaine, le ministre n'aura pas le temps d'aller très loin. Il y aura surtout des projets avec mise en place de commissions : commission des hôpitaux de Paris, commission de réforme des prisons. On voit cependant des commencements de réalisation. A Paris les deux prisons infectes de Fort-l'Évêque et du Petit Châtelet sont détruites. Une prison nouvelle réservée aux prisonniers pour dettes (qui seront séparés des voleurs et des assassins) est construite rue du Roi-de-Sicile. Dans le domaine hospitalier, le nouvel hospice des paroisses Saint-Sulpice et du Gros-Caillou, élevé fin 1778 grâce à la générosité de Mme Necker, repré- sente un témoignage durable de cette volonté d'amélioration. L'hospice compte cent vingt-huit lits, un par malade. Il est aéré et silencieux. Il faut mentionner aussi l'édit de janvier 1780 autorisant les hôpitaux à vendre leurs biens immobiliers, et les invitant à reconvertir leur capital en rentes sur le roi ou sur les états. On voulait ainsi remédier aux inconvénients d'une gestion souvent négligente, et faciliter aux hôpitaux l'adminis- tration de leurs patrimoines. Mais, en même temps, on commettait une imprudence en liant la fortune des hôpitaux à celle de l'État.

Tout n'est donc pas excellent dans ces réformes. Mais on ne peut nier la droite intention du ministre et son inlassable bonne volonté. Il ne se contente pas de légiférer. Il va sur place. Il visite. Il se rend compte par lui-même. Il enquête. Ce qui l'expose parfois à des mésaventures. Un jour, accompagné de son épouse, il visite à Bicêtre l'hôpital des fous. On leur présente un certain M. Daunou de Guitry, petit vieillard très propre et décent. La conversation s'engage. M. Daunou de Guitry s'exprime de façon très cohérente et persuasive. Il se plaint d'être toujours enfermé, alors qu'il a depuis longtemps retrouvé toutes ses facultés. Les deux augustes époux écoutent ces propos avec la plus compatissante attention, et même Suzanne Necker commence à noter sur ses tablettes les caracté- ristiques de ce cas douloureux. Mais c'est alors que M. Daunou se penche vers elle et lui susurre à l'oreille : « Savez-vous ce que je fais en ce moment ? — Comment cela, Monsieur ? — Je pisse sur vous », répond M. Daunou de Guitry. Affolée, éperdue, Madame Necker bat en retraite et se hâte vers son carrosse. Son mari s'empresse et l'aide à monter en relevant les basques de son habit. Mais le fou les a suivis : « Il n'est pas possible de résister, s'exclame-t-il, on n'a pas deux fois une occasion pareille à celle-là, je n'ai jamais vu un postérieur aussi prodigieusement large. » Et d'un magistral coup de pied au fondement du ministre, il expédie celui-ci au fond de sa voiture [1]. C'étaient des temps libéraux. Les ministres n'étaient guère escortés. Des fous pouvaient alors, sans se gêner, leur donner des coups de pied quelque part.

En matière d'argent, la politique de Necker présente deux aspects

---

1. Marquise de Créquy, *Souvenirs*, Fournier Jeunes, t. V, p. 113-114.

fortement contrastés : d'un côté, des économies rigoureuses et des mesures méthodiques pour bonifier les revenus, de l'autre des emprunts à tout va et une dette aggravée.

Le maître mot n'a pas changé depuis Turgot. Économie, économie, on ne sort pas de là. Et celui qui doit donner l'exemple, celui qui doit le premier se soumettre à cette exigence, c'est toujours et encore le roi. Ce n'est pas l'État qui est en accusation, c'est la royauté : c'est elle que l'opinion publique désigne. Et quand on parle d'économie, c'est aux libéralités royales que l'on pense et au « faste » de la Cour.

Necker ne peut donc faire ici que la politique de Turgot : grignoter la Maison du roi et avoir l'air d'y mettre de l'ordre. Il supprime quatre cent six officiers de la bouche. Il crée un « Bureau général d'administration des dépenses de la Maison du roi et de la reine ». Des commissions, des bureaux, c'est bien la méthode Necker. Avec les répertoires et les statistiques. Les lettres patentes du 8 novembre 1778 ordonnent l'établissement d'une liste révisée des brevets de pension, afin de supprimer certains cumuls et abus. On fait ainsi d'intéressantes découvertes. Par exemple, un sieur Radix de Sainte-Foy, bien que remboursé depuis quatre ans du capital d'une pension viagère de 8 000 livres, continuait cependant à toucher cette pension. Il ne faut pas oublier que Necker est un ancien banquier, et suisse de surcroît. Il ne plaisante pas avec ces choses-là.

L'intéresse toutefois davantage l'amélioration du rendement des impôts. Pas question de les augmenter (que dirait la « voix publique » ?), mais on peut au moins s'efforcer de les bonifier. A cela doivent servir — entre autres mesures — les vérifications des déclarations des revenus pour l'impôt du vingtième. Malgré l'opposition des parlementaires Necker en maintient le principe : elles vont donc se poursuivre et produire dans les pays d'élection une augmentation de revenus de 800 000 livres. Dans les pays d'états, on procède à une révision des abonnements, et cela fait 900 000 livres de plus. Enfin on déduit certaines décharges et modérations et l'on obtient encore 800 000 livres. Ce sont les chiffres de Necker, mais selon Jean Egret, Marcel Marion les aurait vérifiés[1].

De toute façon, malheureusement, c'est une goutte d'eau dans la mer. Depuis 1777, la France est en guerre avec l'Angleterre, une guerre extrêmement coûteuse avec plusieurs théâtres d'opérations maritimes et surtout l'entretien complet pendant plus de deux ans d'un corps expéditionnaire en Amérique. Les Insurgents ont bien voulu des soldats français, mais ils n'ont pas donné un sou pour les nourrir. Il a fallu tout payer. En 1777 déjà, la guerre absorbait 150 millions de secours extraordinaires. On estime qu'au total ce conflit aura coûté à la France environ

---

1. J. Egret, *Necker, ministre de Louis XVI, op. cit.*, p. 82.

un milliard de livres. Peu de guerres de l'Ancien Régime ont été si coûteuses.

Comment payer ? Il est évident que les économies et les bonifications ne suffisent pas et même ne représentent pratiquement rien. Sous Louis XIV et sous Louis XV, quand on faisait la guerre, on créait un impôt supplémentaire et — en principe — provisoire. Ainsi étaient nés le dixième et les vingtièmes. C'était un moyen classique, et somme toute efficace. En bonne méthode, Necker devrait y recourir. Il y avait déjà deux vingtièmes. Il devrait en créer un troisième. Pourquoi ne le fait-il pas ? D'abord pour ne pas déplaire au public. Ensuite, pour éviter le conflit avec les parlements si chatouilleux sur ce chapitre. Enfin et surtout par conviction : il est persuadé que l'impôt n'est pas un bon moyen, économiquement parlant, de se procurer de l'argent, et que l'emprunt est très préférable. Dans son *Éloge de Colbert*, publié en 1773, donc bien avant d'accéder au pouvoir, il avait déjà soutenu cette théorie de la supériorité de l'emprunt et donné cette raison que l'augmentation annuelle des métaux précieux diminuait la valeur des intérêts répartis aux rentiers. On peut donc présumer que le choix de l'emprunt pour financer la guerre n'est pas pour lui une solution de facilité, mais un choix délibéré fondé sur un raisonnement d'économiste.

Quoiqu'il en soit, il en use et abuse. La somme est énorme. Si l'on ajoute aux emprunts d'État les emprunts sous le couvert des pays d'état, des villes et du clergé, plus divers expédients, on arrive au total impressionnant de 530 millions de livres, chiffre avancé par Necker lui-même et accepté par tous les historiens. Et il ne s'agit pas d'emprunts bon marché. Comme le crédit de l'État se trouvait encore assez bas en 1776, il a fallu recourir à des formules attractives, mais fort onéreuses pour l'État, comme l'emprunt loterie ou l'emprunt viager, ce dernier ne méritant qu'en partie son nom, le souscripteur ayant la possibilité de placer son emprunt sur une tête de son choix ou même deux. Les intérêts vont donc coûter très cher. Mais dans l'immédiat tout le monde est content. Necker fait la guerre sans impôt. On n'avait jamais vu cela. Il profite de ce crédit pour consolider sa position auprès du roi et pour obtenir le renvoi de Sartine, ministre de la Marine, beaucoup trop dépensier à son goût.

Toutefois, l'admiration qui lui est vouée n'est plus universelle. Necker s'est fait des ennemis. Des ennemis puissants. D'un côté la finance, depuis qu'il s'est attaqué à la ferme ; de l'autre les parlements, à cause des assemblées provinciales. Dans un mémoire de 1778 il avait exposé au roi le but essentiel de ces nouvelles assemblées : détourner les magistrats du désir d'administrer. C'était un mémoire confidentiel et qui aurait dû rester secret, mais ne l'est pas resté. Le 20 avril 1781, six membres du parlement de Paris, choisis parmi les plus opposants, reçoivent une brochure anonyme où l'auteur fait état du fameux mémoire et divulgue les intentions antiparlementaires du ministre. Il y a eu des fuites.

Comment ? On ne le sait pas très bien. Le responsable serait le comte de Provence qui aurait réussi à faire prendre une copie des mémoires. Quoiqu'il en soit, l'affaire est grave. Les parlements apprennent tout d'un coup que le ministre se propose de « soustraire à leurs regards continuels les grands objets de l'administration ». C'est une phrase extraite du mémoire. L'indignation des magistrats est vive. La riposte du parlement de Paris ne tarde pas. Il refuse d'enregistrer l'édit de création d'une nouvelle assemblée provinciale. Le sort de Necker est entre les mains du roi.

Louis XVI ne semble pas être un partisan très décidé des assemblées provinciales. Rappelons pour mémoire qu'un projet analogue avait déjà coûté sa place à Turgot. Cette fois cependant, le souverain paraît déterminé. Le président d'Aligre est convoqué à Marly. Il trouve Louis XVI en conversation amicale avec Necker. Les deux hommes prolongent leur entretien à voix basse, affectant d'ignorer le visiteur et lui donnant ainsi le loisir de mesurer l'étendue du mécontentement royal. Enfin, le souverain s'aperçoit de sa présence et lui ordonne en termes secs d'empêcher toute discussion au Parlement du mémoire de 1778. Necker peut se croire sauvé.

Mais c'est ignorer la puissance de l'opinion publique sur l'esprit du monarque. Une partie de l'opinion est maintenant très hostile au ministre. Son *Compte rendu* publié le 19 février a eu un énorme succès (plus de cent mille exemplaires vendus), mais de scandale plutôt que d'estime. La noblesse de Cour ne décolère pas de voir étalée au grand jour la liste de ses pensions et gratifications diverses. Or, princes du sang et grands seigneurs sont assez puissants pour déchaîner par l'intermédiaire de libellistes à leur solde une campagne d'opinion. Necker est vilipendé. Par ailleurs, des administrateurs et des économistes contestent ses chiffres. Il s'était vanté dans son *Compte rendu* d'un excédent de recettes. On l'accuse de mentir et de dissimuler par des artifices l'aggravation du déficit. Calonne, maître des requêtes et protégé de Vergennes et du comte d'Artois, est le chef de la cabale. Il est sans doute l'auteur de l'un des plus cinglants pamphlets dirigés contre le ministre, la *Lettre du marquis de Caracciole à M. d'Alembert*, publiée à Paris le 1er mai.

Necker veut en finir. Il pose la question de confiance. Le 16 mai il adresse à Louis XVI trois requêtes : il demande son entrée au Conseil, l'enregistrement forcé de l'édit de création de l'assemblée du Bourbonnais, et la direction des marchés de la guerre et de la marine.

La réponse lui parvient trois jours plus tard. C'est non pour tout. Louis XVI n'a pas tenu. La pression de la campagne d'opinion a été trop forte. Ajoutons à cela que Maurepas et Vergennes ont circonvenu le souverain. Consultés tous les deux, ils ont donné l'un et l'autre des avis défavorables au maintien de Necker.

Celui-ci démissionne immédiatement. La nouvelle est connue dès le lendemain dans la capitale. Elle y provoque une stupéfaction attristée. On voit que Necker est encore populaire. Les Parisiens affluent à Saint-Ouen, sa résidence de campagne, et viennent saluer la «malheureuse et innocente victime» d'une «Cour égoïste et corrompue».

Le disgracié, lui, est anéanti. Lorsque Maurepas lui a fait part du refus royal, il est resté sans voix. Il ne trouvait même pas la porte pour sortir. Il va tomber malade du choc. Ce qui ne l'empêche pas d'afficher une sérénité romaine. «Je ne regrette, dit-il, que le bien que j'avais à faire et que j'aurais fait si l'on m'en eut laissé le temps[1].» Necker, ministre du Bien.

Que penser d'une telle expérience? Comme il arrive souvent, les biographes ont brouillé les cartes. En effet, le genre biographique, même parfaitement traité, donne trop d'importance au personnage et ne permet pas de le situer dans la longue durée. L'Ancien Régime s'enlisait. La monarchie française donnait depuis des lustres — et pas seulement depuis l'avènement de Louis XVI — des signes non équivoques de faiblesse et de déclin. La question principale est donc de savoir non pas si Necker était un homme de bonne volonté, mais si son action pouvait infuser un sang neuf et revitaliser le régime.

Par certains côtés, il semble que oui. Necker est un sage. Il n'a pas l'imprudence comme Turgot de tailler dans le vif. Tout ce qu'il fait pour améliorer le système administratif et fiscal, pour le rendre moins arbitraire, porte la marque d'une certaine justesse d'esprit. La création des assemblées provinciales est aussi une réforme intelligente qui tient compte de la constitution du royaume, et qui peut redonner aux élites locales le sens et le goût des affaires publiques.

De plus Necker n'est pas un improvisateur, bien qu'il soit un pragmatique. Il a un plan. Il a un projet digne de ce nom. Il a pris un parti. Ce n'est peut être pas le plan qui peut réussir, mais c'en est un, et qui en vaut d'autres. Il a pris le parti de la monarchie administrative, mais d'une monarchie administrative nouveau style, plus «éclairée», plus proche des citoyens.

Restent les emprunts. Il faut bien l'admettre : à partir de Necker et à cause de Necker, le problème du déficit devient insoluble. Mais ici la responsabilité du ministre n'est pas entièrement engagée. On a vu qu'il ne pouvait guère agir autrement. S'il avait créé le troisième vingtième, il aurait déclenché le conflit avec les parlements. Or Maurepas — très lié aux milieux parlementaires — ne voulait pas mécontenter les cours, et le roi ne s'en sentait pas capable. Le mal est venu d'une guerre très coûteuse à laquelle il a bien fallu subvenir et qu'il était presque impossible de soutenir autrement que par l'emprunt.

---

1. Cité par Ghislain de Diesbach, *Necker ou la Faillite de la vertu*, Paris, Perrin, 1987, p. 226.

Sur cette question de la guerre américaine, il faut remarquer précisément l'attitude de Necker. Elle est parfaitement cohérente. Il ne s'est pas contenté de soupirer en déplorant les dépenses excessives. Il a été constamment opposé au principe même de la guerre. Il évoquera plus tard avec amertume «tant d'efforts inutiles pour empêcher la guerre[1]». Dans tous ses livres il reviendra sur la nocivité de la guerre : «On ne saura assez apprécier, écrira-t-il, ce que vaudrait pour l'humanité une seule guerre de moins dans un siècle[2].»

Quant aux dépenses de la guerre d'Amérique, il s'est efforcé autant que possible de les contrôler. Mais il n'avait guère de moyens de le faire. Sa situation était, rappelons-le, une situation subalterne. Il devait fournir de l'argent à volonté, mais n'ayant pas accès au Conseil, il ne pouvait pas vraiment exercer un contrôle efficace.

Il aurait pu démissionner plus tôt. Il ne pouvait pas ignorer l'augmentation de charges qui devait résulter de ses emprunts répétés. Peut-être aurait-il dû partir dès le début du conflit, en plaçant le roi et Vergennes devant leurs responsabilités.

Mais alors comment aurait-il fait le «bien»? Se croyant investi d'une mission providentielle, il ne pouvait renoncer si vite au pouvoir. Ne lui fallait-il pas réaliser les vœux de l'opinion publique? Des vœux sacrés, des vœux qu'il s'était juré d'accomplir pour le bien du peuple et pour sa renommée à lui, Necker. «L'unique soumission que j'ai eue, écrira-t-il, c'est peut-être pour la voix publique, pour ce retentissement qui ressemble au bruit de la gloire[3].»

LA POLITIQUE ÉTRANGÈRE DE LOUIS XVI, LA GUERRE AVEC L'ANGLETERRE ET L'EXPÉDITION D'AMÉRIQUE

La politique étrangère de Louis XVI et de Vergennes, son ministre des Affaires étrangères de 1774 à 1787, se conforme dans les grandes lignes aux principes fixés depuis 1756 par Louis XV et par Choiseul. Elle repose en effet sur les alliances autrichienne et espagnole. On entend seulement resserrer l'alliance autrichienne dans les strictes limites de l'accord défensif de 1756, et lorsque Joseph II manifeste son intention d'annexer la Bavière, le cabinet de Versailles fait savoir que la France ne suivra pas. Il y a donc un certain refroidissement des relations franco-autrichiennes. En revanche Louis XVI et Vergennes semblent attacher le plus grand prix à l'alliance espagnole. «Le pacte de Famille[4], écrit Vergennes, est fondé sur les liens les plus indissolubles du sang, de l'amitié et de l'intérêt politique, et il contribue réciproquement à les

---

1. Cité par E. Chapuisat, *Necker (1732-1804), op. cit.*, p. 106.
2. *Ibid.*, p. 119.
3. Cité par R. Stourm, *Les Finances de l'Ancien Régime et de la Révolution*, Paris, 1885, t. I, p. 20.
4. Voir article « FAMILLE (pacte de) » dans le Dictionnaire.

cimenter. » Le ministre, en effet, a été violemment frappé par le partage de la Pologne, opération de brigandage où il voit une « défection générale des vrais principes ». Louis XVI et son oncle le roi Charles III d'Espagne entretiennent des relations personnelles. Leur correspondance, très suivie, est empreinte de confiance et de véritable amitié. Lorsque s'annonce la guerre avec l'Angleterre, il n'est pas question pour la France de s'y engager sans l'Espagne.

Continuité aussi dans la préparation de la revanche. Depuis un demi-siècle, « l'ennemi naturel » c'est l'Angleterre. La guerre de Sept Ans a été ressentie comme une terrible humiliation, que le gouvernement de Louis XVI, comme celui de Louis XV, se propose d'effacer.

La seule innovation de cette politique est l'alliance de 1778 avec les Insurgents, alliance concrétisée deux ans plus tard par l'envoi d'un corps expéditionnaire. C'est la seule innovation, mais elle est de taille. Que la France tire profit de l'insurrection américaine, et que même elle aide en sous-main les insurgés, soit, mais qu'elle s'allie avec eux par un traité public et fasse de la réclamation de leur indépendance l'un des axes de sa politique, il y a de quoi étonner. Ces Insurgents que l'on soutient, ne sont-ils pas ceux-là même qui, seize années auparavant, s'étaient montrés les pires adversaires de la Nouvelle-France, et avaient mené contre les colons canadiens catholiques une inexpiable guerre de religion ? La diplomatie française avait noué dans le passé des alliances protestantes, mais rarement avec des protestants de cette catégorie, aussi antipapistes et antifrançais. L'alliance militaire avec les Américains déroge à toute la tradition.

L'auteur en est Vergennes. Dès son arrivée au ministère, avec une remarquable persévérance, il en poursuit le projet. En 1775, il adresse au roi et à Maurepas un important rapport sur l'insurrection et sur l'occasion ainsi offerte à la France d'affaiblir l'Angleterre. Il a des informateurs à Londres (dont Beaumarchais) qui le renseignent sur l'opinion et sur la puissance britannique. Après le départ de Turgot, qui était hostile à l'intervention, il commence des envois clandestins de matériel et d'argent aux insurgés. Certes il demeure prudent et il s'efforce dans le même temps de s'assurer pour cette affaire le concours de l'Espagne. La passion d'intervenir l'emporte néanmoins. C'est sans consulter l'Espagne que le 17 décembre 1777, il promet aux États-Unis d'Amérique une reconnaissance officielle par la France. Enfin, dans la conclusion de l'alliance au début de 1778, il joue bien sûr un rôle décisif. Il n'y a donc pas à en douter : c'est Vergennes et personne d'autre qui engage la France aux côtés des Insurgents, et qui associe les deux causes, celle de la revanche sur l'Angleterre et celle de l'Indépendance américaine. Il reste à savoir pourquoi. Quelles raisons le déterminent ? Quelles influences agissent sur lui ? Est-il, lui aussi, un adepte de la « liberté » américaine ? C'est peu probable. Mais alors devons-nous voir en lui uniquement un réaliste ? Difficile de se prononcer.

N'oublions pas qu'il est porté par l'opinion. La « voix publique » est extrêmement favorable à la cause américaine, où elle voit la cause de la liberté « contre le despotisme ». Tout ce qui en France vibre pour les idées nouvelles se passionne pour l'Amérique. En novembre 1776, Silas Deane, l'un des premiers envoyés du Congrès à Paris, écrit à son gouvernement : « La rage, si je puis dire, d'entrer au service de l'Amérique augmente, et la conséquence est que je suis comblé d'offres de service. » Au début de 1777, plusieurs jeunes officiers, malgré les défenses du roi et souvent l'opposition de leurs familles, partent s'engager comme volontaires au service des Insurgents. Certains par ambition ou désir d'aventure, d'autres par idéal. La Fayette, Mottin de La Balme et le baron Kalb sont de ces idéalistes. Deane écrit au Congrès que le baron Kalb est un « ardent partisan de la liberté religieuse et philosophique » et que « les mobiles qui le poussent à offrir ses services aux États-Unis sont les plus généreux et les plus désintéressés ».

La jeune république aurait mauvaise grâce à ne pas tirer profit d'un tel enthousiasme en sa faveur. Dès le début de 1776, le Congrès expédie en France des émissaires chargés de solliciter des secours. Arrivent d'abord Silas Deane, un marchand du Connecticut, puis Benjamin Franklin, physicien, inventeur du paratonnerre et philosophe. Ce dernier débarque le 4 décembre 1776 au port de Saint-Goustan près d'Auray, et arrive à Paris le 20. Tout de suite il plaît. Ses airs de sage rustique éloigné des vanités du monde séduisent les salons. Son allure solennelle et ses propos à la fois philosophiques et vaguement religieux impressionnent les esprits éclairés. Mais cet homme simple n'en est pas moins un homme pratique : à peine installé, il présente à Vergennes la liste des desiderata du Congrès : huit vaisseaux de ligne, vingt à trente mille fusils, une armée si possible et une alliance militaire. Ce ne sont pas de petites choses. Peu de temps après, le Congrès des États-Unis, sachant se concilier ainsi l'opinion française, élève le jeune marquis de La Fayette (il n'a pas tout à fait vingt ans) au grade suprême de major général (31 juillet 1777), et lui confie ensuite le commandement effectif de l'armée de Virginie (1er décembre).

L'alliance franco-américaine est conclue le 6 février 1778. Au « traité d'amitié et de commerce » est joint secrètement un traité d'alliance éventuelle et définitive. Ainsi la France reconnaît les États-Unis d'Amérique et s'engage à lutter pour leur indépendance. En mars, un représentant est désigné. Il s'agit de Gérard, premier commis du ministère des Affaires étrangères, secrétaire du Conseil d'État, « allant résider de la part du roi auprès du Congrès général de l'Amérique septentrionale ». Ses instructions définissent le but principal du roi, c'est-à-dire « l'indépendance de l'Amérique septentrionale et son union permanente avec la France ». Il faut remarquer ici, au sujet de cette alliance, le contraste entre l'état d'esprit du roi de France et l'attitude du Congrès. Louis XVI s'est engagé, poussé par Vergennes, son ministre préféré, mais il demeure réticent, « il trouvait d'un mauvais exemple l'appui donné à une insurrection républicaine par une monarchie légitime contre une monarchie légitime ». Le Congrès américain, à l'inverse, magnifie l'accord. Il déclare y reconnaître une victoire de la philosophie. Les vieux conflits anachroniques ont été oubliés. Deux peuples — car il ne s'agit plus comme autrefois d'accord entre des despotes — viennent à la rencontre l'un de l'autre. Ces nouvelles relations, selon le Congrès, « tendent grandement et efficacement à détruire cette petitesse d'esprit qui, malheureusement, a été trop entretenue jusqu'ici parmi les hommes. Dans ce traité la politique est fondée sur la philosophie, et l'attachement mutuel que se portent les deux nations sert de base à leur intérêt mutuel[1]. »

Notifiée aussitôt à l'Angleterre, l'alliance américaine équivaut à une déclaration de guerre. Il y a eu un premier incident le 10 mars. Pour avoir refusé la fouille de ses navires par une escadre anglaise, l'amiral de La Motte-Picquet a été amené à tirer. Mais c'est l'affaire de la *Belle-Poule* qui, le 17 juin, déclenche vraiment les hostilités. Ce jour-là, l'amiral anglais Keppel, chargé de croiser devant Brest, rencontre quatre bâtiments français, la *Belle-Poule*, la *Licorne*, l'*Hirondelle* et le *Coureur*, sortis de la rade le 15. La *Belle-Poule* est sommée par la frégate anglaise l'*Aréthuse* de se ranger à poupe. M. de La Clochetterie, son commandant, refuse. Un combat acharné s'engage et dure cinq heures. La frégate anglaise abandonne, la française reste maîtresse du terrain, et rentre à Brest triomphante avec quarante morts et soixante blessés sur deux cents hommes d'équipage. Après cette action contre un bâtiment français, la guerre est engagée. Elle sera déclarée officiellement le 10 juillet.

Il manque toutefois encore le soutien effectif de l'Espagne. La négociation est difficile. La monarchie espagnole, puissance coloniale, n'est pas du tout soucieuse de prêter son concours à des colons révoltés. Mais elle voudrait récupérer ses possessions perdues, la Floride, Minorque et Gibraltar, et profiter d'une action commune pour ce faire. Elle accepterait un accord militaire, mais à la condition que la reconquête de ces territoires figure parmi les buts de guerre. Pendant près de deux années Vergennes et Florida Blanca, le ministre espagnol, ont négocié pied à pied. Finalement, Vergennes cède. Dans un mémoire au roi, du 5 décembre 1778, il propose d'accepter les conditions espagnoles, si l'Espagne, de son côté, admet l'utilité d'une action militaire en faveur des Insurgents. La convention d'Aranjuez, du 12 avril 1779, règle l'accord sur ces bases. Le gouvernement français s'impose de lourdes obligations.

1. Cité par Georges Livet, « Conrad Alexandre Gérard, premier ambassadeur de France près les États-Unis d'Amérique », *Le Règne de Louis XVI et la guerre d'Indépendance américaine*, *op. cit.*, p. 153.

Il s'était déjà engagé à soutenir les États-Unis d'Amérique. Maintenant, il promet son concours à l'Espagne pour la reconquête de ses territoires. La revanche coûtera cher.

La convention d'Aranjuez établit les modalités de l'action combinée franco-espagnole. Les grandes opérations vont pouvoir commencer.

La marine française aborde la guerre dans de bonnes conditions. Choiseul d'abord, Sartine ensuite ont travaillé à rendre à la flotte de guerre sa puissance passée. Sartine a modifié le tableau d'avancement de manière à donner plus de place au mérite ; il a créé une troisième charge de vice-amiral pour l'Inde et l'Amérique ; il a poussé les constructions et les armements ; il a multiplié les inspections dans les ports. A l'entrée en guerre, la flotte dépasse en puissance de feu celle de Louis XIV. Le total des bâtiments s'élève au chiffre impressionnant de deux cent soixante-quatre. Le « Grand Corps » — c'est ainsi qu'on nomme la marine royale et ses officiers — n'est cependant pas sans faiblesse. L'une des plus graves est l'esprit d'insubordination qui y règne. Nous en avons plusieurs témoignages. Citons seulement l'un des plus significatifs. A la date du 19 mai 1780, le jeune comte de Charlus, embarqué dans l'escadre d'escorte du corps expéditionnaire, écrira ceci : « Je causai avec M. de La Clochetterie et les officiers de son vaisseau une partie de la matinée : leur orgueil, la hauteur et l'insubordination insoutenable dont ils sont me révoltèrent [...] ils me tinrent des propos dont on ne peut pas se former l'idée. L'un d'eux me disait : "Quand un ministre ose donner une ordonnance qui ne nous convient pas, nous ne la suivons pas[1]." » Un tel état d'esprit, s'il était répandu, n'était certainement pas favorable à la cohésion des escadres et à leur efficacité dans les engagements de quelque ampleur.

La guerre dure cinq années, de 1778 à 1783. La France adopte successivement deux stratégies. La première est surtout européenne. La seconde est mondiale.

La première stratégie en effet, celle des années 1778 et 1779, fait porter l'effort principal sur l'Europe. La partie essentielle du projet est le débarquement franco-espagnol en Angleterre. Il est prévu aussi de mettre le siège devant Gibraltar. Enfin les Insurgents seront secourus par l'envoi d'une flotte.

L'opération sur l'Angleterre — telle que la prévoit la convention d'Aranjuez — sera double. Elle comportera l'action dans la Manche d'une flotte franco-espagnole, et le transport depuis les côtes de Bretagne et de Normandie d'un corps de débarquement.

Dès le mois de juin 1778 on a commencé à rassembler des troupes en Bretagne et en Normandie. Fin août deux camps sont établis à Vaussieux en Normandie et à Paramé en Bretagne. L'effectif total des forces ainsi

---

1. « Journal de mon voyage en Amérique... », cité par le duc de Castries, *Papiers de famille*, Paris, France-Empire, 1977, p. 350.

réunies atteint cinquante mille hommes en mars 1779. On ne prévoit pas une véritable invasion de l'Angleterre, mais seulement une descente sur l'île de Wight et des attaques contre Bristol, Liverpool et Cork.

La campagne navale commence au mois de juin 1779. La flotte française, commandée par d'Orvilliers, sort de Brest le 3 juin, et fait sa jonction avec la flotte espagnole le 23 juillet près de La Corogne. L'armada ainsi rassemblée se compose de 66 vaisseaux de ligne, 12 frégates, 5 corvettes, 11 « divers ». La seule escadre française est forte de 3 014 canons et de 27 000 hommes.

Quant à la flotte destinée à l'Amérique, elle est partie de Toulon le 13 avril, forte de 12 vaisseaux de ligne et de 4 frégates sous le commandement du vice-amiral d'Estaing. Sa destination est l'estuaire de la Delaware.

Ni l'une ni l'autre de ces campagnes navales n'aboutit aux résultats désirés. Suivons d'abord la flotte franco-espagnole. Sa progression est très lente. Il ne faut pas moins de vingt-quatre jours pour aller de La Corogne jusqu'au large de Plymouth (23 juillet-16 août). Des vents contraires la retardent. Puis l'amiral d'Orvilliers refuse d'appliquer les nouvelles instructions royales qui viennent de lui parvenir et lui prescrivent de débarquer à Falmouth et d'occuper la Cornouaille. Falmouth, objecte-t-il, est un trop mauvais port. On en est là, lorsqu'une flotte britannique approche. L'amiral en surestime l'importance, et la redoute d'autant plus qu'une épidémie décime ses équipages, ayant fait déjà (fin août) cent quarante morts et mille huit cents malades. Il donne l'ordre d'abandonner la Manche, et la flotte rentre à Brest entre le 10 et le 15 septembre. Le retrait de l'escadre entraîne l'ajournement du projet de débarquement. Le 15 novembre, les camps de Vaussieux et de Paramé seront levés.

En Amérique, l'amiral d'Estaing n'est guère plus heureux. Survenue dans la nuit du 11 au 12 août 1778, une violente tempête disperse son escadre et l'empêche de livrer bataille à l'amiral Byron. Le 4 juillet 1779, il réussit à s'emparer de l'île de la Grenade, mais le 9 octobre il échoue devant Savannah en Géorgie, place forte où les Anglais avaient rassemblé une importante concentration de troupes. Le siège de cette place durait depuis le 10 août. On y avait perdu beaucoup de monde. L'assaut du 9 octobre est un désastre. En moins d'une demi-heure, deux mille cinq cents hommes restent sur le carreau. D'Estaing lui-même est blessé. Les Américains avaient promis un corps d'armée qui n'avait jamais paru.

Ces derniers sont dans une mauvaise passe. Une partie des forces anglaises a beau être retenue en Europe, ils sont incapables de prendre l'avantage. Depuis leur victoire de Saratoga (17 octobre 1777), ils n'ont pas remporté le moindre succès. En revanche, les Anglais progressent. A la fin de 1779, ils sont entièrement maîtres de la Géorgie et de la Caroline du Nord, et s'apprêtent à s'emparer de la Caroline du Sud. Les Insurgents manquent d'argent et de soldats. Ils semblent à bout de souffle.

C'est alors que la France opère une conversion hardie et passe à une stratégie mondiale. Un corps expéditionnaire et deux flottes sont envoyés en Amérique, une troisième flotte en Inde.

Le changement date du début de 1780. En effet, c'est en janvier 1780 que le Conseil du roi prend la décision du corps expéditionnaire. Pas avant. Fin décembre, on pensait encore au débarquement en Angleterre. Un mémoire de La Fayette adressé à Maurepas le 25 janvier persuade le Conseil de l'opportunité d'une telle intervention, et enlève la décision du roi. Le 1er mars, Louis XVI signe les ordres pour le vicomte de Rochambeau, chef désigné de l'expédition. Le plus difficile, paradoxalement, a été d'obtenir l'accord des Américains eux-mêmes. Leur protestantisme sourcilleux n'envisage pas avec faveur l'arrivée d'une troupe de soldats papistes. Ils n'aiment pas non plus les soldats de métier. Au début de 1779, un agent français rapportait à Versailles que les insurgés n'étaient guère disposés à supporter des troupes étrangères à leurs côtés. « Il me semble, écrivait-il, qu'ils sont à cet égard d'une méfiance extrême. » Ce ne sont pas là, il faut l'avouer, des dispositions très encourageantes. Les émissaires du Congrès à Paris ne cessent depuis trois ans de réclamer des soldats, mais la population du pays insurgé manifeste clairement ses réticences.

Le gouvernement français prend la décision quand même, tout en mesurant bien la difficulté de l'entreprise. Il sait qu'il faudra vaincre les réticences, et que le corps expéditionnaire devra se faire accepter par les habitants. Il sait également qu'il sera hors de question de demander un sou à ces alliés impécunieux et de faire vivre les troupes sur le pays ; le corps expéditionnaire devra donc être assuré d'une totale autonomie matérielle.

La préparation est menée avec un soin extrême[1]. Les deux chefs désignés, le comte de Rochambeau pour le corps expéditionnaire et le chevalier de Ternay pour la flotte d'escorte, sont l'un et l'autre parfaitement adaptés à leur difficile et délicate mission. Ni l'un ni l'autre ne parlent anglais, mais ce sont des officiers expérimentés, d'une grande autorité naturelle, et surtout ils ont une gravité, un sérieux, une dignité qui plairont aux Américains. « *Your general is sober* », dira un jour un Américain parlant de Rochambeau. « Il convenait, écrit Montbarrey à propos de ce dernier, de mettre à la tête des secours envoyés en Amérique un chef instruit, qui eût de la réputation militaire et qui, tota-

---

1. Voir sur ce point l'étude d'André Corvisier, « La participation française à la guerre d'Indépendance américaine », *Le Règne de Louis XVI et la guerre d'Indépendance américaine, op. cit.*, p. 85-103.

lement dans les principes du jour, pût être agréable à la foule des étourdis qui désiraient servir dans cette guerre[1]. »

On laisse à Rochambeau la liberté de composer lui-même sa troupe. On lui destinait quatre mille hommes. Il en demande et obtient six mille. En outre, il se fait donner une artillerie de siège importante et la « poignée » de cavalerie indispensable pour effectuer les patrouilles et les percées. Il choisit enfin les régiments qu'il connaît le mieux, Bourbonnais, Soissonnais, Anhalt et Royal Deux-Ponts, auxquels il adjoint six cents hommes de la légion de Lauzun, corps mixte d'infanterie et de cavalerie, plus quatre cents artilleurs et une cinquantaine de mineurs.

Reste l'équipement. La plus grande minutie préside à sa composition. Rien n'est laissé au hasard. Rien n'est oublié. Le corps expéditionnaire emporte 33 000 boulets, 60 000 briques pour construire des fours à pain, 10 000 paires de souliers, 10 000 chemises et 6 000 chapeaux, sans compter les filets à chevaux, les capotes et tout le matériel nécessaire pour le service des hôpitaux. C'est comme si on partait pour la Laponie. Il faut tout amener avec soi. Afin de procurer les objets et les ustensiles rares, tous les arsenaux du royaume sont mis à contribution. Le Havre, par exemple, fournit un gril à boulets rouges et deux tenailles, Saint-Malo deux chèvres et un cric. La bureaucratie militaire prouve ici son efficacité. En moins de deux moins, tout est paré.

C'est en effet à la date prévue, le 2 mai 1780, que s'ébranle le grand convoi. Quarante bâtiments sortent de la rade de Bertheaume, plus l'escadre d'escorte, elle-même composée de sept navires de ligne et de deux frégates. Destination : Newport, en Nouvelle-Angleterre, où l'on arrive sans encombre le 11 juillet. Un seul accroc au plan prévu : quatre mille hommes seulement ont été embarqués ; deux mille sont restés à Brest. En principe, ils doivent rejoindre bientôt.

Moins d'un an plus tard, le 22 mars 1781, toujours à Brest, on assiste à un nouveau départ plus spectaculaire encore, celui des trois flottes expédiées au-delà des mers, selon le plan du marquis de Castries, qui a succédé à Sartine le 14 octobre précédent. Le nouveau ministre de la Marine a fait adopter par le Conseil du roi un changement complet de stratégie. Sartine gardait les gros bateaux en France pour obliger les gros bateaux anglais à gagner les mers lointaines. Castries envoie les gros bateaux sur les mers et, par une simple flottille, contraint la plus grande partie de la flotte anglaise à rester dans les ports métropolitains. Il a aussi imposé ses hommes : de Grasse et Barras de Saint-Laurent pour les escadres d'Amérique, et Suffren pour la troisième escadre, celle de

1. Cité par L. Kennet, « L'expédition Rochambeau-Ternay : un succès diplomatique », *Revue historique des armées*, 1976, n° 4 (spécial), *Indépendance des États-Unis d'Amérique*, p. 96.

l'Inde. Ce dernier a dans la marine une réputation exécrable. On le dit « très dur, mauvais coucheur, mauvais camarade ». Mais c'est un chef et un marin.

Les trois flottes naviguent de conserve pendant une première semaine, puis elles se séparent. Le 29 mars, Suffren vire de bord et se dirige vers le sud. Une semaine encore, et une partie de l'escadre Barras, commandée par Bougainville, oblique vers le nord. De Grasse continue seul vers les Antilles. Les dés sont jetés. Les risques sont pris.

Ce sont de grands risques. Les forces françaises sont dispersées sur un immense théâtre d'opérations. Sauf pour l'escadre de l'amiral de Grasse, qui va relâcher aux Antilles, elles vont se trouver extrêmement éloignées de leurs bases. L'opération est aléatoire.

Pourtant, elle réussit. C'est d'abord la capitulation de Yorktown en 1781. C'est ensuite, en 1782 et 1783, la très belle série de victoires de Suffren dans l'Inde.

Le succès de Yorktown vient tard. On commençait à perdre l'espérance d'une victoire. Le corps expéditionnaire était resté pendant plus d'un an dans une inaction presque totale. Sa situation financière s'aggravait. Les Américains faisant tout payer et à des prix astronomiques, non seulement les vivres, mais encore le logement et jusqu'à la location des terrains, Rochambeau se trouvait à court d'argent. Le 29 octobre 1780, il écrivait à Montbarrey : « Nous sommes aux expédients les plus onéreux pour avoir de l'argent afin d'assurer le prêt du soldat. » Mais rien n'arrivait de France, ni l'argent ni le renfort des deux mille hommes laissés à Brest.

Toutefois, le commandant du corps expéditionnaire, par son autorité, mais aussi grâce à une exacte et sévère discipline, avait réussi à maintenir le moral et la bonne tenue de ses troupes. Les désertions restaient rares (il n'y en aura pas plus de deux cents pour toute la durée de la guerre). Les relations avec l'armée américaine et avec les habitants demeuraient excellentes. Si bien que, malgré l'inaction démoralisante, le corps expéditionnaire conservait ses forces pour l'opération d'envergure dont l'occasion allait lui être donnée.

L'idée ici vient de l'amiral de Grasse. De Saint-Domingue où il se trouve avec son escadre, par deux lettres (29 mars et 28 juillet 1781) adressées successivement à Rochambeau et à Washington, il propose aux deux généraux de forcer les Anglais non pas dans le Nord où leurs troupes sont dispersées, mais dans le Sud, et plus précisément sur la baie de la Chesapeake (Maryland) où le plus gros de leur armée se trouve concentré. Lui-même apportera le concours de sa flotte et de trois mille hommes prélevés sur la garnison de Saint-Domingue. Pour libérer Rochambeau de ses soucis d'argent et lui procurer la facilité de mouvement, il lui envoie tout de suite une somme de 1,2 million de francs empruntée à La Havane. Tous les obstacles (manque d'hommes et pénurie d'argent) sont levés. Le plan est neuf et audacieux. Washington hésite puis accepte. Américains et Français font mouvement vers le sud.

Tout dépend maintenant de la conjonction des forces engagées. Il faut qu'elle se réalise en peu de temps et qu'il n'y ait pas de retardataires. Les conditions sont remplies. Le corps expéditionnaire couvre deux cent cinquante lieues à marche forcée, et malgré la chaleur et la fatigue parvient en bonne condition à Williamsbourg. De Grasse arrive en même temps, informe Washington de son arrivée et débarque ses trois mille hommes. Puis il barre la baie et disperse une flotte anglaise qui empêchait Barras de rejoindre et tentait de forcer le blocus. Le 30 septembre, l'investissement complet de la péninsule de Yorktown est réalisé, le 19 octobre, la place capitule, le général anglais Cornwallis rend son épée, livrant 8 000 prisonniers et 314 canons. Cette capitulation de Yorktown n'est pas en soi un grand fait d'armes, mais c'est le fait d'armes décisif. L'armée anglaise a reçu un coup mortel.

L'année 1782 est celle de l'extraordinaire série de victoires de Suffren aux Indes. Jamais amiral ne fut plus combatif. Sans cesse il cherche les Anglais, les découvre, les force à livrer bataille, les combat avec acharnement et les défait. Il commence à Sadras le 17 février 1782. C'est ensuite Porto Novo le 12 avril, Négapatam le 6 juillet où la plupart des vaisseaux anglais sont désemparés, Trinquemale le 25 août, opération de débarquement réussie et prise d'un des plus grands ports de l'Inde, et enfin Gondelour, le 20 juin de l'année suivante. Cette dernière bataille illustre à merveille la tactique de Suffren. Apprenant que l'amiral anglais Hugues est allé bloquer la rade de Gondelour, Suffren arrive aussitôt en ordre de bataille. Les Anglais se dérobent. Suffren, dont les forces sont pourtant inférieures, les poursuit. Le 20 juin, il les rattrape, et donne immédiatement le signal d'approcher à portée de pistolet. La bataille s'engage à trois heures de l'après-midi. On combat de part et d'autre avec vigueur jusqu'à la nuit. L'intention de Suffren était de recommencer le lendemain, mais, profitant de l'obscurité, les Anglais disparaissent. Le 29 juin l'amiral Hugues fait proposer à Suffren la cessation des hostilités, lui annonçant la signature des préliminaires de paix à Versailles le 9 février précédent.

Pendant ce temps, sur les théâtres européens et américains, la fortune est partagée. Les franco-espagnols s'emparent de Minorque, et la victoire de l'amiral La Motte-Picquet au cap 3partel interdit à l'amiral Howe la route de Gibraltar. Mais la place elle-même de Gibraltar résiste au siège et, en Amérique, l'amiral de Grasse est battu et fait prisonnier au combat des Saintes.

Les préliminaires de paix du 9 février 1783 suivent de peu le rembarquement du corps expéditionnaire (décembre 1782). Le traité définitif est conclu en septembre. Le principal but de guerre de la France, l'indépendance des États-Unis d'Amérique, est atteint. Cela dit, on ne peut guère parler d'une guerre avantageuse. Le profit que la France en retire est mince. Le Sénégal est récupéré, ainsi que les comptoirs des Indes ; l'île de Tobago est échangée contre la Dominique. Les îles de Saint-Pierre et Miquelon sont restituées. Même si l'on ajoute à cela la fin du contrôle anglais sur Dunkerque, le bilan apparaît sans rapport avec les efforts consentis et l'argent dépensé ; le traité de Paris de 1763 n'est pas effacé. Il semble qu'on ait cherché le prestige et non des avantages réels.

L'expédition d'Amérique, en particulier, apparaît avec le recul du temps comme une œuvre philanthropique. Il a fallu non seulement mettre sur pied un corps expéditionnaire, mais encore subvenir entièrement à sa subsistance sur place pendant près de deux années. Les Américains ont bien voulu s'en servir, mais ils n'ont pas donné un sou, pas un morceau de pain. On le savait, c'était dans les conditions, mais on ne s'attendait quand même pas à une telle mesquinerie. Dans les lettres de Rochambeau l'amertume perce. Le 16 juillet 1781, il écrit ceci :

> Il n'y a pas un bourgeois qui ne soit très indépendant et il ne donne rien, pas une maison pour loger, pas un terrain pour camper sans vouloir de l'argent[1].

Au moment du départ du corps expéditionnaire pour la France, le jour même de l'embarquement, un huissier mandaté par un propriétaire aborde Rochambeau, lui met la main sur l'épaule et lui dit qu'il le constitue son prisonnier pour dette. Il s'agissait de bois de chauffage fourni au régiment de Soissonnais, et pour lesquels ce propriétaire demandait la somme de 15 000 livres. Rochambeau prend la chose en riant, mais l'affaire suit son cours, et il faudra payer la dette, réduite il est vrai à 3 000 livres par une sentence arbitrale. Curieuse manière de remercier des libérateurs. Dans ces conditions, il est d'autant plus remarquable que les rapports des soldats français et de la population aient toujours été corrects. Cela est à l'honneur de la discipline du corps expéditionnaire et représente sans doute, de l'aveu même des historiens américains, la plus belle réussite de l'expédition. Certes, il faut tenir compte des satisfactions morales. Il était glorieux de secourir les partisans de la liberté.

Malgré tout, la guerre n'a pas été complètement inutile. Elle a démontré le renouveau de la marine royale. Elle a prouvé aussi la capacité d'organisation de l'administration militaire. La mécanique du corps expéditionnaire a été bien montée. Elle a remarquablement fonctionné. Les campagnes navales, en particulier celle de Suffren, ont révélé la valeur militaire réelle de la flotte. Peut-on en dire autant de l'armée ? Ce n'est pas sûr, le corps expéditionnaire n'ayant été que cinq mois en campagne et n'ayant livré aucune bataille rangée.

---

1. Cité par André Corvisier, « La participation française à la guerre d'Indépendance américaine », *Le Règne de Louis XVI et la guerre d'Indépendance américaine, op. cit.*, p. 95.

Chapitre III

LE GOUVERNEMENT DE LOUIS XVI
(Deuxième période : les tentatives
de réforme de l'État)
(1783-1789)

Calonne (1783-1787)

Les deux premiers successeurs de Necker au Contrôle général ne sont pas heureux dans leurs entreprises. Joly de Fleury mécontente tout le monde en créant de nouveaux impôts. Lefèvre d'Ormesson, un jeune homme ingénu (« Tout avait été essayé, écrit Lacour-Gayet, sauf l'ingénuité »), ne trouve rien de mieux à faire que de décréter le cours forcé des billets de la Caisse d'escompte, et de résilier le bail de la ferme générale. Il s'aliène ainsi la finance. On le renvoie le 2 novembre. Il est remplacé le 3 par Charles Alexandre de Calonne.

Le nouveau contrôleur général a derrière lui une longue et riche expérience administrative, ayant occupé successivement les fonctions d'avocat général au Conseil supérieur de l'Artois, de procureur général au parlement de Flandre, de maître des requêtes, d'intendant de Metz et enfin d'intendant de Flandre et d'Artois depuis 1778. Carrière exceptionnellement brillante. On peut l'expliquer par la protection de Choiseul, mais aussi par les dons naturels du nouveau ministre. Très intelligent, voyant tout d'un seul coup d'œil, éloquent, séduisant, charmeur, il est certainement de tous les ministres de Louis XVI le plus doué, le plus capable.

Fallait-il encore qu'il fût choisi. Pourquoi ce choix ?

D'abord c'est un homme qui depuis longtemps est proche du pouvoir. En 1765, Louis XV l'avait désigné pour une mission très délicate : négocier avec le terrible La Chalotais et l'amener à composition. Il y avait en partie réussi. A la même époque on l'avait chargé de rédiger des textes importants. Il est l'auteur du *Règlement* de 1765 précisant les limites de l'intervention des parlements dans les affaires ecclésiastiques. Il avait également participé à la rédaction du fameux discours de la flagellation (1766) par lequel Louis XV avait rappelé aux magistrats du parlement de Paris qu'en lui et en lui seul résidait la puissance législative.

Ensuite, Calonne a profité de ses intendances, et en particulier de celle de Lille, pour nouer de belles et utiles relations avec la grande noblesse. Il est devenu l'ami du prince de Condé, lorsque ce dernier, en 1782 et

1783, est venu inspecter les places du Nord. Il est entré dans l'intimité du prince de Robecq, gouverneur de Flandre, et du gendre de Mme de Polignac, le duc de Guiche. Au reste, il est à l'aise dans ce milieu. Lui-même est issu d'une assez récente noblesse de robe. Mais c'est un robin qui n'est pas comme les autres robins. Il n'a pas leur gravité empesée. Spirituel, caustique, cynique même à l'occasion, il a naturellement le ton de la Cour.

Enfin — et c'est sans doute son principal atout — il est allié par son mariage à toute la finance. Il a épousé en 1766 Marie-Joséphine Marquet, fille d'un receveur général des Finances. Parmi les parents les plus proches de son épouse, il y a un directeur général des Vivres, deux receveurs généraux des Finances, un fermier général, un garde du Trésor et un banquier. Par ses alliances il rassure la «société d'argent».

Il a donc tout pour lui. Mais ce tout ne serait rien, s'il n'avait aussi la faveur de l'opinion publique. Recevant le nouveau ministre à la Chambre des comptes pour sa prestation de serment, le président de Nicolaï lui dira : «Depuis longtemps, Monsieur, l'opinion publique vous élevait au ministère des Finances.» C'est un fait : l'opinion publique s'était engouée de Calonne. C'est un fait difficilement explicable. A la différence de Turgot et de Necker, Calonne n'appartient pas au cercle philosophique. S'il plaît aux femmes, s'il a pour le protéger de nombreuses et puissantes égéries, aucune de ces dames ne fait profession de philosophie. Mais c'est un fait et c'est le fait déterminant, Louis XVI n'ayant plus, depuis la mort de Maurepas, d'autre conseiller que l'opinion publique. Et finalement nous avons là peut-être l'explication la plus probable, et sans doute même la seule, du choix de Calonne.

Mais le choix est heureux. Calonne n'est pas un doctrinaire à la manière de Turgot. Il n'est pas non plus un philanthrope comme Necker. C'est un esprit pratique et un excellent technicien. Ce qui n'empêche pas les idées. Il arrive avec un plan. Le jour de sa prestation de serment à la Chambre des comptes, il en dévoile les grandes lignes. D'abord il acquittera les dettes de la guerre. Ensuite il révolutionnera le système fiscal en établissant de manière durable l'égalité devant l'impôt : «Aussitôt après avoir franchi l'espace laborieux qu'il faut employer à l'acquittement des dettes de la guerre, je m'attacherai à l'exécution d'un plan d'amélioration générale [...] qui fasse trouver le vrai secret d'alléger les impôts dans l'égalité proportionnelle de leur répartition[1].» C'est un discours programme.

L'exécution suit.

Pour acquitter la dette, il faut beaucoup d'argent, dont le ministre n'a pas le premier sou. Peu importe. Comme il dit, il «plaide riche», c'est-à-dire qu'il s'efforce de restaurer le crédit de l'État. «J'aurais tout perdu,

---

1. Cité par Pierre Jolly, *Calonne, 1734-1802*, Paris, 1949, p. 82.

écrira-t-il, si j'avais pris l'attitude de la pénurie, au moment où je devais en dissimuler la réalité[1]. » Il prend donc l'attitude de l'aisance et commence par rapporter les mesures de d'Ormesson : le cours forcé des billets de la Caisse d'escompte est supprimé ; le bail de la ferme est renouvelé. Ensuite, il établit l'exactitude du paiement des rentes. Habitués à être traités comme des solliciteurs, les rentiers n'en croient pas leurs yeux.

En même temps et pour les mêmes raisons (il vaut mieux faire envie que pitié), Calonne s'attache à restaurer le faste et la magnificence royales, que les mesquines économies de Turgot et de Necker avaient diminués. Il donne un nouvel éclat aux fêtes de Versailles et en particulier aux bals de la Cour. Il augmente la dépense, réduite par la guerre, des corps de musique de la Chapelle royale, de l'Opéra et des concerts de la Cour. Enfin il comble de faveurs l'Académie royale de musique, instituant une école pour former les sujets, augmentant le traitement des acteurs et créant des prix pour les meilleurs poèmes lyriques. Il n'est personne qui n'ait à se louer de la générosité du ministre. La pluie des pensions et des gratifications — un moment interrompue sous Necker — se remet à tomber, plus abondante que jamais. On a calculé que la moitié de la somme ainsi distribuée sous le règne l'avait été par Calonne. Il reçoit tous les solliciteurs, les cajole et les comble. Les ministres, les gouverneurs, les intendants, tous obtiennent leurs crédits. Les états n'ont qu'à demander : ils sont aussitôt satisfaits. Par exemple les états de Bretagne obtiennent le droit — toujours dénié par Necker — d'élire librement leurs députés en cour, et celui de consentir les octrois que les villes de la province voudraient établir. Ce qui fait dire aux chansonniers :

> Tout, jusqu'à la gent bretonne
> Aime Calonne ! Aime Calonne !

Le ministre ne se contente pas de faire des largesses. Il s'efforce d'améliorer les revenus et, par des mesures d'assainissement, de rationaliser la gestion des finances publiques. En 1784, il crée une caisse d'amortissement. En 1785, il régularise l'octroi des pensions et procède à une réforme monétaire afin d'adapter la monnaie à la hausse de l'or. En 1786, il renouvelle le bail de la ferme à des conditions exceptionnellement onéreuses pour cette institution. La même année, pour empêcher les fraudes de l'octroi de la capitale, il ordonne la construction d'un mur autour de Paris. L'ensemble des mesures prises en matière d'impôt se traduit par une amélioration très sensible du rendement fiscal.

L'économie du royaume profite de son ministère. Les travaux des ports sont encouragés. A Cherbourg est commencée la construction de la

---

1. Cité par Pierre Jolly, *Calonne, 1734-1802, op. cit.*, p. 82.

grande ligne allant de la pointe de Querqueville à l'île Pelée. Des machines anglaises sont introduites pour l'industrie textile. La société des fonderies du Creusot, créée en 1785, reçoit une subvention du Trésor de 600 000 livres. Calonne voudrait d'une révolution industrielle à l'anglaise. Semblable en cela à beaucoup de ses contemporains, il caresse le « rêve du commerce ». Il croit à la paix par le commerce et aux vertus de la libre circulation des marchandises. A son initiative, et grâce à ses efforts persévérants, est conclu le 26 septembre 1786 le traité de commerce qui permettra la libre entrée des produits de l'industrie anglaise. La seule entorse aux principes libéraux est la création (en 1785) d'une nouvelle Compagnie des Indes.

Les résultats sont très inégaux. Le traité de commerce favorise certains secteurs, comme celui des glaces, mais provoque la ruine de l'industrie textile. Le crédit renaît mais le déficit des finances royales n'est pas réduit. L'État est toujours démuni. Calonne, à son tour, est acculé à l'emprunt. Les trois emprunts de décembre 1783, décembre 1784 et décembre 1785 se font à des taux élevés de 8 à 10 %. Ile ne sont pas moins onéreux que ceux de Necker. En 1786, la situation des finances publiques est plus difficile que jamais.

C'est alors que le ministre lance la deuxième partie de son programme, sa grande réforme fiscale. La première partie (l'acquittement des dettes de la guerre) est loin d'être réalisée, mais on ne peut attendre plus longtemps.

Le moment est pourtant défavorable. L'état de grâce est fini. Il n'a duré qu'un an. Dès le début de 1785, la situation a commencé à se dégrader. L'opinion publique, très favorable au début (« tout le monde est content », écrivait Marmontel) est devenue boudeuse. Il y a plusieurs raisons : le mécontentement suscité par la réforme monétaire, les ateliers de province débordés, n'ayant pu fournir assez vite les nouvelles pièces, la grogne des parlements irrités par l'emprunt de 1785, l'indignation du clergé, à cause de certains projets officiels de taxation des biens d'Église, la protestation des chambres de commerce contre le traité franco-anglais de 1786, et très probablement le mécontentement de certains milieux financiers.

Cette dernière cause mérite un examen particulier. La paix revenue, les capitaux étrangers ont afflué à Paris. La capitale est devenue un foyer de spéculation boursière. Deux faits nouveaux — qui correspondent à peu près à l'avènement de Calonne —, la généralisation des titres au porteur et la multiplication des sociétés en commandite, ont favorisé l'agiotage. Calonne est préoccupé par ce phénomène (qu'il ne cerne pas très bien) et s'efforce de le maîtriser. Dans un but de moralisation, mais aussi pour protéger les fonds d'État, il prend diverses mesures. Au moment d'une très forte hausse des actions de la Caisse d'escompte, une décision royale interdit aux administrateurs de comprendre « dans la masse des profits partageables à la fin du semestre ceux qui, n'étant pas encore échus, ne peuvent appartenir qu'au semestre suivant». C'est appliquer un principe de bonne gestion, mais c'est aussi réduire à néant toute espérance de bénéfices sensationnels. De la même manière, le ministre bloque les hausses des actions de la Compagnie des eaux et de la banque Saint-Charles. Tout cela n'est pas de nature à enchanter les spéculateurs. Il se peut que le ministre se soit fait dans ce milieu de dangereux ennemis, et que l'hostilité de certains milieux financiers ne soit pas étrangère à sa chute.

Il faut ajouter ceci : le ministre n'est pas le seul à combattre l'agiotage. En des pamphlets fracassants, le comte de Mirabeau, libelliste déjà fameux, a dénoncé à plusieurs reprises les pratiques des administrateurs et celles des spéculateurs. C'est un soutien pour Calonne, mais un soutien fort compromettant. Mirabeau passe pour un homme sans scrupules. Il est d'ailleurs lui-même lié à des spéculateurs. Calonne a essayé de s'en débarrasser en lui confiant des missions à l'étranger. Peine perdue. Mirabeau a continué à produire ses philippiques. Et même, dans un pamphlet d'une rare violence, intitulé *Lettre du comte de Mirabeau à M. de Calonne, ministre des Finances de France*, il n'a pas craint de s'en prendre au ministre lui-même (fin 1785).

Tout le monde était content. Maintenant tout le monde, ou presque, est mécontent. C'est donc dans une atmosphère empoisonnée que le contrôleur général lance son grand projet.

Nous connaissons ce projet par deux textes. Le premier est le *Plan d'amélioration des finances* remis au roi le 20 août 1786. Le second est le discours prononcé par Calonne lui-même, le 22 février 1787, devant l'assemblée des notables, à laquelle ce plan était soumis.

La pièce maîtresse de la réforme consiste dans la «subvention territoriale», nouvel impôt levé en nature sur tous les revenus fonciers sans exception, et substitué aux vingtièmes. Mais ce n'est pas un vingtième déguisé. C'est vraiment un impôt nouveau. Les vingtièmes étaient (en principe) provisoires. La «subvention» sera perpétuelle. Les vingtièmes admettaient des rachats, des abonnements et des exemptions. La «subvention» sera payée par tous. Aucune exemption ne sera admise. Enfin, alors que les vingtièmes étaient levés sur les déclarations de revenus, le nouvel impôt sera réparti par les contribuables eux-mêmes dans les assemblées provinciales.

Il est donc prévu aussi de créer des assemblées locales à double compétence fiscale et administrative : assemblées paroissiales et municipales à la base, assemblées de district au-dessus, et au sommet assemblées provinciales, formées des représentants élus des assemblées municipales et de districts.

La réforme ne se borne pas là. Calonne propose en outre la libération totale du commerce intérieur et extérieur, la suppression des traites, la réduction de la taille et le remplacement des corvées par une prestation en argent.

A vrai dire ce beau plan n'est pas très original. Louis XVI, en le lisant, s'exclame : « C'est du Necker tout pur que vous me donnez là. » En fait ce serait plutôt du Turgot. Les assemblées provinciales de Calonne imitent celles de Turgot et non celles de Necker. Calonne en effet, comme Turgot, et à la différence de Necker, supprime dans ses assemblées toute distinction d'ordres, n'y voulant admettre qu'une seule qualité, celle de propriétaire. Sur la liberté commerciale et sur la corvée, son plan s'inspire également des vues de Turgot. Notons d'ailleurs le nom du rédacteur principal du projet. C'est celui de Dupont, le physiocrate, ancien collaborateur de Turgot, et qui est demeuré après le départ de son patron l'un des conseillers du Contrôle général.

Calonne toutefois, s'il s'inspire de Turgot, ne le recopie pas servilement. Il appose sa marque. Et sa marque, c'est l'idée de la « subvention territoriale », impôt d'une facture tout à fait nouvelle, impôt perpétuel et sans exemption, impôt salvateur, dont il attend la restauration des finances et le redressement de l'État.

Il va se battre et perdre la bataille. Le 10 avril 1787, il est renvoyé par le roi, et son projet est en partie abandonné. Dans le bref espace de huit mois, d'août 1786 à avril 1787, une partie dramatique s'est jouée. Essayons d'en retracer les phases principales.

Il y a eu d'abord le choix de la procédure. Le roi et Calonne ont choisi de soumettre le projet de réforme à l'avis d'une assemblée de notables, composée pour sa plus grande partie de grands propriétaires, personnes hostiles *a priori* à l'égalité devant l'impôt. C'était donc aller à l'échec. Mais pouvait-on faire autrement ? Selon la constitution de la monarchie, le roi ne peut décréter un impôt nouveau et perpétuel sans faire au moins semblant de consulter ses sujets. On jugea qu'à tout prendre une assemblée de notables était un moindre mal comparée aux états généraux. Des assemblées de ce genre avaient été réunies à la fin du XVIᵉ siècle et au début du XVIIᵉ, et la dernière en date par Richelieu en 1626.

Convoquée en décembre 1786, l'assemblée de notables s'est réunie en février de l'année suivante. Elle comprenait sept princes du sang, sept archevêques, sept évêques, six ducs et pairs, six ducs non pairs, huit maréchaux de France, des intendants, des parlementaires, des députés des pays d'états et des représentants des corps de ville des plus grandes cités du royaume. Au total cent quarante-sept personnes parmi les plus illustres et les plus décoratives et parmi les plus hostiles à l'esprit des réformes proposées.

Et de fait l'assemblée a tout de suite bloqué le plan Calonne. Sept bureaux avaient été constitués pour examiner séparément et simultanément le mémoire du ministre. Un seul s'est montré favorable, celui présidé par le comte d'Artois. La tactique a été simple. Les notables ont approuvé les réformes, mais les ont déclarées inapplicables. Ensuite ils ont présenté des contreprojets qui dénaturaient le plan primitif. Par exemple, ils voulaient bien d'une subvention territoriale, mais de durée limitée. Ou bien ils acceptaient les assemblées provinciales, mais avec la distinction des trois ordres, se disant opposés à la « compression des états et des rangs ».

Il faut noter que, de tous les partis hostiles à Calonne, celui des membres du clergé s'est montré le plus virulent. Boisgelin, archevêque d'Aix, écrivait à la comtesse de Gramont : les mémoires de Calonne « sont d'un polisson qui écrit superficiellement sur des choses qu'il ne sait pas ».

L'opinion publique a joué aussi son rôle. Elle a participé à l'offensive contre le ministre en montant les notables contre lui. Libellistes et gazetiers ont insinué que les notables étaient à vendre, qu'ils ne pouvaient être que des marionnettes dans la main du pouvoir. Ils ont fait des titres comme « Le consentement forcé » ou « Les fausses confidences ». Ce faisant ils ont piqué l'amour propre des députés, les incitant à contester.

Louis XVI et Calonne auraient dû agir vite. Ils auraient ainsi prévenu les campagnes de presse et pris de court les oppositions. Au lieu de cela ils ont tardé. Le plan de Calonne avait été remis au roi le 20 août. Mais le Conseil des dépêches attend le 26 décembre pour convoquer l'assemblée de notables. La première réunion était prévue pour le 29 janvier. Mais Calonne tombe malade, et la première séance plénière ne peut se tenir que le 22 février. Entre-temps les campagnes de dénigrement avaient fait leur œuvre.

Courage et talent n'ont pas manqué au ministre. Il a fait tout ce qu'il a pu pour convaincre les notables. Le discours du 22 février, dans lequel il présente l'ensemble de son plan, est un chef-d'œuvre de clarté. Nul autre que lui n'avait plaidé avec autant de force et d'élévation de pensée la cause de la « proscription des abus » :

> C'est dans la proscription des abus, disait-il, que réside le seul moyen de subvenir à tous les besoins [...] les abus des privilèges pécuniaires, les exceptions à la loi commune et tant d'exceptions injustes qui ne peuvent affranchir une partie des contribuables qu'en aggravant le sort des autres...

Mais les notables étaient sourds. Les paroles du ministre tombaient dans un désert. Tous ses ennemis réunis (le clergé, le clan Necker, le clan Loménie de Brienne) intriguaient pour sa chute. Sa perte était jurée.

Il ne lui restait qu'un soutien, celui du roi.

Louis XVI a tenu assez longtemps. Il avait approuvé tous les mémoires soumis à l'assemblée de notables. Pendant tout l'hiver, il n'a cessé d'encourager son « cher contrôleur général ». En mars, il a encore approuvé la publication d'un manifeste rédigé par l'avocat Gerbier en faveur de la réforme. Le 5 avril encore, il recevait le ministre et s'entretenait avec lui deux heures durant. Puis, tout d'un coup, le 8 avril, il cédait. Le 10 Calonne était renvoyé.

Que s'était-il passé ? Les diverses explications proposées (l'intervention de la reine, qui n'aurait jamais accepté Calonne, l'hostilité de Breteuil depuis peu brouillé avec le contrôleur général) méritent l'examen. Mais est-il bien nécessaire d'y recourir ? Si quelque pression a pu avoir raison de la confiance du roi, c'est, avant toute autre, celle de l'opinion publique. Depuis la mort de Maurepas, il a toujours cédé à cette force. Elle lui a dicté tous ses actes. La mort de Vergennes, survenue le 13 février 1787, a été aussi très malencontreuse. Le ministre favori de Louis XVI avait toujours soutenu Calonne.

Le plan de Calonne aurait-il pu sauver la monarchie ? En tout cas il pouvait faire cesser l'inquiétude et stabiliser l'État.

On doit cependant formuler deux observations. La première est que le produit de la subvention territoriale ne devait pas dépasser 35 millions de livres, somme finalement assez modique.

La seconde observation est que la réforme de Calonne, comme celle envisagée par Turgot, dénaturait la monarchie. Supprimer tout privilège, et surtout établir des assemblées administratives sans aucune distinction d'ordres, était contraire à l'esprit de ce régime. La monarchie française, en effet, ne se réduit pas au monarque. Elle est un corps politique dont le roi est la tête et les trois ordres les membres. Tout ce qui atteint les ordres l'atteint. Lorsque le premier bureau de l'assemblée de notables, sous la présidence de Monsieur, a déclaré « anticonstitutionnelles » les réformes proposées, il n'a pas prononcé là de vaines paroles.

Le plan de Calonne avait un caractère révolutionnaire. Il aurait peut-être sauvé la monarchie, mais c'eût été alors une autre monarchie, une monarchie dans le genre du despotisme éclairé, une monarchie sans les ordres.

Calonne le savait et le voulait. Il n'était pas le seul à le vouloir. Vergennes lui aussi appelait de ses vœux la nouvelle monarchie. On peut même dire qu'il la voyait déjà réalisée. Dans un « Mémoire au roi » daté du 3 mai 1781, il avait écrit ceci : « Il n'y a plus de clergé, ni de noblesse, ni de tiers état en France : la distinction des trois ordres est purement fictive, purement représentative et sans autorité. Le monarque parle : tout est peuple, tout obéit. » Avec la mort de Vergennes et le départ de Calonne, cette vision d'un régime nouveau devient irréalisable.

L'affaire du Collier (1785-1786)

L'affaire du Collier n'est pas à proprement parler une affaire politique, mais, jetant le discrédit sur la reine et sur l'autorité royale, elle aggrave le malaise politique.

Le cardinal de Rohan et Mme de La Motte en sont les protagonistes.

Louis René Édouard, prince de Rohan, évêque de Strasbourg, cardinal, grand aumônier de France, abbé de Noirmoutiers et de la Chaise-Dieu, ancien ambassadeur à Vienne, membre de l'Académie française, est l'un des plus hauts dignitaires de l'Église et du royaume. Il vit en grand seigneur plutôt qu'en prélat, menant à Strasbourg et dans son château de Saverne un train d'un luxe incroyable. Ses quatorze maîtres d'hôtel, ses vingt-cinq valets de chambre, sa soutane de moire écarlate et son rochet en point d'Angleterre d'un prix incalculable passent nettement la norme de la magnificence habituelle d'un évêque. Il n'est pas dénué d'intelligence, mais tous les contemporains s'accordent à souligner son défaut de jugement. « C'était, dit la baronne d'Oberkirch, un beau prélat, fort peu dévot, fort adoré des femmes, plein d'esprit et d'amabilité, mais d'une faiblesse et d'une crédulité inconcevables. » « On ne pouvait lui refuser de l'esprit, écrit le duc de Lévis, mais pour le jugement il en était totalement dépourvu. »

En outre, à l'époque où commence l'affaire du Collier, il est plus ou moins compromis dans une opération immobilière. Il a entrepris la réforme et la reconstruction totale de l'hôpital des Quinze-Vingts, dépendance de la grande aumônerie. Les anciens enclos ont été vendus, de nouveaux terrains achetés, des constructions très importantes commencées. C'est une opération considérable. Or, on accuse le cardinal d'en avoir tiré quelque profit pécuniaire. Ces accusations sont peut-être injustifiées. Toujours est-il qu'elles ternissent l'image du prélat.

Mme de La Motte, l'autre personnage, est une aventurière de haut vol. De son nom de jeune fille elle s'appelle Jeanne de Saint-Rémy de Valois. Elle descend d'un baron de Saint-Rémy, fils naturel d'Henri II. Après avoir épousé un M. de La Motte criblé de dettes, elle vient à Versailles tenter sa chance. Elle est bientôt le maîtresse du cardinal de Rohan. L'affaire va commencer.

Le cardinal est un courtisan malheureux. Tout part de là. Il souffre de la froideur de la reine à son endroit. Marie-Antoinette l'ignore ostensiblement. Est-ce à cause de ses mœurs ? Est-ce pour avoir déplu à l'impératrice lors de son ambassade à Vienne ? Pour les deux raisons sans doute. Le cardinal ferait n'importe quoi pour rentrer en faveur. Mme de La Motte joue là-dessus et sur l'incroyable crédulité du prélat. Dans un premier temps, elle lui fait croire qu'elle est au mieux avec la reine. Ensuite elle lui promet de lui obtenir une entrevue avec Marie-Antoinette.

Le 11 août 1784, entre onze heures et minuit, au fond d'un bosquet situé au bas du Tapis vert à Versailles, un homme déguisé paraît. C'est le cardinal qui se rend à un prétendu rendez-vous avec la reine de France. Une femme habillée d'un mantelet blanc, la tête couverte d'une « thérèse », attend au lieu convenu. Cette personne est une certaine Thérèse Legay, vulgaire « barboteuse de rue », choisie par Mme de La

Motte pour tenir le rôle de la reine, dont elle a un peu la prestance. La fausse Marie-Antoinette tient une rose à la main. Elle la tend au cardinal, tout en murmurant ces paroles : « Vous pouvez espérer que le passé sera oublié. » Puis, tout aussitôt, elle s'esquive. Rohan est éperdu d'émotion. Il croit vraiment être aimé de la reine. Il va être facile de le duper.

Les deux joailliers Boehmer et Bossange avaient réuni à grands frais des diamants d'une rare perfection et en avaient composé un collier proposé en vain par eux à toutes les souveraines d'Europe. Marie-Antoinette, elle-même, malgré son goût pour les parures, avait refusé à deux reprises, en 1778 et en 1784, ce magnifique bijou, que pourtant le roi voulait lui offrir.

Mme de La Motte imagine l'escroquerie. Elle persuade Rohan que la reine désire ardemment ce collier, mais que voulant l'acheter à l'insu du roi, et le payer en plusieurs traites avec ses économies, elle donnerait au cardinal une preuve de sa faveur en le chargeant de faire l'achat en son nom. Pour achever de convaincre le prélat, de faux billets d'autorisation lui sont remis, signés du nom de la reine, et rédigés par un certain Reteaux de Villette, qui était parvenu à imiter l'écriture de Marie-Antoinette. Parfaitement conditionné, Rohan conclut le marché avec les joailliers. Il acquiert le collier pour la somme de 1 600 000 livres payables en quatre échéances, la première devant arriver le 31 juillet 1785. En marge de chacune des clauses de cet arrangement, Reteaux de Villette a écrit « Approuvé » et apposé la signature « Marie-Antoinette de France ». Sans aucune méfiance, les joailliers livrent la parure au cardinal qui la remet aussitôt à Mme de La Motte pour être donnée à la reine. Sans attendre, le collier est démonté et les diamants sont vendus en Angleterre.

La machination a donc parfaitement réussi. Grâce à la naïveté du cardinal, naïveté qui paraît incroyable, de même que la crédulité des joailliers. L'entrevue nocturne, les faux billets d'autorisation et surtout la signature invraisemblable, tout est rocambolesque dans cette histoire. Comment ces hommes ont-ils pu se laisser abuser ?

On peut s'interroger aussi sur le comportement des escrocs, une fois leur affaire faite. Lors de la première échéance, ils n'avaient pas encore quitté la France. Pouvaient-ils penser qu'on ne s'apercevrait de rien ? Ou bien espéraient-ils que le cardinal, se trouvant trop compromis dans l'affaire, accepterait de payer lui-même le collier ?

Si c'était là leur calcul, il fut déjoué par la démarche du joaillier Boehmer. Celui-ci, constatant le retard du premier paiement, se rend non pas chez le cardinal, mais directement chez la reine. Reçu par Mme Campan, première femme de chambre, il lui raconte son affaire. La reine le fait venir. On s'explique. Tout est découvert.

Marie-Antoinette est outrée. Elle tourne toute sa fureur contre le cardinal. Elle est indignée de ce qu'il ait pu la croire capable de tels agissements. Son indignation l'emporte trop loin. Elle exige du roi une punition exemplaire. Or le cardinal n'est coupable que d'avoir ajouté foi à la mauvaise réputation de la reine. Les véritables responsables, ce sont les gazetiers, les libellistes, tous ceux qui ont accrédité l'image d'une reine frivole, dépensière et même infidèle à son époux.

L'affaire judiciaire commence le 15 août 1785 avec l'arrestation spectaculaire du cardinal au milieu de la Cour, alors qu'il vient de célébrer la messe, et se trouve encore revêtu des ornements pontificaux. Il est conduit à la Bastille. Il a eu la possibilité de faire prévenir l'abbé Georgel, son homme de confiance, lequel se précipite à Paris, et arrive à temps pour brûler les papiers du prélat.

Mme de La Motte est arrêtée elle aussi, trois jours après. Ensuite, sont appréhendés Reteaux de Villette et la fille Legay, qui font des aveux complets.

Le Parlement est saisi. Le 31 mai 1786, il rend sa sentence. La dame de La Motte est condamnée à être fouettée, marquée et enfermée à l'hôpital pour le reste de ses jours. Mais Rohan est acquitté. Le Parlement le déclare «déchargé de toute accusation» et ne lui inflige même aucun blâme. C'est un affront pour la reine. Les magistrats ont subi l'influence de l'opinion publique, laquelle est déchaînée contre Marie-Antoinette. S'y sont ajoutées les pressions du clergé et celles de la grande noblesse. Comme le dit un témoin, «les Condé, toute la maison de Rohan s'agitèrent pour» le cardinal, «le clergé depuis les cardinaux jusqu'aux séminaristes». Le 18 septembre 1785, l'archevêque de Narbonne, président de l'assemblée du clergé, avait élevé une protestation indignée contre l'arrestation d'un prince de l'Église. Avant même que le procès ne commençât, l'opinion des magistrats était faite.

Les scandales n'affaiblissent que les régimes faibles. L'affaire du Collier contribue à discréditer la royauté. Abusé par toute une littérature de ragots et de calomnies, le public plaint le cardinal et vilipende la reine qu'il croit vraiment capable d'avoir commandé le collier par l'intermédiaire de Rohan. On peut se faire une idée de cette propagande en lisant le pamphlet publié à Londres en 1788 et intitulé *Mémoires justificatifs de la comtesse de Valois de La Motte, écrits par elle*. Dans ce libelle composé par quelque folliculaire, la dame de La Motte accuse la reine d'avoir eu du goût pour elle, de l'avoir souvent reçue à Trianon et de l'avoir chargée de remettre des lettres au cardinal. Elle prétend aussi que la scène du bosquet a été combinée par la reine. Si étonnant que cela puisse paraître, de telles fables trouvent crédit.

L'affaire illustre également la maladresse de Louis XVI. En remettant au Parlement le jugement du cardinal, le roi faisait de ce cas un «cas privilégié» et le soustrayait aux juges d'Église. C'était supposer l'offense à la majesté royale. Dès lors, toute sentence indulgente, et à plus forte raison un acquittement, devait apparaître comme un désaveu de l'autorité royale. Il eût sans doute été préférable de confier le jugement du cardinal à un concile provincial, comme le prévoyait le droit ecclésiastique pour des cas de ce genre[1].

Brienne (1787-1788)

Calonne s'en va le 10 avril. Le 18 mai Loménie de Brienne, archevêque de Toulouse, est nommé ministre d'État et chef du Conseil royal des finances. On ne lui donne pas le Contrôle général, mais les deux contrôleurs généraux qui se succéderont sous son ministère, Laurent de Villedeuil et Lambert, seront placés sous son autorité. En août, il s'élève encore et reçoit le titre de «principal ministre», qui n'avait jamais été donné depuis l'avènement de Louis XVI. Il a donc plus de pouvoir que son prédécesseur. La reine l'agréant, il a aussi plus de faveur.

Depuis la mort de Fleury, aucun évêque n'avait occupé une si grande place dans l'État. Cet évêque, à vrai dire, est un prélat d'un type un peu particulier. La dévotion n'est pas son fort. Ses mœurs sont, dit-on, assez libres. Son christianisme est «éclairé», c'est-à-dire très dilué, très mélangé de philosophie.

Aussi bien son ministère est-il un ministère philosophique. Malesherbes et le duc de Nivernais, connus l'un et l'autre pour leurs attaches avec le parti philosophique, sont ministres sans portefeuilles. A la Marine et à la Guerre, La Luzerne, neveu de Malesherbes, et Brienne, frère de l'archevêque de Toulouse, remplacent, en octobre 1787, le premier Castries et le second Ségur. Le comte de Guibert, ancien amant de Julie de Lespinasse, entre au Conseil de la guerre, tout récemment institué. Dupont de Nemours, Condorcet et Morellet sont les conseillers officieux du principal ministre.

On croirait Turgot de retour. Les grandes réformes humanitaires jadis projetées par Turgot sont réalisées par Brienne. L'édit de tolérance de janvier 1788 rend aux protestants leur état civil. L'édit de mai 1788 sur la procédure judiciaire supprime la sellette et la question préalable. Brienne reprend aussi la politique de réduction des dépenses de la Cour. Il retranche le «voyage» de Fontainebleau et ampute la maison militaire de plusieurs compagnies.

Toutefois, sur les questions des grandes réformes administratives et fiscales, c'est à la politique de Calonne que Loménie de Brienne se réfère. S'il avait combattu cette politique dans l'assemblée de notables, il ne l'avait fait que pour avoir la place et non par hostilité de principe. Ses projets ici, son programme dans ces matières, ne sont rien d'autres que ceux de Calonne. Il se borne à les amender. La distinction des ordres est introduite dans les assemblées provinciales. Impôt de nature et de

---

1. Louis de Héricourt, *Les Lois ecclésiastiques*, Paris, 1721.

quotité, la subvention territoriale devient un impôt de répartition et perçu en argent.

Ces modifications sont destinées à dissiper l'humeur des notables. Peine perdue. Les notables persistent dans leur refus. Ils continuent à rejeter les assemblées provinciales et la subvention territoriale. Alors Brienne obtient de les renvoyer. La séance de clôture a lieu le 25 mai 1788. Cette expérience de consultation a été un véritable fiasco.

Le renvoi des notables ne règle rien. Il va falloir de toute façon présenter les édits de réforme à l'enregistrement des parlements. Tout laisse prévoir l'hostilité de ces cours.

En fait, l'attitude des magistrats est très habile. Les parlements acceptent de bon gré certains édits (les assemblées provinciales, le remplacement de la corvée en nature par une taxe en argent, la liberté totale du commerce des grains). La magistrature manifeste ainsi aux yeux de l'opinion son esprit « éclairé ». En même temps elle refuse d'enregistrer les édits fiscaux. Le 2 juillet 1787, le parlement de Paris rejette la nouvelle taxe quadruplant les droits de timbre pour tous les actes passés sous seing privé. Le 30 juillet — ceci est beaucoup plus grave — il s'oppose à la subvention territoriale. Le ministère ne lutte pas longtemps. Il négocie. Un compromis est fait. La subvention territoriale est abandonnée, mais le 19 septembre, le Parlement accepte d'enregistrer un édit rétablissant les deux vingtièmes, le premier pour une durée illimitée, le second pour cinq ans, tous deux devant être perçus de la manière la plus équitable possible, sans aucune exemption. Le ministère s'en accommode — il faut bien — et tente par divers aménagements de tirer le meilleur parti et le plus grand profit possible de ces deux impôts. Il s'attire alors de nouvelles protestations furieuses (29 avril 1788) du parlement de Paris. Brienne est accusé de vouloir percevoir la subvention territoriale sous un autre nom. La politique de réforme fiscale est à nouveau réduite à l'impuissance.

Une telle opposition aurait dû être impopulaire. Or, curieusement, elle ne l'est pas. Bien au contraire. Les cours ont en effet l'habileté de se poser en championne de la constitution du royaume et de la légalité. Elles ne disent jamais : « C'est trop d'impôts. » Elles ne disent pas non plus : « Les privilégiés sont intouchables. » Elles plaident l'incompétence. Elles ne sauraient, disent-elles, approuver, ni d'ailleurs désapprouver, des impôts de nouvelle création et de durée non précisée. Cela est du ressort des états généraux. « La nation, représentée par les états généraux, est seule en droit d'octroyer au roi les subsides dont le besoin serait évidemment démontré[1]. » Ainsi s'exprime le parlement de Paris dans sa déclaration du 30 juillet 1787. Ce langage est nouveau. Il ne s'agit plus seulement d'abus de pouvoir, mais d'un appel à la nation assemblée.

---

1. Cité par E. Lavisse, *Histoire de France, op. cit.,* t. IX, p. 337.

Le ministère est pris de court. Il réagit mal. Au lieu de maintenir une ligne ferme, il fait alterner les résistances et les capitulations.

Il commence par résister. Le 6 août 1787, le roi tient un lit de justice pour l'enregistrement forcé de la taxe du timbre et de la subvention territoriale. Comme le Parlement proteste, il est exilé à Troyes (14-15 août). Ensuite on cède. En septembre, Brienne négocie. Le timbre et la subvention seront retirés. En échange, le Parlement accepte les deux vingtièmes. Mais la concession du ministre est beaucoup plus importante que celle du Parlement. Leurs cotes devant demeurer inchangées, les vingtièmes sont loin de représenter la valeur de la subvention territoriale.

LA TENTATIVE DE COUP D'ÉTAT DE BRIENNE

Au printemps 1788, Brienne revient à la fermeté. Excédé par les remontrances des cours, il veut en finir. Il tente de rééditer le coup d'État de Maupeou. Les édits du 8 mai 1788 retirent aux parlements l'enregistrement des lois, confié à une « cour plénière », sorte de *Curia Regis* nouveau style. La compétence judiciaire des cours est réduite. Elles ne jugeront en dernier ressort que les causes civiles supérieures à 20 000 livres et les causes criminelles des clercs et des gentilshommes, les autres causes étant confiées à quarante-sept nouveaux tribunaux d'appel, nommés « grands bailliages ».

Le parlement de Paris enregistre, mais les autres cours entrent en révolte. Elles refusent d'enregistrer les édits de mai. Elles réclament des états généraux. Des émeutes éclatent, si bien que le ministre capitule une nouvelle fois. Le 5 juillet 1788, un arrêt du Conseil prévoit la convocation prochaine des états généraux. Le 8 août, un édit suspend la cour plénière et convoque les états pour le 1er mai 1789.

Comment expliquer la victoire des parlements ?

Par leur audace et par leur force.

L'audace des magistrats est insolente. L'affaire du Collier l'avait déjà fait voir, ils ne respectent plus la royauté. Leur insolence est celle de la jeunesse. Les cours sont antiques, mais les magistrats n'ont jamais été aussi jeunes. En 1787, sur 72 membres du Parlement, dont nous connaissons l'âge, 59 ont moins de trente-cinq ans[1]. A Bordeaux, sur 25 nouveaux conseillers admis de 1785 à 1788, 5 seulement ont plus de vingt-cinq ans.

Quant à la force de la magistrature, elle lui vient de son prestige. Le baron de Vitrolles, fils d'un conseiller au parlement de Provence, évoque dans ses *Mémoires* « les respects dont s'entourait l'exercice de ces grandes fonctions ». Il raconte que, lorsque son père traversait le pays pour se rendre dans ses terres, « il recevait dans les villes et villages où il s'arrêtait les hommages des corps de ville, qui venaient le complimenter,

---

1. Jean Egret, *La Pré-Révolution française*, Paris, PUF, 1962, p. 54.

les conseils à leur tête, revêtus de leurs insignes [1] ». Le corps des magistrats représente une puissance sociale. Il a des clients, des fidèles et des soutiens dans toutes les couches de la société. La basoche vit de lui. Les étudiants en droit l'admirent. La fortune de ses membres lui vaut quantité d'alliés et d'obligés. Car les magistrats sont tous riches et certains même très riches. D'Aligre, le premier président du parlement de Paris, a 5 millions de capitaux à la Banque de Londres, et 700 000 livres de revenu. Le Peletier de Saint-Fargeau, président à mortier de ce même parlement, dispose quant à lui de 600 000 livres de rentes.

Cependant, l'atout maître de la magistrature est la sympathie que lui voue la grande noblesse. Dans la Cour des pairs, siègent aux côtés du Parlement les princes du sang et les ducs et pairs. Ces grands seigneurs épousent la cause parlementaire. A commencer par le premier d'entre eux, le duc d'Orléans. Lors de la séance royale du 19 novembre 1787 (où vient de se faire l'enregistrement de l'édit d'un nouvel emprunt), aussitôt achevé le discours royal de clôture, Philippe d'Orléans se lève, qualifie l'enregistrement d'illégal et demande qu'il soit bien spécifié sur les procès verbaux l'exprès commandement du roi. On imagine l'effet d'une telle prise de position, et le bénéfice que peut en retirer la cause de la magistrature.

La pression est donc très forte, et le gouvernement n'est pas de taille à résister. Ne parlons pas du roi toujours incertain, parce que toujours partagé entre des sentiments contradictoires. Mais Brienne lui-même n'offre guère plus de consistance. Il a l'intelligence, la culture (c'est un bibliophile averti), des talents d'administrateur (il les a prouvés dans son diocèse de Toulouse), la perspicacité et même l'art de prévoir : « J'ai tout prévu, dira-t-il, même la guerre civile. » Il lui manque seulement le caractère. Et la vigueur de la jeunesse. Ses adversaires du Parlement sont pour la plupart des hommes jeunes, mais lui a soixante ans, et il les porte mal. Pendant tout l'hiver 1787-1788 il ne cesse d'être malade. La fièvre le tourmente. Une toux opiniâtre le persécute. Enfin c'est un courtisan. Au lieu d'imposer sa détermination à Louis XVI, il adopte la manière incertaine de son maître. Il va loin, très loin même dans les mesures de rigueur, assez loin en tout cas pour causer des troubles irrémédiables, pour susciter des ressentiments inguérissables, mais jamais assez loin pour réussir et triompher. Il récolte donc à la fois la révolte et l'échec.

Il n'a pas su non plus se faire des alliés. On ne gouverne pas contre tout le monde. Il avait déjà ses adversaires prévisibles et inévitables (les notables congédiés, les parlementaires). Il ne s'en est pas contenté. Dès le début de son ministère, par ses mesures d'économie, il a réussi à s'aliéner certains groupes puissants qui auraient dû normalement le soutenir. Les coupes sombres dans la maison domestique (règlement du

---

1. Baron de Vitrolles, *Mémoires*, Paris, 1950, t. I, p. 42.

9 août 1787), et en particulier la suppression de la Petite Écurie, ont excité contre le « principal ministre » l'animosité de nombreux nobles de Cour, dépossédés de leurs charges. Tout Versailles a retenti de la colère du duc de Coigny, directeur de la Petite Écurie supprimée. Les réformes opérées dans le Contrôle général, en faisant disparaître de nombreux services, ont vivement mécontenté le corps des conseillers d'État et celui des maîtres des requêtes, les dressant contre ce régime qu'ils avaient toujours fidèlement servi. Enfin les mesures prises par le Conseil de la guerre, à l'initiative du comte de Guibert, ont aggravé le malaise de l'armée. L'avancement des officiers de fortune se trouvait en effet bloqué par ces mesures. L'accès au grade de capitaine en second leur était interdit. Lors des émeutes de mai et juin 1788, le ministère ne pourra pas toujours compter sur le loyalisme de l'armée.

Il y a donc beaucoup de raisons à l'échec de Brienne, et la plupart tiennent à son impéritie. Cependant la principale raison n'est pas de son fait. La cause majeure est un grand mouvement d'opinion, un mouvement qui donne à l'opposition sa force irrésistible. C'est la réclamation des états généraux.

LA RÉCLAMATION DES ÉTATS GÉNÉRAUX

Rappelons la chronologie.

En mai 1787, à l'assemblée de notables, La Fayette propose la convocation d'une « assemblée nationale ». « Quoi, monsieur, lui répond le comte d'Artois, vous demandez la convocation des états généraux ? — Oui, monseigneur, et même mieux que cela[1]. »

Ensuite, comme on l'a vu plus haut, c'est le parlement de Paris qui dans sa déclaration du 30 juillet 1787 pose en principe l'approbation des états généraux pour tout impôt nouveau.

A l'automne, l'opinion publique s'empare du thème. Le 17 octobre le voyageur anglais Arthur Young note dans ses cahiers : « Tous s'accordent à dire que les états du Royaume ne peuvent s'assembler sans qu'une plus grande liberté en soit la conséquence[2]. »

Louis XVI, comme toujours, suit l'opinion publique. Lors de la séance royale du 19 novembre 1787, il promet les états généraux « avant 1792 ».

Le parlement de Paris voudrait un engagement plus précis. Il revient à la charge. Dans son arrêt du 3 mai 1788, il fait de la convocation régulière des états généraux l'un des principes fondamentaux de la monarchie. Dans les mois qui suivent, les parlements de province font chorus.

Finalement, le 8 août, le roi donne une date précise. Ce n'est plus « avant 1792 ». Ce sera le 1er mai 1789.

1. E. Lavisse, *Histoire de France*, op. cit., p. 334-335.
2. Cité par Jean Egret, *La Pré-Révolution française*, op. cit., p. 186.

On voit que l'idée a vite fait son chemin. En avril 1787, personne ne parlait des états généraux. En août 1788, tout le monde les demande. Quinze mois ont suffi. Telle est la force de l'opinion.

En fait on ne s'entend que sur le mot. Quant au rôle et à la périodicité de ces états, les avis sont très partagés.

Il y a au moins trois doctrines différentes.

La première est celle de la majorité des parlementaires. Les conseillers Duval d'Éprémesnil et Fréteau de Saint-Just en sont les principaux théoriciens. L'arrêt du 3 mai en contient la substance. Selon ce texte, la convocation régulière des états et le vote des subsides par cette assemblée constituent des lois fondamentales de la monarchie. Ces lois, explique l'arrêt, sont aujourd'hui oubliées, mais on doit se rappeler qu'elles étaient aux origines de la monarchie et formaient comme ses racines. Il convient donc de les remettre en application, si l'on veut restaurer le régime. «Les plus belles institutions, écrit Fréteau de Saint-Just, ne sont pas à l'abri des atteintes du temps. Est-il donc étonnant qu'après tant de siècles, les ressorts du gouvernement se soient altérés, et qu'ils aient besoin d'être raffermis sur leurs antiques fondements?» C'est la doctrine du retour aux sources. Notons — ceci est digne de remarque — l'esprit antiphilosophique de ses zélateurs. Duval et Fréteau sont tous deux des catholiques dévots très opposés aux Lumières. Plusieurs parlementaires de province partagent leurs convictions. Une des plus fortes raisons de leur hostilité au ministère Brienne est son caractère «philosophique». Il faut entendre le président Fauris de Saint-Vincent parler du ministre Lamoignon : «Que n'a-t-on pas à attendre d'un homme borné […] qui est entouré de gens de peu de jugement, qui hasardent tout pour se livrer à des idées que la nouvelle philosophie a produites…[1]?»

La deuxième doctrine est précisément celle du ministère et très probablement aussi celle du roi. On y trouve l'idée d'une monarchie transformée, rajeunie, incluant la participation raisonnable des citoyens. Cette idée est déjà entrée en application. Par l'édit de juin 1787, instaurant les assemblées municipales, départementales et provinciales, le roi s'est dessaisi d'une partie de la police de son royaume.

Dans cette deuxième conception que deviennent les ordres? Calonne et Vergennes voulaient les voir disparaître. Brienne les conserve, mais en leur ôtant une partie de leur signification. Dans les assemblées provinciales instituées par l'édit de juin, le tiers état dispose de la moitié des sièges. Ce doublement veut-il dire que Brienne ne croit plus aux ordres? En tout cas il ne croit pas au premier ordre, le sien. «Il n'y a réellement que deux ordres, disait-il à l'assemblée de notables,

---

1. Cité par Jean Egret, *La Pré-Révolution française*, *op. cit.*, p. 205.

le peuple et la noblesse; que celle-ci contient le clergé et la magis-trature[1].»

Les états généraux ont une place dans cette monarchie administrative d'un nouveau genre. Mais ces états généraux-là n'ont rien à voir avec ceux que réclament les parlements. Ni le roi ni Brienne ne veulent d'états perpétuels. Louis XVI avait même qualifié cette perpétuité d'idée «subversive de la monarchie». Lui et Brienne admet-traient par contre des états généraux issus des assemblées provinciales, dotés d'attributions analogues et fonctionnant selon les mêmes règles, sous le double contrôle du roi et du ministère. «Quand une augmen-tation d'impôt deviendra nécessaire, écrit Brienne dans un mémoire, [...] le roi sera supplié de rassembler un certain nombre des membres de chaque pays d'états et assemblées provinciales [...] pour leur annoncer la nécessité de cet impôt, leur en communiquer la forme, la quotité et la durée et écouter avec bonté leur avis sur ces différents objets[2].» Inutile donc de convoquer les états généraux de 1614. Il suffira d'attendre la mise en place des assemblées provinciales. L'«assemblée nationale» (car le ministre et ses collaborateurs emploient cette expression) en sortira tout naturellement. «Ils demandent des états généraux, écrit à lord Shelburne l'abbé Morellet, bon interprète de la pensée de Loménie, ils demandent des états généraux, la plus ancienne et la plus fausse des représentations qu'ait jamais eue aucune nation, au lieu de nous laisser former et rasseoir des administrations provinciales dont les députés auraient été, dans la suite, de véritables et parfaits représen-tants[3].»

Reste une troisième doctrine que l'on pourrait qualifier de «nationale» ou de «patriotique», ces deux adjectifs revenant souvent sous la plume de ses auteurs[4]. Le jeune parlementaire Adrien Duport en est le principal théoricien, avec l'avocat chartrain attaché à la chancellerie du duc d'Orléans, Jacques Pierre Brissot. Suivent aussi cette opinion quelques grands seigneurs, comme le duc de La Rochefoucauld et le duc de Luynes, et quelques membres du tiers état. Ces «nationaux» parlent eux aussi d'«assemblée nationale», mais leur assemblée n'a rien à voir avec celle de Brienne. C'est une assemblée souveraine, véritablement délibérative et devant laquelle les ministres sont responsables. Sans une telle assemblée, point de réforme possible: «Elle seule, déclare Duport le 10 août 1787, elle seule peut corriger et rajeunir, si j'ose m'exprimer ainsi, nos institutions, en rapprochant l'autorité de son véritable emploi, et déterminer une forme simple et immuable, qui rende enfin les

---

1. Cité par Jean Egret, *La Pré-Révolution française, op. cit.*, p. 110.
2. *Ibid.*, p. 121.
3. *Ibid.*
4. Le mot «patriotisme» ferait partie du vocabulaire des francs-maçons (Hubert Lamarle, *Philippe-Égalité, «grand maitre» de la révolution*, Paris, NEL, 1989, p. 84).

ministres responsables de tous les abus d'un pouvoir qu'ils n'ont reçu que pour le bonheur du peuple[1]. »

Brissot va plus loin encore. Chez lui point cette idée que la France n'a pas de constitution, qu'il faut lui en donner une : « Il faut en renversant les ministres qui existent, donner à la nation une constitution ; il faut en conservant la monarchie, rendre le peuple libre[2]... » « Constitution française » sera le thème à exploiter : « Il faut donner un mot de ralliement. "Constitution française" doit être le mot de ce nouveau parti. Il faut dire et répéter que la base de cette constitution est le droit de ne pas payer d'impôt sans y consentir. »

Telles sont les doctrines en présence. On voit bien qu'il y a plusieurs manières d'entendre la « nation assemblée ». Les états généraux des magistrats sont un mélange de parlementarisme à l'anglaise et de traditionalisme français. Ceux du ministère tiendraient plutôt du despotisme éclairé. Et ceux des « nationaux » témoignent d'une pensée démocratique. Ce sont là de grandes divergences. L'unanimité en faveur des états n'est qu'un faux-semblant, une illusion. En réalité, les esprits sont profondément divisés.

Ils s'accordent sur un seul point : séparer la nation du roi. Pour tous il s'agit de deux êtres distincts. Il y a le roi et il y a la nation, qui doit faire entendre sa voix. Telle est la conviction de tous les Français. On est étonné de voir à quel point ce dualisme domine les esprits. De l'antique unité du corps politique (le roi étant la tête et les ordres les membres) personne ne semble se souvenir. Louis XVI lui-même n'en sait plus rien. S'il n'admet pas comme les « nationaux » la nation souveraine, il ne cesse dans toutes ses déclarations de distinguer la nation de lui-même et d'évoquer comme une heureuse perspective le jour prochain de « la nation assemblée ».

BILAN DU MINISTÈRE BRIENNE.
LA PROGRESSION DU DÉSORDRE

La dissociation du corps politique se poursuit aussi dans les faits. L'état de la monarchie en témoigne.

Certes le « principal ministre » n'a pas échoué dans toutes ses entreprises. La procédure criminelle a été réformée. Un état-civil a été rendu aux protestants. La comptabilité publique a été perfectionnée. Le « compte rendu » présenté au roi en mars 1788 est un véritable compte de prévision des dépenses et recettes réelles pour l'année courante. C'est un grand progrès sur le « compte rendu » de Necker de 1781. Les « grands bailliages » ont été installés. Les assemblées provinciales ont été mises en place. Elles se sont réunies dans le courant du mois d'octobre

---

1. Cité par J. Egret, *La Pré-Révolution française*, *op. cit.*, p. 151.
2. Cité par Hubert Lamarle, *Philippe-Égalité...*, *op. cit.*, p. 85.

1787, et elles ont fonctionné. Par exemple l'assemblée provinciale d'Anjou, réunie début octobre, a nommé trois bureaux : impositions, chemins et « bien public ». Ensuite, sa commission intermédiaire s'est mise au travail et a entrepris une « statistique des paroisses ».

La partie n'en est pas moins très compromise. La détresse financière est à son comble. L'anarchie se développe.

Les édits de mai ont été l'occasion de troubles très graves et mal maîtrisés. A Toulouse, début juin, des gens armés de bâtons et de fourches ont envahi le grand bailliage et mis en fuite les juges. A Dijon, le 11 juin, une émeute a éclaté lors de la première séance du grand bailliage. A Pau, le 19 juin, des bandes de montagnards abusés par une propagande mensongère (on leur a fait croire à la prochaine suppression des états de Béarn) ont pénétré dans la ville, se sont emparé des canons qu'ils ont braqué sur les remparts, ont enfoncé les portes du palais de justice et assiégé l'intendant qui a dû se réfugier dans sa maison. A Rennes, le 10 mai, le gouverneur militaire, Bussy de Thiard, venu au parlement faire enregistrer les édits, a été assailli à sa sortie du Palais et a manqué de peu d'être écharpé. A Grenoble enfin, le 7 juin, une manifestation de gens de métier, grossie de paysans venus au marché et de montagnards accourus au son du tocsin, a engagé une véritable bataille contre les forces de l'ordre (« journée des Tuiles ») et obligé le commandant militaire, le duc de Clermont-Tonnerre, à rapporter l'ordre d'exil des parlementaires. En juillet, une assemblée spontanée des trois ordres du Dauphiné s'est réunie au château de Vizille, et a décrété le rétablissement des états de la province. On peut parler ici d'une action révolutionnaire.

Plus grave que le désordre est la faible ardeur de l'armée à le réprimer. A Rennes, c'est de mauvais gré que les soldats contiennent les manifestants. Le capitaine Blondel de Noinville s'interpose et devient célèbre. Les officiers de Penthièvre-Infanterie s'associent à la manifestation populaire, ou démissionnent. Ceux de Rohan-Infanterie empêchent leur colonel de prendre le commandement effectif d'une compagnie. A Grenoble, le colonel de Boissieu, commandant d'Austrasie-Infanterie, donne l'ordre de ne pas tirer. A Toulouse, un officier chargé d'arrêter un protestataire démissionne. A Paris, l'armée n'a pas à intervenir, mais ses dispositions sont les mêmes qu'en province. Lors de la séance royale du 10 novembre, les officiers des troupes chargées du maintien de l'ordre, soit de nombreux généraux et plus de quatre-vingts colonels, étaient entrés dans la salle du Parquet, afin d'assister aux débats, et n'avaient pas caché leur sympathie pour la cause parlementaire. « ... tous les chefs militaires, dira Lameth, engageaient le Parlement à la résistance [1] ». Cette

---

1. Cité par Jean Chagniot, *Paris et l'armée au XVIIIe siècle*, Economica, Paris, 1985, p. 637.

défection quasi unanime de l'armée est le signe le plus inquiétant de l'affaiblissement du régime.

Le second ministère Necker. Première période : la question du « doublement » et la question constitutionnelle (août 1788 - fin janvier 1789)

Loménie de Brienne donne sa démission le 25 août. Necker est nommé le 26 directeur général des Finances. Le 27, il entre au Conseil en qualité de ministre d'État.

Les caisses sont vides. L'archevêque de Sens ne savait plus comment les remplir. C'est la raison de son départ. Le 16 août, un arrêt du Conseil a créé des billets du Trésor royal à intérêt de 5 %. Ces billets serviront à acquitter jusqu'à nouvel ordre la plus grande partie des paiements de l'État. On peut appeler cela une banqueroute.

Il faut donc un financier. C'est pourquoi on a pensé à Necker. On le croit capable de trouver de l'argent. Brienne le sollicite par l'intermédiaire de Mercy d'Argenteau, l'ambassadeur d'Autriche. Il lui fait dire qu'il souhaite son retour au gouvernement, mais comme son subordonné. Necker n'accepte pas cette condition et Brienne s'en va.

Le Genevois rassure. On sait qu'il ne touchera pas aux privilèges. Sa bienfaisance l'a rendu populaire. Enfin, il a les évêques dans sa manche. Sa réapparition suscite un enthousiasme général. « Son retour, écrit un contemporain, fut presque universellement envisagé comme un bonheur auquel on n'eût pas osé prétendre[1]. » « Necker, roi de France », ironise Mirabeau.

L'universelle attente n'est pas déçue. En moins d'un mois, le crédit public se trouve restauré. Dès le 14 septembre, le ministre a rétabli le paiement intégral en numéraire. Il a trouvé 80 millions à emprunter. La Caisse d'escompte est venue à son secours. Il a lui-même prêté 2 millions au roi sur sa fortune personnelle. La France entière s'extasie.

Mais le prodige s'arrête là. Ceux qui attendaient de Necker un miracle politique vont rester sur leur faim. Necker n'a pas d'autre intention que de régler les affaires courantes, en attendant la réunion des états généraux. En 1778, il avait un plan de réforme de la monarchie. En 1788, il n'a aucun plan et ne veut pas en avoir. En marge d'une dépêche de son ambassadeur, le roi Gustave III écrit ceci : « Il faut demander au baron de Staël quel est le véritable plan de M. Necker, car je n'en vois encore d'autre que de briller, en paraissant le modérateur du royaume, cela aux dépens du roi et de la France[2]. » Le jugement est sévère, mais il est juste.

Le roi ne gouverne pas. Necker non plus. Il cherche des compromis. D'ailleurs la situation présente le dépasse. C'est un financier, un

---

1. Guy-Marie Sallier, *Annales françaises*, Paris, 1813, p. 200.
2. Cité par Aimé Cherest, *La Chute de l'Ancien Régime*, Paris, 1884, t. II, p. 119.

banquier, un administrateur. Sur les grandes questions du jour, à savoir la composition des états généraux, la constitution du royaume et la transformation de la monarchie, ce praticien n'a pas d'opinion bien arrêtée. En aurait-il une, il ne s'y tiendrait pas. Sa plus grande admiratrice, sa fille, déplore sa « maladie de l'incertitude ». Son seul guide — en cela il n'a pas changé — reste l'opinion publique. Il passait son temps, nous dit encore Mme de Staël, « à étudier constamment l'esprit public, comme la boussole à laquelle, dans cette circonstance, le roi devait se conformer[1] ».

En août 1788 l'« esprit public » est parlementaire. Necker s'incline devant les parlements. Il abandonne la réforme judiciaire et sacrifie deux ministres à la vindicte des magistrats. Lamoignon est renvoyé le 14 septembre, le comte de Brienne le 4 décembre. La déclaration royale du 23 septembre annonce pour le courant de janvier la réunion des états. En attendant, les cours exerceront toutes leurs prérogatives : « ... les officiers de nos cours, dit la déclaration, [...] continueront d'exercer comme ci-devant les fonctions de leurs offices[2] ». C'est une manière discrète d'annoncer l'annulation des édits de mai. Louis XVI et son ministre croient sauver la face.

L'autorité royale n'existe plus. Elle est impunément bafouée. Le 26 août, il y a eu des manifestations à Paris place Dauphine et autour du Palais. Clercs de la basoche et clients des parlementaires ont fêté bruyamment le départ de Brienne. Ils ont obligé les habitants à illuminer leurs maisons. Ils ont cassé les vitres de ceux qui résistaient ou qui n'obéissaient pas assez vite. Après le renvoi de Lamoignon, ils ont récidivé. A tel point qu'il a fallu mobiliser la troupe et faire tirer. Il y a eu des morts. Les magistrats ont soutenu les manifestants. Ils ont condamné les « excès » commis par les forces de l'ordre. Le 24 septembre, le Parlement a ordonné d'informer sur les « provocations » et sur la « férocité » des officiers de la garde de Paris. Le pouvoir n'a pas réagi. Ce qui restait de l'autorité de Louis XVI et de sa popularité a dû disparaître à ce moment-là. Les Parisiens maintenant lui préfèrent Henri IV. A la fin de l'été, des jeunes gens obligent les passants à saluer la statue du bon roi Henri érigée au Pont-Neuf.

La réforme judiciaire a été jetée par-dessus bord. C'est un souci de moins. Mais le ministère ne jouit pas longtemps du repos ainsi gagné. Une nouvelle question, non moins irritante, déjà se présente, celle de la composition des futurs états généraux et de leur mode de fonctionnement.

1. Cité par Aimé Cherest, *La Chute de l'Ancien Régime, op. cit.*, p. 211.
2. *Ibid.*, p. 213.

LA QUESTION DU «DOUBLEMENT» DU TIERS

Une partie non négligeable de l'opinion publique réclame à cor et à cri le «doublement» du tiers état. Certains vont plus loin encore. Ils demandent la délibération en commun des trois ordres et le vote par tête. Faut-il ou non accepter ces revendications? Le gouvernement doit se prononcer.

Il est soumis à de vives pressions et tiraillé entre les partisans et les adversaires du doublement.

Dans le camp des adversaires vont se ranger successivement d'abord le parlement de Paris, ensuite une seconde assemblée de notables convoquée en novembre 1788, et pour finir plusieurs princes de la famille royale.

Le Parlement pour commencer: dans un arrêté du 25 septembre il demande que les états soient «régulièrement convoqués et composés, et ce suivant la forme observée en 1614». Le moins que l'on puisse dire est que cet arrêté n'est pas populaire. Beaucoup de ceux qui avaient soutenu les magistrats dans leur combat contre le «despotisme ministériel» sont stupéfaits, indignés, révoltés. Ils ne comprennent pas que ces grands défenseurs de la liberté puissent prôner le retour à des formes archaïques et ignorer les légitimes revendications du tiers. Le Parlement tente de corriger la fâcheuse impression produite. Un nouvel arrêté, daté du 5 décembre, demande la périodicité des états et la responsabilité ministérielle. Peine perdue. Ces questions n'intéressent pas l'opinion. Ce qui l'intéresse, c'est le doublement. Or, sur ce point, les magistrats ne modifient pas substantiellement leur position. Ils laissent au roi le soin de prononcer: «... ne pouvant sur ce point que s'en rapporter à la sagesse du roi». Si bien que le Parlement ne retrouve pas la popularité perdue le 25 septembre. Cette date est fort importante. Ce jour-là, le Parlement a cessé de commander à l'opposition. Ce même jour il a cessé de compter dans la vie politique. «Jamais, dit l'auteur des *Mémoires* de Weber, révolution dans les esprits ne fut plus prompte, jamais la malédiction ne remplaça plus subitement l'enthousiasme. Je vis ce même Parlement reçu en triomphe le 22 septembre, parce qu'il avait provoqué les états généraux, couvert d'outrages le 25, parce que, scrupuleux observateur des formes, il voulait que leur convocation eût lieu selon le mode de 1614[1].»

Une seconde assemblée de notables, réunie par Necker le 6 novembre, «à l'effet de délibérer sur la convocation des états généraux», prend ouvertement et nettement le parti de l'opposition au doublement. Cent onze notables sur cent quatorze votent contre.

Enfin, le 12 décembre, le comte d'Artois et plusieurs princes du sang (Condé, Enghien, Bourbon et Conti) adressent au roi une lettre de vive

---

1. Cité par Aimé Cherest, *La Chute de l'Ancien Régime, op. cit.*., p. 153.

protestation. Ils se plaignent de l'impudence du tiers : « Que le tiers état cesse donc d'attaquer les droits des deux premiers ordres, droits qui, non moins anciens que ceux de la monarchie, doivent être aussi inaltérables que sa constitution[1]. » Comment peut-on « humilier » ainsi « cette brave, antique et respectable noblesse, qui a versé tant de sang pour la patrie et les rois » ? Ce qui fait dire au pamphlétaire « national » Cerutti : « Le sang du peuple était-il de l'eau ? »

Car les « nationaux » ne sont pas en reste. Leurs journaux et leurs libelles réclament le doublement. Or, cette production imprimée est immense. Depuis que l'arrêt du Conseil du 5 juillet 1788 a invité tous les Français à faire connaître leurs vœux au sujet des états généraux, « afin que leur confiance soit plus entière dans une assemblée véritablement nationale », des milliers de « bons citoyens » (c'est l'expression à la mode) ont mis la main à la plume. La vague des brochures déferle. En quelques mois un collectionneur en rassemble deux mille cinq cents. La « voix publique » est assourdissante.

Les « clubs » font chorus. On nomme de ce mot anglais des cercles où l'on discute de la chose politique, et où l'on forme des projets de constitution. Breteuil les avait interdits. Necker les autorise. Nous les connaissons mal, les différents historiens de cette époque donnant sur eux des informations vagues et contradictoires. Trois seulement sont bien identifiés : le club dit de Valois, qui se réunit chez le duc d'Orléans, celui dit des « Enragés », qui tient ses assises chez le sieur Massé, restaurateur sous les arcades du Palais-Royal, et la Société des Trente, rassemblant chez Adrien Duport les « têtes » du parti « national ». Fréquentent cette société des parlementaires comme Fréteau de Saint-Just et Saint-Vincent, des ducs (La Rochefoucauld, Luynes, d'Aiguillon) et des pamphlétaires comme Sieyès et Mirabeau. Nous savons par une lettre de Mirabeau que les réunions chez Duport ont commencé aux environs du 10 novembre. D'ailleurs, Mirabeau parle de « club constitutionnel » et non de « Société des Trente ». Il qualifie ce club de « conspiration d'honnêtes gens [...] digne [...] d'encourager les bons citoyens à « faire le bien[2] ». Le « bien », toujours le « bien ».

Novembre est aussi le mois où démarre la campagne municipale pour le doublement. Elle se poursuivra jusqu'à la fin de décembre. Près de huit cents corps de villes adressent au roi leurs pétitions.

Que pense Necker de tout cela ? Ses sympathies ne le portent pas vers le tiers, mais vers la noblesse. Il aime les titres et les privilèges. Il a marié sa fille à un baron. Il s'intitule « seigneur de Coppet ». Sa femme reçoit les plus grands noms de France. Il est vrai qu'il révère aussi l'opinion

---

1. Cité par J. Egret, *La Pré-Révolution française*, *op. cit.*, p. 346.
2. Lettre de Mirabeau au duc de Lauzun, citée par Jean Egret, *La Pré-Révolution française*, *op. cit.*, p. 326-327.

publique et voudrait la satisfaire. Cruel dilemme. Il cherche des compromis et ne les trouve pas. Les notables qu'il convoque se prononcent contre le doublement. Il voudrait que le parlement de Paris revienne sur son arrêté du 25 septembre. Il fait passer à Duval d'Éprémesnil le message suivant : « Nous ne voulons pas plus que vous de délibérations par tête, mais nous pensons qu'il faut seulement accorder le doublement du tiers pour calmer les esprits [...]. C'est un sacrifice à faire pour éviter de plus grands malheurs[1]. » Raisonnement typique du « modéré » qui ne veut pas céder d'un coup, mais par petits coups successifs. Néanmoins, le Parlement ne répond pas aux avances du ministre. Les magistrats restent fidèles à leur idéal politique. Ils veulent une monarchie parlementaire à l'anglaise, et ils l'ont dit dans leur arrêté du 5 décembre. Quant à la composition des états, ils laissent au roi le soin d'en décider.

Les notables ont opposé un refus. Le Parlement s'est récusé. Le ministère ne peut plus espérer être couvert. Il lui faut décider seul et prendre seul toute la responsabilité de la décision. Pour ces deux indécis que sont le roi et son ministre, la nécessité est rude. Avant de réunir tous ses ministres, Louis XVI les consulte séparément dans des comités particuliers. Lui-même ne laisse rien voir de son opinion. Le 27 décembre, jour de la délibération générale du Conseil, il se prononce pour le doublement, et sept ministres avec lui : Necker, Fourqueux, Montmorin, La Luzerne, Saint-Priest, le duc de Nivernais et le comte de Puységur. Deux ministres seulement, Barentin, garde des Sceaux, et Villedeuil donnent un avis opposé. La reine, présente au Conseil depuis le mois de juillet, garde le silence. Il est donc arrêté que « le nombre des députés du tiers état de chaque bailliage sera égal à celui des deux autres ordres réunis ». Le nombre total des députés aux États sera donc au moins de mille. La convocation est pour le 27 avril.

Ni Louis XVI ni Necker n'adoptent de gaieté de cœur la disposition du doublement. Certes le roi, nous le savons, ne croit plus tellement à la réalité des trois ordres. Mais nous le savons aussi très respectueux des anciennes institutions. Le doublement le gêne. C'est pourquoi la décision du 27 décembre n'est pas publiée sous la forme habituelle d'un arrêt du Conseil, mais sous le titre peu ordinaire de « résultat du Conseil[2] ». C'est sans doute aussi la raison pour laquelle Louis XVI laisse son ministre des Finances rédiger et signer le préambule contenant l'exposé des motifs. Il se résigne au doublement, mais il ne veut pas s'engager jusqu'à le justifier lui-même. C'est une de ces demi-mesures dont il a le secret.

Le tiers état d'ailleurs n'en est pas satisfait. Le « résultat » institue le

---

1. Cité par Aimé Cherest, *La Chute de l'Ancien Régime*, *op. cit.*, p. 186.
2. Forme réservée normalement aux arrêts du Conseil affermant à une compagnie de financiers telle ou telle portion des droits du roi (M. Antoine, *Le Conseil du roi sous le règne de Louis XV*, *op. cit.*, p. 366).

doublement mais exclut pratiquement la délibération en commun, ne la permettant que « dans l'examen des affaires où l'intérêt des trois ordres est absolument égal et semblable ». Quant au vote par tête, il n'en est rien dit.

LA QUESTION DE LA CONSTITUTION

Cependant, une autre grande question passionne le public, celle de la constitution future du royaume.

Deux partis s'opposent. Il y a ceux qui veulent une constitution octroyée par le roi. Il y a ceux qui veulent une constitution faite par la nation.

Du parti de la charte octroyée Malesherbes et Malouet sont les principaux théoriciens. Malesherbes a adressé au roi en juillet 1788 un mémoire dans ce sens. Malouet, qui est un ami et un conseiller de Necker, est intervenu plusieurs fois auprès de ce dernier dans le courant du mois de novembre. L'un et l'autre ont donné à peu près le même conseil : il faut prendre les devants, et puisqu'une constitution est réclamée, il vaut mieux l'accorder plutôt que de la subir. « Ce que la Nation demande, écrit Malesherbes, est une nouvelle institution qui n'a jamais existé en France [...] la Nation est en droit de la demander et le Roi est obligé de la lui accorder[1]. » « Il eut fallu dire à ce peuple, écrivait Malouet, [...] vous voulez la liberté, la voilà [...]. En voici les moyens, les conditions obligatoires pour vous comme pour moi[2]. » On peut penser que l'arrêté du Parlement du 5 décembre allait dans le même sens.

Louis XVI et Necker ont fait la sourde oreille. Ils n'ont rien voulu répondre ni à Malesherbes, ni à Malouet, ni au Parlement. Necker répugne à une réforme constitutionnelle. Louis XVI envisage des réformes, mais dans la tradition de la monarchie administrative. Il se voit mieux en despote éclairé qu'en monarque constitutionnel à l'anglaise. Il croit en la nation, non en la constitution. Il est fénelonien, rappelons-le. En bon fénelonien, il pense que la liberté dépend non d'une constitution, mais du roi lui-même, et qu'elle est assurée si le roi est bon. Il veut bien consulter la nation. Il veut bien considérer les états généraux comme une « assemblée nationale ». Mais il pense que si les Français doivent être libres, ils ne le devront qu'à lui. Aucune constitution, même octroyée par lui, ne pourra leur donner la liberté.

Pendant que le roi et son ministre refusent d'écouter les partisans de la constitution octroyée, l'autre parti, celui de la constitution nationale, prend de plus en plus d'ascendant sur l'opinion. Un très grand nombre de brochures soutiennent cette idée. La plupart sont publiées en janvier et en

1. Cité par Pierre Grosclaude, *Malesherbes, témoin et interprète de son temps, op. cit.*, p. 656.

2. Cité par Aimé Cherest, *La Chute de l'Ancien Régime, op. cit.*, p. 193.

février 1789. Les trois plus importantes sont celles de Sieyès, *Qu'est-ce que le tiers état ?*, celle de Mounier, *Nouvelles Observations sur les états généraux de France*, et celle du pasteur protestant Rabaut Saint-Étienne, *Considérations sur les intérêts du tiers état*.

Les trois libellistes raisonnent de la même façon. Ils disent tous les trois ceci : la France n'a pas de constitution ; il faut lui en donner une, et c'est la nation qui va la lui donner. Brissot avait déjà dit (l'année précédente) que la France n'avait pas de constitution, mais il s'en était tenu là. Nos trois auteurs vont beaucoup plus loin. Pour eux, c'est à la nation de la faire. Ils érigent la nation en pouvoir constituant. « Si nous manquons de constitution, écrit Sieyès, il faut en faire une, la Nation seule en a le droit. » Nous sommes loin de la charte octroyée. Nous sommes encore plus loin de la nation, pouvoir simplement consultatif, telle que la voudrait Louis XVI.

Le problème est de savoir qui est la nation. Pour nos auteurs c'est le tiers état. « Si vous retranchez, dit Rabaut Saint-Étienne, si vous retranchez les 24 millions de Français connus sous le nom de tiers état, que restera-t-il ? Des nobles et des gens d'Église, mais il n'y aura plus de nation[1]. » Propos imprécis : Rabaut veut-il dire que la nation c'est le nombre ? Sieyès est plus clair : « Le tiers état, écrit-il, est une nation complète. » Mais entend-il par là qu'il est d'autres nations, et que la noblesse et le clergé sont des nations, mais incomplètes ? C'est peut-être clair, mais ce n'est pas très net. Quoiqu'il en soit, un droit constitutionnel nouveau est en cours d'élaboration. Les idées qui l'inspirent sont celles de Montesquieu, de Rousseau, mais surtout celles de Mably, philosophe mort en 1785, et dont les œuvres sont très lues par les nouvelles générations. Les principes de ce nouveau droit sont les suivants : la nation est le pouvoir constituant ; la nation est souveraine ; le pouvoir législatif est supérieur au pouvoir exécutif. Nous sommes aujourd'hui habitués à ces idées. En janvier 1789, elles avaient tout l'éclat de la jeunesse.

LA « GUERRE DES ORDRES »

Les troubles qui agitent les provinces aggravent la crise des institutions. Lors des états provinciaux réunis en décembre et en janvier, des conflits violents opposent au tiers état les deux premiers ordres. Certains historiens ont parlé d'une « guerre des classes ». Il s'agit plutôt d'une guerre des ordres. Le tiers état ne se contente pas du doublement aux états généraux. Il le voudrait aussi aux états provinciaux. Les deux premiers ordres combattent cette prétention. Aux états de Languedoc et de Provence, le conflit ne dégénère pas et ne sort pas de l'enceinte des états. Ces assemblées en effet délibéraient depuis toujours par tête et non par ordre. Le tiers se borne à y demander une représentation plus équi-

---

1. Aimé Chenest, *La Chute de l'Ancien Régime*, op. cit., p. 263.

table. En revanche, en Bretagne et en Franche-Comté, provinces à déli-bérations par ordre, la revendication du tiers est beaucoup plus vive et la résistance des ordres privilégiés beaucoup plus forte. Des incidents très graves se produisent. A Besançon, un arrêt du conseil a rétabli les anciens états selon la forme usitée lors de leur dernière réunion en 1666. Aussitôt le tiers élève une protestation et réclame une représentation de soixante-douze membres sur cent quarante-quatre. Le roi dissout les états. Le 27 janvier 1789, le parlement de Besançon prend position contre le doublement. Toute la province est saisie d'émoi. Des émeutes éclatent. A Besançon, l'ordre est troublé pendant quatre jours, les 30 et 31 mars et les 1er et 3 avril. En Bretagne, c'est la noblesse qui prend l'initiative des hostilités. A l'approche des états convoqués pour le 29 décembre les gentilshommes bretons se préparent et s'organisent. Le comte de Botherel, procureur-syndic des états, parcourt la province, réveille les énergies, recueille les adhésions. Le tiers état n'est pas en reste. Il pétitionne et inonde la province de tracts et de brochures. Le ton monte. Les propos les plus vifs sont échangés. Le chevalier de Guer parle de « sabrer le tiers». Dans sa feuille, la *Sentinelle du peuple,* Volney admoneste les nobles et fustige l'orgueil nobiliaire. Lorsque s'ouvrent les états, le climat est explosif. Le tiers tout de suite bloque le fonction-nement de l'assemblée. Il refuse de désigner un commissaire pour la commission de la chiffrature, c'est-à-dire la commission qui chiffre, signe et paraphe les registres des procès-verbaux des états. Le roi suspend les états jusqu'au 3 février, mais la noblesse et le clergé, en refusant de se séparer, bafouent son autorité. Dans toute la province, l'agitation du tiers déborde. Ici et là se forment des groupes de praticiens et d'étudiants, sortes de comités spontanés qui se constituent en corps délibérants, communiquent entre eux et assiègent de pétitions le commandant de la province. Bientôt, l'affrontement tourne à la tragédie. A Rennes, le 26 janvier, une foule de deux mille personnes environ, formée de gens du simple peuple, qui manifestent pour la noblesse, passe devant un café, y aperçoit des étudiants, partisans du tiers état, et les agresse. Les étudiants se défendent. Ils ont le dessous et plusieurs sont blessés. Le lendemain, les étudiants se portent dans les rues et guettent les gentilshommes se rendant aux états. Ceux-ci, voyant le danger, tirent l'épée, se défendent. Deux sont tués, MM. de Boishue et de Saint-Riveul. Alors, à son tour, la noblesse crie vengeance. Elle s'enferme dans la salle des Cordeliers où se tiennent les états, et s'y fortifie. Un arrêt du conseil et les sommations répétées du comte de Thiard, commandant de la province, n'ont pas le moindre effet sur les assiégés volontaires. Il faut mettre en batterie douze canons pour les obliger à sortir. Cette affaire de Bretagne n'est pas la seule, mais elle est l'une des plus graves. Elle montre bien les profondes divisions du corps social.

Le second ministère Necker.
Deuxième période (mars et avril 1789)

A partir de mars les troubles sociaux relaient l'agitation politique. En même temps, commencent les élections aux états généraux.

Les troubles ont pour causes la cherté des grains et la crise économique générale.

L'été 1788 a été pourri, et la récolte déficitaire. Le 13 juillet, de l'Anjou à la Flandre, une terrible averse de grêle a détruit une grande partie des moissons. Dès l'automne, les prix ont commencé à monter. Le 4 février, à Paris, le pain de 4 livres est à 15 sous. Rappelons que beaucoup d'ouvriers ne gagnent pas plus de 20 sous par jour.

La crise aggrave l'effet de la disette. Depuis 1775, la tendance s'est inversée. La France est entrée dans une conjoncture de baisse. C'est le « déclin Louis XVI ». Toute la production agricole est touchée. La mévente du vin et une série d'épizooties du bétail frappent durement le monde rural. La baisse de consommation qui s'ensuit retentit sur la production manufacturière déjà très affectée depuis 1786 par la concurrence anglaise. L'industrie textile est la plus touchée dans toutes ses branches. Il en résulte du chômage. Fin 1788, Tholozan, inspecteur général du commerce, estime à 200 000 le nombre total des chômeurs. Il y en a 10 000 à Rouen, 20 000 à Louviers, plusieurs milliers à Abbeville. A Orléans, au mois de novembre, le nombre des chômeurs représente 20 % de l'effectif employé dans la bonneterie locale. Chômeurs des villes et mendiants des campagnes pratiquent souvent le vagabondage. Ils errent sur les chemins, formant des bandes dangereuses, ou bien se réfugient dans les plus grandes villes où l'on essaie de les employer dans des ateliers de charité.

Les ouvriers des grandes villes manufacturières, et principalement de Paris et de Lyon, représentent une population très vulnérable à la disette et à la crise. Il s'agit soit de petits patrons, de leurs ouvriers et de leurs apprentis, soit d'ouvriers des grandes entreprises, dont certains travaillent dans des manufactures « concentrées ». Cette population ouvrière n'est pas un prolétariat. Son état d'esprit est celui d'un artisanat. Mais ses conditions de vie sont très précaires. La grande majorité d'entre eux sont des salariés et des salariés mal payés. Il suffit de peu pour qu'ils soient réduits à la misère.

Les troubles éclatent au printemps de 1789. On en recense plus de quatre cents. Les émeutiers attaquent les convois de blé, les empêchent de sortir de la province, ou pillent les maisons des négociants. Les généralités de Paris et d'Orléans, la Provence, la Bourgogne, la Champagne, la Franche-Comté et la Bretagne sont les régions les plus touchées. L'émeute d'Aix-en-Provence, du 24 mars, atteint un rare niveau de violence. A Orléans, le 24 avril, la découverte de quelques grains de seigle dans un sac noir qu'on aurait pu prendre pour un sac de charbon suscite la colère des chômeurs et des indigents. La foule se porte vers la maison de Rime, négociant dépositaire en grains, la dévaste entièrement et disperse les sacs de farine[1]. A Paris, les 27 et 28 avril, les maisons de Hanriot, salpêtrier, et de Réveillon, fabricant de papier peint, subissent un sort semblable. C'est ce qu'on appelle l'émeute Réveillon, qui est d'ailleurs assez différente des autres mouvements populaires de cette période. Car ce n'est pas une révolte frumentaire, mais une manifestation ouvrière contre les bas salaires. L'origine en serait une parole malheureuse de Réveillon lui-même. Celui-ci aurait déclaré que les ouvriers pouvaient vivre avec 15 sous par jour. Ces manifestants parisiens montrent un acharnement et une haine qui effraient la capitale, et que l'on ne voit pas dans les provinces. Ils ne pillent pas, ils détruisent. Ils disent : « Nous ne voulons rien emporter. »

Quelles sont dans ces colères populaires la part de la spontanéité et celle de la manipulation ? Nous ne pouvons que poser la question. A propos de l'affaire Réveillon, plusieurs témoins oculaires ont incriminé le duc d'Orléans. Ce prince, selon eux, aurait soudoyé les émeutiers. Il aurait même placé à leur tête l'un de ses amis, le brasseur Santerre[2] (qui s'illustrera plus tard dans les «journées» révolutionnaires). Ces allégations restent à prouver. Dans l'après-midi du 27 avril les manifestants ont acclamé deux voitures aux armes d'Orléans. Ils ont crié : «Vive notre père ! Vive notre roi d'Orléans !» C'est tout ce que l'on sait de manière certaine. Cela ne suffit pas pour accuser le duc d'Orléans[3]. En province, le parti «national», c'est-à-dire la bourgeoisie acquise aux grandes réformes, a certainement soufflé sur le feu. Des tracts, des brochures très violentes ont été distribués. Par exemple, ce libelle intitulé *Réponse à l'auteur de la lettre circulaire au peuple d'Orléans*, daté du 29 avril, et répandu dans la ville d'Orléans. «Les princes, dit ce texte, liés d'intérêt avec la noblesse, le clergé et tous les parlements, ont fait l'accaparement de tous les blés du royaume, et cela au nom de l'État. Leurs intentions abominables sont d'empêcher la tenue des états généraux, en mettant la famine dans la France.» De telles accusations ne pouvaient que stimuler l'esprit de révolte.

La réaction des pouvoirs publics est un mélange curieux d'apathie et de violence. Au début l'État paraît débordé. Il est vrai que ses moyens sont faibles. La maréchaussée ne dispose que de quatre mille cavaliers pour tout le royaume. Les forces de police urbaine sont ridiculement peu nombreuses. A Paris, ville de sept cent mille habitants, elles ne dépassent pas six cent hommes. Les grandes villes de province n'ont pas plus de

1. Georges Lefebvre, *Études orléanaises*, Paris, 1962, t. II, p. 19-20.
2. D'après H. Lamarle, *Philippe-Égalité...*, *op. cit.*, p. 164-174.
3. Il s'agissait de la voiture de la duchesse d'Orléans et de celle de l'une de ses dames d'honneur.

quelques dizaines d'hommes. Le plus souvent, dans les cas de troubles graves, il faut faire appel à la troupe. Mais beaucoup de villes n'ont pas de garnison. Des heures précieuses sont perdues pour l'acheminement des renforts. Il y a donc au début beaucoup d'indécision et de désarroi. Mais ensuite la répression est brutale. A Orléans, le 25 avril, la troupe tire sur les factieux. Il y a des morts et des blessés. On en ignore le nombre exact. On sait en revanche le nombre des victimes de la répression de l'émeute Réveillon le 28 avril : au moins trois cents. Une telle répression — cela a été justement souligné — est sans précédent [1]. Le pouvoir royal s'était toujours montré indulgent pour les émeutes populaires parisiennes. Il avait toujours affecté de considérer ce genre de révolte comme des manifestations bien pardonnables de mauvaise humeur. Que s'est-il passé le 28 avril ? Il semble bien que le massacre ait été délibéré : les troupes avaient été autorisées à faire usage de leurs armes. Mais pourquoi ce carnage d'une foule d'indigents et de chômeurs ? Peut-être parce que les régimes faibles ne savent pas se défendre autrement.

LES ÉLECTIONS AUX ÉTATS GÉNÉRAUX

Pendant que gronde la révolte et que sévit la répression, la grande opération électorale se déroule.

Le règlement du 24 janvier a fixé les modalités de la procédure électorale. Comme en 1614, la circonscription électorale est le bailliage, et les députés aux états sont élus par l'assemblée de bailliage. Le suffrage est à un degré pour la noblesse et pour le clergé séculier. Il est à plusieurs degrés pour les chapitres, pour le clergé régulier et pour l'ensemble du tiers état.

La convocation de 1789 diffère cependant sur de nombreux points de celle de 1614. Fixé à mille au moins, le nombre des députés est deux fois plus élevé qu'en 1614. Celui des députés du tiers est doublé. Le suffrage est beaucoup plus étendu. Il est pratiquement universel. Peuvent voter tous les Français âgés de vingt-cinq ans au moins et inscrits sur le rôle des impôts. En 1614 n'avaient pu voter dans les villes que les membres des corps de ville, les magistrats et les chefs de quartiers. Enfin, dans le clergé les curés ont un droit de suffrage individuel qu'ils ne possédaient pas en 1614.

Les élections auraient pu être malaisées. Les effectifs importants (plusieurs centaines de personnes) des assemblées de bailliage du tiers, le peu d'instruction de certains de leurs membres, et surtout l'absence de candidats et de professions de foi auraient pu rendre difficile l'élection des députés du troisième ordre. Par ailleurs, l'agitation sociale risquait de troubler le bon déroulement des opérations.

---

1. Jean Chagniot, *Paris et l'armée au XVIIIᵉ siècle*, *op. cit.*, p. 30.

Mais tout se passe bien et dans un calme relatif. La nation entière aspire aux états généraux. Nul ne voudrait en retarder l'ouverture. Il y a donc, malgré les dissensions, un désir unanime de faire avancer les choses et de ne pas entraver les opérations électorales. Quant aux assemblées très nombreuses du tiers, elles sont prises en main et facilement manipulées (justement parce qu'elles sont nombreuses) par les délégués bourgeois des villes, gens instruits, éloquents, habiles à manier le langage de l'opinion publique. Par exemple, à l'assemblée du bailliage de Rennes, le 8 avril, les seize délégués de la ville de Rennes, tous des bourgeois, imposent facilement leur volonté à la masse amorphe des quelque huit cents paysans délégués par les assemblées de paroisse. Ils réussissent d'abord à faire exclure du vote tous les officiers seigneuriaux. Ensuite ils se font élire eux-mêmes. Sur neuf élus, Rennes en a cinq : Glezen, Lanjuinais, Le Chapelier, Gérard et Varin de La Brunelière[1].

La composition des états qui se réunissent le 2 mai 1789 à Versailles est très différente de celle des anciens états généraux. Autrefois, les curés étaient à peine représentés. Ils sont maintenant la grande majorité du clergé : 300 pour seulement 46 évêques. Autrefois la noblesse des états généraux était celle qui vivait sur ses terres. En 1789, la moitié des nobles élus sont des officiers militaires, dont plusieurs de haut grade : on ne dénombre pas moins de 74 maréchaux de camp, 4 brigadiers et 23 colonels. Enfin, dans les anciens états la représentation du tiers était principalement formée d'officiers de justice. En 1789, les professions libérales, dont les avocats, constituent trente pour cent de la représentation du troisième ordre. Les états généraux nouvelle manière sont encore théoriquement une assemblée d'ordres, mais ils ne représentent plus les corps. Ils sont d'une certaine façon une assemblée démocratique.

LES CAHIERS DE DOLÉANCES

Les députés aux états sont porteurs des instructions de leurs commettants. Ces instructions sont exprimées dans les cahiers de doléances rédigés avant les élections par les assemblées de bailliage. Lors de la réunion des états les cahiers de doléances seront remis au roi.

Que demandent les cahiers de doléances ? Certaines revendications sont communes à la plupart des cahiers. Un même état d'esprit inspire la majorité des rédacteurs.

Beaucoup de cahiers expriment un véritable attachement à la monarchie héréditaire. Voici, à titre d'exemple, l'article premier des avocats du bailliage d'Orléans :

Le Royaume de France est la monarchie ; l'autorité souveraine réside dans

---

1. Augustin Cochin, « Comment furent élus les députés aux états généraux ? », dans *L'Esprit du jacobinisme*, préface de Jean Baechler, Paris, PUF, 1979, p. 92.

toute sa plénitude, essentiellement, uniquement et sans partage, dans la personne du Roi, qui est toujours sacrée[1].

On souhaite cependant de manière quasi unanime la transformation du régime. A l'avenir, le monarque devra consulter ses sujets. Tous les cahiers, ou presque, demandent des états provinciaux pour toutes les provinces et des états généraux périodiques : « Que le retour des états généraux, demande le clergé du bailliage d'Orléans, soit rendu périodique. »

Un certain nombre de cahiers vont plus loin. Leurs rédacteurs expriment le vœu qu'une « assemblée nationale » élabore les lois. Quelques cahiers demandent une « constitution ». La noblesse du bailliage d'Orléans déclare « qu'à la Nation seule, librement assemblée et suffisamment représentée, appartient, conjointement avec le Monarque, le droit et le pouvoir de faire les lois ou de les abroger[2] ».

Tous les cahiers demandent l'égalité fiscale. Tous les cahiers du tiers demandent la suppression du régime féodal et seigneurial.

Enfin les revendications sont nombreuses au sujet de l'Église. La plupart des cahiers demandent l'augmentation de la portion congrue, l'interdiction de cumuler les bénéfices et la résidence des évêques. Quelques cahiers demandent la suppression des ordres religieux.

Nous sommes en présence d'un programme très réformiste et contraire aux principes de la société d'Ancien Régime. On ne saurait le qualifier de révolutionnaire. Il eût été révolutionnaire s'il avait demandé la suppression des trois ordres composant le corps politique du royaume. Mais aucun cahier, à notre connaissance, ne formule une telle revendication.

On a souvent dit à propos de ces cahiers qu'ils représentaient le testament de l'ancienne société française[3]. Si un testament est l'expression d'une volonté, la métaphore n'est pas appropriée. Il y a sans doute des cahiers authentiques et spontanés. Cependant beaucoup de cahiers ne sont que les copies des cahiers des communautés voisines. Par exemple, dans la châtellenie de Cassel en Flandre, les cahiers des bourgs de Hardiford, Lederzeele et Boeseghem sont copiés presque mot pour mot sur les cahiers des paroisses alentour. Il y a aussi beaucoup de rédacteurs qui puisent dans des modèles rédigés par des libellistes et répandus dans tout le royaume. Par exemple plusieurs cahiers bretons et normands s'inspirent des opuscules suivants : *Délibérations à prendre dans les assemblées de bailliage* par Sieyès, *Idées sur le mandat des députés aux États généraux* par Servan, et une brochure anonyme intitulée *Avis des bons Normands*. Enfin, dans les assemblées de bailliage du tiers état, la

---

1. *Cahiers de doléances du bailliage d'Orléans pour les états généraux de 1789*, publiés par Camille Bloch, Paris, 1906, t. II, p. 61.
2. *Ibid.*, p. 243.
3. E. Lavisse, *Histoire de France*, *op. cit.*, t. IX, p. 387.

masse des délégués du « simple peuple » est incapable de formuler par écrit des revendications politiques et des idées générales. Ce sont donc les bourgeois instruits (le plus souvent des avocats imbus de l'esprit des Lumières) qui se chargent de la rédaction des cahiers. Comme l'a dit justement Augustin Cochin, « à côté du peuple réel qui ne pouvait répondre [...] il y en avait un autre qui parla et députa pour lui [1] ».

On se gardera toutefois de donner dans l'excès inverse et d'attribuer aux seules influences des libellistes et des manipulateurs la totalité de ces doléances. Tout n'est pas artificiel dans les cahiers. Le désir de changement n'est pas préfabriqué ; il existe vraiment. Le corps social en est profondément animé. Il est sûr que la majorité des Français veulent vraiment voir s'établir l'égalité fiscale, et qu'ils souhaitent ardemment la disparition du régime féodal et du régime seigneurial. « Le régime féodal, dit un cahier provençal, n'a produit que des esclaves [2]. » Il est certain que règne partout une grande exaspération. Les exactions récentes de nombreux seigneurs ont aggravé le mécontentement. Nous sommes en présence d'un rejet massif et total.

Le second ministère Necker. Troisième période : de la réunion des États généraux (4-5 mai 1789) à la réunion des trois ordres (27 juin 1789). La fin de l'Ancien Régime

Les États généraux sont ouverts le 5 mai 1789. Ils ne délibéreront jamais. Le lendemain de la réunion le tiers entreprend la bataille pour la vérification en commun des pouvoirs et pour la délibération par tête et non par ordre. Sa revendication paralyse les états. Le 27 juin il obtient satisfaction. Après cinquante-trois jours de lutte acharnée les trois ordres sont réunis en une seule « assemblée nationale ».

Cette histoire dramatique des États généraux est aussi l'histoire de la fin de l'Ancien Régime. Ce sont les derniers jours de la monarchie française.

Le premier jour est celui de la procession d'ouverture des États, le 4 mai.

La procession se déroule dans les rues de Versailles par un très beau temps. Elle part de Notre-Dame, la paroisse du roi. Elle passe devant les Écuries et aboutit à l'église Saint-Louis. Impressionnant de gravité, le tiers marche en tête. Ses députés sont habillés de noir. Ils portent le petit manteau et le rabat blanc des gens de justice. La noblesse vient ensuite avec ses chapeaux garnis de plumes et ses habits noirs, relevés de parements d'or. Elle précède le clergé rangé par dignités : d'abord les curés, puis les évêques en rochet et camail, enfin, cheminant seul, le cardinal de

1. A. Cochin, « Comment furent élus les députés aux états généraux ? », art. cit., p. 153.
2. Cité par A. Cherest, *La Chute de l'Ancien Régime*, *op. cit.*, p. 504.

La Rochefoucauld, archevêque de Rouen. C'en est fini des députés. La foule des spectateurs voit maintenant apparaître le clergé des paroisses de Paris, puis l'archevêque de Paris lui-même, M. de Juigné, portant sous un dais le saint sacrement. Les glands du dais sont tenus par les deux frères du roi et par les deux fils du comte d'Artois, les ducs d'Angoulême et de Berry. Après le roi du ciel vient celui de la terre. Louis XVI, par humilité, a refusé le dais. Portant un cierge à la main, revêtu d'un manteau de drap d'or recouvert de pierreries, il marche immédiatement après le saint sacrement. La reine l'accompagne. Sa haute coiffure est ornée de fleurs dites «couronnes impériales». Les princes du sang et les dignitaires de la Cour ferment le cortège. Cette procession en l'honneur du roi des rois est aussi une superbe parade. Les tapisseries chatoyantes aux balcons, les magnifiques uniformes des gardes suisses et l'alternance des musiques militaires et des chœurs et instruments de la Chapelle royale en rehaussent l'éclat.

Le public ne reste pas indifférent. Il applaudit le tiers, mais il fait silence pour la noblesse : «... dès que la noblesse paraissait, dit un témoin, les applaudissements et les cris de joie cessaient». Les évêques n'ont pas plus de succès. Le roi est acclamé, non la reine. Le saint sacrement est salué par «un recueillement universel».

L'église Saint-Louis, terminus de la procession, n'est pas bien grande. Plusieurs milliers de personnes s'y entassent dans la bousculade. Après l'Évangile, Mgr de La Fare, évêque de Nancy, donne le sermon. Enfin, c'est un long discours moins religieux que politique. Le prélat fait l'éloge de la monarchie française et de ses quatre rois selon lui les plus grands : Clovis, Charlemagne, Saint Louis et Henri IV. Il oublie Louis XII qui avait pourtant restauré les états généraux. Il ne parle pas de Louis XIV. Ses idées sont fortement réformistes. Il dresse le tableau des «funestes effets du régime fiscal» et oppose démagogiquement le «luxe de la Cour et des villes» à la «misère des campagnes». Dans sa péroraison il loue le roi régnant et se félicite des «bienfaits» que ce monarque éclairé «prépare à la nation de concert avec ses représentants». Ce discours plaît. Malgré la sainteté du lieu et la présence du roi, de grands applaudissements éclatent[1]. Dans sa relation à ses commettants le député Saurine parle d'«un demi-quart d'heure d'ovation».

La séance royale d'ouverture a lieu le lendemain 5 mai. Le cadre est celui de l'hôtel des Menus-Plaisirs. Aménagé en 1787 pour recevoir l'assemblée de notables, il est fastueux. La vaste salle reçoit son jour de la voûte. Elle est bordée par deux rangées de colonnes formant une galerie et supportant une tribune. Le trône est placé au fond, sur une haute estrade, sous un baldaquin violet semé de fleurs de lys. Le tiers est en face du trône, le clergé à sa droite, la noblesse à sa gauche.

---

1. Le sermon de La Fare a été reconstitué par Bernard de Brye.

Louis XVI ouvre la séance par un bref discours. Deux passages méritent d'être remarqués. Le premier est celui où il qualifie les députés de « représentants de la nation » (« Je me vois entouré des représentants de la nation à laquelle je me fais gloire de commander »). Le deuxième passage concerne le bonheur de la France, bonheur dont la source est selon le souverain la convocation des états (« ... je n'ai pas hésité à rétablir un usage dont le Royaume peut tirer une nouvelle force et qui peut ouvrir à la nation une nouvelle source de bonheur[1] »).

Au roi succède Barentin, son garde des Sceaux. Il parle assez long-temps pour ne pas dire grand-chose. Il annonce d'importantes « réformes judiciaires ».

Tout le monde attendait Necker. Son intervention devait être le grand moment de la séance et l'annonce des temps nouveaux. Enfin, il prend la parole. La déception est énorme. Au lieu de la prophétique envolée attendue, les députés doivent subir un interminable exposé technique de plus de trois heures de temps. C'est si long que la voix manque à l'orateur. Il demande au roi la permission de faire la suite lire de son texte. Et c'est un jeune député du tiers, nommé Broussonnet, qui continue et achève la lecture. Sa voix est chaude et prenante, mais elle ne sauve pas le discours. On a d'abord entendu un fastidieux exposé de la situation financière. Rien n'a été épargné aux malheureux députés. Tous les moyens employés pour trouver de l'argent et combler ainsi le déficit ont été décrits par le menu et loués l'un après l'autre pour leur parfaite effi-cacité. « Quel pays, s'écrie Broussonnet, quel pays que celui où, sans impôts et avec de simples objets inaperçus, on peut faire disparaître un déficit qui a fait tant de bruit en Europe ! » Car — ce n'est pas la moindre surprise de cette séance — le déficit, ce fameux déficit, a disparu. Les États ont été convoqués à cause de lui, mais entre-temps il a disparu. Les députés s'interrogent : Pourquoi sommes-nous là ? Pourquoi nous a-t-on fait venir ? Après cet escamotage, le prestidigitateur a proposé son programme de réformes. Rien de bien nouveau. L'égalisation fiscale et la création d'états provinciaux sont à l'affiche depuis le début du règne. La seule nouveauté — de taille, il est vrai — est l'annonce d'états généraux périodiques. Là, les députés auraient pu se réjouir. Mais Necker a gâché tout l'effet produit. A la fin de son discours il s'est déclaré pour le vote par ordre. Il a même ajouté que les états généraux n'étaient pas indispen-sables, que le roi pouvait très bien se passer de leurs lumières, et que s'il les avait convoqués, c'était par pure bonté. Difficile d'être plus maladroit. On entend quelques applaudissements maigres et mous. « Je n'aperçus, dira Necker, que de la froideur et du silence. »

---

1. *Archives parlementaires de 1737 à 1860*, t. VIII, p. 1.

LA BATAILLE DU TIERS POUR LA RÉUNION DES ORDRES

Dès le lendemain 6 mai, le tiers commence sa bataille. Il s'intitule « communes de France » et réclame la vérification en commun des pouvoirs. Réuni dans la grande salle (où s'est tenue la séance royale), il affecte de s'étonner de l'absence des deux autres ordres. Pourquoi, demandent ses orateurs, la noblesse et le clergé ne viennent-ils pas siéger avec nous ? Le 11 mai le député Le Chapelier fait la déclaration suivante :

> ... les députés des communes de France [...] s'étant rendus le 6 mai dans la salle des États, ils n'ont point trouvé les députés de l'Église et de la noblesse. On a appris avec étonnement que les députés de ces deux classes, au lieu de s'unir, se sont retirés dans des appartements particuliers. On les a vainement attendus pendant plusieurs jours...

De fait, la noblesse et le clergé ne veulent rien savoir. Les deux ordres privilégiés refusent toute réunion, toute vérification en commun. Le 15 mai, las d'attendre, le tiers imagine de désigner des commissaires « conciliateurs » chargés de négocier avec les deux autres ordres et de faire avancer l'affaire de la réunion. A leur tour noblesse et clergé nomment aussi des commissaires. Le roi finit par désigner les siens. Des conférences ont lieu. On se visite de « chambre » à « chambre ». Telle est toute l'activité de ces illustres états convoqués pour faire le bonheur de la nation.

Louis XVI évolue. Il commence à pencher vers le parti du tiers. Lorsque le 26 mai la noblesse bloque les négociations et interrompt les conférences, il ordonne de les reprendre. Il ne dit pas : Cela suffit ; vous allez vérifier séparément vos pouvoirs et commencer aussitôt vos délibérations. Il dit : Reprenez vos conférences. Voici un extrait de sa déclaration du 28 mai :

> Je n'ai pu voir, Messieurs, sans peine et sans inquiétude l'Assemblée nationale que j'ai convoquée pour s'occuper avec moi de la régénération de mon royaume se livrer à une inaction qui, si elle se prolongeait, ferait évanouir les espérances que j'ai conçues pour le bonheur de mon peuple [...]. Dans ces circonstances je désire que les commissaires conciliateurs déjà choisis par les trois ordres reprennent leurs conférences demain à six heures du soir[1]...

C'est un avertissement à la noblesse. Remarquons aussi le progrès du langage royal. Louis XVI ne parle plus de « représentants de la nation », mais d'« assemblée nationale ».

Le tiers saisit la balle au bond. Il se déclare « pénétré de l'importance de sa mission » et prêt à reprendre les conférences. Alors la noblesse obtempère et les conférences reprennent.

Sans plus de succès. On se jette à la tête des arguments historiques. En

---

1. *Archives parlementaires de 1787 à 1860*, t. VIII, p. 55.

1483, fait remarquer la noblesse, la vérification ne s'était pas faite en commun. De même en 1560. C'est vrai, répond le tiers, mais si l'on fait le compte, les vérifications en commun ont été plus fréquentes que celles faites séparément. Avec tout cela on arrive au 3 juin. Il y a près d'un mois que les députés sont à Versailles. Tout est bloqué.

Mais le 4, le tiers passe à l'action. Sur la proposition de Mounier, il décide de commencer la vérification de ses propres députés. Le 10, il franchit un nouveau pas. Il arrête qu'il vérifiera les pouvoirs non seulement de ses députés, mais de tous les députés des trois ordres présents ou absents. La réunion des trois ordres est ainsi virtuellement accomplie.

Le 13, elle commence à se réaliser. Trois membres du clergé (des curés du Poitou) rejoignent le tiers. D'autres en font autant le lendemain. Le clergé est entamé. La noblesse continue à faire bloc et à résister, mais elle est isolée.

Le 17, nouvelle étape décisive : le tiers se proclame « Assemblée nationale ». Depuis deux jours, ses députés cherchaient quelle dénomination adopter. Mounier avait proposé « Assemblée légitime des représentants de la majeure partie de la nation », ce qui était à la fois trop long et trop honnête. Les autres propositions avaient été « Représentants du peuple français » (Mirabeau) et « Assemblée légitime et active des représentants de la nation française » (Galland). C'est finalement la motion de Sieyès qui est adoptée : « La dénomination d'Assemblée nationale est la seule qui convienne... » Aussitôt constituée, la nouvelle Assemblée nationale fait acte de pouvoir. Elle interdit toute levée d'impôt qui n'aurait pas été consentie par elle. C'est une décision révolutionnaire.

Pourtant, le roi ne la dénonce pas. Sa lettre au tiers du 17 juin reproche seulement au troisième ordre d'avoir parlé des « ordres privilégiés » à propos du clergé et de la noblesse. « Ces expressions inusitées, fait remarquer Louis XVI, ne sont propres qu'à entretenir un esprit de division. » Et de conclure par un nouvel appel à la conciliation.

En revanche, le roi se montre sévère pour la noblesse à laquelle il écrit le même jour. Il déplore son opiniâtreté dans la résistance : « ... j'ai vu avec peine, dit-il, que le Second Ordre persistait dans les réserves et les modifications qu'il avait mises au plan de conciliation proposé par mes Commissaires ». Nous ne connaissons malheureusement pas ce « plan de conciliation ». Que proposait-il ? Que voulait le roi ? Voulait-il déjà à cette date que la noblesse acceptât de délibérer en commun ? La chose est probable, sinon certaine. D'ailleurs la noblesse est de plus en plus isolée. Ce même 17 juin le ralliement du clergé s'accentue. Un assez grand nombre de ses députés décident de rejoindre dès le lendemain la « Chambre nationale ». La pression sur le premier ordre est de plus en plus forte. Pendant ses délibérations une foule compacte et hurlante remplit la cour des Menus. Trois ou quatre curés hostiles à la réunion des ordres s'efforcent de sortir. Ils sont montrés du doigt et contraints de rentrer dans la salle pour donner leurs voix. « Ces curés, dit une relation du temps, étant du parti inférieur, ayant été désignés par plusieurs de leurs confrères qui étaient aux fenêtres de leur Chambre, au nombre immense de personnes qui remplissaient la Cour des États, ont été hués et assaillis de propos à mesure qu'ils sortaient et ont été forcés de remonter à la Chambre pour donner leurs voix[1]. » Étrange délibération vraiment, que ne protège aucune force de police. Une scène analogue se produit le 19, lorsque le clergé, après le vote qui en a décidé, annonce sa réunion au tiers. Il est six heures du soir. La foule est énorme. Une fenêtre de la salle où délibère le clergé s'ouvre. Un curé paraît, qui crie : « Gagné, gagné », puis annonce la majorité de 149 voix. La sortie est tumultueuse. Les prélats « fusionnistes » (Lefranc de Pompignan, Lubersac, Champion de Cicé) sont portés en triomphe au cri de « Vive les bons évêques ! » « Nous pleurions tous, écrit un témoin [...]. Les spectateurs mouillaient leurs mouchoirs de leurs larmes. » On comprend que dans une telle atmosphère les plus fortes résistances aient cédé. Le courant est devenu irrésistible. Tout va être emporté.

LE SERMENT DU JEU DE PAUME ET LA VICTOIRE DU TIERS.
LA RÉUNION DES ORDRES

Louis XVI ne mesure pas, semble-t-il, toute la gravité de la situation. La mort de son fils aîné le 4 juin (l'enfant était malade depuis plusieurs mois) l'a plongé dans une sorte de torpeur. Le 20 juin il fait annoncer une séance royale pour le surlendemain. En attendant, les salles des Menus sont fermées sous prétexte d'aménagements. C'est tout ce qu'on a trouvé pour empêcher le tiers de siéger. Mais on a commis la faute de ne prévenir de cette fermeture que Bailly, son président. Lorsque le 20 au matin les députés se présentent, ils trouvent la salle fermée. C'est un beau chahut. On crie à la provocation. Les gardes sont insultés. « Le tiers, dit une relation, a voulu montrer de la résistance, au point que les gardes ont été obligés de crier aux armes. » Là-dessus Bailly intervient et propose de se rendre au Jeu de paume, rue Saint-François, à vingt minutes environ de marche. Les députés se rallient à cette idée. Les voici partis en procession à travers les rues de Versailles, acclamés par la foule. Arrivés au Jeu de paume, ils s'entassent dans la salle et décident de prêter serment : ils jureront de faire la Constitution et de ne pas se séparer avant de l'avoir faite :

... tous les membres de cette Assemblée feront le serment solennel de ne jamais se séparer et de se rassembler partout où les circonstances l'exigeront jusqu'à ce que la Constitution du Royaume soit établie et affermie.

1. « Journal des états généraux adressé au comte de Viry, lieutenant du roi en Bourbonnais, par un député de la noblesse » (coll. part.).

Les députés se succèdent et chacun jure à son tour. Ensuite ils apposent leurs signatures sur le registre. Un seul se déclare refusant. C'est le député Martin, du bailliage d'Auch. Ce serment du Jeu de paume produit un grand effet sur l'opinion publique, sur la Cour et sur le roi lui-même. On avait encore à cette époque la religion des serments.

Le soir de ce jour mémorable, les députés qui résistent encore à l'entraînement général, c'est-à-dire la minorité du clergé et la majorité de la noblesse, se réunissent dans l'église Notre-Dame et y passent la plus grande partie de la nuit. Nous ignorons ce qui s'est dit là. Peut-être a-t-on élaboré un plan de combat.

Le 22, la nouvelle est annoncée du report de la séance royale. Elle aura lieu le lendemain. Le tiers veut retourner au Jeu de paume, mais le comte d'Artois a fait réserver la salle pour sa partie. Les députés du troisième ordre et les ralliés se retrouvent dans l'église Saint-Louis. Les églises servent beaucoup.

Le 23, c'est la séance royale et le coup de force. Louis XVI fait lire par Barentin deux déclarations, l'une sur les réformes, l'autre sur la tenue des états. La première n'ajoute rien de substantiel au programme présenté lors de la séance d'ouverture du 5 mai. La seconde, en revanche, est d'une extrême importance. Le roi y définit les limites de la compétence des états. Les députés doivent délibérer au sujet des impôts, mais ils n'ont pas à connaître de la constitution du royaume. Ils ne doivent pas se mêler « des affaires » qui regardent « les droits antiques et constitutionnels des trois ordres, la forme de la constitution à donner aux prochains États, les propriétés féodales et seigneuriales, les droits utiles et les prérogatives honorifiques des deux premiers ordres ». Le principe de la délibération par ordre est maintenu et le roi termine en ordonnant aux députés de se séparer, puis de reprendre le travail dans leurs chambres respectives :

> Messieurs, je vous prie de vous retirer dans vos chambres et d'aller travailler. Je vous ordonne de vous séparer tout de suite et de vous réunir demain matin dans les chambres affectées à votre ordre pour y reprendre vos séances. J'ordonne en conséquence au Grand Maître des Cérémonies de faire préparer ces salles.

On ne peut pas être plus net. La déclaration royale est claire et ferme. Louis XVI prend vigoureusement la défense de la constitution du royaume. Il remet le tiers à sa place.

Seulement il est trop tard. Le tiers s'est trop avancé. Il ne peut plus reculer. Il ne peut plus que désobéir. Il refuse donc de se séparer et de quitter la salle. Lorsque le grand maître des cérémonies, le marquis de Dreux-Brézé, s'avance et dit d'une voix mal assurée : « Messieurs, vous avez entendu les ordres du Roi… », Mirabeau lui fait la réponse mémorable : « Nous ne quitterons nos places que par la puissance des baïonnettes. » Il ne s'agit pas d'une bravade. Le refus du tiers d'obéir a une signification profonde, et l'abbé Sieyès s'en fait aussitôt l'interprète : « Si nous sommes les représentants du roi, dit-il, il nous faut obéir au roi. Si nous sommes les représentants de la Nation, c'est à elle que nous continuerons d'obéir. La séance royale ne peut rien changer à ce que nous sommes. Nous sommes aujourd'hui ce que nous étions hier... » Autrement dit le roi ne commande pas à la nation. Le jour de l'ouverture des États, Louis XVI avait dit : « ... je me vois entouré des représentants de la Nation à laquelle je me fais gloire de commander ». Aujourd'hui, les paroles royales sont annulées.

Et le roi s'incline. Mirabeau avait invoqué la puissance des baïonnettes. Le roi n'use pas de cette puissance-là. Le refus du tiers a donc un effet décisif. Dès le lendemain, la minorité — jusqu'alors résistante — du clergé rejoint la « Chambre nationale ». Le 25, c'est le tour d'une partie de la noblesse. Le 27, Louis XVI lui-même écrit aux députés non encore ralliés, leur ordonnant de se réunir. Il ne lui a pas fallu trois jours pour renoncer à tous les principes hautement proclamés dans la séance royale.

A-t-il obéi à des considérations de prudence ? Il est vrai que l'on pouvait craindre le pire. Depuis la séance du 23 les incidents se multipliaient à Versailles. Le 20 dans la matinée, Duval d'Éprémesnil, député hostile à la réunion, avait manqué d'être assassiné en arrivant aux États. Le soir du 23, Mgr de Juigné, prélat non « fusionniste », avait été assailli alors qu'il reprenait la route de la capitale. Les vitres de sa voiture avaient été cassées, ses gens et ses chevaux maltraités. La tension ne cessait de monter. Louis XVI ne pouvait pas demeurer insensible à cette aggravation.

Le 27 juin, aussitôt connue la lettre royale invitant la noblesse à se réunir, la foule se porte en masse au château « pour témoigner au roi sa reconnaissance par des cris et des claquements de mains ». La cour Royale est remplie en un instant. Le roi et la reine paraissent sur le balcon. Ils se tiennent par la main. Marie-Antoinette pleure, essuyant ses larmes de son mouchoir[1]. Il y a encore un roi en France, mais la monarchie française a vécu.

---

1. Correspondance anonyme (coll part.).

Chapitre IV
L'ÉCONOMIE ET LA SOCIÉTÉ

La population

La population de la France continue à augmenter sous le règne de Louis XVI. Elle aurait atteint, en 1789, vingt-huit millions d'habitants. La croissance est répartie également. Les villes n'augmentent pas plus vite que les campagnes. Les fortes poussées urbaines de la période précédente ne se renouvellent pas. On peut même dire que, sans l'émigration rurale, la population des villes aurait plutôt tendance à diminuer. En 1789, la France n'est toujours pas un pays de grandes villes. Avec ses six cent cinquante mille habitants Paris demeure une exception. Nous trouvons ensuite vingt-cinq villes de plus de vingt-cinq mille habitants et une cinquantaine entre dix et quinze mille[1]. Nous sommes encore devant une nation de ruraux et de paysans. C'est peut-être ce qui fait sa plus grande différence avec l'Angleterre. Trente pour cent des Anglais habitent des villes, et seulement seize pour cent des Français.

Si la croissance démographique se poursuit pendant toute la durée du règne, elle est cependant très ralentie à partir de 1778, lorsque la crise économique s'aggrave. En 1779, neuf généralités présentent un excédent de décès, en 1782 onze, en 1783 dix-sept. Il y a plusieurs provinces en voie de dépeuplement. C'est entre autres le cas de la Bretagne où l'excédent total des décès sur les naissances s'élève à 15,5 % pour la période 1770-1787[2].

Les taux de natalité demeurent partout très élevés, mais ils marquent partout, même dans les régions à bilan positif, un léger fléchissement. Par exemple, en Languedoc, sur le territoire correspondant au département actuel de l'Hérault, on serait descendu de 38 à 37 pour mille[3]. La signification de cette petite baisse est importante. Pour la première fois depuis très longtemps la natalité décroche. Et non pas seulement dans un groupe social, ou dans une ou deux régions, mais dans toutes les parties de la société et dans toute l'étendue du royaume. En même temps, on voit diminuer la taille de la famille. Dans les années 1780-1789, les familles nombreuses se raréfient. La norme est de trois ou quatre enfants, pas davantage.

---

1. Roger Mols, *Introduction à la démographie historique des villes d'Europe du XIVᵉ au XVIIIᵉ siècle*, Gembloux, éd. Duculot, 1954-1956, t. III.

2. Henri Sée, *Études sur la vie économique en Bretagne, 1772-An III*, Paris, Imprimerie nationale, 1930, p. 148.

3. Albert Soboul, *La Société française dans la seconde moitié du XVIIIᵉ siècle*, Paris, CDU, 1969, p. 76-77.

L'explication est la limitation délibérée des naissances, soit par la continence, soit par la contraception. Selon certains témoignages, les pratiques contraceptives seraient devenues communes. D'après Moheau dans ses *Recherches sur la population de la France* (1778) «... on trompe la nature jusque dans les villages». Selon le P. Félines, religieux de Bayeux, dans son *Catéchisme des gens mariés* (1782), «le crime de l'infâme Onan [serait] très commun entre les époux». Ce sont là des témoignages très autorisés. Il n'y a pas lieu de douter de leur bonne foi. Cependant, ils ne constituent pas des preuves suffisantes d'une diffusion générale des pratiques contraceptives. Un seul fait est certain et dûment constaté : la génération arrivant au mariage vers 1780 ne veut pas avoir autant d'enfants que la génération précédente.

Il y a moins d'enfants et plus de morts. Après avoir baissé un moment, la mortalité infantile et juvénile à partir de 1780 se fait à nouveau virulente. En Bretagne et en Anjou par exemple, elle descend à 245 pour mille dans la décennie 1770-1779, mais remonte à 258 pour mille dans la décennie suivante [1]. Mais les enfants ne sont pas les seuls touchés. Passés l'année 1780, à tous les âges, on se met à mourir davantage. La vie devient plus vulnérable. Ce n'est pas une bonne époque. Des épidémies traversent le territoire, tuant les personnes les plus faibles et les plus âgées. Ce sont la très mauvaise dysenterie de 1779, qui décime les campagnes du Nord-Ouest et de l'Ouest, la «suette miliaire» de 1782 en Languedoc, et la pneumopathie infectieuse (sans doute à pneumocoques) des années 1784 et 1785, sans parler des endémies régulières de variole, de typhoïde et de tuberculose [2].

Il est vrai que ces mortalités n'ont rien à voir avec les hécatombes catastrophiques d'autrefois. Maintenant, la mort éclaircit mais ne dévaste plus. Les populations résistent mieux grâce à une meilleure alimentation, mais aussi — fait nouveau — grâce à la médecine. On constate en effet que, pour la première fois dans l'histoire des épidémies, la médecine se montre efficace et sauve un grand nombre de malades. Certes une partie du mérite revient à l'administration royale. Les intendants mobilisent les médecins et leur fournissent l'argent et les médicaments nécessaires. Mais la grande nouveauté est que les soins et les médicaments guérissent. Des malades meurent, mais autrefois ils seraient tous morts ou presque tous. Aujourd'hui le plus grand nombre est sauvé. Un exemple significatif est celui de La Pommeraie. Ce petit bourg d'Anjou est atteint au printemps 1785 par une terrible épidémie. Aussitôt alerté, le docteur Dupichar, médecin des épidémies, envoie à La Pommeraie deux docteurs-régents de la faculté de médecine d'Angers, Pantin et Tessié du

---

1. A. Armengaud, *La Famille et l'enfant...*, Paris, SEDES, 1975, p. 178.
2. J.-P. Peter, «Médecine, épidémies et société en France...», *BSHM*, 14ᵉ série, nᵒ 14, 1970, p. 2-9.

Closeau. Ceux-ci constatent la gravité du mal. Il s'agit d'une forme de pneumonie particulièrement maligne. Les malades les plus résistants ne tiennent pas plus de trois ou quatre jours. Néanmoins les praticiens angevins réussissent à sauver de nombreuses vies. Dans son compte rendu à l'intendant, le curé du lieu témoignera que, sur 186 malades à lui confiés, le Dr Tessié du Closeau n'en avait vu mourir que 22[1]. On pourrait produire bien d'autres satisfecit du même genre. Partout, les responsables de la lutte contre les épidémies s'accordent à souligner l'efficacité des secours. A Vitré, en Bretagne, en 1783 sévit une épidémie très grave, «et les suites, écrit le subdélégué, en eussent été plus mortelles si le gouvernement n'avait pas eu l'attention d'y envoyer des médecins et des chirurgiens et des remèdes qui en ont arrêté le cours[2]».

Peut-on aussi parler de progrès de l'hygiène? Cela est moins certain. Il y a des progrès, mais ils sont minces. Ce que nous voyons surtout c'est une inquiétude assez générale au sujet des risques d'infection par les latrines et par les cimetières. On parle d'«air méphitique», d'«air vicié». On découvre avec horreur que l'on vit sur des champs d'ossements et sur des monceaux d'excréments. Pendant des siècles, on s'en était bien accommodé. Aujourd'hui cela fait peur. Les administrations de police tentent d'améliorer la salubrité publique. Elles n'y parviennent pas toujours. La ville de Caen, par exemple, construit dans des quartiers neufs des canalisations d'égout entièrement couvertes, mais qui se déversent dans la rivière[3]. A Paris, si l'on en croit Sébastien Mercier, on met en place des appareils à désinfecter les fosses d'aisance. Il s'agit d'un tuyau «qui se prolonge dans la profondeur de la fosse et» qui «en aspirant l'air méphitique qui y règne […] force l'air de l'atmosphère de le remplacer». Mais il faut croire que toutes les fosses ne sont pas encore équipées de ce système ingénieux. Car, selon le même auteur, les puits où les boulangers prennent l'eau pour fabriquer leur pain sont en permanence infectés par les suintements des fosses d'aisance. La question des cimetières est réglée — du moins à Paris — de façon plus radicale. En 1768, huit cimetières avaient été créés pour la capitale en dehors de la zone peuplée. En 1780, le Parlement interdit l'inhumation dans le cimetière des Innocents où l'on enterrait depuis mille ans, et ordonne ensuite le déménagement du vieux cimetière[4]. L'opération de transfert jusqu'à Montrouge durera deux ans. A partir de 1788, les autres grandes villes commencent à suivre l'exemple de Paris. Au nom de la santé, les morts sont chassés de la cité.

---

1. François Lebrun, *Les Hommes et la mort en Anjou aux XVIIᵉ et XVIIIᵉ siècles*, Paris-La Haye, Mouton, 1971, p. 385.

2. Henri Sée, *Études sur la vie économique, op. cit.*, p. 37.

3. Jean-Claude Perrot, *Genèse d'une ville moderne. Caen au XVIIIᵉ siècle, op. cit.*, p. 910.

4. P. Chaunu, *La Mort à Paris*, Paris, Fayard, 1978, p. 445.

L'économie

L'AGRICULTURE

Les transformations de l'agriculture se poursuivent, mais toujours selon le même rythme très lent. Dans presque toutes les provinces l'étendue de la sole en jachère, remplacée par les prairies artificielles, continue à diminuer. Dans quelques régions elle a même complètement disparu. C'est le cas — entre autres — d'une partie du pays de Caux, de la Limagne, de l'Alsace et de la plaine de la Garonne. Une autre amélioration sensible de l'époque est la croissance du nombre des têtes de bétail, avec l'usage plus fréquent et plus régulier qui s'ensuit de la fumure naturelle.

Le développement des voies de communication ouvre à certains produits un marché national. Des régions se spécialisent. Le Vexin français produit des veaux de boucherie pour la capitale, la région des Mauges en Poitou des bœufs également pour le marché parisien.

L'INDUSTRIE

Dans ce domaine, on observe, sinon une croissance générale, tout au moins certains développements spectaculaires.

Signalons en premier lieu l'essor de la production cotonnière. Les manufactures d'indiennages ont surgi de tous côtés. La production atteint huit cent mille pièces en 1789.

Il faut noter ensuite les progrès du machinisme. Les missions en Angleterre se multiplient. De nombreux ingénieurs anglais viennent en France et participent à la construction des nouvelles manufactures. Le Contrôle général accorde les subventions, des avances et des primes à la production. Il favorise aussi la création de « sociétés d'encouragement » à Paris (1776) et à Reims (1778) et de bureaux spéciaux à Rouen et Amiens (1787-1788) pour l'achat de nouvelles machines. Membre depuis 1769 du Bureau du commerce, l'intendant Trudaine de Montigny joue ici un rôle essentiel. Il contribue à faire entrer l'industrie française dans l'ère du machinisme.

Cependant, le phénomène le plus frappant, et sans doute le plus caractéristique de la période, est le progrès de la concentration industrielle. Le mouvement s'était amorcé pendant la période précédente. Maintenant il s'accélère. La formation du groupe Wendel en est la meilleure illustration. Ignace François de Wendel a succédé à son père Charles de Wendel, maître de forges et créateur de plusieurs fonderies en Lorraine. Lui-même commence par se procurer d'importants capitaux en s'associant avec Sérilly, un très riche homme d'affaires. Ses bases ainsi assurées, il achète à l'État les manufactures d'armes de Charleville et de Mahon, puis se fait confier la gestion de l'établissement métallurgique d'Indret sur la Loire. En 1780, lorsque la création du Creusot est décidée, il s'engage à mettre en route cette entreprise. En 1783, il reprend la manufacture d'armes de Tulle. En 1789, il contrôlera une grande partie de la sidérurgie française. L'intendant Amelot pourra lui décerner ce satisfecit : « On ne peut rien ajouter aux efforts que fait le chevalier de Wendel pour rendre [ses] résultats utiles au païs et à la Nation[1]. »

Qui dit concentration dit manufacture concentrée, ou « réunie », selon le langage de l'époque. Il faut entendre par là ce que nous appelons aujourd'hui des usines. On veut y rassembler en vue d'une production plus rationalisée un grand nombre de machines et un grand nombre d'ouvriers. Le Creusot représente la réalisation la lus spectaculaire dans ce nouveau genre. Cette usine dont la construction a commencé en 1782 sous la direction de l'Anglais Wilkinson réunit quatre fours à réverbère, deux hauts fourneaux de trente-neuf mètres de haut, une machine « soufflante », des « charbonnières » pour désoufrer le coke, une fonderie à cinq réservoirs, trois machines à vapeur, une forerie de canons où l'on peut forer quatre canons à la fois, deux marteaux de huit cents livres chacun, deux roues hydrauliques, une grue de sept tonnes et deux logements ouvriers faits pour abriter quarante-huit ménages. La capacité de production de ce grand ensemble jugé à l'époque gigantesque est estimée à dix millions de livres de fonte par an[2]. Dans l'industrie cotonnière la fabrique Decretot de Louviers offre un exemple analogue. Arthur Young la visite le 8 octobre 1788. « M. Decretot, note-t-il dans son journal, me fit voir sa fabrique, la première du monde certainement[3]. » Il y aurait donc en France, au dire même d'un Anglais, des manufactures supérieures à celles des Anglais. Partisan résolu de la manufacture « réunie », Young se félicite de la voir adoptée dans un autre pays que le sien. Mais il sait que certains Français, Mirabeau par exemple, demeurent hostiles à cette formule. Il déplore une mentalité aussi rétrograde. Pour lui, l'un des plus grands avantages de la manufacture « réunie » est d'employer les pauvres. Elle a aussi le mérite de favoriser le commerce. Elle ne gêne pas comme les manufactures domestiques l'échange entre les villes et le monde rural. Nous lisons ceci dans le journal du voyageur anglais : « Un paysan vivant avec sa famille sur son bien, pourvoyant à tous ses besoins par sa propre industrie, sans recourir à l'échange, offre, il est vrai, un tableau de bonheur rural, mais incompatible avec les exigences de la société moderne[4]. » Propos bien révélateurs de l'économisme ambiant. Nous savons que les opinions de Young sont partagées par plusieurs de ses amis français, et en particulier par le duc de Liancourt, grand proprié-

---

1. Cité par Bertrand Gille, *Les Origines de la grande industrie métallurgique...*, Domat, Paris, 1948, p. 186.
2. *Ibid.*, p. 197.
3. Arthur Young, *Voyages en France en 1787, 1788 et 1789*, première traduction par Henri Sée, Armand Colin, Paris, 1931, 3 vol., t. I, p. 261.
4. A. Young, *Voyages en France, op. cit.*, t. II, p. 379.

taire et homme d'affaires avisé. Ces hommes de progrès sacrifient aux
« exigences de la société moderne » un certain bonheur rustique jugé par
eux agréable, mais aussi archaïque et inadapté.

LA CONJONCTURE

La modernisation industrielle ne doit pas faire illusion. Certains
secteurs se développent, mais si l'on considère l'ensemble de
l'économie, le règne de Louis XVI apparaît comme une phase de crise.

On est entré en effet à partir de 1775 dans une conjoncture de baisse
de prix. Ce mouvement va durer une douzaine d'années. Les prix agricoles ont commencé à baisser fortement dans les années 1775 et 1776.
En 1777, ils s'effondrent. La trop belle vendange de cette dernière année
entraîne la mévente du vin. Après un palier de deux années, la baisse de
l'ensemble des prix agricoles reprend au cours de l'année 1780. Une
légère remontée de 1781 à 1783 est suivie en 1786 d'un nouvel effondrement. Ce ne sont pas les rentiers fonciers qui pâtissent le plus de la
crise. Ils ont amélioré leur gestion et augmenté leurs prélèvements. Nous
voyons même que dans certaines régions, le pays de Caux par exemple,
la rente foncière continue à monter. En revanche, la masse des exploitants (fermiers, métayers, petits propriétaires et salariés agricoles)
connaît de sérieuses difficultés.

La baisse est entrecoupée de hausses brutales. Ces poussées de cherté
sont dures pour les populations laborieuses et nécessiteuses. La
conjoncture météorologique des années 1785-1789 est catastrophique.
C'est une succession de dérèglements. Pour commencer, la terrible
sécheresse de 1785 fait perdre une grande quantité de bétail. « Cette
année, note sur son registre paroissial le curé de Freigné, en Anjou, a été
la plus stérile que l'homme puisse voir. Aucun foin, aucun fruit, presque
aucun grain ; aussi la misère pour les hommes et pour les animaux est-
elle extrême. On tue tous les bestiaux pour prévenir leur mort
naturelle[1]. » 1786 est aussi une mauvaise année avec beaucoup de frimas,
de pluies, de maladies du blé et de la vigne. 1787 marque un répit, mais
1788 et 1789 sont calamiteuses. Le formidable orage du 13 juillet 1788
dévaste le nord-est du royaume. A peu près au même moment, des
averses répétées de grêle détruisent les récoltes du Poitou et de
l'Aquitaine. L'hiver qui suit est partout très rude. Les maladies contagieuses sévissent sur les organismes sous-alimentés. Les rivières gèlent,
les moulins sont bloqués, la circulation des grains désorganisée. La
moisson de 1788 avait été très insuffisante. En 1789, la soudure ne se fait
pas. Le prix du pain double en un an. Le 14 juillet 1789, il atteint dans la
capitale le montant exorbitant de 4 sous la livre.

---

1. Cité par A. Bendjebbar, *La Vie quotidienne en Anjou au XVIIIᵉ siècle*, Hachette, Paris,
1983, p. 20.

Baisse de revenu et fortes chertés affectent le pouvoir d'achat de la plus grande partie de la population. L'industrie en subit le contrecoup. Quand à la baisse de la demande s'ajoute la concurrence anglaise, les manufactures textiles et surtout celles de coton connaissent une situation particulièrement difficile. Le traité franco-anglais de commerce, dit traité Eden du nom de son négociateur britannique, est signé le 27 septembre 1786. L'accord stipule un abaissement des barrières douanières. C'est heureux pour les produits agricoles français qui vont pouvoir entrer en Angleterre et pour certains produits manufacturés comme les glaces de Saint-Gobain. C'est beaucoup moins heureux pour les manufactures cotonnières françaises dont les coûts de production sont beaucoup plus élevés que ceux des manufactures anglaises. L'esprit du traité est celui de la physiocratie. L'accord favorise les grands propriétaires, ceux qui font de l'agriculture de rapport. Il encourage aussi le commerce. Il défavorise les petites entreprises agricoles et le secteur très important de l'industrie textile.

LE COMMERCE

Le commerce est le grand gagnant. Non seulement ce secteur ne souffre pas de la crise, mais encore il connaît pendant presque toute la durée de la période un remarquable développement.

Le commerce intérieur tire un grand bénéfice des nouvelles routes. La France dispose maintenant d'un très beau réseau routier, le premier du monde en densité et en viabilité. Arthur Young, généralement si critique à l'égard de la France et des Français, ne cesse de s'extasier sur la qualité des chemins. Il écrit par exemple : « Les routes sont d'admirables travaux », ou bien : « Je ne sais rien de plus remarquable pour le voyageur que les routes du Languedoc [1]. » Un tel réseau ne peut que donner un grand essor aux échanges. Pour de très nombreux produits agricoles et industriels, il existe désormais un marché national. Paris et les grands ports drainent les productions de très vastes régions. La capitale s'approvisionne en bétail de boucherie jusque dans le Bas-Poitou. Bordeaux accumule dans ses entrepôts, afin de les réexpédier aux Antilles, les céréales, les farines et les toiles de tout le sud-ouest du royaume.

Dans les échanges extérieurs la première place est tenue par le commerce colonial atlantique, et, dans ce dernier secteur, par le trafic avec les Antilles [2]. Une certaine stagnation au début du règne de Louis XVI et ensuite pendant la guerre d'Amérique avait suivi l'apogée des années 1769-1771. Mais après la guerre, les échanges reprennent de plus belle. La valeur globale annuelle du commerce des îles passe de 189 millions en 1770-1772 à 264 millions en 1786-1788, ce qui repré-

---

1. A. Young, *Voyages en France, op. cit.,* t. I, p. 55.
2. Voir Paul Butel, « Le commerce atlantique français sous le règne de Louis XVI », *Le Règne de Louis XVI et la guerre d'Indépendance américaine, op. cit.,* p. 63-85.

sente une progression de 2,8 % par an. La flotte atlantique forme 60 % de la marine de commerce. Les ports de Bordeaux et de Nantes contiennent à eux deux 30 % du tonnage français. Dans l'ensemble économique, le poids des îles va croissant. Les Antilles constituent la fabrique de sucre et de café de l'Europe. La principale culture est encore la canne à sucre, mais le café est en train de prendre à Saint-Domingue une place de plus en plus grande. Les trois cinquièmes des nouveaux esclaves introduits dans l'île entre 1767 et 1777 sont employés aux plantations de café. Faut-il le rappeler ? Toute cette prospérité repose sur le travail servile. Saint-Domingue achète trois mille esclaves par an. Elle en comptera en 1789 plus de cinquante mille. Ralenti un moment par la guerre d'Amérique, le trafic négrier connaît après 1783 un essor extraordinaire. De 1783 à 1792, le seul port de Nantes enregistre le départ de trois cent cinquante navires négriers, soit trente-cinq en moyenne par an. Là est le secret de la grande prospérité. Le royaume s'enrichit des îles et les îles s'enrichissent des esclaves.

On est frappé par le contraste : d'un côté l'essor du commerce et de l'autre les difficultés de l'industrie. Mais il est une opposition encore plus frappante, celle entre l'appauvrissement de beaucoup d'exploitants agricoles et d'entrepreneurs industriels et l'enrichissement des affairistes.

LA SPÉCULATION

Car la masse de monnaie d'or et d'argent n'a jamais été plus abondante, et la circulation de l'argent jamais plus intense. La France n'a toujours pas de banque d'État, mais la Caisse d'escompte fondée en 1776 en tient lieu. Cet organisme est en effet doté du privilège d'émettre des billets à vue, ce qui facilite les paiements et les transactions. La fortune n'a plus de nom et tout le monde sait s'en servir. Sébastien Mercier raconte à ce sujet une histoire édifiante. Un homme avait oublié son portefeuille dans la chambre d'une maison de passe. Après son départ, la fille ouvre le portefeuille et y trouve 60 000 livres. Au lieu de s'approprier cette somme qui eût fait sa fortune, elle va trouver le chef de la police et lui remet le portefeuille. Celui-ci s'étonne, mais, dit Mercier, « il fut bien plus étonné lorsqu'il sut de la bouche de la fille qu'elle connaissait très bien la valeur de ces billets et la facilité qu'elle aurait eue de les métamorphoser en argent sans qu'on pût rien lui dire[1] ».

Paris devient dans les dernières années de l'Ancien Régime un centre financier aussi important que Londres et Amsterdam. Les banquiers suisses et hollandais y sont chez eux. On voit se fonder chaque année plusieurs banques nouvelles de change, ainsi que

---

1. Sébastien Mercier, *Le Tableau de Paris*, éd. Maspero, 1979, p. 244.

plusieurs compagnies financières comme la Compagnie des eaux et la Compagnie d'assurances contre les incendies. Jouant sur les emprunts d'État et sur les actions de la Compagnie des Indes, de la banque Saint-Charles et de la Compagnie des eaux, les manieurs d'argent parviennent à réaliser d'énormes profits. L'un des plus habiles est le genevois Étienne Clavière, installé à Paris depuis de longues années. C'est un remarquable spéculateur. Sa meilleure affaire est celle de la Compagnie des eaux. Ayant fait baisser les titres, il rachète en masse. Il est l'ami de Mirabeau. Les titres ont baissé parce que Mirabeau a publié son pamphlet *Sur les actions de la Compagnie des eaux* (novembre 1785). Le maniement de l'argent va de pair avec celui de l'opinion[1].

Des fortunes s'élèvent, facilement gagnées. Au même moment — c'est l'autre face de l'économie — des entreprises nombreuses déposent leur bilan. Nous avons des chiffres précis pour le Midi toulousain. A Toulouse même, le nombre des faillites qui auparavant ne dépassait pas six par an atteint seize en moyenne annuelle dans la décennie 1777-1786. A Montauban, sept des plus gros marchands fabricants de la ville font faillite entre 1780 et 1789. A Carcassonne, le 2 mars 1789, la grande manufacture de la Trivalle ferme ses portes[2]. On retrouve cette situation dans toute la France. Partout, les gros profits des affairistes font injure aux malheurs des petits et moyens producteurs. L'économie est déséquilibrée.

La société

LE CLERGÉ

Le clergé se renouvelle mal. Son recrutement diminue.

Le recrutement du clergé séculier connaît une petite remontée entre 1770 et 1780, mais, après 1780, la situation se dégrade à nouveau. Dans la dernière décennie de l'Ancien Régime le nombre des ordinations au sous-diaconat et à la prêtrise est inférieur de 22 % à celui des années 1740-1750. On vient à manquer de prêtres. Les évêques sont préoccupés. Mgr de La Marche, évêque de Léon, estime que le nombre des prêtres de son diocèse est passé de mille six cents à la fin du XVIIe siècle à quatre cents en 1789. Lors de l'assemblée du clergé de 1775, Loménie de Brienne avait présenté un rapport sur la crise du recrutement sacerdotal. On y lisait ceci : « Le nombre des ecclésiastiques qui s'appliquent aux fonctions du saint ministère diminue tous les jours, et leur rareté qui nous est déférée par plusieurs provinces est sans doute l'objet le plus

---

1. Voir Jean Bouchary, *La Compagnie des eaux de Paris et l'entreprise de l'Yvette*, Paris, M. Rivière, 1946, p. 65.
2. Daniel Ligou, *Montauban à la fin de l'Ancien Régime...*, Paris, M. Rivière, 1958, p. 385.

digne d'exercer votre zèle [1]. » On n'en est pas encore à manquer de curés, mais il devient difficile de pourvoir en vicaires les paroisses populeuses.

Le clergé régulier souffre lui aussi, et d'une manière plus grave. En trente ans, le nombre des moines aurait diminué de moitié. Quantité de monastères et de couvents se sont vidés. Là où vivaient au début du siècle quarante ou cinquante moines, on n'en trouve plus que cinq ou six. Les instituts féminins, bien que plus résistants, connaissent aussi des pertes importantes. Les visitandines étaient mille trois cent soixante-quatre en 1730. En 1790 elles sont neuf cent quarante-trois. Les ursulines enregistrent une baisse continue. Par exemple, les ursulines de Saumur reçoivent onze professions de 1760 à 1769, neuf dans la décennie suivante et six de 1780 à 1789. Chez les carmélites, cela dépend des régions. Celles de Paris n'ont pas moins de novices que sous le règne de Louis XV [2], mais celles de Guingamp ne reçoivent plus une seule novice après 1776 [3]. La seule congrégation féminine qui attire encore de nombreuses vocations est celle des Filles de la Charité, dont l'effectif s'élève à trois mille en 1789. Il est vrai que ces filles de Saint-Vincent de Paul se recrutent dans les milieux populaires où la foi reste vive.

Les raisons du déclin des vocations sont multiples. C'est l'édit royal de 1768 qui a reculé l'âge de l'émission des vœux. C'est aussi la propagande calomnieuse des philosophes qui présentent la vie consacrée à Dieu comme une vie de contrainte, de tourment et de prison. Voyez *La Religieuse* de Diderot et la *Mélanie* de La Harpe (1770). C'est enfin et surtout la crise de la société. Le nouveau modèle de société que proposent les philosophes et les économistes, et dont tous les esprits éclairés sont entichés, est un modèle utilitaire. Dans cette société nouvelle (qui est d'ailleurs en voie de réalisation) les seuls liens unissant les hommes entre eux sont ceux de la technique, du travail et de l'économie. La contemplation en est exclue. Les moines et les prêtres séculiers y sont des étrangers.

Mais le nombre n'est pas tout. Le déclin affecte-t-il aussi la formation du clergé et sa qualité ?

On donnera sur ces deux points des réponses nuancées.

Sur la formation d'abord. Si les études ecclésiastiques sont en pleine décadence, on ne saurait en dire autant de la formation spirituelle. Un événement très important et de grandes conséquences pour tout le clergé séculier français est le renouveau du séminaire Saint-Sulpice. L'auteur

---

1. Cité par Raymond Darricau, « Les préoccupations pastorales des assemblées du clergé de France à la veille de la Révolution », *Le Règne de Louis XVI et la guerre d'Indépendance américaine, op. cit.*, p. 260.
2. Annie France Renaudin, *Histoire des carmélites parisiennes aux XVIIe et XVIIIe siècles*, thèse, École des chartes, 1990.
3. Georges Minois, *Les Religieux en Bretagne sous l'Ancien Régime*, éditions Ouest-France université, s.l., 1989, p. 269.

de cette réforme est M. Émery, prêtre énergique et pieux, élu supérieur général des sulpiciens le 10 septembre 1782. Tout de suite il met fin au laisser-aller qui durait depuis vingt ans. Il renvoie les séminaristes qui découchaient et interdit la frisure des cheveux. Il fait aux séminaristes des lectures spirituelles. Cette heureuse direction portera ses fruits. Le 29 mai 1789, l'assemblée générale de Saint-Sulpice notera que « l'esprit de piété, de régularité et de ferveur s'est renouvelé de manière sensible depuis plusieurs années[1] ».

Sur la qualité, c'est-à-dire sur les mœurs du clergé, sa discipline, son application aux devoirs de sa fonction, nous n'observons rien de très nouveau. Le clergé séculier est toujours digne, « réglé », assidu à son ministère, sinon très austère et très pieux. Les ordres religieux masculins ne semblent pas beaucoup plus relâchés qu'ils l'étaient trente ans plus tôt. Certains instituts masculins de vie active ont trouvé un bon moyen de vivre plus confortablement sans désobéir : ils assouplissent leurs règles. Ainsi les doctrinaires, en 1783, modifient leurs constitutions, ne supprimant rien moins que la clôture et les vœux. Quelques instituts féminins commencent à se ressentir du climat de facilité. C'est le cas, parmi bien d'autres, des Servantes des pauvres de Saumur. Lors de sa visite en 1789, le supérieur de la maison fait les observations suivantes : « … il y a peu d'obéissance parmi les sœurs […], le temporel est négligé […], on sort sans permission […], la Règle n'est plus lue ; les Novices sont mal instruites et ne sont point élevées dans le respect qu'elles doivent à leurs anciennes[2] ».

Un clergé vaut ce que valent ses évêques. Les cinquante-cinq évêques nommés par Louis XVI viennent de la gentilhommerie provinciale. Ils ont les qualités et les défauts de leur caste : d'un côté la fierté, la politesse, le sens du commandement et le dévouement ; de l'autre une humeur souvent altière et un ton de hauteur peu conciliant. Leur carrière a été trop facile et trop rapide. Aucun n'est passé par les petits grades. Aucun n'a été vicaire ou curé. Leur expérience apostolique est des plus limitées. Certains deviendront des « hommes de terrain » comme nous disons aujourd'hui, mais au départ ils ne l'étaient pas.

Ils font leur devoir. La grande majorité d'entre eux résident, visitent et confirment. De manière générale, ils vivent dignement sans faste excessif. Le cas de Louis de Rohan, archevêque de Strasbourg, et de ses quatorze maîtres d'hôtel et de ses vingt-cinq valets de chambre est un cas exceptionnel. Autre exception : Charles Maurice de Talleyrand-Périgord. Ce dernier, nommé évêque d'Autun en 1788, ne rejoignit jamais son diocèse. Il ne faut pas juger l'épiscopat sur les quelques rares mauvais évêques.

---

1. Cité par Jean Leflon, *M. Emery*, Paris, Bonne Presse, 1944, p. 136.

2. Cité par Marie-Claude Guillerand-Champenier, *Les Sœurs de Sainte-Anne, Servantes des pauvres de la Maison de la Providence de Saumur, 1736-1816*, mémoire de maîtrise, Angers, 1984, dact., p. 77.

C'est doctrinalement que les évêques sont les plus faibles. Il est inquiétant que les prélats les plus en vue, ceux qui donnent le ton, ceux qui écrivent des livres, ne professent plus qu'une religion diluée, mélangée de préoccupations séculières. Ces évêques sont Lefranc de Pompignan (Vienne), Champion de Cicé (Bordeaux), Loménie de Brienne (Sens) et Boisgelin (Aix). Ce dernier est le plus brillant, celui qui dit le mieux ce que les autres pensent. Or il dit qu'il faut marcher avec son temps, qu'il faut savoir « haster sans une révolution subite les progrès du tems ». On y parviendra, croit-il, par le développement du commerce et des relations internationales. Il publie, afin d'y aider, plusieurs mémoires sur des questions économiques et monétaires. Le monde futur, selon lui, sera un monde plus riche et plus sociable. L'Église devra s'adapter. Dans un tel monde, les moines et les moniales auront peine à trouver leur place. Car le monachisme, selon notre évêque, ne convient qu'à « des hommes dont toutes les pensées sont tristes, sombres et solitaires[1] ». Le monachisme est l'antisociété. Boisgelin, lui, aime la société. Il aime la compagnie des salons — il a fréquenté ceux de Mme Geoffrin et de Mme du Deffand — et (en tout bien, tout honneur) celle des jolies femmes. Confiné en Provence il gémit : « Je n'ai pas un ami de confiance, pas une jolie femme avec qui je puisse doucement deviser sur des rêveries aimables. » Tous les évêques ne sont pas aussi mondains que celui-là. Mais il est l'un des plus considérés, l'un des plus écoutés. N'a-t-il pas prêché le sermon du sacre[2] ?

Louis XVI a sincèrement essayé d'améliorer l'épiscopat. A M. du Tillet qu'il venait de nommer sur le siège d'Orange, il avait adressé les paroles suivantes : « Vous êtes le premier évêque que je nomme depuis mon avènement au trône. Je m'applaudis de votre propre mérite. Je crois que ce commencement sera de bon augure pour les nominations suivantes, si Dieu m'en fait la grâce[3]. » De fait, plusieurs choix seront heureux, et en particulier ceux de Coucy à La Rochelle, d'Asseline à Boulogne et de Jean-Marie Dulau à Arles. Ces nouveaux évêques vont former, dans l'Église gallicane, un noyau réformateur, soucieux de régénérer la vie chrétienne et de rappeler la monarchie à ses devoirs de protectrice de la religion. Dans les séances des assemblées du clergé, ils interviennent constamment. J.-M. Dulau est l'un des plus pressants. Lors de l'assemblée de 1780, il proteste contre le laxisme de l'administration

---

1. *Opinion de M. l'Archevêque d'Aix sur la suppression des ordres monastiques*, s.d., Paris, Imprimerie nationale, [Bibliothèque nationale : Le 292180], p. 21.

2. Sur ce prélat, voir Christophe Coupry, *Avant-projet de doctorat sur la pensée politique et religieuse de Mgr de Boisgelin (1732-1804)*, mémoire de DEA, université de Lille III, 1988.

3. Cité par Raymond Darricau, « Les préoccupations pastorales des assemblées du clergé de France à la veille de la Révolution (1775-1789) », *Le Règne de Louis XVI et la guerre d'Indépendance américaine, actes du colloque international de Sorège*, 1976, s.n.-n.l., p. 252.

en matière de librairie, et dénonce «cette véritable nuée de publications antichrétiennes». Il demande l'annulation de l'édit de 1763 sur les bureaux d'administration des collèges, et réclame contre l'édit de 1768 retardant l'âge des vœux.

Peine perdue. Louis XVI veut bien nommer de «bons évêques». Il ne se soucie pas de les écouter. Les assemblées successives du clergé ont beau réclamer l'abrogation des mesures anticléricales du gouvernement de Louis XV, elles ne sont pas entendues. Que les évêques prêchent dans leurs diocèses, qu'ils veillent aux intérêts moraux et matériels des populations dont ils ont la charge, cela doit suffire. Ils n'ont pas à se mêler d'autre chose. Le statut de l'Église n'est pas leur affaire. On mesure ici l'aggravation du gallicanisme officiel.

L'état d'esprit des curés n'arrange rien. Ceux-ci avaient déjà revendiqué sous le précédent règne, mais leurs protestations étaient rares et limitées. Maintenant, elles se répètent et s'amplifient. En 1776, les curés du Dauphiné donnent le ton. Ils se plaignent de l'insuffisance de la portion congrue, et de la violation manifeste «des droits de leur état, des paroisses et des pauvres[1]». Bientôt, la plupart des évêques auront des difficultés avec leurs prêtres. L'augmentation (en 1786) de la portion congrue n'apaise pas les esprits. En avril 1788, au synode du diocèse du Mans, les quatre cent cinquante curés présents réclament la préséance sur le chapitre. La même année, les curés dauphinois, toujours à la pointe du combat, élèvent la protestation suivante : «Qu'avons-nous tant à redouter des évêques? Notre auguste mission n'a-t-elle pas la même source que la leur? Ne sommes-nous pas évêques chacun dans notre paroisse[2]?» C'est du richérisme. Le ton est égalitaire. Par la voie du richérisme, l'égalitarisme a contaminé l'Église.

LA NOBLESSE

Au début du siècle, la noblesse se demandait ce qu'elle était. Ensuite, elle s'est interrogée sur sa vocation. Aujourd'hui, ce genre de questions ne l'embarrasse plus. Elle se contente d'affirmer sa supériorité. Elle se définit, on la définit, comme une supériorité. La noblesse, écrit Guyot dans son *Répertoire de jurisprudence* (1786) est «une qualité que la puissance souveraine imprime à des particuliers pour les placer eux et leurs descendants au-dessus des autres citoyens».

Dans la société française telle qu'elle est devenue, la supériorité ne se conçoit guère sans argent. La noblesse, surtout la haute noblesse, cherche l'argent dans le mariage. Elle se mésallie volontiers. A Paris en 1775, dans les quartiers du nord-ouest, sur dix contrats de mariage de nobles de

---

1. Cité par Edmond Préclin, *Les Jansénistes du XVIIIe siècle et la Constitution civile du clergé*, Paris, Librairie universitaire J. Gamber, 1929, p. 403.
2. *Ibid.*, p. 427

race, six font état d'alliances avec des familles bourgeoises. Les pères des mariés sont « sieur » sans profession, juge de présidial, noble homme et même gens de plus modeste condition encore. Mais les dots dépassent 200 000 livres.

En même temps, chose curieuse, l'ordre se fige et se ferme. Les anoblis ne sont plus traités comme des nobles. En Bretagne, pour les élections aux états généraux, ils sont rejetés de la noblesse. Dans le haut clergé, dans l'armée, les nobles dominaient déjà. Maintenant ils prétendent au monopole exclusif des charges et l'obtiennent. On l'a vu pour l'épiscopat. C'est aussi chose faite dans l'armée : la décision royale du 22 mai 1781 fait obligation de passer par le rang à tous les officiers ne pouvant fournir les actes authentiques prouvant quatre degrés de noblesse. Le même jour, Louis XVI annonce qu'il ne pourvoira plus les places de cadets gentilshommes, places accessibles aux roturiers. Enfin, dans les écoles militaires instituées en 1776, les bourses seront désormais réservées aux gentilshommes. Toutes ces mesures sont très vexatoires. Elles vont contre des usages bien établis. Pour les obtenir de Louis XVI le parti nobiliaire a joué sur la sensibilité de ce prince, faisant état auprès de lui de cas très émouvants. On lui présenta entre autres celui d'un sieur de Mongautier, gentilhomme normand, dont la pauvreté était telle qu'il se trouvait « dans l'impuissance de faire donner à ses enfants une éducation convenable à leur naissance [1] ». Il est vrai que beaucoup de nobles sont pauvres ou vivent très médiocrement. Mais la pauvreté n'est ici qu'un prétexte. Le véritable motif est la confirmation de la supériorité sociale. La réaction féodale — qui n'est pas seulement le fait des nobles, mais qui est principalement leur fait — va dans le même sens. L'histoire de cette période est pleine de contradictions. C'est ainsi que nous voyons dans une société imprégnée d'égalitarisme un groupe déjà fortement privilégié revendiquer toujours plus de droits et de pouvoir.

Pourtant, la noblesse elle-même adhère aux idées philosophiques. Parlant des jeunes gens de son âge — lui-même avait vingt et un ans à l'avènement de Louis XVI — le comte de Ségur écrira : « … nous nous sentions disposés à suivre avec enthousiasme les doctrines philosophiques que professaient les littérateurs [...]. Voltaire entraînait nos esprits [...], Rousseau touchait nos cœurs [2]. »

Enfin la jeune noblesse veut jouir à la fois, et le plus possible, des avantages de sa position et de la liberté nouvelle. « Nous jouissions à la fois, écrit encore Ségur, nous jouissions avec incurie et des avantages que nous avaient transmis les anciennes institutions et de la liberté que nous apportaient les nouvelles mœurs. » Avec incurie : on ne saurait mieux

1. Cité par André Corvisier, « Aux approches de l'édit de Ségur : le cas du sieur de Mongautier (1729) », *Actualité de l'histoire*, n° 22, février 1958, p. 3.
2. Comte de Ségur, *Mémoires ou souvenirs et anecdotes*, Paris, 1824, t. I, p. 37.

dire. Ces jeunes gens ne se soucient nullement — en ont-ils même la moindre idée — des devoirs de leur état. «Pour nous, jeune noblesse française, dit Ségur, sans regret pour le passé, sans inquiétude pour l'avenir, nous marchions gaîment sur un tapis de fleurs qui nous cachait un abîme.»

Cette insouciance frappe les contemporains. Ne voit-on pas cette noblesse rire d'elle-même et faire chorus avec ses propres détracteurs? Lorsque le *Mariage de Figaro* est représenté à Paris (le 27 avril 1784), toute la Cour est présente et applaudit avec frénésie les tirades contre la noblesse : «Vous vous croyez un grand génie? [...] Vous vous êtes donné la peine de naître et rien de plus.» «Je ne croyais pas qu'il fût si amusant de se voir pendre en effigie», aurait dit la chanteuse Guimard. La baronne d'Oberkirch note dans son journal : «Les facéties auxquelles ils ont applaudi leur font les cornes et ils ne les voient point[1].»

Le genre de vie est à l'unisson. La grande noblesse riche affiche un luxe inouï, «un luxe effrayant» (baronne d'Oberkirch). On porte des habits de drap d'or et d'argent, garnis de point d'Espagne. Le moindre vaut une petite fortune. La plus modeste robe de bal coûte 2 000 livres. Le personnel domestique est multiplié. Le train le plus simple exige vingt valets. Les hôtels et les châteaux anciens et neufs — c'est toujours et plus que jamais, à Paris comme en province, la fureur de bâtir — sont ornés de tous les agréments possibles et disposés pour une fête continuelle. Ainsi au château de Brienne, construit par l'archevêque et par son frère, le comte de Brienne, on trouve au rez-de-chaussée une salle à manger pour quatre-vingts personnes (c'est ce qu'on appelle les dîners «intimes»), un grand salon, une salle de billard, une bibliothèque, un cabinet d'histoire naturelle, une salle de bal, qui peut se transformer en salle de spectacle, et une autre salle de bal pour la domesticité.

A Paris et à Versailles, outre les liaisons galantes (devenues communes), les distractions qui font fureur sont le théâtre, les courses de chevaux et les séances de magnétisme. Le grand magnétiseur Mesmer habite place Vendôme. On va lui rendre visite. Son salon ne désemplit pas. On organise aussi des séances chez soi. Ainsi, le 1er février 1775, la duchesse de Bourbon reçoit MM. de Puységur, magnétiseurs amateurs. Ceux-ci ont amené avec eux des sujets somnambules et les endorment. L'illuminisme aussi est en faveur. On consulte Martinez Pasqualis, théosophe, en séjour à Paris en 1778. On s'arrache M. de Saint-Martin, auteur d'un livre étrange intitulé *Rapports entre Dieu, l'homme et l'univers*, qui fait sensation dans les salons comme dans les sectes. «Ce siècle, note judicieusement la baronne d'Oberkirch, ce siècle-ci, le plus immoral qui ait existé, le plus incrédule, le plus philo-

---

1. Baronne d'Oberkirch, *Mémoires*, éd. par Suzanne Burkard, Paris, 1970, p. 304.

sophiquement fanfaron, tourne vers sa fin, non pas à la foi, mais à la crédulité, à la superstition[1]. »

On n'en finirait pas de relater les extravagances et les excès de cette grande noblesse. Plusieurs livres n'y suffiraient pas. On se contentera d'un exemple, celui du comte de Lauraguais. Ce grand seigneur était « fameux, dit Ségur, par son […] enthousiasme pour les usages de l'Angleterre, par l'éclat de ses aventures galantes, par sa philosophie un peu cynique et par un luxe qui consomma toute sa fortune ». Ce fut ce personnage qui, le premier, fit voir aux Parisiens, dans la plaine des Sablons, une course de chevaux avec des chevaux et des jockeys anglais. Ce fut lui qui, désirant se débarrasser du prince d'Hénin, trop assidu à son gré auprès de sa maîtresse, Sophie Arnould, soumit à la faculté de médecine la question suivante : « MM. de la Faculté sont priés de donner en bonne forme leur avis sur toutes les suites possibles de l'ennui sur le corps humain, et jusqu'à quel point la santé peut en être altérée. » La faculté ayant répondu que l'ennui pouvait causer des indispositions, et qu'à la longue il pouvait produire le marasme et même la mort, Lauraguais se munit de cette pièce et chargea un commissaire de police de porter plainte contre le prince d'Hénin, pour tentative d'homicide sur la personne de Sophie Arnould.

Bien sûr, toute la noblesse n'a pas ce ton, cet art de la démesure. Mais le dérèglement est général. On l'observe aussi en province et surtout dans les villes de garnison, où les officiers traînent une existence oisive, s'adonnent au billard et à la boisson et se jettent, écrit un contemporain, « ou souvent se laissent entraîner dans un tourbillon dont il est rare qu'ils n'aient pas à se repentir[2] ». La passion du jeu les anime et leur est fatale : « Que d'exemples, ajoute ce même auteur, je pourrais citer d'officiers que cette funeste passion a perdus. » Enfin les duels ne se comptent pas. « L'usage des duels, écrit Ségur, survivant presque seul aux préjugés gothiques, avait constamment résisté. »

Avait-on au moins conservé le courage et l'esprit chevaleresque ? Le comte de Ségur semble le croire. Il écrit en effet : « … tout jeune noble, en sortant de l'enfance, n'était animé que du triple désir de servir son Dieu, de se battre pour son roi et de plaire à sa dame[3] ». Mais cela est invraisemblable. Peut-on en même temps servir Dieu et adhérer à la philosophie ? Quant au loyalisme vis-à-vis du roi, la mollesse et la négligence affectée de nombreux officiers lors de la fronde parlementaire de 1787 en montrent l'inconsistance.

Enfin la noblesse est divisée contre elle-même. Le fossé se creuse tous les jours davantage entre la noblesse nantie, celle qui possède à la fois la

1. Baronne d'Oberkirch, *Mémoires*, *op. cit.*, p. 334.
2. Chevalier de Mautort, *Mémoires*, p. 67, Paris, Plon-Nourrit, 1895.
3. Comte de Ségur, *Mémoires ou souvenirs…*, *op. cit.*, t. I, p. 69.

faveur royale et le pouvoir de l'argent, et les gentilshommes de province qui ne viennent jamais à la Cour et n'ont en partage ni la faveur ni la fortune. Dans l'armée en particulier la différence est éclatante : les premiers accèdent facilement aux plus hauts grades ; les seconds sont arrêtés aux grades de capitaine ou de lieutenant-colonel.

Peut-on alors s'étonner de l'impopularité de la grande noblesse ? Ne fait-elle pas tout pour la mériter ? La réaction aristocratique et féodale dresse contre elle la bourgeoisie et une partie de la paysannerie. Le luxe scandaleux affiché par certains et l'accumulation de leurs dettes révoltent l'opinion. La faillite (en octobre 1782) du prince de Rohan-Guémenée soulève un tollé dans toute la France. Le passif s'élève à 33 millions de livres. Des dizaines de commerçants et d'artisans sont acculés à la faillite. Des voix de plus en plus nombreuses se font entendre, stigmatisant l'égoïsme de la noblesse et réclamant sa déchéance. Qu'offre-t-elle de plus que les autres catégories de la nation ? Que possède-t-elle de plus remarquable, sinon ses privilèges ? Elle n'a donc pas de sens. « Aujourd'hui, écrit Sébastien Mercier, que la noblesse n'a ni plus de vrai courage ni plus de vrai génie que la portion éclairée de la nation, l'égalité revient insensiblement et de plein droit [1]. »

LES GRANDS BOURGEOIS

Il existait sous le règne précédent une catégorie de gens industrieux et très riches. C'était la haute bourgeoisie. Elle vivait comme la noblesse, parfois mieux qu'elle, et parfois même donnait le ton. Elle formait avec la grande noblesse une sorte de nouvelle société que nous avons appelée la « société d'argent ». Non seulement cette catégorie n'a pas disparu, mais nous la retrouvons sous Louis XVI plus riche et plus puissante que jamais. Le groupe a davantage conscience de sa force, de sa capacité à dominer. Certes, ses membres cherchent toujours à s'intégrer dans la noblesse par des alliances. On voit par exemple le banquier Laborde épouser Mlle d'Escars et le financier et philosophe Helvétius convoler avec Mlle de Ligneville. Mais les perspectives ne sont plus les mêmes. Rejoindre la noblesse n'est plus qu'un objectif secondaire. Ce que veulent maintenant les membres de ce groupe, c'est dominer la société, dominer l'État. La haute bourgeoisie vient d'engendrer les grands bourgeois.

Il en est de plusieurs sortes. Nous retrouvons les fermiers généraux. Nous retrouvons aussi les grands négociants des ports atlantiques, de Paris et de Lyon. Ils sont 450 à Bordeaux, dont une cinquantaine de très grands, 750 à Marseille, 120 à Nantes. Nous retrouvons enfin les négociants et fabricants des centres manufacturiers. A Montauban, par exemple, une vingtaine de « négociants-fabricants » (les Vialette, les

---

1. S. Mercier, *Le Tableau de Paris, op. cit.,* p. 98.

Serre, les Albrespy, les Garrisson et quelques autres) tiennent dans leurs mains la plus grande partie des affaires.

Mais il en est d'autres d'une nouvelle espèce. A ces bourgeois de type traditionnel par la forme de leurs activités viennent s'ajouter maintenant des entrepreneurs d'un modèle mieux adapté à la conjoncture, c'est-à-dire plus capables d'en tirer profit. Ce sont les banquiers et les spéculateurs. Ils sont nombreux. On ne peut les citer tous. On se contentera de deux exemples, celui de Montz et celui de Perrégaux. Le premier est un banquier. Il fonde le 1er mai 1789 la banque Greffulhe-Montz, laquelle succède à la banque Girardot, Haller et Cie, qui n'était elle-même que la continuation de la maison Vernet, Thellusson, Necker. Montz est allié à Thellusson. Il a les parts des Girardot. Mais il apporte aussi sa propre fortune. Celle-ci est considérable, son père lui ayant laissé à sa mort un capital d'1 million de livres, dont 600 000 provenant de spéculations boursières et le reste des profits d'une maison de commerce colonial à Rouen. En 1776, il a effectué un stage à Amsterdam afin de s'initier aux techniques de la banque et du change. Parent ou allié de plusieurs négociants, manufacturiers et banquiers il est inséré dans un réseau d'affaires international[1]. Perrégaux lui est plus qu'un banquier. C'est un spéculateur. Ce Neuchâtelois s'est installé à Paris à l'âge de vingt et un ans, après plusieurs années passées en Angleterre et en Hollande. En 1781, l'*Almanach royal* le mentionne comme banquier pour les traites et le remboursement de place à place. Il travaille beaucoup avec l'Angleterre. Dans sa correspondance, on relève les noms du marquis de Salisbury, du comte de Buckinghamshire et de bien d'autres grands seigneurs anglais.

Perrégaux vient de Neuchâtel. Nous avons cité plus haut le nom du Genevois Clavière. Il faudrait encore mentionner le Zurichois J. Gaspard Schweizer, arrivé à Paris en 1786. On trouve aussi des Allemands et des Hollandais, parmi lesquels les Vandenyver, banquiers de Mme du Barry. C'est un afflux d'hommes d'affaires étrangers, non seulement à Paris, mais aussi dans les grands ports. Dans l'oligarchie bourgeoise, les étrangers détiennent une part notable du pouvoir.

L'oligarchie ou plutôt les oligarchies : les intérêts diffèrent et parfois s'opposent puissamment. Ainsi les banquiers et les financiers sont en conflit permanent. La banque est entre les mains de protestants et d'étrangers. Elle a peu de liens avec le pouvoir politique. En revanche la finance est française et au service du roi. En 1780 Necker, l'ancien banquier, épouse les intérêts de la banque. Il tente de casser la ferme générale. Les financiers se défendent. Le fermier général Augeard lance plusieurs pamphlets contre Necker. Il dénonce le parti étranger, le parti protestant, qui tente de ruiner la finance française et catholique.

---

1. Voir Guy Antonetti, *Une maison de banque à Paris au XVIIIe siècle*, Paris, Cujas, 1959.

Mais ce sont là des brouilles, des mouvements d'humeur, plus que des rivalités profondes. Si parfois les intérêts divergent, l'esprit est le même. Des liens très forts, liens de famille, liens de profit, unissent les différents milieux. Des banquiers accèdent à la finance. Jean-Joseph de Laborde, banquier de la Cour, vient du négoce. Le grand-père de Saint-Amand, doyen de la ferme générale, faisait du commerce à Chypre. Saint-Amand lui-même, au début de sa carrière, tenait à Marseille un comptoir de banque. La plupart des financiers ont des liens étroits de famille et d'intérêt avec le grand commerce français en Espagne.

Jadis, la grande richesse investissait dans la terre. Ce n'est plus aujourd'hui sa préférence. Négociants, banquiers, spéculateurs placent leur argent dans le commerce et dans l'industrie. On note par exemple la médiocrité du patrimoine foncier des grands négociants-fabricants de Montauban. Tout se passe comme si les vastes possessions foncières n'étaient plus indispensables au prestige et comme si l'étalage du luxe suffisait.

C'est un étalage débordant et sans mesure. A. Young en est frappé : « Le mode de vie des marchands, écrit-il, est hautement luxueux. » A Paris, M. de Beaujon, banquier de la Cour, le financier La Reynière et le banquier Perrégaux étonnent l'Europe entière par le faste de leurs résidences et par la splendeur de leurs réceptions. Beaujon a fait construire la « folie Beaujon », qu'il appelle sa « chartreuse ». « C'est une vraie campagne, note Mme d'Oberkirch, avec une ménagerie, une laiterie et même une chapelle[1]. » Perrégaux achète en 1786 l'hôtel de Guimard, rue de la Chaussée-d'Antin, dans le nouveau quartier à la mode. Il y donne des fêtes splendides où les meilleurs chanteurs, danseurs et musiciens se produisent. Tous les artistes sont ses amis. Pour eux, sa bourse est toujours ouverte. Il est le confident discret de leurs embarras financiers, leur rend de menus services, fait leurs commissions. La danseuse (et courtisane) Rosaline Duthé se trouve en tournée à Londres. Elle vient à manquer d'un certain rouge à lèvres. Elle écrit à ce bon M. Perrégaux et M. Perrégaux le lui fait parvenir. M. Perrégaux est un mécène.

Un libéralisme simple, pour ne pas dire simpliste, contient toute la pensée de ces hommes d'argent. La banque protestante a certainement joué un rôle dans les négociations du traité de commerce franco-anglais de 1786. Le 7 mai 1786, sir Henry Dalrymple écrivait à Perregaux. Il lui recommandait en ces termes le banquier Robert Herrier : « ... Il est comme vous un chaleureux partisan de toute mesure jugée suffisante pour mettre fin à ces mesquines hostilités commerciales qui ont depuis si longtemps déshonoré les deux pays [...]. J'espère que le traité est en bonne voie[2]. » Les négociants bordelais et nantais sont-ils eux aussi des

1. Baronne d'Oberkirch, *Mémoires, op. cit.*, p. 191.
2. Cité par J. Bouchary, *Les Manieurs d'argent...*, *op. cit.*, t. III, p. 12.

« chaleureux partisans » du traité ? Tout porte à le croire. Les marchands fabricants et manufacturiers sont certainement moins enthousiastes, bien qu'ils veuillent au moins la disparition des douanes intérieures, et la suppression de toute intervention du pouvoir politique en matière de droit commercial.

MOYENNES ET PETITES BOURGEOISIES

On voit de plus en plus de bourgeois. On voit de plus en plus de gens qui, par leur façon de vivre, de s'habiller, de se meubler se distinguent ou prétendent se distinguer du peuple, même s'ils en sont encore très proches. Cette bourgeoisie à laquelle on veut appartenir, ce n'est pas tant l'argent qui la définit qu'une certaine manière de vivre : le travail ne domine pas entièrement, on jouit de quelques loisirs, on peut recevoir et converser. Le nombre des Français qui accèdent à cette vie augmente tous les jours. On assiste, si l'on peut dire, à l'embourgeoisement d'une partie du peuple. On voit entrer en bourgeoisie des catégories sociopro-fessionnelles autrefois populaires, tels les artisans de certains métiers comme les perruquiers ou les ébénistes, qui sont très bien considérés.

La composition de la bourgeoisie se modifie. Certains milieux augmentent en nombre et renforcent leur influence. Il existe maintenant une bourgeoisie nombreuse de « gens à talent ». Ce sont les artistes et les artisans (graveurs, orfèvres, ébénistes, tapissiers, serruriers) créateurs du décor luxueux de la vie des riches. Gratien Phlipon, le père de la future Mme Roland, appartient à ce milieu. Il est graveur de son état, mais il fait aussi la peinture sur émail. Dans son atelier, il emploie plusieurs ouvriers. Il lit beaucoup, sort, va au théâtre. Sa vie n'a rien à voir avec celle des artisans d'autrefois.

Autre milieu en expansion, la troupe des pédagogues. La demande ne cesse de croître et la pédagogie est à la mode. Tout le monde prend des leçons ou en fait donner à ses enfants. On ne compte plus les maîtres de pension, les maîtres écrivains, les maîtres de langue anglaise ou de langue italienne, les maîtres de mathématiques, sans parler de ceux de chant, de danse, d'escrime et de maintien.

Grossit également à vue d'œil la foule des gens de bureau, des employés et des commis des diverses administrations. La ferme générale et la régie générale des aides (créée par Necker en 1780) sont les plus gros employeurs. Le personnel de la ferme s'élève en 1789 à 28 504 employés, celui de la régie (en 1785) à 12 105. Si l'on tient compte des familles, cela fait environ 150 000 personnes à vivre de la perception des impôts indirects. La hiérarchie complexe de la ferme distingue des employés supérieurs (directeurs, contrôleurs généraux, receveurs généraux), des employés que l'on peut dire principaux (contrô-leurs particuliers, commis supérieurs) et la masse des subalternes (commis, garçons de caisse et garçons de bureau). Mais tous bénéficient de cette dignité qui s'attache au service du roi et à la fonction publique. Car si la ferme est une compagnie privée, elle gère un service public et jouit des prérogatives de la puissance publique. Ses employés sont en mission de service public. Ce sont des fonctionnaires avant la lettre. Leurs traitements — car ils perçoivent des traitements, non des salaires — leur permettent un train de vie digne du service public. Un directeur de première classe gagne, en 1774, 11 000 livres par an, un simple commis d'un bureau parisien entre 1 000 et 1 700 livres. La plupart de ces employés n'ont pas de lourdes charges. Les uns restent célibataires et n'ont pas de famille à nourrir. Les autres épousent des femmes ayant une profession. En 1782, sur 1 075 commis aux entrées de Paris 599 seulement sont mariés, tandis que 365 ont épousé des femmes qui travaillent, le plus souvent dans les métiers du chiffon : marchandes de mode, couturières, brodeuses, mercières et dentellières. Ces ménages de fonctionnaires sont peu prolifiques. D'après divers tableaux des années 1780-1789, nous connaissons la situation de famille de 3 316 employés de la ferme et de la régie : 1 709 sont mariés ou veufs ; 1 161 ont des enfants et 916 ont moins de quatre enfants. En somme, tout concourt à la sécurité matérielle de ces gens : le caractère statutaire de la fonction, la sécurité de l'emploi (les révocations sont très rares), le travail de l'épouse et le petit nombre d'enfants, sans parler de la retraite que ferme et régie assurent à leurs employés. Est-il milieu plus protégé ? La noblesse ne songe qu'au passé. La bourgeoisie rêve de l'avenir, un avenir qu'il faut construire, préparer matériellement. Ici l'avenir est garanti, le risque limité au maximum. L'employé serait-il le bourgeois idéal[1] ?

A moins que ce ne soit le rentier, autre espèce en voie de multiplication. Le calcul a été fait pour la ville de Grenoble. En 1773, les rentiers représentaient dans cette ville moins du quart de l'effectif de la bourgeoisie (21,9 %). En 1789, ils ne sont pas loin du tiers (28 %)[2]. Vivre de ses rentes, sans travailler, n'était-ce pas autrefois « vivre noblement » ? Si le peuple s'embourgeoise, la bourgeoisie elle s'ennoblit. Les dames ont des salons où elles reçoivent. On se donne du « monsieur » et du « madame ». On va même jusqu'à se toquer des usages anglais. Les *Affiches de Poitou* signalent en 1788 le « fréquent et commun usage que l'on fait du punch ».

Ces phénomènes de transformation sociale ne se produisent pas seulement dans les villes. La bourgeoisie des campagnes se métamorphose elle aussi. Elle gagne en aisance matérielle, en manières, en considération sociale. Les fermiers généraux et les régisseurs des seigneuries ainsi que les procureurs fiscaux tiennent le premier rang. Les

---

1. Vida Azimi, *Un modèle administratif de l'Ancien Régime. Les commis de la ferme générale et de la régie générale des aides*, Paris, CNRS, 1987.
2. A. Soboul, *La Société française...*, *op. cit.*, p. 156.

notaires et les petits officiers seigneuriaux viennent ensuite. Il ne s'agit pas de parvenus. Les familles sont depuis longtemps de condition bourgeoise et distinguées du peuple. Mais c'était de la petite bourgeoisie qui ne s'élevait pas et qui finalement végétait. Maintenant elle franchit l'étape. L'accès à la finance seigneuriale lui procure tout d'un coup une puissance et une richesse qu'elle n'avait jamais possédées. Voici par exemple les Brillaud, de La-Chapelle-Saint-Laurent dans le Poitou. C'est une famille qui depuis très longtemps s'est dégagée de la condition populaire. Mais pendant plusieurs générations les emplois ont été médiocres : marchand, syndic ou greffier des rôles de la paroisse. Le premier grand notable est Jacques II, fermier général des Vergnaudières (décédé en 1766) auquel succède son fils André, fermier général de la seigneurie de la Durbelière, à Saint-Aubin-de-Baubigné[1].

D'autres fois, c'est un très petit commerce local qui tout d'un coup prend de l'essor et en même temps fait monter la famille. Tel est le cas des Laromiguière à Livinhac en Quercy. Le premier ancêtre connu est Pierre, chirurgien vers 1670. Ses descendants sont marchands de père en fils. Nous arrivons en 1784. A cette date, la famille se compose de quatre frères : deux font du négoce, achetant de l'épicerie à Toulouse et à Bordeaux ; les deux autres sont doctrinaires et à ce titre enseignent dans les collèges. L'aîné des deux religieux se nomme Pierre. C'est le futur auteur des *Leçons de philosophie*.

Car l'enrichissement ne fait pas tout. Ces familles s'élèvent par la finance seigneuriale, par le commerce, mais aussi par l'instruction. Toute cette petite bourgeoisie montante envoie ses fils dans les collèges. La noblesse confie les siens aux écoles militaires ou à des précepteurs. Le haut négoce préfère des pensions privées et coûteuses. Les marchands de village, les chirurgiens, les officiers seigneuriaux sont fidèles aux collèges, établissements traditionnels et gratuits. Leurs enfants y travaillent dur et s'élèvent ensuite à des positions supérieures à celles de leurs pères. Les filles aussi étudient. Il n'est pas question pour elles de pensionnats huppés, comme Saint-Cyr, Fontevrault ou l'Abbaye-aux-Bois, mais on les inscrit chez les ursulines ou chez les Filles de la Croix. Ou bien on les garde chez soi et on leur fait donner des leçons à domicile. Marie-Jeanne Phlipon (la future Mme Roland) a des maîtres de musique, de danse et de guitare. Son père lui fait lire Locke et Fénelon. Elle dévore *Candide* (en cachette).

La simplicité des mœurs n'est pas altérée. On garde les traditions, les usages d'antan. On a l'esprit de famille. On observe les devoirs religieux. Les enfants sont grondés s'ils ne savent pas leur catéchisme, et la première communion est déjà la grande fête familiale, l'occasion par excellence de recevoir la parenté. Dans son *Tableau de Paris*

---

1. Archives particulières.

Sébastien Mercier tourne en ridicule ces petits bourgeois, les faisant passer pour médiocres, naïfs et bêtes. La lecture des *Mémoires* de Mme Roland produit une impression toute différente. On y voit s'écouler la vie patriarcale, la vie des bonnes gens d'autrefois, l'existence sage et tranquille.

> Ma vie, raconte la jeune femme, s'écoulait doucement dans la paix domestique [...]. Nous sortions deux fois par semaine, l'une pour visiter les grands-parents, l'autre, c'était le dimanche, pour voir la mère de maman, assister à l'office divin, et nous rendre à la promenade[1].

Nous sommes loin ici des façons tapageuses de la « société d'argent ». Le cœur de la France profonde bat au rythme de l'ancien temps.

ARTISANS ET OUVRIERS

Sous le règne de Louis XV, existaient déjà deux catégories bien distinctes de gens de métier, les artisans travaillant pour leur compte, et les ouvriers des fabriques et des manufactures. Sous le règne de Louis XVI la deuxième catégorie tend à devenir aussi nombreuse que la première et même, en certains lieux, plus nombreuse.

Les maîtres artisans travaillant pour leur compte, ainsi que leurs compagnons et leurs apprentis, exercent toujours leurs professions dans le cadre des métiers jurés. Ils perfectionnent leurs techniques et se spécialisent. *L'Art du menuisier*, ouvrage en cinq volumes, publié de 1772 à 1786 par un simple compagnon menuisier nommé Roubo, ne distingue pas moins de six spécialités à l'intérieur de la menuiserie : bâtiment, meubles, ébénisterie, carrosses, treillages de jardin et layettes (petites caisses).

> Ce n'est pas qu'au fond, écrit Roubo, les principes généraux de théorie et de pratique ne soient les mêmes à toutes les espèces de Menuiserie [...] mais comme les Ouvriers se sont attachés selon leur goût à chacune des différentes espèces de Menuiserie, ceux d'une espèce ne sont guère en état de travailler que dans la partie qu'ils ont embrassée, et que s'ils voulaient travailler à une autre partie, il faudrait qu'ils en fissent une espèce d'apprentissage pour se mettre en état de le faire avec sûreté[2].

Autrement dit la spécialisation ne doit rien aux règlements. Elle se fait naturellement. Elle résulte de l'exigence de qualité.

Un demi-million de personnes, tel est à peu près l'effectif des ouvriers des fabriques et des manufactures. Les uns, comme les canuts lyonnais, travaillent à domicile. Les autres sont regroupés dans les manufactures dites « réunies ». C'est le cas, entre autres, des cent cinquante ouvriers du maître papetier Pierre Montgolfier à Annonay. Dans cette

---

1. Mme Roland, *Une éducation bourgeoise du XVIIIᵉ siècle. (Extrait des Mémoires)*, Paris, 10/18, 1964, p. 35.
2. André Jacob Roubo, *L'Art du menuisier*, Paris, 1772-1786, 5 vol.

manufacture, tout le personnel est employé à plein temps. Il est nourri et logé sur place.

Artisans indépendants et ouvriers rencontrent des difficultés qui vont croissant.

On a vu que le système corporatif était contesté, l'opinion éclairée le trouvant archaïque et paralysant. L'édit de mars 1776 supprime les corporations. L'édit d'août les rétablit, mais diminue leur nombre et abaisse le montant des droits de réception à la maîtrise.

La condition des ouvriers dépendants se dégrade. Les règlements d'atelier se font de plus en plus rigoureux. Les lettres patentes du 12 septembre 1781 instituent le livret obligatoire pour tout salarié. Les congés doivent y être portés. Dans les grands centres textiles et miniers, le travail des femmes et des enfants se généralise. A Amiens, dans les classes populaires, d'après des documents de 1770, un tiers des enfants de neuf et dix ans sont au travail, la moitié de ceux d'onze et douze ans, et la presque totalité des plus de douze ans [1].

Les salaires ne suivent pas les prix. Le pouvoir d'achat diminue. Les ouvriers du textile, mis à part les tisserands des étoffes de luxe, sont les plus mal payés. Ils n'ont pas plus de 10 à 20 sous par jour. C'est à peine suffisant pour un célibataire. Pour une famille, c'est la misère. Selon un budget de canut de 1786, un ménage avec frais réduits de nourriture, habillement et logement, ne peut éviter un déficit annuel s'élevant au tiers de ses revenus.

Pourtant, les ouvriers ne se révoltent pas. La résignation l'emporte. On compte sur l'assistance publique et privée. On prend l'habitude d'être assisté. Certains descendent jusqu'à la dernière misère et n'ont plus de forces que pour mendier leur pain. Il arrive toutefois que des mouvements de grève se produisent ici et là. En 1786 à Castres, trente-cinq ouvriers papetiers quittent ensemble les moulins pour cause de salaires insuffisants, et décrètent 60 livres d'amende contre quiconque ira au travail sans leur consentement [2]. A Orléans, trois ans plus tôt, les maîtres et compagnons tonneliers avaient réclamé aux négociants qui les faisaient travailler des salaires plus élevés. Cependant ils s'étaient contentés de pétitionner. Ils n'avaient fomenté ni émeute ni grève. On avait pu remarquer en cette occasion la relative indifférence de l'administration royale. L'intendant du commerce Tholozan et l'intendant d'Orléans Cypierre avaient conseillé aux négociants d'augmenter les salaires, mais en refusant de leur imposer un tarif. « Il y avait de grands inconvénients, avait écrit Tholozan, que l'Administration fixât

1. Charles Engrand, « Paupérisme et condition ouvrière dans la seconde moitié du XVIIIᵉ siècle : l'exemple amiénois », *Revue d'histoire moderne et contemporaine*, juillet-septembre 1982, p. 376-410.

2. Fait cité par Germain Martin, *Les Associations ouvrières au XVIIIᵉ siècle (1700-1792)*, Paris, Rousseau, 1900.

la quotité des salaires[1].» Liberté à tout prix, et même au prix de la pauvreté ouvrière.

LA SOCIÉTÉ RURALE ET LES CONDITIONS DE VIE DES PAYSANS

L'étendue de la propriété paysanne a-t-elle augmenté au cours du siècle? C'est plus que probable, mais faute de données suffisamment précises on ne saurait dire dans quelle proportion. Le fait certain est la multiplication des petites propriétés. A. Young s'est intéressé au phénomène. A propos des hauts prix du foncier il note : «... Ce qui produit cet effet, c'est le nombre des petits propriétaires. J'ai touché plusieurs fois ce point dans le cours de cet ouvrage, et son influence se fait sentir par tout le royaume. Les épargnes de la classe pauvre en France sont converties en terre ; on ne connaît pas cet usage en Angleterre, où les mêmes épargnes sont prêtées sur gages ou mises dans les fonds publics[2]...» Beaucoup de paysans pauvres et propriétaires seraient donc une particularité française.

Les charges qui pèsent sur le revenu paysan diminuent d'un côté, augmentent de l'autre. L'impôt diminue. C'est un fait démontré pour plusieurs provinces, et en particulier pour l'Auvergne et la Normandie. Dans cette dernière région, le total de la taille et de la capitation demeure inférieur, jusqu'en 1777, au chiffre de l'année 1714, et le cumul des deux vingtièmes de 1787 inférieur à celui de 1748, alors que la production s'est accrue. Mais les droits féodaux et seigneuriaux deviennent plus lourds. C'est l'effet de la réaction féodale commencée vers 1750 et qui va s'amplifiant. Les redevances du cens et du champart augmentent. Lors de la réfection des terriers[3], la déclaration et la reconnaissance de chaque parcelle entraînent le paiement d'un droit. Le roi dans son domaine et les apanagistes dans les leurs s'efforcent d'accroître leur directe seigneuriale. L'arrêt du conseil du 7 juillet 1781 oblige tous les possesseurs des îles sur les fleuves de la Garonne, de la Dordogne et du littoral du Médoc à montrer leurs titres. Les lettres patentes de juin 1786 imposent la même obligation aux possesseurs des terres vaines et des marais du duché d'Alençon, apanage du comte de Provence. Exigences et contraintes nouvelles surgissent de tous côtés. Il en résulte une exaspération générale.

Ce n'est pas tellement une question d'argent. Même ainsi aggravé, le prélèvement seigneurial (sauf dans les deux provinces de Bretagne et de Bourgogne, où il est très élevé) n'a rien d'accablant, n'atteignant nulle part le dixième du revenu paysan (dîme non comprise). Dans certaines régions comme le pays de Caux, il est inférieur à 2 %.

---

1. Cité par G. Lefebvre, *Études orléanaises, op. cit.*, t. I, p. 219.
2. A. Young, *Voyages en France, op. cit.*, t. II, p. 107.
3. Registre des redevances auxquelles étaient astreints les tenanciers d'une seigneurie.

La charge même augmentée demeure supportable. La vexation est surtout morale. Si les droits seigneuriaux et féodaux prennent un caractère d'abus, c'est à cause « de la confusion et de l'incertitude qui les entourent[1] ». Les vieux droits n'étant jamais prescrits, les seigneurs peuvent à tout moment ressusciter des contraintes que tout le monde avait oubliées. Il faut ajouter à cela l'odieux du procès féodal dont la complexité semble au plaideur impossible à démêler. La partialité des cours révolte les justiciables. Les parlements sont toujours favorables aux seigneurs. Boncerf s'écrie, indigné : « … La tyrannie féodale se réveille en fureur après un siècle de repos et de silence[2]. »

L'équilibre social se trouve compromis. Plusieurs provinces connaissent un climat de vive tension. Par exemple l'Anjou, lors de l'affaire dite « des arbres ». Le responsable est ici le comte de Walsh Serrant. A la fin de l'hiver 1784, ce grand seigneur lance dans les trente paroisses dont il est le seigneur haut-justicier « une meute de commissaires à terrier chargés de raviver ses droits profitables » et en particulier ses droits sur les arbres. Il s'agit des arbres crus, hors des haies, sur les chemins ruraux. Walsh Serrant soutient que ces arbres n'appartiennent pas aux propriétaires ruraux, mais aux seigneurs haut-justiciers. A-t-il raison ? C'est difficile à dire. Il invoque la prérogative de police des chemins. Mais il y a longtemps que les seigneurs n'exercent plus cette prérogative, celle-ci étant passée à l'État. Les raisons de Walsh Serrant sont jugées mauvaises. Les propriétaires s'insurgent. L'un d'eux, nommé Boisbernier, abat trois chênes. Le garde du comte verbalise. Quelques jours plus tard, la justice du comté inflige une amende au contrevenant. Le 10 janvier 1785, les juges royaux d'Angers annulent la condamnation, mais le 22 août 1786 le parlement de Paris, saisi à son tour, donne raison au comte. Boisbernier refuse de s'exécuter. La province est en ébullition. Ce climat troublé persiste jusqu'en 1789[3].

Autre cause de malaise : la prohibition de la vaine pâture. Les édits de mars 1769, septembre 1777 et février 1778 l'ont étendue aux six pays et provinces de Béarn, Franche-Comté, Lorraine, Barrois, Trois-Évêchés et Bourbonnais. N'ayant plus l'usage ni des terres des autres propriétaires, ni des terres incultes, ni des pâturages de montagnes (pour lesquels ils doivent maintenant payer un cens) les paysans de ces provinces ont du mal à faire paître leur bétail. En 1789, les habitants de la communauté de Bouillon exprimeront cette doléance : « … Le produit de notre paroisse a

1. Jean Bastier, *La Féodalité au siècle des Lumières dans la région de Toulouse, op. cit.*, p. 299.
2. Pierre François Boncerf, *Les Inconvénients des droits féodaux*, Paris et Londres, 1776, p. 42.
3. D'après Xavier Martin, « Tension pré-révolutionnaire en Anjou », *Courrier de l'Ouest*, 25 janvier 1989.

diminué considérablement par la diminution d'un tiers des bestiaux de toute espèce. »

Les salariés agricoles s'appauvrissent. Dans le pays de Caux les salaires de plusieurs catégories d'artisans diminuent. La situation est particulièrement dramatique en Bretagne et dans le Comminges. En 1782, le subdélégué de Hédé en Bretagne déclare que les salaires des travailleurs agricoles de sa circonscription ne dépassent pas 5 sous par jour. Dans le Comminges, en 1788, on trouve beaucoup de salaires de 6 sous, la nourriture étant, il est vrai, fournie en sus. Dans plusieurs régions, la crise du textile prive les salariés et les petits propriétaires d'un supplément appréciable de ressources. Bien des budgets familiaux ne tiennent en équilibre que si la femme et les enfants travaillent pour la filature. Si les commandes s'arrêtent, c'est la misère. A cela s'ajoute le chômage agricole. Le mal semble très répandu dans les diocèses de Toulouse et de Montpellier, où les curés ne cessent de le dénoncer. Selon le curé de Saint-Martial (près du Vigan) le tiers des journaliers de sa paroisse est sans travail. « Il faudrait, dit-il, leur fournir de l'ouvrage[1]. »

Les petits exploitants qui n'ont pas de réserves sont également touchés. Ils réduisent leurs exploitations, ou se font journaliers ou employés. Dans la région de Montpellier, la mévente des vins frappe surtout les petits propriétaires. Car ce sont eux surtout qui font de la vigne.

Les seuls qui s'en sortent sont ceux qui ont l'esprit d'entreprise, ceux qui savent s'improviser marchands et vendre là où l'on achète à prix fort. Une sélection s'opère. Les écarts économiques augmentent. En Auvergne, les laboureurs aisés deviennent une minorité au milieu d'une masse de petits exploitants nécessiteux. En Artois, 5 % des ruraux cultivant la terre contrôlent 35 % du sol[2]. Dans le pays de Caux, les plus basses classes d'imposition de la capitation, celles dont la cote est inférieure à 10 livres, représentent plus de la moitié des imposés (57,16 %)[3]. On trouve des situations très voisines en Ile-de-France, en Bourgogne, dans le haut Languedoc et en Provence. Un tel déséquilibre est inquiétant.

Les solidarités villageoises sont-elles encore assez fortes pour atténuer l'effet des contrastes et modérer les éventuelles oppositions ? Faute d'études précises il est difficile de répondre à cette question. Y a-t-il un affaiblissement de la communauté ? On le constate à La Chapelle-Basse-Mer, village vendéen, où le corps délibérant de la fabrique « respecte de moins en moins ses obligations », et où les membres « négligent de se rendre en nombre suffisant à l'appel de la cloche et de prévenir de leur

1. Cité par Nicole Castan, *Criminels du Languedoc, op. cit.*, p. 215.
2. J.-P. Jessenne, *Pouvoir au village et Révolution*, Lille, 1987, p. 153.
3. G. Lemarchand, « Structure sociale [...] dans le pays de Caux... », *BSHM*, 14e série, n° 12, 1969.

absence trois jours à l'avance[1] ». Mais comment se fonder sur ce seul exemple ? Un fait est certain : l'édit de 1787 créant les nouvelles municipalités interdit pratiquement aux pauvres l'accès des corps délibérants, nul n'étant éligible s'il ne paie au moins 30 livres d'imposition réelle ou personnelle. De fait, sur les 1 388 officiers élus de la généralité de Tours se trouvent seulement deux journaliers et deux ouvriers.

Que valent les justices seigneuriales ? Peut-être mieux que leur réputation. On s'aperçoit à l'étude qu'elles ne fonctionnent pas si mal. C'est le cas de celles du Forez. Impartialité, voies de recours largement ouvertes aux justiciables, accueil égal aux roturiers et aux nobles, instruction rapide et efficace des affaires criminelles, tous les éléments d'une véritable équité semblent réunis par ces justices foréziennes. Il apparaît aussi que ces tribunaux ne contribuent en rien à la réaction seigneuriale[2]. Mais sur ce point, gardons-nous de généraliser. Nous savons par exemple que les justices seigneuriales du Languedoc n'observent pas du tout dans cette matière la même discrétion que celles du Forez.

Une partie de la noblesse avait voulu autrefois exercer dans les campagnes un rôle de modèle moral et une fonction sociale de protection. Aujourd'hui, beaucoup de gentilshommes ne résident plus sur leurs terres. Beaucoup mènent une vie luxueuse ou dissolue. Plusieurs sont irréligieux. Une telle noblesse est-elle qualifiée pour un quelconque magistère moral ou social ? D'ailleurs elle n'y prétend plus. L'influence la plus forte appartient aux bourgeois locaux ou aux gros laboureurs. Peut-on dire que la noblesse ait perdu toute influence ? Ce serait très exagéré. Mais il est sûr que bien des nobles travaillent à se discréditer eux-mêmes.

Et ceux-là sont l'objet d'un ressentiment. Une sorte de rancune gâte les relations sociales. Cela dit, on ne trouve que rarement les signes d'un véritable antagonisme. On peut certes relever ici et là quelques manifestations violentes d'hostilité contre les seigneurs. Par exemple, dans le Castrais, en 1782 et 1783, des bandes assiègent les châteaux la nuit. Mais tout compte fait la collecte de faits de ce genre s'avère assez mince. Le monde des campagnes est mal à l'aise, il est troublé, mais il n'est pas en révolte.

LA PAUVRETÉ

Si nous entendons par pauvre toute personne ayant besoin de secours pour subsister, on peut dire que la crise économique entraîne à partir des années 1777-1778 une extension importante de la pauvreté.

---

1. Cité par R. Sécher, *La Chapelle-Basse-Mer, village vendéen*, Paris, Perrin, 1986, p. 45.

2. Christian Laurandon-Rozas, « Les justices seigneuriales en Forez à la fin de l'Ancien Régime », *Études d'histoire*, université de Saint-Étienne, 1988-1989, p. 37-79.

D'après l'ensemble des données dont nous disposons, il se pourrait que dans la population urbaine des villes de plus de vingt-cinq mille habitants la proportion des pauvres atteigne un taux de 20 %.

C'est une moyenne. Les villes du Midi semblent avoir moins de pauvres. A Toulouse les «indigents» ne représentent que 18,49 % de la population. En revanche les villes de la France du Nord paraissent fortement touchées. A Amiens la proportion varie selon les années de 25 à 30 %. Lille a l'un des taux les plus élevés de France. En 1790, presque la moitié de la population lilloise est assistée[1].

Les campagnes aussi ont leurs pauvres, mais ils sont peut-être un peu moins nombreux que dans les villes. Nous avons quelques données précises. En 1786, les mendiants recensés au rôle de la taille de l'élection d'Arques dans le pays de Caux représentent 5,19 % des feux taillés. En 1790, l'enquête du comité de mendicité de l'Assemblée nationale recensera dans le département du Loiret (y compris la ville d'Orléans) trente mille personnes ayant besoin de secours, soit 12 % de la population[2]. On note de grandes différences entre les provinces, entre les pays et même d'un village à l'autre. La Bretagne, si l'on en croit le témoignage d'A. Young, semble particulièrement touchée. Le 5 septembre 1788, passant à Montauban-de-Bretagne, le voyageur anglais note sur son carnet : «Les pauvres ici le sont tout à fait ; les enfants terriblement déguenillés, et plus mal peut-être sous cette couverture que s'ils restaient tout nus[3] [...]. Le tiers de ce que j'ai vu dans cette province me paraît inculte, et la presque totalité dans la misère.» Et voici, quelques jours auparavant, les impressions du même sur Combourg : «Des murs de boue, pas de carreaux [...]. Il y a cependant un château, et qui est habité. Quel est donc ce M. de Chateaubriand, le propriétaire, dont les nerfs s'arrangent d'un séjour au milieu de tant de misère et de saleté[4] ?» Dans le Comminges, les réponses des curés à une enquête de l'intendant (1786) font apparaître de grandes différences entre les paroisses. A Beyrède, presque personne n'est pauvre : «Tous ont du bien, écrit le curé, [...] fort peu sont pauvres, hormis les cas de maladie ou de disette.» Dans la paroisse d'Anan, au contraire, presque tout le monde manque du nécessaire. «A l'exception de trois ou quatre familles qui ont du pain à manger, les autres peuvent être mises à la classe des pauvres. Car elles sont dans le cas chaque année d'être obligées d'emprunter pour gagner le temps de la récolte[5].»

1. Louis Trénard, «Pauvreté, charité et assistance à Lille, 1708-1790» dans *Actes du 97e congrès national des sociétés savantes (Nantes), Histoire moderne*, Paris, 1972, t. I, p. 473-498.

2. G. Lefebvre, *Études orléanaises, op. cit.*, t. I, p. 218.

3. Arthur Young, *Voyages en France, op. cit.*, t. I, p. 231-232.

4. *Ibid.*, p. 229, 1er septembre.

5. Cité par O. H. Hufton, *The Poor of Eighteenth-Century France 1750-1789, op. cit.*, p. 60.

La pauvreté n'est pas un mal nouveau. On le connaît bien. Depuis des siècles, joignant leurs efforts, l'Église et le corps politique s'appliquent à y remédier. Il existe un réseau efficace d'assistance. La nouvelle vague de misère ne le prend pas au dépourvu. Rares sont les pauvres qui ne sont pas secourus.

Dans les campagnes, les plus grands aumôniers sont les curés. Voici un exemple entre dix mille : Pierre Joseph Odea, curé du Bignon au diocèse de Nantes, dépense pour les pauvres en grain, bois de chauffage, vêtements, frais de chirurgien, achats de remèdes et de viande, 2 000 livres en année normale, mais 3 000 en 1749 et 4 000 en 1788. Il prend sur sa propre nourriture et réduit son train de vie.

En ville, chaque fabrique paroissiale a son bureau des pauvres, chargé de répartir les dons. L'Église agit aussi (en ville et en campagne) par la charité des innombrables sœurs hospitalières et servantes des pauvres. Depuis le début du siècle précédent, une centaine de congrégations séculières féminines ont été fondées en France, précisément dans le but de secourir les pauvres. Cela fait environ quinze mille sœurs. Les seules Filles de la Charité (disciples de saint Vincent de Paul) sont en 1789 au nombre de trois mille et desservent dans le royaume quatre cent soixante et onze établissements, hôpitaux ou « maisons de charité ». La France est le pays des « sœurs ». Elles sont partout, dans toutes les villes et dans les moindres villages. Elles gèrent les hôpitaux, distribuent les soupes populaires, tiennent des dispensaires, soignent les malades et veillent les mourants. Pour les pauvres de ce temps, elles représentent la plus grande consolation.

Les hôpitaux généraux recueillent les pauvres âgés ou infirmes. Pour entrer à celui de Lille, il faut avoir cinquante ans pour les hommes, soixante pour les femmes. Quatre-vingts personnes couchent dans chaque dortoir. Le régime alimentaire consiste en deux tranches de pain beurré au petit déjeuner, une écuelle de soupe grasse et deux tranches de pain au déjeuner, une portion de viande (proportionnée à l'âge) tous les deux jours et encore deux tartines au souper.

Quant aux pauvres mendiants et aux vagabonds, la consigne est toujours de les arrêter et de les enfermer dans les maisons de force et les dépôts de mendicité. Mais ils sont devenus si nombreux que la maréchaussée n'y suffit pas. Dans certaines villes, le clergé et une partie de la population réprouvent ce traitement jugé cruel et incompatible avec l'esprit du christianisme. A Lille, en juin 1788, une foule de personnes en colère empêche les gardes de se saisir d'une femme d'une soixantaine d'années, mendiante sous le porche de la chapelle de la Trinité. « Nous avons été entourés, écrivent les sergents dans leur rapport, d'une quantité de personnes inconnues [...] dont la troupe grossissait à mesure que nous avancions [...]. Au moment où l'on se préparait à nous ôter la dite mendiante, est arrivé M. Droulers, prêtre, [...] lequel s'est réuni aux personnes qui s'opposaient à ce que nous emmenassions la mendiante [...]. La rumeur et les menaces augmentant, nous relâchâmes la dite mendiante, en nous tirant à peine de la mêlée[1].»

Les esprits éclairés ne manquent pas de réfléchir sur ce problème de la mendicité. L'enfermement au dépôt leur paraît être un procédé archaïque. Ils imaginent une solution de progrès, c'est-à-dire plus avantageuse pour la société. C'est l'idée des «ateliers de charité». Turgot la met en application à Limoges pendant son intendance. Devenu ministre, il veut la réaliser dans tout le royaume. Dans la généralité de Lyon, seront ouverts jusqu'à neuf chantiers. C'est sans doute un moyen efficace de réduire la mendicité. C'est aussi un moyen peu coûteux pour l'État, les propriétaires participant au financement. C'est enfin et surtout un moyen de rendre les pauvres utiles.

En cette époque philosophique, tout doit être utile, même les pauvres. Ce n'est pas tant la mendicité qui fait horreur, que l'inutilité du mendiant. On mettra donc les mendiants au travail, et l'on posera ce principe : pas de secours à ceux qui ne veulent pas travailler. Dans son ouvrage au titre significatif, *Moyens de rendre les pauvres valides utiles*, le philanthrope Charles de Montlinot édicte cette règle pleine de sagesse : «... L'aumône ne doit être que le salaire du travail et l'aiguillon du courage.»

Nous sommes en plein économisme. Certes, il s'agit d'abord d'occuper les pauvres et de les «régénérer» par le travail. Mais il s'agit surtout de les faire servir à l'enrichissement de la nation et au développement de l'économie. N'étant que provisoires, les ateliers de charité ne peuvent réaliser parfaitement cet objectif. On trouve mieux. On crée de véritables manufactures pour ouvriers pauvres. On y fera travailler aussi les femmes et les enfants. On les récompensera en les payant. L'opinion publique salue avec enthousiasme ces initiatives. En 1781, les *Affiches de Flandre* annoncent à leurs lecteurs l'ouverture d'usines pour les pauvres à Douai. Le promoteur en est Calonne, alors intendant de Lille : «M. de Calonne, écrit cette gazette, a créé à Douai des ateliers de filature et autres de différents genres, où les enfants et les pauvres de tout âge trouvent à gagner des journées plus ou moins fortes, en sorte qu'il ne reste aucun prétexte à la fainéantise[2].» Mais pour rendre les pauvres utiles les soins de l'administration ne sauraient suffire. Toutes les personnes riches et éclairées sont pressées de concourir à cette grande œuvre de bienfaisance. Plusieurs prennent conscience de leur devoir. On citera entre autres le duc de Liancourt. Ce dernier fonde une sorte d'école technique pour filles pauvres. A. Young, qui a visité cette institution, en donne la description suivante : «Les filles pauvres [sont] reçues dans une institution où on leur apprend un métier : on leur enseigne la religion, la

---

1. Cité par Louis Trénard, «Pauvreté, charité et assistance...», art. cit., p. 466.
2. *Ibid.*, p. 488.

lecture, l'écriture et le filage du coton; elles y restent jusqu'à l'âge de se marier, et on leur donne alors pour dot une partie déterminée de leurs gains» (*Voyages en France*).

LE CRIME ET LE VICE

Le taux de criminalité ne cesse d'augmenter. Sa croissance est encore plus rapide à partir des années 1777-1778, qui marquent le début de la crise économique.

La grande majorité des criminels sont des voleurs. La plupart des crimes commis sont des crimes contre la propriété : 87 % à Paris dans la période 1750-1789. On ne frappe guère, on tue peu, on vole. C'est le crime d'une société où les pauvres se multiplient et où le luxe s'étale. On observe toutefois que le vol garde le plus souvent un caractère rudimentaire. On ne dépouille pas entièrement les riches. C'est surtout du vol à la tire. Il y a peu de cambriolages organisés.

La criminalité la plus violente est celle qui sévit dans les campagnes, avec la recrudescence du grand banditisme. En Languedoc, ce phénomène prend des proportions inquiétantes. «C'est un mal assez général dans la province, signale en 1781 le comte de Rochefort qui commande dans les Cévennes, [...] il n'y a guère de semaine que je n'en reçoive avis [...], des bandits armés jusqu'aux dents commettent toutes sortes d'excès dans le Haut-Languedoc [...], ils ont décapité un employé des fermes et en ont fusillé deux autres[1].» La même année, à Remoulins, une bande assassine sept personnes, et à Vachères, dans le Velay, une autre bande, celle des frères Malatre, «chauffe» l'abbé Dupin qui refuse de livrer son or, et comme il persiste à ne rien dire, le dépèce vivant. Ce banditisme ne se pare d'aucun noble prétexte. Ce n'est pas un banditisme redresseur de torts, un banditisme d'honneur. Il veut seulement faire du butin. Les bandits sont des chômeurs, des déracinés. La petite troupe qui terrorise Vic-Fezensac en 1786 se compose de quatre étrangers au pays : un tondeur de drap du Quercy, un vagabond de Grisolles près de Toulouse et deux chaudronniers auvergnats, tous les quatre sans travail et sans ressources. Un siècle plus tôt, ces sortes de malheureux quittaient aussi leur pays mais seulement pour vagabonder et mendier, et ils mouraient sur les chemins. Aujourd'hui, ils se font bandits.

Dans les années 1783 et 1784 les bandes s'enhardissent et commencent à inquiéter les villes. En 1783, la ville de Figeac est envahie par des vagabonds dangereux. Le jour, ils marchent par pelotons de trois ou quatre. La nuit, ils se réunissent pour piller. En 1784, au dire du sénéchal de Nîmes, cette ville est «infestée [...] de brigands et de gens dangereux qui, sous prétexte qu'ils manquent de travail, assiègent les passants et leur demandent l'aumône avec violence et

---

1. Cité par N. Castan, *Les Criminels du Languedoc, op. cit.*, p. 224.

menaces[1].» L'insécurité s'installe. Il y a maintenant dans toutes les grandes villes des quartiers où il ne fait pas bon se risquer après la tombée du jour.

Le tableau est très noir. Cependant, il ne faut pas exagérer l'importance de la criminalité. La France est encore malgré tout un pays policé. Les étrangers qui la visitent n'éprouvent que très rarement une impression d'insécurité. Le nombre des criminels a augmenté, mais il reste encore très faible par rapport au nombre d'habitants. A titre indicatif le taux de condamnations à Paris dans la période 1750-1789 est de 0,06 pour mille habitants. Les taux du XIXe siècle seront très supérieurs. La police et la justice semblent efficaces. Les moyens de la police sont faibles, mais elle les utilise à bon escient. Elle les mobilise contre la grande criminalité, au risque de se montrer peu répressive à l'égard de la petite délinquance.

On a parlé du « frein social » et du « frein religieux ». Soyons plus précis. Disons qu'il existe encore dans cette société une instruction chrétienne et une éducation des vertus morales. Les préceptes du Décalogue (« Tu ne tueras pas », « Tu ne prendras pas le bien d'autrui »...) sont enseignés aux enfants dès leur plus jeune âge. Cette leçon de « conduite chrétienne » a encore prise sur les milieux populaires. Son esprit est un esprit de justice. Elle enseigne qu'obéir aux Commandements de Dieu, c'est se conduire en homme juste, respectant l'ordre du monde et ne prenant pas plus que son dû. Si la religion n'était qu'un « frein », cela ne suffirait pas : la criminalité déborderait. Si la religion n'était qu'une morale d'interdits, la criminalité pourrait dans ces temps de crise politique, sociale et économique devenir une menace effrayante. Mais la religion est un principe de sagesse.

On ne niera pourtant pas que, si l'emprise chrétienne demeure, elle a perdu de sa force. Si la progression du crime reste mesurée, les mœurs sont atteintes et souffrent de graves dérèglements. On est frappé de la très forte croissance de la boisson et de la prostitution. Il y a là quelque chose d'anormal, et qui témoigne du déclin de l'éducation et de la fragilité du corps social. Les cabarets pullulent. Vauban, un siècle plus tôt, estimait leur nombre à quarante mille pour tout le royaume, soit un à peu près par paroisse. Ce chiffre est certainement doublé, peut-être même triplé. A Aurillac, ville de six mille habitants, on trouve trente cabarets, sans compter les dix-huit aubergistes, les neuf traiteurs et les six « cafetiers ». À Pont-l'Abbé (trois mille habitants), cinquante cabarets. Partout les curés se plaignent. «Il vient de s'en établir un nouveau dans ma paroisse », écrit en 1784 le curé d'un village cévenol. A Clermont-Lodève s'établissent en 1785 trois nouveaux bistrots avec billards et roulettes. On y vient depuis quarante villages. La

---

1. Cité par N. Castan, *Les Criminels du Languedoc, op. cit.*, p. 224.

contagion gagne les campagnes. Un curé du diocèse d'Oloron
s'émeut des «grands attroupements dans les cabarets», se plaint de «la
dissolution des gens de la campagne» et conclut, désabusé : «Je
n'avais jamais vu cela.» En 1787 les recteurs de Bretagne adressent
une requête aux états. Ils demandent qu'«à moins d'un billet du
recteur ou des juges des lieux» soit interdite aux journaliers la faculté
d'entreposer chez eux des boissons. Les quelques données que nous
avons sur la prostitution ne sont pas moins impressionnantes. Il y aurait
à Paris trente mille filles publiques et dix mille filles entretenues. La plus
petite ville a sa dizaine de bordels. On en compte onze à Aurillac, soit un
pour cinq cents habitants. La plupart des prostituées viennent de la
campagne.

Le grand mal est le déracinement. Les bandits sont des déracinés. Les
filles publiques aussi. Les villes sont pleines de ces malheureuses qui ont
quitté leurs villages, soit pour cacher leur grossesse illégitime, soit pour
chercher du travail, ou tout simplement tentées par les séductions de la
vie citadine. Elles finissent au bordel ou en prison. Leurs destins sont
tragiques. Voici entre cent mille histoires celle de Jeanne Bourdette, dite
Ninette. Cette fille est née dans un petit village de la région d'Orthez.
Elle est fille de laboureur, mais elle a perdu son père et sa mère. Elle a
quitté son village «parce qu'elle a eu le malheur de se laisser séduire par
un gentilhomme de la région d'Orthez» et qu'elle a eu de lui un enfant.
Elle accouche avant terme («sans secours de qui que ce fût») et amène
l'enfant au père qui le met à l'hôpital où il meurt peu après. La voici à
Bayonne où elle cherche du travail. On l'engage comme nourrice, puis
comme cuisinière, mais on ne la garde pas longtemps. Elle est renvoyée
sans motif, dira-t-elle. Finalement elle prend une chambre chez une
veuve et se dit couturière. Il faut manger. Elle commet des petits larcins.
On l'arrête. Elle est condamnée au fouet, à la flétrissure et à l'enfermement à perpétuité[1]. Dure société que celle-ci, qui fabrique des pauvres
et qui les traite ensuite sans pitié. Justice efficace que cette justice, mais
dont on peut se demander si elle est juste. Combien de jugements où la
sévérité de la sentence paraît inversement proportionnelle au rang social
de l'accusé. Voici, au Châtelet de Paris, six personnes accusées de viol.
Deux accusés sont pendus. Il s'agit d'un gagne-denier et d'un
compagnon maçon. Trois sont élargis à plus ample informé : un porteur
d'eau, un maître de pension et un prêtre. Un est acquitté : c'est un
officier.

Sur un point seulement, l'autorité judiciaire montre de l'indulgence.
C'est sur les déclarations de grossesse. L'édit d'Henri II, destiné à
prévenir l'avortement et l'infanticide, tombe en désuétude. Les filles qui

---

1. Josette Pontet, «Morale et ordre public à Bayonne au XVIIIe siècle», *Bulletin de la
Société des sciences, lettres et arts de Bayonne*, 1974, n° 130, p. 140.

acceptent de s'y soumettre sont de moins en moins nombreuses, et les autorités ne mettent aucun empressement à le faire exécuter.

* * *

La société française traverse une crise grave. L'écart entre les conditions s'est trop accentué. Trop de gens vivent dans le luxe et trop dans l'extrême pauvreté. S'il n'y avait qu'un très petit nombre de riches vivant dans le luxe, les pauvres se sentiraient moins offensés. Mais, comme le dit un contemporain, «l'apparence des richesses se manifeste dans les plus petites villes». Le luxe est omniprésent, et c'est par là qu'il scandalise.

Certes, tout le monde n'est pas riche ou pauvre. Il existe une catégorie économiquement moyenne. C'est même la catégorie la plus nombreuse. A Toulouse, elle représente la moitié de la population. Dans les villes bretonnes, 60 %. De plus cette masse de condition moyenne ou médiocre est aussi une masse de propriétaires. Cette médiocrité de la plupart des fortunes et cette grande diffusion de la propriété pourraient constituer de puissants facteurs de stabilité sociale et politique. Mais il faudrait pour cela qu'il existe encore une société. Or il n'y a plus que des apparences, des distances et des compartimentages. Quand les valeurs d'argent et d'utilité matérielle effacent toutes les autres, et quand les classes dites supérieures, au mépris de leurs devoirs, ne connaissent plus que leurs droits et leurs privilèges, peut-on vraiment dire qu'il existe encore une société ?

Chapitre V

LA CIVILISATION

LES SCIENCES ET LA PHILOSOPHIE

Les sciences

Dans ces quinze dernières années de l'Ancien Régime, la civilisation française est placée sous le signe de la science. Les progrès scientifiques sont si grands qu'ils impressionnent tous les esprits. Les sciences exercent une véritable hégémonie. Toutes les disciplines de la pensée se mettent à leur école.

Les travaux des mathématiciens ont permis cet essor. Grâce aux études de Lagrange (dont la *Mécanique analytique* est publiée en 1788) et à celles de Laplace, tous les problèmes de mécanique peuvent désormais être mis en équations. La physique moderne, avec tous les caractères qu'elle revêt encore aujourd'hui, naît de ce perfectionnement de l'outil mathématique. On passe de la physique descriptive à la physique numérique et quantitative.

L'application la plus remarquable est la mesure de la quantité de chaleur. En 1780, le mathématicien Laplace s'associe au chimiste Lavoisier. Ensemble, les deux savants procèdent à des mesures de la quantité de chaleur. Ils utilisent pour cela non le thermomètre mais le « calorimètre à glace ». Ils trouvent ainsi que la combustion d'une once de charbon permet de faire fondre 6 livres 2 onces de glace. Selon nos unités, ce résultat correspond à un dégagement de chaleur de 7 840 calories par kilogramme de charbon brûlé. Il faut noter que dans la présentation de leurs résultats (le *Mémoire sur la chaleur* date de 1780), les deux savants utilisent le système décimal et convertissent les poids en livres et fractions décimales de la livre.

Les progrès de la physique entraînent ceux de la chimie. Le secret des inventions de Lavoisier, fondateur avec Priestley de la chimie moderne, est un principe de physique. En définissant la matière par la propriété d'être pesante, et en s'efforçant de faire les pesées les plus précises possibles, Lavoisier circonscrit le champ de la chimie. Il fait sortir cette science d'une interminable enfance.

La première grande découverte de Lavoisier, celle qui permet toutes les autres, c'est la révélation de l'oxygène. On connaissait déjà certains gaz (l'hydrogène et le gaz carbonique), mais l'air n'était pas analysé. Cette analyse marque le triomphe de Lavoisier.

Pour ce dernier, comme pour tous les chimistes de tous les temps, le point de départ a été l'interrogation sur le changement de nature des corps. Jusqu'à Lavoisier, on vivait sur l'explication fondamentale du chimiste allemand Stahl, celle du phlogistique. Stahl était parti de la combustion. Selon lui, tous les corps combustibles contenaient du « phlogiston » qu'ils perdaient en se calcinant. Personne n'avait fait remarquer la contradiction, c'est-à-dire l'augmentation de poids des corps calcinés.

Lavoisier — il est en ceci tributaire de Stahl — part lui aussi de la combustion. Mais il observe et mesure. Il observe la raréfaction de l'air échauffé, ainsi que l'augmentation de poids du métal calciné. Il mesure l'augmentation et la raréfaction constatées.

Il en arrive ainsi à sa découverte. Il lui suffit d'établir un rapport entre les deux phénomènes. Dès le mois de juillet 1773, il explique la diminution du volume d'air par la fixation dans le métal d'une partie de cet air. Un an plus tard, il acquiert la certitude que la transformation des métaux en « chaux » (on dit aujourd'hui oxydes) est accompagnée par la fixation d'une partie de l'air atmosphérique, et qu'il existe un rapport constant entre la diminution du volume d'air et l'augmentation de poids du métal calciné.

Il en conclura que l'air n'est pas un élément, mais « la somme de deux parties qui ont deux fluides aériformes très différents », la première partie étant l'air fixé (oxygène) et la deuxième le gaz résiduel (azote) que pour l'instant il appelle « mofette ».

C'est là le départ de tout un enchaînement de travaux. Après avoir analysé l'air, Lavoisier analyse l'eau. Il démontre qu'elle est constituée d'une partie d'hydrogène ajoutée à sept parties d'oxygène. S'il a pu obtenir de tels résultats, c'est parce qu'il est un expérimentateur hors pair utilisant des instruments d'une grande précision, et en particulier des balances extrêmement sensibles construites sur ses indications.

Les progrès non moins importants, bien que moins spectaculaires, de l'électrostatique et de la minéralogie doivent aussi beaucoup à cette nouvelle exigence de précision numérique. Les *Mémoires sur l'électricité et le magnétisme* (1785-1789) de Coulomb et l'*Essai sur la structure des minéraux* (1783) de René Just Haüy témoignent de la transformation de ces deux sciences qui ne se bornent plus à décrire, mais désormais comptent et mesurent.

Certaines techniques tirent un profit immédiat de l'amélioration des sciences exactes et physiques. Il s'agit de celles que les écoles royales (du génie, de l'artillerie et des mines) enseignent aux futurs ingénieurs. A l'École royale du génie de Mézières, à celle des ponts et chaussées, fondée par Turgot en 1775, et à celle des mines créée en 1783, est dispensé un haut enseignement scientifique et technique. L'École des mines est dotée de deux chaires scientifiques. Le titulaire de la première enseigne la chimie, la minéralogie et la docimasie, celui de la seconde la physique, la « géométrie souterraine », l'hydraulique, la manière de faire les percements, de renouveler l'air dans les mines, et de faire fonctionner les machines nécessaires à l'exploitation. Les études durent trois ans (du 1er novembre au 1er juin de chaque année) et comportent trois leçons par semaine, de trois heures chacune.

Il faut également tenir compte des douze écoles militaires instituées en 1776 pour la formation des futurs officiers. En effet, ces écoles n'enseignent pas seulement les humanités, mais aussi les sciences. Le niveau des connaissances scientifiques exigé est relativement élevé. Professent dans toutes ces écoles les plus grands savants de l'époque. Tout l'enseignement scientifique de l'École des mines a été confié en 1770 au jeune Gaspard Monge, alors âgé de vingt-quatre ans.

C'est aussi l'époque de deux grandes inventions. La première passe presque inaperçue : le bateau à vapeur. En 1776, un gentilhomme franc-comtois, le marquis Jouffroy d'Abbans, construit le premier bateau à vapeur qui ait navigué par ses propres moyens. Deux mois durant, le navire remonte le cours du Doubs. La seconde invention est immédiatement connue de la France entière. C'est l'aérostat des frères Montgolfier.

La première idée de l'aérostat semble avoir été conçue en novembre 1782. Les deux frères inventent avant de comprendre. Quand ils envoient leurs ballons dans les airs, ils ne savent pas encore très bien la cause déterminante de l'ascension, c'est-à-dire la raréfaction de l'air échauffé. La théorie viendra plus tard.

La première ascension a lieu le 5 juin 1783, en présence des états du Vivarais. La seconde devant le roi à Versailles, le 19 septembre de la même année. Cette deuxième expérience manque de peu d'échouer. On allume un feu de paille et de laine. La ballon se gonfle, mais un coup de vent provoque une fente au sommet du globe. Étienne Montgolfier, qui dirige les opérations, ne perd pas la tête : il fait rajouter de la paille. Le feu redouble. On coupe les cordes. Le ballon s'envole, emportant dans sa nacelle les premiers passagers de l'espace : un mouton, un coq et un canard. Il retombe vite (dans le bois de Vaucresson). Dans la chute, le coq et le mouton sont blessés. Mais l'expérience a réussi. Elle va être répétée un nombre incalculable de fois, et bientôt avec des êtres humains comme passagers. Parti le 21 novembre 1783 de la terrasse du château de la Muette, Pilâtre de Rozier est le premier homme qui s'élève librement dans les airs. Le rêve d'Icare est devenu réalité.

Les contemporains n'ont pas accordé le même intérêt au voyage de La Pérouse. Il s'agit pourtant d'une expédition scientifique de première importance. Le roi lui-même a revu le plan du voyage et les instructions. La mission de La Pérouse est destinée à compléter les observations de Cook et de Clarke. Le roi lui prescrit de rechercher le passage au nord du continent américain, de longer les côtes d'Amérique, de Tartarie, de Chine et du Japon, et d'étudier particulièrement la faune marine. Il s'agit en somme d'apporter des lumières nouvelles sur cette autre face de la terre qu'est le monde du Pacifique. La Pérouse accomplit une grande partie de la mission qui lui a été confiée. Sa dernière lettre au ministre de la Marine date du 7 février 1788. Elle est écrite de Botany Bay, sur la côte sud-orientale de l'Australie. Peu après, un naufrage anéantit l'expédition. Nul n'aura plus jamais de nouvelles de La Pérouse.

La philosophie

Pour la philosophie des Lumières, c'est l'époque du changement de génération.

La première génération, celle des coryphées, s'éteint. Voltaire et Rousseau meurent en 1778, d'Alembert en 1783, Diderot en 1784. Les nouveaux s'appellent Turgot, Condorcet et La Harpe. Ils n'ont ni le génie ni le talent des anciens.

La philosophie ne décline pas pour autant. Sa force est intacte. Sa puissance de rayonnement est inaltérée. Les survivants de la génération des encyclopédistes assurent le lien avec les nouveaux. Ces derniers ne veulent être que des continuateurs. Les Condorcet, Turgot, La Harpe et autres sont les disciples dévots des encyclopédistes. Ils les ont connus et fréquentés dans les académies et dans les salons. Le salon le plus philosophique de Paris, celui de Julie de Lespinasse, a été et sera jusqu'à la mort de son hôtesse (en 1776) l'un de ces lieux de rencontre entre les générations. Mlle de Lespinasse était l'amie de d'Alembert. Elle correspondait avec Voltaire. Mais elle est aussi la marraine en philosophie de Condorcet et de La Harpe (que Bachaumont appelle le «nourrisson de Julie»). Jusqu'à la fin de sa vie et plus encore après sa mort, Voltaire demeure pour tous le pape infaillible. En 1770, d'Alembert avait fait le voyage de Ferney pour lui présenter Condorcet, le jeune espoir de la secte. Le culte continue. L'avenir de la dévotion est assuré. La philosophie n'est pas entamée.

On peut même dire qu'elle triomphe.

Son premier triomphe est l'apothéose de Voltaire. Réclamé par ses amis, le patriarche de Ferney a fait le voyage de Paris. Il est venu voir jouer *Irène*, sa dernière tragédie. Lors de la sixième représentation, le 30 mars 1778, au Théâtre-Français, en sa présence et sous les ovations, son buste est couronné sur la scène.

La conquête de l'Académie française est l'autre victoire triomphale. Ce bastion est envahi. Élu en 1772 secrétaire de l'illustre compagnie, d'Alembert y a fait entrer tous ses amis, et parmi eux La Harpe en 1776 et Condorcet en 1782. L'Académie devient à la mode. Le public s'écrase aux séances de réception. Bachaumont écrit : «M. de la Harpe a été reçu hier avec un concours de monde prodigieux[1].»

La philosophie n'a même plus d'ennemis. Fréron, le plus virulent de tous et le dernier, meurt en 1776. «On ne doute pas, écrit Bachaumont, que Voltaire et tout le parti philosophique ne triomphent de cette perte pour la littérature[2].»

Reine incontestée, la philosophie dicte ses vues. Elle prétend réformer la société selon les principes de sa morale. Ce qu'elle appelle « morale » ou « sciences morales », selon l'expression de Condorcet, n'est autre que son projet de réforme politique et sociale.

L'*Ethocratie* du baron d'Holbach (1776) exprime ce projet. «La Politique, lisons-nous dans ce livre, ne peut jamais se séparer de la Morale.» Cela veut dire, en substance, que le corps social doit rejeter les inutiles. Plus de privilèges nobiliaires, plus de cénobites, plus de célibat des prêtres. Joueurs et courtisanes seront punis. Tout le monde au travail.

---

1. Louis Bachaumont, *Mémoires historiques et littéraires*, bibliothèque des Mémoires, 1885, p. 407.
2. *Ibid.*

Le gouvernement n'a d'autre mission que d'«occuper les hommes», et tous les citoyens «doivent compte à l'État de l'emploi de leur temps». Bref la morale c'est l'étatisme, et l'État c'est la Providence.

Telle est la nouvelle morale philosophique. Condorcet, qui la professe lui aussi, l'assimile aux sciences exactes, développant cette idée dans son *Discours de réception à l'Académie française*. Les sciences physiques et les sciences morales, explique-t-il, doivent marcher du même pas : «elles doivent suivre la même méthode». L'idéal serait de pouvoir étudier «la société humaine comme nous étudions celle des castors et des abeilles». Malheureusement cela est difficile. Comment être à la fois juge et partie ? «Ici l'observateur fait partie lui-même de la société qu'il observe, et la vérité ne peut avoir que des juges prévenus ou séduits.» Et d'annoncer : «La marche des sciences morales sera donc plus longue que celle des sciences physiques ; et nous ne devons pas être étonnés si les principes sur lesquels elles sont établies ont besoin de forcer pour ainsi dire les esprits à les recevoir, tandis qu'en physique ils courent au-devant des vérités[1]...»

La pensée politique des économistes n'est pas très différente de celle des «philosophes».

On appelle «économistes» les physiocrates, disciples du docteur Quesnay. Ce dernier est mort en 1774, mais il a laissé de nombreux émules tous très actifs : Dupont de Nemours, l'abbé Baudeau, qui publie les *Éphémérides du Citoyen*, et l'abbé Roubaud, directeur de la *Gazette du commerce*. Ces théoriciens se séparent des philosophes en ceci qu'ils ne croient pas à l'égalité de nature entre les hommes. Mais sur les sujets des fonctions de l'État et des principes généraux de la société politique, ils parlent le même langage que les philosophes. Ils attribuent à l'État le soin de l'assistance et celui de l'instruction. Pour eux comme pour d'Holbach, le moral et l'utile se confondent. L'un d'eux va jusqu'à écrire «que le juste et l'honnête sont absolument la même chose que l'utile[2]». L'utilitarisme règne avec le scientisme. En cette fin de l'Ancien Régime, la philosophie politique manque singulièrement de hauteur de vues.

LES LETTRES ET LES ARTS

Les lettres

La poésie est toujours sans poésie. Une nature fausse, des sentiments artificiels, un ramassis de clichés, tel est l'ordinaire. Certains poètes sont moins mauvais que d'autres. Ce sont les trois créoles, originaires de l'île

---

1. Condorcet, *Œuvres, 1847-1849, op. cit.*, t. 1, p. 392-393.
2. Boesnier, cité par G. Weulersse, *La Physiocratie sous les ministères de Turgot et de Necker (1774-1781)*, Paris, PUF, 1950, p. 131.

Bourbon, Parny, Bertin et Léonard. Et, même chez ceux-là, il n'est pas facile de trouver de bons vers. Les *Poésies érotiques* de Parny font de grands étalages de langueurs, de baisers, d'étreintes et de passions, mais tout cela est factice. C'est du sensuel banal, habillé de sentimentalisme fade. Voici, à titre d'échantillon, un extrait de la neuvième élégie du quatrième livre. Le poète évoque les premiers abandons :

> Là je te vis pour mon malheur
> Belle de ta seule candeur ;
> Tu semblais une fleur nouvelle
> Qui loin du zéphir corrupteur
> Sous l'ombre qui la recèle
> S'épanouit avec lenteur
> ....
> Ta pudeur en ce lieu se montra moins farouche
> Et le premier baiser fut donné par ta bouche ;
> Des jours de mon bonheur ce jour fut le plus beau.

C'est de la poésie de collégien. Le poète est meilleur dans les regrets. Ce n'est pas encore l'inspiration ailée, mais le ton est plus vrai :

> Non, non : vous avez fui pour ne plus reparaître,
> Première illusion de mes premiers beaux jours,
> Céleste enchantement des premières amours,
> O fraîcheur du plaisir, ô volupté suprême
> ....
> Mais le bonheur fut court et l'amour me trompait.

Il existe un grand poète, André Chénier ; mais nul ne le connaît. Ses œuvres ne seront publiées qu'après la Révolution. Il écrit les *Élégies*, *L'Invention*, *Hermès* et *Suzanne*. Ces œuvres annoncent un génie éclatant. Par elles, la poésie française renoue avec la grande tradition lyrique. Depuis du Bellay et depuis Malherbe, rien de semblable n'avait paru en France. Chénier s'inspire de l'Antiquité mais il se garde de la copier. Un souffle inégalé ressuscite les froids vestiges. La vie revient dans les lieux sacrés :

> O terre de Pélops ! avec le monde entier
> Allons voir d'Épidaure un agile coursier
> Couronné dans les champs de Némée et d'Elide.
> Allons voir au théâtre aux accents d'Euripide,
> D'une sainte folie un peuple furieux
> Chanter « Amour, tyran des hommes et des dieux ».
> Puis ivres des transports qui nous viennent surprendre,
> Parmi nous, dans nos vers, revenons les répandre ;
> Changeons en notre miel leurs plus antiques fleurs ;
> Pour peindre notre idée empruntons leurs couleurs ;
> Allumons nos flambeaux à leurs feux poétiques ;
> Sur des pensers nouveaux faisons des vers antiques.

Stupéfiante résurrection de la poésie. Un siècle n'est pas desséché, qui engendre un tel poète.

De tous les genres littéraires, le théâtre demeure le plus florissant : beaucoup d'auteurs, beaucoup de pièces et un nombre toujours croissant de spectateurs. Il y a maintenant à Paris une multitude de théâtres. Les plus grands sont la Comédie-Italienne et la Comédie-Française. Parmi les petits, citons la Gaîté, l'Ambigu-Comique, le Colisée, Vaux-Hall et les Variétés amusantes. La qualité n'augmente pas pour autant. Les auteurs cherchent l'effet, les impressions fortes. Ducis adapte Shakespeare et promène des spectres sur la scène. D'autres ont recours à l'exotisme. Tous les pays sont mobilisés : l'Espagne dans *Pierre le Cruel* de Pierre de Belloy, la Russie dans *Menzikoff* de La Harpe et même l'Océanie dans les *Insulaires de la Nouvelle-Zélande* de Marignié. Le seul véritable écrivain de théâtre est Beaumarchais. Son *Barbier de Séville* (1775) et son *Mariage de Figaro* (1784) marquent la renaissance de la comédie après plus de trente années d'apathie.

Le *Barbier* est déjà très plaisant, mais le *Mariage* le vaut cent fois. La pièce fait un succès de scandale par la rivalité d'un grand seigneur (le comte Almaviva) et d'un roturier (Figaro). Le public se délecte du défi de Figaro :

> Non, Monsieur le comte, vous ne l'aurez pas… vous ne l'aurez pas ! Parce que vous êtes un grand seigneur, vous vous croyez un grand génie ! Noblesse, fortune, un rang, des places ; tout cela rend si fier ! Qu'avez-vous fait pour tant de biens ? Vous vous êtes donné la peine de naître, et rien de plus [1]…

Mais on aurait tort d'exagérer le caractère révolutionnaire du *Mariage*. C'est une pièce anti-aristocratique, rien de plus. C'est une protestation contre la réaction nobiliaire qui sévissait alors. Et c'est surtout une admirable comédie. Les caractères en sont forts et, chacun à sa manière, extrêmement attirants. Almaviva est un jaloux coléreux d'un type très particulier, la comtesse, sa femme, une amoureuse très touchante ; Suzanne est le charme même, mais aussi la malice et la finesse. Figaro présente un curieux mélange de naïveté et d'insolence. L'intrigue générale de la pièce est inexistante, mais il y a une intrigue dans chaque scène et une situation troublante à chaque instant. Tous les dialogues vont à un train d'enfer. La pièce est effrénée, brûlante. Et comme tous les chefs-d'œuvre elle va plus loin que l'intention de son auteur. Au-delà de la comédie, transparaît une sorte de tristesse inquiète. Chérubin dit : « Je ne sais plus ce que je suis. » Figaro s'interroge : « Quel est ce moi dont je m'occupe ? » Les personnages se demandent s'ils ne sont pas seulement des personnages.

Beaumarchais est une exception. Ce n'est pas au théâtre, mais, comme

---

1. Beaumarchais, *Le Mariage de Figaro*, acte V, scène III.

à l'époque précédente, dans le récit en prose que les œuvres de qualité sont les plus nombreuses. Le roman continue à l'emporter sur tous les autres genres. Nous avons là au moins trois grands écrivains : Restif de La Bretonne, Laclos et Bernardin de Saint-Pierre.

Restif de La Bretonne est intarissable. Chez lui, un livre n'attend pas l'autre. Il en publie plus de deux cents. Il écrit n'importe comment. Le style n'est pas son affaire, mais le récit. Ce qu'il raconte est presque toujours intéressant. Surtout s'il s'agit de choses vues. Médiocre dans l'imaginaire (*Le Pied de Fanchette*, 1769 ; *Le Paysan perverti*, 1775), il excelle dans le mélange d'imaginaire et de réalité (*Les Nuits de Paris* publiées à partir de 1788). Il se complaît dans l'obscène et dans le repoussant. Il évoque dans la dix-neuvième nuit sa rencontre avec une clocharde qu'il appelle « La Chiffonnière » :

> Je m'en revenais en rêvant suivant mon usage. Dans la rue Pavée [...] j'aperçus à terre quelque chose de noir qui se mouvait : cela ressemblait à un gros chien [...], un cri plaintif et profond [...] me fit présumer que c'était une créature humaine : je m'approchai, les cheveux hérissés de terreur ; c'était une vieille chiffonnière ivre d'eau de vie, couchée par terre, la tête appuyée sur un sac où étaient enfermés quelques chiens et quelques chats qu'elle avait assommés pour en avoir la chair et la peau...

Suit une scène fort réaliste où l'on voit la clocharde essayer de vendre au narrateur un des chats de son abattoir :

> « Pas moins de douze sous le gros matou ! Je le guette depuis trois mois ; il appartient à une dévote, il est gras à lard ; la peau est belle. » Et elle le tira du sac ; il remuait encore[1].

Auteur des *Liaisons dangereuses* (1782), roman par lettres, Choderlos de Laclos est l'un des plus grands romanciers de la littérature française.

Rappelons brièvement l'histoire. La marquise de Merteuil — la mauvaise fée du roman — veut se venger de M. de Gercourt qui l'a quittée. Elle a l'idée d'en faire un cocu : Gercourt va bientôt se marier. Il va épouser Cécile de Volanges, une blonde innocente qui vient de sortir du couvent. La marquise prépare le cocuage. Elle s'adresse à un spécialiste, le comte de Valmont, son ami et son ancien amant. Pour un séducteur de cette qualité, séduire Volanges sera un jeu. Mais une difficulté s'élève. Valmont n'est pas disponible. Il a une autre affaire en train, une autre femme en vue : la présidente de Tourvel. Cette conquête-là lui paraît d'un bien plus grand prix que celle d'une innocente vierge : la présidente n'est-elle pas dévote et fidèle à son mari ?

Tout est en place. L'histoire peut commencer. Dans ses débuts, les desseins de Merteuil et de Valmont sont contrariés. La présidente de Tourvel résiste à Valmont. Cécile de Volanges s'amourache du chevalier

---

1. Restif de La Bretonne, *Les Nuits de Paris*, Paris, Hachette, 1960, p. 47-48.

Danceny qui fait avec elle de la musique. Elle ne saurait donc être prise dans le piège du séducteur. Mais le diable persiste et l'emporte. Au terme d'une défense désespérée Mme de Tourvel rend les armes. La petite Volanges succombe elle aussi.

La fin est tragique. La présidente meurt de honte et de regret. Cécile de Volanges, affolée par sa dégradation, s'enfuit dans un cloître. Valmont est tué en duel par Danceny. Seule la marquise va continuer à vivre, mais défigurée par la petite vérole et rejetée par la société.

Ce roman a plusieurs visages. On peut le lire comme une œuvre érotique. Merteuil et Valmont se racontent leurs conquêtes et ne se cachent presque rien de leurs ébats. Ce n'est pourtant pas de l'érotisme banal. Les deux associés recherchent le plaisir absolu et croient le trouver. La marquise de Merteuil évoque ce « délire de la volupté où le plaisir s'épure par son excès ».

L'historien peut lire les *Liaisons* comme un tableau des mœurs nobiliaires. Il ne s'agit pas de toute la noblesse, mais de celle qui vit à la Cour, à Paris et dans ses châteaux non loin de la capitale. La seule occupation de cette noblesse est de se divertir à l'excès, au point de se dégrader.

On peut lire enfin ce roman comme le roman du mal. Toute son intrigue repose sur l'intention délibérée de faire le mal et le mal le plus grand qui soit, celui qui corrompt les cœurs innocents. Tout ce que veulent Merteuil et Valmont, c'est déshonorer les femmes, c'est faire en sorte qu'elles trahissent leurs serments et leurs affections, et même qu'elles renoncent à Dieu.

> J'aime à voir, dit Valmont, [j'aime] à considérer cette femme prudente, engagée sans s'en être aperçue, dans un sentier qui ne permet plus de retour, et dont la pente rapide et dangereuse l'entraîne malgré elle et la force à me suivre[1]...

L'admirable chez Laclos est sa double maîtrise. Il peint aussi bien l'innocence que la perversité. Il dit la résistance aussi bien que la persécution. Le ton ne cesse donc d'être dramatique. Sa présidente de Tourvel et sa Cécile de Volanges sont d'extraordinaires victimes. Ce roman scabreux est aussi une grande tragédie.

Le *Paul et Virginie* de Bernardin de Saint-Pierre (1787) est loin d'atteindre cette hauteur. Au surplus, on ne peut rien imaginer de plus différent. Après l'enfer, des limbes agrestes. L'histoire est d'un romanesque fade. La scène se tient à l'île de France, non loin de Port-Louis, en pleine nature. Là vivent deux femmes (Mme de La Tour et Marguerite) liées par une étroite amitié. Elles élèvent ensemble leurs deux enfants, Paul et Virginie. C'est une existence heureuse et solitaire, accordée au

---

1. Pierre Choderlos de Laclos, *Les Liaisons dangereuses*, Paris, Le Livre de Poche, 1987, p. 288.

rythme de la nature. Paul et Virginie grandissent et deviennent amoureux l'un de l'autre. Leur bonheur ne dure pas longtemps. Virginie quitte l'île et se rend en France : une vieille tante a promis d'assurer son avenir. Paul ne se console pas. Elle revient, mais le bateau qui la ramène fait naufrage. Elle meurt noyée. Tous les autres personnages en mourront de désespoir. Les romans du siècle du bonheur finissent mal.

Paul et Virginie est le roman de l'amour innocent, le roman des amours enfantines : « Si Paul venait à se plaindre, on lui montrait Virginie ; à sa vue il souriait et s'apaisait. » L'auteur décrit l'amour naissant de Virginie, ce « mal inconnu » dont elle ne comprend pas encore la nature.

C'est le roman de la nature. Une sorte de *Nouvelle Héloïse* exotique. Comme Rousseau, Bernardin de Saint-Pierre fait l'éloge de l'agriculture, mais son agriculture à lui est tropicale. Le nègre de Mme de La Tour (car cette excellente créature a quand même un nègre) est un expert en jardinage et en plantations diverses. Il sait planter dans les lieux secs des patates très sucrées, sur les hauteurs des cotonniers, dans les terres fortes des cannes à sucre. Paul, lui, est un paysagiste : il dessine des parcs de papayers et de cocotiers.

C'est le roman du bonheur, avant d'être celui du malheur. Du bonheur par la simplicité de la vie : « … Ils soupaient à la lueur d'une lampe […], nos repas étaient suivis des chants et des danses de ces deux jeunes gens[1]… » D'un bonheur exilé au bout du monde en ce lieu ignoré, en cette île lointaine. L'Europe ne peut pas connaître un tel bonheur. Elle en est incapable.

> Vous autres Européens dont l'esprit se remplit dès l'enfance de préjugés contraires, vous ne pouvez concevoir que la nature puisse donner tant de bonheur et de plaisir[2].

Enfin c'est une critique de la société. Marguerite a été séduite par un gentilhomme qui « ayant satisfait sa passion, s'éloigna d'elle ». La tante est une tante dénaturée, « riche, vieille, dévote ». « Tout est vénal en France » et la morale évangélique n'est qu'une hypocrisie.

Pardonnons à l'auteur ses niaiseries écologiques (« Mon frère, disait Virginie, est de l'âge du grand cocotier de la fontaine »). Il sait parler de la mort (« la nuit de ce jour inquiet qu'on appelle la vie »). Qu'est-ce que la mort ? Est-elle un « sommeil » où « reposent à jamais les maladies, les douleurs, les chagrins » ? Ou bien est-elle ce « lieu où la vertu reçoit sa récompense » ? La question n'est pas décidée.

Il y a toujours un moraliste en France. On ne saurait clore cette histoire des lettres sans évoquer la mémoire de Chamfort.

Les *Pensées, Maximes et Anecdotes* de Chamfort datent pour la

---

1. *Paul et Virginie*, Paris, 1787, p. 117.
2. *Ibid.*, p. 125.

plupart de ces années du règne de Louis XVI. Il les écrivit jour après jour sur des petits carrés de papier que l'on a retrouvés après sa mort.

Certaines de ses réflexions expriment une pensée pénétrante. Chamfort est conscient de la décadence. Il souffre du dessèchement de toutes les formes de la pensée. Il écrit par exemple : « En parcourant les mémoires et monuments du siècle de Louis XIV, on trouve même dans la mauvaise compagnie de ce temps-là quelque chose qui manque à la bonne d'aujourd'hui[1]. » Il écrit encore :

C'est une vérité reconnue que notre siècle a remis les mots à leur place [...]. Pour ne parler que de morale, on sent combien ce mot « l'honneur » renferme d'idées complexes et métaphysiques. Notre siècle en a senti les inconvénients et, pour ramener tout au simple [...], il a établi que l'honneur restait dans toute son intégrité à tout homme qui n'avait point été un repris de justice[2].

Le ton ironique et désabusé est la marque de Chamfort, mais son désenchantement se retrouve dans toute la littérature du temps.

Les arts

Tandis que la création littéraire dans les genres les plus nobles, ceux de la tragédie et de la poésie, accuse une irrémédiable fatigue, la création artistique dans son ensemble manifeste une remarquable vigueur. Tous les arts se renouvellent et tous réussissent.

LES SUJETS ET LES GENRES

En sculpture, la tendance réaliste se confirme. Tous les grands sculpteurs sont désormais des portraitistes. Houdon sculpte les grands hommes du présent (Voltaire en 1781, Washington en 1785), Caffieri ceux du passé : il fait les bustes de Rotrou et des deux Corneille, qui ornent encore aujourd'hui le vestibule du Théâtre-Français.

En peinture, le « grand goût » (la peinture d'histoire) qui s'affirmait déjà dans l'époque précédente accède au rang de genre dominant. Nul ne peut être sacré grand peintre s'il ne donne dans le « grand goût ».

Cette « histoire » qu'il faut peindre est l'histoire ancienne ou l'histoire nationale. L'histoire ancienne est celle de Rome, et de la Rome républicaine. Louis David s'illustre dans ce genre romain et républicain. Son *Serment des Horaces* est exposé au Salon de 1785. L'histoire nationale est celle des temps modernes. Le règne d'Henri IV, roi patriote, philosophe, tolérant et populaire, a la préférence des peintres. Le Barbier représente *Sully aux genoux de Henri IV* et *Crillon recevant la fameuse lettre de Henri IV après la bataille d'Arques.*

Les sujets religieux ne font plus recette. Lorsqu'en 1775, le roi

---

1. Chamfort, *Pensées, Maximes et Anecdotes*, Paris, Mercure de France, 1905, p. 34.
2. *Ibid.*, p. 22.

demande une *Vie de Jésus* en quatorze tableaux pour la chapelle de Fontainebleau, on a du mal à trouver des artistes. Cependant, les quelques peintres qui font du religieux y réussissent assez bien. Le *Saint Thomas* et le *Saint Germain* de Vien, *L'Éducation de la Vierge* et l'*Adoration des bergers* de Fragonard, ne sont pas des œuvres médiocres.

Les sujets galants, si prisés à l'époque précédente, sont moins courus, mais trouvent encore des amateurs. Fragonard y excelle toujours. Son *Verrou*, peint vers 1778, est un chef-d'œuvre. Ce tableau décrit une scène d'ardente séduction dans le cadre clos d'une chambre, entre la porte et le lit. C'est l'instant de la défaite. Éperdue, les yeux clos, la chevelure en désordre, la jeune femme vient de cesser toute résistance. Elle consent. D'une main son jeune amant l'enserre par la taille, de l'autre il tire le verrou. Un détail de ce tableau a toujours intrigué les critiques. Sur la table de nuit, au premier plan, bien en évidence, l'artiste a représenté une pomme. Certains ont voulu voir dans cette pomme un rappel de la faute originelle.

L'architecture est définitivement sécularisée. Ce que veulent maintenant faire les plus grands maîtres, ce ne sont plus des églises, mais des théâtres et des décors urbains.

Les années 1780-1789 voient la floraison de beaux théâtres, celui de Bordeaux (1780) par Victor Louis, celui de l'Odéon (1782) par Charles de Wailly et Marie-Joseph Peyre, celui de Besançon (1784) par Claude-Nicolas Ledoux et celui de Nantes (1788) par Crucy, auxquels il faut ajouter le petit théâtre de la Reine (1780) à Trianon, par Richard Mique. Le théâtre est aujourd'hui l'ornement principal de la cité. Il en est aussi le temple, la nouvelle église. C'est là que les citoyens s'imprègnent des leçons des héros et apprennent à réformer leurs mœurs. « On ne doit pas perdre de vue, écrit Ledoux, que les spectacles chez les Anciens faisaient partie de la religion [...]. Si nos théâtres ne font pas partie du culte, il est du moins à désirer que leur distribution assure la pureté des mœurs ; il est plus facile de corriger l'homme par l'attrait du plaisir que par des cérémonies religieuses, des usages accrédités par la superstition. »

Les villes se corrigent, elles aussi, et se rebâtissent. Tours achève sa place Royale. A Caen, l'intendant charge l'architecte Lefebvre de bâtir le palais de justice et l'hôtel de l'intendance. A Amiens, de 1771 à 1787, se construisent une place, une intendance et une halle au blé. A Nantes, s'édifie tout le quartier Graslin, avec sa place, son théâtre et le cours qui porte aujourd'hui le nom de Cambronne. A Bordeaux, un quartier neuf remplace le grand marécage situé à l'ouest de la ville. Les ambitions des nouveaux urbanistes n'ont plus de bornes. Rationaliser ne leur suffit plus. Ils veulent aujourd'hui remodeler la ville. C'est le sens de toutes ces architectures à programme concernant les nouveaux quartiers.

L'œuvre de Claude Nicolas Ledoux occupe une place à part. Cet artiste se distingue en voulant donner à des manufactures et à des bâtiments administratifs l'allure de monuments de l'Antiquité. Chargé de construire les bureaux de l'octroi pour le nouveau mur des Fermiers-Généraux, il les imagine comme des propylées. Il n'a pas le temps d'achever. Les piliers massifs et rapprochés des premiers bureaux construits et l'effet cyclopéen de leurs bossages déconcertent le public. Ledoux est remercié. Il n'a pas été compris. Pourtant, il n'est pas si différent des autres architectes de son temps. Comme eux, il imite l'Antiquité. Comme eux, il est convaincu de la mission sociale de l'architecte. Mais il va plus loin. Il rompt presque complètement avec la tradition du classicisme français. Il est un marginal et un prophète.

Les architectes travaillent aussi pour la Cour et pour la vie noble. Il se construit pendant les quinze années du règne de Louis XVI autant de châteaux que sous le très long règne de Louis XV. En 1789, on était en pleine fièvre de bâtisse. La tourmente révolutionnaire interrompit les travaux de Bénouville en Normandie, de Colambert en Artois, de Saint-Géry en Albigeois. Il faudrait citer tous les châteaux inachevés. Du côté de la Cour, ce sont les princes du sang qui construisent, plus que le roi. La merveille est Bagatelle avec son parc anglais, folie du comte d'Artois (1777).

La musique se réveille d'une assez longue léthargie. Le genre de la symphonie est en plein essor. L'instrumentation fait de grands progrès. Le trombone fait son apparition en 1774, au Concert spirituel. Le grand opéra renaît avec Gluck. *Iphigénie en Aulide* est représentée pour la première fois le 19 avril 1774, en présence du Dauphin et de la Dauphine. Les autres grandes œuvres du musicien allemand, *Armide*, *Iphigénie en Tauride*, *Écho et Narcisse*…, sont exécutées au cours des cinq années 1775-1780. Gluck bénéficie du patronage de la reine à laquelle il avait donné autrefois des leçons de violoncelle. Mais il était capable de réussir sans cela. Il avait en lui cette puissance et cette rapidité de conception qui caractérisent le génie. Voici comment il se préparait à la composition d'une tragédie lyrique : « D'abord, explique-t-il, je me place en pensée au centre du parterre. Ensuite je parcours toute la pièce et chaque acte en particulier. Une fois au clair sur le tout et sur le caractère des personnages principaux, je considère l'œuvre comme terminée quoique je n'en aie pas encore écrit une note [1]. » Le mérite de Gluck fut contesté par deux clans, celui des grétristes (admirateurs de Grétry) et celui des piccinistes (partisans de Piccini). En mars 1776, le Napolitain Piccini fut engagé pour trois ans par l'Opéra, et l'on crut un moment que le très grand succès de son premier ouvrage (*Roland*, joué en janvier 1778) allait mettre en péril la faveur de Gluck auprès du public. Mais le succès fut éphémère et Gluck finalement triompha.

1. Cité dans *L'Opéra* sous la direction de Pierre Brunel et Stéphane Wolff, préface de Bernard Lefort, Paris, Bordas, 1980, p. 44.

LE NÉOCLASSICISME

Baroque et rococo ont presque disparu. Le néoclassicisme règne maintenant sur tous les arts.

Le néoclassicisme est un retour à l'Antiquité. C'est aussi une certaine manière faite de grandeur et de simplicité mêlées.

L'Antiquité ainsi retrouvée est celle des monuments grecs et romains, partout et toujours imités. Les théâtres ont l'air de temples. Peyre et Wailly, les architectes de l'Odéon, suivent les règles de Vitruve, Ledoux celles de l'archaïsme grec. Au jardin du Petit Trianon, s'élève en 1778 un temple de l'Amour dont les douze colonnes corinthiennes supportent une coupole hémisphérique.

Les monuments antiques peuplent l'univers imaginaire des peintres. Ils y sont figurés dans leur décrépitude. Leurs ruines majestueuses dominent des villes et des campagnes. Hubert Robert, peintre de paysages, excelle dans ces évocations. Son *Retour des bestiaux* montre, dans la campagne romaine, un troupeau qui s'abreuve à l'eau d'une fontaine antique.

L'art fait revivre l'héroïsme des anciens Romains. Voici quelques œuvres exposées au Salon entre 1775 et 1785 : *Manlius Torquatus condamnant son fils à mort* par Berthelemy, *Cincinnatus créé dictateur* par Brenet, *Corneille, mère des Gracques* par Hallé, *Marius assis sur les ruines de Carthage* par Hubert Robert, et le *Serment des Horaces* de David. Si les artistes, délaissant l'Antiquité, se tournent vers l'histoire nationale, ils choisissent des sujets analogues. Le tableau de Vincent, *Le Président Molé arrêté par les factieux pendant les troubles de la Fronde*, montre l'illustre magistrat stoïque face aux outrages. Ce parlementaire est un père conscrit. Cette histoire de France est de l'histoire romaine.

Cette Antiquité est une Antiquité sans dieux ou presque. On peint encore des compositions mythologiques, mais privées de tout rayonnement divin. Ce ne sont que des allégories. Lagrenée le Jeune peint un *Mercure représentant le Commerce, qui répand sous les auspices de Louis XVI, l'Abondance sur le Royaume*. Le dieu ici n'est qu'un faire-valoir. La divinité est absente. L'homme aussi est absent. Les grandes scènes d'amour des dieux et des héros, telles qu'on les voyait dans les tableaux de Boucher, ont disparu de la peinture. Avec elles, a disparu la vie des passions humaines : rien n'illustrait mieux les passions des hommes que celles des dieux. Dans cet univers froid de l'art néoclassique, l'homme est réduit à lui-même. Autant dire qu'il n'est rien.

Les artistes s'évertuent. Comme le dit un contemporain : « Ils se tourmentent pour être grands. » Cela se voit. Passe encore de peindre l'héroïsme, mais la manière de peindre elle aussi est héroïque et ce n'est pas heureux. On ne voit que nobles attitudes, démarches martiales, gestes grandiloquents. On frise le mélodrame.

Sans y tomber. La beauté est sauvée de justesse, mais elle est sauvée. Grâce à la simplicité des compositions, au calme dont elles s'enveloppent. Voyez le tableau de Lagrenée l'aîné, *La Mort de la femme de Darius*, œuvre exécutée à Rome en 1784, l'année où David peignait le *Serment des Horaces*. Encore un «grand sujet». Encore de l'histoire de théâtre. Mais on est frappé par le silence et par le recueillement des personnages. Cet art est simple parce qu'il est fervent. Nous n'y croyons pas toujours mais nous sentons que les artistes y croient. Comme le dit Jean Locquin, ils ont mis dans leurs œuvres «un moment de leur âme».

La musique de Gluck produit une impression analogue. L'intention de cet artiste a été de réduire la musique à sa première fonction, celle de servir l'inspiration, sans gêner le déroulement de l'action, sans ajouter d'ornements superfétatoires.

Contagieuse simplicité. On voit de vieux artistes, formés bien avant 1774, se rendre à ses prestiges. Fragonard et Houdon eux-mêmes subissent les nouvelles influences. *Le Repos pendant la fuite en Égypte* (1777) de Fragonard témoigne d'un effort vers un plus grand dépouillement. La *Sabine* de Houdon (buste de sa propre fille) est un poupon potelé, mais la fermeté des traits de ce visage enfantin exclut toute sentimentalité.

Enfin cet art aime la nature. Une nature aimable et libre, bien que sa liberté soit surveillée. Ce sont les campagnes italiennes selon Hubert Robert. C'est à Versailles le nouveau décor du bassin d'Apollon. C'est le charmant hameau de Trianon. Ce sont enfin les nouveaux jardins à l'anglaise avec leurs paysages plus naturels encore que la nature elle-même.

LA DIFFUSION DES IDÉES. L'OPINION PUBLIQUE

La multiplication des moyens de diffusion

Le nombre des livres, des journaux et des sociétés de pensée va croissant.

La production livresque annuelle déposée passe de quatre cents titres en 1770 à six cents en 1779 et à plus de mille en 1788[1].

Les nouveaux journaux sont des organes d'information comme le *Journal de Bouillon* et le *Journal de Genève*, ou bien des feuilles provinciales portant le nom d'*Affiches*. Il existait dix *Affiches* en 1774 (les premières à paraître ayant été celles de Lyon). Il s'en crée vingt-cinq de 1775 à 1789. On y trouve surtout des annonces et des publicités, mais aussi des recettes de science pratique (chirurgie, art vétérinaire,

---

1. R. Estivals, *La Statistique bibliographique de la France, op. cit.*, p. 410.

recettes de cuisine, formules de liqueurs), des contes et des recensions de livres.

Les sociétés savantes se multiplient. Elles prennent rarement la forme d'académies : on compte seulement quatre créations d'académies (Agen, Grenoble, Valence et Orléans). Les nouvelles sociétés s'appellent « sociétés littéraires » ou de « lecture ». Quelques-unes sont des cercles purement privés. Toutes ont des statuts et des objectifs précis. La Société littéraire fondée à Lyon en 1778 se propose d'étudier l'économie politique et prétend « lutter contre le fanatisme[1] ». Dans les cercles privés on s'occupe surtout de commenter les journaux et d'échanger des idées. A Millau, la Société — c'est le nom du cercle local — est une sorte de chambre de lecture. Chaque membre, dit le règlement, « prend en entrant dans la salle le livre qu'il trouve à propos. Si, dans le cours de sa lecture, il trouve quelque sujet qui soit digne d'être observé, il en fait part à ses confrères. Les lectures particulières se tournent aussitôt en conversation générale. » Parfois, le divertissement se mêle à l'étude. A la Société du tric-trac de Bourg-en-Bresse, le billard et les tables de jeu voisinent avec la bibliothèque.

La maçonnerie connaît une expansion foudroyante. L'idéal maçonnique, mélange de rationalisme et de mystère, est de nature à plaire à cette époque illuminée. Le nombre des loges passe de cent quatre en 1774 à sept cents en 1789.

Loges et sociétés nouvelles concourent au même but. Il s'agit de constituer une élite intellectuelle. Il s'agit de former au sein de la société une classe dominante de sages appliqués à l'étude des sciences utiles, capables d'éclairer leurs concitoyens et de les guider vers le bonheur. Mission exaltante et dont tous ont une claire conscience. Le secrétaire de la toute neuve académie d'Orléans définit ainsi l'esprit de sa compagnie : « Il s'est formé à Orléans depuis quelques mois une société de personnes zélées pour le progrès des sciences physiques considérées sous leur rapport avec l'utilité publique et surtout avec l'avancement de la province[2]. » Achard de Germane, académicien de Grenoble et de Valence, est plus explicite encore : « Il devrait exister dans chaque pays, écrit-il, une institution fondamentale qui commît une classe d'hommes pour imaginer tout ce qui peut contribuer à la félicité de ses habitants, pour combiner tous les rapports du climat, les accidents intérieurs et extérieurs, pour chercher les remèdes à leurs maux, enfin pour indiquer à ceux qui ont l'autorité la route qu'ils ont à suivre pour réussir dans le plan du bien public[3]. » Heureuse nation qui produit tant de conseillers en bien public. Au surplus, ces conseillers ne sont pas isolés. Ils sont

1. Cité par L. Trénard, *Lyon, de l'Encyclopédie au préromantisme*, Paris, PUF, 1958, 2 vol., p. 73.
2. Cité par Daniel Roche, *Le Siècle des Lumières en province, op. cit.*, p. 58.
3. *Ibid.*, p. 57.

constitués en sociétés. Ils pensent en société. Cela va même plus loin. Les différentes sociétés veulent penser ensemble, et pour cela se réunir ou se fédérer. Des projets sont élaborés. Des tentatives de réunion sont faites. Nous allons les considérer.

Le mouvement d'unification. La communication entre les sociétés

C'est dans la maçonnerie que s'affirme le plus nettement la tendance à l'unification. Le Grand Orient (fondé en 1773) établit des relations permanentes avec les loges principales de province. Celles-ci, à leur tour, entreprennent de correspondre avec les loges moins importantes. A Rennes par exemple, la loge de la Parfaite Union entretient des relations épistolaires avec quarante-deux loges et quatre loges militaires. Le Grand Orient s'efforce par ailleurs de réunir toutes les branches de la maçonnerie. Des traités d'alliance sont conclus avec les « Empereurs d'Orient », la « Mère Loge de France Saint-Jean-d'Écosse du Contrat Social », le « Rite primitif de Narbonne » et quelques autres obédiences. Seule la Grande Loge de France est laissée à l'écart, mais sa représentativité est faible. On peut dire que l'unité de la maçonnerie est pratiquement faite. On peut parler aussi de centralisation. Le Grand Orient adresse aux loges des circulaires afin de régler des problèmes de discipline et de rendre partout le rituel uniforme. Selon certains historiens, quelques loges du Grand Orient, dont celle des Neuf Sœurs, auraient même réussi ce tour de force de réconcilier les deux courants jusqu'alors antagonistes des Lumières, le rationalisme voltairien et le spiritualisme rousseauiste. La rencontre à Paris, en 1778, de Voltaire et Franklin illustre cet accord. On sait que lors de son arrivée à Paris, deux ans plus tôt, servi par sa souplesse et par son onctuosité, Franklin avait succédé à Rousseau comme pape reconnu des spiritualistes éclairés. Dès l'arrivée de Voltaire à Paris, Franklin s'empresse de lui rendre visite. La loge des Neuf Sœurs, la plus intellectuelle de Paris, exploite les dispositions favorables du patriarche américain. Elle l'invite en même temps. Tout Paris vient voir les deux hommes entrer dans la loge en se tenant par la main.

Les académiciens cherchent eux aussi à se réunir. En 1774, deux projets voient le jour. L'un émane de l'abbé Yart, de l'académie de Rouen, l'autre de Condorcet, secrétaire de l'Académie des sciences. L'un et l'autre prévoient la création à Paris d'une sorte de bureau central des académies provinciales. La suggestion n'est pas retenue. L'autonomisme académique s'y oppose. Mais a-t-on besoin d'un bureau ? La fédération existe en fait. Elle existe par les relations incessantes des académies entre elles, par l'intense correspondance qu'elles entretiennent. Les réseaux les plus actifs sont ceux créés par les académies de Besançon, Lyon, Toulouse, Bordeaux et Dijon. Cependant, l'académie d'Arras les surpasse toutes. Dubois de Fosseux, secrétaire de cette académie, crée en

1786 un « Bureau de correspondance » et propose à presque toutes les académies du royaume d'entrer en correspondance avec elle. La plupart des réponses sont favorables. Le réseau s'étend et se fortifie. En 1788, Dubois de Fosseux expédie deux mille cinq cent quarante-cinq lettres. Le but qu'il poursuit est, selon sa propre expression, la « communication des lumières ». Il demande à ses correspondants des conseils pour le choix des sujets de concours, et des avis sur les sujets proposés. Lorsque le Dr Housset, académicien d'Auxerre, propose à l'académie d'Arras le sujet de concours suivant : « L'agriculture moderne l'emporte-t-elle sur celle des Romains ? », Dubois demande à tous ses correspondants leurs opinions sur cette question, ouvrant ainsi un débat national. La seule réunion des membres d'une seule académie ne suffit plus. Il faut maintenant — la félicité publique en dépend — que toutes les académies s'assemblent et que toutes les lumières se communiquent.

L'opinion publique

Le résultat le plus apparent de tous ces échanges est l'uniformisation de la pensée. D'un bout à l'autre du royaume on se met à utiliser les mêmes concepts, les mêmes vocables. Il existe désormais un système de pensée dominant, qui est d'ailleurs beaucoup plus un système qu'une pensée. L'« opinion publique » était née à la fin du règne de Louis XV. On la voit maintenant grandir et s'imposer. Nul ne peut désormais se soustraire à son emprise. Le roi lui-même doit s'y soumettre. « L'opinion publique, écrit Sébastien Mercier, a aujourd'hui en Europe une force prépondérante à laquelle on ne résiste pas. »

Le langage des journaux et celui des loges et des académies montre que l'esprit de l'opinion publique ne se distingue en rien de celui des Lumières. La « philosophie » n'a donc jamais été aussi puissante. Elle règne sans partage sur le gouvernement. Elle règne sur les lettres. Les académies provinciales la révèrent. L'Académie française ne lui résiste plus. Depuis les élections de Suard, Delille, Condorcet et de quelques autres, elle lui est tout entière inféodée. L'opinion publique n'est qu'une « capacité vide ». La philosophie la remplit totalement.

Cette philosophie n'est plus tout à fait celle qui avait inspiré les encyclopédistes. Elle a été mise au goût du jour et adaptée à la sensibilité du temps. Son inspiration profonde n'a pas changé, mais les thèmes qu'elle met en avant sont naïfs et sentimentaux. Nous en retiendrons trois.

Le premier est celui de la morale humanitaire. L'opinion publique lui fait un grand écho. Les *Affiches* de province se plaisent à relater dans un style pathétique et bénisseur de multiples traits d'humanité et de bienfaisance. Le nouveau culte est celui de la bienfaisance. En 1776 les *Affiches du Dauphiné* publient un « Symbole de l'Homme » où le nouveau dogme s'exprime parfaitement : « Je crois en Dieu, père de la nature, juge de mes actions rémunérateur de la vertu [...]. La bienfaisance rend mon existence plus douce, l'amour et l'amitié la doublent [...]. La fin du Citoyen est le triomphe de la vertu qui retourne à l'Être Suprême. » Le discours maçonnique est de la même eau : « Tendons une main généreuse à l'humanité souffrante, dit une circulaire du Grand Orient du 24 août 1776, volons au-devant des infortunés [...]. Puisqu'il faut être connus, soyons-le comme des maçons doivent l'être, par des actes multiples de bienfaisance[1]. »

Le second thème est le progrès ; il est désormais admis que l'humanité est entrée dans un âge de lumière et de progrès, succédant à une longue nuit. « Grâce à la philosophie, écrivent les *Affiches de Poitou*, les esprits désabusés rougissent de la longue ignorance dans laquelle ils ont croupi[2]. »

Enfin le troisième thème est l'esprit de concorde. Les certificats délivrés à ses membres par la loge de Coutras, en 1788, se terminent par la formule suivante : « ... Ils [les maçons] répandront dans toutes les villes qu'ils parcourront l'esprit de liberté, de concorde et d'amitié fraternelle qui fait l'essence de notre ordre[3]. »

Notons le caractère optimiste de ce discours, ainsi que son aspect positif. On y chercherait en vain une critique des institutions établies et des croyances officielles. L'opinion publique est toute philosophique, mais elle ne retient de la philosophie ni son antichristianisme, ni ses thèses contraires à l'idée traditionnelle de la monarchie française. Est-ce tactique ou changement véritable ? les comportements sont pareillement respectueux. Il est peu de loges qui n'affichent leur respect de la religion. A Toulouse, on retarde l'heure des séances pour faciliter l'exercice du culte aux « frères ». La loge des Neuf Sœurs fait chanter une messe en 1776 pour la convalescence du duc de Chartres. La loge des étudiants de Montpellier interdit à ses membres de se livrer « à des disputes sur les religions et la politique ». En Provence, la plupart des francs-maçons font partie de confréries de dévotion. Le relevé serait long des textes prouvant le loyalisme monarchique des loges. On citera seulement à titre d'exemple l'article 2 du règlement de la loge des Amis Constants de Toulon :

> Les Rois, les souverains sont l'image de Dieu sur la terre, ainsi chaque frère faira [*sic*] gloire d'être un sujet zélé de son prince ; il respectera les magistrats et les lois ; il ne parlera jamais et n'écrira rien contre le gouvernement, et on ne discutera jamais en loge les divers intérêts des souverains[4].

Gardons-nous toutefois de surestimer la valeur de telles déclarations.

1. Cité par Daniel Mornet, *Les Origines intellectuelles de la Révolution française : 1715-1787*, Paris, Armand Colin, 1989, p. 372.
2. *Ibid.*, p. 354.
3. *Ibid.*, p. 377.
4. Cité par Maurice Agulhon, *Pénitents et francs-maçons de l'ancienne France*, Paris, Fayard, 1968, p. 92.

Ce sont des formules toutes faites et de nature à rassurer les autorités toujours promptes à s'inquiéter au sujet des sociétés secrètes.

Il faut également lire entre les lignes. La critique de l'ordre établi est implicite. Car exalter les lumières du temps présent revient à dénigrer les croyances, les mœurs et la philosophie traditionnelles. L'opinion publique célèbre en permanence des valeurs utopiques, radicalement contraires à celles de l'Occident chrétien.

Enfin, il existe très probablement derrière cette opinion publique optimiste et rassurante une autre opinion plus ou moins souterraine et beaucoup moins rassurante. Les indices ne manquent pas. L'un des plus nets est la prospérité du commerce du livre clandestin, celui imprimé en France dans des imprimeries clandestines, et celui venu en fraude des pays étrangers. Il s'agit de libelles antireligieux, d'ouvrages érotiques et de pamphlets politiques. Ainsi dans le fonds du courtier Mauvealin qui se fournit à Neuchâtel, on trouve *La Papesse Jeanne*, l'*Erotika Biblion* de Mirabeau, les *Mémoires de la Bastille* de Linguet, et les *Fastes de Louis XV*, ouvrage scandaleux qui prétend dévoiler les turpitudes d'un prince «toujours plongé dans la crapule et dans les voluptés [1]». Une telle littérature ne vise pas seulement à divertir. Elle tend à subvertir les mœurs et l'ordre politique.

Une certaine maçonnerie non plus n'est pas innocente. Il est très possible que des loges françaises aient subi l'influence de la secte anticléricale des illuminés de Bavière. Nous savons que des illuminés avaient réussi à s'infiltrer dans la maçonnerie allemande de la Stricte Observance. Or la Stricte Observance était implantée à Lyon, et Willermoz, l'un de ses adeptes lyonnais, correspondait avec plusieurs loges françaises. Il est aussi très probable que Mirabeau, lors de son séjour en Prusse, se soit affilié aux illuminés. Ces contacts ont pu infléchir l'orientation générale de la doctrine maçonnique française.

LA RELIGION

Considérée dans son ensemble, la situation de l'Église et de la religion ne s'améliore pas. On observe pourtant quelques signes favorables. L'hostilité de la philosophie semble s'atténuer. Voltaire vieillissant se résout à défendre Dieu. C'est ce qu'on a appelé « la religion de Ferney » : « Si Dieu n'existait pas, il faudrait l'inventer, mais toute la nature nous crie qu'il existe. » La religiosité de Rousseau a un effet d'apaisement. Des chrétiens s'y laissent prendre. Des incrédules, dit-on, y retrouvent la foi. Peut-être, mais cela ne signifie pas que la religion et la philosophie

---

1. Cité par R. Darnton, « Un commerce de livres sous le manteau en province à la fin de l'Ancien Régime », *Revue française d'histoire du livre*, t. V, 1975, p. 5.

soient réconciliées. Comment pourraient-elles l'être ? La « religion de Ferney » est-elle autre chose qu'un succédané du déisme ? La religion du Vicaire savoyard est-elle plus qu'un vague théisme ? Vis-à-vis de Jésus-Christ, Dieu et Homme, la philosophie ne varie pas. Elle continue à Le rejeter. La mort impie de Voltaire est la manifestation éclatante de ce rejet. A l'abbé Gautier qui lui demande : « Reconnaissez-vous la divinité de Jésus-Christ ? », le malade fait cette réponse : « Jésus-Christ ? Jésus-Christ ? laissez-moi mourir en paix [1]. »

Dans les dernières décennies du règne de Louis XV, la pratique religieuse avait donné ici et là des signes de fléchissement. Ce mouvement continue-t-il ? Nous n'avons pas assez de chiffres pour confirmer une tendance générale à la baisse, mais les rares que nous possédions indiquent une désaffection massive dans certaines populations urbaines. A Pau en 1772, huit cents personnes ne font pas leurs pâques ; à Troyes en 1787, trois cent soixante-douze sur six cents en âge de communier ; à Bordeaux en 1772, la moitié de la population. Il est très possible que toutes les villes importantes connaissent le même phénomène et présentent des taux comparables d'abstention. Dans le nouveau climat intellectuel et moral, ils serait assez normal que le conformisme de la non-pratique se substitue à celui de la pratique. Nous sommes dans un temps où l'opinion publique impose sa loi à tous, et cette loi n'est pas la loi chrétienne. Nous sommes aussi dans un règne dont la politique n'est pas chrétienne. Le gouvernement de Louis XV n'avait guère été favorable à la religion. Celui de Louis XVI lui est parfois nettement défavorable. Les procès-verbaux des assemblées du clergé de France sont remplis de plaintes : la censure des livres est une passoire, le trafic des livres clandestins n'est pas réprimé, le travail du dimanche n'est plus interdit. En 1782, Mgr Dulau, archevêque d'Arles, chef de la commission de l'assemblée du clergé pour la religion et la juridiction, reproche à l'administration royale de faire travailler le dimanche dans les chantiers publics. Les évêques déplorent également que l'on ne fasse plus respecter les observances de l'avent et du carême. De fait, l'une des premières ordonnances de Louis XVI est d'autoriser l'exposition — jusqu'alors interdite — des aliments qui ne doivent pas être consommés pendant le carême. La raison invoquée est d'ordre humanitaire : on veut faciliter la vente de ces aliments aux malades et aux infirmes. Mgr Dulau ne se satisfait pas d'un tel argument. Il reproche au gouvernement d'attenter au carême. Il exprime la crainte que « la conformité extérieure de ce saint Temps avec les autres temps de l'année [...] ne devienne peut-être une manière de triompher pour l'irréligion ».

Le phénomène le plus impressionnant est la déchristianisation totale

---

1. Cité par Jean Orieux, *Voltaire ou la royauté de l'esprit*, Paris, Flammarion, 1966, p. 771.

de certains milieux, comme la noblesse de Cour, le négoce, la banque, la finance, les professions «à talent». Tous ces gens pensent et vivent comme s'ils n'avaient jamais connu le christianisme, et même, pour certains, comme si le christianisme n'avait jamais existé. De tous les témoignages sur cette disparition du christianisme, la correspondance de Julie de Lespinasse est l'un des plus significatifs. On n'y trouve pas un mot contre Jésus-Christ, mais pas un mot de Jésus-Christ. Il n'y a rien dans ces lettres qui rappelle, même de loin, l'existence d'une religion appelée le christianisme. Cette femme remarquable, cette amie parfaite, cette amoureuse passionnée, éprouve toutes sortes de grands sentiments, mais aucun de ces sentiments n'est religieux. La foi ne l'a jamais effleurée. Sa philosophie — elle s'en est fait une — est un mélange de culte de la «nature» et de courage stoïcien. «Et moi, écrit-elle, animée du besoin actif de mourir, je rends grâce à la nature qui m'a fait naître[1].» C'est du paganisme, mais un paganisme désolé, un paganisme sans dieux. L'aspiration commune à tous ces êtres est de pouvoir rejoindre une sorte d'Antiquité mythique, afin de se séparer plus complètement du christianisme. «Pour valoir quelque chose, dit un grand seigneur, il faut se défranciser et se débaptiser.»

Toutefois, si la déchristianisation est profonde, elle demeure limitée. Les incrédules le sont de plus en plus, mais ils restent une petite minorité, même si cette minorité grossit. Le christianisme a perdu les catégories dominantes de la société, mais il a encore le nombre pour lui. La plupart des Français, et en particulier la grande masse des paysans, gardent la foi et pratiquent fidèlement.

Cette foi est-elle vivante? Est-elle aussi vivante que dans les années passées? Ou bien s'affaiblit-elle? Il faut essayer de répondre à ces questions.

Nous avons quelques signes. Examinons-les.

D'abord les testaments. La sécularisation des formules testamentaires et la diminution notable des demandes de messes chez les testateurs signifient peut-être que les fidèles ne considèrent plus la mort d'un regard aussi chrétien que dans le passé.

Le ralentissement de l'activité missionnaire est un autre indice de déclin. Depuis près de deux siècles, les missions intérieures lancées à travers le pays convertissaient les peuples, et ranimaient périodiquement dans les paroisses le zèle de la pénitence et le feu de la charité. Or elles deviennent moins fréquentes. Il n'y a presque plus de nouvelles fondations, et les anciennes sont mal exécutées, les rentes servies par les fondateurs ou leurs héritiers n'étant plus adaptées au coût de la vie. Seules les provinces de Lorraine, Franche-Comté, Anjou et Poitou bénéficient de missions nombreuses et régulières.

---

1. Julie de Lespinasse à Condorcet, *Lettres inédites, op. cit.*, p. 127, septembre 1774.

D'autres indices sont favorables, par exemple la fréquence des visites pastorales et le succès des jubilés. La plupart des évêques demeurent fidèles à l'obligation de visite. La plupart continuent aussi à indiquer des jubilés et à les célébrer activement. A Paris, celui de 1776 est suivi par un grand nombre de fidèles. Dans son mandement d'action de grâces, Mgr de Beaumont évoque « le renouvellement de la foi qui s'est manifesté de façon si visible ».

La vitalité des confréries est un autre signe favorable. Il est certes des provinces où ces sociétés pieuses déclinent. Le Limousin par exemple : à Aubusson, entre 1751-1760 et 1781-1790, les effectifs des deux confréries locales de pénitents (les « blancs » et les « noirs ») diminuent de moitié. Mais la plupart des régions ne connaissent pas ce dépérissement. On y voit même ici et là se fonder de nouvelles confréries. Dans le diocèse de Die en Dauphiné, six confréries disparaissent entre 1754 et 1789, mais vingt-cinq nouvelles sont érigées.

Enfin l'esprit de miséricorde, si caractéristique de l'ancienne chrétienté, n'est pas éteint. Il s'est réfugié dans cette partie de la société que l'on nomme le « peuple ». A Bordeaux, depuis 1770 environ, les magistrats du parlement, autrefois si charitables, ne font plus aucune donation ni fondation, mais les gens du « simple peuple » multiplient les œuvres. Une vieille femme, nommée Marianne, femme de chambre de son état, donne aux pauvres de sa paroisse la somme énorme pour elle de trois cents livres[1].

Toute foi n'est pas morte. L'esprit du catholicisme tridentin est toujours vivant.

Il est même sans doute plus vivant que jamais chez beaucoup. Peut-on expliquer autrement l'extraordinaire succès du livre religieux ? De 1778 à 1789, les tirages des livres religieux réédités en province représentent plus de la moitié de la réédition provinciale, soit près d'un million et demi d'exemplaires. En 1789, la plupart des Français de toutes conditions possèdent au moins un livre de dévotion. Certains peut-être n'en font rien, mais beaucoup s'en servent pour méditer, pour prier, pour avancer dans la voie du salut. Grâce au livre, la dévotion continue à progresser. Elle atteint maintenant les couches les plus modestes de la société. L'incrédulité se porte dans la noblesse. Le catholicisme, lui, est de plus en plus populaire.

La piété s'en ressent. Elle devient plus spontanée, plus chaleureuse. Elle s'adonne au culte de l'Eucharistie et à celui du Sacré Cœur. Les évêques suivent le mouvement. Dans sa nouvelle édition du Bréviaire et du Missel de Paris, Mgr de Beaumont insère l'office et la messe du Sacré Cœur. Partout, les expositions du saint sacrement se multiplient. Des

---

1. Ph. Loupès, « L'assistance paroissiale aux pauvres malades dans le diocèse de Bordeaux au XVIIIᵉ siècle », *Annales du Midi*, janvier-mars 1972, p. 37-61.

communautés religieuses se vouent à l'Adoration perpétuelle dans un esprit de réparation. A Paris, depuis le 2 juillet 1779, les religieuses de la congrégation de Sainte-Aure se relaient jour et nuit devant le saint sacrement, se proposant de réparer ainsi les « offenses et injures que le Saint Sacrement reçoit journellement des hérétiques et des blasphèmes des philosophes de nos jours ».

Les saints de l'époque sont des adorateurs. J. M. Moÿe, prêtre missionnaire lorrain, demeure des journées entières agenouillé les bras en croix, au pied du calvaire de Moussey. Benoît-Joseph Labre, qui meurt à Rome en 1783, a passé toute sa vie en pèlerinages. Chaque jour, il visitait le saint sacrement dans toutes les églises où il était exposé.

Telles sont les forces vives du catholicisme français dans les dernières années de l'ancienne France : sa piété aimante et son exactitude à faire pénitence.

Ses faiblesses sont d'ordre intellectuel : la médiocrité de son enseignement doctrinal et la pauvreté de son apologétique.

Depuis 1770 environ, les études ecclésiastiques sont en complète décadence, la philosophie aussi bien que la théologie[1]. A la fin de la période, le manuel de philosophie en usage dans les séminaires est la *Philosophie de Lyon* (1782), ainsi nommée parce qu'elle est recommandée par l'archevêque de Lyon. Cet ouvrage ignore les thèses thomistes, ne connaît que celles de Descartes, et les présente comme des vérités. L'enseignement théologique ne vaut pas mieux. On peut en juger par la *Theologia dogmatica* de Bailly (1789), adoptée par tous les séminaires, condensé d'une doctrine inanimée et desséchée. Le *magister dixit* est l'argument majeur de ce Bailly, et son magister c'est Descartes.

L'apologétique est de la même veine. Prenons les trois apologistes les plus réputés : Beaumont, archevêque de Paris (mort en 1781), appelé « l'Athanase de son siècle », Lefranc de Pompignan, évêque du Puy, salué universellement comme « l'homme de la religion en France », et La Luzerne, évêque de Langres. Tous trois font profession de combattre l'« incrédulité » et l'« impiété ». En fait, leur combat est vain et inexistant. C'est un combat sans armes et sans arguments. Ils proclament la vérité du christianisme, mais ne la démontrent pas. Car ils ne s'appuient jamais sur la philosophie chrétienne. Leurs adversaires parlent raison, ils répondent religion. Ils sont sur un autre terrain. On ne les voit jamais recourir aux cinq preuves traditionnelles de l'existence de Dieu. La démonstration thomiste leur permettrait d'établir non seulement que Dieu existe, mais encore — ce qui serait très utile pour la réfutation du déisme — que Dieu est parfait. Ils ignorent ou dédaignent cette démonstration. La même philosophie chrétienne leur fournirait une

---

1. Nous renvoyons à notre article, « Les études ecclésiastiques en France aux XVIIIᵉ et XIXᵉ siècles (philosophie et théologie) », *Scripta theologica*, janvier-avril 1986, p. 215-226.

théorie de la connaissance qu'ils pourraient opposer victorieusement à l'empirisme de Locke et au sensualisme de Condillac. Ils n'en voient pas l'utilité. Ils ne l'imaginent même pas. Car ils sont imprégnés eux-mêmes de philosophie moderne. Lefranc de Pompignan et La Luzerne sont rousseauistes. Ils croient au contrat social. La religion pour eux n'est qu'un sentiment. «La prière, écrit La Luzerne, n'est point un art, elle est un sentiment, elle ne demande pas de connaissances, elle ne suppose que de la foi.» Propos stupéfiants, qui contredisent toute la tradition catholique. Beaucoup de prélats en tiennent de semblables. Comment l'épiscopat combattrait-il la philosophie, alors qu'il est lui-même philosophe? La majorité de ses membres sont «tolérantistes». Ils blâment les «excès» de la Ligue et les «crimes» des croisades. Ils se félicitent du triomphe des «lumières» sur les «ténèbres de la superstition». Certains, et non des moindres, fréquentent les salons philosophiques. Boisgelin, archevêque d'Aix, est l'ami de Mme du Deffand, et l'hôte des cercles les plus éclairés.

L'intelligence s'est déplacée. Elle est passée à la philosophie. Le catholicisme est toujours pratiqué par l'ensemble du peuple. Il est toujours vivant dans ses dévots et dans ses saints. Mais intellectuellement il n'existe plus.

Conclusion

A la veille de la Révolution, la France est déjà une très ancienne nation. Les historiens contemporains du règne de Louis XVI lui attribuent soixante-huit rois et plus de quatorze siècles d'existence. La conscience et la fierté d'une si grande antiquité forment les éléments essentiels du patriotisme d'alors.

La monarchie française est vieille, mais sa vieillesse ne l'a pas dénaturée. Elle est toujours cette «monarchie royale» que Jean Bodin, deux siècles plus tôt, avait louée. Elle n'est pas devenue tyrannique. Elle ne porte pas atteinte aux propriétés de ses sujets. Elle respecte toujours leur «honnête liberté». Son pouvoir, quoi qu'en disent les parlements, ne contient pas une forte dose d'arbitraire. S'il se fait un certain abus des lettres de cachet, les familles qui sollicitent ces lettres en sont responsables plus que l'État. La législation royale intervient peu dans le droit des biens. La monarchie est favorable à l'unification du droit, mais les coutumes demeurent.

Toutefois, si la constitution politique garde ses traits essentiels, son esprit change. La royauté y a moins de part. Elle s'étatise. Le pouvoir devient plus impersonnel, plus rigide, plus envahissant.

Le roi se dit toujours le «Très Chrétien». De fait, il est toujours le monarque sacré, le roi qui prête à son sacre le serment de protéger l'Église et de rendre justice aux faibles et aux opprimés. Mais ce roi sacré ne connaît plus la vertu de son sacre. Après 1738, Louis XV ne touche plus les écrouelles. Louis XVI ne les touche qu'une seule fois dans tout son règne : le lendemain de son sacre. Quant au serment dit «des églises», ni l'un ni l'autre souverain ne le respectent fidèlement. Louis XV publie l'édit de 1749 qui soumet à des conditions très restrictives les donations et fondations pieuses. Il supprime la Compagnie de Jésus. Sa commission des réguliers fait disparaître quinze cents maisons religieuses. Louis XVI ne revient sur aucune de ces mesures.

Au moins jusqu'au milieu du siècle, pour un grand nombre de Français, la personne du roi conserve son prestige. Elle inspire une profonde vénération. Elle est l'objet d'une sorte d'attachement qui ressemble à de l'amour. On le voit bien lorsque Louis XV, en 1744, tombe malade à Metz. La douleur et l'inquiétude qui s'expriment alors ne sont pas commandées. En 1774, la jeunesse et la bonne volonté du nouveau roi et la grâce de la reine font renaître un moment ces sentiments d'affection. En 1778, un voyageur allemand écrit : «Le dernier des ramoneurs est transporté de joie quand il voit le roi.»

Le malheur est qu'il le voit de moins en moins. Les souverains ne voyagent plus dans leur royaume. Ils ne vont plus à Paris que de loin en loin. Depuis l'installation à Versailles, la capitale a perdu son prince. Certes, on peut voir le roi à Versailles. Y vient qui veut. Versailles est la vitrine de la royauté. Mais trop souvent la vitrine est vide. Louis XV fuit Versailles. Il préfère les «petits châteaux», où il peut vivre à l'aise. Il fuit le public. Il se sépare du peuple. Louis XVI tente de renouer, mais c'est trop tard. L'impopularité s'est installée. On ne peut la nier. Elle n'est pas générale, mais elle existe. Elle vient d'une frustration. Restif de La Bretonne écrit que chaque Français «considérait le roi comme une connaissance intime». Qu'est-ce qu'une connaissance intime qui se dérobe à vos yeux ? Le roi s'éloigne et avec lui la royauté.

Quand les institutions s'usent, il faudrait au moins des hommes supérieurs. Ni Louis XV ni Louis XVI ne sont des hommes supérieurs. Ce n'est pas qu'ils manquent de qualités. Louis XV est intelligent et lucide. Louis XVI déborde de bonne volonté. Mais il leur manque à l'un comme à l'autre le courage invincible et la constante énergie. Le premier se laisse souvent dominer, bien qu'il ne sache pas donner sa pleine confiance. Le second ne sait pas décider. L'un et l'autre ne savent pas s'entourer. Sauf quelques exceptions (Fleury, Orry, le comte d'Argenson, Machault, Maupeou et Calonne), les ministres n'ont pas de fortes personnalités. La plupart sont compétents. Quelques-uns ont du talent. Mais fort peu sont capables d'assister vraiment le roi et d'affronter avec lui les grandes difficultés. Bien souvent, face à l'adversité, le roi sera seul.

La machine gouvernementale fonctionne encore à peu près. Le principe du gouvernement par conseil, toujours en vigueur, lui conserve une certaine souplesse. Les grandes décisions politiques sont toujours prises par le roi «en son conseil», qui est dans ce cas le Conseil d'en-haut. Cependant, les affaires de finances, devenues trop nombreuses, ne sont presque plus jamais délibérées en conseil. Dans ce dernier domaine la décision appartient au Contrôle général, qui en fait, sinon en droit, se substitue au Conseil du roi, et dont le pouvoir devient envahissant. Le régime est de plus en plus administratif, de plus en plus centralisé. Les intendants ont de moins en moins d'autonomie. Mais, en même temps, ils ne se sentent pas soutenus. Après 1750, le pouvoir central les sacrifie souvent à la vindicte des cours souveraines. Quant au roi, s'il gouverne encore, il est pratiquement tenu à l'écart de l'administration de son royaume. Les intendants, les premiers présidents et les procureurs généraux des cours rendent compte au ministre, non au roi. La machine est donc plus lourde, moins souple qu'elle ne l'était.

En outre, les conflits entre les différentes parties de la puissance publique gênent son fonctionnement. Le régime est malade de l'opposition incessante des cours souveraines. Dans un premier temps, les cours combattent le pouvoir royal au nom des principes du gallicanisme. Ensuite, leur opposition prend une dimension nouvelle. C'est le régime lui-même qui est mis en accusation. Les parlements et les cours des aides font le procès en règle de la monarchie, l'accusant d'abus de pouvoir et d'arbitraire. Elles bloquent le système en empêchant d'établir de nouveaux impôts.

Ce conflit mine la monarchie.

Il introduit une contradiction dans le pouvoir politique. En effet, les parlements ne sont pas de simples exécutants. Ils sont le pouvoir judiciaire. Ils sont la justice du roi. Ils sont le pouvoir judiciaire du roi. Par conséquent, ils sont le roi. Le roi s'oppose au roi. La monarchie est divisée contre elle-même.

Ensuite, ce conflit compromet l'unité du corps politique. Il était admis depuis toujours qu'en France la nation faisait corps avec le roi. Or les parlements finissent par croire et par faire croire qu'ils représentent la nation. Ils séparent ainsi ce qui était uni. Ils opposent le roi à la nation. Leur opposition prend peu à peu figure d'opposition nationale.

Enfin ce conflit paralyse le régime, lui rendant impossible le règlement de la question financière. Éternelle question. En ce temps-là les États n'étaient pas riches. Celui de France était l'un des plus pauvres. En cas de guerre, l'argent faisait défaut. On devait alors trouver d'importantes ressources complémentaires. Louis XIV avait imaginé l'impôt sur les privilégiés. Louis XV adopte le même procédé. A la capitation s'ajoutent les vingtièmes. Mais l'autorité de Louis XV n'est pas celle de Louis XIV. Les parlements font une opposition furieuse aux nouveaux impôts. Ils les déclarent illégaux. Ils en retardent autant qu'ils le peuvent l'adoption et la perception. Sous le règne de Louis XVI, la résistance devient si forte que le gouvernement n'ose plus l'affronter. Pour financer les dépenses de la guerre d'Amérique, il préfère emprunter. Ainsi va se creuser le gouffre du déficit.

Conflit insoluble : de trop bonnes raisons existent des deux côtés. Le pouvoir royal invoque les nécessités « pressantes de l'État », les besoins du Trésor et le bien commun. Il se réclame de la justice : tout le poids de l'État ne doit pas reposer sur les seuls taillables. Il se fait même le champion de l'égalité. Les cours ont tout autant raison de rappeler les principes du respect des propriétés et de la distinction fondamentale des trois ordres. Alors comment éviter le conflit ? Personne n'en sait rien. Le pouvoir royal moins que quiconque. Ses variations en témoignent. Il va de reculades en compromis et de compromis en coups de force. Flatter les parlements ou les exiler, on ne sait rien faire d'autre.

On ne peut pas non plus consulter les sujets. Ils sont « inconsultables ». Il y a bien les états généraux, mais ils n'ont pas été convoqués depuis 1614. On ne sait plus très bien quelle est leur nature et quel est leur rôle. Quant aux états provinciaux, Louis XIV en a fait disparaître plusieurs. Sous Louis XVI, Turgot et Necker tentent de recréer une représentation provinciale à l'usage des pays d'élection. En 1788, on se décide enfin à convoquer les états généraux. Mais ces tentatives et ces décisions portent en elles-mêmes un principe de contradiction. Leurs auteurs ne croient plus à la distinction des trois ordres. Que peuvent-ils espérer d'assemblées organisées selon cette distinction ?

Le tissu social est encore souple, mais commence à donner des signes d'usure.

La société française d'Ancien Régime est une véritable société. Elle n'est pas une juxtaposition d'individus, mais un ensemble complexe de familles, de corps et de communautés, de métiers et d'ordres. Les hommes y sont liés entre eux par les solidarités communautaires et familiales, par les fidélités personnelles et par les liens que la condition féodale et seigneuriale des terres les oblige à entretenir.

La société française est aussi une société assez bien équilibrée. Car elle est diverse. Les trois ordres existent socialement, même si leur signification politique n'est plus comprise. Noblesse et clergé ne se distinguent pas seulement par leurs privilèges, mais aussi par leurs idéaux et par leurs genres de vie. La grande majorité du clergé observe un idéal de vie consacrée et séparée. La grande majorité de la noblesse ne déroge pas et mène la vie noble. Ajoutons que chacun des trois ordres a sa hiérarchie interne. Il y a une infinité de dignités, chaque famille, chaque parenté, chaque profession, chaque métier, chaque office, chaque position sociale ayant sa propre dignité. C'est la dignité qui engendre la supériorité, non le contraire.

Enfin cette société est vivante. Elle est animée en effet d'un mouvement continu d'ascension sociale.

Il y a cependant des signes marqués d'usure.

La vitalité des corps et des communautés diminue. Les villes, les communautés d'habitants et les métiers subissent une tutelle administrative de plus en plus pesante. La féodalité et la seigneurie se vident de leur substance. Les liens personnels de fidélité s'affaiblissent, les services vassaliques ayant disparu, les seigneurs ne recherchent plus que les prestations économiques et les privilèges honorifiques.

Des blocages se produisent. L'«établissement» politique et administratif se perpétue au pouvoir. Les réactions seigneuriale et nobiliaire tendent à ralentir le mouvement d'ascension sociale.

Enfin, les idées modernes d'égalité et d'utilité se répandant partout font paraître désuètes les anciennes conceptions de l'honneur et du service. Ce qu'on appelait dignité semble n'avoir plus de sens. Le progrès économique suscite partout une mentalité utilitaire et économiste. L'écart entre les conditions matérielles devient trop grand. La société française se montre de plus en plus incapable de maîtriser la richesse et de modérer la pauvreté. Il y a non seulement une usure mais un déséquilibre croissant.

Depuis 1730 environ, l'économie française est entrée dans une phase de développement et de croissance. Une meilleure conjoncture climatique, l'extension du réseau de communications, la stabilité monétaire et la paix intérieure du royaume, où n'entrent plus ni l'invasion étrangère ni la guerre civile, sont les principaux facteurs de la nouvelle prospérité.

La production agricole augmente sensiblement et se diversifie. La production manufacturière bénéficie des technologies nouvelles, dont plusieurs viennent d'Angleterre, et de l'utilisation d'une nouvelle source d'énergie, le charbon de terre. Un grand nombre de Français possédant de la terre, la hausse de la rente foncière enrichit une bonne partie de la population. Le bien-être se répand. On vit mieux. On se nourrit plus et mieux. On se porte mieux. On vit plus longtemps. L'État favorise tous ces progrès. Le développement économique est devenu sa première préoccupation. Sous la pression des philosophes, des physiocrates, des grands manufacturiers, des négociants et des grands propriétaires fonciers, il abandonne les principes dirigistes, se convertit peu à peu au libéralisme et assouplit les règlements afin de permettre une accélération des échanges et une augmentation des profits.

Toutefois, certaines catégories sociales ne bénéficient pas de la nouvelle prospérité. Ce sont généralement des salariés, les salaires ne suivant pas le mouvement des prix. Ce sont des journaliers, des petits propriétaires obligés de travailler à la journée, des paysans et des artisans travaillant pour les fabriques, des ouvriers des mines et des manufactures concentrées. Tous s'appauvrissent. La mise en place des nouvelles structures de production a pour conséquence d'aggraver l'appauvrissement et de multiplier le nombre des pauvres. La suppression des vaines pâtures et le partage des communaux réduisent les ressources des petits détenteurs de terres. N'étant pas soumises aux règlements corporatifs, beaucoup de nouvelles entreprises, manufactures ou fabriques, pratiquent les salaires et les horaires de travail qui leur conviennent. Le pouvoir royal porte ici une grave responsabilité. Certes, l'administration ne se désintéresse pas des pauvres. Nous la voyons déployer une action bienfaisante, s'efforcer de mieux répartir la taille, de distribuer des secours en temps de disette et d'épidémie, et d'assurer en tout temps le ravitaillement des villes en pain à un prix modéré. Mais elle n'intervient presque jamais pour un ajustement des salaires. Convertie aux principes libéraux, elle répugnera de plus en plus à intervenir. C'est une faute. La royauté manque à son devoir de justice et de protection des faibles. La masse des pauvres croît avec les années. La vue de ces femmes et de ces enfants astreints aux plus durs travaux, et le spectacle de ces innombrables mendiants qui encombrent les rues des villes et les grands chemins doivent amener à nuancer le tableau de la prospérité économique. S'il y a bien un progrès économique, peut-on parler de progrès social?

Y a-t-il alors un progrès des connaissances? La question doit être décomposée. La première interrogation est celle-ci : la masse du peuple est-elle plus instruite qu'elle ne l'était au siècle précédent? Si l'on regarde le degré d'alphabétisation, la réponse est affirmative. Prenons les signatures d'actes de mariage. Entre la fin du XVIIe siècle et la Révolution, le nombre des signatures des conjoints augmente en moyenne dans la proportion d'un tiers environ. Grâce au dévouement des innombrables congrégations de sœurs enseignantes, l'alphabétisation féminine tend à rattraper son retard. Toutefois, on ne peut pas dire que le réseau des petites écoles ait connu au XVIIIe siècle un développement spectaculaire. La grande période des fondations d'écoles est le règne de Louis XIV, non celui de Louis XV. Les progrès de l'alphabétisation semblent dus principalement à une fréquentation plus assidue de l'école et à de meilleures méthodes d'enseignement, comme celles des frères des Écoles chrétiennes.

La deuxième interrogation concerne la lecture et le nombre des livres diffusés. On note là aussi un progrès, mais limité semble-t-il aux premières décennies du siècle. On a bien l'impression qu'ensuite la lecture populaire ne fait que peu de progrès. Si elle en fait, c'est surtout dans le livre religieux. Le développement de l'instruction bénéficie à la religion.

Du côté de l'instruction humaniste, on verrait plutôt un recul. Les collèges régressent. Leurs effectifs diminuent. Les enfants de milieu populaire ne sont pas plus nombreux à les fréquenter. La suppression des jésuites entraîne une crise profonde de l'institution du collège et compromet par là même la formation intellectuelle de la jeunesse. Les pensions privées qui se multiplient ne sont le plus souvent que des solutions de fortune. Le seul secteur en véritable progrès est celui des couvents-pensions de jeunes filles, conçus sur le modèle de Saint-Cyr, et destinés aux enfants de la noblesse et de la bourgeoisie. On en voit se créer partout et jusque dans les plus petites villes. Il en est pour tous les milieux et pour toutes les bourses. Les demoiselles qui les fréquentent s'y forment à la dévotion. Elles y apprennent à écrire et à parler exactement leur langue. De cette amélioration notable de l'instruction féminine, la société et la civilisation tirent un grand bénéfice. Nous avons là sans doute l'un des plus sûrs acquis du siècle des Lumières.

Le goût classique et la hauteur de pensée des grands écrivains du XVIIe siècle avaient contribué à la perfection de la langue française. L'usage et l'écriture du XVIIIe siècle dotent cette langue d'une souplesse et d'une fluidité remarquables. Le français, comme on l'écrit maintenant et comme on le parle, se prête merveilleusement à toutes les communications de la vie sociale. C'est par excellence la langue des salons, celle de la diplomatie, celle des hommes d'esprit et des femmes coquettes, celle des nuances et des sous-entendus, celle qui peut tout dire sans avoir l'air de le dire. Tout dire de ce qui a trait à la vie, aux sensations, au plaisir et au bonheur. Pour dire les sentiments profonds, pour dire les grandes vérités, on la dirait moins à l'aise. Les genres qui lui conviennent sont le dialogue, le roman, la correspondance et la comédie. La tragédie la tente mais ne l'inspire pas. Ni la poésie ni le discours ne lui réussissent. Les genres qui prospèrent ne sont pas les grands genres. On les qualifiait jadis de genres mineurs. La littérature française de ce siècle a beaucoup d'écrivains agiles, trépidants et irrésistibles. Certains, comme Voltaire et Jean-Jacques Rousseau, sont des maîtres de la langue. Elle en a peu qui transportent et qui soient transportés.

Les arts ont plus d'âme. La poésie s'est enfuie des lettres, elle s'est réfugiée dans les arts. Les tableaux de Watteau, de Chardin et d'Hubert Robert sont parés de sa tendresse. Les arts conservent aussi l'amour du beau et du grand. Le *Requiem* de Gilles, les grands motets de Mondonville et de Philidor et les nobles ordonnances conçues par Gabriel et Soufflot nous en donnent le témoignage. On trouve aussi chez les artistes cet émouvant désir d'embellir la vie, de la rendre plus supportable et plus douce en l'ornant d'un décor de grâce et de beauté. L'ébénisterie, l'orfèvrerie et, en général, tous les arts décoratifs du XVIIIe siècle ne sont pas des arts mineurs. L'invention, le goût et la technique y atteignent la perfection. Un fauteuil est un miracle. Une soupière est un rêve. Ainsi, tout se civilise et se spiritualise.

Quel est le génie de ce siècle? Quel est le secret de ce génie? Aux mélanges, il se complaît. Aux alliages, il excelle. C'est le signe d'une incertitude. Le drame unit la tragédie et la comédie, l'opéra le chant, la musique et la danse. Le grand motet unit les chœurs, l'orchestre et la poésie sacrée. Il y a aussi cette folie du théâtre, de la vie de la scène, de cette vie artificielle mais combien plus séduisante que la vie réelle. Tout écrivain doit être un homme de théâtre. On produit des milliers de pièces, d'opéras, d'opéras-comiques. Les acteurs sont encensés, les actrices adulées et reçues dans les salons. La favorite du roi et la reine elle-même montent sur les planches. Le siècle tout entier se transporte sur la scène et s'oublie lui-même en jouant.

Pourtant il se veut philosophe. La plupart de ses littérateurs ne se disent-ils pas «philosophes»? Le mot à vrai dire fait illusion. Cette fameuse «philosophie» n'est le plus souvent que de la littérature. Ces illustres philosophes ne sont pour beaucoup que des amateurs, au mieux des vulgarisateurs. On pourrait compter sur les doigts ceux qui enrichissent vraiment la spéculation philosophique. Il n'empêche que tous remuent de la philosophie, que tous agitent des questions philosophiques. Toujours les mêmes questions et presque toujours les mêmes réponses. S'agit-il de la connaissance, ils sont presque tous sensualistes. S'agit-il de la nature humaine, ils sont presque tous matérialistes. S'agit-il de Dieu, la plupart n'y croient pas, et s'ils y croient, leur Dieu n'a guère de consistance. Aucun, sauf peut-être Rousseau, n'est vraiment religieux. Adore-t-on une idée? Voilà leur fond philosophique. Il leur suffit. Ce ne sont pas de grands tourmentés. Vauvenargues est angoissé, mais c'est le seul, et c'est un marginal. Ils n'ont pas non plus d'inquiétude morale. Leur philosophie les garde d'en avoir. Elle est commode. Elle s'accorde bien avec le goût du plaisir et avec ce désir du bonheur temporel, aspiration dominante du siècle. Ces idées avec peu d'intellectualité, cet homme avec peu d'âme, ce Dieu avec peu de divinité, ne sont pas de nature à semer l'inquiétude et à troubler la vie.

Leur politique est plus exigeante. Autant leur Dieu est vague, autant leur État est fort et présent. D'une force «éclairée» il est vrai, et d'une présence libératrice. Le pouvoir politique philosophique est un pouvoir libérateur. En politique, comme en religion, la philosophie des Lumières se donne l'image d'une pensée libératrice de l'homme. Sa force de persuasion vient d'abord de là.

Elle vient aussi de l'art d'utiliser des idées simples et séduisantes : la tolérance, la liberté, le progrès, la bienfaisance. Ce sont des idées chrétiennes retouchées et vidées de leur sens surnaturel. Elles séduisent parce qu'elles évoquent le bonheur et la paix. D'ailleurs, chacune a son repoussoir. La tolérance a le «fanatisme», la raison les «préjugés», le «bon sauvage» le méchant civilisé, le siècle des Lumières la nuit des siècles obscurs. La philosophie joue de ces oppositions factices. Elle oppose ainsi le bien absolu au mal absolu. La méthode est avantageuse. Elle permet en même temps de disqualifier l'adversaire et d'inspirer aux adeptes la fierté de vivre en un siècle aussi lumineux.

La philosophie est partout. Elle se confond avec la littérature, avec les sciences et les arts. Par le théâtre, par le roman, par la peinture, par tous les moyens d'expression, elle ne cesse d'étendre son règne, et de communiquer sa vision du monde à toutes les sortes de publics. Par les canaux des académies, des loges, des clubs et des salons, elle pénètre dans la substance même de la société française. Elle fabrique ainsi et inspire ce nouveau pouvoir que l'on commencera dans les années 1770-1780 à nommer l'« opinion publique ».

Si bien qu'à la fin de l'Ancien Régime aucun Français n'échappe à son influence. Tout le monde, y compris le roi et la reine, y compris les évêques et même les moines est marqué par elle. Tout le monde se pique d'être « éclairé ». La mise en condition est si avancée que nul n'imagine autre chose. Nul n'imagine ou ne songe à imaginer une façon différente de concevoir Dieu, l'homme et l'univers. L'histoire offre peu d'exemples d'une telle contagion et d'une telle domination. Ce n'est pas que la philosophie n'ait pas d'adversaires. Mais ce sont des polémistes ou des apologistes. Ils combattent. Ils ne réfutent pas.

Car il y a un combat. Certes la philosophie est plus a-chrétienne qu'antichrétienne. C'est-à-dire qu'elle est aux antipodes du christianisme. Pour ne prendre que cet exemple, lorsque les philosophes traitent des pauvres et de la pauvreté, ils n'y voient qu'un mal social, un grand désordre et presque un vice. Ils ignorent totalement l'« éminente dignité » des pauvres. Il n'empêche qu'ils sont aussi des antichrétiens, même si l'on juge leurs attaques sommaires et grossières.

D'ailleurs, leur victoire n'est pas due à leurs attaques, mais à la débilité intellectuelle de leurs adversaires. Toute la défense chrétienne, sauf de rares exceptions (Bergier par exemple) se réduit à une apologétique fidéiste et donc impuissante. Les apologistes opposent la raison à la foi. Ils oublient que la foi, selon la définition du concile de Trente, est « un acquiescement très ferme, inébranlable et constant [...] de l'intelligence aux mystères révélés ».

C'est dire que le christianisme recule.

Il recule dans les esprits, mais aussi dans la pratique. La déchristianisation est incontestable. A partir du milieu du siècle, à Paris, dans les autres grandes villes et même dans certaines campagnes, le nombre des pratiquants diminue. Toutefois, le phénomène le plus impressionnant est la contagion de l'indifférence dans les catégories sociales supérieures. Si nous dépouillons les mémoires et les correspondances des ministres, des diplomates, des intendants, des généraux, enfin de tous les hommes exerçant de hautes fonctions, il est bien rare d'y trouver quelque trace d'une préoccupation religieuse. On dirait que le christianisme n'a plus de place dans leur vie.

Cependant, la majorité des Français, et en particulier la masse des gens de campagne, sont encore chrétiens, et le sont non seulement de pratique, mais aussi de cœur. Et même beaucoup d'entre eux perfectionnent leur christianisme, priant davantage, vivant mieux leur vie chrétienne, conformant mieux leur conduite aux préceptes de Jésus-Christ. Un grand mouvement de christianisation avait commencé au siècle précédent. Il continue dans celui-ci. Le clergé paroissial est maintenant presque tout entier assidu à ses devoirs. Les prédications et les missions multipliées ainsi que les livres religieux plus nombreux et mieux diffusés mettent à la portée de tous les méthodes éprouvées de l'oraison et de la pratique des vertus. Le catholicisme tridentin avait toujours été pratique. Il le devient davantage. La religion rentre vraiment dans la vie quotidienne. Devenue un peu moins rigoriste, elle se rapproche des cœurs. Sans doute, elle exige moins. Sans doute, elle appelle moins à la haute sainteté. Nous ne voyons plus cette floraison de grands saints, cette floraison éclatante qui avait réjoui le siècle précédent. Mais s'il y a moins de héros, il y a une amélioration progressive de la vie chrétienne d'un grand nombre. Progressive et peu visible. Seul l'historien de la vie religieuse peut la discerner. Car elle est le fait des petits et des humbles, de ceux qui ne commandent pas, qui n'occupent pas les hautes positions. La France chrétienne est une France cachée.

Le domaine des mœurs offre la même dualité. Nous avons d'un côté la France du libertinage et de l'autre — on croirait que ce n'est pas le même pays — la France des «bonnes mœurs». L'exemple du libertinage est venu de haut, de la cour du Régent, de la capitale, des plus grands seigneurs. Déjà sous la Régence on ne se contente pas d'être infidèle à son mari ou à sa femme; on s'installe dans des liaisons affichées. Ces mœurs se généralisent, gagnent la province et deviennent communes. Quantité de gentilshommes, de négociants et même de simples bourgeois se mettent à vivre comme des roués. L'érotisme est à la mode et pervertit le goût. Les sujets dits «galants», les scènes d'alcôve, les bergeries lascives et les nudités polissonnes envahissent les lettres et les arts. On observe aussi, jusque dans les plus petites villes, un extraordinaire développement de la prostitution. Les catégories sociales supérieures ne sont pas les seules touchées. La liberté des mœurs s'étend aux quartiers populaires et aux banlieues des grandes villes, là où viennent s'entasser dans la misère et la promiscuité les déracinés des campagnes. Voilà ce que l'on voit d'un côté. De l'autre, ce sont les mœurs honnêtes et chrétiennes des milieux préservés, celles de la plupart des campagnes, celles de toute une noblesse provinciale et de toute une bourgeoisie modeste et laborieuse. Cette France-là respecte encore le mariage chrétien. Les époux y sont fidèles, les jeunes gens continents. Les conceptions prénuptiales y sont rares, le nombre des enfants illégitimes peu élevé. Dans les villages, même à la fin de l'Ancien Régime, le taux d'illégitimité dépasse rarement 5 %, alors que dans les villes il dépasse ordinairement 15 %.

Ici se pose la question de la famille. L'institution familiale n'est pas seulement ébranlée par les nouvelles mœurs. Il semble qu'elle s'affaiblisse et se dissocie. Ses liens se distendent. Le nombre des séparations augmente. On se sépare aussi des enfants que l'on met en nourrice pour un ou deux ans, parfois même plus longtemps. Les filles de la noblesse et de la bourgeoisie sont enfermées dans les pensionnats. On les en extrait pour les marier. Dans le même temps, se relâchent les disciplines, celle de la famille et celle de l'école. Or le nombre des enfants à élever, à sortir d'affaire, n'a pas diminué, bien au contraire. Il résulte de tout cela que le conflit des générations s'exaspère. On a nettement l'impression que, sous le règne de Louis XVI, la famille et l'école sont débordées par toute une jeunesse turbulente et mal élevée. Certes, la famille garde encore une partie de sa force. Dans le monde paysan, dans tous les milieux encore chrétiens, la fidélité des époux et leur vigilance à l'endroit des enfants lui conservent son autorité morale. Mais ailleurs, elle ne tient que par la vertu du droit, par la puissance maritale et par la puissance parentale. Elle n'est plus alors qu'une coquille vide. L'institution souffre d'ailleurs depuis longtemps d'un manque de liberté. Les dispositions d'un droit limitant la liberté des enfants dans le choix de leurs conjoints sont gravement dommageables à l'épanouissement de la vie conjugale et familiale.

Cette ancienne France, cette France que la Révolution a fait disparaître, était-elle vraiment le pays de « la douceur de vivre » ? Si l'on entend par douceur non seulement un certain bien-être matériel, mais aussi une certaine mansuétude dans les rapports de l'existence quotidienne, nombre de Français du XVIII⁰ siècle connaissent une douceur de vivre. Ils le doivent pour l'essentiel au christianisme. Plus de quinze siècles d'enseignement évangélique ont façonné les mœurs et leur ont communiqué ces caractères de justice exigeante, de miséricorde et de délicatesse qui sont le propre de la vie chrétienne. Il y a eu aussi sous un régime politique peu despotique un véritable épanouissement de la vie sociale. Il y a eu enfin le perfectionnement de la civilité, appelée aussi politesse. La France n'a pas inventé cet art, mais elle le porte au XVIII⁰ siècle à son plus haut point de perfection et de diffusion. N'enseigne-t-on pas la civilité à tous les enfants des écoles ? Tout cela rapproche les hommes et les rend plus bienveillants. Il y a moins de violence qu'au siècle précédent, moins de crimes de sang, moins de révoltes, moins d'«émotions». Une calme douceur descend sur la société. Dans les tableaux de Greuze et de Fragonard, et dans les descriptions touchantes de Restif de La Bretonne, de Jean-Jacques Rousseau et de Mme Roland, tout n'est pas le fruit de l'imagination sensible du siècle. Ces tableaux et ces évocations littéraires contiennent une grande part de réalité. Si le XVIIIᵉ siècle conçoit l'idée du bonheur, c'est parce qu'il en voit sous ses yeux la réalité. Un moment le bonheur s'est incarné.

Un court moment. Vers la fin du règne de Louis XV, la détérioration du climat économique et l'aggravation du malaise politique et social rompent l'enchantement. Il semble qu'alors se ravive l'hostilité de l'homme pour l'homme. Des signes inquiétants paraissent : croissance de la criminalité, montée du grand banditisme, conflits multipliés du fait de la réaction seigneuriale. Une inquiétude trouble la douceur de vivre. On dirait qu'un âge plus dur commence.

L'histoire des mœurs a ses historiens, non celle des caractères. L'un des aspects les plus frappants du XVIIIᵉ siècle français est la pénurie de grands caractères. Le courage et l'abnégation ne manquent pas ni l'esprit d'entreprise, mais les personnalités capables de dominer les circonstances, de concevoir des vues neuves et de les imposer, capables aussi de persévérer dans l'adversité, de telles personnalités sont rares. On ne trouve plus ces hommes-là que dans la France extérieure, celle des colonies (Dupleix, Mahé de La Bourdonnais, La Galissonnière), celle de la marine (Suffren), celle des grandes explorations (La Verendrye, Bougainville, Kerguelen, La Pérouse) et celle des missions lointaines. Ailleurs, dans la politique, l'administration, la diplomatie, l'armée, la magistrature et dans tous les autres secteurs de la vie nationale ce genre d'hommes a presque disparu. «Ce siècle-ci, écrit Louis XV en 1773, n'est plus fécond en grands hommes.» Et Senac de Meilhan observera : «En France, les grandes passions sont aussi rares que les grands hommes.» Faut-il s'en étonner ? Il n'y a pas de grands caractères sans esprit de service et de sacrifice. Or un tel esprit n'est plus de mise. Dès la guerre de Sept Ans, beaucoup de gentilshommes ne veulent plus servir. La crise des vocations sacerdotales et religieuses témoigne du déclin, du renoncement. Le maître mot n'est plus sacrifice mais jouissance. L'affaiblissement des âmes est-il ressenti ? Nous en avons l'impression. Le siècle n'est-il pas contradictoire vis-à-vis de lui-même ? D'un côté, il se loue, s'admire et se proclame le siècle de la lumière. D'un autre côté, il manifeste un sentiment d'infériorité. Demande-t-on aux contemporains : quel est le siècle le plus éclairé ? Quel est «le plus éclairé qui fut jamais» ? Ils répondent que ce n'est pas le leur, mais celui qui l'a précédé. Certes, ils se félicitent de la «régénération», mais ils s'affligent aussi de la décadence. «Ni gouvernement, ni armée, ni administration, écrit Bernis en 1757. Nous touchons à la dernière période de la décadence.» «N'espérez pas rétablir le bon goût, écrit Voltaire à La Harpe en 1770; nous sommes en tout sens dans le temps de la plus horrible décadence.» On pourrait multiplier les citations. L'idée de décadence obsède les esprits. Les préjugés ont été vaincus, mais leur défaite n'a pas rajeuni le monde. Un grand désenchantement se mêle à l'assurance de la victoire.

DEUXIÈME PARTIE

LES ÉVÉNEMENTS HORS DE FRANCE

L'EUROPE

Chapitre premier

LES RELATIONS INTERNATIONALES, LES CONFLITS, L'ÉQUILIBRE EUROPÉEN

L'EUROPE D'UTRECHT

Les traités d'Utrecht et de Rastadt scellent la fin de la puissance européenne de l'Espagne. Les Pays-Bas sont dévolus à l'Autriche, de même que le royaume de Naples, la Sardaigne et les présides de Toscane. Le grand bénéficiaire en territoires est donc l'Autriche. Mais les États de Savoie et de Prusse ont également retiré un grand profit de la nouvelle organisation de l'Europe. Leurs souverains ont acquis le titre de rois, et la Savoie s'est fait donner la Sicile. La France n'est pas la plus mal partagée. Elle a réussi à conserver la plus grande partie des acquisitions de Louis XIV. Elle a dû restituer les places qu'elle tenait sur la rive droite du Rhin, mais elle a pu maintenir toutes ses positions sur la rive gauche. Elle garde aussi Lille, Condé et Valenciennes. Elle a surtout la grande satisfaction de pouvoir enfin bannir de ses soucis le danger de l'inimitié espagnole : « Il n'y a plus de Pyrénées. » Le roi de France peut se targuer d'avoir à Madrid un allié naturel. Les liens du sang unissent les deux royaumes. Cependant, la triomphatrice n'est aucune de ces puissances. La triomphatrice est l'Angleterre. Les négociateurs anglais, il est vrai, ont fait une concession de taille : ils ont accepté de reconnaître le roi Bourbon d'Espagne. Mais ils ont gagné en échange la reconnaissance de leur reine, et celle de la succession protestante dans la dynastie de Hanovre. Utrecht a légitimé la « glorieuse révolution ». En outre, la France s'engage à démolir les fortifications de Dunkerque où les Anglais croient voir une menace dirigée contre eux. L'Espagne s'humilie devant la puissance britannique, lui livrant Gibraltar et Minorque, lui concédant l'asiento des nègres, enfin lui permettant l'envoi chaque année dans les Indes d'Amérique d'un vaisseau de trois cents tonneaux chargé de marchandises anglaises. Si l'Angleterre triomphe, l'Espagne est abaissée.

L'Europe d'Utrecht et de Rastadt est défectueuse. Elle contient plusieurs germes de désordres et de conflits. La nouvelle royauté prussienne a quelque chose d'insolite et de troublant. Elle ne pourra grandir qu'au détriment de l'organisation traditionnelle de l'Allemagne. L'affaiblissement de l'Espagne est exagéré. On a trop donné à l'Autriche, trop enlevé à l'Espagne. L'avoir éliminé complètement de l'Italie est une faute grave. On aurait dû comprendre que le gouvernement de Madrid ne pouvait pas se résigner à une telle dépossession, et qu'il ne pouvait pas accepter non plus le double abandon de Gibraltar et de Minorque.

La paix d'Utrecht présente un autre défaut : elle n'est pas complète. Il n'y a jamais eu de paix, ni à Utrecht ni ailleurs, entre le nouveau roi d'Espagne et le nouvel empereur allemand. Philippe V et Charles VI ne se sont jamais reconnus mutuellement. Pour Philippe V, l'Empereur n'est toujours que l'archiduc Charles. Pour l'Empereur, qui s'intitule Charles III, roi d'Espagne, Philippe V n'est toujours que le duc d'Anjou. Utrecht n'a pas davantage réglé — et d'ailleurs ne pouvait pas le faire — le problème de la succession d'Angleterre. Nous voulons dire régler de façon définitive. Car un traité de paix ne peut pas annuler une opposition intérieure. Les jacobites anglais, ainsi qu'une partie des tories, ne veulent voir dans le roi George que l'Électeur de Hanovre. Pour eux, le souverain légitime des trois royaumes est toujours Jacques III. Enfin, les traités sont encore incomplets en ceci qu'ils ne s'appliquent pas à l'Europe du Nord. La paix est faite à l'ouest de l'Europe, mais au nord et à l'est la guerre continue, opposant la Suède à la Russie d'une part et au Danemark d'autre part.

UNE PÉRIODE D'AMÉNAGEMENTS (1718-1721)

Les années 1718-1721 prolongent en quelque sorte les négociations d'Utrecht et de Rastadt. Les puissances tentent de régler les questions qui ne l'ont pas été. Elles s'efforcent aussi de procéder à des ajustements.

La Triple-Alliance de La Haye, signée le 4 janvier 1717 entre l'Angleterre, les Provinces-Unies et La France, alliance étroite de défense, est une nouvelle garantie d'Utrecht sur le point de la succession anglaise. Le roi de France ne se contente plus de reconnaître la dynastie de Hanovre. Il promet d'engager le Prétendant Stuart à quitter le royaume. Il jure de ne plus lui accorder ni conseil, ni secours, ni assistance.

Le traité d'Amsterdam, signé le 15 août 1717 entre la France, la Russie et la Prusse, garantit Utrecht et jette les bases de la paix du Nord. La Prusse et la Russie admettent la médiation de la France. De son côté, le roi de France promet de ne plus renouveler son aide financière à la Suède.

Le traité dit de la Quadruple-Alliance (Angleterre, Provinces-Unies, France, Espagne), signé à Cokpit le 2 août 1718, est un ajustement pour l'Espagne. Ou plutôt un projet d'ajustement. Le traité, en effet, propose un accord entre l'Empereur et le roi d'Espagne. Les deux souverains accepteront de se reconnaître mutuellement. Il est prévu aussi, pour apaiser l'Espagne, que les principautés de Toscane et de Parme, à l'extinction de leurs dynasties respectives, seront attribuées, comme fiefs impériaux, à l'infant don Carlos, fils de Philippe V. Enfin, l'Empereur devra échanger la Sardaigne, donnée à la Savoie, contre la Sicile. Nous disons bien, il devra. Ce projet n'est pas en l'air. Il est applicable dans un bref délai. L'Espagne et la Savoie, puissances concernées, mais non signataires, ont trois mois pour l'accepter. Au cas où elles n'accepteraient pas, les puissances signataires uniraient leurs forces pour les y contraindre. Cette éventualité est jugée très improbable. Les Anglais, premiers auteurs du traité, ne doutent pas un instant de l'acceptation de la Savoie, ni surtout de celle de l'Espagne. Ils se sentent généreux pour cette dernière. Et d'ailleurs, ils le sont véritablement. Leur négociateur à Madrid, le colonel Stanhope, n'a-t-il pas été autorisé à offrir aussi la restitution de Gibraltar ?

Pourtant, les Espagnols refusent Cokpit. Ce qu'ils veulent, c'est recouvrer la Sicile et l'Italie du Sud. Un mois avant le traité, le 1er juillet 1718, des troupes espagnoles avaient débarqué près de Palerme. Au début d'août, elles avaient déjà conquis l'île presque toute entière, et en avaient chassé les Piémontais. Comment a-t-on pu croire qu'ils accepteraient Cokpit ? Il ne reste plus qu'à leur faire la guerre. Cokpit oblige à les traiter en rebelles et à les punir comme tels. L'Angleterre s'y emploie aussitôt, et selon son habitude invétérée, n'y met aucune forme. Le 11 août 1718, sans déclaration de guerre, sans préavis, la flotte de l'amiral Byng surprend la flotte espagnole devant Syracuse, et, se jetant à travers les galères et les transports, les presse, les brûle et les coule. Puis elle aborde les vaisseaux de guerre et les contraint à amener le pavillon. La France intervient elle aussi, mais avec plus de correction : une déclaration de guerre est publiée le 9 janvier 1719. Presque aussitôt, les troupes françaises entrent en Espagne. La guerre dure à peine une année. Envahie, battue sur mer et sur terre, l'Espagne se résigne et adhère à la Quadruple-Alliance. Le 1er février 1720, l'ambassadeur Monteleone signe le traité de Cokpit. Philippe V aura donc l'expectative des duchés de Parme et de Toscane. Mais il n'est plus question de Gibraltar. Philippe V l'a demandé, se prévalant de l'offre de Stanhope. Néanmoins, les Anglais ont fait savoir que, depuis leurs premières offres, les circonstances avaient par trop changé. La paix est faite à l'ouest de l'Europe, mais le prix en est élevé. Il a fallu la payer d'un conflit contre nature, la guerre franco-espagnole. On a vu un Bourbon lutter contre un Bourbon. Les négociateurs anglais d'Utrecht n'ont pas pu ne pas s'en réjouir. On a même vu des troupes françaises associées aux troupes anglaises pour détruire les arsenaux et les chantiers navals espagnols. Un fossé a été creusé.

La mort du roi Charles XII favorise l'établissement de la paix du Nord. Le souverain suédois est tué le 11 décembre 1718 devant Friderikshall en Norvège par un coup de fauconneau tiré de la place. Avec lui, disparaissent la force de la monarchie et la grandeur de la Suède. L'aristocratie s'empare du pouvoir. Peu soucieuse de l'honneur national, elle accepte de traiter à des conditions humiliantes. Par les deux traités de Stockholm (1719 et 1720), la Suède renonce, au profit du Hanovre et de la Prusse, à toutes ses possessions en Allemagne. Elle abandonne aussi ses provinces des pays baltes. Par le traité de Nystad (en Finlande), signé le 10 septembre 1721, elle cède au tsar la Livonie, l'Esthonie, l'Ingrie, une partie de la Karélie et un district de la Finlande méridionale avec l'importante place de Vyborg. La France avait été chargée de la médiation. Il faut convenir qu'elle n'avait qu'à moitié réussi. Campredon, l'ambassadeur français à Pétersbourg, avait bien essayé d'obtenir de Pierre le Grand plus de modération dans ses exigences, mais ses essais n'avaient pas abouti. Il avait endoctriné les ministres russes, leur citant des exemples de modération célèbres dans l'histoire, mais ces propos les avaient fait rire. « Ces messieurs, dit il dans son rapport, se mirent à rire à gorge déployée et me demandèrent si je parlais sérieusement[1]. »

La nouvelle humiliation de l'Espagne et les nouveaux progrès de la puissance russe sont donc les effets les plus nets des ajustements d'après Utrecht. La Russie pavoise. A Pétersbourg, la paix est célébrée par une semaine de réjouissances. Pierre le Grand, pour une fois, se montre prodigue et brûle douze mille livres de poudre. Monté sur une estrade il boit à la santé de ses sujets. Il donne un festin, danse sur la table et chante des refrains gaillards. Le sénat et le saint-synode lui décernent les titres de « Grand », de « Père de la Patrie » et d'« Empereur de toutes les Russies ». C'est la première fois que la dignité de tsar se transforme en celle d'*imperator*. On comprend cette exaltation. Désormais, la Russie possède un littoral. Elle devient même puissance prépondérante sur la Baltique. C'est là une donnée nouvelle et d'une extrême importance. Toute organisation future de l'Europe devra prendre en compte les avis et les ambitions de la Russie.

VERS L'ÉQUILIBRE (1721-1733)

Dans le cours de cette période, l'Europe tend vers l'équilibre. Une pacification générale se réalise peu à peu. Le rapprochement franco-espagnol et le retour des Espagnols en Italie sont les causes principales de l'apaisement.

1. Cité par Ernest Lavisse et Alfred Rambaud, *Histoire générale du IVᵉ siècle à nos jours*, t. VII, *Le XVIIIᵉ siècle, 1715-1788*, Armand Colin, Paris, 1896, p. 86.

Le rapprochement franco-espagnol est laborieux. Il faut s'y reprendre à deux fois. C'est d'abord le traité secret de Madrid du 17 mars 1721, par lequel la France et l'Espagne s'engagent à s'assister mutuellement. L'alliance est scellée par les «mariages espagnols». Mais le renvoi de l'infante et le mariage polonais de Louis XV provoquent une nouvelle et profonde rupture. Philippe V va même jusqu'à conclure une alliance défensive et offensive avec son ennemie de toujours, l'Autriche. A cette «ligue de Vienne», née des traités des 30 mars et 1er avril 1725, la France oppose une «ligue de Hanovre», formée avec ses alliés de rencontre, l'Angleterre, la Prusse et la Hollande. Situation explosive : la guerre menace à tout instant. Heureusement pour la paix, le sage Fleury travaille à un nouveau rapprochement et réussit même ce tour de force de réconcilier la France et l'Espagne sans indisposer l'Angleterre. Le traité de Séville du 9 novembre 1729 est une alliance défensive entre ces trois puissances.

Le même traité de Séville amorce le retour des Espagnols en Italie. Il stipule que six mille soldats espagnols remplaceront dans les garnisons du Parmesan et de la Toscane les six mille soldats suisses prévus par le traité de Cokpit. C'est une garantie nouvelle et de grand poids. L'Espagne a maintenant le ferme espoir de reprendre pied en Italie. Le 16 mars 1731, l'Empereur, à son tour, autorise l'envoi de soldats espagnols. En novembre de la même année, une flotte espagnole débarque en Italie six mille soldats qui occupent Livourne, Porto Ferrajo, Parme et Plaisance au nom de don Carlos auquel est donné le titre de duc de Parme et héritier présomptif du grand duc de Toscane. Il y avait une dernière difficulté : la duchesse veuve de Parme s'obstinait à se dire enceinte et prétendait porter dans son sein l'héritier des Farnese. Elle jouait cette comédie à l'instigation de l'Autriche. Après le débarquement espagnol, elle y met fin. Il y a donc de nouveau une Italie espagnole. C'est une étape importante dans la voie de la pacification.

La seule question qui reste insoluble est celle de la place de la Russie dans le concert européen. Les puissances ne savent que faire de la Russie, et la Russie elle-même n'arrive pas à s'intégrer ni à définir clairement son système d'alliances.

Pierre le Grand, puis sa femme et successeur, Catherine Ire, auraient voulu l'alliance française. Pierre le Grand avait formé le projet de marier sa fille à Louis XV. Catherine Ire négocie dans le même sens. L'alliance franco-russe est la seule qui pourrait affaiblir la Turquie. C'est la meilleure alliance pour la Russie.

Mais elle ne se fait pas. La France reste fidèle à ses alliances traditionnelles et refuse les avances des Russes. La Russie alors se tourne vers l'Autriche. Par le traité du 6 août 1726 elle promet d'assister d'un corps de trente mille hommes l'Empereur contre tous ses ennemis. Les deux puissances conviennent de marcher d'accord à l'avenir dans toutes les affaires et en particulier dans les affaires polonaises. Ainsi se forme en Europe un groupement nouveau et remuant, associant l'ambition des Habsbourg et celle des Romanov.

LA GUERRE DE SUCCESSION DE POLOGNE (1733-1738)

C'est la première guerre européenne depuis celle de Succession d'Espagne. Elle oppose l'Autriche et la Russie à la France, à l'Espagne et à la Savoie.

Du fait de sa constitution élective, la monarchie polonaise connaît une crise de succession à la mort de chaque souverain. La crise ouverte par la mort, le 1er février 1733, d'Auguste II, Électeur de Saxe et roi de Pologne, est particulièrement grave, l'Autriche et la Russie s'opposant au candidat de la France. La France ne peut que soutenir la candidature de Stanislas Leszczynski, beau-père de Louis XV. La Russie ne peut que s'opposer à cette candidature. En accord avec son alliée, l'Autriche, elle avance un autre candidat, l'infant de Portugal. Puis elle abandonne l'infant, et patronne le fils du roi défunt, Auguste III, Électeur de Saxe. Il en résulte une guerre européenne, et cette guerre est la conséquence directe de l'entrée de la Russie dans le concert européen. Pour la première fois, on verra des troupes russes intervenir en Allemagne occidentale. Cette intervention se produira lors de la campagne de 1735. Ce sera le fait le plus significatif de la guerre.

Élu au trône de Pologne le 1er septembre 1733, Stanislas, le candidat de la France, ne règne pas longtemps. Trois semaines plus tard, Auguste III est proclamé par une faction de dissidents que soutiennent les Russes. Stanislas est bientôt un proscrit. Déguisé en paysan, il s'évade de Dantzig assiégé, et se réfugie à Königsberg en Prusse, où le roi Frédéric-Guillaume lui permet de jouer encore au roi, et d'instituer un simulacre de gouvernement.

La France ne l'a guère soutenu, et n'a envoyé en Pologne qu'un modeste contingent de deux mille quarante hommes. Elle agit cependant, mais par Turcs interposés. Le gouvernement français a prié son allié turc — et a obtenu de lui — qu'il intervienne militairement contre l'Autriche et la Russie. La combativité de l'armée turque, affrontée à ce double adversaire, étonne l'Europe. Lors de la campagne de 1738, les janissaires parviennent sous les murs de Belgrade.

Cependant, le principal théâtre de la guerre est la péninsule italienne. En Italie du Nord, des armées françaises, espagnoles et sardes combattent les Impériaux. En Italie du Sud, vingt mille soldats espagnols descendus de Parme et de Plaisance font la conquête des Deux-Siciles. Napolitains et Siciliens se soulèvent. Ils aiment mieux devenir un État séparé sous un prince espagnol, que de rester province autrichienne. Les quatre châteaux de Naples se rendent successivement, et le 15 mai, don Carlos inaugure en grande pompe sa royauté nouvelle. En Sicile, la domination des *tedeschi* (appellation italienne des Allemands) s'écroule au premier choc. Dès la fin de l'année 1734, les Deux-Siciles toutes entières acclament le gouvernement des Bourbons d'Espagne.

Le traité de Vienne de 1738 entérine la nouvelle répartition des forces en Italie. Les Deux-Siciles sont attribuées à l'infant don Carlos, le Milanais à l'Empereur (moins quelques places données à la Sardaigne), la Toscane au duc François III de Habsbourg-Lorraine, en dédommagement de son duché de Lorraine donné en viager à Stanislas Leszczynski.

La même année, la Turquie traite avec l'Autriche et avec la Russie. Elle traite à son avantage. L'Autriche lui cède avec Belgrade tout ce que le traité de Passarovitz lui avait donné en Serbie, en Bosnie et dans la Valachie occidentale. La Russie rend toutes ses conquêtes. L'entrée de la mer Noire demeure formellement interdite à tout bâtiment russe.

Le grand perdant de la guerre, en fin de compte, est l'Autriche. L'Empereur a dû céder aux Bourbons l'Italie méridionale. Il a perdu en Orient tous les pays autrefois conquis par les victoires du Prince Eugène. Cet affaiblissement de l'Autriche déséquilibre l'Europe.

LA GUERRE DE SUCCESSION D'AUTRICHE (1740-1748)

La guerre de Succession d'Autriche vient de l'opposition formée par plusieurs puissances contre l'acte appelé la pragmatique sanction.

La pragmatique sanction est une déclaration publique et solennelle faite par l'empereur Charles VI, le 10 avril 1713, pour assurer l'avenir de la puissance autrichienne. Deux principes y sont affirmés, l'indivisibilité des possessions des Habsbourg, et la possibilité d'une succession féminine : à défaut de descendants mâles, les États de Charles VI seront dévolus à ses filles de légitime mariage dans l'ordre de primogéniture. Si l'Empereur n'avait pas d'enfants, tous ses États et pays héréditaires passeraient à ses nièces, filles de son frère aîné, l'Empereur défunt, Joseph Ier.

Étant donné la très grande importance de la pragmatique sanction, non seulement pour l'Autriche, mais encore pour la paix de l'Europe, Charles VI a tenu à la faire approuver par les autres puissances. A force de négociations, et au prix de concessions diverses, il a obtenu les garanties de l'Espagne (1725), de la Russie (1726), de la Prusse (1727), de la Hollande et de l'Angleterre (1732), de la diète de l'Empire et du Danemark (1732), enfin de la France (1738). Il est donc en droit de juger sa succession réglée. Certes il n'a pas eu de fils, mais plusieurs filles lui sont nées. L'aînée se nomme Marie-Thérèse. Il peut la croire assurée de lui succéder.

Vaine assurance. Après la mort de l'Empereur, survenue le 22 octobre 1740, les droits de Marie-Thérèse, en dépit des garanties obtenues, sont contestés. Quatre souverains font valoir leurs droits à la succession ou à une partie de la succession. Les deux premiers sont Auguste III, roi de Pologne, et Charles-Albert, Électeur de Bavière, l'un et l'autre gendres de l'empereur Joseph Ier. Les deux autres sont Philippe V, roi d'Espagne, et Charles-Emmanuel III, roi de Sardaigne. Ce n'est pas tout. Le roi de Prusse, Frédéric II, profitant sans vergogne des circonstances, de l'affaiblissement de l'Autriche, et de l'avènement d'une jeune souveraine inexpérimentée de vingt-trois ans, lui déclare la guerre, fait entrer ses troupes en Silésie le 22 décembre, et occupe sans résistance cette province, l'une des plus riches possessions des Habsbourg. Il comptait bien faire école. Son espoir n'est pas déçu. Le 18 mai 1741, par le traité de Nymphemburg, la France, l'Espagne et la Bavière, auxquelles se joindront bientôt la Saxe et la Sardaigne, se coalisent contre l'Autriche, et se promettent réciproquement d'enlever à la succession autrichienne, au profit de l'une ou l'autre d'entre elles, la haute Autriche, la Bohême, la Moravie et les possessions d'Italie. A ce traité s'ajoute la convention du 7 juin 1741, alliance entre la France et la Prusse. Frédéric II promet sa voix à Charles-Albert de Bavière, candidat de la France à l'Empire. Il obtient de Louis XV la garantie de la possession de la Silésie, et la promesse de l'envoi immédiat des troupes françaises en Allemagne.

Le printemps et l'été de 1741 sont pour Marie-Thérèse une période de très grandes épreuves. Le 10 avril, son armée est battue cruellement à Molwice par Frédéric II. En juillet, les Franco-Bavarois marchent sur Vienne.

Fière, intelligente et courageuse, la jeune souveraine fait front. Elle écrit aux Électeurs et leur recommande la candidature à l'Empire de son mari, François de Lorraine, grand-duc de Toscane. Elle obtient un secours des Anglais : 300 000 livres sterling de subsides, et un corps de douze mille mercenaires allemands soldés par le cabinet de Londres. Mais sa démarche la plus importante est son appel à la Hongrie. Le 11 septembre 1741, coiffée de la couronne de Saint-Étienne, vêtue de deuil, l'épée au côté, elle se présente à Presbourg devant la diète hongroise, et prononce en latin l'émouvante adjuration : « Abandonnée de tous, nous cherchons notre unique et seul refuge dans la fidélité des Hongrois et leur courage d'antique réputation. » L'appel est entendu. Transportés d'enthousiasme, les Hongrois acclament leur jeune reine et lui promettent de mourir pour elle : « *Moriamur pro rege nostro Maria-Theresa.* » L'« insurrection » de la Hongrie — c'est le terme qui désigne dans ce pays la mobilisation nationale — fournit à Marie-Thérèse quarante mille hommes. Sans parler de l'effet moral. La fidélité hongroise suffit à intimider Frédéric II. Quatre semaines à peine après les acclamations de Presbourg, le roi de Prusse suspend ses actions de guerre. Le 9 octobre 1741, par la convention de Klein Schellendorf, il accepte une trêve, et promet de « ne demander jamais plus que la basse

Silésie ». Ainsi les périls les plus grands sont-ils écartés. Marie-Thérèse a sauvé son trône.

Mais il lui faut encore continuer à se battre. L'armée franco-bavaroise marche vers la Bohême. Charles-Albert de Bavière, candidat à l'Empire, veut devenir roi de Bohême, afin d'enlever une voix aux Habsbourg à la diète de Francfort. Le 24 novembre 1741, commandée par Maurice de Saxe, l'armée française escalade sans combat les murs de Prague, surprend la garnison et fait capituler la ville. L'Électeur de Bavière fait ensuite son entrée, et va recevoir à la cathédrale la couronne de Saint-Vacslav. Le 24 janvier 1742, il sera élu Empereur à l'unanimité. C'est pour Marie-Thérèse une grave défaite morale.

Là, toutefois, s'arrêtent ses grandes infortunes. La chance commence à tourner. Le premier signe est la paix avec la Prusse. Frédéric II accepte de faire la paix. Il la fait, il est vrai, à des conditions avantageuses pour lui, le traité de Berlin, signé le 28 juillet 1742, lui attribuant la Silésie tout entière. Mais en signant ce traité, il quitte la coalition anti-autrichienne, et donne un répit véritable à Marie-Thérèse. Celle-ci en profite. Son armée passe à l'offensive, et assiège Prague. Dans la nuit du 16 au 17 décembre, le maréchal de Belle-Isle réussit à sortir de la place investie. Dans une retraite de trente-huit lieues accomplie à la dérobée au cœur de l'hiver, à travers des défilés et des plaines glacées, il parvient à gagner Egra aux portes de la Bavière. Mais il a laissé en chemin mille deux cents hommes morts de froid. Le temps ne tardera pas où la Bavière elle-même devra être abandonnée. Car les Anglais et les Hollandais sont entrés en lice et sont venus secourir les Autrichiens. Le 27 juin 1743, ils infligent à l'armée française l'humiliante défaite de Dettingen. A ce moment, Marie-Thérèse semble triompher de toutes parts. Elle a été couronnée à Prague le 12 mai. Elle a rejeté avec dédain les propositions que l'empereur Charles VII lui faisait présenter par l'intermédiaire des Anglais, et qui eussent impliqué la reconnaissance de la dignité impériale de ce prince. Elle a voulu que les Bavarois lui prêtent serment de fidélité. Enfin, l'une de ses armées, commandée par le général croate Menzel, est déjà sur le Rhin et menace l'Alsace et la Lorraine. La fortune a changé de camp.

C'est alors que la guerre devient générale et s'étend à l'Europe entière. L'Italie, les rives du Rhin, les Pays-Bas, l'Allemagne et l'Écosse en sont les différents théâtres.

En Italie, la Sardaigne, experte en retournements, a dénoncé la convention de Nymphembourg. Elle est passée du côté de l'Autriche et a conclu avec cette puissance le traité d'alliance de Worms du 13 septembre 1743. Les campagnes successives des années 1744 à 1747 opposent avec des fortunes diverses les Austro-Sardes aux Franco-Espagnols, que l'on appelle les « Borbonniens » ou les « Gallispans ». En 1745, les Gallispans prennent partout l'offensive, et l'infant don Philippe fait une entrée triomphale à Milan. L'année 1746 est favorable aux Austro-Sardes. Les Espagnols évacuent Milan. Le 19 juin, est livrée la bataille de Plaisance, où les Franco-Espagnols perdent douze mille hommes, tués ou faits prisonniers.

Du côté du Rhin, les Autrichiens ont d'abord l'avantage. Le 30 juin 1744, ils surprennent le passage du fleuve à Gemersheim. La basse Alsace est occupée. Les hussards et les pandours de Menzel se répandent le long des Vosges, et se montrent jusqu'en vue de Lunéville. Le roi-duc Stanislas se réfugie dans la citadelle de Metz. Une proclamation de Marie-Thérèse annonce le retour prochain de François III au milieu de ses sujets lorrains. L'archiduc Charles-Alexandre, commandant de l'armée autrichienne, écrit à sa femme : « Quand vous saurez que j'ai passé le Rhin, n'attendez plus de nouvelles que de Paris[1]. » Cependant l'invasion allemande est stoppée net par le retour de Frédéric II. Ce dernier, qui fait une guerre à éclipses, mobilise à nouveau contre l'Autriche. En août et septembre 1744, il conquiert la Bohême et s'empare de Prague. Charles-Alexandre est rappelé précipitamment. L'Alsace et la Lorraine sont sauvées. Dans les campagnes suivantes, le front du Rhin restera calme, les deux adversaires préférant ici se tenir sur la défensive.

Il n'en va pas de même du front des Pays-Bas. Pendant trois années entières, de 1745 à 1747, la guerre y sévit, opposant les Français aux Anglo-Hollandais et aux Autrichiens. Les Français triomphent. Ils remportent les victoires de Fontenoy (11 mai 1745), Raucoux (Rocourt) sur la Meuse (11 octobre 1746) et Lawfeld, près de Mastricht (2 juillet 1747). Bruxelles est pris, la Hollande envahie.

La guerre d'Allemagne est celle de Frédéric II contre l'Autriche. Le roi de Prusse a commencé par envahir la Bohême. Mais ce succès est sans lendemain. Charles-Alexandre, rappelé d'Alsace, vole au secours de la Bohême. Sur les lignes de retraite des Prussiens, les paysans catholiques prennent les armes. La Saxe, alliée de l'Autriche, entre en campagne. Déconcerté par la jonction des Autrichiens et des Saxons, Frédéric II ramène en Silésie une armée délabrée.

Sa revanche ne tarde pas. Elle est éclatante. La campagne de 1745 révèle pleinement son génie militaire. A Friedberg, près de Breslau, le 4 juin, il culbute les Saxons, avant que les Autrichiens, leurs alliés, aient eu le temps d'entrer en ligne. A Sohr, le 30 septembre, il fond sur les Autrichiens, et les écrase. Sous les murs de Dresde, le 15 décembre, il met les Saxons en déroute. Il force la paix. Le 25 décembre, Marie-Thérèse se résigne à traiter avec le « méchant homme de Berlin ». Elle signe la paix de Dresde, qui confirme au Prussien la possession de la Silésie tout entière.

La guerre visite même la Grande-Bretagne. Elle y prend la forme

1. Cité par Ernest Lavisse et Alfred Rambaud, *Histoire générale du IV*e *siècle à nos jours*, t. VII, *Le XVIII*e *siècle (1715-1788)*, *op. cit.*, p. 192.

cruelle des luttes civiles. En juin 1744, Charles-Édouard, le Prétendant Stuart, débarque en Écosse. Il vient revendiquer les armes à la main le trône de ses ancêtres. Tout cède devant lui. Édimbourg lui fait un accueil triomphal. Les partisans affluent. Le 17 septembre, il commence vers Londres une marche qui semble irrésistible. Derby, à quarante lieues de la capitale, est visité par ses avant-gardes. Si Louis XV l'avait fortement soutenu, c'en était fait des Hanovre et de la « glorieuse révolution ». Mais le secours français est trop mince : des armes, des munitions, mais pas un seul homme. A Falkirk, le 4 février 1746, le Prétendant remporte encore une victoire. Puis c'est la fin. A Culloden, le 27 avril 1747, son armée est battue et détruite. Il réussit à regagner la France. Les hommes au pouvoir ont eu peur. Une répression impitoyable s'abat sur ses partisans.

Depuis la guerre de Succession d'Espagne, l'Europe n'avait pas connu de guerre aussi étendue. Mais cette guerre européenne est aussi une guerre mondiale. Dans les Indes orientales et occidentales, dans l'Indoustan comme au Canada, la France et l'Angleterre sont aux prises.

L'immense conflit risque de s'étendre encore et de s'aggraver. Pour la campagne de 1749, un nouveau belligérant est annoncé, la Russie. L'Angleterre et les Provinces-Unies ont promis de payer la solde d'un corps auxiliaire russe de vingt-cinq mille hommes. Mais au dernier moment, des difficultés surgissent. Les Hollandais refusent de contribuer.

C'est alors — nous sommes au printemps de 1748 — que les Anglais prennent l'initiative des propositions de paix. Les négociateurs des différentes puissances en guerre se rencontrent à Aix-la-Chapelle. La paix générale est signée le 30 octobre 1748.

L'Autriche est une nouvelle fois la grande perdante. Ses pertes territoriales sont importantes : en Allemagne, la Silésie ; en Italie, une fraction du Milanais (le haut Novarais et le Vigevanasque) donnée à Charles-Emmanuel III, roi de Sardaigne, et les duchés de Parme, Plaisance et Guastalla, dont l'infant Philippe, gendre de Louis XV, devient le souverain. La seule satisfaction de Marie-Thérèse a trait à son époux. François de Habsbourg-Lorraine a été élu empereur le 15 septembre 1745. Il est reconnu comme tel par toutes les puissances représentées à Aix-la-Chapelle.

Si l'Autriche est perdante, le vieil Empire l'est aussi. Car la monarchie Hohenzollern, devenue en Allemagne l'égale des Habsbourg, se considère comme étrangère à l'Empire. En 1750, un ordre donné aux consistoires supprimera dans les églises de Prusse la prière autrefois dite pour l'Empereur.

La Prusse et la Sardaigne ont été les boutefeux de la guerre. C'est l'attaque surprise de Frédéric II sur la Silésie, le 22 décembre 1740, qui a déclenché tout le conflit. De même, c'est le retournement du roi de Sardaigne, en février 1742, qui a été la cause de la guerre en Italie. L'initiative de la lutte est venue non pas des grandes puissances, mais de ces jeunes monarchies qui n'ont d'autre loi que la volonté de puissance de leurs souverains. Les grandes puissances ont suivi. Elles ont été entraînées. Un tel processus est d'un type nouveau. Il n'existe pas de précédent dans l'histoire des guerres des XVIᵉ et XVIIᵉ siècles. Cette nouveauté est inquiétante pour l'avenir de l'Europe.

De même que sont inquiétantes les atteintes portées au droit traditionnel des nations. Cette guerre a commencé par une double injustice. La première a été la conquête de la Silésie. Cet acte ne pouvait se justifier en rien, si ce n'est par l'ambition du conquérant. Louis XIV avait toujours pu faire valoir quelque droit pour légitimer ses entreprises. Frédéric II n'a pu invoquer aucun droit véritable. Il a bien fait fabriquer une justification par son ministre Podewils. Mais il savait que ce texte ne valait rien. « Bravo, écrivait-il à Podewils, cela est l'ouvrage d'un bon charlatan. » Jamais Louis XIV n'aurait agi ainsi. La conquête de la Silésie est un acte délibéré de piraterie politique, un acte dont nous avons peu d'exemples dans l'histoire antérieure de l'Europe.

La deuxième injustice a été la dénonciation des engagements pris. Toutes les puissances avaient garanti la pragmatique sanction. Toutes, sauf l'Angleterre et la Russie, sont revenues sur leur parole. L'histoire des traités et des conventions est riche en trahisons, mais un reniement aussi général est rare en son genre.

LE RENVERSEMENT DES ALLIANCES.
LA GUERRE DE SEPT ANS (1756-1763)

Le renversement des alliances

On parle d'ordinaire de « renversement des alliances » pour désigner le rapprochement des deux ennemies séculaires, la France et l'Autriche. Mais ces deux puissances ne sont pas les seules concernées. Le « renversement » est un phénomène européen. Nous assistons pendant la période 1748-1756 à un changement complet des systèmes d'alliances et à des regroupements nouveaux. Tandis que la France s'allie à l'Autriche, la Prusse se rapproche de l'Angleterre, et la Russie choisit successivement comme alliées, d'abord l'Angleterre, ensuite l'Autriche.

Le rapprochement franco-autrichien est le premier en date. C'est l'Autriche qui prend l'initiative. Dès 1748, l'habile Kaunitz insinue à Mme de Pompadour qu'il serait facile à réconcilier les Habsbourg et les Bourbons, que l'Autriche abandonnerait volontiers la Flandre et le Brabant, si la France l'aidait à reprendre la Silésie. Ensuite, Marie-Thérèse se fait un plaisir de révéler à Louis XV la duplicité de Frédéric II. Ce dernier, lui fait-elle savoir, s'apprête à le trahir. Il prépare en secret une alliance avec l'Angleterre. Louis XV hésite. L'annonce de l'accord anglo-prussien (conclu le 16 janvier 1756) le décide. Il signe avec Marie-Thérèse un traité de garantie réciproque. C'est le premier traité de Versailles, du 1er mai 1756. Les deux puissances se promettent l'une à l'autre un secours de vingt-quatre mille hommes contre tout agresseur. Le second traité de Versailles (1er mai 1757) va plus loin. Au lieu de vingt-quatre mille hommes, la France s'engage à en fournir cent mille, et à solder un corps de six mille Bavarois et Wurtembergeois pour le compte de Marie-Thérèse. Elle paiera en outre à l'Impératrice un subside annuel de 12 millions de florins. Le renversement se double d'un engagement très lourd. La France se lie à l'Autriche plus fortement qu'elle ne l'a jamais fait avec aucune autre puissance.

L'alliance anglo-prussienne de 1756 se présente d'une manière différente, les deux puissances contractantes y trouvant également leur intérêt. Frédéric II a besoin de l'argent anglais. George II a besoin d'une bonne armée pour défendre au besoin contre la France son électorat de Hanovre. L'Angleterre a l'argent. Frédéric a l'armée. C'est un accord parfait. En outre, les deux puissances se garantissent mutuellement leurs États et s'engagent — il faut bien mettre des formes — à maintenir la paix en Allemagne.

Quant à la Russie, on a déjà vu son incertitude. Nouvelle venue dans le jeu européen, elle ne sait pas encore très bien quelle alliance lui convient le mieux. En 1755, elle traite avec l'Angleterre. Par le traité de Presbourg du 30 septembre 1755, elle s'engage à fournir contre les ennemis de l'Angleterre en Europe un contingent de quatre-vingt mille hommes. Elle recevra en échange une somme de 500 000 livres et un subside annuel de 100 000 livres sterling. En somme, l'Angleterre achète de la chair à canon. Elle n'en profitera pas. L'alliance est vite caduque. Ce que veut la tsarine Élisabeth alors régnante, c'est faire la guerre à la Prusse. Or l'Angleterre, la tsarine le comprend vite, ne veut pas faire cette guerre-là. Élisabeth se tourne alors vers l'Autriche. Le 25 mars 1756, les deux impératrices d'Autriche et de Russie signent un traité d'alliance défensive et offensive. Les Russes fourniront quatre-vingt mille hommes pour attaquer Frédéric II de concert avec les Autrichiens. L'Autriche aura la Silésie. La Russie aura la Prusse orientale.

Mettons à part la Russie, et observons le nouveau regroupement des puissances. Pour la première fois en Europe, depuis que le protestantisme existe, les systèmes d'alliances correspondent aux confessions religieuses. Au bloc protestant (Angleterre et Prusse) s'oppose le bloc catholique. Faut-il penser que des raisons religieuses ont inspiré les hommes d'État ? A première vue, c'est improbable. Nous sommes à une époque « philosophique », où les personnels politiques et diplomatiques sont gagnés par l'indifférence en matière de religion. Il faudrait regarder de plus près les instructions des gouvernements et les comptes rendus des négociateurs. Dans l'état actuel de nos connaissances, on ne voit pas de trace de mobiles religieux. Mais cela ne veut pas dire qu'il faille exclure tout mobile de ce genre. Bernis, le premier négociateur français de l'alliance avec l'Autriche, est un homme d'Église, chez lequel ni l'ambition ni la mondanité n'ont étouffé la foi. Louis XV lui-même est un prince qui possède une très vive conscience de la grandeur du catholicisme et de ses mystères. Il est aussi étranger que possible à l'univers mental du protestantisme. Dans le camp adverse, un élément est à noter : la virulence de l'antipapisme anglais, trait majeur de l'opinion publique dans ce pays.

Toutefois le caractère principal des nouvelles alliances est le bellicisme qui les anime. On ne veut pas protéger la paix, mais faire la guerre. Jadis on garantissait les traités. On avait garanti Utrecht. Mais il n'est pas question de garantir Aix-la-Chapelle. Les traités de 1748 sont honnis. Nul ne songe à les préserver. On ne veut au contraire que les mettre en pièces. C'est d'un esprit généralisé de conflit et de revanche que procède le renversement des alliances.

Les rivalités franco-anglaise et austro-prussienne l'emportent sur toutes les autres.

La rivalité franco-anglaise a commencé en 1688. Le Régent, Fleury et Walpole l'avaient apaisée. Elle s'est réveillée en 1740. Elle est maintenant à son paroxysme. La double expansion coloniale et commerciale de la France en est la principale cause. Les Anglais s'inquiètent mortellement des progrès français en Indoustan et en Amérique du Nord. Pour préserver la paix, il aurait fallu, lors du traité d'Aix-la-Chapelle, tracer les limites des deux domaines coloniaux. Cela n'a pas été fait. Les conflits de limites ont donc persisté malgré la signature de la paix. Cet état de guerre larvée dans les colonies est sans doute la principale raison de la reprise des hostilités en Europe. Ainsi, pour la première fois dans l'histoire du monde, des événements survenus en Amérique ou dans l'Inde sont la cause de la guerre en Europe.

La rivalité austro-prussienne a pour enjeu la Silésie. La volonté de recouvrer la Silésie gouverne toute la politique autrichienne. A la province perdue, « perle de l'empire », Marie-Thérèse n'a jamais cessé de penser. Dès 1748, elle se flattait d'une revanche prochaine, « dût-elle y perdre son cotillon ». Elle disait aussi qu'elle ne pouvait « voir un Silésien sans pleurer ». En 1751, au moment où s'amorçait l'alliance française, elle écrivait à Kaunitz : « Je n'ai certainement aucune prédilection pour la France [...] mais rien ne me mécontenterait plus que de m'unir avec le roi de Prusse [...] et de renoncer par là à jamais à l'espérance de ravoir un jour la Silésie... » En somme, l'Impératrice n'a pas voulu l'alliance française par goût, mais uniquement par intérêt, et seulement à cause de la Silésie. L'étonnant est que la France ait consenti à une telle alliance. Louis XV fera la guerre pour Breslau.

La guerre. Les armées et les combats

Avant d'entreprendre l'historique des combats, il faut dire quelques mots des armées en présence.

L'armée prussienne est la meilleure, la mieux entraînée, la mieux équipée. Frédéric dispose d'un corps d'officiers studieux et instruits, pris dans une noblesse dévouée à la patrie, confiante dans le succès et rompue à la discipline. L'armement est perfectionné grâce à l'usage du fusil à couvre platine et à baguette de fer, tandis que les adversaires de la Prusse se servent encore de baguettes de bois. Il faut noter également l'innovation de l'artillerie à cheval et le développement de la cavalerie. Surtout, Frédéric est le maître absolu de son armée. Il tient parfaitement dans sa main cet instrument de haute qualité. Il n'est entravé par aucune volonté étrangère, et peut donc librement faire passer dans tous ses services la fièvre d'action qui le possède. « Il était, écrira A. Sorel, son propre général en chef et son propre ministre des Affaires étrangères. Il savait comment on réussit dans les négociations et comment on triomphe à la guerre[1]. »

L'armée française, par comparaison, souffre d'un commandement défectueux. Le roi ne se montrera jamais aux armées. La guerre cependant sera dirigée de Versailles par le Conseil du roi et par le secrétaire d'État chargé de ce département. Quant à la nomination des généraux, elle dépend le plus souvent des intrigues de Cour.

L'armée des Cercles, c'est-à-dire l'armée du Saint Empire, commandée successivement par le prince de Saxe-Hildburghausen et par le duc des Deux-Ponts, auxquels seront subordonnés les généraux français dans les opérations communes, est un ramassis sans cohésion d'hommes fournis par tous les seigneurs terriens d'Allemagne. Cette armée ne verra guère le feu, et ne le soutiendra jamais.

L'armée autrichienne vaut surtout par son excellente cavalerie légère de hussards, pandours et Croates. Un seul de ses généraux est médiocre. C'est Charles de Lorraine. Les autres (Lacy, Laudon, O'Donnel et surtout Daun) ont de bonnes connaissances tactiques. Mais les grandes décisions ne leur appartiennent pas. La guerre est dirigée par le *Hofkriegsrath* (Conseil aulique de la guerre). Cet organisme dicte la stratégie et délivre les autorisations de livrer bataille.

L'armée russe est la plus homogène. Elle est exclusivement nationale. Les nobles occupent les grades. Les soldats, tous des paysans, leur obéissent comme à leurs maîtres naturels. C'est une armée dévouée à la tsarine et profondément religieuse. Avant les combats, tout le monde se confesse et communie. Comme dans l'organisation autrichienne, les

---

1. Cité par Ernest Lavisse et Alfred Rambaud, *Histoire générale du IVᵉ siècle à nos jours*, t. VII, *Le XVIIIᵉ siècle (1715-1788)*, op. cit., p. 221.

généraux sont subordonnés à un conseil directeur de la stratégie, appelé la « Conférence ». La plaie de l'armée est la multitude des charrois. Chaque irrégulier a deux chevaux. Chaque capitaine une dizaine d'ordonnances. En 1757, l'armée d'Apraxine traîne après elle six mille voitures. Cependant, cette armée peut donner beaucoup. C'est elle qui va infliger à Frédéric ses plus cruelles défaites.

La guerre continentale a pour théâtre l'Allemagne. Elle commence le 29 août 1756. Ce jour-là, Frédéric II envahit la Saxe. C'est une opération comparable à celle de Silésie seize ans plus tôt. Il n'y a pas eu de déclaration de guerre. Il n'y a aucune justification possible. C'est une pure et simple violation du droit. Dans les jours qui suivent, le roi de Prusse entre à Dresde et à Leipzig, et somme l'Électeur-roi, Auguste III, de s'unir à lui, et d'incorporer ses troupes dans l'armée prussienne. « Grand Dieu, s'écrie le négociateur saxon chargé de transmettre cet ultimatum ; pareille chose est sans exemple dans le monde. — Croyez-vous, Monsieur ? réplique Frédéric ; je pense qu'il y en a, et, quand il n'y en aurait pas, je ne sais si vous savez que je me pique d'être original. Enfin telle est ma condition. Il faut que la Saxe coure la même fortune et le même risque que mes États[1]... » L'empereur François Ier punit ce coup de force. Il fait voter par la diète de Ratisbonne la mise de Frédéric II au ban de l'empire. Maître Aprilius, actuaire du Reichstag, est chargé de notifier la sentence au baron de Plotho, ministre de Frédéric à Ratisbonne. Le baron l'interrompt dès les premiers mots et le fait jeter du haut en bas de son escalier. C'est ainsi que le prince le plus « éclairé » d'Europe honore le droit des nations et celui des gens. Est-ce en dépit de ses « lumières », ou à cause d'elles ? La question doit être posée.

La coalition qui mobilise aussitôt contre lui est formidable. Aux armées autrichiennes s'ajouteront, en 1757, cent mille Français en deux armées, l'une du Rhin, l'autre du Mein, et quatre-vingt-dix mille Russes, plus une armée suédoise qui menacera la Poméranie orientale. Frédéric a un allié, mais l'aide anglaise, importante en subsides, l'est beaucoup moins en soldats. Les troupes anglo-hanovriennes sont battues par les Français dès la première campagne. Le 8 septembre 1757, le duc de Cumberland signe la capitulation de Closterseven, en vertu de laquelle les Hanovriens se retirent au-delà de l'Elbe.

A plusieurs reprises, le roi de Prusse se trouve dans une situation très difficile, voire désespérée. En 1757, la campagne commence bien pour lui. Il marche sur Prague et défait les Autrichiens sous les murs de cette ville. Mais à la fin de l'été, comme il l'écrit lui-même à Keith, « la fortune » lui « tourne le dos ». Il doit évacuer la Bohême et, au même moment, il est attaqué de toutes parts. Les Suédois franchissent la Peene et s'apprêtent à

1. Cité par Ernest Lavisse et Alfred Rambaud, *Histoire générale du IVe siècle à nos jours*, t. VII, *Le XVIIIe siècle (1715-1788)*, *op. cit.*, p. 227.

conquérir la Poméranie orientale. Les Russes du maréchal Apraxine écrasent à Jaegersdorf les troupes du feld-maréchal prussien Lehwaldt (30 août 1757). Un corps autrichien, sous les ordres de Haddick, entre à Berlin et rançonne la ville. Enfin les Français du duc de Richelieu envahissent le Hanovre et mettent le pays à sac. Frédéric est pris entre cinq armées victorieuses. Il écrit à Voltaire qu'il se prépare à « mourir en roi ».

Deux autres campagnes sont désastreuses pour lui : 1759 et 1760. Et ce ne sont pas les Autrichiens ni les Prussiens qui l'accablent, mais les Russes. En 1759, le chef des armées russes est Soltykof. Il passe pour « un petit vieillard simplet ». En réalité, il est né pour le commandement. Il avance irrésistiblement, et s'empare de Francfort, sur l'Oder. A Kunersdorf, le 12 août 1759, l'armée prussienne est défaite par les Austro-Russes et perd dix-neuf mille hommes. Frédéric est découragé. Il songe à se tuer. La campagne de 1760 présente un moment une situation analogue. C'est au mois de juin. On voit alors le Russe Totleben entrer en Poméranie, et l'Autrichien Landon battre les Prussiens à Landshut (23 juin) et envahir la Silésie. Mais le pire est la prise de la capitale. Deux corps russes et un autrichien cernent Berlin et occupent la ville, dont tous les établissements militaires sont détruits.

Frédéric a donc touché le fond au moins trois fois. Au moins trois fois, il a vu ses armées battues, ses territoires envahis, tout espoir raisonnable le quitter. Mais chaque fois, par des victoires éclatantes, emportées à l'arraché, il a réussi à retourner la situation. En 1757, c'est Rosbach (5 novembre), et c'est Leuthen (25 décembre) : Rosbach, déroute des deux armées des Cercles et des Français, Leuthen, écrasement des troupes des Cercles et de l'armée autrichienne, hécatombe effroyable, puisque sur les quatre-vingt mille hommes engagés dans cette bataille, le général autrichien Daun en ramène seulement trente mille. La manœuvre est la même dans les deux batailles. Dans un premier temps, Frédéric d'abord se dérobe. Ensuite, par une simple conversion, ses colonnes en marche se reforment en bataille et culbutent l'ennemi. Le succès de Leuthen est peut-être encore plus net que celui de Rosbach. « Cette victoire, dira Napoléon, est une des plus complètes qui aient jamais été remportées. Elle suffirait à elle seule à immortaliser Frédéric II[1]. » Les exploits de 1760 sont comparables. Frédéric annule en un instant les avantages de ses adversaires, et les transforme de vainqueurs en vaincus. Les Autrichiens et les Russes veulent se réunir contre lui. Il empêche leur jonction et les bat séparément. Quand les Russes prennent Berlin, il accourt à marches forcées pour dégager sa capitale. Puis il se venge sur les Autrichiens qui ont fait en Saxe des progrès inquiétants, et leur inflige à Torgau, le

---

1. Cité par Ernest Lavisse et Alfred Rambaud, *Histoire générale du IVᵉ siècle à nos jours*, t. VII, *Le XVIIIᵉ siècle (1715-1788)*, *op. cit.*, p. 234.

3 novembre 1760, la plus sanglante des défaites. Ainsi parvient-il, comme en 1757, à dégager ses États, et à se maintenir en Saxe.

Il ne pouvait cependant, malgré tout son génie, résister indéfiniment aux assauts des trois grandes puissances coalisées pour l'abattre. En 1761, la France redouble son effort et envoie cent soixante mille hommes en Allemagne. Les Russes s'emparent de la Prusse orientale, puis de la Poméranie. Frédéric n'a plus que trente mille hommes, et le prince Henri de Prusse n'en a pas davantage. Le pays est entièrement ruiné. « Si tout secours venait à nous manquer, écrit Frédéric, [...] je ne vois pas ce qui pourrait éloigner ou conjurer notre perte. »

Il est sauvé contre toute attente. Les Russes l'avaient accablé. Maintenant ils le sauvent en lui faisant défaut. Le 5 janvier 1762, Élisabeth meurt. Son neveu Pierre III lui succède. Le nouveau tsar est un Allemand. On avait dû le chasser de la « Conférence » : il dévoilait au roi de Prusse les décisions secrètes qu'on y prenait. Le jour même de son avènement, il fait transmettre aux armées l'ordre de s'abstenir de toute hostilité. Il ne s'arrête pas là. Par le traité de paix du 5 mai 1762, il restitue la Prusse orientale. Par le traité d'alliance du 19 juin 1762, il conclut une alliance avec Frédéric. Les deux souverains promettent de s'assister réciproquement d'un corps de douze mille fantassins et de huit cents cavaliers. Ce retournement des Russes est une prodigieuse aubaine pour Frédéric. C'est une catastrophe pour les Autrichiens et pour les Français. L'assassinat de Pierre III, le 9 juillet 1762, et l'avènement de son épouse Catherine ne changent presque rien à la nouvelle orientation de la Russie. Certes, la nouvelle impératrice n'observe pas le traité d'alliance et rappelle les troupes engagées contre l'Autriche. Mais elle respecte le traité de paix et continue l'évacuation de la Prusse orientale. Le roi de Prusse garde les mains libres pour se défendre contre les Autrichiens et les Français.

L'autre guerre de Sept Ans est la guerre maritime entre l'Angleterre et la France. L'Angleterre a partout et presque constamment l'avantage. L'escadre française du Levant est battue à Lagos, celle du Ponant à Belle-Isle (1759). Les Anglais débarquent en plusieurs points du littoral français, à l'île d'Aix, à Saint-Cast en Bretagne, et à Cherbourg. Depuis 1759, ils sont les maîtres du Canada. En 1761, Lally-Tollendal leur rend Pondichéry. Ils enlèvent encore le Sénégal, la Martinique, la Grenade, Sainte-Lucie et Tobago. Il ne reste plus à la France que l'espoir de faire la paix.

Les traités de paix. Les conséquences de la guerre de Sept Ans

Pitt voudrait profiter de ces succès pour imposer à la France des conditions extrêmement dures. Dès les premières négociations, il prétend exiger de Louis XV qu'il limite son secours à Marie-Thérèse aux vingt-quatre mille hommes prévus par le premier traité de Versailles. C'est une exigence difficilement acceptable pour l'honneur français. L'opinion publique anglaise s'irrite contre Pitt. Il doit quitter le pouvoir le 5 octobre 1761. Son départ ouvre la voie de la paix. Entre-temps s'est produite la défection de la Russie.

La paix de Paris du 10 février 1763 termine la guerre entre la France et l'Angleterre. La France abandonne à sa rivale la plus grande partie de son empire d'Amérique du Nord. Le traité d'Hubertsbourg, signé presque en même temps (le 15 février 1763), met fin à la guerre continentale. Les dispositions principales en sont les suivantes : Frédéric garde la Silésie et promet sa voix pour faire élire Joseph, fils de Marie-Thérèse, comme roi des Romains. L'Électeur de Saxe recouvre tous ses États. Bernis écrit dans ses mémoires que toutes les cours d'Europe avaient « manqué leur but dans cette guerre ». C'est inexact. L'Autriche, la France et la Russie ont échoué, mais la Prusse a réussi à garder la Silésie, ce qui était son premier but. Elle a surtout acquis un grand prestige auprès des Allemands. Le roi de Prusse apparaît comme le champion de la Germanie. Toute l'Allemagne, même celle qui a combattu contre lui, triomphe avec lui.

Cependant le résultat le plus clair de la guerre de Sept Ans est l'abaissement de la France. Il y avait eu jusqu'alors deux puissances mondiales, l'Angleterre et la France. L'Angleterre est désormais la seule. Elle est la reine incontestée des mers.

Les grands systèmes d'alliances demeurent inchangés. La France reste fidèle à l'alliance autrichienne. Par le pacte de Famille, conclu en 1761, elle a fortifié ses liens avec ses alliés naturels, les Bourbons de Naples, d'Espagne et de Parme. C'est l'union latine. Et comme l'Autriche est associée intimement à la politique française, c'est aussi l'union catholique. Au moins de nom. Curieuse Europe catholique, en effet, que cette Europe dont les ministres sont acquis aux idées des Lumières, et préparent en ce moment même la destruction de la Compagnie de Jésus, force vive de la catholicité.

LA PRESSION DE LA RUSSIE, LA GUERRE RUSSO-TURQUE ET LE PARTAGE DE LA POLOGNE

La pression russe

La guerre de Sept Ans avait déjà mis en valeur la puissance de l'armée russe. La Russie de Catherine II a conscience de sa force. A partir de 1763, nous la voyons imposer à la Pologne une sorte de protectorat. A partir de 1768, elle entreprend contre la Turquie une guerre audacieuse et finalement victorieuse, à la fois sur terre et sur mer. L'« ours russe » (pour parler comme Frédéric II) sort de sa tanière. La Russie s'élève au rang des plus grandes puissances de l'Europe.

LA SUPRÉMATIE RUSSE EN POLOGNE

La Pologne est plus que jamais l'objet de la convoitise des puissances. L'unité de cet État immense — le plus étendu d'Europe après la Russie — est fragile. Sa population ne compte pas moins de cinq ethnies (Polonais, Allemands, Lituaniens, Russes et Juifs), et de quatre confessions religieuses (catholiques, orthodoxes, protestants et juifs). En outre, c'est un pays qui n'est pas gouverné. La royauté, devenue définitivement élective, voit ses pouvoirs diminuer sans cesse. Elle a perdu le droit de faire la paix ou la guerre, de légiférer, d'établir des impôts sans le consentement de la diète. La diète elle-même est paralysée à cause du *liberum veto*. Enfin il n'y a pas de finances et, pour ainsi dire, pas d'armée. Dans ce territoire ouvert de toutes parts à l'invasion (sauf du côté des Carpathes), la force permanente de l'armée royale ne dépasse pas dix mille hommes. En revanche, si le roi ne dispose que d'une armée insignifiante, les grands seigneurs, les « magnats », ont chacun de nombreux soldats. C'est ainsi que le prince Radziwill, au temps de la confédération de Bar, entretiendra plusieurs milliers d'hommes.

A chaque élection d'un nouveau roi, les puissances européennes, et principalement la Russie, la Prusse, l'Autriche, la France et la Suède, interviennent dans les affaires intérieures de la Pologne. Par la brigue, la séduction, la menace, et même souvent par la force armée, chacune s'efforce de faire prévaloir son candidat. Des rivalités qui en découlent peut à tout moment sortir une guerre européenne. On l'a bien vu en 1733, lorsque la compétition pour la succession d'Auguste II a mis le feu à tout le continent. Les puissances ont conscience de ce risque de guerre et cherchent à l'éviter. A chaque succession royale, on tente de s'accorder sur des compromis. Telle puissance fera le roi, mais les autres pourraient obtenir des compensations territoriales. Il y a eu des projets de ce genre ébauchés en 1700 entre Charles XII et la Prusse, en 1711 entre la Prusse, le tsar Pierre et la Saxe, en 1732 entre Auguste de Saxe et le roi de Prusse. Ce sont les antécédents du partage.

La mort du roi Auguste III, le 3 octobre 1763, ouvre une nouvelle crise de succession. A cause de l'affaiblissement de l'État polonais, cette dernière menace d'être beaucoup plus grave que les précédentes. Ce n'est plus seulement la royauté qui est en cause, mais la Pologne elle-même.

Cette fois, c'est la Russie qui paraît la mieux placée. C'est elle qui logiquement devrait tirer le meilleur profit de la crise. Des deux grandes factions de la noblesse polonaise, le parti russe et le parti « patriote », le premier, ayant à sa tête les princes Czartoryski, est le plus puissant. Aussi le candidat de la Russie, Stanislas Poniatowski, neveu des Czartoryski, et ancien amant de Catherine II, a-t-il toutes les chances de triompher. Pour plus de sûreté, la tsarine a même obtenu le soutien de la Prusse. Le 11 avril 1764, à Pétersbourg, a été conclue entre la Russie et la Prusse une alliance défensive. Par une clause très secrète, Frédéric II s'est engagé à faire entrer vingt mille hommes en Pologne, dans le cas où l'Autriche s'opposerait à Poniatowski. En somme la Prusse a garanti à l'avance le trône de Poniatowski.

Le 7 septembre 1764, alors que quatre-vingt-dix mille soldats russes sont massés aux frontières polonaises, Stanislas est élu roi à l'unanimité, mais à l'unanimité de deux mille électeurs seulement. La diète de 1764 ne ressemble pas aux diètes d'élection d'autrefois. En 1733 par exemple, soixante mille cavaliers nobles, bannières déployées, s'alignaient en escadrons dans la plaine de Wola. C'est dire que l'abstention est aujourd'hui très forte.

Le nouveau roi est âgé de trente-deux ans. Il n'est pas sans personnalité. Aimable et intelligent, il désire sincèrement le bien commun. L'accusation portée souvent contre lui de cosmopolitisme n'est pas entièrement fondée. Il est réellement attaché à la Pologne. On peut seulement se demander s'il comprend bien le tempérament national et s'il est en mesure de saisir la vigueur et la grandeur du catholicisme polonais. Ami de Mme Geoffrin, «philosophe» lui-même, il caresse l'étrange illusion de rénover la Pologne par la «philosophie» — ou du moins par un christianisme «éclairé» — et de la sauver par l'esprit des Lumières. Son règne n'est qu'une suite d'humiliations : au protectorat russe succèdent l'invasion étrangère et le démembrement.

Le protectorat russe s'exerce par l'intermédiaire du prince Repnine, homme sceptique et corrompu, ambassadeur de Catherine à Varsovie, et chargé de contrôler Stanislas. Ce dernier, en accord avec le clan Czartoryski, voudrait réaliser les réformes politiques indispensables qui assureraient le relèvement de la Pologne, et dont la principale serait l'abolition du *liberum veto*. Repnine s'y oppose. En revanche, il exige des réformes en faveur des dissidents protestants et orthodoxes. Ceux-ci avaient été privés de tous leurs droits politiques. De concert avec l'Autriche, la Prusse et l'Angleterre, la Russie demande que ces droits leur soient rendus.

Que va-t-il se passer? La diète d'élection de 1764 et la diète de 1766 commencent à réaliser les réformes politiques. Par crainte de la Russie, on ne s'attaque pas de front au *liberum veto*. Du moins, il est décrété que dans les diétines, l'élection des «nonces» (députés à la diète) se ferait à la simple majorité ; puis que pour toutes les lois concernant la levée des impôts, les affaires militaires, l'accroissement de l'armée, le vote serait également un vote à la simple majorité. Timides mesures, mais qui sont déjà trop pour la Russie et pour la Prusse, son alliée. Repnine, l'ambassadeur russe, et Benoît, l'ambassadeur prussien, s'emploient aussitôt à les faire annuler. Ils se servent du clergé catholique si puissant en Pologne. Ils vont trouver les évêques, les alarment sur le sort des libertés de l'Église, sur la disparition du *liberum veto*, qui était, disent-ils, le «joyau de leur constitution», et, pour achever de les convaincre, leur promettent de modérer les exigences de leurs souverains concernant les dissidents. Le résultat est spectaculaire. La diète se retourne. Les réformes sont annulées. Le *liberum veto* est entièrement restauré. La stratégie de Catherine et de Frédéric est parfaitement au point. Elle va resservir. Les deux despotes « éclairés » font semblant — philosophie oblige — de protéger les dissidents et de revendiquer la tolérance. En fait, ils se moquent des dissidents. Ils les ont déjà sacrifiés à leurs ambitions territoriales. Ils ont déjà vendu la tolérance pour acheter le *statu quo* politique. C'est une escroquerie philosophique.

La suite de cette histoire sera l'insurrection polonaise contre le roi et contre les Russes. Après la diète de 1766, l'anarchie s'installe en Pologne, et les Russes profitent de l'occasion pour faire entrer leurs troupes sur le territoire. Alors, un peu partout, des « confédérations » nobiliaires se forment et, réclamant la déchéance du roi, luttent contre lui. Les unes sont des confédérations de dissidents. Les autres — les plus puissantes — sont catholiques et, pour la plupart, lituaniennes. Le 3 juin 1767, les confédérés catholiques se déclarent solennellement. Réunis à Radom, ils réclament le retour au *statu quo* politique intégral et demandent le détrônement de Stanislas. Les Russes prennent successivement deux partis contraires. D'abord, ils soutiennent les confédérés de Radom. Ensuite, ils s'en séparent, et même les combattent, ne pouvant accepter le caractère religieux de la révolte. La Confédération de Radom est en effet un mouvement profondément catholique. Son objectif principal est la défense de la loi catholique contre les entreprises de l'orthodoxie et contre celles de l'« athée » Stanislas. La diète de 1767 — dominée par les confédérés — montre clairement cette orientation religieuse. Le 24 août, jour d'ouverture de la diète, est donnée lecture d'un bref pontifical adressé aux confédérés. L'assemblée y répond par ce cri : « Sacrifier notre sang et nos biens pour l'Église catholique ! » Puis, tout entière, elle tombe à genoux afin de recevoir la bénédiction du nonce apostolique. La tolérance de Catherine II a des limites, et d'ailleurs la tsarine suit depuis longtemps une ligne de conduite antiromaine. Elle réagit avec vigueur. Le 10 novembre 1767, l'ambassadeur Repnine frappe un grand coup : il fait enlever par ses grenadiers les principaux chefs des confédérés (les évêques Soltyk et Zaluski, et les deux Rzewuski, père et fils) et les expédie vers Smolensk. Toute la Pologne alors se soulève. La confédération de Radom se transforme en confédération de Bar, du nom de la ville de Podolie où cette nouvelle phase de l'insurrection a commencé. Les armées des magnats affluent de tous côtés. Les insurgés portent des croix, des bannières et des chapelets. Dès le mois de février 1768, la guerre fait rage, opposant les Russes et l'armée royale aux troupes des confédérés. Pauvres troupes : elles n'ont ni forteresses, ni infanterie, ni artillerie, ni munitions, ni argent. Leur seule supériorité est leur connaissance du terrain. Elles savent les retraites et les refuges. Elles surprennent l'ennemi. Elles savent toujours se dérober. Si bien que les combats ne tournent pas toujours à leur désavantage. Sur les treize rencontres en bataille rangée de l'année 1768, cinq sont des victoires confédérées. A partir de 1770, la France commence à leur apporter une aide efficace. Les missions Dumouriez (1770), puis Vioménil (1771) fournissent des officiers, des sous-officiers, des armes et des munitions. Si les confédérés n'avaient eu en face d'eux que les Russes, ils auraient peut-être pu tenir longtemps. Et cela d'autant mieux que, depuis le mois d'octobre 1768, une partie de l'armée russe est retenue sur le front turc. Mais les Prussiens vont se joindre aux Russes. Les confédérés eux-mêmes leur en fournissent le prétexte. Le 3 novembre 1771, ils commettent l'incroyable maladresse d'enlever la personne du roi Stanislas. C'est pour Frédéric II l'occasion rêvée — et attendue depuis longtemps — d'intervenir militairement. Le 10 novembre, il adresse à Benoît, son représentant à Varsovie, l'instruction suivante : « Il faut que la Russie se serve de ce prétexte pour réclamer mon secours en Pologne, car j'ai garanti le trône à ce prince, et le prétexte est plausible[1] ». Au début de 1772, l'armée prussienne entre en Grande-Pologne. C'est la fin des confédérés. En avril, le château de Cracovie, dont les Français s'étaient emparés, est repris par les Russes. Le 15 août, Czestochowa, où Pulawski avait repoussé vaillamment trois assauts des Russes, finit par capituler. Le coup de grâce est donné par l'intervention autrichienne. En mai, les troupes de Marie-Thérèse, ne voulant pas être en reste, occupent Landskrona. La guerre polonaise est finie. Le démembrement de la Pologne a commencé.

LA GUERRE TURCO-RUSSE. LA VICTOIRE DES RUSSES

La force de la pression russe dans l'affaire polonaise inquiète l'Europe. Cependant les puissances ont des réactions diverses. La Prusse est ouvertement complice. L'Autriche, secrètement. La France tente de s'y opposer, mais tardivement et faiblement. La seule puissance qui manifeste une opposition vigoureuse, c'est la Turquie. Le sultan Mustafa III, qui règne depuis 1754, a été caricaturé par Voltaire, qui, dans une lettre à Catherine II, l'appelle « ce gros cochon de Mustafa ». En réalité, il est aussi honnête homme que peut l'être un despote turc. Il a affranchi des chrétiens qui ramaient sur les galères turques. Il est laborieux et minutieux, relativement chaste et assez généreux pour avoir dégrevé son peuple de la moitié de la taxe pour son joyeux avènement. Si l'on en croit Tott, son conseiller militaire, il est désireux « d'attaquer les vices de son

1. Lettre au prince Henri de Prusse du 9 janvier 1762, citée dans Ernest Lavisse et Alfred Rambaud, *Histoire générale du IVe siècle à nos jours*, t. VII, *Le XVIIIe siècle (1715-1788)*, *op. cit.*, p. 253.

2. Cité par Ernest Lavisse et Alfred Rambaud, *Le XVIIIe siècle (1715-1788)*, *op. cit.*, p. 486.

gouvernement[2] ». En somme il vaut largement — pour les intentions tout au moins — Catherine et Frédéric.

En tout cas, il est le seul souverain qui accepte de faire la guerre pour la Pologne. Au début de 1767, Ghobis, son médecin allemand, lui a entendu dire : « La Pologne demande que nos armées sauvent ses libertés[1]. » En mars 1767, il fait demander à l'envoyé russe Obreskof des explications sur l'occupation de Varsovie. En 1768, l'affaire de Balta le détermine à la guerre. Des troupes russes, poursuivant des confédérés polonais, violent à Balta la frontière ottomane, et font un grand massacre de musulmans. L'irritation du sultan est à son comble. Le 6 octobre 1768, il déclare la guerre à la Russie.

Longtemps, le sort des armes hésite. Malgré leur supériorité en discipline, en effectifs et en armement, les troupes russes ne l'emportent que malaisément. Trois fois, elles passent le Dniestr. Trois fois elles le repassent, les Turcs à leurs trousses. En septembre 1769, elles parviennent enfin à briser les lignes turques et à percer. Mais c'est à la faveur d'une crue du Dniestr. Le 5 septembre 1769, alors que le grand vizir Moldavanghi se décide à son tour à franchir le Dniestr, le fleuve grossit brusquement. Les ponts sont emportés, l'armée turque coupée en deux. Tout ce qui a déjà passé le fleuve est détruit par les Russes. Le reste, dans une grande déroute, entraîne le grand vizir jusqu'à Khan-Tepeny. Du coup les trois provinces de Moldavie, Valachie et Bessarabie sont ouvertes à l'invasion des Russes. Des moines russes répandus dans les villages disent aux habitants : « C'est le vainqueur et non le vaincu qu'il faut reconnaître pour maître. »

Toutefois, la guerre maritime est celle où la Russie manifeste le mieux sa volonté d'expansion. La flotte russe réalise une grande première. En 1769, ses divisions quittent le port de Cronstadt et, contournant l'Europe occidentale, franchissent le détroit de Gibraltar, entrent en Méditerranée, et cinglent sur la Morée. La Porte est saisie de stupeur. Les Turcs s'étaient refusés à croire que, de la Baltique, on pût naviguer jusqu'à la Méditerranée. Toutes leurs forces étaient concentrées sur le Danube et leurs provinces maritimes restaient sans défense. En Morée, des Grecs au service de la Russie fomentaient un soulèvement hellénique. Le Macédonien Georges Papazolis, officier de l'armée russe, avait depuis longtemps préparé l'entreprise. En 1765, il avait acheté à Livourne un stock de croix, d'évangiles et de portraits de Catherine II. Il avait ensuite répandu son matériel de propagande parmi les moines et les popes d'Albanie, d'Acarnanie et de Morée. On déguisait ainsi l'expansion russe. On la présentait comme une nouvelle croisade. La tsarine excellait à ce jeu. Ce n'était pas la première fois qu'elle se couvrait du voile de la religion. Le déguisement avait déjà servi en Pologne. On avait vu son efficacité.

---

1. Cité par Ernest Lavisse et Alfred Rambaud, *Histoire générale du IVᵉ siècle à nos jours*, t. VII, *Le XVIIIᵉ siècle (1715-1788)*, op. cit., p. 487.

On la voit encore en Grèce. La flotte russe à peine arrivée, tous les pays grecs se soulèvent d'un seul coup. Le chef Psaros organise les « légions spartiates ». Renforcée de quelques centaines de Russes, cette troupe marche sur Mistra (Sparte). Partout fuient les Turcs épouvantés. Le feu de la révolte gagne Corinthe, la Mégaride, l'Acarnanie, le Parnasse, la Béotie, la Crète et même les îles Ioniennes.

Très vite cependant, les Turcs vont se ressaisir. Ils font appel aux troupes d'Albanie. Cent cinquante mille Albanais envahissent la Grèce. Les Grecs sont livrés à d'atroces représailles. A Tripoli, trois mille sont massacrés. A Smyrne, la population grecque tout entière est égorgée au sortir de l'église Sainte-Photeina. Trop peu nombreux, les Russes abandonnent à leur sort ceux qu'ils avaient incités à prendre les armes. C'est un lâche abandon, mais Catherine II trouve moyen de le justifier. Voici un extrait de sa lettre à Alexis Orlov, qui avait dirigé toute l'opération de Morée : « Puisque les Grecs de Morée ont si mal suivi les exemples de bravoure, de fermeté et d'héroïsme que vous leur avez donnés ; puisqu'ils n'ont pas voulu se soustraire au joug de l'esclavage, vous avez agi avec sagesse et clairvoyance en les abandonnant à leur propre sort[1]. » Cette accusation est calomnieuse. Les Grecs n'ont nullement démérité. Certains ont lutté avec courage, quelques-uns avec héroïsme. On pourrait citer d'innombrables faits d'armes. Le plus glorieux est celui des frères Grivas. Avec trois cents braves, les deux hommes ont tenté au pont d'Angelo-Kastro d'arrêter l'invasion albanaise, et comme les Spartiates de Leonidas, ils ont péri jusqu'au dernier. Les Russes font le silence sur ces exemples. Non contents d'abandonner leurs alliés, ils s'appliquent à les déshonorer.

Une éclatante victoire navale compense d'une certaine manière l'échec de Morée. Le 8 juillet 1770, en rade de Tchesmé, dans le détroit de Chio, la flotte russe attaque de nuit la flotte turque, lui lance des brûlots et l'accable de bombes et de boulets rouges. Le soleil levant éclaire un prodigieux désastre. Cinquante navires turcs sont détruits. Huit mille Turcs ont péri. « La flotte turque, écrit à la tsarine l'amiral Spiridof, nous l'avons attaquée, battue, démolie, brûlée, lancée dans les airs, coulée […]. Nous sommes maîtres de l'archipel[2]. » Victoire sans lendemain (les Russes n'ayant ni le temps, ni les moyens de l'exploiter) mais de prodigieux effet. Catherine II la proclame à tous les échos. Elle fait frapper une médaille distribuée à tous les combattants, avec cette légende à l'antique : *Byl* (« J'y étais »). Auprès de l'église orthodoxe, elle se présente comme le défenseur de la chrétienté. Auprès des « philosophes », elle fait valoir l'extermination des « fanatiques turcs ». Elle écrit à Voltaire : « J'en ai fait tuer vingt mille. » Nous la voyons ainsi se

---

1. Cité par Ernest Lavisse et Alfred Rambaud, *Histoire générale du IVᵉ siècle à nos jours*, t. VII, *Le XVIIIᵉ siècle (1715-1788)*, *op. cit.*, p. 495.
2. *Ibid.*

parer tour à tour de l'héroïsme antique, du zèle de la religion et de celui de la « philosophie ». Elle en donne pour tous les goûts, et par cette habileté à justifier ses conquêtes par ses idées, elle innove en Europe.

En 1771, la progression des troupes russes dans les régions danubiennes et la conquête de la Crimée achèvent la défaite des Turcs. L'armistice est signé dès l'été de cette année, mais les négociations traînent. Finalement, la paix est conclue le 21 juillet 1774 à Kaïnardji. Les Turcs perdent peu de territoires, les Russes restituant les deux Roumanies. Mais ils sont contraints d'admettre la présence russe en Méditerranée. Les Russes obtiennent la liberté de commercer dans tous les ports turcs, le droit d'avoir des consuls et des vice-consuls là où ils le jugeront nécessaire, le libre exercice de leur religion dans tout l'Empire ottoman, et le libre accès aux Lieux saints de Palestine. Enfin la Turquie paie une forte indemnité de guerre. Et ce n'est pas tout. L'Autriche étant intervenue pour modérer les prétentions de la Russie, cette puissance exige d'être payée de retour. Elle obtient la Bukovine, qui lui est cédée par le traité du 4 mars 1775. L'intégrité territoriale de la Turquie ne pèse pas plus lourd que celle de la Pologne.

Le partage de la Pologne (1772)

Le partage de la Pologne en 1772 a pour origine la réaction des puissances allemandes à l'expansion russe. En effet, l'Autriche et la Prusse s'inquiètent de l'avance russe en Orient et en Pologne. Leur commune inquiétude les rapproche l'une de l'autre. En août 1769, elles conviennent de s'unir afin d'empêcher la Russie de trop s'agrandir aux dépens de la Turquie, et de l'indemniser en Pologne, tout en retenant pour elles-mêmes des compensations prises également sur la Pologne. C'est ce qu'on a appelé le « système patriotique allemand ». Telle est l'opération dans ses grandes lignes.

Voyons maintenant le détail.

C'est Frédéric II qui combine toute la manœuvre. Il commence par accueillir avec empressement les ouvertures de l'Autriche. Le 14 octobre 1769, l'ambassadeur autrichien Nugent vient lui annoncer que l'Autriche a renoncé pour toujours à la Silésie. Frédéric lui répond ceci : « Vous et moi sommes des Allemands. Que nous importe que les Anglais et les Français se battent pour le Canada et les îles d'Amérique, que les Turcs et les Russes se prennent aux cheveux ? [...] Nous ne pourrions rien faire de plus sensé que de convenir d'une neutralité pour l'Allemagne[1]. » Puis, retenant le diplomate, il lui expose son plan : il faut éviter la guerre. Or un conflit peut éclater à tout moment, d'abord entre l'Autriche et la Russie à cause des régions danubiennes, ensuite entre la Prusse et

1. Cité par Ernest Lavisse et Alfred Rambaud, *Histoire générale du IVᵉ siècle à nos jours*, t. VII, *Le XVIIIᵉ siècle (1715-1788)*, *op. cit.*, p. 504.

l'Autriche à cause du traité d'alliance de Pétersbourg de 1764. Pour éviter cette double guerre, un seul moyen : indemniser la Russie «ailleurs qu'en Turquie», c'est-à-dire en Pologne. La Prusse et l'Autriche obtiendront en échange quelques compensations dans cette même Pologne, qui, en somme, fera les frais de toute cette opération.

Ayant prêché Marie-Thérèse, Frédéric entreprend de persuader Catherine. C'est la seconde phase. En février 1769, il soumet à la tsarine un premier projet de partage de la Pologne. Celle-ci est d'abord réticente. Ce qu'elle veut, c'est la Turquie et non la Pologne. Elle veut les Roumanies et la Crimée. Frédéric, dont elle a demandé la médiation pour traiter avec la Turquie, la raisonne et finit par la convaincre. Les empiétements de l'Autriche la décident. Cinquante mille Autrichiens ont envahi les pays de Zips et de Sandecz en Pologne, et le gouvernement autrichien a fait acte de propriétaire en nommant pour ces régions envahies un «administrateur des provinces réincorporées». Ce qu'apprenant, la tsarine ne tergiverse pas davantage. Le 8 janvier 1771, recevant le prince Henri de Prusse, elle a ce mot décisif : «Puisque l'Autriche prend des terres en Pologne, pourquoi tout le monde n'en prendrait-il pas[1] ?» L'alliance conclue le 6 juillet 1771 entre l'Autriche et la Turquie achève de faire comprendre à Catherine II la vanité de ses projets sur les Roumanies. Elle écrit à Frédéric II qu'elle renonce aux principautés roumaines. Le roi de Prusse l'a conduite où il voulait l'amener. Frédéric n'est pas seulement un grand chef de guerre, il est aussi le plus rusé des diplomates.

Le reste va tout seul. En moins de sept mois, de janvier à juillet 1772, sont négociés et signés les sept traités de partage de la Pologne : d'abord les deux conventions entre la Russie et la Prusse (janvier et février), ensuite les trois conventions entre l'Autriche d'une part et la Russie et la Prusse d'autre part (février et mars), enfin les deux traités définitifs, signés à Pétersbourg le 25 juillet 1772, le premier entre la Russie et la Prusse, le second entre la Russie et l'Autriche, afin de régulariser et de consacrer les annexions. Sont ainsi adjugés à l'Autriche le comté de Zips, les salines de Wielicza, la Ludomérie, la Russie rouge, et une partie de la Podolie et de la Volynie ; à la Prusse la Prusse polonaise, moins Dantzig et Thorn, et à la Russie la moitié environ de la Russie blanche. La plus belle part, comme population, comme richesse, est celle de l'Autriche. La part de la Prusse est la plus petite, mais la plus précieuse : en massant les provinces prussiennes du Nord, elle fait de la Prusse une grande puissance.

Le partage de la Pologne est une iniquité sans précédent. On avait souvent disposé des trônes, mais jamais des nations. C'est aussi, d'une certaine manière, un acte sacrilège. La Pologne était en effet l'un des plus anciens États de l'Europe, et surtout elle avait maintes fois protégé l'Occident

1. Cité par Ernest et Alfred Rambaud, *Histoire générale du IVᵉ siècle à nos jours*, t. VII, *Le XVIIIᵉ siècle (1715-1788)*, op. cit., p. 507.

contre les invasions. En 1683 encore, un roi de Pologne (Jean Sobieski) avait délivré Vienne du péril turc. Le partage de la Pologne est un reniement. Iniquité sans précédent, mais qui crée un précédent. A l'ancien droit des gens, le droit du plus fort est ouvertement substitué. On instaure un droit révolutionnaire. Il faut lire le préambule de la convention du 15 janvier 1772, entre la Prusse et la Russie. Le partage y est justifié « par la confusion générale où se trouve la république de Pologne, par la division des grands et la perversité d'esprit[1] ». En somme, si nous comprenons bien, la Pologne est démembrée parce que les Polonais pensent mal. Le démembrement est donc un acte révolutionnaire. On autorise ainsi d'avance toutes les conquêtes, toutes les spoliations et toutes les violations de territoire de la Convention, du Directoire, de Napoléon, de Bismarck, de Guillaume II, d'Hitler et de Staline.

Cependant, le plus grave est la participation de l'Autriche. La Prusse et la Russie sont des monarchies encore nouvelles venues sur la scène européenne, et peu au fait des usages civilisés. Ajoutons que leur volonté de puissance forme en quelque sorte leur nature. Il n'y a donc pas lieu de s'étonner d'une telle action de leur part. D'ailleurs la Prusse n'en est pas à son premier coup. Rappelons-nous la Silésie. Mais la monarchie autrichienne est bien autre chose. Elle est l'une des colonnes de l'Occident chrétien. Elle s'est toujours présentée comme la garante du droit. Lorsque Frédéric II avait conquis la Silésie, elle avait hautement flétri cette injustice et en avait appelé à toutes les nations. La voir maintenant s'associer à une injustice bien pire a quelque chose d'incroyable. Des auteurs ont cherché à l'excuser. Ils ont soutenu qu'il lui était impossible de refuser le partage. Si elle l'avait refusé, disent-ils, la Russie et la Prusse auraient fait un accord avec le sultan, et celui-ci aurait cédé « des territoires à la Russie » et rendu l'empire des tsars « dangereux en Orient » (Victor-Lucien Tapié). Peut-être, mais c'est une pure supposition. Et de toute manière, l'injustice commise demeure. Nous savons d'ailleurs que Marie-Thérèse ne la commit pas de gaieté de cœur, et qu'elle y fut entraînée par son fils Joseph II et par Kaunitz.

Le partage a des conséquences diplomatiques. La complicité des trois puissances partageantes les rend pour longtemps solidaires. C'est ce que dit Frédéric II à sa manière imagée et cynique, en écrivant le 9 avril 1772 au prince Henri : « ... nous communions d'un même corps eucharistique qui est la Pologne, et si ce n'est pas pour le bien de nos âmes, ce sera sûrement un grand objet pour le bien de nos États[2]. »

Le rapprochement des trois puissances partageantes déplace le centre de gravité de l'Europe. L'axe Versailles-Vienne n'est plus l'axe

---

1. Cité par Ernest Lavisse et Alfred Rambaud, *Histoire générale du IVᵉ siècle à nos jours*, t. VII, *Le XVIIIᵉ siècle (1715-1788)*, *op. cit.*, p. 508.

2. *Ibid.*, p. 511.

dominant. L'abaissement de la France continue. Le gouvernement de Louis XV n'a pas su empêcher le partage. Choiseul est en grande partie responsable de cet échec. S'il avait reconnu le roi Stanislas, il aurait évité que ce prince ne restât la créature de la Russie. Au contraire, il a soutenu les confédérés, dont la cause était certes méritoire, mais vouée immanquablement à l'échec. Il a cru très habile de déterminer la Turquie à la guerre. Mais, ce faisant, il a révélé à l'Europe entière la faiblesse réelle de l'Empire ottoman, et rendu de cette manière inévitable le partage de la Pologne. Force est d'admettre que la France a été incapable de renouveler sa politique orientale et de s'adapter aux nouveaux rapports de force.

ÉVOLUTION DES RELATIONS INTERNATIONALES DE 1772 A 1789

La guerre d'Amérique (1778-1783) et l'Europe

Dans la guerre d'Amérique interviennent trois puissances européennes : l'Angleterre, la France et l'Espagne. Le conflit est d'un type vraiment nouveau. D'abord dans ses causes : deux puissances européennes veulent contraindre une troisième à donner l'indépendance à l'une de ses colonies. Ensuite dans son déroulement : le théâtre principal de la guerre s'est déplacé ; il n'est plus en Europe, mais en Amérique.

La guerre d'Amérique ne modifie pas les systèmes d'alliances. Au contraire, l'entrée en guerre de l'Espagne en 1779 illustre la solidité du pacte de Famille. L'alliance des Bourbons prouve son efficacité. L'Angleterre est vaincue. C'est la revanche depuis si longtemps attendue. L'Espagne récupère la Floride et Minorque. La France obtient que l'article d'Utrecht relatif à Dunkerque soit effacé. Cependant, le principal résultat du traité de Versailles de 1783 est le renouveau du prestige de la France.

Les conflits européens. L'expansionnisme autrichien. L'intervention prussienne aux Provinces-Unies (1787)

L'EXPANSIONNISME AUTRICHIEN

Vingt ans plus tôt, le « trouble-paix » de l'Europe était la Prusse. Aujourd'hui, c'est l'Autriche. Joseph II avait déjà entraîné sa mère dans le partage de la Pologne. Le vieillissement puis la mort (en 1780) de Marie-Thérèse lui permettent de donner libre cours à ses ambitions capricieuses et désordonnées. Adversaire de Frédéric II par tradition familiale, il est son admirateur par raison philosophique. Son admirateur et son imitateur. Aspirant à augmenter les possessions héréditaires de l'Autriche au détriment des princes de l'Empire et sa puissance personnelle au détriment des libertés germaniques, il ne fait que reprendre la politique envahissante et sans scrupule des Hohenzollern.

Par sa faute, l'Europe est constamment sur le qui-vive.

On a d'abord, en 1777 et 1778, l'affaire de la succession de Bavière. Voici en bref le déroulement de cette affaire. L'Électeur de Bavière, Maximilien III, meurt le 30 décembre 1777, sans laisser de descendant direct. Joseph II guettait cet événement. Il agit de manière frédéricienne, c'est-à-dire qu'il met la main sur le pays. En quelques jours, les troupes autrichiennes occupent toute la Basse-Bavière. Il fait valoir pour la forme ses droits à la succession. Mais, de l'aveu même de Marie-Thérèse, ce sont des droits « peu constatés et surannés ». Autant dire qu'ils ne valent pas grand-chose. En fait, le successeur légitime est Charles-Théodore, Électeur palatin et chef de la branche aînée des Wittelsbach. Il est vrai qu'il a cédé ses droits à l'Empereur, mais son fils Charles, duc des Deux-Ponts, n'approuve pas cette renonciation, et proteste tant qu'il peut. Que vont faire les puissances ? La France est dans l'embarras. Garante des traités de Westphalie, elle ne peut laisser faire. Mais elle est aussi l'alliée de l'Autriche. Finalement, elle adopte une solution moyenne : elle désavoue l'initiative autrichienne, mais, en secret, promet à Joseph II un concours armé. La Prusse condamne vertueusement l'agression. Frédéric II est à son affaire. Il s'octroie le grand plaisir de se poser en défenseur des immunités et des droits du Corps germanique. Ensuite, il excite le duc des Deux-Ponts à la résistance et provoque adroitement les interventions de la France et de la Russie. Enfin, il mobilise. Durant l'été 1778, deux armées prussiennes flanquées d'un corps saxon, commandées par le roi et le prince Henri, se déploient sur les frontières de Saxe, de Moravie et de Silésie. Le 6 juillet, elles entrent en Bohême. Heureusement pour la paix de l'Europe, aucun des deux adversaires n'est vraiment décidé à en découdre. Tous deux veulent négocier. Marie-Thérèse dépêche au camp prussien son ministre Thugut, chargé de tenter une transaction : « Pourquoi, fait-elle dire à son vieil adversaire, pourquoi nous arracher l'un à l'autre nos cheveux blanchis par l'âge[1] ? » Son fils, lui, n'est pas décidé à faire la paix. Mais la Russie entre en scène, et lui impose sa médiation le priant, ou plutôt le sommant de donner satisfaction au duc des Deux-Ponts. Il s'incline, et, le 23 mai 1779, la paix est signée à Teschen, en Silésie autrichienne. L'Autriche obtient un lambeau de la succession bavaroise (une partie de la régence de Berghausen), mais tout le reste demeure à l'Électeur palatin, maintenu malgré lui, et avec substitution au duc des Deux-Ponts.

Deuxième alerte en 1781 : Joseph II dénonce le régime de la « barrière » et y met fin. Il s'agissait du droit des Hollandais de tenir garnison en

---

1. Cité par Ernest Lavisse et Alfred Rambaud, *Histoire générale du IVe siècle à nos jours*, t. VII, *Le XVIIIe siècle (1715-1788)*, *op. cit.*, p. 575.

permanence dans les places de la frontière méridionale des Pays-Bas. C'était une assurance contre la France. Ils l'avaient obtenu en 1709, lors de la convention des préliminaires de La Haye, et l'avaient fait confirmer à Utrecht. Les principales de ces places étaient Nieuport, Furnes, Tournai, Maubeuge, Charleroi et Namur. Les frais de ces garnisons étaient payés par les Pays-Bas. En novembre 1781, sans la moindre consultation, Joseph II met fin à ce régime. Il fait démanteler les places de la barrière, et avertit les Hollandais d'avoir à rappeler leurs garnisons.

Troisième alerte, trois ans plus tard (1784) : Joseph II veut maintenant modifier le régime de l'Escaut. Ce fleuve était fermé aux navires étrangers. Les traités de Westphalie en avaient ainsi décidé. En août 1784, Joseph II n'hésite pas à proclamer le fleuve « absolument ouvert et libre ». La protestation des Provinces-Unies demeure sans effet. Pour que l'Empereur se rende à la raison, il faut une intervention de la France, garante des traités de Westphalie.

L'année suivante, enfin, est celle de l'idée mirobolante du royaume d'« Austrasie » ou de « Bourgogne ». Joseph II n'a pas renoncé à la Bavière. Il persuade Charles-Théodore de la lui échanger contre les Pays-Bas débaptisés et appelés « royaume d'Austrasie » ou de « Bourgogne ». La Russie est d'accord, la France également. Un traité est signé sur ces bases, le 13 janvier 1785, à Munich. Tout allait bien. Mais c'était compter sans les princes allemands. D'abord, le duc des Deux-Ponts refuse de souscrire à l'échange. Ensuite, à l'initiative de Frédéric II, trop heureux de pouvoir jouer les redresseurs de torts, il se forme une « ligue des princes » destinée à maintenir « les droits constitutifs de l'Empire ». L'Empereur doit abandonner son projet. Son initiative malheureuse n'a servi qu'à discréditer l'Autriche, affaiblissant du même coup l'institution impériale.

L'INTERVENTION PRUSSIENNE DANS LES PROVINCES-UNIES (1787)

C'est un nouveau cas de guerre idéologique. On avait déjà vu, en 1772, les puissances étrangères intervenir en Pologne, à cause de « la perversion d'esprit » des Polonais. Les raisons de l'intervention prussienne de 1787 dans les Provinces-Unies ne sont pas très différentes.

Depuis une trentaine d'années, s'était développé dans les Provinces-Unies un mouvement d'opinion inspiré des idées des « philosophes » des Lumières. Le déisme et toute la philosophie moderne, née en Angleterre, propagée en France par Voltaire et ses disciples, trouvaient dans ce pays des milliers d'adeptes. Un courant politique nouveau s'était formé. Beaucoup de bourgeois et quelques membres de la noblesse appelaient de leurs vœux une forme de gouvernement moins centralisée, dans laquelle les pouvoirs du stadhouder seraient amoindris. Ils voulaient aussi une tolérance totale, chaque citoyen devant pouvoir prendre part au gouvernement, quelle que fût son appartenance confessionnelle. Ils réclamaient enfin la suppression des corporations, celle des corvées, et celle du monopole des compagnies coloniales.

Vers 1770, les partisans de ces réformes « démocratiques » reçoivent un appui non négligeable, celui de l'oligarchie aristocratique. Ils vont lutter ensemble contre le stadhouder. La réunion de ces deux courants prend le nom de « parti patriote ».

En 1785, la situation politique devient très tendue. Dans plusieurs villes, des batailles de rues opposent le petit peuple demeuré fidèle à la maison d'Orange et les « patriotes ». Les États de Hollande, inféodés aux « patriotes », font un coup de force. Ils se substituent au stadhouder, et envoient des troupes afin de rétablir l'ordre. Le stadhouder Guillaume V s'étant réfugié en Gueldre avec son épouse Wilhelmine, les États de Hollande le suspendent de ses fonctions de capitaine général. Ensuite (en juin 1787), ils nomment une commission souveraine de cinq membres, investie de tous les pouvoirs, « pour sauver la chère patrie ». Cette commission siège au château de Woerden. La guerre civile est déclarée.

C'est alors que la Prusse intervient. La raison qu'elle avance est d'ordre familial. Le roi Frédéric-Guillaume II est le frère de la princesse Wilhelmine. Il se déclare indigné d'un affront fait à sa sœur. Celle-ci avait résolu de revenir à La Haye, afin de stimuler le courage de ses partisans. Mais les commissaires de Woerden, craignant que son retour n'aggrave la guerre civile, l'avaient fait arrêter en route, non loin de Schoonhoven, et priée de retourner en Gueldre. Tout s'était passé fort courtoisement, mais le roi de Prusse grossit l'affaire. Il parle d'abus intolérable et crie vengeance. Vingt mille hommes sont mobilisés en Westphalie, avec à leur tête le duc de Brunswick. La France aurait pu retenir le bras prussien. Elle ne bouge pas. Le 12 septembre, l'armée prussienne passe le Rhin à Wesel. Le 13, elle envahit la Gueldre. La résistance est nulle. Les « patriotes » sont surtout forts en paroles. Le 20 septembre, Guillaume V rentre à La Haye. Le 24, c'est le tour de la princesse Wilhelmine, au carrosse de laquelle des femmes s'attellent[1]. Le 10 octobre, la capitulation d'Amsterdam marque la fin de la révolution. Frédéric-Guillaume a prétexté des raisons familiales, mais ces raisons ne suffisent pas à expliquer son intervention militaire. Un Hohenzollern n'engage pas vingt mille hommes uniquement par affection fraternelle. Le roi de Prusse a eu peur des « patriotes ». Il a envisagé le danger que les principes de ces réformateurs pouvaient faire courir à son propre pouvoir. Un fait est très éclairant à cet égard. C'est la cruauté des représailles. Rien ne montre mieux le caractère idéologique de l'affrontement. Nombre de « patriotes » sont bannis, d'autres frappés d'amendes et de confiscations, d'autres emprisonnés dans des forteresses prussiennes. La terreur est telle que quarante mille Hollandais émigrent

---

1. Manifestation traditionnelle d'attachement.

dans les Pays-Bas et en France. Pour l'historien, le cas est intéressant : une puissance, de réputation « éclairée », détruisant par les armes un soulèvement d'inspiration « philosophique ».

L'évolution des alliances et des rapports de force

LA DÉGRADATION DE L'ALLIANCE FRANCO-AUTRICHIENNE

L'alliance franco-autrichienne dure depuis 1756. C'est l'alliance dominante en Europe. Elle subsiste jusqu'en 1789, mais en se dégradant.

Bien que n'éprouvant guère de sympathie pour la France, Joseph II demeure très attaché à l'alliance française. Il voudrait beaucoup que la France le seconde et favorise ses vues expansionnistes. Il compte que sa sœur, devenue reine de France, défendra ses intérêts. Les visites successives en France de l'archiduc Ferdinand-Charles, en 1775, et de l'Empereur lui-même, en 1777 et en 1781, n'ont pas pour seule raison l'amitié fraternelle. Certes, l'amitié a son importance : les enfants de Marie-Thérèse sont très unis entre eux. Mais le souci de resserrer l'alliance compte également. L'Empereur entretient le plus soigneusement possible la bonne volonté de Marie-Antoinette. Mais le personnage est contradictoire. Sa politique étrangère est déroutante. Tout se passe comme s'il voulait décourager ses alliés. Ses initiatives, ses tentatives d'annexion et ses ultimatums mettent l'alliance à rude épreuve.

En France, on est de plus en plus réservé à l'égard de l'Autriche. Il existe un fort parti anti-autrichien. Ce parti n'a jamais désarmé. L'expansionnisme de Joseph II lui fournit des arguments supplémentaires. Les ministres — Vergennes, puis Montmorin — ne sont guère favorables à l'Autriche. Ils ne veulent sans doute pas rompre l'alliance, mais ils ne font rien pour la maintenir. Lorsque Joseph II envahit la Bavière, Vergennes lui inflige un désaveu public. Le 5 février 1778, il envoie à tous les cabinets une note par laquelle le roi déclare n'avoir eu aucune connaissance de la convention conclue entre l'Empereur et Charles-Théodore, et n'y avoir pris aucune part. Il est vrai qu'en même temps, il promet à Vienne de fournir le subside de 15 millions stipulé par l'alliance de 1756, en cas de guerre avec la Prusse. Mais cette promesse est secrète, alors que le désaveu est public. Il eût sans doute été plus habile pour le sort de l'alliance de soutenir publiquement et de désavouer secrètement. Seulement Vergennes n'est pas un courageux. Il a peur de l'opinion publique. Or l'opinion publique est très défavorable à l'Autriche. Cette même année 1778, un livre à grand succès en France, l'ouvrage de Mably, intitulé *Notre Gloire ou nos rêves*. L'auteur y soutient que la bonne alliance est celle avec la Prusse, et que conserver la Silésie à ses nouveaux maîtres, c'est assurer à la France l'Alsace et la Lorraine.

Lors de l'affaire de l'échange entre la Bavière et les Pays-Bas, Vergennes se montre tout aussi timoré. Il dit oui d'abord, non ensuite, et mécontente ainsi tout le monde.

Mais à cette époque déjà, l'alliance agonise. Vergennes n'y croit plus, et la dit « menacée d'une révolution plus ou moins prochaine ». Du côté autrichien, toute confiance a disparu. L'archiduc Léopold appelle les Français des « ennemis travestis en alliés ». La visite à Versailles, en 1786, de l'archiduc Ferdinand et de l'archiduchesse Marie-Christine ne produit aucune amélioration. L'alliance n'existe plus que de nom. Elle ne peut pas durer. L'incompatibilité est flagrante.

Une séparation est-elle souhaitable ? On peut se poser la question. Il semble que non. Très objectivement, ni la France ni l'Autriche n'ont intérêt à rompre leur alliance. Pour contrebalancer la puissance de la Prusse, l'Autriche a besoin de la France. Pour empêcher la Russie d'écraser la Turquie et la Pologne, la France a besoin de l'Autriche. Mais la diplomatie n'est plus maîtresse d'elle-même. Elle est dominée par les humeurs, par les ambitions ou par les idéologies.

LES NOUVEAUX PROGRÈS DE LA RUSSIE

La Russie continue à s'élever. Elle prétend maintenant à la première place en Europe.

Nous avons mentionné plus haut la médiation russe de 1779. Il faut y revenir. C'est un événement d'une très grande importance. C'est la révélation aux yeux de toute l'Europe de la puissance de la Russie. En effet, la médiation russe n'est pas proposée, mais imposée. La note de Catherine II à Marie-Thérèse est un ultimatum. En des termes courtois, mais qui dissimulent mal une véritable sommation, elle prie l'impératrice-reine de donner satisfaction aux princes de l'Empire, notamment au duc des Deux-Ponts ; faute de quoi elle enverra au roi de Prusse le corps des troupes auxiliaires qu'elle lui doit en vertu de ses traités avec lui. En d'autres termes, elle en appelle au maintien strict des traités de Westphalie et de l'ancienne constitution du Corps germanique. Après un instant de surprise, Vienne juge prudent d'obtempérer. On convient d'un congrès à Teschen. Catherine associe Louis XVI aux honneurs de la médiation. Il y aura donc à Teschen deux médiateurs, le Russe Nicolas Repnine, et le Français Breteuil. Mais nul ne s'y trompe : le médiateur français n'a qu'un tout petit rôle.

Quatre ans plus tard, la Russie conquiert et annexe la Crimée.

L'opération est rondement menée. Les Russes commencent par fomenter des troubles. Ensuite, ils allèguent ces troubles pour justifier une intervention militaire. A la tête de soixante-dix mille hommes, Potemkine envahit ce territoire turc. Il se fait précéder d'un manifeste impérial, stipulant que sa souveraine, afin de maintenir la paix de 1774, est obligée de prévenir les attaques de ses ennemis. Il se rend maître de la Crimée, moins par des victoires que par des exécutions qui coûtent la vie à trente mille personnes. Pour finir, l'annexion est prononcée. Catherine réussit même à la faire admettre par la France. Vergennes aurait bien voulu protester, mais il ne voulait pas protester tout seul. Or ni l'Autriche ni l'Angleterre ne souhaitent faire entendre la moindre réclamation. Le cabinet anglais adresse à Versailles cette brutale réponse : « Nous ne pouvons ni nous mêler des affaires des Turcs, ni agir de concert avec la France[1]. » Ne pouvant empêcher l'annexion, Vergennes choisit de l'approuver. Il croit sauver la face. L'ambassadeur Saint-Priest décide les Turcs à subir le fait accompli. La convention de Constantinople est signée le 8 janvier 1784. Elle consacre le droit du plus fort et l'annexion de la Crimée.

Pourquoi en rester là ? Catherine voit plus loin et plus haut. Elle envisage maintenant une quadruple alliance formée de la Russie, de l'Autriche, de la France et de l'Espagne. La Russie en serait la tête, et la Turquie le principal adversaire. Elle servirait aussi à régler, le cas échéant, à l'encontre de la Prusse et de l'Angleterre, toutes les questions pendantes en Europe. C'est un bien beau projet. Mais la France voudrat-elle y adhérer ? Catherine II met tout les atouts dans son jeu. Elle multiplie à l'égard de Louis XVI et de ses représentants les coquetteries sans conséquence. C'est ainsi qu'elle qualifie Louis XVI de « digne rival de Henri IV ». Elle accorde aux Français des avantages commerciaux substantiels (convention du 11 janvier 1787). Enfin elle gagne à son projet le comte de Ségur, ambassadeur de France à Pétersbourg. Si finalement la quadruple alliance ne se réalise pas, c'est à cause d'un dernier réflexe de prudence de Louis XVI, demeuré toujours très méfiant vis-à-vis de la tsarine. La Russie n'en apparaît pas moins, en cette fin de l'Ancien Régime, comme la puissance dominante. Elle doit son ascension à la force de ses armées, à l'habileté de sa souveraine, mais aussi à la propagande philosophique. Les « philosophes » présentent la Russie comme un modèle de tolérance et d'humanité, tandis qu'ils font de la Turquie le symbole du fanatisme. Volney écrit, dans ses *Considérations sur la guerre des Turcs* (1788), que les puissances ne doivent pas s'inquiéter des conquêtes de la Russie, même si ces conquêtes devaient aller jusqu'à la Perse et jusqu'à l'Égypte. En 1782, le grand-duc Paul, héritier de Russie, et son épouse ont été chargés par la tsarine d'une mission de propagande à Vienne et à Versailles. Ils ont été reçus en France avec un empressement extraordinaire, témoignant de la faveur philosophique. Les gazetiers et les écrivains à la mode ont fait à l'envi le panégyrique du « comte du Nord » (c'était le nom de voyage du grand-duc). Ainsi modelée par les « philosophes » français, l'opinion publique européenne fraie la voie aux progrès de la puissance russe. Dans l'histoire des relations internationales au XVIIIᵉ siècle, cette ascension de l'empire des tsars est sans doute le fait majeur. Comme l'écrira le comte de Ségur dans ses *Mémoires*, « la

---

1. Cité par Ernest Lavisse et Alfred Rambaud, *Histoire générale du IVᵉ siècle à nos jours*, t. VII, *Le XVIIIᵉ siècle (1715-1788), op. cit.*, p. 585.

France descendit du premier rang pour y laisser monter l'impératrice Catherine II[1] ».

Au XVIIe siècle, la guerre avait été quasi continuelle en Europe. Le XVIIIe siècle est relativement pacifique. La période 1715-1789 ne compte que vingt années de guerre générale. Si l'on y ajoute vingt et une années de conflits plus localisés, cela fait au total quarante et une années de guerre sur les soixante-quinze de la période, soit à peine un peu plus de la moitié. Il reste donc, si nous comptons bien, trente-quatre années sans conflit, et en fait trente-six, certaines périodes de guerre se recoupant. La guerre étant alors considérée comme presque aussi normale que la paix, on peut vraiment parler de siècle pacifique et d'une Europe dont la plus grande partie est en paix. La guerre du XVIIIe siècle est cantonnée dans les pays suivants : Allemagne, Turquie, Pologne, Pays-Bas et Italie. Cependant l'Italie doit être mise à part. Lors de la guerre de Sept Ans, la péninsule italienne tout entière demeure en paix. Pour la première fois depuis fort longtemps, l'Italie n'est pas le théâtre d'un conflit européen. Mais surtout deux pays qui avaient beaucoup souffert des malheurs de la guerre au XVIIe siècle, la France et l'Espagne, demeurent presque continuellement et presque entièrement hors de la zone des combats. Le cas de la France mérite d'être souligné. Si l'on met à part une brève occupation de la Provence orientale par les troupes de Marie-Thérèse en 1746, quelques incursions en Alsace et en Lorraine pendant la guerre de Succession d'Autriche et les tentatives de débarquement des Anglais sur les côtes atlantiques, le territoire du royaume de France ne connaît pas une seule invasion de 1715 à 1789. Dans l'histoire des peuples de l'Europe continentale, c'est un bienfait unique et sans précédent.

Pourquoi cette atténuation de la guerre ? La première et principale raison est la présence des Bourbons à Madrid. L'acceptation par Louis XIV du testament de Charles III a mis fin à la domination européenne des Habsbourg. La France n'est plus encerclée. Le déséquilibre a cessé. Louis XIV avait sans doute aimé la guerre. Mais en acceptant pour son petit-fils la Succession d'Espagne, il a favorisé la paix. Il a été le père de la paix du siècle suivant. Il en a aussi payé le prix avec la terrible guerre de Succession d'Espagne.

L'atténuation de la guerre est surtout sensible dans la première moitié du XVIIIe siècle. Dans l'espace d'un quart de siècle, de 1715 à 1740, il n'y a que cinq années de guerre générale, celles du conflit ouvert par la Succession de Pologne. Les autres conflits, la guerre du Nord, qui se prolonge jusqu'en 1718, et la guerre d'Espagne de 1718-1719, sont très localisés. On peut donc dire que, pendant cette période, la plus grande partie de l'Europe jouit presque continuellement de la paix. Une si

1. Cité par Ernest Lavisse et Alfred Rambaud, *Histoire générale du IVe siècle à nos jours*, t. VII, *Le XVIIIe siècle (1715-1788)*, op. cit., p. 590.

longue durée de paix générale représente une grande nouveauté. Au
XVIIᵉ siècle, il n'y a pas eu de paix aussi longue. L'installation des
Bourbons à Madrid y est pour beaucoup, mais la lassitude provoquée par
la guerre de Succession d'Espagne, guerre longue, guerre très coûteuse
en argent et en hommes, a également compté. On comprend qu'à la suite
de telles épreuves se soit manifestée une aspiration générale à la paix.
C'est ce désir de paix que l'abbé de Saint-Pierre a traduit à sa manière
dans son *Projet de paix perpétuelle.* Les hommes d'État prennent
conscience de ce désir. Ils ne peuvent pas ne pas en tenir compte.

Dans la deuxième moitié du siècle, le sort de la paix semble beaucoup
plus fragile. Par leur longue durée, par la multiplicité et la vaste étendue
de leurs théâtres et par les effectifs engagés, les guerres de Succession
d'Autriche et de Sept Ans rappellent les grandes guerres de la fin du
XVIIᵉ siècle. La période postérieure à la guerre de Sept Ans est marquée
par une série de conflits plus localisés, mais fréquents : guerre polonaise,
de 1767 à 1772, guerre russo-turque de 1768 à 1774, guerre austro-prussienne en 1778-1779, et enfin guerre d'Amérique de 1778 à 1783.
Lorsque la Révolution française éclate, l'Europe tout entière est en paix,
mais c'est une paix fragile, et que menacent à tout instant les visées
expansionnistes de l'Autriche, de la Prusse et de la Russie.

Comment expliquer cette dégradation du climat ? Comment expliquer
ce retour de la guerre ? On peut indiquer au moins deux raisons. Le réveil
de la rivalité franco-anglaise en est une. L'autre, et la principale, est la
volonté d'expansion de certaines puissances, comme la Prusse, l'Autriche
et la Russie. Le terme d'impérialisme serait de mise, bien qu'il ne soit pas
d'époque. Il exprime bien cette ambition que manifestent le mépris
affiché du droit public, les coups de force et les annexions. L'occupation
de la Silésie en 1740, l'invasion et le partage de la Pologne, de 1767 à
1772, et l'entrée des troupes autrichiennes en Bavière en 1778 sont autant
de coups portés à l'ordre international et à l'équilibre européen.

Si précisément nous considérons les relations internationales du point
de vue de l'équilibre européen, nous retrouvons cette différence entre les
deux époques du siècle. Jusqu'en 1740, l'Europe semble capable de
s'équilibrer elle-même. Cela se voit dans la manière d'ajuster et de
corriger les traités d'Utrecht et de Rastadt. Les corrections ainsi faites
prouvent chez les hommes d'État un sens aigu de l'équilibre. L'un des
principaux défauts d'Utrecht était d'éliminer complètement l'Espagne de
la péninsule italienne. Cette faute a été progressivement corrigée. Une
partie de la péninsule a été donnée aux Bourbons d'Espagne, afin de
contrebalancer l'influence de l'Autriche. Cet arrangement de l'Italie est
peut-être l'une des plus grandes réussites diplomatiques du XVIIIᵉ siècle.

Après 1740, la mécanique européenne se dérègle et ne montre plus du
tout la même efficacité. L'annexion de la Silésie, cette grande violation
du droit public, est finalement admise par les puissances. Même

l'Autriche va s'y résigner. Bien pire est le partage de la Pologne. Ici les puissances s'unissent non pour équilibrer, mais pour déséquilibrer. Face aux nouvelles ambitions de la Russie et de la Prusse, l'existence d'une forte Pologne était un facteur essentiel de l'équilibre européen. Du point de vue de la stabilité de l'Europe, le partage de 1772 est un acte déraisonnable. Dans toutes ces affaires, l'Angleterre porte une grande responsabilité. Elle avait voulu être la gardienne de l'équilibre. Elle prétend toujours l'être, mais elle ne l'est plus. Son souci majeur est d'affaiblir la France, et cette préoccupation ne peut plus se justifier par des considérations d'équilibre. On pourrait même dire qu'elle est contraire à l'équilibre.

Méconnaissance délibérée des principes et des usages du droit public, perte du sens de l'équilibre, tel est le bilan. Ce sont là des phénomènes inquiétants. Ce sont les signes d'une maladie de l'Europe. On dirait aussi que l'être des nations se modifie, et que se modifie en même temps leur manière de concevoir leurs rapports avec les autres nations. Nous voyons naître une sorte d'individualisme national. Les nations ne se sentent plus autant qu'autrefois membres d'un même corps.

Ce sont là des modifications profondes. Pourtant elles n'apparaissent qu'aux yeux des observateurs les plus avertis. Car beaucoup d'anciennes formes subsistent. Les politiques étrangères changent, mais leurs méthodes et leurs moyens changent peu. La nouvelle volonté de puissance n'a pas encore forgé ses moyens nouveaux. Elle doit se contenter des moyens traditionnels qui ne lui correspondent pas. Elle doit se contenter d'une diplomatie traditionnelle et d'une organisation militaire traditionnelle. Et c'est tant mieux pour la paix de l'Europe.

La diplomatie, en effet, continue à opérer selon les méthodes fixées au siècle précédent. Elle demeure aussi active. La négociation est incessante. Les conventions et les traités sont très nombreux, plus qu'ils ne l'ont jamais été. La négociation n'est jamais aussi active que pendant les conflits. La guerre est à peine commencée, que déjà on négocie la paix. Pendant la guerre de Succession d'Autriche, les conférences de Breda, préparatoires de la paix, ont lieu en 1746, deux ans avant la conclusion définitive des hostilités. Lors de la guerre russo-turque, le congrès de paix de Fosciani s'ouvre à l'été 1771 et dure trois ans, cependant que la guerre continue. Les armes ne le cèdent pas à la diplomatie. Il faut garder toujours toutes ses cartes.

La plupart des armées restent des armées de métier, c'est-à-dire des armées de volontaires enrôlés par des recruteurs. Il y a toujours dans ces armées une forte proportion de volontaires étrangers.

Cependant, certains États posent le principe du service militaire obligatoire, et l'on assiste alors à une certaine militarisation des nations concernées. La France recrute sa milice par voie de tirage au sort parmi les hommes de seize à quarante ans. En Prusse, Frédéric-Guillaume a posé pour ses peuples le principe du service obligatoire. « Tous les sujets, disait le règlement de 1733, sont nés pour les armes et obligés au régiment dans le district duquel ils sont nés[1]. » C'est le début de ce que l'on appellera bientôt la nation armée, et qui n'est en fait que l'enrôlement de la population tout entière au service d'un État conquérant.

Pour bien comprendre l'évolution des relations internationales au XVIIIᵉ siècle, il resterait à examiner la pensée des Lumières sur ce sujet. Que pense la « philosophie » de la nature des nations et des rapports entre celles-ci ? C'est une question encore mal connue. Nous avons cependant quelques points de repère. Nous connaissons l'idéal cosmopolite et humanitaire des Lumières. Nous connaissons également l'idée de nation que développe la pensée éclairée à partir des années 1760. C'est une pure abstraction, et c'est aussi une force qui va de l'avant. Les hommes d'État et les diplomates de la seconde moitié du siècle sont imprégnés de ces idées nouvelles. C'est la raison pour laquelle des considérations idéologiques interviennent de plus en plus dans les relations internationales, et se substituent à celles de la coexistence pratique et de l'équilibre.

Chapitre II

LES RÉGIMES ET LA VIE POLITIQUES
(Première période : vers 1715 - vers 1740)

L'ANGLETERRE ET LES PROVINCES-UNIES

L'Angleterre

Nous allons considérer ici la période qui va de la mort de la reine Anne, le 1ᵉʳ août 1714, à la démission du principal ministre Walpole en février 1742.

Pendant cette période, les deux traits majeurs du régime de l'Angleterre sont la dégradation de la morale politique et le progrès du parlementarisme.

On peut en effet parler de dégradation. Non seulement la royauté, mais encore la classe dominante et la représentation parlementaire souffrent d'une sorte d'avilissement.

La légitimité de la royauté est douteuse. Les souverains sont impopulaires, et ils sont indignes.

La légitimité de la dynastie hanovrienne est douteuse. Elle est fondée sur l'Acte d'établissement (Act of Settlement) de 1701 qui a dépossédé

---

1. Cité par Pierre Gaxotte, *Frédéric II*, Fayard, Paris, 1938, p. 271.

les Stuart catholiques au profit de lointains cousins protestants. Jacques III, le Prétendant Stuart, est le demi-frère de la reine Anne. George Ier, le premier roi hanovrien, est l'arrière-petit-fils de Jacques Ier. George Ier (1714-1727) est tout de suite impopulaire. Cet Allemand de cinquante-quatre ans ne sait pas un mot d'anglais, et ne voudra jamais l'apprendre. Ses ministres, pour lui parler, devront recourir au latin. Il ne voit dans l'Angleterre qu'une source supplémentaire de revenus. Pour comble, c'est un ivrogne et un paillard. La déception est donc générale. Sa cour hanovrienne, ses vieilles favorites allemandes, comtesses ou duchesses d'occasion, cupides et regardant la Cour comme une proie, font très vite un effet désastreux, comparable à celui qu'avaient produit dans le temps les favoris écossais de Jacques Ier. L'impopularité menace l'avenir de la nouvelle dynastie, ainsi que celui de son principal soutien, le parti whig. Les tories, dont la gentry et l'Église anglicane forment le gros des troupes, gagnent du terrain et rallient les nombreux mécontents.

Heureusement pour le roi et pour les whigs, les chefs tories sont faibles et indécis. Les principaux jacobites (partisans du roi Jacques III) ne valent guère mieux. A la mort de la reine Anne, un peu d'audace eût suffi. Le pouvoir était à prendre. Les jacobites pouvaient s'en saisir. Mais le chef de l'opposition était alors Bolingbroke, esprit brillant, mais caractère faible. Lorsque le plus énergique des ecclésiastiques jacobites, l'évêque Atterbury, lui proposa de proclamer Jacques III à Charing Cross, il recula, effrayé. Cela lui semblait être une violation de la légalité. Au couronnement de George Ier, s'empressent tous les notables jacobites. Leur âme n'est pas fière. Ils s'inclinent aisément devant la force. Au moment où l'archevêque de Cantorbery, suivant le rituel, demande à l'assemblée si elle reconnaît le nouveau roi, lady Dorchester, l'épouse d'un seigneur jacobite, confie à sa voisine : « Ce vieil imbécile croit-il qu'on va lui répondre non au milieu de ces épées nues[1] ? » Même Bolingbroke n'a pas voulu manquer la cérémonie. Il vient fléchir le genou, et comme le roi demande son nom, il se retourne et salue trois fois l'usurpateur. Voudrait-il même être inflexible, il ne le pourrait pas. Son déisme et son scepticisme le font trop ressembler aux grands seigneurs du parti whig, soutiens de George Ier.

Il n'empêche que, dans l'hiver 1715-1716, les jacobites prennent les armes. Ils soulèvent les Écossais et avancent dans le nord de l'Angleterre. Mais leurs chefs, le comte de Mar et le Prétendant venu en personne, montrent la plus grande incapacité, décourageant leurs fidèles. Après la capitulation de Preston, la répression des whigs est à la mesure de leur peur. Ils sont impitoyables. Il y a des centaines de condamnations. Sept pairs sont condamnés à mort, deux exécutés. Quelques grâces sont

1. Cité par Ernest Lavisse et Alfred Rambaud, *Histoire générale du IVe siècle à nos jours*, t. VII, *Le XVIIIe siècle (1715-1788), op. cit.*, p. 851.

accordées ou refusées dans des circonstances peu flatteuses pour le climat moral de l'époque. Comme la femme d'un condamné vient solliciter pour son mari, on lui fait cette réponse : « Avez-vous bien réfléchi ? Si votre mari est pendu, vous aurez droit, comme provision de veuve, à une pension de cinq cents livres. Tandis que, s'il a la vie sauve, vous n'aurez rien pour vivre, ni l'un, ni l'autre [1]. » Finalement le mari est pendu.

Les whigs ont donc facilement raison de la révolte. Mais le plus difficile reste à faire : vaincre l'impopularité, faire accepter la nouvelle dynastie. Le personnel whig s'y emploie de toutes ses forces. Le principal adversaire est la presse, déjà très développée en Angleterre à cette époque : en 1724, Londres possède dix-huit feuilles quotidiennes ou hebdomadaires. Le pouvoir use de tous les moyens : il intimide, il menace, il corrompt. Les crieurs de pamphlets sont emprisonnés. Les colporteurs de propos séditieux sont frappés à mort. Avec les littérateurs, ce sont des procédés plus subtils. En voici un exemple : lord Townshend, chef du premier ministère du règne, négocie avec Daniel Defoe, le futur illustre auteur de *Robinson Crusoé*. Il le persuade d'entrer secrètement à son service, tout en jouant à l'extérieur un rôle de journaliste jacobite. Ce double jeu, si peu à l'honneur du romancier, va durer plusieurs années. Quant à l'opposition parlementaire, on la muselle. Un système d'accusations et d'exclusions est mis en place. Un procès est intenté aux négociateurs d'Utrecht. Bolingbroke, réfugié en France, est déclaré inéligible. Les whigs sont réputés pour être de grands libéraux. Toute l'Europe vantera la liberté anglaise.

Peu importe les moyens. Les résultats sont concluants. Les Anglais se résignent à leurs rois allemands. A la mort de George Ier, son fils George II lui succède sans difficulté (1727). Lui non plus ne sera jamais populaire, mais tout en restant très antipathique, il ne provoquera jamais la même réaction de rejet. Il se montrera un peu plus anglais, prononçant mal la langue, mais enfin la parlant. Grand progrès.

Il reste cependant un Électeur de Hanovre. Il n'est guère roi d'Angleterre. On pourrait même dire que d'une certaine manière il n'y a pas de roi d'Angleterre. La conséquence est la dégradation de la royauté, de son autorité, de son prestige. Le prestige royal, encore si considérable du temps de la reine Anne, tombe à presque rien. Personne ne croit plus et ne peut plus croire au droit divin. La royauté n'est que l'instrument du parti vainqueur. La Cour décline. Elle avait été « le microcosme et le cœur palpitant de l'Angleterre » (G. M. Trevelyan). Elle devient la résidence d'une royauté dépourvue à la fois d'autorité et de séduction. Le patronage est cherché ailleurs.

Il est cherché dans le parti whig.

---

1. Cité par Ernest Lavisse et Alfred Rambaud, *Histoire générale du IVe siècle à nos jours*, t. VII, *Le XVIIIe siècle (1715-1788)*, *op. cit.*, p. 853.

Les whigs arrivent au pouvoir avec George Ier. Ils vont y rester plus d'un demi-siècle. Ils s'appuient sur trois groupes : une partie de la grande aristocratie, le haut négoce et la finance, et enfin le *Dissent*, c'est-à-dire les protestants non anglicans.

Dans l'aristocratie whig on trouve les premières familles d'Angleterre, les Cavendish, les Russell, les Bentinck, les Campbell, les Pelham et une douzaine d'autres. Ces familles sont nombreuses, très riches et possèdent par leurs chefs des titres ducaux : le chef des Cavendish est duc de Devonshire, celui des Bentinck duc de Portland, celui des Pelham duc de Newcastle. Elles ont des bourgs et des domaines sous leur patronage électoral. Leurs chefs siègent à la Chambre des lords, leurs cadets à celle des communes. La noblesse rurale est leur cliente, le milieu des négociants leur allié. Les rois de l'Angleterre, ce sont elles.

Les négociants et hommes d'argent (appelés *moneyed men* par opposition aux propriétaires fonciers, ou *landed men*) forment le deuxième élément du parti. Ils viennent de la cité de Londres, des grands ports de mer et de ces villes industrielles qui commencent à grandir. La politique de Guillaume III puis celle des whigs sous la reine Anne, en favorisant la marine de commerce, la Bourse de Londres et la rente sur la dette publique, avaient développé les forces de cette ploutocratie.

Les non-conformistes du *Dissent*, soit les presbytériens, les baptistes, les indépendants et les huguenots français — pour ne citer que les principaux groupes —, sont concentrés à Londres et dans les grandes villes. Ils sont attachés aux Hanovre par la crainte des jacobites. Pour eux, le retour des Stuart signifie celui de la persécution. Ils voient dans le Prétendant le diable en personne. Selon le pasteur dissident Burgess, si les descendants de Jacob s'appellent les Israélites, c'est parce que Dieu n'a pas voulu pour son peuple le vilain nom de jacobites.

Aristocrates, *moneyed men*, dissidents, cela ne fait jamais que trois petites minorités, au surplus étrangères à l'Angleterre profonde. Cette Angleterre là n'est pas chez les whigs. On la trouve dans la gentry et dans l'Église anglicane. Elle est incarnée par le squire et par le pasteur. Elle n'est pas whig. Elle est tory. Mais les whigs ont pour eux l'argent, la clientèle, le pouvoir et le zèle. En faut-il davantage ?

Ils sont unis par un même goût de l'argent, par un même égoisme mercantile au détriment des classes laborieuses. Ils ont tous cette tendance au rationalisme qui réduit la religion à un philosophisme respectueux. Beaucoup sont gagnés par le déisme.

Tous s'enrichissent par la politique ; même les plus intègres d'entre eux. Walpole lui-même, pourtant réputé pour son honnêteté, accumule une énorme fortune. En 1720, un terrible scandale éclabousse toute la classe politique. Il s'agit de l'affaire de la Compagnie de la mer du Sud. En avril 1720, cette compagnie propose de se substituer à l'État vis-à-vis des particuliers porteurs de titres de la dette publique. Les deux Chambres y consentent. La Compagnie rembourse alors les particuliers, partie en argent comptant et obligations, partie en actions. Or les actions sont montées à force de manipulations de 100 à 800 livres. La Compagnie en donne quatre pour rembourser 50 livres de rente. Bonheur des actionnaires, lesquels s'imaginent recevoir un capital de 3 200 livres, triplant celui qu'ils avaient prêté. Ils attendent confiants une nouvelle hausse. Pendant ce temps, les habiles et les initiés réalisent. Lorsque la baisse survient — elle ne tarde pas — la plupart des actionnaires se retrouvent ruinés. Le scandale éclate au grand jour en septembre. Sont compromis entre autres Aislabie, chancelier de l'Échiquier, Craggs, secrétaire d'État, la duchesse de Kendall, maîtresse du roi, et, dit-on à mots couverts, le roi lui-même. Il faut remarquer que cette affaire est exactement contemporaine du Système de Law. La corruption des hommes au pouvoir n'est pas le fait de la seule Angleterre. Seulement elle est plus étendue et plus grave en Angleterre, où toute la classe dominante semble touchée. C'est peut-être cela qui fait dire à lord Chesterfield : « L'Angleterre n'est plus une nation[1]. »

La difficulté était de conserver, malgré tout, le pouvoir, malgré le scandale, malgré l'impopularité. Les whigs font voter en 1716 le bill de septennalité, grâce auquel les députés sont élus pour sept ans au lieu de trois. Mais, sans Walpole, cela n'aurait pas suffi. Le grand conservateur du système whig, c'est Robert Walpole, qui remplit les fonctions de Premier ministre de 1721 à 1742.

Pourtant, dans un sens, Walpole est un étranger au parti. C'est un membre de la gentry. Il n'appartient à aucune des catégories sociales soutenant le parti. Il a fait une carrière de serviteur du roi. En 1714, il était payeur général des troupes. Il s'est toujours bien gardé de solliciter la pairie ou quelque titre que ce soit. *Commoner* (membre des Communes) à son accession au ministère, il le reste jusqu'à son départ. Ce qui lui permet, tout en gouvernant, de contrôler en permanence sa majorité. Il doit sa longévité ministérielle exceptionnelle à la confiance toujours renouvelée de trois chambres successives et sa primauté dans le gouvernement au cumul de la Trésorerie et de l'Échiquier. Il n'a pas officiellement le titre de Premier ministre, mais la faveur du roi, jointe à celle de la majorité des Communes, font de lui le véritable chef du gouvernement.

Non seulement il conserve le système whig, mais encore il le fortifie.

Ses moyens sont simples et pratiques. Il est d'abord un faiseur de paix. De paix extérieure. Sa volonté de paix se rencontre avec celle des Français : Dubois, le Régent, Fleury. De paix intérieure aussi. *Quieta non movere*, telle est sa devise : ne pas remuer ce qui est tranquille, préserver la tranquillité, en prévenant les oppositions et les révoltes. Toute sa poli-

---

1. Cité par Ernest Lavisse et Alfred Rambaud, *Histoire générale du IV⁰ siècle à nos jours*, t. VII, *Le XVIII⁰ siècle (1715-1788), op. cit.,* p. 869.

tique fiscale va dans ce sens. Utilisant le fond d'amortissement de la dette, il évite de demander des subsides. Il réduit l'impôt foncier (*land tax*), et rien ne saurait plaire davantage à la gentry.

Ce grand faiseur de paix l'est aussi de richesses. Il favorise — c'est toujours la politique la plus habile et la plus efficace sinon la plus morale — l'enrichissement des riches. Il est le promoteur intelligent d'un commencement de libre-échange. Tous les droits à l'exportation sont supprimés. L'exclusif colonial est aboli. Le commerce fait un bond en avant. Le montant des exportations va doubler en vingt ans. Et comme il faut bien que certains paient, Walpole fait payer les pauvres, en augmentant les droits à la consommation. Les pauvres se révoltent. Des émeutes éclatent. Elles sont réprimées. En 1725, par exemple, le populaire attaque et pille à Glasgow la maison d'un député partisan de l'augmentation des droits sur la bière. L'incident est sans conséquence. L'émeute est réprimée. Ensuite l'augmentation est votée.

Il suffit à Walpole d'acheter les consciences des députés. Le prix de chacune d'elles est connu de lui. Certes, la corruption n'est pas nouvelle. Elle existait bien avant lui. Il n'en est pas le père. Mais on peut du moins dire qu'il en est l'ami très complaisant. La question est de savoir s'il aurait pu faire autrement. Les historiens anglais en ont autrefois discuté. Ils étaient partagés. Macaulay disait la corruption inévitable. Lecky, plus moral et sans doute plus juste, accusait le ministère Walpole d'avoir sciemment aggravé le mal, et d'avoir développé le scepticisme et le cynisme politique. De fait, le Premier ministre n'aime que les hommes à vendre et ne croit pas qu'il en existe d'autres. Tout esprit libre, si bon whig qu'il puisse être, n'a pas droit au pouvoir. Walpole élimine même son beau-frère Townshend. Les députés sont domestiqués. Cet homme réputé si doux, si pacifique, règne en despote sur son parti et sur ses ministres. S'il finit par tomber — il donnera sa démission après les élections générales de 1741 — c'est pour avoir excédé la patience des siens. A l'intérieur de son propre parti, deux groupes s'étaient formés qui ne le supportaient plus, ni lui ni sa politique : le parti dit des « enfants » voulait mettre un terme à la corruption ; celui des « patriotes » voulait réagir contre l'abaissement d'une Angleterre jugée par eux trop pacifique. Ils voulaient venger non pas l'honneur, mais les intérêts du commerce, et les mauvais traitements infligés aux marchands anglais par les Espagnols.

Pendant ce long ministère et, d'une certaine manière, à cause de ce long ministère, une transformation importante du régime s'est produite. La monarchie s'est en quelque sorte parlementarisée. Le gouvernement royal est devenu plus dépendant des Communes. Cela s'est fait de la manière suivante. D'abord les whigs, majoritaires aux Communes, ont voulu que la confiance de la Chambre soit indispensable aux ministres. Ensuite le monarque a pris l'habitude de désigner comme principal ministre le chef de la majorité des Communes. Enfin le Cabinet (*Council Cabinet*), c'est-à-dire la réunion des principaux ministres, est devenu l'organe principal du gouvernement, se substituant d'une certaine façon au Conseil privé du roi. Ce régime va faire pendant tout le siècle l'admiration de l'Europe éclairée. Est-il si admirable ? Oui, si l'on considère la représentativité du gouvernement, émanation à la fois de l'autorité royale et de la volonté des députés. Non, si l'on regarde le mode d'élection des députés. D'une part, ne sont électeurs que les propriétaires fonciers et les « franc-bourgeois ». D'autre part, la liste des « bourgs » ayant été close au temps d'Élisabeth, de grands centres économiques nouveaux, comme Liverpool et Manchester, ne sont pas représentés, alors que des localités insignifiantes ont des députés. Ce sont les « bourgs pourris » ou « bourgs de poche ». Par exemple, Old Sarum, près de Salisbury, avec cinq maisons et douze habitants, nomme deux députés. Enfin le petit nombre des électeurs facilite la corruption. Il reste que l'on peut faire valoir le caractère libéral de ce régime politique. Montesquieu n'y a pas manqué. « L'Angleterre, a-t-il écrit, est à présent le pays le plus libre qui soit au monde [...] parce que le prince n'a le pouvoir de faire aucun tort imaginable à qui que ce soit, par la raison que son pouvoir est contrôlé par un acte[1]... » Cependant le même Montesquieu voit bien les limites et les dangers du système : « Il faut, écrit-il, qu'un bon Anglais cherche à défendre la liberté également contre les attentats de la Couronne et ceux de la Chambre[2]. » On ne saurait mieux définir la liberté du libéralisme, liberté fragile, liberté toujours à défendre, puisqu'elle ne réside que dans la limitation du pouvoir.

Les Provinces-Unies

Le régime politique de ce pays présente une certaine analogie avec celui de l'Angleterre. Le pouvoir du prince est considérablement réduit. Une oligarchie domine l'État.

En 1702, à la mort du stadhouder-roi Guillaume III, toutes les provinces sauf deux ont pris la décision de ne pas nommer de stadhouder. Cette situation va se prolonger pendant près d'un demi-siècle. L'équilibre politique du pays est rompu.

De ce fait les régents, c'est-à-dire les magistrats municipaux, ne sont plus soumis à aucun contrôle. Ils jouissent d'un pouvoir illimité. Ce pouvoir est entre les mains de quelques familles. On peut vraiment parler d'une oligarchie.

Or cette oligarchie est une caste et une caste de plus en plus fermée. Les régents se recrutent toujours dans le même milieu, et leurs familles

---

1. Cité par Michel Denis et Noël Blayau, *Le XVIIIᵉ siècle*, Paris, Armand Colin, collection U, p. 99.

2. *Ibid.*

s'allient entre elles. Ce milieu est celui des manieurs d'argent. Depuis 1650 environ, le commerce a progressivement cédé la place aux financiers. Au début du XVIIIᵉ siècle, les maîtres des villes et des États sont des hommes d'argent. Leur sentiment national est très émoussé. L'argent n'a pas de patrie.

Ces hommes ne songent qu'à leurs propres intérêts, à ceux de leurs familles et de leurs clientèles. Depuis 1670 environ, ils ont pris l'habitude de conclure entre eux ce qu'on appelle des « contrats de correspondance ». Il s'agit de conventions d'assurance mutuelle. Afin de garder leurs positions politiques et les avantages en résultant, les familles se promettent de se favoriser mutuellement. Voici, à titre d'exemple, les termes de l'accord signé en 1684 à Zieriksee entre les chefs de deux factions : « Nous, parties contractantes, nous engageons non seulement à nous maintenir l'un l'autre dans les offices que nous remplissons maintenant ou que nous remplirons à l'avenir, mais aussi à favoriser réciproquement nos familles, enfants et amis, et à les aider à obtenir tout ce qui est possible : promettant d'aider à l'avancement des enfants, non seulement du vivant de leurs parents mais aussi après leur décès[1]. » On ne saurait être plus clair. En somme, les familles se partagent publiquement les profits de la fonction publique. Comme en Angleterre, on peut parler de démoralisation, et l'on peut appliquer à ce pays la question de lord Chesterfield : « Les Provinces-Unies sont-elles encore une nation ? »

Que s'est-il passé ? Les causes sont diverses. Il y a cette entrée massive dans les affaires publiques des hommes d'argent. Il y a la guerre épuisante et continuelle avec la France. L'énergie morale du pays s'y est dissoute. Il y a le gouvernement de Guillaume III, prince uniquement occupé de la guerre, et fort peu soucieux de réformes de structure. La moralité des hommes publics lui importait peu. Il couvrait des aventuriers et des aigrefins. Son indifférence à la morale politique a puissamment contribué à bloquer le système.

Après sa mort, il est trop tard. Aucune réforme n'est plus possible. On trouve encore des hommes d'État de valeur, mais ils ne peuvent rien. Les deux grands pensionnaires, Heinsius (mort en 1720) et Simon Van Slingelandt (1727-1736), sont pleins de bonne volonté, mais sans réel pouvoir. Van Slingelandt doit même s'engager à ne proposer aucune réforme.

Que va-t-il rester de l'État ? L'unité du pays se disjoint. Quand une province refuse de payer sa quote-part des dépenses générales, les états généraux se trouvent dans l'impossibilité de l'y contraindre. Le Trésor de l'État est donc presque toujours démuni. L'armée et la flotte sont négligés. La politique extérieure est léthargique. Les seules affaires capables de la réveiller sont les affaires d'argent. La seule réaction digne

---

1. Cité par Emma Van Gelder, *Histoire des Pays-Bas*, Paris, Armand Colin, 1949, p. 92.

de ce nom se produit en 1722, lors de la création de la Compagnie d'Ostende aux Pays-Bas. Cette nouvelle concurrence inquiète les régents. Ils se mettent à craindre pour leurs profits. Ils réclament auprès du gouvernement autrichien et en obtiennent satisfaction. En 1732, la Compagnie d'Ostende est supprimée.

Le déclin politique s'accompagne d'un déclin économique. On observe en effet pendant les premières décennies du siècle une diminution des activités économiques, de la production manufacturière, des pêcheries et du commerce maritime. Cette régression n'est peut-être pas étrangère à la dégradation de la cité. On remarque que les premiers «traités de correspondance», c'est-à-dire les premiers syndicats privés d'intérêts pour la gestion des affaires publiques, sont contemporains de la période de stagnation du marché d'Amsterdam, de 1651 à 1680. Une telle coïncidence ne peut être fortuite. Si la caste des financiers se préoccupe d'assurer ses positions politiques, c'est sans doute parce qu'elle est moins sûre de ses positions économiques.

L'évolution religieuse contribue aussi à l'affaiblissement de la nation. Depuis 1680 environ, les idées modernes rationalistes et déistes ont gagné toutes les catégories supérieures de la population. La foi dans la science a peu à peu supplanté la foi en Dieu. Les personnes les plus haut placées dans l'échelle sociale et les plus cultivées ont fini par croire que les églises avec leurs dogmes étaient bonnes pour les classes inférieures. Un tel affadissement de la religion ne peut que nuire au sentiment national et à la nation elle-même, nation dont il ne faut pas oublier qu'elle était issue d'un mouvement religieux.

LA SUÈDE ET LA POLOGNE

La Suède

Les régimes de la Suède et de la Pologne ont ceci de commun que l'autorité royale s'y affaiblit de plus en plus.

Pour la Suède, nous présenterons ici la période qui va de 1718 (mort du roi conquérant Charles XII) à 1751, date de l'avènement du roi Adolphe-Frédéric.

Lorsque survient la mort de Charles XII, le 30 novembre 1718, l'état de la Suède est assez misérable. Le pays est amoindri et humilié à l'extérieur. Il est ruiné et désorganisé à l'intérieur. Les charges de la guerre l'ont épuisé. Pendant la longue période des hostilités le royaume n'était pas vraiment gouverné. Le souverain était absent. Le sénat était sans autorité.

La période qui s'ouvre à la mort de Charles XII est appelée par l'historiographie suédoise le «temps de la liberté». Si l'on veut. En fait, c'est une période de dégénérescence. La succession royale est incertaine, le régime d'assemblée impuissant, le pouvoir confisqué par des factions à la solde de l'étranger.

Incertitude de la succession royale : Charles XII, ne s'étant pas marié, n'avait aucun successeur direct, mais seulement deux sœurs, Edvige-Sophie et Ulrique-Éléonore, toutes deux mariées à des princes allemands. Le conquérant ne s'était jamais occupé de sa succession, et les dispositions de la loi de succession de 1604 étaient telles que les droits de l'une et de l'autre sœur pouvaient être contestés. C'est Ulrique-Éléonore, la deuxième sœur, qui s'impose et se fait reconnaître par le sénat. Mais elle ne règne pas longtemps. Trop imbue de principes absolutistes, elle indispose les sénateurs et doit renoncer à la couronne, au profit de son mari, que la diète désigne à sa place (14 mars 1720). Le nouveau roi est Frédéric de Hesse Cassel. Il prend le nom de Frédéric Ier. A sa mort en 1751, personne n'aura son mot à dire. Sa succession a été réglée par la Russie, qui a imposé son candidat, Adolphe-Frédéric de Holstein, fils d'Edvige-Sophie, et, dès 1743, l'a fait reconnaître comme prince héritier.

A la limite peu importe. La royauté ne gouverne plus. Une nouvelle Constitution votée par la diète en 1719 fait de la Suède un régime d'assemblée. La reine Ulrique-Éléonore a dû y consentir afin de se faire reconnaître.

Examinons ce texte. La diète (*Riksdag*) conserve sa division en quatre ordres, le clergé, la noblesse, la bourgeoisie et les paysans. Elle se réunit comme autrefois tous les trois ans. La différence est qu'elle ne se borne plus à sanctionner et à autoriser les actes de la couronne. Le sénat maintenant dépend d'elle. Les membres du sénat (le *Rad*) doivent être choisis sur la proposition de l'une de ses commissions, et sont responsables devant elle. Les sénateurs ne sont plus que ses instruments. Or ce même sénat tient la couronne en bride, le roi ne pouvant rien sans lui et devant toujours se soumettre à l'avis de la majorité des sénateurs. Le roi dépend du *Rad*, qui dépend du *Riksdag*. La diète n'est plus, comme au XVIIe siècle, un auxiliaire du pouvoir. Elle est le pouvoir lui-même.

L'ennui est que ce pouvoir balbutie. Exprimer sa volonté lui est très difficile. Les quatre ordres, délibérant séparément, ne peuvent arriver à produire des décisions communes et fermes. Les deux ordres de la bourgeoisie et de la noblesse s'entendent pour tenir à l'écart les paysans, et pour accaparer les emplois publics. Ceux qui gouvernent sont également ceux qui administrent.

Le mal serait faible si les partis politiques ne s'en mêlaient.

Un des caractères les plus frappants du «temps de la liberté» est le rôle considérable joué par les partis politiques. La nouvelle forme de gouvernement leur donne de l'importance. Toutes les décisions dépendant de la majorité de la diète, ceux qui désirent exercer une action politique doivent chercher à gagner des partisans et des voix. Mais qui dit parti politique dit ingérence étrangère. Les puissances étrangères (Russie, Angleterre, France) jouent sur les partis afin de faire servir la Suède à leurs desseins. Les partis ne sont pas indépendants. Est-ce vraiment le « temps de la liberté » ? En tout cas, ce n'est plus le « temps de la grandeur ».

Les années 1719-1727 sont celles du parti holsteinois, ainsi nommé parce qu'il soutient les prétentions du duc de Holstein, Charles-Frédéric, mari de la première sœur, Edvige-Sophie. C'est aussi le parti russe. La politique étrangère s'en ressent. La majorité holsteinoise de la diète impose en 1724 l'alliance avec le tsar.

Les élections de 1727 sont défavorables au parti holsteinois. De 1727 à 1738 dominent les « Bonnets » inféodés à l'Angleterre, et de 1738 à 1751 les « Chapeaux », bellicistes, très antirusses et profrançais.

Changements politiques et luttes de factions ne signifient pas forcément que la Suède soit toujours mal gouvernée. Il y a des périodes de repos et de bonne administration, par exemple celles correspondant au ministère d'Arvid Bernard Horn (1724-1738). Ce personnage, qui gouverne avec le titre de président de la chancellerie, est à la hauteur de sa tâche. Son action est bienfaisante. Grâce à lui, les finances, compromises par la guerre, se rétablissent peu à peu, le commerce reprend, l'industrie fait des progrès. Il est regrettable pour le bien-être du pays que le parti des Chapeaux, jugeant sa politique étrangère trop timorée, l'ait obligé en 1738 à donner sa démission.

La Pologne

Comme la Suède, la Pologne est soumise à un régime d'assemblée.

Nous avons dit plus haut[1] l'extrême diversité de cet État, la multiplication des nations et des confessions.

Pour lier fortement les unes aux autres ces nationalités et ces religions, un pouvoir royal très fort eût été nécessaire. Ce pouvoir n'existe pas. Tandis que dans les pays limitrophes de la Pologne, on assiste à un renforcement continu du pouvoir central, c'est le contraire dans l'État polonais.

Dès le début de ce siècle, la royauté n'est déjà plus rien, sinon une dignité. Le principe de l'élection royale l'a emporté définitivement sur le principe héréditaire. Le roi est donc au pouvoir de la diète qui l'élit. A chaque élection nouvelle, correspond un amenuisement de la prérogative royale. Il faut bien payer son élection et le prince candidat se dépouille au profit de la diète de quelques-uns de ses droits. Ce contrat de réduction des pouvoirs royaux porte le nom de *Pacta conventa*.

La royauté a donc perdu le droit de faire la paix ou la guerre, de légi-

---

férer et d'établir les impôts sans le consentement de la diète. Elle n'a plus que très peu d'autorité sur les représentants de la puissance publique. Depuis le XVIᵉ siècle, les gouverneurs de province, de district et de château, les voïévodes, palatins, starostes, castellans, aussi bien que les ministres sont nommés à vie et inamovibles. Pratiquement indépendants, ils peuvent refuser au roi l'obéissance.

Le véritable pouvoir est dans la diète et non dans la royauté. La diète (*Seïm*) est formée de deux chambres, l'*Isba poselka*, chambre des «nonces» ou députés, et le sénat. Mais cette assemblée de la diète, en laquelle réside le pouvoir, n'est pas en mesure de l'exercer. Des pratiques se sont introduites aux XVIᵉ et XVIIᵉ siècles qui aboutissent à sa paralysie. La diète est devenue trop dépendante de ses électeurs réunis dans les diétines. Depuis 1533, le mandat des nonces est impératif. Les diétines se réservent d'ailleurs le droit de repousser les décisions de la diète par la formule *perhorrescit*. Mais la pratique la plus nocive est celle du *liberum veto*. On appelle ainsi la possibilité pour un seul député de faire «rompre» (c'est-à-dire dissoudre) la diète par son opposition.

De cette double impuissance de la royauté et de la diète résulte l'ingérence croissante de l'étranger. Après la mort, en 1696, du sauveur de Vienne, l'héroïque Jean Sobieski, l'Électeur de Saxe, Frédéric-Auguste II, candidat de l'Autriche, s'empare du trône par un coup de main, tient la diète en échec avec une armée de Saxons, et gouverne avec une minorité de nobles. En 1702 Charles XII le détrône, mais les Polonais sont incapables de le remplacer. Il est donc rétabli après Poltava, en 1710, et règne jusqu'à sa mort en 1733. Il avait été soutenu par l'Autriche. Son fils Auguste III l'est par la Russie : contre Stanislas Leszczynski, candidat de la France, les baïonnettes russes l'imposent à la Pologne. Le fils comme le père demeurent très étrangers à la Pologne. Auguste II ne fait à Varsovie que de rares séjours, et la Pologne ne l'intéresse que dans la mesure où il en projette le démembrement. Il travaille à la germanisation et introduit dans le pays des colons agricoles et des militaires allemands. Auguste III est un apathique. On dit de lui que ses occupations favorites sont de fumer la pipe et de tirer ses chiens à la carabine. Il fait gouverner la Pologne par son ministre Brühl, personnage fort habile à provoquer la rupture des diètes. La présence royale est limitée à un court séjour à Varsovie tous les deux ans, à l'occasion de la diète. Après quelques semaines de banquets, le souverain se hâte de regagner la Saxe.

Mais peut-on demander davantage à un prince étranger ? Plus inquiétant est chez la *szlachta*, la petite noblesse politique, le déclin du sens civique. L'affaiblissement de la pensée politique si vivante et si vigoureuse encore en Pologne aux deux siècles précédents, est un signe révélateur de ce déclin. La théorie politique n'est plus maintenant que du verbiage, de grands mots creux (liberté, égalité), que l'on répète sans cesse pour se rassurer, dont on se sert pour masquer la réalité. Car il y a de plus en plus d'écart entre la réalité et les mots. On a sans cesse la fraternité à la bouche, la fraternité *bracia* de la *szlachta*. Mais les liens fraternels ont disparu, et la petite noblesse n'est plus que la clientèle servile des magnats[1]. L'État polonais faisait traditionnellement corps avec la *szlachta*. La perte du sens civique dans cette petite noblesse annonce la fin de l'État.

Il est vrai que sans la guerre contre le Turc, la noblesse polonaise a le sentiment de ne plus servir à rien. Au XVIIe siècle, la guerre contre le Turc n'avait jamais cessé. Mais depuis 1693, date de la dernière irruption des armées ottomanes sur le territoire national, il n'y a plus de guerre, plus de croisade. La noblesse perd ainsi une grande partie de sa raison de vivre, et la nation sa raison d'être.

L'ALLEMAGNE

Le Saint Empire romain germanique

Le Saint Empire est vieux de huit siècles. Cela ne l'empêche pas d'exister. Cela n'empêche pas ses institutions de fonctionner. Les empereurs sont élus à Francfort. La diète siège à Francfort ou à Ratisbonne. Elle est composée de trois collèges : Électeurs, princes et villes. Le commissaire principal et le *concommissarius* la saisissent au nom de l'Empereur des propositions de lois. Les deux tribunaux d'Empire, la Chambre impériale (*Reichskammer gericht*) et le Conseil impérial aulique (*Reichshofrath*) sont installés le premier à Wetzlar, le second à Vienne.

Toutefois, depuis Westphalie, on ne peut plus dire que l'Empereur soit le seul souverain allemand. Le règlement de Westphalie a en effet consacré, sous le nom de «supériorité territoriale» (*Landeshoeit*), l'autonomie externe des territoires, non moins que leur droit extérieur de guerre et d'alliance (*jus armorum et foederis*), à la condition de ne pas en user contre l'ordre d'Empire. Certes les *Riechstände*, c'est-à-dire les différents princes et seigneurs possédant la supériorité territoriale, ne sont pas tout à fait des souverains, mais ils possèdent la principale attribution de la souveraineté. Ils ont en effet le droit de conduire leur propre politique étrangère. La diète d'Empire est court-circuitée de la grande politique par les diplomaties des États particuliers.

Cela n'empêche pas la couronne impériale d'exercer à l'égard de ces princes quelques-unes des fonctions de la souveraineté. L'Empereur conserve des prérogatives non négligeables. Il accorde la permission de battre monnaie. Il institue les foires. Il décerne des privilèges aux univer-

---

1. Voir sur cette question Jean Fabre, *Stanislas Auguste Poniatowski et l'Europe des Lumières. Étude de cosmopolitisme*, publications de la faculté des lettres de l'université de Strasbourg, 1952.

sités. Il légitime les bâtards. Il est surtout le juge suprême de l'Allemagne, et il rend véritablement cette haute justice. Aux deux tribunaux d'Empire affluent des milliers de causes. Et il ne s'agit pas là de vains recours ni de vaines sentences. La justice impériale fait respecter ses arrêtés. On a des cas de princes territoriaux — par exemple le duc de Mecklembourg et le prince de Nassau-Siegen — traduits devant ses tribunaux et destitués effectivement. Il n'y a donc pas, quant à la justice, de déchéance de la fonction impériale. Les premières décennies du XVIIIe siècle correspondent même à une nette réactivation de la prérogative judiciaire impériale. Cela est dû à l'action efficace et au prestige personnel du vice-chancelier d'Empire Schönborn. S'il était admis comme autrefois que la justice est l'attribution essentielle de la souveraineté, on pourrait dire pleinement souveraine et toujours vivante l'institution impériale.

Mais au XVIIIe siècle cela n'est plus admis, et la fonction judiciaire vient au second rang derrière la législative. Or la diète n'exerce plus que de manière très accessoire le pouvoir législatif. A la fin du siècle précédent, elle a encore voté et fait appliquer d'importantes lois militaires et douanières. Mais ensuite les textes importants sont devenus très rares. On ne peut citer que certains règlements relatifs aux corps de métier.

Il y a donc un déclin de l'Empire. L'expansionnisme des Habsbourg peut en partie l'expliquer. Les empereurs Habsbourg s'intéressent de plus en plus à des régions orientales situées en dehors de l'Empire. Ils veulent s'agrandir aux dépens du Turc. L'Empire paie pour ces conquêtes. En 1737 encore, un *Turkensteuer* de 4 millions de florins est voté par la diète. Mais si la couronne impériale finance, elle ne retire aucun profit, les territoires conquis ne lui étant pas réunis.

Toutefois, là n'est pas la cause principale du déclin. Elle est dans le discrédit qui frappe l'institution. L'Empire n'est pas tellement déchu qu'il ne puisse être assuré de vivre encore longtemps. Mais il est condamné. Une bonne partie de l'intelligentsia européenne le condamne pour archaïsme et non-conformité aux principes du rationalisme éclairé. Pufendorf l'avait qualifié de « monstrueux » (« *aliquod irregulare et monstro simile*[1] »). Voltaire dira qu'il n'est « ni saint, ni romain, ni Empire ». Attaques parfaitement normales. L'institution ne peut que répugner à l'esprit moderne : elle place la justice au sommet de l'édifice politique ; elle limite la souveraineté des supérieurs territoriaux ; elle s'oppose en somme à la constitution de grands États puissants et centralisés ; elle est l'antithèse de l'État moderne. Elle vit encore, mais, parce qu'elle est antiphilosophique, elle doit disparaître.

---

1. Cité par Pierre Gaxotte, *Histoire de l'Allemagne*, Paris, Flammarion, 1963, t. II, p. 35.

L'Autriche et les possessions des Habsbourg

Les possessions des Habsbourg bénéficient au début du siècle d'agrandissements spectaculaires. En Orient, les victoires du Prince Eugène ont repoussé les Turcs, et le traité de Passarowitz de 1718 confirme l'acquisition de Belgrade, du banat de Temesvar, et d'une grande partie de la Serbie et de la petite Valachie. Par ailleurs, les traités d'Utrecht avaient ratifié les annexions de la Sardaigne, du royaume de Naples, du Milanais et des Pays-Bas. Lors des décennies suivantes, il est vrai, l'étendue de ce vaste empire sera sensiblement réduite. En Italie, le traité de Vienne de 1738 ne laissera aux Autrichiens que le Milanais. En Orient, le traité de Belgrade de 1739 (après une guerre désastreuse contre les Turcs) annulera les avantages de Passarowitz, et ramènera la frontière au Danube et à la Save. Toutefois, malgré ces réductions, l'ensemble demeure imposant. Avec ses vingt-quatre millions d'habitants, il représente l'une des plus grandes puissances de l'Europe.

Mais il est trop dispersé, trop disparate. Dix millions de sujets vivent dans l'Empire, mais quatorze en dehors. On y trouve des nations entières, comme les Hongrois, les Tchèques, les Flamands, qui ont leurs traditions et leurs intérêts particuliers, et qui mettent leur point d'honneur à rester fidèles à leurs origines.

L'empereur Charles VI est le souverain dont le règne (1711-1740) correspond à la période. Les contemporains et les historiens ne font pas de lui un portrait flatteur. Il est présenté comme un homme aimable, mais « indécis et hésitant[1] » (d'Arneth). On lui accorde l'intelligence, mais non le sens politique, ni l'énergie. Pourtant, l'examen de ses actes ne confirme pas cette impression défavorable. On y voit au contraire de l'application et de la constance. Charles VI a une idée maîtresse, et il s'efforce de la réaliser. L'idée est la suivante : fortifier l'indivisibilité de ses États, et en assurer la succession dans sa descendance. A cette double fin, il publie la pragmatique sanction (19 avril 1713), et la fait reconnaître par les diètes et conseils des différents États de ses possessions. C'est la grande idée, le grand programme du règne. Le succès couronne l'entreprise. Successivement, les diètes de Bohême, Styrie, Carniole, Tyrol et Transylvanie (en 1720), puis les États des Pays-Bas en 1723, et le sénat de Milan en 1725, sanctionnent la pragmatique, et obtiennent en retour des privilèges et des libertés nouvelles. Ainsi est fortifié le lien avec la monarchie. Prince éclairé, Charles VI croit aussi aux vertus politiques de l'économie. Persuadé que le commerce unira ses peuples, il ouvre des routes, dont la première route du Semmering vers l'Italie, et crée deux compagnies commerciales, celle d'Orient et celle d'Ostende.

1. Cité par E. Lavisse et A. Rambaud, *Histoire générale du IVe siècle à nos jours*, t. VII, *Le XVIIIe siècle (1715-1788)*, op. cit., p. 905.

L'appareil de gouvernement dont il dispose est à la fois complexe et souple. Le gouvernement central de toutes les possessions est formé de trois organes, la Conférence secrète, ou Conseil de l'État pour la politique générale, la Chambre de la Cour pour les affaires économiques et financières, et le Conseil supérieur pour les questions militaires. S'y ajoutent, siégeant à Vienne, les gouvernements particuliers des différentes possessions, composés chacun d'une chancellerie et d'un conseil, et les institutions locales (gouverneurs, diètes, états, conseils). La Hongrie est la seule possession qui échappe à ce système. Après avoir longtemps opprimé les Hongrois, les Habsbourg, Léopold Ier d'abord, Charles VI ensuite, ont cherché à se concilier leurs faveurs. Charles VI s'est fait couronner roi de Hongrie sous le nom de Charles III. Il exempte d'impôts la noblesse hongroise. Il est en Hongrie un véritable monarque parlementaire, gouvernant avec les deux chambres du Parlement hongrois, la Table des magnats et celle des nonces.

Les ministres de Charles VI (d'Altheim, Zinzendorf, Stahremberg) ne le valent pas. Mais l'administration est efficace et sérieuse. Là où elle est appelée à se substituer aux Espagnols, les populations apprécient son ordre et son application. Le temps de Charles VI est dans l'ensemble un temps bienfaisant. L'avenir de l'Autriche est d'autant plus assuré qu'elle garde les valeurs traditionnelles, forces et raisons d'être de l'empire des Habsbourg : l'esprit de croisade et la fidélité au catholicisme.

La Prusse

Sous le règne de Frédéric-Guillaume Ier, le « Roi-Sergent » (1713-1740), la toute neuve monarchie prussienne — le titre royal des Électeurs de Brandebourg date seulement de 1701 — fixe les principaux traits de sa personnalité, se fortifie peu à peu et devient l'une des grandes puissances de l'Europe.

L'auteur de cette transformation, le roi Frédéric-Guillaume, est un homme « terrible, ridicule et odieux[1] ». Son apparence est tout à fait dénuée de charme : il finira hydropique, mesurant 2,60 mètres de tour de taille. Il est brutal, n'admettant jamais la moindre contradiction. « Pas de discussion » (*Nicht raisonnieren*), telle est sa devise. Il méprise les intellectuels et fait chasser Wolf de Halle. Ses divertissements sont rudimentaires et n'évoquent en rien la majesté royale. Il réunit quelques familiers dans son cabinet. On boit, on fume, on raconte des histoires gaillardes. On se joue des tours : il y a des plaisanteries d'usage, comme de faire asseoir un nouveau venu sur une chaise dont les pieds sont sciés. On évoque aussi les affaires. C'est le *Tabakscollegium*. Une telle

---

1. Pierre Gaxotte, *Frédéric II*, op. cit., p. 16.

vulgarité de manières est un défi au luxe et au raffinement des autres cours de l'Europe. Il y a là quelque chose de scandaleux. Le roi est nu. Ce souverain est animé d'une idée simple : le pays doit servir à l'État. C'est-à-dire qu'il faut augmenter les richesses de la Prusse pour accroître la puissance de l'État prussien. La Prusse donnera toujours plus de récoltes, d'argent et de soldats. Elle rendra chaque année davantage. *Ein plus machen*, produire un plus, tout est là.

Nul ne doit se dérober à son devoir. Le roi lui-même et sa royauté doivent s'y soumettre. Frédéric-Guillaume pense comme Louis XIV. Le roi n'est pour lui que l'incarnation et le serviteur de la puissance anonyme de l'État. « Je ne suis, dit-il, que le premier serviteur de l'État [...]. Je suis le ministre des Finances et le général en chef du roi de Prusse[1]. » Un roi de ce genre est tout dans sa fonction. Il n'a besoin ni de pompe ni d'ornement. C'est pourquoi le Roi-Sergent fait disparaître le cérémonial, réduisant par exemple de cent à douze le nombre des chambellans. C'est pourquoi il ne cesse de travailler. Peu de souverains travaillent plus que lui. Par là également il rappelle Louis XIV. « Dieu, dit-il, n'a pas fait les rois pour qu'ils passent leur temps dans les jouissances, comme font la plupart, mais pour gouverner leurs pays. Les souverains sont faits pour le travail[2]. » L'État gagne à un tel service, mais la royauté y perd en éclat et en majesté. S'il n'y a que du travail, qu'est-il besoin d'un roi ? Reconnaissons au moins à cet étrange roi son grand mérite, son dévouement à la chose publique, sa parfaite simplicité de mœurs, une sorte de dénuement. Quand on sait le faste de toutes les cours il y a de quoi être surpris. De passage à Postdam en 1728, Montesquieu marque son étonnement : « La dépense du roi de Prusse pour toute sa maison, écrit-il, ne monte guère à plus de 1 300 écus par mois. A sa table est ordinairement la famille royale et quelques généraux. On y meurt de faim. On ne sert qu'un plat à la fois, qui fait le tour, et il est souvent fort bas avant que le tour soit fini[3]. » Une ironie discrète perce dans ces propos. Comment peut-on être prussien ?

Après le roi, son fils. Le prince royal sera éduqué en vue du service de l'État. Le roi impose à son fils aîné Frédéric une rude éducation, presque entièrement militaire. Frédéric regimbe. Les rapports se tendent. Le jeune homme fait une fugue, en compagnie d'un ami, le lieutenant von Katte. La punition est terrible. Les deux déserteurs sont traduits en conseil de guerre. Von Katte est exécuté. Frédéric doit assister à l'exécution. Ensuite il est enfermé dans la prison de Kustrin, dans une cellule sans meubles, sans livres, sans encre et sans papier. Mœurs de sauvages, mais surtout démonstration effrayante de la volonté inflexible

---

1. Cité dans Michel Denis et Noël Blayau, *Le XVIIIᵉ siècle, op. cit.*, p. 151.
2. Cité par Ernest Lavisse et Alfred Rambaud, *Histoire générale du IVᵉ siècle à nos jours*, t. VII, *Le XVIIIᵉ siècle (1715-1788), op. cit.*, p. 919.
3. *Voyages de Montesquieu*, publiés par le baron Albert de Montesquieu, Bordeaux, 1896, t. II, p. 190.

de Frédéric-Guillaume de transformer la royauté. A sa sortie de Kustrin, Frédéric fera le serment suivant : «Je jure d'obéir strictement aux ordres du roi et de faire en toute chose ce qui convient à un fidèle serviteur, sujet et fils[1].»

Le roi forge les instruments de la puissance. Il établit l'unité de direction, centralise le pouvoir et le concentre dans ses mains. Il établit en 1722 le Directoire général et suprême des finances, de la guerre et des domaines. C'est un organisme composé de cinq ministres et de vingt conseillers. Ce n'est pas un conseil au sens traditionnel du terme, mais une commission de travail, chargée de préparer la décision. Le roi décide et décide seul. Dans les provinces, les anciens états et les municipalités sont déchus de leurs anciennes prérogatives. L'administration royale est omniprésente. Le roi, selon son propre mot, assoit la Couronne «aussi solidement que sur un rocher de bronze».

Le pays tout entier doit servir. Il doit fournir des biens de consommation et des soldats. Frédéric-Guillaume s'intéresse de près à l'agriculture et à l'industrie. Pour que les paysans produisent davantage, il s'efforce d'améliorer leur sort : le servage est aboli sur les domaines de la Couronne. L'ordonnance du 22 mars 1719 engage les nobles à suivre cet exemple. La corvée est réduite à deux jours par an. Les régions ravagées pendant la guerre de Trente Ans, et qui n'avaient jamais été remises en culture, sont livrées à la colonisation. Le roi fait venir des colons de toute l'Allemagne, et en particulier des protestants salzbourgeois. L'industrie est encouragée. Des manufactures de drap sont créées pour l'habillement des troupes.

L'armée, son renforcement et son augmentation occupent presque entièrement l'esprit du roi. Il y consacre la presque totalité de ses revenus, soit 6 millions de thalers, sur les 7 qui rentrent dans les caisses de l'État. A la fin du règne, l'armée prussienne, forte de quatre-vingt-quatre mille hommes, sera pour les effectifs la troisième de l'Europe. Les volontaires sont recrutés dans tous les pays. Le roi cherche surtout des hommes très grands. Il se forme ainsi une garde de géants, qu'il se plaît à faire manœuvrer devant lui, et même dans sa chambre, quand il est malade. Le jour où on lui présente une recrue norvégienne de 2,65 mètres est l'un des plus beaux de sa vie. Une sorte de milice nationale complète le volontariat européen. Le pays est divisé en cantons de cinq mille feux chacun, qui doivent fournir chaque année à un régiment donné soixante soldats. On peut compter ainsi sur des récoltes régulières de soldats.

Inutile de souligner le caractère despotique d'un tel régime. Mais c'est un despotisme d'un genre assez nouveau. C'est le despotisme de l'État, plus que celui du prince. Le peuple est asservi, non à l'ambition d'un prince, mais à la volonté de puissance de l'État.

---

1. Cité par Ernest Lavisse et Alfred Rambaud, *Histoire générale du IVe siècle à nos jours*, t. VII, *Le XVIIIe siècle (1715-1788), op. cit.*, p. 921.

Les autres États allemands

En dehors de l'Autriche et de la Prusse et de quelques autres princi-
pautés, l'Allemagne est le pays des petits États. C'est le principe du
Kleinstaaterei, de *klein* qui signifie « petit » et de *staat* qui signifie
« État ». Il est difficile de traduire. Particularisme ne convient pas. Le
Kleinstaaterei, c'est la préférence pour le petit dans le domaine politique,
pour le petit État. On croit le petit État plus agréable à vivre que le grand.
On a sans doute raison.

Les régions les plus morcelées sont celles du sud et de l'ouest, et
surtout celles situées entre Rhin et Danube. Le cercle de Franconie ne
compte pas moins de vingt-neuf États. On en dénombre cent deux dans
celui de Souabe. Certains se réduisent à une bourgade de quelques
centaines d'habitants ou à une dizaine de villages.

Il existe cependant une trentaine d'États de dimensions plus importantes et qui peuvent prétendre jouer un rôle actif sur la scène
internationale. Vingt sont laïques, dix ecclésiastiques. En Allemagne du
Nord, les principaux sont le Brandebourgeois (auquel est réunie la Prusse,
située hors de l'Empire), avec cinq millions d'habitants, la Saxe avec
deux millions, le Hanovre, le Brunswick et les deux Hesse (Hesse-Cassel
et Hesse-Darmstadt). En Allemagne du Sud, ce sont l'Autriche, le
Wurtemberg (huit cent mille habitants), la Bavière, le Berg et le Palatinat,
ces trois dernières principautés représentant une population totale de deux
millions deux cent mille habitants. Les chefs de ces États se considèrent
comme souverains de droit divin. Ils commencent toujours leurs actes par
la formule « Nous... par la grâce de Dieu ». Cependant leur pouvoir est
limité. Les assemblées d'états (*staende*) ont leur mot à dire. Il existe aussi
des lois d'Empire et un pouvoir impérial modérateur. Le duc Charles-
Léopold de Mecklembourg en sait quelque chose : il est déposé en 1720
par l'empereur Charles VI, pour avoir excédé ses pouvoirs vis-à-vis des
Staende. Le duc Charles-Alexandre de Wurtemberg est blâmé par
Charles VI pour avoir épousé morganatiquement sa maîtresse.

Car il y a de tout parmi ces princes, des pieux, des débauchés, des
ivrognes, des méchants, des demi-fous, des prodigues, des avares, des
faibles et des tyrans. Leur manière de gouverner est un mélange, où les
doses varient, de bon plaisir, de caprice, de débonnaireté et de bonhomie.
Voici par exemple le prince d'Oettingen-Wallerstein qui règne sur trente-
six mille sujets. Son emploi du temps dénote une grande modération dans
le travail. Il se lève entre midi et deux heures, fait sa toilette, reçoit son
médecin, assiste à la messe, dîne, chasse, visite ses fermiers, joue aux
cartes, écoute un peu de musique et se couche à minuit. Il n'a que trois
ministres, le grand maréchal qui commande les gardes-chasse, un écuyer
et un secrétaire d'État. L'examen des affaires le retient peu. Si l'on en

croit l'un de ses anciens ministres, il met en pile les papiers, n'admettant de les lire que le jour où la pile atteint une hauteur déterminée. Il en prend alors quelques-uns au hasard et indique sa décision par des notes marginales. C'est un gouvernement arbitraire, mais d'un arbitraire doux.

Un autre inconvénient très répandu est la favoritisme ou règne des favoris. Par exemple, les trois ducs de Wurtemberg, Evrard-Louis (mort en 1733), Charles-Alexandre (1733-1737) et Charles-Eugène (1737-1793) sont tous les trois braves et bons soldats. Ils seraient même d'excellents souverains s'ils n'étaient gouvernés par leurs favoris ou favorites. La maîtresse d'Evrard-Louis, la Grävenitz, fait pendant vingt ans le scandale de l'Empire. C'est une femme étrange au regard de sorcière. Le duc l'épouse morganatiquement. Elle est nommée grande maîtresse de la Cour, logée au palais, couverte de bijoux, comblées de pensions et de châteaux. Son frère est Premier ministre, son neveu maréchal. Charles-Alexandre, lui, a son homme de confiance, un juif du Palatinat, Suss Oppenheimer, que toute l'Allemagne appelle le juif Suss. Le talent de ce personnage est de satisfaire dans l'heure tous les vœux de son maître. Le duc veut-il une armée nombreuse ? Vite la conscription obligatoire. Lui faut-il de l'argent ? Ce sont immédiatement de nouvelles taxes dites de nécessité, des loteries et des monopoles. A la mort de Charles-Alexandre cet homme ingénieux sera pendu.

Versailles fascine tous ces princes. Chacun veut son Versailles. Chacun veut son palais en dehors de sa capitale. Il y réside. Il y gouverne. C'est ainsi par exemple que le duc Evrard-Louis de Wurtemberg bâtit à Louisbourg son palais et sa ville palatine, le tout dans un style mi-français, mi-italien. Il y installe chancellerie et ministères, et contraint les dignitaires à venir s'y installer. Que sont ces Versailles allemands ? Les voyageurs français en parlent avec commisération. « La maison de campagne du duc de Brunswick, écrit Montesquieu, est à une lieue de Brunswick. La maison est de bois, assez bien entendue [...]. Mais il y a bien des fautes : le jardin est vilain : les statues qui y sont dedans très mauvaises[1]. » Sur Louisbourg le même Montesquieu porte ce jugement terrible : « Ce qui m'a frappé le plus dans ce bâtiment, écrit-il, c'est de voir partout du petit sous l'apparence du grand. » Et d'ajouter : « Versailles a ruiné tous les princes d'Allemagne[2]. »

Il se pourrait aussi que Versailles ait diminué leur autorité. Cette nouvelle habitude d'aller gouverner loin de ses sujets n'a guère profité à la royauté française. Elle ne pouvait être bonne pour les princes allemands.

1. Montesquieu, *Voyage de Gratg à La Haye, Œuvres complètes*, La Pléiade, t. I, p. 856.
2. *Ibid.*, p. 822.

L'ITALIE

Du traité d'Utrecht à la paix de Vienne (1714-1738), l'Italie est une région assez calme de l'histoire politique. Les grands changements sont dynastiques : les vieilles dynasties des Farnese et des Médicis s'éteignent, la première en 1731, la seconde en 1737. Les duchés de Parme et de Plaisance sont attribués d'abord au Bourbon don Carlos en 1731, ensuite à l'Autriche en 1738. A cette même date de 1738, Naples et la Sicile passent des mains de l'Autriche à celles de don Carlos. Sans oublier la Sardaigne transférée en 1718 de la domination autrichienne à celle du Piémont. Quant à la Toscane, la paix de Vienne l'assigne à François de Lorraine, époux de l'archiduchesse Marie-Thérèse. Cela fait beaucoup de remue-ménage. Mais ces changements affectent la géopolitique beaucoup plus que la politique elle-même.

Dans la plupart des États indépendants, et en particulier dans les deux républiques de Venise et de Gênes et dans les États de l'Église, les régimes politiques sont immuables. On observe même chez ces États un conservatisme si rigide qu'il confine à la sclérose. Dans les États de l'Église, les quatre papes successifs de la période, Clément XI, Innocent XII, Benoît XIII et Clément XII, ne conduisent que d'une main très molle le gouvernement temporel. Le plus inhabile et le plus faible est Benoît XIII, grand pontife mais homme d'État désastreux, accordant sa confiance à deux personnages plus que douteux, Paolucci et Coscia, praticiens l'un et l'autre de la corruption et du trafic d'influence. La république de Venise, quant à elle, souffre surtout du déclin de sa noblesse. Le patriciat vénitien n'est plus qu'une caste complètement fermée. Le conservatisme le plus étroit lui tient lieu de patriotisme. Il n'accepte aucun changement, aucun renouvellement. Par exemple, le projet formulé en 1736 par le marquis Scipion Maffei de Vérone, d'associer les provinces de Terre-Ferme au gouvernement central de la République, est tout de suite écarté.

Les seuls régimes vraiment progressistes sont ceux du Milanais autrichien et du royaume de Piémont-Sardaigne. Dans le duché de Milan, l'administration autrichienne introduit l'ordre et la précision germaniques. Le cadastre est révisé à partir de 1718 ; les douanes intérieures sont supprimées en 1723 ; le système fiscal est rationalisé. Dans le Piémont-Sardaigne le modèle est français. Le roi Victor-Amédée II (mort en 1730) puis son successeur, Charles-Emmanuel III, instaurent un système de gouvernement et une manière de régir la société qui viennent tout droit de la monarchie administrative louis-quatorzienne. Les privilèges du clergé sont restreints. Les nobles incapables de produire leurs titres sont privés de leurs biens et privilèges (1720). On procède à la refonte et à l'unification des lois (1724). Un cadastre est réalisé. Des routes sont ouvertes, des canaux creusés. C'est ce que les historiens appellent la grandeur et le progrès.

Et c'est d'ailleurs, avec l'expérience autrichienne en Milanais, quelque chose d'exceptionnel. L'Italie avait été dans les siècles passés un pays d'expérimentation, et parfois même de rationalisation de la politique. Elle ne l'est plus guère, et dans certains de ses États plus du tout. En 1740, visitant les États de l'Église, le président de Brosses écrivait : « Machiavel et Morus se sont plus à forger l'idée d'une utopie ; on trouve ici la réalité du contraire[1]. » Judicieuse remarque. On pourrait l'appliquer à beaucoup d'États italiens. Le président de Brosses la formule comme un reproche. Nous ne lui donnerons pas cet accent. Nous avons appris depuis ce que signifiait la réalisation d'une utopie. Un régime qui serait le contraire d'une utopie nous paraîtrait plutôt louable.

L'ESPAGNE ET LE PORTUGAL

L'Espagne

Pour l'Espagne, la période est celle du long règne (1701-1746) de Philippe V, le petit-fils de Louis XIV. On a peu flatté ce prince. On a dit de lui « qu'il avait peu de défauts, mais aussi peu de vertus, qu'il n'aimait que les exercices pieux et la chasse, et qu'enfin, né pour être dirigé, il le fut toute sa vie ». C'est un jugement trop sévère. Philippe V n'est pas incolore. Il a même de séduisantes qualités, la générosité, l'affabilité et la bravoure, qui lui vaut le nom d'*El Animoso* (Le Vaillant). Il aime la vérité et la justice. Il aime aussi l'Espagne et sait se faire aimer des Espagnols. On doit lui reconnaître de grands mérites : il a su s'hispaniser ; il a su décourager le parti des Habsbourg ; il a su enraciner la nouvelle dynastie. Mais il est plus roi que politique. Il gouverne peu, éprouvant même pour les affaires une sorte de répulsion, négligeant souvent son devoir, allant à son Conseil « comme un écolier à son thème ». Rien n'est donc plus facile que de gouverner à sa place. Marié deux fois, il est dirigé deux fois. La première reine est Marie-Louise de Savoie, épousée en 1701 à l'âge de quatorze ans, belle, vive, spirituelle et d'une intelligence étonnante. Selon le mot d'un contemporain, cette « intrépide poupée disserte comme un homme d'État ». Elle réduit son roi en esclavage, matant ses rares velléités d'indépendance, tombant sur lui au besoin à poings fermés, ou le jetant, quand il résiste, au bas de son lit. La seconde reine est Élisabeth Farnese, épousée en 1714, aussitôt après la mort de Marie-Louise. Elle n'a pas moins de caractère. Violente,

---

1. Cité par Ernest Lavisse et Alfred Rambaud, *Histoire générale du IVᵉ siècle à nos jours*, t. VII, *Le XVIIIᵉ siècle (1715-1788), op. cit.*, p. 973.

emportée, énergique, elle impose elle aussi sa volonté. D'ailleurs le roi va commencer très tôt à souffrir de dépression chronique. Il se désintéresse complètement des affaires. C'est la reine qui gouverne. Un célèbre tableau de Louis Michel Van Loo représente *La Famille de Philippe V*. On est à la fin du règne. Les quatorze personnages de la composition — dont deux bébés jouant avec un chien aux pieds de la reine — entourent une vaste table. Sur cette table, est posée la couronne royale. On ne voit pas tout de suite le roi. Il est assis dans un fauteuil, un peu en retrait, à gauche du tableau. En revanche, la reine Élisabeth attire les regards. L'artiste l'a représentée de face, assise au centre du tableau, appuyant son bras d'un geste possessif contre le coussin portant la couronne.

De tous les pays d'Europe, l'Espagne est sans doute celui qui connaît à cette époque les transformations les plus profondes de son régime politique. On voit naître un régime nouveau, une nouvelle Espagne, et ce régime nouveau est une monarchie administrative semblable sur bien des points à celle de France. D'ailleurs Louis XIV en est le premier auteur. Jusqu'en 1714 il a supervisé le gouvernement espagnol. Tout un personnel français conseillait le jeune roi d'Espagne et menait à bien les réformes jugées nécessaires par le roi de France. Anne-Marie de La Trémoille, princesse des Ursins, nommée en 1701 *camarera mayor* de la reine Marie-Louise, l'ambassadeur Amelot de Gournay et Orry de Vignory, spécialiste des finances, étaient les trois principaux agents du Grand Roi, et finalement les personnalités les plus importantes de la politique espagnole. Après Utrecht, les rapports se tendent un peu entre Versailles et Madrid. C'est la fin des Français. Les Italiens, la reine elle-même, le cardinal Alberoni et leurs clients prennent la place. En 1719, après le départ d'Alberoni, on revient aux Espagnols. Roperda, José Patino (1726-1736), José Campillo (1736-1741) et le marquis de la Ensennada exercent successivement les fonctions de premier ministre. Toutefois, les changements de personnel ne modifient pas l'orientation prise en 1701. Le modèle reste le modèle français et la transformation de la monarchie espagnole se poursuit.

Il faut considérer toutes les réformes entreprises depuis 1701.

C'est en premier lieu l'abolition des libertés et privilèges des royaumes et provinces. En 1707, ont été abolis les fueros des royaumes d'Aragon et de Valence. En 1715 et 1716, ceux de la Catalogne et des Baléares. Les Cortès de ces deux provinces disparaissent. On supprime également leur députation, le Conseil des Cent de Barcelone, et les Conseils des jurats des autres villes. Le vice-roi et les audiences royales de Barcelone et de Majorque sont chargés de l'administration politique et judiciaire. Des corporations de *regidores*, nommées par le roi, sont substituées aux anciens conseils. L'usage de la langue catalane est réglementé. On supprime aussi les Cortès des autres royaumes. Seuls subsistent les Cortès de Castille, auxquels ont été réunis en 1709 des représentations de l'Aragon, de Catalogne, de Valence et de Majorque, et dont la convocation devient rare : quatre fois seulement pendant le règne de Philippe V. Seules conservent leurs fueros et leurs assemblées les provinces basques et de Navarre. Ce sont là des transformations inouïes, incroyables, et de nature à blesser profondément les patriotismes locaux. Pourtant, sauf en Catalogne, elles n'ont pas provoqué de grandes révoltes. Elles sont passées à la faveur de la guerre et du climat de remise en ordre dans les années qui ont suivi.

Sur les ruines des fueros un nouveau système de gouvernement est établi, très proche du système français. Présidé par le roi, le Conseil supérieur royal (*Consejo real*) prend les grandes décisions. Les autres conseils lui sont subordonnés. Il est créé cinq charges ministérielles, quatre de secrétaires d'État, et la cinquième d'intendant des Finances (*Intendente general de Hacienda*), équivalente à celle du contrôleur général des Finances dans le gouvernement français. Ce n'est pas tout. En 1718, l'imitation est parachevée : l'administration des provinces est confiée à des «intendants de justice, de police et de finances». Enfin la suppression des privilèges fiscaux de la Couronne d'Aragon permet d'uniformiser le système des impositions.

L'application des principes de la monarchie administrative s'étend, comme il est naturel, à l'économie. C'est un véritable système colbertiste, à la fois protectionniste et mercantiliste, qui est mis en place par les ministres Orry et Patino. Ce dernier croit développer l'industrie nationale en prohibant les soieries et les draps étrangers, en attirant les fabricants français, en instituant des manufactures privilégiées : Guadalajara pour les toiles, Llassa et Olmeda pour les cristaux, Madrid pour les tapis. Patino est également le fondateur de deux compagnies commerciales, celle de Guipuzcoa (1728) et celle de La Havane (1740).

On peut donc dire qu'à bien des égards le règne de Philippe V est l'un des plus révolutionnaires de l'histoire d'Espagne. La monarchie est devenue plus centralisée, plus étatique, plus oppressive. Mais il n'en résulte pas, comme cela s'est produit en France après les réformes de Louis XIV, un discrédit de l'institution. Cela est dû sans doute à la personnalité de Philippe V, à son prestige, à la popularité des deux reines et peut-être aussi aux mœurs plus simples et plus familiales de la cour d'Espagne.

Le Portugal

La monarchie portugaise offre à cette époque beaucoup de ressemblance avec l'espagnole. Le règne de Jean V, dit le Magnanime, est presque aussi long que celui de Philippe V. Il dure quarante-quatre ans (1706-1750). On observe aussi comme en Espagne un autoritarisme croissant : les Cortès ne sont plus convoqués « de peur de troubler la tranquillité publique ». Enfin les personnages se ressemblent. Le roi Jean V est, comme Philippe V, un prince généreux, fastueux, très pieux, mais s'intéressant fort peu aux affaires, et laissant sa femme, la reine Marie-Anne d'Autriche, gouverner le pays. Seulement l'économie portugaise, à la différence de l'espagnole, ne présente aucun signe de renouvellement. Depuis la signature du traité de Methuen (1703), le commerce du Portugal se trouve dans la dépendance étroite de l'Angleterre.

Faut-il pour autant parler de décadence ? Certains historiens sont de sévères censeurs. Ils qualifient ce régime d'archaïque, et dressent les constats les plus accablants. On lit par exemple : « ... le royaume n'a ni industrie ni commerce, ni armée, ni finances. Le peuple croupit dans la misère et le clergé comme les hautes classes vivent dans la routine et l'ignorance[1]. » Que dire d'un tel tableau, sinon qu'il frise la caricature ? Et puis faut-il oublier la paix ? Le Portugal est, avec les cantons suisses, le seul pays d'Europe qui jouisse pendant ce demi-siècle d'une période continue de paix.

LA RUSSIE

L'incertitude de la succession au trône est la maladie politique de la Russie. Il ne s'agit pas de la famille, tous les successeurs de Pierre le Grand appartenant à la famille des Romanov, mais de la lignée : le trône passe d'une lignée à l'autre, et les héritiers les plus proches sont souvent écartés au profit de parents lointains.

Qui est responsable de ce désordre ? Pierre le Grand lui-même. En 1718, après une parodie de procès, il fait assassiner son fils premier-né, le tsarévitch Alexis, l'ayant auparavant contraint à renoncer au trône. Il a un autre fils, Pierre Petrovitch, né de son second mariage. Il le proclame héritier. Mais celui-ci est tué par la foudre en 1719. Le tsar décide alors de rompre avec le droit successoral établi en Occident. Il publie un ukaze qui attribue exclusivement au souverain le droit de désigner son successeur (1721). Mais il meurt le 8 février 1725, sans avoir procédé à cette désignation. On l'aurait entendu commencer la phrase : « Je laisse tout à... » Mais le nom manquait. La Russie était livrée à toutes les intrigues et à toutes les ambitions.

De fait, jusqu'à l'avènement (inclus) de Catherine II, il n'y aura pas une seule succession qui ne sera marquée d'un caractère d'abus de pouvoir et de spoliation. Passons en revue cette série d'intronisations douteuses.

A la mort de Pierre le Grand, l'héritier le plus proche est Pierre Alexievitch, un enfant de dix ans, fils du tsarévitch Alexis assassiné. Il a

---

1. P. Orsi, dans Ernest Lavisse et Alfred Rambaud, *Histoire générale du IVᵉ siècle à nos jours*, t. VII, *Le XVIIIᵉ siècle (1715-1788), op. cit.*, p. 1002.

ses partisans. Mais tout ce qui a trempé dans le procès et l'exécution de son père ne veut de lui à aucun prix, et souhaite l'avènement de Catherine, la deuxième épouse du tsar défunt. C'est le parti le plus fort. Il tient l'armée. Il tient la garde. Les officiers des deux régiments de la garde, le Préobrajenski et le Séménovski, emportent la décision. Ils font irruption dans la salle où siègent les dignitaires. Un formidable roulement de tambour et les hourras des soldats massés sous les fenêtres réduisent au silence les partisans de Pierre. Catherine est, sans attendre, proclamée impératrice autocrate.

Plus avisée que son époux elle désigne son successeur. C'est Pierre Alexievitch, celui-là même qu'elle avait supplanté. En 1727, juste avant de mourir, elle déclare son nom. L'enfant a maintenant douze ans. Il devient empereur sous le nom de Pierre II.

La mort rapide de ce dernier, trois ans plus tard (à la suite d'un refroidissement) repose le problème. Le Haut-Conseil, c'est-à-dire la plus haute instance de l'État, décide de transférer la Couronne de la branche aînée à la branche cadette des Romanov, et de l'offrir à la fille cadette d'Ivan, frère de Pierre le Grand. Il s'agit d'Anna Ivanovna, duchesse douairière de Courlande, et résidant alors à Mittau. Elle accepte et règne dix ans, de 1730 à 1740.

Le successeur qu'elle désigne est un bébé de quelques mois, fils de sa nièce Anna Leopoldovna et d'Antoine de Brunswick Bevern. Ce bébé empereur est nommé Ivan VI. La tsarine a également désigné avant de mourir la personne chargée d'exercer la régence. Il s'agit de son ministre favori, l'Allemand Bühren. Mais Bühren se brouille avec les Brunswick, parents du petit empereur. Le 28 novembre 1740, a lieu un nouveau coup d'État. La garde soudoyée par les Brunswick, et commandée par Münnich, s'assure de la personne de Bühren. Anna, la mère d'Ivan VI, est proclamée régente, et Bühren est expédié en Sibérie.

La nouvelle régente ne jouit pas longtemps de son pouvoir. Le 6 décembre 1741, un nouveau coup d'État se produit. Avec l'appui de la garde, la princesse Élisabeth, fille de Pierre le Grand et de Catherine, jusqu'alors éloignée du pouvoir, se fait proclamer impératrice. Ivan VI n'est plus empereur. Il est exilé avec sa famille. Il sera assassiné en 1764 sur l'ordre de Catherine II. Telle est l'histoire des Romanov. Ce n'est pas une histoire de pays civilisé.

Pierre le Grand n'était guère civilisé lui non plus. Mais il avait au moins la force de caractère et le génie. Aucun de ses successeurs ne le vaut. Certes Pierre II, malgré son jeune âge, ne manque pas de personnalité. Il a du goût pour le savoir et pour les choses militaires. Il montre assez d'énergie pour se débarrasser de Menchikov, le ministre tout puissant du règne précédent, mais il tombe sous l'influence du clan Dolgorouki et perd sa liberté. Catherine Iʳᵉ, l'épouse de Pierre le Grand, est une paysanne serve de Lituanie. Avant d'épouser le tsar elle a passé de main en main. L'accession au trône impérial d'une femme d'origine servile et sans la moindre instruction a quelque chose de stupéfiant. Non seulement elle est incapable de gouverner, mais encore elle mène la vie la plus désordonnée et la moins édifiante, s'enivrant jusqu'à neuf heures du matin avec ses amants d'une nuit : Loewenwolde, le comte Sapieha et Divier, un ancien matelot portugais ramassé par Pierre le Grand en Hollande, et devenu chef de la police. Anna Ivanovna, qui succède à Pierre II, n'a pas beaucoup plus de dignité. Ayant confié la direction des affaires à son amant le ministre Bühren, elle vit à sa fantaisie qui est despotique et grossière. On la voit se délecter de pitreries et de bastonnades. Son plus grand amusement est de faire se battre entre eux ses six bouffons. Nulle n'est plus jalouse de son pouvoir. Pour éliminer les familles qui lui sont hostiles et imposer ses favoris allemands, elle multiplie les exils et les supplices. On compte sous son règne de dix années près de vingt mille condamnations politiques. Elle mérite le nom d'Anna la Sanglante. C'est toute la démesure de Pierre le Grand, sans le génie.

Avec une telle succession et de tels souverains, le pouvoir ne peut être que la proie des clans. Il n'est pas étonnant que les ministres favoris, les grandes familles aristocratiques et les étrangers s'en attribuent la plus forte part. Sous Catherine Ire c'est le favori Menchikov qui tient tout. A la mort de la tsarine il essaie de lui survivre. Il se fait nommer généralissime, fiance sa fille au nouvel empereur, et inscrit les membres de sa famille dans l'Almanach impérial juste après ceux de la famille régnante. Les Dolgorouki l'évincent et gouvernent à leur tour. Le prince Alexis et son fils Ivan deviennent les conseillers écoutés du tsar et les maîtres de l'heure. Ils flattent le goût de Pierre II pour la chasse et lui font faire de grandes randonnées cynégétiques, l'éloignant ainsi de la capitale et des affaires. On abat des ours, on tue quatre mille lièvres en un jour. Les deux Dolgorouki ont une fille et sœur, la princesse Catherine, jeune personne de dix-sept ans, grande, élancée, avec de magnifiques cheveux noirs et des yeux fort expressifs. Ils réussissent à la fiancer au tsar. Le mariage est prévu pour le 19 janvier 1730. Mais quelques jours après, le jeune souverain s'alite, et, précisément le 19 janvier, il s'en va de ce monde. Le clan Dolgorouki et son allié le clan Galitsine s'efforcent de garder le pouvoir. Ils tiennent le Haut-Conseil, où leurs deux familles ont six conseillers sur huit. Tout en offrant la Couronne à la duchesse de Courlande, ils tentent de lui faire accepter des conditions limitatives de son pouvoir. Ils n'y parviennent pas et ne récoltent que la vengeance, l'exil, la prison, le knout et pour Ivan Dolgorouki, le favori de Pierre II, l'écartèlement.

Le règne des Dolgorouki est fini, mais pas celui des clans. Le clan des Allemands occupe le pouvoir à la suite d'Anna Ivanovna. C'est le ministre Bühren, ce sont les généraux Bismarck et Münnich, le vice-chancelier Ostermann, les ambassadeurs Korff et Kaiserling. Il faudra le coup d'État d'Élisabeth pour mettre fin à leur longue et dure domination.

Si l'on ne regardait que ces coups d'État, ces luttes de factions, ces âpres convoitises et ces terribles représailles, on pourrait croire la Russie livrée à l'anarchie. Mais le fait que le pouvoir change souvent de main ne signifie pas qu'il s'affaiblisse ni qu'il change de nature. L'autocratie demeure et sa force aussi. Le tsar demeure l'empereur autocrate, comme l'a voulu Pierre le Grand. Il faut croire que l'institution était forte, car les tentatives pour la dissoudre n'ont pas manqué. Il y a eu en particulier, à la mort de Pierre II, cette tentative du clan oligarchique des Galitsine et des Dolgorouki, alors maîtres du Haut-Conseil, pour transformer le régime à l'occasion de l'avènement de la branche cadette. En offrant la Couronne à Anna Ivanovna les conseillers suprêmes lui ont proposé huit points qui équivalaient à une constitution et dont la substance peut être résumée ainsi : le Haut-Conseil devait se recruter par cooptation ; il devait être consulté sur toutes les affaires, le souverain ne pouvant sans lui ni faire la guerre, ni déclarer la paix, ni établir de nouveaux impôts, ni désigner son successeur. Si la duchesse de Courlande avait souscrit aux « huit points », l'Empire russe aurait inévitablement décliné. Il serait devenu semblable à la monarchie polonaise. L'habileté de la tsarine d'une part, l'appui de la garde et du clergé d'autre part, ont fait échouer le complot oligarchique et permis à l'autocratie de triompher.

On peut même parler pour cette période d'un renforcement de l'autocratie. Notons que sous Catherine Iʳᵉ le sénat et le saint-synode ont perdu le titre de « gouvernants », et que toute l'autorité a été dès lors concentrée dans le Haut-Conseil présidé par l'impératrice et peuplé de créatures de Pierre le Grand. Sous Anna Ivanovna le Haut-Conseil semble supplanté par le Cabinet, organisme encore plus restreint. L'autorité est donc encore plus concentrée, encore plus despotique. On peut se demander s'il était bon pour l'Europe qu'un tel régime prenne une importance de plus en plus grande dans le concert des nations. C'était en quelque sorte habituer le monde civilisé aux mœurs du despotisme.

En même temps que l'autocratie impériale c'est toute l'œuvre de Pierre le Grand qui a résisté, ce sont toutes les réformes qu'il avait faites, tous les changements qu'il avait introduits. Pétersbourg est restée capitale en dépit de Moscou. L'armée et la marine ont été maintenues sur un bon pied. La noblesse a été astreinte au service, comme elle l'avait été sous le grand tsar réformateur. L'œuvre de modernisation et d'occidentalisation a été poursuivie. Une Académie des sciences a été créée en 1726. Tout cela n'est pas allé sans mal. Il y a eu une très forte opposition venant du parti oligarchique des grandes familles aristocratiques. Mais cette opposition a été brisée. Le changement de la Russie a été payé du meilleur prix, celui du sang.

Chapitre III

LES RÉGIMES ET LA VIE POLITIQUES
(Deuxième période : vers 1740 - 1789)

LE DESPOTISME ÉCLAIRÉ

Quelques remarques générales sur le despotisme éclairé

L'expression «despotisme éclairé» désigne un despotisme qui s'inspire de la philosophie des Lumières. Ce n'est pas une expression du XVIIIe siècle. Elle a été inventée par des historiens allemands au milieu du XIXe siècle. On peut toutefois la retenir. Elle caractérise en effet très bien la forme prise par plusieurs régimes politiques européens dans la période 1740-1789. Ces régimes prétendent tirer leurs principes de la philosophie des Lumières («J'ai fait de la philosophie la législatrice de mon empire», déclare Joseph II), et les en tirent effectivement. Ils sont despotiques parce qu'ils sont philosophiques. S'ils utilisent aussi la philosophie à des fins de propagande, et pour mieux masquer certains abus de pouvoir, cela n'empêche nullement qu'il y ait un lien essentiel entre leur tyrannie et les idées modernes.

Il s'agit — pourquoi ne pas le dire clairement ? — d'une aggravation de la puissance de l'État. Ce n'est donc pas à proprement parler un progrès. Ce serait même plutôt une régression. Le despotisme éclairé signifierait alors un déclin politique de l'Europe. Car le phénomène affecte la plus grande partie des États européens, c'est-à-dire non seulement les pays les moins développés, comme la Prusse et la Russie, mais aussi les plus évolués et les plus civilisés, comme l'Autriche et l'Espagne. Cela veut peut-être dire qu'il y a dans ces derniers pays un affaiblissement du sens civique, une sorte de fatigue politique, et que l'étatisme exploite cette faiblesse.

Trois grands absents toutefois : la France, l'Angleterre et les Provinces-Unies ne figurent pas sur la carte habituelle du despotisme éclairé. Or ce sont les patries des Lumières, les pays d'où viennent les Lumières. Comment expliquer cela ? Peut-être par le fait que ces trois pays ont un corps politique puissant et un tissu social complexe et vivant, capable de résister aux entreprises étatiques. La France toutefois est dans une certaine mesure un cas à part. Elle n'est pas totalement étrangère au despotisme éclairé. On peut même dire qu'avec les gouvernements révolutionnaires et avec Bonaparte elle en réalisera le modèle parfait.

La Prusse de Frédéric II

Frédéric II règne sur la Prusse pendant près d'un demi-siècle (1740-1786). Tous les despotes éclairés l'ont admiré, le prenant pour leur modèle.

Harmonie rare chez un souverain, il s'adonne aussi bien à la spéculation qu'à l'action. Ami des philosophes (de Voltaire, de d'Alembert, d'Argens, de La Mettrie et de quelques autres), il philosophe aussi lui-même. Sa curiosité va aux idées. Il cherche d'instinct ce qui est général, veut se former un corps de doctrine et un système de principes. Cela dit, sa philosophie est courte. C'est celle des Lumières. Les secrets de la nature sont impénétrables. L'Être suprême n'est qu'un horloger. Nous ne savons pas si nous sommes libres ou non, et «ce qu'il y a de plus réel en nous, c'est la vie». Voilà en résumé la substance de cette pensée. On peut la définir comme une sorte de vitalisme très proche de celui de Diderot. Elle a au moins cette qualité de ne pas porter à des songes utopiques et de déboucher sur l'action. «Il ne s'agit pas, écrit ce roi philosophe, qu'un homme traîne jusqu'à l'âge de Mathusalem le fil indolent et inutile des jours, mais plus il aura réfléchi, plus il aura fait d'actions belles et utiles, plus il aura vécu[1].»

Réfléchir et agir. Mais ce réfléchi est un réaliste. Et son réalisme est cynique. Les considérations morales ne l'embarrassent pas. Pourtant Frédéric a écrit en 1739 (et même publié en 1740) un ouvrage intitulé l'*Antimachiavel*, qui est un éloge pompeux de la morale politique, du respect des traités, de la foi jurée. Mais la contradiction n'est qu'apparente. Une lecture attentive de l'*Antimachiavel* montre l'astuce de son auteur. «J'avoue, écrit-il, qu'il y a des nécessités fâcheuses où le prince ne peut s'empêcher de rompre ses traités et ses alliances[2].» Quant à la guerre, il ne faut pas la faire (comment un homme pourrait-il former «le dessein d'élever sa puissance sur la destruction des autres hommes?»), mais là aussi des nécessités pressantes justifient de larges dérogations. Il est des guerres légitimes. Il en est même de trois sortes : les guerres défensives, les guerres d'intérêt et les guerres «de précaution». Avec cela on peut guerroyer quand on veut.

Il est quand même curieux de voir tant de facilité s'accorder avec tant de principes. Mais que valent ces principes? Sur quoi sont-ils fondés? Ils ne reposent que sur une vague morale humanitaire, et finalement rien ne les justifie. Qu'est-ce que le respect de la foi jurée sans la foi elle-même? Or Frédéric n'a pas la foi. Quand l'a-t-il perdue? Peut-être après sa fugue de 1730, et à cause des terribles punitions infligées par son père. En tout cas il l'a perdue pour toujours. Perdue ou rejetée. On sent chez lui, comme chez son ami Voltaire, une volonté de rejet, une terrible animo-

---

1. Cité par Pierre Gaxotte, *Frédéric II, op. cit.*, p. 212-213.
2. *Ibid.*

sité contre la religion. « Il rejette la religion, il la méprise, il la hait » (P. Gaxotte). Rien ne lui en restera. Lors de ses défaites de la guerre de Sept Ans, il songe sérieusement à se suicider. Il faut que ce soit d'Argens, un matérialiste pourtant, qui l'en dissuade. On connaît ses dernières paroles : « Que l'on m'enterre avec mes chiens. » Il est le premier prince de l'Occident chrétien à renier aussi ouvertement, aussi haineusement le christianisme. S'il n'est pas un roi comme les autres, la raison en est là.

En politique, il faut quand même le préciser, il ne tire pas tout de lui-même. Il doit beaucoup à la tradition de service et d'abnégation de sa famille. On retrouve chez lui certains des principes de son père, et, entre autres, celui du roi serviteur de l'État (Frédéric dit « le domestique »), et celui de la royauté entièrement confondue avec sa fonction. Comme son père, il juge tout cérémonial superflu. Le Roi-Sergent avait réduit la Cour. Frédéric la simplifie encore. « Il n'avait autour de lui, écrit Thiébault, que le moins qu'il pouvait ce qu'on entend par Cour[1]. » Il n'a ni grand maître de la garde-robe, ni maître d'hôtel, ni grand chambellan, ni grand échanson, ni grand maréchal. Ces charges existent mais il ne les pourvoit pas. De même qu'il ne pourvoit pas celles des grands officiers de la Couronne. Il se contente d'un ou deux chambellans, dont il a besoin pour lui présenter les étrangers et voyageurs et autres personnes qu'il veut recevoir. Ce roi n'a pas de courtisans. Ce roi n'a pas de public. Autour de lui seulement un petit entourage de quelques philosophes, gens de lettres et militaires. Sa vie presque tout entière garde un caractère privé. Il se lève et il se couche dans son privé. Il dîne à midi juste avec les convives qu'il a fait inviter deux heures plus tôt. Il soupe en petite compagnie. Après la guerre de Sept Ans, il supprimera le souper. Tout est simple, tout est dépourvu d'apparat. Par exemple, il n'a jamais plus de six à huit attelages. Sa collection de tabatières est son seul luxe. Un train de vie, une manière de vivre qui rappellent le Roi-Sergent. Avec une seule différence, mais de taille : le Grand Frédéric tient à la beauté du décor. Il aime ce qui est beau. Et c'est pourquoi il a fait construire Sans-Souci, dont les travaux seront achevés en 1747, et où il passera désormais la saison d'été. C'est un tout petit château : au milieu, une antichambre et une salle à manger ovale ; à gauche, l'appartement royal ; à droite, cinq chambres pour les étrangers. Petit château, mais gracieux. Une sorte de Trianon, avec plus d'exubérance et de préciosité. Le roi n'est donc pas tout à fait nu. La royauté frédéricienne n'est pas aussi dépouillée que celle du Roi-Sergent.

Le système de gouvernement est aussi très différent. C'est un système

---

1. *Mes souvenirs de vingt ans de séjour à Berlin ou Frédéric le Grand, sa famille, sa cour, son gouvernement, son académie, ses écoles et ses amis littérateurs et philosophes*, par Dieudonné Thiébault, 3ᵉ édition, 4 vol., Paris, 1813, t. III, p. 204.

extrêmement simple. Le roi dirige tout. Le roi est le serviteur de l'État, mais tout l'appareil de l'État est dans la main de son serviteur. Tout l'appareil et toute la puissance. Le roi légifère sans conseil et sans parlement. «Je n'aime point vos parlements», dira-t-il un jour à un Français. Le roi prend toutes les décisions. Ses ministres ne sont que des exécutants. Ils n'ont aucune autonomie, aucune initiative. Le ministre des Affaires étrangères, le chancelier et le ministre de la Justice n'en réfèrent à personne d'autre qu'au roi. Les autres ministres font partie intégrante d'un organisme appelé le Grand Directoire. Avant la guerre de Sept Ans ce Grand Directoire fonctionnait comme une sorte de collège. Après la guerre, toute collégialité disparaît. Dès lors, tout l'exécutif se confond avec les ordres du cabinet.

L'administration provinciale n'a pas davantage d'existence. Elle est pareillement la chose du roi. Frédéric visite chaque année son royaume. Il fait ce voyage annuel dans une voiture attelée de douze chevaux de paysans, outre deux bidets pour les pages de la chambre et six chevaux pour une voiture de suite. Ainsi équipé, il sillonne tout le pays et passe en revue tous les commis. Souvent il ne s'annonce pas et procède à des inspections surprises. Les fonctionnaires terrorisés perdent le sens des initiatives.

La justice aussi est à ses ordres. Il casse les juges ou les sentences. On connaît l'histoire du meunier Arnold. Ce meunier refusait de payer le prix de sa ferme à son propriétaire, sous prétexte que celui-ci retirait pour ses arrosages une partie de l'eau nécessaire au moulin. Les juges avaient condamné le meunier. Il se plaint au roi, et le roi aussitôt, par un acte subit de son pouvoir souverain, condamne le propriétaire, destitue les magistrats et en fait enfermer quelques-uns. En France, on appellerait cela un intolérable abus de pouvoir. En Prusse, la propagande royale présente l'intervention comme un geste humanitaire et philosophique.

Cependant il ne faut pas voir dans Frédéric II une sorte de tyran animé d'une volonté irraisonnée de puissance. La concentration de l'autorité répond chez lui à une idée précise, à un dessein bien arrêté dès le début du règne. L'anecdote suivante le montre. Une heure après la mort de son père, il avait reçu le vieux Dessau, organisateur de l'armée prussienne, ami et conseiller du Roi-Sergent. Celui-ci l'avait supplié de lui conserver les emplois et l'autorité dont il était investi sous le feu roi. Frédéric lui avait fait cette réponse :

... Je ne toucherai pas à vos emplois, ni à ceux de vos fils ; quant à l'autorité dans laquelle vous souhaitez d'être maintenu, je ne sais ce que vous voulez dire. Je suis devenu roi : mon intention est d'en faire les fonctions et d'être le seul qui ait autorité.

La monarchie frédéricienne est donc aussi loin que possible du gouvernement par conseil. Elle n'est pas pour autant une bureaucratie. Elle comporte certes de nombreux bureaux appelés «chambres» et chargés de préparer le travail ministériel : Chambre des bâtiments royaux, Chambres des domaines, du commerce, des fabriques. Mais ce ne sont pas les bureaux qui dirigent. La monarchie de Frédéric est une autocratie à caractère extrêmement personnel. Le roi, en personne et seul, commande à tout. Ce n'est pas chez lui soif d'autorité, c'est besoin d'action. Il y a dans l'âme de ce prince une certaine forme d'héroïsme. Nourri de théâtre classique français, il se voit lui-même comme un héros, affrontant seul les périls et l'adversité. Il est aussi très imprégné de la théorie du contrat. Pour lui, le prince et les sujets sont liés par un contrat tacite, mais le prince définit lui-même les limites de son pouvoir.

L'autocratie n'empêche pas l'étatisme. Le roi, ne l'oublions pas, n'est que le serviteur de l'État. Le régime prussien offre cette étrange particularité d'être à la fois très personnel et très étatique.

L'étatisme se manifeste dans la législation, dans l'économie, dans l'instruction publique.

Dans la législation par l'uniformisation de la procédure. C'est le «Code frédéricien» publié par le chancelier Cocceji.

Dans l'économie par les interventions de l'État dans l'agriculture, l'industrie et le commerce. Surtout l'agriculture. Il fallait réparer les ravages de la guerre de Sept Ans : treize mille maisons détruites, soixante-quinze mille chevaux tués, pas de grains pour la nourriture, une population totale diminuée de cinq cent mille âmes. Frédéric ne se contente pas de recruter à l'étranger près de trois cent mille immigrants, de les installer en Westphalie et dans les Marches de Brandebourg, et de les doter de maisons et de terres. Il établit des plans de culture, reboisement et irrigation, et veille à ce que chaque colon remplisse bien ses obligations et produise ce qu'il doit produire. «Tous les ans, écrit Dieudonné Thiébault, des conseillers parcourent les villages, et examinent si chaque habitant cultive la portion de son terrain qu'il est tenu de cultiver d'après les ordonnances. Chaque habitant est obligé de mettre tous les ans en culture telle quantité d'arpents sur le nombre total qu'il en a[1].» Frédéric dirige aussi l'industrie et le commerce. Il fait installer des hauts fourneaux à Spandau, près de Berlin. Il faut creuser le canal de Bromberg entre la Vistule et l'Oder et le canal de Finow entre l'Oder et l'Elbe. Mais plus que le progrès économique lui-même, c'est la manière de le gérer qui frappe les observateurs. Il semble que ce roi soit un comptable, que tout ce qui existe en Prusse ne soit que de la matière à comptabilité, que l'être de la nation ne consiste qu'en biens chiffrés et comptabilisés. Dans ses *Souvenirs*, Dieudonné Thiébault écrit : «Tout est économie ou économique dans ce pays[2].»

L'instruction publique est également l'objet d'un contrôle et d'une vigi-

---

1. D. Thiébault, *Mes Souvenirs de vingt ans de séjour à Berlin..., op. cit.*, p. 146.
2. *Ibid.*, p. 149.

lance incessants. Frédéric fonde des écoles de village. «Il y a eu des années, écrit Thiébault, où il en a fondé plus de soixante à la fois.» Il surveille les universités et les collèges et les fait inspecter par des académiciens. Il crée une école pour instruire les serviteurs de l'État. C'est l'«Académie civile et militaire des jeunes gentilshommes». Il en nomme les professeurs et en définit les programmes, y incluant l'enseignement du droit public.

L'objectif ultime est la puissance militaire. Tout le pays, toutes les forces du pays doivent concourir au développement de cette puissance. Comme sous le Roi-Sergent. Mais avec une différence : on est passé de la théorie à la pratique. Le Roi-Sergent faisait l'armée. Son fils, lui, fait la guerre. D'où l'accroissement considérable des effectifs : de quatre-vingt-trois mille hommes à deux cent mille à la fin du règne. D'où le dressage et l'entraînement poussés à l'extrême. «On peut voir tous les matins dans le parc de Berlin, écrit un voyageur anglais, les lieutenants de divers régiments exerçant avec la plus grande ponctualité quelquefois un seul homme ; d'autres deux ou trois à la fois...» Et d'ajouter : «L'armée prussienne est la mieux disciplinée et la plus prête à entrer en campagne à l'instant que l'on désire.» Car ce despotisme éclairé est un despotisme militaire, à moins que l'on ne préfère parler de militarisme éclairé.

L'Autriche de Marie-Thérèse et de Joseph II

Marie-Thérèse règne sur l'Autriche de 1740 à 1780. Son fils Joseph, de 1780 à 1790. Il a été associé à sa mère en qualité de corégent depuis 1765, date de la mort de son père, l'empereur François. La mère et le fils ne se ressemblent guère. Marie-Thérèse est gracieuse, pleine de charme. Elle a toujours la manière. Joseph au contraire est raide, compassé, cassant. Du jugement même de sa mère, il a été mal élevé, trop gâté. On lui passait tous ses caprices. «Mon fils, écrit-elle, a été tellement dorloté depuis son berceau qu'on a beaucoup trop cédé à sa volonté et à ses exigences. A force d'entendre glorifier ses actes par les gens de service, il a pris l'habitude de se faire obéir. Toute résistance le fâche. De là vient qu'il se rend désagréable et incommode à autrui[1].» La mère a du jugement et du sens pratique. Le fils est un utopiste et un maladroit. C'est un idéologue. Il croit que gouverner consiste à appliquer ses idées. Il se jette inconsidérément dans les aventures, justifiant ce que Frédéric II avait dit de lui : «Il fait toujours le second pas avant le premier[2].»

Pourtant, les politiques de ces deux souverains se ressemblent beaucoup. Sur bien des points, le gouvernement de Joseph continue celui de Marie-Thérèse. Il va plus loin. Il est plus radical. Mais c'est la même orientation. Les grandes transformations du régime pendant cette longue

---

1. Cité par Ernest Lavisse et Alfred Rambaud, *Histoire générale du IVᵉ siècle à nos jours*, t. VII, *Le XVIIIᵉ siècle (1715-1788), op. cit.*, p. 912.
2. *Ibid.*

période ont été amorcées par Marie-Thérèse. La différence est dans la manière. Marie-Thérèse pratique l'étatisme de façon douce, Joseph de manière dure.

Considérons d'abord les structures gouvernementales et administratives. Nous observons à la fois une concentration du pouvoir dans la main du souverain et une forte centralisation administrative. En 1760, Marie-Thérèse crée un Conseil d'État beaucoup plus restreint que l'ancien, et composé seulement de six membres. En même temps, les pouvoirs des organismes centraux de l'État, les deux chancelleries d'Autriche-Bohême et de Hongrie, la *Hofkammer* ou Chambre des finances, sont augmentés. Les états des différentes possessions héréditaires sont dépouillés d'une partie de leurs fonctions transférées à des instances nouvelles (*Hofstellen*) dépendant des ministères centraux, et dont les personnels sont rémunérés par ces ministères. La réduction des autonomies continue sous Joseph II. les juridictions particulières sont supprimées. La monarchie est divisée en treize gouvernements subdivisés en cercles. Dans chaque gouvernement, siège une cour de justice composée de deux chambres, l'une pour la bourgeoisie, l'autre pour la noblesse. La législation est uniformisée, la procédure codifiée. En 1768 Marie-Thérèse a publié le nouveau code pénal, qui portera le surnom de *Nemesis Theresiana*.

Qui dit État fort, dit impôts exactement et rationnellement perçus. Un cadastre avait été commencé en 1704. Le travail se termine en 1757. Il concerne les possessions héréditaires d'Autriche et de Bohême. Un autre cadastre ou *catasto* est réalisé en Lombardie, sous la direction de l'économiste Pompeo Negri. Le but poursuivi est de faire payer aux paysans les impôts correspondant à leurs capacités réelles. Un des grands obstacles au développement de l'État et à l'instauration d'une monarchie éclairée était la servitude paysanne. Les paysans étaient des serfs attachés à la glèbe, victimes des exactions des seigneurs et supportant le poids de très lourdes corvées. L'homme de la terre dépendait plus du seigneur que de l'État. Marie-Thérèse veut que les paysans contribuent aux charges de l'État, sans être pour autant écrasés par ces charges. Le Conseil d'État donnait en 1760 à la chancellerie de Bohême les instructions suivantes :

> … la paysannerie […] formant la classe des sujets la plus nombreuse […] doit être maintenu[e] en un état tel que chaque paysan soit en mesure d'assurer sa propre subsistance, celle de sa famille et en même temps de contribuer aux charges générales de l'État[1].

Par la réalisation du cadastre, Marie-Thérèse entendait à la fois fixer la contribution paysanne et la modérer de manière à la rendre supportable. Elle aurait voulu qu'elle ne dépassât pas le tiers des revenus paysans.

---

1. Cité dans Victor-Lucien Tapié, *L'Europe de Marie-Thérèse. Du baroque aux Lumières*, Paris, 1973, p. 279.

Mais, en fait, elle atteignit 45 % (en Bohême). Il est difficile de parler de modération. Quant à la corvée, l'impératrice ne la supprime pas. Elle ne l'aurait sans doute pas diminuée, si une révolte des paysans de Bohême (1775) ne l'y avait obligée. Les mesures prises par Joseph II sont, il est vrai, beaucoup plus radicales : entre 1781 et 1785 le servage est aboli dans toutes les possessions héréditaires. Cependant, il ne l'est pas entièrement dans la principauté de Transylvanie. Là aussi une révolte est nécessaire pour arracher au pouvoir cette mesure de libération. Les paysans roumains de Transylvanie se soulèvent en 1784-1785, conduits par leurs chefs religieux catholiques ou orthodoxes. Ils mettent à leur tête un des leurs nommé Ursu Horia. Leur armée se met à brûler les châteaux et à tuer les seigneurs. Joseph II ordonne une répression impitoyable, mais il décrète ensuite l'abolition complète du servage.

Qui dit État fort, dit également, dans la logique du despotisme éclairé, État producteur de richesses, État économique. On commence par libérer le commerce intérieur, « l'idéal devant être, selon la formule du ministre Hörnick, de transformer la monarchie en un tout économique [1] ». Marie-Thérèse prend les mesures suivantes : création d'un *Universal-kommerzkollegium*, sorte de ministère du Commerce en liaison avec les chancelleries, suppression des douanes intérieures et unification de la valeur de la monnaie dans les États héréditaires, par l'ordonnance du 7 novembre 1750, créant le thaler thérésien. La doctrine est celle du mercantilisme : produire plus, acheter moins. L'édit de septembre 1749 interdit l'importation d'étoffes et de galons d'or et d'argent. Des manufactures (porcelaines et cristalleries) reçoivent des subventions de l'État.

La même logique utilitaire entraîne le pouvoir à intervenir dans un domaine qui ne lui appartenait pas, celui de l'instruction publique. Marie-Thérèse et son fils veulent sincèrement arracher le peuple à l'ignorance, mais ils veulent surtout fournir à l'État de bons et utiles serviteurs. Ils vont même jusqu'à concevoir un enseignement d'État. Marie-Thérèse fait ici figure de précurseur. Elle est le premier souverain éclairé qui ait créé un enseignement d'État. Sa Commission de cour des réformes scolaires date de 1749. Ensuite, des écoles fondées et entretenues par l'État sont mises en place. D'abord des écoles techniques professionnelles ou d'apprentissage, dépendant d'un bureau « des métiers et fabriques », puis des écoles supérieures : institut des langues orientales, écoles d'architecture et de dessin, académie militaire de Wiener-Neustadt, et institut du Theresianum, réservé aux jeunes nobles. L'impératrice encourage aussi le développement de l'enseignement élémentaire. Elle fonde et finance des écoles dans ses propres domaines. Nouveau Charlemagne, elle se plaît à les visiter et à les inspecter elle-même. Elle décrète l'obligation scolaire à

---

1. Cité dans Victor-Lucien Tapié, *L'Europe de Marie-Thérèse. Du baroque aux Lumières, op. cit.*, p. 131.

partir de l'âge de six ans. Enfin — et c'est ici sans doute qu'apparaît le mieux le caractère vraiment dirigiste de cette politique d'éducation — Marie-Thérèse et ses conseillers définissent et contrôlent les contenus des différents enseignements. Après la suppression des Jésuites par le pape, l'impératrice nomme une commission chargée d'établir un plan national d'enseignement devant être appliqué dans toutes les écoles. Les études de médecine et de droit sont réorganisées par décret. De même celles de botanique et de pharmacie. Le grand inspirateur de toutes ces réformes, tant celles des études médicales que celles des autres études, est le baron Gerard Van Swieten, un médecin hollandais venu à Vienne pour soigner l'impératrice, et que celle-ci appelle son « meilleur ami ». Curieuse amitié : ce Van Swieten est très hostile aux jésuites, très favorable aux jansénistes et même aux penseurs éclairés. On a peine à comprendre comment une princesse aussi dévote que l'était Marie-Thérèse a pu se toquer d'un tel personnage, et subir à ce point son influence.

Venons-en à l'apport personnel de Joseph II. Car celui-ci n'est pas seulement le continuateur de sa mère. Il apporte des idées nouvelles et une contribution qui lui est propre. Comme Frédéric II qu'il admire, il adhère à la théorie du contrat. Il estime avoir reçu du peuple une délégation totale du pouvoir. La plupart de ses conseillers sont des membres de la franc-maçonnerie et des hommes éclairés. Celui dont il fait le plus grand cas est Joseph de Sonnenfels, juif converti, auteur d'un ouvrage de théorie politique intitulé *Grundsätze der Polizei, Hanlungs und Finanzwissenchaften*. Selon la doctrine de cet auteur, le gouvernement doit être le contrôleur suprême de toutes les activités politiques et sociales. L'école, les églises, l'assistance, la vie intellectuelle, le développement démographique, le commerce et l'industrie, tout doit être soumis à l'inspection de l'État.

Joseph II se distingue aussi de sa mère par son anticurialisme, c'est-à-dire son hostilité au pouvoir de l'Église. Il est un adversaire déterminé de l'Église de Rome, et un partisan résolu de la gestion de l'Église par l'État. Il s'inspire ici à la fois du jansénisme, du gallicanisme et surtout du febronianisme. Cette dernière doctrine est celle de Justinus Febronius (pseudonyme de Nikolaus von Hontheim, archevêque de Trèves), auteur d'un ouvrage intitulé *De statu Ecclesiae*, publié en 1763, proposant de confiner l'Église au domaine strictement spirituel, et de soumettre le pape au collège des évêques. Joseph II est un idéologue. Il va s'efforcer d'appliquer les idées contenues dans ces différentes doctrines. C'est ce qu'on appelle le « joséphisme ». En fait, le joséphisme n'est pas seulement dirigé contre le pouvoir ecclésiastique. On y trouve aussi un ferment d'irréligion. Joseph II lui-même et ses conseillers se font de la religion une idée très réductrice. Par exemple, Sonnenfels déclare en 1767 que « la religion est un instrument indispensable pour garantir la morale d'une société, et que la législation séculière serait insuffisante si elle ne disposait pas d'un lien avec la religion et ses espérances ». C'est peut-être de la religion, mais c'est celle de Voltaire.

Tout un secteur de la politique de Joseph II porte la marque de sa double orientation philosophique et anticurialiste. Il y a là un ensemble de mesures tout à fait originales et le plus souvent très radicales et très utopiques.

Nous voulons parler d'abord de sa politique de germanisation, politique remarquable surtout en Hongrie. Marie-Thérèse avait su ménager les magnats hongrois. Elle avait su les flatter en rattachant les fortifications frontalières, le port de Fiume et le banat à la souveraineté hongroise. Elle disait des Hongrois : « ... l'on peut tout obtenir d'eux, à condition qu'on les traite bien et avec amitié. » Joseph II adopte une attitude entièrement différente. Il fait sentir son mépris aux magnats. Pour n'avoir pas les mains liées par les stipulations de la constitution hongroise, en faisant le serment de la respecter, il renonce à se faire couronner roi de Hongrie, et ne convoque pas la diète. Les « comitats » se comportaient comme des États dans l'État. Il suspend leur autonomie, et remplace leurs dirigeants par des fonctionnaires dépendant du conseil de lieutenance. Enfin, il procède à l'unification linguistique de l'administration et impose l'allemand à la place du hongrois.

Ce sont là déjà des mesures très impopulaires. Mais la politique vis-à-vis de l'Église est nettement provocatrice. Elle apparaît comme une scandaleuse nouveauté. Depuis la suppression des monastères par Henri VIII, l'Europe chrétienne n'avait pas connu pareille agression. Qu'on en juge : en 1781, Joseph II supprime dans ses possessions héréditaires tous les monastères et couvents d'hommes et de femmes ne se livrant ni à l'enseignement, ni à l'assistance, ni à l'érudition. En 1783, il enlève à l'Église la formation de ses ministres, et institue des séminaires généraux qui sont des écoles d'État. En somme, il applique à la lettre la formule du jurisconsulte napolitain Giannone : « L'Église est dans l'État, et non pas l'État dans l'Église. »

Bientôt, ces mesures révolutionnaires vont être étendues aux Pays-Bas. L'édit du 13 mars 1783 y ordonne la fermeture des couvents jugés inutiles. Un autre édit du 16 octobre 1786 crée deux « séminaires généraux » à Louvain et à Luxembourg. Ce n'est pas tout. Sous prétexte que le mariage est essentiellement un contrat civil, Joseph II défend de recourir au Saint-Siège pour certaines dispenses et supprime certains empêchements jugés dirimants par le droit canonique, droit en vigueur dans cette province.

Pour compléter la persécution contre l'Église catholique, il fallait encore proclamer la liberté religieuse. Ce fut chose faite avec les édits de tolérance de 1781. Le libre exercice de la religion protestante était autorisé. Les protestants étaient admis à certaines charges. Toutefois, les juifs ne bénéficiaient pas de la tolérance nouvelle. Marie-Thérèse avait éprouvé une grande répulsion pour les juifs, les qualifiant de la manière suivante : «... une engeance qui est le pire fléau de l'État, à cause de ses tromperies, usures et tripotages d'argent et de son habileté à tondre le public[1]». Il se peut que Joseph II ait ressenti la même aversion.

D'ailleurs, à y bien regarder, le «joséphisme» n'est pas si joséphiste. Certains de ses principes se trouvent en germe dans la politique de Marie-Thérèse. Ainsi, la mise en place en 1767 dans le Milanais d'une commission intitulée *Giunta economale*, chargée de délimiter les pouvoirs du pape sur le clergé local, est une mesure joséphiste avant la lettre. Il y a aussi du joséphisme dans la volonté de Marie-Thérèse d'épurer la religion, de la rendre plus éclairée. C'est ainsi par exemple qu'elle supprime une vingtaine de fêtes chômées. C'est ainsi qu'elle institue en 1752 une nouvelle commission de censure de tendance très éclairée. Ne voyons-nous pas cette commission donner son approbation à des ouvrages de tendance janséniste ou anticurialiste ? Elle aurait même approuvé le livre de Febronius, *De statu Ecclesiae*, si l'archevêque de Vienne, Migazzi, n'était intervenu vigoureusement pour en réclamer l'interdiction. Que l'impératrice Marie-Thérèse, catholique irréprochable et dévote, ait nommé de telles commissions, qu'elle ait laissé se développer autour d'elle un mouvement hostile aux jésuites et à l'autorité romaine, prouve mieux que toute la révolution joséphiste l'emprise des idées modernes sur les souverains de l'époque.

Cependant, Marie-Thérèse avait su faire passer presque toutes ses réformes. Car elle était habile et souple. En revanche, le joséphisme est extrêmement impopulaire. La Hongrie et les Pays-Bas lui opposent une résistance invincible. En Hongrie, les édits de germanisation suscitent une vive réaction en faveur de la langue et de la culture magyares. En 1787, lors de la guerre contre les Turcs, les réquisitions impériales d'hommes et d'argent sont déclarées illégales par les comitats hongrois, qui réclament à grands cris la convocation d'une diète. Le mouvement paraît si menaçant que le souverain, alors malade et découragé, retire la presque totalité de ses ordonnances et va même jusqu'à renvoyer à Buda la couronne de Saint-Étienne, qu'au début de son règne il avait fait transporter à Vienne.

La révolte des Pays-Bas est beaucoup plus grave. Ses causes sont essentiellement religieuses. Les Belges défendent ce qu'ils ont de plus cher, leur religion. Les étudiants de Louvain sont les premiers à manifester dès 1776. Puis le clergé se mobilise à l'appel de l'archevêque-primat, Heinrich von Frankenberg. En 1786, le pays tout entier prend feu. Les États de Brabant déclarent la grève des impôts, tant que l'empereur ne retirera pas ses ordonnances en contradiction avec les libertés de la province. Le *Mémoire sur les droits du peuple brabançon*, de l'avocat

---

1. Cité par Ernest Lavisse et Alfred Rambaud, *Histoire générale du IVe siècle à nos jours*, t. VII, *Le XVIIIe siècle (1715-1788), op. cit.*, p. 908.

Van der Noot, véritable réquisitoire contre la « tyrannie » de Joseph II, est distribué à plusieurs milliers d'exemplaires. Au mois de juin 1787, les dirigeants de la diète forment un comité de résistance sous la présidence de Van der Noot et de Van Eupen. Ce comité appelle aux armes et recrute des volontaires vêtus aux couleurs nationales, gilet rouge et pantalon jaune. L'archiduchesse Christine, sœur de l'empereur, et son mari le prince Albert de Teschen-Saxe sont gouverneurs des Pays-Bas. Joseph II leur écrit : « Cassez les Brabants, ils sont trop lâches pour se révolter. » Ils n'obéissent pas. Au contraire, ils révoquent les ordonnances impériales et cèdent sur tous les points. L'empereur les rappelle à Vienne mais leur départ ne fait qu'aggraver la révolte. Les états généraux sont convoqués. Les Bruxellois élèvent des barricades. Les troupes autrichiennes, commandées par le général Murray, n'arrivent pas à rétablir l'ordre. Il faudra toute l'habileté de l'empereur Léopold, successeur de Joseph II, pour ramener à force de concessions un semblant de calme.

Les deux mouvements de Hongrie et des Pays-Bas ont des traits communs. Ils sont conduits l'un et l'autre par la noblesse et par la grande bourgeoisie. Mais ils n'auraient pu triompher s'ils n'avaient, l'un comme l'autre, reçu l'appui des autres catégories sociales. Ces révoltes de la fin du règne malencontreux de Joseph II expriment la violente réaction du corps social tout entier blessé dans ses libertés, atteint dans son attachement naturel au christianisme. C'est la société contre l'État.

Le régime de la Russie sous Catherine II (1762-1789)

L'impératrice Élisabeth meurt le 5 janvier 1762. Son neveu, Pierre de Holstein, petit-fils de Pierre le Grand, lui succède sous le nom de Pierre III. Son règne dure six mois. Le 29 juin 1762, son épouse Catherine le force à abdiquer. Catherine II va gouverner la Russie pendant près d'un demi-siècle (1762-1796). La nouvelle tsarine autocrate est née Sophie d'Anhalt-Zerbst. C'est une princesse allemande. Le sang des Romanov ne coule pas dans ses veines. Âgée de trente-trois ans à son avènement, « jolie plutôt que laide », elle est intelligente, habile, implacable. Sa culture est française et philosophique. Élevée par une institutrice française, Mlle Cardel, elle parle et écrit parfaitement le français. Montesquieu est son bréviaire. Voltaire, Diderot, d'Alembert et Mme Geoffrin sont ses amis.

Un souverain éclairé doit réformer son royaume. Catherine affiche dès son avènement sa volonté de réforme. En fait, elle est surtout préoccupée de consolider son pouvoir. Un pouvoir est fragile qui est fondé sur un coup d'État et deux assassinats. Pierre III n'a pas abdiqué de son plein gré. Prenant parti pour Catherine, les régiments de la garde l'y ont forcé. Quelques jours après, il était étranglé dans la forteresse de Ropcha. Il restait un autre compétiteur éventuel, le tsar Ivan VI détrôné en 1741 par

Élisabeth. En 1764, Catherine donne l'ordre de le tuer. Cela faisait un peu trop de violence, un peu trop de sang et de sang Romanov. Le parti oligarchique n'était pas mort. Il pouvait à tout moment dénoncer les crimes de l'usurpatrice. Catherine sentait son trône mal assuré. Elle fait donc un pacte avec la noblesse, un pacte implicite, mais très clair. Elle étend et confirme les privilèges de la noblesse, et la noblesse devient le soutien du trône. L'ukaze de 1767 précise que seule la noblesse pourra acquérir et posséder des terres peuplées de serfs. Selon la charte de la noblesse de 1785, les nobles pourront construire des manufactures. Ils ne seront pas soumis aux châtiments corporels et ne pourront être jugés que par leurs pairs. La même charte confère un statut officiel aux assemblées de province et de district de la noblesse, et les autorise même à soumettre des requêtes aux gouverneurs des provinces et au souverain. C'est au détriment des serfs, il convient de le souligner, que grandissent ainsi les privilèges de la noblesse. L'ukaze de 1767 le montre bien qui autorise les propriétaires à condamner eux-mêmes leurs serfs aux travaux forcés, sans en référer aux tribunaux, et qui défend aux paysans de porter plainte contre leurs maîtres. De plus les « présents d'âmes », dont Catherine est généreuse, contribuent à diminuer le nombre des paysans de la Couronne, dont la condition était préférable à celle des serfs des particuliers. L'impératrice « éclairée » sacrifie les serfs à ses propres intérêts. Elle assoit son autorité sur leur esclavage.

Le style de l'autocratie ne change pas. Le favoritisme demeure. Comme Catherine Ire, comme Élisabeth, Catherine II a ses favoris qui sont aussi ses amants. Elle en fait une grande consommation : vingt et un en quarante-quatre ans. Le favoritisme est comme une institution : ainsi qu'à Versailles il fait partie du rite de la Cour ; tout est réglé d'avance, l'entrée en faveur comme la sortie. Du jour où quelque heureux mortel a su attirer les regards de la tsarine, il prend possession de l'« Appartement » ; dans les tiroirs de son secrétaire il trouve 100 000 roubles ; il reçoit des cadeaux en bijoux, en vaisselle précieuse ; le soir il apparaît devant toute la Cour au bras de l'impératrice et, quand elle se retire, salue l'assistance et se retire avec elle. Cependant, il est deux catégories de favoris, ceux qui ne font que passer dans le lit de l'impératrice, et dont l'influence politique est réduite ou nulle (par exemple, Poniatowski ou Rimski-Korsakov), et ceux que l'impératrice associe au gouvernement. Parmi ces derniers, ont compté surtout les deux frères Alexis et Gregori Orlov, et Potemkine. Gregori Potemkine est plus qu'un favori, plus qu'un collaborateur. Catherine en fait une sorte de vizir. Il est chambellan, président du Conseil de la guerre, gouverneur de la Crimée récemment annexée, dont il fait une « Nouvelle-Russie ». Cependant ni lui ni les Orlov n'ont usurpé le sceptre. Ils ont eu toutes les faveurs, toutes les charges, mais jamais l'autorité suprême. C'est la différence avec les règnes précédents : le favoritisme demeure, mais il ne règne plus. D'ailleurs Catherine a d'autres collaborateurs très importants qui ne sont pas ses favoris : le chancelier Bestoujef, et les deux ministres ayant eu successivement la charge de «premier membre du collège des Affaires étrangères». Notons que tous ces hommes, favoris ou simples ministres, ont des caractères communs qui sont des mœurs impossibles et une sorte de démesure. Potemkine mène une vie de satrape. Il ne croit pas abuser de son droit lorsqu'il enlève à son mari la princesse Dolgorouki, ou fait accourir du Caucase deux officiers uniquement pour lui danser la *tsiganka*. Dans son camp de Crimée il a une cour de deux cents jolies femmes, des bouffons, des musiciens tziganes et des pianistes allemands. Tantôt il apparaît en costume étincelant de diamants et de décorations, tantôt il reçoit les ambassadeurs en savates et en robe de chambre. Panine est à peine moins surprenant. Durand, le ministre de France, écrit que «le sommeil, la panse et les filles étaient ses affaires d'État[1]». Il faut ajouter un jeu d'enfer. Quant à Bezborodko, qui succède à Panine aux Affaires étrangères, c'est un joueur, un débauché, un débraillé avec ses bas de soie en tire-bouchon. On comprend ce mot d'un autre observateur français, M. de Vérac : «Quand on est témoin de la vie dissipée à laquelle ils se livrent, l'étonnement n'est pas que les affaires se fassent mal, mais qu'elles se fassent[2].»

Finalement, la seule raisonnable est la tsarine elle-même. Si l'on met à part sa nymphomanie, c'est une femme tout à fait rangée, régulière, posée. Son emploi du temps ne varie pas. Elle se lève tous les jours à six heures et, jusqu'à huit heures et demie, lit ou écrit seule dans son cabinet. A neuf heures, ses secrétaires arrivent. Elle travaille avec eux jusqu'à onze heures. L'après-midi ce sont les audiences. Il lui arrive de recevoir des visiteurs pendant trois heures de suite. Le reste de la journée est occupé à des promenades et à des spectacles. Elle se couche à neuf heures. En somme la vie d'un directeur de bureau. Peu de cérémonial, beaucoup de travail, un temps pour les loisirs. C'est de l'autocratie à la manière bourgeoise. Il faut signaler aussi les fréquents déplacements. La tsarine voyage beaucoup dans son empire. Elle va de Ladoga à Kazan, de Pétersbourg à Saratov, pour une inspection de la flotte, pour une partie de chasse, pour se renseigner sur l'état des provinces. Toujours ce souci des despotes éclairés de se rendre compte par eux-mêmes, de ne jamais perdre de vue ni les affaires ni les gens.

Ce n'est pas le seul trait qui la fait ressembler à Frédéric II et à Marie-Thérèse. Comme eux, elle a aussi le sens du service public et ce sentiment de n'être que le serviteur de la nation, du peuple : «La nation n'est pas faite pour moi, écrit-elle, c'est moi qui suis faite pour la nation[3].»

1. Cité par Ernest Lavisse et Alfred Rambaud, *Histoire générale du IVᵉ siècle à nos jours*, t. VII, *Le XVIIIᵉ siècle (1715-1788)*, op. cit., p. 436.
2. *Ibid.*, p. 437.
3. *Ibid.*

Elle a enfin, comme les autres despotes éclairés, la volonté bien arrêtée de transformer le régime en y faisant régner les principes de la raison, en le rationalisant. « Ne rien faire sans principes et sans raison, ne se point conduire par des préjugés [...] bannir du conseil tout ce qui sent le fanatisme et tirer le plus grand parti qu'il est possible de chaque situation pour l'utilité publique [1]... », telles étaient ses résolutions lors de son avènement. Est-il un programme plus conforme à l'esprit des Lumières ?

De fait, toutes ses réformes et tentatives de réformes vont porter la marque de cet esprit. Et en premier lieu, son projet de réformation du code.

En 1766 elle réunit une « Grande Commission » pour la codification des lois. Cette commission a en réalité la forme d'états généraux, étant composée de cinq cent soixante députés élus de la noblesse, des villes, des paysans libres, des institutions libres et des Cosaques. Les députés sont porteurs de mille quatre cent trente et une pétitions, dont la lecture occupera plusieurs centaines de séances. Car la Commission siégera pendant plus de deux années (de janvier 1766 à juin 1768). Mais elle n'aura servi à rien — aucune codification n'en sortira — si ce n'est à révéler à Catherine l'état d'esprit de ses sujets. Elle aura permis également à la tsarine de faire connaître officiellement ses principes de philosophie politique. Dans l'*Instruction pour la confection d'un nouveau code*, publiée en 1766 et remise à chaque député, Catherine avait déclaré les grandes lignes de sa réformation de la législation : liberté, c'est-à-dire le droit de faire tout ce que les lois permettent, condamnation de la torture, de l'intolérance et de l'esprit d'égalité.

Si la consultation nationale de 1766 reste sans lendemain, d'autres réformes vraiment très importantes sont menées à bien. La principale est celle de l'administration et de la justice par l'ukaze de 1775. Catherine s'inspire ici du statut des pays baltes enlevés à la Suède en 1721. La Russie est divisée en cinquante gouvernements (*gubernii*) peuplés chacun de trois à quatre cent mille âmes, et eux-mêmes subdivisés en districts (*vyezdi*) de vingt à trente mille habitants. A la tête du district on trouve un *kapitan ispravnik* élu par la noblesse, et, à la tête du gouvernement, un gouverneur nommé par Pétersbourg et son conseil. Les trois cours de justice siégeant dans chaque capitale de district et de gouvernement, et correspondant aux trois classes des nobles, des marchands et des paysans, sont composées de juges élus par ces trois classes. Leurs sentences peuvent être révisées par des tribunaux siégeant au chef-lieu du gouvernement, et dont les magistrats, eux, sont nommés par l'État. Les villes sont administrées par des conseils élus, mais ces conseils sont soumis à l'autorité des gouverneurs, et leur police est supervisée par un *gorodnichy* ou contrôleur représentant le gouvernement central. C'est un

---

1. Cité par N. Brian-Chaninov, *Histoire de Russie*, Fayard, Paris, 1929, p. 327.

système mixte avec une certaine dose d'autonomie et un contrôle permanent du pouvoir central.

Les mesures les plus significatives du despotisme éclairé de Catherine II sont celles relatives à l'instruction publique et à la sécularisation des biens d'Église.

Pour la politique éducative il faut considérer moins les résultats que l'inspiration. Il y a peu de fondations d'écoles. Le projet de 1786 d'implanter des écoles élémentaires dans tout le pays n'aboutit pas. On a seulement trois institutions nouvelles : le gymnase du corps des cadets, l'institut Smolny pour l'éducation des jeunes filles de la noblesse, et l'Institution des enfants trouvés. Mais l'esprit qui inspire ces créations est très révélateur. Selon Ivan Betsky président de l'Académie des arts, chargé par Catherine de promouvoir la réforme éducative, il faut avant tout séparer les enfants de leur milieu parental. Sans cela, il est impossible de former de bons citoyens. Par bons citoyens, Betsky entend des citoyens « utiles ». Et des citoyens utiles sont des citoyens qui travaillent. A l'Institution des enfants trouvés, n'est enseigné que le travail manuel, les garçons devant préparer le chanvre que les filles mettront en œuvre. « C'est ainsi, dit la charte de fondation, qu'on verra éclore une génération d'hommes chez laquelle l'oisiveté, la négligence, la paresse et tous les défauts que ces vices traînent à leur suite seront inconnus [1]. »

La sécularisation des biens d'Église avait déjà été réalisée par Pierre III. Catherine en avait même tiré prétexte pour justifier son coup d'État. Elle ne pouvait donc faire autrement que de rapporter cette mesure. Ne l'avait-elle pas qualifiée de sacrilège ? Mais, l'ayant annulée, elle nomme une commission chargée d'examiner s'il convient de la rétablir. La commission conclut par l'affirmative et Catherine sécularise. L'administration des biens d'Église est confiée à une « commission économique ». Une petite partie des revenus (un rouble par âme) est destinée à l'entretien des monastères. Le reste est attribué à des œuvres d'instruction et d'assistance.

La tsarine, à l'en croire, ne voudrait que le bonheur de son peuple. La médaille, distribuée aux députés de la commission de 1766, porte l'inscription suivante : « Bonheur de chacun et de tous ; 14 décembre 1766. » Rédigeant pour elle-même un projet d'épitaphe, elle y écrit ceci : « que lorsqu'elle était montée sur le trône de Russie, elle n'avait eu en vue que de faire le bien et d'essayer d'apporter le bonheur, la liberté et le bien-être à ses sujets ».

Ce bonheur, elle affirme l'avoir donné. Il n'est que de lire ses lettres à Voltaire, à Mme Geoffrin, à Diderot et à d'Alembert. Elle ne cesse d'y faire valoir ses bienfaits. En 1769, par exemple, elle écrit à d'Alembert : « Nos charges sont d'ailleurs si modiques qu'il n'y a pas de paysan qui ne

---

1. Cité par Olga Wormser, *Catherine II*, Paris, 1957, p. 95.

mange en Russie une poule quand il lui plaît[1]. » Lorsque l'abbé Chappe, un Français, publie un ouvrage peu flatteur pour le régime social de la Russie, elle prend la plume et dans un pamphlet intitulé l'*Antidote* (1771) elle s'attache à réfuter elle-même l'insolent : « Monsieur l'abbé, il n'est pas vrai que les paysans de Lituanie manquent de pain pendant l'hiver[2]... »

Les paysans peuvent manger du pain et des poules, mais leur condition n'a rien d'idyllique. Beaucoup de propriétaires se conduisent à leur égard de manière tyrannique. En 1762, est instruit le procès de l'un d'entre eux, une veuve nommée Daria Soltykof. L'enquête révèle des atrocités. Cette tortionnaire a fait périr sous les coups, ou de faim dans une prison, ou en les faisant exposer nues pendant les nuits d'hiver, cent trente-huit de ses serves. En 1766, commence un vaste mouvement de révolte populaire dans les régions orientales de l'empire. En 1771, un Cosaque du Don, nommé Emelian Pougatchev, prend la tête de l'insurrection. Il se présente comme étant le tsar Pierre III. Les cosaques indisciplinés, les *raskolniks* persécutés, les serfs fugitifs et les paysans recrutés de force dans les fabriques se rassemblent autour de lui. C'est la révolte de la vieille Russie contre le nouvel étatisme, la révolte des serfs et des ouvriers, la révolte de la misère. Deux armées envoyées contre elle sont vaincues. L'agitation se propage à la vitesse du feu. En juin 1774, des jacqueries éclatent dans toute la Russie, menaçant même Moscou et Nijni-Novgorod. Finalement Pougatchev est livré par ses propres compagnons. Il est décapité et son cadavre mis en quartiers (1775). Il a fait trembler l'empire. Il est vaincu, mais la violence de sa révolte a montré ce que Pouchkine appellera « l'atroce activité du despotisme » de Catherine.

Le despotisme éclairé dans les pays scandinaves

En Suède, le temps du despotisme éclairé correspond au règne de Gustave III et dure vingt ans (1772-1792). Au Danemark, la période est beaucoup plus courte. Les deux années du ministère Struensee (1770-1772) en sont l'expression la plus significative. Ensuite, après 1784, lorsque le prince héritier Frédéric prend le pouvoir en main, les réformes adoptées sont plus modérées que celles de Struensee, mais de même nature.

Les deux despotismes, celui de Gustave III, et celui de Struensee, commencent de la même façon : par des coups de force. Gustave III ressaisit par la force l'autorité que la monarchie suédoise avait perdue. Il fait un coup d'État militaire. Soutenu par la France, aidé par ses frères Charles et Frédéric, il en appelle à l'armée. Le 19 août 1772, il se

---

1. Cité par Olga Wormser, *Catherine II, op. cit.*, p. 56.
2. *Ibid.*, p. 89.

présente aux soldats, les harangue, les entraîne et s'empare de la dictature. Trois jours plus tard, sous la pression de la force armée, les États sanctionnent une nouvelle constitution. Gustave a montré dans cette affaire un remarquable sang-froid et une grande capacité de dissimulation : le 18 août, veille du coup d'État, il avait assisté, pour donner le change, à une représentation de *Thélie et Pélée*. On peut également voir un coup d'État dans la prise de pouvoir de Struensee. Mais c'est un coup d'État progressif. Ce médecin allemand, favori et amant de la reine Caroline-Mathilde, fait d'abord congédier le comte de Holck, favori du roi. Ensuite, il appelle auprès de lui deux de ses amis, Rantzau et Brandt. A eux trois, ils font main basse sur l'État. Enfin, le 15 septembre 1770, tous les ministres en place, dont Bernstoff, président du Conseil d'État, sont démissionnés sans explications et ne sont pas remplacés. Le 27 décembre, le Conseil d'État est supprimé.

On assiste dans les deux pays à une transformation totale du régime. En Suède, la nouvelle constitution redonne au roi le pouvoir exécutif dans toute son étendue, ne laissant aux états que le droit de voter les impôts. Au Danemark, l'autorité gouvernementale est transférée du Conseil d'État supprimé au « cabinet », c'est-à-dire au ministre Struensee et à ses amis. Le 18 juillet 1771, le roi Christian VII nomme Struensee premier ministre. C'est quasiment une abdication. « Les ordres du cabinet, précise l'acte royal, auront la même validité que ceux écrits de ma main. Il y sera immédiatement obéi [1]. »

Cela dit, les deux politiques diffèrent. Il y a une différence de degré. Le despotisme de Gustave III revêt un caractère plutôt modéré. Il est plus éclairé que despotique. Le roi est un esprit délié, raffiné, ami des écrivains et des artistes. Il fonde un théâtre et une Académie (celle-là même qui décerne aujourd'hui le prix Nobel), réplique exacte de l'Académie française. Ses réformes vont dans le sens de la liberté philosophique : libre circulation des grains, autorisation de clore les champs, liberté de la presse, tolérance religieuse : les juifs sont admis à jouir de certains droits civils, et les immigrants étrangers non luthériens peuvent pratiquer librement leur religion. A la note libérale, s'ajoute la touche économiste : le roi s'applique à développer la prospérité économique. Il améliore les finances, encourage le commerce et l'exportation.

La politique de Struensee est de même nature, mais avec un tour beaucoup plus radical, beaucoup plus systématique. Struensee est un étranger au Danemark. Il est né à Halle où il a vécu toute sa jeunesse et où il a fait toutes ses études. Il ignore la réalité danoise. De plus, c'est un idéologue matérialiste. Unissant les expériences de l'anatomiste suisse Haller avec les principes d'Helvétius, il en vient à se persuader que nos organes produisent seuls la pensée. De là sa conception de la politique.

---

1. Cité par François Bluche, *Le Despotisme éclairé*, Fayard, 1969, p. 290.

Comme l'éducation fait l'enfant, la politique fabrique le citoyen. On peut changer un pays. La politique de Struensee ressemble à une expérience de laboratoire où à une opération chirurgicale. C'est dans tous les domaines une avalanche de réformes. Dans la justice : les différentes cours de justice sont réunies en une seule, la législation criminelle est adoucie, la torture abolie. Dans l'administration : des examens sont institués pour l'accès aux charges publiques. Dans l'éducation et dans l'assistance : des écoles spéciales d'État (*Real schulen*) sont fondées pour l'enseignement des connaissances utiles ; un asile d'enfants trouvés est créé à Copenhague. Struensee entreprend même de modifier les fondements de la société civile : les enfants naturels sont assimilés aux enfants légitimes, et le mariage est autorisé entre les complices d'un adultère. Les ordonnances se succèdent à un rythme qui donne le vertige. Il n'y a pas moins de sept cents textes publiés dans la seule période allant du 27 décembre 1770 au 18 juillet 1771. En deux années à peine, Struensee détruit plus et innove davantage que tous les despotes éclairés. Il ne tient compte ni de l'histoire ni des traditions ni des opinions. Comme l'écrit Reverdil, l'ancien précepteur du roi, « il n'avait ni lumières, ni habitude de manier les hommes ; nulles connaissances historiques qui puissent lui tenir lieu jusqu'à un certain point d'expérience[1] ». Son expérience est brève et très artificielle. Elle est donc très intéressante. C'est le despotisme éclairé à l'état pur.

Ces politiques avaient commencé sous le signe de la violence. Elles finissent de même. Le roi suédois et le ministre danois périssent l'un et l'autre de mort violente. Comme aux Pays-Bas, comme en Hongrie, comme en Russie, le corps social se rebiffe. Au Danemark, les réformes de Struensee produisent une fermentation extraordinaire. La disette de 1771 ajoute au mécontentement. Il y a d'abord des mutineries de soldats et de marins, puis des révoltes populaires. Une conspiration se forme pour renverser le favori. L'instigateur en est ce même Rantzau que Struensee a comblé de ses faveurs, mais qui ambitionne la première place. Il réunit à ses vues le secrétaire Guldberg, ainsi que plusieurs officiers, et obtient le concours de la reine douairière Julie-Marie et du prince Frédéric, frère du roi. Struensee est arrêté à minuit, à l'issue d'un bal masqué, dans la nuit du 16 au 17 janvier 1772. Lui et son ami Brandt sont jugés et condamnés à mort. Ils ont chacun la main droite et la tête coupées. Les deux ecclésiastiques luthériens chargés de les préparer à la mort les avaient ramenés à la foi.

La fin de Gustave III n'est pas moins tragique. Depuis quelques années, le mécontentement croissait. Certaines mesures fiscales comme l'établissement du monopole de l'alcool avaient irrité les paysans. La noblesse en voulait au roi d'avoir rendu les hauts postes accessibles à des

---

1. Cité par François Bluche, *Le Despotisme éclairé, op. cit.*, p. 293.

non-nobles, et d'avoir permis aux paysans d'acquérir des terres nobles. Un complot aristocratique se tramait depuis longtemps. Il est mis à exécution. La date et le lieu de l'assassinat sont décidés. Ce sera dans la nuit du 15 au 16 mars 1792, et à l'Opéra, lors d'un bal masqué. Gustave avait reçu des informations inquiétantes. Il va quand même à l'Opéra. Presque aussitôt il est entouré de personnages masqués. L'un d'eux, le comte de Horn, lui frappant sur l'épaule, s'écrie : « Bonne nuit, beau masque ! » A ces mots convenus, un autre conjuré lui décharge à bout portant son pistolet. Le malheureux prince agonisera pendant treize jours.

Le despotisme éclairé dans les pays méditerranéens

Plusieurs pays méditerranéens connaissent l'expérience du despotisme éclairé. Ce sont la Lombardie, les duchés de Parme, Plaisance et Guastalla, le grand duché de Toscane, Naples et la Sicile, l'Espagne et le Portugal. Certains réformismes sont plus précoces. Par exemple, à Naples, le temps des réformes commence dès l'avènement du roi Charles VII, c'est-à-dire en 1734. D'autres sont plus tardifs, comme à Parme où le ministère « éclairé » de du Tillot débute en 1759. Dans les autres pays, les premières initiatives éclairées datent très exactement du milieu du siècle. Les rôles respectifs des princes et de leurs ministres varient selon les États. En Toscane, c'est le grand duc Pierre Léopold, fils de l'empereur François, qui conçoit et qui exécute la réforme. Au Portugal le roi Joseph Ier s'efface devant le ministre Pombal auquel il accorde pleine confiance et pleins pouvoirs. A Naples et en Espagne, le roi choisit des collaborateurs « éclairés » et capables. A Naples, Charles VII choisit le professeur Tanucci, jurisconsulte. Il en fait un conseiller d'État, puis un premier ministre, et enfin, à son départ pour l'Espagne en 1759, un président du Conseil de régence. Devenu roi d'Espagne sous le nom de Charles III, il adopte le même système, nommant des ministres réformateurs et leur confiant de grandes responsabilités, mais toujours sous son contrôle et sous son autorité. Aranda, Campomanès, Grimaldi, Florida Blanca et Squillace seront les principaux de ces collaborateurs privilégiés.

La marque idéologique est-elle ici moins forte que chez Frédéric II, Joseph II ou Struensee ? Il ne semble pas. La philosophie de nos réformateurs méditerranéens est sans doute moins affichée, moins ostentatoire, mais c'est bien la même philosophie des Lumières. D'ailleurs, si les princes ne se commettent pas, certains ministres ont des liens personnels avec les philosophes français. Caraccioli, vice-roi de Sicile de 1781 à 1786, a été un assidu des salons parisiens. Le comte d'Aranda, ministre de Charles III et président du Conseil de Castille, est l'ami de Voltaire. Du Tillot, le ministre de Parme, connaît Condillac et fait appel à lui pour l'éducation du prince héritier Ferdinand, petit-fils de Louis XV, ce qui suppose une certaine bienveillance de la cour de France pour l'abbé philosophe. Dans tout le haut personnel politique du réformisme méditerranéen, les deux seuls ministres qu'il soit difficile de qualifier d'« illuministes » sont Tanucci et Pombal. Le premier « n'est qu'un légiste », selon le jugement teinté de mépris de Charles Pineau Duclos. Le second n'a aucune accointance avec les philosophes. Cependant, tous deux sont des étatistes et par là se rattachent au mouvement des idées modernes.

Il faut noter que le choix des souverains s'est porté souvent sur des hommes de modeste origine. Tanucci et le marquis de Enseñada, ministre de Ferdinand VI, puis de Charles III, sont issus l'un et l'autre de familles pauvres et obscures. Florida Blanca est fils de notaire. Pombal et Aranda viennent de la petite noblesse. Un seul grand seigneur, Caraccioli. La haute noblesse, les barons, avait longtemps possédé le pouvoir. Il y a une volonté manifeste de les écarter.

Considérons les principales réformes et leur esprit.

Nous assistons d'abord à une transformation des régimes monarchiques rendus plus arbitraires et moins représentatifs. C'est particulièrement net en Espagne et au Portugal. En Espagne, les Cortès ne sont plus convoqués. « Qu'on se garde d'appeler les Cortès », recommande Florida Blanca. La loi se fait donc sans les Cortès. Les anciens conseils, comme celui de Castille, sont réduits au rôle d'auxiliaires des ministres. Tout le pouvoir de décision réside désormais dans la *Junta de Estado* composée des six ministres d'*Estado* (Affaires étrangères, Finances, Guerre, Marine, Indes et Affaires ecclésiastiques et judiciaires). Au Portugal, les trois secrétaires d'État (Affaires étrangères et Guerre, Marine et Colonies, et Royaume) accaparent toutes les affaires de gouvernement au détriment d'un *Conselho de Estado* qui n'a plus ni véritable règlement, ni compétence réelle.

On observe ensuite, dans l'administration et dans la justice, une tendance à l'uniformisation et à la rationalisation. Par exemple, en Espagne, dès 1749, des intendants de province sont institués selon le modèle administratif français. L'un des objectifs recherchés ici est de réduire le pouvoir seigneurial. A Naples, Tanucci s'attaque aux privilèges des barons. En Sicile, Caraccioli fait adopter une réforme du statut des tenanciers. Ces derniers ne seront plus liés à la terre que par un libre contrat. La grande noblesse va supporter très mal cette diminution de ses prérogatives. Elle sera mise au pas. Au Portugal, par exemple, Pombal réprime brutalement une conspiration aristocratique. Les conspirateurs avaient projeté d'assassiner le roi dans la nuit du 3 au 4 septembre 1758. Plusieurs membres de la grande noblesse, notamment le duc d'Aveiro, l'un des plus considérables seigneurs du royaume, sont arrêtés, mis en jugement et exécutés devant la tour de Belem, le 15 janvier 1759.

Le même esprit antinobiliaire inspire la réforme fiscale ou les projets de réforme. Le principe est celui de l'égalité devant l'impôt. Mais une telle réforme est difficile à faire, pour ne pas dire impossible. Elle n'aboutit vraiment que dans un seul pays, la Toscane, et cela grâce à la fabrication d'un cadastre. L'Espagne se borne à remplacer la ferme par la régie. Le projet espagnol d'impôt global sur le revenu ne peut être réalisé.

Tous ces régimes sont imbus d'économisme et s'efforcent d'augmenter la production nationale. On entreprend de grands travaux. On remet en valeur les régions désertiques et marécageuses. Pierre Léopold fait assécher les Maremmes. Charles III colonise la Sierra Morena. L'Espagne ouvre également un remarquable réseau routier. Ce sont les *caminos reales*, premières routes pavées depuis l'époque romaine. Cependant, les doctrines diffèrent. Certains régimes sont mercantilistes et colbertistes (Parme et le Portugal), les autres adhèrent aux principes de la physiocratie et de l'économisme libéral. C'est ainsi que l'Espagne et la Toscane instituent la libre circulation des grains, et que la Sicile supprime certaines corporations.

Les mesures d'assistance publique et d'éducation nationale procèdent des mêmes considérations utilitaires. Il s'agit d'abord de diminuer le nombre des oisifs, des inutiles. Tous les citoyens doivent être utiles. Les mendiants et les vagabonds doivent être contraints de travailler. Les réalisations les plus progressistes sont ici celles de l'Espagne. Les pauvres valides y sont « renfermés » comme ils l'avaient été en France un siècle plus tôt. Le ministre Campomanès adjoint aux hôpitaux des maisons de travail qui sont de véritables prisons. L'instruction publique est développée dans la même perspective. Un État éclairé ne saurait s'accommoder de trop d'ignorance. Pierre Léopold réforme les universités de Pise et de Florence. Du Tillot crée celle de Parme. Florida Blanca ouvre des écoles spéciales pour les sciences et les métiers. Il inaugure l'inspection officielle des écoles et instaure un concours pour le recrutement des nouveaux maîtres. La réforme la plus intéressante et la plus novatrice est celle des *Estudos menores* par Pombal. Le ministre portugais crée un véritable enseignement primaire d'État, le premier en Europe. Quatre cents postes de maîtres d'école sont répartis dans tout le pays et financés par un impôt d'État. L'État se fait instituteur. Il fait concurrence à l'Église.

Car l'Église est l'ennemie. L'anticurialisme, c'est-à-dire la lutte contre l'Église en tant qu'institution, contre l'Église visible, est le trait majeur de ce despotisme méditerranéen qui a fait sien ne la formule de Giannone : « L'Église est dans l'État, et non pas l'État dans l'Église. » Tous les États éclairés, tous sans exception, pratiquent l'anticurialisme.

Ils s'attachent en premier lieu à réduire l'autorité et le prestige de Rome sur les clergés locaux et sur le peuple chrétien. La publication des actes pontificaux à caractère non doctrinal est soumise à l'autorisation du prince. C'est la règle de l'*exequatur* formulée en Espagne en 1762, à

Parme en 1768, en Toscane en 1769. Les gouvernements espagnol et napolitain s'en prennent aussi au tribunal de l'Inquisition dont ils modèrent le pouvoir et réduisent la compétence. Au Portugal, la censure des livres est enlevée à l'Inquisition, et confiée à une commission royale, la *Real Mesa Censoria*. En Espagne, les décrets de l'Inquisition contre les livres sont soumis à l'approbation du gouvernement. L'expulsion des jésuites entre aussi dans le cadre de cette politique antiromaine. Au Portugal, elle est effectuée par Pombal avec une brutalité sans exemple. Un décret royal du 3 septembre 1759 avait banni tous les jésuites du royaume. Comme ils ne se pressent pas d'obéir, le tout-puissant ministre les fait saisir par les soldats, embarquer de force et transporter dans les États de l'Église. Le pape ayant fait des représentations, Pombal fait conduire le nonce apostolique à la frontière.

Les gouvernements s'en prennent aussi aux biens de l'Église. Tanucci défend les nouvelles acquisitions de mainmorte. Charles III restreint la capacité d'acquérir. Les biens des monastères offrent une proie bien tentante. Tanucci supprime huit monastères napolitains. Pierre-Léopold envisage (comme son frère Joseph II) la suppression totale des monastères, mais son accession au trône impérial ne lui permet pas de réaliser ce projet. En Espagne, on ne touche pas aux monastères, mais aux confréries. Campomanès fait une enquête sur ces associations, et en supprime plusieurs sous prétexte d'inutilité. Car le mot d'ordre européen est l'utilité.

Et l'humanité. Tout au moins en parole. On vitupère la barbarie et les cruautés de l'ancien temps, par exemple celles commises par l'Inquisition. La procédure pénale est l'objet de vives critiques, et partout on projette de la réformer. La Toscane donne l'exemple en publiant un nouveau code pénal révolutionnaire sans torture, ni peine de mort.

Tout ce bien qui leur est ainsi fait, les populations le comprennent-elles ? Cela n'est pas certain. La grande noblesse n'est pas la seule catégorie sociale à s'opposer aux réformes. On note aussi de l'hostilité dans le simple peuple. Disons que les réformateurs éclairés ne sont pas toujours très populaires. A son départ du ministère, du Tillot subit les injures et les menaces de toute une foule ameutée contre lui. On note aussi une vague d'impopularité contre Pombal lors de sa disgrâce. Mais c'est en Espagne que se manifeste l'opposition la plus violente au réformisme. Le 23 mars 1766, éclate à Madrid une très grave insurrection populaire. A l'origine, une question de costume : le 10 mars, le marquis de Squillace, ministre d'*Hacienda*, a promulgué une ordonnance interdisant l'usage du sombrero et de la cape, costume des classes populaires. Mais cela n'aurait pas suffi sans un mécontentement profond. Il y a un rejet de la politique économique et de la politique religieuse. On accuse la liberté du commerce des grains de provoquer des disettes et de susciter des accaparements. Par ailleurs, les suppressions de confréries et l'abolition de certaines fêtes religieuses et de certaines processions n'ont pas été comprises du peuple espagnol. L'affaire du sombrero met le feu aux poudres : trente mille manifestants à Madrid (pour une population de cent cinquante mille habitants), vingt-cinq morts et quarante-neuf blessés chez les manifestants, dix-neuf morts chez les forces de l'ordre, et dans les jours suivants, des centaines de mouvements analogues à travers toute l'Espagne. Nous retrouvons le même phénomène qu'en Hongrie et qu'aux Pays-Bas, les mêmes réactions d'hostilité qu'au Danemark et en Russie. Les despotes éclairés veulent faire du bien aux peuples malgré eux. Charles III aurait dit : « Mes sujets font comme les enfants qui pleurent quand on les nettoie. »

Le cas très particulier de la Pologne

On a vu plus haut l'abaissement de Stanislas Poniatowski, roi de Pologne depuis 1764. Roi élu sous la protection des baïonnettes russes et par une minorité d'électeurs, roi d'un pays plongé pendant cinq ans dans la guerre civile, roi d'une nation démembrée par les grandes puissances voisines, ce prince n'a jamais eu ni l'autorité ni les moyens nécessaires pour remonter la pente et arrêter le cours des malheurs de sa patrie. Il n'a jamais eu le courage de s'affranchir de la tutelle de sa parenté maternelle, le puissant clan prorusse des Czartoryski. Il a des appétits, celui de l'ambition, celui de la sensualité (le nombre de ses maîtresses est prodigieux). Il n'a pas de volonté.

Cependant, il réussit à mener à bien plusieurs réformes administratives et politiques importantes. Il faut dire que les diètes non seulement ne mettent pas d'obstacles à son action, mais au contraire la soutiennent et y participent.

Dans quel esprit cette réforme est-elle accomplie ? Lors de ses nombreux voyages en Europe avant son accession au trône de Pologne, deux influences ont fortement marqué Stanislas, celle de l'Angleterre et celle de la France. Il est un admirateur du système politique anglais. Il est surtout un adepte des Lumières françaises. Les philosophes français suivent avec un vif intérêt — d'ailleurs mêlé de condescendance — l'expérience réformatrice polonaise. Certains font le voyage. Dupont de Nemours vient en 1774 donner des conseils. Mme Geoffrin (que Stanislas appelle « maman ») passe dix semaines à Varsovie en 1766. Condillac et Voltaire correspondent avec le roi. C'est imbu des principes des Lumières que Stanislas entreprend son œuvre. Ce qu'il veut c'est, selon sa propre expression, « régénérer » la Pologne, sans espérer pour autant, à cause du manque de temps, une « régénération complète et foncière ». Mais que veut dire « régénérer » ? Cela veut dire abattre les trois préjugés qui défigurent la nation, celui du « fanatisme », celui de la xénophobie et celui du mépris de la roture. L'antifanatisme, c'est-à-dire la tolérance, vient en premier. Toutefois Stanislas ne prétend pas imposer un anticurialisme et un anticléricalisme semblables à ceux de l'Autriche. Il sait que la population ne comprendrait pas. Mais il a du mal à freiner le zèle philosophique de ses conseillers français, suisse (Reverdil) et italien (Paliotti). Il se sent parfois dépassé.

Priorité est donnée à l'éducation. Disciple fervent de Condillac — auquel il demande de rédiger le cours de logique de ses écoles — Stanislas croit au pouvoir de l'éducation. C'est le système sensualiste : puisque rien n'est inné, puisque tout est acquis, la pédagogie est souveraine. La Commission d'éducation nationale, créée en 1773, réalise une œuvre très importante, plus importante même que celle de la *Real Mesa Censoria* portugaise. Le pays est divisé en deux académies, celle de Vilno et celle de Cracovie, elles-mêmes subdivisées en départements et sous-départements. Un corps unique de maîtres est institué pour l'enseignement secondaire et supérieur. Des cursus et des programmes sont fixés. La Société pour les livres élémentaires, filiale de la Commission, publie les manuels nécessaires. Car l'État doit contrôler aussi la substance de l'enseignement. Une telle initiative est unique dans l'Europe éclairée.

Les réformes politiques et administratives sont préparées par les différentes diètes à partir de 1764, mais elles n'aboutissent vraiment que lors de celle de 1788-1792, appelée la «grande diète». Leur orientation est double. Les unes vont dans le sens de despotisme éclairé ; c'est la centralisation administrative, la réduction des pouvoirs des diètes, la mise en place d'un système fiscal plus rationnel et plus rentable. En revanche, les réformes politiques les plus importantes sont d'un esprit très différent. Ainsi, le transfert d'une partie des prérogatives royales à un conseil permanent de sénateurs et de députés. Quant à la nouvelle Constitution, votée en 1791, elle appartient à une autre époque, celle de la Révolution française.

LES RÉGIMES ANGLAIS ET HOLLANDAIS

Le régime anglais

Le régime du temps de Walpole survit à la chute de ce ministre (1742). Les successeurs immédiats de Walpole sont comme lui des habiles et des cyniques et ne sont rien d'autre. La corruption parlementaire continue à sévir. Carteret, qui vient immédiatement après Walpole, fait figure d'exception. C'est un homme estimable, savant — il a lu les classiques et l'histoire, et peut même parler allemand avec le roi — et capable. Mais il dure peu, quelques mois seulement. Les deux Pelham qui le remplacent à la tête du ministère, Henry Pelham et son frère, le duc de Newcastle, sont loin de le valoir. Leur timidité, leur opportunisme et surtout leurs allures bizarres ne servent pas le prestige du Cabinet. Newcastle, selon Macaulay, était « le ridicule achevé ». Sa démarche était une sorte de trot traînard, sa prononciation un bégaiement précipité. Son ignorance était proverbiale. On a conservé à ce sujet quelques anecdotes, les unes authentiques, les autres inventées probablement dans les cafés, mais toutes fort caractéristiques. En voici une. Il apprit un jour que le Cap-Breton était une île, et s'en étonna en des termes que les gazetiers se délectèrent de rapporter : « Le Cap-Breton est une île ! Quelle chose bizarre ! montrez-le moi sur la carte. Et oui le voilà ! Mon cher Monsieur, vous m'apportez toujours de bonnes nouvelles. Il faut que j'aille dire au roi que le Cap-Breton est une île. » De tels hommes ne peuvent se maintenir que par la corruption. Ils achètent d'abord les électeurs, ensuite les députés. La Trésorerie est faite pour cela, et Newcastle a été pendant dix ans premier lord de la Trésorerie. Le résultat de tout cela est un climat politique détestable, suivi d'une dégradation profonde de l'esprit public. Selon Horace Walpole (le fils du ministre), le patriotisme était déconsidéré : la déclaration la plus populaire que pouvait faire un candidat le jour des élections était qu'il n'avait jamais été et qu'il ne serait jamais un patriote.

Cette apathie ne dure pas. On assiste bientôt à un réveil de l'esprit civique et du sentiment national. Car des événements graves se produisent et entraînent une mobilisation des énergies. Il y a d'abord l'invasion du Prétendant Stuart, Charles-Édouard (1744-1747), ensuite les progrès des Français en Amérique, enfin la guerre de Sept Ans. L'Angleterre est obligée de réagir. Le personnel politique se transforme. Une nouvelle génération arrive au pouvoir. Les hommes qui la composent sont d'une autre trempe que ceux de la génération précédente. Le plus grand est William Pitt, dont le ministère (1757-1761) permet à l'Angleterre d'écraser la France et de gagner la guerre. Fait lord Chatham par George III en 1766, il est le fils d'un simple squire. De fréquentes attaques de goutte l'ayant obligé à renoncer à la carrière militaire, il avait choisi la politique, et le « bourg pourri » d'Old Sarum, client depuis toujours de sa famille, avait fait de lui un député. Opposant tenace et acharné, il hâte par ses attaques la chute de Walpole. Il entre au gouvernement en 1756, et en devient le chef l'année suivante. Sa détermination furieuse contre la France et son éloquence romaine galvanisent les énergies. Sa présence a beaucoup compté dans le réveil national. De même que la personnalité du nouveau roi George III. Celui-ci, qui succède en 1760 à son grand père George II, restaure l'image de la monarchie. Sincèrement pieux, très honnête, simple et économe, au point de se faire caricaturer en « fermier George » avec la « fermière » qui lui a donné sa nombreuse famille, il mérite l'estime de son peuple. Disons qu'il ranime le vieux royalisme anglais. Le troisième homme est John Wesley (1704-1791). Ce prédicateur et réformateur, fondateur du mouvement méthodiste, a été vraiment, selon la belle expression d'Agnès de la Gorce, le «maître d'un peuple». Il a ranimé la flamme évangélique et redonné une âme à l'Angleterre. La réforme wesleyenne est la composante religieuse du nouvel esprit national. Le fanatisme antipapiste et la passion francophobe y ont aussi leur part. Les hommes au pouvoir, et Pitt le premier, excitent ces haines dans l'opinion publique. Ils présentent la guerre contre la France comme un combat pour la pureté de la foi. Le patriotisme va donc s'allier à l'esprit de croisade. En 1757, on chante ce cantique dans les temples :

> Le lion est sorti de sa tanière.
> L'extermination est en marche.
> La force de Rome persécutrice
> Est déchaînée pour les massacres [1].

Les Français sont donc présentés comme des fauves altérés de sang. Les lois de la guerre ne vaudront pas pour eux. Ni celles de la simple humanité. La déportation des Acadiens, organisée en 1755 par le gouvernement britannique, témoigne avec éloquence de cet esprit d'intolérance. Des milliers de fermes sont brûlées. Des femmes et des enfants sont fusillés. Sept mille personnes sont déportées. Les justifications religieuses dont on couvre de tels actes ne sont évidemment que des paravents. En fait, les intérêts en jeu sont commerciaux. C'est le commerce anglais que Pitt et les hommes au pouvoir songent avant tout à défendre. Mais leurs discours antipapistes déchaînent des passions qu'ils ne peuvent pas toujours maîtriser. Lorsque le Parlement vote en 1774 le Quebec Act reconnaissant la légitimité du culte catholique au Canada, le peuple de Londres manifeste avec violence au cri de «No popery», et applaudit lord Chatham, adversaire de la nouvelle loi. Des incidents plus graves encore ont lieu en 1780, quand lord Gordon se met à la tête d'une association protestante pour le renforcement de la législation antipapiste. Une pétition se couvre de cent vingt mille signatures. Soixante mille manifestants bloquent le Parlement. Le 7 juin, la manifestation tourne à l'émeute. Soixante-douze maisons de catholiques sont brûlées. La fabrique d'un distillateur de confession catholique est pillée et incendiée. D'affreuses scènes d'ivrognerie et de brûleries humaines se passent en cet endroit. Tout n'est pas pur dans le réveil de la conscience nationale.

Mais tout n'est pas impur. Force est de constater un certain assainissement des mœurs politiques, et une certaine baisse de la corruption. Diverses mesures sont prises dans ce sens, et en particulier celle sanctionnée par le Parlement, pendant la session de 1782, sous le second ministère Rockingham : les entrepreneurs de corruption sont exclus des

---

1. Cité par Paul del Perugia, *Louis XV, op. cit.*, p. 371.

Communes, et les *revenue officers* (les fonctionnaires) sont rayés de la liste des électeurs. Corrections utiles et qui portent un coup très dur au «patronage royal». On fera néanmoins deux remarques. D'abord les «bourgs pourris» et «de poche» ne sont pas supprimés. Ensuite, le gouvernement n'a pas agi de lui-même. Il a fallu pour le décider à corriger le système la pression très forte du mouvement politique appelé radicalisme ou wilkisme, du nom de son chef, le député Wilkes. Ce personnage, qui n'est d'ailleurs pas lui-même d'une moralité irréprochable — c'est un libertin; il a englouti dans le jeu et la débauche sa fortune et celle de sa femme —, prend la défense de la moralité publique. Dans son journal, le *North Briton*, il plaide pour la liberté de la presse et pour un système électoral plus équitable. La Société des champions du bill des droits, fondée par un disciple de Wilkes, impose à ses candidats à la députation de défendre les points suivants : suppression de la corruption parlementaire, exclusion des députés fonctionnaires, représentation égale et complète du peuple. Wilkes est persécuté, emprisonné, mais la presse le soutient, et même la magistrature. La loi de 1782 est en grande partie le fruit de son action.

Tel est le climat politique. Observons maintenant la politique elle-même.

Jusqu'en 1784, le parti au pouvoir est toujours le parti whig. Toutefois, cette formation n'a plus la même homogénéité. Elle est morcelée. Il y a plusieurs chefs, et chacun a sa clientèle. Une tendance devient dominante, celle du whiggisme réformiste et conservateur, incarné par son chef, le marquis de Rockingham, et par son principal orateur et doctrinaire, l'Irlandais protestant Edmund Burke. La pensée de Burke unit à une intelligence réaliste une imagination brillante et colorée. Son libéralisme est conservateur au noble sens de ce terme. Pour lui, une nation est un organisme vivant, dont le développement doit suivre les lois naturelles et divines. L'Angleterre vivant de ses libertés, il faut défendre celles-ci et les augmenter selon l'esprit qui est en elles. Il ne faut pas exclure les libertés des autres peuples. Burke soutient dans certaines limites les causes des Irlandais et des colons américains. Une pensée aussi forte et aussi généreuse ne sera pas toujours comprise. L'arrivée de Burke aux affaires est tardive. Élu député en 1761, il n'accède que vingt et un ans plus tard à des fonctions de gouvernement. C'est en 1782 seulement qu'il est nommé à la fois (par lord Rockingham, dont il avait été le secrétaire) conseiller privé et payeur général des armées. Il est d'ailleurs un homme sans concessions. Il s'est toujours opposé à la politique royale. Le roi et le Parlement lui préfèrent toujours des whigs — même réformistes — plus accommodants.

Car depuis l'avènement de George III, le Parlement et le parti whig doivent compter avec le roi. Ce prince a décidé de «commencer à gouverner en commençant à régner». Lecteur des *Commentaires* de

Blackstone et du *Roi patriote* de Bolingbroke, il est pénétré de leur doctrine de la prérogative royale. Autour de lui, se constitue un véritable parti royaliste, un parti des « amis du roi ». L'arbitre des lettres anglaises, le Dr Johnson, lui apporte la caution de sa sagesse. « Il n'y a pas de degré dans la souveraineté, prononce le Dr Johnson, [...]. Dans toute société, doit exister un pouvoir dont on ne puisse appeler[1]. » Ce parti du prince abomine le whiggisme. « Le premier whig a été le Diable. »

Le malheur est qu'il faut gouverner avec le diable. Comment faire ? Le roi s'y prend de deux façons. Ou bien il use les principaux whigs en leur confiant la direction des affaires : ce sont les ministères successifs de Grenville (1763), Rockingham (1765), Chatham (1766) et Grafton (1770). Ou bien il appelle ses favoris, ses « amis », et gouverne par leur intermédiaire. Le premier ministère « royal », celui de lord Bute, ne dure qu'un peu plus d'une année (1761-1762), mais en 1770, George III découvre le ministre idéal en la personne de lord North, homme cultivé, habile, courageux, et en même temps très attaché à la prérogative royale. Tout le temps de la guerre d'Amérique, North accepte de couvrir de sa responsabilité le bellicisme du roi, son acharnement contre les colons américains. Il tient longtemps, mais les revers militaires, et en particulier la défaite de Cornwallis, le déstabilisent. En 1782 il doit quitter le pouvoir. Pour y revenir, l'année suivante, il lui faut accepter de gouverner avec Fox, son pire ennemi. C'est ce qu'on appellera la « coalition ». Il se retire définitivement à la fin de 1783 et cède la place au second Pitt.

Le régime politique de cette époque est donc un régime mixte, où il faut pour gouverner avoir l'appui du roi et celui des Communes. Le gouvernement conserve sa majorité par divers moyens dont l'argent de la Trésorerie est le principal. On observe un certain progrès du parlementarisme. Depuis 1771, les comptes rendus des débats sont publiés. La presse peut les discuter. Depuis 1782 — l'innovation est due à Shelburne — le chef du ministère expose son programme en prenant ses fonctions.

Cependant, un troisième pouvoir commence à peser très lourd dans la vie politique : celui de la presse. Un grand nombre de journaux nouveaux sont fondés pendant cette période, parmi lesquels le *London Chronicle* (1757) et le *Times* (1785). Mais surtout, ces journaux ne se contentent plus de donner les informations. Ils les commentent et les discutent. Les débats parlementaires et les actes du gouvernement sont passés au crible. De véritables campagnes de presse sont actionnées par l'opposition. Nous en avons vu un exemple avec le *North Briton* de Wilkes. En 1769, une autre campagne est menée par le *Public Advertiser*. Ce journal publie de violents pamphlets antigouverne-

---

1. Cité par Ernest Lavisse et Alfred Rambaud, *Histoire générale du IVᵉ siècle à nos jours*, t. VII, *Le XVIIIᵉ siècle (1715-1788), op. cit.*, p. 877.

mentaux signés «Junius». Qui est Junius? Personne ne l'a jamais su. Mais ce polémiste mystérieux a puissamment contribué au succès des deux causes radicales, le droit des électeurs et la liberté de la presse.

Avec l'arrivée du second Pitt aux affaires, le gouvernement des tories succède à celui des whigs. C'est le changement très important de 1783. Ce changement est la conséquence de la crise constitutionnelle. Entre les whigs et le roi, depuis plusieurs années, la tension montait. La politique du ministère Fox-North, politique très hostile à la prérogative royale, entraîne l'affrontement. L'affaire du bill de l'Inde déclenche les hostilités. Fox et North veulent remplacer l'administration de la Compagnie des Indes par celle d'une commission de sept membres nommés par le Parlement et non révocables par la Couronne. George III en fait une affaire personnelle. Il mobilise en sa faveur la Chambre des lords, et réussit à empêcher le vote de la loi. Le 17 décembre 1783, à une majorité de dix-neuf voix, les lords rejettent le bill de l'Inde. Le lendemain, le roi renvoie les ministres et nomme William Pitt, le fils de lord Chatham, premier lord de la Trésorerie, c'est-à-dire chef du ministère. La prérogative l'emporte. Son triomphe est d'autant plus grand qu'il est légitime. On ne saurait taxer George III d'abus de pouvoir. Il a agi dans les formes constitutionnelles. Il ne profitera pas de sa victoire. Une maladie mentale l'affligeait depuis longtemps, mais par intermittence. Elle devient chronique. George III a donné un maître à l'Angleterre. Mais ce maître n'est pas le roi. C'est William Pitt.

Étonnante personnalité. A son arrivée au ministère, le second Pitt n'a que vingt-quatre ans. Mais il a reçu à Cambridge une formation extrêmement complète alliant les connaissances scientifiques aux littéraires. Entré au Parlement trois ans plus tôt, il ne s'était affilié à aucune faction. Dès le début, son talent d'orateur avait impressionné les Communes. Il avait parlé pour la première fois le 26 février 1781, et Burke avait dit : «Ce n'est pas un rameau du vieux chêne, c'est le chêne lui-même[1].» Jouissant de la confiance du roi, disposant d'une grande majorité, son autorité paraît mieux établie que celle d'aucun de ses prédécesseurs. Le torysme nouveau, fond de sa politique, emprunte beaucoup au whiggisme réformiste. Il est fait de loyalisme modéré, d'esprit conservateur, de patriotisme et de goût pour un pouvoir fort.

Le régime politique de l'Angleterre, il faut le souligner pour conclure, apparaît dans l'Europe éclairée comme une singulière exception. Il possède une représentation nationale permanente, et son Parlement n'a pas d'équivalent. Il fait une grande part au pouvoir de l'opinion publique et l'on ne connaît que la France où ce pouvoir soit aussi important. Enfin c'est un régime peu étatiste. La société anglaise éprouve une méfiance instinctive contre l'État, qu'elle assimile à l'arbitraire. Elle voit dans la

---

1. Cité dans F. Hoefer, *Nouvelle Bibliographie générale*, t. XXXIX, *op. cit.*, 1862.

liberté de la presse un contrepoids indispensable à l'autorité de l'État. Lord Shelburne disait : « La Providence a ordonné le monde de telle sorte que très peu de gouvernement est nécessaire. » Il exprimait l'opinion générale.

Nous sommes donc très loin des tendances étatistes de la plupart des régimes européens. Toutefois, la liberté anglaise a ses limites. Les Irlandais catholiques sont opprimés par les grands propriétaires anglais. Les ouvriers des nouveaux centres industriels vivent dans des taudis et sont réduits à des salaires de misère. De telles conditions d'existence ne sont pas si différentes de celles des serfs de la Russie et de l'Europe centrale.

Le régime des Provinces-Unies

L'oligarchie aristocratique avait gouverné les Provinces-Unies pendant la première partie du siècle. La période suivante (1747-1789) est celle de la prédominance du *stadhouderat*. La guerre provoque le changement de régime. En 1747, les troupes françaises envahissent le territoire. Les magistrats sont rendus responsables de la défaite. L'histoire recommence. Comme en 1672, un mouvement populaire se produit en faveur de la dynastie d'Orange. Guillaume IV est nommé stadhouder de toutes les provinces.

Cependant, la mort prématurée de ce prince (en 1751) compromet l'avenir de la restauration orangiste. Guillaume V, le successeur, n'a que trois ans. La régence est assurée d'abord par la mère du jeune prince, la princesse Anne, puis après la mort de celle-ci en 1759, par le duc de Brunswick-Wolffenbuttel. Guillaume V ne commence à gouverner qu'en 1766. C'est un homme bon et affable, mais dépourvu d'énergie et très au-dessous des circonstances. Le parti d'opposition des « patriotes » le rend responsable des défaites subies lors de la quatrième guerre anglo-hollandaise de 1780-1784, et l'accuse même d'anglophilie. Incapable d'imposer son autorité, il se trouve bientôt devant une situation révolutionnaire, et doit se réfugier en Gueldre. L'intervention militaire prussienne de 1787 le rétablit dans tous ses droits et prérogatives.

Ces luttes politiques ont un caractère idéologique de plus en plus marqué. En effet, le parti des « patriotes », formé par la coalition de la bourgeoisie démocrate et de l'oligarchie aristocratique, n'est plus une simple opposition. C'est un parti révolutionnaire avant la lettre. Il ne demande pas seulement des réformes politiques. Il réclame aussi la fin de la suprématie de l'Église calviniste, et la liberté de culte pour toutes les confessions. Ses revendications rappellent le wilkisme anglais, mais en plus « philosophiques ». Les attaques contre le roi sont d'une violence extrême et font penser à certains libelles français contre

Louis XVI et Marie-Antoinette. Le pauvre Guillaume V est comparé à Néron et n'en peut mais.

*
* *

Jusqu'en 1789, le XVIIIᵉ siècle est un siècle de stabilité politique. Il ne voit pas de création d'État nouveau (comme les Provinces-Unies au XVIᵉ siècle). Il ne voit pas de révolution, comme la révolution d'Angleterre au XVIIᵉ siècle. Les formes de gouvernement ne changent pas. L'Europe en connaît toujours trois : la monarchie impériale, la monarchie royale ou princière et la république. Deux de ces trois formes, il est vrai, ont perdu un peu de leur prestige. Le Saint Empire romain germanique n'a plus grande autorité. Son existence même est contestée. Venise, Gênes et les Provinces-Unies, ces États dont les usages politiques et la puissance avaient fait jadis la réputation de la forme républicaine, connaissent maintenant un déclin irrémédiable. Il faudra la proclamation des États-Unis d'Amérique pour ranimer en Europe une ferveur républicaine. Le régime du siècle est la royauté nationale. La royauté fait l'unanimité, même chez les esprits éclairés. Elle apparaît comme la forme de gouvernement la mieux adaptée aux besoins des populations, la plus capable de « régénérer » les nations.

Ce n'est plus tout à fait la royauté des siècles précédents. Elle s'est étatisée. Les rois, pour la plupart, gouvernent personnellement, mais leur royauté s'est dépersonnalisée. Car ils se voient comme des serviteurs de l'État, des incarnations de l'État. En témoignent leur manière de travailler, leur façon de décider. Ils travaillent de plus en plus seuls. Ils décident de moins en moins dans leurs conseils. Ils ont aussi tendance à vivre comme des personnes privées. Leurs cours ne sont plus des foyers rayonnants de vie. Ce sont de fastueux décors. Leur service devient de plus en plus une fonction de l'État et une profession régulière. Si la fidélité à leurs personnes ne disparaît pas, disons qu'elle passe au second plan. Le monarque a ses amis, ses favoris. Il a moins de fidèles. Vient le moment où la forme de gouvernement ne comptera plus, le moment où seul l'État aura de l'importance.

Les peuples sont-ils devenus plus dociles ? On ne voit plus de ces grands sursauts de révolte (anti-étatique et antifiscale), qui avaient marqué le siècle précédent et manifesté la résistance du corps social devant la croissance de l'État moderne. Cependant la révolte de Pougatchev, celle des Pays-Bas et les émeutes de 1766 en Espagne sont bien des réactions contre la volonté de puissance de l'État. Les rois sont mal armés pour se défendre. Car ils ne sont plus intouchables. La royauté en Occident avait toujours eu un caractère sacré. Ce caractère s'efface. Il y a encore des rois sacrés, celui de France, celui d'Angleterre, mais ils ne prétendent plus être des rois thaumaturges.

L'essence même de la politique est en train de changer. Par politique, on entendait la conservation du corps social, et les moyens mis en œuvre pour assurer sa persévérance dans l'être. La nouvelle politique a une double fonction. Elle sert d'une part à augmenter le pouvoir de l'État, d'autre part à accroître l'utilité des citoyens. C'est une politique rationalisante, c'est-à-dire qu'elle s'efforce de supprimer tout ce qui s'oppose à ces deux objectifs. Elle rationalise par l'anticurialisme, par l'éducation nationale, par le libéralisme économique, par l'égalisation fiscale, par la centralisation et l'uniformisation judiciaire et administrative. Les gouvernements qui rationalisent le plus sont ceux du despotisme éclairé. La France, qui avait donné l'exemple sous Louis XIV, est maintenant un peu en retard. Elle présente certains caractères du despotisme éclairé : l'anticurialisme, le libéralisme, la politique d'éducation nationale. Mais sa monarchie ne parvient pas, malgré ses efforts, à établir l'égalité fiscale, ni surtout à faire disparaître cette anomalie qu'est le pouvoir politique des parlements. Son despotisme éclairé est inachevé. Quant à l'Angleterre, c'est un cas tout à fait à part. Sauf dans le domaine de l'économie, les grandes orientations du despotisme éclairé lui sont étrangères.

De la dépersonnalisation du pouvoir résulte l'affaiblissement des personnalités. Si un grand homme d'État est celui qui s'impose à la fois par l'élévation de sa pensée, par la noblesse de ses sentiments, par la force de son caractère et par son souci constant du bien commun, l'Europe du XVIIIe siècle a-t-elle de grands hommes d'État ? Bien peu sans doute. Lequel pourrait être comparé à Richelieu ou à Olivarès, à Louis XIII ou à Philippe II ? Marie-Thérèse d'Autriche est peut-être la seule souveraine qui les égale. Le siècle a au moins beaucoup de bons ministres intelligents, habiles, efficaces. Cependant, la répartition en est inégale. L'Angleterre, l'Espagne et la Russie possèdent un personnel politique de grande envergure et de grand talent. A l'inverse, la monarchie française semble souffrir d'une cruelle pénurie de caractères. Louis XV et Louis XVI donnent l'impression d'être prisonniers des clans et des favoris, et d'avoir perdu la liberté réelle de leurs choix.

Chapitre IV

LA CIVILISATION
(Première période : 1715 - vers 1750)

LES ÉGLISES ET LA RELIGION

Considérons d'abord l'Église catholique.

Pendant ce demi-siècle, cinq pontifes se succèdent sur le trône de Pierre. Le règne le plus long est celui de Benoît XIV (Prosper Lambertini). Élu en 1740, ce pape gouvernera l'Église jusqu'en 1758. Les cinq pontifes se ressemblent par la piété, par l'affabilité, mais aussi par un certain manque de caractère. Benoît XIV y ajoute la science. Il cultive la philosophie thomiste et publie un traité de la canonisation des saints. Sous ces différents gouvernements, le prestige spirituel de Rome grandit : les deux jubilés de 1725 et de 1750 attirent dans la Ville éternelle plusieurs dizaines de milliers de pèlerins. La personne du pape — surtout celle de Benoît XIV — est certainement plus populaire qu'elle ne l'a jamais été. Mais son autorité diminue. Plusieurs souverains catholiques, imitant l'exemple donné par Louis XIV, entreprennent de réduire les droits du Saint-Siège et les immunités et privilèges des Églises locales. Philippe V d'Espagne, l'empereur Charles VI et le duc Amédée II de Savoie figurent parmi les plus acharnés de ces princes régalistes. En Italie, la supériorité temporelle du pape est de plus en plus contestée. Innocent XIII échoue dans ses efforts pour faire reconnaître la suzeraineté pontificale sur Parme et Plaisance. Benoît XIV subit en 1741 un échec humiliant, lorsque Gênes refuse sa médiation dans le conflit corse.

Cependant l'élan de la réforme catholique ne retombe pas. L'Église continue à se renouveler. Elle fait porter aujourd'hui son effort sur l'apostolat. Le synode romain de 1725 (qui réunit un grand nombre d'évêques italiens) souligne l'importance de la visite par l'évêque, de la prédication et des missions intérieures. Ces missions se multiplient partout ; mais surtout en France et peut-être plus encore en Italie. Les missionnaires italiens les plus actifs sont, avec les jésuites, les franciscains et les capucins. Le capucin Léonard de Port-Maurice prêche à Rome devant des foules immenses le carême de 1749 et le jubilé de 1750. Terre de reconquête catholique, la Bohême est l'objet d'une offensive apostolique sans précédent. L'infatigable Koniach (mort en 1760), confesseur de Charles VI, y prêche cinq fois par jour pendant trente-cinq ans. Peu d'ordres nouveaux viennent au jour, mais ceux qui se fondent se destinent à la prédication, à la mission et à l'enseignement. Les Dames anglaises, réformées par Barbe Babthorpe en 1701, fondent des écoles en Allemagne du Sud et en Italie. Les baptistines d'Einsiedeln, approuvées en 1741 par Benoît XIV, ont une vocation missionnaire. L'institut italien des passionistes, fondé par Paul de La Croix et approuvé en 1741, se destine à l'évangélisation des pauvres et des ignorants. Plus que jamais, l'Église instruit les humbles.

La dévotion tend à devenir plus chaleureuse et plus confiante. Le jansénisme recule. S'il s'infiltre timidement dans les pays italiens et allemands, il est dans ses patries d'origine, la France et les Pays-Bas, sévèrement combattu. En Hollande, l'église schismatique d'Utrecht est bien vivante, mais le nombre de ses adeptes diminue. C'est donc la piété jésuite, la piété la plus confiante, qui gagne du terrain. La dévotion mariale se renouvelle. Elle se réveille en France et s'enrichit en italie de formes nouvelles, comme la pratique du mois de Marie, diffusée par les jésuites Dionisi et Lalomia. Le phénomène le plus intéressant est l'apparition d'une sainteté sans précédent, d'une sainteté qui défie le goût du luxe et du bien-être du siècle. Les saints de ce temps — pour la plupart des Italiens et des disciples de saint François d'Assise — exaltent la Croix et s'adonnent à des mortifications effrayantes et spectaculaires. Gérard Majella se donne tous les jours une discipline à sec, tous les huit jours une discipline à sang. Léonard de Port-Maurice s'administre la discipline en chaire. De cette sainteté italienne, la sainteté montfortaine française est la digne réplique.

Le catholicisme est moins fécond dans l'étude. Cela vaut pour la France, mais aussi pour l'Italie et pour l'Espagne. Le seul secteur en progrès est celui de l'érudition ecclésiastique. Aux travaux des mauristes français, s'ajoutent ceux de l'Italien Mansi qui entreprend sa *Collection des Conciles*, et de l'Espagnol Florez, dont l'*España Sagrada* commence à paraître en 1747. Dans le domaine des études philosophiques et théologiques, une seule initiative mérite d'être signalée : la fondation à Rome en 1728 par le cardinal Casanate d'une bibliothèque et de deux chaires de doctrine thomiste.

Du côté des Églises protestantes se manifestent des « réveils », c'est-à-dire des mouvements de renouveau, dont les spiritualités, plus aimantes, plus accessibles au commun peuple, ne sont pas sans rappeler la nouvelle sainteté catholique. En Allemagne, le piétisme, né au siècle précédent, a ravivé l'exigence luthérienne de fidélité à la Bible. Cette école est sur son déclin. Francke, l'un de ses principaux docteurs, meurt en 1727. En revanche, l'Église des Frères moraves, inspirée d'un idéal analogue de joie spirituelle et de vie en commun, exerce une grande influence. Le « réveil » wesleyen en Angleterre est de la même qualité. John Wesley (1703-1791) est le treizième des dix-neuf enfants d'un pasteur. Fellow d'Oxford, il anime un groupe d'étudiants. Ceux-ci se réunissent tous les soirs de 18 à 21 heures pour lire et méditer la Bible. Très marqué par la lecture de l'*Imitation*, Wesley penche vers le catholicisme. Mais un séjour chez les Frères moraves le ramène au protestantisme et l'oriente même vers la doctrine protestante la plus radicale. Il va désormais professer les thèses de la foi seule, de la prédestination absolue et du rejet de l'épiscopat. Sa grande idée est la conversion du peuple à une vie religieuse plus pure et plus intense.

La théologie protestante de cette époque paraît assez vivante. Elle est principalement illustrée par l'école écossaise (Norris, Berkeley et Butler), par les ouvrages du piétiste Michaelis, et par ceux, très antipiétistes, de Valentin Ernest Loescher, de Wittenberg, défenseur de la tradition et du ministère des pasteurs. L'*Histoire critique du Nouveau Testament* (1734) d'Albert Bengel, démontre le renouveau de l'exégèse allemande.

La division des Églises est la plaie ouverte du christianisme. Cette division persiste, et même, d'une certaine manière, elle devient plus profonde. Depuis la mort de Leibniz en 1716, on ne voit plus de sérieuses tentatives de rapprochement. Il y a sans doute un certain progrès de la tolérance. On cite toujours le cas de la Prusse, où Frédéric II autorise en 1747 la construction d'une église catholique à Berlin. Mais il faudrait citer aussi celui de l'Angleterre, où nulle amélioration n'est apportée au statut des catholiques, et où une loi de 1725 punit l'officiant catholique de trois ans de prison. Sans parler de la France où l'édit de révocation reste en vigueur. Finalement, le seul grand exemple de rapprochement nous est donné par la musique religieuse. Il se trouve dans l'œuvre de Jean-Sébastien Bach, dans cette magnifique messe en *si* composée en 1733 par le luthérien qu'il était.

LES IDÉES MODERNES. LES PROGRÈS DU RATIONALISME

Il existe en Europe, durant cette période, quatre foyers importants d'idées modernes : celui de la philosophie française, celui du déisme anglais, celui des historiens napolitains et celui du rationalisme allemand. Du premier, nous avons déjà parlé. Il convient de visiter les trois autres.

Le déisme anglais en est à sa seconde génération. La première était celle de Toland (mort en 1722) et de Shaftesbury (mort en 1713). Collins, Woolston, Tindal, Morgan, Chubb, Bolingbroke et Hume en sont les plus illustres noms. Le nouveau déisme n'est pas une affaire d'universitaires. Il offre une grande variété de professions. Bolingbroke est un grand seigneur, Woolston un pasteur, Collins un juge de paix et Chubb un autodidacte, employé chez un marchand de chandelle.

Ils ont un trait commun : leur rejet de la Révélation comme fait historique. Pour eux la Bible n'est pas un livre d'histoire. Dans son *Discours sur les fondements de la religion chrétienne* (1724), Collins qualifie les prophéties de pures inventions. Woolston n'admet pas la réalité des miracles de l'Évangile (y compris la Résurrection). Morgan démystifie ceux de l'Ancien Testament : il se propose dans son *Philosophe moral* (1737-1739) de « déjudaïser » la religion. Pour Chubb, la partie historique du Nouveau Testament est sans valeur. L'Évangile, selon lui, est une doctrine morale ; il ne faut pas y chercher une histoire de la vie du Christ.

Aucun cependant n'est athée. Tous admettent l'existence de Dieu, presque tous l'existence du Christ. Bolingbroke et Hume ont beau être totalement rationalistes (Hume établit le caractère indémontrable de l'existence de Dieu), aucun des deux ne professe l'athéisme. Quant aux autres, ils croient encore d'une certaine manière, sinon au surnaturel, du moins à un monde spirituel. Le cas de Woolston est tout à fait représentatif à cet égard. Cet auteur relativise les miracles, mais c'est pour leur donner un sens spirituel. Les miracles ne sont pas de vraies guérisons mais des enseignements et des symboles. « L'histoire de Jésus-Christ, nous explique cet auteur, est une représentation emblématique de sa vie spirituelle dans l'âme de l'homme, et ses miracles sont les figures de ses opérations mystérieuses[1]. » Collins, tout en niant la vérité des prophéties, leur attribue un sens allégorique et spirituel.

Si, en fait, ils combattent le christianisme, cela n'est sans doute pas leur intention profonde. Ils ne sont pas aussi hargneux que Voltaire. Ils ne proclament pas leur volonté d'« écraser l'Infâme ». Ils voudraient seulement un autre christianisme, un christianisme « *not mysterious* » comme disait Toland.

Ils ne sont pas eux-mêmes de grands écrivains, mais ils ont un porte-parole dans la littérature : le poète Alexander Pope (1688-1744) qui exprime dans ses vers de flamboyante façon ce déisme si particulier des Anglais. Son *Essai sur l'homme* (*An Essay on Man*, 1733-1734) chante la gloire d'un Dieu souverain. C'est un Dieu pour déistes — le Christ n'est pas mentionné — mais qui n'en est pas moins attentif au bonheur de sa créature. Il est, dit le poète à l'Homme, « ce père universel qui t'attend et qui t'aime ». Seulement on ne peut pas en faire le sujet d'une science. L'homme doit s'appliquer à l'étude de l'homme et non à celle de Dieu : « *The proper study of Mankind is Man.* »

Rendons-nous maintenant dans le royaume de Naples.

Il y avait dans ce pays, depuis 1660 environ, un milieu d'intellectuels, en réaction à la fois contre la philosophie traditionnelle et contre le pouvoir de l'Église sur la société. Plusieurs jurisconsultes, parmi lesquels Leonardo di Capua, Francesco d'Andrea et Valletta, avaient combattu pour la sécularisation du droit. « La fin de la société ecclésiastique, avait écrit Valletta, est la vie éternelle, celle de la société civile est

---

1. Cité par Bernard Cottret, *Le Christ des Lumières*, Paris, Cerf, 1990, p. 100.

la tranquillité de la République[1]. » Locke n'aurait pas désavoué de tels propos.

Les deux grands historiens napolitains de notre période, Pietro Giannone (1676-1748) et Giovanni Battista Vico (1668-1744) ont été formés dans ce milieu. Leur pensée doit beaucoup aux jurisconsultes de la génération précédente. Mais ils prennent une orientation différente. Ils ne s'appliquent pas au droit mais à l'histoire. Comme leurs devanciers avaient sécularisé le droit, eux sécularisent l'histoire. L'*Histoire civile du royaume de Naples* (*Storia civile del Regno di Napoli*) de Giannone (1723) est en fait une histoire des abus de la puissance temporelle des papes et des excès de leurs censures. Le ton est si virulent, l'attaque si forte que l'archevêque de Naples excommunie l'auteur, l'obligeant à s'expatrier. La vie de G. B. Vico est plus tranquille. Après avoir enseigné en qualité de précepteur, puis de professeur, il finira sa carrière dans l'emploi d'historiographe du royaume et ne sera jamais inquiété. Pourtant ses idées sont beaucoup plus audacieuses et neuves que celles de Giannone. Dans ses *Principes d'une science nouvelle au sujet de la nature des nations...* (*Principi di una scienza nuova intorno alla natura delle nazioni...*, 1725), il sépare tout bonnement Dieu de l'histoire. Dieu a fait la nature, admet-il, mais c'est l'homme qui a fait l'histoire. Il n'y a donc pas de mystère dans l'histoire, de vues impénétrables. L'histoire s'explique et l'homme peut en acquérir la science. Les principes en sont faciles à découvrir. Ils se trouvent dans les « modifications de l'esprit humain ». On voit que le titre de « science nouvelle » donné par l'auteur à son livre n'est pas immérité. La pensée de Vico est extrêmement neuve. Elle contredit à la fois saint Augustin et Bossuet. Elle annonce les philosophies de l'histoire des XIXe et XXe siècles.

On achèvera par l'Allemagne.

Pendant les années de la « crise de conscience », la pensée rationaliste moderne avait pénétré en France, en Angleterre et en Italie, mais non en Allemagne. Dans ce pays encore tout occupé de querelles dogmatiques, les idées nouvelles n'avaient pas trouvé un terrain favorable. Le philosophe Jean Chrétien Wolff (1679-1754) fait donc figure de pionnier. Ce professeur à Halle, puis à Marbourg, ce disciple de Leibniz et de Descartes peut être considéré comme le fondateur du rationalisme allemand. Dans ses *Pensées philosophiques sur Dieu* (1719), il établit une sorte de science rationnelle de la Divinité. Son but est de dégager des vérités religieuses acceptables par tous. La religion pour tous... C'est le premier système philosophique de religion naturelle. Il y en aura d'autres. Celui-ci est d'ailleurs entièrement philosophique. Ce n'est pas

---

1. « Il fine della società ecclesiastica egli è la vita eterna; quello della civile la tranquillità della Republica. » Cité par Salvo Mastellone, *Pensiero politico e vita culturale a Napoli nella seconda metà del Seicento*, Messina-Firenze, Casa editrice G. D'Anna, 1965, p. 76.

un plaidoyer pour la religion. C'est un plaidoyer pour la raison. L'auteur pense que la foi nous laisse dans l'incertitude et que seule la raison peut juger valablement de la vérité d'un dogme. Ainsi est-il amené à nier le surnaturel. Il va donc plus loin que les déistes anglais. Il n'éprouve aucun attachement pour le christianisme, qu'il juge même inférieur au confucianisme. L'Allemagne s'engage bien tard dans la voie rationaliste, mais grâce à Wolff elle a tôt fait de rattraper son retard.

LES SCIENCES, LES LETTRES ET LES ARTS

Une nouvelle révolution des mathématiques, la deuxième des temps modernes, avait commencé en Europe vers 1660. L'invention, presque au même moment, par Leibniz et par Newton du calcul infinitésimal en avait marqué le début. On assiste maintenant à l'essor de l'analyse algébrique. Les auteurs de ce progrès sont des Suisses, d'abord les Bernoulli, puis Euler. La famille Bernoulli a compté sept savants sur trois générations. Les deux derniers, Jean Ier (1667-1748) et Nicolas Ier (1687-1759) perfectionnent la théorie et les applications du calcul infinitésimal. Ce sont eux qui ont donné à cette méthode son nom moderne de calcul intégral. Léonard Euler (né à Bâle en 1707, mort en 1783) a été initié aux mathématiques par son père, un pasteur qui lui enseignait aussi la théologie. Jean Bernoulli complète son instruction. A vingt ans il concourt pour un prix de l'Académie des sciences de Paris et obtient un accessit pour un mémoire sur la mâture des vaisseaux. De son œuvre très abondante, il faut surtout retenir l'*Introductio in analysim infinitorum* (1748). C'est une contribution capitale. Euler simplifie et perfectionne en même temps le calcul algébrique. Il le simplifie en réduisant les formules à une expression plus simple et plus commode. Il le perfectionne en approfondissant la nature des équations différentielles. Selon l'heureuse formule de Condorcet il « accomplit la révolution qui a rendu l'analyse algébrique une méthode lumineuse, universelle, applicable à tous ».

Les sciences naturelles et les sciences de la vie réalisent partout en Europe de notables progrès. L'œuvre la plus impressionnante est la classification des plantes du Suédois Linné (1707-1778) : sept mille plantes réparties en vingt-quatre classes (*Genera plantarum*, 1738). Le critère de classification est le nombre et la forme des étamines. Moins spectaculaires, les travaux de Stephen Hales (1677-1761) ont peut-être une plus grande importance pour l'avenir de la science. On doit en effet à ce naturaliste anglais les premières expériences, dignes de ce nom, de physiologie végétale. Ces expériences portent sur la transpiration des végétaux et sur leur nutrition. Elles montrent que la transpiration végétale est supérieure à l'animale, et que la nutrition n'obéit pas aux mêmes lois que celle des animaux. Les expérimentations d'Abraham

Trembley, un Suisse de Genève (1700-1784), qui sectionne les hydres d'eau douce et les voit se régénérer, ne sont pas moins novatrices. En médecine, le grand nom est celui de Boerhave (1668-1738). On considère généralement ce Hollandais, professeur à Leyde, comme le fondateur de la médecine clinique moderne. C'est lui en effet qui a inauguré la pratique régulière de l'examen clinique au lit du malade. Sa thèse soutenue en 1693 portait sur l'utilité de l'analyse des excréments et de l'urine. Il est également l'auteur d'admirables descriptions de la pleurésie et de la pneumonie. Il fera école. Gerard Van Swieten, son principal disciple, se verra confier par l'impératrice Marie-Thérèse la réforme de la faculté de médecine de Vienne.

Si nous abordons le domaine des sciences dites aujourd'hui humaines, le développement de l'érudition historique nous paraît dans ce domaine le phénomène le plus remarquable. L'Europe est hérissée d'érudits. A Bâle, en Suisse, nous trouvons Jean Rodolphe Iselin (1705-1779), professeur de droit public et auteur de mémoires très spécialisés et très savants d'histoire ancienne et moderne de l'Helvétie. En Allemagne, brillent les deux noms de Johann David Koelher, dont les vingt-deux volumes d'*Amusements numismatiques* (*Historische Münzbelustigungen*, 1722-1735) méritent quelque considération, et de J. G. von Eccard, auteur d'un *Corpus historiarum medii aevi*, publié en 1723. Mais c'est en Italie que réside le géant de l'érudition européenne, supérieur même aux mauristes par l'ampleur de son œuvre : Ludovico Antonio Muratori (1672-1750). Ce prêtre d'origine modeste, nommé en 1700 conservateur des archives de la maison d'Este, publie entre 1723 et 1738 les vingt-huit volumes in folio des *Rerum Italicarum Scriptores* et, de 1744 à 1749, les douze volumes des *Annales d'Italie*. Vraiment, dans l'histoire de l'histoire, cette époque a compté. Si l'on ajoute à ces différents travaux ceux mentionnés plus haut des mauristes français et ceux de Mansi et de Florez, on peut dire que ce demi-siècle a vu s'élever les plus grands monuments jamais vus de l'érudition.

Pour finir sur cette question des sciences, une comparaison géographique s'impose. Sur la carte de l'innovation scientifique, les Provinces-Unies, l'Angleterre et les pays de langue allemande occupent un espace de plus en plus grand. Le pôle de l'invention s'est déplacé. La «montée des puissances du Nord» n'est donc pas seulement un phénomène politique et économique.

Si l'on en vient maintenant au domaine des lettres et des arts et si l'on considère pour ces deux formes d'expression l'ensemble de l'Europe, il faut distinguer les imitations et les redites d'une part, et les innovations d'autre part.

Les imitations sont celles des styles et des goûts français et italiens.

Les poètes espagnols et allemands veulent imiter la poésie française de l'âge classique. La *Poetica* d'Ignazio de Luzan (1737) est une réplique (à l'usage des Espagnols) de l'*Art poétique* de Boileau. En Allemagne, Jean-Christophe Gottsched (1706-1766) adopte les canons français et les enseigne. Il ambitionne de devenir le Boileau de l'Allemagne. Il prêche la pureté du langage et la clarté du style. Il est vrai qu'une autre école de langue allemande, celle de Zurich — Johann Ludwig Wilhelm Gleim en est le chef (1719-1803) — combat l'influence française et propose l'imitation des poètes anglais, et de Milton en particulier.

Les architectes des cours allemandes, espagnole, italiennes et russe copient Versailles. Tous les princes d'Europe veulent déambuler dans des galeries des glaces et se promener dans des allées de buis. Philippe V construit la Granja, Charles VII de Naples Caserte et les Bourbons de Parme Colorno. L'architecte français Leblond dessine le jardin de Peterhof. Robert de Cotte fait les plans du château bavarois de Schleissheim.

Les redites sont en peinture et en musique.

La grande fresque de palais ou d'église avait été au siècle précédent le genre préféré des peintres. Elle demeure le genre dominant. Elle respire toujours le triomphalisme baroque. Rares sont les grands talents qui lui insufflent une nouvelle vie. Ce sont Giovanni Battista Tiepolo à Venise (1690-1770), Le Moyne à Versailles, et les trois Allemands Rottmayr, Asam et Troger, inventeurs de la fresque baroque germanique, pleine de réalisme et de pittoresque.

Le concerto et l'opéra — c'étaient les deux grandes inventions musicales italiennes du XVIIe siècle — se multiplient à l'infini. Vivaldi (1678-1741), auteur d'une fécondité étonnante (on ne lui attribue pas moins de cinq cent cinquante pièces instrumentales), joue un rôle capital dans l'essor du concerto pour soliste. De l'opéra, l'Europe entière est folle. Les créations ne se comptent pas. Mais à l'exception de celles de Rameau, aucune ne manifeste un génie nouveau. Les quarante opéras de G. F. Haendel sont aujourd'hui tombés dans l'oubli. Quant à l'opéra italien, ses auteurs ont perdu le secret de la puissance dramatique. Ils cherchent seulement à mettre en valeur les belles voix. En musique, de même qu'en rhétorique, le goût facile de l'époque préfère les mots à l'action.

Il est toutefois des secteurs nouveaux. Le génie s'y déploie. Tout n'est pas que répétition.

En peinture, on excelle à représenter les scènes de la vie, l'humanité quotidienne. Les Anglais y font preuve d'un grand talent, surtout William Hogarth (1697-1764), peintre cruel d'une société corrompue. Le Français Chardin observe avec patience et discrétion l'univers familier de sa propre maison. Les Vénitiens Guardi et Longhi peignent la rue et le salon. Ils font plus que du simple pittoresque. Ils voient l'étrange et le grotesque. Par exemple, dans le *Concerto* (1741), Pietro Longhi représente trois pauvres hères de musiciens qui s'escriment sur leurs instruments. Ils ont, pour tout public, au premier plan un petit chien posé sur un coussin, et derrière eux un gros moine qui joue aux cartes.

En littérature, le théâtre se renouvelle par Marivaux. Mais la grande nouveauté européenne est le roman anglais. Le *Robinson Crusoé* de Daniel Defoe (1719) lance le genre. La production est abondante : une centaine de titres pour la seule période 1714-1750. L'originalité est que plusieurs auteurs sont des femmes. Par exemple, Mrs. Davys et Mrs. Haywood, qui écrivent pour vivre et veulent toucher un large public. Mais les deux maîtres du genre, ceux qui lui donnent ses lettres de noblesse, sont Samuel Richardson (*Pamela* en 1740-1741 et *Clarissa* en 1747-1748) et Henry Fielding, auteur de *Joseph Andrews* (1742), *David Simple* (1744) et *Tom Jones* (1749). Le trait commun de toutes ces histoires anglaises est que les personnages n'ont rien d'héroïque, ni de particulièrement exemplaire. Ils sont naturels, ils sont normaux, ils se promènent dans la vie réelle. Ce qui ne les empêche pas d'être touchants. En somme, le roman anglais ressemble à ses lecteurs. D'où son succès, non seulement en Angleterre, mais dans l'Europe entière. Par exemple, *Tom Jones* connaît quatre éditions en neuf mois, et des traductions dans toutes les langues.

En musique, on assiste à une nouvelle naissance, celle de la musique religieuse. Par les génies de Haendel et de Bach, le genre est élevé à une hauteur inégalée. Haendel (1685-1759), musicien saxon fixé en 1710 en Angleterre, compose beaucoup de musique profane et décorative pour la Cour et pour les fêtes de plein air. Mais il est aussi l'auteur de nombreux oratorios et surtout du *Messie*, créé en avril 1742 à Dublin, œuvre divisée en trois parties : l'Incarnation, la Passion et la Gloire. Jean-Sébastien Bach (1685-1750) est d'abord un compositeur sacré. Son instrument préféré est l'orgue. Il est d'ailleurs lui-même un organiste de grand talent. Son œuvre se compose de chorals (cent cinquante chorals d'orgue), de cantates, de motets, de l'oratorio de Noël, et des deux Passions, la *Passion selon saint Jean* et la *Passion selon saint Mathieu*. Cette musique n'est pas seulement religieuse dans son style. Elle l'est aussi dans son âme. Bach porte toujours en lui l'image du Crucifié. Sa musique exprime son désir de mourir afin de pouvoir contempler le Christ face à face. Il est étonnant que le siècle du déisme ait enfanté un si grand hommage au Dieu incarné.

L'un des secrets de l'inspiration de Bach est son humilité. Le plus grand musicien de tous les temps avant Mozart a passé la plus grande de sa vie (vingt-sept années) dans le modeste emploi de « cantor », c'est-à-dire de professeur de musique de l'école Saint-Thomas à Leipzig. Il ne cherchait pas le public. On venait de loin pour l'entendre, mais il est loin d'avoir connu de son vivant la notoriété d'un Haendel. Il pratiquait le recueillement, non seulement dans son travail, mais aussi dans toute son existence, vivant chez lui avec sa femme et ses enfants, bon époux et bon père, ne sortant que pour l'école et pour l'église. Dans ce siècle mondain et diverti de lui-même, il y avait au moins un homme recueilli. C'était Bach.

Chapitre V

LA CIVILISATION
(Deuxième période : vers 1750 - 1789)

LES ÉGLISES ET LA RELIGION

Les trois chefs successifs de l'Église catholique (après la mort en 1758 de Benoît XIV) sont Clément XIII (1758-1769), Clément XIV (1769-1774) et Pie VI (1774-1799). Tous les trois impressionnent par leur dignité de vie. Tous les trois brillent par leur piété. Ils approuvent et même encouragent les dévotions qui réchauffent le christianisme. Ainsi Clément XIII autorise, en 1765, l'archiconfrérie de Rome et les évêques de Pologne à célébrer la fête du Sacré-Cœur. Ils combattent l'incrédulité comme ils le peuvent, c'est-à-dire avec des encycliques et des censures. Clément XIII condamne l'*Encyclopédie* (3 septembre 1759). Pie VI publie en 1775 l'encyclique *Inscrutabile* où il accuse les « philosophes effrénés » de vouloir briser les liens qui unissent les hommes entre eux. Mais les belles paroles et les anathèmes ne suffisent pas. Il faudrait plus. Les papes ne savent pas susciter — savent-ils même l'imaginer ? — la réforme intellectuelle qui dégagerait l'Europe de l'emprise philosophique. Tout ce qu'ils font dans ce domaine est de conseiller la défiance vis-à-vis de la scolastique. La vieille méthode médiévale leur est suspecte. Elle « embrouilla tout, écrit Clément XIII, à force de vouloir tout éclaircir ». Ils sont surtout incapables d'opposer une résistance ferme aux entreprises de l'anticurialisme. Clément XIV est d'une faiblesse insigne. C'est lui qui supprime la Compagnie de Jésus (bref *Dominus ac Redemptor* de 1773). Il est vrai que les cours ne lui avaient laissé aucun répit. Mais lorsqu'en France, la commission des réguliers supprime des centaines de monastères, son attitude n'est pas plus courageuse. Pie VI tente de faire mieux. Il se rend à Vienne en 1782 et s'efforce de modérer le zèle anticurialiste de Joseph II. Mais il obtient à peine quelques amendements.

L'épiscopat des différents pays catholiques est généralement zélé, assidu à ses devoirs. Plusieurs évêques font porter leurs efforts sur la formation du clergé. Ils se rapprochent de leurs curés, les associent à leur action. François Louis, évêque de Wurzbourg, dirige personnellement les exercices de ses ordinands. Marcello Crescenzi, archevêque de Ferrare (de 1746 à 1768), définit les curés comme les *adjutores* de l'évêque. Il se retire avec eux pour la retraite annuelle. Il les consulte pour la préparation de ses synodes.

Le mouvement missionnaire ne se relâche pas. Les ouvriers les plus actifs de ce vaste chantier toujours ouvert sont les franciscains, les capucins, les jésuites (jusqu'à leur suppression) et les rédemptoristes, congrégation nouvelle fondée en 1732 par saint Alphonse de Liguori. Le capucin Diego de Cadix parcourt toute l'Espagne méridionale. Il établit partout des Adorations perpétuelles du saint sacrement. Il porte sur lui un pourpoint garni intérieurement de pointes acérées. Ses mortifications impressionnent les foules. Les rédemptoristes évangélisent l'Italie mais aussi la Pologne et la Courlande. Leur mission est d'un type nouveau. Ils commencent par confesser. La prédication ne vient qu'ensuite.

La pensée catholique demeure peu féconde. L'Italie et l'Allemagne sont les seuls pays où elle garde quelque vitalité. Le Napolitain Alphonse de Liguori publie en 1757 une *Théologie morale* qui marque un tournant dans l'histoire de la morale post-tridentine, et signifie l'avènement d'une nouvelle ère, celle de la mansuétude. En pratique, saint Alphonse refuse de ne pas accorder l'absolution, de multiplier les confessions, de charger ses pénitents de mortifications. L'Allemagne produit quelques grands esprits, parmi lesquels D. Schram (1722-1797) et surtout dom Martin Gerbert de Hornau, moine bénédictin, auteur de *Principia Theologiae* (1757-1759) et d'un grand nombre d'ouvrages de théologie mystique, d'histoire et de liturgie. Cependant la théologie allemande subit l'influence de l'*Aufklärung*, c'est-à-dire des Lumières. Chez certains, comme Gerbert, cette influence n'est pas trop marquée. Chez d'autres, elle provoque une dérive rationaliste. Par exemple Franz Berg, professeur de patrologie à Wurzbourg depuis 1785, dispense un enseignement à la limite de l'orthodoxie. Selon lui, aucun des contemporains du Christ, aucun de ceux qui l'ont approché, n'a eu l'intuition de sa divinité. C'est ici une différence notable avec la théologie française. Les catholiques éclairés français rationalisent l'apologétique, non le dogme lui-même. La théologie italienne a elle aussi ses novateurs. Ce sont les disciples de Muratori. Ils suivent les préceptes de sa *Regolata divozione* (1747). Ils professent, comme leur maître, le caractère facultatif de l'invocation des saints et de la Vierge. L'influence du jansénisme n'est pas étrangère à de tels enseignements. Le mouvement janséniste décline partout en Europe, mais il revit en France sous la forme richériste, et en Italie où il réalise des progrès remarquables. Le Piémont et la Toscane sont les provinces les plus touchées. Le synode de Pistoia, convoqué par Scipione Ricci, évêque de Pistoia-Prato, protégé du grand-duc Pierre Léopold, ne craint pas de déclarer le 18 septembre 1786 « l'institution divine des curés ».

Qu'en est-il de la foi des simples fidèles? Nous avons observé en France une déchristianisation marquée des élites sociales. Est-ce le cas dans les autres pays catholiques? Voit-on aussi comme en France une montée de la dévotion populaire? Il est bien difficile de répondre à ces questions. Les historiens ne se les posent guère.

Dans l'histoire des Églises protestantes, les deux faits les mieux établis sont d'une part en Allemagne l'influence de l'Aufklärung, d'autre part en Angleterre l'expansion du méthodisme. Les théologiens protestants de l'Aufklärung vont plus loin que leurs homologues catholiques. Certains, comme par exemple J. D. Michaelis (1717-1791), mettent en doute l'authenticité de la Révélation. Le méthodisme anglais suit une pente très différente. C'est un réveil de la foi. Wesley, son fondateur, meurt en 1791 après avoir parcouru 362 025 kilomètres et prêché cinquante-deux mille quatre cents sermons. Il ordonnait des ministres depuis 1784 et avait rompu définitivement avec l'anglicanisme. Peu à peu, sa doctrine s'était éloignée du protestantisme. Il prêchait la vie sainte. Dans son *Sermon sur la charité* (1784) il avait exhorté ses fidèles aux bonnes œuvres. A sa mort, son Église compte huit cent mille fidèles. Il n'est pas exagéré de dire que sa parole ardente a régénéré le monde anglo-saxon.

LES SCIENCES ET LA PHILOSOPHIE

Ce n'est pas un grand âge scientifique. Ou plus exactement ce n'est pas un grand âge de réflexion sur la science. Le temps des audacieuses théories sur la constitution de l'univers semble passé. L'essentiel de la recherche porte aujourd'hui sur l'analyse des phénomènes naturels. On assiste à la naissance de la chimie moderne. Les expériences de Priestley, Cavendish, Scheele et Lavoisier permettent à ces savants d'isoler les différents gaz constitutifs de l'air. L'Anglais Priestley, curieux personnage à la fois théologien, philosophe et physicien, communique en 1772 à la Société royale de Londres ses *Observations sur les différentes espèces d'air*. Lavoisier prolonge ses analyses et identifie l'oxygène. Par ailleurs, les savants cherchent à mieux connaître ce fluide mystérieux qu'on appelle l'électricité, à le capter et à l'utiliser. L'Italien Galiani découvre sa présence dans les muscles des animaux. «Le corps des animaux, écrit-il, est une bouteille de Leyde organique.» En 1717, l'Anglais Ramsday fabrique la première machine à plateau: un grand plateau de verre tourne entre deux coussinets et, par frottement, se charge d'électricité. Le physicien hollandais P. Van Musschenbroek (1692-1761), de Leyde, crée la science de l'électrostatique à laquelle le Français Coulomb, dans ses *Mémoires à l'Académie des sciences* (1785-1789) donne sa formulation définitive.

L'histoire telle que nous l'entendons aujourd'hui, c'est-à-dire une synthèse des informations données par l'érudition, naît à cette époque. L'*Essai sur les mœurs* de Voltaire et l'*Histoire d'Angleterre* de Hume (publiée de 1754 à 1762) se rapprochent déjà de cette définition. Mais l'ouvrage fondateur est celui de l'Anglais Edward Gibbon, *The History of the Decline and Fall of the Roman Empire* (1776-1788). Ce livre est divisé en trois parties : Des Antonins aux grandes invasions ; De Justinien à l'an 800 ; De l'an 800 à la prise de Constantinople. C'est à la fois une reconstitution minutieuse et une ample démonstration. L'auteur, dans l'Avertissement, fait l'éloge de l'exactitude : « La fidélité et l'exactitude, écrit-il, sont le seul mérite dont un Historien puisse se glorifier... » Mabillon au siècle précédent avait fondé la science de l'érudition. Gibbon en ce siècle fonde la science historique elle-même.

Cependant, bien comprendre le passé ne suffit pas. On veut aussi construire l'avenir. L'époque se montre fort désireuse de préparer le bonheur futur de l'humanité, d'en définir les conditions et les règles. De tous côtés, dans tous les pays, les hommes éclairés, philosophes français, *ilustrados* espagnols et littérateurs de l'Aufklärung, bâtissent des plans de société harmonieuse et d'économie moderne. Quelquefois — c'est le cas de Turgot en France et c'est celui des *ilustrados* espagnols — ils sont portés au pouvoir et ont alors la possibilité de réaliser leurs plans. L'expérience espagnole est à cet égard fort intéressante. Aranda, Florida Blanca et Campomanès — pour ne citer que les principaux — sont à la fois des hommes politiques et des théoriciens de la réforme sociale. Ils tentent en toute bonne foi de débarrasser le peuple de ses « superstitions », d'éduquer les paysans et les artisans, et de supprimer la mendicité et l'oisiveté. Car tout le monde doit travailler. Tout le monde doit être utile. Ce sont les commandements de l'art social.

Ce sont aussi les principes du plus grand économiste de l'époque, l'Anglais Adam Smith, auteur de l'*Enquête sur la nature et les causes de la richesse des nations* (*An Inquiry on the Nature and Causes of the Wealth of Nations*, 1776). Toutefois, Smith va beaucoup plus loin que les philosophes. Il confère au travail une importance qu'on ne lui avait jamais donnée. Il en fait une valeur économique. Pour lui, le travail n'est pas créateur de valeur. Il est valeur. Il est même la seule valeur. Si l'on veut s'enrichir il suffit d'amasser du travail, c'est-à-dire d'acquérir le travail des autres : « ... c'est du travail d'autrui [que l'homme doit] attendre la plus grande partie de ses jouissances ; il sera riche ou pauvre selon la quantité de travail qu'il pourra commander, ou qu'il sera en état d'acheter. »

Les œuvres philosophiques proprement dites, c'est-à-dire de réflexion sur Dieu, sur la nature humaine et sur l'univers, se partagent entre deux courants, le rationaliste et l'illuministe.

Les rationalistes sont les « philosophes » français et les Allemands éclairés de l'Aufklärung. Les premiers, s'ils ne nient pas toujours l'existence de Dieu, sont de tendance nettement matérialiste. Ils ne voient dans l'homme qu'une sorte d'animal supérieur. Les religions ne leur sont que « fanatismes » et « préjugés ». Les seconds croient en Dieu. Seulement, ils ne veulent rien savoir ni de sa nature, ni de ses opérations. « Nous ne pouvons pas, dit l'un d'eux (Christian Grave), nous n'avons pas besoin d'aller au-delà de ces convictions. » Ils ne sont pas contraires à la religion, mais ils ne pensent pas qu'une religion puisse être meilleure que les autres. Toutes seront bonnes à la condition qu'elles tolèrent les autres. Chez Lessing, le grand vulgarisateur de l'*Aufklärung* (1729-1781), cette espèce de tolérance active et bienveillante forme l'essentiel de la pensée. Dans sa dernière pièce, *Nathan le Sage*, il conte l'apologue suivant : un père de famille possède une bague qui a la propriété de rendre agréable à Dieu celui qui la porte. Ses trois fils lui sont également chers. En mourant, il remet à chacun d'eux une bague identique, dont il est impossible de savoir si elle est la vraie. Il se peut même que le père ait fait disparaître l'anneau merveilleux pour qu'aucun frère n'ait de supériorité sur les autres. Le juge appelé rend la sentence suivante : que chacun des trois héritiers agisse comme s'il possédait la bague miraculeuse. Qu'il travaille inlassablement à se rendre agréable à Dieu et qu'il authentifie de cette manière le dépôt dont il a la garde. En d'autres termes la véritable foi ne consiste pas dans l'adhésion à une religion, mais dans une activité morale tournée vers la vérité et vers le bien. Le message de l'Aufklärung porte aussi sur le rôle de la raison comme agent de concorde entre les hommes. Tandis que les Lumières françaises appellent des changements radicaux, ces Lumières allemandes rêvent d'un adoucissement progressif de l'humanité.

Quant à l'illuminisme, c'est une nouveauté. Il n'y avait rien de tel dans les premières décennies du siècle. Est-ce une philosophie ? Pas tout à fait. Plutôt une *praxis*, une certaine manière de concevoir les rapports de l'homme avec l'univers. Les illuministes sont des personnages étranges. Leurs idées sont intéressantes, bien qu'elles aient toujours un aspect de bizarrerie. Antoine Mesmer, un Allemand de Souabe (1733-1815), est le théoricien du « magnétisme animal », qu'il définit de la manière suivante : « La propriété du corps animal qui le rend susceptible de l'action des corps célestes et de la terre. » Il soigne les maladies nerveuses et applique sur le corps de ses malades des pièces aimantées. Jean-Gaspard Lavater, Suisse de Zurich (1741-1801), a deux spécialités, la poésie sacrée et la physiognomonie, c'est-à-dire la science de l'interprétation des caractères d'après les traits du visage. Ses *Essais sur la physiognomonie* datent de 1772. Le Suédois Emmanuel Svedberg, anobli sous le nom de Swedenborg, est lui aussi deux fois savant, dans la métallurgie et dans la mystique. Il a d'abord visité l'Europe afin d'étudier les mines et les métaux. Ensuite a commencé son époque mystique. Un jour d'avril 1745, il a été favorisé d'une vision de Dieu. Il s'est alors dit

« investi par Dieu lui-même d'une mission sacrée et doué du pouvoir d'entrer en rapport avec le monde de Dieu et des anges[1] ». Ses dons de voyance lui valent une grande célébrité. En voici un exemple : le 19 juillet 1759, étant à Gothembourg où il vient de débarquer, il apprend à ses hôtes qu'un incendie vient d'éclater ce jour-là même dans les faubourgs de Stockholm, à cent lieues de là. Il fonde sa propre religion et en promulgue les lois sous le titre de « Nouvelle Jérusalem ». Le juif portugais Martinez Pasqualis (1715-1775) institue en 1754 un rite caba-listique d'élus dits « cohens » et l'introduit dans certaines loges maçonniques. Aux « martinistes », ses disciples, il enseigne la « théurgie », c'est-à-dire la « science des esprits et des âmes ». Le Français Louis-Claude de Saint-Martin (1743-1803) le rencontre à Bordeaux et se met à son école. Dans un ouvrage publié en 1782, et intitulé *Tableau naturel des rapports qui existent entre Dieu, l'homme et l'univers*, ce dernier pose deux conclusions. La première est que les « puissances cachées » sont à l'origine de tous les phénomènes. La seconde que l'étude appro-fondie de la nature de l'homme doit nous mener par induction à la science de l'ensemble des choses. Vaste programme. On pourrait citer encore beaucoup d'autres noms, par exemple celui de Gozzi, cet auteur vénitien qui, dans son *Sognatore italiano* (« Le rêveur italien ») de 1768, fait un éloge appuyé des sciences hermétiques et de l'astrologie. Mais il faut arrêter la liste. Elle serait interminable. On pourrait y ajouter une liste complémentaire, celle des charlatans. Cagliostro (de son vrai nom Joseph Balsamo, 1745-1795), aventurier d'origine sicilienne, escroc, imposteur et magicien, y tiendrait la première place. L'imposture est facile en ce temps où tout le monde est prêt à croire n'importe quoi. On revient en arrière, on revient à la science magique, celle du XVIe siècle, celle de Campanella et des libertins.

On peut voir cette poussée d'illuminisme comme une réaction bien naturelle, face aux excès du rationalisme desséchant. Pourtant, les illu-ministes ne s'opposent pas au rationalisme. Ils le complètent en quelque sorte. Cette âme que le rationalisme dénie à l'homme, ils la placent dans la « Nature ». Si l'homme n'a plus d'âme, il faut que l'univers en ait une. Car il faut toujours qu'il y ait de l'âme quelque part.

Rationalisme et illuminisme sont donc souvent mêlés, associés. C'est le cas en particulier dans la maçonnerie, curieux mélange de vague déisme et de rites étranges et quasi religieux. Si le rationalisme l'emporte, on a le Grand Orient de France. Si l'illuminisme domine, cela donne les « martinistes », les illuminés de Bavière et les Rose-Croix. Les illuminés de Bavière, fondés par Adam Weishaupt (1748-1830), sont dès cabalistes. Ils croient à l'existence de génies bons et de génies mauvais.

---

1. Cité dans F. Hoefer, *Nouvelle Bibliographie générale, op. cit.*, t. XLIV, article « Wedenborg ».

Ils nourrissent un vague dessein de subversion politique. Les Rose-Croix professent que l'homme, déchu de sa divinité, doit s'y réintégrer. Le fait de combiner ainsi, à des doses variables, les deux courants philosophiques dominants du siècle explique l'extraordinaire succès des loges dans toute l'Europe. L'Angleterre (trois cent quatre-vingts loges en 1766) et la France sont les pays les plus « maçonnisés ». L'Allemagne est en passe de les rattraper. La première loge y a été fondée à Hambourg en 1744.

Cependant, il faut bien voir les limites de tout cela. Ni le rationalisme ni l'illuminisme n'apportent de principes nouveaux susceptibles de modifier profondément la manière de penser. L'un et l'autre courants prennent leurs sources dans les systèmes philosophiques du siècle précédent, le rationalisme chez Descartes, l'illuminisme chez les libertins. Le renouvellement de la philosophie n'est pas là, mais dans un système encore peu connu, appelé néanmoins à une grande réputation, celui de Kant.

Emmanuel Kant, de Königsberg (1724-1804), est à part. C'est un novateur, comme l'avait été Descartes en son temps. Il propose en effet deux théories entièrement nouvelles, l'une dans la critique de la connaissance, l'autre dans la morale. La connaissance est selon lui une construction de notre esprit. Les idées innées n'existent pas. Les idées nées des sensations n'existent pas non plus. Kant rejette à la fois Descartes, Locke et Condillac. Il est le fondateur de l'idéalisme moderne. Il rejette de même les morales métaphysiques et les morales empiriques. Il crée la morale du « devoir ». Selon lui un acte ne doit pas être fait parce qu'il est bon, mais il est bon parce qu'il doit être fait, et dans la mesure où on le fait. Il est bon uniquement par sa conformité intentionnelle au « devoir ». Le kantisme est une révolution philosophique. Cette révolution est allemande.

LES LETTRES ET LES ARTS

De même est allemande la révolution littéraire. Herder et Goethe en sont les auteurs.

Johann Gottfried Herder (1744-1803) est un pasteur prussien qui publie en 1767 des *Fragments sur la littérature allemande moderne* (*Fragmente über die neuere deutsch Literatur*). Il y revendique pour chaque peuple un « génie » national original. L'idée neuve est celle du génie qui n'est plus le fruit du travail personnel et de l'inspiration divine, mais qui sourd de la terre de la patrie et de l'ethnie. « Il n'y a, écrit Herder, qu'un coup de sonde à donner dans le sol allemand, et la poésie nationale en jaillira. »

Goethe appartient à la même génération. Il est né à Francfort le 28 août

1749. Dans sa jeunesse il avait appris le français et s'était passionné pour Racine. A l'université de Leipzig, lors de ses études de droit, il avait reçu l'enseignement de Gottsched, grand admirateur de la France. Mais en 1770, à Strasbourg, il rencontre Herder, l'écoute et se convertit à ses thèses du génie allemand. Quatre ans plus tard, il publie *Les Souffrances du jeune Werther*, histoire d'un malheureux jeune homme habité par le mal de vivre et qui finit par se suicider. Le triste destin de Werther fait pleurer toute l'Allemagne. Ainsi naît le « Sturm und Drang » (« Tempête et assaut »), ce mouvement littéraire nouveau. La « génialité » selon Herder en forme la théorie. La souffrance de Werther en est l'âme. Le drame des *Brigands* de Schiller, représenté pour la première fois à Mannheim le 13 janvier 1782, en est l'expression la plus significative. Schiller est un médecin militaire converti à la littérature par la lecture de *Werther*. Le héros de son drame s'appelle Charles Moor. Ce Moor est un écolier-bandit. On ne comprend pas grand-chose à ses mésaventures. L'action est assez confuse. Tout se passe en tumulte. Mais peu importe. Ce qui enthousiasme le public ce sont les proclamations de Charles Moor. Ce héros est en prison pour banditisme. Il réclame sa liberté. Il affirme aussi sa « génialité », la force primitive et sans limite de son « moi » : « Je me sens une armée dans ce poing. » Il méprise la loi : « Elle a fait dégénérer en rampement de limace ce qui aurait été le vol de l'aigle. » Curieux héros que ce brigand. Les héros de l'humanisme classique ne le reconnaîtraient pas pour leur frère.

A côté de ces cris germaniques, tout le reste de la littérature, sauf quelques rares exceptions, fait figure d'aimable divertissement. Et, de fait, l'aimable y prédomine avec le galant et l'amusant. Les meilleures œuvres théâtrales, celles de l'Anglais David Garrick (1716-1779) et celles du Vénitien Carlo Goldoni (1707-1793), sont des comédies bien faites, bien enlevées, mais somme toute assez superficielles. Goldoni est un auteur d'une fécondité extraordinaire. On lui attribue deux cent cinquante titres. Son mérite — mais est-ce un mérite ? — est d'avoir transformé la *commedia dell'arte* en apportant aux comédiens un texte complet au lieu d'un simple canevas. Ses caractères nous réjouissent mais ils manquent de consistance. Il n'échappe pas tout à fait au sentimentalisme larmoyant et humanitaire de l'époque. Sa *Locandiera* (1751) passe pour sa meilleure comédie. C'est l'histoire d'une jeune fille propriétaire d'une auberge et assaillie de soupirants qui en veulent plus à son argent qu'à son minois. A la fin, elle écarte les candidats nobles et épouse son valet Fabrice. C'est de la bonne opérette. Finalement la seule œuvre vraiment forte du théâtre européen est *Le Mariage de Figaro* de Beaumarchais. Et la seule du roman — après *Werther* — *Les Liaisons dangereuses*. Le roman anglais poursuit sa carrière, mais, exception faite du *Rasselas* de Samuel Johnson (1758), ne produit plus d'œuvres majeures. Samuel Johnson (1709-1784), fils de libraire, est honoré dans son pays, à l'égal de Voltaire en France, comme le grand homme et le patriarche des lettres. Ses courts *Essais* de morale, publiés dans le *Rambler* de 1750 à 1752, sont rédigés dans une langue précise et classique, et dénotent une finesse remarquable dans l'observation des caractères et des mœurs. On y retrouve l'art des Anglais, déjà prouvé par leur roman, de faire vivre le quotidien.

Johnson incarne le moralisme classique, et cette tendance est dominante dans les lettres anglaises. Toutefois, un goût nouveau commence à se manifester. Comme en Allemagne, le public s'intéresse de plus en plus aux vieilles légendes, aux poèmes évocateurs du passé national. En 1760, l'Écossais Mac Pherson publie à Édimbourg le recueil des poèmes d'Ossian, prétendu héros et barde écossais du IIIe siècle. C'est une supercherie littéraire. Les poèmes ne sont pas d'Ossian, mais de Mac Pherson. Peu importe. Le succès est immense dans toute l'Europe.

Le néo-classicisme domine les arts plastiques. Une nouvelle fois, l'Europe revient à l'Antiquité. Mais ces nouvelles retrouvailles diffèrent des précédentes. De la chère Antiquité, on attend moins son inspiration que sa présence. On veut la retrouver telle qu'elle était, on veut la reconstituer. Par exemple, dans les monuments. Voyez ces *country houses* anglaises, si représentatives de l'architecture du temps (Syon House, Roehampton, Wardom Castle). Ce ne sont pas des demeures anglaises. Ce sont des maisons pompéiennes, ou romaines, ou étrusques. On fait de l'ancien. De préférence grec. Car selon les *Réflexions sur l'imitation de l'art grec*, de Winckelmann (1717-1768), la sculpture grecque représente le beau idéal. Le charme nouveau des monuments antiques vient aussi de leur éloignement, du témoignage qu'ils portent sur des époques à jamais disparues. Les artistes éprouvent la fascination des ruines. On publie en Angleterre des albums de gravures de ruines : *Ruins of Palmyra* (1753), *Ruins of Baalbec* (1757), *Ruins of Paestum* (1758). Deux grands peintres, Hubert Robert et Pannini (1692-1765), peignent des ruines. Il y a maintenant dans les arts un élément de nostalgie et de rêve, quelquefois même une part de fantastique. Les décors gravés par Giovanni Battista Piranesi (1718-1778) représentent des ruines antiques ou des monuments contemporains encore habités par la vie, mais comme usés par le temps, vieillis par l'histoire. Ce sont les visages momifiés des civilisations mortes ou sur leur déclin. Chez le grand peintre Fussli, un Zurichois qui a fait toute sa carrière en Angleterre, on trouve une curieuse combinaison du classique et du bizarre. Son *Cauchemar*, peint en 1781, représente une femme étendue à la renverse et prostrée dans le sommeil, et auprès de son lit, gardiens étranges, les animaux monstrueux peuplant ses rêves.

Le seul domaine de l'art où se manifeste encore le véritable humanisme classique, c'est-à-dire l'alliance de la grandeur, de l'équilibre et de la grâce, est la musique et plus précisément la musique en Allemagne. Nous voulons parler surtout de Joseph Haydn et de Mozart. L'un et l'autre sont des musiciens de Cour : Joseph Haydn (1732-1809), maître de chapelle des princes Esterhazy, Wolfgang Amadeus Mozart (1756-1791), maître de chapelle de l'Empereur. L'un et l'autre ont excellé dans tous les genres profanes et sacrés, mais celui de la symphonie est celui où s'expriment le mieux à la fois leur virtuosité et leur génie. Ils ne l'ont pas créé — l'inventeur est sans doute le compositeur italien Sanmartini — mais ils lui ont donné sa forme achevée.

Mozart a ceci de singulier qu'il est tout entier dans son art. Il n'est pas adonné à la musique. Il est la musique. Certes, il s'est marié (avec Constance Weber). Son épouse l'a rendu heureux. Il a eu d'elle six enfants. Mais on peut se demander s'il a eu vraiment une vie de famille comme l'avait eue Bach. Dans sa vie tout entière on ne trouve que de la musique. Dès l'âge de trois ans, il cherche des tierces. A six ans, il écrit son premier concerto pour clavecin. Dans les quatre derniers mois de sa vie, malgré la maladie et l'extrême fatigue, il compose *La Flûte enchantée* (qui est le premier opéra allemand), un autre opéra, la *Clemenzia di Tito*, deux cantates, un concerto de clarinette et le *Requiem*. Ce n'est pas exceptionnel. Durant tout l'espace de sa courte existence, il avait travaillé à ce rythme, ajoutant aux heures du jour une grande partie de celles de la nuit. «Lorsqu'il faisait de la musique, note Niemetschek, son premier biographe (1798), il en oubliait sa propre existence et ce trait lui resta jusqu'à la fin[1].» C'est la différence avec Bach. Bach se recueillait. Mozart s'oublie lui-même. Il s'efface devant son propre génie. Il y a quelque chose de divin chez lui. Grâce à lui, la musique parle. Comme l'écrit encore Niemetschek, «il élève, apaise et console[2]». Il meurt au moment où commencent les grands bouleversements de l'Europe. C'est un ange qui ferme la porte du siècle.

Chapitre VI

POPULATION, ÉCONOMIE, SOCIÉTÉ
(1715-1789)

POPULATION

La population de l'Europe connaît une phase de croissance. Le nombre des Européens (y compris les habitants de la Russie) passe de 118 millions en 1700 à 180 millions en 1789. La croissance est plus forte

1. *Vie de W. A. Mozart par Franz Xaver Niemetschek, précédée du nécrologe de Schlictegroll*, préface de Carl de Nys, présentation et notes par Georges Favier, université de Saint-Étienne, 1976, p. 185.
2. *Ibid.*, p. 279.

dans la deuxième moitié du siècle. Le taux annuel d'accroissement est de 2,4 % avant 1750, et de 4 % après. La répartition est inégale dans l'espace. Certains pays n'enregistrent qu'une croissance modeste. Ainsi la Hollande avec 10 % d'augmentation pour toute la durée du siècle. La population de la France s'accroît de 40 % (de 1700 à la Révolution), mais c'est peu si l'on compare à la croissance de l'Angleterre, de l'Espagne, de la Suède et de la Prusse. Ces quatre pays voient doubler leur nombre d'habitants. Dans l'Europe de l'Est, la colonisation apparaît comme un facteur important d'accroissement. La population des terres noires de l'Ukraine double au cours du siècle. Cela est dû pour une bonne part au transfert autoritaire de paysans, ainsi qu'à l'arrivée de serfs enfuis des grands domaines du Nord.

L'Europe rajeunit. Cet accroissement massif renouvelle la pyramide des âges. On a souvent évoqué la jeunesse des figures dominantes de ce siècle. Frédéric II n'a que vingt-huit ans lorsqu'il envahit la Silésie. Catherine II n'a que trente-trois ans lorsqu'elle se saisit du pouvoir. Mozart débute à trois ans. Lavoisier entre à vingt-huit ans à l'Académie des sciences. Watt invente au même âge la machine à vapeur.

A ce bond en avant démographique, on a cherché bien des causes. La raison principale est la forte baisse de la mortalité. Il n'y a plus de grandes crises frumentaires. Il n'y a plus de grandes épidémies. Et puis l'on se défend mieux. On lutte mieux contre la maladie et contre la mort. Ce n'est pas que la médecine fasse de grands progrès, mais ses rares progrès bénéficient à un plus grand nombre. Le développement de la puissance de l'État permet un renforcement de l'action sanitaire : les cordons sanitaires sont plus rigoureux, les quarantaines mieux observées, la prévention des épidémies plus efficace. Les progrès de l'agriculture et ceux de l'alimentation interviennent aussi. Les Européens cultivent mieux leurs terres, les protègent mieux contre les aléas climatiques, produisent davantage et, par conséquent, se nourrissent mieux.

Dans quelques pays, la hausse de la natalité s'ajoute, si l'on peut dire, à la baisse de la mortalité. C'est le cas de l'Angleterre, où le taux de natalité, estimé tantôt à 31,6 %, tantôt à 35,7 % pour l'année 1710, atteint 41,4 % au début du XIXᵉ siècle. On s'explique ainsi fort bien le doublement de la population anglaise. La même explication vaut sans doute pour l'Espagne, la Prusse et la Suède, pays où la population augmente dans les mêmes proportions.

En d'autres pays par contre, le nombre des naissances ne s'élève pas, et la baisse de la mortalité reste le seul facteur de l'accroissement de population. Dans deux pays, la France et la Suisse, on observe même ici et là une diminution du taux de natalité. Cela signifie sans doute une limitation des naissances d'un type nouveau. Cela veut dire peut-être que la pratique du mariage tardif ne suffit plus et que l'on recourt à la contra-ception. En Suisse, il arrive que la contraception soit associée à l'émigration pour assurer l'équilibre entre la population et les ressources. Ces faits ne s'accordent pas avec la tendance générale de la période. Il y a là un pessimisme qui est nouveau.

ÉCONOMIE

Les idées

On note un début de libéralisme dès la fin du XVIIᵉ siècle. L'Anglais Petty, l'Irlandais Cantillon et le Français Boisguilbert, chacun à sa façon, réagissent contre l'esprit de système de protectionnisme mercantiliste. Toutefois, il ne s'agit pas là d'une école libérale, mais de réflexions isolées.

La première école libérale est celle des physiocrates français. Leur formule « Laissez faire ; laissez passer » est appelée à une extraordinaire célébrité. Les réformateurs espagnols, Campomanès et Florida Blanca, suivent les principes physiocratiques et s'efforcent de les appliquer.

C'est toutefois l'Écossais Adam Smith (1723-1790), qui, dans son ouvrage intitulé *Enquête sur la nature et les causes de la richesse des nations* (1776), dote le libéralisme économique de sa démonstration la plus rigoureuse et de sa formulation la plus achevée. Comme les physiocrates, il défend « l'ordre naturel », c'est-à-dire la liberté la plus totale du travail, de l'entreprise et du commerce. Mais il ne s'en tient pas là. Les physiocrates étaient des philosophes assez fumeux. Lui est un véritable économiste. Il définit la notion de valeur du travail. C'est un concept dont la portée sera immense. Il exalte l'intérêt personnel comme moteur de toutes les activités. Il invente l'« humanisme » libéral. Il élève le libéralisme économique à la hauteur d'une sagesse.

Les prix

La plupart des courbes de prix européennes se conforment au schéma suivant. La hausse modérée, commencée vers 1710, continue jusqu'aux alentours de 1720. Ensuite s'étend une période de prix moyens ou bas. Enfin, à partir de 1750, presque tous les prix commencent à s'élever.

Le mouvement de la population est sans doute un facteur important. On a relevé certaines similitudes dans le dessin général des deux courbes, celle des prix et celle de la population. Il y aurait un rapport de cause à effet. Avant 1750, la relative stabilité des prix refléterait la demande limitée d'une population, sinon stationnaire, du moins ne croissant qu'avec lenteur. La hausse rapide des prix après 1750 serait le résultat de l'accélération démographique. Il y a toutefois une différence de rythme. La hausse des prix de cette deuxième période va plus vite que celle de la

toujours dépourvues de voies de communication et demeurent de ce fait dans l'impossibilité de développer leur agriculture et leurs manufactures.

L'agriculture

Les conditions générales qui sont toujours, et presque partout en Europe, celles de l'agriculture ne sont pas de nature à favoriser de grands progrès.

Le système de culture encore le plus répandu (dans toutes les aires de peuplement dense où prédominent les céréales) reste celui de l'openfield, c'est-à-dire du champ ouvert et allongé, où la propriété est morcelée en parcelles enchevêtrées. L'exploitation y est conduite selon des normes posées par la collectivité. Tous les ans, une partie du sol est laissée en jachère. Entre les moissons et les semailles est pratiquée la vaine pature : tout le monde peut mener ses bêtes sur toutes les propriétés, ainsi que sur les terres communales ou *commons*. Les pâturages sont de qualité médiocre ou faible. Le fumier est rare. Le bétail est souvent décimé par de très graves épizooties, par exemple celle qui sévit dans la plus grande partie de l'Europe occidentale en 1744 et 1745.

Le régime juridique dominant du partage égal — ou inégal — entre les héritiers ne stimule pas les initiatives.

Enfin, dans plus de la moitié de l'Europe (tous les pays à l'est de l'Elbe), la condition juridique des paysans par rapport à la terre où ils travaillent interdit pratiquement tout progrès. Cette condition est celle du servage. Et celui-ci, loin de reculer, connaît au XVIIIe siècle une extension sans précédent. Or le serf paie à son maître de telles redevances (16 % de son revenu moyen en Hongrie, 30 à 40 % dans certaines régions d'Allemagne) qu'il peut tout juste faire vivre sa famille. Il ne lui reste d'ordinaire aucun surplus. D'augmenter sa production il n'a ni le désir ni la possibilité. Dans tous ces pays de l'Europe de l'Est, le rendement va donc demeurer constamment inférieur à 4 pour 1. En Europe occidentale, dans les bonnes années, le blé peut donner six à sept fois la semence.

Nonobstant ces nombreux handicaps, le XVIIIe siècle est un siècle de progrès agricoles. Ces progrès sont limités à quelques pays mais ils sont très nets et même parfois spectaculaires. Les cultures nouvelles, introduites en Europe aux XVIe et XVIIe siècles, s'étendent. Les rendements augmentent. Les superficies cultivées s'accroissent.

Le maïs achève de se répandre dans toute l'Europe jusqu'au 50e degré de latitude nord. En Vénétie, au milieu du siècle, il devient la culture dominante. On l'y consomme directement, ou sous la forme de galettes ou de bouillies. On l'y utilise pour engraisser les animaux. La pomme de terre, elle aussi, monte vers le nord. Elle gagne toute l'Allemagne. Elle devient la première culture de l'Irlande. Partout, les quantités consommées ne cessent d'augmenter. Quand le blé manque, elle est un précieux recours.

Les rendements bénéficient de l'enrichissement des sols. On utilise la fumure et surtout la culture des légumineuses fourragères et celle des navets. Au siècle précédent, l'Italie du Nord et les Provinces-Unies avaient déjà réalisé dans ce domaine des progrès remarquables. C'est maintenant au tour de l'Angleterre et de la Catalogne de transformer ainsi leurs techniques culturales. La Catalogne avait été dévastée par la guerre de Succession d'Espagne. Il fallait y restaurer la prospérité. La jachère est d'abord éliminée des terres basses irriguées, ensuite des terres plus hautes, où l'on fait alterner les plantes fourragères et les céréales. On peut ainsi nourrir du bétail et obtenir du fumier. En Angleterre, la très forte croissance démographique et la consommation accrue qui en résulte stimulent les possesseurs de terres. Ils se consacrent à leurs domaines et cherchent à augmenter les rendements. Ils font alterner les céréales et les cultures fourragères. Ils développent l'élevage sur prairie artificielle, économisant ainsi la main-d'œuvre. Enfin, pour être mieux à même d'appliquer les nouvelles techniques, ils clôturent leurs terres. Le mouvement des enclosures avait commencé au XVIe siècle. Les rois Stuart l'avaient freiné. Après la révolution de 1688, il a repris de plus belle. Après 1750, il s'accélère. Entre 1702 et 1750, le Parlement vote cent deux bills d'enclosure. Il en édicte deux mille deux cent quatre-vingt-dix entre 1750 et 1810. Dans l'ordre de la production, les résultats sont très positifs : à la fin du siècle, l'agriculture rénovée nourrit aisément toute la population anglaise. Les effets sur la société sont moins heureux : les enclosures privent les paysans pauvres de l'accès à la vaine pâture. On voit naître et se développer un prolétariat rural.

L'extension des superficies cultivées peut être observée dans de nombreux pays, en France et en Angleterre, mais aussi en Prusse, en Hongrie, en Russie et en Espagne. L'accroissement se fait de deux manières, soit par le partage des communaux ou *commons*, soit par des travaux de défrichement, de drainage et d'assainissement. Le partage des communaux a lieu en Angleterre et en France, de même qu'en Lombardie, en Vénétie et en Espagne. Dans ce dernier pays, des lois sont promulguées entre 1768 et 1770 afin de permettre la partition. Les plus grands travaux de défrichement et de mise en valeur sont réalisés en Prusse orientale, dans le sud-est de la Hongrie, en Ukraine et dans la Sierra Morena en Espagne.

Les échanges commerciaux

Le fait majeur est ici l'essor extraordinaire, hors de proportion avec tout ce qu'on avait vu jusqu'alors, du grand commerce maritime, et surtout du commerce atlantique.

La plus grande partie du commerce maritime se fait dans le cadre de sociétés par actions, appelées compagnies. Ces sociétés mobilisent les capitaux disponibles. Par la distribution de dividendes, elles accroissent la richesse générale et permettent ainsi de nouvelles opérations. L'Ost Indische Kompanie (Compagnie hollandaise des Indes orientales), fondée en 1602, l'East India Company, fondée en 1708, et la Compagnie des Indes orientales (française), fondée en 1664, sont les modèles les plus accomplis de ce type de société. Il est vrai qu'elles ne font pas toujours de bonnes affaires. Les profits de la Compagnie hollandaise diminuent sans cesse tout au long du siècle. La Compagnie anglaise connaît des difficultés si grandes que l'État doit intervenir en 1772 pour la sauver de la banqueroute.

La réglementation du commerce colonial est toujours soumise aux principes mercantilistes. La colonie est toujours la « chose » de la métropole. Elle ne doit vendre qu'à la métropole et n'acheter qu'à elle. Il lui est défendu de transformer elle-même ses produits. Il lui est interdit d'utiliser d'autres navires que ceux de la métropole. C'est le régime dit du « pacte colonial ». L'application en est toujours rigoureuse et souvent vexatoire. Par exemple, le Molasses Act voté en 1733 par le parlement anglais force les treize colonies d'Amérique à acheter aux Antilles anglaises le sucre dont elles ont besoin, alors que le sucre des Antilles françaises coûte moins cher. Les colonies regimbent. Elles supportent de plus en plus mal la domination économique de la métropole. La révolte américaine de 1776 est d'abord une protestation contre l'exclusif colonial. Les autres nations coloniales en tirent des leçons. En 1784, la France entrouvre ses ports antillais. En 1778, l'Espagne ouvre son empire américain au libre trafic des autres pays d'Europe.

Les circuits commerciaux les plus fréquentés sont ceux du commerce atlantique. Ce que nous appelons le « commerce triangulaire » est fondé sur la traite des Noirs. Les marchands achètent les nègres sur la côte de Guinée, les revendent dans les colonies de plantations américaines, et reviennent en Europe avec une cargaison de produits coloniaux où le sucre tient la première place. Les autres routes maritimes unissent Cadix (siège de la Casa de Contratación) à Puerto Bello, Saint-Domingue et Vera Cruz, Lisbonne à Bahia et Rio de Janeiro, Bristol aux colonies anglaises, Bordeaux, Nantes et Marseille aux Antilles.

France, Angleterre et Provinces-Unies dominent le commerce international. Les Provinces-Unies n'ont plus la première place, mais conservent encore un rôle important. Dans les échanges de ces trois puissances la part de la réexportation des produits coloniaux ne cesse d'augmenter au cours du siècle : 40 % des exportations anglaises en 1750, et plus de 50 % à la fin du siècle ; plus du tiers du commerce extérieur des Provinces-Unies en 1776. Au début du siècle, les exportations anglaises étaient surtout dirigées vers le continent européen et particulièrement vers le Portugal. Les Anglais achetaient du porto et vendaient leurs toiles aux Portugais. Après 1750, la croissance de la population des colonies américaines ouvre de nouveaux marchés à l'industrie britannique. Les exportations vers les treize colonies ne cessent d'augmenter. Celles-ci absorbent, en 1772, 37 % des exportations des produits fabriqués anglais, au lieu de 10 % en 1700. D'où les craintes d'une partie de l'opinion anglaise au moment de la révolte des Insurgents : on redoute que l'indépendance des colonies ne mette en péril la prospérité de la métropole.

La révolution manufacturière et ses limites

Le XVIIIe siècle est celui de la première révolution industrielle. L'Angleterre est le pays où cette révolution se manifeste avec le plus de force. Elle se produit aussi en France, en Hollande, en Espagne et en Italie, mais avec moins de vigueur.

Le phénomène résulte de trois causes principales : la pression démographique, l'essor du commerce et les remaniements de la propriété foncière, libérateurs de main-d'œuvre. Il faut peut-être invoquer aussi certaines raisons philosophiques et religieuses. Philosophiques : les conceptions de l'économisme ont remplacé le souci traditionnel du bien commun. On est maintenant persuadé que le bonheur de l'humanité dépend avant tout de l'accroissement continu du travail et de la production. Religieuses : dans les pays calvinistes la théologie se transforme. Un néo-calvinisme réhabilite la vie temporelle, lui confère importance et respectabilité, admettant même l'enrichissement comme un service rendu à la communauté. Les sectes des baptistes et des quakers sont imprégnées de cet esprit nouveau. Ce n'est donc pas un hasard si plusieurs des grands inventeurs de la révolution industrielle appartiennent aux sectes. Newcomen est baptiste. Darby et Huntsman sont quakers.

Le développement de l'instruction scientifique et technique est aussi à prendre en compte. En Angleterre et en Écosse, un nombre croissant de familles confient leurs enfants non plus aux établissements de type classique et littéraire, mais à des écoles plus modernes enseignant les langues, les mathématiques, la physique et diverses techniques. Ces écoles portent le nom de *Private Academies*, *Dissident Academies* et *Technical Academies*. Bien que moins avancée dans ce domaine, la France a aussi quelques établissements du même type.

Si nous essayons maintenant de dégager les caractéristiques de la révolution industrielle anglaise, deux traits majeurs apparaissent : le rôle moteur de l'industrie cotonnière et le progrès de la technologie.

L'industrie cotonnière est en effet le *leading sector*. La plupart des manufactures se trouvent dans le Lancashire autour de Manchester. La matière première vient d'Amérique. Au début du siècle, les fabricants imitent les calicots indiens importés par l'East India Company, et travaillent surtout pour la consommation nationale. Mais Manchester est proche de Liverpool, le principal port de l'armement négrier. C'est une incitation. Les cotonnades vont financer en partie l'achat des esclaves. L'industrie cotonnière va fabriquer de plus en plus pour l'exportation. Tout l'effort de la technologie nouvelle vise à obtenir un rythme toujours plus rapide de production.

Le métier à tisser traditionnel constituait un instrument très défectueux. La nécessité de passer la navette à la main dans les fils de la trame limitait la largeur des pièces à la dimension des bras d'un ouvrier. En 1735, John Kay invente la navette volante manœuvrée par des leviers. On peut donc désormais augmenter la largeur des pièces. En même temps, la capacité de production est doublée. En 1738, Lewis Paul et John Wyatt inventent une bonne machine à tisser. Le rendement est à ce point augmenté qu'il arrive que le fil manque. On perfectionne alors les machines à filer. Trois machines à filer sont inventées, qui produisent à une cadence équivalente à la consommation : la *spinning jenny* de James Hargreaves (1765), qui a tendance à produire un fil trop fin, donc cassable, le *waterframe* de Richard Arkwright (1768), qui remédie à cet inconvénient, mais donne dans le défaut inverse, enfin la *mule* de Samuel Crompton (1779), qui se tient dans le juste milieu. Le métier d'Edmund Cartwright sera le dernier mot de la technique (1785).

Toutes ces machines peuvent être actionnées manuellement, mais aussi par un moulin à eau. La première filature hydraulique est installée en 1774 à Liversedge, près de Bradford. On en comptera deux cent quarante-trois à la fin du siècle. La nouvelle force motrice est celle de la vapeur. Le principe en avait été découvert par le Français Denis Papin (1647-1714). Construite par Savery et Newcomen, les premières machines datent du début du siècle. Elles servent à l'évacuation de l'eau des puits de mine. Les pompes qu'elles actionnent sont nommées «pompes à feu». L'invention décisive est celle de James Watt (1736-1819). Ce modeste ingénieur écossais met au point le système bielle-manivelle qui transforme le mouvement de va-et-vient en un mouvement circulaire. La vapeur devient motrice. La nouvelle machine à vapeur est construite en série par Matthew Boulton. Bientôt toute l'industrie textile en sera équipée.

Les progrès de la technique métallurgique ne sont pas moins importants. Le combustible commençait à manquer, l'extension des surfaces cultivées se faisant au détriment des forêts. C'est donc un grand progrès lorsque Darby, en 1735, réussit à fabriquer de la fonte au coke (houille cuite). Bientôt, le nouveau procédé élimine celui de la fonte au bois. L'inconvénient est la surproduction de fonte que l'on ne sait pas encore transformer en fer. L'invention du *puddlage*, par Onions et Cort en 1783-1784, supprime cet inconvénient. Il s'agit d'un procédé de fabrication de l'acier par décarburation de la fonte dans un four à réverbère. Désormais, on va pouvoir fabriquer des rails en grande quantité pour les wagons des mines.

L'emploi des machines entraîne la concentration. Les capitaux, la main-d'œuvre, la production, tout se concentre. Pour payer ces machines coûteuses, les capitalistes doivent s'associer. Des manufactures concentrées rassemblent les ouvriers. Les deux régions du Northumberland et du Lancashire attirent la plupart des ateliers. Le Lancashire devient le centre mondial de la production cotonnière. Le Northumberland est le pays du charbon et de la métallurgie.

Des transformations analogues, quoique moins marquées et surtout moins généralisées, se produisent sur le continent. La France, la Hollande et le Piémont adoptent la technologie anglaise. Ces pays ont aussi leurs propres inventeurs. Les tours et les moulins du Français Vaucanson révolutionnent l'industrie de la soie. La Hollande invente les « cylindres » qui transforment la papeterie, et permettent une préparation plus poussée de la pâte. Toutefois, dans la plupart des pays d'Europe, y compris ceux-là, l'ancienne fabrique, celle du XVIIe siècle, demeure le système dominant. C'est ce qu'on peut appeler le « système domestique » : des marchands manufacturiers fournissent la matière première à des paysans désireux d'utiliser la morte saison et d'obtenir ainsi un supplément de ressources. D'un tel système, les Flandres françaises et les Pays-Bas sont la plus parfaite illustration. Très nombreux en effet y sont les paysans qui fabriquent des toiles à domicile. Mais le même type de manufacture se retrouve partout en Europe, et même encore dans certaines régions d'Angleterre. Ce dernier pays est en train d'inventer des structures nouvelles de production. Les nouveautés qu'il conçoit commencent à se répandre dans toute l'Europe, mais les structures anciennes ne disparaissent pas pour autant.

SOCIÉTÉ

La société, comme l'économie, présente un double visage. Les distinctions anciennes subsistent, mais nous voyons se développer certaines catégories sociales, étrangères d'une certaine manière à la société traditionnelle, et de plus en plus difficiles à définir selon les anciens critères.

Donc l'ancienne société, que l'on peut appeler société d'« ordres », subsiste, et même, tout au moins en apparence, garde sa vitalité. Son élément le plus caractéristique est une noblesse exerçant une emprise plus ou moins forte sur la terre et sur ceux qui la cultivent. Il s'agit d'une toute petite minorité : 1,5 % de la population en France, 4,6 % en Espagne, 4,8 % en Hongrie, 5 % en Pologne. A vrai dire, dans ce dernier pays, la plus grande partie de la noblesse se distingue assez mal de la paysannerie. Partout, nous trouvons plusieurs tailles de noblesse : les grands nobles, les moyens, les petits. Les petits sont par exemple les hidalgos espagnols, la gentry anglaise, la *szlachta* polonaise et les hobereaux bretons. Parmi les moyens, on pourrait classer les *caballeros* d'Espagne et ces gentilshommes français cantonnés dans les petites villes et les manoirs du plat pays. Quant aux grands, ce sont les ducs et pairs français, les lords anglais, les magnats hongrois et polonais et les grands d'Espagne. Cependant, tous sont nobles et tous bénéficient du prestige qui s'attache à la noblesse, prestige qui ne diminue pas et qui même, au contraire, augmente. Car la noblesse est de plus en plus puissante. Elle peuple les gouvernements, les administrations, les états-majors. En Europe orientale elle détient toutes les fonctions d'État. En Europe occidentale, la plupart. Il faut souligner aussi l'intérêt croissant qu'elle porte aux choses de l'esprit et de l'art, son mécénat, sa participation active aux académies et sociétés savantes, son goût de plus en plus vif pour les sciences exactes et naturelles. Il faut noter enfin la conversion presque totale d'une partie de la grande noblesse à la mentalité économiste, et les effets qui en découlent : goût accru pour les spéculations financières, pour les entreprises industrielles, pour les expériences agronomiques et d'une manière générale pour toutes les activités enrichissantes. Le noble européen n'affecte plus le dédain de l'argent. Il est gagné lui aussi par la contagion capitaliste. Conversion surprenante et qui aura de grandes conséquences sur le destin de l'Europe. Dans l'immédiat, cette mentalité nouvelle de la noblesse change la nature de ses relations avec la terre et avec les paysans.

Sa richesse principale demeure en effet — et ce malgré la progression des revenus mobiliers, commerciaux et industriels — fondée sur la terre. Elle va donc chercher à étendre ses possessions terriennes, ou à en accroître le rendement. Or cette nouvelle gestion ne peut se faire qu'au détriment de la petite propriété paysanne. En Pologne et en Hongrie, le domaine noble, qui était déjà très étendu, achève d'absorber les derniers vestiges de la petite propriété. En Russie, l'ukase de 1762 sécularise les biens d'Église, les transforme en biens d'État et les redistribue aux nobles par centaines de milliers d'hectares. Dans toute cette Europe de l'Est, les grands domaines atteignent des dimensions énormes. En Pologne, les propriétés des Potocki et des Lubomirski s'étendent sur plus de 25 000 kilomètres carrés. En Moravie, les domaines des seuls Schwarzenberg couvrent 150 000 hectares et représentent 1/30e de la superficie totale du pays. En Europe occidentale la propriété noble est loin d'être aussi importante, mais elle tend à se renforcer. La noblesse adopte une attitude qui peut paraître contradictoire, mais qui en fait entre parfaitement dans la logique de cette réaction nobiliaire : d'une part elle renforce ses droits et prétentions, d'autre part elle se désolidarise de la communauté paysanne. On ne l'a jamais vue revendiquer avec plus de hauteur ses privilèges honorifiques, mais on la voit aussi clore ses domaines au nom de l'agronomie et empêcher ainsi la pratique de la vaine pâture. Les grands propriétaires anglais se sont les premiers engagés dans cette voie. Les noblesses française et espagnole ont imité leur exemple.

Partout, du fait de la noblesse, la condition paysanne se détériore. La dépendance s'aggrave. En Europe orientale, les seigneurs se refusent à atténuer le servage, et même, ils réussissent à l'étendre avec l'appui des gouvernements. En Russie, les lois de 1762 et 1767 livrent le serf à l'arbitraire du maître. En Russie, en Pologne et en Bohême le poids des corvées devient plus lourd. La fuite dans les bois, ou en Russie vers la Sibérie, est pour les serfs le seul moyen d'échapper aux charges intolérables. Le brigandage est un autre recours. Et parfois la révolte. On dénombre en Russie, de 1762 à 1772, quarante rébellions paysannes graves. A la grande révolte de Pougatchev (1773-1775), participent non seulement des Cosaques et des mineurs, mais aussi des milliers de paysans. En 1767 et 1775, les pays tchèques sont ébranlés par des insurrections paysannes d'une ampleur inquiétante. En Europe occidentale, il ne s'agit pas du servage — il n'y a pratiquement plus de serfs — mais du régime seigneurial. A partir des années 1760-1770 les seigneurs, assistés de conseillers juridiques, revendiquent leurs droits avec une rigueur sans précédent. L'offensive s'accompagne d'une foule de petites opérations immobilières visant à arrondir les domaines au détriment des petites propriétés paysannes. Le nombre des paysans dépossédés grandit d'année en année. On voit se former partout, mais surtout en Angleterre et en Italie, un véritable prolétariat rural.

N'imaginons quand même pas un écrasement de la paysannerie européenne. Si grave que soit l'oppression il ne faut pas en exagérer l'importance. Il faut surtout distinguer les deux Europes. En Europe occidentale, les petits exploitants ont les moyens de se défendre contre les empiétements nobiliaires. Ils en usent. Les archives regorgent de procédures engagées par les paysans contre leurs seigneurs. On voit même des régions où la petite propriété gagne du terrain. En Flandre et en Brabant, les domaines nobles sont grignotés. Enfin, dans plusieurs pays, le sud de la Bavière, une partie de la Hesse et de la Thuringe, la Lombardie, la Galice et la Catalogne, l'action des réformateurs agraires aboutit à la suppression de la mainmorte et ouvre des possibilités de rachat et d'accession à la propriété. Si l'Europe de l'Est ne connaît rien de tel, on peut cependant observer dans les possessions des Habsbourg quelques tentatives timides de la part des pouvoirs publics pour améliorer la condition paysanne. Tout cela représente un mouvement nouveau, tendant à modifier les structures sociales existantes.

Ces changements néanmoins ne valent pas en étendue et en profondeur les transformations de la bourgeoisie et du monde des métiers mécaniques. Là, il ne s'agit plus de simples modifications, mais de la naissance d'une nouvelle société organisée selon des critères purement économiques.

En nombre, que représentent les bourgeoisies? Pour l'Europe occidentale de 8 à 15 % de la population totale. Pour l'Europe orientale moins de 5 %. Mais ce sont là des estimations très approximatives et sans doute au-dessous de la réalité. En fait, les bourgeoisies ne cessent d'augmenter. Car elles ne cessent de recruter. Un mouvement d'ascension sociale continu parcourt la société tout entière. La bourgeoisie en est la principale bénéficiaire. Tous les ans, dans toute l'Europe, des paysans et des artisans se rapprochent de la condition bourgeoise et deviennent des bourgeois. Ce qui n'est d'ailleurs pas nouveau. Ce qui est nouveau, c'est la prise de conscience. La bourgeoisie en expansion acquiert une conscience plus nette de sa force. Elle est la principale détentrice et la meilleure utilisatrice du capital. Elle le sait.

Le siècle consacre d'abord le triomphe du marchand, de ce grand négociant qui exerce son activité à l'échelle du continent et même du monde, et qui réunit dans son entreprise le commerce, la banque et l'armement.

On assiste en même temps à la montée du manufacturier. Celui-ci est quelquefois un noble, mais il est le plus souvent un bourgeois issu de familles paysannes ou artisanales.

Cette bourgeoisie conquérante n'est pas encore assez puissante, assez nombreuse, assez riche pour imaginer un idéal social qui lui soit propre et qu'elle puisse imposer à la société tout entière. Comme aux siècles précédents, le rêve de tout bourgeois parvenu est de s'intégrer à la noblesse. S'il achète de la terre, ce n'est pas seulement pour le placement, mais aussi pour franchir l'étape, pour faire le seigneur. Partout, le domaine foncier de la bourgeoisie s'étend aux dépens de celui de la noblesse. L'exemple de la région d'Oldham en Angleterre est significatif : à la fin du siècle, les grandes familles cotonnières y auront acheté toutes les terres de la gentry locale, dépouillant complètement celle-ci. Comment réagissent les noblesses? On dirait qu'elles n'en ont cure. Autant elles revendiquent contre les paysans, autant elles acceptent facilement l'ascension sociale et mondaine des bourgeois. Que les bourgeois fassent les nobles, qu'ils vivent noblement, elles ne s'en moquent même plus. Elles les reçoivent volontiers dans leurs salons, et même on dirait qu'elles s'empressent de les accueillir. C'est ainsi que des industriels, des financiers, des banquiers réussissent à pénétrer de plain-pied dans les milieux aristocratiques les plus fermés. Le manufacturier Wedgwood est patronné par les plus grands noms. Les lords sont ses amis. Boulton est reçu plusieurs fois par George III. Les filles des bourgeois ont des dots. Les grands seigneurs courent après. Lord Granville, lord Cowney, lord Walpole épousent des filles de manufacturiers. La grande noblesse s'embourgeoise. La noblesse est conquise par l'intérieur.

Ne généralisons pas pour autant. La percée sociale et mondaine n'est pas le fait de tous les bourgeois. Le plus grand nombre est maintenu à l'écart. Beaucoup, même s'ils sont riches, sont encore traités avec condescendance. Il en résulte de l'amertume. La bourgeoisie souffre du mépris où la tient souvent la noblesse. Elle souffre aussi de la méfiance du clergé. Les ministres du culte ne disent-ils pas que cet argent a été trop facilement et trop rapidement gagné ? Pour réagir, pour se venger en quelque sorte, les bourgeois adhèrent à l'idéologie des Lumières, et aux doctrines de liberté politique et économique. Ils se sentent de plus en plus étrangers à l'ancienne société des ordres et des corps.

L'autre grand changement concerne les travailleurs des métiers mécaniques. Nous voyons naître, croître, augmenter sans cesse en nombre de nouvelles catégories de travailleurs de plus en plus dépendantes, de plus en plus pauvres, de plus en plus asservies et déracinées. Ce phénomène est évidemment lié à l'expansion de la bourgeoisie. Les possesseurs et les dirigeants des nouvelles entreprises industrielles ne peuvent plus s'accommoder des rythmes de travail et des normes de production et de salaires de l'artisanat traditionnel. Il leur faut une main-d'œuvre nouvelle. Il leur faut des bataillons d'ouvriers dociles et peu exigeants.

On trouve encore des maîtres de métier indépendants, c'est-à-dire travaillant pour eux-mêmes et vendant eux-mêmes leurs produits. Mais beaucoup — c'est le cas des canuts de Lyon — sont rémunérés à façon par des commerçants capitalistes. Ils travaillent hors de la surveillance de ces derniers, mais dépendent d'eux pour leurs commandes.

Les paysans ouvriers des campagnes se trouvent dans une situation analogue de dépendance. Ce sont des petits propriétaires, des fermiers, des métayers ou des journaliers. Ils partagent leurs journées entre le travail de la terre et la fabrication d'objets destinés à la vente. Le marchand fabricant leur distribue la matière première, récupère ensuite le produit fabriqué, et paie à la pièce. Il est maître des prix. Ces sortes de travailleurs sont fort nombreux. Il s'agit pour la plupart de tisserands. Du Yorkshire à la Silésie, en passant par les Flandres, des millions de paysans disposent d'un métier à tisser. Mais il y a aussi des paysans mineurs, des paysans verriers et des paysans papetiers. Tous dépendent du marché. La liberté qui leur reste leur vient de leur maison et du lopin de terre qu'ils réussissent à conserver.

Aux ouvriers des manufactures concentrées il ne reste rien. *Cottagers* expulsés, fermiers évincés, petits propriétaires ruinés par la suppression de la vaine pâture, manœuvriers réduits à la misère et tentés par le mirage de la ville, tous sont des victimes de la modernisation des campagnes. On peut vraiment parler de prolétariat. Aucun ne possède quoi que ce soit. Tous sont déracinés. Ils ne sont plus rien qu'une force de travail facile à acheter. Le pire est la condition des ouvriers russes. Elle confine à l'esclavage. Nul n'est plus misérable que ces ouvriers serfs de la sidérurgie de l'Oural, de la petite métallurgie de Toula, du textile d'Ivanovo et de Lwow. Ces hommes appartiennent à leurs employeurs. En 1721,

Pierre le Grand a reconnu aux entrepreneurs le droit d'acquérir les habitants des villages dont ils auraient besoin comme main-d'œuvre. Les ukases de 1731 et 1736 ont étendu l'asservissement : des paysans des terres du tsar ont été affectés aux usines. A partir de 1750, on embauche des serfs salariés, mais qui devront verser à leurs seigneurs respectifs un tribut, ou *obrok*, prélevé sur leurs salaires.

Toutes ces catégories de travailleurs mises ensemble ne représentent pas un grand nombre : cinq cent mille personnes environ pour l'Espagne (sur dix millions d'habitants), quatre cent vingt mille en Russie (sur vingt-six millions). C'est peu. En tout cas c'est beaucoup moins que la paysannerie. Mais il y a une tendance très nette à l'accroissement. Et à la concentration. Il se forme en effet des concentrations géographiques de populations ouvrières travaillant soit à domicile, soit dans les ateliers des manufactures concentrées. On peut citer à titre d'exemples le Lancashire et le Straffordshire en Angleterre, le pays situé, en Suisse, entre Saint-Gall et Zurich, et la région de Barcelone, où se constitue au cours du siècle une agglomération ouvrière de quelque cent mille personnes.

Les nouvelles cellules de production (manufactures, ateliers, fabriques) sont généralement situées dans les banlieues ou dans les campagnes. Le régime du travail n'y est donc soumis à aucun règlement corporatif. Les employeurs sont libres d'imposer les rythmes de travail qui leur conviennent. La journée imposée varie entre douze et seize heures, et va jusqu'à dix-huit heures dans la soierie lyonnaise. La discipline est sévère, voire féroce. On emploie des femmes et des enfants. On les astreint à des tâches au-dessus de leurs forces. Dans les mines du Northumberland et d'ailleurs, des femmes effectuent un épuisant travail de porteuses. Elles gravissent avec de lourdes charges des échelles escarpées sur 150 ou 200 mètres de distance verticale. On voit des enfants demeurer des journées entières dans des galeries, à ouvrir et à fermer des portes. L'analyse du salaire est difficile à faire, ses taux et ses modalités variant d'une région à l'autre. Mais un fait est indiscutable : les budgets ouvriers sont à peine équilibrés. Ils sont même le plus souvent déficitaires. Par exemple dans la région de Leeds en Angleterre, la recette annuelle de l'ouvrier ne dépasse pas 23 livres sterling. Or la nourriture minimale revient à cette même somme, et il faut compter en plus loyer, combustible et vêtements. Partout, les conditions de vie sont presque misérables. A Lyon, à Manchester, à Dresde, on voit des familles de huit à dix personnes s'entasser dans d'innommables taudis. L'alimentation n'est suffisante que dans les zones rurales où le jardin familial apporte un supplément appréciable. En Angleterre, elle s'améliore dans la deuxième moitié du siècle : la viande, le fromage et le sucre apparaissent sur les tables. Mais l'Angleterre fait exception. Partout ailleurs, en temps ordinaire, la viande est inconnue. Les fileurs et les tisserands de Silésie sont à la fin du siècle réduits au pain de seigle ou d'orge, aux pois et aux choux.

Il faudrait évoquer aussi la misère morale, conséquence inévitable de la pauvreté matérielle et du déracinement. Les mœurs se défont. Le mariage n'est plus respecté. Le concubinage le remplace. En Angleterre comme en France, la proportion des naissances illégitimes et le nombre des enfants abandonnés s'élèvent beaucoup plus fortement dans les grandes villes industrielles que dans les bourgs et dans les villages.

Toute cette misère ouvrière représente dans l'Europe du XVIIIe siècle un fait de première importance, de plus en plus lourd de conséquences, car elle ne cesse de s'aggraver. La hausse des prix en est la cause, mais il y a aussi la carence des pouvoirs publics. Hors du cadre traditionnel des corporations, il n'existe aucune législation contrôlant l'utilisation du travail.

Il n'y a pas non plus d'association capable de défendre les exploités. Les rares réactions de défense ou de protestation sont rudimentaires et inorganisées. Sauf exception, elles ne s'appuient pas sur des associations et ne savent pas s'attaquer au fond du problème. Ce que savent seulement réclamer les ouvriers, c'est du pain, et du pain à bon marché. Ils ne sont guère attentifs qu'à leurs intérêts de consommateurs. Parfois, ils vont jusqu'à demander la fixation d'un prix maximum des denrées, mais il est bien rare qu'ils revendiquent un salaire minimum. L'Angleterre est le seul pays où se manifeste une véritable défense ouvrière. Les *unions* apparaissent en 1721. Les premières *unions* rassemblent des charpentiers, des briquetiers et des tailleurs. La loi les interdit, mais le mouvement se propage. En 1744, l'union des tailleurs de Londres compte quinze mille adhérents. Ensuite des *unions* vont se fonder dans l'industrie lainière du Yorkshire, chez les bonnetiers des Midlands, chez les papetiers et les ouvriers de la petite métallurgie. Certes, ces associations ne rassemblent encore qu'un petit nombre d'ouvriers spécialisés. Mais en 1780 elles se fédèrent, et opposent dès lors une résistance plus efficace à l'entreprise d'asservissement. Ces associations sont les seules en Europe. Partout ailleurs qu'en Angleterre, le nouveau monde du travail se trouve pratiquement sans défense. Une telle situation crée un profond déséquilibre et compromet gravement l'existence de l'ancienne société.

LES MONDES EXTRA-EUROPÉENS
(1715-1789)

Introduction

Par suite des importants progrès européens dans les domaines scientifique, technique, économique, militaire, naval, le XVIIIᵉ siècle voit s'accentuer l'avance de ce continent. Les navires des Européens continuent la grande aventure des découvreurs de terres nouvelles, en particulier en Océanie. Wallis découvre Tahiti en 1767. Le voyage de Bougainville, le premier qui soit organisé en vue d'obtenir des résultats scientifiques, aboutit à la découverte des Samoa et des Nouvelles-Hébrides (1766-1769). Mais le plus grand navigateur du siècle est James Cook. En trois prestigieux voyages (1769-1771, 1772-1775, 1776-1779) il explore la Nouvelle-Zélande, reconnaît la banquise australe, aborde le premier en Nouvelle-Calédonie, et découvre Hawaii, où il trouve la mort.

On n'en est, en Océanie, qu'au stade de l'exploration : le peuplement européen y est pratiquement nul. En 1788 seulement, les Britanniques fonderont à Botany Bay une petite colonie, à l'origine toute pénitentiaire. Le vrai domaine de la colonisation européenne, c'est alors le continent américain. Le dynamisme de ses habitants contraste vivement avec l'apparente décadence ou somnolence du monde musulman et de l'Extrême-Orient.

Chapitre premier
LE MONDE MUSULMAN

On assiste alors au déclin des trois grands empires musulmans : celui du sultan, celui des Séfévides en Perse, et celui du Grand Moghol dans l'Inde.

Pour l'Empire ottoman, le temps des Köprülü est passé. Au début du siècle, les Turcs ont réussi à reprendre Azov aux Russes et la Morée aux Vénitiens, mais au traité de Passarowitz (1718) ils ont dû céder aux Autrichiens le banat de Timisoara et la Valachie occidentale. Attaqué par la Russie et par l'Autriche en 1736 — à vrai dire alors qu'il s'apprêtait à intervenir, à la demande de la France —, le sultan se trouve précipité dans la guerre de Succession de Pologne. Ses troupes subissent d'abord quelques échecs, mais elles ne tardent pas à les réparer, puis à passer brillamment à l'offensive, tant en Crimée que dans les Balkans. Le 18 septembre 1739, à Belgrade, l'Empereur doit restituer aux Turcs non seulement cette ville, mais la Serbie du Nord et les acquisitions de Passarowitz : le banat de Timisoara et la Valachie occidentale. Et un traité avec la Russie prévoit que celle-ci ne pourra pas envoyer de navires de guerre dans la mer d'Azov, ni dans la mer Noire.

Les Turcs se tiennent ensuite à l'écart des grands conflits européens. Mais, incapables de s'adapter, ils ne savent pas utiliser ce sursis pour adopter les techniques militaires et navales de leurs adversaires, ni pour astreindre la milice des janissaires à la discipline des armées modernes. Les conseils du comte de Bonneval et de l'ambassadeur de Villeneuve auront été à peu près sans effet. De plus, l'empire se trouve sourdement miné par la corruption de ses agents. Les Grecs, en particulier, soumis pourtant au tribut comme tous les chrétiens, y jouent un rôle qui devient en fait prépondérant. C'est à Constantinople, dans le quartier grec du Phanar, que le sultan recrute les administrateurs de ses provinces chrétiennes : ainsi un Jean-Nicolas Mavrocordato devient hospodar de la Valachie. Le patriarche orthodoxe de Constantinople nomme des prélats grecs même en territoire de langue slave ou roumaine. Grâce à leurs activités commerciales, les Grecs se trouvent disséminés dans tous les ports méditerranéens, de Trieste à Alexandrie. Ils se trouvent ainsi en rapport avec les Russes et avec les Autrichiens, qui ne pensent pas encore à les utiliser pour ébranler l'Empire ottoman. Mais plus tard, une propagande philhellénique fraiera la voie à la revendication de l'indépendance grecque.

Lorsque les Polonais de la confédération de Bar se révoltent contre la domination russe, Choiseul et Vergennes décident le sultan à intervenir. Des troupes sont massées au nord des principautés roumaines. Un incident de frontière fournit le prétexte de la déclaration de guerre. Mais les opérations ne tardent pas à révéler la décadence militaire de l'Empire ottoman (octobre 1768). Les Russes sont victorieux en Géorgie, en Crimée, sur les Détroits. Ils conquièrent la Moldavie et la Valachie. Des patriotes grecs, appuyés par Catherine II, débarquent en Morée et dans les îles, et s'efforcent d'acquérir le concours des klephtes, mi-soldats, mi-brigands, qui tiennent le maquis en Thessalie. Pour la première fois, la flotte russe paraît en Méditerranée : venue par le détroit de Gibraltar, elle incendie les navires turcs entre Tsheshmé et l'île de Chios (1770).

Plusieurs îles de l'Égée, les bouches du Danube, Azov, la Crimée, sont ensuite conquises par les Russes, et les Détroits ne sont sauvés que grâce au baron de Tott, un instructeur français, qui remet en état les forts des Dardanelles. Une intervention diplomatique des Autrichiens, soucieux de limiter l'avance russe dans les Balkans, donne un répit aux Turcs. Mais finalement, Marie-Thérèse préfère s'entendre avec Catherine II pour partager la Pologne (1712) et les Turcs se retrouvent seuls face aux Russes. Après une campagne désastreuse, ils doivent traiter à Kaïnardji (21 juillet 1774).

Le sultan cède à la Russie le territoire compris entre le Bug et le Dniepr ; quelques steppes dans la région du Kouban, au nord du Caucase, Azov, et, sur la côte de la mer Noire, Kerch. Mais, en faisant accorder l'indépendance des Tatars de Crimée par le sultan, Catherine II étend, en fait, sa domination sur cette presqu'île — et d'ailleurs elle l'annexera, ainsi que le Kouban, en 1784. Elle se fait en outre reconnaître à Kaïnardji non seulement un droit de libre navigation dans la mer Noire, mais celui de faire passer ses navires en Méditerranée par les Détroits. Le traité reconnaît le droit des peuples orthodoxes de l'Empire de pratiquer leur culte et de se rendre dans les Lieux saints de Palestine. Le sultan s'engage à prendre en considération les « représentations » que lui fera éventuellement à ce sujet l'ambassadeur de Russie. Enfin, le traité reconnaît à la Russie un droit de regard sur la nomination et le renvoi des hospodars des principautés de Moldavie et Valachie, États à demi indépendants sous la souveraineté du sultan. La Russie se voit ainsi reconnaître des droits qui constituent autant de prétextes pour s'immiscer dans les affaires intérieures de l'Empire ottoman. La « question d'Orient » se trouve ainsi posée. L'Autriche, par ailleurs, prétend avoir adouci, pour la Turquie, les conditions de Kaïnardji, par une action diplomatique auprès des Russes. Elle demande donc au sultan, pour prix de cette prétendue médiation, la cession de la Bukovine, partie septentrionale de la Moldavie, et elle l'obtient (1775). Cela indique le degré de faiblesse dans lequel est tombé l'Empire ottoman.

Il tend à se désagréger. Dans les territoires éloignés de Constantinople, les pachas n'obéissent plus au sultan. Et même en Égypte, pays pourtant important par son rôle de carrefour commercial, ce n'est même plus le pacha qui exerce le pouvoir réel, mais ses subordonnés, les beys, officiers de la cavalerie mamelouk. Quelque temps, un chef énergique redonne quelque autorité à la fonction de pacha : Ali bey (1757-1773) mais après lui, ce n'est que retour à une quasi-anarchie. Tunis a désormais une dynastie bien assise, tandis qu'Alger évoque plutôt l'Égypte : les janissaires désignent et renversent les deys à leur convenance. Par suite des progrès des marines européennes, la course y est en pleine décadence. Les deys se trouvent ainsi amenés à élever le tribut perçu sur les populations de l'intérieur, mais ils n'arrivent jamais à les contrôler efficacement. Il arrive parfois que deux pays d'Afrique du Nord, relevant tous deux du sultan nominalement, se fassent la guerre : ainsi en 1755, un conflit algéro-tunisien aboutit à la prise et au pillage de Tunis par les Algérois. Quant au Maroc, il est plus indépendant que jamais. Mulay Ismaïl est un souverain énergique, qui se maintient sur le trône grâce à une armée de Noirs soudanais. Il développe le commerce extérieur, en particulier avec les Anglais. Mais sa mort, en 1727, ouvre une période de trente ans d'anarchie. Muhammad ibn Abd'Allah (1757-1790) rétablit l'ordre, mais il doit concentrer toutes ses forces sur le Maroc pour y parvenir, et de ce fait, renoncer à toute autorité sur le Soudan. Il réussit à faire évacuer Mazagran par les Portugais, en 1769, cette Castalho Real qu'ils occupaient depuis 1510. Mais ce fait est exceptionnel. D'une manière générale, en Afrique du Nord, les Européens ne reculent pas. Ainsi, les Espagnols conservent Ceuta, Melilla, Oran. Il arrive même qu'ils progressent : ainsi, les Français prennent la première place dans le commerce tunisien.

La Perse — d'ailleurs plusieurs fois en guerre avec l'Empire ottoman au cours du siècle — connaît également une période de décadence. Le dernier Séfévide, Thamasp II, est détrôné par un émir afghan. Russes et Turcs en profitent pour se jeter sur les provinces du Nord-Ouest. Nadir Chah ne tarde pas à reprendre une partie d'entre elles, en 1736, et à se proclamer roi. Il pense ouvrir son pays à la civilisation occidentale lorsqu'il meurt assassiné (1747). C'est alors la mêlée des tribus et l'émiettement de l'Empire. Un phénomène parallèle se déroule dans l'Empire musulman de l'Inde, où les luttes entre descendants d'Aurangzeb entraînent une révolte des populations indoues. Et dans la lointaine Indonésie, où l'Islam jouit d'une position prépondérante, c'est une véritable situation coloniale qui se développe. Les Hollandais y ont supplanté les Portugais, qui ne se maintiennent qu'à Timor, et la Compagnie des Indes orientales continue à organiser de fructueuses exportations. Depuis 1641, elle occupe Malacca, en Malaisie. Elle est souveraine de Java et de Madura, et elle intervient, comme une puissance, dans les intrigues des sultans musulmans.

Chapitre II

LA PÉNINSULE INDIENNE

L'affaiblissement du pouvoir du Grand Moghol a eu pour conséquence, dans la péninsule indienne, la formation progressive d'États indigènes pratiquement indépendants, ceux des Radjputs, des Sikhs, des

Mahrattes, expression de la réaction hindoue contre la domination musulmane. Au terme de cette évolution, la zone d'autorité effective du Grand Moghol se trouve réduite à la région de Delhi. Les Mahrattes semblent alors pouvoir constituer une Inde unie et indépendante. Mais ils doivent compter avec les influences européennes. Deux compagnies rivales, une française et une anglaise, se disputent alors le marché, celle d'Ostende, la danoise et la suédoise ne pouvant être considérées comme des concurrentes sérieuses, et les Hollandais bornant leur activité aux provinces maritimes de Ceylan, passées, depuis le milieu du siècle précédent, sous leur domination.

L'importation en Europe des toiles de coton, ou « indiennes », des mousselines, des soieries, du thé, du poivre, peuvent alors donner lieu à d'énormes bénéfices. De 1720 à 1740, les affaires des Français progressent et celles des Anglais stagnent. A propos de nécessités commerciales, le gouverneur Dumas passe à l'action politique. Il noue des alliances avec des princes. Il recrute des cipayes. Dupleix (1697-1763) continue son œuvre. Lorsque éclate la guerre de la Succession d'Autriche, il propose à la Compagnie anglaise une convention de neutralité. Elle est refusée. L'arrivée d'une force navale anglaise amène Dupleix à demander l'assistance du gouverneur de l'île de France, Mahé de La Bourdonnais. Madras peut être prise. Au traité d'Aix-la-Chapelle, elle est restituée, en échange de Louisbourg et de l'île de Cap-Breton.

Après 1748, une guerre de fait continue à se dérouler entre les deux compagnies, par princes indigènes interposés ; menant un jeu adroit d'interventions et d'alliances, Dupleix réussit, aidé par un bon officier, Bussy, à faire accepter par les Mahrattes, dont on attend alors beaucoup, la suzeraineté de la Compagnie française. Mais, du côté anglais, on l'observe. Robert Clive (1725-1774) agit en lui empruntant sa méthode. Officier de valeur lui aussi, il remporte sur un protégé des Français, Chanda-Sahib, un brillant succès à Arcot (1751). Quelques insuccès partiels suffisent à faire rappeler Dupleix, la direction de la Compagnie française n'ayant que des vues étroitement commerciales et se refusant à voir bâtir un empire par ses agents (août 1754). Son successeur, Godeheu, signe avec la Compagnie anglaise un traité qui est un marché de dupes. Avant même que la guerre de Sept Ans ait commencé, l'influence française tend à s'effacer, tandis que grandit le prestige britannique. En 1757, Clive remporte à Plassey une brillante victoire sur un nabab qui intriguait avec les Français et surtout qui avait traité de façon atroce des prisonniers anglais. Et ce succès place pratiquement le Bengale sous domination de la Compagnie anglaise. En 1761, il devient évident que les États hindous ne s'uniront pas : les Mahrattes sont vaincus par les Afghans à Panipat, en dépit de leur artillerie et de leur infanterie équipée à la française. Les maladresses de Lally-Tollendal, ses défaites — notamment à Pondichéry —, puis le traité de Paris présentent, pour la Compagnie anglaise, un énorme avantage : une puissante rivale est éliminée. Mais la plus grande partie de l'Inde reste à conquérir.

Les Français ne possèdent plus que cinq villes : Mahé, Karikal, Yanaon, Chandernagor, Pondichéry, dans lesquelles ils ne doivent avoir qu'une activité strictement commerciale. La compagnie anglaise possède Surate, Bombay, Madras, et elle étend sa domination sur Calcutta et sur le Bengale. Entre son dynamisme conquérant et la décadence des États indigènes, le contraste est flagrant. Clive conclut des alliances avec les princes indiens, et, par le biais du contrôle de leurs finances, la Compagnie réussit à se les assujettir progressivement. La conquête continue, ponctuée d'épisodes parfois affreux (comme le massacre de cent cinquante Anglais à Patna) ou brillante (comme la victoire du major Munro à Buxar en 1764). Mais les agents de la Compagnie commettent de lourdes prévarications, et Clive finit par être rappelé (1767). Son successeur comme gouverneur du Bengale, Warren Hastings, nommé en 1772, aura le mérite d'accomplir sa tâche en s'accommodant d'un Regulating Act limitant ses pouvoirs.

Chapitre III

L'EXTRÊME-ORIENT CONFUCÉEN

LA CHINE

A la différence des empires musulmans, la Chine ne donne pas une impression de déclin. Yong-tcheng (1722-1739) est un soldat sérieux et appliqué. Kien-long (1736-1796) un lettré et un érudit, doublé d'un administrateur et d'un diplomate de valeur. Durant leurs règnes, l'antagonisme entre Chinois et Mandchous tend à s'atténuer : il faudra les crises politiques et sociales de la seconde moitié du XIXe siècle et du début du XXe pour le faire renaître. Une bonne entente règne entre le pouvoir impérial et les élites chinoises. La mansuétude du gouvernement, déjà sensible sous Kang-hi, son souci d'alléger au maximum les charges de la paysannerie, les avantages accordés aux agents de l'État peuvent faire apparaître la dynastie mandchoue comme la plus conforme aux conceptions des milieux lettrés. Les traitements élevés des fonctionnaires fixés sous Kang-hi ont déjà mis un frein à la corruption et Yong-tcheng en vient même à instituer un important supplément, le *yang lian*, destiné à « entretenir la probité ». Mais il y a davantage. Comme Kang-hi, ses successeurs se font les patrons des études classiques et de la culture chinoise, adoptant à l'égard des milieux lettrés, dont l'opinion revêt une importance considérable, une politique analogue à celle qu'ils suivent pour gagner à leur cause les populations bouddhistes de la Mongolie et de l'Asie centrale. Aussi bien que les meilleurs défenseurs de la Mongolie et de l'Asie centrale, aussi bien que les meilleurs défenseurs du mamaïsme, ils veulent apparaître les plus fervents adeptes de la culture chinoise. Comme Kang-hi, Kien-long se rend plusieurs fois dans les villes du Bang-tsé-tsé, centres de l'intelligentsia. Mais la flatterie et les arrière-pensées politiques s'allient chez lui à une sympathie réelle. Comme Kang-hi, il encourage de grandes entreprises d'édition et d'érudition. Une telle attitude désarme les milieux dans lesquels se sont recrutés au cours du siècle précédent les adversaires les plus résolus de la domination mandchoue.

Outre l'adoption de la culture chinoise par les empereurs eux-mêmes et par l'aristocratie mandchoue, il est d'autres faits qui ne peuvent que guérir ou atténuer l'amertume des patriotes les plus intransigeants : la modération du gouvernement, la grandeur de l'œuvre accomplie en politique extérieure, la paix intérieure et la prospérité générale.

Certes, les aspects bienveillants de la politique des empereurs de cette dynastie Tsin ne peuvent faire oublier que leur conception du pouvoir est foncièrement autoritaire. On pourchasse non seulement les opposants déclarés ou soupçonnés, mais aussi tous ceux qui se refusent à faire leur l'idéologie officielle. Ainsi, en 1723, une persécution antichrétienne est menée dans le Fou-Kien et l'année suivante, tous les missionnaires sont expulsés, à l'exception de vingt jésuites. Cependant, ces deux empereurs Tsin désirent obtenir la soumission de leurs sujets le moins possible par la coercition et le plus possible par la persuasion. Grâce aux écoles qui pullulent jusque dans les campagnes reculées, la population est systématiquement endoctrinée. L'orthodoxie « néo-confucéenne », celle de Tchou-hi, est diffusée partout. Elle pénètre les esprits de l'excellence du principe d'autorité et de la vertu d'obéissance. En l'imposant, les Mandchous n'ont sans doute fait qu'accélérer une évolution dont les débuts se situent aux débuts de la dynastie Ming, au XIVᵉ siècle. Mais, en tout cas, s'il est un Empire « confucéen », où les liens qui unissent l'orthodoxie morale au système politique sont éclatants, c'est bien celui de la dynastie Ming.

Ce double souci d'imposer un système moral officiel et de justifier son propre pouvoir est manifeste chez Yong-tcheng comme il l'a été chez Kang-hi. Il révise et complète par des additions *Les Saintes Instructions* (*Shengyu*) que son prédécesseur a publiées en 1681. Il en impose la lecture publique. Il exige que tout candidat aux concours de recrutement des fonctionnaires se soit pénétré de l'ouvrage qu'il a lui-même composé en 1730 pour justifier la domination mandchoue.

Les succès des empereurs Tsin en Asie centrale ne peuvent que flatter l'amour-propre national de la population han. Au Tibet, Kien-long achève l'œuvre de son aïeul. Le parti dzoungare et antichinois ayant fomenté une émeute et massacré, avec tous les résidents chinois, les deux hauts-commissaires, il envoie à Lhassa une armée qui rétablit l'ordre (1751). Désormais, les représentants de la Chine auront voix prépondérante dans la désignation de tout nouveau dalaï-lama. Dans le Nord, Kien-long, profitant de leurs divisions, vassalise les Dzoungares en 1755. Et comme ils se révoltent peu après, une véritable guerre d'extermination est menée contre eux (1756-1757). Pour la plupart, ils sont massacrés. Leur nom même disparaît : c'est à partir de cette époque qu'ils ne sont plus connus que sous le nom d'Ölöths ou Éleuthes. La conquête de la vallée de l'Ili est suivie en 1758 et 1759 de celle des oasis islamisées du bassin de Tarim. Les bannières des Tain entrent à Kachgar, à Yarjabdn. Toutes ces régions conquises reçoivent le nom de « nouveaux territoires », ou *Sin-kiang* : c'est le Turkestan chinois des géographes occidentaux. D'autre part, dans le sud de la Chine, les montagnes encore boisées et les causses du Kouei-tchou ont servi de refuge aux Miaotseu, « aborigènes » qui ont jusqu'alors maintenu leur indépendance, les colons chinois se contentant de défricher les vallées : en 1775, Kien-long fait soumettre ces farouches montagnards. Leurs retraites sont forcées l'une après l'autre et leurs chefs mis à mort à Pékin. Cette soumission des Miao-tseu marque un fait important : avec elle s'achève la conquête, par les Han, du territoire qui est aujourd'hui celui de la Chine.

Jamais l'Empire n'a atteint et n'atteindra une telle superficie, 11 500 000 kilomètres carrés, alors que celle de l'actuelle république populaire de Chine n'est aujourd'hui que de 9 736 000 kilomètres carrés. Étant donné son étendue, il est loin d'être soumis à une administration uniforme. La Mandchourie, dont l'accès est réservé aux Mandchous, bénéficie d'un statut spécial qui la distingue des provinces chinoises ; la Mongolie est rattachée à l'empereur par un lien féodal. Le Tibet est soumis à un protectorat assez libéral, et les « nouveaux territoires » sont occupés et administrés par l'armée. En outre, les khans de Boukhara et de Tachkent — maîtres de l'actuel Turkestan soviétique — se déclarent vassaux de Kien-long, l'empereur aux « Dix Guerres victorieuses », dont l'autorité, de ce fait, s'étend jusqu'aux rives de la mer Caspienne. Mais son influence, à des titres divers, s'exerce tout aussi bien dans d'autres directions : en Birmanie, vassale, elle aussi, depuis 1771, à la suite d'une expédition militaire ; au Siam, au Viêt-nam, aux Philippines, en Corée, sur les Ryûkyû. L'Empire chinois est le plus vaste du monde et le plus peuplé. La poussée démographique semble y être encore plus considérable que dans le reste du monde : d'après les sources chinoises, cent quarante-trois millions d'habitants en 1741, et deux cents millions en 1762. En tout cas, une colonisation chinoise se développe dans les « nouveaux territoires », ainsi qu'une émigration vers l'Asie du Sud-Est, appelée à connaître une grande extension.

Cette croissance démographique s'explique par la paix intérieure et surtout par la prospérité économique, en particulier par les progrès de l'agriculture. La qualité de techniciens, la diversité des espèces cultivées et les rendements font de l'agriculture chinoise la plus perfectionnée de l'histoire, avant le développement de l'agronomie moderne. Aux cultures traditionnelles — blé, orge, millet, riz — s'ajoutent désormais des cultures nouvelles qui permettent de répartir les récoltes sur toute l'année, et qui s'accommodent de terres pauvres ou mal irriguées : patate douce, arachides, sorgho, maïs, plantes américaines toutes introduites en Chine au cours du XVIᵉ siècle par les Portugais et les Espagnols qui commerçaient sur les côtes méridionales. Les petits paysans chinois sont certainement mieux nourris, dans l'ensemble, que ceux de certaines régions d'Europe. En outre, la politique fiscale des Tsin les avantage beaucoup.

Les cultures industrielles — coton, thé, canne à sucre — sont alors en pleine expansion. Les plantations de thé se sont étendues notamment dans le bassin du Yang-tsé. Ses exportations passent de 2 600 000 livres anglaises en 1762 à 23 300 000 à la fin du siècle. Récolté par les planteurs, il est traité dans de grands ateliers qui emploient des centaines d'ouvriers, puis pris en charge par le *hong* ou corporation des marchands privilégiés, qui traitent à Canton avec les étrangers, ou à Macao. Les industries textiles, celle de l'ameublement, celle de la céramique, travaillent de plus en plus pour l'exportation. On a estimé que la moitié de l'argent importé d'Amérique en Europe entre 1571 et 1821 a servi à l'achat de produits chinois par les pays de l'Europe occidentale. Si cette estimation est en gros exacte, et compte tenu des plantes nouvelles introduites en Chine, ce pays serait peut-être, du monde entier, celui qui aurait le plus profité de la découverte de l'Amérique. La Chine du XVIIIᵉ siècle commerce avec de nombreux pays européens, et avec le Nouveau Monde, via Manille et Acapulco. Mais sans doute son trafic le plus vital est-il celui du riz, importé de l'Asie du Sud-Est, principalement des Philippines et du Siam, grâce à de grosses jonques de 1 000 tonnes. C'est grâce à lui que sont nourries les provinces qui consacrent la plus grande part de leur activité à des productions destinées à l'exportation. En définitive, la Chine est alors exportatrice de thé et de produits fabriqués, et importatrice de produits alimentaires et d'argent.

La civilisation est encore brillante, à certains égards, du moins, sous ces deux empereurs Tsin. La céramique donne ses derniers chefs-d'œuvre. Sous Yong-tcheng, les pièces à décor peint s'enrichissent de la « famille rose », d'une remarquable délicatesse. Sous Kien-long, on y ajoute le joli décor dit « aux mille fleurs ». Mais déjà pointe la décadence avec le travail en grande série pour l'exportation. A Pékin, la restauration de la Cité interdite est poursuivie, conçue selon les règles esthétiques, et obéissant à des considérations astronomiques et géomantiques où s'expriment toutes les anciennes croyances chinoises. Les empereurs Tsin ne se contentent pas de restaurer ni de compléter les édifices élevés par les Ming. Continuant sur ce point également une entreprise de Kang-hi, Yong-tcheng et Kien-long font édifier dans la grande banlieue de Pékin une sorte de « Versailles chinois », le Palais d'été, qui sera pillé, puis incendié, en 1860, par les troupes françaises et anglaises. Deux pères jésuites appréciés pour leur talent de peintres y travaillent, à la demande de Kien-long. Le père Castiglione fait les portraits des dames de la Cour, peint l'empereur recevant en tribut un lot de chevaux Kirghiz (rouleau actuellement à Paris, au musée Guimet). Avec deux autres jésuites, les pères Attiret et Sickelpart, et avec l'augustin Jean Damascène, il dessine vers 1760 les scènes de la conquête de la Dzoungarie, et ces dessins sont envoyés en France pour y être gravés sous la direction de Bertin, secrétaire de l'Académie des beaux-arts.

Mais ces sympathies personnelles pour telle peinture ou pour tel mathématicien de la Compagnie de Jésus n'empêchent pas Kieng-long d'interdire de nouveau à ses sujets d'embrasser le christianisme, par l'édit du 24 avril 1736. Toutefois, les jésuites ne se trompent certainement pas sur ses sentiments réels. Le père de Ventaven écrit en 1769 : « C'est un grand prince. Il voit tout, et fait tout par lui-même. Plus il avance en âge, plus il devient favorable aux Européens, lui et les grands conviennent que notre religion est bonne. S'ils s'opposent à ce qu'on la prêche publiquement et s'ils ne souffrent pas les missionnaires dans l'intérieur des terres, ce n'est que pour des raisons de politique et dans la crainte que sous le prétexte de religion nous ne cachions quelque autre dessein. Ils savent en gros les conquêtes que les Européens ont faites dans les Indes. Ils craignent pour la Chine quelque chose de pareil[1]. »

LE JAPON

Contre ce danger, le Japon continue à se défendre par une politique de rigoureuse fermeture, de *sakoku*. Or, cette politique rend impossible les massifs achats de riz à l'extérieur, achats qui seraient nécessaires. Les Japonais en tirent les conséquences en limitant les naissances, et le chiffre de leur population continue d'osciller aux alentours de 25 millions. La société change lentement. Les marchands et autres hommes d'affaires continuent à s'enrichir. Comme en Europe, certains s'efforcent de s'intégrer dans la strate sociale immédiatement supérieure : ils achètent des terres, prennent des noms de samouraï, alors que les daimyos sont endettés et que beaucoup de paysans, accablés de

1. « Fragment d'une lettre de P. de Ventaven, jésuite, 1769 », *Morceaux choisis des lettres édifiantes et curieuses écrites des missions étrangères... par A. C.*, 2 vol., Paris, 1810, t. II, p. 234.

redevances, cherchent à fuir leurs terres, ou se trouvent au bord de la révolte.

Un philosophe confucéen, lettré éminent devenu chef de la police, Arai Hakuseki (1657-1725), ne cesse de proclamer que la solution des problèmes de l'heure ne peut être trouvée que dans un renouveau de l'esprit d'austérité et d'efficacité. Le shogun Yoshimune (1716-1744) est surnommé le shogun au faucon ou l'oiseleur, à cause de son goût pour la chasse qui le différencie beaucoup de son prédécesseur, le protecteur des animaux. C'est un fort honnête homme qui allège le cérémonial de sa Cour — ainsi il ne reçoit plus les envoyés hollandais derrière un rideau et se montre à eux —, qui fait placer devant son palais une sorte de boîte aux lettres destinée à recevoir les plaintes et les suggestions (*meyasubako*), et qui enfin fait préparer une sorte de code, les *Cent Articles de Kwampo* (1742). Il adopte la ligne de conduite confucéenne définie par Arai Hakuseki, et s'efforce de la traduire dans les faits par la promulgation des vigoureuses réformes dites de l'ère de Kyôhô (1716-1735). Les nouvelles lois s'efforcent de résoudre par l'application d'une morale austère et archaïsante les deux principaux problèmes auxquels le régime se trouve confronté : le déficit des finances du shogunat et l'endettement de la noblesse. Le remède proposé exige le retour à la frugalité d'antan, et proclame la supériorité de l'économie traditionnelle, fondée sur l'agriculture. Mais ces réformes sombrent, car elles aboutissent à une exploitation plus dure que jamais tant des paysans que des marchands.

Tanuma Okitsugu (1719-1788), grand chambellan du shogun Ieharu (1760-1786), homme habile, qui d'un rang subalterne a su s'élever à celui de riche daimyo, opère une tentative beaucoup plus novatrice. Il prend le contre-pied des efforts prônés par Yoshimune. Il encourage ouvertement le développement et la prospérité de la « classe » marchande, autorise les associations, accorde les monopoles. Il encourage même le commerce de Nagasaki et envisage un plan d'exploitation commune de Hokkaido avec la Russie. Bien que le but initial des réformes de Tanuma Okitsugu soit la recherche systématique des capitaux dont lui-même et ses hommes manquent cruellement, leur aboutissement ne pourrait être que la libéralisation et l'ouverture au monde extérieur. Elles sont en général mal accueillies, et la mort du shogun Ieharu entraînera la disgrâce de son entreprenant ministre.

La civilisation, bien que moins brillante que celle de la Chine contemporaine, présente toujours des aspects intéressants. Dans son architecture, avec la reconstruction, en 1744, du plus grand sanctuaire *shinto*, à Izumo. Dans sa peinture, avec l'école de Tosa. Dans le théâtre, avec le développement du nô, histoires de dieux et histoires de batailles, et avec Takeda Izumo (1691-1756) qui met en *jôruri*[1] la célèbre

---

1. Texte psalmodié avec accompagnement musical et spectacle de marionnettes.

« vendetta » des quarante-sept fidèles *rônin*. Mais les lettres abordent aussi les problèmes les plus brûlants. Mitsukumi (1628-1700) — auteur d'une histoire du Japon fort connue — a fait école. Des auteurs qui se situent dans sa postérité intellectuelle, Mabuchi (1697-1769) et Motoori (1730-1801) affirment leurs aspirations à une restauration du pur *shinto*, littéralement « la voie des dieux », l'ensemble des croyances animistes qui constitue la religion première du peuple japonais. Ils se montrent d'un patriotisme très exigeant, et très hostile aux influences chinoises. C'est dire que le courant de pensée qu'ils représentent prend nettement ses distances avec l'idéologie officielle.

Chapitre IV
L'AFRIQUE, AU SUD DU SAHARA

Si important qu'il soit, l'écart scientifique et technique est moins grand entre l'Europe et un Extrême-Orient demeuré dans ces domaines au niveau de l'Empire romain qu'entre l'Europe et la partie de l'Afrique située au sud du Sahara. Il est accru par la traite qui provoque un dépeuplement terrible et est extrêmement démoralisante.

L'AFRIQUE NOIRE

La traite est pratiquée à l'est par les Arabes, fournisseurs des marchés de l'Abyssinie et de l'Orient musulman, à l'ouest par les Européens. Par les Français, notamment de Nantes, qui commercent avec leurs Antilles. Par les Anglais bénéficiaires depuis le traité d'Utrecht (1713) du privilège de l'asiento, c'est-à-dire du monopole de la vente des esclaves dans les colonies espagnoles, et autorisés à importer à ce titre dans les-dites colonies quatre mille huit cents esclaves par an. Ils exploitent l'asiento jusqu'en 1750, date à laquelle ils le rétrocèdent à l'Espagne, moyennant 100 000 livres sterling (traité d'El Retiro). C'est la traite des Noirs qui donna à l'îlot de Gorée, au Sénégal, une particulière importance, ainsi qu'aux îles de Fernando Poo et d'Annobon, que Charles III se fera céder par le Portugal en 1778.

Encouragée par la demande européenne, la chasse à l'homme est toujours durement menée, à l'intérieur, par des chefs noirs accompagnés de rabatteurs arabes et de métis africano-portugais qui servent d'intermé-diaires. Des royaumes, Achanti, Oyo, Dahomey — constitués à quelque 200 kilomètres des côtes de Guinée —, s'entre-déchirent et s'effritent.

Dans le bassin du Niger, cependant, les pasteurs seuls — convertis à l'islam par les caravaniers et les mercenaires du sultan du Maroc — se sont émancipés du joug des cultivateurs noirs et ont réussi à constituer deux États théocratiques, le Fouta-Djalon guinéen en 1775, le Fouta-Djalon sénégalais en 1776. Et ils en constitueront un peu plus tard un troisième, le Bondou. Placés sous l'autorité de chefs appelés *almanys*, ils entreprennent la conversion à l'islam des masses sénégalaises qui ont conservé les traditions animistes africaines, royaumes bambara de la région de Ségou entre le Sénégal et le Haut-Niger ; empire mossi de la région de la Haute-Volta.

Face à ce dynamisme de l'islam, aucune contre-attaque chrétienne n'est effectuée, et même le christianisme recule. Dans les colonies portugaises, les jésuites avaient groupé un certain nombre de prosélytes ; ces derniers apostasient après que la politique de Pombal les a privés de leurs pasteurs (1758). Et la chrétienne Abyssinie, le seul État indigène important du continent, se fractionne au cours du siècle en principautés indépendantes : c'est l'époque dite « des juges », au cours de laquelle, paradoxalement, chacun ne peut, pratiquement, que se faire justice soi-même.

LES HOLLANDAIS EN AFRIQUE AUSTRALE

Très rares sont alors les Européens qui songent à pénétrer dans l'intérieur de l'Afrique. Les Français se contentent d'exploiter leurs îles à sucre, Bourbon et l'Ile de France, tandis que périclitent leurs épisodiques établissements sur la côte malgache. La seule région du continent où se constitue une colonie de peuplement et de pénétration, encore modeste, mais appuyée sur une solide base de départ installée sur la côte, c'est l'extrême Sud. En 1652, Jan Van Rieback a fondé au Cap, près de la baie de la Table, un petit établissement qui s'est développé avec lenteur. Il compte moins de deux mille habitants au début du XVIIIe siècle, la plupart d'origine hollandaise, certains d'origine allemande, quelques-uns d'origine française, protestants venus après la révocation de l'édit de Nantes. Mais tous ne parlent bientôt plus qu'une seule langue, le néerlandais, qui évoluera et deviendra l'afrikaans. Beaucoup sont des anciens employés de la Compagnie hollandaise des Indes orientales, maîtresse des lieux, qui ont quitté son service pour devenir, en général, agriculteurs. Cette population de *boeren* (ou paysans) utilise, pour cultiver la terre, des esclaves noirs importés par mer d'Afrique occidentale ou orientale. L'aire de colonisation s'accroît peu à peu, à tel point que la production de blé et de vin devient plus que suffisante pour ravitailler les navires de passage, et qu'il y a surproduction. Aussi, une partie de la population émigre vers le nord, avec l'encouragement du gouverneur

Van der Stel. Moyennant le paiement d'une redevance minime à la Compagnie, des chefs de famille se font concéder d'immenses territoires, pour la plupart impropres à l'agriculture. Ils les consacrent à l'élevage, certains vivant en nomades, d'autres en semi-nomades. En quelques décennies, ces *trekboeren* atteignent des points situés à quelque 600 kilomètres du Cap, et leur progression vers le nord n'est arrêtée que parce qu'ils arrivent dans des régions arides. Ils vivent des produits de leur élevage et de leur chasse, échangent des animaux contre les produits fabriqués que leur apportent des colporteurs venus du sud. La Compagnie des Indes orientales ne fait rien pour eux, sinon installer un *Landrost* et un tribunal à Swellendam (1745), et plus tard un autre à Braff-Reinet, autre petite agglomération née du *trek*.

Au Cap, on continue à importer des esclaves. Ils seront, en 1795, à peu près aussi nombreux que les Blancs, et ceux-ci, dans leurs relations avec eux, tendent, à cause de leur accroissement numérique, à se montrer de plus en plus méfiants et distants. La façon dont on doit les traiter est d'ailleurs réglementée, à partir de 1754, par une sorte de Code noir, fort sévère. Cependant, des unions interraciales assez nombreuses ont commencé à donner naissance à ce qui deviendra l'actuelle communauté des *Cape coloured*. Enfin, autre fait important pour l'avenir de la colonie, des navires de la Compagnie de retour de l'Insulinde débarquent des Malais.

Lors de la fondation du Cap, l'Afrique du Sud était très peu peuplée. Les premiers indigènes qu'ont rencontrés les immigrants, au cours des années suivant 1670, ont été des Hottentots à la peau jaune tirant sur le brun mais négroïdes par leur morphologie. La variole, apportée d'Europe, les a décimés, notamment en 1715. Or, à mesure que les *trekboeren* poursuivent leur marche vers le nord, beaucoup de ces Hottentots se trouvent dépossédés de leurs terres et de leurs troupeaux. Certains deviennent esclaves, d'autres s'enfuient vers le nord, et deviennent aussi, à leur manière, des *trekboeren*. Le sort des métis de Hollandais et de Hottentotes est le même, d'autant plus que les mariages mixtes ont été interdits dès 1685.

Dans leur avance, les *trekboeren* rencontrent une autre population, d'un niveau culturel encore inférieur à celui des Hottentots : les Bochimans (Bushmen en anglais, Boschjesmannen en néerlandais), semblables aux Pygmées par leur petite taille, déjà pourchassés à la fois par les Hottentots et par les Noirs et relégués par eux dans les terres les plus montagneuses et les plus arides de l'Afrique du Sud. Ils viennent voler le bétail des *trekboeren* et parfois tuent au moyen de flèches empoisonnées. Aussi les Blancs organisent contre eux de véritables expéditions d'extermination, n'épargnant que les enfants, pour en faire des esclaves.

Enfin, les *trekboeren* rencontrent une troisième population, autrement redoutable, les tribus Nguni et Sotho, Noirs bantous pasteurs et chasseurs mais pratiquant une agriculture primitive. Alors que les nomades et semi-nomades blancs avancent vers l'est pour trouver de nouveaux pâturages, les tribus Nguni, dans le même dessein, marchent vers l'ouest, depuis l'actuel Natal. La rencontre est pacifique et donne lieu à des échanges d'ivoire et de bestiaux. La première «guerre cafre» ne commencera qu'en 1779.

En bons colons protestants, les *trekboeren*, lecteurs assidus de l'Ancien Testament, sont convaincus de la légitimité de l'esclavage, reconnu par l'Écriture sainte, et de celle du don que Dieu leur a fait de la terre africaine, à charge d'en traiter les habitants de la même façon que les Hébreux ont jadis traité leurs ennemis idolâtres.

Chapitre V

L'AMÉRIQUE IBÉRIQUE

L'AMÉRIQUE PORTUGAISE

Le Brésil est déjà le centre de brassage de races qu'à décrit Gilberto Freyre. A la fin du siècle, il y aura un quart de Blancs, un quart d'Indiens et la moitié de Noirs, ces derniers presque tous esclaves. Un Brésilien sur deux est un esclave. Vu l'énormité des distances, les grands propriétaires, dont certains possèdent des dizaines de milliers de nos hectares, agissent à peu près à leur guise. Et il en est de même des représentants du roi. Les différentes capitaineries générales communiquent d'ailleurs le plus souvent directement avec Lisbonne, très peu entre elles et très peu avec le vice-roi.

Progressivement, le Brésil s'enrichit, grâce aux mines d'Ouro Preto — qui ont déclenché une sorte de ruée vers l'or qui présente le désavantage de dépeupler toute une région côtière — et grâce aussi aux diamants et à la contrebande anglaise dans l'empire espagnol, dont la route passe par son territoire. Rio de Janeiro, centre d'exportation, grossit et dépasse Bahia (Salvador) : elle est, à sa place, promue capitale en 1763. Pour les mines et pour les plantations, la demande de main-d'œuvre s'accroît. Aussi Pombal fait-il importer davantage de Noirs pour pouvoir libérer de l'esclavage les Indiens, auxquels il confère d'ailleurs l'égalité légale avec les Blancs. Si les conséquences de sa politique hostile aux Jésuites sont déplorables — elle fait perdre aux Indiens leurs protecteurs et les plonge dans le désarroi — tous les aspects de l'œuvre de ce ministre sont loin d'être négatifs : il s'efforce de substituer les Portugais aux Anglais dans le commerce extérieur du Brésil, et, à cette fin, il développe l'industrie textile de la métropole, tout ceci sans toucher aux traités anglo-portugais.

Toutefois, à partir de 1760 environ, fait nouveau, le Brésil voit ses moyens de paiement diminuer : sa production d'or commence à baisser. C'est la fin du *ciclo da mineraçao* (cycle de l'or), période qui a succédé dans l'histoire économique du pays à celle du sucre. Son bilan, pour le pays lui-même, présente certaines ombres : beaucoup de Brésiliens, en particulier dans la région de Sao Paulo, ont abandonné l'agriculture pour se lancer dans des prospections parfois décevantes. La ruée vers l'or a fait naître de nombreuses villes : Ouro Preto, Sabarà, Mariana, São João d'el Rei, Diamantina, dans l'actuel État de Minas ; Cuiabà, Goiàs, dans le centre du pays. Leurs rues étroites, montueuses, les beaux édifices en pierre, leurs églises baroques sont des paysages portugais transportés sous les tropiques. Comme les ports du Nordeste, elles constituent des foyers d'activité intellectuelle et artistique. Les étranges figures sculptées au portail des églises par le mulâtre lépreux Aleijadinho constituent aujourd'hui un exceptionnel trésor pour le Brésil. En outre, de grosses fortunes ont été constituées, enrichissement de quelques-uns qui accuse la misère de la masse des *caboclos* : c'est déjà la société brésilienne actuelle, avec ses classes violemment différenciées, qui se dessine.

Les filons aurifères s'épuisent rapidement, et en outre, à partir de 1750 environ, la fiscalité oppressive et la réglementation tatillonne imposées par l'administration contribuent à les ruiner. Le déclin de l'extraction aurifère arrête brutalement l'essor des Hautes-Terres. Mais une reprise de l'agriculture compense, en partie, l'épuisement des mines. En dépit des efforts de Pombal, d'ailleurs modérés et souples, l'économie portugaise demeure solidaire de la prospérité britannique, et le Brésil, aspect de cette situation, profite de la demande croissante de produits coloniaux en Angleterre. Les plantations de coton sont développées dans le Maesanhão, dans les régions de Goiàs. La culture de la canne à sucre gagne du terrain près de Campos dans l'actuel État de Rio de Janeiro, et à São Paulo. On enregistre des progrès du riz et du tabac. Vers la fin du siècle, la culture caféière sera introduite, depuis la Guyane française, dans le Parà. En outre, l'actuel Brésil du Sud va se trouver intégré dans la communauté. L'année 1777 verra la fin des combats qui ont mis aux prises Espagnols et Portugais dans le Rio Grande di Sul. Et une fois la paix établie, la colonisation portugaise prendra possession de la région : de grandes *estancias* consacrées à l'élevage y seront établies. La population brésilienne n'était en 1776 que d'un million cinq cent mille habitants, mais elle va tripler dans les quarante années qui vont suivre (1776-1816).

Cependant, il y a des mécontents au Brésil. On se plaint du régime de l'exclusif. On critique l'administration portugaise, pourtant assez débonnaire. Comme aux Antilles et ailleurs en Amérique latine, les milieux les plus instruits lisent volontiers les ouvrages des « philosophes » français. Un courant d'idées plus ou moins révolutionnaires se développera ainsi dans le futur État de Minas, courant qui aboutira en 1789 à la conspiration de Tiradentes. Il affirme, en fait, un sentiment national brésilien conscient chez une minorité d'intellectuels et de grands propriétaires.

L'AMÉRIQUE ESPAGNOLE

Lorsque les exportations d'or du Brésil vers l'Europe commencent à décliner, celles d'argent du Mexique, opérées par Veracruz, ont déjà pris le relais. Avec le sucre, les cuirs, l'indigo, ce métal paie les importations de produits manufacturés chargés à Cadix ou de Noirs de Guinée débarqués à Carthagène ou à Puerto Bello, ce dernier trafic étant une affaire anglaise jusqu'en 1750. Depuis 1714, il se développe une énorme contrebande pratiquée par les *interlopers* anglais, notamment à l'occasion du voyage annuel du « vaisseau de permission », ce navire chargé de produits manufacturés dont le traité d'Utrecht autorise la venue une fois par an aux foires de Puerto Bello et de Veracruz. On sait qu'il est suivi de toute une escorte de ravitailleurs. La contrebande revêt de multiples autres formes, d'autant plus qu'elle est pratiquée dans des territoires très variés : le Chili, le Mexique, le Honduras, que l'Angleterre finit par annexer en 1743. Et les navires français, du moins jusqu'en 1725, touchent au Chili et au Pérou avant de s'en aller vers la Chine trafiquer de l'argent qu'ils ont chargé. Cependant, de 1714 à 1788, l'Amérique espagnole connaît, dans l'ensemble, des décennies de prospérité. C'est alors qu'autour de Barcelone qui reprend vie de petits ports passent au cabotage et du commerce méditerranéen au trafic avec le Nouveau Monde. C'est alors que la Real Compania Guipuzcoana de Caracas, fondée en 1728, concentre le commerce du cacao.

Dans une certaine mesure au moins, la courbe démographique de l'Amérique espagnole se trouve en rapport avec la prospérité du siècle. La population de l'Amérique espagnole comptera, vers la fin du siècle, entre seize et dix-huit millions d'habitants, d'après les recensements dirigés par Aranda en 1768 et Florida Blanca en 1787. Mis à part les Araucans du Chili, perdus dans leurs montagnes, il n'existe plus d'Indiens insoumis. On distingue dans la société trois groupes ethniques superposés : les créoles, en général peu satisfaits de voir les hautes fonctions réservées aux Espagnols venus de la métropole ; les métis, d'origine à la fois espagnole et indienne, souvent méprisés par les précédents, mais méprisant souvent les mulâtres, d'origine à la fois espagnole et africaine — ces derniers se jugeant, dit-on, très supérieurs aux Indiens, bénéficiaires de lois de protection excellentes, mais inégalement appliquées. Enfin, au-dessus des Indiens, on ne trouve que les esclaves noirs et les métis négro-indiens, les *zambos*. Pareille stratification comporte des éléments psychologiques complexes ; elle est le fruit d'éléments instinctifs, du poids de l'histoire, de situations économiques et sociales. Elle constitue une composante importante des incidents ou des troubles qui se produisent dans le courant du siècle. En 1725, les créoles du Paraguay s'agitent. Ceux du Pérou, en 1741 ; ceux du Mexique, en 1742. Au Venezuela, métis et indiens se révoltent contre des propriétaires fonciers en 1749. L'année suivante, lorsque Ferdinand VI cède au Portugal, en échange d'un autre territoire, une partie du Paraguay où se trouve la république indienne autonome organisée par les Jésuites, celle-ci se révolte contre cette décision, et il faut pour la soumettre une action combinée des forces espagnoles et portugaises. Les Jésuites sont finalement expulsés en 1767. Cet événement met fin à l'extraordinaire république théocratique du Paraguay. Extraordinaire en effet, si l'on songe que les Indiens Guaranis y luttaient à armes égales contre les chasseurs d'esclaves brésiliens et qu'ils y confectionnaient, sous la direction des pères, des imprimeries rudimentaires certes, mais qui n'en éditaient pas moins des livres rédigés dans leur propre langue.

Sous Charles III, l'empire espagnol accomplit des progrès décisifs. Les principes généraux qui ont présidé à son administration ne sont pas modifiés. Mais le roi s'efforce de créer des intérêts et un esprit communs à la métropole et à son prolongement outre-mer. Il accroît la puissance de l'empire en se faisant céder la Louisiane par la France en 1763, en attendant de récupérer la Floride sur la Grande-Bretagne en 1783. Longeant la côte du Pacifique vers le nord, les Espagnols vont bientôt rencontrer dans la baie de Nootka non seulement les Anglais, mais les Russes qui ont découvert l'Alaska en 1741 et qui sont décidés à le mettre en exploitation.

C'est le temps de grands gouverneurs : O'Higgins, Irlandais d'origine qui administre le Chili et devient ensuite vice-roi du Pérou ; Galvez, envoyé au Mexique en 1771. L'administration se renforce avec l'introduction des intendants, qui font disparaître de nombreux abus et protègent les Indiens. Ceux-ci sont d'ailleurs de plus en plus nombreux à vivre selon les mœurs espagnoles. Dans les nouvelles universités qui sont alors fondées, on n'en enseigne pas moins le quechua et l'aztèque, langues des peuples vaincus. L'enseignement des sciences modernes est introduit, l'imprimerie encouragée. De nombreux journaux paraissent. Certes, le système de l'exclusif est rigoureusement maintenu. Mais Charles III veut que l'Espagne devienne à la fois un meilleur fournisseur et un meilleur client. C'est une des raisons qui font que la traite lui est réservée après 1750. Par la suite, il accordera la faculté de faire le commerce entre métropole et empire à treize ports métropolitains et à vingt-quatre ports américains. Bien que cette liberté ne soit qu'une multi-plication des relations entre Espagne et dépendances d'outre-mer, l'essor ainsi déclenché sera prodigieux, et Cadix, dépouillée du monopole hérité de Séville, n'en gardera pas moins sa prospérité.

Chapitre VI

L'AMÉRIQUE FRANÇAISE

Jusqu'au traité de Paris de 1763, l'Amérique du Nord dans sa plus grande partie est française. La domination du Roi Très Chrétien s'étend alors sur la Nouvelle-France (Canada), la Louisiane et plusieurs îles des Antilles.

LES ANTILLES FRANÇAISES

Les Antilles françaises sont de toutes les contrées du Nouveau Monde la plus prospère et la plus active. Ce sont les îles fortunées.

La géographie de l'époque distingue les îles du Vent (par exemple la Martinique) et les îles sous le Vent (par exemple Saint-Domingue). Neuf îles sont françaises : six petites (Saint-Barthélemy, Saint-Martin, Saint-Vincent, la Dominique, Sainte-Lucie et Grenade) et trois grandes (Saint-Domingue dans sa moitié occidentale, l'autre moitié appartenant à l'Espagne, la Martinique et la Guadeloupe). La perle est Saint-Domingue. C'est le territoire le plus étendu (1 700 lieues carrées), le plus peuplé (cent trente mille habitants en 1726), le plus riche.

Depuis 1674, les Antilles ne sont plus administrées par la Compagnie des Indes mais par le roi : un lieutenant général pour le roi et un intendant résident à Port-au-Prince, capitale de Saint-Domingue et de toutes les Antilles françaises. Chaque île a en outre son gouverneur particulier. Un Conseil souverain composé de notables et d'administrateurs siège une fois par mois. Sa fonction est de juger au criminel.

Les « îles » sont des colonies « à rendement ». On ne leur demande rien d'autre que de fournir à la métropole les produits tropicaux indispen-sables au bien-être : le sucre, le café, le tabac. Elles n'ont pas d'autre raison d'exister.

Les îles produisent et la métropole se charge du reste. Elles font du sucre, du café, du tabac. La métropole administre, ravitaille, fournit en étoffes et en outillage, et se réserve entièrement le commerce et la trans-formation des produits. C'est le système de l'exclusif, instauré par

Colbert, et dont les lettres patentes d'octobre 1727 représentent la législation définitive.

La principale production est le sucre. Les îles sont d'abord les îles à sucre. La plus grande partie de la production vient de Saint-Domingue. Le café occupe la seconde place. Cette culture fait tout au long du siècle une progression spectaculaire. Elle a commencé en Martinique. A Saint-Domingue les premiers plants sont introduits en 1726. En 1750, la production totale des Antilles françaises dépasse la consommation nationale.

Cependant, le facteur principal de la richesse des îles est la révoltante exploitation de l'homme par l'homme. Sans la main-d'œuvre esclave, il n'y aurait ni sucre, ni café. Le développement extraordinaire de l'économie de plantation n'a été permis que par l'accroissement considérable du nombre des esclaves noirs. Ceux-ci étaient vingt-neuf mille en 1681. Ils sont cent quatre-vingt-dix mille en 1739. La plupart viennent de l'Afrique équatoriale atlantique. C'est là que les capitaines négriers de Nantes et de Bordeaux vont les acheter. Le voyage dure cinquante jours en moyenne. Les esclaves sont entassés à trois ou quatre cents dans les cales. Quinze pour cent d'entre eux meurent pendant le transport. A l'arrivée, les survivants sont vendus à l'encan et marqués. Leur statut, défini par le Code noir de 1685, est intermédiaire entre celui de l'homme et celui de l'animal. Ils sont réputés biens meubles comme le bétail. Cependant, la faculté leur est donnée de se plaindre à la justice, dans le cas où leurs maîtres ne les entretiendraient pas correctement. Les serfs russes n'ont même pas cette possibilité.

Les îles souffrent d'un double déséquilibre, social et économique. Social : une population formée de cent quatre-vingt-dix mille esclaves sur deux cent cinquante mille habitants ne peut constituer une société normale. Économique : les îles produisent le précieux sucre et le précieux café, mais elles sont incapables de se nourrir elles-mêmes. Toute la superficie cultivable est réservée aux cultures à rendement ; il n'y a plus de place pour les cultures vivrières. Tous les vivres doivent être importés de France et payés au prix fort. Car le système de l'exclusif interdit aux colons de se fournir ailleurs. La farine des colonies anglaises d'Amérique est moins chère que celle venue de France, mais les règlements interdisent de l'acheter. Les colons des Antilles protestent contre ces règlements. Il leur arrive de se révolter. C'est le cas par exemple à Saint-Domingue en 1769. En 1778, pour éviter l'explosion du mécontentement, le gouvernement royal atténue sa réglementation et introduit une certaine libéralisation.

LE CANADA FRANÇAIS

Le Canada français porte le nom de Nouvelle-France. C'est un immense territoire très faiblement peuplé. La population d'origine française quadruple entre 1700 et 1750, mais reste encore insignifiante par rapport à la superficie : cinquante-cinq mille neuf habitants dénombrés en 1754. Au nord et au sud du Saint-Laurent, et le long de ce fleuve, courent deux bandes étroites et presque continues de peuplement. Le reste du pays est occupé par des tribus indiennes très peu nombreuses.

Comme les Antilles, le Canada dépend directement depuis 1674 de l'administration royale. Le gouverneur est chargé de la défense, des relations diplomatiques et des pays d'En-Haut, c'est-à-dire des régions indiennes où se pratique la traite des fourrures. A l'intendant sont confiées la justice, les finances et l'économie de la colonie. L'un et l'autre reçoivent leurs instructions du secrétaire d'État à la Marine. En fait, ce dernier se fait suppléer par le premier commis, chargé du Bureau des colonies.

Les deux tiers de la population canadienne française sont des « habitants ». On désigne par ce mot les personnes vivant sur la terre et de la terre, seigneurs ayant reçu des concessions de seigneuries à condition de coloniser, et censitaires. Le troisième tiers est composite. Il y a ceux qui vivent dans les villes de Québec, Trois-Rivières et Montréal, et sont des administrateurs, des bourgeois et des marchands. Il y a aussi les quatre mille personnes qui vivent de la traite des fourrures, principale richesse de la colonie.

La traite est contrôlée par l'administration royale. On utilise surtout le système de la ferme. L'affermage donne lieu à un contrat entre l'administration et le marchand « équipeur » (celui qui monte les expéditions et les finance). Le fermier reçoit le monopole de la traite d'un poste, sur un territoire déterminé, avec les tribus indiennes désignées par le contrat. Il doit déposer toutes ses pelleteries dans les magasins de la Compagnie de la colonie, qui seule peut vendre et exporter.

La traite est une source de profits, mais elle est aussi un dommage. Elle affaiblit la société canadienne. Un trop grand nombre d'hommes s'engagent dans ce commerce. Trop peu colonisent le pays. Les traitants et les « coureurs de bois » (on appelle ainsi les traitants non autorisés) ne se marient pas. Ils pratiquent l'union libre avec les Indiennes. Ils ne fondent pas de familles.

Par ailleurs, la traite contribue indirectement à détruire et à démoraliser les sociétés indiennes. Car il n'y a pas de traite sans vente d'eau-de-vie aux Indiens fournisseurs des pelleteries. L'eau-de-vie sert normalement de monnaie d'échange pour le troc des fourrures. Les ravages de l'alcool ainsi distribué sont incalculables. Les « sauvages » s'enivrent jusqu'à perdre la raison. Ils vont parfois jusqu'à tuer leurs propres enfants. Au siècle précédent, l'administration royale interdisait de vendre de l'eau-de-vie aux Indiens. Ces interdictions tombent en désuétude. Les administrateurs ne veulent plus écouter les avertissements des missionnaires défenseurs des sauvages. Ils deviennent laxistes. La concurrence des Anglais — qui ne s'embarrassent pas de tels scrupules — les inquiète. Ils craignent que les Indiens n'aillent vendre leurs fourrures à ces derniers. Ils finissent donc par autoriser les cargaisons d'eau-de-vie vers les pays d'En-Haut. On juge plus lucratif d'enivrer les Indiens que de les convertir à la foi chrétienne.

La chute du Canada français en 1759-1760 ne s'explique pas seulement par la supériorité numérique des Anglais. On doit invoquer une autre raison. Il s'est produit au XVIIIᵉ siècle une déperdition de forces spirituelles. La colonisation du Canada s'était faite à l'origine pour la conversion des Indiens. La plupart des premiers colons venus dans ce pays avant 1660 étaient animés d'un fervent esprit missionnaire. Cet esprit n'a pas disparu. Plusieurs communautés religieuses, celles des jésuites, des ursulines, des hospitalières de Saint-Joseph et des hospitalières du Québec, entretiennent la flamme, se vouant à la conversion et à l'éducation des sauvages. Mais la ferveur des populations a diminué. Les jésuites ont pris le parti de séparer leurs Indiens convertis de la population canadienne française dont ils redoutent qu'elle ne communique à leurs néophytes les mœurs relâchées de la civilisation. C'est ainsi qu'ils ont créé dans la vallée du Saint-Laurent six villages catholiques indiens gouvernés par eux pour le spirituel. Cela est un signe. Une partie de la population canadienne s'est convertie à l'économisme du siècle. Les préoccupations religieuses se sont évanouies chez beaucoup. Le patriotisme franco-canadien s'est affaibli. Lors de l'invasion, certains n'ont pas vu la nécessité de résister aux Anglais. A Montréal ce sont les grands marchands équipeurs qui interviennent pour faire signer au plus vite la capitulation. Périsse la domination du Roi Très Chrétien plutôt que le commerce des fourrures !

LA LOUISIANE

La Louisiane est le territoire découvert en 1687 par Cavelier de La Salle.

Jusqu'en 1731, l'administration et l'exploitation de cette nouvelle colonie sont confiées à des compagnies de commerce, d'abord la Compagnie d'Occident fondée en 1717, ensuite celle des Indes créée en 1719. L'échec est total. On avait surestimé les possibilités du pays. La propagande de Law et celle des financiers avait contribué à créer un « mirage louisianais ». Le développement de la colonie est très lent et ne correspond en rien aux espérances entretenues chez les actionnaires. En 1731, la population d'origine canadienne et française ne dépasse pas trois mille habitants. La Nouvelle-Orléans, fondée en 1719 par Adrien de Panges, ne compte pas plus d'une centaine de maisons. La seule culture de rapport est le tabac. Les Indiens Natchez et Chicachas multiplient les incursions et créent un climat permanent d'insécurité.

Le démarrage de la colonie commence en 1731 lorsque l'administration royale remplace celle de la Compagnie des Indes. Deux gouverneurs énergiques et intelligents, Vaudreuil (1743-1752) et Kerlérec (1752-1760), viennent à bout des Indiens, stimulent l'immigration et introduisent de nouvelles cultures. La population compte, en 1752, cinq mille Blancs et deux mille Noirs. Le coton est cultivé à partir de 1740, la canne à sucre depuis 1751.

Cependant, la France ne recueillera pas les fruits des efforts consentis. En 1763, en vertu du traité de Paris, la rive gauche du Mississippi est cédée aux Anglais. L'année suivante, c'est le tour de la rive droite donnée à l'Espagne. Le gouvernement royal a beaucoup dépensé pour la Louisiane : environ 800 000 livres par an. Il lui semble que les résultats obtenus ne suffisent pas à justifier de tels sacrifices.

Chapitre VII
L'AMÉRIQUE ANGLAISE

L'Amérique anglaise se compose des Antilles anglaises et des treize colonies continentales. Il s'y ajoutera en 1763 le Canada et la rive gauche du Mississippi.

Le Canada, conquis de haute lutte, est d'abord traité avec une grande rigueur, comme un pays vaincu et qu'il importe de surveiller. Pendant quatre ans, de 1760 à 1764, les Anglais imposent aux Canadiens le régime militaire et la loi martiale.

On assiste ensuite à une libéralisation progressive. En 1764, un statut est donné à la colonie, baptisée province de Québec. En 1774, le Quebec Act restitue aux Canadiens français quelques-unes de leurs libertés. Ils sont dispensés du serment du Test[1]. Les lois civiles françaises sont remises en vigueur. Un Conseil de vingt-trois membres, nommés par la Couronne, assiste le gouverneur. En 1791, sera instauré un véritable régime représentatif.

Les Canadiens sont dans l'ensemble loyaux à la Couronne anglaise. La

---

1. Le serment du Test est le serment prêté par les fonctionnaires de respecter la suprématie royale en matière religieuse.

seule résistance active vient des Indiens, non des Français. En 1763-1764, un chef outaoua courageux et fier, nommé Pontiac, réussit à soulever plusieurs tribus et à s'emparer de plusieurs forts. Les Anglais ne s'en débarrassent qu'en le faisant assassiner (1766).

L'attitude des Canadiens lors de l'insurrection américaine est un autre témoignage de leur loyalisme. Les Insurgents cherchent à les rallier à leur cause. Ils n'y parviennent pas. En 1775, des troupes américaines mettent le siège devant Québec. Elles se heurtent à une résistance efficace qui n'est pas seulement le fait des forces armées britanniques. Les prêtres canadiens ont pris parti pour les Anglais. Aux émissaires américains envoyés pour les convaincre, ils ont beau jeu de rappeler que la religion catholique n'avait jamais été admise dans certaines des treize colonies.

Chapitre VIII
LA RÉVOLTE DES TREIZE COLONIES

DIVERSITÉ ET UNITÉ DES TREIZE COLONIES

Les treize colonies britanniques d'Amérique du Nord sont étonnamment diverses. Par leurs statuts, tout d'abord : neuf d'entre elles seulement sont des colonies de la Couronne, avec un gouverneur nommé par le roi, et les quatre autres se trouvent sous le régime du *proprietorship* (Maryland, Caroline, Pennsylvanie, Géorgie). Mais toutes sont dotées d'une assemblée représentative qui vote les impôts locaux. Elles n'ont rien de Chambres d'enregistrement. Elles se montrent fréquemment indociles, voire agressives. Ainsi, celles des quatre colonies qui constituent la Nouvelle-Angleterre (Massachusetts, New Hampshire, Rhode Island, Connecticut) à l'égard de leurs gouverneurs respectifs. Et toute l'histoire politique du Maryland depuis 1714 se résume à une série de conflits entre le «propriétaire» et l'assemblée, conflits qui se terminent le plus souvent par la victoire de cette dernière. La diversité religieuse n'est pas moins grande que la diversité politique. On rencontre des catholiques romains aussi bien que des représentants de toutes les formes de protestantisme. Mais l'esprit puritain, non conformiste, des *Pilgrim Fathers* se trouve particulièrement bien représenté, notamment à Boston, et tend à donner la tonalité générale. La vie économique est peut-être encore plus diverse. La Nouvelle-Angleterre vit d'agriculture et de pêche. Les colonies du Centre (New York, New Jersey, Pennsylvanie, Delaware), d'une agriculture semblable qui évoque largement celle de l'Europe, et aussi de commerce. C'est là que se trouvent les plus grandes villes : Philadelphie (alors trente-cinq mille habitants) et New York (seize mille habitants). Quant aux colonies du Sud (Maryland, Virginie, Caroline du Nord et du Sud, Géorgie), ce sont des pays de plantations de tabac, de riz et d'indigo, dont l'économie repose, comme celle des Antilles, sur l'esclavage. Charleston, en Caroline du Sud, est la ville de l'aristocratie foncière, celle où l'on déploie plus d'élégance et de luxe que partout ailleurs en Amérique du Nord. Il n'existe pas que des contrastes nord-sud ; il existe aussi des contrastes est-ouest, sensibles dans les domaines social, psychologique et politique. Les populations fixées sur la côte et ses abords immédiats descendent souvent d'immigrants venus en Amérique depuis relativement longtemps. Beaucoup de familles sont parvenues à une certaine aisance, voire même à la richesse. Tandis que les immigrés récents, en général très pauvres à leur arrivée, n'ayant pu trouver place sur la frange côtière, ont dû partir s'installer à l'Ouest, et y mener une vie de pionnier, toujours pénible et souvent dangereuse. Dans la plupart des colonies, le contraste est net entre la modération des gens de l'Est et l'esprit remuant, audacieux, foncièrement démocratique des *Westerners*, du moins lorsque les premiers ne les tiennent pas à l'écart de la vie politique.

Toutes les colonies sont soumises au régime de l'exclusif, comme toutes les autres colonies européennes. Pitt lui-même a déclaré que « si l'Amérique fabriquait un seul fil de laine, un seul fer à cheval, il la remplirait de soldats ». En fait, comme ailleurs, des brèches y ont été pratiquées. Quelques industries ont été créées dans le Nord. La contrebande avec les Antilles françaises est florissante.

LES MALADRESSES ANGLAISES

Les treize colonies sont loyales à l'égard de la Couronne. Mais le gouvernement de Londres manque fréquemment de prudence et de diplomatie. Il heurte sans cesse les sentiments et les intérêts des Américains, et leur fait prendre conscience de tout ce qui les sépare des Anglais ; en particulier leur état d'esprit audacieux, entreprenant, leur amour de la liberté, une certaine hostilité aux distinctions de rang inhérentes aux sociétés d'ordres européennes. Au cours de la guerre de Sept Ans, les frictions ont été multiples : Anglais et Américains se sont accusés mutuellement de ne pas faire un effort de guerre suffisant. Les Anglais se sont indignés de ce que les Américains, en pleine guerre, aient continué à commercer avec les Français. Exemple caractéristique : ils leur ont vendu de la viande, au point de la rendre rare et de faire tellement monter son prix qu'il a parfois été plus avantageux, pour l'intendance des troupes britanniques, d'en faire venir d'Angleterre plutôt que d'en acheter sur place. Les Américains, de leur côté, se plaignent amèrement de l'exclusif, alors qu'il est évident que les treize colonies connaissent une réelle prospérité, marquée seulement de crises passagères.

Pour gagner la guerre de Sept Ans, la Grande-Bretagne s'est beaucoup endettée. Sa dette publique a doublé. Son gouvernement, appuyé par une large fraction de l'opinion, entend faire supporter par les Américains une partie des dépenses qu'il estime avoir été engagées avant tout pour eux. Les troupes qui ont vaincu les Français et les Canadiens ont été surtout fournies par la métropole. Les frais de la campagne ont été réglés par elle. Après la guerre, il est nécessaire de maintenir en Amérique une force permanente de quelque dix mille hommes, pour parer à une éventuelle révolte des Canadiens.

Comme le parlement de Londres a le droit de régler, par des taxes, le commerce des colonies, le Sugar Act ou loi sur les sucres de 1764 impose de nouveaux droits sur de nombreux produits étrangers, moins sur les sucres, d'ailleurs, que sur un certain nombre d'autres. Le préambule de la loi précise que les sommes ainsi collectées seront portées à un compte spécial, destiné à amortir les dépenses entraînées par la défense des colonies d'Amérique. Ainsi, le gouvernement n'aura pas à faire négocier l'octroi d'impôts nouveaux par les assemblées représentatives des colonies, tâche toujours difficile pour les gouverneurs. Puis, la même année, le Currency Act, ou loi monétaire, interdit toute nouvelle émission de *bills of credit*, c'est-à-dire de billets émis par les Trésors des différentes colonies, véritables anticipations sur le montant des impôts à rentrer, utilisés comme papier-monnaie. Or, si ces billets ont été émis et circulent depuis quelque cinquante ans, c'est parce qu'il n'y a pas, en Amérique, suffisamment de monnaie véritable en circulation. D'autre part, ces billets ont un effet inflationniste qui réduit peu à peu le poids que représentent les dettes. Aussi le Currency Act est-il fort mal accueilli parmi les populations rurales endettées. En 1765, le Stamp Act, ou loi sur le timbre, apporte quelque chose de nouveau : non plus des taxes douanières, mais des droits perçus à l'intérieur des colonies, sans que les assemblées représentatives aient été consultées. Ces droits frappent les pièces légales, les journaux, les effets de commerce. En outre, l'exclusif est renforcé, ou plus exactement, la fraude est pourchassée avec beaucoup plus d'énergie et d'efficacité qu'auparavant. Grenville, Premier ministre de 1763 à 1765, estime qu'une stricte application des lois en vigueur et le paiement des taxes en découlant accélérerait considérablement l'extinction des dettes de guerre. Il envoie en Amérique des douaniers plus nombreux, des gardes-côtes. Il fait déférer aux tribunaux d'Amirauté tous ceux qui sont pris à trafiquer clandestinement avec les Antilles françaises. Le temps de la relative tolérance de fait dont jouissait la contrebande semble bien terminé.

DE LA QUERELLE JURIDIQUE A LA RÉVOLTE

Le Stamp Act a provoqué, dans une grande partie de l'opinion américaine, une véritable tempête. Les premiers, les Virginiens estiment que la politique de Grenville dépasse le simple règlement commercial, et qu'elle instaure, en fait, de nouveaux impôts à peine déguisés. Depuis plusieurs siècles, « Pas de taxation sans représentation » a été l'une des maximes politiques favorites des Anglais. Or, ni la Virginie ni les douze autres colonies n'élisent de représentants au parlement de Londres qui a voté les nouvelles taxes. Une guerre de pamphlets commence. L'assemblée représentative de la Virginie, la House of Burgesses, condamne le Stamp Act comme une violation du droit des sujets du roi de ne pas être assujetti à un impôt qu'ils n'auraient pas consenti. Des hommes d'affaires signent des *nonintercourse agreements*, engagements à n'avoir aucune relation commerciale avec des firmes ou des hommes d'affaires anglais tant que le Stamp Act ne sera pas aboli. Une association apparaît, The Sons of Liberty (les fils de la Liberté), avec un chant : *We must not and will not be slaves...* (Nous ne devons pas être esclaves et nous ne le serons pas...). Ses membres imposent la signature de *nonintercourse agreements*, forcent les collecteurs de taxes à démissionner, en usant de goudron et de plumes — et aussi simplement de menaces.

Au début de 1766, Pitt intervient. Depuis sa retraite, il a vécu à Bath, goutteux jusqu'à l'impotence. En dépit de son état physique, il vient, au moment du discours du Trône, à la Chambre des communes recommander la suppression du Stamp Act. Il déclare, appuyé sur ses béquilles :

> On nous dit que l'Amérique est en rébellion ; je dis que je me réjouis de ce que l'Amérique ait résisté [...]. Dans un tel combat, je crains plus la victoire que la défaite. L'Amérique, si elle tombait, tomberait comme Samson : elle saisirait les colonnes du temple et entraînerait avec elle la Constitution [...]. Les Américains n'ont pas toujours agi avec prudence, mais, ils ont été poussés à la folie par l'injustice. Les punirez-vous d'une folie dont c'est vous qui êtes les auteurs ?

Le Stamp Act se révélant inapplicable, le Parlement écoute les plaintes de marchands anglais qui craignent de perdre à la fois la clientèle américaine et les créances qu'ils ont en Amérique, par suite du boycott. Le témoignage apporté par Benjamin Franklin (1706-1790), agent de plusieurs colonies à Londres, semble exercer aussi beaucoup d'influence. En mars 1766, le Stamp Act est donc abrogé. Cependant, pour sauvegarder le principe, le Parlement vote le Declaratory Act, qui proclame que le roi et le Parlement peuvent, par leurs décisions, lier et engager les colonies, dans quelque domaine que ce soit. Dans ses termes et dans son fond, c'est « une déclaration de dépendance », presque mot à mot une copie de l'Irish Declaratory Act de 1719, qui confirme l'assujettissement de l'Irlande à l'Angleterre.

George III, contre son gré, doit offrir le gouvernement à Pitt, qui devient de nouveau l'homme le plus puissant et l'idole du royaume. Mais il commet une grave erreur : il abandonne la Chambre des communes et se fait nommer comte de Chatham. Alors, sa popularité s'effondre : passer à la Chambre des lords pour le grand *Commoner* est une faute. Peut-être pourrait-il reconquérir sa popularité s'il n'était dans un état physique déplorable. Il doit quitter le gouvernement.

Le Premier ministre Grafton remplace en 1767 le Stamp Act par un Duty Act qui remplace le droit de timbre par de nombreuses taxes très légères sur le thé, sur le papier, sur le verre, sur le plomb, sur les peintures importés d'Angleterre dans les colonies. Ce ne sont que des taxes douanières, non pas, comme l'était le droit de timbre, des taxes perçues à l'intérieur des colonies. Enfin, la rentabilité et l'efficacité du service des douanes sont encore accrues.

Les Américains continuent à manifester leur mécontentement. Beaucoup ont conservé l'esprit de *dissent*, de « dissidence », de leurs ancêtres. Le boycott reprend. Des hommes politiques se révèlent : Samuel Adams dans le Massachusetts, Thomas Jefferson et George Washington en Virginie. Des pamphlétaires aussi, comme John Dickinson. Alors qu'à l'époque du Stamp Act, on acceptait les taxes douanières, *external taxes*, et l'on ne refusait que celles qui devaient être levées à l'intérieur des colonies, les *internal taxes*, désormais on n'admet plus ni les unes ni les autres. Au cours des années 1768-1770 il se produit, en Angleterre, une chute des exportations à destination des colonies d'Amérique qui alarme les négociants britanniques. Le trafic anglo-américain se trouve, en Nouvelle-Angleterre, diminué de moitié et à New York des 7/8e. A cause du boycott. Enfin, des violences prennent pour cible des fonctionnaires britanniques, notamment à Boston, des douaniers. A New York, il se déroule des émeutes lorsque les « fils de la Liberté » érigent à Gordon Hill une sorte d'arbre de la liberté, un *Liberty pole*. Il y a un mort, en janvier 1770. En mars, il y a quatre blessés à Boston à la suite de boules de neige lancées sur des soldats, et les Américains font de cet incident « le massacre de Boston ».

Le 5 mars, un nouveau ministère, dirigé par lord North, estimant que les droits frappant l'importation dans les colonies de produits manufacturés de la métropole sont absurdes puisqu'ils gênent les industries britanniques, obtient du Parlement leur abrogation. Le Duty Act disparaît. Mais une taxe est maintenue, une seule, pour le principe, pour bien marquer que le Parlement a le droit de voter des impôts frappant les colonies, la taxe sur le thé, qui est de 3 pence par livre sterling, soit 1,25 %. De 1770 à 1772, tout semble se calmer. L'Amérique du Nord britannique connaît d'ailleurs une belle période de prospérité. C'est en vain que des «révolutionnaires structurels» comme Samuel Adams essaient de faire renaître quelque agitation, en organisant des «comités de correspondance» qui font circuler des nouvelles, lancent des mots d'ordre.

C'est lord North lui-même qui fournit aux extrémistes une magnifique occasion de reprendre leurs troupes en main. En 1773, l'East India Company se trouve dans une mauvaise situation financière, et son principal actif se trouve constitué par un très important stock de thé. Et à cette époque les Américains consomment une grande quantité de thé, fournie par cette Compagnie, mais une plus grande quantité encore fournie par la contrebande avec les Antilles néerlandaises. Par le Tea Act, la loi sur le thé devient un ensemble d'ingénieuses dispositions qui doivent permettre à la Compagnie de vendre son stock de thé dans les colonies d'Amérique du Nord à un prix plus bas que celui du thé de contrebande importé des îles néerlandaises.

La réaction des négociants revêt des formes variées. A Charleston le thé est débarqué mais n'est pas mis en vente. A Philadelphie et à New York, il est réexpédié en Angleterre. Mais à Boston, l'ingéniosité de Samuel Adams amène les fils de la Liberté à commettre un acte lourd de conséquences : le soir du 16 décembre, déguisés en Indiens Mohawks, ils montent sur trois navires et jettent à l'eau leurs cargaisons de thé, au total trois cent quarante-deux caisses. Les négociants sont à la fois satisfaits, amusés, et inquiets des éventuelles conséquences. De fait, en Angleterre, l'opinion publique est indignée, plus qu'elle l'a été lorsque les soldats et les douaniers ont été insultés et frappés, trois ans auparavant. La majorité des Anglais estime que la métropole est allée jusqu'au maximum des concessions. George III est furieux. «Les dés sont maintenant jetés, dit-il à lord North. Les colonies doivent désormais se soumettre ou triompher.»

LES LOIS INTOLÉRABLES ET LE QUEBEC ACT

En dépit du fait que certains députés se rendent compte qu'une erreur va être commise, le Parlement vote en mai et juin 1774 les Coercitive Acts, que les Américains appelerons les «Intolerable Acts». Notamment, par le Boston Port Bill, il est décidé que le port de Boston sera fermé jusqu'à ce que le prix des trois cent quarante-deux caisses de thé ait été remboursé à la Compagnie. Par le Massachusetts Government Act, le gouvernement de cette colonie est profondément remanié, et placé sous l'autorité d'un général. La garnison de Boston est d'ailleurs considérablement renforcée.

Au même moment, est promulgué le Quebec Act, loi d'une importance considérable pour l'avenir de l'Amérique du Nord. Alors que les Anglais avaient traité de façon inhumaine les colons français de l'Acadie annexée par eux en 1713, le Quebec Act règle le problème de l'administration du Canada d'une façon bienveillante pour ses habitants. Il leur accorde plus qu'ils ne demandaient. Alors que, depuis 1763, ils étaient administrés selon les lois anglaises, la coutume de Paris y est, en matière civile, intégralement restaurée. Le Canada sera gouverné par un gouverneur et par un Conseil nommé. Mais l'Église catholique est reconnue officiellement. Le bill du Test ne sera pas applicable au Canada, c'est-à-dire que les catholiques y seront admissibles à tous les emplois publics. Point d'importance capitale, les frontières du Canada sont portées sur l'Ohio jusqu'au confluent de ce dernier avec le Mississippi. Tout le bassin des Grands Lacs est également attribué à la nouvelle province, jusqu'à la ligne de partage des eaux de la baie d'Hudson, ainsi que tout le Labrador.

La concession de frontières si extraordinairement vastes provoque une immense indignation au sein des treize colonies. Elle leur enlève leurs territoires d'expansion naturelle pour les donner à une poignée d'ennemis de la veille. Des candidats spéculateurs, qui espéraient se faire concéder à bas prix d'immenses espaces, se trouvent terriblement déçus, sachant bien que le gouvernement de Québec ne serait pas aussi généreux à leur égard que l'aurait été celui de leur colonie. C'est également entre les mains de ce gouvernement que passe la surveillance du commerce des fourrures. Par ailleurs, pour les Américains, lancés depuis des décennies dans des querelles avec leurs gouverneurs, la forme du gouvernement de la nouvelle province éveille bien des méfiances, celle-ci ne comportant pas d'assemblée représentative. Ils se demandent si ce n'est pas celle que le gouvernement de George III réserve, dans l'avenir, aux treize colonies. Enfin, les articles du Quebec Act concernant la religion déchaînent l'indignation des protestants, notamment des calvinistes de Boston.

LE PREMIER CONGRÈS CONTINENTAL

La « politique du thé » de lord North ne lèse que les intérêts d'un certain nombre de négociants et elle doit même aboutir à favoriser la masse des consommateurs américains, en leur fournissant cette denrée meilleur marché. Mais le caractère draconien des Coercive Laws provoque une telle colère dans les milieux politiques et dans l'ensemble de la population que les origines du conflit et la *Boston Tea party* en sont oubliées. La volonté de punir Boston et le Massachusetts en les isolant des autres colonies aboutit exactement au contraire du résultat cherché. Et cela aboutit tout d'abord à la réunion, le 5 septembre 1774, à Philadelphie, à Carpenter's Hall, d'un congrès de cinquante-cinq membres, non pas élus, mais membres de « comités de correspondance » venus des treize colonies. Cette assemblée rédige une déclaration demandant au roi la suppression des « lois intolérables », et manifeste surtout la volonté de résister à l'autorité du gouvernement de Londres par la force, si aucun autre moyen ne se révèle efficace. Déjà, le Massachusetts se trouve très proche de la rébellion armée. L'autorité du général Gage, nouveau gouverneur de Boston, ne s'étend pas au-delà des limites de cette ville. L'assemblée de la colonie, dissoute par lui, se réunit et délibère à Salem. D'autre part, il existe dans toutes les colonies une institution très légale, la milice, dans laquelle le service est obligatoire pour tous les hommes valides. Un Comité de sûreté collecte des armes, des munitions, et recrute des *minutemen*, qui s'engagent à être prêts à répondre à tout appel, à la minute.

LEXINGTON ET CONCORD (19 AVRIL 1775)

Or, le général Gage envoie, depuis Boston, des troupes jusqu'à Concord, bourgade située à une trentaine de kilomètres, où les Américains ont constitué un magasin avec divers approvisionnements. Au cours d'une extraordinaire chevauchée nocturne, Paul Revere et William Dawes donnent l'alarme. Le 19 avril, au matin, dans la brume, à Lexington, entre Boston et Concord, une fusillade éclate entre soldats britanniques et *minutemen*. Il y a huit tués du côté américain. Les soldats continuent jusqu'à Concord, y détruisent, dans le magasin, ce que les miliciens n'ont pas pu enlever, et rentrent à Boston. Leur mission a été accomplie. Mais la guerre de l'Indépendance américaine est commencée.

Le second congrès continental se réunit à Philadelphie le 10 mai. Ses membres seront immortalisés dans l'histoire américaine comme les signataires (*the signers*) d'une *Declaration of the causes and necessity of taking up arms* (Déclaration des causes et de la nécessité de prendre les armes) par laquelle les autres colonies se solidarisent avec le Massachusetts tout en affirmant leur loyauté à l'égard de George III. Le congrès organise, à partir des milices, une armée dont le commandement est confié à George Washington. Mais tous ses membres, et beaucoup d'Américains avec eux, n'ont pas perdu tout espoir d'une réconciliation avec la mère patrie. Une nouvelle pétition, familièrement appelée *The Olive Branch* (le rameau d'olivier), lui est d'ailleurs envoyée. Beaucoup d'Américains pensent qu'une crise ministérielle pourrait bien éclater en Angleterre et qu'une nouvelle équipe pourrait parvenir au pouvoir, négocier avec les colonies et faire des concessions.

VERS L'INDÉPENDANCE

Des combats acharnés se déroulent dans les environs de Boston, notamment à Bunker Hill (17 juin 1775). Suivent quelques mois d'immobilité pour les troupes britanniques, que les Américains mettent à profit pour s'organiser. L'idée d'indépendance progresse rapidement dans les esprits, notamment à la suite de la publication du pamphlet de Thomas Paine, *Common Sense* (le sens commun). Cet obscur artisan récemment immigré d'Angleterre y attaque — c'est un fait nouveau — la Constitution britannique. Il y a en elle, dit-il, deux parties de tyrannie (le roi et la Chambre des lords) et une partie de liberté (la Chambre des communes). Pourquoi les Américains ne se contentent-ils pas de cette dernière? D'autre part, ils ont payé, en vies humaines, un prix très élevé déjà, et ils doivent donc obtenir quelque chose qui soit digne du prix qu'ils ont payé. Ce quelque chose, dit-il, doit être l'indépendance. A partir de la publication du *Common Sense* (janvier 1776) et davantage encore après l'évacuation de Boston par les Britanniques qui se retirent par mer en Nouvelle-Écosse (mars), le cours des événements s'accélère.

Dans chaque colonie, un congrès s'est substitué à l'assemblée représentative, ou celle-ci, comme dans le Massachusetts, s'est transformée en congrès de la colonie. Or, il arrive que des membres de ces assemblées et des membres du congrès continental, de tendance modérée, démissionnent ou se retirent discrètement. Par cooptation, ils sont remplacés par des personnalités d'opinions plus radicales. Dans le courant du printemps 1776, plusieurs congrès demandent à leurs délégués au congrès continental de proposer la proclamation de l'indépendance. La Caroline du Nord est la première à le faire. Et la Virginie, en juin, agit pratiquement en nation indépendante en se donnant une nouvelle constitution.

Le 7 juin 1776, Richard Lee, délégué de cette colonie au congrès continental, affirme que «ces colonies unies sont en fait et doivent être en droit des États indépendants et libres». La résolution de Lee est soumise à un comité où figurent Thomas Jefferson, John Adams et Benjamin Franklin. C'est Jefferson, qui a certain talent pour trouver des formules heureuses, qui rédige, à peu près seul, une déclaration d'Indépendance toute imprégnée d'idées de John Locke. Les affirmations polémiques y sont nombreuses. Mais, comme l'ont dit des historiens américains, Jefferson n'écrit pas un livre d'histoire, il s'efforce d'exercer une influence sur le cours de l'histoire. Il veut, avant tout, porter atteinte au loyalisme traditionnel des Américains à l'égard de la Couronne. Le gouvernement, selon une théorie que presque personne ne met en doute, est le résultat d'un contrat passé entre les gouvernants et les gouvernés, un contrat qui a pour raison d'être de sauvegarder «la vie, la liberté, et la recherche du bonheur». Si le gouvernement ne respecte pas les engagements du contrat, il appartient aux gouvernés de le déclarer nul et de se donner un autre gouvernement. Une bonne partie de la déclaration s'efforce de démontrer que le roi George n'a pas respecté les clauses du contrat. En particulier, en soumettant les Américains à une «juridiction étrangère», le parlement de Londres. Étrangère, car celui-ci n'est que l'assemblée législative de la Grande-Bretagne et n'a aucun droit à légiférer pour les treize colonies qui disposent chacune d'une assemblée législative parfaitement valable.

Le congrès continental approuve la déclaration le 2 juillet 1776, et l'indépendance est proclamée le 4.

Chapitre IX

LA VICTOIRE DES INSURGENTS

La victoire des Insurgents est due principalement à l'intervention française. Réduits à leurs seules forces, ceux-ci étaient vaincus. En 1778, le général anglais Howe commandait à trente-cinq mille soldats. Jamais une armée aussi importante n'avait été rassemblée dans le Nouveau Monde. En face, les Insurgents ne pouvaient aligner que dix-huit mille hommes mal armés, mal équipés, mal nourris. Lorsque les troupes continentales hivernent en 1777-1778 à Valley Forge, elles souffrent du dénuement le plus tragique, aggravé encore par l'exceptionnelle rigueur de la saison. Que dire de leur chef? George Washington est un homme énergique et courageux. On ne peut pas dire qu'il brille toujours par ses sentiments chevaleresques. L'affaire Jumonville n'est pas à son honneur. L'affaire André non plus. En septembre 1780, au mépris de toutes les lois de la guerre, il fait pendre un officier anglais nommé André, coupable seulement d'avoir rencontré le général américain Arnold et d'avoir négocié le ralliement de ce dernier à la cause loyaliste. Comme stratège, il ne manque pas de décision ni d'esprit de riposte, mais il n'est pas tellement heureux. Les premiers grands engagements sont des désastres. Le général américain est battu cruellement à Long Island le 27 août 1776 et perd dans cette journée deux mille hommes. Le 14 septembre, il doit évacuer New York. Quelques jours plus tard il est rejeté au-delà de la Delaware. Il reprend l'avantage à la fin de 1776, repasse la Delaware, porte à l'adversaire une série de coups rapides et bien frappés, remporte le 3 janvier 1777 la victoire de Princeton, reconquiert ensuite le Jersey. Mais ce sont là ses derniers succès. Le 11 septembre 1777, il perd la bataille de Brandywine Creek, à la suite de laquelle Howe occupe Philadelphie. Le succès de Saratoga, le 17 octobre 1777, n'est pas le sien, mais celui du général Gates. Au début de 1779, les Anglais s'emparent de la Géorgie, et l'année suivante de la Caroline du Sud. A la fin de 1780 Washington n'a pas plus de quatre mille hommes en état de combattre. On ne doit pas refaire l'histoire, mais il est permis de juger : la cause américaine était bien mal servie ; militairement elle n'avait que très peu de chances d'aboutir sans aide extérieure. C'est l'intervention française qui a retourné la situation, et qui a permis la victoire décisive, la capitulation de Cornwallis à Yorktown, le 19 octobre 1781.

Un autre facteur a joué en faveur des Américains : la division de l'opinion anglaise. Le roi George III et son ministre, lord North, sont bellicistes et même, dans un sens, jusqu'au-boutistes, mais une grande partie de la classe politique ne les suit pas. En 1782, un projet de conciliation et de paix est présenté aux Communes et repoussé par une voix de majorité seulement. L'année suivante, il est voté (27 février 1783). « L'objet de la motion, dit ce texte, est de conseiller à Sa Majesté de renoncer à la guerre sur le continent américain, une guerre qui vise l'inaccessible objectif de réduire les colonies par la force. » Donc le parti de la paix l'emporte. Le 20 mars 1783, lord North démissionne. La guerre n'est plus seulement perdue en Amérique. Elle l'est aussi à Londres. Le traité de paix franco-américain est signé à Versailles le 3 septembre. L'article premier dit : « Sa Majesté britannique reconnaît que les dits États-Unis [...] sont des États libres, souverains et indépendants. »

Une nouvelle nation était née. Il fallait encore la doter d'un pouvoir politique réel. En 1783, ce pouvoir n'existait pas. Les États-Unis n'avaient pas encore à cette date un gouvernement commun digne de ce nom. Entre 1776 et 1778, les différents États s'étaient dotés d'institutions. En 1781, ils avaient formé entre eux une « ligue d'amitié », appelée aussi « confédération », et donné à une assemblée représentative nommée « Congrès » le pouvoir d'assurer la défense commune et de déclarer la guerre. Mais ce Congrès n'était pas vraiment un gouvernement. Et cette confédération n'était qu'une association de républiques égales. Pour que les États-Unis puissent exister, il fallait renforcer les liens, il fallait créer un véritable gouvernement doté d'un exécutif, il fallait en somme remplacer la confédération par une fédération.

Ce sera chose accomplie en 1790. La deuxième Constitution des États-Unis (la première avait été celle de la confédération, ratifiée en 1781) est élaborée en 1787 par la convention de Philadelphie, et ratifiée par les différents États entre 1787 et 1790. Elle prévoit un législatif composé de deux chambres, le Sénat et la Chambre des représentants. Dans la première, chaque État envoie deux députés. Dans la seconde, la représentation des différents États est proportionnelle à la population. Un président, élu pour quatre ans, exerce le pouvoir exécutif. Cette nouvelle Constitution n'a pas été acceptée d'emblée à l'unanimité. Il y a eu de fortes réticences. Certains États ont fait attendre longtemps leur ratifi-cation. Le Rhode Island a été le dernier à la voter (en mai 1790). Une opposition antifédéraliste s'est manifestée. Les opposants invoquaient les droits du peuple. Pour eux, les nouvelles assemblées fédérales trahis-saient l'idéal démocratique, n'étant pas directement responsables devant le peuple.

Cependant, aux termes de la loi, neuf ratifications suffisaient. Ces neuf ratifications étaient acquises à la fin de 1788. La nouvelle Constitution a donc pu entrer en vigueur dès 1789. Les premières élections fédérales ont eu lieu en janvier 1789. Le 4 mars, le Congrès a réuni ses deux chambres. Le 6 avril, Washington a été élu, à l'unanimité des grands électeurs, président des États-Unis, et le 30 avril il a fait à New York, capitale provisoire, une entrée triomphale.

TROISIÈME PARTIE
DICTIONNAIRE

« Je pense, écrit Sébastien Mercier, qu'un dictionnaire quelconque ne peut être bien fait que par un seul homme. » Très bien, mais qu'entend-il par « quelconque » ?

Le présent dictionnaire n'est pas entièrement l'œuvre d'un seul homme : une centaine d'articles ne sont pas de ma plume. François-Géraud de Cambolas, Catherine Dufort, Bernard Lutin, Arnaud de Maurepas et Françoise Parmentier en sont les différents auteurs. Que ces collaborateurs amicaux et secourables veuillent bien trouver ici l'expression de ma gratitude.

Jean DE VIGUERIE

A

ABBAYE. Une abbaye est un monastère de religieux ou de religieuses, érigé en prélature et gouverné par un abbé ou une abbesse. L'érection en prélature confère à l'abbé et à l'abbesse la dignité de prélat, honneur réservé à des dignitaires ecclésiastiques chargés de la conduite des âmes.

Les abbayes étant des bénéfices consistoriaux, le roi nomme à toutes. Cependant pour la nomination des abbesses il faut également le consentement des deux tiers de la communauté, exprimé par suffrages secrets. Exception est faite à la nomination royale pour les abbayes d'hommes chefs d'ordres (c'est-à-dire sièges des gouvernements des ordres monastiques), comme par exemple Cîteaux et Prémontré. Dans ces abbayes chefs d'ordres l'abbé est élu par la communauté.

Les abbayes d'hommes sont régulières si les abbés sont des réguliers. Elles sont en commende si le roi les donne à des séculiers (Cluny par exemple). Les abbayes de femmes sont toutes régulières.

ABSOLUTISME. L'absolutisme est un système de gouvernement. Ce système est celui de la monarchie française d'Ancien Régime. Dans cette monarchie en effet, le pouvoir royal est absolu. Le qualificatif a ici une double signification. Absolu, quand il s'agit du roi de France, veut dire souverain et signifie également impartagé. Le pouvoir du roi est parfaitement souverain. Il n'est soumis ni à celui de l'Empereur, ni à celui du pape. Il est aussi parfaitement impartagé. Le roi est seul à commander. Il est seul à détenir l'autorité suprême. Il ne partage son autorité avec personne. Les organes du pouvoir (le Conseil, les ministres, les cours souveraines) ne sont que des instruments et ne peuvent en aucune manière restreindre l'autorité royale. Cette idée que le roi est seul à commander est essentielle à la monarchie. Elle est un principe fondamental du droit public français, et ce principe ne sera jamais renié jusqu'à la Révolution. En 1786, Guyot écrit dans son *Répertoire de droit et de jurisprudence* : « Nous sommes soumis à l'autorité d'un seul [...]. Le pouvoir qui en résulte [...] ne peut être partagé. »

L'absolutisme n'est pas, comme on l'a dit souvent, une création de Louis XIV. Ce n'est pas une nouveauté de la période moderne. Les rois du Moyen Âge étaient déjà des rois absolus. Leur pouvoir était souverain et impartagé.

La nouveauté de la période moderne est la théorie du droit divin, théorie qui a été développée au XVIIᵉ siècle par plusieurs auteurs, dont Bossuet. Le roi était déjà considéré — et cela depuis toujours — comme un représentant de Dieu, le sacre lui donnant le secours nécessaire pour remplir ce rôle. La théorie du droit divin va plus loin. Elle assimile d'une certaine manière le roi à la divinité.

Bossuet écrit que le trône du roi de France est « le trône de Dieu même ». En conséquence, le roi n'est plus responsable devant les hommes, mais seulement devant Dieu. Au Moyen Age, il était professé que le roi tenait son pouvoir de Dieu, mais par l'intermédiaire du peuple (*per populum*). Le droit divin supprime le *per populum*. Désormais le roi tient son pouvoir directement de Dieu. Il ne doit donc pas de comptes à ses sujets, mais seulement à Dieu. Pendant tout le XVIIIe siècle, la doctrine officielle, fermement opposée en ceci à la doctrine de l'opposition parlementaire, écarte avec horreur toute idée de responsabilité devant la nation. Le 24 février 1766, le parlement de Rouen, s'adressant à Louis XV, ose parler du « serment qu'[il avait] fait à la Nation en prenant la Couronne » (il s'agissait du serment du sacre). Louis XV répond « en disant que cela était faux, qu'il n'avait prêté de serment qu'à Dieu seul et n'en devait raison qu'à lui seul ». Le Gendre de Saint-Aubin avait déjà exprimé ce principe de façon encore plus nette : « [...] la nation, écrivait-il, n'est pas en droit de juger de l'observation de ce serment ; le roi n'en est comptable qu'à Dieu seul ». Au sacre de Louis XVI, le rite du consentement du peuple (on présentait le roi à l'assistance et on lui demandait si elle l'acceptait pour roi) est supprimé.

L'absolutisme a été également renforcé au XVIIe siècle par la politique centralisatrice de Richelieu et de Louis XIV. Des états provinciaux ont été supprimés. Les états généraux et les assemblées des notables sont tombés en désuétude.

Cependant, l'absolutisme ne doit pas être confondu avec le despotisme. La monarchie absolue n'est pas arbitraire. Ou tout au moins elle se refuse à l'être. Le roi ne peut pas faire n'importe quoi. Son pouvoir est légitime, étant soumis aux lois fondamentales. Il existe des normes supérieures auxquelles le monarque doit se conformer : respect de la loi divine et de la morale naturelle, souci de la justice et de la « liberté publique ». Le roi peut intervenir dans les affaires de ses sujets, mais il ne le fait que si la raison d'État l'exige. Tout se passe comme s'il existait deux sphères de droits, celle du roi et celle de la vie privée des sujets, où ceux-ci sont libres et propriétaires. La monarchie absolue est incontrôlée mais elle est limitée. Le *Petit Larousse* définit l'absolutisme de la manière suivante : « Système de gouvernement où l'autorité s'exerce sans contrôle. » Cette définition n'est pas fausse, mais elle est incomplète.

ACADÉMIE DES INSCRIPTIONS ET BELLES-LETTRES. Cette académie avait été fondée par Colbert en 1663. Elle s'était appelée successivement « Petite Académie », « Académie des inscriptions et médailles » et enfin à partir de 1716 « des inscriptions et belles-lettres ». Le règlement qui la régit au XVIIIe siècle date de 1701. Il fixe à quarante le nombre de ses membres : dix honoraires, dix pensionnaires, dix associés et dix élèves.

Le travail de l'Académie consiste à composer des médailles, à étudier les raretés antiques et modernes du cabinet du roi et à analyser les anciens monuments de la France. En fait, dès le début du siècle, l'Académie élargit sa mission et s'occupe de l'ensemble de l'archéologie et de l'histoire. Les *Mémoires* qu'elle publie à partir de 1717 en témoignent de façon éloquente. De 1717 à 1793, date de la dissolution de la compagnie, les *Mémoires* publieront trois cent dix-sept études historiques, dont la plupart seront consacrées à la Gaule et à la France médiévale. Ces études peuvent être classées en quatre catégories : géographie ancienne, sciences auxiliaires, littérature, histoire des institutions, des mœurs et des coutumes.

L'érudition de l'Académie est de bonne qualité. Elle est fondée sur les sources et sur les documents archéologiques. Des savants comme l'abbé Lebeuf, Lacurne de Sainte-Palaye, Bréquigny, Caylus et Fréret honorent la compagnie, et peuvent être considérés comme les fondateurs (avec les Mauristes) de la science historique en France.

ACADÉMIE FRANÇAISE. Fondée en 1635 par Richelieu, l'Académie française est l'un des grands corps de l'État.

Chacun de ses membres s'intitule «l'un des quarante de l'Académie française». Les officiers de l'Académie sont le secrétaire-trésorier qui est perpétuel, le directeur et le chancelier qui sont renouvelés tous les trimestres. Le directeur préside les séances. Le règlement a été réformé en 1752.

Le protecteur de l'Académie est le roi. Les élections des nouveaux membres ne prennent effet que s'il les approuve. Louis XV refusa trois fois sa sanction : pour Piron en 1753, pour Delille et Suard en 1772. Le cas de l'abbé de Saint-Pierre est différent. Élu en 1715, l'abbé fut exclu par un vote de ses confrères pour avoir mal parlé de Louis XIV. Il faudra attendre 1945 pour voir se répéter ce genre d'exclusion.

Le titre d'académicien est très convoité. «Un évêché, disait Voltaire, n'est pas plus brigué.» Chaque élection est donc un événement. Le mérite compte moins que l'intrigue. Le patronage d'une femme d'esprit est le meilleur soutien. Mme de Tencin, Mme Geoffrin et Mlle de Lespinasse excellèrent dans la fabrication d'académiciens.

Le candidat élu est ensuite reçu en séance publique. L'usage de faire l'éloge de son prédécesseur fut longtemps observé. Buffon y dérogea le premier. Succédant à Languet de Gergy (1753) il fit son *Discours sur le style* et eut l'inconvenance de ne pas prononcer une seule fois le nom du défunt.

L'Académie ne compte pas que des littérateurs. Elle élit volontiers des érudits (par exemple Lacurne de Sainte-Palaye ou l'abbé de Radonvilliers), mais aussi des grands seigneurs (le comte de Clermont ou le duc de Richelieu), des princes de l'Église (comme le cardinal-prince de Rohan, élu en 1761) et des hauts magistrats (comme Malesherbes, élu en 1775).

La compagnie tient séance trois fois par semaine, ce qui donne une moyenne de cent cinquante-six séances par an. Elle siège au palais du Louvre, dans l'ancienne salle du Conseil du roi (aujourd'hui salle de la sculpture moderne).

Une séance solennelle a lieu tous les ans à la Saint-Louis. Elle est précédée d'une messe en musique et d'une prédication qui est un éloge de Saint Louis. A chaque décès d'un de ses membres, la compagnie fait célébrer un service funèbre aux Cordeliers.

La plupart des séances ordinaires sont consacrées au dictionnaire. Trois dictionnaires sont publiés au cours du siècle : en 1718, 1740 et 1762. L'autre grande activité est l'attribution des prix. Les trois prix fondés avant 1715 ont été réunis en un seul en 1755 et alternativement attribués à la poésie et à l'éloquence. Cinq autres prix ont été fondés à partir de 1766. Le cinquième, fondé en 1782, est un prix de vertu.

Les philosophes ont fait peu à peu la conquête de l'Académie. Voltaire est élu en 1746, Duclos en 1747, mais les élections décisives sont les neuf suivantes qui ont lieu de 1754 à 1770, et qui donnent la majorité à la secte : Buffon, d'Alembert, La Condamine, Saurin, Marmontel, Thomas, Condillac, Loménie de Brienne et Saint-Lambert. En 1772, d'Alembert succède à Duclos comme secrétaire. L'Académie n'est plus qu'une succursale de la philosophie. Cela ne l'empêchera pas d'être supprimée par la Convention, le 8 août 1793.

ACADÉMIE ROYALE DE MUSIQUE. L'Académie royale de musique a été fondée par Louis XIV en 1672. Sa fonction est de produire des spectacles d'opéra. Elle jouit à cette fin d'un privilège exclusif, aucun opéra ne pouvant être représenté sans sa permission. Le privilège a été longtemps nominal. Lulli en a été le premier bénéficiaire. En 1728, Louis XV l'attribue à des syndics et à la ville de Paris, mais l'institution reste royale.

Cette académie est différente des autres : elle n'a pas de statuts. Ses membres sont les chanteurs et les danseurs qu'elle agrée. Les spectacles sont organisés par un comité de l'Opéra, composé d'administrateurs, de dessinateurs et de costumiers. Il existe aussi un comité dit « de l'examen des poètes » et une école de chant. Diverses personnes sont attachées à l'Académie en raison de leurs professions : horlogers, sculpteurs, médecins.

L'académie a utilisé successivement quatre salles pour les représentations des opéras :
— la première salle du Palais-Royal (construite en 1639 par Mercier) : « la moins décorée et la moins spacieuse qu'il y ait en Europe » disait en 1735 son directeur ; cette salle fut détruite en 1763 par un incendie ;
— la salle dite « des machines » aux Tuileries, de 1764 à 1770 ;
— la seconde salle du Palais-Royal, utilisée de 1770 jusqu'à sa destruction par un incendie en 1781 ;
— la salle de la porte Saint-Martin, de 1781 à 1791.

ACADÉMIE ROYALE DE PEINTURE ET DE SCULPTURE. Sorte de corporation des artistes, l'Académie royale de peinture et de sculpture admet dans son sein tous les artistes qui veulent en faire partie et qu'elle estime en être dignes. Elle entend assurer la formation des jeunes artistes et faire connaître au public les œuvres de ses membres.

Reconnue par lettres patentes en 1665, l'Académie royale de peinture et de sculpture a comme toutes les académies ses statuts et son règlement. Le roi met à sa disposition le salon Carré du Louvre et, pour le logement des artistes, vingt-six appartements gratuits dans ce même palais. Les subventions royales et les droits d'entrée payés par les nouveaux membres alimentent une caisse administrée par un trésorier.

Le nombre de ses membres n'est pas limité. Il faut, pour être agréé, présenter une ou plusieurs œuvres que la compagnie juge dignes d'intérêt. Aux candidats ainsi agréés, l'Académie demande de composer une œuvre sur un sujet de son choix. C'est ce qu'on appelle le « morceau de réception ». La plupart des candidats à l'agrément sont des artistes qui viennent d'effectuer un séjour à Rome,

après avoir obtenu l'un des prix décernés par l'Académie. Les nouveaux académiciens prêtent serment, puis font carrière au sein de la compagnie : ils sont d'abord adjoints à professeur, puis professeurs et enfin directeurs. L'Académie comporte autant de classes que de genres. Par exemple en peinture, il y a les peintres d'histoire (c'est la classe la plus noble), ceux de batailles, ceux de genre, et ceux de fleurs, pour ne citer que les principaux.

L'Académie a son école de dessin ; les élèves commencent par copier les ouvrages des maîtres et la plâtres d'après l'antique ; ensuite on leur fait dessiner des modèles vivants. Chaque année des prix sont décernés aux meilleurs. Les lauréats sont récompensés par un séjour à l'académie de France à Rome comme pensionnaires du roi. Marigny leur imposera de faire auparavant un séjour de trois ans à l'École royale des élèves protégés, afin d'y compléter leur formation théorique et historique, et de mieux se préparer au séjour romain.

Chaque année l'Académie organise dans le salon Carré du Louvre une exposition des œuvres de ses membres. Ces manifestations, appelées « salons » à cause du local choisi, constituent en quelque sorte la vitrine de l'art français.

ACADÉMIE ROYALE DES SCIENCES. L'Académie royale des sciences a été fondée en 1666. Le règlement de 1716 lui donne son organisation définitive et fixe à vingt le nombre des pensionnaires : un secrétaire, un trésorier, trois géomètres, trois astronomes, trois mécaniciens, trois anatomistes, trois botanistes et trois chimistes. L'Académie compte également des membres honoraires, des membres associés et des adjoints. Les jeunes savants sont admis comme adjoints des pensionnaires. Ils peuvent ensuite être élus membres associés, puis pensionnaires. L'abbé Nollet par exemple entre à l'Académie en 1739 comme adjoint de Dufay dans la classe des mécaniciens. En 1741 il devient membre associé et, en 1758, il remplace comme pensionnaire son maître Réaumur. De grands seigneurs figurent souvent parmi les honoraires. Le duc de Chaulnes appartient à cette catégorie.

Avec le Collège royal et le Jardin du roi, l'Académie est l'un des foyers de la recherche scientifique. Trois mémoires en moyenne y sont présentés chaque mois. Les académiciens ont aussi pour fonction d'examiner les inventions et de les approuver. En 1730 par exemple, ils donnent leur approbation à un martinet de forge et à une machine à calculer. L'Académie est consultée par l'administration royale et par les ingénieurs. Enfin, elle oriente la recherche et souvent l'organise. C'est ainsi qu'en 1736 et 1737, elle met sur pied les deux expéditions (vers la Laponie et vers l'Amérique du Sud) chargées de mesurer l'arc de méridien.

Les travaux académiques sont publiés dans la collection intitulée *Histoire de l'Académie royale des sciences*. Cette collection comptera, en 1790, cent huit volumes in-quarto.

Le roi accorde à l'Académie une subvention annuelle de 30 000 livres à partager entre les pensionnaires, plus 12 000 livres pour les dépenses de fonctionnement.

Presque tous les grands savants de l'époque ont fait partie de l'Académie. Tous les savants de quelque mérite ont été reconnus par elle. Cela ne l'empêche pas d'avoir sa doctrine. Sous Louis XIV elle était devenue un bastion de la science newtonienne.

Fontenelle fut son secrétaire pendant plus d'un demi-siècle. Il composa les éloges des soixante-neuf académiciens morts entre 1698 et 1741.

ACADÉMIES PROVINCIALES. Les académies provinciales sont des sociétés dont les membres s'adonnent aux lettres, aux sciences et aux arts. Elles sont organisées sur le modèle des académies parisiennes (française, des sciences, des inscriptions).

Treize académies avaient été fondées avant 1715. Vingt-huit sont fondées entre 1715 et 1789. A la date de 1789, il existe trente et une académies dans le royaume.

Les villes qui possèdent des académies au XVIIIe siècle sont les suivantes (par ordre alphabétique) : Agen, Amiens, Angers, Arles, Arras, Auxerre, Avignon, Besançon, Béziers, Bordeaux, Bourg-en-Bresse, Brest, Caen, Castres, Châlons-sur-Marne, Cherbourg, Clermont, Dijon, Grenoble, La Rochelle, Lyon, Marseille, Metz, Montauban, Montpellier, Nancy, Nîmes, Orléans, Pau, Rouen, Soissons, Toulouse, Troyes, Valence et Villefranche-sur-Saône. Il est à noter que les deux tiers de ces villes ont plus de vingt mille habitants.

Les académies sont des corps et en présentent toutes les caractéristiques. Elles sont érigées par lettres patentes et ont leurs statuts. Elles ont le droit de sceau. Elles se recrutent elles-mêmes et élisent leurs officiers (directeurs, secrétaire, trésorier). Leurs membres prêtent serment. Ils jouissent de privilèges. Enfin, comme tous les corps, les académies ont une fonction politique. Elles doivent exalter la gloire du roi (« ... trouver de belles paroles pour louer le roi » [statuts d'Arles] et « servir utilement le public » [statuts d'Angers]. Dans leurs discours et dans leurs publications il ne doit en principe « rien entrer de contraire à la Religion, à l'État et aux bonnes mœurs ».

Ces corps ont la dignité de compagnies, et comme toutes les compagnies, ils sont hiérarchisés. Les deux tiers des académies sont divisées en trois classes ou ordres : les honoraires, les ordinaires et les associés. Le nombre total de l'ensemble des honoraires et des ordinaires varie entre trente et quarante. Il existe aussi des correspondants choisis dans d'autres académies. Cependant, les académies n'ont guère de relations entre elles. L'initiative de l'académie d'Arras d'établir un « bureau de correspondance » est unique et tardive (1787).

La majorité des académiciens appartiennent à la noblesse. Dans les villes parlementaires plus de la moitié des membres sont des magistrats. Viennent ensuite le clergé et la bourgeoisie. Les bourgeois sont des officiers et des membres des professions libérales. Il n'y a pas de négociants. Voici par exemple la composition sociale de l'académie des sciences et belles lettres de Lyon pendant la période 1750-1758 : nobles : 41 (dont 29 officiers) ; clergé : 21 ; bourgeois : 12 (dont 4 médecins).

Dans des circonstances solennelles (réception des nouveaux académiciens, fête de la Saint-Louis) les académies tiennent des séances publiques. Dans les séances privées elles entendent lecture des mémoires de leurs membres. L'activité est importante : à Besançon une centaine de mémoires par an, à Rouen, mille quatre cent dix mémoires de 1744 à 1789.

Les académies décernent des prix. Ces prix sont fondés soit par des généreux mécènes (par exemple à Dijon le doyen Pouffier), soit par les états de la province. En 1782, les états d'Artois fondent un prix à l'intention de l'académie d'Arras. Il est peu d'académies qui ne mettent chaque année un ou deux sujets au concours. Ces concours sont annoncés par voie de presse dans tout le royaume. Ils suscitent un grand intérêt, favorisent le rayonnement académique et influent sur l'opinion publique. « Le concours promeut les lumières » (Roche).

La réflexion académique s'exerce dans tous les domaines : belles-lettres, sciences, arts, histoire, politique. Les sciences et les arts l'emportent sur les belles-lettres. La part de l'histoire n'est pas négligeable. Dans sept académies, elle représente plus de 10 % des mémoires présentés dans les séances. Toutefois, la préférence des académiciens s'adresse principalement aux questions de morale sociale et à celles des applications des sciences. Les questions de morale sociale sont le luxe, les rapports des sciences, des lettres et des arts avec les mœurs et la civilisation, l'état de nature, l'éducation et (après la publication du traité de Beccaria, traduit en français en 1766) les peines criminelles. Les deux concours de Dijon, celui de 1749 sur les effets moraux des sciences et des arts, et celui de 1753 sur « l'origine de l'inégalité parmi les hommes » sont caractéris-

tiques du genre. Les questions des applications des sciences sont à la mode à partir de 1760 environ. On recherche les meilleurs moyens de faire progresser le commerce, l'agriculture, l'urbanisme et d'une manière générale la manière de vivre. Par exemple, en 1764, l'académie de Lyon met au concours la question suivante : « Quelle est la qualité nuisible que l'air contracte dans les hôpitaux et dans les prisons et quel serait le meilleur moyen d'y remédier ? » L'académie de Bordeaux s'intéresse à des sujets aussi prosaïques que la rouille des métaux, les eaux minérales et l'alimentation. Le maître mot est « utilité ». L'académie de Bordeaux déclare en 1752 qu'« il lui faut de l'utile » et qu'« elle veut tirer parti de nos connaissances, faire en un mot le bien de la société ». En 1779, un académicien d'Arras nouvellement élu compose son discours de remerciement sur le thème suivant : « De la nécessité de diriger les travaux et les études littéraires vers les objets utiles ». Certes, ce principe du service du public n'est pas nouveau. Il était déjà dans l'esprit des premières fondations académiques du temps de Louis XIV, mais il a pris peu à peu un sens matériel et utilitaire.

ACADIE. L'Acadie, territoire formé d'une presqu'île et de l'île du cap Breton au sud du golfe du Saint-Laurent, a été une colonie française jusqu'au traité d'Utrecht qui l'a rendue anglaise. Les Anglais l'ont alors rebaptisée Nova Scotia. Mais les Acadiens demeuraient très attachés à la France et à leur religion catholique. Lorsqu'en 1749, leur est imposé de prêter un serment d'allégeance au roi d'Angleterre, ils s'y refusent et attirent sur eux la persécution. En 1755, le Conseil de Nova Scotia décide que leur refus de serment leur enlève tout droit sur leurs terres. Un plan de déportation est appliqué. Le dimanche 5 septembre 1755, tous les hommes d'Acadie sont réunis dans les églises cernées par la troupe. Il leur est annoncé que leurs biens sont confisqués et qu'eux-mêmes et leurs familles vont être enlevés de ce pays. Dix mille personnes sont ainsi déportées en divers lieux, en Nouvelle-Angleterre, en Virginie et en Angleterre. Louis XV négocie et obtient de pouvoir ramener en France quelques-uns de ces malheureux. Grâce aux soins de l'abbé Le Loutre, aidé de l'évêque de Vannes, quatre-vingt-sept familles sont logées à Belle-Ile-en-Mer. Mille cinq cents familles sont accueillies en Poitou par le marquis de Perusse d'Escars. Cette déportation des Acadiens restera dans l'histoire sous le nom de « grand dérangement ». Depuis l'Antiquité, on n'avait jamais rien vu de semblable. En 1687, l'Anglais William Petty avait proposé un plan de déportation de toute la population irlandaise. Ce plan ne fut pas appliqué, mais il se peut qu'on s'en soit inspiré pour venir à bout des Acadiens.

ACCOUCHEMENT (art d'accoucher). L'art d'accoucher est pratiqué par les sages-femmes, profession réglementée : la sage-femme est élue par l'assemblée des habitants ; l'archidiacre ou le curé reçoit son serment (qui ressemble beaucoup au serment d'Hippocrate) et lui délivre des lettres l'habilitant ; enfin l'évêque la convoque lors de ses visites pastorales et s'assure qu'elle est capable d'administrer le sacrement de baptême aux enfants en danger de mort. Mais la formation théorique est inexistante, le matériel rudimentaire (des ciseaux pour couper le cordon et du fil de lin pour le ligaturer) et la science incertaine est trop souvent prise en défaut. Beaucoup de sages-femmes partagent les croyances populaires en la valeur de certains topiques pour favoriser l'accouchement (pierre d'aigle, pied d'élan, rose de Jéricho).

Cependant, l'art d'accoucher devient plus scientifique grâce au progrès de l'obstétrique, branche spécialisée de la chirurgie. Le forceps, inventé au siècle précédent, est perfectionné en 1747 par le chirurgien Levret. L'opération de la symphyséotomie proposée par Sigault en 1766 et exécutée par lui en 1777 permet d'agrandir momentanément le diamètre du bassin d'une femme en couche, lorsqu'il est trop étroit pour livrer passage à l'enfant. Deux grands chirurgiens,

Louis Baudelocque et son élève angevin Michel Chevreul, se spécialisent dans l'art d'accoucher, lui faisant faire ainsi de notables progrès. Enfin est mise sur pied l'instruction des sages-femmes. Le principal mérite de cette formation revient à Angélique Ducoudray, maîtresse sage-femme, autorisée par brevet royal le 18 août 1777 « à tenir des cours d'instruction publique » d'accouchement dans toutes les provinces du royaume. A l'invitation des intendants, la dame Ducoudray va donner ses cours dans de nombreuses villes, formant ainsi des milliers de sages-femmes. Elle fait ses démonstrations sur une machine inventée par elle et qu'elle appelle le « phantôme ». Ces progrès de l'obstétrique et de la formation des sages-femmes doivent être comptés parmi les principaux facteurs de l'abaissement de la mortalité infantile (de 300 à 200 pour 1 000 entre 1740 et 1789).

ACHÉ, Anne Antoine, dit le comte d' (Marbœuf, Normandie, 23 janvier 1701 - Brest, 11 février 1780). Vice-amiral, il est issu d'une bonne famille de noblesse normande proche parente de Tourville. Garde-marine en 1717, il fait en Méditerranée ses premières campagnes et se trouve en 1728 au bombardement de Tripoli. Pendant la guerre de Succession d'Autriche il participe aux opérations de la Manche et de l'Atlantique et sert sous d'Anville dans l'expédition malheureuse de ce dernier vers l'Acadie (1746). Nommé chef d'escadre à cinquante-cinq ans — ce qui est jeune — par la protection du duc de Penthièvre, amiral de France, il reçoit en 1757 le commandement d'une escadre destinée à soutenir Lally aux Indes. C'est la plus importante mission de sa carrière. La manière dont il l'accomplit est peu glorieuse. Il commence par mettre sept mois pour une traversée qui n'en demande ordinairement que quatre à six. Ensuite il s'attarde indéfiniment à l'île de France et, après avoir livré deux combats indécis (dont celui de Gondelour, le 29 avril 1758), il s'y retire à nouveau pendant près d'une année, abandonnant ainsi Lally à ses seules forces. A son retour en France, il a cependant le front de se joindre aux accusateurs du gouverneur. Ce dernier est condamné à mort. D'Aché, lui, est couvert d'honneurs. Il est nommé lieutenant général (1761), grand-croix de Saint-Louis (1766) et enfin vice-amiral (24 août 1770). Il n'ira plus en mer et finira sa vie dans sa résidence de Brest.

ADAM, Lambert Sigisbert, dit Adam l'Aîné (Nancy, 1700 - Paris, 1759). Sculpteur, fils d'un sculpteur nancéen et l'aîné des trois frères sculpteurs de ce nom, il se forma d'abord à Metz, puis à Paris et enfin à Rome où il passa dix ans à l'Académie de France, après avoir obtenu (1723) le grand prix de sculpture. Son admission à l'Académie royale de peinture et de sculpture date de 1737.

Nombre de ses œuvres évoquent l'élément liquide. Parmi celles-ci on peut citer son projet (non retenu) pour la fontaine de Trevi, ses allégories de la Seine et de la Marne pour la cascade de Saint-Cloud, le *Neptune calmant les eaux* (qui fut son morceau de réception à l'Académie), le *Triomphe de Neptune et d'Amphitrite,* groupe central du bassin de Neptune à Versailles (1740) et *La Chasse et la Pêche* pour le château de Sans-Souci à Postdam. Lambert Sigisbert est vraiment le sculpteur du tumulte des flots et de la tempête apaisée. Toutefois, il ne se cantonna pas dans cette thématique. On conserve aussi de lui, entre autres pièces, un buste de Louis XV travesti en Apollon (Musée lorrain de Nancy) et une statue de saint Jérôme (chapelle des Invalides).

Le long séjour romain avait profondément marqué l'aîné et le plus doué des trois frères Adam. Son art se rattache au baroque plus qu'au rococo. Il ne donne jamais dans le mièvre, ni dans le maniéré. Il est peut-être le dernier grand sculpteur baroque.

ADAM, Nicolas Sébastien, dit Adam Cadet (Nancy, 1705-Paris, 1778). Sculpteur, il est le second des trois frères de ce nom. Ayant étudié avec son frère Lambert Sigisbert à l'Académie royale de peinture et de sculpture, il travaille ensuite dans son atelier, après avoir passé deux an-

nées à Rome. Son *Prométhée déchiré par un vautour* est un bel ouvrage, mais son chef-d'œuvre est le mausolée de la reine Catherine Opalinska dans la chapelle de Bon-Secours de Nancy (1749). La souveraine est agenouillée ; elle a les mains jointes dans l'attitude de la prière. Un ange la prenant par le bras lui montre le ciel. Cet ange est un beau jeune homme, et la souveraine défunte est rajeunie. La présence des personnages est si forte que la mort ne paraît pas croyable et que l'on éprouve à contempler ce monument une impression d'allégresse et de renouveau.

ADANSON, Michel (Aix-en-Provence, 7 avril 1727 - Paris, 3 août 1806). Naturaliste, il eut pour maîtres Bernard de Jussieu et Réaumur. Il se fit connaître par son voyage d'études au Sénégal (20 décembre 1748 - 18 février 1754) et par le compte rendu qu'il en publia sous le titre d'*Histoire naturelle du Sénégal*. Ses *Familles des plantes* (1763, et deuxième édition en 1768) constituent son ouvrage majeur. La méthode en est empirique et tranche avec celle de Linné : elle débarrasse la botanique des liens systématiques et la ramène à l'étude des rapports naturels.

ADÉLAÏDE, Madame (Versailles, 23 mars 1732 - Trieste, 18 février 1800). Elle est la quatrième fille et le sixième enfant de Louis XV et de Marie Leszczynska. De toutes les filles de Louis XV, elle est celle qui a le plus d'intimité avec le Dauphin. Après la mort de ce prince et de son épouse, elle sera dépositaire de ses papiers, ainsi que d'une instruction destinée au futur roi. Le 12 mai 1774, en présence de Louis XIV, et dans un petit conseil de famille, elle ouvre cette instruction où le Dauphin désignait à son fils trois premiers ministres possibles : Maurepas, d'Aiguillon et Machault.

Après le 6 octobre 1789, elle et sa sœur Victoire se réfugient dans leur château de Bellevue. Le 20 février 1791, inquiètes de la tournure des événements, et désireuses de pouvoir pratiquer librement leur religion, elles quittent Paris afin de se rendre à Rome. Le départ de ces deux femmes inoffensives suscite une grande émotion chez les «patriotes». Mesdames sont arrêtées et retenues quelques jours à Arnay-le-Duc. Elles n'arriveront à Rome que le 16 avril. En 1796, elles gagneront Naples, et, en 1799, fuyant l'invasion française, Corfou puis Trieste, où elles trouveront toutes les deux la fin de leurs peines et de leurs vies.

ADULTÈRE. L'adultère est un crime au regard des deux droits, le civil comme le canonique. Toutefois les définitions ne sont pas les mêmes. Pour le droit civil si une femme qui trompe son mari est toujours adultère, quelle que soit la situation de l'homme avec qui elle le trompe, un homme marié ne commet le crime d'adultère que s'il trompe sa femme avec une femme mariée. S'il la trompe avec une fille non mariée, il n'est pas coupable d'adultère, parce que, selon les juristes, «ce commerce n'a pas de suites fâcheuses pour la procréation des enfants». Pour le droit canon, ces distinctions n'ont pas de raison d'être, et tout homme qui trompe sa femme est adultère.

Selon les deux droits, le crime d'adultère peut être un empêchement dirimant du mariage : un homme adultère ne peut épouser celle avec qui il a péché quand il lui a promis de se marier avec elle, après la mort de sa légitime épouse.

La jurisprudence des tribunaux montre que l'adultère n'est pas sanctionné en tant que tel, mais seulement comme circonstance aggravante pour certains prévenus d'autres crimes.

AÉROSTAT. Le premier aérostat est portugais : en 1736 un physicien portugais nommé Gusman s'élève à Lisbonne en présence du roi Jean dans un panier en osier. Mais l'expérience tourne court, le ballon ayant accroché la corniche du palais royal.

Un demi-siècle plus tard, Joseph et Étienne Montgolfier, papetiers d'Annonay, en Vivarais, tentent une expérience analogue et la mènent à bien. Après deux essais concluants, le premier à Avignon, le second à Annonay, ils rendent leur découverte publique et la présentent le 5 juin 1783 aux états de Vivarais. Paris et Versailles veulent alors connaître la nouvelle invention : un ballon gonflé d'hydrogène est lancé au Champ-de-Mars le 27 août 1783 par le physicien Charles et les frères Robert, et un autre ballon à Versailles en présence du roi, le 14 septembre de la même année, par Étienne Montgolfier.

La nacelle de cette dernière expérience transportait des animaux (un coq, un canard et un mouton). On songe maintenant à transporter des humains. Le premier aéronaute est Pilâtre de Rozier lors de l'ascension du 15 octobre 1783. Le 19 octobre, il emmène avec lui deux compagnons, M. Giroud de Villette et le marquis d'Arlande. Mais ce ne sont encore là que de très brefs déplacements : le ballon s'élève puis redescend doucement et vient se poser non loin de son lieu de départ. Le premier voyage aérien digne de ce nom a lieu le 21 novembre 1783. Ce jour-là, Pilâtre de Rozier et d'Arlande s'élancent de Versailles ; leur nacelle traverse la Seine, plane un moment sur Paris et atterrit à la Butte aux Cailles ; l'expérience a duré vingt-cinq minutes. Un deuxième voyage préparé minutieusement par le physicien Charles a lieu le 1er décembre suivant, dure deux heures et couvre neuf lieues.

A partir de 1784 les ascensions se succèdent, plus audacieuses les unes que les autres. Le 5 janvier 1785, Blanchard et le docteur Jeffries partent de Douvres et traversent le pas de Calais. Pilâtre de Rozier se tue le 16 juin suivant avec son compagnon, le physicien Romain, en voulant accomplir la traversée dans l'autre sens : le ballon s'écrase quelques minutes après le départ. Mais l'aérostatique est lancée ; rien ne peut plus l'arrêter ; la technique s'en perfectionne tous les jours. En 1784, Guyton de Morveau a fait construire un aérostat à rames et à gouvernail. En 1783, Meunier avait proposé à l'Académie des sciences un projet de mécanisme permettant de faire varier la force ascensionnelle.

L'enthousiasme du public encourage les aérostiers. Chaque lancer de ballon attire des foules considérables. Deux toiles de Louis Watteau (aujourd'hui au musée Comtesse de Lille) représentent l'une le *Départ des astronautes* (de Lille en 1786), l'autre leur *Retour* : toute la ville est là, toutes les autorités, toute la garnison sous les armes : c'est la fête de la science et de la conquête des airs ; il était réservé à ce siècle de réaliser le rêve d'Icare.

AFFOUAGE. L'affouage est le droit d'une communauté d'habitants de prélever du bois de chauffage dans une forêt. On l'appelle aussi droit de chauffage.

Ce droit est en vigueur dans les communautés forestières, c'est-à-dire qui possèdent des forêts. En jouissent également les communautés usagères dans les bois seigneuriaux, et celles qui bénéficient de servitudes du domaine royal.

Les officiers municipaux dressent et affichent les listes des foyers ayant droit à l'affouage. Seuls sont reconnus les foyers légitimes et indépendants. La consommation intégrale du bois de chauffage est également exigée.

Chaque foyer reçoit son lot et procède ensuite à son exploitation. Il ne faut pas couper indifféremment tous les arbres du lot. Le nombre des baliveaux marqués doit être respecté. L'âge d'abattage est fixé. Mais les infractions sont nombreuses. Il y a aussi les coupeurs illicites. Il y a aussi — Mme Corvol en signale plusieurs en Bourgogne en 1740 — les dégradations volontaires opérées par les habitants exclus du droit de chauffage.

AGATHON, frère (Longueval, près d'Albert, 4 avril 1731 - Tours, 16 septembre 1798). De son nom séculier Joseph Goullieux, il est l'un des plus remarquables de tous les supérieurs généraux des frères des Écoles chrétiennes. Ce fils de paysans picards entre en 1747 au noviciat de Saint-Yon et prononce ses vœux perpétuels le 22 septembre 1756. Après avoir dirigé les écoles charitables de Beauvais, puis enseigné les mathématiques dans les pensionnats des Frères de Vannes et d'Angers, sa compétence d'administrateur le fait élire supérieur général par le chapitre de 1777. L'homme est serein et aimable. Il plaît par une sorte de rondeur et de vivacité, mais avec un air de grandeur. Son généralat est extrêmement fécond. Il obtient la confirmation légale définitive de son institut par l'arrêt du parlement de Paris du 26 mai 1778, et installe la maison mère à Melun. Les fondations d'Arras, Commercy, Langres, Tours, Bayeux, Honfleur et Toulouse datent de son gouvernement. Il fait publier plusieurs manuels d'enseignement à l'usage des écoles (grammaire et arithmétique), et donne lui-même au public un ouvrage de pédagogie pratique intitulé *Les Douze Vertus d'un bon maître* (1785). Tout dans ce livre serait à citer, mais les pages sur la « prudence » du « bon maître » sont peut-être les plus utiles. « Il faut, dit frère Agathon, qu'un bon maître cherche des raisons pour appuyer ses principes... il faut qu'il donne de la clarté, de l'ordre et de l'arrangement à ses discours... Cela demande évidemment une préparation et du travail. » En 1790 le frère prend position contre le serment civique. Arrêté le 23 juillet 1793, il est enfermé successivement à Sainte-Pélagie, à Bicêtre et au Luxembourg. Il ne sera libéré que le 22 septembre 1794.

AGAY, François Marie Bruno d' (1722-1803). Seigneur de Villey et de Mutigney, intendant de Bretagne, puis d'Amiens, il est originaire de Bourgogne et fils d'un ancien président au parlement de Paris. A l'âge de vingt-cinq ans il est déjà avocat général au parlement de Paris. Sa nomination de maître des requêtes date de 1759. Après avoir été pendant trois ans président au Grand Conseil (1764-1767), il obtient sa première intendance, celle de Bretagne, grâce à la faveur de Choiseul dont il est la créature. Son administration à Rennes est médiocre : il mène une politique intempérante de compromis et de tolérance vis-à-vis de l'opposition parlementaire. Il est nommé ensuite à Amiens où il restera jusqu'en 1789.

AGENTS GÉNÉRAUX DU CLERGÉ. Les agents généraux sont les représentants du clergé de France dans l'intervalle de ses assemblées. La charge est très importante et très honorifique. Les agents généraux du clergé sont conseillers d'État.

Ils sont deux, égaux en pouvoir l'un et l'autre. Ils sont élus pour cinq ans par deux provinces ecclésiastiques à tour de rôle, et choisis parmi les députés du second ordre. Ils doivent être prêtres et posséder un bénéfice dans la province qui les élit.

Agents d'exécution des Assemblées, ils sont chargés en leur nom de suivre les affaires qu'elles leur recommandent. Créé en 1748, le Bureau de l'agence générale les assiste dans leur tâche administrative et de correspondance avec les diocèses et les bénéficiers.

La charge est convoitée : elle permet à ses titulaires de faire la preuve de leurs talents ; elle est souvent le marchepied de l'épiscopat. On la donne à des ecclésiastiques très protégés et hautement apparentés. Parmi les titulaires successifs, on note la présence de deux Broglie, d'un Vogüé, d'un Castries et d'un Talleyrand-Périgord (le futur évêque apostat d'Autun).

AGRICULTURE. Époque de paix et d'heureuse conjoncture climatique, le XVIIIᵉ siècle est favorable au développement de l'agriculture. Toutefois les progrès ne sont pas spectaculaires : il n'y a pas de révolution technologique ni d'accroissement très important de la production. L'agriculture conserve dans l'ensemble jusqu'à la fin de l'Ancien Régime ses caractères traditionnels. Les quelques changements qui interviennent après 1750 ne sont pas de nature à provoquer une transformation profonde.

Le système traditionnel d'assolement (biennal dans les pays du Midi, triennal dans ceux de la moitié nord du royaume) intègre normalement une année au moins de jachère et fait que plus d'un tiers des terres se reposent chaque année, demeurant improductives. Le droit de parcours ou vaine pâture et les pâturages communaux sont destinés à « favoriser la subsis-

tance des pauvres habitants » (Bertin). Il ne s'agit pas de produire toujours plus, mais de faire que tout le monde vive. Pour cette même raison, priorité est donnée à la production des grains, le pain étant l'aliment de base de toute la population. Froment et menus grains (seigle, avoine) passent avant toutes les autres cultures, et cette priorité s'impose d'autant plus que les rendements les meilleurs (sauf en Flandre où ils sont très supérieurs) ne dépassent pas cinq et six pour un. Le bétail est peu nombreux. On l'utilise pour cultiver et pour fumer, mais le petit nombre des bêtes et la rareté de la paille font qu'il y a peu de fumier.

En 1750, paraît sous la signature de Duhamel du Monceau le *Traité de la culture des terres suivant les principes de Mr Tull, Anglais*, pierre angulaire d'un système d'« agriculture nouvelle » selon l'expression de l'auteur lui-même. A l'élaboration du système vont concourir les agronomes (Duhamel, Quesnay, Turbilly, l'abbé Rozier, pour ne citer que les principaux), les savants chimistes et naturalistes (Lavoisier, les Jussieu, Vaillant, Tournefort…) et les Sociétés royales d'agriculture, dont la première est fondée à Rennes en 1757 par le marquis de Turbilly.

La condition première de la « nouvelle agriculture » est l'abolition de la jachère, « méthode abusive, écrit Calonne en 1768, et dont le vice est démontré ». La rénovation se fait ensuite par la multiplication des bestiaux, par l'adoption des prairies artificielles semées de plantes fourragères, par la culture des légumineuses et enfin par la suppression de la vaine pâture et le partage des communaux. Les défrichements des terres incultes — qui, selon le marquis de Turbilly, représenteraient près de la moitié des terres labourables du royaume — permettraient d'obtenir un accroissement considérable de la production.

Le rôle actif de l'État est un fait nouveau. Toutes ses interventions vont dans le sens de la « nouvelle agriculture » : abolition dans plusieurs provinces du droit de vaine pâture (1769-

1777), autorisations de clore et de partager les communaux (1769-1781), exemptions fiscales pour les défricheurs (1766), distributions de graines pour les nouvelles cultures (lin, riz) et lutte contre les épizooties avec la création d'écoles vétérinaires et l'envoi de vétérinaires dans les régions infectées. En 1785, est institué un Comité d'administration de l'agriculture, dont la présidence est confiée à Lavoisier.

Les techniques de l'agriculture nouvelle sont expérimentées par les théoriciens (Duhamel dans sa propriété du Gâtinais, l'abbé Rozier dans le domaine de son frère) et par quelques grands propriétaires éclairés, comme Choiseul à Chanteloup. Mais la masse des agriculteurs ne s'y intéresse guère. En Auvergne par exemple, «jamais nous ne voyons le paysan travaillant son champ selon des principes nouveaux ou élevant ses bêtes selon des théories nouvelles» (Rigaudière).

On observe néanmoins certains progrès. En Flandre et en Hainaut, la jachère disparaît complètement. Les prairies artificielles sont introduites à partir de 1759 en Normandie, en Alsace, Flandre et Picardie. On peut estimer à 600 000 hectares, soit 2 % du territoire, la superficie totale des terres défrichées au cours du siècle. Les progrès ont été très lents et à peine perceptibles dans la première moitié du siècle. Après 1750, ils deviennent plus rapides et plus apparents; le nouveau réseau routier facilite la commercialisation; la hausse des prix stimule la production.

Pour toute la durée du siècle, le taux moyen de croissance annuelle de la production agricole serait de 0,54 % (Marczewski) et le produit agricole aurait augmenté de 40 % par rapport au produit brut du dernier quart du XVIIe siècle (Le Roy Ladurie). Un fait au moins est certain: malgré la forte augmentation de la population, les grandes famines ne sont plus qu'un mauvais souvenir; la production agricole est devenue suffisante pour nourrir, de manière à peu près convenable, la presque totalité de la population.

AGRONOMES. Théoriciens de la science de l'agriculture, les agronomes sont des physiciens, non des philosophes. On ne peut ranger parmi eux ces «philosophes agricoles» que sont les physiocrates.

La grande idée de l'agronomie française au XVIIIe siècle est le projet de l'«agriculture nouvelle», appelée aussi «nouveau système». L'inspiration en est anglaise. Ses principes essentiels viennent du traité de l'Anglais Jethro Tull, *Horse-hoeing husbandry* (1731), ouvrage remarquable par sa théorie de la nourriture des plantes et par l'importance donnée aux plantes fourragères (sainfoin, luzerne, betteraves, ray-grass).

Le premier et le plus intelligent théoricien de cette agriculture nouvelle à l'anglaise est Duhamel du Monceau, dont les deux ouvrages, le *Traité de la culture des terres* (1750) et les *Éléments d'agriculture* (1762), démontrent l'utilité des labours multiples et des cultures des plantes fourragères. Après Duhamel du Monceau les principaux auteurs de traités de synthèse sont Dupuy-Demportes dont *Le Gentilhomme cultivateur* (1761-1767) est le corpus du «nouveau système», l'abbé Rozier, auteur d'un *Cours complet d'agriculture* (10 vol., 1781-1802), commode à consulter, parce qu'il est en forme de dictionnaire, et d'Ébaudy de Fresne (*Traité d'agriculture*, 1788).

La prairie artificielle, l'extension de l'élevage, la suppression de la vaine pâture et des communaux, et les défrichements, tels sont les principaux éléments du programme. Le plus important est la prairie artificielle, c'est-à-dire la prairie semée de plantes fourragères ou de légumineuses. Car ces plantes n'épuisent pas le sol et les labours que leur défrichement exige sont des labours profonds ameublissant une couche plus épaisse de terre et capable de ce fait de mieux nourrir les végétaux qui lui sont confiés. Introduite dans la succession des cultures, la prairie artificielle peut être substituée à la jachère. Toutefois, les agronomes ne font pas de l'élimination de la jachère une condition nécessaire de la rénovation.

L'État, en la personne de Bertin, ministre chargé de l'agriculture, de 1761 à 1786, fait sien le programme de l'«agriculture nouvelle». Des édits sont publiés qui proscrivent la vaine pâture dans plusieurs provinces, autorisent le partage des communaux et favorisent le défrichement.

On notera cependant qu'une minorité non négligeable d'agronomes ne suivent pas les thèses de l'agriculture «nouvelle». Citons entre autres Desplaces et La Salle de l'Étang. Le premier se refuse à croire que l'agriculture puisse être réduite «en un art régulier, symétrique et démontré, comme quelques-uns se le persuadent» (*Préservatif contre l'agromanie*, 1762). Le second défend la jachère, dont la plus grande utilité, selon lui, est la pâture des moutons (*Manuel d'agriculture pour le laboureur, le propriétaire et le gouvernement*, 1764).

AGUESSEAU, Henri François d' (Limoges, 27 novembre 1668 - Paris, 9 février 1751). Chancelier de France, il est l'une des figures les plus remarquables du XVIIIe siècle français. Son intégrité morale et son grand savoir font de lui une exception dans le haut personnel politique de la monarchie.

Il est le fils d'Henri d'Aguesseau, maître des requêtes, intendant du Limousin, puis du Languedoc, conseiller d'État (1683), et d'Anne Le Picart de Périgny, nièce d'Omer Talon. Lui-même épouse, le 4 octobre 1694, Anne Lefèvre d'Ormesson. C'est, dit un contemporain, «l'alliance du mérite et de la vertu».

Il accomplit une brillante carrière de serviteur du roi. Les principales étapes en sont les suivantes : avocat du roi au parquet du Châtelet (1689), avocat général au parlement de Paris (1691), procureur général de cette même cour (24 septembre 1700), et enfin chancelier de France (2 février 1717). Il démissionnera de cette dernière charge le 27 octobre 1750, l'ayant occupée l'espace de trente-trois ans. Disgracié deux fois (en 1718, et de 1722 à 1727), il avait dû alors, tout en restant chancelier, se défaire momen-

tanément des sceaux et s'exiler dans sa terre de Fresnes.

La fonction de chancelier, très abaissée depuis 1660, se relève avec lui. Il reconquiert le domaine de la législation, domaine que, depuis Colbert, le Contrôle général avait annexé. Son œuvre pour l'unification du droit français est remarquable. Les quatre ordonnances sur les donations (1731), sur les testaments (1735), sur le faux (1737), et sur les substitutions fidéicommissaires (1747), en sont les monuments principaux. Le travail avait été préparé par un «Bureau de législation» et par des enquêtes auprès des compagnies supérieures.

D'Aguesseau exerce en outre un véritable magistère moral sur toute la profession judiciaire. Dans ses *Discours* et ses *Mercuriales*, il ne cesse de rappeler les juges au respect de leur fonction. Pour lui la magistrature doit être vraiment l'«ordre de la vertu».

Le ministre est moins brillant et ne vaut pas le juriste. Il souffre d'indécision chronique. De plus, parlementaire dans l'âme, il est incapable de la moindre fermeté vis-à-vis des parlements. On peut se demander si son attitude trop indulgente n'a pas encouragé l'insubordination des cours.

D'Aguesseau a exercé une influence considérable sur la pensée juridique et politique de son temps. On trouve en effet, dans certains de ses ouvrages, tout un système de philosophie politique, reposant à la fois sur le cartésianisme, sur l'égalitarisme (les hommes sont égaux de nature), le gallicanisme («L'Église est dans l'État, et non l'État dans l'Église»), et la morale janséniste. D'Aguesseau a profondément changé l'esprit du droit. Il a «porté dans le droit français deux forces qui, sans lui, sans son autorité d'homme en place, auraient pu rester longtemps sur le seuil : l'esprit cartésien et l'esprit janséniste, la méthode rationaliste et le moralisme indépendant» (Carbonnier). Il a changé aussi la vision de la politique. Tous les hommes d'État du siècle l'ont lu et médité. Il les a familiarisés avec cette idée révolutionnaire que l'organisation politique d'une nation peut très bien être une construction artificielle, œuvre de l'esprit humain.

AIDES. On entend par aides au XVIIIᵉ siècle les taxes que le roi lève sur certaines marchandises et en particulier sur les boissons.

Au Moyen Age et encore au début de l'époque moderne le sens du mot était beaucoup plus large. Les aides étaient alors tous les secours pécuniaires accordés à la royauté par les états généraux et par les états particuliers.

Les principales aides sont les taxes sur les vins, les bières, les cidres et autres breuvages. Parmi les taxes sur les vins figurent le gros, le vingtième, le huitième, le quatrième, le jaugeage et courtage, l'annuel, les anciens et nouveaux cinq sols et les entrées et sorties des villes.

On notera que toute l'étendue du royaume n'est pas soumise aux aides, mais seulement les généralités comprises dans les ressorts des cours des aides de Paris et de Rouen, plus quelques élections appartenant à d'autres généralités.

AIDES (cours des). *Voir* **COURS DES AIDES.**

AIGUILLON, Emmanuel Armand de Vignerot du Plessis de Richelieu, duc d' (1720-1798). Cet homme est fort maltraité par les grands dictionnaires biographiques (Michaud, Hoefer) qui, le taxant d'arrivisme, parlent de sa « honteuse carrière ». En fait, il s'agit d'un bon serviteur du roi, ambitieux assurément, mais énergique et fidèle. Il a eu probablement l'amitié de la duchesse de Châteauroux, certainement la protection de Mme du Barry, mais ni l'une ni l'autre n'ont fait sa carrière. Il ne doit son élévation qu'à la grandeur de sa famille et à l'excellence de ses mérites. Sur l'échiquier de la Cour il apparaît comme étant l'homme du Dauphin, celui du parti dévot, celui du clan anti-Choiseul. Il est à tous ces titres l'adversaire des parlements, et va le prouver en Bretagne.

Le 20 avril 1753, après une courte carrière militaire et un temps très bref comme gouverneur d'Alsace, il reçoit la commission de commandant en chef de la province de Bretagne, charge qu'il exercera jusqu'en 1768. Ce sont quinze années de combats épiques, d'abord contre les Anglais qui tentent de débarquer (1758), et qu'il faut rejeter à la mer, ensuite contre le Parlement et contre les états pour leur imposer la politique fiscale de la royauté. En janvier 1766, il met en place un Parlement à ses ordres, nommé par décision le « bailliage d'Aiguillon ». Désormais d'Aiguillon est l'ennemi juré de tous les parlements de France. En mars 1770, le parlement de Bretagne ouvre une information contre lui. Le 2 juillet suivant, le parlement de Paris rend un arrêt d'indignité le flétrissant. Mais le roi fait casser l'arrêt et interdit toute poursuite.

Nommé, le 6 juin 1771, secrétaire d'État aux Affaires étrangères, il forme avec Maupeou et Terray le triumvirat réformateur de la révolution royale. S'il ne peut empêcher le démembrement de la Pologne, il règle l'affaire suédoise de la façon la plus satisfaisante.

Lors de l'avènement de Louis XVI il ne se fait aucune illusion, sachant que la reine et le clan Choiseul veulent sa perte. Sa sévérité à l'égard du comte de Guines, ambassadeur à Londres et protégé de Marie-Antoinette, n'a pas arrangé ses affaires. Il est aussi accusé par Mercy Argenteau d'être l'instigateur d'une campagne de calomnies contre la jeune souveraine. L'accusation est-elle fondée ? Nous n'en avons aucune preuve. Le duc d'Aiguillon préfère ne pas attendre un retour improbable de faveur. Le 2 juin, il remet sa démission. Le 8, il est remercié. Le 16 mai 1775, le roi l'exile de la Cour où il ne reparaîtra plus.

AÏSSÉ, Mlle (1694 ? - Paris, 13 mars 1733). Ce personnage touchant est d'origine probablement circassienne et princière : elle est achetée en 1698, à l'âge d'environ quatre ans, sur un marché d'esclaves à Constantinople, par Charles de Ferriol, baron d'Argental, comte de Ferriol, ambassadeur extraordinaire du roi auprès de la Porte ottomane. Elle est amenée en France par ce dernier, et confiée par lui à son frère, le président de

Ferriol, et à sa femme, qui l'élèvent avec leurs enfants. Cette famille de Ferriol n'est pas un exemple. Angélique de Ferriol, l'épouse du président, est la sœur de Mme de Tencin, et sa vertu est plus que douteuse. Ses deux fils, Pont de Veyle et d'Argental, sont les amis de Voltaire et vont évoluer très tôt dans le milieu le plus corrompu qui soit. La jeune Aïssé demeure préservée. Sa grâce et son esprit lui attirent bien des soupirants. Elle refuse toutes les avances, même celles du duc d'Orléans. A la fin de sa vie elle dira : « Je n'ai jamais pu aimer qui je ne pouvais estimer. » Le chevalier d'Aydie (chevalier de Malte), est-il estimable ? Sans doute. Elle se prend de passion pour lui, et cet amour est partagé. Elle a un enfant de lui (une petite fille). Le drame commence alors. Véritable héroïne cornélienne, Mlle Aïssé sacrifie son amour à ce qu'elle estime être son devoir. Le chevalier lui propose de l'épouser. Elle refuse. Elle juge que sa naissance le lui interdit. Elle ne veut pas non plus que le chevalier se fasse relever de ses vœux de l'ordre de Malte. Ce sacrifice lui est très cruel. Elle éprouve aussi un grand remords de ce qu'elle appelle ses « égarements ». Elle vit dans les plus terribles souffrances. Sa santé en est gravement affectée. A moins de quarante ans elle est enlevée de ce monde. Ses lettres ont été publiées. Le style en est à la fois simple et alerte. On doit admirer la sûreté et la profondeur du jugement. Voici par exemple l'éloge de Fleury : « Enfin nous avons un premier ministre estimable, désintéressé, et dont l'ambition n'est que de remettre les affaires en ordre » (1727). Mlle Aïssé discerne fort bien la décomposition de la société qui l'entoure. A propos d'une affaire scandaleuse, elle écrit : « Tout ce qui arrive dans cette monarchie annonce bien sa destruction » (10 janvier 1727). Mais le plus étonnant chez elle (quand on sait l'état de déchristianisation avancée de ces milieux aristocratiques) est la fermeté de son espérance. Peu de temps avant de mourir, elle écrit ces lignes : « Pourquoi serais-je effrayée de la séparation de mon âme, puisque je suis persuadée que Dieu est tout, et que le mo-

ment où je jouirai du bonheur sera celui où je quitterai ce misérable corps » (1733).

AIX-LA-CHAPELLE (paix d'). Signée le 28 octobre 1748, la paix d'Aix-la-Chapelle met fin à la guerre de Succession d'Autriche. Les signataires sont l'Autriche, l'Angleterre, les Provinces-Unies et la Sardaigne d'une part, et la France et l'Espagne d'autre part. Seule des puissances belligérantes, la Prusse ne garantit pas le traité, dont elle est pourtant le principal bénéficiaire, l'Autriche lui abandonnant la Silésie. L'Espagne aussi est favorisée : l'infant don Philippe, frère du roi d'Espagne (et gendre de Louis XV), reçoit en Italie les duchés de Parme et de Plaisance ainsi que la principauté de Guastalla, tous territoires qui avaient appartenu aux Habsbourg.

La surprise est que la France n'obtient aucun avantage. Elle restitue toutes ses conquêtes de guerre, Madras dans l'Inde, aux Anglais, la Savoie et Nice à la Sardaigne, les Pays-Bas à l'Autriche. De plus, elle promet de faire expulser de son territoire le prétendant Stuart, et de démolir les fortifications maritimes de Dunkerque. On a parlé de la « modération » de Louis XV. Le mot est faible. Une telle modération s'appelle de l'inconscience, à moins d'admettre que l'on fait la guerre pour rien. D'ailleurs le public fut indigné. Les expressions « bête comme la paix » et « travailler pour le roi de Prusse » devinrent communes.

AIX-EN-PROVENCE. Résidence d'un archevêque, président de l'assemblée des communautés de Provence, d'un gouverneur et d'un intendant cumulant sa commission avec celle de premier président du Parlement, siège de parlement, de Cour des comptes et de sénéchaussée, Aix-en-Provence est vraiment ville capitale. Elle ne s'accroît pas pour autant, et même sa population diminue, passant de 35 000 habitants en 1695 à 28 000 en 1789. Son activité économique est médiocre. L'installation en 1783 de quatre fabriques d'indiennes ne suffira pas à la relancer.

La grande époque de l'urbanisme aixois a été le XVIIe siècle. Cependant la ville continue à s'embellir et à s'aérer. La place de l'archevêché est aménagée en 1741, celle de l'hôtel de ville est achevée en 1756, celle de l'hôtel d'Albertas à peu près à la même époque. Après 1770, on ouvre la jolie promenade du boulevard Saint-Louis, et l'on construit l'hospice des Pauvres Aveugles et le Dépôt de mendicité. Si l'on ajoute ces nouveaux embellissements à ceux du siècle précédent, on peut dire que la cité d'Aix s'est faite l'une des plus gracieuses, l'une des plus aimables qui soient en France.

Mais ce beau décor masque une profonde crise morale, celle de la noblesse. Les nombreux conflits des gentilshommes aixois avec les paysans, à cause des droits communaux et seigneuriaux, leur attirent la haine populaire. Leurs mœurs déréglées achèvent de les discréditer. Dans les dernières années de l'Ancien Régime trois scandales (que relate M. Michel Vovelle dans l'*Histoire d'Aix-en-Provence*, 1977) les désignent au mépris public : l'affaire dite de la Torse (de jeunes débauchés avaient pendu un paysan pour s'amuser), le procès en séparation de Mirabeau et de son épouse en 1783, et l'assassinat par son mari, le 30 mai 1784, de la présidente Bruny d'Entrecasteaux. On pourrait ajouter à ce dossier déjà lourd les frasques du marquis d'Argens, brouillé avec tous les siens et marié à une ancienne actrice, et les cruautés du marquis de Mirabeau, dit l'«ami des hommes» [sic], envers sa femme qu'il abandonna et envers son fils qu'il persécuta.

ALEMBERT, Jean-Baptiste Le Rond d' (Paris, 17 novembre 1717 - *id.*, 29 novembre 1783). Mathématicien, physicien, philosophe, il est l'un des chefs de file du parti philosophique. Enfant trouvé, élevé dans des pensions, demeuré célibataire, sa vie est celle d'un solitaire au milieu du monde. Né des amours de Mme de Tencin et du chevalier Destouches, il est exposé quelques heures après sa naissance sur les marches de l'église Saint-Jean-le-Rond. Il est vrai que son père se préoccupera bientôt de lui et lui léguera une rente de 1 200 livres. Mais il est élevé par sa nourrice, Mme Rousseau, chez laquelle il vivra jusqu'en 1765, et qui lui servira de mère. On ne lui connaît aucune liaison, si ce n'est celle avec Julie de Lespinasse. Il fait la connaissance de celle-ci chez Mme du Deffand, devient son amant et loge même dans sa maison, rue de Bellechasse, à partir de 1765. Il l'aime tendrement, mais d'un amour malheureux. Julie brûle pour Mora, puis pour Guibert. Elle n'est plus pour d'Alembert qu'une amie et une inspiratrice. A sa mort le philosophe est inconsolable. Cette vie privée est triste et presque pitoyable. L'histoire de sa carrière se déroule en deux phases. D'Alembert est d'abord un jeune mathématicien de génie. Le 19 juillet 1739 — il a vingt-deux ans — il présente sa première communication à l'Académie des sciences, et reçoit les compliments de Clairaut. Le 17 mars 1742, il est nommé adjoint pour la section d'astronomie de l'Académie. Il sera pensionnaire titulaire en 1765. Son premier ouvrage, le *Traité de dynamique* (1743) lui a valu, à juste titre, une renommée européenne. La deuxième phase commence en 1751 avec la publication du *Discours préliminaire*, sorte de manifeste philosophico-historique placé en tête du premier volume de l'*Encyclopédie*. D'Alembert est désormais le théoricien officiel de la philosophie. Il est l'ami de Voltaire et de Frédéric II et entretient avec eux une correspondance suivie. Élu à l'Académie française en 1755, nommé en 1772 secrétaire de cette compagnie, il exerce sur le monde intellectuel une incontestable domination. En 1762, à l'invitation de Frédéric, il va passer deux mois à Berlin. Catherine II le sollicite. Elle lui demande de concourir à l'éducation du grand-duc héritier de Russie. Mais il refuse.

Son œuvre philosophique se compose pour l'essentiel du *Discours préliminaire* et des *Éléments de philosophie* (1759). Le *Discours* est un historique des progrès de l'esprit humain et de l'ordre dans lequel sont nées les différentes branches du savoir. Les *Éléments* proposent une sorte de morale laïque, faite de règles et de devoirs fondés sur la raison. La philosophie de l'auteur est un curieux mélange d'empirisme et de scepticisme. D'empirisme : il pense que toutes les connaissances viennent par les sens. De scepticisme : il doute de la valeur de la connaissance. « Tout ce que nous voyons, écrit-il, n'est qu'un phénomène qui n'a rien, hors de nous, de semblable à ce que nous imaginons. » On peut se demander comment un tel scepticisme a pu s'accorder chez le savant avec la démarche de la connaissance scientifique.

L'œuvre scientifique comporte les *Opuscules mathématiques* et plusieurs ouvrages de physique. Outre le *Traité de dynamique*, d'Alembert a publié un *Traité des vents*, des *Recherches sur la précession des équinoxes et sur la nutation de l'axe de la terre* (1749), un *Traité de la résistance des fluides* (1752), ainsi que des *Recherches sur différents points importants du système du monde* (1756). En mathématiques, selon les avis autorisés, d'Alembert serait inférieur à Clairaut. On a souligné en particulier les faiblesses de ses thèses sur le calcul des probabilités, dans lequel il refuse de reconnaître une branche des mathématiques. En revanche, il est unanimement reconnu comme un grand physicien. Le *Traité de dynamique* à lui seul suffirait à sa gloire. Cet ouvrage, dira Lagrange, « offre une méthode directe et générale pour résoudre [...] tous les problèmes de dynamique qu'on peut imaginer ». La plupart des considérations de méthode seraient à méditer, par exemple celle-ci : « On doit quelquefois plus à une erreur singulière qu'à une vérité banale. »

On pourrait parler aussi d'une œuvre littéraire. Devenu secrétaire de l'Académie française, d'Alembert s'est imposé de rédiger les biographies de tous les académiciens morts depuis 1700 jusqu'en 1772. C'est en somme un travail de critique littéraire. Le goût de l'auteur n'apparaît pas toujours très sûr. Il ne comprend pas grand-chose à la poésie et

rabaisse plus bas que terre Ronsard et Marot.

Homme seul, il n'est pourtant pas un isolé. Il fréquente les salons de Mme Geoffrin et de Mme du Deffand et fait le succès de celui de Mlle de Lespinasse. Il n'est pas un mondain, mais il a des amis et leur est fidèle. Il se plaît à protéger et à lancer les jeunes savants. Lagrange, puis Laplace et Condorcet ont éprouvé ses bontés. Il n'est pas du tout un rabat-joie. Il paraît même qu'il excellait à imiter les acteurs de l'opéra et de la comédie et que c'était « à faire mourir de rire ». L'argent ne compte guère pour lui. Ni les honneurs. Il refuse la présidence de l'Académie de Berlin et les offres très avantageuses de l'impératrice de Russie. Il est vrai qu'il est casanier et prudent. Il ne veut pas quitter Paris. Il n'aime pas les risques. Dès qu'il y a des menaces dans l'air il s'inquiète. Quand l'affaire de l'*Encyclopédie* lui paraît devenir trop dangereuse, il s'en retire (fin 1757). « Mon avis est donc, écrit-il, qu'il faut laisser là l'*Encyclopédie* et attendre un moment plus favorable (qui ne viendra peut-être jamais). » Il faut dire qu'il avait été ulcéré par la vive protestation des Genevois contre son article « Genève » donné au dictionnaire de Diderot.

Il faudrait expliquer son irreligion. Car il est profondément irreligieux. Il est même athée d'un athéisme militant. Il est très hostile au catholicisme. On voit cela surtout dans ses *Éléments de philosophie*, dans son *Histoire de la destruction des jésuites*, pamphlet virulent publié en 1765, et dans sa correspondance avec Voltaire. Comme Voltaire il veut « écraser l'infâme ». Il écrit à ce dernier (à propos de son *Histoire de la destruction des jésuites*) : « Je crois qu'en effet [cet ouvrage] pourra être utile à la cause commune, et que l'infâme, avec toutes les révérences que je fais semblant de lui faire, ne s'en trouvera pas mieux. » D'où venait cette haine ? Peut-être d'une amertume d'enfant abandonné. Peut-être aussi d'une réaction contre l'enseignement de ses maîtres. A quatorze ans il avait été inscrit au collège des Quatre-Nations, où les professeurs, si on en croit ses confidences, étaient jansénistes, cartésiens et obtus.

A côté de Voltaire et de Diderot, d'Alembert fait un peu pâle, un peu plat. Il manque de vie, de santé. Il n'a pas de style. Il écrit mal. Pourtant sa contribution n'est pas moins importante que celle de ses deux émules. Il a imprimé aux Lumières la marque du mathématisme et de l'esprit de géométrie.

ALENÇON. Chef-lieu d'une généralité, siège d'un Bureau des finances, Alençon est une ville d'« environ dix mille âmes » (Expilly, 1768). Le commerce y est actif. On y fabrique des toiles de chanvre, des serges, des étamines et les dentelles renommées, appelées « points d'Alençon », dont la manufacture a été établie par Colbert.

ALIGRE, Étienne François d' (1727-1798). Premier président du parlement de Paris, après avoir été successivement conseiller à ce même parlement (reçu en 1745), président à mortier (1752), vice-chancelier et garde des Sceaux (en 1768), il n'a, au dire du comte Beugnot, « aucune des qualités qui fondent un grand magistrat ». Si cela est vrai, on peut s'étonner de le voir maintenu pendant dix-sept années — durée record — à la tête du premier parlement du royaume. Il exerce en effet la charge de premier président de 1768 à 1771, puis de 1774 à 1788. Or le jugement de Beugnot a toutes les apparences de la vérité. L'homme était riche et avare. Son animosité contre la Cour et contre les ministres réformateurs (Calonne surtout) lui tenait lieu de règle de conduite. On peut le considérer comme l'un des principaux responsables de l'échec des réformes fiscales de Calonne et de Loménie.

ALIMENTATION. L'alimentation quotidienne est difficile à connaître. Les données précises sont rares. Il faudrait savoir ce qui était servi tous les jours sur la table d'un paysan, ou sur celle d'un artisan ou d'un magistrat, et connaître la nature des aliments et les quantités servies. Or cette sorte d'information est exceptionnelle. Le plus souvent nous devons procéder à des reconstitutions à partir de témoignages littéraires ou de règlements de collèges ou de comptabilités. Les résultats ne peuvent être que très approximatifs.

On doit distinguer les campagnes et les villes. Dans les campagnes le plat de base est soit la bouillie de céréales (comme par exemple la « millée » de l'Anjou), soit la soupe d'herbes. L'autre aliment est le pain qui est blanc et de froment dans certaines régions, et noir et de seigle dans d'autres. La viande de boucherie est rarissime. On mange un peu de porc. Les jours de fête, on tue une volaille. Dans beaucoup de pays, la principale matière grasse est l'huile de noyer.

La géographie de l'alimentation rurale est très contrastée. Par exemple, les populations de la Limagne manquent de lait et de légumes et souffrent de malnutrition, tandis que celles de la montagne auvergnate, bien pourvues de lait, de porc, de fromage, de raves et de châtaignes, font preuve d'une grande résistance physique.

Il semble que la plupart des laboureurs et des ménagers aisés s'alimentent de façon suffisante. A la ferme de la Bretonne, en Bourgogne, chez le père de l'écrivain Restif, on fait quatre ou cinq repas dans la journée. Le premier, celui de cinq heures du matin, avant de partir aux champs, comporte une soupe au bouillon de porc salé, une assiette de choux et une autre de pois. Boudin et petit salé reviennent souvent sur la table, ainsi que les œufs. M. Le Roy Ladurie a calculé que chacun des membres de la communauté de la Bretonne consommait 27 kilos de viande par an. D'après les *Mémoires d'un nonagénaire* d'Yves Besnard, les laboureurs avaient à chaque repas une soupe, plus un autre plat soit de viande, soit d'œufs ou de légumes. Le paysan moyen, c'est-à-dire pauvre, n'est sans doute pas au même régime et doit très probablement se contenter de moins. En Flandre, à la veille de la Révolution, il mange matin et soir une soupe fort épaisse aux herbes, au lait de beurre ou à la viande salée, avec en plus, en été, un déjeuner et un goûter de pain, de beurre et de fromage.

Les citadins bénéficient d'une alimentation plus diverse et plus abondante que celle des campagnes. A Paris, à la fin du règne de Louis XV, les artisans et les petits bourgeois mangent au dîner (le repas de dix ou onze heures du matin) une soupe et un bouilli, et, au souper, une soupe plus une «persillade» (reste du bouilli du midi, apprêté à la vinaigrette) ou bien un bœuf à la mode. Cela fait un régime très carné, mais les jours maigres on achète des harengs, de la morue, des sardines ou de la raie. Laitages et légumes sont rares.

Il y a certainement un grand écart entre la table des grands et des riches, surchargée de nourritures fines et variées, et celle des gens du peuple. Lorsque Marmontel est emprisonné à la Bastille — il le raconte lui-même dans ses *Mémoires* — on apporte deux repas différents, l'un pour son domestique et l'autre pour lui. Celui du domestique est un plat de fèves et de morue. Celui du maître se compose des plats suivants : potage, tranche de bœuf, cuisse de chapon, épinards, artichauts frits, poire, le tout arrosé d'un vieux bourgogne. Toutefois il n'y a pas que deux alimentations, celle des riches et celles des pauvres. La France est un pays de petite bourgeoisie et d'artisans aisés. Tout porte à penser que ces catégories moyennes ont un régime intermédiaire, qui n'est ni fastueux ni réduit au strict nécessaire. D'autres régimes du même genre sont ceux des communautés religieuses et des collèges. Voici par exemple ce que mangent, en 1774, les enfants de chœur du chapitre de Saint-Pierre de Lille : «Les jours gras au dîner on leur servira une bonne soupe grasse et à chacun une portion de demie livre de bonne et fraîche viande bouillie [...]. Les jours maigres ils auront une bonne soupe telle que le maître la mangera et chacun une portion de poisson ou une couple d'œufs et une portion de légumes.»

On peut parler d'un progrès de l'alimentation. D'abord parce qu'il n'y a plus de grande disette. Ensuite parce que l'alimentation est plus diversifiée. Enfin parce que le riz et la pomme de terre permettent de nourrir la population en cas de pénurie. En 1741, dans la région de Lille, l'administration fait distribuer du riz aux pauvres (avec la recette pour le préparer).

Les historiens spécialistes pensent néanmoins que, malgré ces progrès, l'alimentation de la grande masse de la population demeurait insuffisante. On estime aujourd'hui que la ration alimentaire optimale est de 2 200 calories. Les rations de la fin de l'Ancien Régime seraient très inférieures : 1 649,25 calories en moyenne par tête d'habitant et par jour dans le Vivarais (selon les calculs de M. Molinier), et 1 753 calories pour l'ensemble de la France (calculs de Toutain). Reste à savoir ce que valent des chiffres calculés à partir de données approximatives et forcément incomplètes.

ALLEU ou **FRANC-ALLEU.** Un alleu ou franc-alleu est une terre franche et libre de toute sujétion, qui ne relève d'aucun seigneur et est exempte de tous droits féodaux.

L'alleu est normalement une exception. En vertu de la règle «nulle terre sans seigneur», tout possesseur d'alleu doit produire ses titres. Il y a cependant quelques provinces où l'alleu semble être la norme. En Dauphiné la plupart des terres sont tenues de cette manière. Dans les coutumes de Troyes, Chaumont, Vitry, Auxerre et Nivernais, toutes les terres sont réputées tenues en franc-alleu, sauf titre contraire. Au XVIIᵉ siècle, le roi avait tenté d'établir sa directivité sur les terres ne relevant d'aucun seigneur. Au XVIIIᵉ siècle, il semble avoir renoncé à cette prétention.

Le franc-alleu ne comporte pas de justice propre. Le possesseur est sujet à la juridiction du seigneur dans le territoire duquel sa terre est située.

ALLIANCE (Quadruple-). On donne le nom de Quadruple-Alliance à l'alliance conclue entre l'Angleterre, la France, les Provinces-Unies et l'Empereur, par le traité de Londres du 2 août 1718. En fait, il s'agit simplement d'une extension de la Triple-Alliance de La Haye (4 janvier 1718) par adhésion de l'Empereur comme quatrième partenaire. Celui-ci accepte de renoncer à l'Espagne. Il garantit au duc d'Orléans et à l'Électeur de Hanovre leurs droits respectifs sur les couronnes de France et d'Angleterre. En échange, la France et l'Angleterre lui promettent de lui assurer la possession de la Sicile, mais cette promesse est stipulée à part, dans des articles secrets.

ALLIANCE (Triple-). *Voir* **HAYE (traité de La).**

ALPHABÉTISATION. Si nous entendons par alphabétisation la diffusion, non seulement de l'écriture, mais aussi de la lecture, nos connaissances dans ce domaine seront toujours incomplètes, le fait de lire ne pouvant être saisi directement comme celui d'écrire.

Nous connaissons le fait d'écrire par les signatures, et principalement par celles des actes de mariage. Les époux étaient en effet tenus de signer leurs actes de mariage sur le registre paroissial. Le curé devait les y inviter. S'ils ne savaient pas signer, le curé écrivait alors la formule suivante : « Requis de signer, a dit ne pas savoir. » Nous pouvons utiliser aussi les signatures des testaments. Tous les testaments devaient être signés (y compris, depuis l'ordonnance de 1734, les testaments méridionaux, dits « mystiques »).

Signer son nom n'est pas cependant une preuve suffisante du fait que l'on sait écrire. C'est même une preuve très douteuse, si la signature est maladroite. Mais c'est un indice non négligeable, et que l'on ne peut d'ailleurs pas ne pas prendre en compte puisqu'il n'en existe pas d'autre. Il suffira de ne pas perdre de vue que les pourcentages obtenus dans les comptages de signatures sont des taux de signatures, et non à proprement parler des taux d'alphabétisation.

La plus grande enquête jamais faite sur les signatures des registres paroissiaux a été réalisée à partir de 1877 par le Dr Maggiolo, avec le concours des

instituteurs de l'époque. Cette enquête a porté sur un territoire très étendu, correspondant à soixante-dix-sept départements. Quatre périodes avaient été choisies. Les deux premières seulement nous intéressent ici : 1686-1690 et 1786-1790. Le recteur Maggiolo a reçu seize mille réponses. Il se passera longtemps avant que l'on puisse conduire d'autres enquêtes d'une telle ampleur. L'enquête Maggiolo est sans prix.

Son résultat le plus important est celui-ci : en 1786-1790, c'est-à-dire à la fin de l'Ancien Régime, à peu près un Français sur deux sait signer son acte de mariage.

L'enquête fait aussi apparaître une division de la France en deux domaines séparés par une ligne que l'on pourrait tirer tout droit de Saint-Malo à Annecy : au nord de cette ligne, beaucoup de signatures, au sud, peu de signatures. Cette opposition des deux France persiste. Elle existait en 1686-1690. On la retrouve tout aussi accusée en 1786-1790. Si l'on distingue les hommes et les femmes, les taux masculins sont à la fin de l'Ancien Régime presque partout supérieurs à 50 % dans la zone septentrionale, et presque partout inférieurs à 50 % dans la zone méridionale. Les signatures des femmes ne dépassent 50 % qu'en Normandie et en Lorraine. En zone sud elles ne dépassent nulle part 30 %. Les historiens n'ont pas fini de s'étonner de ce qu'ils appellent le « sous-développement intellectuel » du Sud. Ils n'ont pas encore trouvé d'explication satisfaisante.

L'enquête montre également — ce qui n'a rien d'inattendu — que les citadins signataires sont plus nombreux que les campagnards, et les riches plus nombreux que les pauvres. Les recherches plus récentes ont confirmé ces conclusions. P. Chaunu utilise les testaments et indique pour Paris (période 1750-1800) 91 % de signatures masculines et 80 % de signatures féminines.

Enfin l'enquête permet de mesurer les progrès réalisés en un siècle. Les taux masculins progressent de 20 % en moyenne. Toutefois l'alphabétisation féminine progresse plus vite que la masculine. Par ailleurs, la recherche actuelle ne cesse de constater des régressions. Par exemple, on a observé que les épouses des ouvriers en soie de Lyon signaient à 43 % en 1728-1730, 41 % en 1749-1751 et 38 % en 1786-1788. Dans les cinq paroisses principales de la ville d'Angers, le taux global était de 73 % de signatures au début du siècle. Il est de 72,5 au milieu du siècle et de 59,5 à la veille de la Révolution (Sarrasin). Par contre, les villes de l'Artois confirment les conclusions de l'enquête Maggiolo. On y passe de 40 à 50 % à la fin du XVIIᵉ siècle, à 60 % à la fin de l'Ancien Régime, l'essentiel de cette progression semblant s'être réalisé avant 1750 (Grevet).

Le siècle des Lumières n'est pas celui des grandes conquêtes de l'instruction populaire. On sait d'ailleurs que les esprits éclairés, voulant sans doute garder pour eux toute la lumière, étaient défavorables à la diffusion du savoir élémentaire. Dans un traité d'éducation, intitulé *Vues patriotiques sur l'éducation du peuple* (1783), le pédagogue philosophe Philipon de La Madeleine exprime le vœu que l'usage de l'écriture soit interdit presque entièrement aux enfants du peuple. Mais la philosophie n'est pas la seule cause. Il se peut que l'habitude de plus en plus répandue de faire travailler très jeunes les enfants des pauvres ait nui aux progrès de l'instruction. M. Grosperrin cite ce témoignage révélateur : le curé de Pouru-Saint-Rémy, village de fileurs de laine, au pied des Ardennes, déclare, en réponse à une enquête administrative, que le maître d'école de la paroisse n'a que soixante élèves « quoiqu'il y ait beaucoup plus d'enfants, mais la pauvreté empêche la plupart des pères et mères d'y envoyer leurs enfants. D'ailleurs on les fait travailler dès l'âge de sept ans. »

ALPINISME. La première ascension du mont Blanc en 1786 marque le début de ce que nous appelons l'alpinisme. Le mont Blanc se trouvait alors dans le duché de Savoie, mais ce furent des Genevois qui en entreprirent la conquête. Le savant genevois Horace Bénédict de Saussure et Théodore Bourrit, chantre de la cathédrale de Genève, commencèrent en 1783 les premières ascensions. Plusieurs tentatives échouèrent, mais le 8 août 1786, à 18 h 23, Michel Gabriel Pacard et Jacques Balmat parvinrent au sommet. Saussure montera lui aussi, mais l'année suivante.

ALSACE. L'Alsace est gouvernement et généralité. Gouverneur et intendant résident à Strasbourg, capitale de la province, mais le Conseil souverain siège à Colmar.

L'Alsace est traditionnellement divisée en Basse-Alsace (Strasbourg), Haute-Alsace (Colmar) et Sundgau (Belfort).

Les transformations de l'agriculture alsacienne permettent de nourrir une population en forte croissance (347 976 habitants en 1709 et 624 000 en 1784). A partir de 1740, la pomme de terre devient commune. La jachère tend à disparaître. Le trèfle se répand. Le bétail est engraissé à l'étable. Dans l'industrie, aux fabrications traditionnelles, toujours actives, de draps, papier, cuir et tabac, viennent s'ajouter à partir de 1746 de nombreuses manufactures de toiles peintes ou indiennes.

Traversé par un courant piétiste venu des frères moraves, le protestantisme alsacien, dont le culte est libre, ne décline pas. Mais la population catholique augmente plus rapidement que la protestante, qu'elle dépassera en 1789 de trois mille âmes. Ce catholicisme alsacien est profondément marqué par l'empreinte de la compagnie de Jésus. Les Jésuites tiennent de nombreux collèges et sont les gardiens de plusieurs sanctuaires mariaux comme Marienthal ; ils prêchent des missions dans les campagnes.

AMBASSADEUR. Le titre d'ambassadeur est réservé aux titulaires des grandes ambassades, telles que Rome, Londres, Vienne et Madrid. Les autres chefs de postes s'intitulent ministres plénipotentiaires, et chargé d'affaires s'ils n'assurent qu'un intérim. L'ambassadeur (ou le ministre) emmène avec lui quelques « gentilshommes d'ambassade » que l'on appellera plus tard «conseillers d'ambassade», et qui n'ont pas d'existence officielle, Ses autres collaborateurs, les secrétaires d'ambassade, sont au contraire des employés officiels du ministère,

Le nombre des postes diplomatiques à pourvoir est limité. Dans la période 1748-1789 il a varié entre quatorze et trente-quatre (Bénazet-Béchu). Parmi les rares postes nouveaux créés au XVIIIᵉ siècle, il faut signaler celui de représentant auprès du Congrès des États-Unis d'Amérique, poste dont le premier titulaire, nommé en 1778, fut Conrad Alexandre Gérard, comte de Munster.

La carrière ne semble pas des plus recherchées : les frais de représentation sont lourds, les traitements modestes et le statut incertain. En effet l'ambassadeur n'est ni un officier ni un commissaire. Il n'a ni brevet, ni lettre patente, ni commission. Au moment de son départ, une simple note du ministre lui est remise, ainsi que la lettre de créance du roi et un «mémoire pour servir d'instruction» lui indiquant les grandes lignes de sa mission.

L'ambassadeur informe, négocie et représente. Il informe au jour le jour par des correspondances. Il rédige aussi d'abondants «mémoires» décrivant l'état du pays. Il négocie les alliances, les raccommodages et les mariages royaux. Par exemple, la première tâche du marquis de Durfort envoyé à Vienne en 1767 est de préparer le mariage du Dauphin avec l'archiduchesse Marie-Antoinette. Enfin l'ambassadeur incarne le roi de France. Il est reçu avec les honneurs royaux ; il fait son entrée publique. Une peinture anonyme du musée de Vienne représente l'entrée publique du marquis de Mirepoix, ambassadeur extraordinaire nommé en 1738 auprès de l'Empereur. Le carrosse de parade, vide selon la coutume, est entièrement doré et tiré par six chevaux.

Il n'existe aucune règle pour la formation et le recrutement des diplomates. Certains n'ont aucune expérience. D'autres ont suivi la filière et ont commencé comme gentilshommes d'ambassade —

c'est le cas de Vergennes. Il y eut deux essais d'école diplomatique. Ce fut d'abord l'enseignement donné de 1712 à 1719 dans le cadre de l'Académie politique de Torcy, puis, à partir de 1752, les leçons d'histoire politique et diplomatique données à Strasbourg par l'historien Shöpflin, puis par son successeur C. W. Koch, dans l'école intitulée *Institutum historico-politicum*. Le comte Louis-Philippe de Ségur, futur ambassadeur à Saint-Pétersbourg, a suivi ce dernier cours. Il existe aussi des manuels de droit public et de diplomatie. Au début du siècle, on lit ceux de Callières et de Pecquet. Ensuite le manuel à la mode sera celui de l'abbé de Mably, intitulé *Des principes des négociations pour servir d'introduction au droit public de l'Europe*.

Dans la période 1748-1789, les nobles venant de la profession des armes représentent les deux tiers environ des diplomates. Ainsi, le marquis de Bombelles, devenu diplomate en 1763, avait fait dans la cavalerie les dernières campagnes de la guerre de Sept Ans. On peut se demander si cette militarisation de la «carrière» a été bénéfique à la diplomatie française.

Il est curieux que les historiens des relations internationales ne s'interrogent qu'assez peu sur les mérites des diplomates et sur leurs qualités de négociateurs. Ce sont pourtant des questions d'importance. Les diplomates de métier, comme par exemple Chavigny, oncle de Vergennes, connaissaient très bien la situation de l'Europe et savaient toutes les ficelles de l'art. Mais la plupart des grands seigneurs envoyés dans les ambassades importantes semblent avoir été plus mondains que diplomates et plus brillants que pénétrants. Ils savent écrire, et leurs mémoires fourmillent de tableaux vivants et de détails pittoresques. Mais ils n'ont guère de hauteur de vues. On a toujours l'impression à les lire que les arbres leur cachent la forêt. Leurs réputations sont bien souvent surfaites. Prenons l'exemple du duc de Nivernais dont tous les contemporains, et les historiens à leur suite, s'accordent à louer les talents. Ce grand seigneur eut successivement les trois ambassades de Rome, Berlin et Londres. A Berlin il ne put rien faire, l'alliance anglo-prussienne étant réalisée ; à Londres il ne put que négocier le désastreux traité de Paris de 1763. Ce ne sont quand même pas de grands titres de gloire. Encore le duc de Nivernais est-il un des plus capables de sa catégorie. La grande majorité sont du modèle de ce comte de Guines (nommé à Londres en 1770) dont le principal talent était de jouer de la flûte, d'ailleurs avec art, puisqu'il pouvait tenir la partie de soliste dans le concerto pour flûte et harpe KV 299 commandé par lui à Mozart.

AMBROISE DE LOMBEZ, père (Lombez, 21 mars 1708 - Médoux, près de Bagnères-de-Bigorre, 23 octobre 1778). Religieux capucin, de son nom séculier Jean Lapeyrie, il doit sa grande réputation à son *Traité de la paix intérieure*, chef-d'œuvre de la littérature spirituelle. Sa vie est celle d'un religieux humble et recueilli. Sa carrière est sans éclat, sinon sans mérite. Fils de notaire, il étudie les humanités au collège des doctrinaires de Gimont, puis la théologie au collège des jésuites d'Auch. En 1724, à l'âge de seize ans, il entre au noviciat des Capucins de Condom, et doit vaincre pour cela l'opposition de ses parents. Quelques années plus tard, l'expérience de la maladie l'amène à rentrer en lui-même et à se forger un idéal de sainteté. Il est malgré lui élevé aux supériorités. Il sera dans ses dernières années gardien du couvent d'Auch, conseiller du Provincial, maître des novices. Au moment de la commission des réguliers il s'oppose au projet de nouvelles constitutions proposé par Loménie de Brienne. Le succès de son *Traité de la paix intérieure* (publié en 1756) le met en relations avec quelques grands de ce monde. En 1768, il correspond avec la marquise de Crequy. L'archevêque d'Auch, M. de Montillet, sollicite ses conseils pour la gestion de son diocèse. Sa vie n'en reste pas moins très cachée et très mortifiée. La messe marque le sommet de sa journée.

« Sa ferveur en la disant, écrit un témoin, donnait de la dévotion à ceux qui l'entendaient. Il n'est pas possible de la dire plus gravement. » Le *Traité de la paix intérieure*, auquel fait suite le *Traité de la joie de l'âme chrétienne*, publié aussitôt après sa mort, réhabilite la mystique et la présente comme un genre de vie normal et souhaitable pour tous. « Toute notre piété, écrit-il, ne doit tendre qu'à nous unir à Dieu par la connaissance et l'amour. » Quant à la paix intérieure, elle se trouve d'abord dans la patience ; elle dépend de « cette capacité à supporter tranquillement et ses propres défauts et ceux des autres ». On l'obtient aussi par « une dévotion tendre qui dilate le cœur, qui adoucit les plaies ». De la joie, notre capucin dit qu'elle est « utile », « nécessaire à l'homme » et « bonne et louable ». Pour l'éprouver il suffira de se « maintenir dans la justice » et de conserver « la dignité de notre âme ». « L'amour de Dieu pour nous fera le reste. Au bonheur insaisissable rêvé par le siècle, le P. de Lombez oppose un bonheur réel. Au lieu de l'embarquement incertain pour Cythère, il propose la recherche patiente et tranquille de la paix.

AMELOT DE CHAILLOUX, Jean-Jacques (1689-Paris, 1749). Il exerce durant sept années, de 1737 à 1744, les fonctions de secrétaire d'État pour le département des Affaires étrangères. Sa nomination a surpris tout le monde. On le savait formé par Torcy. On connaissait son mariage avec la fille de l'ambassadeur Paul de Barillon d'Amoncourt. Il ne semblait pas avoir d'autres titres pour diriger la diplomatie. Ses compétences paraissaient plutôt financières. Nommé en 1712 maître des requêtes, il avait été désigné en 1715 pour vérifier la caisse des emprunts. En 1720 il était devenu intendant des finances et conseiller d'État. Quel a été son rôle exact dans la diplomatie de son ministère ? Qu'est-ce qui lui revient ? Quelle est la part de Fleury ? On l'ignore. On lui attribue le mérite de deux succès en Orient. Il aurait obtenu que l'Autriche cède aux Turcs la Valachie et la Serbie, et que la mer Noire soit interdite aux

Russes. Son départ suit de quelques mois la mort de Fleury et date du jour même de la déclaration de guerre à Marie-Thérèse, reine de Hongrie et de Bohême (26 avril 1744). On a écrit que Frédéric II le détestait et avait posé son renvoi comme condition d'une alliance franco-prussienne. Cette explication paraît peu probable. L'alliance franco-prussienne date du 5 juin 1743. Elle est antérieure de plus d'un an au départ d'Amelot. Le renvoi du ministre peut s'expliquer plus simplement. C'était un bon commis, mais sans talent particulier. Dans les circonstances nouvelles nées de l'aggravation du conflit, un tel homme ne faisait plus l'affaire. Ne l'accablons pas pour autant. Était-il comme l'écrira Condorcet, d'« une bêtise au-dessus du commun »? Non, sans doute. En tout cas, il était curieux et savant. L'Académie française l'avait élu en 1727 parmi ses membres, et l'Académie des sciences, en 1741, parmi ses membres honoraires.

AMIENS. Ville épiscopale, chef-lieu d'une généralité, Amiens est avec ses trente-cinq mille habitants l'une des grandes villes du royaume. Plusieurs constructions nouvelles lui donnent un caractère monumental : nouvelles halles marchandes, hôtel de l'intendance, théâtre, aménagement de la promenade du Cours-de-la-Hotoie. Industrie principale, la fabrication des étoffes de laine connaît un essor spectaculaire dont le point culminant se situe vers 1765. Amiens vend ses étoffes dans toute l'Europe méridionale.

Le mal amiénois est le paupérisme qui va croissant : onze mille quatre cent quatre pauvres sont dénombrés en 1767 (Engrand). La politique libérale du gouvernement a pour conséquence l'affaiblissement de la protection corporative. D'où la dégradation des salaires. L'arrêt du Conseil du 7 septembre 1762, autorisant les habitants des campagnes à produire des étoffes jusque-là réservées aux villes, a permis aux fabricants amiénois de se soustraire aux règlements sur les salaires.

AMIRAUTÉ. L'amirauté est l'une des juridictions royales d'exception, c'est-à-dire spécialisées. Elle connaît de tous les différends qui arrivent du fait de la mer.

Elle est attribuée au grand amiral de France, grand officier de la Couronne, qui l'exerce par l'intermédiaire de ses lieutenants généraux et de ses lieutenants particuliers. Le siège central se trouve à la Table de marbre à Paris.

Les sièges des lieutenants généraux sont à Paris et dans les principaux ports. Par exemple il y a huit amirautés générales en Provence et huit également en Bretagne.

Les lieutenants particuliers sont établis dans tous les ports du royaume. Ils connaissent privativement à tous autres juges de toutes les causes relatives aux affaires suivantes : construction, équipement, chargement, armement des vaisseaux, assurances maritimes, prises et pêche. Les crimes commis en mer les concernent également. Ils jugent sans appel les moindres causes. Pour les autres causes, les appels vont aux sièges généraux.

Les archives des amirautés sont intéressantes parce qu'elles contiennent les rapports des capitaines.

AMORTISSEMENT. Le droit d'amortissement est un droit royal. Cette taxe se perçoit sur les gens d'Église (gens de mainmorte) qui acquièrent des immeubles dans le royaume.

C'est un droit domanial. Il est l'un des droits incorporels faisant partie du domaine royal.

Son origine et son fondement ne sont pas clairs. Bacquet (*Traité de l'amortissement*) pense que ce droit est fondé sur l'incapacité des gens de mainmorte d'acquérir des immeubles et en particulier des fiefs, à cause du service militaire. Selon d'autres auteurs, l'amortissement compenserait le préjudice subi par les roi et seigneurs du fait de l'acquisition par les gens de mainmorte, cette acquisition interdisant toute espérance de profiter du droit de confiscation et de percevoir des droits de mutation. Enfin, pour Lefèvre de La Planche, auteur d'un *Traité du domaine* (1764), l'amortissement aurait été institué sous le règne de Saint Louis et serait le prix payé au seigneur en échange de son consentement à l'acquisition et pour le dédommager. On note que ces trois théories ont un point commun. Elles font toutes les trois ressortir l'origine seigneuriale du droit. A l'époque moderne, l'amortissement n'est plus que royal, mais il faut observer que les acquéreurs de mainmorte doivent toujours payer en plus du droit royal une indemnité au seigneur féodal ou censier de l'héritage acquis.

Les droits d'amortissement sont élevés. Nous connaissons le montant des droits payés sur les dotations des missions des pères de la Doctrine chrétienne. Les sommes acquittées représentent de 10 à 33 % de la valeur des fondations. Il y a lieu de penser que le droit d'amortissement a contribué à la diminution du nombre des fondations pieuses au cours du siècle. Les fondations pour cinquante ans et au-dessous étaient exemptées de la moitié du droit (arrêt du Conseil d'État du 21 janvier 1738), mais les fondations plus longues et celles à perpétuité ne bénéficiaient d'aucune exemption.

Au droit d'amortissement peut s'ajouter éventuellement celui dit de «nouvel acquêt», «taxe que les Gens de Main Morte doivent payer au Roi depuis le jour où ils ont acquis la propriété des biens immeubles, jusqu'au temps qu'ils en ont obtenu des lettres d'amortissement» (Lefèvre de La Planche). Cette taxe a été fixée par l'article 5 de la déclaration du 9 mars 1700 sur le pied d'une année de revenu pour vingt années de jouissance.

ANGERS. Angers est évêché, université, siège de sénéchaussée et de présidial. Un lieutenant de roi y représente le gouverneur d'Anjou. La ville décline. Sa population a diminué depuis le milieu du XVIIe siècle, passant de 35 000 habitants environ à 25 044 en 1769-1770 (recensement municipal). L'activité économique décroît. D'ailleurs, peut-on même parler d'activité, la ville n'étant ni manufacturière ni commerçante ? Nobles et bour-

geois n'ont qu'un pied à Angers, passant de longs mois dans leurs maisons des champs. Aussi construit-on peu. Les seules belles bâtisses nouvelles sont celles des moines. Car Angers partage avec Metz l'honneur d'être l'une des villes les plus monastiques du royaume : on n'y compte pas moins de six abbayes (Saint-Aubin, Saint-Nicolas, Saint-Serge, l'Esvière, le Ronceray et Toussaint) toutes superbes, toutes rebâties de neuf depuis la fin du siècle précédent, toutes ornées de lambris et de ferronneries admirables. Si l'on regarde l'Académie et le Bureau d'agriculture, la vie littéraire et scientifique ne paraît pas beaucoup plus intense que la vie économique. Mais l'université dépérit moins que d'autres, sa faculté de droit inscrivant bon an mal an une centaine d'étudiants, et la chaire de droit français ayant été occupée de 1689 à 1720 par Claude Pocquet de Livonnière, l'un des plus grands jurisconsultes de son temps.

ANGERVILLIERS, Nicolas Prosper Bauyn d' (1675-1740). Secrétaire d'État à la Guerre, il fait une longue carrière d'intendant avant d'accéder aux responsabilités ministérielles. Maître des requêtes depuis 1702, il est nommé intendant successivement à Alençon (la même année), en Dauphiné (1705), en Alsace (1715) et à Paris (1724). Ses mérites sont reconnus. Sous la Régence le garde des Sceaux le notait ainsi : «capable de tous les emplois». Son administration alsacienne avait été marquée principalement par la liquidation des dettes des communautés. C'est le 22 mai 1728 qu'il succède à Le Blanc comme ministre de la Guerre. Son ministère va durer douze ans (il mourra en charge). Il est donc le ministre en place lors de la guerre de Succession de Pologne. L'une de ses décisions les plus notables est d'incorporer la milice dans les troupes régulières afin de compléter les effectifs de l'armée d'Italie.

ANGIVILLER, Charles Claude de La Billarderie, comte d' (Saint-Remy-sur-l'Eau, Beauvaisis, 1730 - Altona, Allemagne, 1810). Il fut maréchal de camp et membre de l'Académie des sciences, mais il est surtout connu pour avoir exercé pendant une grande partie du règne de Louis XVI, de 1774 à 1789, les fonctions de directeur des Bâtiments du roi, et pour avoir, en cette qualité, apporté son soutien au mouvement néoclassique. On doit ajouter qu'il favorisa le renouvellement de la peinture d'histoire, en passant commande aux peintres Brenet et Vincent des compositions destinées à exalter les gloires nationales. Très lié aux milieux philosophiques il s'était acquis la reconnaissance de Mme Necker en l'aidant à former son salon, et en lui prêtant son amie, la comtesse de Marchais (qu'il épousera en 1781) afin de l'initier à la science du monde parisien. Homme de goût, il l'était aussi de sciences, ayant constitué un très beau cabinet de minéralogie (donné par lui en 1781 au Museum d'histoire naturelle). La Révolution ne fut pas clémente à cet homme éclairé. Accusé en 1790 de dilapidation des fonds publics, ses biens confisqués, il émigrera et finira sa vie en exil, réfugié dans un couvent en Allemagne.

ANGLOMANIE. L'anglomanie, c'est-à-dire l'engouement pour les usages et les choses d'Angleterre, a des origines philosophiques. L'idée que les Anglais pensent profondément était déjà répandue avant 1715. Les *Lettres anglaises* de Voltaire (1734) la fortifient et l'imposent à l'opinion. La franc-maçonnerie est importée d'Angleterre. Elle familiarise ses adeptes avec le théisme et le déisme anglais. La plupart des philosophes font le voyage d'Angleterre. Le premier livre publié par Diderot est une traduction de Shaftesbury (1745).

Passé 1750, tout ce qui compte dans les lettres, les arts et les sciences veut traverser la Manche. La liste de ces voyageurs serait interminable. On aurait plus vite fait de compter ceux qui ne font pas le voyage. Il n'y a pas encore d'anglomanie à proprement parler, mais un désir très vif et très généralement partagé de connaître l'Angleterre et les Anglais.

La manie apparaît, curieuse coïncidence, à la fin de la guerre de Sept Ans. En 1762, Georges Selwin, de retour de Paris, confie à Walpole : « Notre passion pour tout ce qui est français n'est rien auprès de la leur pour tout ce qui est anglais. » On a publié un livre intitulé *L'Anglomanie*. Très vite la passion tourne à la frénésie. *L'Anglomane* est le titre d'une pièce de Saurin, représentée pour la première fois devant le roi, le 5 novembre 1772. Sous le règne de Louis XVI, l'anglomanie gagne toute la grande noblesse, envahit la vie quotidienne et transforme les mœurs. La baronne d'Oberkirch écrit : « L'anglomanie fait des progrès immenses. »

La mode des jardins anglais et celle des courses de chevaux ont été les premières en date des manifestations de ce phénomène. Le premier jardin anglais est celui créé par le marquis de Girardin en 1764 dans son parc d'Ermenonville. Cet exemple est imité par plusieurs grands seigneurs. La première course est montrée aux Parisiens par le comte de Lauraguais en 1773. En 1780, Louis XVI dote certaines courses de prix importants. On importe des chevaux et des chiens anglais.

Dans les dernières années de l'Ancien Régime, l'anglomanie prend les formes les plus variées. On veut être anglais en tout. Dans les habits, dans le boire, dans le jeu, dans le confort et jusque dans la façon de se tenir, de marcher, de parler. « C'est aujourd'hui un ton parmi la jeunesse, écrit Sébastien Mercier, de copier l'anglais dans son habillement. Le fils d'un financier, un jeune homme dit de famille, le garçon marchand, prennent l'habit long, étroit, le chapeau sur la tête, la cravate bouffante, les gants, les cheveux courts et la badine. » Ce « vêtement long » n'est autre que le *riding coat* (francisé en redingote) qui sert pour monter à cheval. Les petits garçons eux-mêmes subissent la mode. On leur coupe les cheveux ras, on les costume en matelots à l'anglaise. Quant aux femmes, elles se chaussent de talons plats, se coiffent de chapeaux de castor et prennent à la main des cannes légères.

L'usage du thé était antérieur à l'anglomanie. Mais cette dernière apporte le «thé à l'anglaise» : on se sert soi-même, sans domestiques. La «table à l'anglaise» est la table de salle à manger. Les «berlines anglaises» sont des carrosses moins lourds. Les «lieux à l'anglaise» sont de nouvelles «commodités» qui remplacent les chaises percées. Marie-Antoinette en fait installer en 1773 dans ses appartements. «Marcher à l'anglaise» n'est pas marcher, mais trotter. Enfin on parle à l'anglaise, c'est-à-dire en faisant des fautes de français et avec l'accent anglais. En 1783, Fiske Kemball, de passage à Paris, écrit à la comtesse d'Upper Onory : «Peut-être, Madame, serez vous bien aise d'apprendre les dernières modes de Paris. C'est de parler un français incorrect, non pas pour ridiculiser les Anglais, mais pour nous imiter bassement.»

La langue elle-même subit la contagion. Elle adopte des mots anglais, par exemple toast, gentleman, square, boule-dogue, club, jury. Elle s'anglicise. Les économistes transposent le vocabulaire économique anglais. Turgot parle d'«intérêt terrien» pour rendre *landed interest*.

Si l'on imite les Anglais, c'est parce qu'on les admire. On les trouve excellents. Leurs philosophes «devraient être les précepteurs du genre humain». Leurs romanciers n'ont pas leur pareil. La tombe de Richardson, l'auteur de *Clarissa Harlowe*, devient l'une des étapes obligatoires du pèlerinage anglais. La comtesse de Tessé y tombe en pâmoison. Saurin fait dire à son Anglomane : «Chez ce peuple tout est sublime. Et chez nous il n'est rien d'utile, ni de beau.» C'est à peine forcé. L'admiration va jusqu'au ridicule. Mercier, par exemple, s'extasie sur la gentillesse des Britanniques vis-à-vis de leurs chevaux. «Si dans ce pays, nous dit-il, quelqu'un maltraite un cheval, il est aussitôt lynché.» Il veut voir là une «preuve incontestable de l'humanité du peuple anglais».

Il est vrai que l'anglomanie n'empêche pas l'anglophobie, vieille tradition nationale et qui ne saurait jamais dispa-

raître. La mode anglomane n'a guère touché que le grande noblesse. D'ailleurs anglomanie ne veut pas toujours dire anglophilie. On a noté que le grand essor de cette mode se produit après les désastres de la guerre de Sept Ans, à un moment où se manifeste avec vigueur la volonté de revanche sur l'ennemi héréditaire.

ANGOUMOIS. Cette province, dont Angoulême est la capitale, forme un gouvernement avec la Saintonge. Sa partie orientale (Angoulême) relève de la généralité de Limoges et sa partie orientale (Cognac) de la généralité de La Rochelle.

Les eaux-de-vie de Cognac «passent pour les meilleures du royaume» (Gibrat, *Traité de géographie moderne*, 1784). Les grandes maisons de Cognac se fondent à cette époque : Martell en 1715 et Hennessy en 1765.

Une fonderie est établie à Ruelle en 1750 par le marquis de Montalembert pour la fabrication des canons de marine.

ANJOU. La province d'Anjou est constituée des pays suivants : Mauges, Craonnais, Segréen, Entre Mayenne et Loir, Baugeois, Saumurois et Val-de-Loire, sans compter la ville d'Angers au cœur de la province. Pour l'administration l'Anjou dépend de l'intendance de Tours, mais elle possède deux gouvernements militaires : celui d'Anjou et celui de Saumur. Au point de vue ecclésiastique, la province et le diocèse d'Angers correspondent à peu près, mais non exactement : un bon nombre de paroisses méridionales relèvent soit du diocèse de La Rochelle (par exemple Cholet), soit du diocèse de Poitiers (par exemple Montreuil-Bellay).

Sauf en Val-de-Loire, pays fertile et dont les vignobles de Saumur et du Layon acquièrent en ce siècle une grande réputation internationale, l'agriculture angevine ne bénéficie pas de riches ressources naturelles ; les progrès agricoles sont insignifiants, les défrichements fort peu étendus. L'industrie stagne et les tentatives faites après 1760 pour la relancer n'aboutissent guère. On fabrique des draps à Angers, à Cholet et dans toutes les Mauges, et des toiles dans le Craonnais. Une manufacture de toiles peintes est fondée en 1752 à Angers. Enfin il faut signaler les deux raffineries de sucre d'Angers et de Saumur et les ardoisières de Trélazé.

En Val-de-Loire et dans tout le haut Anjou (Craonnais, Entre Mayenne et Loir) la société rurale est dominée par une nombreuse noblesse d'ancienne extraction dont une partie des membres (Brissac, Contades, d'Andigné, d'Armaillé, Scépeaux) possède de vastes seigneuries et mène une existence oisive et dispendieuse, partagée entre la province et la capitale ou la Cour (Ph. Béchu). La réaction seigneuriale sera ici très accentuée, ainsi que la réponse de la bourgeoisie à cette réaction.

Les loges maçonniques ne sont implantées que dans la moitié orientale de la province et à Angers mais, dans cette partie, elles sont très nombreuses ; des petites villes comme Doué-la-Fontaine et Saint-Maur-sur-Loire possèdent leurs loges.

Si dans les villes les plus importantes, on observe certains signes de déchristianisation (forte baisse des demandes de messes et déclin des confréries), il ne paraît pas que la vitalité religieuse de la province ait notablement diminué au cours du siècle ; elle a été entretenue par de bons évêques (Poncet de La Rivière et Vaugiraud), par les missions paroissiales répétées des jésuites, des lazaristes et des pères montfortains, et par les prières et les œuvres de soixante-treize communautés de religieuses (Guillerand).

Les calamités du XVIIe siècle (guerres civiles, épidémies, très mauvaise conjoncture climatique) avaient amoindri la vitalité de la province. Au XVIIIe siècle l'Anjou, écrit Xavier Martin, « mène une vie plutôt languide et torpide à l'image même de son chef-lieu, étriqué dans un corset de murailles qui ne garantit plus que le rendement des octrois [...]. L'archaïsme et la complexité des structures administratives encouragent [l'] immobilisme, en constituant en Anjou comme

ailleurs un réel dispositif d'amortisseurs aux impulsions venues de Versailles ou de Paris » (« L'Anjou et la centralisation administrative », dans P. Villard et J. M. Carbasse, *L'Unité des principaux États européens à la veille de la Révolution*, Paris, 1992, p. 188-189).

ANNATES. Les annates sont des droits payés au pape pour la provision des bénéfices consistoriaux. Ces droits sont acquittés par les nouveaux évêques et les nouveaux abbés lorsque le pape leur délivre les bulles de provision de leurs évêchés et de leurs abbayes.

ANNE HENRIETTE, dite **Madame Première** (14 août 1727 - 15 février 1752). Elle est l'une des deux filles jumelles, premières nées de Louis XV et de Marie Leszczynska. De tempérament très affectueux, elle est pendant sa courte vie l'âme de la société intime formée par le Dauphin et ses sœurs. L'esprit d'exactitude et d'humilité de l'École française de spiritualité anime sa piété. « Jamais, écrit l'abbé Carron, jamais on ne la vit retrancher de ses exercices, ni de ses prières. Elle ne se couchait qu'après les avoir faites à genoux, prenait ensuite de l'eau bénite, et au lit demeurait un temps considérable dans une espèce d'anéantissement devant Dieu. » On doit également souligner la ferveur de sa dévotion mariale. Elle récitait le chapelet très fréquemment, faisait dire, pendant les campagnes de Louis XV, des messes à Notre-Dame-des-Victoires, et s'y unissait d'intention.

ANTILLES. En 1715, les Antilles françaises se composent des îles suivantes : la Martinique, la Guadeloupe, la moitié orientale de Saint-Domingue, et les petites îles de Saint-Barthélemy, Saint-Martin, Saint-Vincent, la Dominique, la Désirade, Marie Galante, les Saintes, Sainte Lucie et la Grenade. Au traité de Paris, Saint-Vincent, la Grenade et la Dominique sont cédées aux Anglais. Colonies de rendement, la fonction des Antilles est de fournir à la métropole ces produits recherchés que sont le sucre et le café. Le XVIIIe siècle est pour les

« îles » une période de très grande expansion économique. Leur prospérité contribue de façon très importante à l'enrichissement français.

Les institutions administratives sont calquées sur celles de la métropole : un gouverneur général, lieutenant général pour le roi, résidant à la Martinique, un intendant et un gouverneur particulier dans chacune des îles. Un Conseil souverain, composé des principaux titulaires des postes administratifs et de quelques notables, juge en appel au civil et au criminel. Aux habitants qui se plaignent du despotisme administratif, le gouvernement accorde, après 1750, quelques satisfactions. Une ordonnance de 1763 abaisse le pouvoir militaire au profit du civil, et l'édit de 1759 crée quatre chambres de commerce et d'agriculture, organismes élus où les colons vont pouvoir se faire entendre.

Le développement de l'économie de plantation entraîne celui de la traite négrière ; la population esclave finit par représenter les quatre cinquièmes de la population totale. Déjà, en 1739, on comptait cent quatre-vingt-dix mille esclaves pour deux cent cinquante mille habitants.

Les deux premières cultures sont la canne à sucre et le caféier. La grande extension de l'économie caféière date de la deuxième moitié du siècle. Les premiers plants de café avaient été introduits dans l'île en 1726. On cultive aussi l'indigo et le coton. La grande exploitation est la norme. Les plantations sucrières (aux Antilles on dit « habitations ») ont une superficie équivalente à 500 ha et plus, les plantations de café sont moins étendues (entre 250 et 300 ha).

La production ne cesse d'augmenter ; c'est « l'essor antillais ». En 1777, les Antilles françaises produisent 77 000 tonnes de sucre, dont 60 000 venant de la seule île de Saint-Domingue. L'attraction antillaise sur le commerce de la façade atlantique française est de plus en plus forte. Bordeaux expédiait aux Antilles soixante-quinze à cent navires par an dans la décennie 1720-1730 et en envoie deux cent quarante et un par

année moyenne après 1780. Bordeaux, Nantes et La Rochelle sont les trois grands ports du commerce avec les îles. Bordeaux raffine le sucre ; Nantes et La Rochelle font la traite des nègres. Beaucoup de magistrats bordelais et d'armateurs nantais sont propriétaires d'« habitations ».

Le système de l'exclusif, auquel les règlements de 1717 et 1727 ont donné son statut définitif, tire son nom de ce que, réservant tout le commerce à la métropole, il interdit aux habitants des colonies d'acheter et de vendre à des étrangers. Les colons protestent et le système sera finalement adouci. En 1767, 1769 et 1781, des entrepôts sont établis pour y recevoir des marchandises étrangères, c'est-à-dire des marchandises provenant des treize colonies anglaises. On ne fait d'ailleurs ainsi que régulariser un état de fait. Les deux conflits de la guerre de Succession d'Autriche et de la guerre de Sept Ans avaient rendu impossible la stricte application du monopole. Les colons avaient alors pris l'habitude de commercer avec les Anglais et les Hollandais. Mais la libéralisation du monopole ne suffit pas aux planteurs. Dans les dernières années de l'Ancien Régime, on voit se développer chez eux un véritable esprit autonomiste, pour ne pas dire indépendantiste. Les *Considérations sur l'état présent de la colonie française de Saint-Domingue* (1776) de l'avocat du Cap-Français Hilliard d'Auberteuil, illustrent bien cette nouvelle mentalité qui est celle non plus de Français, mais de Franco-Américains.

Dans ce monde très particulier, les distinctions de richesse et de dignité comptent moins que l'origine géographique et la couleur de la peau. Les créoles dominent ; ce sont les Blancs nés dans la colonie. Ils représentent 25 à 40 % de la population européenne totale (Pluchon). Viennent ensuite en nombre décroissant les Blancs de France, les mulâtres, les Noirs libres (affranchis) et les esclaves. La société antillaise est une société profondément divisée par les préjugés raciaux : les mulâtres sont rejetés aussi bien par les Noirs que par les Blancs ; les

Noirs libres ne sont pas admis aux fonctions publiques. C'est aussi une société instable, déséquilibrée. Six pour cent des personnes produisent toute la richesse. Ce sont les propriétaires, les gérants et les cadres des plantations. Tous les autres sont d'une certaine manière des parasites. Il y a une classe nombreuse de marginaux et d'inutiles. Par ailleurs, il est bien rare que les Blancs venus de France prennent goût au pays et s'enracinent. Les propriétaires confient leurs exploitations à des gérants et passent la plus grande partie de leur temps dans la métropole. Pour le colon moyen, la vie quotidienne est souvent âpre et monotone. Les îles, parées de loin de charmes enchanteurs, se révèlent «un chantier impitoyable aux hommes» (Pluchon). Enfin, c'est une société qui n'a pas de fondements moraux solides. Beaucoup de femmes créoles sont légères et même galantes. Le concubinage et les liaisons ne choquent personne. L'esclavage est une tare profonde par son indignité. Il n'est pas sain pour une société d'entretenir de telles injustices et d'en vivre.

ANTIN, Louis Antoine de Pardaillan de Gondrin, marquis, puis duc d' (Paris, 1665 - id., 1736). Il est le fils du marquis et de la marquise de Montespan, et le beau-fils de Louis XIV par la main gauche. Cette semi-parenté royale lui a valu de grands honneurs. En 1715, il est chevalier des ordres du roi, lieutenant général des armées, directeur général des Bâtiments, duc et pair de France. La mort du Grand Roi n'entraîne pas sa disgrâce, et marque même pour lui le début d'une nouvelle élévation. Président du Conseil du dedans, puis membre du Conseil de régence, il accède au pouvoir politique. On le jalouse et certains le méprisent. Saint-Simon dit qu'il est poltron, le Régent, qu'il est «sans humeur et sans honneur». Mais tout le monde lui reconnaît des talents d'organisateur et de manieur d'hommes. Ce n'est pas une grande âme. Est-ce un grand esprit? On a publié de lui, en 1822, un *Discours de ma vie et de mes pensées*. Un examen attentif de cet ouvrage permettrait peut-être de donner à cette question un commencement de réponse. Est-ce un scrupuleux? Certainement pas. Nous savons qu'il a fait son profit du Système de Law. Mais, rare talent, c'était un homme qui savait aplanir les difficultés. Car il plaisait : «... né avec beaucoup d'esprit naturel, il tenait de ce langage charmant de sa mère et du gascon de son père, mais avec un tour et des grâces naturelles qui prévenaient toujours». Enfin sa présence à la direction des Bâtiments, de 1708 à 1726, a été un bienfait pour Versailles. Confident des projets de Louis XIV, il en a fait part à Louis XV, et en a ainsi permis la réalisation. Ce fut le cas en particulier du projet du salon d'Hercule, idée de Louis XIV, et réalisation de son successeur.

ANTOINE, Jacques Denis (Paris, 1733 - id., 1801). Architecte, il est surtout connu comme l'auteur de l'hôtel de la Monnaie de Paris (1771-1778). Fils de menuisier, il avait débuté comme maçon. Ses biographes ne lui connaissent pas de maître. Retenu sur concours, son projet de la Monnaie passa pour très novateur. Mais ses autres constructions ne montrent pas moins d'originalité (hôtels Brochet, de Saint-Pret, de Jaucourt et de Mirabeau, château de Charny). Après 1778, son style devint de plus en plus classique. De cette deuxième époque, datent la restauration du Palais de justice de Paris et divers ouvrages en province. Il eut de nombreuses commandes à l'étranger, à Madrid, à Berne et à Londres. Il sera le successeur de Boulle à l'Institut.

ANTOINE, Paul Gabriel (Lunéville, 1673 - Pont-à-Mousson, 1743). Jésuite, il est un des plus grands théologiens de la Compagnie. Religieux profès en 1693, il passe toute sa vie à régenter, d'abord dans les classes d'humanités de Pont-à-Mousson et de Colmar, ensuite dans celles de philosophie et de théologie de Pont-à-Mousson. Il mourra recteur de Pont-à-Mousson. Il a publié deux très gros manuels destinés aux étudiants de théologie, la *Theologia dogmatica* (Pont-à-Mousson, 1723) et la *Theologia mora-*

lis universa (Nancy, 1726). Ces deux ouvrages connaissent dans toute l'Europe un très grand succès. La *Theologia moralis* n'aura pas moins de soixante éditions. Benoît XIV l'apprécie et la prescrit aux élèves du collège de la Propagande. La théologie du P. Antoine est à la fois positive, c'est-à-dire fondée sur l'Écriture, et spéculative, c'est-à-dire appuyée sur le raisonnement et sur les démonstrations des docteurs. La théologie morale est d'orientation rigoriste. Saint Alphonse de Liguori la jugera très sévère.

ANVILLE, Jean-Baptiste Bourguignon d' (Paris, 11 juillet 1697 - *id.*, 28 janvier 1782). Géographe, membre de l'Académie des inscriptions et belles-lettres, il est présenté par L'*Encyclopédie méthodique* comme « le meilleur et le plus savant géographe qui ait peut-être existé ». On ne voit pas très bien ce qui justifie un tel éloge. Il était un honnête spécialiste de géographie ancienne, ayant publié entre autres études une *Notice de l'ancienne Gaule, tirée des monuments romains*. Sorte de savant Cosinus, il avait des manières qui prêtaient à rire. La même *Encyclopédie méthodique* fait une allusion discrète à « quelques ridicules dont M. d'Anville n'était pas exempt, mais qui étaient couverts et plus qu'excusés par sa célébrité ».

ANVILLE, Jean-Baptiste Louis Frédéric de La Rochefoucauld, duc d'. *Voir* LA ROCHEFOUCAULD D'ANVILLE, Jean-Baptiste Louis Frédéric de.

ANZIN (compagnie d'). La compagnie d'Anzin est la plus puissante société de l'industrie houillère.

Le mérite de la découverte du gisement de charbon du Hainaut revient au vicomte Jean-Jacques Desandrouin, bailli de Charleroi et résidant à Fresnes. Convaincu de l'existence du bassin, il commence les recherches en 1716 et les poursuit avec ténacité pendant dix-sept années. La découverte en 1734 d'une veine exploitable récompense enfin ses efforts.

La compagnie d'Anzin est formée le 19 novembre 1757 par la réunion de la société fondée par Desandrouin avec les entreprises créées par le duc de Croÿ et par le marquis de Cernay, seigneur de Raismes, pour l'exploitation des mines situées dans leurs seigneuries respectives. Le capital de la compagnie, constituée en société anonyme, comporte vingt-quatre parts ou sous, dont douze sont attribuées à Desandrouin, huit au marquis de Cernay et quatre au duc de Croÿ.

En 1789, la production de la compagnie d'Anzin atteint 300 000 tonnes. L'extraction se fait dans vingt-quatre puits dont le plus profond descend à 300 m. L'augmentation de la valeur de la part (de 15 000 livres en 1771 à 399 000 livres en 1781) témoigne éloquemment de la prospérité de l'entreprise.

APANAGE. On entend par apanage les terres données par le roi aux mâles puînés de France, c'est-à-dire aux mâles de sa lignée, à l'exception de l'héritier présomptif de la Couronne.

Un apanage avait été constitué en 1661 à Philippe d'Orléans, frère de Louis XIV. Les ducs d'Orléans successifs en auront la jouissance jusqu'à la Révolution. Cet apanage d'Orléans se compose des duchés d'Orléans, de Valois, de Chartres et de Nemours, du Palais Royal à Paris et de quelques autres seigneuries en Ile-de-France. En avril 1771, est institué l'apanage du comte de Provence (duché d'Anjou, comtés du Maine, du Perche et de Senonches) et, en octobre 1773, celui du comte d'Artois (composé primitivement des duché et comté d'Angoulême, des comté et vicomté de Limoges et du duché de Mercœur).

La constitution d'apanage fait exception à l'inaliénabilité du domaine royal. On doit cependant observer que l'apanage n'est pas une aliénation définitive. Si l'apanagiste décède sans enfants mâles, son apanage retourne à la Couronne. Par ailleurs, l'apanage ne donne pas une vraie propriété, la vraie propriété demeurant à la Couronne.

Cela dit, les apanagistes ont tous les

droits utiles. Ils nomment aux offices et font rendre la justice à leurs sujets au nom du roi et au leur. Ils reçoivent les hommages des vassaux et nomment aux bénéfices dépendant de leurs seigneuries.

APPEL (au concile). Lorsqu'on dit « l'appel » on entend, par cette manière de parler, l'appel au futur concile de la condamnation formulée par le pape Clément XI contre l'ouvrage janséniste du P. Quesnel, *Les Réflexions morales sur le Nouveau Testament*, dans la bulle *Unigenitus Dei Filius* du 8 septembre 1713. Dressé par le théologien Laurent François Boursier, docteur de Sorbonne, le texte de l'appel est signé le 1ᵉʳ mars 1717 par-devant notaire, par les quatre évêques de Mirepoix, Boulogne, Montpellier et Senez. Dans le cours du mois de mars, vont s'y rallier successivement la faculté de théologie de Paris, le cardinal de Noailles (en secret) et douze autres évêques. S'ajouteront dans les mois suivants aux signatures des prélats et des docteurs parisiens celles de trois mille ecclésiastiques, minorité dans le clergé français, mais minorité remuante et déterminée.

Déclaré nettement par Jean Gerson au xvᵉ siècle, le droit d'appeler du pape au futur concile est affirmé par l'article 40 des libertés gallicanes et par la déclaration du clergé de France de 1682. Ces textes portent en effet que le pape est soumis ou inférieur au concile.

Les appelants ne se contentent pas de signer l'acte d'appel sur les registres des officialités. Ils écrivent aussi au cardinal de Noailles pour lui témoigner de leur soutien. La lecture de ces lettres est éclairante. Elle fait voir l'esprit de l'appel. Elle montre que, pour les appelants, la constitution *Unigenitus* est contraire à la morale et à toute la doctrine et qu'elle représente un grand danger pour l'État et pour l'Église gallicane : « ... nous sommes convaincus, écrivent notamment les curés de Paris, qu'elle ne peut subsister avec les maximes les mieux établies dans la morale chrétienne ; qu'elle ôte la liberté à Dieu et de

Dieu, comme l'Écriture et la Tradition nous apprennent à en parler ; que si on lui donne l'autorité de chose jugée et reçue, la différence de la loi et de la grâce s'évanouit ; la vie de nos Rois et les droits du Royaume demeurent exposés aux préjugés, aux prétentions et aux intérêts d'hommes moins que médiocrement bien intentionnés pour l'État ; nos saintes libertés, restes précieux de la discipline des premiers siècles, tombent par terre [...]. »

APPEL COMME D'ABUS. L'abus est une vexation commise par un supérieur ecclésiastique à l'égard de l'un de ses inférieurs. Ce peut être aussi un empiètement de la juridiction spirituelle sur la temporelle, par exemple d'un official sur le juge laïque. L'appel comme d'abus est un moyen de réprimer l'abus. Les juges sont les cours supérieures.

Les jurisconsultes distinguent quatre sources d'abus :

— les infractions aux canons et décrets des anciens conciles reçus dans le royaume ;

— les contraventions aux ordonnances royales ;

— les infractions aux « libertés gallicanes » ;

— les empiètements des juridictions.

On peut appeler comme d'abus non seulement des sentences des juges des officialités, mais encore de n'importe quelle décision de l'autorité ecclésiastique (mandement épiscopal, provision de bénéfice, ordonnance synodale ou capitulaire).

Les jurisconsultes voient dans cette procédure le rempart des libertés gallicanes. En fait, les appels comme d'abus ont été bien souvent au xviiᵉ siècle, et sont encore souvent au xviiiᵉ siècle, un obstacle au développement de la réforme catholique en France. Ils ont servi à contester l'autorité des évêques réformateurs sur leurs chapitres et sur leurs curés, et l'autorité des supérieurs d'ordres sur les sujets de ces ordres. Ils ont contribué à freiner le recrutement des ordres religieux, les parents pouvant appeler comme d'abus s'ils n'approuvaient pas l'entrée en religion de leurs enfants.

ARCHEVÊQUES. L'archevêque est le premier des évêques d'une province ecclésiastique. Il est l'évêque métropolitain et les autres évêques de la province sont ses suffragants. L'ornement pontifical du *pallium* est sa marque distinctive.

Il y a en France dix-huit archevêchés et dix-huit archevêques : Paris, Lyon, Rouen, Sens, Reims, Tours, Bourges, Albi, Bordeaux, Auch, Narbonne, Toulouse, Aix, Embrun, Vienne, Arles, Besançon et Cambrai.

L'archevêque a sur son propre diocèse les pouvoirs de tout évêque, mais il a aussi la juridiction médiate sur les diocèses de sa province. Il lui appartient de convoquer les conciles provinciaux avec l'autorisation du roi. En 1722, Mgr Guérin de Tencin, archevêque d'Embrun, convoqua le concile d'Embrun, qui devait condamner l'évêque janséniste Soanen. Les archevêques ont également dans leurs attributions d'indiquer les assemblées provinciales pour nommer les députés aux assemblées du clergé de France.

ARCHIDIACRES. Un archidiacre est un bénéficier à charge d'âmes. L'archidiaconat est le bénéfice associé à la juridiction sur un archidiaconé (circonscription d'un diocèse). Il y a de deux à cinq archidiacres par diocèse (selon le nombre des archidiaconés). L'archidiacre est aussi une dignité du chapitre cathédral. Sa principale fonction est la visite annuelle des paroisses de son archidiaconé.

Les archidiacres vivent comme les chanoines. Ils ont une maison canoniale dans la ville épiscopale. Un archidiaconat est un bon bénéfice. Les dîmes en forment le principal revenu. En 1777, les archidiaconats d'Evreux, du Neubourg et d'Ouche en Normandie étaient estimés 800, 1 200 et 2 400 livres (Berthelot du Chesnay). Les archidiacres perçoivent également des droits sur les cures, lors de leurs visites annuelles.

ARCHITECTURE. Temps de paix, temps de prospérité, le XVIIIᵉ siècle est un âge heureux pour la construction et pour les architectes. Aux commandes traditionnelles du roi, des princes, des grands seigneurs et des communautés monastiques, s'ajoutent celles, de plus en plus nombreuses, des villes et de l'administration royale, pour des places, des perspectives, des promenades, des portes, des fontaines et des bâtiments administratifs ou à usage collectif (hôtels de ville, intendances, théâtres, hôpitaux).

L'Académie d'architecture, la Direction des bâtiments du roi et le premier architecte du roi sont les grandes institutions de l'architecture. L'Académie est, selon la formule de Louis Hautecœur, le «conservatoire libéral des théories classiques». Elle est consultée sur les projets des bâtiments du roi, ainsi que sur les questions de théorie.

La manière française de construire demeure fidèle à la stéréotomie classique, celle des XVIᵉ et XVIIᵉ siècles ; les voûtes sont donc massives et en pierre de taille. L'art de la distribution, spécialité française, s'affine : les formes des pièces sont diversifiées, les places perdues récupérées, la circulation rendue plus commode. L'usage des pièces en enfilade, selon la manière italienne, est banni. On doit noter aussi que ce siècle qui construit tant ne construit pas toujours très bien. Par exemple, à Paris, on voit des murs d'hôtels luxueux faits de pans de bois bourrés avec des moellons et des gravats.

Comme les autres arts, l'architecture subit le changement de style, et passe du rococo ou rocaille au néoclassique. Le passage se fait entre 1750 et 1770. On bannit ce que l'on appelle les «extravagances» de la rocaille et les «italianismes» du rococo. Pilastres et colonnades réapparaissent. On s'inspire de la Grèce. On découvre Palladio.

Le XVIIIᵉ siècle a beaucoup réfléchi sur le beau en architecture. Influencée par la philosophie sensualiste, l'Académie d'architecture professait que le beau n'est que ce qui plaît. La théorie du P. Laugier (*Essai d'architecture*, 1753) était différente : pour cet auteur, le principe de la Beauté était la raison. Mais pour être rationnelle, l'architecture devait être naturelle, c'est-à-dire s'inspirer de la cabane primitive, avec ses quatre troncs d'arbre comme soutiens, ses quatre parties horizontales et son toit. D'où les colonnes, les entablements et les frontons : dans ces trois éléments résidait selon le P. Laugier l'essence de tout ordre d'architecture. Cette étrange théorie connut un grand succès : on crut pendant longtemps que tout édifice, pour être beau, devait ressembler à un temple grec. Érigée en théorie philosophique, l'architecture prétend dominer les autres arts, et de fait les domine : les formes architecturales s'imposent dans le décor et dans le mobilier. Tout art devient architecture, puisque l'architecture est la raison.

ARGENS, Jean-Baptiste de Boyer, marquis d' (Aix-en-Provence, 1704 - château de la Garde, près de Toulon, 1771). Il est l'un des représentants les plus illustres des premières Lumières. Fils d'un procureur général au parlement de Provence, il refuse de faire carrière dans la magistrature, choisit les armes et se brouille avec sa famille. Après un bref passage dans l'armée, il voyage en Méditerranée, visite Constantinople et Tripoli. En 1734, il s'installe en Hollande, y fréquente le Refuge et y noue des liens avec les juifs et avec les libres penseurs. C'est pendant ce séjour hollandais qu'il publie ses principaux ouvrages, dont les *Lettres juives*, et acquiert une notoriété européenne. En 1741, il est en Allemagne où il exerce les fonctions de chambellan de la duchesse de Wurtemberg. Dans l'hiver 1741-1742, il accompagne la duchesse à Berlin où elle est allée rendre visite à ses fils étudiants dans cette ville. Le 19 mars 1742, Frédéric II lui écrit lui proposant de s'installer à Berlin et lui offrant une pension annuelle de 1 000 florins. Il accepte. C'est le début de la période berlinoise qui va durer vingt-six ans. Il s'établir à Berlin et s'y marie en 1749 avec Barbe Cochois, une ancienne actrice. Il participe à la création de l'Académie où il exercera un moment les fonctions de directeur de la classe des belles-lettres. Il

sert de lien entre l'Aufklärung et les Lumières. Il échange avec le roi une abondante correspondance. On a pu dire qu'il avait été le « véritable et peut-être unique ami » de Frédéric. En tout cas, il n'est guère payé de son loyalisme, le roi ne cessant de l'accabler de sarcasmes et de moqueries. En 1764, il vient en Provence et ne retourne à Berlin qu'en 1766 pour en repartir en 1768, cette fois définitivement. Il demande au roi sa retraite le 26 septembre 1768 et rentre en Provence à la fin de l'année. Il passe dans son pays ses dernières années, laissant à ses compatriotes le souvenir d'un bon vivant et d'un sage. On a de lui des *Mémoires* (1735), mélange curieux de fiction romanesque et d'autobiographie, des *Mémoires secrets de la république des lettres* (1737), les *Lettres cabalistiques* (1737), les *Lettres juives ou Correspondance philosophique, historique et critique, entre un juif voyageur en différents États de l'Europe et ses correspondants en divers endroits* (1739), les *Lettres chinoises* (1742) et une traduction de la *Défense du paganisme* de l'empereur Julien (1764). Les différentes « lettres » sont des lettres de voyage fictives. Les correspondants imaginaires des *Lettres juives* sont trois juifs qui voyagent selon les itinéraires fixés : Isaac Onis qui visite le Proche-Orient, Jacob Brito qui fait le tour de la Méditerranée occidentale et Aaron Monceca qui voyage dans l'Europe de l'Ouest. D'Argens subit l'influence de Bayle, du *Telliamed* de Benoît de Maillet et de certains manuscrits juifs clandestins contestant l'interprétation chrétienne des prophéties de l'Ancien Testament. Toute son œuvre est une dénonciation de la superstition. Selon lui, la superstition a toujours égaré tous les peuples, même les plus civilisés comme les anciens Grecs et les anciens Égyptiens. Cela n'empêchait pas ces peuples d'avoir une véritable morale. Car la morale — c'est une thèse des Lumières — est indépendante de la religion. Les anciens Égyptiens étaient assez stupides pour « changer un veau en Divinité », mais ils avaient en même temps « les principales et plus belles lois de la morale ». Sur les grandes religions révélées, d'Argens porte des jugements analogues. Il distingue dans le mahométisme et dans le judaïsme ce qui est fanatisme et ce qui est, selon lui, sage philosophie. Il a des mots très durs contre le fanatisme musulman. Il reprend à son compte les accusations formulées par certains chrétiens contre les juifs : « Les juifs se sont souillés du sang des innocents ; leur fanatisme les a conduits à leur malheur. » Mais il déclare trouver dans l'islam « des préceptes dignes de l'admiration des plus grands philosophes », et dit sa grande estime pour ce qu'il appelle « le véritable judaïsme dont la Loi est épurée », et qui n'est autre, semble-t-il, qu'un déisme. Le christianisme (dans sa forme catholique) est la seule des trois grandes religions qui lui paraisse totalement condamnable. Il la qualifie de « religion nazaréenne papiste » et l'accuse de « rendre inutiles la raison et la lumière naturelles ». On peut d'ailleurs se demander si ce qu'il apprécie dans le judaïsme et dans l'islam n'est pas tout simplement leur antichristianisme, leur refus de l'Incarnation. Est-il un déiste ? Ce n'est pas certain. Est-il spiritualiste ? Ce n'est pas sûr. Il éprouve en effet une étrange attirance pour les thèses soutenant la mortalité et la matérialité de l'âme. Dans quels sentiments est-il mort ? Nous l'ignorons. On sait seulement que dans son testament il demande à être enseveli « comme vrai chrétien dans l'église des pères Minimes de la ville d'Aix, au tombeau » de sa famille.

ARGENSON, Marc René de Voyer, marquis d'. *Voir* **VOYER, Marc René de,** comte, puis marquis d'Argenson.

ARGENSON, René Louis de Voyer, marquis d'. *Voir* **VOYER, René Louis de,** marquis d'Argenson, surnommé d'Argenson la Bête.

ARGENSON, Marc Pierre de Voyer, comte d'. *Voir* **VOYER, Marc Pierre de,** comte d'Argenson.

ARGENTAL, Charles Augustin de Ferriol, comte d' (Paris, 20 décembre 1700 - Paris, 5 janvier 1788). Factotum de Voltaire, il appartient à une famille philosophique. Il est le neveu de Mme de Tencin et le frère de Pont de Veyle. Ces Ferriol étaient de noblesse récente. Ils avaient été anoblis au XVIIe siècle par charges de judicature. Charles Augustin est d'abord magistrat, ensuite diplomate. Reçu en 1721 conseiller au parlement de Paris, il devient conseiller d'honneur en 1743 et quitte la magistrature active pour accepter le poste de ministre de Parme auprès de la cour de France. En fait, il s'occupe surtout de théâtre. Nul ne connut mieux le monde des acteurs. Il protégea Lekain. Il eut dans sa jeunesse une passion violente pour Adrienne Lecouvreur et fut l'héritier de celle-ci. Ami de Voltaire depuis le temps du collège, et fidèle ami (Voltaire l'appelait son « ange gardien »), il est à Paris l'un des correspondants et des commissionnaires du grand homme. Son rôle à lui est de servir d'intermédiaire, entre d'une part Voltaire et les acteurs et les directeurs de théâtre, d'autre part Voltaire et la censure royale. Il publie les pièces de Voltaire, les fait jouer, et même les retouche et les corrige afin de les adapter à la fois au goût du public et aux exigences des censeurs. La comtesse d'Argental, née Rose du Bouchet, assiste son époux dans ce travail délicat d'impresario et de réviseur. Les lettres à d'Argental tiennent une place importante dans la correspondance de Voltaire. Lorsque ce dernier vint à Paris en 1778, sa première visite fut pour son vieil ami. Et lorsqu'il parut au balcon de sa maison pour saluer la foule, ce fut encadré par Thibouville et d'Argental.

ARMÉE. La France connaît au XVIIIe siècle deux armées successives.

L'histoire de la première va jusqu'en 1762, date à laquelle commencent les réformes militaires de Choiseul. C'est l'armée qui fait la guerre (les trois guerres de Succession de Pologne, de Succession d'Autriche et de Sept Ans). Elle est nombreuse, atteignant près de deux cent quarante mille hommes en temps de paix et dépassant trois cent mille en temps de guerre. Elle est composée pour un cinquième en moyenne de régiments étrangers levés dans presque tous les pays d'Europe. Les corps français sont recrutés de deux manières différentes. Pour les troupes réglées ce sont les capitaines qui recrutent, formant eux-mêmes leurs propres compagnies. Pour les milices provinciales, c'est le roi. Le premier recrutement se fait naturellement ou par racolage (*voir* RECRUTEMENT), le second par tirage au sort. Cette armée est composée de trois armes, l'infanterie, la cavalerie et, depuis 1720, par la création du Royal Artillerie, l'artillerie. La plupart des charges d'officiers sont vénales, ce qui les fait ressembler aux charges civiles. Enfin, la qualité et la compétence des généraux sont très inégales. Il y a beaucoup d'incapables, mais quelques grands chefs, dont la plupart sont des étrangers (par exemple Saxe et Lowendal).

La seconde armée (1762-1789) est l'armée réorganisée par Choiseul, Saint-Germain et quelques autres ministres de la Guerre. Elle ne fait pas la guerre. L'intervention dans la guerre d'Indépendance américaine concerne surtout la marine. Le corps expéditionnaire envoyé en Amérique se compose de quatre mille hommes (3 % de l'effectif total). Cette armée d'un temps de paix est beaucoup moins nombreuse que la précédente : deux cent mille hommes environ sous le règne de Louis XVI. C'est une armée plus complexe. L'arme de l'artillerie prend vraiment consistance avec la création, en 1776, de sept régiments d'artillerie. Le corps du génie est militarisé. C'est une armée plus étatique : l'ordonnance du 10 décembre 1762 supprime le recrutement des capitaines et lui substitue celui du roi. C'est une armée uniformisée, rationalisée : la vénalité de toutes les charges militaires (à l'exception de celles de la maison du roi) est abolie le 25 mars 1776. Toutes les armes sont regroupées en divisions (16 en 1776, 21 en 1788) correspondant à des circonscriptions territoriales. La maison du roi est réduite sous prétexte d'économie, mais en fait parce qu'elle ne rentre pas dans les nouvelles normes. Enfin les hommes sont automatisés (depuis 1764 le soldat est dressé à la prussienne) et les officiers envoyés à l'école et invités à concevoir la guerre comme la répétition des exercices des manœuvres. C'est vraiment l'armée des Lumières. Que vaut-elle ? Comment le savoir ? Elle n'a jamais servi. Une chose est sûre : à la fin de l'Ancien Régime, le moral n'y était pas bon. La réaction nobiliaire (édit de Ségur de mai 1781) avait créé un climat de division chez les officiers. Atteints par la sensiblerie rousseauiste, beaucoup avaient acquis une mentalité pacifiste. Devenus des cœurs « sensibles » ils répugnaient même à punir les déserteurs de la peine capitale. Enfin, depuis les défaites de la guerre de Sept Ans, la condition militaire avait perdu la plus grande partie de son prestige et les vocations se faisaient rares.

ARMEMENT. Le fusil à platine, à baïonnette, à douille et à cartouche est l'arme de l'infanterie. En 1777, un modèle unique remplace tous les types existants. Ses caractéristiques sont les suivantes : calibre : 17,5 ; balles sphériques de 25 g ; portée pratique : une centaine de mètres ; cadence : 2 coups par minute. L'amélioration est considérable surtout par la cadence de tir. Pendant la guerre de succession d'Espagne, les fusils les plus perfectionnés ne tiraient pas plus de 9 coups par minute. Toutefois, la précision reste faible et l'encrassage du canon est très rapide. Tous les trente coups il faut changer le silex et uriner dans le canon pour le nettoyer. Le tir retarde l'avance d'une troupe. Les théoriciens recommandent de tirer le moins possible et en tout cas de ne jamais tirer les premiers.

Dans le domaine de l'artillerie, on observe un progrès de la normalisation et de la standardisation. Le système Vallière (1732) fixe à cinq le nombre des calibres, d'après les poids des boulets (4, 8, 12, 16, 24 livres) et établit un rapport entre les dimensions et les poids des pièces. Le système Gribeauval (1763) distingue quatre sortes d'artillerie (campagne, siège, place et côtes) et introduit l'interchangeabilité des éléments des pièces. Ce système représente aussi un net progrès de la mobilité par l'adoption de l'attelage à l'allemande (deux chevaux attelés de front) et par l'invention de la prolonge d'artillerie. Gribeauval est un partisan de l'artillerie légère («parti bleu») et s'oppose aux partisans de l'artillerie lourde («parti rouge»), (*voir* ARTILLERIE).

Cependant, la systématisation ne rend pas les canons beaucoup plus efficaces. Leurs performances ne se sont guère accrues depuis le XVe siècle. La cadence de tir n'est encore que de cinq coups par minute pour les boulets.

Les fabrications d'armement sont soumises au régime de l'entreprise. Les trois grandes manufactures d'armes sont celles de Saint-Étienne, Maubeuge et Charleville. Confiées à des entrepreneurs, elles sont contrôlées par des inspecteurs du ministère. Cependant, ces manufactures ne tournent pas au régime voulu. Lors de l'adoption du modèle 1777, on avait prévu une production de vingt mille fusils par an dans chaque manufacture. C'était beaucoup trop optimiste. La demande reste très en dessous. A la fin de l'Ancien Régime, les entreprises étaient largement déficitaires, et l'on songeait fortement à remplacer l'entreprise par la régie.

ARNAUD, François (Aubignan, près de Carpentras, 27 juillet 1721 - Paris, 2 décembre 1784). Abbé de Grandchamp, il est appelé ordinairement l'abbé Arnaud mais l'état ecclésiastique lui pèse peu. C'est un habitué des salons et un littérateur de gazette. Il a commencé au *Journal étranger* sa carrière de journaliste. Ensuite il est devenu le collaborateur de Suard et codirecteur avec lui de la *Gazette*. Il a mis ce qu'il avait de talent au service de la philosophie, de la musique de Gluck (dont il fut, selon l'expression de Morellet, «le grand prôneur») et du ménage Necker, qui l'en remercia en le nourrissant plusieurs fois par semaine pendant près de vingt ans, et

en le faisant élire à l'Académie française (1771).

ARNOULD, Sophie Madeleine (Paris, 14 février 1744 - *id.*, 1803). La plus aimable et sans doute la plus douée des chanteuses de son temps, elle est la fille d'un hôtelier. Elle était venue au monde rue de Béthisy, dans le vieil hôtel de Ponthieu, transformé par son père en garni, précisément dans la chambre où Coligny avait été assassiné, et où Mme de Montbazon, l'amie de Rancé, avait rendu le dernier soupir. Ses parents, malgré leur condition modeste et malgré la charge de leur cinq enfants, lui font donner des leçons de danse et de chant. Elle annonce de bonne heure qu'elle chantera «à séduire tout le monde». Pour le moment, elle chante dans les églises et ne séduit que les dévots. Un jour, la princesse de Modène l'entend. Elle est charmée, en parle autour d'elle. Fondpertuis, intendant des Menus, vient chercher Sophie et la présente à Mme de Pompadour. Francœur, surintendant de la Musique du roi, l'engage pour l'Opéra. Mme Arnould mère, craignant à juste titre pour la vertu de sa fille, refuse son accord. Il faut un ordre du roi pour vaincre la résistance maternelle. Sophie débute à dix-sept ans, le 15 décembre 1757. Elle obtient tout de suite un succès éclatant qui ne se démentira jamais. Le rôle de Théalire, dans *Castor et Pollux*, est longtemps son rôle de prédilection. Mais lorsque Gluck, en 1774, lui confie le rôle d'Iphigénie, elle y fait voir autant de talent qu'elle en avait montré dans la musique de Rameau. Les soupirants se pressent en foule. Le comte de Lauraguais use de subterfuges pour lui parler d'amour en présence de sa mère. Il se déguise en pauvre poète de province. Il l'enlève. Elle devient sa maîtresse. Et comme elle ajoute à la grâce l'esprit, elle est adoptée par tous les salons. Dufort de Cheverny raconte dans ses *Mémoires* (édition Guicciardi, p. 318) un souper où il était avec elle et plusieurs jeunes seigneurs chez Jonquoy de Monville : «Arnould, écrit-il, galante avec le chevalier de Coigny, qui lui faisait les doux yeux, fut pleine de grâce et d'esprit. » Au bout de quatre ans, elle rompt avec Lauraguais, puis se raccommode. Celui-ci s'étant absenté, elle a la faiblesse d'accepter les hommages et les cadeaux du prince d'Hénin, mais elle avoue que ce nouvel amoureux l'ennuie. Lauraguais alors assemble quatre docteurs de la Faculté, leur fait signer une consultation (11 février 1771) décidant que l'on peut mourir d'ennui, et finalement porte plainte contre le prince d'Hénin, sur le motif qu'il obsède la demoiselle Arnould au point de la faire mourir d'ennui.

En 1778, elle se retire de la scène, quitte Paris, s'installe à Luzarches et se consacre à son âme et à l'affaire de son salut. Ruinée par la Révolution, elle serait morte dans la misère si Fouché ne lui avait fait attribuer une pension de 24 000 francs et un appartement dans l'hôtel d'Angevilliers. Elle se confesse à l'heure de la mort, et comme elle avoue ses péchés au curé de Saint-Germain-l'Auxerrois, elle se met à pleurer en disant : « C'était le bon temps, j'étais si malheureuse ! »

ARRAS. Arras est évêché, capitale de l'Artois, siège des états de cette province et d'un conseil provincial. La ville a son propre gouverneur militaire et une importante garnison. Elle « est défendue par l'une des meilleurs citadelles du royaume » (Gibrat).

La population a notablement augmenté au cours du siècle, à la fois par croît naturel et par immigration. Elle est passée de 17 933 habitants en 1693 à 22 659 en 1790 (Nolibos).

L'essentiel de l'activité économique consiste en un très gros marché de grains. Quelques fabriques de savon et de sucre et quelques faïenceries se développent après 1760. Il subsiste encore des ateliers de dentelles mais la manufacture d'étoffes, gloire ancienne d'Arras, n'est plus qu'un souvenir.

C'est une ville de moines et de gentilshommes. On y dénombre sept monastères d'hommes et onze couvents de femmes. La célèbre abbaye Saint-Vaast

ouvre au public en 1784 sa bibliothèque unique de quarante mille volumes. Dans la noblesse arrageoise brillent d'un éclat particulier les illustres familles de la noblesse dite « entrante », les Montmorency, les Bonnières de Guines, les Croÿ et les Beauffort. A côté de leur faste, le sort précaire des ouvriers paraît d'autant plus misérable. En 1780, les dentellières, qui constituent le cinquième de la population, reçoivent un salaire de 12 à 15 sous par jour.

Longtemps réfractaire aux Lumières, la ville s'y ouvre peu à peu. Les Oratoriens, qui ont repris le collège après l'expulsion des Jésuites, favorisent les idées nouvelles. L'une des deux loges maçonniques est fondée en 1764 par le supérieur de l'Oratoire. L'académie d'Arras (ancienne société littéraire érigée en académie en 1773) adopte, sous le règne de Louis XVI, le langage et les thèmes des Lumières. Elle devient de plus en plus scientifique et utilitaire. Cette académie est remarquable par une initiative originale due à son secrétaire, Ferdinand Dubois de Fosseux. Ce dernier imagine en 1785 de mettre en place un « Bureau de correspondance » afin de relier l'académie avec toutes les autres compagnies savantes du royaume.

ARSENAUX (des ports). Les arsenaux des ports dépendent de la Marine du roi. Ce sont à la fois des chantiers de constructions navales et des dépôts de matières premières et de vivres. Certains arsenaux comportent des fabriques d'armement.

Il y a sept arsenaux : Toulon, Brest, Rochefort, Bayonne, Dunkerque, Le Havre et Marseille.

Brest et Toulon tiennent le premier rang par l'importance des constructions navales, le nombre des ouvriers, l'ampleur des travaux d'agrandissement et d'aménagement effectués. A Brest, à partir de 1740, sous la direction de Choquet de Lindu, sont édifiés plusieurs nouveaux bâtiments, forges, corderie, magasins, caserne et bagne. On installe aussi des équipements modernes, tels que machines à mâter et cales de construction.

En 1778, l'arsenal emploie plus de dix mille personnes (dont les forçats). A Toulon, le nouveau bassin conçu par les ingénieurs Macary et Groignard permet de supprimer l'arsenal de Marseille.

Rochefort est déchu de sa première grandeur et ne vient plus qu'au second rang. On y fait cependant de nouvelles constructions (poudrerie, abattoir de la marine et hôpital maritime). Dunkerque et Le Havre sont de petits arsenaux et leur capacité de construction reste limitée.

ARTILLERIE. L'artillerie avait été militarisée sous Louis XIV. L'arme comprenait alors deux régiments, le Royal-Artillerie et le Royal-Bombardiers. Les deux corps fusionnent en 1720, formant cinq bataillons. Une école est créée auprès de chaque bataillon. En 1765, ces bataillons donnent naissance à sept régiments. En comptant les six compagnies de pionniers, l'effectif de l'arme s'élève au début du règne de Louis XVI à environ neuf mille hommes.

L'artillerie est une arme savante. Très tôt, ses officiers ont reçu une formation théorique et pratique très poussée. A l'école de Metz, créée en 1689, sont venues s'ajouter celle de La Fère (1719) et trois autres établissements du même type. Après 1750, on entre dans ces écoles après avoir passé par l'École militaire de Paris. L'examen d'entrée porte principalement sur les mathématiques.

Sur la fonction de l'artillerie, les théoriciens sont divisés. Pour le maréchal de Saxe, l'artillerie est le moyen le plus efficace contre les formations serrées et profondes. Il l'a d'ailleurs utilisée à cette fin lors des batailles de Fontenoy et de Raucoux. Guibert est d'un avis contraire. Pour lui, l'artillerie n'est qu'un accessoire. On ne saurait l'appeler « l'âme des armées ». Elle ne décide pas de la victoire.

On s'efforce de plus en plus de lier l'action de l'artillerie avec celles des autres armes. Les ordonnances de janvier et février 1757 prescrivent d'affecter à chaque bataillon, au moment de l'entrée en campagne, une pièce de canon de 3, tirée par trois chevaux et servie par des canonniers. Pour le tir, Guibert fait adopter après 1776 les méthodes des tirs d'enfilade et des feux de croisement, qui interdisent un vaste espace à l'adversaire.

S'inspirant des exemples suédois et autrichien, Bélidor et Gribeauval soulignent les avantages d'une artillerie légère. Nommé par Choiseul inspecteur général de l'artillerie, Gribeauval fait réaliser un nouveau matériel conforme à ses vues, et l'expérimente avec succès à Strasbourg en 1763. Cependant, les partisans de l'artillerie lourde (Vallière et ses disciples, appelés le « parti rouge », par opposition au « parti bleu » de l'artillerie légère) ne cessent de réclamer contre ces innovations. Gribeauval et son parti n'imposeront définitivement leurs vues qu'après l'arrivée au ministère du comte de Saint-Germain.

ART MILITAIRE (théorie de l'). La théorie de la guerre est plus brillante que sa pratique : il y a plus de grands théoriciens que de grands chefs de guerre. Cette théorie est surtout tactique. La stratégie n'y tient que peu de place. Le mot stratégie n'est d'ailleurs pas employé.

Les six théoriciens majeurs sont le chevalier de Folard (*Nouvelles Découvertes sur l'art de la guerre*, 1724), le maréchal de Puységur (*Art de la guerre*, 1749), F. J. de Mesnil-Durand (*Projet d'un ordre français en tactique*, 1755), le maréchal de Saxe (*Esprit des lois de la tactique*, 1762), le comte de Guibert (*Essai tactique*, 1772) et le comte de Grimoard (*Essai théorique sur les batailles*, 1775).

Ces six auteurs ont en commun trois centres d'intérêt : la question du combat, celle de la préparation au combat et celle de l'« ordre ».

En ce qui concerne le combat, tous les théoriciens, sauf Guibert qui vante les vertus de la manœuvre défensive, sont partisans de l'offensive. Pour Folard, la conduite des opérations doit tendre à l'anéantissement de l'adversaire par l'assaut et le corps à corps. Élève de Folard,

Mesnil-Durand exprime la même idée. Ami de Folard, le maréchal de Saxe exalte l'attaque : «C'est le propre de la nation française d'attaquer.» Enfin, pour Grimoard, la bataille est l'action essentielle ; il faut la chercher dès le début des opérations. Nous sommes donc à l'opposé des prudences et des précautions du siècle précédent. On ne fera plus la guerre pour gêner ou pour empêcher l'adversaire, mais pour le détruire.

La préparation est très importante. Puységur préconise les manœuvres sur la carte, excellent moyen, selon lui, d'apprendre «sans faire la guerre […] toutes les parties de l'art militaire et d'en faire l'application sur le terrain». Selon Guibert, l'instruction méthodique du soldat doit comprendre les trois éléments suivants : éducation physique, exercices d'armes et d'évolutions, et étude des diverses situations de la guerre.

Le mot «ordre» est pris dans deux sens différents. Au premier il signifie la disposition de la troupe au combat. Si l'ordre est profond, il consiste en plusieurs colonnes profondes et serrées, chaque colonne étant formée de plusieurs bataillons placés les uns derrière les autres. L'ordre mince est un déploiement en lignes. Les partisans de l'ordre profond (Folard, Mesnil-Durand) s'opposent à ceux de l'ordre mince (Guibert). Au deuxième sens, l'«ordre» est la manière d'attaquer. Il est alors direct ou oblique, l'ordre oblique étant la disposition prise pour attaquer un ou plusieurs points d'une armée adverse, tandis qu'on tient les autres en échec.

A la différence de la théorie du XVIIe siècle, sorte d'essai sur l'art, celle du XVIIIe siècle, conçue pour l'application, tend à s'imposer à la pratique. Les principes en sont inclus dans les règlements tactiques édictés par le département de la Guerre (ordonnance sur l'exercice de la cavalerie du 22 juin 1755, ordonnance du 1er juin 1776 sur l'exercice de l'infanterie). A partir de 1770, les manœuvres sur la carte et sur le terrain se multiplient. Celles de Vaussieux, en Normandie (1778), font triompher les principes de l'ordre mince, déjà inclus dans l'ordonnance de 1776. Les théoriciens de l'ordre profond se sentent brimés. Faute de guerre réelle, les militaires livrent des batailles d'écoles.

ARTOIS. Autrefois l'une des dix-sept provinces des Pays-Bas, l'Artois fut rattaché au royaume par le traité des Pyrénées. C'est un pays d'états dont l'évêque d'Arras est président-né. Un Conseil souverain siège à Arras. D'abord englobée dans la généralité d'Amiens, la province dépend de l'intendance de Lille depuis 1754.

«Cette province, écrit le géographe Gibrat, est une des plus belles et des meilleures du royaume. Son terroir est fertile principalement en lin, blé et autres grains» (*Traité de géographie moderne*, 1784). Il faut y ajouter un élevage important. L'industrie est sans doute moins brillante. Les industries textiles ne sont plus que des survivantes. Cependant les manufactures de porcelaine et de tabac connaissent un bel essor à la fin de l'Ancien Régime.

L'Artois est pays d'instruction. Il y avait en 1789 un millier d'écoles dans la province, en comptant, il est vrai, celles du Boulonnais (Grevet).

ARTOIS, Charles Philippe, comte d' (Versailles, 9 octobre 1757 - Goritz, 6 novembre 1836). Devenu, en 1824, roi de France sous le nom de Charles X, il est le quatrième fils du Dauphin et de Marie-Josèphe de Saxe. De physionomie gracieuse, élégant et joli, plein de vitalité, il a une jeunesse mouvementée. On l'a marié à seize ans (le 16 novembre 1773) à Marie-Thérèse de Savoie, princesse laide et revêche, et peu capable de le retenir. Il a des maîtresses, dont Mlle Guimard, danseuse de l'Opéra, et Mlle Duthé, fameuse courtisane. Il a une écurie de course. En novembre 1776, toute la Cour prend des paris. Le meilleur cheval du comte d'Artois affronte en course le meilleur cheval du duc de Chartres. La reine parie pour le premier. Marie-Antoinette éprouve de l'affection pour son petit beau-frère. Il est son chevalier servant et l'accompagne au bal de l'Opéra. Mais le jeune prince commet aussi des incartades. Le 3 mars 1778, se trouvant en état d'ébriété, il insulte publiquement sa cousine la duchesse de Bourbon, et lui aplatit sur la figure un masque qui la couvrait. Le duc exige réparation, et, le 16 mars, les deux cousins font semblant de se battre en duel. Tout Paris en clabaude, et le crédit de la famille royale ne s'en trouve pas fortifié.

En politique, le comte d'Artois manifeste plus de sérieux. Aux deux assemblées des notables — il y préside le deuxième Bureau — son attitude est constante : il appuie la réforme fiscale et combat l'opposition parlementaire et libérale. Il n'est pas favorable à la double représentation du Tiers, et signe en décembre 1788 le «Mémoire des Princes» avertissant le roi des périls courus par l'État. Il a surtout le grand mérite de soutenir, et de soutenir jusqu'au bout, le seul ministre clairvoyant de Louis XVI, c'est-à-dire Calonne.

Ainsi mérite-t-il l'impopularité. Le 17 août 1787, il doit représenter le roi à la Cour des aides, et y faire enregistrer les édits fiscaux. Il est accueilli par des huées et des sifflets. Conscient de la haine qu'il suscite, il est le premier à émigrer (16 juillet 1789).

La suite appartient à une autre histoire. Ce sont les voies de l'exil et les chemins du retour. Pour bien comprendre le personnage, il faut savoir qu'il a été un exilé pendant trente et une années de sa vie. En 1824, à l'âge de soixante-sept ans, il accède au trône. L'année suivante, il est sacré à Reims (29 mai 1825). Il est le dernier roi de France sacré. L'épisode le moins glorieux de sa vie n'est nullement sa défaite de 1830 — nul n'a jamais montré dans l'épreuve plus de dignité — mais, trente-cinq ans plus tôt, sa promesse non tenue aux Vendéens. Le 30 septembre 1795, il avait fait annoncer à Charette sa prochaine arrivée à l'île d'Yeu, et son intention de débarquer en Vendée le 12 octobre. Puis, quelques jours plus tard, pour des raisons qui ne sont pas encore bien élucidées, il avait renoncé. «Sire, aurait écrit Charette à Louis XVIII, la lâ-

cheté de votre frère a tout perdu.» Propos non vérifiés, et d'ailleurs trop durs. Ce prince était capable de fidélité, sinon de tout le courage nécessaire pour être fidèle.

ASFELD, Claude François Bidal, chevalier, puis marquis d' (2 juillet 1667 - 17 mars 1743). Il est le dernier des quatre fils d'un gentilhomme allemand, ministre de Christine de Suède auprès de Louis XIV. Ayant commencé à servir dès l'âge de seize ans dans les dragons du régiment d'Asfeld, il se distingue dans toutes les campagnes du règne de Louis XIV et s'illustre particulièrement dans celles d'Espagne et du Portugal, de 1705 à 1709. Nommé à l'armée d'Italie le 6 octobre 1733, il en exerce le commandement jusqu'à l'arrivée de Villars. Passé ensuite à l'armée d'Allemagne, il en prend le commandement le 12 juin 1734, après la mort de Berwick, est nommé maréchal de France le 14 juin, et reçoit le 18 juillet la capitulation de Philippsbourg. Avec la prise de Worms peu après, ce seront là ses derniers faits d'armes ; sentant l'usure des années, il se retire du service.

ASSAS, Louis, chevalier d' (Le Vigan, 26 août 1733 - Clostercamp, Westphalie, 16 octobre 1760). Capitaine au régiment d'Auvergne, il est fameux par son sacrifice héroïque. Dans la nuit du 15 au 16 octobre 1760, il commandait près de Clostercamp une garde avancée. Comme il sortait pour inspecter les postes, il rencontra les troupes ennemies. Celles-ci s'avançaient en silence, espérant surprendre l'armée française. Il est pris, menacé d'être tué si un seul mot sort de sa bouche. Le sort de l'armée dépend de lui. Il n'hésite pas et s'écrie : «A moi Auvergne, ce sont les ennemis.» Aussitôt, il tombe frappé à mort. Sur le moment, cet épisode glorieux passa inaperçu, puis divers littérateurs en parlèrent. Parmi eux Voltaire dans son *Précis du siècle de Louis XV*. Le chevalier d'Assas devint alors un héros national et un modèle pour les élèves des écoles militaires. Selon le comte Pajol

(*Les Guerres sous Louis XV*, t. V, p. 97), qui se fonde sur le témoignage de Grimm, le mot attribué au chevalier ne serait pas de lui, mais du sergent Dubois, qui l'accompagnait.

ASSEMBLÉE DES NOTABLES. Une assemblée des notables est une assemblée convoquée par le roi et destinée à l'éclairer et à le conseiller. C'est une sorte de « conseil élargi » (Mousnier). Plusieurs assemblées de ce genre avaient été réunies au XVIIᵉ siècle, la dernière par Richelieu en 1626. Louis XVI en convoque deux : en 1787 et en 1788. La première siège du 22 février au 25 mai 1787, la seconde du 6 novembre au 12 décembre 1788. L'une et l'autre se tiennent à Versailles à l'hôtel des Menus-Plaisirs dans une salle aménagée pour la circonstance et qui resservira pour les états généraux.

Ces deux assemblées sont composées de représentants des trois ordres. La première compte 144 membres répartis comme suit : 7 princes du sang, 14 prélats, 36 gentilshommes titrés, 12 membres du Conseil d'État, 37 magistrats des cours souveraines, le lieutenant civil du Châtelet, 12 députés des pays d'états et 25 chefs municipaux des villes les plus importantes. L'assemblée est divisée en sept bureaux qui sont autant de groupes de travail. Chacun est présidé par un prince du sang. Il n'y a pas de division du travail. Tous les bureaux examinent en même temps les mêmes affaires. La deuxième assemblée se composera de 147 membres, dont 46 n'avaient pas siégé l'année précédente. Elle sera répartie en 6 bureaux au lieu de 7.

La première assemblée est consultée par Calonne sur les grands projets de réforme financière et économique qui lui tiennent à cœur. Bien naïvement, il s'attendait à un soutien de la part de ces notables dont plusieurs (et en particulier les princes du sang) lui devaient beaucoup. Son attente est déçue. L'assemblée combat ses projets, surtout celui de la subvention territoriale. Elle les combat même si bien que Louis XVI y renonce et renvoie Calonne. Il appelle Loménie, mais ce dernier ne réussit pas davantage

à convaincre les notables de la nécessité d'une réforme fiscale. Il dissout l'assemblée. Le bilan de cette première expérience est entièrement négatif.

Cela n'empêche pas Necker de la répéter. En 1788, il convoque la deuxième assemblée des notables et la consulte sur la question de la forme des états généraux : doit-on changer la forme des états de 1614 et adopter le doublement du tiers et la délibération en commun ? La réponse est négative comme il fallait s'y attendre. Seul le premier bureau présidé par le comte de Provence se déclare favorable aux réformes souhaitées par le tiers état. La seconde assemblée n'est donc pas plus utile que la précédente.

ASSEMBLÉES DU CLERGÉ DE FRANCE. Les assemblées du clergé de France se réunissent pour discuter des affaires temporelles du clergé, et pour traiter avec le roi de toutes les questions politiques, sociales et religieuses intéressant l'Église gallicane. Elles sont périodiques et convoquées par le roi.

On distingue trois sortes d'assemblées : les grandes, les petites et les extraordinaires. Les grandes sont appelées aussi assemblées de contrat, parce qu'elles renouvellent le contrat avec le roi au sujet du don gratuit. Elles ont lieu tous les dix ans, les années se terminant par cinq. Les petites, ou assemblées de comptes, se réunissent tous les dix, les années se terminant par zéro. Les assemblées de contrat se composent de soixante-quatre députés, les petites et les extraordinaires de trente-deux. De 1690 à 1788, trente-six assemblées au total ont été réunies. Les agents généraux du clergé défendent les intérêts du premier ordre et de l'Église gallicane dans l'intervalle des assemblées.

La durée des assemblées varie de un à six mois. Toutes les grandes assemblées ont duré au moins trois mois. Toutes les assemblées se tiennent à Paris au couvent des Grands-Augustins.

Il y a toujours un nombre égal de députés du premier ordre et de députés du second ordre. Ces expressions signifient les archevêques et les évêques pour le premier ordre, et les autres clercs pour le second. Les députés du second ordre sont généralement élus parmi les gros bénéficiers et les vicaires généraux. Les élections sont à deux degrés.

Les assemblées du clergé sont de véritables assemblées délibérantes. Elles élisent un président, un bureau et des commissions de travail. Elles établissent un ordre du jour, votent des décisions et en contrôlent l'exécution. Les présidents sont toujours des archevêques. La Roche-Aymon, archevêque de Reims, a détenu le record des présidences : il a présidé toutes les assemblées de 1760 à 1775. Les commissions les plus importantes sont celles du don gratuit et celle du département des impositions. L'Assemblée paie le don gratuit avec un impôt sur les bénéfices appelé décimes.

A partir de 1745, les assemblées du clergé adoptent une attitude très critique vis-à-vis du pouvoir royal. Estimant que les droits du clergé et ceux de la religion sont menacés, elles s'en font les défenseurs et multiplient les protestations. Elles protestent contre les entreprises des juges séculiers, contre les atteintes aux immunités fiscales du clergé, contre les assemblées des protestants, contre le laxisme de la censure à l'égard des « mauvais livres » et contre l'abandon des lois sur la sanctification du dimanche. L'assemblée de 1770 publie un *Avertissement sur les dangers de l'incrédulité,* celle de 1775 un *Avertissement sur les avantages de la religion chrétienne.* Mais le roi fait la sourde oreille. Il répond à peine, et parfois même omet de répondre.

Ni la noblesse ni le tiers état ne sont ainsi représentés auprès du roi. Le clergé jouit avec ses assemblées d'un privilège unique. Les assemblées du clergé rappellent constamment au prince l'alliance séculaire qui unit en France le trône et l'autel.

ASSEMBLÉES PROVINCIALES. Les assemblées provinciales sont des assemblées administratives créées à la fin de l'Ancien Régime dans les pays d'élection. Leur fonction principale est la répartition de l'impôt.

L'idée de doter les pays d'élection d'assemblées représentatives apparaît après 1750. Elle est formulée pour la première fois par Chaumont de La Galaizière, dans un mémoire adressé au Dauphin. Les physiocrates s'en emparent. Le *Mémoire sur les municipalités* remis au roi par Turgot en 1775 propose la création d'un système de trois assemblées superposées, correspondant aux paroisses, aux élections et aux provinces. Ces assemblées seraient composées uniquement de propriétaires fonciers. La distinction des trois ordres n'y serait pas observée. Ce projet n'est pas retenu.

Les premières assemblées provinciales sont créées par Necker, en Berry et en Haute-Guyenne. Celle du Berry est instituée par l'arrêt du Conseil du 12 juillet 1778, celle de Haute-Guyenne par l'arrêt du Conseil du 11 juillet 1779. Ce sont des assemblées expérimentales en quelque sorte. En 1778, Necker avait remis au roi un mémoire sur les assemblées provinciales. Il aurait voulu étendre l'expérience. En 1781, des lettres patentes créent une troisième assemblée en Boulonnais, mais le parlement de Paris refuse d'enregistrer. Les magistrats ont eu connaissance du mémoire sur les assemblées provinciales, et en ont pris ombrage. Necker y reprochait aux parlements d'avoir excédé leurs prérogatives.

Calonne veut reprendre le projet. Il n'en a pas le temps. C'est finalement Brienne qui généralise l'institution. L'édit de juin 1787 porte création d'une triple représentation : assemblées municipales, assemblées de départements et assemblées de provinces. Il y a une assemblée provinciale par généralité. Cependant, les généralités les plus étendues ont plusieurs assemblées. La généralité de Tours par exemple en a trois : Maine, Anjou et Touraine.

Les mêmes principes ont été retenus pour les créations de 1778-1779 et pour celles de 1787. La distinction des ordres est conservée, mais la représentation du tiers est doublée. Le vote a lieu par têtes et non par ordres. La présidence est assurée par la noblesse et par le clergé. Une commission intermédiaire siège entre les sessions.

Les assemblées provinciales ne sont pas des états. Elles n'ont pas le pouvoir de consentir l'impôt, mais seulement de le répartir, ainsi que les dépenses. L'intendant ne disparaît pas. Il ouvre et clôture les sessions. Il est mis au courant des travaux de l'assemblée. Il reste ordonnateur de toutes les dépenses. Les assemblées provinciales constituent un essai de décentralisation, mais un essai timide.

Les premières assemblées créées, celle de Berry et de Haute-Guyenne, ont eu le temps de faire leurs preuves. Leur bilan est modeste. Elles n'ont guère amélioré le système fiscal. Leurs intentions dans ce domaine étaient contradictoires. Elles voulaient « soulager la partie la plus faible », mais sans porter atteinte aux prérogatives « de la plus puissante et de la plus riche ». Elles ont eu des initiatives économiques et sociales intéressantes. Citons par exemple, pour l'assemblée de Haute-Guyenne, un projet de cadastre, un emprunt de 1 500 000 livres pour les grands chemins et l'ouverture d'ateliers de charité.

Les assemblées de 1787 n'ont siégé qu'une fois. Leur unique session, ouverte début novembre 1787, s'est achevée en décembre. La deuxième session était prévue pour octobre 1788. Necker la suspend. Maurice Bordes parle de l'« échec » des assemblées provinciales et leur reproche leur « attitude conservatrice ». C'est peut-être juger vite et sur une expérience trop courte.

ASSOLEMENT. Les différents systèmes d'assolement font alterner cultures et jachère. Dans l'assolement triennal, les terres de culture sont divisées en trois soles portant pour un tiers du froment semé en octobre, pour un tiers des menus grains semés au printemps sur chaumes de froment labourés une ou deux fois, et pour un tiers en jachère et recevant diverses façons pour un nouvel ensemencement en froment. L'assolement biennal comporte une alternance régulière entre l'ensemencement du froment en automne, plus rarement au printemps, et la jachère. Le triennal est pratiqué en Île-de-France, dans le Nord, en Normandie, en Lorraine et généralement dans les régions les plus fertiles. Le biennal est l'assolement du Sud-Ouest, des pays méditerranéens, du Poitou, de l'Alsace et de la Franche-Comté. Il arrive que les deux assolements coexistent dans la même région. C'est le cas par exemple autour de Châtellerault. Quel que soit le type d'assolement, la durée de la jachère peut être de deux années ou plus, si le sol est maigre.

Les partisans de l'agriculture nouvelle demandent la suppression de la jachère. Mais on ne peut citer qu'une seule province, la Flandre, où cette suppression ait été vraiment réalisée. A la fin de l'Ancien Régime, la plupart des régions conservent la jachère sur la plus grande partie de leurs terres labourables. Seuls quelques grands propriétaires éclairés parviennent à se passer des jachères, soit en employant de grandes quantités d'engrais, soit en substituant à la jachère des cultures de légumineuses ou de plantes fourragères. Il faut d'ailleurs souligner que la suppression de la jachère ne fait pas l'unanimité. Si la majorité des agronomes en sont partisans, une minorité y est hostile. Dans son *Cours complet d'agriculture* (1781), l'abbé Rozier choisit le juste milieu : « Des écrivains, dit-il, ont voulu tout à coup convertir les champs du royaume moitié en grains, moitié en prairies artificielles ; ils ont eu raison jusqu'à un certain point. Il seroit à désirer que les choses fussent ainsi. Peuvent-elles l'être ? Je ne le crois pas. Le climat, l'exposition, la nature du sol y mettent obstacle dès qu'on veut trop généraliser [...] » (p. 720).

ASSURANCES. Pendant longtemps, les seules assurances avaient été maritimes. La première législation française dans le domaine des assurances est le *Code de la marine* de Colbert (1681).

L'assurance contre l'incendie avait été inventée par les Anglais après l'incendie de Londres de 1666. Plusieurs sociétés d'assurances contre ce type de sinistre s'étaient fondées outre-Manche entre 1667 et 1720. En France, les premiers organismes d'assurances contre l'incendie sont des créations épiscopales ou municipales. Les évêques de Langres, Troyes et Reims mettent sur pied des caisses diocésaines. Des bureaux des incendies sont institués par les villes de Paris (1717), Troyes (1760), Châlonssur-Marne (1774) et Soissons (1779). Il faut attendre les toutes dernières années de l'Ancien Régime pour voir naître les premières grandes compagnies d'assurances : la Compagnie d'assurances contre les incendies fondée par Labarthe en 1786, et la Compagnie royale d'assurances vie (1787) devenue, en 1788, Vie et Incendie.

ASTRONOMIE. Le XVIIIᵉ siècle hérite du XVIIᵉ siècle la passion de l'astronomie. Le ciel est observé de toutes parts. A Paris, on ne recense pas moins d'une vingtaine d'observatoires, sans compter celui du roi, fondé en 1673 et dirigé jusqu'en 1793 par la dynastie des Cassini. En province, plusieurs académies et de nombreux collèges de jésuites possèdent leurs observatoires. Il existe aussi beaucoup d'observatoires privés. Les grands périodiques font une large place aux nouvelles du ciel. Par exemple, dans leur numéro du mois de janvier 1729, les *Mémoires de Trévoux* publient les « Immersions et émersions des satellites de Jupiter » dans le mois écoulé.

Dans les annales de l'observation et de la découverte, les travaux de deux ecclésiastiques, l'abbé Lacaille et le chanoine Pingré, méritent une mention spéciale. Lacaille est l'auteur d'un *Caelum australe stelliferum* (1763), où se trouvent recensées les positions de dix mille trente-cinq étoiles du ciel austral. La *Cométographie* de Pingré (1783) fait le point des connaissances acquises en matière de comètes.

Les mouvements des planètes et des comètes sont étudiés en partant des principes de la mécanique newtonienne. D'Alembert, Clairaut, Lagrange et Laplace s'efforcent de résoudre le problème des « trois corps », c'est-à-dire l'équation du mouvement troublé d'une planète subissant les attractions de deux autres corps. Clairaut étudie la comète de Halley et annonce son passage au périhélie pour la mi-avril 1759. Il ne se trompe que d'un mois : la comète se manifestera à la mi-mars.

La Terre est-elle aplatie aux pôles, comme le pense Newton, ou au contraire allongée, comme le croit J. D. Cassini ? Deux expéditions françaises tranchent le débat en faveur de Newton, en allant mesurer l'une un arc de méridien polaire (expédition Maupertuis en Laponie en 1735-1737), l'autre un arc de méridien équatorial (expédition La Condamine-Bouguer, 1735-1744).

Après avoir un temps boudé les thèses newtoniennes, la science française finit par s'y convertir entièrement, et manifeste alors en leur faveur le zèle intempestif des convertis. On veut tout expliquer, même les phénomènes biologiques, par l'attraction universelle. La vogue du magnétisme vient en partie de cet engouement. On croit communément que les planètes exercent une action sur le corps humain, par l'intermédiaire d'un fluide qui pénètre tout. La mécanique céleste exerce même une influence sur ce qu'on appelle, à l'époque de Louis XVI, les sciences morales et politiques. Condorcet, par exemple, conçoit une politique mécaniste régie par les lois mathématiques gouvernant l'univers.

ASTRUC, Jean (Sauve, près du Vigan, 19 mars 1684 - Paris, 5 mai 1766). Médecin, il avait été à Montpellier l'élève de Chirac. D'abord professeur d'anatomie à Toulouse, il est ensuite nommé à la faculté de médecine de Montpellier, puis au collège royal. Médecin consultant de Louis XV, premier médecin d'Auguste II, roi de Pologne, il est comblé d'honneurs et jouit d'une réputation qui n'est pas usurpée. Il a laissé une œuvre très abondante sur divers sujets de médecine, et, en particulier, sur les questions de la digestion (*Traité de la cause de la digestion*, Toulouse, 1714), de l'épidémiologie (*Dissertation sur l'origine des maladies épidémiques, et parti-*

culièrement de la peste, 1722), de l'obstétrique (*L'Art d'accoucher, réduit à ses principes*, 1768), des maladies vénériennes (*De Morbis venereis, libri sex*, Paris, 1736), et de l'inoculation, dont il est l'adversaire (*Doutes sur l'inoculation*, Paris, 1756). Mais il n'était pas enfermé dans sa discipline. Homme d'une très vaste culture, il s'intéressait à tous les domaines du savoir. On disait de lui qu'il savait tout, même la médecine. Cependant l'histoire naturelle et l'exégèse eurent sa préférence. Il publia des *Mémoires pour servir à l'histoire naturelle du Languedoc* (1737) et, sous l'anonymat, des *Conjectures sur les Mémoires originaux dont Moïse s'est servi pour écrire la Genèse* (1753). Ce dernier ouvrage fait date dans l'histoire de l'exégèse. Tout en affirmant l'origine mosaïque du Pentateuque, Astruc suggère que, pour composer le livre de la Genèse, Moïse aurait mis ensemble, et comme entrelacé, deux mémoires antérieurs existant et indépendants l'un de l'autre. Il s'appuie sur les variations de vocabulaire, et en particulier sur les noms donnés à Dieu, appelé tantôt Yahweh, tantôt Elohim. Cette découverte est aujourd'hui jugée très importante. On estime qu'elle marque le début de l'exégèse moderne.

AUBAINS (droit d'aubaine). On appelle aubains les étrangers au royaume. Aubains s'oppose à régnicoles. Le mot vient du latin populaire *alibanus* (de *alibi* qui signifie «ailleurs»). Le droit français est très rigoureux à l'égard des aubains. Ils ne peuvent tenir ni offices ni bénéfices. Ils ne peuvent recueillir ni succession ni legs et ne peuvent pas donner si ce n'est par donation entre vifs ou don mutuel.

On entend par droit d'aubaine le droit donné au seigneur, en échange de sa protection, à la succession des aubains décédés dans sa terre sans laisser d'héritiers directs. Ce droit, comme le droit de franc-fief, est, depuis le XVIe siècle, une prérogative réservée au roi.

Les biens meubles et rentes constituées des marchands étrangers fréquentant les foires de Lyon sont exemptés du droit d'aubaine. Cette règle posée par un édit d'Henri III de mars 1583 est appliquée au XVIIIe siècle aux rentes souscrites par les capitalistes étrangers. De même bénéficient de l'exemption les effets mobiliers que les ambassadeurs étrangers ont en France, et les biens meubles des écoliers étudiant dans les universités du royaume, pendant le cours de leurs études.

AUBERT, Jean (? - 13 octobre 1741). On sait peu de chose sur la vie de cet architecte de caractère très discret dont le père était entrepreneur de charpente du roi. Il débute comme dessinateur chez Hardouin-Mansart, puis entre au service des Bourbon-Condé. Son chef-d'œuvre est sans conteste les grandes écuries de Chantilly, construites entre 1721 et 1735 ; cet immense bâtiment, palais des chevaux et des chiens, est construit à part du château, contrairement à la tradition. Pour justifier cette grandeur, on a dit que Louis III de Bourbon croyait à la métempsycose. Le style des grandes écuries est sobre et majestueux, avec une dominante horizontale.

A Chantilly, on lui doit divers travaux au château et la décoration des appartements des princes. Il fit aussi des travaux à Saint-Maur.

A Paris, il collabora à la construction de deux hôtels remarquables : l'hôtel de Lassay (aujourd'hui résidence du président de l'Assemblée nationale), dont il signa aussi le décor intérieur, et l'hôtel Peyrenc de Moras (aujourd'hui musée Rodin).

AUBERT, Louis Urbain, marquis de Tourny. *Voir* **TOURNY, Louis Urbain Aubert,** marquis de.

AUGET DE MONTYON, Antoine Jean-Baptiste Robert. *Voir* **MONTYON, Antoine Jean-Baptiste Robert Auget de.**

AUGUSTINES. Les Augustines sont un ordre religieux très ancien, dont la première origine remonte aux premiers siècles de l'Église en Occident. Leur vocation est hospitalière. Elles tiennent de nombreux hôpitaux. Plusieurs congrégations réformées constituent des branches séparées. Ce sont par exemple les augustines hospitalières de Saint-Thomas de Villeneuve, fondées au XVIIe siècle, implantées surtout en Bretagne, et la congrégation Notre-Dame, fondée en 1597 par saint Pierre Fourier, pour l'instruction des filles.

AUGUSTINS. Les augustins sont des religieux mendiants qui suivent la règle de saint Augustin. Ils ne doivent pas être confondus avec les chanoines réguliers de Saint-Augustin (génovéfains, prémontrés).

L'ordre est implanté dans plusieurs pays. Le général réside à Rome. En France, les augustins sont séparés en deux branches, les Grands Augustins et les Augustins réformés, dits «Petits Pères». Les premiers avaient au début de 1790 six cent quatre-vingt-quatorze religieux, et les seconds à la même date deux cent cinquante.

La crise du recrutement touche inégalement les deux branches. A la fin de l'Ancien Régime, les maisons des Grands Augustins n'abritent jamais plus de sept religieux. Celles des Augustins réformés sont un peu plus peuplées (huit à dix religieux).

AUMÔNE. Nous entendons ce mot dans le sens restreint de secours matériel donné à un pauvre. Tous les prédicateurs exhortent les chrétiens à faire l'aumône et leur rappellent ce devoir, les invitant à donner aux pauvres la totalité ou une partie de leur superflu. Mais bien rares sont les sermons qui présentent le pauvre comme une figure du Christ. Le précepte de l'aumône prend le plus souvent la forme d'un impératif catégorique. L'aumône, explique le P. Le Chapelain, jésuite, est «un devoir indispensable par rapport à Dieu, puisqu'elle est un tribut qu'Il vous impose en vertu de son domaine souverain [...].» (*Sermon sur l'aumône*, 1760).

La pensée éclairée est défavorable à l'aumône, tout au moins à celle faite au mendiant. Elle y voit la source d'un

désordre. L'aumône, lisons-nous dans *L'Encyclopédie*, «louable dans ses principes, n'en est pas moins quelquefois l'aliment de la fainéantise et de la débauche». Pour Montlinot, l'aumône entretient la mendicité, car «elle est toujours faite sans réflexion [...]. Vous ne vous êtes pas inquiété de savoir quelle serait la destination de votre aumône.» On retrouve la même défiance chez des théologiens et chez des autorités ecclésiastiques. Dans un *Projet pour bannir la mendicité des villes* émanant des curés du Hainaut (1731) on peut lire : «L'aumône qui en général est si agréable à Dieu, la deviendrait bien davantage si nous la faisions avec une intelligente distinction.» En 1756, le chapitre de Cambrai interdit à tous ses membres, suppôts et sujets «de donner manuellement l'aumône aux mendiants, à peine de quatre livres d'amende». On contrevient ici à la doctrine traditionnelle. En effet, selon cette doctrine, si l'aumône doit être faite avec prudence, nul pour autant ne doit être exclu a priori de sa distribution.

AUMONT, Louis Marie Victor Augustin, duc d' (1709-1785). Il fait une carrière militaire et parvient en 1748 au grade de lieutenant général. Il succède à son père (Louis, duc d'Aumont) dans la charge de premier gentilhomme de la Chambre. Il n'était pas très populaire, peut-être à cause de la faveur dont le roi l'honorait. On lui reprocha d'avoir exercé une surveillance tatillonne sur les dépenses des menus plaisirs. On ne saurait toutefois lui dénier le goût sûr d'un véritable amateur d'art. En 1770, ce fut lui qui supervisa la construction de l'Opéra de Gabriel. Dufort de Cheverny raconte dans ses *Mémoires* tout un voyage qu'il fit en 1757 avec le duc, et qui les conduisit de Cauterets, où l'un et l'autre venaient de prendre les eaux, jusqu'en Provence, en passant par Toulouse et Montauban. A la lumière de ce témoignage, le duc d'Aumont se révèle comme un homme simple, de bonne compagnie et grand joueur de trictrac. Il était aussi bon courtisan et sut se rallier au parti de la Du

Barry. Il avait épousé Victoire Félicité de Durfort Duras.

AUNIS. La province d'Aunis forme un gouvernement dont La Rochelle est la capitale. La généralité de La Rochelle englobe non seulement l'Aunis, mais aussi la Saintonge et une partie de l'Angoumois.

Le grand commerce rochelais (traite négrière et importations de produits tropicaux ainsi que de bois et de blés canadiens) et les marais salants de Brouage, de la Seudre, de La Rochelle et des îles de Ré et d'Oléron constituent les principales ressources de la province. Résidence d'un intendant de la marine, le port de guerre de Rochefort possède un très bel arsenal et une fonderie de canons.

AUVERGNE. La province d'Auvergne forme un gouvernement dont les limites correspondent approximativement à celles de la généralité de Riom. Clermont, capitale de la province, possède une Cour des aides ; la ville est aussi la résidence des intendants. De 1715 à 1771, dix « grands intendants » (Poitrineau) se succèdent, parmi lesquels Trudaine et Montyon.

La population de l'Auvergne augmente notablement : 40 % de 1690 à 1750 ; il en résulte un accroissement de l'émigration temporaire et saisonnière, surtout dans les hautes terres. Par exemple, les peigneurs de chanvre du Livradois partent en automne pour rentrer à la Saint-Jean.

A part cela l'Auvergne change peu. La révolution agricole ne la touche guère. Les anciennes communautés familiales, comme celles de la région de Thiers, perdurent. La foi chrétienne reste vive. Dans un mandement de 1781, Mgr de Bonal, évêque de Clermont, se félicite de la fidélité de son diocèse épargné par les progrès de l'irréligion. Il existe bien quelques loges maçonniques, mais elles s'occupent surtout de donner des banquets. M. Poitrineau, qui les a étudiées, se demande si elles étaient vraiment des sociétés de pensée.

AVOCATS. Les avocats soutiennent en justice les droits de leurs clients.

Ils sont assez nombreux : une centaine en moyenne dans chaque ville de parlement, une vingtaine en moyenne dans les villes de présidiaux et de bailliages. Les avocats en parlement sont constitués en corps et communautés appelées « ordres ».

L'exercice de la profession comporte trois fonctions principales : plaider, faire des écritures et donner des consultations. Tous les avocats qui exercent sont inscrits au barreau. Plusieurs des avocats inscrits ne plaident pas et donnent seulement des consultations.

La licence en droit est exigée pour être reçu. Lors de sa réception, l'avocat prête serment d'obéir aux ordres de la cour et de se conformer aux règles de la profession. Il renouvelle ce serment chaque année lors de l'audience de rentrée.

L'éthique de la profession s'inspire d'un idéal très élevé. Un avocat ne doit pas accepter de défendre une cause insoutenable. Il ne doit en aucun cas user de ruses et d'artifices, car, dit Ferrière, « Les seules armes de la vérité doivent être employées dans les combats de la justice ». « Les avocats, dit encore le même Ferrière, sont les protecteurs de la cause de la veuve et de l'orphelin, du puissant et du faible, de l'innocent et du criminel. Aux uns ils doivent procurer la justice de la Justice-même, et aux autres sa pitié... » Bref ce sont — au moins en théorie — des chevaliers, des paladins. L'esprit du siècle a prise sur eux. Beaucoup se transforment en champions de l'« humanité » et de la « tolérance ». Certains, comme par exemple J. B. Gerbier (1725-1788), adoptent le style larmoyant et font pleurer les juges.

La grandeur du métier procure à ceux qui l'exercent une haute estime sociale. La profession n'anoblit pas. D'ailleurs, les avocats ne sont pas des officiers. Mais, à la différence du métier de procureur, celui d'avocat ne déroge pas. Les avocats ont la préséance sur les docteurs en droit, les bourgeois et les marchands, les procureurs, les greffiers, les notaires et les médecins. Dans les villes de parlement ils précèdent les élus et les officiers des greniers à sel. Ils sont exempts de la collecte des tailles.

Nombreux sont les avocats du XVIIIe siècle connus pour leurs travaux dans la science du droit. Citons entre autres Armand Camus, coauteur des *Maximes du droit public français* (1772), Gabriel Nicolas Maultrot, canoniste réputé, et Durand de Maillane, avocat au parlement d'Aix, et auteur du *Dictionnaire de droit canonique et de pratique bénéficiale*. On trouve aussi beaucoup d'avocats dans le camp du jansénisme richériste. Le Paige, avocat au parlement de Paris, est l'un des principaux défenseurs des thèses richéristes. Enfin, après 1770, certains avocats se lancent dans la polémique politique. Par exemple Target et Élie de Beaumont critiquent les réformes de Maupeou. L'exercice du métier conduit naturellement à la contestation et à l'opposition. Il ne faut pas s'étonner si les assemblées révolutionnaires sont peuplées d'avocats.

AYEN, Adrien Maurice de Noailles, comte d'. *Voir* **NOAILLES, Adrien Maurice,** comte d'Ayen, puis duc de.

AYEN, Louis de Noailles, comte, puis duc d'. *Voir* **NOAILLES, Louis,** comte d'Ayen, puis duc de.

AYEN, Jean Paul François de Noailles, duc d'. *Voir* **NOAILLES, Jean Paul François,** duc d'Ayen et de.

B

BABAUD DE LA CHAUSSADE, Pierre (1702-1792). Maître de forges, il commence sa carrière en dirigeant à Bitche les entreprises de Jacques Masson, homme d'affaires parisien d'origine genevoise. Appelé ensuite à Versailles au siège de la société, il noue d'utiles relations, notamment avec Maurepas, ministre de la Marine. Il épouse la fille unique de Masson. A la mort de ce dernier, en 1741, il hérite de son affaire. C'est alors qu'il commence à acheter en Nivernais des forges et des hauts four-

neaux. Bientôt il possède ou contrôle dix hauts fourneaux et quarante forges, et se trouve à la tête d'un véritable « trust » métallurgique employant deux mille ouvriers. Il travaille surtout pour la marine et produit les ancres et tous les objets en fer nécessaires à la flotte. Mais l'État est trop mauvais payeur. En 1781, Babaud vend son entreprise au roi et se retire des affaires. Anobli par l'achat d'une charge de secrétaire du roi, il avait épousé en secondes noces, en 1746, la sœur du marquis de Piercourt.

BACHELIER, Jean-Jacques (Paris, 1724 - *id.*, 1806). Peintre, il fut reçu à l'Académie de peinture en 1752 comme peintre de fleurs et en 1763 comme peintre d'histoire. Son art s'inspire de Chardin et mérite l'intérêt par de sérieuses qualités d'exécution, par des couleurs agréables et des arrangements heureux. Un grand nombre de ses toiles sont conservées aujourd'hui au musée de Versailles, notamment dans la bibliothèque du château. Adjoint à professeur, ayant un atelier aux Tuileries, recevant de nombreuses commandes, Bachelier fut un peintre à la mode. En 1766, il créa à Paris une école gratuite de dessin, pour laquelle il obtint des lettres patentes ainsi qu'une subvention des corps de métiers.

BAILLIAGES ET SÉNÉCHAUSSÉES. Les bailliages et sénéchaussées sont des circonscriptions administratives et judiciaires. Ce sont aussi des tribunaux. En 1789, le royaume en compte environ quatre cents. Il y a dans chacune de ces circonscriptions un officier appelé bailli ou sénéchal et un tribunal de bailliage ou de sénéchaussée.

Les baillis et sénéchaux ont été institués par Philippe Auguste en 1190. Ils furent pendant longtemps les principaux agents de l'autorité royale dans les provinces. Au XVIIIe siècle ils n'ont plus aucun rôle effectif, ni administratif ni judiciaire. Leur fonction est honorifique. Ils sont gentilshommes et on les appelle baillis ou sénéchaux d'épée. Ils ne sortent de l'obscurité qu'en 1789 pour présider les chambres de la noblesse et les délibérations des trois ordres. Car les élections aux états généraux de 1789 se font comme en 1614 dans le cadre des bailliages. Là se borne le rôle administratif de cette circonscription qui n'est plus qu'électorale.

Sa fonction judiciaire en revanche n'a pas été diminuée. Jusqu'à la fin de l'Ancien Régime les tribunaux de bailliages représentent la juridiction de droit commun, de même qu'aujourd'hui le tribunal civil. Ils jugent en appel des sentences des prévôtés, vicomtés et vigueries. Ils ne jugent jamais en dernier ressort, mais seulement à charge d'appel devant les parlements. Un certain nombre de causes sont portées directement devant eux, sans passer par les juridictions inférieures. Ces causes constituent ce qu'on appelle leur «juridiction ordinaire». Ce sont les causes des domaines du roi, toutes les causes civiles, personnelles et possessoires des nobles vivant noblement, les causes de tutelles, curatelles, bail de gouvernement et confection d'inventaire des biens des mineurs nobles, les causes et matières bénéficiales, les crimes de lèse-majesté divine et humaine et, depuis l'ordonnance de 1710, les crimes de fausse monnaie.

Par l'édit d'Henri II de 1551, certains bailliages ont vu leur compétence augmenter. Ils ont été érigés en présidiaux afin de pouvoir juger en dernier ressort de certaines causes et d'éviter ainsi aux contribuables les frais de l'appel en Parlement (*voir* PRÉSIDIAUX).

Un tribunal de bailliage se compose d'un lieutenant général, d'un ou deux lieutenants particuliers, d'un avocat du roi et de plusieurs conseillers en titre. Tous ces offices sont vénaux et pratiquement héréditaires.

BALLET. Pendant la première moitié du siècle, la forme la plus courante du ballet est celle de l'opéra-ballet, où la danse occupe une plus grande place que dans les tragédies lyriques de Lulli. L'opéra-ballet est composé d'une suite de tableaux ayant chacun son propre divertissement chorégraphique. Les opéras de Rameau sont des opéras-ballets. On y admire le décor, la musique, les costumes, l'exotisme : la danse n'y est qu'un agrément supplémentaire.

Autour de 1750, naît une forme nouvelle. C'est le ballet d'action, où la danse exprime les sentiments et les passions. L'inventeur en est le chorégraphe Noverre qui débute en 1749, et qui, dans ses ballets, *Les Fêtes chinoises* et *La Toilette de Vénus ou les Ruses de l'amour*, libère les danseurs des costumes traditionnels et supprime les masques dont ils s'affublaient.

BANQUE. Le mot désigne une activité, non un établissement. «Trafic d'argent qu'on fait remettre d'une ville à une autre», telle est la définition du *Dictionnaire de l'Académie* de 1762.

La pratique bancaire ne cesse de se perfectionner. L'usage de la lettre de change se répand et se privatise. Les taux d'intérêt et d'escompte tendent à baisser. Toutefois, la France est le seul des grands pays d'Europe qui ne parvienne pas à constituer le crédit public en un système autonome et durable. Après l'échec de la banque de Law, seront formés plusieurs projets de banque publique ; aucun n'aboutira. Il faut attendre la création de la Caisse d'escompte en 1776. Cet établissement peut être considéré comme un essai de crédit public. De 1776 à 1789, la Caisse avance au Trésor 265 millions de livres.

La banque privée est le plus souvent le fait de négociants, de courtiers, de commerce et de notaires. En Dauphiné par exemple, à la veille de la Révolution, sept maisons de commerce de toile et de drap pratiquent l'activité bancaire. La haute banque parisienne est à part, ses banquiers n'exerçant que cette activité. La plupart sont d'origine étrangère (suisse, hollandaise, allemande) et de confession protestante (Thelusson, Mallet, Greffulhe, Guiguer, Cottin, Senn Bidermann).

La banque investit dans le commerce et dans les affaires coloniales, mais rarement dans les affaires industrielles, où l'autofinancement, à de rares exceptions près, demeure la règle.

BANQUIER EXPÉDITIONNAIRE EN COUR DE ROME. Les banquiers expéditionnaires en cour de Rome sont des officiers dont la fonction est de solliciter et d'obtenir en cour de Rome les bulles, rescrits, signatures, provisions et autres actes émanant du pape ou de son légat d'Avignon. Ils résident à Paris et dans les principales villes, et agissent à Rome par l'intermédiaire de leurs correspondants.

Il y a vingt banquiers expéditionnaires à Paris, et quatre dans chacune des villes suivantes : Toulouse, Bordeaux, Rouen, Aix, Grenoble, Lyon, Dijon, Metz et Pau.

Les banquiers expéditionnaires doivent tenir registre de tous leurs actes. Ils adressent leurs mémoires à leurs correspondants romains. Ceux-ci les font dater à la Daterie et rédigent ensuite les suppliques au pape.

BARBERIE DE SAINT-CONTEST, François Dominique de (1701-24 juillet 1754). Secrétaire d'État aux Affaires étrangères, il avait été pendant vingt ans (1729-1749) maître des requêtes et intendant de province (à Auch, Caen et Dijon) avant de passer dans la diplomatie, ce qui est inhabituel. Il n'a guère le temps d'y faire ses preuves. Nommé en 1749 ambassadeur en Hollande, il succède en 1751 à Puisieulx au département des Affaires étrangères. Sa politique ne diffère pas de celle de son prédécesseur. Elle vise à protéger les « libertés du corps germanique » et à lier par des alliances la Suède, la Pologne, la Turquie et la Prusse. En fait, le véritable inspirateur de la politique étrangère est le maréchal de Noailles. Saint-Contest n'a qu'un rôle nominal. Sa mort, si elle n'avait été subite, n'aurait pas frappé les esprits.

BARBIER, Edmond Jean François (Paris, 16 janvier 1689 - Paris, 29 janvier 1771). Il a laissé un précieux journal, source essentielle pour l'histoire du règne de Louis XV. Reçu en 1708 avocat au parlement de Paris, arrivé très vite à la notoriété, il fréquentait de grands personnages, dont les Nicolaï et les d'Argenson. Son journal a été publié une première fois par la *Société de l'histoire de France* (4 vol., 1847-1855) et une seconde fois par l'éditeur Charpentier (8 vol., 1885) sous le titre *Chronique de la Régence et du règne de Louis XV ou Journal de Barbier* (1718-1763), nouvelle édition complète. Ce mémorialiste n'écrit pas de mémoire ; son journal est vraiment un journal : il y consigne chaque soir les nouvelles de la Cour et de la ville, et l'impression faite par ces nouvelles sur l'opinion publique. Son point de vue reflète celui, pratique et prudent, des bourgeois parisiens. Il ne manque pas pour autant d'élévation de pensée ; il sait même à l'occasion prendre ses distances vis-à-vis des réactions primaires de ses concitoyens.

BARENTIN, Charles Louis François de Paule de (1738-Paris, 1819). Garde des Sceaux, il appartient à une famille de parlementaires parisiens proches de la Cour et alliés à des maisons chevaleresques. Il est lui-même conseiller au Parlement (1758), puis avocat général (1764) et premier président de la Cour des aides (1775). Louis XVI le nomme garde des Sceaux le 19 septembre 1788. Dans le Conseil, il s'oppose à Necker et combat le projet de doublement du tiers. Il ouvre la deuxième assemblée des notables et les états généraux. Son discours d'ouverture des états invite les députés à rejeter les « innovations dangereuses ». Lors du remaniement ministériel du 11 juillet, il est l'un des rares ministres du ministère Necker conservé par le roi. Mais le 14 juillet lui est fatal. Son opposition aux états généraux et à Necker l'ont désigné à la vindicte des révolutionnaires. Dans son projet d'adresse au roi du 16 juillet, Mirabeau le présente comme un ennemi de la Révolution : « Il nous est impossible, dit-il, d'accorder aucune confiance à un chef de la justice [...] qui contre les intentions connues du roi, n'a pas craint, aux yeux de la nation assemblée, de prodiguer les ordres arbitraires à l'active inquisition qui ne voit que dans la perfection de l'espionnage le salut des empires. » Mais l'adresse n'est pas envoyée. Ce n'est plus nécessaire : Louis XVI, le matin même, a prévenu le désir de l'Assemblée et a renvoyé son garde des Sceaux, lui demandant sa démission. Barentin n'est pas quitte pour autant. Le 18 novembre, il est accusé par le comité des recherches d'avoir voulu rassembler une armée pour éteindre la Révolution. Traduit devant le tribunal du Châtelet, il se défend bien et est acquitté. Il émigre peu après. Il reviendra en France après le 18-Brumaire. Louis XVIII le fera chancelier honoraire.

BARNABITES. Les Barnabites sont une congrégation de clercs réguliers, fondée en Italie au XVIe siècle par saint Antoine-Marie Zaccaria, et implantée en France à partir de 1609.

L'instruction chrétienne était leur fin principale. En 1789, ils régissaient en France neuf collèges (le plus connu étant celui de Montargis) et les trois séminaires de Bazas, Oloron et Dax.

BARRAS, Louis, comte de Saint-Laurent (1719-1792). Lieutenant général des armées navales, il est issu d'une vieille famille noble de Provence, féconde en marins et en chevaliers de Malte. Garde de la marine en 1734, il s'élève jusqu'au grade de lieutenant général auquel il est nommé le 12 janvier 1782. Il participe en 1756 à la prise de Port-Mahon. Il se trouve à la bataille malheureuse de Gibraltar (18 août 1759) et réussit à sauver son navire et à échapper aux Anglais. Il est de la campagne de 1778 sous le commandement du comte d'Estaing, et participe avec sa division navale à l'opération de blocus de Yorktown. Il sera nommé vice-amiral, le 1er janvier 1792.

BARROIS, Hubert, dom (Bar-le-Duc, 1689 - Moyenmoutier, 1771). Moine bénédictin de la congrégation de Saint-Vanne, abbé de Moyenmoutier, il est l'une des plus fortes personnalités de l'ordre monastique. Il a passé toute sa vie à Moyenmoutier. Il y a fait sa profession en 1711, en est devenu abbé en 1727, succédant à son oncle, dom Belhomme, et a gouverné ce monastère jusqu'à sa mort. Il a été en outre, à deux reprises (de 1759 à 1762 et de 1768 à 1771) président de sa congrégation. Sa vie est celle d'un bon moine et d'un grand abbé. Il observe parfaitement la règle. Il reconstruit de façon magnifique l'abbaye édifiée soixante ans plus tôt par son oncle. A l'annonce de son décès, Mgr Valenti Gonzaga, nonce à Lucerne, louera sa « piété exemplaire » et sa « tendresse paternelle pour tous ses religieux ». Nous ajouterons son courage. En 1768, Brienne et la commission des réguliers préparent de nouvelles constitutions pour Saint-Vanne. Ce nouveau code de loi sépare Saint-Vanne de la congrégation du mont Cassin — rompant un lien séculaire —, impose aux professeurs de théologie de traiter les libertés de l'Église gallicane, et autorise les jeux et même le billard en récréation. Dom Barrois se dresse contre le projet et réussit à en retarder l'adoption. Brienne doit attendre sa mort pour pouvoir imposer la réforme.

BARRY, Jeanne Bécu, comtesse du (Vaucouleurs, 19 août 1743 - Paris, 8 décembre 1793). Maîtresse du roi Louis XV, elle est la fille naturelle d'Anne Bécu, dite Quantigny. Baptisée le 19 août 1743 à Vaucouleurs dans le diocèse de Toul, son père aurait été un moine nommé Jean-Baptiste Gomard de Vaubernier. Jusqu'à son mariage elle se fera appeler Mlle de Vaubernier. Sa mère a pour protecteur le sieur Billard-Dumouceaux, payeur des rentes de l'hôtel de ville de Paris, munitionnaire général des vivres. C'est le bienfaiteur de la famille. Il fait venir Anne Bécu à Paris et lui procure un mari, un certain Nicolas Rançon, garde-magasin, employé des fermes. La petite Jeanne est mise en pension chez les dames de Saint-Aure, adoratrices du Saint-Sacrement. Elle en sort à l'âge de quinze ans, et commence presque aussitôt sa carrière galante. Placée comme dame de compagnie chez

Mme Delay de La Garde, veuve d'un fermier général, elle se fait renvoyer pour inconduite. Elle entre ensuite chez Labille, marchand de nouveautés, rue Neuve-des-Petits-Champs, comme demoiselle de magasin. Ses charmes attirent les soupirants. Ses cheveux blonds cendrés, ses yeux bleus, ses formes parfaites font tourner les têtes. Elle a de nombreuses liaisons. « Elle était d'une tournure tellement remarquable, écrit d'Espinchal, qu'elle était déjà connue par les grands amateurs de la capitale » (cité par Claude Saint-André, *Madame du Barry d'après les documents authentiques*). En 1763 — elle a vingt ans —, elle entre dans la maison de Jean du Barry, qui s'institue son protecteur. Ce du Barry, que l'on appelle le « Roué », a fait fortune dans les fournitures de vivres de la Corse. Il est aussi plus ou moins proxénète, fournissant des filles aux « grands amateurs ». Le duc de Richelieu est l'un de ses clients. Il est très possible que le duc ait servi d'intermédiaire entre Louis XV et la protégée de Jean du Barry. C'est au printemps de 1768 — on ne peut donner une date plus précise — que la jeune femme est introduite pour la première fois chez le roi par le valet de chambre Lebel. Elle ne tarde pas à s'élever au rang de maîtresse déclarée. Afin de pouvoir la présenter à la Cour, on lui fait épouser le comte Guillaume du Barry, gentilhomme de Lévignac près de Toulouse, frère du Roué. Le contrat est signé le 23 juillet 1768. La cérémonie est célébrée le 1er septembre. Le mari est aussitôt renvoyé dans ses terres. Le 22 avril 1769, la nouvelle comtesse du Barry est présentée au roi et à la famille royale par la comtesse de Béarn. Le 27 juillet 1769, Louis XV lui donne Louveciennes.

La favorite exerce un grand empire sur les sens de Louis XV. Elle n'est pas sans agir aussi sur sa volonté. Elle a derrière elle le clan Richelieu-La Vauguyon, qui a beaucoup contribué à faire d'elle la maîtresse du roi. Or ce clan a juré la perte de Choiseul. Mme du Barry a certainement joué un rôle — mais dont il est difficile de mesurer l'exacte impor-

tance — dans le renvoi de Choiseul, et dans la nomination du duc d'Aiguillon, neveu de Richelieu, comme ministre de la Guerre. En décembre 1771, Mercy d'Argenteau écrit à l'impératrice Marie-Thérèse : « L'ascendant que la comtesse du Barry a pris sur l'esprit du roi n'a presque plus de borne. » Elle a contre elle le clan choiseuliste et la nouvelle Dauphine. Mais cette dernière, chapitrée par sa mère, finira par se montrer plus accommodante à l'égard de la favorite, consentant même à lui adresser la parole en public. Mme du Barry est une véritable reine. Maupeou et Terray songent à lui faire épouser le roi. Le projet s'avère vite irréalisable. On ne peut pas espérer du pape qu'il consente à l'annulation du mariage avec Guillaume du Barry.

Mme du Barry n'est pas une vulgaire courtisane. Elle est intelligente, cultivée. Elle a du goût. C'est elle qui supervise elle-même la décoration de ses appartements de Versailles et de Louveciennes. On peut parler d'un « style du Barry ». C'est en somme le premier style Louis XVI. Le ciseleur Jacques Gouthières, qui décore Louveciennes, est un néoclassique. Les lettres sont également redevables à la favorite. Elle arrache l'accord de Louis XV pour l'élection de Suard et de Delille à l'Académie française. Elle correspond avec Voltaire dont elle sera la première visiteuse quand celui-ci vient à Paris, en février 1778.

Renvoyée le 4 mai 1774 par Louis XV mourant, elle est assignée le 9 mai à résidence à l'abbaye du Pont-aux-Dames, près de Meaux. Elle n'y reste qu'un an, mais n'obtiendra qu'en octobre 1776 (grâce à Maurepas) sa pleine liberté. Elle s'installe à Louveciennes où elle reçoit beaucoup, demeurant jusqu'à la Révolution un personnage important et considéré. Sa vie amoureuse est toujours très remplie. Elle devient la maîtresse de Louis Hercule Timoléon de Brissac, duc de Cossé. Elle a un moment une liaison avec le comte Henri Seymour.

Lorsque la Révolution éclate, elle se montre loyale à la royauté. Après les journées d'octobre, elle recueille et soigne à Louveciennes deux gardes du corps échappés au massacre, et écrit à la reine pour l'assurer de sa fidélité. En 1791, 1792 et 1793 elle effectue quatre voyages à Londres. La raison avouée de ces déplacements est une affaire de bijoux. On avait retrouvé à Londres les parures qui lui avaient été volées à Louveciennes dans la nuit du 10 au 11 janvier 1791 par des juifs. Mais il se peut très bien que la comtesse ait servi de correspondante à l'émigration. Ce sera en tout cas le grief retenu contre elle par le Comité de sûreté générale lors de son arrestation le 21 septembre 1793. Enfermée à Sainte-Pélagie, elle comparait deux fois devant le Tribunal révolutionnaire. La deuxième fois, le 16 frimaire an II (6 décembre 1793) Fouquier-Tinville requiert contre elle, évoquant les «conspirations de la courtisane». Elle est guillotinée le 8 décembre à la nuit tombée. Comme elle demeurait prostrée sur son banc, un aide-bourreau la prit dans ses bras et la porta jusque sous le couperet. C'est alors qu'elle jeta «un cri affreux» glaçant d'horreur les témoins de cette scène.

BARTHÉLEMY, Jean-Jacques (Cassis, 20 janvier 1716 - Paris, 30 avril 1795). Abbé, numismate, paléographe, orientaliste et littérateur, il était le fils d'un marchand d'Aubagne en Provence. Destiné à l'état ecclésiastique, formé d'abord au collège de l'Oratoire de Marseille, ensuite au séminaire des lazaristes de la même ville, ordonné prêtre, il donna au début de sa carrière quelques sermons et choisit ensuite de se consacrer à des études toutes profanes : il renonça au ministère, tout en gardant la dignité de son état. Ayant jugé sans emploi dans la province ses aptitudes étonnantes et précoces pour les langues orientales, il vint en 1744 s'établir à Paris, où M. de Boze, garde des médailles du roi, l'engagea comme collaborateur. En 1747, c'est l'élection à l'Académie des inscriptions ; en 1753 la nomination à la place de Boze, qui vient de décéder. Mais la protection de Choiseul est la grande chance de sa vie. Elle lui vaut un voyage en Italie : Choiseul l'emmène à Rome lors de son ambassade (1755-1757). L'abbé

peut ainsi compléter sa formation d'antiquaire et rencontrer les archéologues italiens spécialistes des fouilles d'Herculanum. Plus tard, le tout-puissant ministre décharge son protégé de tout souci matériel en lui faisant attribuer plusieurs revenus : une pension de 4 000 livres sur l'archevêché d'Albi, la trésorerie de Saint-Martin de Tours et la charge de secrétaire du colonel général des suisses. Les publications savantes de l'abbé sont des mémoires lus à l'Académie des inscriptions, portant sur divers sujets de paléographie, de numismatique et d'archéologie. Par exemple il donne en 1760 une *Explication de la mosaïque de Palestrine*. Le cabinet des Médailles lui est redevable des acquisitions de plusieurs cabinets de particuliers (cabinets Clary, de Lèves, Pellerin et d'Ennery). La publication en 1788 du *Voyage du jeune Anacharsis en Grèce* (4 vol. in-4°) lui apporte à soixante-douze ans la gloire littéraire et la consécration académique : en août 1789 il entre à l'Académie française, où il est le dernier élu de l'Ancien Régime. Fruit de trente années de travail, le *Voyage*, malgré son titre, n'a rien d'un roman. Voici comment l'auteur lui-même, dans son avertissement, définit le sujet du livre : «Je suppose qu'un Scythe, nommé Anacharsis, vient en Grèce quelques années avant la naissance d'Alexandre, et que d'Athènes, son séjour ordinaire, il fait plusieurs voyages dans les provinces voisines, observant partout les mœurs et usages des peuples, assistant à leurs fêtes, étudiant la nature de leurs gouvernements, quelquefois consacrant ses loisirs à des recherches sur les progrès de l'esprit humain... » L'abbé s'appuie sur les sources littéraires et sur les inscriptions, mais une grande clarté dans l'exposition et un style simple et dépouillé mettent cette analyse de la civilisation grecque à la portée du grand public, expliquant le succès de l'ouvrage. Le regard porté sur la Grèce est celui d'un historien éclairé, grand admirateur de la démocratie athénienne. Pour lui, le régime idéal était celui fondé par Solon, et le temps de Périclès représente déjà une décadence :

« ... la liberté, rassurée par le maintien des formes républicaines, expirait sans qu'on s'en aperçût, sous le poids du génie... » (*Voyage du jeune Anacharsis en Grèce*, 1817, t. I, p. 275).

BARTHEZ, Paul Joseph (Montpellier, 11 décembre 1734 - Paris, 15 octobre 1806). Médecin très célèbre, sa carrière n'est pas facile à reconstituer. Reçu docteur en médecine à Montpellier en 1753, il « monte » ensuite à Paris. Là, il ne fait pas de médecine, mais de l'histoire érudite et obtient en 1754 et 1755 deux prix de l'Académie des inscriptions pour deux mémoires d'histoire romaine. Présenté à d'Alembert, il écrit pour l'*Encyclopédie* plusieurs articles de médecine, d'anatomie et d'érudition. En 1756, le voilà médecin militaire à Coutances. Il semble qu'il soit resté attaché aux armées jusqu'à la fin de la guerre de Sept Ans, et qu'il ait suivi les troupes en Allemagne. La guerre finie, il obtient une chaire de médecine à la faculté de Montpellier. Son enseignement dure jusqu'en 1780, date à laquelle il est reçu docteur en droit et acquiert une charge de conseiller à la cour des aides de Montpellier. Curieuse conversion, mais qui ne dure pas. En 1780, Barthez est à nouveau à Paris. En 1781, le duc d'Orléans fait de lui son premier médecin. En 1782, il entre à l'Académie des sciences. Il finira comme médecin de Napoléon.

Il a peu observé et peu disséqué. Il a surtout beaucoup écrit. On retiendra notamment ses *Nouveaux Éléments de la science de l'homme* (1778). C'est du vitalisme avec peu d'idées nouvelles, si ce n'est celle de « terrain », notion dont la pathologie fera plus tard un grand usage. La réputation de Barthez n'est pas imméritée, mais elle est surfaite.

BASTARD, François de (16 décembre 1722-20 janvier 1780). Premier président du parlement de Toulouse, il est l'un des rares magistrats qui soutiennent le pouvoir royal et tentent d'endiguer la poussée de l'opposition parlementaire. En 1763, il défend les Jésuites et mori-

gène le parlement de Toulouse qui vient de les condamner : « Vous venez de donner, Messieurs, déclare-t-il aux chambres assemblées, un exemple funeste, celui des suppressions ; vous serez supprimés à votre tour. » Le 5 décembre de la même année, le Parlement ouvre une information contre lui pour avoir soutenu le duc de Fitz-James, commandant de la province. Démissionnaire en 1768 à la requête de Maupeou, le nouveau chancelier, il est nommé conseiller d'État. En 1771, il est employé pour exécuter la dissolution des parlements. Envoyé à Besançon et à Rennes, il remplit sa mission avec rigueur et n'hésite pas à réprimander durement les magistrats vaincus.

BASTILLE. La Bastille est une énorme citadelle construite sous le roi Charles V et située sur les remparts de Paris à la porte Saint-Antoine.

Louis XI en avait fait une prison. Sous l'Ancien Régime on y enferme les prisonniers particuliers du roi, c'est-à-dire les victimes des lettres de cachet. Il n'y a pas de place pour plus de quarante personnes.

A partir du gouvernement personnel de Louis XIV le nombre des prisonniers a augmenté dans des proportions considérables. On compte 5 279 embastillés de 1658 à 1789, contre 800 seulement de 1400 à 1658, soit sept fois plus en deux fois moins de temps. Ce grand afflux de prisonniers est dû à l'utilisation massive des lettres de cachet.

Un peu moins de la moitié (42,9 %) des embastillés sont des « droit commun » comme nous dirions aujourd'hui. Un peu moins d'un quart (22,4 %) sont des imprimeurs, des libraires et des colporteurs ayant contrevenu aux règlements de la Librairie. Tous les autres (34,7 %) sont des « politiques » au sens large du terme : ils ont frondé l'autorité royale ou celle de l'Église.

La Bastille est la plus huppée des prisons d'État. N'y entre pas qui veut. On y enferme seulement les cas intéressants, soit par la nature du délit, soit par la qualité du personnage. Parmi les grands embastillés citons le comte de Lauraguais, La Chalotais, le cardinal de Rohan et le marquis de Sade dont le séjour dure cinq ans (1784-1789). On doit mentionner aussi les philosophes et parmi eux Voltaire, Marmontel et Morellet.

Le personnel se compose du gouverneur, du lieutenant de roi, du major, des porte-clefs et de la garnison. Le lieutenant de police de Paris est également chez lui à la Bastille, la plupart des prisonniers étant les siens. Il y vient presque tous les jours. Le dernier gouverneur (dont on sait la fin tragique) est Bernard René Jourdan de Launey (1776-1789). Il est né à la Bastille dont son père était déjà gouverneur. Depuis 1749, la garnison est recrutée parmi les bas officiers des Invalides. Ce sont des hommes relativement âgés et souvent affligés d'infirmités. Pourtant, la prison est sûre. Elle n'a connu au XVIIIe siècle qu'une seule évasion, celle de Latude et d'Allègre, dans la nuit du 25 au 26 février 1756 (avec une échelle de corde de cent cinquante et un échelons, que l'on peut voir encore aujourd'hui au musée Carnavalet).

Le régime est loin d'être inhumain. Les chambres sont médiocrement meublées mais on peut les faire tapisser à ses frais et y installer ses propres meubles. C'est ce que fait le marquis de Sade en 1789. La nourriture (tous les témoignages ou presque en conviennent) est excellente. Dumouriez dira «qu'on était fort bien nourri à la Bastille, il y avait toujours cinq plats pour le dîner, trois pour le souper». Les soins médicaux sont très attentifs. «L'état-major de la Bastille, écrit l'historien Claude Quétel, était très soucieux de l'état de santé de ses prisonniers, adressant sur ce chapitre particulier des rapports quasi quotidiens au lieutenant de police et ne craignait jamais de faire venir le médecin.» Le Régent et Dubois suivaient de près l'état des prisonniers. Une fois Dubois se serait récrié en voyant deux lavements par jour prescrits pour le même prisonnier. Le Régent lui aurait alors dit : «Puisqu'ils n'ont que ces divertissements, ne les leur ôtons pas» (cité par

C. Quétel, *La Bastille. Histoire vraie d'une prison légendaire*).

Le moral aussi est entretenu dans la mesure du possible. Les prisonniers peuvent élever des animaux, faire de la musique, lire (une bibliothèque fonctionne depuis 1704) et écrire. Les littératures avancent leurs ouvrages. Sade écrit sa première *Justine*.

Contrairement à sa légende, la Bastille n'est pas un tombeau. 1,5 % des prisonniers y sont morts, 26,7 % ont été transférés, 71,8 % ont été libérés et 60 % libérés au bout d'un an. Non seulement on meurt très peu à la Bastille, mais encore on en sort assez vite.

La prise de la Bastille le 14 juillet 1789 appartient à l'histoire de la Révolution et n'a pas sa place ici. On se contentera de rappeler que le récit de cet événement a été travesti par les historiens romantiques. Personne à l'intérieur de la forteresse n'avait l'intention de la défendre jusqu'à la dernière extrémité. Une telle défense eût d'ailleurs été impossible. La garnison, composée d'une compagnie d'invalides et d'une trentaine de soldats du régiment de Salis Amade, était insuffisante. Cela diminue beaucoup le mérite des assaillants. Quant aux prisonniers libérés par l'émeute, ils étaient au nombre de sept, dont quatre faussaires.

BÂTIMENTS DU ROI. L'administration des Bâtiments du roi est principalement chargée de l'entretien et des constructions des résidences royales. Mais elle est aussi l'instrument du mécénat royal et joue le rôle d'une sorte de ministère des beaux-arts.

Elle a à sa tête le directeur et ordonnateur général des bâtiments, jardins, arts, académies et manufactures. D'après la déclaration royale du 1er septembre 1776, ce personnage a dans son domaine les attributions suivantes : les châteaux royaux, les fonctions de grand-voyer de la ville de Versailles, les jardins et les parcs, les manufactures des Gobelins, de la Savonnerie et de Sèvres, les logements des artistes (en particulier ceux du Louvre) et la tutelle des Académies d'architecture, de peinture et de sculpture et de l'Académie de France à Rome. Il est secondé par le premier architecte du roi et par le premier peintre du roi. Chargé tout spécialement des travaux, le premier architecte passe les marchés avec les entrepreneurs.

La charge de directeur était autrefois une surintendance. Elle est depuis 1726 une simple commission. Les titulaires ont été successivement le duc d'Autin (1708-1736), Orry, contrôleur général des Finances (1736-1745), Le Normant de Tournehem (oncle de Mme de Pompadour, 1745-1751), le marquis de Marigny (frère de Mme de Pompadour, 1751-1773), l'abbé Terray, contrôleur général des Finances (1773-1774) et le comte d'Angiviller (1774-1789). Tous ont exercé une grande influence sur la vie artistique. Leurs noms sont inséparables de l'histoire de l'art français.

BATTEUX, Charles (Alland'huy, près de Vouziers, 6 mai 1713 - Paris, 14 juillet 1780). L'abbé Charles Batteux est un digne ecclésiastique et un savant professeur. Il enseigne d'abord la rhétorique dans différents collèges (à Reims et dans les collèges de Lisieux et de Navarre à Paris), puis est nommé professeur de philosophie grecque et latine au Collège royal. Son *Cours de belles-lettres* (5 vol. in-12, 1760) expose les règles des genres littéraires et les illustre d'exemples empruntés aux trois littératures grecque, latine et française. Le succès est très grand. Pendant de longues années le *Cours* va servir de manuel de base pour la formation des futurs professeurs. En 1780, la congrégation des Pères doctrinaires l'inscrira dans son *Plan d'études pour les jeunes régents*. Dans les dernières années de sa vie l'abbé rédige en un temps record, à la demande du comte de Saint-Germain, ministre de la Guerre, un *Cours d'études à l'usage des élèves des écoles militaires* (45 vol. in-12). Il avait été élu en 1754 à l'Académie des inscriptions et en avril 1761 à l'Académie française. Le succès et les honneurs n'en font pas un mondain. Il n'est nullement un abbé de salon. Sa notice biogra-

phique dans l'*Encyclopédie* de Panckouke le définit comme un « ecclésiastique décent jusqu'à l'austérité ». D'après la même notice, il aurait été « fort utile à une famille pauvre et nombreuse ». Une partie de son œuvre est encore mal connue, celle consacrée à la philosophie ancienne, dont une *Morale d'Épicure* (1758) et un *Traité des causes premières* (1769) forment les principaux titres. L'abbé n'était sans doute pas un ami des Lumières. Mais les combattait-il ? Ses ouvrages sur la philosophie mériteraient un examen approfondi.

BAUDARD DE SAINT-JAMES, Claude (1736-1787). C'est un financier : les bases de son patrimoine ont été posées par son père, Nicolas Baudard de Vaudésir. Ce dernier s'était élevé de l'office de receveur des tailles de l'élection d'Angers à celui de trésorier général des colonies. Il avait fait sa fortune dans les fournitures de bois à la marine, fondé à Angers une manufacture de toiles et acheté en Anjou la baronnie de Sainte-Gemmes (anglicisée en Saint-James). Son fils Claude lui succède en 1758 dans sa charge de trésorier général des colonies (on dit maintenant de la marine), et donne aux affaires paternelles une extraordinaire ampleur. Il a des parts dans toutes les grandes entreprises financières et industrielles de la fin de l'Ancien Régime. Citons entre autres la Compagnie du Nord, celle du Creusot, la Compagnie des eaux de Paris et les mines de Baigorri et de Decize. L'ensemble de ses investissements représente un total d'environ sept millions de livres, sans compter les plantations de Saint-Domingue. Il ne se contente pas d'être riche. Il veut le montrer. Il acquiert un hôtel place Vendôme, et fait construire en 1772, près du bois de Boulogne, une demeure luxueuse que l'on nomme la « folie Saint-James ». L'ornement principal en est un jardin anglais surmonté d'un énorme rocher de 43 mètres de long. Pour les Parisiens, Baudard n'est plus que l'« homme au rocher ». Sa chute est brutale. En 1787 il fait banqueroute. Calonne refuse d'approuver ses comptes de gestion de la

Compagnie du Nord (privilégiée depuis 1785). Il fait un séjour de trois mois à la Bastille et meurt peu après.

BAUDEAU, Nicolas (Amboise, 25 avril 1730-Paris, 1792). Chanoine régulier de l'ordre des Prémontrés, il semble avoir quitté assez tôt sa congrégation pour se consacrer aux études économiques. On l'appelle dès lors l'abbé Baudeau. Il se signale pour la première fois en adressant au ministre Bertin un mémoire intitulé *Idées d'un citoyen sur l'administration des finances du roi.* Comme il y révèle certains secrets d'État, on le prie de bien vouloir désormais garder plus de discrétion. Sa conversion à la physiocratie date de 1766. Elle est l'œuvre de Dupont de Nemours. Celui-ci lui fait lire la *Philosophie rurale* de Quesnay et le fait passer en vingt-quatre heures du néomercantilisme libéral au libéralisme tout court. Il avait fondé en novembre 1765 un journal mensuel intitulé les *Éphémérides du citoyen.* Il le mit à la disposition des physiocrates. Vient ensuite sa période polonaise. En septembre 1768, l'évêque de Wilna lui procure le bénéfice de prévôt mitré de Widziniki en Pologne. Laissant à Dupont la direction des *Éphémérides,* il part en prendre possession. Il s'intéresse en effet beaucoup à la Pologne et désire vivement seconder par ses conseils les tentatives réformatrices du roi Stanislas Poniatowski. Rentré à Paris en 1774, il y fonde les *Nouvelles Éphémérides* subventionnées par le ministère. Il y attaque les financiers. En janvier 1775, il accuse de malversations les fermiers de la caisse de Poissy. Dans le procès retentissant qui l'oppose à ces derniers il obtient de se défendre seul et combat victorieusement contre l'avocat Gerbier, avocat des fermiers. C'est son dernier triomphe. En avril 1776, un article très violent contre les fournisseurs des armées achève d'exaspérer les financiers. Le contrôleur général Clugny exile Baudeau en Auvergne. C'est la chute. Le «petit homme décidé et tranchant», comme l'appelle Grimm, ne reparaîtra plus sur le devant de la scène.

BAUDELOCQUE, Jean-Louis (Heilly, Picardie, 1746 - Paris, 1810). Célèbre chirurgien accoucheur, il a fait ses études à Paris, où il a été reçu en 1776 maître en chirurgie ; plus tard, il devient membre de l'Académie royale de chirurgie. Après quelques années d'exercice, il se consacre à l'art des accouchements dans le cadre de la maternité de Port-Royal. Son *Art des accouchements* (1775) sera réédité plusieurs fois. En 1794, le gouvernement révolutionnaire lui confiera la chaire des accouchements à l'École de santé de Paris.

La science moderne de l'obstétrique lui doit beaucoup. Il a précisé et limité les indications du forceps ; il a aussi contribué à organiser la formation des sages-femmes. Enfin, il semble avoir eu l'intuition de l'antisepsie : « L'exemple des maladies, écrivait-il, qui exercent si souvent leurs ravages dans les hôpitaux [...] prouve à quel point l'air doit être pur et exempt de corruption » (cité par Maurice Bariety et Charles Coury, *Histoire de la médecine*).

L'Angevin Michel Chevreul fut son élève et son continuateur.

BAUDRAND ou **BAUDRAN** ou **BEAUDRAN, Barthélemy** (Vienne, Dauphiné, 1702 - *id.,* 1787). Prêtre, il est l'un des auteurs spirituels les plus souvent lus, non seulement au XVIIIe siècle, mais encore dans le suivant. Il avait été jésuite. Après la suppression de son ordre, il se retire à Lyon, et c'est là qu'il publie anonymement, de 1766 à 1786, ses nombreux ouvrages de dévotion. Les plus connus sont *L'Ame élevée à Dieu, L'Ame sanctifiée par la perfection de toutes les actions de la vie* (1766), et *L'Ame sur le Calvaire.* La piété qui s'exprime dans ces livres est à la fois celle des Jésuites et celle de la dévotion populaire. « L'essentiel, écrit l'auteur, ce sont les œuvres. Les maximes sont la Vertu en paroles, les pratiques sont la Vertu en actions » (*L'Ame sanctifiée,* p. 6). Il recommande en particulier la visite au Saint-Sacrement. Sa religion établit un heureux équilibre entre la crainte et la confiance. Si elle fait redouter le jugement dernier, elle invite aussi à espérer dans la bonté de Dieu : «Au lieu de n'envisager que les rigueurs inexorables de la justice de Dieu, jetez-vous avec confiance dans le sein de sa miséricorde.» L'abbé Baudrand est un des auteurs qui ont le plus contribué à l'adoucissement du climat spirituel.

BAYONNE. C'est une ville moyenne de 12 000 habitants et un port de commerce dont l'importation des laines espagnoles et l'exportation d'étoffes vers l'Espagne, le Portugal et les Antilles font l'essentiel du trafic. La valeur totale du commerce bayonnais à la fin de l'Ancien Régime est de 20 millions de livres, soit trente fois moins que la valeur du commerce bordelais. Bayonne n'a pas connu au XVIIIᵉ siècle le bel essor des autres ports de la façade atlantique. L'évêché de Bayonne a une tradition de jansénisme, tradition entretenue par Mgr Druillet, évêque appelant, mais que le successeur de ce dernier, Mgr de la Vieuville (sacré en 1728) s'efforcera de déraciner.

BÉARN. Le gouvernement de Béarn englobe les deux provinces de Béarn et de Basse-Navarre. Chacune de ces deux provinces a ses états particuliers qui se tiennent tous les ans. Le président-né des états de Béarn est l'évêque de Lescar. Les états de Basse-Navarre se tiennent alternativement dans les deux villes suivantes qui se disputent le titre de capitale de la province : Saint-Palais et Saint-Jean-Pied-de-Port. De 1716 à 1767 et de 1774 à 1784, Béarn et Basse-Navarre ont été intégrés à la généralité d'Auch, et de 1767 à 1774 et de 1785 à 1787 ont formé une généralité avec le pays Basque. Pour la justice, toute l'étendue du gouvernement relève du parlement de Navarre établi à Pau.

La conjoncture est propice au développement d'une agriculture à base de maïs, de vigne et d'élevage et d'une industrie reposant essentiellement sur l'artisanat textile (mouchoirs à Pau et bas à Oloron). La société béarnaise présente un certain équilibre : pas d'individus très riches ni d'individus très

pauvres. Son premier facteur de stabilité est la propriété paysanne ; dans la sénéchaussée d'Oloron par exemple, 98 % de la terre appartiennent aux paysans qui la cultivent. Le Béarn est un pays éclairé au sens véritable de ce mot : le peuple y est instruit (on trouve ici les taux d'alphabétisation les plus élevés du Sud-Ouest) et, sauf à Pau où l'on note après 1760 des taux élevés d'abstention du devoir pascal, la religion y est dûment pratiquée. On remarque également le nombre élevé et le bon recrutement des confréries ainsi que la persistance des pèlerinages aux sanctuaires mariaux de montagne et même à Saint-Jacques-de-Compostelle. Les «lumières» philosophiques semblent avoir peu pénétré l'âme de la province, très attachée à ses traditions et à sa langue (dont les états maintiennent l'usage officiel). Toutefois les sujets mis au concours par l'académie de Pau montrent la progression dans cette compagnie à partir du milieu du siècle de l'esprit scientifique et de la mentalité utilitaire. C'est ainsi par exemple qu'en 1765 l'académie fera disserter sur «le moyen le plus propre d'établir un commerce utile en Béarn» (cité par Desplat).

BEAUMARCHAIS, Pierre Auguste Caron de (Paris, 24 janvier 1732 - *id.*, 18 mai 1799). Littérateur, il devra dès l'âge de treize ans s'initier au métier de son père qui était horloger. Habile en celui-ci comme il le sera en tout, il invente à vingt et un ans l'échappement en horlogerie. Son invention ayant été volée, il proteste et rédige un Mémoire à l'adresse de l'Académie des sciences, qui lui donne raison. Grâce à quoi il est remarqué et invité à la Cour. En 1755, il séduit Mme Franquet, épouse d'un contrôleur de bouche, dont il est l'ami, bientôt l'adjoint, enfin le successeur. Le contrôleur ayant eu en outre le bon esprit de mourir rapidement, il en épouse la veuve qui lui apporte en dot le petit domaine de Beaumarchais, dont il prend le nom. Veuf après un an, il est nommé en 1759 professeur de harpe des filles de Louis XV. Sa nouvelle position à la

Cour le met désormais en contact avec de grands personnages et lui donne de l'importance. On le sollicite ; le financier Pâris-Duverney lui demande de parler en sa faveur et bientôt va l'associer à ses affaires. En 1761, il achète une charge anoblissante de conseiller secrétaire du roi, puis la charge de lieutenant général des chasses de la Varenne du Louvre. Il fait en 1764 un voyage à Madrid pour confondre le journaliste Clavijo qui avait compromis sa sœur Lisette et en même temps travaille à ouvrir au commerce la Louisiane que la France vient de céder à l'Espagne. Alors qu'il avait composé entre 1757 et 1763 plusieurs féeries fort gaies et quelque peu libertines pour le délassement des invités du fameux financier Le Normant d'Étiolles, époux de la future Mme de Pompadour, il donne sa première pièce en 1767 aux Comédiens-Français. Celle-ci, intitulée *Eugénie, drame bourgeois*, dont le sujet rappelle les aventures espagnoles de sa sœur, n'obtient qu'un demi-succès. Beaumarchais en fera précéder le texte, lors de la publication en librairie, d'un *Essai sur le genre dramatique sérieux*, où il se fait le disciple de Diderot. 1768 sera l'année de son second mariage, cette fois avec la riche et jolie veuve d'un garde général des Menus : Mme Lévêque, née Madeleine Watebel, qui décédera presque aussi rapidement que sa première épouse. Le 13 janvier 1770, il fait jouer un nouveau drame bourgeois : *Les Deux Amis ou le Négociant de Lyon*, qui est un échec. La même année, le 17 juillet, Pâris-Duverney meurt et les dispositions qu'il a prises dans son testament en faveur de Beaumarchais sont contestées par le comte de La Blache, légataire universel du financier. Un procès s'ensuit avec ses phases diverses, les unes favorables, les autres défavorables à Beaumarchais : ses biens sont finalement saisis lorsqu'en 1773 il publie à propos des agissements du rapporteur à son procès, le juge Goëzman, quatre mémoires dont l'esprit et la dialectique passionnée ont un retentissement considérable et font condamner le juge, le 26 février 1774. Beaumarchais

n'obtiendra cependant définitivement justice que le 23 juillet 1778 avec l'arrêt du parlement d'Aix lui donnant raison contre le comte de La Blache. Mais, pour lors, ses affaires sont au plus bas, ses droits civiques ayant été suspendus ; en outre, le 11 septembre 1773, il s'était livré chez lui à un vulgaire pugilat avec son rival en amour et néanmoins ami, le duc de Chaulnes, et l'on avait jugé sage d'envoyer le duc à Vincennes et Beaumarchais à la prison parisienne de For-l'Évêque. Il était temps de travailler et de rétablir son crédit. Pour ce faire il accepte plusieurs missions secrètes à Londres, en Hollande et en Autriche. Le 25 juin 1775, il fait enfin représenter par les Comédiens-Français *Le Barbier de Séville*, comédie depuis longtemps annoncée, qui avait subi divers avatars, prévue comme une parade, transformée en opéra-comique, puis comédie en quatre actes et enfin comédie en cinq actes. L'accueil d'abord froid conduit Beaumarchais à procéder à de nouvelles transformations et enfin à ramener la pièce à quatre actes. Le succès est là, et ne se démentira pas ensuite. La fortune de l'auteur est à nouveau assurée grâce à un million de livres fournies par l'État : il est chargé de fonder une maison de commerce destinée à faire parvenir armes et vêtements militaires aux insurgés américains dont il a plaidé vigoureusement la cause. Son activité est alors intense, il fonde en 1777 la Société des auteurs dramatiques ; en 1778 il se lance dans l'édition des œuvres complètes de Voltaire et, en 1784, en dépit d'une sérieuse opposition, il obtient de faire jouer le 27 avril *Le Mariage de Figaro*, chef-d'œuvre qui rencontre aussitôt une audience extraordinaire. L'année suivante il convole en troisième noce avec Marie-Thérèse de Willermaulaz, riche orpheline de vingt-trois ans. Le 8 juin 1787, il fait jouer *Tarare*, opéra philosophique sur une musique de Salieri, mais une malheureuse polémique, dans laquelle il a le dessous, avec l'avocat Bergasse semble indiquer que la chance l'abandonne. La luxueuse maison qu'il a fait construire près de la Bastille éveille des jalousies ; nous sommes en 1789, le Parlement a donné raison à Bergasse... Une dernière pièce cependant, la suite du *Mariage* : un drame larmoyant, *La Mère coupable*. Mais, en août 1792, compromis dans une affaire de fourniture d'armes, il est emprisonné à l'Abbaye. Relâché, il passe en Hollande, puis à Londres. Quoique mandaté par le Comité de salut public, il est inscrit sur la liste des émigrés. Il végète alors à Hambourg, pendant que sa femme et sa fille sont dans la misère à Paris. Le Directoire va lui apporter une dernière revanche : autorisé à rentrer en France en 1796, il voit *La Mère coupable* reprise avec succès le 5 mai 1797. Au terme d'une vie si agitée, il meurt d'une attaque d'apoplexie à la veille du XIXe siècle. Le personnage qu'il a créé, Figaro, lui survit pour toujours.

BEAUMONT DU REPAIRE, Christophe de (26 juillet 1703, château de La Roque, Périgord - Paris, 12 décembre 1781). Archevêque de Paris, il est sans doute le prélat le plus combatif de son siècle. Toute sa vie n'a été qu'un combat contre les jansénistes et contre les philosophes. Fils de François de Beaumont, ancien guidon des gendarmes de Monsieur, et d'Anne de Lostanges de Saint-Alvère, il est éduqué très pieusement par sa mère. Après avoir fait ses humanités à Toulouse (il y est reçu maître ès arts en 1723), il conquiert à Paris ses grades de théologie (licence en 1733) et est ordonné prêtre en 1734. Ses deux premiers ministères, celui de grand vicaire à Blois, puis celui d'évêque de Bayonne (1741-1744), lui fournissent déjà plusieurs occasions d'exercer sa pugnacité contre les jansénistes. C'est probablement ce qui lui vaut sa nomination au siège de Paris (le 5 août 1746) après un bref passage à l'archevêché de Vienne (1744-1746). Il commence par refuser, mais Louis XV lui écrit personnellement, lui faisant un devoir d'accepter. Le diocèse de Paris est en état permanent d'insurrection contre la bulle *Unigenitus*. Le roi attend de Beaumont qu'il remette

de l'ordre et ramène les Parisiens à la raison. Le nouvel archevêque ne se le fait pas dire deux fois. Caractère entier, ne sachant même pas ce que pourrait être un compromis, se refusant à toute conciliation, il se lance aussitôt dans la bataille et suscite, par son intransigeance, les plus vives polémiques. On le voit donc aller d'affaire en affaire. Celle d'abord de l'Hôpital général (1749-1751). Cette institution était un foyer de jansénisme sectaire. Beaumont fait élire une nouvelle supérieure de son choix (Mme de Moysans) contre la candidate de la secte. Tollé des jansénistes. A peu près au même moment, éclate l'affaire des billets de confession. Beaumont n'a rien imaginé de mieux que d'exiger de toutes les personnes désirant recevoir les derniers sacrements un billet de confession signé d'un prêtre approuvé, donc non janséniste. C'est de l'inquisition sous une forme des plus insupportables. Plusieurs mourants se voient refuser les sacrements. Le Parlement intervient et multiplie les poursuites contre les curés coupables d'appliquer les directives de l'archevêque. Rien ne peut fléchir le terrible prélat, ni les représentations royales, ni les conseils de modération du pape. Deux fois il subit l'exil : la première fois en 1754 à Conflans et à Lagny, la seconde fois, au château familial de La Roque, en Périgord. Les combats les plus méritoires sont ceux qu'il va maintenant mener pour la défense des Jésuites et contre l'incrédulité des philosophes. Ses quatre mandements de 1751 contre les thèses de l'abbé de Prades, 1758 contre le livre *De l'esprit* d'Helvétius, 1762 contre l'*Émile* de J.-J. Rousseau et 1768 contre le *Bélisaire* de Marmontel font de lui l'un des grandes apologistes de son temps. Les philosophes le caricaturent, le traitent d'ignorant et de fanatique mais le craignent et, d'une certaine façon, le respectent. « Homme opiniâtre, le juge Voltaire, faisant le mal de tout son cœur par excès de zèle, un fou sérieux, un vrai saint dans le genre de Thomas de Canterbury » (Études et documents biographiques I, *Mémoires*, p. 56, dans *Œuvres complètes*

1883-1885). L'apologétique de Beaumont ne manque pas de discernement. Elle voit bien que les philosophes cherchent à opposer la raison à la foi. « Le Dieu de la raison, écrit Beaumont, [...] est aussi le Dieu de la Révélation » (mandement contre l'*Émile*). Cependant cette raison qu'il revendique, il l'utilise peu. Ses réfutations manquent de bases philosophiques. Il se contente trop souvent de l'Écriture et croit tout y trouver. Il écrit par exemple que l'Évangile et les Actes des Apôtres « contiennent tout ce qui est nécessaire aux princes et aux sujets » (mandement contre *Bélisaire*). Il faut en revanche admirer sa lucidité. Il voit bien que la France est en train de se déchristianiser. Il exhorte ses diocésains : « Demandez, leur dit-il, que la foi ne soit point enlevée de cet Empire » (mandement du 19 février 1762). Il vitupère son siècle : « le siècle mauvais que nous pouvons appeler la lie des siècles » (mandement contre l'*Émile*). Il exalte la dévotion réparatrice du Sacré Cœur et fait insérer dans la nouvelle édition de 1770 du Missel et du Bréviaire de Paris la messe et l'office du Sacré Cœur. Ami des pauvres, il les accueille deux fois par semaine dans son palais épiscopal. Peu d'évêques ont été autant vilipendés, mais peu ont autant forcé l'admiration par leur charité et leur désintéressement.

BEAUSSIER DE L'ISLE, Louis Joseph (Toulon, 15 mars 1701 - Brest, 4 juin 1765). Chef d'escadre des armées navales, il est, de tous les officiers généraux de la marine de Louis XV, l'un des plus capables. Onzième d'une famille provençale de dix-sept enfants, il navigue depuis l'âge de quinze ans. Ses premières expériences de la guerre maritime ont lieu en Méditerranée pour cadre. Par exemple, en 1728, sur la flûte la *Seine*, il participe au bombardement de Tripoli. Il s'illustre particulièrement pendant la guerre de Sept Ans. Son grand fait d'armes est son combat de 1756. Le 26 juillet 1756, il vient de quitter l'île Royale (île de Louisbourg) sur le *Héros* (46 canons), lorsqu'il est assailli par

deux vaisseaux anglais de puissance de feu très supérieure. Après un combat épique de six heures, les Anglais doivent lâcher pied. Il sera nommé chef d'escadre en 1764. On s'accorde à voir en lui « un des meilleurs manœuvriers de la marine royale pendant la guerre de Sept Ans » (Aman, cité par Michel Vergé-Franceschi, *Les Officiers généraux de la marine royale 1715-1774*, p. 333).

BEAUVAIS, Jean Baptiste Charles Marie de (1731-1790). Évêque de Senez, il a fait carrière par la prédication. Son talent lui valut d'être plusieurs fois invité à prêcher devant le roi. Il est l'auteur de ce fameux sermon du jeudi saint, 31 mars 1774, où Louis XV est durement apostrophé : « Sire, prononce l'orateur, mon devoir de ministre d'un Dieu de vérité m'ordonne de vous dire que vos peuples sont malheureux, que vous en êtes la cause, et qu'on vous le laisse ignorer. » Le thème de ce sermon était la prophétie de Jonas : « Dans quarante jours Ninive sera détruite. » On y verra une prédiction de la mort de Louis XV, cette mort étant survenue quarante jours plus tard (10 mai). La nomination de Mgr de Beauvais à l'évêché de Senez date du début de cette même année 1774. L'année suivante, il se rend dans son diocèse et le visite. Il se démet de son évêché en 1783. En 1789, le clergé de la vicomté de Paris l'élira député aux États généraux.

BEAUVAU-CRAON, Charles Just de, prince de Beauvau (Lunéville, 2 septembre 1720 - 2 mai 1793). Il s'élève à de grands emplois avec de médiocres talents, soutenus, il est vrai, par de ferventes convictions philosophiques. Jeune officier, il s'est très bien battu à Prague et à Mahon. Mais son commandement du corps expéditionnaire envoyé en 1761 contre le Portugal n'est pas une réussite : il perd beaucoup d'hommes sans parvenir à pénétrer profondément sur le territoire portugais. Cela n'arrête pas sa carrière. Il fait partie du clan lorrain et choiseuliste. On lui donne en 1763 le commandement du Languedoc.

Il s'y distingue par une action de tolérance, faisant libérer les prisonnières de la Tour de Constance. En 1771, il refuse de suivre Maupeou et d'intervenir contre les cours. Il faut le remplacer. La même année voit son élection à l'Académie française. Il est désormais l'un des représentants les plus notables de la grande noblesse éclairée. A partir de 1780, il fréquente le salon de Mme Necker. En 1785, il est initié à la franc-maçonnerie. Les honneurs et les dignités pleuvent : gouverneur de Provence en 1782, maréchal de France en 1783, et même ministre (le 4 août 1789). Mais il ne reste que cinq mois au ministère. Il mourra en émigration.

BEGOUEN-DEMEAUX, Jacques François (1703-1779). Premier du nom. Armateur du Havre, il est né à Lessay où son père était receveur des finances. Il fait son apprentissage chez Jean Le Bouis, marchand havrais d'eau-de-vie. Il passe ensuite dix ans à Cadix, où il exerce le commerce de commission. Revenu au Havre fortune faite, il monte des sociétés d'armement. La plus durable est la Compagnie de Guinée, dans laquelle il participe pour 130 000 livres. Les navires de son armement se livrent soit au commerce en droiture aux Antilles, soit au commerce triangulaire. Il laisse à sa mort à son neveu Jacques François une fortune de 3 millions de livres.

BEGOUEN-DEMEAUX, Jacques François (1743-1831). Deuxième du nom. Armateur du Havre, il est le neveu et héritier du précédent. Pendant la guerre d'Amérique, il prend des intérêts sur vingt-cinq corsaires. Le retour de la paix amène une forte reprise de son commerce, et 1788 marque l'apogée de sa maison, dont le capital est passé de 2 à 5 millions de livres. Il devient l'un des plus puissants armateurs de la place, et fait en moyenne 300 000 livres de bénéfices par an. En 1784, la consécration nobiliaire est venue s'ajouter à la fortune, grâce à l'acquisition d'une charge de conseiller-secrétaire du roi. Il sera fait comte d'Empire en 1808.

BÉLANGER, François-Joseph (Paris, 1744 - id., 1818). Architecte, il part en Angleterre en 1765 pour oublier son échec au concours de l'Académie d'architecture. Il y travaille pour lord Shelburne et s'y familiarise avec le néopalladianisme. Son retour en France coïncide avec la grande vague d'anglomanie, d'où son succès : il est nommé premier architecte du comte d'Artois et dessinateur des Menus-Plaisirs. Pour le comte d'Artois il construit le pavillon de Bagatelle, la maison d'Artois et les écuries de Vincennes. On lui doit des maisons particulières (maison de Sophie Arnould, Folie Saint-James à Neuilly) et plusieurs jardins dans le goût anglais, comme par exemple les parcs de Belœil et de Baudour en Belgique. Enfin il est l'auteur de plusieurs grands projets : à Paris, la réunion du Louvre aux Tuileries et le Théâtre des Arts de Bruxelles. Sous la Restauration, il continuera de travailler, faisant, entre autres ouvrages, les abattoirs de Rochechouart et la coupole de la Halle aux blés.

BELIDOR, Bernard Forest de (en Catalogne, 1697 ou 1698 - Paris, 8 septembre 1761). Ingénieur. Orphelin alors qu'il n'a pas encore atteint l'âge d'un an, il est recueilli par la veuve de son parrain et il reçoit dans cette famille une éducation qui met en valeur ses dons. Il seconde Philippe de La Hire et Jacques Cassini dans la détermination du méridien de Paris jusqu'au Pas-de-Calais, si bien qu'ils le recommandent à l'attention du Régent. Celui-ci le nomme professeur de mathématiques à la toute nouvelle école d'artillerie de La Fère (1720). Bélidor rédige à l'attention de ses élèves le *Nouveau Cours de mathématiques à l'usage de l'Artillerie et du Génie* dont la publication à Paris, en 1725, établit sa réputation. *Le Bombardier français, ou Nouvelle méthode de jeter les bombes avec précision*, paru en 1731, comprend des tables de tir. Mais Bélidor est surtout l'auteur de deux traités pratiques pour les ingénieurs civils et militaires : *La Science des ingénieurs dans la conduite des travaux de fortifications et d'archi-*

tecture civile (1729) et *Architecture hydraulique, ou l'Art de conduire, d'élever et de ménager les eaux pour les différents besoins de la vie* (2 vol., 1737-1739). Les deux ouvrages contiennent des formulations mathématiques des principes de mécanique exposés et une discussion élémentaire, mais surtout des formules et un répertoire de formes standard qui en font des mementos très utiles pour les ingénieurs, d'où leur succès (ils ont été réédités jusqu'en 1813 et 1819). Bélidor a aussi mené une carrière militaire, notamment pendant la guerre de Succession d'Autriche, si bien qu'en 1756 il est à la fois brigadier des armées du roi et associé libre de l'Académie des sciences.

BELLECOUR, Jean-Claude Gilles Colson, dit (Paris, 16 janvier 1725 - *id.*, 19 novembre 1778). Célèbre acteur, doyen de la Comédie-Française, il était le fils de Gilles Colson, peintre de portraits. Après des études chez les oratoriens, il avait commencé à s'exercer dans l'art de son père, sous la direction de Carle Van Loo. Mais le goût du théâtre l'emporta. Il s'engage dans une troupe et joue en province. Préville, membre de cette troupe, lui donne des conseils qu'il a l'intelligence d'écouter. Il fait ses débuts à la Comédie-Française le 21 décembre 1750, dans le rôle d'Achille d'*Iphigénie en Aulide*, et est reçu sociétaire en 1752. Le *Mercure* (février 1751) salue ainsi le nouvel acteur : « Ce comédien a vingt-quatre ans, une figure charmante, quelques défauts que l'art peut corriger, et beaucoup de dons heureux que la nature seule peut donner. » De nombreux rôles vont être créés par lui, entre autres celui du comte Almaviva, dans *Le Barbier de Séville* (1775). Le public l'apprécie. Pourtant il n'a pas l'heur de plaire à Voltaire qui lui préfère Lekain, ni à La Harpe qui lui reproche un jeu sec et dur. Cependant la mort de Lekain fait de lui le doyen de la Comédie-Française, et il est appelé à ce titre à prendre la parole et à souhaiter la bienvenue à Voltaire, lors de la venue de ce dernier à Paris, en mars 1778. Il meurt peu après.

BELLE-ISLE, Charles Louis Auguste Fouquet, comte, puis duc de (Villefranche-de-Rouergue, 22 septembre 1684 - Versailles, 26 janvier 1761). Petit-fils du surintendant Foucquet, son père était le protégé de Mme de Maintenon.

C'est à l'âge de cinquante-six ans qu'il accède à un rôle historique. Devenu le chef du parti belliciste, il force la main du roi et, par ses initiatives diplomatiques, entraîne la France dans la guerre. Nommé maréchal de France et ambassadeur à Francfort (1741), il avait pour seule consigne de faire élire empereur l'Électeur Charles-Albert de Bavière. Il outrepasse les instructions reçues et conclut avec le roi de Prusse un accord défensif contre Marie-Thérèse. Il n'est pas désavoué.

Ayant déclenché la guerre, il est chargé de la faire. Ses deux campagnes d'Allemagne (1741-1743) et d'Italie (1746) lui apportent la gloire. On vante sa retraite de Bohême. Assiégé dans Prague par une armée très supérieure en nombre, il réussit à s'échapper avec quinze mille hommes et à gagner Egra en dix jours de marches forcées au milieu d'un pays hostile (15-25 décembre 1742). Sept ans plus tard, le 30 juin 1749, lors de son entrée à l'Académie française, dans le discours de réception l'abbé Resnel, directeur de l'Académie, évoquera en ces termes la fameuse retraite : « ... elle s'exécute avec autant d'ordre, avec autant de sûreté, que si les ennemis ne vous eussent suivi que pour être les témoins et les admirateurs de ce que peut la vigueur du génie jointe à la grandeur du courage ». On louera pareillement la délivrance de Gênes des armées autrichiennes, fait d'armes dont Richelieu et Belle-Isle se partagent le mérite. La publicité officielle laisse prudemment dans l'ombre les aspects moins flatteurs de ces grandes actions. Elle tait en particulier les douze cents hommes morts de froid pendant la retraite de Prague.

Devenu un héros national, jouissant de la protection de Mme de Pompadour, Belle-Isle est élevé aux plus hautes dignités. Il est nommé duc et pair en 1748, ministre d'État en 1750, secrétaire d'État à la Guerre le 3 mars 1758. Son règlement du 25 novembre 1760 représente une amélioration du système de recrutement.

BELLE-POULE (combat de la). Le combat de la *Belle-Poule* est livré et gagné le 17 juin 1778 dans les eaux de la Manche, au large de Roscoff, par la frégate française de ce nom contre son agresseur au mépris du droit des gens (la guerre n'étant pas déclarée) sur la frégate anglaise l'*Arethusa*.

Commandée par le capitaine Isaac de la Clocheterie, la frégate la *Belle-Poule* (trente canons) était sortie de Brest le 15 juin, en compagnie de trois autres navires pour croiser en Manche. Le 17 apparaissent plusieurs bâtiments venant du nord ; c'est l'avant-garde de la flotte de l'amiral anglais Keppel. Les navires français se replient. Mais la *Belle-Poule* est poursuivie par la frégate l'*Arethusa*, rejointe et, comme son commandant refuse d'obtempérer aux ordres du capitaine anglais, immédiatement canonnée. Les deux navires se mitraillent à bout portant. Le duel d'artillerie va durer cinq heures. Finalement c'est l'Anglais qui lâche pied et s'enfuit. La *Belle-Poule* a perdu quarante hommes sur deux cents. La nouvelle du combat suscite en France un enthousiasme délirant. On veut y voir l'annonce d'une grande revanche sur l'ennemi héréditaire. La mode féminine s'en mêle et l'on verra bientôt, ornant les têtes des élégantes, des coiffures « à la Belle-Poule » avec mâtures et agrès.

BELLOY, Pierre Laurent Buyrette, dit **Dormond de** (Saint-Flour, 17 novembre 1727 - Paris, 5 mars 1775). Auteur dramatique, il avait été élevé par un oncle avocat au Parlement et destiné par lui au barreau. Il préféra monter sur les planches. A l'âge de vingt ans il courait l'Europe avec une compagnie d'acteurs ambulants. De retour à Paris en 1758 il s'essaie dans un autre rôle, celui d'auteur. Sa première pièce (*Titus*) tombe à plat, mais toutes les autres réussissent.

Le Siège de Calais, représenté en 1765, est un immense succès. Belloy obtient la médaille dramatique promise par le roi aux poètes couronnés trois fois au théâtre par les suffrages du public. Le 9 janvier 1772, il est élu à l'Académie française. Son genre littéraire est le patriotisme. *Le Siège de Calais* et *Gaston et Bayard* (1771) exaltent l'héroïsme français. Le style n'est pas à la hauteur des sentiments. « Est-il vrai, dit un jour Louis XV au duc d'Ayen, que vous n'aimez pas *Le Siège de Calais* ? Je vous croyais meilleur Français. — Ah ! sire, répondit le duc, je voudrais que le style de la pièce fût aussi bon français que moi. » Belloy, écrit l'auteur de la notice qui lui est consacrée dans l'*Encyclopédie* de Panckouke, « avait le talent d'élever l'âme, mais à force de tout expliquer et de rendre raison de tout, sa marche était quelquefois lente, froide et didactique ». Son succès fut en grande partie dû aux circonstances. *Le Siège de Calais* fut représenté peu après la fin de la guerre de Sept Ans. La pièce montra le grand exemple des bourgeois de Calais. Après les humiliations de la guerre, elle fut ressentie comme une consolation pour la fierté nationale.

BELSUNCE, Armand, vicomte **de** (1722-1764). Lieutenant général, c'est un brillant et courageux officier d'infanterie. On le trouve à Dettingen, Fontenoy, Lawfeld, et au siège de Maastricht en 1748. Toutefois c'est pendant la guerre de Sept Ans qu'il accomplit ses faits d'armes les plus glorieux. Commandant en second (sous le comte de Vaux) la place de Göttingen, il effectue depuis cette place, de janvier à septembre 1761, de multiples sorties toujours ruineuses pour l'ennemi. L'année suivante il est présenté au roi et à la famille royale, et nommé commandant supérieur des troupes en Amérique. Arrivé à Saint-Domingue en 1763, il y meurt le 1er août 1764.

BELSUNCE DE CASTELMORON, Henri François Xavier de (La Force, Périgord, 1670 - Marseille, 1755). Évêque de Marseille, il est resté fameux pour son courage lors de la peste de Marseille de 1720. Sa carrière est toute méridionale. D'origine périgourdine, il est nommé en 1688 abbé de La Réole, grand vicaire d'Agen le 21 décembre 1704 et finalement évêque de Marseille le 5 avril 1709. Très attaché à son diocèse, il ne voudra jamais le quitter. Il refusera en 1723 le siège de Laon et en 1728 celui de Bordeaux. Il est l'évêque de la peste de Marseille comme saint Charles Borromée avait été celui de la peste de Milan. Son héroïsme et sa sérénité devant le terrible fléau forcent l'admiration de l'Europe entière. Le poète anglais Pope célèbre sa vertu dans l'*Essai sur l'homme*. Tout le temps de l'épidémie, sa première préoccupation est le salut des mourants. Il veut qu'ils soient assistés et confessés. Le 4 septembre 1720 il écrit à l'archevêque d'Arles cette lettre désespérée : « Jamais plus affreuse situation que celle où je me trouve [...]. J'ai au moins quarante confesseurs morts, et je me vois à la veille de voir mourir mes pauvres ouailles sans sacrements. » Persuadé que la peste est le châtiment de l'impiété et de la licence des mœurs, encouragé par les révélations faites à la visitandine marseillaise Anne Magdelaine de Rémuzat — cette religieuse avait annoncé l'épidémie —, il cherche le salut de sa cité dans la dévotion réparatrice du Cœur sacré de Jésus. En 1720, il prononce la consécration de son diocèse au Sacré Cœur, fait amende honorable et établit la fête du Sacré Cœur pour l'année suivante. Antijanséniste décidé, il traque les appelants, obtient contre eux des lettres de cachet et pratique à leur endroit les refus des sacrements. Sa piété confiante, proche de celle des humbles, le porte à multiplier les grandes manifestations de foi populaire, telles que les missions, les processions, les expositions de reliques et les bénédictions du Saint Sacrement. Il est aussi un grand fondateur. Sous son épiscopat et à son initiative s'installent à Marseille quatre communautés religieuses nouvelles, les Augustins réformés, les Bénédictins, Picpus et la Congrégation des Ermites du terroir marseillais. Avec Beaumont et

La Motte, évêque d'Amiens, Belsunce est un de ces prélats de combat qui ont fait reculer l'influence du jansénisme et contribué à relancer la réforme catholique.

BÉNÉDICTINS. Les bénédictins sont des moines qui suivent la règle de saint Benoît. Ils se divisent en plusieurs branches ou congrégations. Les anciens bénédictins sont peu nombreux. Les bénédictins de l'ordre de Cluny sont eux-mêmes divisés en ancienne et étroite observance. Les deux congrégations réformées de Saint-Vanne et de Saint-Maur (*voir* MAURISTES et BÉNÉDICTINS DE SAINT-VANNE) représentent la majorité des bénédictins français et la partie la plus vivante de l'ordre en France.

BÉNÉDICTINS DE SAINT-VANNE. La congrégation de Saint-Vanne est une congrégation bénédictine réformée, dont la réforme date du XVIIe siècle. Elle se compose de cinquante maisons réparties dans les trois provinces de Champagne, France-Comté et Lorraine. Huit seulement sont régulières. Les autres sont tenues en commende. La commission des réguliers n'en supprime aucune. Le nombre des moines était en 1766 de six cent vingt-huit.

La congrégation est gouvernée par un chapitre général qui se tient tous les trois ans. Un président général et une diète assurent le gouvernement pendant la vacance du chapitre. Les nouvelles constitutions votées en 1768 sous la pression de la commission des réguliers modifient dans un sens plus démocratique les règles pour la désignation des supérieurs.

Après 1760 la congrégation donne des signes de déclin : endettement croissant des maisons ; relâchement de l'observance ; le vœu de pauvreté n'est plus respecté ; on fait gras les jours de maigre ; on accorde de nombreuses dispenses d'office de nuit.

Au début du siècle, et jusque vers 1730, Saint-Vanne a été un foyer de jansénisme. Les académies vannistes, sortes de centres de recherche fondés dans les monastères, ont diffusé les thèses de Quesnel. Ensuite, le jansénisme vanniste est devenu de plus en plus prudent. Dom Calmet, le grand exégète de la congrégation (mort en 1757), est un « théologien du juste milieu » (Taveneaux). Les vannistes des dernières décennies de l'Ancien Régime subissent les influences conjointes de l'Aufklärung et des Lumières. Les deux principaux docteurs de la congrégation, dom Grappin et dom Mougenot, sont des théologiens très « éclairés ».

BÉNÉFICE. Un bénéfice est un office ecclésiastique auquel est annexé un revenu.

En principe, seuls les clercs peuvent posséder des bénéfices. Il faut donc être tonsuré ou avoir prononcé des vœux. L'âge de quatorze ans est requis pour pouvoir administrer son bénéfice. Si tous les bénéficiers sont clercs, tous les clercs ne sont pas bénéficiers. Cependant, la grande majorité d'entre eux le sont.

La matière bénéficiale est d'une grande complexité. Les canonistes eux-mêmes ne s'y reconnaissaient pas toujours.

On distingue les bénéfices selon l'état des bénéficiers, selon la fonction du bénéfice et selon le mode de nomination.

Si l'on considère l'état des bénéficiers, les bénéfices sont séculiers ou réguliers. Les séculiers sont ceux conférés aux clercs non engagés par des vœux dans un ordre régulier, par exemple les évêchés, les canonicats et les cures. Les réguliers ne peuvent être possédés que par des réguliers. Ce sont principalement les abbayes, les prieurés et les offices claustraux. Les bénéfices réguliers peuvent être en titre ou en commende. Ils sont en titre s'ils sont possédés par des religieux qui en exercent les fonctions. Ils sont en commende s'ils sont possédés par des clercs séculiers avec dispense de la régularité. Par exemple l'abbaye de Cluny est un bénéfice en commende.

Si l'on regarde la fonction, les bénéfices sont à charge d'âmes ou sans charge d'âmes. Les évêchés, les archidiaconés et les cures sont à charge d'âmes. Le cumul de ces sortes de bénéfices est interdit et la résidence est obligatoire. Les canonicats sont un exemple de bénéfices sans charge d'âmes. Toujours selon la fonction, les bénéfices peuvent être simples ou doubles. Ils sont simples quand ils ne comportent ni charge d'âmes ni administration (par exemple les chapelles). Ils sont doubles quand les titulaires sont chargés d'administration avec ou sans charge d'âmes (par exemple les évêchés et les dignités des chapitres).

Par rapport au mode de nomination, il faut, avant de faire les distinctions, rappeler que tous les bénéfices sont conférés, que tous ont un collateur qui confère au bénéficier le titre et les provisions. Cela posé on distinguera trois sortes de bénéfices :

— les électifs, dont la collation se fait par voie de suffrage ; ce sont les bénéfices conférés par les chapitres (dignités, prébendes ou cures) ;

— les collatifs, auxquels le collateur nomme et pour lesquels il confère titre et provisions. Ce sont par exemple les bénéfices dont l'évêque est collateur. Certains bénéfices collatifs ont des patrons, qui présentent des candidats lorsque le bénéfice est vacant. Le collateur agrée le candidat et confère les provisions. Il y a des patrons ecclésiastiques (par exemple des abbés de monastères) et des patrons laïcs. Les universités sont des patrons laïcs : elles peuvent présenter des candidats en vertu de l'expectative des gradués. De nombreux seigneurs sont patrons laïcs. Par exemple, en Bretagne, les comtes de Combourg sont patrons de la cure d'Uzel ;

— les consistoriaux, dont le pape accorde les provisions après délibération du consistoire des cardinaux. Il s'agit de tous les grands bénéfices : évêchés, abbayes, grandes dignités. Le pape en est collateur, le roi nominateur en vertu du Concordat. Il désigne les bénéficiers et leur décerne un brevet de nomination.

Le pape, on doit le souligner, est en France collateur d'un grand nombre de bénéfices. Son droit de prévention lui confère le privilège de prévenir la nomination par le collateur naturel. Son droit de réserve lui permet de se réserver la provision de tel ou tel bénéfice. Il confère les bénéfices consistoriaux. Enfin, en Bretagne, par une dérogation au droit du royaume, il est collateur naturel d'un grand nombre de cures.

On quitte un bénéfice soit par démission, soit par résignation en faveur de quelque personne. Les résignations *in favorem* sont mises entre les mains du pape qui ne peut conférer le bénéfice qu'à la personne désignée.

Les revenus des bénéfices peuvent aller de 10 livres pour un prestimonie ou une chapelle à 100 000 livres pour un évêché ou une abbaye. A la fin de l'Ancien Régime, un évêché moyen rapporte 30 000 livres environ, une abbaye moyenne 25 000, un canonicat moyen entre 1 500 et 3 000 livres. Les revenus des cures sont comparables à ceux des canonicats.

Le régime bénéficial assure la sécurité matérielle du clergé, mais nuit souvent à la qualité des vocations : « Le désir des bénéfices, regrette un auteur, fait souvent la base de la vocation. » La chasse aux bénéfices a également des effets malheureux, car elle amène des intrigues et des divisions.

BÉNÉFICES (feuille des). On entend par cette expression la feuille ou registre où l'on inscrit les bénéfices vacants et les bénéfices que l'on confère. Les bénéfices dont il s'agit sont les bénéfices majeurs ou consistoriaux, c'est-à-dire ceux dont le roi dispose en vertu du concordat de 1516, soit les cent trente évêchés du royaume et environ six cents abbayes.

Au XVIIe siècle et au début du XVIIIe, la feuille des bénéfices était tenue par l'ecclésiastique chargé du secrétariat du Conseil de conscience. On désignait le plus souvent pour cette charge le jésuite confesseur du roi. Lorsque, vers 1732-1733, le Conseil de conscience cesse de se réunir, le roi continue néanmoins de nommer un ecclésiastique pour tenir la Feuille. Cet ecclésiastique, généralement un prélat, est appelé ministre de la Feuille. Remplaçant à lui seul le Conseil de conscience, il éclaire le roi pour le choix des évêques et des abbés. Comme les autres ministres, il a régulièrement des séances de travail avec le roi. On sait par exemple que Mgr Boyer, ministre de la Feuille de 1743 à 1755, travaillait avec le roi le vendredi, puis, à partir de 1745, le dimanche (Michel Antoine, *Le Conseil du roi*).

Voici, pour la période 1715-1789, les noms des ecclésiastiques chargés de tenir la Feuille :

Claude Fleury, confesseur du roi (1715-1722) ;

Claude-Bertrand Taschereau de Linières, jésuite, confesseur du roi (1722-1725) ;

Cardinal de Fleury (1725-1743) ;

Jean-François Boyer, évêque de Mirepoix (1743-1755) ;

Frédéric-Jérôme de Roye, cardinal de La Rochefoucauld (1755-1757) ;

Louis-Sextius de Jarente de La Bruyère, évêque d'Orléans (1757-1771) ;

Charles-Antoine, cardinal de La Roche Aymon (1771-1777) ;

Yves Alexandre de Marbeuf, évêque d'Autun, puis archevêque de Lyon (1777-1789).

Le ministre de la Feuille est plus qu'un simple consultant. Son rôle est essentiel dans la nomination aux bénéfices majeurs. Il est donc étonnant que cette charge ait été confiée à deux reprises à des évêques médiocres et assez peu soucieux du gouvernement de leurs diocèses (Jarente et Marbeuf).

BENOÎT-JOSEPH LABRE, saint (Amettes, Artois, 26 mars 1748 - Rome, 16 avril 1783). Il est l'un des saints les plus extraordinaires des temps modernes. La voie de sa sainteté ne ressemble à aucune autre. Il n'est ni prêtre, ni moine, ni pieux laïque de sa paroisse. C'est un saint vagabond, un saint mendiant. Né d'un père laboureur et d'une mère mercière, aîné de quinze enfants, il vit jusqu'à l'âge de dix-neuf ans la vie du bon jeune homme destiné au sacerdoce. Il apprend le latin chez son oncle, le curé d'Érin, et un peu de philosophie chez un autre oncle, curé de Couteville. Il veut ensuite se faire religieux. Il essaie cinq monastères — trois chartreuses et deux trappes —, aucun ne veut de lui. Après huit mois passés comme novice à la trappe de Sept-Fons (31 octobre 1769 - 2 juillet 1770), tout d'un coup il se décide. Il part pour l'Italie, commençant un interminable pèlerinage à travers l'Europe, marchant sept années durant (1770-1777), parcourant trente mille kilomètres, visitant les plus grands sanctuaires de la chrétienté, Lorette, Rome, Assise, Einsielden, Saint-Bertrand-de-Comminges, peut-être Saint-Jacques-de-Compostelle. On connaît mal le détail de ses pérégrinations. Il arrive que la piste s'efface. Par exemple en 1773 qui peut savoir où il est passé ? On le trouve à Moulins en janvier, à Saint-Bertrand-de-Comminges un peu plus tard, à Lunel en décembre. Mais entre Saint-Bertrand et Lunel rien, il a disparu. En 1777, il se fixe définitivement à Rome. En juin 1779 il trouve un abri pour ses nuits à l'hospice évangélique de l'abbé Mancini. Le mercredi saint 16 avril 1783, au sortir de Sainte-Marie-des-Monts, il tombe évanoui sur les marches de l'église. On le transporte chez le boucher Zaccarelli qui habite tout près. Il y meurt le soir même. Ce n'est qu'un cri dans Rome : « Le saint est mort. »

De quoi est faite la sainteté de ce personnage ? Labre est un mendiant, mais un mendiant d'une espèce particulière, un mendiant qui donne aux pauvres, un mendiant qui fait le bien. A Moulins on lui a donné une marmite de pois chiches, il la partage avec douze pauvres de la rue. Aux familles de gens simples et souvent pauvres qui lui ont donné l'hospitalité, il laisse en les quittant des faveurs surnaturelles extraordinaires. Aux Fiordi de Fabriano il indique une prière à dire en cas de tremblement de terre. Trois ans plus tard la terre tremble, mais la maison des Fiordi reste debout.

Un des aspects les plus déroutants du personnage est sa saleté. Il ne se lave jamais, ne nettoie jamais ses vêtements, ne les change jamais. D'où les poux : il en est couvert. Les esprits forts daubseront sur le « saint pouilleux », le « saint en état de crasse ». Il y a là une sorte de provocation non délibérée, une sorte de défi lancé au siècle de la « douceur de vivre ».

Nous connaissons la religion de ce saint. Ses pèlerinages et les livres qu'il emporte dans sa besace — ce pauvre qui n'a rien a pourtant des livres — nous sont autant d'indications. Ses sanctuaires préférés sont ceux de la Vierge, et d'abord celui de la Santa Casa de Lorette. Nourri en son adolescence de la spiritualité de l'École française, Labre honore en ce lieu les « grandeurs de la Vierge ». Il fait onze fois le pèlerinage à Lorette. Après la Vierge, saint François d'Assise. Quatre pèlerinages de Benoît à Assise. Il a l'esprit franciscain. Enfin Rome où il va cinq fois et où il finit sa vie. Labre est un « Roméen ». Il révère le pape qu'il appelle le « vice-Dieu ». Il vénère les martyrs. A un moment il élit domicile dans un trou du Colisée, où le pape Benoît XIV a fait ériger à la mémoire des héros chrétiens du cirque un monumental chemin de croix. Quant à ses livres ce sont l'*Imitation*, le bréviaire, un petit livret du chemin de croix et le *Guide des pécheurs* de Louis de Grenade. Peu de livres mais les meilleurs. A force de les lire il en est imprégné. Cet errant, ce vagabond sans domicile fixe, règle avec soin l'emploi de ses journées. On le voit dans les églises sortir un livre de son sac et faire sa lecture spirituelle. Comme on dit alors sa dévotion est « réglée ».

Mieux que ses lectures, parlent ses exercices de piété : l'adoration de la Croix et du saint sacrement. Il affectionne les chemins de croix. Plusieurs fois le jour il gravit à genoux la Scala Santa du Latran. Rien n'égale son amour du saint sacrement. Il suit tous les saluts, toutes les expositions, toutes les quarante heures qui se font à Rome. On l'appelle le « pauvre des quarante heures ». Cette religion de Labre, vivante et enflammée, forme une contradiction étonnante avec le déisme froid des Lumières, et même avec ce catholicisme « éclairé » que des chrétiens amis des philosophes voudraient instaurer.

Sa sainteté n'avait pas été connue de son vivant car il avait une vie cachée. Elle a été révélée par sa mort. A peine avait-il rendu le dernier soupir que la foule assiégeait la maison mortuaire. Il fallut retarder de trois jours l'inhumation. La cause fut introduite dès 1792. Pie IX le béatifia en 1860. Léon XIII le canonisa en 1881.

BERCHENY, Ladislas Ignace, comte de (Épéries, 1689 - Lusancy, 1778). Maréchal de France, c'est un magnat hongrois passé en France en 1712 afin de ne pas servir dans l'armée impériale. Il combat toute sa vie les impériaux, d'abord dans sa patrie, ensuite au service du roi de France. Il est de toutes les campagnes des guerres de Succession de Pologne et de Succession d'Autriche et s'illustre en particulier en Flandre en 1747. Le roi, qui l'avait déjà nommé en 1744 inspecteur général des hussards, l'élève le 15 mars 1758 à la dignité de maréchal de France. Le maréchal de Bercheny était lié au roi Stanislas, qui l'avait fait son chambellan et lui avait donné, le 11 mars 1746, le gouvernement de la ville et du château de Commercy.

BERGIER, Nicolas Sylvestre (Darney, Lorraine, 31 décembre 1718 - Paris, 9 avril 1790). Prêtre et théologien, réputé le meilleur apologiste de son temps, il est le fils d'un maître d'école. Il avait fait ses études chez les jésuites de Colmar ainsi qu'au séminaire et à l'université de Besançon. Ordonné prêtre en 1743, il est nommé curé de Flangebouche, dans les montagnes du Jura. C'est là, dans ce lieu qu'il appelle son « ermitage » et où il reste seize ans, qu'il compose ses premiers livres d'apologétique. Le succès en est tel que Mgr de Beaumont l'appelle à Paris et le nomme chanoine de Notre-Dame (1769), puis confesseur de Mme Adélaïde et du comte et de la comtesse de Provence (1771). Installé à Versailles, où il a un logement au château, il travaille régulièrement sept heures par jour et occupe le reste du temps à de longues promenades, aimant par exemple à parcourir à pied la distance séparant Versailles de Notre-Dame de Paris. Il n'oublie pas ses anciens paroissiens de Flangebouche et leur fait parvenir des secours. Il vit simplement de façon réglée et pieuse. « Les deux derniers jours de sa vie, rapporte son biographe, il ne fit autre chose que d'exprimer les sentiments de son cœur par des passages de la Sainte Écriture et surtout des Psaumes. » Il avait commencé à publier en 1765. Son premier ouvrage est le *Déisme réfuté par lui-même*. Le dernier est le *Dictionnaire de théologie* (1788-1790). Sa bibliographie complète comporte dix-huit titres, auxquels il faut ajouter sa *Correspondance*, publiée en 1987 par Ambroise Jobert. L'ensemble de l'œuvre est destiné à combattre et à réfuter l'incrédulité. L'idée maîtresse de l'auteur est celle de la bonté de Dieu. Les mystères du christianisme, explique-t-il, sont ceux d'une religion d'amour. « Ce qui nous engage à les croire, est, dit saint Jean, l'amour que Dieu a pour nous. » Excellent quand il relève les contradictions de ses adversaires (Rousseau et d'Holbach), l'abbé est peut-être un peu moins convaincant dans ses démonstrations. Car il manque de bases philosophiques solides et professe d'ailleurs peu d'estime pour la philosophie chrétienne ou scolastique. Très souvent il n'est pas loin de tomber dans le fidéisme. Qu'il soit sans aucun doute le meilleur apologiste de son temps ne fait pas de lui nécessairement un très grand apologiste.

BERG-OP-ZOOM. Le siège et la prise de Berg-op-Zoom (Provinces-Unies) en 1747 par l'armée française, sous le commandement de Lowendal, est l'un des plus brillants faits d'armes de la guerre de Succession d'Autriche. Fortifiée par Coehorn, l'émule de Vauban, cette place était réputée imprenable. Boulevard de la Zélande, son importance stratégique était considérable. Or elle est réduite en deux mois. La tranchée est ouverte le 14 juillet, l'assaut général donné le 16 septembre à quatre heures du matin, et la capitulation signée le même jour. Le lendemain Lowendal est fait maréchal de France.

BERNARDIN DE SAINT-PIERRE, Jacques Henri (Le Havre, 19 janvier 1737 - Eragny-sur-Oise, 21 janvier 1814). L'auteur de *Paul et Virginie* aurait complètement raté sa vie, s'il ne s'était décidé, aux approches de la quarantaine, à écrire des livres. Sa jeunesse fut difficile. Il fit des fugues. Ses parents durent le changer plusieurs fois de collège. Sa carrière professionnelle ne fut pas une réussite. Ingénieur du roi, sorti de l'École des ponts et chaussées, il se fit suspendre dès son premier emploi, pour insubordination et susceptibilité. Ensuite, il voulut voyager. Il alla à Malte, puis en Russie et en Allemagne. Cependant, un séjour de trois ans comme ingénieur à l'île de France (1769-1771) lui laissa de fortes impressions. C'est l'origine de sa vocation littéraire. En 1773, paraît le *Voyage à l'île de France*. Le succès n'en est que d'estime. Avec la publication des *Études de la nature* (à partir de 1784) et surtout de *Paul et Virginie* (dans le tome IV des *Études*, paru en 1787) arrivent enfin la célébrité et la gloire. Louis XVI nomme l'auteur intendant du Jardin du roi, à la succession de Buffon. En 1795, Bernardin de Saint-Pierre sera membre du nouvel Institut.

L'homme n'est guère sympathique. Il parle beaucoup d'amour dans ses livres, mais lui-même est dur et méchant. Il fait souvent l'éloge de la simplicité primitive, mais il fait le siège des ministres afin d'obtenir d'eux des gratifications. Turgot l'ayant déçu, il se rabat sur Necker et a lieu d'en être satisfait. Il écrit alors à Mme Necker : « ... Vénus vous ressemblait beaucoup, si ce n'est qu'elle avait les yeux noirs et que vous les avez bleus comme Minerve. » La bibliothèque du Havre conserve un manuscrit inédit de l'écrivain, dont le titre est « Mon apologie à Mme de Necker ».

Ses ouvrages s'expliquent par son caractère. La société le froisse, il se réfugie au sein de la nature, et lui consacre son œuvre. L'histoire d'amour de *Paul et Virginie* se déroule au milieu des solitudes de la nature tropicale. Les héros de cette histoire vivent loin des villes, loin de la prétendue civilisation. L'auteur transpose ainsi sa propre misanthropie en l'idéalisant.

L'histoire elle-même ne nous touche plus beaucoup. Elle est d'un sentimentalisme niais. Les explications scientifiques, dont l'auteur se croit obligé de nous abreuver, sont ineptes. Le finalisme de cette pseudo-science prête à rire. Par exemple, savez-vous pourquoi « la vache a quatre mamelles, quoiqu'elle ne porte qu'un veau et bien rarement deux ? » Voici l'explication : « Parce que ces deux mamelles superflues étaient destinées à être les nourrices du genre humain. »

La métaphysique de Bernardin de Saint-Pierre ne vaut guère mieux que sa science de la nature. Il était l'ami de Jean-Jacques. Il patauge comme lui dans une sorte de moralisme flou et sentimental. « Leur théologie, écrit-il en parlant de Paul et de Virginie, était toute en sentiment comme celle de la nature et leur morale toute en action comme celle de l'Évangile. » Il a donné l'impression qu'il était spiritualiste. D'ailleurs, s'il fréquentait le salon de Julie de Lespinasse, il y était assez mal à l'aise, affectant de réprouver le matérialisme qui s'y professait. Mais croyait-il vraiment à l'immortalité de l'âme ? On en doute quand on lit sa définition de la mort : « La mort [...] est la nuit de ce jour inquiet qu'on appelle la vie. C'est dans le sommeil de la mort que reposent pour jamais les maladies, les douleurs, les chagrins. »

Il ne restera rien de *Paul et Virginie*, sauf les descriptions de la nature. Par exemple, celle-ci évoquant la paix de la nuit des tropiques : « Il faisait une de ces nuits délicieuses, si communes entre les tropiques, et dont le plus habile pinceau ne rendrait pas la beauté [...]. Les vents retenaient leurs haleines. On entendait dans le bois, au fond des vallées, au haut de ces rochers, de petits cris, de doux murmures d'oiseaux.» Lorsque l'auteur avait fait aux habitués du salon de Mme Necker la lecture de son manuscrit, les hommes avaient bâillé, mais les femmes avaient été touchées. Elles avaient compris que cet appel de la nature pouvait consoler un moment l'ennui des cœurs.

BERNIS, François Joachim de Pierre, cardinal de (Saint-Marcel, en Vivarais, 22 mai 1715 - Rome, 1ᵉʳ novembre 1794). C'est sans doute, parmi les personnalités politiques et religieuses du XVIIIᵉ siècle français, l'une des plus brillantes et des plus lucides. Issu d'une famille ancienne mais pauvre, il réussit à s'élever très haut par son entregent et par son esprit. Entré dans les ordres sans véritable vocation, ses débuts sont littéraires. Sa poésie profane et sacrée lui vaut la renommée. Il est élu à trente ans à l'Académie française. La faveur de Mme de Pompadour, dont il a été le conseiller discret, fait le reste. Il obtient successivement l'ambassade de Venise (1751), une ambassade extraordinaire à Madrid (1755), la mission de négocier secrètement l'alliance autrichienne (1755-1756), l'entrée au Conseil d'en haut (2 janvier 1757), et la charge de secrétaire d'État aux Affaires étrangères. Sa propre ascension lui ouvre les yeux sur le néant du système. «Je considérais avec frayeur qu'il avait suffi de trois ans d'une ambassade pour me faire regarder comme un des ministres et de la plus grande ressource» (*Mémoires et lettres* de F.J. de Pierre de Bernis). Les lettres et les confidences des années 1757 et 1758 sont pleines de réflexions critiques et désabusées sur le régime. Il écrit par exemple : «Ni gouvernement, ni armée, ni administration. Nous touchons à la dernière période de la décadence.» Esprit pratique, il propose deux remèdes immédiatement applicables : d'abord faire la paix, ensuite restaurer un gouvernement «ferme», par la concertation, en l'absence du roi, des membres du Conseil. Tout cela ne peut que déplaire. Le 9 octobre 1758, le roi accepte la démission de Bernis. Le 15 décembre, il l'exile dans son abbaye de Saint-Médard de Soissons. On connaît mal l'itinéraire spirituel du personnage, mais il est presque certain que l'infortune politique a provoqué chez lui une conversion religieuse. Le duc de Croÿ s'en fait écho en rapportant cette confidence : «Quand on est jeune, lui aurait dit Bernis en 1757 ou 1758, on croit que c'est par les plaisirs qu'on parviendra [...]. Mais quand on est parvenu, on voit qu'on n'est pas plus heureux. On veut atteindre plus haut. Il ne reste alors que le Ciel et l'on devient dévot» (*Journal inédit*).

Commence alors la deuxième vie de Bernis, assez différente de la première, celle du cardinal (1758), de l'archevêque d'Albi (1764), et enfin de l'ambassadeur à Rome (1769). Cette ambassade, qui dure plus de vingt ans, est pleine d'habileté, de dignité et de faste. Elle s'achève avec la Révolution. En août 1790, sur les instructions de Louis XVI, Bernis essaie en vain d'obtenir de Pie VI une approbation partielle et provisoire de la constitution civile du clergé, que d'ailleurs personnellement il désapprouve. Mis en demeure de prêter le serment civique, il s'exécute, mais en ajoutant la clause : «sans manquer à ce que je dois à Dieu et à la religion». Il est immédiatement destitué (15 mars 1791), et retrouve ainsi, à l'âge de soixante-seize ans, la pauvreté et l'obscurité de sa jeunesse.

BERQUIN, Arnaud (Bordeaux, 1749 - Paris, 21 décembre 1791). Il est l'auteur de livres pour les enfants. Son ouvrage le plus populaire, *L'Ami des enfants*, paraît à raison d'un volume par mois, tous les mois de 1782 et 1783, soit vingt-quatre volumes d'un peu moins de cent pages chacun. Il sera suivi, à partir du 1ᵉʳ septembre 1784, de *L'Ami des adolescents* puis des *Lectures pour les enfants ou Choix de petits contes et drames propres à les amuser et à leur inspirer le goût de la vertu*. Toutes ces publications connaissent un grand succès. *L'Ami des enfants* est primé en 1784 par l'Acadé-

mie française, comme étant l'ouvrage
« le plus utile » paru au cours de l'année.

Chaque livraison de *L'Ami des enfants* comporte plusieurs histoires présentées sous la forme de dialogues ou de
petites pièces de théâtre. Une des livraisons de 1783 est destinée à « former le
Cœur des Enfants ». Les titres sont les
suivants : « L'éducation à la mode »,
« L'homme est bien comme il est »,
« L'emploi du temps », « L'école militaire ». Dans cette dernière pièce, le héros est un jeune élève qui refuse la nourriture du collège, parce que chez lui ses
petits frères et ses petites sœurs « n'ont
toujours pas un morceau de pain à trem-
per de leurs larmes ». L'œuvre entière de
Berquin est de cette veine. On fait en la
lisant une orgie de sensiblerie.

Berquin a des émules outre-Manche.
Les Anglais, eux aussi, ont délaissé
les histoires de fées et de Tom Pouce
pour les bons sentiments. Le *Stanford
and Merton* de Thomas Day (1783) est
le chef-d'œuvre de leur nouvelle littérature enfantine. Berquin le traduit et le
publie en 1786. Il traduit aussi les ouvrages éducatifs de Mrs. Trimmer, l'une
des pionnières des Sunday Schools.

Il est juste d'ajouter que le succès de
Berquin n'a pas été éphémère. *L'Ami des
enfants* sera réimprimé plusieurs fois au
XIXᵉ siècle.

BERRUYER, Joseph Isaac (1681-18 février 1758). Jésuite, il est connu par son
Histoire du peuple de Dieu, publiée de
1728 à 1758, et par les controverses que
cet ouvrage suscita. Il s'agissait d'une
« paraphrase littérale » du Nouveau Testament. Les jansénistes accusèrent le
P. Berruyer de socinianisme. Les papes
les suivirent. Trois condamnations pontificales furent prononcées contre l'*Histoire du peuple de Dieu*, les deux premières en 1758 par Benoît XIV, la
troisième par Clément XIII en 1759. Selon Michel Picot « Berruyer reconnaît
une génération éternelle de la Trinité,
mais il détourne presque tous les textes
qui le prouvent à la filiation temporelle
(*Mémoires pour servir à l'histoire ecclésiastique du XVIIIᵉ siècle*).

BERRY. Le gouvernement de Berry a
titre de duché. La rivière du Cher le divise en deux pays : le haut Berry (Bourges, Sancerre, Vierzon) et le bas Berry
(Châteauroux, Le Blanc et Issoudun). La
province est incluse dans la généralité
de Bourges. Une assemblée provinciale
sera créée en 1778 par Necker pour toute
l'étendue de la généralité.

Le Berry est une province rurale. Les
villes y sont peu nombreuses et petites.
Bourges, la capitale de la province, a,
en 1789, 22 906 habitants, Issoudun,
deuxième ville de Berry, un peu plus
de 10 000.

Les fabriques de drap de Châteauroux,
Vierzon et Issoudun et les fabriques
de bas et de chapeaux d'Issoudun constituent l'essentiel de l'activité industrielle.

La généralité de Bourges présente en
1789 la plus faible implantation de loges
maçonniques de France, soit 1,2 loge
pour 100 000 habitants. Par ailleurs, la
province ne possède aucune académie,
ni société littéraire. Il est donc permis
de penser que les Lumières pénètrent
peu. Cependant, la religion ne semble
pas avoir beaucoup plus de vitalité que
l'esprit nouveau : les établissements religieux à finalité apostolique sont très
rares ; le diocèse de Bourges, l'un des
plus vastes du royaume, a seulement
deux collèges de garçons, tous deux
à Bourges, et trois écoles congréganistes de filles. Le Berry est sans doute
la seule province du royaume qui n'ait
vu naître au XVIIIᵉ siècle aucune nouvelle
congrégation féminine vouée à l'assistance ou à l'enseignement des petites
filles. Enfin l'activité missionnaire est
inexistante.

**BERRY, Marie Françoise Élisabeth d'Or-
léans,** duchesse de (Saint-Cloud, 20 août
1695 - Meudon, 21 juillet 1719). Elle est
la fille aînée du Régent. Son mariage
avec le duc de Berry date du 6 juillet
1710. Belle, intelligente, mais à demi
folle et idolâtrée par son père qui lui
passe tout, elle mène une vie de débauche et de scandale, collectionnant les
amants et les saouleries. « Il se peut dire

qu'à l'avarice près, écrit Saint-Simon, elle était le modèle de tous les vices.» Elle avait même essayé de détourner son mari de la pratique religieuse. Chez elle, en effet, l'immoralité s'accompagnait d'impiété. Le fait n'est pas sans importance, et témoigne des temps nouveaux.

BERRYER, Nicolas, comte de La Ferrière (Paris, 1703-1762). La très brillante carrière de Nicolas Berryer, successivement conseiller au parlement de Paris (1731), maître des requêtes (1740), intendant du Poitou (1743), lieutenant général de police de Paris (1747), conseiller d'État (1751), membre du Conseil des dépêches (1757), ministre d'État (1758), ministre de la Marine (31 octobre 1758), garde des Sceaux (1761), n'est pas due à ses talents mais à la faveur de Mme de Pompadour. Le personnage est peu capable et peu intelligent. Dans l'hiver 1749-1750, chargé comme lieutenant de police de réprimer le vagabondage, il s'y prend de telle manière qu'il provoque des émeutes. Ses exempts ont arrêté au lieu de vagabonds des enfants tout à fait en règle. Le 22 mai 1750, la foule des émeutiers tente de forcer son hôtel et tue un policier. Il n'est guère plus heureux à la Marine où sa gestion déplorable fait qu'on lui donne très vite un remplaçant. Il n'en est pas moins nommé garde des Sceaux. Mais il n'aura pas le temps de faire une nouvelle preuve de son incapacité. «Une mort prématurée, écrit Bernis, en délivrera la France.»

BERTHIER, Guillaume François (Issoudun, 1704 - Bourges, 1782). Jésuite, entré dans la Compagnie en 1722, dirige les *Mémoires de Trévoux* de 1745 à 1762, après avoir enseigné dans les collèges de Blois, Rennes, Rouen et Paris. Ses attaques contre les philosophes lui attirent de cinglantes représailles. Voltaire se venge par sa bouffonne *Relation de la maladie, de la confession, de la mort et de l'apparition du jésuite Berthier* (1760). En septembre 1762, le Dauphin fait venir le P. Berthier à la cour et l'adjoint aux précepteurs de ses enfants, lui faisant attribuer une pension de 4 000 livres sur l'abbaye de Molesmes, un appartement au château et une place de conservateur de la bibliothèque royale. Pendant deux ans, le père instruit les jeunes princes, dont le futur Louis XVI, leur donnant des leçons de morale et de politique. Lors de la suppression de la Compagnie en 1764, il est exilé d'abord à Strasbourg, ensuite à Bade, enfin à Offenbourg. Il rentre en France en 1774, et s'installe à Bourges où il mourra. Ses dernières années sont consacrées à l'étude et à la méditation de l'Écriture. On publiera après sa mort ses *Pseaumes traduits en François, avec des notes et des Réflexions* (Paris, 1785, 7 vol.). Les notes sont des notes d'exégèse. L'auteur y fait preuve d'une connaissance poussée du grec et de l'hébreu.

BERTIER DE SAUVIGNY, Louis Bénigne François (Paris, 1737 - *id.*, 1789). Intendant de Paris, mort tragiquement au début de la Révolution, il avait été nommé maître des requêtes en 1763. Adjoint en 1768 à son père Jean Louis Bertier de Sauvigny, intendant de Paris, il lui succède dans cette charge le 13 septembre 1776. Son administration va durer jusqu'en 1789. Elle semble active et fructueuse. C'est lui en particulier qui introduit à Paris l'usage de la vaccine. Esprit éclairé, soucieux de justice, il est persuadé de l'avènement prochain du bonheur. «La Nation vous a appelés, déclare-t-il en 1787 aux membres de l'assemblée provinciale de l'Ile-de-France, [...] et le Roi vous donne la partie de son autorité nécessaire pour faire le bonheur de ses sujets» (cité par P. Ardascheff, *Les Intendants de province sous Louis XVI*). Et de terminer en suppliant les députés d'alléger «l'énorme fardeau que supporte encore le taillable». En juin et juillet 1789, il s'occupe d'organiser le transport des grains de la capitale où la disette commence à se faire sentir. Il se rend pour cela en province. Mais on le dénonce comme accapareur. Il revient prisonnier d'une foule furieuse et fanatisée contre lui. Il est massacré et mis en pièces sur les marches de l'Hôtel de Ville. Un dragon lui arrache le cœur et sa tête est promenée dans Paris.

BERTIN, Exupère Joseph (1712-1781). Médecin célèbre par ses travaux d'anatomie et de physiologie, il avait été reçu docteur à Rennes en 1737 et nommé en 1741 docteur régent de la faculté de médecine de Paris. Il fait un séjour de trois ans, de la fin de 1741 à 1744, en Moldavie comme médecin des princes de ce pays. Ensuite, il se retire aux environs de Rennes et se consacre à ses recherches. Il est à partir de 1744 membre associé de l'Académie des sciences. Ses travaux ont porté sur le fonctionnement du diaphragme et sur la musculature des membres. Cependant, il est surtout connu pour avoir abordé l'un des premiers le problème de la circulation veineuse. Quand il enseignait à Paris, il avait pris l'initiative (avec Astruc) d'ouvrir un cours d'accouchement à l'usage des sages-femmes.

BERTIN, Henri Léonard Jean-Baptiste (Périgueux, 1719 - Spa, 1792). Contrôleur général des finances, il détient un beau record de longévité ministérielle : il a été vingt-trois ans ministre. Après une carrière très classique (conseiller au Grand Conseil, intendant du Roussillon, puis de Lyon, lieutenant général de police de Paris), il est désigné le 23 novembre 1759 pour le Contrôle général. Le roi et Mme de Pompadour éprouvent à son égard de véritables sentiments d'amitié. A son départ du Contrôle général, en décembre 1763, il ne quitte pas le gouvernement. On crée pour lui une cinquième charge de secrétaire d'État, aux attributions surtout économiques, et dont les haras, les mines et les manufactures forment les départements principaux. Il gardera cette charge jusqu'en 1782.

Les années de Bertin au Contrôle général correspondent à la période la plus difficile de la guerre de Sept Ans. Il réussit à négocier avec les parlements —

non sans mal et non sans concessions — l'enregistrement des impôts supplémentaires du troisième vingtième et de la double capitation. La paix revenue, il abolit les impôts supplémentaires, ordonne la confection d'un cadastre général des biens-fonds. Cette réforme ne peut aboutir. Devant le tollé des parlements, Louis XV retire l'édit du cadastre.

Dans le domaine de l'économie, l'action de Bertin est longue et durable. Sa déclaration du 25 mai 1763, ordonnant la libre circulation des grains à l'intérieur du royaume, marque le début du libéralisme économique. Il fait beaucoup pour la modernisation de l'agriculture. On lui doit la création des premières sociétés d'agriculture, et la fondation des premières écoles vétérinaires (Lyon et Alfort).

Qui était Bertin ? Un honnête homme, de l'avis général. Un caractère sans éclat, mais solide, qui plaisait à Louis XV « par la bonhomie dans ses idées et ses discours au Conseil ». Ensuite c'était un esprit ouvert et très cultivé. Il ne s'intéressait pas seulement aux questions économiques. On peut le considérer comme l'un des fondateurs de la sinologie. Il est en effet l'auteur de l'une des publications les plus importantes du siècle dans ce domaine, les *Mémoires du P. Amiot sur la Chine*.

BERTRAND DE MOLLEVILLE, Antoine François, marquis de Molleville (Toulouse, 1744 - Paris, 1818). Intendant de Bretagne, ministre de la Marine, il est issu d'une ancienne famille de magistrats toulousains. Il est reçu en 1766 conseiller au parlement de Toulouse, et nommé maître des requêtes en 1774 sous le triumvirat Maupeou. Solide défenseur de l'administration royale, il n'en est pas moins un homme clairvoyant et conciliant. Intendant de Bretagne de 1784 à 1788, il essaie d'abord de modérer la politique antiparlementaire. Puis il change d'avis lorsqu'il constate l'égoïsme des magistrats. Il est obligé de quitter Rennes le 9 juillet 1788, des manifestations se préparant contre lui. En octobre

1791, Louis XVI fait de lui un ministre de la Marine. Il est un ministre fidèle. Les Jacobins l'accusent de faire partie du « comité autrichien ». Décrété d'accusation après le 10 août il réussit à passer en Angleterre. Il est l'auteur d'une *Histoire de la Révolution* (1803-1804) en quatorze volumes.

BERWICK, Jacques Stuart Fitzjames, duc de (Moulins, 21 août 1660 - Philippsburg, 12 juin 1734). Pair d'Angleterre, grand d'Espagne, pair et maréchal de France, il est le fils naturel de Jacques II, roi d'Angleterre. Depuis 1686, il a constamment servi dans les armées du roi, et s'est illustré dans la guerre de Succession d'Espagne. Le Régent le nomme en 1716 gouverneur de Guyenne, l'appelle en 1718 au Conseil de régence, et lui confie la même année le commandement de l'expédition d'Espagne. On le retrouve en 1733 commandant l'armée du Nord-Ouest lors de la guerre de Succession de Pologne. Il occupe la Lorraine, passe en Alsace, prend Kehl et meurt au combat devant Philippsburg le 12 juin 1734. Sa mort précède de cinq jours celle de Villars. Avec ces deux hommes disparaît la dernière grande génération des chefs militaires de Louis XIV.

BESANÇON. Capitale de la Franche-Comté par la grâce de Louis XIV, Besançon est ville de parlement, d'intendance, de bailliage et d'université. Bastion de la France de l'Est, dotée par Vauban d'une citadelle, garnison d'une troupe d'au moins deux mille hommes, c'est aussi une ville militaire. Le doublement de sa population (16 929 habitants en 1709, 32 180 en 1791) fait de cette capitale provinciale l'une des grandes villes du royaume. Les nombreuses constructions nouvelles qui viennent l'embellir lui donnent l'air de ce siècle. Reliant l'hôpital à la porte Notre-Dame, la rue Neuve est ouverte en 1739. Un hôtel de l'Intendance, un théâtre, œuvre de Ledoux (inauguré en 1784), plusieurs églises et chapelles, et soixante hôtels particuliers et immeubles à loyer trans-

forment le visage de la cité. Les idées des Lumières sont introduites par l'Académie (fondée en 1752) et par les loges. Mais l'atmosphère de foi chrétienne propre à cette ville tempère le rationalisme philosophique. Dans sa belle étude sur les *Gens de justice à Besançon*, M. Maurice Gresset a bien mis en valeur la fidélité catholique et la régularité de vie de cette élite de la société bisontine.

BESENVAL, Pierre Victor, baron de (Soleure, 1721 - Paris, 1791). Il est l'une des figures marquantes de la cour de France à la fin du règne de Louis XV et surtout sous le règne de Louis XVI. Son père était avoyer (titre du premier magistrat dans certaines villes suisses) de Soleure, baron du Saint Empire et colonel des gardes suisses. Catherine Bielinska, sa mère, était la fille d'un maréchal polonais et la cousine de la reine Marie Leszczynska. Il est dans sa jeunesse un très vaillant soldat. On le trouve en 1734 et 1735 à l'armée du Rhin. Au combat de Clostercamp, chargé du commandement des avant-postes, il repousse victorieusement les Anglo-Hanovriens, donnant ainsi au marquis de Castries le temps d'arriver. Sa carrière est brillante. Il est capitaine en 1738, brigadier en 1747, maréchal de camp en 1758. La protection de Choiseul le fait ensuite nommer inspecteur général des Suisses et des Grisons. Chargé à ce titre de réorganiser les gardes suisses, il s'acquitte fort bien de cette mission délicate. Cependant, la disgrâce de Choiseul l'amène à donner sa démission d'inspecteur. Il se consacre alors à la vie de la ville et de la Cour. Jouissant d'importants revenus, il en use avec faste et générosité se faisant protecteur des arts et mécène. Ayant acquis en 1767 l'hôtel de Chanac-Pompadour, rue de Grenelle, il y fait construire par Brongniart une extraordinaire salle de bains toute en marbre, d'ailleurs peu utilisable : il y règne un froid mortel. Le 4 mars 1769 l'Académie royale de peinture et de sculpture le reçoit comme associé libre. Il s'adonne aussi aux lettres, publie un roman intitulé *Spleen* (1756) et des contes. Ces ouvrages ne resteront pas à la postérité. Il est plus heureux avec les femmes. Célibataire impénitent, de bonne mine et de belle prestance, d'esprit vif et léger (aussi peu suisse que possible), il est recherché des dames. Dans la liste impressionnante de ses conquêtes figurent notamment la marquise de Polignac, la Clairon et la maréchale de Ségur. Admis dans le « cercle enchanté » de Marie-Antoinette, il abuse malhonnêtement de la confiance de la jeune souveraine et colporte les confidences qu'elle lui fait sur sa vie conjugale. Mais sa fatuité compromet sa faveur. Un jour de 1776, il commet le premier faux pas de sa carrière. Se trouvant seul avec la reine, il croit son heure arrivée, tombe à genoux et déclare sa flamme. La reine lui aurait dit : « Levez-vous, Monsieur, le roi ignorera un tort qui vous ferait disgracier pour toujours » (d'après les *Mémoires de Mme Campan*).

La question se pose de son exacte responsabilité dans la révolution parisienne du 14 juillet 1789. Devenu colonel des gardes suisses, il partage depuis 1788 avec le duc du Châtelet, colonel des gardes françaises, le commandement militaire de Paris. Devant l'insurrection de juillet, son attitude est le repli et la passivité. Le 12 juillet, lorsque les troubles commencent, il masse ses troupes place Louis-XV. Le 13 juillet, à une heure du matin, voyant le désordre augmenter, ne recevant aucune instruction, il retire ses soldats et, comme il le dira dans ses Mémoires, « livre Paris à lui-même ». On notera aussi qu'il n'avait rien fait pour assurer la sauvegarde de la Bastille, s'étant borné à y envoyer le 1er juillet douze invalides et le 7 juillet trente-deux soldats suisses. Néanmoins, le roi lui conseille d'émigrer. Il est arrêté sur la route à Provins, sauvé par Necker d'une justice expéditive, emprisonné longtemps à Brie-Comte-Robert et finalement déféré devant le Châtelet pour y répondre de ses actes des 12 et 13 juillet, qualifiés de « crime de lèse-nation ». De Sèze, son avocat (qui sera celui de Louis XVI), aura beau jeu de montrer

qu'il n'avait rien fait contre le « peuple ». Il est donc acquitté. Mais toutes ces mésaventures ont gravement affecté sa santé. Il meurt chez lui le 2 juin 1791, alors qu'il avait vingt-cinq personnes à dîner. Ses *Mémoires* seront publiés sous l'Empire (1805 et 1807) par le vicomte de Ségur. Ils ne manquent pas d'un certain intérêt. On y trouve en particulier une longue défense de la politique de Choiseul.

BESOIGNE, Jérôme (Paris, 1686 - *id.*, 27 janvier 1763). C'est un des principaux théologiens jansénistes. Prêtre séculier (ordonné en 1715), reçu docteur de Sorbonne le 3 mai 1718, il a exercé un temps les fonctions de coadjuteur du principal du collège du Plessis, mais en a été exclu en 1722 pour cause de jansénisme. Son opposition à la bulle *Unigenitus* lui vaut également d'être exilé de Paris pendant près d'une année (1731-1732). Son œuvre est abondante et diverse. Elle comporte des ouvrages d'histoire du jansénisme, parmi lesquels une *Histoire de l'abbaye de Port-Royal* (1752), des écrits de polémique doctrinale, dont deux dirigés contre le catéchisme publié par Languet, l'archevêque de Sens, et des ouvrages de dévotion. Sa doctrine est celle du plus pur richérisme. Dans ses *Remarques importantes sur le nouveau Catéchisme que M. Languet... a donné à son diocèse* (1732-1733), il écrit par exemple : « Les pasteurs du second rang sont [...] de droit divin dans la hiérarchie et par conséquent ils tiennent un rang dans le gouvernement des fidèles. » Ses idées politiques sont aussi à noter. Elles s'écartent du royalisme traditionnel. Dans son *Catéchisme sur l'Église pour les temps de trouble* (1737) il s'inscrit en faux contre le caractère définitif que d'aucuns attribuent à l'abandon par le peuple de ses droits politiques. Il pense que si un petit nombre de sujets élève une réclamation, cette réclamation suffit à invalider l'abandon. Écrits dans une langue simple et pure, construits avec rigueur, ses écrits de dévotion méritent d'être relus. On retiendra en particulier ses *Principes de la justice* *chrétienne ou Vie des justes* (1762). L'auteur présente successivement les «règles de la justice» (la loi de Dieu), ses devoirs qui sont la pratique des vertus théologales et des commandements de Dieu, et les moyens de la conserver, qui consistent dans la prière, la «vigilance», la «fuite du monde», la «règle de vie» et les sacrements. Dans un *Supplément* intitulé «Traité des huit Béatitudes», il enseigne la retraite du monde et l'avantage des persécutions, signe de prédestination.

BÉTHUNE, Armand de, duc de Charost, baron d'Ancenis (1663-1746). Deuxième du nom, il est, à partir de 1702, lieutenant général des armées du roi puis, à partir de 1711, capitaine de ses gardes du corps. Le 13 août 1722, il succède à Villeroy comme gouverneur de Louis XV, mais n'exerce la charge que six mois, jusqu'à la majorité royale déclarée le 16 février 1723.

BÉTHUNE, Armand Joseph de, duc de Charost (Versailles, 1738 - Paris, 1800). Fils du précédent, il se retire du service après une courte carrière militaire, accomplie comme colonel de cavalerie (1754-1763). Il se consacre alors à la gestion de ses domaines du Berry et à l'exploitation des mines de charbon de La Roche-Molière (près de Saint-Étienne), dont il obtient la concession en 1767. A lire les notices qui lui sont consacrées par les anciens dictionnaires biographiques, on croirait lire la vie d'un saint. On y relate avec complaisance les nombreux traits de son humanité. Pendant la guerre de Sept Ans il installe à ses frais un hôpital à Francfort. En 1758, pour soutenir les besoins de l'État, il envoie sa vaisselle plate à la Monnaie, et accompagne ce geste d'une parole mémorable : «Puisque je dois ma vie à ma patrie, je peux bien lui donner mon argenterie» (cité dans *Nouvelle Biographie générale* de F. Hœfer, art. «Béthune, Armand de»). Il fait mieux encore. Dans ses domaines, il abolit les corvées et supprime plusieurs droits seigneuriaux. On reste confondu de tant de générosité. Il est curieux que ces mêmes notices fassent silence sur le rôle politique du personnage. Pourtant ce rôle n'est pas négligeable, s'il est peut-être moins édifiant. Il siège à l'assemblée des notables de 1787. En 1787-1788 il fait partie du groupe des pairs factieux qui soutiennent l'opposition des parlements et réclament les états généraux. En 1788, il fréquente le club constitutionnel qui tient ses assises chez Duport. Il faudrait parler aussi de sa carrière d'homme d'affaires, carrière à vrai dire assez peu brillante. En butte à l'opposition des petits propriétaires et des autorités locales qui veulent l'empêcher d'exploiter ses mines, il renonce à sa concession en 1786, ayant perdu beaucoup d'argent. La Terreur n'épargne pas ce grand libéral et le garde en prison six mois. Le régime consulaire lui est plus favorable et fait de lui — c'est son dernier office — un maire du Xe arrondissement de Paris.

BÉZOUT, Étienne (Nemours, 1730 - Paris, 27 septembre 1783). C'est un mathématicien, un professeur et un chercheur. La plus grande partie de sa carrière professorale se déroule à l'école d'artillerie de La Fère. Il y enseigne la physique à partir de 1762 et les mathématiques à partir de 1768. Lui sont aussi confiées les fonctions très importantes d'examinateur, d'abord des gardes de la marine (1763), ensuite des élèves de l'artillerie (1768). Ses deux cours de mathématiques, le premier à l'usage des gardes du pavillon et de la marine, le second destiné aux élèves du corps royal de l'artillerie, connaissent un très grand succès. Il y enseigne de la manière la plus simple les questions les plus élevées. Car en vrai savant qu'il est, il domine parfaitement sa discipline. Sa passion est l'algèbre. On lui doit d'importantes recherches sur la résolution algébrique des équations, ce problème qui faisait le tourment des géomètres du XVIIIe siècle. Sa théorie générale de l'élimination entre un nombre quelconque d'équations a pu subsister tout entière jusqu'à nos jours. Elle porte son nom.

BIBLE. La Bible est un livre très lu, non seulement par les protestants, mais aussi par les catholiques. On peut dire que le livre sacré nourrit de plus en plus la dévotion populaire catholique. Il ne subsiste plus aucune trace des anciennes préventions contre la lecture ordinaire de la Bible par les simples fidèles. Au chapitre « de la lecture spirituelle » tous les « règlements de vie » conseillent en premier lieu le Nouveau Testament. On publie de nombreuses traductions françaises intégrales. Citons entre autres l'*Histoire du peuple de Dieu* du P. Berruyer (1728-1758) et les *Pseaumes traduits en François* du P. Berthier. Pour le public populaire on imprime des recueils de morceaux choisis, comme par exemple *La Journée du Pieux Laïc sanctifiée dans ses premiers et derniers moments ou Prières et Instructions tirées des plus beaux endroits de l'Écriture Sainte* (1747).

Dans le domaine de l'exégèse le travail le plus original est celui d'un laïc, le médecin Jean Astruc. Dans son mémoire intitulé *Conjectures sur les Mémoires originaux dont Moïse s'est servi pour écrire la Genèse* (1753), Astruc suggère que, pour composer le livre de la Genèse, Moïse aurait mis ensemble et comme entrelacé deux mémoires antérieurs indépendants l'un de l'autre. Il s'appuie sur les variations de vocabulaire. On estime aujourd'hui que cette découverte marque le début de l'exégèse moderne.

Reprenant les vieux arguments des libertins, les philosophes des Lumières ont attaqué la Bible, essayant de prouver que ses livres n'étaient ni divins ni authentiques. La démonstration la plus agressive est celle contenue dans *Le Militaire-Philosophe*, pamphlet anticlérical et déiste publié en 1768 par l'officine du baron d'Holbach. Mais Voltaire n'est pas en reste. Dans son *Dictionnaire philosophique* il brocarde l'*Ecclésiaste* qu'il qualifie de « philosophe épicurien ». Rousseau quant à lui déconcerte comme toujours. Il déclare en un endroit que

« l'Évangile est plein de choses incroyables, de choses qui répugnent à la raison » et nous confie en un autre endroit que « la sainteté » de ce livre « parle à » son « cœur » (*Émile*, livre quatrième, *Œuvres complètes*, Seuil, 1971, t. III, p. 212).

Les apologistes ont défendu la Bible, mais ils n'ont pas toujours été très adroits en le faisant. Par exemple, ils ont voulu à tout prix que le déluge biblique eût été à l'origine de tous les dépôts marins constatés à la surface du globe. Exigence abusive. Les savants démontrèrent l'absurdité de la thèse diluvienne. Et les philosophes en profitèrent pour souligner la contradiction entre la science et la foi.

BIBLIOTHÈQUES. Ceux qui possèdent des livres sont une minorité. Dans les villes de l'Ouest ils représentent un quart des personnes dont on inventorie les biens dans la période 1700-1730, et un tiers dans la période 1731-1789.

La plupart des bibliothèques contiennent moins de 500 livres. Dans chaque ville importante, ce niveau est dépassé par une cinquantaine de bibliothèques. Par exemple à Lyon celle de l'avocat Michon (1 600 volumes en 1773), ou bien à Lille celle de l'abbé Favier (6 246 volumes en 1765). Quelques bibliothèques de grands personnages se distinguent par la rareté de leurs collections et par la beauté de leur décor. Ce sont par exemple la bibliothèque du comte d'Harcourt au château de Grosbois, près de Dijon, celle du maréchal de Contades au château de Montgeoffroy en Anjou, celle du banquier Beaujon à Paris.

La classification traditionnelle des bibliothèques comporte cinq divisions : théologie, jurisprudence, belles-lettres, arts et sciences et histoire. Toutes les analyses de composition concordent : la part de l'histoire est la plus importante. Chez les parlementaires parisiens, d'après les analyses de 60 bibliothèques, l'histoire représente 31,5 % des titres, les belles-lettres 24,23 % et la jurisprudence 17,83 %, ce qui est surprenant pour des magistrats. De même les ecclésiastiques (des villes de l'Ouest) possèdent très peu de grands traités de théologie. Par exemple la *Somme théologique* de saint Thomas d'Aquin ne figure presque jamais dans leurs bibliothèques. Ce sont les signes d'une désaffection vis-à-vis des fondements du savoir. Les ouvrages frivoles et de divertissement tiennent une place de plus en plus grande. On a remarqué dans les bibliothèques lyonnaises la vogue des ouvrages «philosophiques» du temps, mais aussi des romans, des anecdotes galantes et des récits orientaux, ainsi que le succès prodigieux des récits de voyage. Le livre religieux se trouve surtout dans les petites bibliothèques. On pourrait même dire que plus la bibliothèque est petite, plus elle est religieuse.

Depuis la fin du règne de Louis XIV, grâce à la munificence du roi, des évêques et des communautés religieuses, le réseau des bibliothèques publiques ne cesse de s'étendre. Un arrêt du Conseil du 11 octobre 1720 a ouvert la bibliothèque du roi «à tous les savants de toutes les nations» certains jours de la semaine, et à l'ensemble du public un jour par semaine. A l'Arsenal, la bibliothèque du marquis de Paulmy est accessible aux chercheurs. Celle de Massillon, à Clermont, est ouverte à tout le public, de même que, depuis 1745, celle de Mgr d'Inguimbert à Carpentras. Certaines grandes communautés religieuses, comme Sainte-Geneviève à Paris et l'abbaye de Moyenmoutier en Lorraine, mettent leurs fonds très riches à la disposition des chercheurs. Quelques collèges rendent le même service. D'une richesse exceptionnelle, la bibliothèque du collège des jésuites de Valenciennes est largement ouverte au public. A Lyon et à Bordeaux, les savants ont accès aux bibliothèques des académies. Tout cela fait qu'à la veille de la Révolution la plupart des villes importantes possèdent chacune au moins deux ou trois bibliothèques publiques. Lyon en a trois, dont celle de l'ancien collège des jésuites, riche de 60 000 volumes, et Toulouse en a quatre. On voit même certaines petites villes jouir de cette commodité. A Rieux

(près de Toulouse) en 1702, l'évêque a légué sa bibliothèque à la ville, à la condition de l'ouvrir «à tous ceux qui voudront venir étudier, du moins une fois la semaine». Il existe donc vraiment une lecture publique. Le travail des érudits en tire bénéfice. L'accès aux sources du savoir en est facilité au grand nombre.

BIDÉ DE LA GRANDVILLE, Jean Louis (1688-1760). Intendant de diverses généralités, il est d'origine bretonne. Nommé maître des requêtes en 1715 à l'âge de vingt-sept ans, il administre successivement l'Auvergne (1723-1730), la Flandre (1733-1743) et l'Alsace (1743-1744). A Clermont-Ferrand, il fait ouvrir la place de la Poterne qui portera son nom. Nommé conseiller d'État ordinaire en 1750, il sera membre de la commission formée en 1752 pour rendre la paix à l'Église, et membre de la Chambre royale destinée, en 1754, à remplacer le parlement de Paris exilé.

BIENFAISANCE. C'est un mot nouveau. L'adjectif existait (on le trouve chez Bossuet et chez Pascal), non le substantif.

Le mérite de son invention est attribué par Voltaire à l'abbé de Saint-Pierre. De fait, dans le *Mémoire pour diminuer les procès* de l'abbé, nous pouvons lire cette phrase : «Les lois doivent tendre à inspirer [...] la bienfaisance.»

Le nouveau mot a mis du temps à s'imposer. L'*Encyclopédie* ne le connaît pas. Le *Dictionnaire de l'Académie* ne le retient qu'en 1762. C'est en effet à peu près vers ce moment-là que l'usage du mot devient général, et que la nouvelle vertu devient à la mode. On voit même se fonder des sociétés de bienfaisance (comme par exemple à Vendôme en 1787).

Pour l'abbé de Saint-Pierre, la bienfaisance signifie simplement accomplir de bonnes œuvres, les unes d'éducation, les autres de «miséricorde», comme de soulager les malades. S'il éprouve le besoin de créer un mot nouveau, c'est que pour lui la bienfaisance n'est pas la simple miséricorde. C'est une qualité toute nouvelle, et qui n'est autre, selon lui, que « la plus parfaite imitation de Dieu ». Elle est même supérieure à la prière : « ... ces bonnes œuvres sont en elles-mêmes un culte bien plus parfait que le chant ou la récitation de longues prières » (*Mémoire pour diminuer le procès*).

Après 1760, quand la bienfaisance est devenue à la mode, on ne saurait plus écrire un seul traité de pédagogie ou de morale sans faire son éloge. Elle n'est plus la bienfaisance de l'abbé de Saint-Pierre. Elle n'est plus une action. Elle s'est changée en sentiment. Elle est, déclare le P. Basset, doctrinaire, dans un discours de 1780, « un sentiment gravé par la main de la nature dans nos cœurs » (« Discours sur la bienfaisance », arch. de la Société d'études d'Avallon). Sentiment naturel, mais qu'il ne sera pas inutile d'aviver par le spectacle des infortunes : « C'est lorsque l'on a sous les yeux ces lugubres tableaux que l'humanité se réveille. »

La bienfaisance est laïque. Elle est la miséricorde sécularisée. Toutefois, certains auteurs ont voulu la christianiser. Selon Jumigny (*Le Père, gouverneur de son fils*, 1780), le « vrai bienfaisant » doit avoir « pour unique intention d'honorer le Dieu qu'il aime et d'imiter le Dieu qu'il adore ». Mais d'autres auteurs estiment cette entreprise de christianisation impossible. Pour eux, la bienfaisance est incompatible avec la charité. C'est l'avis de la marquise de Sillery (Mme de Genlis), pour qui la charité est infiniment supérieure à la bienfaisance. « La charité, écrit-elle, n'aspire ni à la gloire ni à l'estime des hommes [...], elle croit ne remplir que des devoirs [...]. Le Philosophe dit à l'infortuné : "Je vous donne, je vous sacrifie". Le Chrétien dit : "Je vous rends, je remplis l'obligation qui m'est proposée" » (*La Religion considérée comme l'unique base du bonheur et de la véritable philosophie*, 1787).

BIGNON, Jean-Paul (Paris, septembre 1662 - L'Isle-Belle-sous-Melun, 14 mars 1743). Prêtre, ancien oratorien, bibliothécaire du roi, petit-fils de Jérôme Bignon, précepteur de Louis XIII, c'est un personnage central de la vie intellectuelle, au début du règne de Louis XV. Non pas tant par ses publications — il publie surtout des articles et des recensions dans le *Journal des savants* — que par les fonctions exercées et la manière très attentive de les remplir. Fonctions (et dignités) multiples et variées. Membre de l'Académie française depuis 1693, président de l'Académie des sciences depuis 1699, membre honoraire de l'Académie des inscriptions, il est nommé en 1715 directeur de la Librairie, et en 1718 bibliothécaire du roi. En outre, il est pratiquement directeur du *Journal des savants* : les administrateurs se réunissent chez lui. Rien de ce qui se passe dans les lettres et dans les sciences ne lui est donc étranger. Directeur de la Librairie, il détient le pouvoir de la censure des livres. Il en use d'une manière relativement libérale. Comme président de l'Académie des sciences, il anime véritablement la vie scientifique. C'est lui qui informe le pouvoir politique des inventions utiles à l'État. C'est lui qui décide de l'octroi des brevets aux inventeurs. C'est lui qui distribue les crédits de recherches et fait attribuer les missions. Par exemple, il fait charger Peyssonnel d'une mission en Méditerranée pour étudier le processus de formation du corail. Il mérite le nom d'« ange tutélaire des sciences et des savants ». Les plus grands savants du temps, et en particulier Réaumur et Tournefort, ont été ses protégés et sont devenus ses amis. Pendant vingt ans il correspond avec Réaumur, lui soumettant les requêtes qu'il reçoit des savants de toute l'Europe. Tournefort lui témoigne sa reconnaissance en donnant le nom de « Bignonia » à un nouveau genre de plante d'Amérique. C'est un grand travailleur. Il étudie quatorze heures par jour. Il a l'esprit juste et un grand discernement. C'est ainsi qu'il a pressenti l'importance qu'allaient prendre les recherches en matière de chimie. « La chimie, écrit-il, est un pas immense, dont les travaux de plusieurs siècles auront peine à découvrir l'étendue. » Bien que censeur indulgent, il ne donne pas dans les idées modernes, ou très peu. Nous connaissons son jugement sur Bayle. Il est d'une grande sévérité. « L'opinion commune, écrit-il, autorise à la regarder comme un auteur qui, sur les faits historiques, hasarde beaucoup d'anecdotes plus que suspectes et qui y joint des réflexions d'autant plus dangereuses que les passions humaines y trouvent trop leur compte. » La grande époque de l'abbé est celle de la Régence et du ministère du duc de Bourbon. En 1722, il quitte la direction de la Librairie. A partir de 1726, son activité décline ; il est affaibli par la maladie. En 1741, il se retire dans sa maison de L'Isle-Belle. Il y mourra deux ans après.

BIOLOGIE. La science que nous appelons maintenant biologie rentrait à l'époque dans l'histoire naturelle.

En biologie animale, l'apport le plus important de la science française est celui de Réaumur (1683-1757). La vie de ce naturaliste, l'un des plus grands de tous les temps, se passe à observer les insectes et les oiseaux et faire des expérimentations sur eux. Le Genevois Charles Bonnet et l'Anglais Trembley sont ses disciples.

Empêtrée dans les différents systèmes (iatromécanique, iatrochimique et iatrovitaliste), la physiologie animale a beaucoup de mal à progresser. La découverte majeure (par Lavoisier) du mécanisme de la respiration est tardive (1790).

En botanique, la publication des *Genera plantarum* d'Antoine Laurent de Jussieu (1789) constitue l'événement principal. Il s'agit de la première classification naturelle des plantes.

Deux grandes questions retiennent l'attention de tous les biologistes et donnent lieu à de grands débats, celle de la génération et celle de la variabilité des espèces.

Ayant observé le pullulement des vers et la prolifération des êtres simples révélés par le microscope, certaines naturalistes comme Buffon croient pouvoir soutenir la thèse de la génération sponta-

née. Mais cette thèse est victorieusement réfutée par l'Italien Spallanzani. Au sujet de la réalisation de l'organisme dans son développement, deux doctrines s'opposent, celle de la « préformation », selon laquelle l'organisme est entièrement constitué *ab initio* dans toutes ses parties, et celle de l'épigenèse, ou réalisation progressive par adjonctions successives. Enfin malgré la découverte des spermatozoïdes par Leuwenhoeke (1677) et malgré les belles expériences de Spallanzani sur la génération chez les batraciens, aucun biologiste n'arrive à résoudre correctement le problème de l'origine précise de l'individu. Pour les ovistes, la véritable semence est fournie par la femelle ; pour les spermatistes elle provient du mâle ; d'autres comme Maupertuis soutiennent la thèse de la double semence.

La variabilité des espèces est une hypothèse avancée par les épigénésistes. Ils se fondent sur certaines mutations constatées et sur l'apparition d'espèces nouvelles, comme la *Peloria* découverte par un élève de Linné, ou le nouveau fraisier surgi en 1763 au milieu des plantations de l'horticulteur Duchesne à Versailles. Adanson conçoit pleinement la variabilité. Cette idée engendre celle d'évolution. Maillet imagine un système selon lequel les animaux terrestres descendraient des animaux marins. Dissertant sur les « Nègres blancs » (Noirs albinos), Maupertuis imagine la transformation des espèces par mutations fortuites. Pour Buffon, que l'on peut vraiment considérer comme le père du transformisme, « tous les animaux sont venus d'un seul animal qui dans la succession des temps a produit en se perfectionnant et en dégénérant toutes les races des autres animaux » (cité par Émile Guyenot, *Les Sciences de la vie aux XVIIe et XVIIIe siècles*). Le concept de race est ainsi substitué à celui d'espèce. L'espèce est fixe. La race est perfectionnement ou dégénérescence. Transporté dans l'anthropologie — et les philosophes l'y transportent effectivement — le concept de race engendre le racisme (*voir* RACISME).

L'origine véritable de la thèse transformiste n'est pas scientifique, mais philosophique. Cette origine en effet se trouve dans la thèse soutenue par plusieurs philosophes, et en particulier par Diderot, de l'omniprésence de la vie. Pour eux, la sensibilité est une qualité générale de la matière. «Il faut que la pierre sente!» s'étonne d'Alembert dans *Le Rêve de d'Alembert*, «Pourquoi non?» lui répond Diderot. Et ce dernier d'ajouter : «Tous les êtres circulent les uns dans les autres [...]. Tout animal est plus ou moins homme; tout minéral est plus ou moins plante» (éd. Vernière, p. 6 et p. 69).

Les philosophes exaltent le primat des sciences naturelles. En 1758, Diderot écrit à Voltaire : «Le règne des mathématiques n'est plus. C'est celui de l'histoire naturelle et des lettres qui domine» (cité par E. Guyenot, *op. cit.*). En fait, les philosophes se préoccupent moins du progrès de cette science que de celui de la philosophie. Leur but, leur seul but est de montrer que l'homme n'est pas une exception dans la nature, et qu'entre lui et l'animal, comme dit La Mettrie, «la transition n'est pas violente» (*L'Homme-Machine*).

BIRON, Louis Antoine de Gontaut, marquis, puis duc de (2 février 1700-29 octobre 1788). Il offre le double exemple de débuts précoces et d'une vieillesse vigoureuse : marié à quinze ans (avec Geneviève Charlotte de Gramont), brigadier général à dix-neuf ans, et toujours vif et gaillard à quatre-vingts, montant à cheval et galopant tous les matins. De toutes ses grandes dignités (pairie, maréchalat, gouvernement du Languedoc), nulle ne vaut à ses yeux celle (où il est nommé le 26 mai 1745) de colonel du régiment des gardes françaises. Il exerce cette fonction pendant quarante ans et s'identifie avec elle. C'est d'ailleurs une responsabilité très importante, le colonel des gardes étant chargé, en cas de troubles, du commandement militaire de la capitale. Biron essaie d'être un bon chef. Il se montre assidu, attentif à la discipline, et soucieux

d'encourager l'esprit de corps. Lors des désordres de la guerre des farines, il maîtrise bien la situation. Il disparaît à un moment critique. Face aux émeutes de 1789 aurait-il mieux fait que le duc du Châtelet et Besenval, ses successeurs? On peut sans doute répondre par l'affirmative. Au surplus, c'était un homme simple de manières, aimable et très accueillant. Il donnait de grands dîners pour tous les étrangers de passage à Paris, et contribuait ainsi au prestige de la capitale.

BISSY, Henri de Thiard de. *Voir* **THIARD, Henri de,** comte de Bissy.

BLAIR DE BOISEMONT, Louis Guillaume (1716-1778). Il est nommé maître des requêtes en 1742 après avoir été conseiller au Parlement. Il est intendant du Hainaut (1754), puis d'Alsace (1764-1777). Il est ensuite nommé conseiller d'État et prévôt des marchands. Il avait épousé Jacqueline de Flesselles.

BLONDEL, Jacques François (Rouen, 1705 - Paris, 1774). Architecte, il doit sa célébrité moins à ses constructions qu'à ses théories. En 1737, paraît son *Traité d'architecture*, qui a un grand succès. Il écrira aussi tous les articles d'architecture de L'*Encyclopédie*. Enfin il enseignera dans sa propre école privée d'architecture (fondée par lui en 1742), puis, après la fermeture (1754) de celle-ci, à l'Académie d'architecture. Toute sa vie durant, il s'est interrogé sur ce qui fait l'harmonie et la beauté d'un bâtiment. Pour lui, la bonne architecture doit être élégante, commode et fonctionnelle et surtout bien adaptée au climat et aux habitudes du pays. Très ferme adepte du grand classicisme, fervent admirateur de Mansart et de Perrault, il condamne les excès du style rocaille. Il passe à la pratique vers la fin de sa vie et devient bâtisseur à Metz, où il construit la place d'Armes, l'hôtel de ville et le collège Saint-Louis, ainsi qu'à Strasbourg et à Cambrai, cette dernière lui doit son nouveau palais épiscopal.

BLOSSAC, Paul Esprit Marie de La Bourdonnaye de (1716-1800). Il marque de son empreinte la province de Poitou : il en est l'intendant durant trente-quatre années, de 1750 à 1784. Il avait été nommé maître des requêtes en 1742. Après son intendance de Poitiers, il sera nommé à Soissons et y restera jusqu'en 1789. Il est surtout un grand bâtisseur. A Poitiers, il fait planter le parc qui porte son nom, et le relie à la Place-Royale par une avenue nouvelle. Il fait aménager les jardins publics de Saint-Maixent et de Châtellerault. A Soissons, il construit l'hôtel de l'intendance. Il n'était pas dénué de caractère. En 1789, malgré les ordres de Necker, il interdit d'exporter les grains en dehors de sa généralité. Necker se plaint. Blossac vient à Versailles, voit le roi et obtient gain de cause.

BOFFRAND, Germain (Nantes, 1667 - Paris, 1757). C'est avec Robert de Cotte le plus fécond et le plus illustre architecte du début de ce siècle. Fils d'un architecte et sculpteur, neveu de l'écrivain Quinault, Boffrand était un esprit curieux aux talents divers. Il étudia la sculpture avec Girardon, composa plusieurs pièces de théâtre, choisit finalement l'architecture et se mit à l'école de J.H. Mansart. Il fut aussi un grand décorateur et même un ingénieur : il avait été nommé inspecteur des Ponts et Chaussées.

Il innova dès ses débuts en dessinant une cour elliptique pour l'hôtel Amelot de Gournay (1695). Il construisit ensuite de nombreux hôtels dans le faubourg Saint-Germain : hôtels du Petit-Villars, de Torcy et de Seigneley. Son activité s'exerça également dans les bâtiments publics : il est l'auteur du Palais de justice et de l'hôpital des Enfants-Trouvés à Paris, du pont de Sens et de l'arsenal de Lyon. Architecte du duc de Lorraine, il fit pour lui le palais de Nancy et le château de Lunéville, où il adapta son style au goût local plus baroque, plus amateur d'ornements. Il travailla aussi pour le duc de Bavière.

Théoricien de l'architecture, il se montre, dans ses livres, disciple de Palladio et très classique. Les formes, selon lui, sont imposées par la nature et par la raison ; la beauté vient d'un juste calcul des proportions.

En décoration intérieure, Boffrand était moins classique : il adoptait le style rocaille, ainsi qu'en témoignent les merveilleux salons de l'hôtel Soubise décorés par lui avec la collaboration de Natoire et de Boucher.

BOIELDIEU, François Adrien (Rouen, 16 décembre 1775 - Jarcy, 1834). Compositeur, sa vie est calme et souriante comme sa musique. Dès son jeune âge, il est confié à l'organiste de la cathédrale de Rouen, Laroche, excellent artiste qui a étudié en Italie. Après un séjour en Italie, il compose à dix-huit ans la musique de *La Fille coupable*, dont son père à écrit le livret ; le succès de cette œuvre l'encourage à venir tenter une carrière à Paris. Accueilli dans la maison Érard, il se lie avec Kreutzer, Cherubini et Méhul. Le public de l'Opéra-Comique fait à chacune de ses œuvres une réception chaleureuse. Juste avant la campagne de Russie, de 1804 à 1812, il exerce les fonctions de maître de chapelle du tsar Alexandre Ier.

Ses trente-sept opéras-comiques sont tous postérieurs à 1789. Dernier représentant de l'opéra-comique du xviiie siècle, Boieldieu possède le don de traduire le charme et la grâce dans sa musique.

BOISGELIN DE CUCÉ, Jean de Dieu Raymond de (Rennes, 27 février 1732 - Angervilliers, 22 août 1804). Évêque de Lavaur, puis archevêque d'Aix, il est, sous le règne de Louis XVI, une des figures les plus brillantes de l'épiscopat. Issu d'une famille bretonne d'ancienne noblesse, il fait ses humanités chez les jésuites de Saint-Thomas de Rennes, entre au séminaire Saint-Sulpice en 1748, est reçu en 1752 bachelier en théologie et, en 1756, est licencié en droit canon. Ordonné prêtre en 1755, il est nommé l'année suivante grand vicaire de Rouen, puis, en 1760, archidiacre de Pontoise. Il accède à l'épiscopat en décembre 1764, à l'âge de trente-deux ans, comme évêque de Lavaur. Ses talents oratoires — il prononce le 12 juin 1766 à Notre-Dame de Paris l'oraison funèbre de Stanislas, roi de Pologne, et, le 3 septembre 1767, celle de la Dauphine — le font remarquer de la Cour. Le roi le nomme en 1770 à l'archevêché d'Aix. Il est encore choisi pour prononcer, le 10 juin 1775, le sermon du sacre de Louis XVI, et désigné pour siéger aux deux assemblées des notables de 1787 et 1788. Il attendait d'autres honneurs (la grande aumônerie de France, la feuille des bénéfices), mais son élévation s'arrête là. Ce n'est pas un mauvais évêque. Il lui arrive de résider dans son diocèse. Il en fait même la visite générale en 1777. Mais c'est un évêque mondain, fréquentant les salons, et lié par une étroite amitié à la comtesse de Gramont, à laquelle il écrit : « Je vous aime aussi tendrement qu'on doit aimer avec une âme sensible toujours contenue... » (arch. nat., lettre n° 121). C'est surtout un politique, un habile, un expert dans l'art du compromis et de la conciliation. De tels talents trouvent naturellement leur emploi dans la conjoncture difficile des débuts de la Révolution. Élu aux États généraux, Boisgelin devient vite, pour le clergé, l'homme indispensable, l'avocat précieux qui sait présenter sa défense sans heurter l'adversaire. Il est donc, dans tous les grands débats concernant la religion et le clergé, le porte-parole désigné des évêques députés à l'Assemblée nationale. C'est ainsi qu'il plaide successivement contre la vente des biens du clergé, contre la suppression des ordres religieux et contre la constitution civile du clergé, dont il donne une réfutation en règle dans son *Exposition des principes* du 30 octobre 1790, à laquelle trente évêques vont adhérer. « Nous ne pouvons pas, y écrit-il, transporter le schisme dans nos institutions. » Le paradoxe est que ce défenseur de l'Église tient par plusieurs attaches à la philosophie des Lumières. Il a été longtemps l'hôte de plusieurs salons philosophiques, et du plus philosophique de

tous, celui de Julie de Lespinasse. Il doit à cette dernière son élection à l'Académie française (1776). Sa pensée est imprégnée d'utilitarisme et d'économisme. La vie monastique — dont il ne prendra la défense à l'Assemblée nationale que du bout des lèvres — serait réservée selon lui aux asociaux, aux hommes « pour qui la retraite est un besoin, et qui ne peuvent éprouver dans la société que des gênes et des tourments », et « dont toutes les pensées sont tristes, sombres et solitaires » (*Opinion sur la suppression des ordres monastiques*). Il croit aux vertus du commerce pour fonder la paix et le bonheur universels. Sa pensée politique est courte. Il ne comprend rien au sacre. Il dit à Louis XVI le 10 juin 1175 : « ... le sacre n'ajoute rien à votre puissance » (cité par Hermann Weber, « Le sacre de Louis XVI », *Le Règne de Louis XVI et la guerre d'Indépendance américaine*). Pour lui comme pour Fénelon, la seule garantie de la liberté des sujets réside dans la vertu du roi. Enfin dans la *Lettre* qu'il rédige au nom des évêques légitimes, députés à l'Assemblée nationale, et qu'il adresse au pape le 7 juin 1791 en réponse au bref du 10 mars, il croit devoir prendre la défense des principes politiques exprimés par la Déclaration des droits de l'homme. De tels hommes sont toujours utiles. Ils peuvent toujours servir. Lorsqu'en janvier 1802, après un long exil subi en Angleterre, Boisgelin revient en France, Bonaparte le distingue aussitôt, et fait de lui un archevêque de Tours et le charge de prononcer à Notre-Dame, le jour de Pâques 1802, le « Discours sur le rétablissement de la religion ».

BOISGELIN, Louis Bruno, comte de (1733-1794). Ambassadeur, c'est le fils d'un président à mortier du parlement de Rennes, et le frère de l'archevêque d'Aix. Sa carrière militaire commencée en 1748 le conduit jusqu'au grade de maréchal de camp (1780). Il représente le roi à Parme et est ensuite nommé maître de la garde-robe et chevalier du Saint-Esprit. Il semble avoir partagé les convictions « éclairées » de son frère. En mai 1788, il est privé de sa charge de maître de la garde-robe : il a témoigné sa sympathie au parlement de Rennes. Il n'émigre pas, mal lui en prend : il est arrêté, enfermé au Luxembourg et guillotiné le 7 juillet 1794. Son épouse subit le même sort.

BOISSIER DE SAUVAGES DE LA CROIX, François (Alais, 12 mai 1706 - Montpellier, 19 février 1767). Médecin et botaniste, il est, avec Bordeu et Barthez, l'un des principaux représentants de l'école de Montpellier. Sa carrière, à la différence de celles de ses deux émules, est presque entièrement montpelliéraine. En 1726, il est reçu docteur en médecine à la faculté de Montpellier. En 1740, il est nommé démonstrateur des plantes au Jardin de cette ville. A partir de 1750, il enseigne la botanique dans cette même institution du Jardin. Son œuvre maîtresse est la *Pathologia medica* (Lyon, 1759). La nosologie (comme toutes les nosologies du temps) en est assez simpliste. Toutes les maladies sont réparties en dix classes. La philosophie médicale est celle du vitalisme, mais d'un vitalisme qui nous paraît très imprégné de mécanisme. « L'homme, écrit Boissier, est composé d'une âme vivante et motrice unie à une machine hydraulique. » Toute la pathologie se réduira donc « à des problèmes de circulation dans la tuyauterie » (Maurice Bariéty et Charles Coury, *Histoire de la médecine*, PUF, 1978).

BONHEUR. Le bonheur, selon la pensée des Lumières, ne ressemble en rien au bonheur tel que le concevait la philosophie chrétienne traditionnelle.

Il n'est donc pas inutile, si l'on veut bien mesurer la différence, de rappeler la définition du bonheur dans la philosophie chrétienne.

L'homme, selon cette philosophie, aspire à un bonheur parfait que son intelligence est capable de concevoir. Ce bonheur est objectif et subjectif. Objectif, il réside dans la possession du souverain Bien. Subjectif, il se trouve dans l'accomplissement de notre fin dernière, de ce à quoi tend notre nature. On atteint ce double bonheur par la pratique du devoir et dans le désir de procurer la gloire de Dieu. On ne l'obtient pas dans cette vie, où rien ne peut être parfait, mais on peut au moins posséder un bonheur imparfait, lequel est la figure et comme l'avant-goût du bonheur parfait de l'autre vie.

Cette aspiration de chaque homme au bonheur, la pensée des Lumières la reconnaît elle aussi. « L'homme, écrit Morelly, veut toujours et invinciblement être heureux » (*Code de la nature*, p. 71). Mais la nature de ce bonheur n'est pas du tout la même que pour la philosophie chrétienne. Les philosophes des Lumières définissent le bonheur comme un « plaisir » ou comme une « jouissance ». Maupertuis écrit : « Toute perception dans laquelle l'âme voudrait se fixer [...] est un plaisir » (cité par le *Dictionnaire philosophico-théologique*, art. « Bonheur »). Décrivant le bonheur de l'« heure parfaite », la Julie de Rousseau s'exprime ainsi : « ... sentir et jouir sont pour moi la même chose, je vis à la fois dans tout ce que j'aime, je me rassasie de bonheur et de vie... » (*Nouvelle Héloïse*, lettre VIII). Un tel bonheur est uniquement de perception ou de sensation. Il est limité à la connaissance sensible ; la connaissance intellectuelle n'y a point de part. C'est un bonheur senti, mais non connu. Il est objectif comme le bonheur chrétien, en ce sens qu'il est aussi possession. Mais cette possession n'est que jouissance : « La Nature a parlé, écrit le Jeune Philosophe, cet objet est à toi, jouis » (*Recherches philosophiques sur le droit de propriété... par un jeune philosophe*). Quant au bonheur subjectif, il se réduit ici à la satisfaction que procure la jouissance. Il ne contient pas comme le bonheur chrétien le perfectionnement de la nature. La nature humaine ne semble pas concernée.

Ce bonheur « philosophique » est-il parfait ? Il semble que pour certains auteurs il puisse l'être. L'« heure » de Julie est « parfaite ». Mais ce n'est qu'une heure. Même parfait, le bonheur ne dure pas. Maupertuis le définit comme «une somme de moments heureux». C'est le bonheur d'un monde où tout passe. Existe-t-il un autre bonheur après la mort? Maupertuis l'admet : «Ce qu'il faut faire dans cette vie pour trouver le plus grand bonheur est sans doute cela même qui doit nous conduire au bonheur éternel» (cité dans *Maupertuis et ses correspondants. Lettres inédites*, par M. l'abbé Le Sueur). Le vicaire savoyard de Rousseau veut y croire, mais il n'y voit qu'une juste compensation : «... ils ont souffert pendant cette vie, ils seront donc dédommagés dans une autre».

Quoi qu'il en soit, désirer le bonheur ne suffit pas. Il faut remplir certaines conditions. D'abord il faut avoir le ferme propos de jouir : «Admettons tout, écrit Mme Dupin, jouissons de tout, ne fuyons que le mal» (cité par Villeneuve-Guibert, *Le Portefeuille de Mme Dupin*). Il convient aussi de se conformer aux lois de la nature et de ne pas s'embarrasser de préjugés : «Oh homme, écrit un autre philosophe, n'écoute point les lois de la société [...]. Suis les lois de la nature, écoute ton besoin» (*Recherches philosophiques sur le droit de propriété... par un jeune philosophe*). «Jouis, recommande Chamfort, et fais jouir sans faire de mal ni à toi, ni à personne, voilà, je crois, toute la morale» (*Maximes et pensées*).

Sans faire de mal, car c'est plus sûr. Ne nous exposons pas à la riposte. N'oublions pas que nous ne sommes pas seuls sur terre, et que les autres pourraient déranger notre bonheur. En évitant de nuire à autrui, nous sauvegarderons notre intérêt. «... il nous suffit, écrit Mme du Deffand, pour être sages, c'est-à-dire pour être heureux, de nous en tenir à ce que la loi naturelle nous enseigne : Ne faites pas à autrui ce que vous ne voudriez pas qu'on vous fasse» (lettre à Voltaire, 21 mars 1769). Prévoyons aussi que nous pourrions avoir besoin d'aide. Il faudra donc secourir pour obtenir d'être secouru. En bref, il sera utile d'être bienfaisant. C'est ce que

Morelly explique très bien à ses lecteurs : «L'homme veut toujours être heureux; son impuissance l'avertit sans cesse qu'il ne le peut être sans communication de secours [...], il est à chaque instant convaincu que son bonheur dépend de celui des autres et que la bienfaisance est le premier et le plus sûr moyen de sa félicité présente. Tout semble lui crier : "Tu veux être heureux, sois bienfaisant"» (*Code de la nature*, p. 71). «Le premier et le plus sûr moyen» : la bienfaisance est une assurance, une garantie. Elle est au service de l'égoïsme. Elle n'a rien à voir avec l'amour. Les philosophes ont supprimé la sociabilité naturelle et l'ont remplacée par ce succédané : il fallait bien trouver quelque chose pour relier les hommes entre eux : «Cette communauté d'intérêts serait égaux, écrit Mably, est le fondement du traité d'alliance perpétuelle qui cimente l'état de la société» (cité par Coste, *Mably : pour une utopie du bon sens*, p. 56).

Au bonheur par la bienfaisance, d'autres préfèrent le bonheur par le travail : «C'est le travail néanmoins qui procure le vrai bonheur», écrit Faignet de Villeneuve (*L'Économie politique*, 1763, p. 92). Et nous lisons chez Montlinot que «le travail [...] est la route du bonheur» (cité par Thomas Mc Stay Adams, *Bureaucrats and Beggars*, p. 98). Pourquoi le travail? Parce qu'il «a pour fin le plaisir de dépenser» (Montlinot, *ibid.*), mais aussi parce que «l'homme n'est pas né pour le repos» (Voltaire, *Candide*). Il y a en effet, pour la philosophie des Lumières, une contradiction fondamentale entre le bonheur et le repos. Et c'est là une autre différence avec le bonheur chrétien.

Rousseau fait exception. Ne rien faire lui paraît souverainement doux : «Quel était donc ce bonheur? Et en quoi consistait sa jouissance? Je le donnerais à deviner [...]. Le précieux "far niente" fut la première et la principale de ces jouissances que je voulus savourer dans toute sa douceur» (*Rêveries d'un promeneur solitaire*, cinquième Promenade). Il est vrai que le farniente de Jean-Jacques ne doit pas être confondu avec la vulgaire paresse. Il s'agit en fait d'une sorte de quiétisme naturaliste : on s'immerge dans la nature, on se laisse envahir par les impressions qu'elle suscite. Vrai disciple de Rousseau, Bernardin de Saint-Pierre évoque « ces impressions que donne la nature pour nous empêcher de tomber dans le malheur » (*Paul et Virginie*).

Car le malheur existe aussi, et il s'agit de le prévenir. Les moyens de la bienfaisance, du travail, de la communion avec la nature, y suffiront-ils ? Voltaire en doute. Pour lui le destin est le plus fort, et nous sommes des jouets entre ses mains ; Tout ce que l'on peut faire, selon lui, c'est se fabriquer de petits bonheurs avec les moyens du bord : « Résignons-nous à la destinée qui se moque de nous et qui nous emporte. Vivons tant que nous pourrons et comme nous pourrons. Nous ne serons jamais aussi heureux que les sots, mais tâchons de l'être à notre manière. Tâchons... quel mot ! Rien ne dépend de nous ; nous sommes des horloges, des machines » (lettre à Mme du Deffand, 2 juillet 1754). Mme du Deffand ne trouve le bonheur que dans la vie végétative : « Toutes mes observations me font juger que moins on pense, moins on réfléchit, plus on est heureux. » Et d'ajouter : « Je le sais même par expérience » (29 mai 1764, lettre à Voltaire). Cette expérience lui est venue tard. Dans sa jeunesse elle n'avait jamais cru au bonheur, si petit soit-il. En 1735, elle écrivait : « De l'ange à l'huître rien n'est heureux » (lettre à Voltaire d'avril 1772).

Si nous voulions remonter aux origines du « bonheur » des Lumières, nous sortirions des limites d'une notice de dictionnaire. Il convient néanmoins de rappeler l'influence majeure de l'épicurisme. Épicure identifie le plaisir au souverain Bien. Les Latins ont repris cette idée : « Que le plaisir est le plus grand des biens » écrit Cicéron (*De finibus*, I, 9, 40). Tout le bonheur des Lumières est là.

Y compris ce que les philosophes appellent le « bonheur général ». Car nos penseurs éclairés ne se contentent pas du bonheur individuel. Il leur faut également le « bonheur général », qu'ils appellent également le « bonheur de la nation » ou la « félicité publique ». Mais ce bonheur général n'est finalement rien d'autre que l'addition des bonheurs individuels, c'est-à-dire des jouissances individuelles. C'est un bonheur de production, de reproduction et de consommation. Nous ne serons donc pas surpris de lire sous la plume du marquis de Chastellux que « l'agriculture et la population sont les indices les plus fidèles du bonheur des peuples » (*De la félicité publique*, 1776).

BONNAFFÉ, François (1723-1793). L'un des plus grands négociants de Bordeaux, cet homme est issu d'une famille protestante de Lacaune. Son ascension est rapide. En 1740, à son arrivée à Bordeaux, il n'est qu'un modeste commis négociant au salaire de 300 livres par an. En 1756, au moment de son mariage, il est déjà un négociant aisé. Pendant la guerre de Sept Ans il risque un coup d'audace : il envoie ses navires sans assurances depuis l'Espagne et double son capital en une seule expédition. A sa mort, sa fortune mobilière s'élève à 2 millions de livres. L'hôtel qu'il a fait construire en 1783 juste en face du Grand-Théâtre de Victor Louis atteste de son opulence et de son élévation. Le vestibule est pavé de marbre, le salon peint de gris argent laqué. L'ensemble, écrit une contemporaine, « est marqué au coin du bon goût et de la noblesse » (cité dans *Bordeaux au XVIIIe siècle*, sous la direction de F.G. Pariset).

BONNET, Charles (Genève, 13 mars 1720 - *id.*, 20 juin 1793). Savant issu d'une famille d'origine française réfugiée à Genève, c'est un naturaliste et un philosophe de l'éducation. Le naturaliste s'est rendu célèbre par ses recherches sur la régénération animale, recherches conduites dans la ligne des travaux de Réaumur et de Trembley. En 1741, il éprouve les facultés régénératrices de certains vers d'eau douce et, en 1769, se propose de confirmer les résultats obtenus par l'abbé Spallanzani sur la repousse de la tête chez le limaçon. Sa théorie de la nature est celle de la chaîne des êtres. Dans ses différents ouvrages (*Traité d'insectologie*, 1745, *Contemplation de la nature*, 1764-1765) il soutient la thèse d'une continuité entre les différents groupes de vivants. Il aime ennoblir les plantes en les animalisant : « Je n'ai pas prétendu prouver, écrit-il, que les plantes sont sensibles, mais j'ai voulu montrer qu'il n'est pas prouvé qu'elles ne le soient pas » (cité par Jean Rostand dans *Hommes d'autrefois et d'aujourd'hui*). Cependant le plus intéressant chez ce naturaliste sont ses idées sur la manipulation du vivant. Par exemple il suggère à son ami, l'abbé Spallanzani, de tenter l'insémination artificielle des œufs de grenouille et de mutiler des embryons dont la puissance restauratrice devrait être plus grande que celle des adultes. Sa philosophie de l'éducation (contenue dans son *Essai de psychologie*, Londres, 1755) procède de la même inspiration. Éduquer en effet, selon lui, c'est manipuler, puisqu'il ne s'agit de rien d'autre que d'agir sur les fibres du corps de l'enfant et de provoquer ainsi des ébranlements qui se communiquent au cerveau et créent des sensations et des idées. On peut, grâce à l'éducation, « modifier la force du naturel des enfants ». L'éducation, dit-il encore, est « une seconde naissance qui imprime au cerveau de nouvelles déterminations ».

BONNET, Jean (Fontainebleau, 29 mars 1664 - Paris, 3 octobre 1735). Supérieur général des prêtres de la Mission et des Filles de la Charité, c'est l'un des plus remarquables successeurs de saint Vincent de Paul à la tête de ces deux congrégations. Ordonné prêtre le 5 mars 1689, il remplit ensuite les emplois de professeur et de directeur dans les séminaires de Châlons-sur-Marne, Auxerre et Chartres. Son élection comme supérieur général a lieu le 10 mai 1711. Son long généralat de vingt-quatre années est marqué par la béatification de saint Vincent de Paul et par la très grande expansion de l'institut. M. Bonnet a pour souci majeur de préserver ses fils spirituels de la contagion janséniste ; il fait recevoir la bulle *Unigenitus* par l'assemblée générale de 1724, et prend des mesures contre les réfractaires. Très attaché à la qualité des études, il rédige un directoire à l'intention des jeunes régents, auxquels il recommande en particulier de lire et d'expliquer saint Thomas d'Aquin (Raymond Darricau).

BORDA, Jean-Claude Charles de, dit le **Chevalier de** (Dax, 4 mai 1733 - Paris, 20 février 1799). Issu de parents nobles appartenant à deux familles au service de l'État dans l'armée de terre, il étudie à Dax puis à La Flèche. Remarqué par d'Alembert en 1753, il est nommé correspondant de Réaumur auprès de l'Académie des sciences. Au début de 1755, le jeune homme entre dans le corps des chevau-légers puis, en septembre 1758, il est admis sans examen à l'École du génie de Mézières, sur sa réputation. Son premier mémoire, qui porte sur la balistique et tient compte de la résistance de l'air, parce que l'expérience l'impose, mais aussi d'hypothèses qui, sans trop s'écarter de la nature, sont accessibles au calcul, lui a ouvert les portes de l'Académie (30 juin 1756). Ses trois mémoires suivants sont relatifs à la mécanique des fluides ; il démontre par l'expérience et contre Newton que la résistance d'un fluide est proportionnelle au carré de sa vitesse et au sinus de l'angle d'incidence. L'usage du principe de la conservation de la force vive annonce l'œuvre de Lazare Carnot. Mais toute l'œuvre du chevalier est un hymne à la science appliquée, c'est-à-dire utile.

En 1762, Borda est affecté à Brest : le duc de Choiseul a confié les travaux maritimes au corps du génie. C'est ainsi que le commandant de la marine, le comte de Roquefeuil (1714-1782), lui-même savant à ses heures, le remarque. Il cherche à l'attirer dans la marine pour lui faire examiner tous les plans et les calculs de construction des vaisseaux envoyés à

Versailles par les ports. Borda est enfin attaché au service de la marine en octobre 1767 et voit la mer un an plus tard. En 1771, il est nommé, avec le chanoine Pingré (1711-1796), commissaire de l'expédition de la *Flore*, organisée pour essayer les montres marines des horlogers Le Roy (1717-1785) et Berthoud (1727-1807). Reprenant l'idée de l'astronome allemand Tobie Mayer (1723-1762), il imagine le cercle à réflexion qui porte son nom, pour mesurer la hauteur des astres sur l'horizon et, plus exactement qu'avec le sextant, les distances angulaires d'objets situés dans ou hors du méridien, notamment de la Lune au Soleil ou à certains étoiles ; on calcule ainsi les longitudes. Cet instrument, perfectionné par son inventeur, devient des années plus tard d'usage général dans la marine.

Borda effectue la première campagne de la guerre d'Amérique dans l'escadre d'Estaing et il est promu capitaine de vaisseau le 13 mars 1779 ; en décembre 1782 il est fait prisonnier avec le *Solitaire*, qu'il commande, à la suite d'un combat inégal. Il ne navigue plus mais le ministre de la Marine et des Colonies, le marquis de Castries, fait de lui son conseiller technique en matière de construction. Son nom doit être associé à celui de l'ingénieur-constructeur Sané (1740-1831) dans l'établissement des trois plans types des vaisseaux de 74, 118 et 80 canons adoptés de 1782 à 1788 et qui sont encore observés après 1814. L'influence de cet homme modeste et désintéressé est grande et c'est à lui qu'on doit pour une bonne part la réforme de l'éducation des gardes de la marine (élèves officiers de vaisseau), de l'École des élèves ingénieurs de la marine, qu'il dirige de 1784 à sa mort, et des écoles d'hydrographie.

En 1792, l'officier reste à son poste malgré sa mauvaise santé et alors que trois de ses frères ont émigré : Monge a réussi à convaincre ce royaliste de servir l'ordre nouveau. Il participe à l'élaboration du système métrique et dessine le mètre-étalon en platine iridié

et le pendule-étalon des secondes. Frappé par la loi de proscription des nobles du 16 avril 1794, Borda est réintégré dans ses fonctions d'inspecteur des constructions et de directeur de l'École de Paris le 17 avril 1795. Il est nommé membre du Bureau des longitudes puis, le 22 septembre 1796, élu président de la classe des sciences physiques et mathématiques de l'Institut national. Le 20 février 1799 s'éteint l'un des hommes les plus utiles de son pays et de son siècle.

BORDEAUX. Siège d'un archevêché, d'un parlement et d'une Cour des aides, capitale d'un gouvernement, chef-lieu d'une généralité, dotée d'une université, d'une chambre de commerce et d'une Bourse, Bordeaux est l'une des grandes villes d'autorité du royaume.

Elle est, en nombre d'habitants, la quatrième ville de France, et celle qui a connu au cours du siècle le plus fort accroissement, étant passée de 45 000 habitants en 1700 à 60 000 en 1747 et à 110 000 en 1790, ce doublement étant dû non au mouvement naturel (légèrement déficitaire) mais à l'immigration.

Une vaste campagne de construction commencée en 1720 et poursuivie jusqu'en 1785 renouvelle le visage de la ville, faisant de Bordeaux un extraordinaire ensemble monumental encore aujourd'hui sans pareil en France. Après l'aménagement de la place Royale, actuelle place de la Bourse (1729-1755) viennent les constructions de l'intendant de Tourny (promenade du Château-Trompette, allées de Tourny, nouvelles portes, façade des quais sur 3 km), puis celles du Grand-Théâtre (œuvre de Victor Louis) inauguré le 6 avril 1780, du palais épiscopal de Rohan (1772-1780) et des nouveaux quartiers (quartier Mériadec et îlot Louis). L'élégance et un mélange de simplicité et de richesse caractérisent cet urbanisme : rez-de-chaussée hauts de plafond avec des arcades en plein cintre, premier étage noble très élevé, deuxième étage très rabaissé, décoration sculptée d'une très grande abondance. Dessinés d'après une très grande variété de modèles, les mascarons ornant les clefs des arcs de façade confèrent aux bâtiments des hôtels et des palais une sorte de « vitalité joyeuse » (F.G. Pariset, *Bordeaux au XVIIIᵉ siècle*).

L'étonnante prospérité de Bordeaux est due au commerce colonial dont le taux moyen annuel de croissance est de 3,9 %. Le port est le marché principal des vivres consommés par les Antilles. Toutes les ressources de l'Aquitaine sont mobilisées pour les besoins de ce marché. Les denrées coloniales représentent la moitié des importations. Bordeaux redistribue dans toute l'Europe près de la moitié des réexportations coloniales françaises. Enfin, avec 393 expéditions négrières de 1715 à 1789, le port est le quatrième port négrier français.

Deux industries, les constructions navales et les raffineries de sucre, naissent de l'activité commerciale. Le nombre des raffineries passe de 5 en 1700 à 30 en 1789.

La société bordelaise est dominée par les magistrats des cours souveraines (200 personnes environ) et par les négociants armateurs. Quarante à cinquante familles (dont les plus illustres noms sont ceux des Bonnaffé, des Nairac, des Gradis et des Bethmann) règnent sur le grand négoce. Les magistrats eux sont les « seigneurs des vignes » ; ils spéculent sur la pierre et achètent des habitations aux Antilles. Sous le règne de Louis XVI on compte quatorze magistrats qui épousent des filles créoles.

L'Académie anime la vie intellectuelle. Les 10 370 ouvrages de sa bibliothèque (1785) sont mis à la disposition du public. L'esprit des académiciens bordelais se fait au cours du siècle de plus en plus pragmatique et utilitaire. En 1752 l'Académie déclare que la « simple curiosité » ne lui suffit plus et qu'« il lui faut de l'utile ». Les loges maçonniques contribuent également à répandre le goût des arts utiles. La franc-maçonnerie bordelaise est l'une des plus anciennes : les deux premières loges ont été fondées en 1732 et 1740.

La vie religieuse donne des signes de déclin, tout au moins dans les classes supérieures de la société : sécularisation des testaments (qui ne contiennent plus après 1760 aucune disposition d'ordre charitable), baisse très forte de la pratique religieuse : en 1772, la moitié des Bordelais auraient manqué à leur devoir pascal. Arrivant à Bordeaux en 1778, Arthur Young admire la beauté de la ville (« Malgré tout ce que j'avais entendu dire […] sur la magnificence de cette ville, mon attente fut grandement dépassée… »), mais s'étonne de la frivolité des mœurs de ces messieurs du haut négoce : « … le pis est un gros jeu, et la chronique scandaleuse parle de commerçants comme entretenant ces dames du chant et de la danse » (*Voyages en France en 1787 et 1789*). Ville magnifique, ville enrichie par le commerce colonial, ville ouverte aux idées nouvelles, ville gagnée par la déchristianisation et par une immoralité croissante, Bordeaux est bien la ville de France la plus représentative du siècle des Lumières.

BORDEU, Théophile de (Izeste, Béarn, 22 février 1722 - Paris, 24 novembre 1776). C'est l'un des médecins les plus célèbres du siècle. Docteur en médecine de la faculté de Montpellier (où il étudiait depuis 1739), il « monte » à Paris et y conquiert un second doctorat. Il devient alors l'un des praticiens les plus courus de la capitale. Il soigne le prince de Conti, le duc de Chevreuse, du Barry et le roi lui-même. Ses travaux contiennent çà et là des notations intéressantes sur le sens génésique, sur la régulation glandulaire et sur le rôle du tissu conjonctif. Il semble avoir pressenti l'existence des localisations cérébrales. Néanmoins ses théories sont courtes. Elles font preuve d'un vitalisme simpliste. Il écrit par exemple : « Toute maladie est un travail dont le terme est une excrétion quand la guérison survient […]. L'art guérit les maladies en excitant les crises. » En somme, ses mérites scientifiques ne justifient pas son succès. Il est vrai qu'il est très proche du parti philosophique. Il collabore à l'*Encyclopédie*. Diderot le met en scène dans son *Rêve de d'Alembert*, lui prêtant des propos des plus matérialistes et des plus bizarres. D'après Diderot, il aurait imaginé de produire une race de chèvres «perfectionnées» pouvant servir de domestiques et que l'on pourrait même baptiser. Ce sont là sans doute de pures inventions du philosophe, mais des inventions vraisemblables. La correspondance de Bordeu a été éditée en 1978.

BOSSUET, Jacques Bénigne (Dijon, 1664 - Paris, 1743). Évêque de Troyes, dit le «petit Bossuet», il est le neveu de l'évêque de Meaux. Il s'était d'abord signalé en poursuivant à Rome, de la part de son oncle, la condamnation du livre de Fénelon, *Explication des maximes des saints*. A son retour d'Italie il est nommé abbé de Saint-Lucien de Beauvais et (en 1716) évêque de Troyes. Il se montre tout de suite un grand zélateur de la cause anticonstitutionnaire, et fait partie des seize évêques appelants de mars 1717. Le Missel qu'il publie en 1733 introduit dans la liturgie les innovations chères aux jansénistes et pratiquées par Jacques Jubé, le curé d'Asnières : autels dépouillés de leurs ornements, célébrant ne récitant pas ce que chante le chœur, fidèles recevant la communion sans avoir dit un second *Confiteor*. L'archevêque de Sens, Languet de Gergy, métropolitain de Bossuet, formule de graves mises en garde contre l'ouvrage. En 1738, après six années de vives polémiques, l'évêque de Troyes finit par retirer ses innovations. Quatre ans plus tard il se démet de son évêché.

BOSSUT, Charles (Tartaras, haut Forez, 11 août 1730 - Paris, 14 janvier 1814). Abbé mathématicien, il est l'un des professeurs de mathématiques les plus réputés de la seconde moitié du siècle. Il fait ses études au collège des jésuites de Lyon. Le P. Béraud l'y a formé aux sciences. Nommé à vingt-deux ans professeur de mathématiques à l'École royale du génie de Mézières, il remplit cette fonction à partir de la fin de 1752 (sa nomination officielle est du 1er janvier 1753) jusqu'au 20 avril 1768, date à laquelle il est désigné comme examinateur des élèves du génie. Il avait réussi à élever le niveau de l'enseignement de l'école, ayant introduit dans ses cours l'étude de la perspective, des éléments de calcul infinitésimal et les notions les plus modernes de dynamique et d'hydrodynamique. Son *Cours complet de mathématiques* (1765) et son *Traité théorique et expérimental d'hydrodynamique* (1768), composés pour les élèves de Mézières, sont adoptés par toutes les écoles scientifiques du royaume. Son enseignement est original, car il est aussi un chercheur. Avec Du Buat et Chézy, il est de ceux qui ont établi les bases modernes de l'hydrodynamique et de l'hydrostatique. Il met en évidence l'influence du frottement de l'eau sur les parois. L'Académie des sciences l'avait admis en son sein en 1768. Était-il du parti philosophique ? Il aurait entretenu avec d'Alembert des relations amicales, et aurait même collaboré avec lui pour la rédaction de divers articles de mathématiques de l'*Encyclopédie*. Toutefois ce dernier point n'est pas entièrement prouvé. On sait par ailleurs que l'apologiste Bergier le connaissait et l'appréciait. Un autre point reste obscur, celui de sa condition cléricale. Il semble qu'il était seulement tonsuré. Pendant la Révolution il reprendra son enseignement à Mézières et le continuera jusqu'à sa mise à la retraite le 18 août 1793. L'Empire fera de lui un membre de l'Institut et un professeur à l'École polytechnique.

BOUCHARDON, Edme (Chaumont-en-Bassigny, 29 mai 1698 - Paris, 27 juillet 1762). Sculpteur, il descend d'une famille versée dans cet art. Son père, architecte et sculpteur, le destinait à la peinture et lui enseigna les rudiments de l'art, le faisant dessiner d'après le modèle. Mais le jeune homme est entraîné par son goût de la sculpture : il vient à Paris et se fait admettre dans l'atelier de Guillaume Ier Coustou. Le grand prix de sculpture (obtenu en 1722) lui ouvre les portes de l'Académie de France à Rome ; il séjourne neuf ans dans la Ville éternelle, y travaillant beaucoup et recevant de nombreuses commandes, parmi lesquelles une très flatteuse, celle du tombeau de Clément XI. Revenu en France en 1733, il entre à l'Académie en 1746 et y est nommé professeur l'année suivante.

Bouchardon cultive tous les genres et traite tous les sujets. Ses bustes-portraits sont nombreux (Clément XII, le baron Philippe von Stosh, le marquis de Gouvernet, le cardinal de Polignac) ; il donne aussi volontiers dans la sculpture religieuse : le *Christ portant sa croix* est son morceau de réception à l'Académie, mais on peut citer aussi son *Charles Borromée communiant les pestiférés* (bas-relief en bronze pour la chapelle de Versailles), les grands apôtres du chœur et la Vierge d'argent de Saint-Sulpice, et plusieurs tombeaux et mausolées funéraires. Mais ce sont ses statues monumentales qui lui valurent sa plus grande réputation, et en particulier le groupe latéral du bassin de Neptune à Versailles, la fontaine de la rue de Grenelle et la statue équestre de Louis XV destinée à la place Royale de Paris (actuelle place de la Concorde). A cette dernière œuvre il travailla six ans, mais n'eut pas le temps de l'achever. Pigalle la termina. Elle fut détruite le 10 août 1792, mais nous la connaissons grâce à une réduction en bronze faite par Vassé : le roi est à cheval, vêtu en empereur romain ; les quatre Vertus, la Force, la Paix, la Prudence et la Justice, lui font escorte, marchant à pied. « Les Vertus vont à pied, disaient les mauvais plaisants, le Vice est à cheval. »

L'étude des antiques avait formé le goût de Bouchardon, qui est l'artiste le moins rocaille de sa génération. Par la simplicité de ses compositions, la rigueur de ses lignes et sa manière ronde et un peu froide, il est vraiment un classique.

BOUCHEPORN, Claude François Bertrand de (Metz, 1741-1794). Intendant de province, il est le troisième intendant

de la Corse et celui qui a fait dans l'île le plus long séjour. Il y est nommé le 6 avril 1775 (après avoir été conseiller au parlement de Metz) et y passe dix ans. Il fait porter l'essentiel de son effort sur le développement de l'agriculture. Il ordonne des enquêtes régionales et fait accorder des exemptions d'impôts pour les assèchements de terrains. Il est nommé à l'intendance de Pau le 4 mai 1785. Il sera guillotiné à Toulouse le 20 février 1794 (2 ventôse an II).

BOUCHER, François (Paris, 1703 - *id.*, 1770). Peintre, il montre dès son plus jeune âge les plus étonnantes dispositions artistiques. Entré dans l'atelier de François Lemoyne et doué comme son maître pour la décoration, il commence sa carrière en peignant des dessus de porte pour le château de Fontainebleau et pour l'hôtel de Soubise. Il travaille aussi chez le graveur des Cars.

Il obtient à vingt ans le grand prix de peinture, séjourne ensuite à Rome et en revient persuadé que le plus beau thème à traiter pour un peintre est le nu. Son maître Lemoyne lui a transmis le goût de la couleur claire et des draperies. Admirateur de Watteau, il reproduit certaines de ses œuvres par la gravure, mais contrairement à lui, aime à peindre de beaux muscles et des chairs féminines lumineuses. Il devient un virtuose de la nudité. Dans ses scènes galantes mythologiques il exprime la frivolité et la sensualité de son temps. Ce sont *Renaud et Armide* (1734), *Diane sortant du bain* (1742), *Léda et le cygne* (1740), *Vénus et l'amour*, les *Trois Grâces*, pour ne donner que ces exemples.

Nous retrouvons ses déesses bien en chair, « aux joues nourries de roses », dans sa série des *Pastorales*. Mais elles prennent alors la forme de bergères et sont accompagnées de bergers, pâtres d'opéra, vêtus d'élégants costumes, tenant des houlettes enrubannées, évoluant parmi les corbeilles de fleurs. Sous un aspect candide, ces compositions sont pleines d'allusions érotiques. Diderot, grand professeur de vertu, en fera grief à l'artiste. Sylvie, personnage imaginaire, est l'héroïne de quelques-uns de ces tableaux champêtres : *Sylvie fuyant le loup, Sylvie guérit Philis de la piqûre d'une abeille, Aminthe et Sylvie.*

Les portraits de Boucher sont peu nombreux en comparaison de ses toiles décoratives. Mme de Pompadour lui sert plusieurs fois de modèle.

Ses scènes d'intérieur, comme *Le Petit Déjeuner* (1739) ou *La Marchande de modes,* sont très vivantes et situées dans de jolis décors, surchargés d'objets.

Pour les manufactures des Gobelins et de Beauvais il réalise d'admirables cartons : *Les Amours des dieux, L'Histoire de Psyché* et *La Tenture chinoise.* Les Goncourt attribuent à ces travaux pour la tapisserie l'affadissement de sa palette, mais il semble qu'il faille plutôt incriminer la baisse de sa vue.

BOUCHER D'ARGIS, Antoine Gaspard (Paris, 3 avril 1708 - *id.,* 26 janvier 1791). Avocat et jurisconsulte, il descend d'une longue lignée de gens de justice. Ses ancêtres étaient lyonnais et avaient acquis la seigneurie d'Argis dans les Dombes. Il exerce les trois fonctions suivantes : avocat au parlement de Paris (reçu en 1727), conseiller au Conseil souverain de Dombes (nommé en 1753) et échevin de Paris (pour les années 1767-1768). Il partage son temps entre la capitale et son domaine d'Argis où il réside souvent et prend très au sérieux ses devoirs seigneuriaux, rendant lui-même la justice et arbitrant les différends entre les villageois. On a de lui plusieurs traités de droit, dont un *Code rural ou Maximes et Règlements concernant les biens des campagnes* (1749-1762). Toutefois, ses écrits les plus connus sont ses articles de l'*Encyclopédie* sur des questions de droit et de jurisprudence (par exemple, l'article «Dommage»). Il n'avait pas la pleine confiance de Diderot (qui refit même son article «Droit naturel»). Mais Bouchaud et lui étaient les seuls juristes du dictionnaire. Il fut donc un intermédiaire obligé entre la pensée juridique du temps et la «philosophie».

Imprégnés des idées de Domat, ses articles contribuèrent à vulgariser les concepts nouveaux de «lois naturelles» et d'«équité naturelle».

BOUFFLERS, Joseph Marie, duc de (1706-1747). L'histoire du duc de Boufflers, pair de France, se confond avec celle de la guerre et de la défense du pays. Colonel à vingt-cinq ans, pourvu au même âge du gouvernement et de la lieutenance générale des Flandres, brigadier en 1731, maréchal de camp en 1740, lieutenant-général en 1744, il fait toutes les campagnes d'Italie et d'Allemagne des guerres de Succession de Pologne et d'Autriche. On le trouve à la prise de Prague, à la retraite de Bohême, au siège d'Egra, à Dettingen, où il est blessé, à Fontenoy et à Raucoux. Sa valeureuse carrière s'achève en Italie par un grand exploit : il chasse les impériaux qui s'apprêtaient à mettre le siège devant Gênes. C'est là qu'il est atteint de la petite vérole et meurt en cinq jours. La république de Gênes, reconnaissante, l'inscrit au nombre des membres de sa noblesse, et lui élève un monument. Il avait épousé, le 15 septembre 1721, Magdeleine Angélique de Neufville, fille unique du duc de Villeroy.

BOUFFLERS, Stanislas Jean, chevalier, puis marquis de (Lunéville, 1737 - Paris, 18 janvier 1815). Militaire philosophe et mondain, il était destiné à l'état ecclésiastique. Il entre donc au séminaire Saint-Sulpice, mais y reste peu. On le retrouve ensuite chevalier de Malte, puis au service du roi, comme capitaine de hussards pendant la guerre de Sept Ans. En 1785, il écrit une chanson déplaisante sur la reine. Pour le punir, on le nomme gouverneur du Sénégal et de Gorée. L'exil n'est pas trop long et dure à peine un an. Ses états de service se bornent là. Ses états littéraires sont encore moins valeureux. S'il est élu (en décembre 1788) à l'Académie française, c'est moins pour son œuvre poétique (toute en vers légers et galants) que pour ses opinions philosophiques. Il est depuis toujours l'ami de la « raison ». Au séminaire Saint-Sulpice — il avait alors vingt ans — il rédigeait des articles pour l'*Encyclopédie*. En 1789, il est élu aux États généraux. Avec Virieu, Liancourt et Le Peletier de Saint-Fargeau, il pousse à la réunion des ordres, et se pose en « ami du progrès et des institutions nouvelles ». Il lui faut quand même émigrer après le 10 août. Revenu en France en 1800, il saisit aussitôt sa plume pour louanger Bonaparte et sa famille. Il mourra libertin comme il avait vécu. Un mot de lui fait son épitaphe : « Mes amis, croyez que je dors. » C'était le type même de l'aristocrate superficiel et « éclairé ». Rousseau disait de lui qu'il avait « des demi-talents en tout genre ».

BOUFFLERS-ROUVREL, Marie Charlotte Hyppolite de Campet de Saujon, comtesse de (Paris, 1724 - Rouen, 28 novembre 1800). Surnommée la Minerve savante, elle fut la maîtresse officielle du prince de Conti et la reine de ce palais du Temple où le prince recevait. Ayant épousé en 1746 le comte Édouard de Boufflers-Rouvrel, nommée peu après son mariage dame d'honneur de la duchesse de Chartres, elle habitait alors au Palais-Royal et c'est là que le prince de Conti fit sa connaissance en 1750. Devenue sa maîtresse, elle vint habiter l'enclos du Temple. Leur liaison dura une dizaine d'années, mais la comtesse demeura jusqu'à la mort de Conti (en 1776) sa conseillère écoutée et dévouée. Elle faisait les honneurs du Temple et recevait avec grâce une compagnie nombreuse et brillante. Les avis des contemporains à son sujet sont partagés, mais on s'accorde à louer son intelligence et son bon sens. Le duc de Lévis la nomme « une des personnes de son temps les plus distinguées par la justesse et l'étendue de son esprit ». Quelques-unes de ses « Pensées » ont été publiées par Mme de Genlis dans ses *Souvenirs de Félicie*. L'inspiration chrétienne en est totalement absente, mais on y voit la marque d'une certaine grandeur d'âme. Protectrice de Rous-

seau, amie de Hume, la comtesse de Boufflers appartenait à l'élite éclairée. Après la mort du prince, elle se retira dans sa maison d'Auteuil où elle continua ses réceptions. Elle survécut à l'Ancien Régime et même à la Révolution, le Tribunal révolutionnaire l'ayant acquittée en 1794.

BOUFFONS (querelle des). La querelle des bouffons oppose en 1752 les partisans de l'opéra français (appelé aussi « tragédie lyrique ») à ceux de l'opéra italien. Le conflit s'allume à l'occasion des deux représentations, en cette année 1752 et dans le cadre de l'Académie royale de musique, de l'opéra *Omphale* de Destouches et de l'opéra italien *La Serva Padrona* de Pergolèse. Le mot « bouffons » vient de la troupe de comédiens italiens (*buffi*) qui joue *La Serva Padrona*. Les partisans de l'opéra italien s'appellent eux-mêmes le « coin de la reine » parce qu'ils se retrouvent près de la loge de la reine. Les partisans de l'opéra français sont le « coin du roi ». Il y a des batailles rangées dans la salle, des provocations et des duels.

Les agresseurs sont les philosophes. Ce sont eux le « coin de la reine ». Grimm, Diderot, d'Holbach et surtout Rousseau sont leurs porte-parole. Parmi les défenseurs de l'opéra français, on compte Mme de Pompadour, Cazotte et Rameau.

L'argumentation des philosophes est simple : la musique française ne vaut rien et les Français ne sont pas musiciens. Grimm écrit : « La musique française est toujours inférieure à l'européenne » (cité par Norbert Dufourcq, *La Musique française*, Picard A. et J., 1970). « Le chant français, écrit Rousseau, n'est qu'un aboiement continuel, insupportable à toute oreille non prévenue [...]. L'harmonie en est brute, sans expression et sentant uniquement son remplissage d'écolier » (cité par Norbert Dufourcq, *op. cit.*).

En fait, plus que l'harmonie, ce sont les thèmes que visent les philosophes. Ce qu'ils veulent, c'est la disparition de la mythologie, des héros et de la féerie. Depuis Fontenelle, et même depuis Descartes, la philosophie moderne est hostile à toutes ces « fables » chères à l'humanité, mais qui égarent sa raison et l'empêchent de vivre en harmonie avec la Nature. Dans cette querelle des bouffons, la musique n'est qu'un prétexte ; l'humanisme et ses « histoires » sont la véritable cible.

BOUGAINVILLE, Louis Antoine, comte de (Paris, 1729 - id., 1811). Il est le premier Français à avoir fait le tour du monde. Pourtant, la vocation de marin lui est venue tard. Il accomplit d'abord une carrière d'officier d'infanterie, parvenant jusqu'au grade de colonel. Son initiation à la navigation date de 1756, lorsqu'il est embarqué pour le Canada comme aide de camp de Montcalm. Il voyage sur la *Licorne*, et le capitaine de ce vaisseau lui enseigne, à sa demande, les rudiments de l'art nautique. On peut penser qu'il les assimile sans peine, ses travaux de mathématicien ayant prédisposé son esprit à ce genre de connaissances. En effet, il était déjà un mathématicien connu pour avoir publié en 1754 un *Traité de calcul intégral*, et pour avoir été reçu deux ans plus tard membre de la Société royale de Londres. Pendant trois ans, de 1756 à 1759, il sert au Canada. Il est blessé à la bataille de fort Carillon, le 6 juillet 1758. Il participe à la défense de Québec, et fait partie de la délégation envoyée aux Anglais pour leur apporter la reddition de la colonie. Cette expérience canadienne a sans doute été décisive. Très marqué par la chute de la Nouvelle-France à la défense de laquelle il avait participé, il aurait voulu, semble-t-il, procurer à sa patrie une compensation par un établissement dans les mers australes. Ce serait l'origine de son expédition aux Malouines en 1763. Il est nommé capitaine de vaisseau le 15 juin 1763 et quitte le port de Brest pour les Malouines le 6 septembre de la même année. La colonie qu'il fonde n'a qu'une existence éphémère. En 1766, les Espagnols font valoir leurs droits sur les Malouines, et les Français acceptent de partir. C'est alors que Bougainville met à exécution un autre grand projet, celui de faire le tour du monde. Le départ a lieu de Brest le 5 décembre 1766 avec la frégate la *Boudeuse* et la flûte l'*Étoile* commandée par La Giraudais. Après avoir relâché à Buenos Aires, Montevideo et Rio de Janeiro, les deux navires entreprennent la traversée du Pacifique. Le 6 décembre 1767, ils passent au large de la Terre de Feu. Le 2 avril 1768, c'est la découverte de Tahiti, nommée par Bougainville *Nouvelle Cythère*, à cause de la beauté de ses femmes. Il n'y reste pas très longtemps (quatorze jours), mais emmène avec lui comme preuve vivante de sa découverte un indigène appelé Aotourou. Le retour en Europe s'effectue par les Moluques, Batavia et Le Cap. Le 16 mars 1769, après deux ans et quatre mois de navigation, les deux navires rentrent dans le port de Saint-Malo. Le récit de l'expédition, publié par Bougainville en 1771 sous le titre de *Voyage autour du monde*, connaît un très grand succès. Dans son *Supplément au Voyage de Bougainville, ou Dialogue entre A. et B.*, Diderot en fait l'éloge. L'auteur nous apparaît comme une intelligence précise, très observatrice, nullement encombrée de préjugés philosophiques, et capable de sens critique. Par exemple, il sait très bien voir la réelle cruauté des mœurs tahitiennes derrière les apparences de douceur et de vie facile. Sa carrière ne s'arrête pas là. Il participe à la guerre d'Amérique, est nommé chef d'escadre en 1779, puis maréchal de camp. Après 1790, il se consacre à des travaux scientifiques. Il sera membre de l'Institut en 1795, puis sénateur et comte d'Empire.

BOUGUER, Pierre (Le Croisic, 16 février 1698 - Paris, 15 août 1758). Physicien, il était le fils d'un professeur d'hydrographie. Lui-même sera, de 1730 à 1735, le titulaire de la chaire royale d'hydrographie du Havre. En 1736, il fait partie de la mission scientifique du Pérou (avec La Condamine et Godin). Il en publie une relation en 1744. Ses deux ouvrages d'hydrographie, le

Traité du navire, de sa construction et de ses mouvements (1746) et le *Nouveau Traité de navigation*, ouvrage posthume publié en 1760, méritent de retenir l'attention. Ce sont de remarquables manuels. L'auteur possède admirablement son sujet. Il fait preuve d'un sens pédagogique peu commun. Cependant, le principal titre de gloire de Bouguer est d'avoir inventé la photométrie. Dans son *Traité d'optique sur la gradation de la lumière* (1760), il étudie l'intensité de la lumière et énonce la loi qui porte son nom et qui donne l'affaiblissement de l'intensité lumineuse par des milieux translucides en fonction de leur épaisseur. Il applique ensuite cette loi à la transmission de la lumière des astres à travers la couche atmosphérique. Ces recherches, très en avance sur la science du temps, suscitent d'ailleurs peu d'intérêt. Bouguer est plus connu de ses contemporains par un héliomètre, inventé en 1748 et adopté par les astronomes pour mesurer la distance angulaire des astres.

BOULA DE NANTEUIL, Antoine François Alexandre (1746 - ?). Dernier intendant de Poitiers, il appartient à la génération des intendants « bienfaisants » du règne de Louis XVI. Reçu conseiller au parlement de Paris en 1767, il est nommé maître des requêtes en 1776, et désigné en 1784 pour l'intendance de Poitiers qu'il exerce pendant six ans. Ses mesures énergiques et efficaces contre la famine pendant l'hiver 1785-1786 lui valent la gratitude de la ville de Poitiers. Les édiles avaient même décidé, en témoignage de reconnaissance, de faire peindre un tableau représentant la devise et les armes des Nanteuil. L'intendant est aussi l'auteur d'une acquisition précieuse pour sa ville, celle de deux pompes à incendie.

BOULAINVILLIERS, Henri de, comte de Saint-Saire (Saint-Saire, Normandie, 21 octobre 1658 - Paris, 23 janvier 1722). Historien et philosophe, il descendait d'une ancienne lignée de noblesse normande. Des études au collège de Juilly, neuf ans au service du roi, un veuvage à trente-huit ans avec quatre enfants à élever, un remariage, des voyages en France, en Allemagne et en Angleterre et la mort d'un fils tué à Malplaquet, tels sont les événements les plus notables d'une existence en grande partie vouée aux travaux de l'esprit dans la solitude normande du château de Saint-Saire.

Ses principaux ouvrages ne furent publiés qu'après sa mort : l'*État de la France...* en 1727, l'*Histoire de l'ancien gouvernement de la France* et les *Mémoires présentés à Mgr le duc d'Orléans, régent de France* la même année, *La Vie de Mahomet* en 1730 et la *Réfutation des erreurs de Benoît de Spinoza* en 1731.

La pensée de cet auteur est étrange et souvent contradictoire. Il voit en l'homme un « animal religieux », « ouvrage de Dieu qui l'a créé à sa ressemblance » et affirme croire aux dogmes chrétiens, mais condamne « les superstitions, les bassesses et les amusements des symboles et des représentations » et loue la religion musulmane et son prophète Mahomet : « Tout ce qu'il a dit est vrai, mais il n'a pas dit tout ce qui est vrai... » Empiriste, il pense que les idées n'ont que deux sources, la sensation et la réflexion, mais il professe par ailleurs un idéalisme absolu : « ... il est évident, dit-il, que tout ce qui nous paraît dans les objets est en nous-mêmes. » Il croit à la liberté de l'homme, mais aussi à l'astrologie comme science et à l'influence des astres sur le sort de l'humanité. Enfin, il est convaincu de l'égalité naturelle des hommes, mais une société « sans distinction réelle » lui paraît impensable. La seule partie cohérente, sinon réaliste, de sa doctrine est son système historico-politique. Condamnant le despotisme de la monarchie absolue et se distinguant en cela des autres pré-libéraux tels que Fénelon et Bayle, il prône un gouvernement où certaines institutions limiteront et contrôleront le pouvoir souverain. Le modèle en sera la monarchie des Francs, telle que Boulainvilliers la reconstitue dans son imagination, monarchie élective et nobiliaire. Descendante des conquérants francs, la noblesse y tiendra le premier rôle.

D'aucuns (par exemple A. Devyver) ont vu en Boulainvilliers une sorte de raciste, à cause de ses théories sur la noblesse et sur « le plus beau sang du royaume ». Mais le « beau sang » n'est pas un sang plus pur, un sang de qualité supérieure. La supériorité de la noblesse ne lui vient que de son éducation et de ses traditions. En témoigne ce passage de la préface de l'*État de la France* : « ... il est bien difficile et [...] il sera toujours très rare que les familles populaires élevées ou par le trafic ou par une basse épargne [...] produisent un caractère assez noble et assez fort pour s'acquitter de ce qu'il y a de plus grand dans la société, c'est-à-dire pour gouverner d'autres hommes et dans une telle quantité » (cité par Diego Venturino, *Le ragion della tradizione*, p. 291).

BOULANGER, Nicolas Antoine (Paris, 11 novembre 1722 - *id.*, 1759). Il appartient à la première génération de la philosophie. Il était ingénieur et occupa successivement les fonctions de sous-ingénieur des Ponts et Chaussées dans la généralité de Tours et d'inspecteur des Ponts et Chaussées. Diderot le mentionne souvent et témoigne à son égard de la plus vive admiration. Il collabora à l'*Encyclopédie*. On a aussi de lui deux ouvrages qui furent publiés après sa mort, le *Despotisme oriental* en 1761, et l'*Antiquité dévoilée* en 1776. Le *Christianisme dévoilé*, paru en 1761, a été publié sous son nom, mais cet ouvrage est en réalité de d'Holbach. Le baron philosophe avait trouvé commode, pour mieux se dissimuler, d'emprunter le nom d'un auteur décédé.

BOULLE, André Charles (Paris, 1642 - *id.*, 1732). La plus grande partie de la carrière d'André Charles Boulle, « premier ébéniste du roi », dit le « grand Boulle » pour le distinguer de son fils Charles Joseph, se déroule avant 1715. Il a connu sous le règne de Louis XIV un succès immense, et l'on ne comptait pas

ses fournitures pour les palais royaux. Mais il continue à travailler sous la Régence et à inventer de nouveaux modèles. On lui doit en particulier, datant de cette époque, une nouvelle forme de table à écrire, nommée « bureau plat ». Les bronzes y sont plus souples, les lignes plus courbes que dans les tables Louis XIV. Un placage ou une marqueterie de bois y remplacent les incrustations de cuir et d'écaille.

BOULLÉE, Étienne Louis (1728-1798). Architecte, il appartient comme Ledoux à la nouvelle génération des architectes visionnaires, épris d'idéal et de grandiose. Pourvu de nombreuses charges officielles (architecte du roi, intendant des bâtiments du comte d'Artois, membre de l'Académie d'architecture) il enseigna, conçut de grands projets, mais finalement construisit peu. L'hôtel de Brunoy à Paris et la transformation de l'hôtel d'Évreux (aujourd'hui palais de l'Élysée) sont ses seules réalisations. Ses projets (Bibliothèque royale, palais à Saint-Germain-en-Laye, cénotaphe de Newton) sont conservés au cabinet des Estampes. Il aimait les formes géométriques simples : sphères, rectangles, pyramides. Ses bâtiments sont monumentaux. Dans un *Essai sur l'Art*, il exprime longuement ses théories.

BOULOGNE. Capitale du comté de Boulonnais en Picardie, la ville de Boulogne-sur-Mer est le siège d'un évêché, d'un gouvernement particulier, d'une sénéchaussée, d'une amirauté et d'une maîtrise des eaux et forêts. La ville haute et la ville basse forment ses deux parties, la première habitée par les clercs et les rentiers, la seconde par les artisans, les matelots, les pauvres et les mendiants. Le paysage urbain ne connaît pas de modification importante, si ce n'est la reconstruction de l'hôtel de ville en 1734.

Boulogne est un foyer de vie religieuse. Une série de bons évêques — le plus remarquable étant Mgr de Partz de Pressy (1742-1789) — poursuit l'œuvre de la Réforme catholique. Six nouveaux couvents, dont ceux des Oratoriens, des

Ursulines et des frères des Écoles chrétiennes, ont été implantés au siècle précédent. Le rayonnement du sanctuaire de Notre-Dame de Boulogne s'étend bien au-delà des limites du comté. Cependant, le roi Louis XV déroge à l'usage observé par ses prédécesseurs de faire hommage de leur comté de Boulogne à la Vierge du célèbre sanctuaire lors de leur avènement. Il se contente de donner au chapitre de Notre-Dame une somme de 6 000 livres à titre de simple libéralité (1727).

Le port s'était envasé. Des travaux de rétablissement (commencés en 1738) permettent de relancer son activité. A la traditionnelle pêche au hareng s'ajoutent l'exportation des eaux-de-vie et le commerce des thés que des importateurs clandestins vont vendre en Angleterre.

BOURBON (île). L'île Bourbon (actuelle île de la Réunion) est avec l'île de France l'une des deux îles principales de l'archipel des Mascareignes, colonie française. Jusqu'en 1766, l'administration en est confiée à la Compagnie des Indes. Un gouverneur général des Mascareignes réside à l'île de France. Il est représenté à Bourbon par un directeur du commerce, commandant en second et président du Conseil supérieur de l'île. A partir de 1745, Bourbon aura son gouverneur particulier. Lorsqu'en 1766, les Mascareignes sont rétrocédées au roi, une nouvelle administration est mise en place. Le gouverneur général et l'intendant général résident à l'île de France. A Bourbon, siègent un commandant particulier et un commissaire ordonnateur. Dans la longue liste des administrateurs qui se sont succédé à l'île Bourbon, quelques noms méritent d'être retenus : celui du gouverneur Beauvollier de Courchant qui fit démarrer la culture du café, celui de Pierre Benoît Dumas, directeur du commerce, et surtout ceux de Mahé de La Bourdonnais, gouverneur général, et de l'intendant général Poivre qui introduisit la culture des épices.

La culture du café commence vers 1715. En 1718, Beauvollier rapporte des graines de moka. A partir de 1727, les chiffres de production augmentent régulièrement, pour atteindre en 1744 le record de 2 500 000 livres. Le café est de loin la principale ressource de l'île. Cependant, vers 1750, de nouvelles cultures sont introduites : poivriers, girofliers, canneliers et coton. Les cultures vivrières se développent également et suffisent après 1770 à la consommation de l'île, en même temps qu'elles permettent d'assurer le ravitaillement des navires de passage.

La population passe de 1 500 habitants en 1718 (esclaves compris) à 45 000 en 1789 (dont 37 000 esclaves). La traite des esclaves, jugée nécessaire pour fournir la main-d'œuvre des plantations de café, a été organisée systématiquement par la Compagnie des Indes qui en tirait en outre de substantiels bénéfices. L'administrateur Benoît Dumas alla chercher lui-même des esclaves en Inde. Indiens, Malgaches et Noirs de la Mozambique forment cette population servile. Population difficile à contenir ; les révoltes de 1729 et 1778-1779 furent particulièrement violentes. Il fallut également réprimer le marronnage. Mahé de La Bourdonnais organisa plusieurs battues d'esclaves marrons. Pour prouver qu'un esclave avait été tué, les chasseurs devaient ramener sa main droite.

Le souci de l'enrichissement prime. Ni la Compagnie des Indes ni l'administration royale ne semblent accorder beaucoup d'importance au développement intellectuel et spirituel de la colonie. Le préfet apostolique, M. Teste, fonde en 1751 un collège de lazaristes à Saint-Denis. Il aurait voulu installer aussi une école de filles et faire venir des Filles de la Charité pour la prendre en charge. Mais la Compagnie des Indes dont il avait sollicité l'aide financière lui opposa un refus, prétextant qu'elle n'en avait pas les moyens. Le collège des lazaristes n'eut d'ailleurs pas une longue existence. En 1772, il fut supprimé par l'administration royale. Cependant, la société créole ne reste pas tout à fait insensible aux prestiges de la culture. L'île Bourbon a donné trois poètes — il est vrai décadents — à la littérature française : Parny, Bertin et Léonard.

BOURBON, Louis Henri, prince de Condé, duc de. *Voir* CONDÉ, Louis Henri, prince de, duc de Bourbon.

BOURBON, Louise Marie Thérèse Bathilde d'Orléans, duchesse de. *Voir* ORLÉANS, Louise Marie Thérèse Bathilde d', duchesse de Bourbon.

BOURBON-CONTI, Louis Armand de. *Voir* CONTI, Louis Armand II de Bourbon, prince de.

BOURBON-CONTI, Louis François de. *Voir* CONTI, Louis François de Bourbon, prince de.

BOURBONNAIS. Le gouvernement du Bourbonnais, qui tire son nom de la ville de Bourbon-l'Archambault, est inclus dans la généralité de Moulins avec une grande partie du Nivernais et un morceau de la haute Marche. Les principales villes sont Moulins, Montluçon, Gannat, Vichy et Bourbon-l'Archambault. Une assemblée provinciale fut créée en 1780 pour toute la généralité, dissoute en 1781 et recréée en 1788.

C'est un pays de faible agriculture — l'introduction de la pomme de terre et celle de l'élevage du ver à soie sont les seules innovations — et d'industrie presque inexistante, si l'on met à part les eaux thermales très fréquentées de Vichy et de Bourbon, et l'exploitation commerçante des mines de charbon de Noyant, Tronget et Commentry. L'augmentation de la population rurale (55 % dans le Gannatois entre 1716 et 1789) crée un nouveau problème, celui du chômage.

Le monastère de la Visitation de Moulins et l'abbaye cistercienne de Sept-Fons sont les deux centres spirituels les plus vivants de la province.

BOURET, Étienne Michel, dit **le Grand Bouret** (1710 - Paris, 1777). Fermier général, il était parti d'un modeste poste d'employé dans les étapes et les voitures du sel. Il doit une bonne part de sa fortune et de son élévation à son mariage avec la fille de Tellez d'Acosta, entrepreneur des vivres et protégé de Breteuil, ministre de la Guerre. Son faste et sa prodigalité le rendent célèbre. Il dépense pour sa table des sommes fantastiques. La marée fraîche de Dieppe lui arrive tous les jours par des relais spécialement organisés. Il est aussi un grand bâtisseur. Il construit le pavillon de Gonesse, le château de Croix-Fontaine, plusieurs maisons de la nouvelle rue du Faubourg-Saint-Honoré, ainsi que le pavillon du Roi près de la forêt de Sénart, pour y accueillir Louis XV, dont il est le favori et l'intime. Il engloutit ainsi une fortune estimée à 42 millions de livres. A partir de 1771, ses affaires périclitant, il vend ses propriétés. Il est trouvé mort dans son lit le 10 avril 1777, et soupçonné d'avoir mis fin à ses jours.

BOURGELAT, Claude (Lyon, 1712 - *id.*, 1799). Il est l'un des fondateurs de l'hippiatrie scientifique. C'est en servant dans la cavalerie qu'il avait acquis la connaissance des chevaux. Ses *Éléments de l'art vétérinaire* (1750) font sa notoriété. Il fonde en 1762 l'École vétérinaire de Lyon et en assume la direction jusqu'à sa nomination par Bertin au poste d'inspecteur général des haras, en 1764. On ne peut pas vraiment dire que son administration ait été favorable à l'amélioration de la race chevaline. Ce bon connaisseur des chevaux était néanmoins victime du préjugé du « beau cheval », ou, si l'on préfère, du cheval idéal, dont il avait défini le modèle (« canon Bourgelat ») de la manière suivante : « La taille du cheval de selle doit être de quatre pieds huit pouces, celle du cheval de carrosse doit être de cinq pieds et au-delà, les beaux chevaux doivent être noirs ou de toutes les nuances du bai » (cité dans *L'État et la rénovation de l'agriculture au XVIIIᵉ siècle*, par Guy Ferry et Jacques Mulliez). Mettant la conformation extérieure au-dessus de tout, et ne tenant que peu de compte de l'adaptation aux services demandés, il n'avait que mépris pour les races rustiques, dégénérées selon lui. Au fond il était raciste pour les chevaux, comme les « philosophes » l'étaient pour les hommes.

BOURGEOIS DE BOYNES, Pierre Étienne (1718-1783). Ministre de la Marine, il est le type même du bon serviteur du roi, énergique et consciencieux. *L'Observateur anglais* le qualifie de « grand travailleur, robuste, ardent, pénétrant ». D'extraction relativement modeste — son père avait acquis la noblesse avec une charge de secrétaire du roi — il s'élève par la protection du maréchal de Belle-Isle. Maître des requêtes en 1745, intendant de Franche-Comté en 1754, il est nommé, le 1er avril 1757, premier président du parlement de Besançon avec la mission de réduire la résistance des magistrats de cette cour. Il emploie les grands moyens. Les 20 et 21 janvier 1759, les trente conseillers les plus récalcitrants sont exilés par lettres de cachet. Mais Choiseul finit par faiblir, et Bourgeois de Boynes est désavoué et disgracié (1761). Il réapparaît dix ans plus tard, à la faveur de la « révolution royale ». Nommé secrétaire d'État à la Marine, il prend ses fonctions le 8 avril 1771. N'ayant aucune relation ni parenté avec la noblesse maritime, sa liberté d'esprit est totale. Le bilan de sa gestion n'est pas négligeable. Il ordonne les expéditions de Kerguelen dans l'océan Indien, crée un établissement à Madagascar, organise pour la première fois dans la marine des grandes manœuvres d'escadre, et crée au Havre la première école navale. C'est beaucoup pour un ministère qui n'aura duré que trois ans. Louis XVI le renvoie le 18 juillet 1774. Il lui aurait fait dire que, s'il le congédiait, c'était pour les changements faits dans la marine qui n'auraient abouti à rien.

BOURGES. Bourges est une assez grande ville (20 000 habitants), mais de faible activité. Toute son importance est dans l'autorité que lui valent son archevêché, son intendance et son université célèbre pour l'enseignement du droit. L'abbé Expilly souligne « l'indifférence singulière » de ses habitants « pour le commerce ». « ... On n'y voit, écrit-il encore,

presque que des Ecclésiastiques, des Gentilhommes et des Écoliers. »

BOURGOGNE. Le gouvernement de Bourgogne est habituellement divisé en deux parties : l'une est le duché de Bourgogne et l'autre est composée de ce qu'on appelle les « pays annexes », soit la Bresse, le Bugey et les Dombes, province réunie à la Couronne par Louis XV en 1762, le comte d'Eu qui la possédait en ayant fait l'échange contre le duché de Gisors. Le duché lui-même est constitué de huit pays : l'Auxerrois, l'Auxois (Avallon), la Montagne (Châtillon-sur-Seine), le Dijonnais, le Chalonnais (Châlon-sur-Saône), l'Autunois, le Charolais et le Mâconnais.

Le gouvernement de Bourgogne est pratiquement héréditaire dans la famille des princes de Condé. La province est un pays d'états qui se réunissent tous les trois ans à Dijon, capitale de la province, résidence de l'intendant et siège du parlement.

La Bourgogne est terre à blé, à vin et à bois. A blé : elle produit l'un des meilleurs froments de France ; à vin : ses crus de Beaune, de Nuits et du Mâconnais sont réputés ; à bois : les bois de charpente et de marine descendent par flottage vers la capitale. Le pullulement des petites entreprises minières et métallurgiques fait la principale originalité de l'industrie bourguignonne. Les autorités et les notables sont animés d'un vif esprit d'expansion. Les états de Bourgogne créent des haras à Diénay, acclimatent des moutons mérinos en Charolais et en Auxois, encouragent l'embouche et font planter des mûriers. Dans le domaine industriel, la création la plus spectaculaire est celle de la fonderie du Creusot de 1782 à 1785, et dans le domaine des transports, la construction du canal de Bourgogne pour unir la Seine au Rhône. Cette construction fut décidée sous Louis XV par édit du 7 septembre 1773, et les travaux commencèrent en 1775. Ils ne seront achevés qu'en 1832.

Peu de pays en France donnent naissance à autant de talents scientifiques, littéraires et artistiques : Buffon, Daubenton, Guyton de Morveau, Crébillon père, Charles de Brosses, Greuze et Rameau sont bourguignons. Une université est fondée à Dijon en 1722, deux écoles de dessin ouvrent l'une à Beaune en 1784, l'autre à Dijon en 1767.

Est-ce l'esprit du siècle ? La province manifeste une sorte de hâte irraisonnée à s'enrichir. Il y a des réussites, mais il y a aussi beaucoup de projets mal étudiés, qui n'aboutissent pas, beaucoup de mécomptes et d'échecs. Par exemple, on plante près de trois cent mille mûriers, mais la fabrique de soie ne voit jamais le jour. On ne se soucie pas beaucoup de la condition paysanne pourtant plus médiocre dans cette province que dans beaucoup d'autres ; nombre de journaliers sont réduits à la misère par le partage des communaux. On note aussi que le Bourguignon « éclairé » montre un certain mépris pour les monuments « gothiques », témoins des « âges superstitieux ». C'est ainsi que si l'on construit, on détruit également beaucoup. C'est en 1766, et non pendant la Révolution, que dans la cathédrale d'Autun le tombeau de Saint-Lazare est démembré et détruit. On voit enfin la déchristianisation commençante gagner certaines parties de la province, et en particulier l'Auxerrois, où l'on observe une nette diminution de la pratique pascale. L'influence des Lumières y est sans doute pour quelque chose, mais surtout celle du jansénisme : le diocèse d'Auxerre a été sous l'épiscopat de Caylus (1704-1754) le diocèse refuge du jansénisme.

BOURGUIGNON D'ANVILLE, Jean-Baptiste. *Voir* **ANVILLE, Jean-Baptiste Bourguignon d'.**

BOURSE. On appelle « bourse des négociants » le lieu où les agents de change et les hommes d'affaires négocient des effets et traitent des opérations de commerce.

Une Bourse est établie à Paris par arrêt du Conseil du 24 septembre 1724. Lyon, Toulouse et Montpellier avaient déjà leurs Bourses. Il s'en ouvre par la suite à Bordeaux, Marseille et Nantes.

La Bourse de Paris est établie rue Vivienne. Elle est ouverte tous les jours, sauf les dimanches et fêtes, de dix heures du matin à une heure de l'après-midi. Les femmes ont interdiction d'y entrer « sous quelque prétexte que ce soit ». Un local est réservé à l'intérieur pour les agents de change, qui sont seuls habilités à négocier les effets autres que les lettres de change et les billets.

Construit de 1742 à 1747 sur les plans de Jacques Gabriel, l'édifice de la Bourse de Bordeaux fait partie du bel ensemble monumental de la place Royale de cette ville.

BOUTARIC, François de (1672-1733). C'est le plus connu des professeurs méridionaux de droit français. Il était le fils de Guillaume de Boutaric, conseiller au parlement de Toulouse. D'abord avocat au parlement de Toulouse, il se fait remarquer par une rare éloquence. « Procureurs, aurait dit le premier président, occupez ce jeune avocat, la Cour l'écoute avec plaisir. » Nommé en 1714 professeur royal de droit français, il va occuper cette chaire jusqu'à sa mort en 1733. Ses publications (toutes posthumes) reproduisent exactement ses cours. Ce sont l'*Explication sur l'ordonnance de Louis XIV sur les matières civiles* (s.l., 1734), les *Instituts de Justinien conférés avec le droit français divisés en quatre livres* (Toulouse, 1738), et le *Traité des droits seigneuriaux et des matières féodales* (Toulouse, 1741). Boutaric est un partisan convaincu de la prééminence du droit romain, dans lequel il voit le droit de la raison (*non ratione Imperii, sed imperio rationis*) et « le droit commun de la France ». Il s'attache à montrer tout ce que les ordonnances royales doivent à la législation de Justinien. Il souligne en particulier la similitude entre le code noir de 1685 et le droit romain.

BOUTEILLER, Guillaume (Nantes, 1713 - *id.*, 1790). Deuxième du nom, il est né et mort sur la paroisse Sainte-Croix. Issu d'une famille anciennement nantaise, il est dans la seconde moitié du siècle le plus riche négociant de cette ville. Il arme pour le commerce en droiture et pour la traite négrière. En 1789, sa fortune est évaluée à 6 millions de livres sans compter les « biens à l'Amérique », c'est-à-dire les plantations de Saint-Domingue. Il joue la Révolution et achète encore aux « îles » en 1790, l'année même de sa mort. Il avait marié ses deux fils aux deux filles de Louis Drouin, autre grand négociant nantais.

BOYER, Jean François (Paris, 12 mars 1675 - *id.*, 20 août 1755). Évêque de Mirepoix, ministre de la Feuille, il est l'un des prélats qui ont le plus fortement marqué l'Église de France. Fils d'un avocat parisien, il n'est pas — cas rarissime — d'origine noble. Après des études chez les jésuites de Louis-le-Grand, il fait profession le 18 avril 1692 chez les clercs réguliers théatins, et entame une carrière de prédicateur. Un Avent (1722) et deux Carêmes (1726 et 1729) prêchés à la Cour lui valent une grande réputation qui n'est pas seulement mondaine. « Jamais, dit Fourchy, prédicateur n'a fait plus de conversions que lui. » Fleury le remarque et le fait nommer évêque de Mirepoix (7 janvier 1730). Il se rend dès l'année suivante dans son évêché, abandonnant la supériorité, qu'il détenait depuis 1716, de son couvent de Paris. En 1735, il est nommé précepteur du Dauphin, n'ayant, écrira l'abbé Proyart, « pour prétendre à cet emploi important, d'autres titres […] que son mérite et son austère probité ». Il se démet alors de son diocèse, sachant ne pouvoir y résider. En 1743, à la mort de Fleury, le roi le charge de la feuille des bénéfices. Les nominations épiscopales qu'il inspire vont toutes dans le sens déjà indiqué par Fleury, celui d'un antijansénisme intransigeant. Le meilleur exemple est la désignation en 1746 de Christophe de Beaumont à l'archevêché de Paris. L'influence de Boyer lui survit. A l'assemblée du clergé de 1755 les évêques se divisent en deux partis, celui des « théatins », disciples de Boyer, et celui des « feuillants », ainsi nommés parce qu'ils suivent le nouveau titulaire de la « feuille », La Roche-Aymon. Les premiers sont très antijansénistes et les seconds plus modérés. Mgr Boyer avait été élu en 1736 à l'Académie française, en 1738 à celle des sciences et, en 1741, à celle des inscriptions. Il était un académicien assidu et vigilant. Il s'opposa à l'élection de Voltaire à l'Académie française, et ce fut lui qui fit annuler l'élection de Piron. Les recueils de l'Académie contiennent plusieurs discours du prélat. Ce sont les seuls écrits que l'on cite de lui. Le personnage n'a jamais été vraiment étudié. Il mériterait pourtant d'être mieux connu.

BOYER DE CRÉMILLES, Louis Hyacinthe. *Voir* **CRÉMILLES, Louis Hyacinthe Boyer de.**

BRENET, Nicolas Guy (1728-1792). Peintre, il se partagea entre la peinture religieuse et celle d'histoire. Ses deux tableaux les plus connus représentent l'un *Saint Louis recevant les ambassadeurs des Tartares et du Vieux de la Montagne, prince des Assassins* et l'autre la *Mort de Duguesclin*, tous les deux commandés par le comte d'Angiviller, directeur des Bâtiments du roi, dans le cadre d'une série de peintures destinées à exalter les gloires nationales. Brenet ne manque pas de talent, mais il est victime d'un genre qui n'a jamais bien réussi à la peinture.

BREST. Brest est le port de la Royale, le port des grandes escadres de guerre du Ponant. Toute l'activité brestoise gravite autour du port et de l'Arsenal (*voir* ARSENAUX). La ville est toute jeune — les lettres patentes instituant le corps de ville datent de 1681 — et en plein essor : sa population double en un siècle, passant de 15 000 à 30 000 habitants. Il lui manque seulement la dignité monumentale. Les grands axes urbains (dont celui de la rue de Siam) ont été dessinés par Vauban, mais les deux seuls édifices de quelque apparence sont le séminaire des jésuites, avec son beau portail et son dôme, œuvres de Bouchardon, et la salle de spectacle construite en 1766 sur les plans de Choquet de Lindu.

BRETAGNE. La Bretagne est, de toutes les provinces du royaume, l'une des plus étendues. C'est un pays d'états qui se tiennent tous les deux ans. Capitale de la province, Rennes est la résidence du gouverneur et de l'intendant et le siège du parlement de Bretagne.

La province est traditionnellement divisée en Haute et Basse-Bretagne. La Haute-Bretagne est composée de cinq diocèses : Nantes, Rennes, Dol, Saint-Malo et Saint-Brieuc. La Basse-Bretagne de quatre diocèses qui sont ceux de Tréguier, Saint-Pol-de-Léon, Quimper et Vannes.

L'individualité bretonne se marque par les traits suivants : la contestation du pouvoir royal, le retard démographique et économique, et de forts contrastes dans le tissu social et dans la vie intellectuelle et religieuse.

La contestation est le fait du parlement, mais aussi des états. Il s'agit essentiellement de s'opposer à toute augmentation de charges dont la noblesse pauvre ferait les frais. En 1719, se forme la conjuration qui sera dite de Pontcallec : quelques gentilshommes exclus des états publient un *Acte pour la défense des libertés de la Bretagne* et nouent des liens avec l'Espagne. En 1730, le parlement refuse d'enregistrer la déclaration royale imposant à tout le clergé l'acceptation de la bulle *Unigenitus*. En 1764 la même cour attaque violemment l'administration du duc d'Aiguillon, lieutenant général de la province. Ces trois dates marquent les principaux moments du conflit séculaire.

Le retard démographique est patent. La Bretagne est l'une des provinces dont la population augmente le moins. Pour la période 1770-1787 elle présente même un excédent de décès. Les progrès de l'économie sont très lents. Les quatre cents lieues de routes (la plupart nouvelles) sont mal entretenues. La proportion des terres incultes (qui était encore des deux cinquièmes en 1733) diminue après 1750 grâce aux défrichements mais l'amélioration profite peu au monde paysan, dont une partie notable semble frappée inéluctablement de pauvreté quand

ce n'est pas de misère. Si l'on met à part l'activité des trois grands ports, Nantes, port de la traite négrière, Saint-Malo, port du commerce de l'Amérique latine et de la pêche de Terre-Neuve, et Lorient, port d'entrepôt de la Compagnie des Indes, l'industrie et le commerce ne sont guère actifs. Seule l'industrie de la toile alimente une exportation abondante. Notons cependant après 1750 un certain essor de la métallurgie.

La société est contrastée. En face d'une nombreuse noblesse (quatre mille familles environ) la bourgeoisie des gens de loi s'affirme et revendique. Elle demande que l'on diminue dans les états l'autorité des nobles «qui sont les maîtres absolus de tout ce qui concerne l'autorité de la province». Sous le règne de Louis XVI, le conflit bourgeoisie-noblesse s'aggrave et tourne à la lutte des classes.

La pénétration des Lumières est très inégale. Les milieux acquis à l'esprit nouveau sont une partie de la magistrature — le procureur général La Chalotais est un parfait exemple de cette magistrature éclairée —, les avocats et autres gens de justice et les négociants, les uns et les autres convertis aux Lumières par le livre et par les sociétés de lecture, très nombreuses dans la province. En face, la noblesse, le clergé et la paysannerie échappent presque complètement à ces influences philosophiques. Les prêtres séculiers, dont le niveau intellectuel et moral est ordinairement élevé, sont respectés. Il y a vraiment deux Bretagnes, celle des négriers, celle des avocats, celle qui est révoltée contre l'esprit du christianisme, et l'autre Bretagne, celle de la masse de la population, profondément attachée à sa religion et à ses traditions. La première méprise la seconde. Les Bretons des campagnes passent pour des sauvages auprès des esprits éclairés. Les descriptions qu'en donnent les voyageurs annoncent celles de Hugo et de Balzac. «Les Bretons, écrit Tillette de Mautort voyageant en Cornouaille, sont en retard de plus d'un siècle sur les autres provinces de France. Rien d'aussi négligé que leur extérieur [...], une barbe longue et épaisse, les cheveux pendant sur les épaules, un gros bonnet de laine, tout cet équipage les fait ressembler à des satyres, leur tournure rabougrie se ressent du mauvais pays où ils habitent» (cité dans *Histoire littéraire et culturelle de la Bretagne*, sous la direction de Jean Balcou et Yves Le Gallo, p. 395).

BRETEUIL, Louis Auguste Le Tonnelier, baron de (Azay-le-Ferron, 1733 - Paris, 1807). Ambassadeur, ministre d'État, il avait dans sa jeunesse commencé une carrière militaire, changée très vite, dès l'âge de vingt-cinq ans, pour celle de diplomate. Il représente le roi successivement à Cologne, à Saint-Pétersbourg (où il arrive en 1760), à Stockholm, à Vienne (1770-1771), à Naples et à nouveau à Vienne (de 1773 à 1783). Affilié par Louis XV au Secret, il fait autant qu'il le peut la politique du roi. A Saint-Pétersbourg, il s'efforce d'aider les confédérés polonais. A Stockholm, il encourage les Chapeaux (sans succès d'ailleurs, ceux-ci ayant été battus à la diète de 1766). En 1783 — il a cinquante ans — Breteuil entre au gouvernement comme ministre d'État et ministre de la Maison du roi. L'état civil des protestants est adopté sur son rapport. En désaccord avec Brienne, il doit démissionner en juillet 1788. Le roi le rappelle le 11 juillet 1789 et lui confie les Finances. Il n'aura pas le temps d'y faire ses preuves. L'émeute du 14 juillet met fin à sa carrière d'homme d'État. Il émigre à Soleure, où le roi lui confie le soin de le représenter officieusement auprès des cours étrangères. Il rentrera en France en 1802. L'homme semble avoir été intelligent et efficace. Il a su mériter la confiance de Louis XV et celle de Louis XVI. Avait-il beaucoup d'idées? Cela n'est pas sûr. On le trouve toujours partisan des coups de force. En mai 1788, c'est lui qui a poussé Brienne au «coup d'État» contre les cours. Il est toujours disposé à l'action autoritaire. En août 1787, lors de l'exil du Parlement, il fait fermer tous les clubs de Paris. Mais la réflexion lui fait défaut. S'il avait été plus réfléchi, aurait-il contribué comme il le fit au renvoi de Calonne? C'était un bon serviteur, mais pour d'autres temps.

BRIDAINE ou **BRIDAYNE, Jacques** (Chusclan, près de Nîmes, 21 mars 1701 - Roquemaure, près d'Avignon, 22 décembre 1767). Il est de tous les missionnaires catholiques des missions intérieures du royaume le plus réputé et le plus éloquent. Plusieurs auteurs en font un jésuite. Il ne l'est nullement, ayant seulement fait ses études au collège des jésuites d'Avignon. Ordonné prêtre (le 26 mars 1724) il s'affilie à la congrégation des missions royales de Sainte-Croix. On lui fait d'abord enseigner le catéchisme. Ensuite il s'exerce à prêcher, fait ses débuts à Aigues-Mortes et obtient très vite un prodigieux succès. On lui attribue deux cent cinquante-six missions, la plupart dans le Languedoc, quelques-unes dans les autres régions de France. Il vient à Paris deux fois (dont une fois en 1753), à Grenoble en 1739, à Chartres et à Amiens en 1741, à l'appel de Mgr de La Motte, à Montpellier en 1743. Il est le type même du grand prédicateur populaire. Servi par sa haute taille et sa forte voix il tient en haleine ses immenses auditoires. La rhétorique lui est étrangère : il improvise, parle d'abondance, utilise les images les plus audacieuses et les effets les plus inattendus. Un soir — il prêchait de préférence le soir, à la tombée de la nuit —, après un sermon sur la brièveté de la vie, il dit à ses auditeurs : «Je vais vous reconduire chacun chez vous.». Et il les mène au cimetière. A Grenoble, il brûle en public les œuvres de Molière et le *Don Quichotte* de Cervantès. Les critiques les plus prévenus (Marmontel, La Harpe) ont loué la vigueur de son verbe. Comme il n'était pas janséniste, les *Nouvelles ecclésiastiques* ont fait de lui leur cible favorite. Il mourut à la tâche, venant d'achever une mission et sur le point d'en commencer une autre. On peut s'étonner qu'un tel personnage n'ait fait jusqu'ici l'objet d'aucune étude scientifique.

BRIENNE, Étienne Charles de. *Voir* LO-MÉNIE DE BRIENNE, Étienne Charles de.

BRIENNE, Athanase Louis Marie de Lo-ménie, comte de. *Voir* LOMÉNIE DE BRIENNE, Athanase Louis Marie, comte de.

BRISSAC, Jean Paul Timoléon, duc de (1698-1784). Chevalier de l'Ordre (1744), maréchal de France (1768), il a fait l'admiration de son temps par sa belle carrière de soldat. Il n'était certainement pas un grand stratège mais, de tempérament plaisant et gai, il excellait à entraîner ses hommes et à leur donner du courage. Par exemple, dans la compagne de 1741, affronté au régiment hongrois de Bethléem, et ne sachant plus comment venir à bout de cette troupe, il dit à son régiment : « Allons, mes amis, renvoyons ces gens-là en Galilée. » Intime du roi Louis XV, il lui apporta jusqu'à la fin le réconfort de son amitié et de sa fidélité. Il avait, au dire de Dumouriez, « toute la grandeur, toute la générosité et tout le courage de l'ancienne noblesse française ».

BROGLIE, François Marie II, comte, puis duc de (Paris, 11 janvier 1671 - Broglie, 22 mai 1745). Maréchal de France, ambassadeur, fils de Victor Maurice et de Marie de Lamoignon, il a commencé sa carrière militaire comme officier d'un régiment de cuirassiers. C'est un soldat courageux et un officier général qui ne craint pas de monter au feu. Lieutenant général (le 29 mars 1710), il emporte le 2 juin 1710 le poste de Biache, ayant conduit lui-même l'assaut l'épée à la main. En 1724, Fleury l'envoie à Londres comme ambassadeur. Il y est l'artisan d'une nouvelle entente franco-anglaise, et négocie avec le roi George et le secrétaire d'État Townshend lors des entretiens du château d'Herrenhausen, en septembre 1725. Il est moins heureux comme chef d'armée. Nommé le 2 décembre 1741 à la tête de l'armée de Bohême, il est, en juillet 1743, destitué de son commandement pour désobéissance flagrante. Il avait évacué la Bavière,

alors que les ordres du roi lui prescrivaient de s'y maintenir.

BROGLIE, Victor François, duc de (19 octobre 1718 - Munster, 30 mars 1804). Maréchal de France, il est le fils de François Marie II, duc de Broglie. De tous les généraux de Louis XV il est l'un des plus discutés, peut-être l'un des plus discutables. Les emplois subordonnés lui avaient réussi. On l'avait vu montrer son courage en Italie (1733-1734) et au siège de Prague où, commandé pour l'escalade, le 14 novembre 1741, il avait emporté la courtine, et décidé ainsi de la prise de la ville. Ses ennuis débutent avec les grands commandements. A Minden, le 1er août 1759, il commande la réserve qui forme la droite de l'armée. Sa mission est de prendre l'ennemi par le flanc. Pour des raisons encore aujourd'hui inexpliquées, ce mouvement n'est pas exécuté. Les Français sont battus, et le maréchal de Contades, général en chef, rend Broglie responsable de la défaite. Il n'en est pas moins désigné pour conduire la campagne d'Allemagne de 1760. Mais cette fois l'échec est avéré : sa mésentente avec Soubise empêche la coordination des armées, et entraîne la défaite de Filinghausen. Du coup, la faveur se dérobe : Broglie est exilé dans ses terres. Il ne tarde pas à rentrer en grâce : le roi le fait, en 1762, chevalier de l'Ordre, et le nomme, en 1771, gouverneur de Metz et du pays messin. Sous le nouveau règne, sa réputation ne cesse de grandir. Si étonnant que cela puisse paraître, le gouvernement royal voit en lui un recours. Il est nommé commandant des côtes de Nantes à Dunkerque en 1778. Lorsque, le 26 juin 1789, Louis XVI masse des troupes aux environs de Paris, c'est Broglie qu'il appelle pour les commander. Le 12 juillet, il le nomme ministre de la Guerre. Le duc de Broglie est donc le ministre de la Guerre du 14 juillet. Quelle est sa responsabilité dans ces tragédies événements ? C'est difficile à dire. Une chose est certaine : il se montre égal à lui-même, c'est-à-dire au-dessous des circonstances. Investi du plus haut pouvoir militaire, il ne bouge pas, il ne fait rien. Le 16 juillet, il n'est plus ministre. Il l'aura été quatre jours. Dans l'émigration il commande un moment l'armée des princes. Il mourra en exil.

BROGLIE, Charles François, comte de (1719 - Saint-Jean-d'Angély, 1781). Ambassadeur, chef du Secret du roi, il est le frère du duc Victor François de Broglie, maréchal de France. Après une courte carrière militaire, il est nommé à trente-cinq ans ambassadeur à Varsovie. Cette nomination est faite le 11 mars 1752. Le 12 mars, le nouvel ambassadeur est affilié au Secret du roi par le billet suivant de la main du souverain : « Le comte de Broglie ajoutera foi à ce que lui dira le prince de Conty et n'en parlera à âme qui vive » (cité par Michel Antoine, *Louis XV*). La mission de Broglie en Pologne est de redonner vigueur au parti patriotique. Il y réussit pleinement et parvient en outre à faire aboutir un rapprochement polono-turc (1754-1755). Mais, en mai 1758, la difficulté de concilier les instructions officielles et celles du Secret l'oblige à démissionner de son ambassade. Depuis la défaveur de Conty, il est devenu le principal agent du Secret. En mars 1759, il est investi de sa direction, avec Tercier comme adjoint. De 1756 à 1774, bien que n'occupant aucun emploi diplomatique, il ne cesse de conseiller Louis XV. Le roi l'exile deux fois, la première avec son frère le maréchal (le 18 février 1762), la seconde pour une mésentente avec d'Aiguillon, le 24 septembre 1773, mais il lui garde sa confiance et lui conserve la direction du Secret. Par sa ténacité, par sa puissance de conception, il mérite cette constante faveur. On retiendra de ses nombreux projets un plan de débarquement en Angleterre, conçu en 1763, et une proposition, adressée au roi en 1773, d'une ligue des pays du Midi sous l'égide de la France. On pourrait seulement lui reprocher d'avoir attaché trop d'importance à la Pologne et d'avoir été trop exclusivement l'homme des affaires continentales, sans voir l'importance grandissante des affaires océaniques et américaines.

BRONGNIART, Alexandre Théodore (Paris, 15 février 1739 - *id.*, 5 juin 1813). Architecte, il est issu d'une famille d'apothicaires d'origine artésienne. Son père enseignait la chimie au collège de pharmacie de Paris. Protégé de Mme de Montesson, épouse morganatique du duc d'Orléans, il fait ses débuts en construisant pour elle un grand hôtel à la chaussée d'Antin. Cela suffit à le lancer. Les amis de Mme de Montesson lui font des commandes. Il construit pour eux plusieurs hôtels chaussée d'Antin et faubourg Saint-Germain ; certains existent encore aujourd'hui : hôtel de Monaco puis de Sagan, 57, rue Saint-Dominique, hôtel de Montesquiou, 20, rue Monsieur, hôtel de Bourbon-Condé, 12, rue Monsieur, hôtel de Boisgelin, 5, rue Masseran. Cependant l'ouvrage le plus important de Brongniart avant la Révolution est d'architecture religieuse ; c'est le couvent des Capucins achevé en 1782 (aujourd'hui lycée Condorcet et église Saint-Louis-d'Antin). Brongniart est aussi un spéculateur ; il achète des terrains et les lotit. C'est ainsi qu'il ouvre la rue Monsieur, la rue Duroc, alors rue Montmorin, et le rond-point de l'avenue de Breteuil. D'opinion libérale, mais non jacobine, il juge prudent de quitter Paris pendant la Terreur, et se réfugie à Bordeaux pendant près de deux ans. A son retour dans la capitale, Mme de Montesson, de commerce toujours utile, l'introduit auprès de Bonaparte. Sous l'Empire, deux grands ouvrages lui seront confiés : le cimetière du Père-Lachaise et la Bourse de Paris. Il n'aura le temps d'achever ni l'un ni l'autre.

BROSSES, Charles de. *Voir* **DE BROSSES, Charles.**

BRULART, Louis Philogène, vicomte de Puisieux, marquis de Sillery. *Voir* **SILLERY, Louis Philogène Brulart,** vicomte de Puisieux, marquis de.

BUACHE, Philippe (Paris, 1700 - *id.*, 1773). Illustre géographe et cartographe, il avait commencé par faire des études de dessin et d'architecture. En 1721, après un séjour à Rome comme pensionnaire de l'Académie de France, il entre dans l'atelier de Guillaume Delisle, premier géographe du roi, et y fait son apprentissage de cartographe. En 1729, il épouse la fille unique de son patron et, après la mort de ce dernier, lui succède dans ses fonctions et dignités de premier géographe et de membre de l'Académie des sciences. En 1756, il est choisi pour enseigner la géographie au duc de Berry (futur Louis XVI) et à ses frères. Il dessine pour eux des cartes qu'il accompagne d'explications. On a de lui la première carte hydrographique du golfe du Mexique. Il est également un spécialiste du relief sous-marin. Ayant eu l'intuition du rattachement primitif de l'Angleterre au continent, il fait effectuer des sondages et réalise la première carte bathymétrique connue. Cependant son principal mérite est d'avoir construit un système géographique cohérent, fondé sur la connaissance physique du globe et surtout des montagnes. Son *Essai de géographie physique* a été publié en 1756.

BUDGET. La monarchie française n'a pas de budget au sens strict de ce mot. Toutefois, si l'on appelle budget un état de prévision balançant des recettes et des dépenses, il est permis de considérer comme des budgets les «états de prévoyance» établis chaque année par le contrôleur général. Chaque état comporte un «arrangement des finances», c'est-à-dire l'assignation des différentes dépenses sur les différents fonds de recettes. Par exemple, en 1740, 40 millions de livres sont prises sur le revenu de la Ferme pour le service de la rente.

Les «états de prévoyance» auraient été relativement faciles à établir. Selon certains historiens, le contrôleur général était en possession de toutes les informations nécessaires sur tous les principaux postes de dépenses et sur les principaux fonds de recettes.

Les dépenses sont réparties entre les grands ensembles suivants : maison du roi, Guerre, Marine, Affaires étrangères, travaux publics, gages, pensions et service de la dette. Les principaux fonds de recettes sont les impositions, les fermes, les pays d'état, le clergé et le Domaine.

Nous devons à M. Michel Morineau une reconstitution des budgets des années 1726, 1751, 1775 et 1788 (voir son article «Budgets de l'État et gestion des finances royales en France au XVIIIe siècle», *Revue historique*, n° 264). La comparaison des deux graphiques de 1726 et 1788 suggère les observations suivantes :

1. Les chiffres globaux des recettes et des dépenses ont été multipliés par plus de deux pour les recettes, et plus de trois pour les dépenses. Les recettes budgétaires sont passées de 181 à 471,6 millions de livres, et les dépenses de 182,3 à 633,1 millions de livres. Cette augmentation s'explique en partie, mais en partie seulement, par la hausse des prix.

2. Le budget de 1788 est en déficit. Ce déséquilibre n'est pas une nouveauté. On peut l'observer dans tous les «états» depuis la guerre de Sept Ans. Depuis les années soixante on vit avec un volant d'anticipation de 200 millions de livres environ.

3. Le service de la dette est en 1788 comme en 1726 le poste le plus important de dépense. Il représente plus du tiers des recettes budgétaires. La proportion a augmenté au cours du siècle : 33,5 % en 1726, 38 % en 1778 et 41 % en 1788. De toutes les dépenses c'est celle qui a le plus augmenté en proportion.

4. Le budget de 1788 indique deux départements de dépense qui n'existaient pas en 1726. Ce sont les «charges et frais» (part de l'État dans le recouvrement des impôts indirects) et les «charités et subventions», dont la plus grande partie sert à compléter le budget des travaux publics. Le total de ces deux dépenses se monte à 90 millions de livres environ.

5. Les dépenses de la maison du roi (qui comprennent celles des fêtes royales) ont légèrement augmenté en valeur absolue (de 31 à 42 millions de livres) mais fortement diminué en valeur relative.

BUFFON, Georges Jean Louis Leclerc, comte de (Montbard, 7 septembre 1707 - Paris, 16 avril 1788). Intendant du Jardin du roi, il est l'auteur d'une célèbre *Histoire naturelle*. Il était le fils de Benjamin Leclerc, conseiller au parlement de Dijon. Les voyages (en Italie, en Suisse et en Angleterre) avaient formé sa jeunesse. Il est encore très jeune lorsqu'il est nommé en 1739 intendant du Jardin du roi, à la succession de du Fay. D'ailleurs, cette nomination provoque la surprise. Le nouvel intendant avait été admis en 1733 à l'Académie des sciences, comme adjoint mécanicien, mais ses publications étaient encore peu nombreuses et ses mérites peu connus. Deux concurrents redoutables, Maupertuis et Duhamel du Monceau, sollicitaient la place. Mais Buffon avait un ami bien en Cour et fort habile, nommé Hellot. Cet Hellot intrigue, agit à la fois sur Maurepas et sur du Fay mourant, et Buffon est préféré. Son intendance dure un demi-siècle. Elle est marquée d'abord par de notables agrandissements. Il achète des terrains et double la surface du Jardin. Il fait aussi construire un nouvel amphithéâtre. Il enrichit les collections. Il s'entoure d'une équipe remarquable de professeurs et de savants, dont Louis Guillaume Le Monnier, Antoine Laurent de Jussieu et son compatriote de Montbard, Daubenton, auquel il a fait attribuer la place de garde et de démonstrateur du Cabinet royal. On peut donc dire qu'il a été un grand intendant. Comme savant, il est d'abord un géomètre. Ses travaux avant l'intendance ont été presque tous consacrés aux mathématiques. Lorsqu'il prend la direction du Jardin son expérience de naturaliste est courte et modeste. Elle se résume à des recherches sur les bois — par exemple, il a étudié la formation des couches ligneuses — et à une traduction de l'ouvrage de l'Anglais Hales, intitulé *Statique des végétaux*. Il ne craint pas pour autant d'entreprendre et de publier une synthèse des sciences naturelles. C'est un ouvrage aux dimensions impressionnantes : quinze volumes publiés de 1749 à 1767. *Théorie de la Terre, Histoire de l'homme, Histoire des*

animaux, telles sont les grandes parties de cette *Histoire naturelle*. Le succès est énorme. Tout le monde lit ou prétend avoir lu Buffon. Il faut dire que les descriptions sont très vivantes et le style d'une grande élégance, à la fois clair et majestueux. Buffon se flatte de bien écrire. Il se pose même en théoricien du style. Ainsi, il a consacré au style son discours de réception à l'Académie française, le 25 août 1753. « Bien écrire, a-t-il dit, c'est à la fois bien penser, bien sentir et bien rendre ; c'est avoir en même temps de l'esprit, de l'âme et du goût. » Appliquée à l'histoire naturelle, la recette a parfaitement réussi. Elle a fait de Buffon un vulgarisateur de génie. Mais de quelle science ? D'une science livresque, peu fondée sur l'expérimentation. De Buffon et de Daubenton, son acolyte Réaumur écrivait : « Je sais qu'ils ont fait beaucoup d'extraits de naturalistes et de voyageurs, mais je ne sais pas qu'ils aient observé par eux-mêmes. » La critique est dure, mais elle est en grande partie juste. Buffon observe peu par expérience. Il n'aime pas ces naturalistes qui font des expériences. On a de lui une lettre (du 14 février 1750 au président de Ruffy), où il tourne en ridicule les dissections d'insectes. Il y a plus grave. Il introduit dans l'histoire naturelle une idéologie étrangère à la science. Pour lui, le critère dominant doit être celui d'utilité. Dans son *Discours de la manière d'étudier et de traiter l'histoire naturelle* de 1748, il affirme que l'homme doit « étudier les animaux à proportion de l'utilité qu'il pourra en tirer ». C'est ce qu'il fait. Voici par exemple son jugement sur la girafe : « Un des plus grands animaux et qui, sans être nuisible, est en même temps l'un des plus inutiles. » Il est également responsable de l'introduction dans les sciences de la thèse transformiste : « ... tous les animaux, écrit-il, sont venus d'un seul animal. » Enfin son *Histoire de l'homme* accorde à la notion de race une importance excessive. On a fait beaucoup de cas du Buffon géologue. Il est vrai que sa *Théorie de la Terre* et ses *Époques de la nature* (1779) ont le mérite de réfuter les romans cosmogoniques de l'abbé Pluche et de Bernard de Maillet. Il est vrai que les *Époques* contiennent l'idée intéressante d'une chaleur propre au globe terrestre. Mais l'explication donnée de la formation des montagnes est pure imagination. Selon Buffon, le flux et le reflux des mers auraient produit des inégalités sur le fonds de l'océan et les couches primitivement horizontales se seraient inclinées jusqu'à former des chaînes de montagnes.

Au bout du compte, Buffon apparaît surtout comme un homme de la philosophie. Les philosophes ne s'y sont pas trompés. Ils l'ont tout de suite reconnu comme l'un des leurs, et encensé. Il coupe l'homme de Dieu et de la Création. Il l'assimile aux animaux. De même, il coupe l'histoire de la Terre de la Création. Sa critique de la connaissance n'est autre que celle du sensualisme. Il écrit par exemple : « Un homme n'a peut-être beaucoup plus d'esprit qu'un autre que pour avoir pu exercer plus tôt son sens du toucher» (cité par J. Roger). Bref, il est en tout philosophique. C'est ainsi d'ailleurs que le voit l'Église. En 1751, les premiers volumes de l'*Histoire naturelle* sont censurés par la faculté de théologie de Paris. Estimant qu'« il vaut mieux être plat que pendu » (ce sont ses propres paroles), l'auteur, dans le volume suivant, proteste de sa parfaite soumission à l'Écriture sainte. Il va devenir bientôt intouchable. C'est une autorité non seulement scientifique, mais aussi morale. On l'appelle maintenant « l'ermite de Montbard ». Il passe en effet de longs séjours dans sa compagne bourguignonne. Il y reçoit quelques amis choisis. Parfois, il daigne descendre de son empyrée. Alors on le voit dans les salons, celui de Mme Necker, par exemple. Ses obsèques sont célébrées au milieu d'une très grande pompe. Un cortège innombrable accompagne son convoi. Comblé dans sa vie, il l'est aussi dans ses funérailles. Comme le dira quelques jours plus tard l'académicien Saint-Lambert, « s'il eut cultivé un autre genre de philosophie, peut-être eût-il été moins heureux ».

BUREAU DE CHARITÉ. *Voir* **CHARITÉ (bureau de).**

BUREAUX DES FINANCES. *Voir* **FINANCES (bureaux des).**

BUSSY, François de (1699-1780). Fils naturel de Duplessis de Bussy, premier commis des Affaires étrangères, il est entré dans la diplomatie en 1725. Il a été successivement secrétaire d'ambassade à Vienne, chargé d'affaires dans ce même poste, chargé d'affaires à Londres de 1740 à 1743, et ministre plénipotentiaire en Hanovre en 1755. Il est nommé premier commis des Affaires étrangères le 1er avril 1749. Sa grande affaire a été sa mission à Londres en 1761 afin d'y préparer le traité de paix. Le duc de Newcastle l'a taxé de vénalité. Choiseul de légèreté. Ce sont des jugements qu'il faudrait vérifier.

C

CABANIS, Pierre Jean Georges (Cosnac, près de Brive, 5 juin 1757 - Rueil, commune de Seraincourt, 5 mai 1808). Médecin philosophe, il est le fils d'un avocat agronome, ami de Turgot et auteur d'un *Essai sur les greffes*. De dix à quatorze ans il étudie au collège des pères doctrinaires de Brive, bons pédagogues, mais à cette époque déjà marqués par l'encyclopédisme. Il est renvoyé pour « roideur de caractère ». Il continue ses études à Paris, mais on ne sait où ni comment. A seize ans il est embauché comme secrétaire par le prince Massalsky, évêque de Wilna, et part avec ce prélat pour Varsovie. Il reste deux ans en Pologne. A son retour il commence ses études de médecine et forme le vœu étrange de « faire rentrer la philosophie dans la médecine ». Car il est déjà philosophe. Logé à Auteuil chez Mme Helvétius, il y rencontre la fleur de la philosophie. Volney, Destutt de Tracy et La Romiguière sont ses amis. La Révolution lui fait une position. En 1790 il est nommé administrateur des hôpitaux de Paris. En 1791 il soigne Mirabeau (qui meurt dans ses bras) et publie le récit des derniers moments de son illustre patient. En 1795 il enseigne l'hygiène dans les Écoles centrales. En 1797 il est nommé titulaire de la chaire de médecine légale et d'histoire de la médecine. Cependant il vise plus haut. Le nouveau régime sort de l'épreuve de la Terreur. Il a besoin d'une philosophie qui dissipe l'inquiétude. Cabanis est de ceux qui vont la lui fournir. Nommé à l'Institut en 1795, il devient l'un des chefs de ces intellectuels matérialistes que l'on appellera bientôt les idéologues. Le groupe se réunit souvent chez lui à Auteuil. En 1802 il publie son principal ouvrage intitulé *Traité du physique et du moral de l'homme.* Selon Xavier Martin, ce livre est représentatif de la pensée officielle du moment. Cabanis est en effet l'un des intellectuels les mieux en cour. Député des Cinq-Cents (élu en 1797) il avait appelé de ses vœux et soutenu le coup d'État de Brumaire. Un siège de sénateur l'en avait récompensé.

Cabanis est le continuateur de La Mettrie. Sa thèse est en effet que la pensée et le comportement sont constamment déterminés par des causes physiologiques. Cependant il étudie plus systématiquement que La Mettrie les différents facteurs physiologiques (âge, sexe, nourriture, travail…). Il diffère de l'école sensualiste en ceci qu'il ne croit pas à la « table rase » (« Le cerveau d'un enfant, écrit-il, a déjà perçu et voulu »). En matière d'éducation il est donc moins optimiste qu'Helvétius.

On doit aussi souligner le lien qui unit Condorcet et Cabanis. Les deux hommes étaient amis. Sans doute s'étaient-ils rencontrés chez Mme Helvétius. Après la mort de Condorcet, Cabanis épousera sa belle-sœur, Charlotte de Grouchy. Il y a surtout entre eux une profonde parenté d'esprit. Ils sont l'un et l'autre des adeptes de ce qu'ils appellent les « sciences morales » et qu'ils conçoivent de la même manière. Pour Cabanis « les opérations de l'intelligence et de la volonté » n'étant que des « mouvements vitaux », les sciences morales doivent rentrer « dans le domaine de la physique » et être étudiées comme telles. Condorcet, avec une démarche différente, arrive à la même

conclusion. Pour lui l'étude des sociétés humaines doit être assimilée aux sciences exactes et conduite selon les méthodes de ces sciences. En imposant à toutes les disciplines les normes des seules sciences exactes ou naturelles, les deux philosophes réduisent la capacité du savoir. Ils sont tous deux en cela des précurseurs.

CAEN. Caen, siège d'une intendance, passe de 27 000 habitants en 1725 à 37 000 en 1790 (Perrot), accroissement dû à l'immigration. Pourtant, malgré l'implantation après 1750 de plusieurs entreprises et manufactures nouvelles (amidon, raffineries de sucre, feutres, velours de coton), la croissance économique de la ville demeure très modérée. Le seul secteur en vrai progrès est celui de la dentelle. Caen possède une université et une académie des arts et belles-lettres. L'esprit philosophique pénètre les milieux des gens de talent, et en particulier celui des architectes. L'architecte Le Gendre est le beau-frère de Sophie Volland. Son confrère Viallet collabore à l'*Encyclopédie.* Mais les projets que font ces architectes pour aménager la ville n'aboutissent pas, et l'on ne peut pas dire que l'urbanisme des Lumières ait laissé ici beaucoup de traces.

CAFÉ. L'usage du café s'est répandu en France pendant la période 1690-1715. Au XVIIIe siècle ce breuvage est l'objet d'un véritable engouement. Beaucoup ne peuvent plus s'en passer. On sait que Louis XV en raffolait et le préparait lui-même. Cette passion du café devient si forte que le corps médical s'en préoccupe. Le café est-il bon pour la santé ? Deux thèses de médecine soutenues à Paris, la première en 1715, la seconde par Joseph de Jussieu en 1741, répondent par la négative. Le café au lait, dont la mode s'est imposée après 1780, est énergiquement condamné par le Dr Gentil dans sa *Dissertation sur le café.* Mais les salons et les beaux esprits n'ont cure de ces avertissements. Le café est peut-être nocif pour l'estomac, mais il inspire le génie. L'abbé Delille l'invoque en ces termes : « Viens donc divin nectar, viens donc, inspire moi. » Pour d'autres, comme la Palatine, le café « rend chaste ».

Le mode de préparation du café est resté longtemps barbare : on le faisait bouillir. Le café par infusion n'est adopté qu'après 1760.

Au XVIIᵉ siècle on achetait le café portugais et le café hollandais. Dans la décennie 1720-1730 les colonies françaises deviennent productrices. En 1723 Gabriel Mathieu de Clieu transporte un plant de café de Nantes à la Martinique, où la nouvelle culture réussit très rapidement. Elle conquiert ensuite Saint-Domingue. En 1722 elle commence en Guyane, et à peu près à la même époque à l'île Bourbon et à l'île de France. Après 1740, la culture du café est la deuxième culture de Saint-Domingue, après celle de la canne à sucre. Les « caféières » de Saint-Domingue sont de grands domaines d'au moins deux cents hectares. On choisit des terres vierges. Les sols fraîchement défrichés sont ceux qui rendent le plus. Cueillis en octobre les fruits subissent successivement les trois opérations du grugeage (passage à la dépulpeuse), du séchage et de la pelaison.

Certains débits publics de boissons portent le nom de « cafés ». Ces sortes d'établissements sont très nombreux à Paris. On en compte trois cent quatre-vingts en 1723. À la fin de l'Ancien Régime la moindre petite ville a ses cafés. On en dénombre six à Aurillac (un pour mille habitants). Le droit d'ouvrir des cafés est réservé à Paris à la corporation des limonadiers, marchands d'eau-de-vie ; lesquels servent avec le café des liqueurs, du chocolat et des rafraîchissements.

Les cafés ont une autre tenue que les cabarets. Le décor en est luxueux. Ce sont des « réduits magnifiquement parés de tables de marbre, de miroirs et de lustres de cristal » (Savary des Brulons, *Dictionnaire du commerce*, 1723). On vient là non seulement pour consommer, mais aussi pour se rencontrer, pour échanger des nouvelles. Dans les *Lettres persanes* Usbek écrit à Rhedi : « Le café est très en usage à Paris. Dans quelques-unes de ces maisons on dit des nouvelles, dans d'autres on joue aux échecs. » D'après un guide de Paris de 1779, les cafés « sont fréquentés par d'honnêtes gens qui vont s'y délasser des travaux de la journée ».

Certains cafés doivent leur notoriété à la fréquentation d'une clientèle d'écrivains et d'artistes. Les principaux cafés littéraires de Paris sont le café Allemand ou des Muses, rue Croix-des-Petits-Champs (dont la propriétaire, Charlotte Bourette, a publié un recueil de vers intitulé *La Muse limonadière*), le café des Boucheries, rue des Boucheries-Saint-Germain, fréquenté par le monde du spectacle, le café Laurent (fondé vers 1690) où venait Fontenelle, le café Gradot, quai de l'École, où se réunissaient Saurin, Maupertuis et Melon, le café Vizeux, rue Mazarine (celui de Fréron) et enfin le fameux Procope fondé vers 1700 par Procope-Couteaux, café philosophique entre tous, et dont Fréret, Piron, Duclos et Mercier furent les plus solides piliers.

Tous les témoignages concordent : les cafés n'étaient pas des endroits tranquilles. Une foule composite les peuplait en permanence. La fréquentation de ces établissements très prisés du public a été utile aux littérateurs. Elle leur a permis non seulement de se rencontrer, mais aussi d'observer le genre humain. On peut toutefois se demander si leur inspiration y a gagné. Il est bon de sortir, mais pour celui qui fait métier d'écrire, est surtout bon de demeurer seul. Si la littérature de ce siècle manque souvent d'élévation, c'est peut-être précisément parce qu'elle est une littérature de salons et de cafés.

CAFFIERI, Jean-Jacques (Paris, 1725 - id., 21 juin 1792). Sculpteur, il est issu d'une lignée de sculpteurs bronziers d'origine italienne. Son père était né à Rome et avait travaillé à la décoration de Versailles. Lui-même fut l'élève de Lemoyne, puis pensionnaire à l'Académie de France à Rome. Sa réception à l'Académie royale de peinture et de sculpture date du 28 avril 1759. Il se spécialisa dans le portrait. Certains de ses bustes se trouvent aujourd'hui à la bibliothèque Sainte-Geneviève, d'autres (bustes de Molière, Corneille et Piron) au foyer de la Comédie-Française. Aux visages de ses modèles l'artiste a su insuffler la vie et l'animation. Diderot, qui avait fort peu loué Caffieri dans ses *Salons* de 1761 à 1765, revient en 1769 sur son appréciation et lui décerne alors les éloges qu'il mérite.

CAGLIOSTRO, Giuseppe Balsamo, dit **Alexandre, comte de** (Palerme, 2 juin 1743 - château de Saint-Léon, près de Rome, 26 août 1795). Dans un siècle fécond en charlatans il fut l'un des maîtres du genre. Cet artiste sicilien — il était dessinateur de son premier métier — avait du sang bleu, et aussi par son père du sang juif. On ne sait pas bien la date de ses débuts comme guérisseur, devin et alchimiste. On le suit seulement à partir de 1731, qui est l'année de son premier séjour à Londres. Il va parcourir toute l'Europe ; on le verra dans toutes les capitales. Mais il semble préférer Paris et la France. Son premier séjour à Paris date de 1775. De 1780 à 1783 il réside en Alsace et c'est alors qu'il devient le confident et l'alchimiste particulier du cardinal Louis de Rohan. Ensuite on le trouve à Paris pendant l'été 1781, à Bordeaux de novembre 1783 à octobre 1784, puis à Lyon pendant trois mois et à nouveau à Paris où il arrive le 29 janvier 1785 et se loge rue Saint-Claude. Il ne va pas y rester longtemps : accusé d'avoir trempé dans l'affaire du Collier, il est embastillé dix mois, pour être libéré le 31 mai 1786 et aussitôt expulsé du royaume. Il mourra à Rome, prisonnier du pape au château Saint-Ange.

Les écrits qui lui sont attribués sont presque tous apocryphes. Il est donc bien difficile de savoir qui il était et quel était son système. On sait qu'il prétendait fabriquer de l'or, et qu'il trouvait des « gogos » (dont le cardinal de Rohan) pour le croire. On sait aussi qu'il fonda la maçonnerie égyptienne, l'une des nombreuses maçonneries des hauts grades. Il se disait maçon chrétien, mais en fait son

Dieu était plutôt celui des juifs que celui des chrétiens. Cependant il croyait à la chute originelle et voyait dans l'initiation maçonnique un moyen de retrouver la dignité perdue. Mais cette chute ne provenait pas d'une faute ; elle était comme pour Jean-Jacques Rousseau une sorte d'avilissement de l'homme par la société et par la superstition, et la régénération maçonnique était comme pour Ramsay le retour à l'âge d'or. Cagliostro est un illuminé ; il représente la forme charlatanesque de l'illuminisme.

CAISSE D'ESCOMPTE. La Caisse d'escompte est une banque de circulation créée par arrêt du Conseil d'État du 24 mars 1776. Dans l'esprit de son fondateur, le banquier genevois Panchaud, l'établissement devait concourir à la réduction du prix de l'intérêt. L'article un de l'arrêt du Conseil dit que la Caisse escomptera les lettres de change à un taux d'intérêt qui ne pourra excéder 4 %. Les actionnaires de la Caisse forment une société en commandite.

La Caisse d'escompte a entretenu des liens étroits avec le Trésor royal auquel elle a consenti secrètement plusieurs avances, dont une de 24 millions en 1783 et une autre de 70 millions (à 5 %) en 1787.

La Caisse est à l'origine de la Banque de France.

CALAS (affaire). L'affaire Calas est l'affaire du procès et de l'exécution de Jean Calas (1761-1762).

Jean Calas, marchand d'indiennes, était établi rue des Filatiers à Toulouse. Il était de confession protestante et marié à une Anglaise. Dans la nuit du 14 au 15 octobre 1761 on découvre pendu chez lui son fils aîné Marc-Antoine. Il est accusé d'avoir assassiné le jeune homme pour l'empêcher de se convertir au catholicisme. Condamné à mort par les capitouls, sentence confirmée par le parlement de Toulouse, il est roué vif et étranglé le 9 mars 1762. Mais sa veuve s'enfuit en Suisse, rencontre Voltaire à Ferney, et réussit à l'intéresser à la cause. Le philosophe porte l'affaire devant l'opinion publique. Il lance les plus violentes accusations contre le parlement de Toulouse et réclame à cor et à cri la réhabilitation de Jean Calas. Sa thèse est que le jeune Marc-Antoine s'est suicidé. En fait, le suicide n'est pas prouvé. Les historiens sont aujourd'hui presque certains que le fils Calas a été assassiné non par son père, mais par une personne étrangère à la famille. Quant aux sentences des tribunaux toulousains, l'historien américain D. Bien en donne une explication psychologique : une psychose de peur se serait emparée des Toulousains en ces dernières années de la guerre de Sept Ans ; ils auraient redouté un débarquement anglais sur les côtes du Languedoc et un réveil simultané des troubles dans les Cévennes.

L'affaire Calas a été l'occasion pour la philosophie de prendre en charge la défense de la cause protestante. Une alliance s'est ainsi formée entre les Lumières et la Réforme. Alliance contre nature (« *unnatural* ») selon D. Bien, mais pas tellement selon nous : le protestantisme n'est pas aussi étranger à la « philosophie » que M. Bien semble le croire. N'ont-ils pas au moins en commun le culte de l'individu et la détestation de Rome ? Le calviniste Bayle — sceptique il est vrai, plus que calviniste — ne fut-il pas le père des Lumières ?

En tout cas la campagne de Voltaire fut un succès. Le 4 juin 1764 le Conseil d'État privé cassa l'arrêt du parlement de Toulouse, et l'année suivante Calas et sa famille furent réhabilités.

CALMET, Augustin, dom (Mesnil-la-Horgne, près de Commercy, 26 février 1672 - Paris, 20 octobre 1757). Moine bénédictin de la congrégation de Saint-Vanne, abbé de Senones, il est l'un des plus illustres savants de son ordre. Son grand œuvre est son *Commentaire littéral sur tous les livres de l'Ancien et du Nouveau Testament* (26 volumes publiés de 1707 à 1716), rédigé en français, remarquable instrument de connaissance de l'Écriture, destiné à un large public et en particulier aux laïques. Il est aussi l'auteur d'un *Dictionnaire historique et*

critique de la Bible (1720) et de plusieurs autres études scripturaires. On doit également retenir sa contribution à la théologie positive et ses travaux d'histoire et d'archéologie médiévale. Son *Histoire ecclésiastique et civile de la Lorraine* (1728) fait de lui l'émule de dom Planchier et de dom Vaissette. Les plans qu'il publie pour garder le souvenir d'une église ronde de l'abbaye de Senones, consacrée en 1124 et détruite en 1741, approchent de la perfection. Sa doctrine théologique est augustinienne, rigoriste et d'un jansénisme certain mais prudent. Plusieurs fois président de sa congrégation, de 1727 à 1740, il rallie à sa ligne modérée la majorité des vannistes. Voltaire le connaissait et fut son hôte à Senones du 8 juin au 2 juillet 1754, pour un séjour d'études destiné à préparer la documentation de l'*Essai sur les mœurs.*

CALONNE, Charles Alexandre de (Douai, 20 janvier 1734 - Paris, 30 octobre 1802). Contrôleur général des Finances, il est peut-être de tous les ministres de Louis XVI le plus intelligent et le plus lucide. Issu d'une famille de parlementaires (son père était président à mortier au parlement de Douai), il accomplit une longue carrière de serviteur du roi. Dans ses charges successives (avocat général au Conseil provincial d'Artois, procureur général au parlement de Flandre, maître des requêtes, intendant de Metz et enfin à partir de 1778 intendant de Flandre et d'Artois), il fait largement la preuve de son habileté et de sa fidélité. Envoyé en Bretagne pour négocier officieusement avec La Chalotais, il rencontre ce dernier le 14 janvier 1765. Il est aussi très probablement l'auteur de l'un des projets utilisés par Louis XV pour son fameux discours de la flagellation (1766). Nommé contrôleur général le 3 novembre 1783, ministre d'État le 18 janvier 1784, il paie toutes les dettes, ramène la confiance et jouit pendant quelque temps d'une certaine popularité. Il est arrivé au Contrôle général avec un plan de réforme fiscal, celui de « l'égalité proportionnelle dans la répartition de l'impôt». Mais il attend trois ans avant de soumettre ce plan au roi, puis à l'assemblée des notables. Pourquoi ce retard ? Pourquoi soumettre un plan de réduction des privilèges à une assemblée de privilégiés ? Impossible de l'expliquer. L'assemblée des notables s'ouvre le 22 février 1787. Calonne essaie d'éveiller chez ses membres le sens de la justice sociale : «Des privilèges seront sacrifiés, a-t-il déclaré, oui, la justice le veut, le besoin l'exige ; vaudrait-il mieux en surcharger encore les non-privilégiés ?» Peine perdue. Les notables font la sourde oreille. Louis XVI avait promis à son ministre de le soutenir. Il l'abandonne et, cédant aux intrigues, le renvoie le 9 avril, allant même jusqu'à l'exiler en Lorraine, et à lui retirer le cordon du Saint-Esprit. Pendant la Révolution, Calonne vit d'abord à Coblentz, puis à Londres. Il rentre en France, en 1802, pour y mourir.

Calonne n'était probablement pas un homme désintéressé. Il avait eu en 1782 cette formule d'un humour provocateur : «Les finances de la France sont dans un état déplorable ; jamais je ne m'en serais chargé sans le mauvais état des miennes.» Cependant il n'était pas l'esprit futile et superficiel qu'une historiographie partiale nous a trop souvent présenté. Comme l'a dit un contemporain, «sous les apparences de la frivolité [il] cachait la pénétration d'un homme d'État».

Mais d'un homme d'État qui ne voyait pas toutes les dimensions du mal français. Semblable en ceci à son ami Vergennes et à beaucoup de ses contemporains, il ramenait tout à des problèmes de répartition, voyait tout en économiste, on pourrait presque dire en mécaniste. Il poursuivait aussi le rêve cher à l'abbé de Saint-Pierre, à Raynal et à Boisgelin, du commerce pacificateur. Le traité de commerce de 1786 fut d'ailleurs en partie son œuvre. Un jour — c'était dans un discours prononcé aux états de Flandre, alors qu'il était intendant de cette province — il avait exprimé cette foi dans le commerce : «Quel intérêt, avait-il dit, aura-t-on à faire la guerre, lorsqu'elle n'interrompra plus le commerce de ceux

qui ne la font pas ?» (fin 1780, Arch. nationales, papiers Calonne, 297 AP 2, lettre 223, citée par Éric Leroy). Il y a chez Calonne un côté chimérique. Il est intéressé, il est pratique, mais il est aussi idéaliste. Sa chimère est celle de l'utilitarisme ambiant, c'est la chimère du bonheur par la satisfaction de l'intérêt matériel. Nous tenons là peut-être ce qui limita ses vues, l'empêcha de voir la dimension politique de la crise et fut probablement la raison profonde de son échec.

CAMBOLAS, Noé-Angelus de (Toulouse, 1635 - *id.*, 14 septembre 1716). Général de l'ordre des carmes, il était le fils d'un conseiller au parlement de Toulouse et conseiller d'État. Entré dans l'ordre des carmes, il devint rapidement prieur du grand studium des Grands Carmes de la place Maubert à Paris et fut ensuite visiteur, puis commissaire général des provinces de France. Lors du chapitre général tenu à Rome le 11 mai 1704, il est élu cent quarante et unième général de l'ordre des carmes de l'antique observance. Les annales de l'ordre rappelleront qu'«il a mérité l'estime des souverains pontifes, des rois et des princes pour tout ce qu'il a entrepris pour la gloire de son ordre». Il est en particulier le créateur de plusieurs maisons d'études en Italie, destinées à faciliter les études des jeunes religieux dans le cadre d'«une vie régulière de la plus stricte observance». On conserve son portrait peint par Antoine Paille, portrait qui fut gravé par Guillaume Vallet, ainsi que celui peint par Jean Raoux.

CAMBOLAS, Marie de (1694-1757). Religieuse de la Compagnie de Marie de Notre-Dame, apôtre de l'île de Saint-Domingue, elle était la fille de François de Cambolas, conseiller au parlement de Toulouse, et la nièce de Noé de Cambolas, général de l'ordre des grands carmes. Entrée en 1717 dans la Compagnie de Marie de Notre-Dame, elle fut guérie miraculeusement d'une attaque de paralysie par l'intercession de saint François-Régis, et fit vœu de se consacrer désormais aux œuvres d'éducation et de mission de son ordre à Saint-Domingue. Ayant rejoint le monastère du Cap-Français, elle fit faire vœu à sa communauté de construire des classes pour les jeunes filles de couleur si la ville menacée par les Anglais était épargnée. Le danger écarté, on en attribua le succès à ses prières et depuis elle fut connue dans l'île sous le nom de « la Fille au miracle ». Devenue supérieure de son monastère, les registres de l'ordre déclarent que « son action fut particulièrement remarquable auprès des Noires et des créoles ». Célèbre par son ascétisme, « elle dormait uniquement sur un aïs » et utilisait les instruments de pénitence « les plus rigoureux qu'aient pu inventer les grands amateurs de la Croix ». Décédée en 1757 au Cap-Français, elle avait cinq sœurs, dont trois religieuses.

CAMPRA, André (Aix-en-Provence, 4 décembre 1660 - Versailles, 29 juillet 1744). Musicien, il a commencé sa carrière en exerçant des fonctions de maître de chapelle dans plusieurs villes du Midi, Toulon, Arles et Toulouse. Venu à Paris en 1694, il obtient la place de maître de musique à l'église collégiale des Jésuites et passe ensuite en cette qualité à Notre-Dame. En 1722, sa nomination de maître de musique de la chapelle du roi et de directeur de la musique du prince de Conti couronne sa carrière. En 1731, à l'âge de soixante et un ans, il est compromis dans l'affaire des « orgies » du magasin de l'Opéra. Le jury dont il faisait partie à l'Académie de musique pour la sélection des demoiselles de l'Opéra s'était laissé aller à examiner ces jeunes personnes d'une manière un peu spéciale : « ... on commença à leur donner des claques sur les fesses, on leur proposa d'ôter leurs chemises pour voir celle qui avait le plus beau derrière, et elles y consentirent ». Malgré l'énorme scandale, le roi protégea son maître de musique et arrêta les poursuites.

Campra est le compositeur de nombreuses œuvres religieuses (grands motets) et lyriques. Il est l'auteur des deux tragédies lyriques *Achille et Deidamie*

(1735) et *Idoménée* (1712). Enfin on peut le considérer comme le créateur de l'opéra-ballet.

CAMUS, Charles Étienne Louis (Crécy-en-Brie, 25 août 1699 - Paris, 4 mai 1768). Fils d'un chirurgien, remarqué pour ses dons en mathématiques et en mécanique, il suit les cours du collège de Navarre puis étudie avec Varignon. Son mémoire sur la mâture des vaisseaux, présenté au concours de 1727, lui vaut d'être élu adjoint-mécanicien à l'Académie des sciences. Il est l'auteur de nombreux mémoires académiques, surtout en mécanique. Il participe à l'expédition de Laponie, avec Maupertuis, Clairaut et Le Monnier aîné, qui a pour mission de mesurer la longueur d'un degré de méridien terrestre à cette latitude (1736-1737) et aussi à la carte de France dirigée par Cassini de Thury et publiée de 1744 à 1787. Nommé examinateur de l'École du génie de Mézières à sa création en 1748 puis aussi des élèves officiers du corps de l'artillerie en 1755, il rédige pour les élèves et les aspirants un cours de mathématiques élémentaires, premier du genre, qui paraît en 1749-1751 en trois parties (arithmétique, géométrie et mécanique). Ce cours est ensuite surpassé par deux de ses successeurs Bossut (1763, 1766 et 1772) et Bézout (1764-1769).

CAMUS DE PONTCARRÉ DE VIARMES, Geoffroy Macé (20 septembre 1698 - 8 janvier 1767). Il devient en 1726 premier président du parlement de Rouen en survivance de son père. Il avait été auparavant conseiller au parlement de Paris (1718) puis maître des requêtes (1722). Il exercera la charge de premier président pendant vingt-sept années (1730-1757) et se montrera toujours un magistrat ferme et loyaliste.

CAPITATION. La capitation est un impôt direct. Instituée en 1695 par Louis XIV pour les besoins de la guerre de la ligue d'Augsbourg, elle a été supprimée en 1697 et rétablie en 1701 pour devenir à partir de cette date un impôt permanent.

Elle diffère de la taille sur deux points : elle frappe tous les sujets du roi sans exception et elle n'est pas un impôt de répartition. Elle vise les personnes. Il n'y a donc pas de responsabilité collective ni de caution solidaire.

A l'origine le système de perception était sommaire. Les sujets du roi étaient répartis en vingt-deux classes dont la première payait 2000 livres et la dernière 1 livre. Au XVIIIᵉ siècle on cherche à proportionner la capitation à la fortune réelle et non plus à la fortune présumée d'après la catégorie sociale. Cet impôt devient peu à peu une « crue », c'est-à-dire une annexe de la taille. La déclaration du 13 avril 1761 légalise l'état de fait en ordonnant que la capitation soit inscrite sur le même rôle que la taille.

Le clergé a réussi à s'abonner dès 1709. Les pays d'états obtiennent aussi l'abonnement.

CAPUCINS. Les capucins sont une congrégation de religieux franciscains réformés au XVIᵉ siècle. Ils sont mendiants et ne vivent que de leurs quêtes et de legs modiques.

Leurs très nombreux couvents implantés souvent dans de petites villes, mais toujours en bordure de l'espace urbain, forment un réseau très serré couvrant tout le royaume. Avec leurs 3 720 religieux (au début de 1790) ils sont la congrégation la plus nombreuse de toutes celles existant en France. A leurs treize provinces françaises s'ajoutent une province d'Irlande française et une autre de Savoie française.

Les témoignages recueillis à partir de 1766 par la commission des réguliers font état d'un relâchement de l'observance (sorties sans permission, accès libre des séculiers dans les couvents). Toutefois, dans l'ensemble, les capucins restent fidèles jusqu'en 1789 à leur idéal de pauvreté ainsi qu'à leur vocation de prédicateurs, catéchistes et missionnaires. Ils comptent toujours parmi eux des exégètes de valeur. Leur société parisienne « hébraïco-clementina » publie à partir de 1755 les quinze volumes des *Principes discutés pour faciliter l'intelligence des livres prophétiques*. Mais ont-ils conservé la vie spirituelle intense qui avait été la leur au siècle précédent ? Nous manquons d'éléments de réponse. Nous savons seulement que l'un d'eux, le P. Ambroise de Lombez, est l'auteur de l'une des œuvres de spiritualité les plus fortes de ce siècle, le *Traité de la paix intérieure*.

CARAMAN, Victor Maurice Riquet, comte de (1727-1807). Lieutenant général, il est entré aux mousquetaires en 1740 à l'âge de treize ans. C'est un cavalier. Il sera nommé en 1767 inspecteur de son arme, et lieutenant général le 1ᵉʳ mars 1780. Il se distingue particulièrement à la bataille de Crefeld. Il exerce sous le règne de Louis XVI plusieurs commandements de province, et en particulier en Provence où il est nommé commandant en chef le 14 juin 1787. On aurait pensé à lui pour le ministère de la Guerre, mais il paraît qu'il n'était pas agréable à la reine Marie-Antoinette.

CARDINAUX. Les cardinaux sont, après le pape, les plus hauts dignitaires de l'Église. Ils élisent le pape et forment son conseil sous le nom de Sacré Collège. Une bulle de Sixte Quint en 1586 a fixé leur nombre à soixante-dix. Ils sont créés par le pape, mais en France les cardinaux promus absents de Rome reçoivent de la main du roi ou de celle du chancelier les marques de leur nouvelle dignité. On compte sous les règnes de Louis XV et de Louis XVI dix-sept cardinaux français. Cinq ont occupé des charges ministérielles : Dubois, Fleury, Tencin, Bernis et Loménie de Brienne. Trois ont exercé des fonctions diplomatiques : Polignac, Bernis et Louis de Rohan. La charge de grand aumônier a toujours été remplie par des cardinaux, de même que la présidence des assemblées du clergé.

CARÊME. On donne le nom de carême au temps liturgique de pénitence destiné à commémorer le jeûne de Jésus au désert. Ce temps dure quarante jours, du mercredi des Cendres au samedi saint.

«Pourquoi l'Église fait-elle observer le Carême?» demande le *Catéchisme pour le diocèse de Montauban* (éd. de 1765, p. 123). Réponse : «C'est pour nous faire remplir l'obligation de faire pénitence, et pour nous préparer à la fête de Pâques.»

Le jeûne de carême ainsi que ceux des quatre-temps et des vigiles sont prescrits par le Cinquième Commandement de l'Église. Jeûner consiste à s'abstenir de viande et à ne prendre dans la journée qu'un seul repas, auquel il est permis d'ajouter le soir une légère collation. L'unique repas se prend vers midi. Cette discipline daterait du début du XVIe siècle. Auparavant, l'unique repas était pris tard dans la journée, après l'office de vêpres et juste avant le coucher du soleil. Il n'y avait pas de collation. La discipline moderne marquerait donc un relâchement.

Les enfants et les jeunes gens de moins de vingt et un ans sont exemptés du jeûne, ainsi que les infirmes et ceux «dont les travaux sont incompatibles avec la rigueur» de cette observance (*Catéchisme* [...] *de Montauban*, cité *supra*). Les curés de campagne permettent aux paysans de ne pas jeûner. Dans ses *Instructions courtes et familières* [...] *en faveur des Pauvres et particulièrement des Gens de la campagne* (Paris, 1732), Joseph Lambert, prieur de Saint-Martin de Palaiseau, s'adresse ainsi aux laboureurs de sa paroisse : «Il est vrai, leur dit-il, que vos grands travaux dispensent plusieurs d'entre vous d'observer le jeûne en la manière que le jeûne s'entend ordinairement. Quand vous sortez dès le matin, que vous vous fatiguez par des travaux pénibles, l'intention de l'Église n'est pas de vous astreindre à l'unité de repas [...] que le principal jeûne que l'Église demande à ses enfants, est le jeûne du péché» (p. 222).

Pour toutes les personnes non exemptées, une stricte observance est de règle. Le carême est généralement respecté. Le roi donne l'exemple. «Le Roi, écrit Louis XV le duc de Luynes (*Mémoires*, 1860-1865, t. IV, p. 115-116) fait très régulièrement maigre tout le Carême, non seulement en public, mais même dans ses petits appartements» (samedi 24 mars 1742).

Le carême est aussi avec l'avent l'un des temps privilégiés de l'éloquence sacrée. Afin de stimuler le zèle pénitent, des prédications spéciales sont données dans un grand nombre d'églises, soit par les curés, soit par des prédicateurs extraordinaires — ce sont souvent des religieux — choisis avec soin et rémunérés. On appelle ces prédications de carême, comme celles de l'avent, des «stations». Une prédication complète de carême comporte généralement quatorze sermons : un pour chacun des quatre dimanches du temps liturgique, un pour chaque mardi et chaque vendredi des quatre semaines, et un pour chacune des deux fêtes mariales de la Purification (2 février) et de l'Annonciation (25 mars). L'un de ces sermons traite du mauvais riche ; on le donne généralement le vendredi de la deuxième semaine. Le carême prêché par Massillon devant le roi en 1719 fut appelé *Petit Carême* parce qu'il ne comptait que dix sermons.

CARMÉLITES. Les religieuses carmélites font partie de l'ordre des Carmes. Elles suivent les constitutions qui leur ont été données par leur réformatrice, sainte Thérèse d'Avila. Leur vocation est la prière perpétuelle en clôture. Arrivées en France en 1604, elles y ont en 1789 quatre-vingts couvents. Chaque couvent est gouverné par une prieure élue pour trois ans. Un supérieur ecclésiastique est également élu par la communauté pour la même durée de trois ans. Il doit être approuvé par le nonce, le Carmel étant placé directement sous l'autorité du pape.

Les entrées au Carmel sont deux fois moins nombreuses qu'au siècle précédent. Les trois couvents parisiens du faubourg Saint-Jacques, de la rue Chapon et de la rue de Grenelle comptent en tout 255 religieuses professes au XVIIIe siècle, pour 474 au XVIIe siècle. Cependant les couvents sont encore assez bien peuplés. Les trois carmels parisiens comptent encore chacun une quarantaine de religieuses à la veille de la Révolution. L'entrée en religion au carmel de Saint-Denis en 1771 de Mme Louise de France, fille de Louis XV, est un grand motif de fierté pour l'ordre.

Les carmélites ne dérogent pas. Tout au long du siècle elles demeurent remarquablement fidèles à leur vocation et à cet esprit d'exil qui les caractérise : «La Terre, dit l'une de leurs sentences, est un exil. La vie est un songe. Le Ciel est notre patrie.»

CARMES. Les Carmes sont un ordre religieux très ancien qui tire son origine et son nom du mont Carmel en Syrie. Ils pratiquent le travail et observent le silence perpétuel.

On distingue les grands carmes et les carmes déchaux ou déchaussés. Les grands carmes, dits aussi de l'antique observance, ont sept provinces en France et comptaient 835 religieux au début de 1790. Les carmes déchaux sont la branche réformée par sainte Thérèse d'Avila et saint Jean de la Croix. Les religieux français de cette branche sont rattachés à la congrégation d'Italie et leur général est à Rome. Ils ont dans le royaume 45 couvents répartis en six provinces et 555 religieux (1790).

CARMONTELLE, Louis Carrogis, dit (Paris, 16 août 1717 - id., 26 décembre 1806). Littérateur et dessinateur, il est le fils d'un cordonnier originaire de Mirepoix. Ses portraits, dessinés au crayon et lavés en couleur et à la détrempe, font sa réputation. Reçu à Dampierre chez les Luynes, protégé du comte de Pons Saint-Maurice, il entre finalement au service du duc d'Orléans, comme son lecteur et l'ordonnateur de ses fêtes. Il écrit ses *Proverbes* pour le théâtre de société de Mme de Montesson. Ce sont de courtes pièces en un ou deux actes, fondées sur des quiproquos et des coq-à-l'âne. Une centaine ont été publiés (1768-1781, 8 vol., in-8°), mais les manuscrits inédits sont si nombreux qu'ils pourraient former plus de quatre-vingts volumes. Il travaillait avec une rapidité incroyable et pouvait écrire une pièce en une matinée. La meilleure est *Le Distrait*, dont Musset s'inspira.

A la mort de Carmontelle ses dessins et ses aquarelles ont été dispersés. Le musée Condé à Chantilly en conserve plusieurs dizaines, rachetées au siècle dernier par le duc d'Aumale, quatrième fils de Louis-Philippe. La cote de Carmontelle est aujourd'hui très élevée. Le 15 décembre 1992, neuf de ses aquarelles furent vendues aux enchères chez Christie's à Londres. Les prix s'échelonnèrent entre 200 000 et 450 000 francs.

CARRÉ DE MONTGERON, Louis Basile (1686-1754). Conseiller au parlement de Paris depuis 1711, il est une figure marquante du jansénisme français, mais aussi un personnage extravagant et outrancier. D'abord libertin, il se convertit subitement le 7 septembre 1731 sur la tombe du diacre Pâris et affiche dès lors le jansénisme le plus exalté. Il publie en 1737 *La Vérité des miracles du diacre Pâris*, et ose présenter lui-même cet ouvrage au roi le 29 juillet. Quelques heures après il se retrouve à la Bastille. Il est ensuite exilé à Viviers, puis transféré au château de Valence où il finira ses jours. Il prétend faire le théologien. Le moins que l'on puisse dire est qu'il n'y réussit guère. Dans son *Catéchisme sur l'Église*, il expose des vues toutes personnelles sur l'autorité du pape, écrivant notamment : «Les miracles autorisant l'appel, il est incontestable que la bulle *Unigenitus* n'est pas une règle de foi.» Il apparaît comme un marginal et la plupart des théologiens jansénistes se désolidarisent de lui.

CARTÉSIANISME. Au moins jusque vers 1760, le cartésianisme est la philosophie dominante dans les classes de philosophie des collèges. La conversion des cours de physique était accomplie avant 1715 ; la contagion cartésienne gagna ensuite le cours de logique, puis ceux de morale et de métaphysique. Dès les premières décennies du siècle les doctrinaires et les oratoriens enseignent une métaphysique teintée de cartésianisme. Les jésuites résistent plus long-temps. Au moins jusque vers 1740, beaucoup de leurs régents seraient demeurés fidèles au thomisme (Brockliss). Les jésuites du collège de Douai dictent un cours thomiste jusqu'à la suppression de la Compagnie.

Pendant la première moitié du siècle la philosophie de Descartes fait partie de la culture de beaucoup de grands seigneurs et de magistrats. La duchesse du Maine et le chancelier d'Aguesseau sont les exemples les plus marquants. De la duchesse Mlle Delaunay écrit : « Son catéchisme et la philosophie de Descartes sont deux sujets qu'elle entend également bien. » La dernière biographe du chancelier, Mlle Storez, a bien fait voir à quel point il était imprégné de la méthode et de la vision cartésiennes du monde.

Le cartésianisme ne s'est infiltré dans la théologie que tardivement, mais il a fini par y entrer. La *Théologie* de Bailly (1789), manuel recommandé aux séminaristes, pratique le « *magister dixit* » et son *magister* c'est Descartes. L'évêque apologiste Lefranc de Pompignan dit en parlant de Descartes : « Nous n'épousons ni sa cause ni celle de tout autre savant de son genre », mais cela ne l'empêche pas de se référer souvent à sa philosophie. Peut-être parce qu'il ne connaît pas d'autre philosophie chrétienne.

L'influence de Spinoza sur les Lumières a été étudiée, non celle de Descartes. Certes la philosophie sensualiste, qui est celle des principaux philosophes, semble tout le contraire de la théorie cartésienne des idées innées. Mais la théorie cartésienne de la connaissance ne se réduit pas à la thèse des idées innées ; elle contient aussi la thèse du doute méthodique et celle de l'évidence, thèses qui semblent bien avoir été connues des philosophes des Lumières, et les avoir marqués.

CARTOUCHE, Louis Dominique Bourguignon, dit (Paris, v. 1693 - *id.*, 23 novembre 1721). Illustre bandit, il était issu d'une famille d'artisans jouissant d'une honnête aisance. Chassé du collège pour inconduite, puis de la maison paternelle, il rejoignit en Normandie une bande de voleurs, où son intelligence, sa ruse et sa force physique le firent choisir comme chef. Venu ensuite exercer ses talents dans la capitale, il se spécialisa dans le vol à la tire et le cambriolage. Arrêté après une longue traque, il réussit à s'évader des prisons du Châtelet en perçant un mur communiquant avec la cave d'une maison voisine. Repris aussitôt, il fut jugé au cours d'un procès qui dura plusieurs mois et suscita un grand intérêt dans le public. Il résista courageusement à la question et ne passa aux aveux qu'au pied de l'échafaud, juste avant d'être rompu vif. Pendant que le procès se déroulait, le dramaturge Legrand avait composé sur le bandit et ses exploits une pièce de théâtre intitulée *Cartouche*. Le gouvernement de la Régence eut l'inconvenance de laisser représenter cette pièce à Paris le jour même où le malheureux Cartouche expirait sur la roue.

CASANOVA, François (Londres, 1727 - Brühl, 1802). Peintre, il était né à Londres d'un père vénitien. Formé à son art à Venise par Guardi et Parmigiano, il s'établit à Paris en 1751 et se spécialisa dans les tableaux de bataille. Deux de ses toiles, *La Bataille de Lens* et *Le Premier des combats de Fribourg*, sont aujourd'hui au musée du Louvre. Ses paysages avec des animaux représentent un autre aspect de son talent. Le ton en est pittoresque et animé, parfois mélodramatique (voir par exemple *Le Pont rompu*).

CASERNE. La caserne, logement militaire, se substitue peu à peu au logement chez l'habitant.

Les premières casernes datent du règne de Louis XIV. En 1715 il y en avait dans toutes les grandes garnisons de la frontière du Nord. Sous le règne de Louis XV la construction des casernes entre dans les objectifs principaux de la politique militaire. L'ordonnance du 25 octobre 1716 prescrit leur construction dans toutes les villes de garnison. En 1719 le ministre Le Blanc passe à l'application ; il indique les localités où il faudra construire, les dimensions des bâtiments (35 toises de long sur 14 de large) et le prix à ne pas dépasser. Car la construction doit se faire aux frais du roi. Cependant l'abandon en 1724, faute d'argent, du projet Le Blanc n'interrompt pas la construction des casernes, les villes et les provinces apportant leurs contributions.

Les plus grands progrès du casernement sont postérieurs à 1763. Les villes ressentent plus fortement le besoin de pouvoir disposer rapidement d'une troupe déjà rassemblée (pour éteindre les incendies ou réprimer les émeutes). Les habitants éprouvent une répugnance croissante à vivre dans la promiscuité des soldats. Tant et si bien qu'à la veille de la Révolution la plupart des villes de garnison possèdent leurs casernes.

Mais il y a casernes et casernes. Les grandes villes et les places de frontière ont des casernes monumentales et de belle apparence (au moins à l'extérieur). Telles sont par exemple celles d'Aix-en-Provence, de Douai, de Lille et de Besançon. Les bâtiments y sont divisés en chambres de quatre à sept lits. Mais on trouve aussi beaucoup de petites casernes qui sont souvent des immeubles loués. Dans la capitale par exemple les trente-trois compagnies des gardes françaises logent dans trente-sept bâtiments différents (Chagniot).

Une telle diversité ne peut que choquer les esprits éclairés. Tandis que la saleté des locaux effraie les hygiénistes. En 1773, le ministère de la Guerre prend les mesures qui s'imposent pour l'uniformisation et pour l'assainissement. Un concours d'architectes est ouvert en 1788 (« Dessinez une caserne »). Le *Soldat citoyen* de Servan (1780) décrit la caserne idéale : des arbres, des fontaines, des statues de héros guerriers.

La construction des casernes est-elle un progrès ? Le casernement est sans doute un progrès pour les populations auxquelles sont épargnées les contraintes du logement. Par contre il n'est pas sûr que les soldats en aient retiré un grand bénéfice. La caserne n'est pour eux rien d'autre qu'une sorte de prison, dont les murs les isolent de la population.

CASSINI, Jacques, dit **Cassini II** (Paris, 1677 - Thury, Beauvaisis, 16 avril 1756). Astronome, directeur de l'Observatoire, il est le deuxième de la dynastie fameuse des Cassini. On l'appelle aussi Cassini II. Il est principalement connu pour ses travaux relatifs à la détermination de la figure de la Terre. De 1700 à 1718, il avait exécuté avec son père, du Canigou à Dunkerque, la mesure du méridien de Paris. En 1733 le roi lui confie la mission « de se transporter dans les différents endroits du royaume pour y lever des cartes géographiques générales et particulières de la France ». En dix ans, avec son fils Cassini de Thury et son cousin Maraldi, il réalise une description trigonométrique de la France. L'ouvrage sera gravé en 1744. Les travaux de Cassini l'avaient amené à conclure à un aplatissement de la Terre à l'équateur. Il s'opposait aux newtoniens. Dans les années 1720-1723, il avait participé à l'éducation scientifique du jeune roi et l'avait initié à l'observation du ciel.

CASSINI DE THURY, César François, dit **Cassini III** (Thury, 14 juin 1714 - Paris, 4 septembre 1784). Astronome, directeur de l'Observatoire et géographe, il est célèbre pour avoir réalisé la première carte géométrique et planimétrique de la France. Il est le fils de Jacques Cassini et le troisième de la dynastie des Cassini. Admis dès l'âge de vingt-deux ans à l'Académie des sciences comme adjoint surnuméraire, il avait participé avec son père et son cousin Maraldi aux travaux de triangulation complète de toute la France et publié, en 1744, la *Nouvelle Carte qui comprend les principaux triangles qui servent de fondement à la description géométrique de la France, levée par ordre du Roy.* Il est chargé en 1746 de lever la carte des régions conquises. Son travail enthousiasme Louis XV qui lui demande alors de lever la carte de la France entière. Les levées commencent (deux feuilles sont publiées entre 1748 et 1755) mais sont interrompues faute d'argent au début de la guerre de Sept Ans. Moreau de Séchelles, le contrôleur général, ne veut plus payer. Avec la permission du roi Cassini forme une compagnie privée et ouvre une sous-cription. Plusieurs grands seigneurs de la Cour et les états provinciaux souscrivent. Le travail reprend. La première feuille réalisée dans les nouvelles conditions est présentée au roi le 13 septembre 1756. La carte sera achevée juste avant la Révolution, la cent quatre-vingtième et dernière feuille ayant été publiée en 1789.

CASTEL, Louis Bertrand (Montpellier, 16 novembre 1688 - Paris, 11 janvier 1757). Jésuite et mathématicien, il était entré à quinze ans (le 16 octobre 1703) au noviciat des jésuites de Montpellier. En 1720 il est appelé à Paris et devient alors l'un des principaux rédacteurs des *Mémoires de Trévoux*. Entre 1720 et 1734 il donne trente-huit articles à cette publication. Spécialisé dans les sciences physiques et mathématiques, il réfute les théories de Leibniz et celles de Newton. Dans son « Éloge historique de M. Leibniz » (*Mémoires de Trévoux*, août 1721) il reproche au philosophe allemand de s'être dispersé. Il l'accuse aussi de faire de la mauvaise théologie. Dans la livraison des *Mémoires* d'août 1729, il oppose à Newton ses propres expériences, dont il pense qu'elles renversent « de fond en comble le système newtonien de la lumière ». Vraiment ce jésuite ne doute de rien. Voltaire l'appelle le « don Quichotte des mathématiques ».

Mais il a d'autres mérites. On peut sans doute le considérer comme le précurseur de l'écologie. Il développe en effet une théorie selon laquelle l'action de l'homme compromet l'équilibre de la nature. La tendance de la nature, explique-t-il, est à l'ordre et à la séparation des éléments dont elle est composée. Par les mille mélanges et combinaisons qu'ils opèrent, les hommes détruisent cet ordre et ces séparations. « C'est, dit notre auteur, la volonté libre des hommes qui altère, façonne, détruit la plupart des corps, et qui met la nature en voie de

produire des corps sujets à des destructions et à des altérations continuelles ; c'est nous, en bonne physique et en bonne morale, qui répandons sur tout ce qui nous environne le sceau de notre mortalité. »

Le P. Castel a laissé de nombreux ouvrages, dont un *Traité de la pesanteur universelle* (Paris, 1724), une *Mathématique universelle* (Paris, 1728) et un curieux *Traité du clavecin oculaire* (1735). Il était membre de la Société royale de Londres, et des académies de Bordeaux et de Rouen.

CASTRIES, Charles Eugène Gabriel de La Croix, marquis de (Paris, 26 février 1727 - Wolfenbüttel, 11 janvier 1800). Il est l'un des officiers militaires les mieux doués de sa génération. Au cours d'une longue carrière commencée à seize ans, et couronnée en 1783 par la dignité de maréchal de France, il fait constamment preuve d'une très bonne connaissance du métier. Il reçoit en 1756 son premier commandement important, celui du corps expéditionnaire de Corse. En 1758, il est nommé lieutenant général, puis commissaire général de la cavalerie. Il s'est distingué à Rosbach, où il a reçu deux blessures. Mais son plus grand titre de gloire est sa victoire de Clostercamp le 16 octobre 1760, sur les Anglo-Hanovriens du duc de Brunswick. L'affaire avait très mal commencé ; les deux ailes étaient hors de combat, le centre enfoncé, les réserves utilisées aux deux tiers ; la bataille semblait perdue. Castries garde son sang-froid et prend les dispositions qui renversent la fortune à son profit. Après la guerre de Sept Ans il exerce les charges de commandant en chef de la gendarmerie et de gouverneur de la Flandre et du Hainaut. Appelé le 8 octobre 1780 au ministère de la Marine (sur la recommandation de Necker dont il est l'ami), il fait adopter par le Conseil la nouvelle stratégie maritime qui décidera du succès dans la guerre d'Amérique : le plan de Sartine est inversé ; les gros bateaux sont envoyés sur les mers, cependant qu'une flottille contraint les navires britanniques à rester dans leurs ports. Les sept années de Castries à la Marine (1780-1787) sont également marquées par une œuvre très importante de législation : la hiérarchie du « Grand Corps » est simplifiée, l'inscription maritime réorganisée. Le marquis de Castries montre toujours en tout une activité dévorante et une rapidité remarquable d'exécution. On cite de lui ce mot : « Je voudrais dormir plus vite. » Il est aussi un homme d'étude et de travail personnel. Sa vie privée n'offre pas la même rigueur. Comme l'écrit Besenval, « son ardeur pour s'instruire ne l'empêche pas de donner beaucoup à ses plaisirs ». Marié à seize ans à la fille du duc de Fleury, il est un mari très volage, qui multiplie les liaisons. Quelles étaient ses croyances, ses idées ? La religion ne tient aucune place dans sa vie. En politique il n'a que des vues de tacticien. Ses « Réflexions sur l'esprit public », mémoire d'avertissement adressé au roi en octobre 1785, témoignent d'un bon sens pratique mais très étroit. Pour lui tout se résume à une question d'autorité. Il suffirait à Louis XVI de montrer un peu plus de poigne et tous ses ennuis seraient terminés. C'est un point de vue très militaire. L'attitude du maréchal lors des événements tragiques de 1789 est également très médiocre. Le 13 juillet il refuse le ministère de la Marine que le roi le presse d'accepter. Le 20 octobre il émigre avec femme et bagages et va s'installer à Coppet où son ami Necker l'a invité. Il mourra le 11 janvier à Wolfenbüttel, étant l'hôte de son ancien adversaire de Clostercamp, devenu son ami, le duc de Brunswick.

CASTRIES, Armand Charles Augustin, comte de Charlus, puis duc de (Paris, 1756 - *id.*, 1842). Il est le fils aîné du maréchal, ministre de la Marine. Il commence sa carrière militaire à l'âge de treize ans comme lieutenant d'artillerie, et s'élève jusqu'au grade de maréchal de camp. A son mariage en 1778 avec Marie Adrienne de Bonnières de Guines, fille du duc de Guines, ancien ambassadeur à Berlin et à Londres, le roi signe au contrat, fait au marié un don de trois cent mille livres, et promet la réversibilité du duché-pairie de Guines sur le fief de Castries. En attendant le comte de Charlus sera fait duc à brevet (1784). Son précepteur, Barbé de Marbois (le futur président du Conseil des Anciens), l'ayant nourri de « philosophie », le nouveau duc a déjà participé à l'expédition d'Amérique et montré sa bravoure au siège de Yorktown. Élu en 1789 député de la noblesse de Paris, il est l'un des plus ardents à réclamer l'abolition des privilèges. Cependant les journées d'Octobre le font se repentir et s'inquiéter. Il passe dans le parti du roi. Insulté par Lameth à la tribune de l'Assemblée, il le provoque en duel et le blesse. Du coup les « patriotes » veulent l'écharper. Il émigre. Pendant l'émigration il commande un régiment à la solde anglaise, mais portant son nom. En 1814, il sera nommé lieutenant général avec un énorme rappel d'ancienneté, et créé pair de France. Nous avons de lui le journal de son voyage en Amérique en 1780. Ce texte révèle un esprit de peu d'envergure, mais assez observateur.

CATÉCHISME. Le catéchisme est la forme principale de l'enseignement religieux. C'est en effet une instruction sur les vérités nécessaires au salut. Mais cette instruction est systématique et faite par demandes et par réponses. Sans cette forme dialoguée, il n'y a pas de catéchisme. Voici un exemple tiré du *Catéchisme de Montpellier*, promulgué en 1744 par Mgr de Charancy. Une des premières demandes est « Qu'est-ce que Dieu ? » et la réponse est celle-ci : « Dieu est un esprit infiniment parfait. »

La formule du catéchisme a déjà une certaine ancienneté. Elle avait été mise au point à la fin du XVIᵉ siècle, lors des débuts de la réforme catholique. Elle avait été conçue pour donner un enseignement clair et explicite, et faire acquérir ainsi une foi « distincte ». La méthode s'adresse à l'intelligence et facilite la mémoire.

Le catéchisme est destiné aux enfants, mais aussi aux adultes. Dans tout catéchisme imprimé on trouve toujours au moins deux versions, l'une appelée « petit catéchisme» ou «abrégé du catéchisme», destinée aux enfants, l'autre nommée «grand catéchisme» pour les adultes. Il s'y ajoute parfois une version intermédiaire appelée «catéchisme moyen». On essaie ainsi de proportionner la difficulté aux différents âges et aux différents degrés de savoir.

On se sert encore au XVIIIᵉ siècle des grands manuels classiques (*Catéchisme romain*, catéchismes de Canisius, de Bellarmin, du P. Auger), mais la préférence va aux catéchismes diocésains, composés à l'initiative des évêques pour leurs diocèses respectifs. La plupart de ces catéchismes diocésains datent de la période 1660-1715. Ceux de Claude Joly, évêque d'Agen, et de Bossuet, évêque de Meaux, sont parmi les plus appréciés. Tous ces manuels sont réédités plusieurs fois dans le cours du siècle. Certains, comme le catéchisme de Bazin de Bezons (diocèse de Bordeaux), seront encore en usage au début du XIXᵉ siècle.

Toutefois certains diocèses sont dotés de manuels nouveaux : Poitiers (1730), Angers (1734), Périgueux (1750), Saint-Claude (1765). Il arrive aussi que l'on révise le catéchisme du XVIIᵉ siècle, jugé trop jansénisant. C'est le cas de Montpellier, où Mgr de Charancy publie en 1747 une version corrigée du catéchisme de Mgr de Colbert (1701). Mais la véritable nouveauté du XVIIIᵉ siècle en matière de catéchisme est le catéchisme rudimentaire destiné aux fidèles les plus simples. Citons entre autres le *Petit Catéchisme pour les personnes grossières qui ont peu de mémoire et d'ouverture d'esprit* (1753) : ce petit livre contient toute la religion en cinquante-sept demandes et réponses.

Le plan du catéchisme peut varier. Le plus fréquent est le plan tripartite suivant. 1ʳᵉ partie : les principaux mystères (Dieu, la Trinité, l'Incarnation, la Rédemption). 2ᵉ partie : la vie que le chrétien doit mener (les vertus, les péchés, les Commandements de Dieu et de l'Église). 3ᵉ partie : les moyens de mener la vie chrétienne (la grâce, les sacrements, la prière). Sous l'influence du *Catéchisme historique* de Claude Fleury (1683), certains caté-

chismes adoptent une présentation plus historique et associent dans la première partie l'exposé des mystères avec une histoire de la religion depuis la Création jusqu'aux temps contemporains.

Le catéchisme est aussi une pratique. On en fait la leçon, on en fait la classe. L'habitude se prend dans beaucoup de paroisses de distinguer le catéchisme de la confirmation (pour les plus petits) de celui de la première communion. Pour l'ensemble de la paroisse la leçon de catéchisme a lieu le dimanche. En 1747 Mgr de Charancy ordonne qu'on lise tous les dimanches pendant une demi-heure, soit au prône, soit avant ou après les vêpres, un chapitre de son «grand catéchisme».

Cet enseignement semble avoir été de plus en plus efficace. Les curés le donnent assidûment. Ils se font parfois aider des parents et quelquefois même des enfants les plus doués. Quand les évêques visitant les paroisses posent des questions aux enfants, ils sont généralement satisfaits. En 1761 Mgr de Lussan, archevêque de Bordeaux, visite l'archiprêtre de Benauge. Il y trouve vingt-sept paroisses où les enfants sont «bien instruits» et une seule où ils le sont «peu». A la fin de l'Ancien Régime le bienfait d'une instruction religieuse raisonnée est étendu à la grande majorité des enfants.

Cette grande diffusion de l'instruction religieuse par le catéchisme est un fait remarquable et surprenant. Car le catéchisme n'est pas dans le ton des Lumières. La pédagogie «éclairée» rejette même de façon catégorique tout enseignement religieux de ce type, parce que faisant appel à la raison et à la mémoire et non aux sens. Rousseau ne veut pas que soit donnée la moindre instruction religieuse théorique avant l'âge de quinze ans. La Condamine demande que l'on n'enseigne pas aux enfants des choses qu'ils ne comprennent pas, comme par exemple les «noms des péchés capitaux» (*Lettre critique sur l'éducation*, 1751). Le catéchisme a résisté à ces attaques. Les évêques l'ont maintenu malgré cela. Ils ont cédé aux philosophes sur bien des points, mais non sur celui-là.

CAUSSADE, Jean Pierre de (Cahors, 6 ou 7 mars 1675 - Toulouse, 8 décembre 1751). Jésuite, il est l'un des plus grands docteurs spirituels de ce siècle. Il était entré dans la Compagnie de Jésus le 16 avril 1693, après des études au collège de Cahors. Sa carrière toute méridionale et vouée aux emplois de régent et de recteur (à Aurillac, Toulouse, Perpignan, Albi et de nouveau à Toulouse) est coupée de deux intermèdes lorrains (1729-1731 et 1733-1738) qui sont les événements les plus importants de sa vie. Envoyé à Nancy comme prédicateur et comme directeur de la maison des retraites, il entre en relation avec les visitandines de cette ville et, invité par leur supérieure, la mère Charlotte de Rottemberg, à leur donner des «entretiens», il formule à leur intention les principes de sa doctrine spirituelle. Ses deux principaux ouvrages sont les *Instructions spirituelles en forme de dialogues sur les différents états d'oraison suivant la doctrine de M. Bossuet, évêque de Meaux* (Perpignan, 1741) et *L'Abandon à la Providence divine envisagé comme le moyen le plus sûr de sanctification*, publication posthume (1861). Comme l'indique ce titre, la doctrine du P. de Caussade est celle de l'abandon à Dieu. Ce n'est pas une nouveauté. Saint François de Sales et Bossuet l'avaient l'un et l'autre professée. Mais le P. de Caussade lui donne une forme originale et la rend plus attirante. L'état d'abandon, explique-t-il, n'est qu'une communion constante à la volonté de Dieu. Il aboutit à «simplifier l'intérieur»: «réduisons-nous à l'unité qui est Dieu.»

CAVALERIE. La cavalerie est l'ensemble des troupes à cheval. Plus de la moitié de son effectif est constitué de cavalerie légère (hussards, dragons, chasseurs à cheval).

Les unités sont les régiments, les escadrons et les compagnies. Chaque régiment compte de deux à quatre escadrons. Il y avait, en 1789, 62 régiments de cavalerie composés de 206 escadrons, soit un effectif total d'environ 37 000 hommes. Mais cet effectif est l'un des plus faibles de toute l'histoire de la cavalerie au XVIIIe siècle, les troupes à cheval connaissant alors une crise de leur recrutement.

Les 62 régiments se répartissent comme suit: 24 de cavalerie proprement dite, 2 de carabiniers, 18 de dragons, 6 de hussards et 12 de chasseurs à cheval. A partir de 1776 les régiments sont numérotés à l'intérieur de chaque catégorie (de 1 à 18 par exemple chez les dragons). Chaque régiment a aussi son nom qu'il garde même après 1776. Le 2e régiment de cavalerie s'appelle Royal-Cavalerie, le 11e Royal-Roussillon; le 2e régiment des dragons a porté successivement les noms d'Enghien-Cavalerie, de Condé-Cavalerie et de Condé-Dragons; le 3e hussards s'intitule Chamborant-Hussards.

«On convient généralement que les armes à feu [...] sont désavantageuses» à la cavalerie (*Encyclopédie* de Diderot, article «Cavalerie»). Les cavaliers sont armés de sabres ou d'épées sans tranchant (forçant à frapper de pointe). La lance est remise en usage en 1743.

La cavalerie est utilisée pour l'exploration, pour les attaques de convoi et pour la charge. Cependant après la guerre de Sept Ans la doctrine d'engagement se fait hésitante. Le théoricien Drummond de Melfort, aide de camp de Maurice de Saxe, critique le goût excessif de la charge.

La formation des officiers à l'équitation est celle du manège. Les cavaliers ainsi instruits sont élégants et brillants, mais assez mal préparés à la mobilité dans n'importe quel terrain. L'instruction des hommes est déficiente parce que les officiers ne s'y intéressent pas et en laissent le soin aux bas officiers.

CAVEAU. Le Caveau est une société de littérateurs-chansonniers fondée en 1737 par Piron, Collé, Gallet et Saurin. Les recueils des chansons du Caveau ont été imprimés sous l'Empire (*voir* CHANSON).

CAYLUS, Daniel Charles Gabriel de Pestels de Lévis de Tubières-Grimoard de (1669-1754). Évêque d'Auxerre, il a été nommé à ce siège en 1704. Il y restera jusqu'à sa mort, c'est-à-dire pendant un demi-siècle. Il est l'un des chefs de file du parti janséniste. On le trouve parmi les seize évêques appelants de mars 1717 et parmi les douze évêques ayant protesté contre la condamnation de Soanen. En accueillant chez lui tous les ecclésiastiques du parti chassés de leurs diocèses, en confiant toutes les charges importantes à des appelants, il fait de son diocèse un foyer actif de résistance janséniste. Sa position est forte : il donne des gages à ses curés, les associe à ses décisions, gouverne paternellement et s'assure ainsi une popularité durable. Le *Rituel* qu'il publie en 1730 est dénoncé par le cardinal de Fleury comme contenant des formules dangereuses. Au total ce long épiscopat de Caylus a profondément jansénisé le diocèse et — si le jansénisme est facteur de déchristianisation — peut-être contribué à le déchristianiser.

CAYLUS, Anne Claude Philippe de Pestels de Lévis de Tubières-Grimoard, comte de (Paris, 30 octobre 1692 - *id.*, 30 septembre 1765). Antiquaire, il était par sa mère, Marie-Marguerite de Vilete de Murcay, le petit-neveu de Mme de Maintenon. Tout jeune il sert le roi, fait ses premières armes dans la guerre de Succession d'Espagne, et se distingue au siège de Fribourg en 1713. Puis il voyage. L'Angleterre et l'Italie, la Grèce et la Turquie le voient passer tour à tour. Il visite Smyrne, Éphèse et Colophon. Il contracte là le goût des antiquités, fait des fouilles et embauche des brigands comme ouvriers. L'homme a une forte personnalité, un esprit curieux, un génie très divers. Revenu à Paris, devenu sédentaire, il se fait connaître comme antiquaire, comme mécène, comme artiste lui-même et comme écrivain.

Comme antiquaire d'abord. La jeune science de l'archéologie lui doit beaucoup. Il constitue par des achats une importante collection d'antiquités. Sa maison est un véritable musée. « L'entrée de sa maison, écrit Le Beau dans son *Éloge historique* de Caylus, annonçait l'ancienne Égypte. On y était reçu par une

belle statue égyptienne. » Il ne se contente pas de collectionner. Il étudie, il publie. Son *Histoire de l'art antique* (1764) impose l'idée qu'il y a une histoire de l'art. Son *Recueil d'antiquités égyptiennes, étrusques, grecques, romaines, et gauloises* (1752-1757, 7 vol.) est remarquable par la précision des analyses et par l'exactitude des dessins (que l'auteur exécutait lui-même). Lié à l'abbé Barthélemy il avait fait mouler à Malte sur le marbre même deux inscriptions phéniciennes qui servirent à cet érudit pour retrouver l'alphabet phénicien.

Ce passionné de l'art antique était aussi un ami des arts de son temps. Dans les deux Académies dont il est membre (peinture et sculpture, depuis 1731, inscriptions depuis 1742), il fonde plusieurs prix en faveur des artistes. L'un de ces prix est pour l'élève qui caractériserait le mieux une passion. Il ouvre ses collections et invite les jeunes peintres et les jeunes sculpteurs à venir copier les médailles et les bustes. Il ranime ainsi le goût de l'Antiquité. Il est l'un des pères du néo-classicisme.

Il dessinait. Il gravait. Il écrivait aussi des ouvrages littéraires, des romans, des contes orientaux, des contes de fées. Il avait enfin une particularité remarquable : il n'était l'homme d'aucun cénacle, ni philosophique ni mondain.

CAYROU, Pierre Jean (Rodez, 13 juin 1672 - Toulouse, 31 janvier 1754). Jésuite, il fut remarquable par la sainteté de sa vie. On lit dans Michel Picot (*Mémoires pour servir à l'histoire ecclésiastique du XVIIIe siècle*, t. IV, p. 252) qu'il « se dévoua dans les épidémies qui affligèrent Rodez et Toulouse ». Nous avons sa biographie, écrite par son confrère le P. Seranne. Sa cause de béatification est introduite en cour de Rome.

CAZE DE LA BOVE, Gaspard Louis (1740-1824). Il est d'abord intendant de Bretagne (nommé en 1774), ensuite de Grenoble (1784-1791). Lors de son intendance de Bretagne il fait installer l'éclairage dans les rues de Rennes et de Nantes. A Grenoble il donne son appui à la création d'une bibliothèque publique. Son discours à l'ouverture des états du Dauphiné montre un grand talent d'adaptation. Il salue « le rétablissement des libertés de la province », et affirme sa confiance dans le « patriotisme éclairé des états ». Il sera député de la Seine de 1803 à 1808.

CAZOTTE, Jacques (Dijon, 7 octobre 1719 - Paris, 25 septembre 1792). Connu par ses contes et par la célèbre prédiction que La Harpe lui attribua, il est le dernier des quatorze enfants de Bernard Cazotte, notaire, commis greffier des états de Bourgogne. Après des études au collège des Godrans et à la faculté de droit de Dijon, il fait carrière dans le service de la plume de la Marine royale. Deux missions à la Martinique (1744-1752 et 1754-1760) révèlent ses qualités d'administrateur. En 1752, il organise de façon efficace la défense de l'île contre les Anglais. Ayant quitté le service pour raison de santé, il s'installe à Pierry, près d'Épernay, où son frère lui a légué un domaine. Il y coule des jours heureux avec sa femme (il s'est marié sur le tard, en 1761, avec Élizabeth Roignan, rencontrée à la Martinique) et ses trois enfants. Il agrandit son vignoble, fait commerce de champagne et emploie ses loisirs à écrire des ouvrages de fiction. Son premier conte de fées, *La Patte de chat*, date de 1740. Dans sa retraite champenoise il écrit *Ollivier*, amusante parodie de l'amour courtois, *Les Sabots* (opéra-comique) et son chef-d'œuvre, *Le Diable amoureux*, où l'on voit un jeune officier napolitain séduit par les charmes d'une blonde ravissante, qui n'est autre que Satan. Cazotte a été tenté par l'occultisme. Lors de son séjour aux Antilles il s'était intéressé au vaudou. En 1777, il adhère à la secte des martinistes. En 1780, il rompt avec ses amis illuministes et sous l'influence de sa grande amie, la mystique Mme de La Croix, revient au christianisme. Il reste cependant attiré par les phénomènes supranaturels. Ses proches seront souvent étonnés par ses dons de visionnaire. Selon La Harpe, il aurait en 1788 prédit à quelques per-

sonnes réunies dans un salon parisien leur mort tragique pendant la Révolution. La critique littéraire a longtemps qualifiée cette « prédiction de Cazotte », publiée en 1806, de pure invention. Il faut peut-être revenir sur ce jugement. La comtesse d'Adhémar, dans ses *Souvenirs* (1836), confirme les faits rapportés par Cazotte. Selon Mme d'Hautefeuille, Cazotte aurait fait à une jeune fille, la vicomtesse de Givors, dans le salon de la marquise d'Argelé, une prédiction analogue à celle relatée par La Harpe, et qui se vérifia. « Tous ces récits, écrit Claude Taittinger, le dernier biographe de Cazotte, ne peuvent être considérés comme des contes de fées. »

En 1790, révolté par la politique antireligieuse de l'Assemblée, Cazotte passe dans le camp de l'opposition. Le 6 août 1792 il écrit ses *Conseils au roi Louis XVI* et réussit à les faire mettre sous les yeux du souverain. Il supplie ce dernier de tenter une évasion, entouré de sa garde et de ses amis fidèles. Ce document ayant été découvert aux Tuileries après le 10 août, son auteur est arrêté. Il échappe de justesse à la tuerie des prisons, grâce à l'héroïsme de sa fille qui plaide pour lui devant le tribunal des assassins. Arrêté une seconde fois le 13 septembre, il est condamné à mort le 24 et guillotiné le 25.

CEINERAY, Jean-Baptiste (1722-1780). Architecte, il fut l'élève de Franque. Il marqua la ville de Nantes, dont il fut l'architecte royal de 1757 à 1780, période de richesse et d'expansion pour cette ville. D'abord adjoint de l'architecte Portail, il lui succède en 1760. Son activité nantaise fut immense : il fournit les plans pour l'aménagement de l'ensemble de la ville, pour les quais Brancas et Flessuelles, et pour le cours Saint-André ; il construisit la Cour des comptes (à partir de 1763) et la Bourse (1767-1774) ; enfin de nombreux hôtels particuliers sont de lui, dans un style proche de celui de Boffrand. Pour les édifices publics, il apparaît comme un continuateur de Mansart.

CELLAMARE (conspiration de). La conspiration de Cellamare tire son nom du prince de Cellamare, diplomate espagnol d'origine italienne, ambassadeur du roi Philippe V d'Espagne auprès de la cour de France. Sur les instructions d'Alberoni, son ministre, le prince avait excité la haine du duc et de la duchesse du Maine contre le Régent, et préparé avec eux un coup d'État, dont le but était de faire déclarer Philippe V régent de France à la place du duc d'Orléans. Mais le secret fut mal tenu, et le complot (qui n'était que d'opérette) éventé. Le 29 décembre 1718, le prince de Cellamare fut arrêté (pour être ensuite reconduit à la frontière), la duchesse du Maine exilée à Dijon et le duc emprisonné dans la forteresse de Doullens.

CENSURE. La censure des livres et de toutes les publications appartient au roi en son Conseil. L'Université exerce également un droit de censure, mais seulement sur les livres scolaires.

Le roi délègue ce pouvoir au chancelier de France, qui à son tour le délègue (en partie) au directeur de la Librairie. Outre le directeur, le personnel de cette direction est composée des censeurs royaux et des inspecteurs de la Librairie. Le nombre des censeurs (choisis dans toutes les disciplines) ne cesse d'augmenter. Il est de 79 en 1741 et de 121 en 1763.

Le premier directeur de la Librairie fut l'abbé Bignon. Lui succédèrent (dans l'ordre chronologique) : Fleuriau d'Armenonville (1722-1727) ; Rouillé (1727-1737) ; comte d'Argenson (1737-1740) ; Maboul (1740-1750) ; Malesherbes (1750-1763) ; Sartine (1763-1774) ; Albert (1774-1776) ; Le Camus de Neville (1776-1782) ; Laurens de Villedeuil (1782-1784) ; Vidaud de La Tour (1784-1789).

Les principales fonctions du directeur sont de nommer les censeurs des ouvrages, de punir les libraires contrevenants et de rendre compte au chancelier de toutes les demandes de permission d'imprimer. En fait il semble jouir d'une assez grande autonomie par rapport au chancelier. La politique de la censure est en grande partie la sienne.

Tous les auteurs doivent solliciter la permission d'imprimer. Les permissions sont délivrées sous deux formes différentes, celle du privilège et celle de la permission tacite. Le privilège du roi, acte scellé, est une permission publique. Il est accordé à tous les ouvrages ne comportant aucun danger pour la foi et les mœurs. La permission tacite est donnée aux ouvrages seulement tolérés. Cette deuxième formule (inventée en 1715) est un pis-aller. Comme le dit bien Malesherbes, « il s'est trouvé des circonstances où on n'a pas osé autoriser publiquement un livre et où cependant on a senti qu'il ne serait pas possible de le défendre. C'est ce qui a donné lieu aux premières permissions tacites. » Curieuse façon, et finalement assez hypocrite, d'exercer la censure.

La procédure d'autorisation est la suivante. L'auteur adresse son ouvrage au chancelier (ou au garde des Sceaux, si le chancelier n'a plus les sceaux), en fait au directeur de la Librairie. Celui-ci désigne le censeur. Tout privilège doit être enregistré à la chambre syndicale des libraires.

La censure est une réalité. Un grand nombre d'ouvrages n'obtiennent ni privilège ni permission tacite. Pendant la période 1706-1788 (sauf 1716-1723) 28 877 demandes de privilèges ont été accordées, 10 618 refusées. Pour la période 1764-1787 la proportion des permissions tacites refusées est de 41 % (Estivals).

On observe toutefois une libéralisation de la censure. La direction de Malesherbes a été à cet égard déterminante. De 1753 à 1782 la proportion des ouvrages censurés n'a cessé de diminuer.

L'arrêt du Conseil du 30 août 1777 limite le privilège à la vie de l'auteur, et crée un troisième type de permission. Il s'agit de la permission dite « simple » accordée aux libraires désireux de rééditer des ouvrages dont le privilège est expiré.

CENTENAIRES. Après 1770, les cas de personnes atteignant les cent ans ou les dépassant deviennent de plus en plus nombreux et les journaux se mettent à les recenser. Le *Mercure de France* tient à partir de 1773 une rubrique des décès de centenaires français et étrangers. Dans la période allant d'août 1773 à mai 1774, treize cas sont mentionnés en France. Cinq hommes et huit femmes. Tous les défunts ont dépassé les cent ans : deux ont près de cent un ans, trois cent deux, un cent quatre, trois cent cinq, deux cent six, un cent neuf et un cent quinze.

CÉRÉALES. On dit céréales ou blés. L'appellation de blé recouvre toutes les céréales : froment, méteil, seigle, orge, sarrasin et avoine. L'expression de «menus grains» est réservée aux céréales de consommation animale.

Toutes les cultures sont subordonnées à celles des céréales, et plus particulièrement à celles des céréales panifiables dont la production doit passer avant toutes les autres, l'alimentation étant à base de céréales. Chaque Français consomme en moyenne une livre et demie de pain par jour, à quoi s'ajoute dans les campagnes la bouillie quotidienne de céréales.

Les cultures céréalières représentent plus de la moitié des labours : 63 % d'après Vauban (1700), 54 % d'après Young (1788). Rarissimes sont les exploitations où les céréales sont absentes.

Les rendements restent ce qu'ils étaient dans les siècles précédents : 6, 7, 8 quintaux à l'hectare, 9 tout au plus dans les meilleures régions (d'après J. Toutain). Le rendement à la semence dépasse rarement 6 pour 1. On ne voit pas de progrès sensible. Il semblerait même que les rendements soient inférieurs pendant la plus grande partie du siècle à ce qu'ils étaient vers 1650.

Pourtant, si l'on en croit les estimations de J. Toutain, la production totale aurait augmenté, passant de 87 millions de quintaux en 1701-1710 à 113 millions en 1781-1790. Si l'on admet que les rendements n'ont pas progressé, une telle augmentation ne peut s'expliquer que par l'extension des superficies cultivées grâce aux défrichements et aux assèchements.

CÉROU, Pierre (Gignac, dans le Quercy, 1709 - Vielfort, près de Carensac, 1787 ou 1788). Littérateur, il est surtout connu pour sa comédie *L'Amant*. Après des études au collège des pères de la Doctrine chrétienne à Brive, puis au collège Sainte-Barbe à Paris, il devint précepteur chez J. G. A. de Riquet, baron de Bonrepos (petit-fils du créateur du canal des Deux-Mers), alors avocat général au parlement de Toulouse, qui en 1742 l'envoya de sa part saluer l'infant don Philippe de passage à Montpellier. Cérou, ayant plu à l'infant (fils de Philippe V), sera en 1749 chargé de l'instruction de la princesse Isabelle et nommé contrôleur de la Maison royale de don Philippe devenu en 1748 duc de Parme. Lorsque Cérou quitte la Cour, le duc le récompense en le faisant admettre chevalier de Malte et en lui offrant son portrait entouré de brillants ainsi qu'une gratification de 50 000 livres.

La comédie de *L'Amant*, qui a fait la renommée de son auteur, s'intitulait en fait *L'Amant, auteur et valet*. Elle fut jouée pour la première fois le 1er février 1740 à Paris. Elle devait être représentée plus de deux cents fois au Théâtre-Italien. En 1776, le 23 juillet, ce sont les comédiens-français qui en donnent la représentation lors du séjour de la reine à Trianon. Cette comédie fut également représentée le 8 janvier 1764 à La Nouvelle-Orléans dans la résidence officielle du directeur général de la Louisiane à l'occasion de la paix succédant à la guerre de Sept Ans (Abbadie, *Journal*, Ms Dept of Arch. and History Jackson, Miss.). On connaît une trentaine d'éditions de cette comédie jusqu'en 1829 et des traductions en allemand (1775 et 1778), en polonais (1778) et en italien (1815). Une édition critique a été publiée en 1978 dans la collection *Textes littéraires* de l'université d'Exeter (G.-B.) par le professeur H. Gaston Hall qui juge que l'auteur «a su garder autant — peut-être même mieux — que Marivaux des éléments du comique moliéresque [...]».

CHABO DE LA SERRE, Louis Charles, dit comte de La Serre, dit «la Balafre»

(1715-1780). Lieutenant général des armées du roi, inspecteur de cavalerie, il était entré au service en 1733. Il avait été grièvement blessé à la face (d'où son surnom) à Dettingen en 1743, en chargeant avec son régiment jusqu'à la troisième ligne des ennemis. Sa nomination d'inspecteur date de 1761, celle de lieutenant général de 1762. Il est l'un des proches collaborateurs de Choiseul auquel il remet plusieurs mémoires sur la réorganisation de l'armée.

CHAFFAULT DE BESNÉ, Louis Charles, comte du (1708-1794). Lieutenant général des armées navales, il fait une très longue carrière (plus de soixante années de service) jalonnée d'actions d'éclat. Il est blessé au combat du 25 octobre 1747, et gardera toute sa vie une cicatrice au visage. Le 11 mars 1757, commandant l'*Atalante*, il combat le vaisseau anglais le *Warwich* et l'oblige à se rendre. Ce fait d'armes est célébré par les peintres. Louis XV écrit de sa main au vainqueur pour le féliciter. Nommé en 1758 chef d'escadre, il escorte un convoi de troupes au Canada. Sur le chemin du retour, le 27 octobre, il rencontre une escadre anglaise, engage le combat et ne se laisse pas entamer. En 1765 il commande l'expédition contre Larrache, détruit les batteries du port et incendie plusieurs navires barbaresques. Lieutenant général le 6 février 1777, il commande en cette qualité l'avant-garde de la flotte française au combat d'Ouessant. Il est grièvement blessé et voit son fils tué à ses côtés. Là se termine son service actif. Il se retire dans sa propriété près de Montaigu, en Poitou. On vient l'y arrêter pendant la Terreur. Il meurt au château de Luzançay dont on avait fait une prison.

CHALLE, Charles Michel Ange (1718-1778). Peintre, il fit une carrière académique et fut nommé en 1764 dessinateur du roi. Il changea plusieurs fois de manière. Ayant commencé par d'agréables imitations de Boucher, il s'adonna ensuite, non sans bonheur, à la peinture familière et anecdotique et finit sa carrière en peignant de l'antique et du vertueux.

Il fut dans ce dernier style un précurseur d'Hubert Robert et un peintre d'architecture excellent.

CHAMBRE DU ROI. La Chambre du roi est l'un des services de la cour de France. A sa tête se trouve le grand chambellan qui est l'un des grands officiers de la Couronne. Cette charge est traditionnellement exercée par un prince de la maison de Bouillon.

La Chambre se subdivise elle-même en plusieurs offices qui sont l'antichambre, la chambre proprement dite, la garde-robe, le cabinet, le garde-meuble, la musique et les officiers de santé. Les noms de ces quatre derniers offices disent suffisamment leurs fonctions. L'antichambre est en quelque sorte le fourrier de la chambre, qu'elle précède dans tous les châteaux royaux. La chambre a le rôle essentiel qui est de présider au lever et au coucher du roi ainsi qu'à ses divertissements. Le cabinet est triple. Il se compose du cabinet des affaires et des dépêches, du cabinet des livres et de celui des oiseaux, dit le « Vol du Cabinet ». On entend aussi par cabinet le cercle intime du souverain. C'est dans ce sens que l'entend Dufort de Cheverny dans ses *Mémoires* (édition Guicciardi, 1990, p. 99).

Un personnel nombreux est affecté à chacun de ces services. Par exemple le grand maître de la garde-robe a sous ses ordres les officiers de la garde-robe, les maîtres et valets de la garde-robe, les tailleurs et les chausseurs et les porte-chaises d'affaires chargés de la toilette intime de Sa Majesté. La musique comporte treize charges, dont le surintendant, le maître et le compositeur. La chambre proprement dite se compose des quatre premiers gentilshommes de la chambre, des vingt-six gentilshommes ordinaires, des quatre premiers valets et d'une nuée de subalternes. Les charges de gentilshommes ordinaires sont plus honorifiques que réelles. On les donne en récompense à des diplomates ou à des littérateurs (Voltaire en fut gratifié en 1746). Par contre les charges de premier gentilhomme et de premier valet sont jugées très importantes, leurs titulaires vivant dans l'intimité du souverain. Les quatre premiers gentilshommes servent tour à tour durant un an. Ils sont ordonnateurs des dépenses de la chambre. Une de leurs fonctions les plus accaparantes est la direction des comédiens-français. Ils ont également la haute main sur l'Opéra et sur tous les théâtres de Paris. Ils ont enfin la responsabilité des commandes du roi aux artistes, en collaboration avec le surintendant des bâtiments. Les titulaires de la charge ont toujours été de très grands seigneurs. En 1745 par exemple, les quatre premiers gentilshommes sont le duc d'Aumont, le maréchal de Richelieu, le duc de Duras et le duc de Fleury. L'office de premier valet de chambre est plus modeste, mais il fait de ses titulaires les confidents et les commissionnaires privilégiés du roi. Lebel qui l'occupa longtemps sous Louis XV gagna la confiance de son maître en lui procurant les petites maîtresses faciles dont celui-ci avait besoin. Les réformes de la Maison du roi sous Louis XVI affectèrent peu la Chambre qui se vit seulement amputée de la fauconnerie, c'est-à-dire d'une partie du « Vol du Cabinet ».

CHAMBRES DE COMMERCE. Les chambres de commerce sont des assemblées des principaux négociants et marchands d'une ville. Leur établissement général date de 1704. Il y a eu ensuite une succession d'édits instituant les différentes chambres.

La composition des chambres varie selon les villes. Celle de Lyon se compose du prévôt des marchands, d'un échevin négociant, d'un marchand drapier, de deux banquiers, d'un marchand épicier, d'un marchand de dorure et d'un marchand fabricant de la communauté des marchands maîtres ouvriers en soie, faisant fabriquer, tous étant qualifiés de « directeurs du commerce ». La chambre de commerce de Rouen se compose également de neuf personnes, mais les titres et les qualifications sont différentes : le « prieur » préside l'assemblée constituée des deux juges consuls en charge, du

procureur syndic et de cinq marchands ayant la qualité de syndics du commerce de la province de Normandie.

Chaque chambre élit un député au Conseil royal du commerce. Les chambres doivent fournir à ce conseil des mémoires et des rapports.

En 1780 toutes les chambres ont protesté contre la libéralisation de l'exclusif colonial.

CHAMBRES DE LECTURE. *Voir* **LECTURE (chambres de).**

CHAMBRES DES COMPTES. Les chambres des comptes sont des cours souveraines. Elles ont pour principale fonction de vérifier les comptes des deniers publics.

La Chambre des comptes de Paris est très ancienne. On ignore la date de sa création. Au fur et à mesure que le domaine royal s'étendait, d'autres chambres des comptes étaient créées dans le royaume. Au XVIIIe siècle il en existe huit outre celle de Paris : Rouen, Dijon, Nantes, Montpellier, Grenoble, Aix-en-Provence, Pau, Blois. La Chambre des comptes de Paris est la plus importante. Elle se compose des magistrats suivants : 1 premier président, 12 présidents, 78 maîtres des comptes, 38 correcteurs, 182 auditeurs, 1 avocat général et 1 procureur général.

La première attribution de ces corps est la vérification des comptes. Le travail est divisé à l'intérieur de chacune des chambres : les auditeurs examinent les comptes, les correcteurs vérifient les erreurs de calcul, les maîtres instruisent. Toutes ces opérations se font sous le contrôle du Conseil royal des finances, qui intervient souvent, soit pour corriger certains jugements, soit pour presser l'examen. Car les chambres travaillent très lentement. En 1727, par exemple, le compte du Trésor royal de 1722, déposé à la Chambre des comptes de Paris en 1724, n'était pas encore jugé.

Les chambres des comptes ont également pour fonction de veiller à la conservation du Domaine royal et de tous les droits qui en dépendent. Elles entérinent et vérifient tous les édits et déclarations au sujet du Domaine. La Chambre des comptes de Paris connaît aussi les dons et dépenses du roi. Elle entérine les lettres d'anoblissement, de naturalité, de légitimation et d'amortissement. Elle vérifie les apanages. Enfin c'est elle qui enregistre le serment de fidélité des évêques.

Elle peut refuser d'enregistrer les édits et déclarations. Comme les autres cours souveraines elle a le droit de remontrance, à la condition de ne pas s'immiscer dans les affaires de l'État. Condition généralement respectée. Depuis Louis XII la première présidence est exercée par des membres de la famille Nicolay. Ces hauts magistrats ont toujours allié conscience professionnelle et fidélité au roi. La Chambre des comptes n'a jamais fait d'opposition systématique.

Pour le malheur des historiens ses immenses archives ont été anéanties lors de l'incendie du Palais en 1731.

CHAMFORT, Sébastien Roch Nicolas, dit **de** (Clermont-Ferrand, 22 juin 1740 - Paris, 13 avril 1794). Littérateur moraliste, c'est un enfant naturel. Son père est probablement Nicolas de Vichy-Chamrond, chanoine trésorier de la Sainte-Chapelle. Il est recueilli par François Nicolas, marchand épicier, et Thérèse Croizet, sa femme, qui lui serviront de parents adoptifs. Après de brillantes études comme élève boursier au collège des Grassins à Paris, on le voit s'essayer dans tous les genres littéraires (discours, poésie, théâtre) et récolter plusieurs prix dans les académies de Rouen, de Marseille, des jeux Floraux et même à l'Académie française. La critique fait un mauvais accueil à ses deux premières pièces, *La Jeune Indienne* (1764) et *Le Marchand de Smyrne* (1770), mais Voltaire le console en lui écrivant : « Je suis persuadé que vous irez très très loin. » Il finit par percer avec *Mustapha et Zéangir*. Cette tragédie, jouée à Fontainebleau les 1er et 7 novembre 1776, remporte un franc succès et fait pleurer le roi et la reine. Le 5 avril 1781 Chamfort est élu à l'Académie française. Lié avec toute la

secte philosophique, il l'est plus particulièrement avec le cercle de Mme Helvétius. En 1779 il a loué un petit appartement à Auteuil. C'est là qu'il noue avec Mirabeau une amitié durable. Son désintéressement lui fait refuser en 1776 la place de secrétaire des commandements du prince de Condé, mais ne l'empêche pas d'accepter celle de secrétaire de cabinet de Mme Elisabeth, sœur du roi. La Révolution trouve en lui l'un de ses plus fervents sectateurs. Il serait entré l'un des premiers dans la Bastille conquise par l'émeute. Il est en 1790 l'un des fondateurs de la *Société de 1789.* En 1792 la charge d'administrateur de la Bibliothèque nationale vient récompenser son zèle. Mais en août 1793 son opposition ouverte à Robespierre et à Marat lui vaut d'être arrêté, emprisonné quelques jours, puis placé en résidence surveillée. Le 10 septembre 1793, se croyant menacé d'une nouvelle arrestation, il tente de se tuer. On le sauve *in extremis.* Il dicte alors au commissaire de la section Lepelletier une déclaration s'achevant par ces mots : « Je suis un homme libre. Jamais on ne me fera rentrer vivant dans une prison. » Il s'installe rue de Chabanais (où il conçoit le projet de la *Décade philosophique,* et meurt le 13 avril 1794, sans doute des suites des blessures qu'il s'était infligées. Solitaire, souvent malade, il n'avait pas été un homme heureux. La seule joie de sa vie avait été celle d'une courte liaison (1781-1783) avec une veuve nommée Marie Anne Buffon, rencontrée chez Mme Helvétius, et âgée de plus de cinquante ans.

Ses *Maximes et Pensées,* publiées en 1795 dans la première édition de ses œuvres, sont la meilleure partie de sa production, celle qui restera. Il y apparaît comme le témoin lucide de la décadence. Le regard qu'il jette sur l'ancienne société est cruel, mais perspicace. « Les courtisans, écrit-il, sont des pauvres enrichis par la mendicité. » « Le monde, écrit-il encore, est si méprisable, que le peu de gens honnêtes qui s'y trouvent estiment ceux qui le méprisent. » Cependant pour lui les abus de l'Ancien Régime ne sont pas seuls en cause. Il pense que toute société est mauvaise : « Le genre humain, mauvais de sa nature, est devenu plus mauvais par la société. » La philosophie, seule, trouve grâce à ses yeux : « C'est une vérité reconnue, dit-il, que notre siècle a remis les mots à leur place, qu'en bannissant les subtilités scolastiques, dialecticiennes, métaphysiques, il est revenu au simple et au vrai, en physique, en morale et en politique. » Toutefois cette philosophie ne lui donne pas d'espérance : « L'espérance n'est qu'un charlatan qui nous trompe sans cesse... » Sa seule sagesse est celle de la jouissance : « Jouis et fais jouir sans faire de mal ni à toi ni à personne, voilà, je crois, toute la morale. »

CHAMOUSSET, Charles Humbert Piarron de (Paris, 1717 - *id.*, 27 mars 1773). Il doit son renom à la création en 1759 de la poste intérieure de Paris, dite « petite poste ». Son œuvre en faveur des malades mériterait d'être mieux connue. Il commença par faire de sa propre maison un hôpital. Ensuite, il créa, près de la barrière de Sèvres, un hôpital modèle où chaque malade eut son lit séparé. Son *Plan d'une maison d'association pour les malades* est le projet d'un hôpital dont les malades pourraient acquérir les droits du fondateur. Plusieurs autres mémoires lui sont attribués : sur la conservation des enfants, sur le bon emploi des biens de l'hôpital Saint-Jacques de Paris et même sur la liberté du commerce des grains. Selon la *Biographie universelle* de Hoefer, il aurait eu le premier l'idée des associations de secours mutuel et d'assurances maladie. La notice le concernant dans l'*Encyclopédie* de Panckoucke se termine par ce bel éloge : « Ce particulier sans fortune a fait beaucoup plus de choses utiles que beaucoup de grands princes. »

CHAMPAGNE. Les géographes de l'époque distinguent trois parties dans cette province : la Brie champenoise (Château-Thierry, Soissons), la haute Champagne (Reims, Rocroi, Mézières, Sedan, Vitry) et la basse Champagne (Troyes et Châlons-sur-Marne). La généralité de Châlons comprend la majeure partie de la province.

La spécialisation du vignoble dans la production de qualité (vin mousseux de Champagne), l'introduction des prairies artificielles et les perfectionnements de la race ovine font progresser de manière sensible l'agriculture champenoise, mais n'empêchent pas un exode rural très dommageable à la province. De même l'essor de la production textile, aussi bien dans les manufactures de laine (Reims, Sedan, Troyes, Châlons) que dans l'industrie nouvelle de la bonneterie (Arcissur-Aube et Troyes) n'entraîne pas, bien au contraire, l'amélioration du sort des ouvriers dont les salaires demeurent faibles (de 15 à 30 sols à la fin du règne de Louis XV) et les conditions de travail (en cave très souvent) misérables.

La Champagne est l'une des provinces du royaume où se manifeste le plus nettement la déchristianisation commençante. Par exemple des taux élevés d'abstention du devoir pascal (de 15 à 20 %) ont été relevés dans le diocèse de Châlons. On a voulu voir dans le jansénisme la cause de cette désaffection. De fait une importante minorité du clergé de la province a adhéré aux thèses du jansénisme, et ce mouvement d'adhésion a été particulièrement fort dans le diocèse de Troyes où de 1716 à 1742 l'évêque Jacques Bénigne Bossuet a protégé les anticonstitutionnaires. Mais l'on peut se demander si le jansénisme est une explication suffisante et si la paupérisation n'a pas contribué à éloigner les populations du christianisme.

CHAMPAGNE (vin de). On produisait déjà au XVIIIe siècle le champagne que nous buvons aujourd'hui. L'invention de la méthode, consistant à assortir les raisins de différentes vignes, est du moine bénédictin dom Pierre Pérignon, mort en 1715. En 1745, Claude Moët perfectionne le procédé : il fait entrer des vins de cinq provenances différentes dans la cuvée destinée au tirage en bouteilles, et place celle-ci dans ses souterrains pour voir si les vins « mousseront mieux ou plutôt s'ils ne casseront plus ».

Cependant les mousseux ne représentent encore à cette époque qu'une partie de la production, et une partie peu importante. La plupart des champagnes commercialisés sont des vins gris et rouges.

La commercialisation est le fait des courtiers et des commissionnaires. Les principales familles de négociants de champagne sont, à Reims, les Drouin de la Viéville et les Allart de Maisonneuve, et à Epernay, les Geoffroy, les Partelaine, les Chertemps, les Moët et surtout les Bertin du Rocheret. Le membre le plus connu de la famille Bertin du Rocheret est Philippe Valentin (1693-1762), président de l'élection d'Épernon, ami de l'abbé Bignon et hôte de Voltaire.

La vente à l'étranger est importante. Tous les pays d'Europe achètent du champagne. Les expéditions se font en paniers d'au moins cent bouteilles. C'est la condition posée par l'ordonnance royale du 25 mai 1728 pour bénéficier du droit de gros. L'Angleterre fait exception. Jusqu'en 1745, il était interdit d'y débarquer le champagne autrement qu'en cercles. Les Anglais étaient donc obligés jusqu'à cette date de mettre eux-mêmes leur champagne en bouteilles.

Le champagne est une boisson chère et dont le prix n'a cessé d'augmenter. Le flacon valait 1 livre en moyenne au début du siècle. A la veille de la Révolution il coûte trois fois plus. Ces prix s'entendent du marché champenois. A Paris les marchands demandent jusqu'à 8 livres.

Les arts et les lettres exaltent le champagne. Dans le *Déjeuner de jambon* de Lancret, on voit au milieu du tableau un personnage debout, une bouteille à la main et versant à boire à l'un des convives. Il verse de haut, comme on versait alors, pour que le vin mousse mieux. Les chansonniers du Caveau n'ont pas assez de louanges pour leur vin favori. L'abbé de L'Attaignant compose un *Impromptu à Madame de Blagny sur une bouteille de champagne dont le bouchon avait sauté entre ses mains.* Panard écrit cette invocation :

Champagne divin
Du plus noir chagrin
Tu dissipes l'amertume.

Enfin, à en croire Voltaire,

De ce vin frais l'écume pétillante
De nos Français est l'image vivante.

CHAMPION DE CICÉ, Jérôme Marie (Rennes, 1735 - Aix-en-Provence, 1810). Évêque de Rodez puis archevêque de Bordeaux, il figure parmi les prélats les plus éclairés de la fin de l'Ancien Régime. Après des études à Paris au collège du Plessis et au séminaire Saint-Sulpice (?), il est nommé grand vicaire de son frère Jean Marie, évêque d'Auxerre. Pourvu également d'un bénéfice dans le diocèse de Bourges (une vicairie dans l'église de Dieu-le-Roi), il est élu en 1765 par la province de Bourges agent général du clergé. Ayant achevé son quinquennium dans cette charge, il accède à l'épiscopat comme évêque de Rodez. Son action la plus remarquée est la réforme du collège dans l'esprit de la pédagogie nouvelle. Il y fait créer deux nouvelles classes, l'une de physique expérimentale, l'autre de dessin, et y appelle des professeurs connus pour leur philosophisme, tel Dumouchel, le futur recteur de l'Université de Paris. Sa réputation n'en est pas affectée, bien au contraire. Lorsque le roi le nomme en 1781 archevêque de Bordeaux, son procès consistorial fort élogieux prouve l'estime où il est tenu à Rome. Appelé en 1787 à l'assemblée des notables (7e bureau), ce grand partisan des réformes se montre un défenseur acharné des privilèges et un adversaire déclaré des plans de réforme de Calonne. La Révolution le porte au pinacle. Député aux États généraux, il pousse à la réunion des ordres et participe activement à l'élaboration de la Déclaration des droits de l'homme et du citoyen. Nommé garde des Sceaux le 3 août 1799, il va siéger au Conseil du roi jusqu'en novembre 1790 jouer à ce titre un rôle déterminant dans l'approbation par le roi de la Constitution civile du clergé. Par un bref du 10 juillet, le pape Pie VI l'invitait à combattre ce texte. Il n'en tient aucun compte, garde le bref pour lui et conseille au roi de signer, d'ailleurs imité en cela par l'autre évêque membre du conseil, Lefranc de Pompignan. Lui-même contresigne. Ce qui ne l'empêchera pas, peu de temps après, de refuser le serment à cette même Constitution. Forcé d'émigrer il revient en France en 1801 et figure parmi les premiers évêques d'Ancien Régime à se soumettre au Concordat et à démissionner de leurs évêchés. Satisfait d'un tel empressement, le Premier consul le nomme archevêque d'Aix. Il mourra dans ce ministère. C'était un homme intelligent et habile administrateur. Si éclairé fût-il, il ne perdit jamais la foi. Pendant son épiscopat bordelais il visita ses paroisses. On a conservé seulement six procès-verbaux de ses visites, mais on sait qu'il y en eut d'autres. Il manifesta aussi sa sympathie aux milieux dévots et soutint l'œuvre d'éducation de M. Lacroix. Enfin son refus de prêter le serment lui vaudra l'exil. Curieuse et complexe figure que celle de ce prélat philosophe jusqu'à la moelle, mais que la grande épreuve trouvera fidèle à l'Église.

CHANCELIER. Le chancelier de France est le premier officier de la Couronne. C'est un personnage considérable. Nul, sauf le roi, n'a juridiction sur lui. Dans les cérémonies solennelles, il est précédé de quatre arches ou « hoquetons » portant des masses aux armes du roi.

Il est à la fois chef de la justice, chef des conseils et garde des Sceaux.

Chef de la justice du roi, il est donc par là même le chef de tous les officiers du royaume. Il joue à ce titre un rôle essentiel d'intermédiaire entre le roi et les cours souveraines. Il donne des instructions aux procureurs généraux de ces cours et correspond assidûment avec leurs premiers présidents. Ses lettres et instructions doivent être considérées comme celles du roi; il est en effet, selon l'expression des vieux jurisconsultes, « la bouche du prince ». Lors des lits de justice au Parlement, c'est lui qui fait connaître les volontés du roi, et qui prononce les arrêts au nom du monarque. Officier de la

Couronne, il représente la continuité de la justice. Il ne porte jamais le deuil, « parce qu'étant le chef de la justice, il la doit représenter partout et être entièrement détaché de lui-même » (Ferrière, *Dictionnaire de droit et de pratique*).

Chef des conseils, il en est en quelque sorte l'organisateur. Il répartit les affaires entre eux et fixe l'ordre des séances. Il préside le Conseil d'État privé. Dans l'exercice de cette présidence il peut au nom du roi casser les arrêts des cours souveraines.

Enfin, il est ordinairement le garde des Sceaux de la grande chancellerie. Il est le dépositaire de ces sceaux où l'image du roi est représentée comme assise et tenant le sceptre à la main. Lors de l'audience du Sceau il scelle les lois du roi (édits, déclarations, ordonnances). Si un acte royal lui paraît déraisonnable, il peut refuser de le sceller, le dernier mot restant au roi. A cette fonction de garde des Sceaux sont liées celle de la préparation des ordonnances sur le fait de la justice, et celle de la direction de la Librairie. C'est dire l'importance de cette fonction. Cependant, elle peut être disjointe de celle de chancelier, le roi pouvant enlever les sceaux à son chancelier et les donner à une autre personne.

Le règne de Louis XIV avait vu décliner l'autorité et le prestige du chancelier. En 1661, le premier officier de la Couronne avait été exclu du Conseil d'en haut. Louis XV et Louis XVI maintiennent cette exclusion très humiliante pour le « chef des conseils ». Ils ont aussi très souvent privé des sceaux leurs chanceliers. Sur soixante-quinze ans, les chanceliers n'ont tenu les sceaux que pendant vingt-quatre années au total. Leur autorité en a certainement souffert.

Malgré tout, la position du chancelier semble plus avantageuse que sous le règne de Louis XIV. La personnalité de ses titulaires donne à la charge un regain de prestige. De 1715 à 1789, trois chanceliers se succèdent : d'Aguesseau (1717-1750), Lamoignon (1750-1768) et Maupeou (1768-1789). D'Aguesseau et Maupeou sortent de l'ordinaire. D'Aguesseau est un jurisconsulte de talent. Il effectue un gros travail de législation. Maupeou est un homme d'État. La fonction de chancelier bénéficie également d'une certaine manière des conflits entre le gouvernement royal et les cours souveraines. Le chancelier est en effet l'intermédiaire obligé, le négociateur nécessaire et parfois l'homme du compromis pacificateur.

CHANSON. La production française de chansons populaires a toujours été très abondante. Le XVIIIe siècle ne fait pas exception à la règle. Le recueil publié en 1810 par Capelle réunit 2 390 timbres de chansons, qui la plupart ont été composées avant 1789. Encore ne s'agit-il ici que de chansons littéraires, c'est-à-dire d'une partie de la production. Le colportage diffuse les chansons jusqu'au fond des campagnes. Les auteurs de chansons nouvelles sont des littérateurs et parfois des gens de haute condition.

La complainte et la romance sont les genres les plus appréciés. Les « Complaintes du désert » sur les captures et les exécutions des chefs protestants connaissent une grande célébrité. La romance chante la nature et les bons sentiments. Le sujet en est toujours « naïf et attendrissant ». Les plus grands succès du siècle sont la *Romance du chevrier* (plus connue sous le nom de *Plaisir d'amour*), *Pauvre Jacques* (composé par la reine Marie-Antoinette elle-même, et mis en musique par la marquise de Travanet) et l'*Hospitalité*, que l'on désigna sous le titre de son *incipit, Il pleut bergère* (par Fabre d'Églantine). On peut rattacher à ce type de la romance certaines chansons issues du théâtre lyrique et adoptées par le public. Ce sont par exemple certains airs du *Devin de village* de Rousseau.

Un genre nouveau apparaît et fait fortune. C'est ce qu'on appelle la « chanson littéraire ». Les auteurs sont des littérateurs, groupés dans une sorte de société de chansonniers, nommée le Caveau. Les dîners du Caveau ont été fondés en 1737 par Piron, Gallet, Collé, Saurin et quelques autres, qui se réunissaient deux fois par mois chez Landelle, marchand de vin, traiteur au carrefour de Bussy,

faubourg Saint-Germain, y dînaient, y buvaient et se communiquaient leurs dernières compositions. Après une interruption en 1744, ces joyeuses réunions reprirent en 1762 et connurent un nouveau succès, grâce à Piron, Gentil-Bernard et Crébillon fils. Très nombreux furent les écrivains qui y participèrent. Dans les recueils du Caveau (qui seront imprimés sous l'Empire), outre les signatures des animateurs, on trouve celles de Moncrif, Favart, Panard, Laujon, Phlipon de La Madeleine, l'abbé de L'Attaignant (auteur, entre autres chansons, de *J'ai du bon tabac*) et le duc de Nivernais. Tous ces auteurs se proclament épicuriens. « Profitons des plaisirs de la vie, et ne pensons à rien d'autre », toutes leurs chansons illustrent cette maxime. Le vin, la table et les femmes, on ne sort pas de là.

> Enivrons-nous de la bouteille,
> Enivrons-nous de la Beauté.
> Que pour nous jamais ne sommeille
> Bacchus, l'amour et la gaîté.

chante Phlipon de La Madeleine.

Tout l'« idéal » du Caveau est dans ces quatre vers. Publiées par les gazettes, diffusées par les colporteurs, les chansons du Caveau propagent le goût libertin et matérialiste des Lumières.

CHANTILLY. Situé à neuf lieues de Paris, le château de Chantilly avait appartenu aux Montmorency, puis au roi qui le donna en 1661 au Grand Condé. Château, domaine et forêt demeurèrent jusqu'à la fin de l'Ancien Régime la propriété des princes de Condé. La forêt comptait sept mille six cents arpents, soit près de quatre mille hectares. Le château se composait en fait d'un « petit » et d'un « grand » châteaux. Mais la monumentale écurie construite entre 1710 et 1735 par Louis Henri de Bourbon, septième prince de Condé, représentait la principale curiosité de Chantilly. La voûte en était si haute et la largeur telle qu'il fallait allumer du feu en hiver, si l'on voulait empêcher les chevaux de mourir de froid.

CHAPELLE (service de la maison du roi). La chapelle est le premier en dignité des services de la Cour. Le grand aumônier de France en est la tête. Cette charge est éminente. Le grand aumônier donne la communion au roi, lui impose les cendres et lui administre l'extrême onction. De 1715 à 1789 six cardinaux ont rempli cette fonction : Rohan (1713-1749), Soubise (1749-1757), Tavannes (1757-1760), La Roche Aymon (1760-1777), Rohan (1777-1785) et Montmorency-Laval (1785-1789).

Après le grand aumônier viennent dans l'ordre hiérarchique le premier aumônier, le maître de l'oratoire et le clergé de la chapelle, dont la composition est la suivante : 8 aumôniers, 1 prédicateur ordinaire, 8 chapelains, 1 clerc ordinaire, 8 clercs, 1 sacristain, 2 sommiers (le mot est synonyme d'officier). La charge d'aumônier du roi est souvent donnée à de jeunes ecclésiastiques d'ancienne famille et de maigre fortune, mais que leur mérite et leur qualité destinent à l'épiscopat.

La chapelle a aussi sa musique pour accompagner et orner les offices liturgiques, et principalement la messe du roi et les statuts du saint sacrement. Un maître et quatre sous-maîtres servant par quartiers en assument la direction. En fait ce sont les sous-maîtres qui ont la véritable responsabilité des musiciens et qui les dirigent effectivement. Parmi les illustres musiciens ayant occupé cette fonction, Nicolas Bernier, André Campra et François Giroust se distinguèrent particulièrement.

Quatre éléments composent la musique de la chapelle : les compositeurs, les chantres (on dit aussi « la vocale »), les symphonistes ou instrumentistes (on dit aussi « la symphonie »), et les organistes, parmi lesquels se distinguera le grand d'Aquin.

Les effectifs semblent avoir été progressivement réduits. On comptait 94 chantres au début du siècle. Ils sont 39 à la fin du règne de Louis XVI, sans compter, il est vrai, les 12 pages de la musique, destinés à remplacer les « faussets » ou castrats. A cette même époque le nombre des instrumentistes est de 49. Car les instrumentistes sont toujours plus nombreux que les chantres. Cela s'explique par la nature d'un répertoire où domine le grand motet à symphonie.

Bien que n'étant ni un dignitaire ni un officier — sa charge s'apparente à une commission — le confesseur du roi est considéré comme faisant partie de la chapelle. Ont exercé successivement cet office, sous Louis XV, les PP. de Linières, Pérusseau et Desmarets, jésuites, puis l'abbé Maudoux à partir de 1764, et sous Louis XVI l'abbé Soldini, un court moment l'abbé Bergier, à nouveau l'abbé Maudoux et enfin l'abbé Poupart, curé de Saint-Eustache.

CHAPELLES. Une chapelle est un oratoire ou un bénéfice.

L'oratoire est pourvu d'un autel. On rencontre deux sortes de chapelles oratoires. Celles des églises cathédrales, collégiales et paroissiales, sont dans les bas-côtés des églises, et leurs autels sont dits « secondaires » par rapport au maître-autel. Celles qui se trouvent hors des églises forment des lieux de culte distincts. Elles sont très nombreuses. Le XVIIIe siècle est un siècle de construction de chapelles. Dans la seule région d'Ancenis, au diocèse de Nantes, neuf chapelles nouvelles sont construites au cours du siècle. Dans quarante-six paroisses du diocèse de Poitiers (région de Lusignan et de Mirebeau) on compte cinq chapelles nouvelles, toutes de châteaux.

L'appellation de « sainte chapelle » est réservée aux chapelles établies dans les palais royaux, comme la Sainte-Chapelle de Paris, celle de Versailles et celles de Bourges et de Dijon.

Chapelle se dit aussi pour le bénéfice attaché à une chapelle. On dit également « chapellenie ». Le bénéficier est un « chapelain ». Les églises cathédrales comptent un grand nombre de chapelains (51 à Chartres, par exemple). Les chapelles sont des bénéfices sans charge d'âmes.

CHAPITRES. Un chapitre est un corps de chanoines. Sa principale fonction est l'*opus Dei*, c'est-à-dire la célébration de l'office divin. A chaque chapitre est annexée une psallette avec ses chantres, ses instrumentistes, ses organistes et ses enfants de chœur.

Il y a deux catégories de chapitres, ceux des cathédrales et ceux des églises collégiales. La France comptait, en 1789, 130 chapitres cathédraux et 527 collégiaux. Au total 657 chapitres.

Un chapitre est une puissance ecclésiastique. Il possède un temporel, composé de biens fonciers et de dîmes. Par exemple le chapitre cathédral de Saint-André de Bordeaux perçoit la dîme dans 27 paroisses (Loupès). De nombreux chapitres sont collateurs et confèrent des bénéfices cures. Cependant les chapitres cathédraux ne sont plus, comme ils l'avaient été, des autorités concurrentes de celles de l'évêque. Ils ne participent plus en corps au gouvernement du diocèse et doivent se contenter de la gestion des affaires quand le siège épiscopal est vacant.

Tout chapitre se compose de dignités et de chanoines. Les dignités les plus souvent représentées sont celles de doyen (le président du chapitre), de prévôt et de trésorier. On trouve aussi des archidiacres. Les chanoines possèdent des prébendes, c'est-à-dire des bénéfices. Ce qu'on appelle le « bas chœur », c'est-à-dire les auxiliaires des chanoines pour la célébration des offices (chantres, corbelliers, bedeaux, chapelains), ne fait pas partie du chapitre.

Les effectifs des chapitres sont variables. Saint-Front de Périgueux compte 34 membres, Angers 38. Il y avait en 1789 pour tout le royaume 11 853 chanoines (Daux).

L'âge minimum exigé pour devenir chanoine est de quatorze ans pour les chapitres cathédraux, et de dix pour les collégiaux. Il y a obligation de principe de se faire pourvoir aux ordres sacrés. Les chanoines laïcs n'ont pas voix délibérative aux assemblées capitulaires.

Les chanoines ont quatre obligations : célébrer le service divin, veiller sur le bien de leur prébende, assister aux assemblées capitulaires et résider dans la ville épiscopale. La très grande majorité des chanoines respectent ces obligations.

On note cependant une certaine désaffection vis-à-vis de l'office divin. Les chanoines y sont assidus, mais le plus souvent par devoir. L'auteur du *Traité de la prière publique* (1708) observait déjà qu'ils assistaient « à l'office plutôt comme spectateurs que comme zélés médiateurs entre Dieu et les hommes ».

CHAPT DE RASTIGNAC, Louis Jacques de (1690 - 2 août 1750). Évêque de Tulle, puis archevêque de Tours, il a fait ses études au séminaire Saint-Sulpice et obtenu sa licence à la faculté de théologie de Paris. D'abord grand vicaire de Luçon, il est nommé en 1720 évêque de Tulle et reçoit la consécration épiscopale dans la chapelle des jésuites de Luçon. Son séjour à Tulle dure seulement trois années. Transféré en octobre 1723 sur le siège de Tours, il gouverne ce grand diocèse jusqu'à sa mort. C'est un pasteur et un visiteur. En même temps qu'il visite ses paroisses il confirme. En 1730, deux mille trois cents personnes sont confirmées par lui dans l'île du château d'Azay. Résolu à extirper le jansénisme de son diocèse, il emploie la manière douce et parvient à obtenir la rétractation de la plupart des appelants. Il laisse un bon souvenir. Relatant sa mort dans son registre paroissial un curé de la région d'Azay le qualifie d'« universellement respecté ».

CHARBON (de terre). L'exploitation du charbon de terre a commencé au XIIIᵉ siècle, mais l'usage de ce combustible ne s'était répandu qu'au début de l'époque moderne. L'extraction était alors le fait d'une multitude de petits propriétaires, et la production demeurait peu importante.

Au XVIIIᵉ siècle la crise du déboisement et la disette du bois rendent nécessaire une exploitation plus rationnelle. L'arrêt du Conseil de 1744 est à l'origine de l'expansion de l'industrie houillère. Ce texte rappelle que le roi est propriétaire du tréfonds et précise que désormais les concessionnaires de mines devront présenter de sérieuses garanties. Des capitaux important sont exigés. On va donc assister à la concentration des entreprises.

Les régions houillères les plus productives sont le Languedoc, le Hainaut et le Forez. En Languedoc la mine d'Alais est la principale (350 000 tonnes en 1789). En Hainaut les mines de Valenciennes, en exploitation depuis 1734, produisent 300 000 tonnes à la même date. En Forez, la production des mines de Rive-de-Gier, Saint-Étienne, La Roche-Molière et Firminy atteint 190 000 tonnes. Viennent ensuite les gisements de Montluçon, du Nivernais (Decize) et de l'Albigeois (Carmaux), dont chacun donne plus de 100 000 tonnes, et enfin de nombreuses mines de moindre importance éparpillées dans tout le royaume : Aurillac et la Frugère en Auvergne, Chalonnes en Anjou, Montrelais en Bretagne, Littry et Cheffreville en Normandie, Ham en Soissonnais, Avize en Champagne, Sarrelouis en Lorraine, Faucogney en Franche-Comté, Lancey en Dauphiné, Piolenc dans le Comtat et Saint-Lazaire en Périgord.

Les sociétés qui se constituent après 1744 pour l'exploitation des mines adoptent l'une ou l'autre des trois formes suivantes : société en commandite, société en nom collectif ou société anonyme. La Compagnie d'Anzin à Valenciennes est une société anonyme.

La noblesse s'engage très nombreuse dans l'industrie houillère. Le duc de Charost est concessionnaire en Forez, le duc de Croÿ à Anzin, le marquis de Solages à Carmaux et le baron de Tubeuf à Alais, pour ne citer que ces exemples.

La concentration permet les progrès de la technique. L'ouverture d'une mine est maintenant toujours précédée d'une étude minutieuse. On vise ainsi à « se former un tableau exact de la situation des veines » (instruction de l'Académie des sciences, 1772). Dès 1730, on commence à employer des pompes à feu (machines à vapeur) pour l'épuisement des eaux.

Les conditions de travail sont très dures. Le mineur travaille au fond douze heures par jour, et son salaire ne dépasse pas 20 à 22 sols. Dans la plupart des mines ce sont des femmes et des enfants qui transportent à dos le charbon abattu pour le ramener au jour.

L'usage du charbon dans l'industrie commence à se répandre après 1750. On emploie le charbon par exemple aux verreries de Pierre-Bénite, Givors et Sèvres, aux glaceries de Carmaux et de Saint-Gobain, dans les moulins à huile de Languedoc, et dans les filatures de Montpellier, Narbonne et Béziers.

Après 1770, on commence à épurer le charbon en le désulfurant, soit par distillation, soit par la méthode ancienne des charbonnières. La Compagnie Stuart et la Compagnie Ling se partagent le marché du « coak » (coke) ainsi produit.

CHARDIN, Jean-Baptiste (Paris, 1699 - id., 1779). Peintre, il est né à Paris dans le quartier Saint-Germain qu'il ne quittera jamais. Son père menuisier fabriquait des billards et des beaux meubles. Le jeune Jean-Baptiste apprend dans l'atelier paternel l'amour du travail manuel consciencieux. Le quartier Saint-Germain est le quartier d'élection de la peinture. Le Nain, Watteau, Greuze et de nombreux peintres flamands y ont vécu. Chardin y entend l'appel de la vocation.

Il apprend méthodiquement : six ans il copie des dessins, six ans il reproduit des plâtres, six ans il peint d'après nature. Il débute dans le métier chez Cazes, spécialiste des scènes de chasse, qui lui fait peindre les accessoires.

Son premier succès est une enseigne de barbier qui provoque l'enthousiasme des habitants du quartier.

Son renom s'étend ; la *Raie dépouillée* est exposée au salon de plein air, place Dauphine. Ce tableau lui vaut d'être reçu à l'Académie royale, qu'il n'avait jamais fréquentée. Dès lors son succès ne fait que croître. Les Parisiens sont déçus quand leur peintre préféré ne participe pas à un salon. Le public aime en lui le peintre de l'existence quotidienne ; il se reconnaît dans ses œuvres.

Pendant longtemps il fait surtout des natures mortes. Rue Princesse où il habite, les tables sont servies avec simplicité. Il en peint les détails avec soin : un œuf, une petite pomme, une poire, une corbeille de prunes. Diderot écrit « qu'on peut mettre le couteau dans ses pâtés et que ses pêches et ses raisins éveillent l'appétit ». Son métier vaut celui des maîtres hollandais, mais contraste par sa sobriété toute française avec leur pyramides de victuailles et de gibier. Grâce à un don inné et une pratique inlassable, sa peinture est nouvelle, personnelle et vivante.

Bientôt, poussé par son ami le portraitiste Aved, Chardin met en scène des personnages dans ses paisibles décors. Ce sont la *Dame cachetant une lettre* (1733), le *Dessinateur* (1737) et *La Pourvoyeuse* (1739). Ces charmants épisodes nous introduisent chez les bourgeois parisiens. Chardin excelle aussi à peindre la poésie de l'intimité familiale. Le *Bénédicité* (1740) connaît un tel succès qu'il en exécute plusieurs répliques.

Ses images de l'enfance plaisent tant qu'on lui demande des portraits d'enfants. Le plus connu est *L'Enfant au toton*, où l'on voit un joli enfant habillé avec une élégante simplicité, et absorbé par le tournoiement de sa toupie.

Mais voici Chardin dans les honneurs : il est chargé d'une fonction officielle, accrocher au Salon les tableaux de ses confrères. C'est à peu près vers ce moment-là qu'il abandonne l'huile pour le pastel. Car sa vue s'affaiblit. Son célèbre autoportrait (avec la visière de carton vert et les grosses lunettes, 1775) et le portrait de sa femme (1775) sont des exemples de sa nouvelle facture. Il renonce aux mélanges, les hachures du crayon font penser à celles des impressionnistes et rendent ses portraits encore plus vivants.

Sa fin de vie sera malheureuse, son fils, peintre méconnu, s'étant donné la mort.

CHARDON, Charles Mathias, dom (1695-1771). Moine bénédictin de la congrégation de Saint-Vanne, c'est un théologien janséniste. Il fait sa profession religieuse en 1712 à Saint-Vanne de Verdun, puis enseigne la philosophie et la théologie. Appelant il adhère à la cause de Soanen

et affiche dans ses cours un jansénisme sans réserve. En 1730 le chapitre général de Saint-Vanne lui enlève ses charges pour cause d'insoumission à la bulle *Unigenitus*. Il est l'auteur d'un important ouvrage intitulé *Histoire des sacrements ou de la manière dont ils ont été célébrés et administrés dans l'Église...* (Paris, 1745).

CHARITÉ (ateliers de). Les ateliers de charité sont des chantiers ouverts à l'initiative de l'administration royale afin de donner du travail aux pauvres. L'idée vient de Turgot qui l'avait réalisée lors de son intendance limousine. Devenu ministre, il tente de l'appliquer à l'ensemble du royaume.

Ouverture et gestion des chantiers entrent dans les attributions des intendants. Les listes des personnes nécessiteuses sont établies par les curés. Le financement est assuré par l'État (sur le fond de l'extraordinaire des tailles) et par les contributions volontaires des propriétaires aisés. Les ateliers sont employés aux constructions de route et à divers travaux de terrassement et de pavage. Quand une qualification n'est pas nécessaire, on emploie des femmes et des enfants. Les propriétaires tirent souvent prétexte de leurs contributions pour faire réparer leurs châteaux.

La formule n'a pas pris dans les pays d'état. Dans les pays d'élection, en revanche, elle connaît un certain succès. En Haute-Guyenne par exemple, le nombre des ateliers passe de trente-trois à six cent vingt-deux entre 1779 et 1789. La participation du gouvernement dans cette province s'élève à 385 000 livres et celle des propriétaires à 170 000. Le salaire d'une journée de travail d'homme adulte est de 12 sous.

CHARITÉ (bureau de). Un bureau de charité est un organisme chargé de collecter les aumônes et de les distribuer à ceux qui en ont besoin. C'est le plus souvent une institution paroissiale, mais il existe aussi des bureaux diocésains et des bureaux urbains dépendant des villes et que l'on appelle des « aumônes générales». La plupart des bureaux n'ont pas d'autres fonds que ceux collectés par le moyen des quêtes et des troncs. Seuls quelques-uns disposent de rentes annuelles fixes. Par exemple le bureau de Lunel (diocèse de Montpellier) jouit de 1 500 livres de rente (en 1770).

Les premiers bureaux avaient été fondés à la fin du siècle précédent, des missionnaires jésuites en ayant fourni l'idée. La première moitié du XVIIIᵉ siècle n'en voit pas augmenter le nombre. Mais, après 1760, ils commencent à se multiplier. Impuissant à résoudre le problème du paupérisme, le gouvernement royal tente de faire prendre les pauvres en charge par les organisations paroissiales. Les évêques secondent les vues gouvernementales, ainsi que les intendants. Mgr de Girac, évêque de Rennes, crée le bureau de cette ville, Mgr de Hercé celui de Dol ; dans la généralité de Montauban, l'intendant suscite la création de quatre bureaux (Montauban, Caussade, Martel et Lauzerte).

A la fin de l'Ancien Régime la densité du réseau des bureaux de charité est très inégale selon les diocèses et selon les provinces. Avec vingt-cinq bureaux à la date de 1770, le diocèse de Montpellier est sans doute l'un des mieux pourvus. La Bourgogne en revanche n'a que des aumônes générales urbaines. Dans la plupart des provinces, les bureaux de charité de village sont rares.

Les formes d'aides sont très diverses. Les plus fréquentes sont les distributions régulières de «bouillon» et de repas, le versement d'une rente provisoire aux familles en difficulté, ou bien encore des prêts sans intérêt faits à des artisans pour acheter l'équipement nécessaire.

CHARITÉ (Filles de la). Les Filles de la Charité, dites aussi populairement «Sœurs grises», sont un institut religieux hospitalier et enseignant fondé en 1633 par saint Vincent de Paul. Cet institut est séculier. Les sœurs ne font que des vœux privés et annuels. Elles peuvent quitter la congrégation quand elles le désirent.

Leur esprit particulier, tel que le définissent leurs constitutions, est «d'humilité, d'obéissance, de simplicité, d'union parfaite avec Dieu, d'incessante vigilance». Leur fin est l'assistance sous toutes ses formes.

La congrégation connaît un développement prodigieux : 471 fondations en France de 1633 à 1792. A la fin de l'Ancien Régime, elle était implantée dans 400 localités, sans compter Paris où elle avait 40 établissements, dont la maison mère, située dans le faubourg Saint-Denis. Le nombre des sœurs était passé de 1 200 au début du siècle à 2 500 en 1789. Les postulantes sont formées au séminaire d'Eu, en Normandie. Le recrutement est à 80 % populaire.

Les Filles de la Charité ont en charge les deux tiers des hôpitaux du royaume. Elles y exercent les fonctions d'infirmières, d'aides-soignantes et de pharmaciennes : elles tiennent les apothicaireries et préparent les remèdes. Outre les hôpitaux, elles ont de très nombreuses «charités», sortes de dispensaires et de soupes populaires établis par les bureaux de charité des paroisses.

L'une des caractéristiques les plus remarquables des Filles de la Charité est leur grande disponibilité. Elles sont souvent déplacées au gré des besoins. Leur règle veut «qu'elles ne s'attachent à aucun lieu, mais seulement à Dieu à travers les malades et les enfants» (Nicole Berezin, «Les Filles de la Charité au XVIIIᵉ siècle», *Bulletin de la société française d'histoire des idées et d'histoire religieuse*, 1987, nº 4, p. 5-29).

CHARLEVOIX, Pierre François Xavier de (Saint-Quentin, 1682 - La Flèche, 1ᵉʳ février 1761). Savant jésuite, il commence, de même que tous les jeunes jésuites, par exercer les fonctions de professeur. Il enseigne d'abord au collège Louis-le-Grand, puis au collège de Québec en Nouvelle-France, de 1705 à 1709. En 1719 le Régent le charge d'une mission d'exploration en Amérique du Nord. Il devra s'efforcer de trouver le passage du Nord-Ouest. Son voyage s'achève en 1722. Il en publiera la relation en 1744 dans un ouvrage intitulé *Histoire et description générale de la Nouvelle-France*, avec le *Journal historique d'un voyage fait par ordre du roi dans l'Amérique septentrionale*. Voltaire, qui l'avait eu comme professeur, qualifie le P. Charlevoix d'« homme très véridique ». De fait sa relation est claire et précise. On peut y déceler une tendance philosophique. L'auteur croit au « bon sauvage ». Selon lui, par exemple, les Iroquois « doivent être regardés comme de vrais philosophes » parce qu'ils n'attachent pas de prix aux beautés de la civilisation européenne. En 1740 il entre à la rédaction des *Mémoires de Trévoux* et y restera jusqu'à sa mort survenue en 1761. Outre son *Voyage dans l'Amérique*, il est l'auteur d'une *Histoire du christianisme dans l'empire du Japon* et d'une *Vie de Mère Marie de l'Incarnation*.

CHARTRES, Louis Philippe Joseph, duc de. *Voir* ORLÉANS, **Louis Philippe Joseph,** duc de Chartres, puis duc d'.

CHARTREUX. Fondé en 1086 par saint Bruno, l'ordre des Chartreux suit une règle de vie très austère. Ses membres observent une solitude perpétuelle, une abstinence totale de viande, un silence absolu. Le prieur de la Grande-Chartreuse est le général de l'ordre. Il est élu à vie. Le chapitre général se réunit tous les ans. A la fin de l'Ancien Régime l'ordre comptait en France 70 maisons ou « chartreuses » et 1 444 religieux. La décadence générale des ordres religieux ne semble pas l'avoir touché. Le recrutement s'est maintenu jusqu'en 1789. A cette date près de la moitié des chartreux avaient moins de quarante-cinq ans. De grands généraux, et en particulier les PP. Mongeffond et Biclet, ont veillé à ce que l'ordre demeure fidèle à sa vocation de pénitence.

CHASSE (droit de). *Voir* **DROIT DE CHASSE.**

CHASTELLUX, François Jean, chevalier, puis marquis de (Paris, 1734 - *id.*, 28 octobre 1788). Militaire philosophe, il est issu d'une très ancienne lignée de noblesse d'épée. Par sa mère, il est le petit-fils du chancelier d'Aguesseau. Entré au

service à quinze ans, il fait toutes les campagnes de la guerre de Sept Ans, et s'élève jusqu'au grade de maréchal de camp. En 1780, il participe à l'expédition d'Amérique au titre de major général du corps expéditionnaire. Son autre champ de manœuvre est celui des salons. D'abord assidu chez Julie de Lespinasse, il entre en 1770 dans la clientèle de Mme Necker. C'est un homme à la mode et qui suit la mode. Il fait des expériences de magnétisme, et se soumet l'un des premiers à l'inoculation. L'ouvrage qui le fait connaître au public paraît en 1772 à Amsterdam. Il est intitulé *De la félicité publique ou Considération sur le sort des hommes dans les différentes époques de l'histoire*. L'auteur examine successivement la condition des hommes au temps des Grecs, au temps des Romains, lors de « l'inondation des barbares », après l'avènement du christianisme, sous la féodalité, à l'époque de la Renaissance et enfin à son époque. Il en conclut qu'il y a eu un progrès de la condition humaine. Ce progrès est dû à la fois à la « raison », aux sciences et aux arts. Il est surtout important à l'époque présente. Les deux signes manifestes en sont l'amélioration de l'agriculture et l'augmentation de la population. L'originalité de l'auteur est qu'il fait toujours marcher ensemble les progrès de la raison et les progrès matériels. Pour lui il y a obligatoirement concomitance. « Les peuples écrit-il, cessent de fermer l'oreille à la raison [...]. Les mots de "tolérance", d'"agriculture", de "liberté", d'"industrie", sont les premiers qu'elle [la raison] prononce... » En somme, la philosophie et la production vont de pair. Ce progrès est remarquable en ceci qu'il est indéfini et qu'il ne cessera jamais. Mais, recommande Chastellux, « n'envions pas à nos neveux les bienfaits qui leur sont réservés [...], jouissons de ce que nous avons et rêvons le reste ». Il est difficile d'imaginer une pensée plus étrangère au christianisme. Pour l'auteur le bien se confond avec l'enrichissement. Quand il dit « les pas qu'on fait vers le bien », c'est du progrès des sciences qu'il veut parler. Notons toutefois que cet optimisme matérialiste présente au moins un avantage : il ne sera pas nécessaire de changer la forme de gouvernement. Tout se fera tout seul. Voltaire est enchanté de cette théorie. Il déclare y trouver «plus de vérités utiles que dans l'*Esprit des lois*». C'est la consécration. Le 27 avril 1775 l'auteur de la *Félicité publique* est reçu à l'Académie française. Il prononce un discours — jugé un peu long — sur le goût. Buffon prononce la réponse d'usage. Le nouvel académicien publie encore plusieurs ouvrages, dont ses *Voyages faits dans l'Amérique septentrionale dans les années 1780, 1781 et 1782* et quelques articles de l'*Encyclopédie méthodique*. Il se marie sur le tard, en 1787, avec une Anglaise, miss Plunkett, et meurt à peine un an après.

CHÂTEAUROUX, Marie Anne de Mailly-Nesle, marquise de La Tournelle, duchesse de (Paris, 1717 - *id.*, 1744). Elle est la quatrième sœur Mailly, la troisième en date des maîtresses déclarées de Louis XV et la plus avantagée physiquement. Lorsqu'elle devient en 1742 la nouvelle favorite, elle est veuve depuis deux ans du marquis de la Tournelle auquel elle avait été mariée six ans. C'est une habile. Aidée par Richelieu, qui lui écrit ses lettres d'amour, elle négocie savamment la capitulation de sa vertu. C'est aussi une dominatrice. Une fois dans la place, il lui faut tout. Le 4 octobre 1742 elle est nommée dame du palais de la reine. Le 3 novembre 1742, elle exige et obtient aussitôt le départ de la Cour de sa sœur Louise, dont l'amitié pour le roi lui portait ombrage. Le 21 octobre 1743, elle est titrée duchesse de Châteauroux, avec une pension de 80 000 livres de rente. Plus encore que ses sœurs elle a la passion de la gloire du roi. Selon Voltaire (*Précis du siècle de Louis XV*) elle l'aurait poussé à la guerre contre l'Autriche. En 1744, elle l'accompagne en Flandre, en compagnie de la duchesse de Lauragais, sa sœur. Mais Louis XV tombe malade à Metz. Le 14 août, cédant aux exhortations de ses aumôniers, il ordonne aux deux femmes de quitter la ville. Insultées par la popu-

lation messine, elles s'échappent à grand-peine. Leur disgrâce est brève. Elle ne dure que le temps du repentir. Louis XV revoit sa maîtresse. Richelieu — toujours lui — organise les entrevues. Le 25 novembre Mme de Châteauroux est rappelée à la Cour. Mais elle est déjà très malade. Elle meurt le 8 décembre. Pour cacher sa peine, Louis XV s'enferme derrière les rideaux de son lit. Peine vite effacée. A cette date Mme d'Etiolles était déjà courtisée. Le règne d'une nouvelle favorite s'annonçait.

CHÂTELET, Gabrielle Émilie Le Tonnelier de Breteuil, marquise du (Paris, 17 décembre 1706 - Lunéville, 10 septembre 1749). Elle est connue à double titre : pour sa liaison avec Voltaire et pour avoir été l'une des femmes les plus savantes de son temps. Au sujet de ses charmes physiques, les historiens sont partagés. Certains la disent «fort jolie» (Bellugou), d'autres «sans beauté» (Naves). Sa liaison avec Voltaire commence en 1733. L'année suivante, elle installe chez elle au château de Cirey — aux confins de la Champagne et de la Lorraine — l'écrivain obligé de se tenir à quelque distance de Paris : elle s'y enferme avec lui pour être sûre de le mieux garder. Il y a aussi le mari, le marquis du Châtelet, qui est censé ne rien savoir. La liaison des deux «divinités de Cirey» est une liaison passionnée, traversée d'orages, mais solide et qui repose sur une admiration mutuelle et sur une véritable affection, surtout de la part d'Émilie. C'est pourtant elle qui commet la trahison. En 1747 elle s'amourache de Saint-Lambert, poète mélancolique très recherché des femmes et de dix ans plus jeune qu'elle. Voltaire les surprend, éclate de fureur, puis se calme et accepte de faire ménage à trois (à quatre avec le mari). En janvier 1749, Émilie est enceinte. Voltaire fait semblant d'être le père. L'enfant (une petite fille) naît le 4 septembre, et la mère meurt six jours après d'un refroidissement. Son nom reste dans l'histoire des sciences. Élève de Maupertuis et de Clairaut, travaillant en laboratoire, étudiant toutes les nuits jusqu'à cinq heures du matin, elle est un véritable savant. On a d'elle des *Institutions de physique* (Paris, 1740), manuel pour les gens du monde, et la première traduction française des *Principia mathematica* de Newton, ouvrage posthume publié à Paris en 1759.

CHÂTILLON, Alexis Madeleine Rosalie, comte, puis duc de (24 septembre 1690 - 15 février 1774). Pair de France, il est surtout connu pour avoir été le gouverneur du Dauphin, fils de Louis XV. Sa carrière commence très tôt. Il sert à treize ans comme mousquetaire dans la campagne de 1703. Nommé à vingt-quatre ans inspecteur général de la cavalerie et des dragons, il commande la cavalerie à la bataille de Guastalla, y charge deux fois celle des ennemis, et reçoit dans la jambe un coup de fusil dont il aura de la peine à guérir. Sa nomination de gouverneur du Dauphin et de premier gentilhomme de sa chambre date du 12 novembre 1735, son titre de duc et pair de 1736. Le 10 novembre 1744, une lettre de cachet le relègue sur ses terres. Il est ainsi puni d'avoir accompagné le Dauphin à Metz. On sait en effet que Louis XV avait interdit à son fils de le rejoindre. Le duc de Châtillon a-t-il été un bon gouverneur ? Il semble que oui. Le Dauphin s'était attaché à lui. Un jour, se promenant avec l'abbé de Marbœuf dans le parc de Versailles, il en fera l'aveu à ce dernier : «Je me rappelle, lui dira-t-il en lui montrant un banc, qu'un jour que j'étais assis en cet endroit avec M. de Châtillon, il me donna des avis que je n'oublierai jamais.»

CHAULNES, Michel Ferdinand d'Albert d'Ailly, duc de (31 décembre 1714 - Paris, 23 septembre 1769). Il présente cette particularité rare d'être à la fois un homme de Cour et un savant de mérite. Il commande les chevau-légers de la Maison du roi. En 1750 il exerce les fonctions de commissaire du roi aux états de Bretagne et obtient de cette remuante assemblée qu'elle veuille bien ne pas contester le vingtième. Plusieurs sciences l'intéressent, mais surtout leurs instruments. En 1765 il présente à l'Académie des sciences, dont il est membre honoraire depuis 1743, un demi-cercle astronomique muni de deux lunettes achromatiques dont c'est la première application à un instrument divisé. Il avait fait construire en Angleterre un microscope perfectionné. Il en donna la *Description*, illustrée de plusieurs planches qui sont autant de chefs-d'œuvre de précision.

CHAUMONT DE LA GALAIZIÈRE, Antoine Martin (Namur, 22 janvier 1697 - Paris, 3 octobre 1783). Chancelier de Lorraine, sa carrière doit sans doute beaucoup à son mariage : il a épousé en 1724 Louise Élisabeth, sœur de Philibert Orry le futur contrôleur général des Finances. D'abord conseiller au parlement de Metz, puis maître des requêtes (1720) et intendant de Soissons (de 1731 à 1736), il est élevé à la dignité de chancelier du roi Stanislas et de «chef de ses conseils» par lettres patentes du 18 janvier 1737. A quoi s'ajoute une commission du roi de France, en date du 28 avril 1737, faisant de lui l'«intendant des troupes françaises en Lorraine». Il conserve ces deux charges jusqu'à la mort du roi Stanislas en 1766. L'essentiel de sa tâche consiste à introduire en Lorraine l'administration française. Il s'en acquitte avec autorité et efficacité. Mais pas toujours à la satisfaction des Lorrains. «... On lui reprochait trop de hauteur», dira de lui son beau-frère Orry. La construction de nouvelles routes, et en particulier de la route stratégique Toul-Nancy, exige un recours fréquent à la corvée gratuite et obligatoire. Les populations paysannes souffrent des très mauvaises conditions de travail sur ces chantiers des «grands chemins». La Galaizière devient vite impopulaire. Il est même attaqué publiquement par François Georges Bagard, auditeur à la chambre des comptes de Lorraine, qui lui reproche de réserver à sa famille fonctions et dignités. Cependant, la confiance de Stanislas ne lui a jamais manqué. «Sa

Majesté, dira-t-il, m'a toujours ouvert son cœur. » Après son départ de Lorraine (où son fils lui a succédé comme intendant) il est nommé conseiller d'État, puis conseiller au Conseil royal des finances (1776). Il meurt en charge.

CHAUVELIN, Germain Louis de (Paris, 1685 - *id.*, 1762). Garde des Sceaux de France, il est issu d'une famille de magistrats, et il a fait lui-même, avant de devenir ministre, une carrière de parlementaire. Il a été avocat général à vingt-six ans et trois ans plus tard, président à mortier. Un mariage avantageux a beaucoup augmenté sa fortune. Barbier le qualifie de « prodigieusement riche ». Il entre au ministère en 1727, étant nommé la même année ministre d'État, garde des Sceaux et secrétaire d'État aux Affaires étrangères. Sa politique est très antiautrichienne. Il s'efforce de favoriser l'Espagne et de la dresser contre l'Autriche. Fleury, le pacifique, est donc obligé de négocier souvent à son insu. C'est le cas en 1735 pour les préliminaires de Vienne, subordonnant la question de la paix à la solution de la question lorraine. Fleury entame des pourparlers secrets, obtient la renonciation de François de Lorraine, et ne fait donner Chauvelin, dont la hauteur et la fermeté font alors merveille, que pour achever le travail et venir à bout des ultimes réticences de l'Autriche. Ensuite, n'ayant plus besoin de lui, il s'en débarrasse. Le 20 février, le ministre est congédié et exilé à Bourges. Il se résigne mal et croit pouvoir rentrer en grâce. A la mort de Fleury, il a la naïveté de réclamer la succession du défunt. La réponse est une lettre de cachet l'exilant à Issoire. On s'explique mal de telles rigueurs. Chauvelin avait été l'un des confidents du roi qui lui écrivait souvent. Mais c'est peut-être là justement la cause de sa disgrâce. Louis XV a pu regretter de s'être confié à lui.

CHAUVELIN, Henri Philippe de (1716-1770). Abbé de Montieramey et de Saint-Jouin, dit l'abbé de Chauvelin, conseiller-clerc des enquêtes au parlement de Paris, il est l'un des chefs de l'opposition parlementaire sous Louis XV. Il est l'un des auteurs des remontrances présentées au roi le 15 avril 1753, protestant contre les refus de sacrements et contre les ordres du roi interdisant à la Cour de connaître de ces refus. Arrêté dans la nuit du 8 au 9 mai 1753, il est enfermé au Mont-Saint-Michel. Cela ne diminue pas son ardeur combative. Lors de l'assaut contre les jésuites nous le retrouvons en première ligne. C'est lui qui allume la mèche. Le 17 avril 1761, il fait admettre par le Parlement la nécessité d'examiner l'institut et le régime de la Compagnie de Jésus. Le 8 juillet suivant il verse au dossier une démonstration abondante de la nocivité des jésuites. Morale perverse, complots, doctrine du régicide, rien n'est oublié. L'abbé était le fils du ministre exilé en 1737. En voulait-il au roi de la disgrâce de son père ? Dans l'affirmative, on comprendrait mieux son acharnement.

CHAVIGNY, Théodore Chevignard, comte de Toulongeon, baron d'**Uchon de** (Beaune, 1687 - Paris, 1771). Ambassadeur, fils d'un procureur du roi au bailliage de Beaune, il a été, dans sa jeunesse, éclaboussé par un scandale qui lui a valu la disgrâce de Louis XIV. Il s'était fait passer pour un gentilhomme d'ancien lignage, désireux de faire une carrière d'Église. Le roi s'était laissé duper, et lui avait octroyé le bénéfice de l'abbaye de Bellefontaine dans le diocèse de La Rochelle (1709). Le pot-aux-roses découvert, le jeune homme avait dû s'exiler en Hollande. Il ne s'était pas découragé pour autant. A la mort de Louis XIV il revient en France, et sait se faire valoir auprès des hommes au pouvoir, le Régent d'abord, ensuite Dubois, puis Chauvelin. Il est chargé de négocier à Parme et à Madrid la réconciliation du Régent et de la cour d'Espagne. Il gagne ainsi l'estime de Philippe V et d'Élisabeth Farnèse. Ses liens avec les financiers (les Berthelot et les Pâris) et l'amitié de la duchesse de Châteauroux favorisent sa carrière. Il est envoyé au Hanovre

(1723), à Londres (1731), au Danemark et à Lisbonne avec, dans cette dernière ville, le titre d'ambassadeur. Ses derniers postes sont Venise (1751) et la Suisse. De 1723 à 1746 il a été le spécialiste reconnu des affaires allemandes, et le négociateur habile des intérêts français auprès des princes allemands. Son système repose sur deux principes : l'alliance indissoluble de la France et de l'Espagne, et la méfiance vis-à-vis de la maison d'Autriche. Entre la France et l'Autriche, « il peut y avoir, écrit-il, une suspension de haine et de jalousies [...], elle aura le nom mais jamais l'effet d'une paix sincère et durable ». Ce sont ces principes qu'il enseigne à son neveu Vergennes (formé par lui durant l'ambassade de Lisbonne) et qui peuvent expliquer la constante réticence du ministre de Louis XVI à l'égard des Habsbourg.

CHÉNIER, André de (Istanbul, 30 octobre 1762 - Paris, 25 juillet 1794). C'est le plus grand poète français du siècle, et l'on serait tenté d'écrire le seul. Né sur les rives du Bosphore d'un père diplomate (consul de France) et d'une mère d'origine à la fois italienne et espagnole, il complète ses études classiques (faites à Carcassonne, puis au collège de Navarre à Paris) par des voyages en Italie et en Suisse et surtout par d'immenses lectures, dont on s'étonne qu'elles ne lui aient pas brouillé l'esprit. Génie précoce il écrit ses premiers vers à l'âge de seize ans. Il écrira les derniers à la Conciergerie avant de monter à l'échafaud. Il sera en effet l'une des plus illustres victimes de cette Révolution qu'il avait contribué à faire. A sa mort, on ne connaissait de lui que l'homme politique, le fondateur de la Société de 1789 et l'auteur de vingt-sept articles politiques publiés dans divers organes de presse. Le poète était inconnu. Son œuvre entière était restée manuscrite (sauf deux poèmes). Elle sera révélée au public à partir de 1819 par l'éditeur Latouche.

D'après les sujets traités et les sources d'inspiration, nous pouvons distinguer dans cette œuvre quatre sortes de poèmes :

— les poésies antiques prenant pour modèles les Anciens (comme l'avait fait Ronsard) et pour sujets les héros et les dieux de la Grèce ; ce sont les *Bucoliques* écrites en 1778 et divers poèmes comme *L'Aveugle*, *Le Jeune Malade* et *Le Mendiant*. L'idylle marine intitulée « La jeune tarentine » (« Pleurez doux alcyons, ô vous oiseaux sacrés ») fait partie des *Bucoliques* ;

— les poésies que l'on pourrait appeler de circonstance : le poète chante ses états d'âme (*La Mélancolie*), ou ses amours, ou l'amitié. Dans *La Jeune Captive* composée en prison, il s'attendrit sur le sort de la belle Aimée de Coigny, incarcérée avec lui (« L'épi naissant mûrit de la faux respectée ») ;

— les poèmes philosophiques et scientifiques ; toute l'œuvre de Chénier porte la marque de la philosophie des Lumières et de l'épicurisme, mais dans certains poèmes l'auteur a vraiment voulu philosopher. Par exemple dans *Hermès*, poème en trois chants, il expose, comme Lucrèce dans le *De natura rerum*, le système du monde et l'histoire de l'humanité. Dans *L'Amérique* (dont il nous reste trois cents vers) il se proposait de faire la géographie poétique complète du globe. Enfin *L'Invention* est un nouvel art poétique, où l'auteur définit les conditions d'un renouveau de la poésie par l'intégration du savoir scientifique et philosophique accumulé dans le siècle présent. Chose surprenante, toute cette poésie philosophique et didactique n'est nullement plate ni froide ; on y trouve même d'admirables vers. Par exemple cette invocation dans *L'Amérique* :

Accours, grande nature, ô mère du génie,
Accours, reine du monde, éternelle
[Uranie...

ou cette invitation dans *L'Invention* :

Allumons nos flambeaux à leurs feux
[poétiques,
Sur des pensers nouveaux faisons des
[vers antiques.

Car Chénier n'est pas seulement comme Voltaire un poète d'idées ; c'est un poète inspiré. Quand il se met à l'école de Lucrèce, il ne suit pas seulement ses idées, mais il s'inspire aussi de son enthousiasme et de son ivresse. Comme le poète latin il ressent profondément la grandeur et la beauté du monde ;

— la quatrième catégorie est celle des poètes antirévolutionnaires ; ce sont les magnifiques *Iambes*, immortel réquisitoire contre les «bourreaux barbouilleurs de lois». On a dit ce poème unique dans la littérature française, mais il ne l'est plus depuis les *Poèmes de Fresnes* de Robert Brasillach. Cependant, l'inspiration n'est pas la même : Brasillach accepte le sacrifice de sa vie ; Chénier appelle à la vengeance. Brasillach est chrétien, Chénier est païen.

La poésie de Chénier est unique par son accent. Il n'y a rien chez ce poète qui rappelle ses prédécesseurs, rien qui annonce ses successeurs, les romantiques. Il n'y a chez lui ni afféterie, ni galanterie, ni clichés, ni alanguissements, ni rêveries. Ses vers sont fermes et sonores. Le poète est debout, sa vision est claire, il chante à pleine voix et son souffle extraordinaire, à l'égal du vent le plus violent, coupe la respiration de ceux qui l'écoutent.

CHERPITEL, Mathurin (1736-1809). Architecte, il fut l'élève de J.-F. Blondel et remporta en 1758 le grand prix d'architecture. Il partit alors pour Rome où il se prit de passion pour l'étude des ruines antiques. De retour à Paris, de nombreux hôtels particuliers lui furent commandés, dont l'hôtel du Châtelet, rue de Grenelle, où il signa aussi la décoration (1770), l'hôtel de Rochechouart, également rue de Grenelle (1776) et l'hôtel Necker, chaussée d'Antin. Il fut aussi l'architecte de deux églises, Saint-Barthélemy de la Cité et Saint-Pierre-du-Gros-Caillou. L'Académie d'architecture l'admit en son sein en 1776.

CHEVAL. — *Utilisation*. Le cheval est utilisé dans l'agriculture où il est employé au labour, pour le transport (cheval de selle et cheval carrossier), pour l'armée (cheval d'arme), pour la chasse et dans les courses. L'agriculture et l'armée sont les premiers utilisateurs. Le cheval est l'animal de trait dans toutes les régions situées au nord d'une ligne Pont-l'Évêque, Orléans, Gien, Belfort. La cavalerie a besoin en permanence de 50 000 chevaux.

— *Régions d'élevage*. Sauf exception, les régions d'élevage ne peuvent être que les pays pauvres, les autres régions consacrant toutes leurs superficies agricoles à la culture. Le Limousin, la Navarre et la Normandie produisent le cheval dit de «tournure», c'est-à-dire de selle ou d'arme. Le Boulonnais, la Bretagne et la Franche-Comté élèvent les chevaux de trait et de labour.

— *L'élevage. Les haras*. Créée par Colbert en 1663 l'administration des haras est réorganisée par le règlement de 1717 (*Règlement sur le fait des haras*) qui confie à l'État le monopole de l'élevage chevalin. Le principe de l'organisation est le suivant : on fournit à des particuliers, nommés gardes-étalons, des chevaux reproducteurs de choix. Des inspecteurs des haras ont la charge d'«annexer» à ces reproducteurs les plus belles juments.

Rattachée de 1763 à 1780 au «petit ministère» Bertin, l'administration des haras est intelligemment gérée par ce grand ministre qui s'efforce de diffuser dans les campagnes les connaissances scientifiques nécessaires à l'élevage du cheval. L'administration a cependant un vice qui est de vouloir contraindre les paysans à ne produire que des chevaux de tournure, sans considération pour les besoins en chevaux de trait. Et loin de corriger ce défaut, le ministre Bertin ne fait que l'aggraver. L'hippiatre Bourgelat, nommé par lui inspecteur général des haras, exerce une influence néfaste en voulant à tout prix imposer un cheval modèle (le «canon Bourgelat»), et en taxant de «dégénérées» les races rustiques trop éloignées de ce modèle.

Ces a priori et ces contraintes expliquent sans doute les mauvais résultats obtenus tant pour la production que pour l'amélioration de la race chevaline. Les seuls élevages en progrès furent ceux des régions comme le Hainaut et la généralité de Tours, où les intendants et les inspecteurs travaillèrent sans se soucier des consignes venues du ministère et de Bourgelat.

Il ne faut pas confondre l'administration des haras avec les haras du roi établis au Pin et à Pompadour, et dépendant du grand écuyer. Le cheval des chasses de Louis XV, animal fin et résistant, est un produit de ces haras. Il est issu de croisements avec les barbes du Maghreb et avec des chevaux polonais et anglais.

— *L'équitation.* L'art de l'équitation n'est pas exempt de formalisme. L'école française ne vise qu'à former des cavaliers élégants aptes à tirer le plus brillant parti de leurs montures. Les exercices sont ceux du manège et du « carré ». Le comte d'Auvergne, grand maître de cet art savant, monte ses chevaux au pas jusqu'à ce qu'il ait fait disparaître la plus petite résistance et obtient de cette manière les plus merveilleuses performances au trot et au galop. Mais cette technique raffinée n'est peut-être pas la meilleure préparation aux campagnes militaires où comptent surtout la mobilité et l'art de s'adapter à n'importe quel terrain.

Les principaux centres de l'équitation française sont les manèges des Écuries de Versailles (où sont formés les pages), celui de l'école des chevaux légers et celui de l'École militaire à Paris.

— *Les courses.* Les courses de chevaux se pratiquaient en Angleterre depuis le milieu du XVIIe siècle. A la fin du règne de Louis XV l'usage en est introduit en France par le comte de Lauraguais. Les premières courses ont lieu dans la plaine des Sablons à Neuilly en présence de la Dauphine Marie-Antoinette. La course du 13 octobre 1776 entre deux chevaux appartenant au comte d'Artois et au duc de Chartres suscite de nombreux paris. A partir de 1777, les réunions des Sablons deviennent régulières. Elles ont lieu deux fois par an, au printemps et à l'automne. En 1780 le roi dote certaines courses de prix importants, ce qui augmente l'émulation. Ces courses royales ont lieu non aux Sablons, mais à Vincennes. Le *Mercure de France* en fait mention dans son numéro d'avril 1781 : « Les courses des juments françaises ordonnées par le roi, et auxquelles Sa Majesté a attaché différents prix, ont commencé à Vincennes hier. Elles ne peuvent manquer de produire de l'émulation et d'ennoblir la race de nos chevaux pour le soin qu'apporteront les Écuyers dans le choix des étalons. »

CHEVERT, François de (Verdun, 1695 - Paris, 1769). Lieutenant général célèbre par sa valeur, il est issu d'une famille très pauvre de Lorraine. Il suit à l'âge de onze ans une recrue du régiment d'infanterie de Carné, qui passait à Verdun, et sert comme simple soldat dans ce régiment. Il est ce qu'on appelle un officier de fortune. Il devra suivre la carrière lente des emplois gratuits. Cependant, la campagne de Bohême lui permet de se distinguer. Il est alors lieutenant-colonel (depuis 1739). C'est lui qui tente le premier, à la tête des grenadiers, l'escalade des remparts de Prague. Le grade de brigadier récompense cette action d'éclat. Laissé dans la place par Belle-Isle, lorsque ce dernier entreprend sa retraite, il soutient le siège pendant dix jours (du 16 au 26 décembre 1742), avec seulement 1 800 hommes, et obtient la capitulation la plus honorable et les honneurs de la guerre. Il s'illustre encore en Italie où il emporte de vive force Château-Dauphin le 19 février 1744, et à la bataille d'Hastembeck pendant laquelle, avec ses grenadiers, il déloge l'ennemi de la montagne de Nimirin. Il est promu lieutenant général le 10 mai 1748. On le verra encore en Allemagne en 1758 sous Contades et Soubise. Le roi lui donne en 1761 les gouvernements de Charleroi et de Givet. Il meurt à Paris le 27 janvier 1769 et est inhumé à Saint-Eustache. Diderot serait l'auteur de son épitaphe, dont voici les derniers mots :

Le seul titre de maréchal a manqué, non pas à sa gloire

Mais à l'exemple de ceux qui le prendront pour modèle.

CHIMIE. Le siècle voit la réforme de la chimie et la naissance de la chimie moderne.

La réforme a été préparée d'une certaine manière par la théorie du phlogistique, conçue vers 1718 par l'Allemand Stahl et très vite adoptée par tous les chimistes d'Europe. Car, si cette théorie était fausse dans sa nature, elle avait au moins le mérite de coordonner pour la première fois les phénomènes de la combustion et de la calcination des métaux. D'ailleurs on ne peut pas dire que la chimie commence seulement avec Lavoisier. Plusieurs études de valeur précèdent ses inventions. Ce sont par exemple l'étude des alcalis par Duhamel du Monceau et la découverte du phosphate de magnésium par Fourcroy.

Pour Lavoisier, nous renvoyons à la notice le concernant. Nous nous contentons ici de le situer dans l'histoire de la chimie. On doit souligner que le mérite des grandes découvertes ne lui appartient pas entièrement. Le premier inventeur de l'oxygène est certainement l'Anglais Priestley. Cavendish, un autre Anglais, aurait été le premier à découvrir le secret de la composition de l'eau. Mais Lavoisier a été le premier à effectuer ses expériences de façon quantitative, et en cela il est bien le fondateur de la chimie moderne. Car le trait le plus caractéristique de la nouvelle chimie est l'introduction dans cette science de l'esprit de la physique.

L'industrie chimique avait commencé en Angleterre. Après 1780, elle se développe en France. En 1782, il existe cinq « vitrioleries » (fabriques d'acide sulfurique) dans le royaume. Celle de Lille produit 40 tonnes par an.

L'avènement de la chimie n'entraîne pas la disparition de l'alchimie. L'Encyclopédie de Diderot place l'alchimie sur le même plan que la chimie et que la magie. Dans le même temps où Lavoisier faisait part à l'Académie des sciences de ses extraordinaires découvertes, le charlatan Cagliostro s'établissait à Strasbourg comme alchimiste du cardinal de Rohan et persuadait cet esprit crédule qu'il savait fabriquer de l'or.

CHINE. Peu de siècles en ont été aussi entichés. Mais comment la connaît-on ? Par les jésuites et par le commerce.

Par les jésuites : une maison de jésuites français est installée à Pékin. Dans les Lettres édifiantes et curieuses, sorte de chronique de leurs missions et de leurs voyages, les jésuites publient de nombreuses observations sur la Chine et sur les Chinois, que leur envoient leurs missionnaires de Pékin. Le grand ouvrage du P. J.-B. du Halde (1674-1743), Description géographique, historique... de l'empire de la Chine et de la Tartarie chinoise... (Paris, 1735, 4 vol., in-f°) a également beaucoup servi à faire connaître en France les usages et les mœurs de l'« empire du Milieu ». Les missionnaires jésuites ne se contentent pas d'écrire ; ils achètent aussi beaucoup d'objets qu'ils expédient à leurs correspondants français curieux des choses de la Chine. Ils font parvenir à la bibliothèque du roi les éditions impériales des classiques chinois. Ils sont des intermédiaires précieux.

Par le commerce. C'est en 1697 que la France a commencé à commercer avec la Chine. Ce trafic s'est développé après 1719 grâce à la Compagnie des Indes, mais il ne peut se faire que par Canton.

La mode chinoise en France prend les formes les plus diverses, et d'abord celle de la collection. Le cabinet de chinoiseries du duc de Chaulnes est sans doute l'un des plus riches. On y trouve des habillements, des meubles, des porcelaines, des armes, et jusqu'à une jonque. Le ministre Bertin aussi grand collectionneur. L'un des jésuites de Pékin, le P. Amiot, le fournit en dessins chinois. Tous les arts s'inspirent de la Chine. Les porcelaines de Chantilly et de Sèvres imitent celles de Chine. Watteau et Christophe Huet dessinent des gravures chinoises. Boucher dessine et grave lui-même un Recueil de diverses figures chinoises, ainsi que, destinés à la manufacture de Beauvais, de nombreux cartons de tapisseries à décors chinois. Les mêmes décors viennent orner les toiles indiennes et les papiers peints. Ébénistes et menuisiers fabriquent d'innombrables commodes à sujets chinois en vernis Martin qui est une contrefaçon du vernis de la Chine. La description des jardins impériaux par le P. Jean Denis Attiret, dans les Lettres édifiantes de 1749, met à la mode cette sorte de jardin : tous les amateurs veulent avoir leur jardin chinois, leurs pagodes, leurs kiosques et leurs pavillons. Citons seulement la pagode de Chanteloup (1775-1778), les pavillons chinois construits pas l'architecte Jean Augustin Renard pour le jardin d'Arminvilliers appartenant au duc de Penthièvre, celui du désert de Monville, celui de Chantilly et le kiosque et le pont chinois du parc de Betz près de Senlis. Les lettres s'enchinoisent aussi. On donne au théâtre *Arlequin, Barbet, Pagode et Médecin* d'Orneval et Lesage (1723), la *Princesse de la Chine*, des mêmes auteurs (1729), *Les Chinois* de Naigeon (1756), *L'Orphelin de la Chine* de Voltaire et cent autres chinoiseries. La *Zelinga* de Palissot et les *Lettres chinoises* du marquis d'Argens sont les principales chinoiseries du genre romanesque. La Chine envahit tout. Il faut se baigner à la chinoise aux Bains chinois placés en bas du pont de la Tournelle et se divertir à la chinoise à la Redoute chinoise de la foire Saint-Laurent. Même les enfants réclament de la Chine et le théâtre Séraphin du Palais-Royal leur en donne avec ses pièces d'ombres chinoises. Cependant il n'est dit nulle part que l'on se plaise comme aujourd'hui à manger à la chinoise.

On étudie la Chine, on la juge, mais la comprend-on bien ? On l'exalte, on l'idéalise. Ainsi les missionnaires jésuites qui se font une idée très particulière du confucianisme, voulant y voir une sorte de religion civile parfaitement compatible avec le christianisme. Pour eux les « rites chinois », c'est-à-dire les cérémonies en l'honneur de Confucius à l'occasion de la collation des grades et en l'honneur des ancêtres morts, sont purement civils et n'ont donc rien d'idolâtre ni de superstitieux. Il est vrai que cette interprétation n'a jamais été admise par Rome qui la condamne à plusieurs reprises et pour la dernière fois le 11 juillet 1742.

Les philosophes dans l'ensemble sont plutôt sinophiles. Voltaire l'est extrêmement dans les années 1750-1760. L'antiquité de la civilisation chinoise le fascine : « Cette nation, écrit-il, est celle qui a inventé presque tous les arts avant que nous en eussions appris quelques-uns. » Mais son enthousiasme baisse d'un ton lorsqu'il découvre la plus grande ancienneté de la civilisation égyptienne. Diderot quant à lui soutient la supériorité des Chinois. Dans l'article «Philosophie des Chinois» de l'*Encyclopédie*, il écrit : «Ces peuples qui sont, d'un consentement unanime, supérieurs à toutes les nations de l'Asie, par leur ancienneté, leur esprit, leurs progrès dans les arts, leur sagesse, leur politique, leur goût pour la philosophie, le disputent même dans tous ces points au jugement de plusieurs auteurs, aux contrées de l'Europe les plus éclairées. » Rousseau, il est vrai, ne partage pas l'engouement général. Dans son *Discours sur cette question : le rétablissement des sciences et des arts a-t-il contribué à épurer les mœurs ?* il prouve en prenant l'exemple de la Chine la mauvaise influence de la civilisation : «Si les sciences épuraient les mœurs [...] les peuples de la Chine devraient être sages, libres et invincibles. Mais il n'y a point de vice qui ne les domine, point de crime qui ne leur soit familier... »

Le XVIIIᵉ siècle français est quelque peu chinois. Est-il pour autant influencé par l'esprit de la Chine ? C'est une autre question à laquelle jusqu'ici nul n'a songé à répondre.

CHIRAC, Pierre (Conques, 1650 - Marly, 1ᵉʳ mars 1732). Premier médecin du roi, il avait été reçu docteur en médecine en 1682 à la faculté de Montpellier. Il était devenu ensuite (1687) professeur dans cette même faculté, puis médecin à l'armée de Catalogne en 1692. La notoriété lui était venue de deux combats efficaces contre des épidémies (à Rosas en Catalogne et à Rochefort en 1694). Le duc d'Orléans, futur régent, l'avait nommé son médecin et emmené avec lui en Italie et en Espagne. Le règne de Louis XV le voit s'élever au sommet de la carrière. Il est membre de l'Académie des sciences en 1716, intendant du Jardin du roi en 1718, anobli en 1728 et premier médecin du roi en 1730. Ses idées sur la profession médicale sont neuves et intéressantes. Il aurait voulu unir médecine et chirurgie, et avait même conçu un projet d'Académie royale de médecine pratique et expérimentale. Ce projet ne put aboutir, le doyen Baron, de la faculté de Paris, s'y étant opposé. Deux initiatives marquent sa direction du Jardin : ouverture du droguier aux trois règnes de la nature, avec le nouveau nom de Cabinet d'histoire naturelle (1719), et annexion du jardin des apothicaires de Nantes pour servir de dépôt de plantes coloniales.

CHIRURGIENS. La chirurgie est l'art de traiter les maladies par opération manuelle. Les chirurgiens sont des manuels, des «opérateurs». La tendance a été longtemps de les considérer comme de simples artisans.

La fin du XVIIe siècle et le siècle suivant voient une élévation notable de leur condition. Le progrès de la science aidant, la profession de chirurgien s'élève peu à peu du statut d'art et métier à celui d'art libéral. La communauté des chirurgiens de Paris se trouvait réunie avec celle des barbiers-chirurgiens. Elles sont maintenant distinguées. Les chirurgiens ne sont plus des artisans. Ils sont réputés «bacheliers, docteurs et collège». La très importante déclaration royale du 23 avril 1743 établit que les maîtres en chirurgie pourront désormais jouir des privilèges attachés aux arts libéraux et de ceux des bourgeois de Paris. Un nouveau système de formation théorique et pratique est mis en place. En 1724, sont créées cinq charges de démonstrateurs royaux en chirurgie. En 1731, est instituée l'Académie royale de chirurgie, remplaçant la vieille académie de Saint-Côme. Enfin l'arrêt du Conseil du 4 juillet 1750 ordonne que tout aspirant à la maîtrise devra suivre trois ans d'études, savoir le latin et soutenir un acte public. La profession se rapproche de la médecine. Les premiers chirurgiens du roi, et en particulier La Peyronie et La Martinière, ont beaucoup fait pour cela. Les chirurgiens de province bénéfi-

cient de mesures analogues. La déclaration royale du 3 septembre 1736 prescrit l'organisation d'un enseignement de chirurgie dans toutes les villes ayant des communautés de chirurgiens.

Les chirurgiens des maisons royales et princières, ceux de l'Hôtel-Dieu et ceux de la Bastille, constituent des catégories à part, mais rattachées à l'Académie royale, et placées comme tous les chirurgiens du royaume sous la juridiction du premier chirurgien du roi.

La profession de chirurgien militaire a été créée en 1708. Elle se compose de deux cent soixante et onze chirurgiens majors. Ceux-ci sont astreints à suivre tous les hivers un cours de chirurgie aux Invalides.

L'estime sociale dont jouissent les chirurgiens ne cesse de grandir. L'assimilation aux arts libéraux y a beaucoup contribué. Les chirurgiens sont maintenant admis dans les compagnies les plus aristocratiques. Le cas le plus célèbre est celui du Dr Quesnay, d'abord petit chirurgien de campagne, devenu ensuite médecin du roi et économiste célèbre.

CHOCOLAT. L'usage du chocolat s'est répandu en France après 1660. La cour de Louis XIV l'avait adopté. Le Régent lui donne une consécration officielle : il prend une tasse de chocolat tous les matins à son lever.

Le cacao est produit par les Antilles. La Martinique et Saint-Domingue sont les premiers fournisseurs. En 1788, la Martinique importe en France 865 663 livres de cacao, Saint-Domingue 578 764 livres.

Les fabricants de chocolat commencent par griller le cacao. Ils en font ensuite une pâte à laquelle ils mélangent du sucre pulvérisé. Ils y ajoutent les parfums ordinaires, vanille et cannelle, ambre et musc.

La Faculté déconseille le café, mais elle approuve le chocolat. «Le chocolat, écrivait en 1715 Nicolas Lemery, en quelque manière qu'il soit pris, est un bon restaurant, propre pour rappeler les forces abattues et pour exciter de la vigueur.»

Le chocolat est vendu par les marchands épiciers. Il est servi en breuvage par les limonadiers, comme le café et le thé. La consommation est devenue très commune à la fin du règne de Louis XV. Même les monastères et les collèges achètent du chocolat. Il faut noter cependant que les livres de cuisine n'en font aucune mention, ni dans le chapitre des entremets ni dans celui des pâtisseries.

CHOIN, Louis Albert Joly de (Bourg-en-Bresse, 22 janvier 1702 - Toulon, 17 avril 1759). Évêque de Toulon de 1737 à 1759, il avait été auparavant doyen et vicaire général de Nantes. Son *Rituel romain pour l'usage du diocèse de Toulon*, publié en 1750, est un des monuments de la littérature liturgique du XVIIIe siècle. La partie traitant de la pastorale y est longuement développée. Le dernier chapitre, intitulé «Du Décalogue ou de la loi de Dieu», est une remarquable présentation de la «conduite chrétienne» selon les Commandements de Dieu, et d'après une théologie morale équilibrée. L'ouvrage connaîtra de nombreuses éditions, dont plusieurs au XIXe siècle. On le trouvera sous le second Empire dans la bibliothèque du curé d'Ars.

CHOISEUL, Étienne François, comte de Stainville, puis duc de (Lunéville, 28 juin 1719 - Paris, 8 mai 1785). Il a été le ministre prépondérant du gouvernement du roi Louis XV, pendant plus d'une décennie.

Son père, François Joseph de Choiseul, marquis de Stainville, avait été au service des Habsbourg-Lorraine. Lui-même commence en 1738 une carrière militaire dans l'armée autrichienne (sur le front turc), mais il la continue à partir de 1740 dans l'armée française. Il combat en Bohême, à Dettingen, à Raucoux, à Lawfeld. En 1752, il est nommé maréchal de camp. Rien jusqu'ici n'annonce une carrière d'homme d'État.

Cependant il fréquente la Cour. A l'automne 1752, il rend un service appréciable à Mme de Pompadour. Ayant su que sa jeune cousine, Mme de Choi-

seul-Beaupré, entretenait une correspondance amoureuse avec le roi, il en prévient la favorite. Celle-ci n'oublie jamais un service. En 1754, Choiseul est nommé ambassadeur à Rome, et en 1757 à Vienne. En décembre 1758, il remplace Bernis aux Affaires étrangères C'est le début d'une carrière ministérielle très remplie. Il accumule les portefeuilles : Affaires étrangères de 1758 à 1761, Marine de 1761 à 1766, et Guerre de 1761 à 1770.

Il a eu en son temps, et laissera, une réputation de grand homme d'État. Voici par exemple le jugement d'un Anglais, son contemporain, lord Chatham : «Depuis le cardinal de Richelieu, la France n'avait pas eu d'aussi grand ministre que le duc de Choiseul.» Peut-on souscrire à un tel jugement?

Il faut convenir que sa politique étrangère n'est pas faite que de réussites. Il commence par perdre une guerre — celle de Sept Ans — qu'il avait poussé de toutes ses forces à continuer. Il est l'homme du désastreux traité de Paris, de l'abandon du Canada et des possessions de l'Inde. Ensuite, il est vrai, il prépare la revanche en réorganisant l'armée (ordonnance de 1764) et en restaurant la marine. On lui doit aussi le pacte de Famille (1761) qui fortifie la position diplomatique de la France.

A l'intérieur, le ministère de Choiseul correspond à l'affaiblissement de l'autorité royale. Il protège et même encourage d'une certaine manière l'insubordination des parlements. Il a aussi une grande part de responsabilité dans la suppression de la Compagnie de Jésus, cet ordre dont on peut dire qu'il était l'une des colonnes de la monarchie. Il est sans doute patriote, mais d'un patriotisme belliciste et finalement peu soucieux du bien commun. Quant à la religion il n'en a aucune. Voltaire est son très cher ami. Dans ses lettres, il l'appelle sa «marmotte» ou son «ermite». Lorsque, en 1763, le philosophe de Ferney lui envoie son *Traité de la tolérance*, véritable pamphlet antichrétien, il approuve et applaudit : «... chacun se dit après l'avoir lu : il faut convenir qu'il a raison ; et j'ai toujours pensé de même ».

Choiseul a fait illusion même sur le roi, parce qu'il était brillant, rapide et doté d'un aplomb formidable. Mais derrière cette façade, il n'y avait souvent que vaine agitation et grand désordre. Sa vie privée n'était pas plus ordonnée. Marié en 1750 à une femme angélique et qui l'adorait (Louise Crozat), il ne cessait de la tromper.

Renvoyé et exilé le 24 décembre 1770, il supporte mal sa disgrâce. Sa terre de Chanteloup devient un foyer d'opposition malveillante. Il écrit des *Mémoires* où il règle ses comptes et manifeste sa mesquinerie. Du souverain qui l'avait élevé, il trace le portrait le plus injurieux, allant jusqu'à le qualifier d'« homme sans âme et sans esprit ».

En 1774, il caresse un moment l'espoir d'un retour aux affaires. La reine Marie-Antoinette, dont il a fait le mariage, lui est très favorable. Cet espoir est déçu. Lorsqu'il vient à Versailles le 12 juin 1774, le roi lui adresse à peine la parole. Il meurt neuf ans plus tard, accablé de soucis financiers, ayant même été obligé de vendre Chanteloup.

CHOISEUL, César Gabriel de, duc de Praslin. *Voir* **PRASLIN, César Gabriel de Choiseul-Chevigny, duc de.**

CHOISY. Devenu au XVIIIᵉ siècle résidence royale, le château de Choisy avait appartenu successivement à Mlle de Montpensier, au Grand Dauphin, au duc de Guise, au duc de Villeroy et pour finir au duc de la Vallière. Louis XV l'achète à ce dernier en 1739. C'est au moins jusqu'en 1745 son séjour de prédilection. En 1741 par exemple, il s'y rend deux fois par mois, y demeurant chaque fois une semaine entière.

De toutes les beautés de Choisy, celles des jardins sont les plus réputées. On y admire en particulier les statues faites par Auguier au siècle dernier pour le surintendant Fouquet.

A cause des voyages fréquents de la Cour et de l'affluence en résultant, l'église du village devint trop petite. Il fallut en construire une autre. Louis XV prend l'ouvrage à sa charge. La dédicace de la nouvelle église est célébrée le dimanche 27 septembre 1760 en présence de la famille royale. Après la cérémonie, le roi donne à dîner à l'archevêque de Paris, aux deux agents généraux du clergé, ainsi qu'aux douze évêques alors présents à Paris.

CIMETIÈRES. Le cimetière est le lieu où l'on enterre les morts. C'est un lieu béni et sacré. Dans le cours de leurs visites pastorales, les évêques doivent veiller à ce que les cimetières soient convenablement clôturés et entretenus. L'édit de 1695, dans son article 22, a fait aux habitants l'obligation d'entretenir et de réparer la clôture du cimetière paroissial. En 1715, la plupart des cimetières de campagne étaient clôturés.

Le cimetière n'est pas le seul lieu où l'on enterre les morts. Les inhumations dans les églises sont couramment pratiquées. Un édit de 1776 les interdit mais cette interdiction n'est guère respectée.

Dans les villes, les cimetières étaient situés au milieu de l'agglomération. Vers 1730, commence une campagne pour le transfert à la périphérie. Les arguments avancés sont d'ordre médical : les cimetières seraient des foyers d'infection. Les curés combattent les projets de transfert (à Paris et à Caen notamment). Si les morts s'éloignent, disent-ils, les vivants ne penseront plus à leurs fins dernières. Mais les partisans du transfert ont l'opinion pour eux. Ils l'emportent. A Paris un édit du 1ᵉʳ décembre 1780 décide la suppression effective du cimetière des Innocents. Huit nouveaux cimetières avaient déjà été créés en 1768 à la périphérie de la capitale. Dans les dernières années de l'Ancien Régime la plupart des villes de province prennent des mesures semblables.

Il y avait une difficulté. Les décisions de jurisprudence spécifiaient que si les habitants voulaient changer leur cimetière de place, ils étaient libres de le faire (avec l'autorisation de l'évêque et celle du curé), mais qu'ils étaient tenus de transporter les ossements de l'ancien cimetière désaffecté au nouveau. Cette exigence ne semble pas avoir été toujours respectée. A Paris, les ossements provenant des Innocents ont été transportés de nuit et entassés non dans les nouveaux cimetières, mais dans les carrières voisines de la barrière Saint-Jacques, au lieu-dit de la Tombe-Issoire. Cependant, le nouvel ossuaire fut béni le 7 avril 1787.

On connaît moins l'histoire des cimetières ruraux. Il semble qu'il y ait eu là aussi de nombreux transferts et de nouvelles installations. Dans quarante-six paroisses du diocèse de Poitiers nous avons recensé quatre nouveaux cimetières, et cinq dans trente-deux paroisses du diocèse de Nantes.

CISTERCIENNES. Les nombreux monastères de moniales cisterciennes sont généralement indépendants et gouvernés par des abbesses, mais soumis à la visite des visiteurs généraux de l'ordre de Cîteaux. En plus des trois vœux ordinaires de religion, les cisterciennes font des promesses de stabilité, de conversion des mœurs et de clôture.

CISTERCIENS. Les cisterciens ou ordre de Cîteaux, appelés aussi bernardins, sont un ordre monastique fondé par saint Bernard au XIIᵉ siècle. Ils suivent la règle de saint Benoît. Répandu dans toute l'Europe catholique, Cîteaux compte en France 102 monastères et 1 801 moines à la fin de l'Ancien Régime.

Abbé régulier élu, l'abbé de Cîteaux est l'abbé général de la congrégation. Les quatre abbayes de La Ferté, Clairvaux, Morimond et Pontigny, dites « filles de Cîteaux » ont également des abbés élus qui jouissent d'un droit de visite sur l'abbaye chef d'ordre. Les monastères sont répartis entre les quatre « filiations » de Cîteaux, Clairvaux, Morimond et Pontigny.

A la veille de la Révolution, les monastères sont encore assez convenablement peuplés. Les maisons de la « filiation » de Morimond comptent huit moines par maison en moyenne, celles de la « filiation » de Cîteaux, plus de dix.

Toutefois l'observance est très relâchée. L'esprit des Lumières a pénétré dans les cloîtres. Le dernier prieur de l'abbaye de Bégard en Bretagne, J. B. Mauffray, fait cet aveu étonnant : « Je ne me suis jamais amusé à approfondir ni même à étudier un dogme qui surpasse la capacité de l'homme » (cité par Georges Minois).

L'ordre comprend également plusieurs abbayes de filles (*voir* CISTERCIENNES).

CIVILITÉ. Le mot civilité désigne à la fois une qualité (être civil) et un savoir (comment être civil). Être civil, cela veut dire connaître les bonnes manières et les usages. Cela s'apprend dans les livres. On l'enseigne aux enfants pour qu'ils sachent se conduire en société. Il y a des manuels de « civilité puérile » comme il y a des abécédaires et des catéchismes.

On réimprime les manuels de la fin du XVIIᵉ siècle, par exemple le *Nouveau Manuel de la civilité* d'Antoine Courtin. Des imprimeurs-libraires de province publient des civilités sans nom d'auteur, par exemple *La civilité qui se pratique en France parmi les honnêtes gens pour l'éducation de la jeunesse* (Amboise, 1745). Mais le manuel le plus répandu est celui de saint Jean-Baptiste de la Salle, *Les Règles de la bienséance et de la civilité chrétienne*, réédité trente-trois fois au cours du siècle.

Depuis sa codification au XVIᵉ siècle par les humanistes, le contenu de la civilité n'a pas beaucoup changé. Le programme reste le même, et d'ailleurs, d'un manuel à l'autre, ne varie guère. La civilité concerne essentiellement la tenue du corps, le lever et le coucher, l'habillement, la prière quotidienne, la manière de se comporter dans une église, l'étude et la récréation, la tenue à table, les visites, la bienséance en compagnie et la manière d'écrire poliment une lettre. Les auteurs de manuels adoptent souvent la méthode du catéchisme, par demandes et réponses. Par exemple :

« D. — Quand un enfant doit-il manger ?

R. — Dans le temps du repas ; il ne mangera point dans la maison hors le temps du repas, ni dans les rues en quelque temps que ce soit. »

La civilité est chrétienne. L'enfant civil est un enfant qui prie, qui respecte la maison de Dieu, qui honore son père et sa mère. La civilité est humaniste au sens le plus élevé de ce mot : elle enseigne à l'enfant à respecter sa propre dignité, à se distinguer des animaux. Une attention extrême est portée à la tenue à table. « La plupart des hommes, écrit saint Jean-Baptiste de la Salle, ne mangent que comme des bestes et pour se satisfaire. » La civilité enfin est un mélange de modestie et d'égards pour autrui. L'enfant ne doit pas se mettre en valeur. Il doit s'effacer devant les autres. Par exemple, « s'il arrivoit que l'on eût de la voix ou que l'on sût jouer de quelque instrument, il ne faut jamais le faire connaître par une marque affectée ».

Toutefois la civilité n'est pas reconnue par la science pédagogique du temps. Au début du siècle, les théoriciens de l'éducation la critiquent. Ensuite ils n'en parlent même plus. Que lui reproche-t-on ? D'être trop formelle, trop méthodique. « Cette civilité méthodique, écrit Rollin, qui ne consiste qu'en des formules de compliments fades et cette affectation de tout faire par règle et par mesure, est souvent plus choquante qu'une rusticité toute naturelle. » Vers le milieu du siècle, le mot disparaît du vocabulaire des théoriciens de l'éducation. Il est remplacé par celui de politesse (*voir ce mot*). Car la politesse est un savoir-vivre naturel, et l'on ne veut plus que du naturel. On oublie que le savoir-vivre s'apprend comme le reste, et que des manuels bien faits peuvent en faciliter l'acquisition. D'ailleurs, pour beaucoup d'enfants il n'est pas d'autre manière de l'apprendre.

Mais la science pédagogique est loin de représenter toute l'éducation de ce temps. Les théoriciens de la pédagogie peuvent bien dédaigner la civilité, cela n'empêche pas les petites écoles de continuer à l'enseigner ni les enfants de continuer à l'apprendre. La civilité « puérile et honnête » restera jusqu'à la Révolution, et même pendant une grande partie du XIXe siècle, l'une des parties essentielles de l'enseignement populaire.

CLAIRAUT, Alexis-Claude (Paris, 13 mai 1713 - *id.*, 17 mai 1765). Un des plus grands mathématiciens français, second des vingt et un enfants d'un maître de mathématiques de Paris, il suce la géométrie avec le lait. Son père lui enseigne à connaître les lettres de l'alphabet sur les figures des *Éléments* d'Euclide. A dix ans, il lit le *Traité des sections coniques* du marquis de l'Hôpital. A douze ans, il compose un mémoire sur quelques courbes du 4e degré, et le lit à l'Académie des sciences. A dix-huit ans ses travaux sur les courbes à double courbure le font recevoir (avec dispense d'âge) à l'Académie. Tous ses travaux des années suivantes sont consacrés à la mécanique céleste. Rallié dès 1732, en même temps que Maupertuis, aux idées de Newton, il aide Mme du Châtelet à traduire en français les *Principia* du grand savant anglais. En 1736 et 1737, il fait partie de l'expédition conduite en Laponie par Maupertuis, et contribue aux opérations de triangulation. Suivent des travaux sur l'optique et sur l'aberration apparente des étoiles. Il les présente à l'Académie et lui fait accepter les conclusions de l'optique newtonienne. La *Théorie de la figure de la Terre*, publiée en 1743, est comme la synthèse de toutes ces recherches sur la mécanique céleste. Les *Éléments de géométrie* (1741) et les *Éléments d'algèbre* (1746) représentent un autre aspect de son œuvre. Il s'agit d'une tentative pour moderniser l'enseignement des mathématiques, en faisant appel à l'intuition sensible et à la méthode historisante. Les calculs sur le retour de la comète de Halley sont le dernier grand travail du savant. Il se fait aider de Lalande. En 1758, lors d'une séance publique de l'Académie, il annonce à ses collègues que les calculs de Lalande et les siens permettent de prévoir le passage de la comète dans son périhélie vers le milieu d'avril 1759. Il s'est trompé seulement d'un mois : le passage aura lieu le 15 mars. Une courte maladie l'emporte à l'âge de cinquante-deux ans. Cette mort prématurée fut attribuée par certains aux excès d'une vie dissolue et trop mondaine. Pierre Brunet, le dernier biographe de Clairaut, s'inscrit en faux contre ces accusations. Selon lui Clairaut était une sorte d'ascète, menant une vie très retirée, et ne dînant jamais en ville. Il était resté célibataire, mais n'aurait eu qu'une seule liaison (avec sa jeune gouvernante). Dans son *Éloge* de Clairaut Granjean de Fouchy évoque la « douceur et la modestie » du grand savant. Fontenelle le louera d'avoir su « réjouir en nous l'esprit de géométrie ».

CLAIRON, Claire Josèphe Hippolyte Léris de La Tude, dite Mlle (Condé-sur-l'Escaut, 1723 - Paris, 18 janvier 1803). Emmenée à Paris par sa mère, elle y débute à l'âge de treize ans dans les rôles de soubrette. Après quelques tournées en province et un passage à l'Opéra, elle entre en 1743 à la Comédie-Française. Son premier rôle est celui de Phèdre. Le théâtre français lui est grandement redevable. Elle fit découvrir les mérites d'une diction plus naturelle. « Tout, jusqu'à l'art chez elle, a de la vérité », écrivit le poète Dorat. En 1765, elle fait un éclat. Elle refuse de jouer aux côtés de Dubois, acteur médiocre et de réputation douteuse : il avait été convaincu de faux témoignage. Cet acte d'insubordination vaut à la grande actrice un séjour à Fort-l'Évêque. La réparation qu'elle exige ne lui est pas accordée. Elle quitte alors la scène (à l'âge de quarante-deux ans) et n'y reparaîtra jamais plus. Elle était l'amie des philosophes et fut reçue chez Mme Geoffrin et chez Mme Necker. Voltaire voulut la connaître. Elle se rendit à Ferney en 1763 et y déclama *L'Orphelin de la Chine*. En 1799 elle publia ses *Mémoires*. Son iconographie est très riche. Elle fut peinte par Quentin de La Tour et par Van Loo. Son buste par Lemoyne fut exposé au Salon de 1761.

CLARISSES. Les clarisses sont des religieuses franciscaines. Elles appartiennent à la même observance que les cordeliers. Leurs établissements dans le royaume sont au nombre de cent deux en

1768. Elles semblent avoir mieux résisté que les cordeliers à la crise générale des vocations. En 1789, presque tous leurs couvents comptaient plus de vingt religieuses.

CLAVECIN. Le clavecin est un instrument à cordes et à double clavier.

La facture du clavecin a connu entre 1690 et 1715 une période d'apogée. Ce qui permet après 1715 l'épanouissement de l'art. Sur les cinq grands clavecinistes européens du siècle, deux sont français, Couperin et Rameau (les trois autres étant Bach, Haendel et Scarlatti). L'œuvre pour clavecin de Couperin représente cinq cents pages de musique, celle de Rameau soixante seulement. Couperin est aussi l'auteur de *L'Art de toucher le clavecin* (1717).

CLÉMENCET, Charles, dom (Painblanc, Bourgogne, 1704 - Paris, 5 avril 1778). Moine bénédictin de la congrégation de Saint-Maur, il est l'un des grands érudits de son ordre. Il participe à *L'Histoire littéraire de la France*. Il est l'un des trois auteurs de *L'Art de vérifier les dates* (1750). L'abbaye des Blancs-Manteaux, à laquelle il appartient, est un foyer de jansénisme. Il s'engage lui-même dans toutes les polémiques. Moine fidèle à la règle, il réclame contre la requête de 1765 pour un adoucissement de la discipline. Au chapitre extraordinaire de Saint-Denis et à celui de Marmoutiers (1769), il contribue à faire prévaloir le parti attaché à l'observance.

CLÉMENT, Denis Xavier (Dijon, 6 octobre 1706 - 7 mars 1771). Prêtre, abbé de Marcheroux, doyen de l'église collégiale de Ligny-en-Barrois, c'est l'un des auteurs spirituels les plus lus de ce siècle. Il est resté quatorze ans dans la Compagnie de Jésus (de 1720 à 1734), puis en est sorti pour des raisons que nous ignorons. Il se consacrait à la prédication. Aumônier et prédicateur ordinaire du roi de Pologne, prédicateur du roi, il prêche à la cour de Versailles et à celle de Lunéville. Madame Henriette, fille de Louis XV, l'honore de sa protection. Il lui dédie ses *Exercices de l'âme*.

Après la mort du roi Stanislas, il est nommé confesseur de Madame Adélaïde et occupe à ce titre un logement à Versailles. Ses principaux ouvrages sont les *Maximes pour se conduire chrétiennement dans le monde* (1749) et les *Exercices de l'âme pour se disposer aux sacrements de Pénitence et d'Eucharistie* (1751). Ces deux traités ont contribué à répandre la pratique d'une communion plus fréquente et d'une dévotion amoureuse et confiante, différente de celle du jansénisme.

CLERGÉ. Le clergé est l'ensemble des clercs. Le mot clerc peut être entendu au sens étroit. Il signifie alors celui qui par la tonsure est admis à la cléricature. Mais on l'entend d'ordinaire au sens plus large de serviteur de l'Église. Les clercs sont alors «ceux qui sont destinés par leur état au service de l'Église, comme ses officiers publics» (Louis de Héricourt, *Les Lois ecclésiastiques de France*, Paris, 1721).

Ce deuxième sens permet d'inclure dans le clergé non seulement les clercs séculiers, prêtres ou non, mais aussi tous les religieux et toutes les religieuses. Une difficulté pourrait venir de la notion d'ordre. Les religieuses, et d'ailleurs aussi beaucoup de religieux, n'ont pas reçu les ordres sacrés (par exemple la prêtrise). Mais la notion d'ordre n'est pas première. Les ordres sacrés ne sont pas nécessaires pour faire un clerc. C'est le service qui est nécessaire, c'est le service qui est premier. Or les religieux et les religieuses sont au service de l'Église et peuvent donc être considérés comme des membres du clergé.

Le clergé est reconnu comme tel par l'État. Il existe juridiquement et politiquement. Les personnes qui le composent et les biens qui lui appartiennent ont un statut et des droits reconnus par la société civile. Ce statut et ces droits sont définis par le droit canon, mais ce droit canon fait partie du droit français. Le clergé forme en outre un ordre dans l'État. Il est l'un des trois ordres qui sont les éléments constitutifs de la monarchie. Il est une réalité politique.

Les privilèges du clergé regardent ses personnes et ses biens. Considérons d'abord les privilèges des personnes. Ce sont en premier lieu des préséances. Par exemple, dans les états généraux les députés du clergé ont rang immédiatement après les princes du sang. Ensuite les membres du clergé bénéficient de nombreuses exemptions fiscales. Ils sont exempts de taille de capitation, de gabelle, du droit de gros sur la vente des vins, du ban et de l'arrière-ban, du logement des gens de guerre et de toutes servitudes personnelles. Ils jouissent également de privilèges judiciaires, relevant des seuls juges ecclésiastiques pour les causes spirituelles, pour toutes leurs actions personnelles et même pour les affaires criminelles, sauf s'il s'agit de crimes troublant l'ordre public. Quant au statut des biens il est celui-ci : ces biens appartiennent à l'Église et non aux clercs eux-mêmes qui n'en sont que les usufruitiers. Ils sont exempts des droits de franc-fief, dixième, vingtième et autres impositions de même nature. Enfin ils sont inaliénables sauf autorisation du roi. Ces biens sont donc en dehors du commerce et ne paient plus les droits seigneuriaux de mutation. Ils sont dits amortis ou de mainmorte. En autorisant un nouvel institut ou une nouvelle communauté religieuse, le roi amortit ses biens.

Pour jouir de tous ces droits et privilèges la qualité cléricale suffit. Cependant les membres du clergé ont des obligations morales venant de leur état. De même que les nobles vivent noblement, ils doivent vivre cléricalement. Le port du costume religieux, le célibat et certaines règles de vie (plus nombreuses et plus austères pour les religieux) sont les principales contraintes.

La question des effectifs du clergé n'est pas beaucoup mieux résolue que celle des effectifs de la noblesse. On avance souvent le chiffre de 130 000 personnes pour les années précédant la Révolution. La moitié serait des séculiers, la moitié des religieux. Si l'on retient ce chiffre il faut alors admettre une baisse très forte des effectifs depuis le début du siècle. En effet toutes les estimations pour le temps de Louis XIV indiquent des chiffres très supérieurs : 250 000, 260 000... La baisse serait de 50 %. Est-ce possible ? Sans doute. En tout cas toutes les statistiques particulières des différents diocèses et des différents instituts religieux font apparaître des diminutions très fortes au cours du siècle. La congrégation de l'Oratoire passe de 656 sujets en 1720 à 293 en 1788. Les trois carmels parisiens reçoivent 255 professions au XVIIIe siècle contre 474 dans le cours du siècle précédent. La plupart des monastères bénédictins ont perdu au XVIIIe siècle plus de la moitié de leurs effectifs. Dans le clergé séculier, à partir des années 1760, le manque de prêtres commence à se faire sentir. Les évêques sont préoccupés. Mgr de La Marche, évêque de Léon, estime que le nombre des prêtres de son diocèse est passé de 1 600 à la fin du XVIIe siècle à 400 en 1789.

Il y a donc de toute évidence une baisse très importante du recrutement du clergé. Cependant, cette baisse devient plus rapide à partir des années 1760. La propagande philosophique y est pour beaucoup. Les accusations calomnieuses des philosophes dressent l'opinion contre les moines et contre les vœux (voir *La Religieuse* de Diderot). Il existe bien dans la société française des milieux peu accessibles à cette propagande. C'est le monde des artisans et celui de la paysannerie. Mais ce sont là justement les couches sociales qui donnent le moins de prêtres et de religieux. Dans le clergé séculier, la proportion des fils de laboureurs et d'artisans varie selon les diocèses entre 20 et 30 % (seconde moitié du siècle).

Tout le clergé sert l'Église, mais les manières de la servir sont fort diverses. La distinction la plus importante est entre réguliers et séculiers. On entend par clergé régulier au sens large tous ceux qui vivent la vie commune sous une règle, et par clergé séculier ceux qui ne sont pas astreints à cette vie commune et exercent leurs fonctions dans le siècle. A l'intérieur des réguliers, sans entrer ici

dans un trop grand détail, il faut néanmoins distinguer les moines et les religieux de vie contemplative, tels que les Bénédictins et les Chartreux, les religieux de vie mixte à la fois contemplative et apostolique, comme les chanoines réguliers et les mendiants, et les prêtres frères et clercs des instituts de vie active, masculins comme les Jésuites ou les frères des Écoles chrétiennes, ou féminins comme les Filles de la Charité ou celles de la Sagesse. Dans le clergé séculier on se bornera à distinguer (pour ne considérer que les principales catégories) les évêques, les chanoines des chapitres cathédraux et collégiaux, et les curés, les vicaires et les prêtres habitués des paroisses. Si nous regardons l'ensemble des deux clergés, nous voyons que les personnes dont la fonction est la prière ne forment pas une petite minorité. En effet si l'on ajoute les 11 853 chanoines (en 1789) aux quelque 20 000 moines et moniales contemplatives, on obtient près d'un quart de la totalité du clergé. Toutefois de grands changements sont intervenus depuis le début du XVIIe siècle. La composition du clergé selon les genres de vie s'est modifiée. Au XVIIe siècle, à l'époque du grand essor de la réforme catholique, de nombreux instituts nouveaux, masculins et féminins, tous de vie active, sont apparus. Au XVIIIe siècle, il se fonde encore plusieurs congrégations nouvelles de filles séculières vouées à l'éducation ou au soin des malades. Mais, pendant le même temps, le XVIIIe siècle voit aussi la diminution du nombre des ordres masculins. Les Jésuites (au nombre de 3 350 en 1749) sont supprimés en 1764. La commission des réguliers (qui siège à partir de 1768) supprime 9 ordres anciens et 426 maisons religieuses. La part des hommes et des contemplatifs devient de moins en moins importante, et celle des religieuses et des religieuses actives de plus en plus importante. Par exemple entre 1715 et 1789 le nombre des Filles de la Charité passe de 1 200 à 3 000. On peut donc dire que le clergé devient de moins en moins contemplatif et de plus en plus actif. Au XVIIe siècle, les membres du clergé étaient souvent classés par degrés de perfection, les plus parfaits étant les moines et les moniales contemplatives. Mais au XVIIIᵉ siècle cette échelle de perfection n'est plus guère admise.

Le clergé est néanmoins hiérarchisé, toutefois, la hiérarchie est celle des ordres sacrés, qui sont autant de degrés d'autorité. Ces ordres sont, de haut en bas, les évêques, les prêtres, les diacres, les sous-diacres, les portiers, les lecteurs, les exorcistes et les acolytes. La seule tonsure n'est qu'une préparation aux ordres. Les évêques ont la plénitude du sacerdoce et commandent à tout le clergé, même aux religieux et aux religieuses, sauf exemption. Toutefois le clergé régulier a aussi ses propres autorités qui sont les abbés chefs d'ordres, les abbés des monastères, les supérieurs claustraux, les généraux des congrégations et les supérieurs des maisons religieuses. Les instituts religieux sont en effet des corps au sens juridique du terme, c'est-à-dire qu'ils ont la personnalité juridique et se gouvernent eux-mêmes. Les chapitres aussi sont des corps, et les quelque 5 000 maisons religieuses que l'on compte dans le royaume jouissent soit d'une totale indépendance, soit d'une autonomie plus ou moins grande. La société cléricale est fortement hiérarchisée et organisée.

Le clergé possède des biens. Ces biens sont de plusieurs sortes. Ce sont d'abord des immeubles, terres et maisons. C'est aussi la dîme, imposition prélevée sur les sujets du roi. Ce sont enfin les libéralités des fidèles. La totalité représente à la fin de l'Ancien Régime un capital de 3 milliards de livres. La fortune foncière atteindrait un peu moins de 10 % de l'ensemble des terres du royaume (ce qui est très inférieur à la fortune de l'Église dans d'autres pays comme l'Espagne ou l'Italie). Quant au revenu moyen annuel il s'élèverait en 1789, d'après l'estimation de Talleyrand, ancien agent général du clergé, à 150 millions de livres.

La répartition de ces biens est fort inégale et semble même contredire souvent le droit et la justice. Par exemple, un certain nombre de bénéfices cures sont possédés non par les desservants de ces cures, mais par des monastères, des chapitres ou des évêques, lesquels perçoivent les revenus au lieu que ce soient les pasteurs en fonctions. Cela est contraire à la notion même de bénéfice, droit attaché à certaines fonctions. Par ailleurs, de nombreux prélats cumulent les bénéfices, alors que de nombreux prêtres (environ 3 000 à la veille de la Révolution) n'en possèdent aucun. Toutefois, les abus ne sont pas tels que beaucoup de membres du clergé soient réduits à la misère. Il y a certes un clergé très riche. Il y a certes des clercs pauvres, mais entre ces pauvres et ces riches, il y a une masse de gens à l'aise s'ils ne sont pas riches. D'ailleurs le métier a toujours passé pour nourrir son homme. En donnant leurs enfants à l'Église les parents ne pensaient pas qu'ils allaient au-devant de la misère. Et même bien au contraire si l'on en croit ce témoignage d'un prêtre nommé Yves Besnard, nommé en 1780 curé de Nouans dans le Maine : «J'avais déjà entendu dire plusieurs fois en langage trivial que jamais *Dominus vobiscum* n'avait manqué de pain et je voyais clairement ici qu'il ne manquait pas toujours de mets propres à exciter l'appétit, ni de vin et du bon. »

Quant au sérieux, la formation intellectuelle du clergé ne laisse rien à désirer. On peut même dire qu'elle n'a jamais été si intense et si prolongée. Les futurs prêtres passent en moyenne deux ou trois ans dans les séminaires. Toutes les congrégations religieuses ont leurs maisons d'études. Un certain nombre de bénéfices vacants, tant réguliers que séculiers, sont réservés aux gradués des universités. De sorte que si l'on regarde les diplômes, on peut assurer que jamais le clergé n'a fait preuve de tant d'instruction. Ainsi dans le diocèse de Périgueux par exemple, un curé sur trois est docteur en théologie. Resterait à savoir ce que valent ces diplômes et cette instruction. Si l'on en juge par les grands manuels en usage dans les séminaires (comme Tournely, Collet, Antoine), l'enseignement philosophique et théologique est de bonne qualité jusque vers le milieu du siècle. Ensuite il s'appauvrit. Prenons par exemple la *Theologia dogmatica et moralis* publiée en 1789 par Bailly. On se trouve devant une théologie inanimée et desséchée. Le raisonnement ne tient qu'une petite place. Le *magister dixit* est l'argument principal.

Au sujet des mœurs, tous les avis convergent. A de rares exceptions près, et si l'on met à part quelques évêques trop mondains ou trop chasseurs, comme Boisgelin, archevêque d'Aix ou Dillon, archevêque de Narbonne, dans l'ensemble le clergé français se tient bien. Il ne reste plus rien des abus scandaleux du XVIᵉ siècle et du début du XVIIᵉ. Il n'y a plus de concubines dans les presbytères, plus de débauches dans les monastères. On a un clergé digne, un clergé « bien réglé » selon l'expression du temps. Est-il toujours austère ? Cela est moins sûr. Dans les maisons religieuses masculines (les féminines se montrent généralement plus rigoureuses et plus fidèles à l'esprit de pauvreté), l'observance de la règle s'accommode facilement de petits plaisirs et de certaines aises : on se paie des friandises, on achète la gazette, on boit du thé et du café, on fume. Dans leurs presbytères, la plupart des curés vivent bien, presque trop bien. Ils ont salon, cave, vins fins, domestiques, cheval et voiture. Peut-on parler de dérèglement ? Certes non. C'est plutôt de l'alourdissement. On dirait qu'une partie de la substance spirituelle s'est volatilisée. Au siècle précédent, Henri Marie Boudon avait écrit un livre intitulé *De la sainteté de l'état ecclésiastique*. Ce livre est réédité en 1765. Mais il faut croire que peu s'en inspirent. On dirait que le mot saint a disparu du vocabulaire ecclésiastique, à moins que ce ne soit la sainteté elle-même qui ait disparu. Lorsque en 1773 l'abbé Chatrian, secrétaire de l'évêque de Toul, note les 761 curés de ce diocèse, aucun n'est par lui qualifié de « saint », ni d'« édifiant », ni même de « spirituel ». Il ne voit que des « bons curés », des « médiocres » et des « mauvais ». Les « bons curés » sont les curés « zélés » qui font leurs exercices de piété, enseignent le catéchisme et prêchent le

dimanche. La sainteté héroïque semble être devenue rarissime dans le clergé séculier et d'ailleurs aussi dans le clergé régulier masculin. Pour la trouver il faut aller la chercher dans certains couvents féminins comme les Carmels et les Visitations, ou dans les maisons des filles séculières (comme les Filles de la Charité) entièrement vouées à l'assistance, au soin des malades et aux écoles populaires.

Jusqu'à la fin de l'Ancien Régime le clergé continue à jouer un rôle très important dans le gouvernement, dans l'administration et dans la vie sociale du royaume. Il est le premier ordre du royaume, « en raison de la noblesse de ses fonctions » (Jousse). Il est le seul des trois ordres qui possède son assemblée représentative périodiquement convoquée, les fonctions essentielles de cette assemblée du clergé de France étant de voter le don gratuit au roi et d'examiner les comptes des décimes. Le clergé siège en outre dans les états particuliers des pays d'états, et assume la présidence des états de Languedoc et de ceux de Provence. Sans le clergé, il n'y aurait pas d'assistance publique. Il fournit la presque totalité du personnel des hôtels-Dieu et des hôpitaux généraux (la France compte 10 000 religieuses hospitalières). Sans le clergé, l'organisation scolaire serait déficiente : tous les collèges sont tenus par des ecclésiastiques et presque toutes les pensions de jeunes filles par des religieuses. Le clergé est donc extrêmement utile à la société.

On lui reproche pourtant de ne pas l'être assez. On l'accuse de parasitisme et de fainéantise. Certains esprits éclairés voudraient que les prêtres se marient, aient des enfants et contribuent ainsi à la reproduction de l'espèce. Le clergé se défend comme il peut, c'est-à-dire en multipliant les professions d'utilité. On citera seulement cet extrait d'un sermon prononcé en 1779 par le P. L'Ecuy au chapitre général des Prémontrés : « Bénissons [...] l'heureuse destination qui ne nous borne pas à une vie stérilement pieuse, mais qui nous appelle à la coopération du ministère et aux travaux évangéliques. Que ces fonctions nous soient chères [...] surtout parce qu'elles sont utiles à l'Église, à l'État, à nos frères.» Ainsi une partie du clergé se laisse-t-elle gagner par l'utilitarisme ambiant. On parle d'utilité et non de service. On oublie la participation au corps mystique de l'Église.

CLERMONT. Évêché, siège d'une cour des aides, d'un présidial et de l'élection, Clermont est appelé aussi très souvent Clermont-Ferrand depuis sa réunion en 1630 avec Montferrand pour ne former avec cette ville qu'un seul corps de communauté. C'est la ville capitale de l'Auvergne et l'intendant de la généralité y fait sa résidence. Sa population est en 1789 d'environ 25 000 habitants.

L'aspect de la ville change beaucoup grâce aux initiatives d'intendants éclairés (Trudaine, Ballainvilliers, Montyon, Chazerat et La Michodière). Les remparts sont démolis vers 1750, les rues sont ouvertes à l'air pur et à la lumière. Le collège des jésuites est achevé en 1733. On construit une halle au blé (1769) un nouvel hôtel-Dieu (inauguré en 1773), un théâtre (1759), un hôtel de l'intendance (achevé sous Louis XVI), plusieurs chapelles et couvents et nombre de maisons particulières. Avec sa cour d'honneur de forme ovale, décorée d'une ordonnance ionique à pilastres, l'hôtel de l'intendance est de loin le plus réussi de tous ces édifices.

La contribution clermontoise à la vie de l'esprit semble assez modeste. Il y a cependant une académie : la Société littéraire fondée en 1747 est devenue en 1780 Académie royale des sciences, belles-lettres et arts. En 1781, un abbé Delarbre ouvre un cours de botanique.

CLERMONT, Louis de Bourbon-Condé, comte de (15 juin 1709 - Versailles, juin 1771). Il est le plus jeune frère du duc de Bourbon. On connaît surtout de sa carrière ce qu'elle a de plus scandaleux ou de moins reluisant : la tonsure administrée à l'âge de neuf ans, les quatre somptueux bénéfices, qui sont les abbayes de Saint-Germain-des-Prés, du Bec, de Saint-Claude et de Marmoutier, la dis-

pense accordée en 1733 par le pape afin de lui permettre de porter les armes, l'élection (1754) à l'Académie française, sur sa demande insistante, et malgré la réticence des académiciens, et la nomination en février 1758 à la tête de l'armée d'Allemagne, nomination principalement due à la faveur, et suivie bientôt de la terrible défaite de Crefeld, le 23 juin 1758. Tout cela est si accablant que l'on ne voit rien d'autre.

Toutefois, d'autres aspects du personnage mériteraient d'être soulignés. D'abord son intimité d'adolescent avec le jeune Louis XV, dont il est à partir de 1722 le compagnon de jeux et de chasse. Ensuite, son rôle dans la diffusion des Lumières. Le 7 décembre 1737, il est élu grand maître de la Grande Loge de France. Pénétré de l'esprit encyclopédique, il place au même niveau la technique et la spéculation intellectuelle. Dans une sorte d'académie fondée par lui, et qui a nom « Société des arts », chacun des fauteuils de membres est attribué à la fois à un savant et à un technicien. Par exemple, il associe de cette manière un historien et un brodeur, un poète et un teinturier.

A la fin de sa vie le «philosophe» se double d'un opposant. Il est l'instigateur de la protestation des princes du sang contre le coup de force de Maupeou (12 avril 1771). Il est alors exilé de la Cour, et ignoré du roi qui, lors de sa dernière maladie, ne fait pas prendre de ses nouvelles.

CLODION, Claude Michel, dit (Nancy, 1738 - Paris, 1814). Sculpteur, il fut formé à son art dans l'Académie royale de peinture et de sculpture de Paris et dans les ateliers de ses deux oncles Lambert-Sigisbert et Nicolas-Sébastien Adam. Lauréat du grand prix de Rome de sculpture de 1759, il passa trois années comme boursier du roi à l'École des élèves protégés, partit ensuite pour Rome à l'Académie de France et y séjourna dix ans (1762-1771). A son retour de Rome il exposa onze de ses œuvres au Salon de 1773 et fut peu après admis à l'Académie royale.

On le connaît surtout pour ses terres cuites, figurines de collection ou bas-reliefs décorant des hôtels particuliers. Les sujets en sont mythologiques et la manière presque toujours sensuelle et galante. Beaucoup de figurines datent de la période révolutionnaire ; parmi celles antérieures à 1789 les meilleures sont les *Allégories des Arts* de l'hôtel Bouret de Vézelay à Paris.

Mais Clodion ne s'est pas cantonné dans la décoration ni dans les pièces pour collectionneurs. A partir de 1774 il a participé à plusieurs chantiers d'architecture. C'est ainsi qu'il fut choisi pour réaliser la *Sainte Cécile* du nouveau jubé de la cathédrale de Rouen. Cette statue est vraiment une œuvre inspirée.

Qualifié de « charmeur » (Edmond de Goncourt), de « Fragonard de la terre cuite » (Villars), Clodion vaut mieux que sa réputation. Le goût de l'époque pour la galanterie brida son talent et l'empêcha de donner le meilleur de lui-même.

CLOSTERCAMP. Le combat de Clostercamp (16 octobre 1760) près de Rheinberg, non loin de Cologne, est livré et gagné par la division française du marquis de Castries contre les troupes confédérées anglo-hanovriennes du prince héréditaire de Brunswick. Victoire coûteuse : plus de deux mille hommes restent sur le terrain. Les confédérés avaient attaqué en pleine nuit, à deux heures du matin, comptant sur la surprise. Le chevalier d'Assas, capitaine au régiment d'Auvergne et commandant d'une patrouille, fut tout à coup entouré par les grenadiers ennemis et menacé de mort s'il tentait d'avertir son régiment. Ayant crié le fameux « A moi Auvergne, ce sont les ennemis », il tomba aussitôt percé de coups.

CLOSTERSEVEN. La capitulation de Closterseven (Hanovre), du 8 septembre 1757, est celle de l'armée anglaise du duc de Cumberland devant l'armée française commandée par le duc de Richelieu. Les Français avaient conquis le Hanovre et progressaient vers l'Elbe. Se sentant menacé de toutes parts, craignant

d'être acculé au fleuve, le duc de Cumberland choisit de ne pas combattre et préféra entrer en négociation avec son adversaire. Aux termes de la convention signée par les deux généraux, les Anglais durent renvoyer chez eux leurs soldats auxiliaires de Hesse, de Brunswick et de Saxe-Gotha. Ils s'engagèrent à s'abstenir de tout acte d'hostilité et à passer de l'autre côté de l'Elbe. Les historiens militaires (Jomini, par exemple) ont beaucoup blâmé Richelieu d'avoir signé un tel accord. Leurs reproches sont fondés. Le chef de l'armée française disposait d'une réelle supériorité. Il aurait pu aisément détruire l'armée anglaise. Or il la sauva par sa complaisance coupable. On l'accusa d'avoir reçu de l'or pour prix de sa liberté. Cela n'est pas impossible. La capitulation de Closterseven sera dénoncée par le roi George II.

CLUB DE L'ENTRESOL. *Voir* **ENTRESOL (club de l').**

CLUGNY DE NUITS, Jean Étienne Bernard Ogier de (Dijon, 1729 - Paris, 18 octobre 1776). Contrôleur général des Finances, il est l'anti-Turgot. Il est nommé contrôleur général le 21 mai 1776, après une longue carrière administrative, ayant occupé successivement les charges d'intendant des Colonies, d'intendant de la Marine à Brest, et d'intendant des généralités de Roussillon, puis de Guyenne. Il est choisi pour sa compétence en matière financière et pour plaire à la faction choiseuliste, dont il est le client. Il annule la plupart des mesures prises par Turgot, son prédécesseur, suspend l'édit sur la corvée, et rétablit les jurandes et maîtrises. On lui doit aussi la création de la Loterie royale (30 juin 1776). Il meurt en charge après cinq mois seulement d'exercice. Il a laissé une réputation d'incapable. On cite le mot de Louis XVI à son sujet : « Je crois que nous nous sommes encore trompés. » Faut-il l'accabler ? La succession était délicate. Turgot avait été un ministre « éclairé ». Déclarer ses erreurs et tenter de les réparer n'était pas une entreprise sans mérite.

CLUZEL DE LA CHATRERIE, François Pierre du (1724-1783). Intendant de Tours, il est le fils d'un fermier général. Il administre la généralité de Tours pendant dix-sept ans, de 1766 à sa mort. Il avait été auparavant substitut du procureur général du parlement de Paris, puis conseiller au Grand Conseil. Il attache son nom aux grands travaux qui renouvellent le visage de Tours : construction d'un pont, percée de la rue Neuve, construction du nouvel hôtel de ville. Soucieux de justice, il répartit la charge de la corvée au prorata des impositions (ordonnance de juillet 1776). C'est toutefois un libéral, désireux avant tout de ne pas heurter les intérêts. On le voit bien lors de la misère de 1769 : il fait distribuer du riz, mais prend bien soin de n'entraver en aucune manière la liberté du commerce des grains.

COCU. La matière est immense et l'on ne peut la traiter de manière satisfaisante dans le cadre limité d'une notice de dictionnaire. On se contentera de citer ce petit dialogue de Sébastien Chamfort (*Petits Dialogues philosophiques*, Paris, 1968, p. 348) :

A. — Vous marierez-vous ?

B. — Non.

A. — Pourquoi ?

B. — Parce que je serais chagrin.

A. — Pourquoi ?

B. — Parce que je serais jaloux.

A. — Et pourquoi seriez-vous jaloux ?

B. — Parce que je serais cocu.

A. — Qui vous a dit que vous seriez cocu ?

B. — Je serais cocu parce que je le mériterais.

A. — Et pourquoi le mériteriez-vous ?

B. — Parce que je me serais marié.

COËTLOSQUET, Jean Gilles de (Saint-Pol-de-Léon, 15 septembre 1700 - Paris, 21 mars 1784). Évêque de Limoges, il accède à l'épiscopat en 1739, après avoir occupé successivement les fonctions de chancelier de Bourges et de grand vicaire de Tulle sous Mgr du Plessis d'Argentré. Évêque de Limoges de 1739 à 1758, il se montre visiteur assidu des paroisses de son diocèse. Sa grande tournée pastorale des années 1743-1745 ne concerne pas moins de deux cent cinquante-sept paroisses. Nommé en 1758 précepteur du duc de Bourgogne et de ses frères, il se démet de son évêché pour ne pas manquer au devoir de résidence. Il se charge plus particulièrement de l'instruction religieuse des jeunes princes et fait avec eux des lectures commentées de l'Évangile. Chez le futur Louis XVI, cet enseignement intelligent de la religion portera des fruits abondants. M. de Coëtlosquet avait été élu à l'Académie française en 1761.

CŒUR (Sacré). Le culte du Sacré Cœur de Jésus prend ses sources dans la spiritualité bérullienne (le cœur de Jésus, selon Bérulle, est « éternellement ouvert », « éternellement navré ») et dans les révélations faites en 1673 à Marguerite Marie Alacoque, religieuse visitandine au monastère de Paray-le-Monial.

Depuis 1685, date où il a commencé au monastère de Paray, le culte n'a cessé de se répandre. Les visitandines, les jésuites, les sulpiciens, les eudistes et les pères montfortains sont ses principaux zélateurs. De nombreuses confréries se vouent au Sacré Cœur. De 1697 à 1747, trois cent trente-neuf confréries du Sacré Cœur sont érigées en France.

Le premier établissement officiel du culte se fait à Marseille, pendant la peste de 1720 et à l'initiative de Mgr de Belsunce. Quarante-cinq ans plus tard, le 1er juillet 1765, l'assemblée du clergé de France recommande à tous les évêques d'instaurer la fête du Sacré-Cœur dans leurs diocèses.

La fête du Sacré-Cœur est célébrée le vendredi après l'octave de la fête du Saint-Sacrement. Chaque premier vendredi du mois est également consacré au nouveau culte. Les principales pratiques de la dévotion sont la communion, l'amende honorable, et la visite et l'adoration du Saint Sacrement. Car le dévot du Sacré Cœur est un dévot du Saint Sacrement. Dans un ouvrage de piété, on lit au sujet de cette fête : « On doit consacrer tout ce jour à honorer le Sacré Cœur de Jésus dans le Saint Sacrement. » « La principale fin du culte, dit le même ouvrage, est de faire réparation des outrages que son Amour a reçus dans le Saint Sacrement. »

Chez les eudistes et les montfortains, la dévotion du Sacré Cœur de Jésus est associée à celle du Cœur de Marie.

Ennemis de ce culte dans lequel ils voient une superstition, les jansénistes le combattent et le ridiculisent. Il brocardent ce qu'ils appellent la « secte cordicole ». Les régions les plus marquées par l'influence janséniste, par exemple celles du sud est du Bassin parisien, sont également celles qui ont le moins grand nombre de confréries du Sacré-Cœur.

COFFIN, Charles (Buzancy, duché de Reims, 4 octobre 1676 - Paris, 20 juin 1749). Recteur de l'Université de Paris, il avait fait ses études au collège Duplessis. Élève et ami de Rollin, il lui succède comme principal du collège de Beauvais et occupe cette fonction jusqu'à sa mort, sauf le temps de ses trois années de rectorat (1718-1721). Ses *Harangues* rectorales se signalent par un jansénisme ardent. Le 3 décembre 1718 il donne sa longue *Exposition des motifs de l'appel*, qui joint à l'énumération des dogmes menacés par la bulle *Unigenitus* un résumé complet des principes richéristes. Mais ce sont ses hymnes pour le bréviaire gallican de Vintimille (1738) qui demeurent son principal titre de gloire. Il s'y révèle un bon poète latin. On admirera en particulier l'hymne pour l'Épiphanie et les courtes strophes écrites pour les offices des différents jours de la semaine. Celle de l'office du septième jour évoque le repos du ciel :

> *O caritas, o veritas !*
> *O lux perennis ! en erit*
> *Post tot labores, ut tuo*
> *Tandem fruamur sabbato.*

(Ô charité, ô vérité ! Ô lumière éternelle ! Tu seras ; de ton sabbat nous jouirons après tant de travaux.)

Coffin donnait aussi dans la poésie profane. Ce janséniste austère a écrit par piété patriotique une *Ode au vin de Champagne*.

COIGNY, François de Franquetot, comte, puis duc de (19 mars 1670 - 18 décembre 1759). Il avait servi le roi depuis l'âge de dix-sept ans et fait toutes les campagnes des deux guerres de la ligue d'Augsbourg et de la Succession d'Espagne. Il était à trente-cinq ans inspecteur général de la cavalerie et des dragons, et lieutenant général à trente-neuf ans (18 juin 1709). Désigné en 1733, lors de la guerre de Succession de Pologne, pour l'armée d'Italie, il remplace Villars le 27 mai au commandement de cette armée, en qualité de plus ancien des lieutenants généraux, et justifie amplement sa promotion en remportant sur les impériaux les victoires de Parme (29 juin) et de Guastalla (19 septembre). Il commandera encore en Allemagne en 1743, mais ce sera sa dernière campagne.

COIGNY, Marie François Henri de Franquetot, duc de (Paris, 1737 - *id.*, 1821). Pair de France, il est le fils du comte de Coigny, l'ami de Louis XV. Déjà gouverneur de Choisy, gouverneur de cette ville, château et grand bailliage de Caen, par démission de son grand-père, il est nommé en 1754 « mestre de camp général » des dragons, et participe avec honneur à toutes les campagnes de la guerre de Sept Ans. Esprit limité, mais honnête homme, il ne donnera jamais dans les utopies philosophiques ni dans les mœurs dissolues de sa génération. Député de la noblesse aux États généraux, il signe toutes les protestations de la minorité. Émigré en 1791, il combat dans l'armée des Princes. La Restauration le comble d'honneurs. Il est membre de la Chambre des pairs, maréchal de France, gouverneur des Invalides, et meurt octogénaire et respecté, « fidèle à son Dieu, fidèle à son roi », dira l'auteur de son éloge funèbre.

COLARDEAU, Charles Pierre (Janville, 12 octobre 1732 - Paris, 7 avril 1776). Poète et dramaturge, il avait commencé ses études au collège de Meung-sur-Loire, et les avait achevées à Paris. Son oncle, un bon curé de Pithiviers, ambitionnait pour lui une carrière d'homme de loi. Il entra chez un procureur, mais en sortit bientôt pour se mettre à écrire. L'*Épître d'Héloïse à Abailard*, son premier ouvrage (1757), poème imité de Pope, rencontra le plus vif succès. «Les femmes et les jeunes gens, nous dit-on, en surent par cœur les passages les plus heureux.» Attiré décidément par les lettres anglaises, le jeune auteur commença la traduction des *Nuits* de Young, mais ne l'acheva pas. Il n'acheva pas non plus celle de la *Jérusalem délivrée*, ouvrage entrepris peu de temps avant sa mort. Entretemps il s'était tourné vers le théâtre, et avait fait jouer deux tragédies : *Astarbé* et *Caliste* (1760). Élu à l'Académie française il n'y est pas reçu, ayant eu l'infortune rare de mourir entre l'élection et la date prévue pour la réception. Un de ses biographes le dit d'«une santé délicate, affaiblie encore par les plaisirs».

On cherche en vain ce qu'on pourrait retenir chez cet auteur. La Harpe loue l'«élégance» et la «sensibilité» de sa poésie. Une lecture objective dément ce jugement favorable. Les meilleurs vers de Colardeau, ceux du *Temple de Cnide*, sentent le labeur. Sa description des charmes des filles de Corinthe veut être lyrique. Elle n'est que galante :

Les filles de Corinthe étalent aux regards
L'or flexible et mouvant de leurs cheveux
[épars
....
A peine l'on voyait s'élever sur leur sein
Ces globes que l'amour arrondit de sa
[main,
Ces charmes que le feu de l'ardente
[jeunesse
Sous un voile importun fait palpiter sans
[cesse.

Quant aux pièces de théâtre, il n'y manque pas un seul cliché. L'esprit philosophique et les imprécations obligatoires contre les tyrans n'arrangent rien. Voici les premiers vers de *Caliste* — la scène est à Gênes :

Des malheureux Gênois, tel est le triste
[sort
Le faible est abattu sous les coups du
[plus fort.
Et parmi les horreurs du tumulte
[anarchique

Tout pouvoir est sacré quand il est
[tyrannique.

La suite est de la même eau. Pourtant Marmontel écrivit que le style de Colardeau «rappelait la sensibilité, l'élégance et la mélodie du style enchanteur de Racine». Le siècle n'avait pas de poètes. La critique lui en fabriquait.

COLLÉ, Charles (Paris, 1709 - *id.*, 3 novembre 1783). Littérateur, fils d'un avocat, il est, en 1737, l'un des fondateurs de la société de chansonniers du Caveau. Attaché ensuite au duc d'Orléans, comme lecteur et secrétaire ordinaire, il a pour principale fonction de fournir en comédies et en farces (ou «parades») le théâtre de société du château de Bagnolet, résidence de ce prince. Encouragé par son succès, il donne deux pièces à la Comédie-Française : *Dupuis et Desronais* (1763) et *Les Veuves* (1771). Ce sont des échecs. Par contre la *Partie de chasse de Henri IV*, comédie écrite en 1770, est très goûtée. La censure avait permis qu'elle soit publiée mais non jouée sur les scènes publiques. Alors tous les théâtres de société voulurent la jouer. Le duc d'Orléans la fit représenter à Bagnolet et joua lui-même le principal rôle, celui de Michaud. La pièce fut jouée aussi à Auteuil chez Mlle Verrière et à Cheverny, chez Dufort de Cheverny. Cependant, Collé est surtout un chansonnier. Il serait même un bon chansonnier s'il ne tombait trop souvent dans la grossièreté ou même dans la pornographie. Voici à titre d'échantillon l'un de ses couplets. Nous avons choisi l'un des plus chastes :

ÉPIGRAMME
Sur les genoux de Perrette, sa femme,
Un meunier mangeait sa soupe un jour.
Un sien ami l'aperçoit, et l'en blâme :
Eh! qui pourrait s'attendre à pareil tour?
Comment, chez toi, point de table, compère?
Un meunier !... Et pourquoi s'étonner?
Dit l'artisan. Voici tout le mystère :
Dès que j'ai fini de dîner,
Je n'ai que la nappe à tirer
Et je f... la table par terre.

On ne peut pas dire que ce soit d'un goût très délicat. Mais l'auteur n'est qu'à demi responsable. Il ne fait que répondre au goût de sa clientèle, une clientèle dépravée, celle de ces milieux de Cour, dont un vernis dissimule à peine la profonde corruption et la brutalité grossière.

COLLÈGE. On appelle collège une école de garçons divisée en groupes de niveau, appelés classes, où l'on enseigne principalement le latin.

Ce type d'école est très ancien. La réforme catholique et le programme d'études des Jésuites (*Ratio studiorum*) l'ont rénové. On distingue d'après leur statut deux grandes catégories de collèges, ceux des universités, et ceux des villes. Les principaux collèges universitaires sont les onze collèges dits « artiens » de l'Université de Paris (Harcourt, Beauvais, Le Plessis et Mazarin sont parmi les plus renommés). Les collèges dépendant des villes sont le plus souvent confiés à des congrégations enseignantes (Jésuites, Oratoriens, Doctrinaires et Barnabites). Ces collèges congréganistes sont les plus nombreux. La formule a fait ses preuves. La Flèche et Louis-le-Grand pour les Jésuites, Juilly pour les Oratoriens, et l'Esquile pour les Doctrinaires, jouissent d'une très grande réputation. Quelques collèges ont un statut mixte, étant à la fois congréganistes et agrégés aux universités. C'est le cas de Louis-le-Grand à Paris et de l'Esquile à Toulouse.

En 1710, les Jésuites avaient 86 collèges, les Oratoriens 30, les Doctrinaires 24 et les Barnabites 8. Pendant plus d'un demi-siècle, jusqu'à la suppression des Jésuites, cette répartition ne sera guère modifiée.

Les collèges congréganistes sont presque tous des collèges de plein exercice, c'est-à-dire ayant toutes les classes. Pour avoir une statistique complète il faut y ajouter les « petits collèges » de deux ou trois classes seulement et qui ne sont que très rarement tenus par les grands instituts enseignants cités plus haut. Cependant ils dépendent généralement des villes comme les grands collèges congréganistes.

Il s'était fondé de nombreux collèges aux XVIᵉ et XVIIᵉ siècles. Ce mouvement de fondations s'est beaucoup ralenti après 1690. Il n'y a plus après cette date aucune fondation de nouveau collège de plein exercice. Par contre le XVIIIᵉ siècle est une période de création de nombreux petits collèges. Par exemple Bonneville et Bergerac en 1737, Belmont et Bourgoin en 1760. En 1789, le royaume compte deux cent soixante et onze collèges, mais un peu moins de la moitié sont des petits collèges. Un nombre élevé de petites villes et même de bourgs ont adopté la formule du collège, autrefois réservée aux villes importantes.

Les bâtiments des collèges sont beaux et vastes, mais ils commencent à vieillir. La plupart ont été construits avant 1680.

L'enseignement est gratuit pour tous. La majorité des collèges vivent des pensions versées par les villes, en exécution des contrats de fondation. Le montant de ces pensions varie de 600 à 4 000 livres. La hausse des prix fait que ces subventions ne suffisent plus. Les collèges, qui n'ont pas d'autres revenus, sont obligés de demander une contribution aux familles. Par exemple, celui de Vitry-le-François fait payer depuis 1731 un droit d'écolage de 12 livres par an.

Le collège a moins de succès qu'au siècle précédent. Tout au moins dans les villes importantes. Entre le début du siècle et 1789, les grands collèges congréganistes de plein exercice enregistrent des baisses d'effectifs allant d'un tiers à plus de la moitié. La clientèle des nouveaux petits collèges compense en partie, mais en partie seulement. Le nombre total des élèves des collèges était d'environ 60 000 au début du siècle. En 1789 il n'est certainement pas supérieur à 40 000. Dans la deuxième moitié du siècle, les fils de la grande noblesse, et ceux des magistrats et des riches négociants, désertent les collèges. Le plus gros des élèves vient d'une bourgeoisie de petits notables, procureurs, notaires, greffiers, marchands, médecins, pour lesquels le latin conserve son prestige et représente encore une voie d'ascension sociale.

Les professeurs des collèges portent le titre de régents. Ceux des collèges artiens de l'Université de Paris sont titulaires de la maîtrise ès arts. On compte parmi eux beaucoup d'hommes de science et de talent. Les noms des Rollin, Batteux, Rivard, Crevier, Sigorgne, Couture, Nollet — pour n'en citer que les plus illustres — sont passés à la postérité. Les régents membres des congrégations enseignantes commencent très jeunes dans le métier, aussitôt après la sortie du noviciat. On leur confie d'abord une sixième, puis on les fait monter de classe en classe, jusqu'à celle de philosophie. Ils se forment en enseignant. Les plaintes pour incompétence sont rares. Dans son ensemble, le corps professoral donne satisfaction aux parents.

L'enseignement reste dans l'essentiel celui traditionnel des «lettres humaines» (latin, grec, français), tel qu'il a été défini et planifié par le *Ratio studiorum* à la fin du XVIe siècle. Un collège de plein exercice compte six classes, les quatre de grammaire, celle d'humanité et celle de rhétorique. Il s'y ajoute les deux classes de philosophie (logique et physique). Chaque classe a ses auteurs. Par exemple l'*Énéide* de Virgile est toujours expliquée en classe d'humanités.

Les classes commencent à la Saint-Luc (18 octobre) ou à la Saint-Rémy (1er octobre). Les grandes vacances débutent plus tard que de nos jours : à la fin juillet ou à la mi-août. Les élèves des grandes classes sont libérés plus tôt que ceux des petites.

Tout en gardant ses traits essentiels, le collège s'adapte aux temps nouveaux. Les châtiments corporels disparaissent peu à peu. Vers 1730, on introduit l'enseignement de l'histoire et de la géographie. Le cours de physique fait une part de plus en plus grande à la science expérimentale moderne. Vers 1770, les auteurs français entrent dans les programmes. C'est une modernisation.

Les collèges n'en subissent pas moins les attaques des esprits «éclairés» qui les accusent de donner trop de temps au latin et de ne pas préparer les enfants à la vie. Ces attaques commencent dans la décennie 1750-1760. L'article «Collège» de d'Alembert dans l'*Encyclopé-*

die en donne le signal. La campagne s'amplifie dans les années 1760-1763, au moment de l'offensive contre les Jésuites. C'est une véritable levée de boucliers. Aux philosophes se joignent les magistrats (La Chalotais, Rolland d'Erceville, Dufau). A travers les Jésuites on vise ce qu'on appelle (improprement), l'«éducation des moines». La critique porte sur les méthodes (selon Diderot les collèges n'enseignent que la «science des mots») et sur la discipline (selon Gresset, les collèges terrorisent «un peuple de jeunes esclaves»). Combaluzier demande non seulement la suppression des Jésuites, mais aussi la réduction du nombre des collèges, au nom de l'utilité : «… une instruction publique et trop multipliée ôterait à l'État un certain nombre de […] bras utiles» (*Mémoire de l'Université...*, 1761, p. 45). Maubert de Gouvest propose de supprimer la gratuité des classes de grammaire : «… il ne faut pas que l'éducation confonde les rangs et les conditions».

Le collège est en mauvaise position pour se défendre. Il subit la concurrence redoutable des «pensions». En 1763, la suppression de la Compagnie de Jésus prive cent cinq collèges de leurs maîtres. Les bureaux d'administration, institués par l'autorité royale pour gérer les établissements vacants, ont beaucoup de mal à trouver un personnel stable et compétent. Des collèges sont fermés (celui de La Rochelle par exemple). Les bureaux se tournent vers les instituts religieux. Trente collèges ayant appartenu aux Jésuites sont confiés à diverses congrégations (Doctrinaires, Oratoriens, Théatins, Bénédictins et Joséphites).

Le collège existe encore en 1789, mais ses épreuves successives l'ont affaibli et ont ébranlé la confiance des familles.

COLLÈGE ROYAL DE FRANCE. Le Collège royal de France avait été fondé en 1530 par François Ier. Sa mission était à l'origine d'enseigner les langues latine, grecque et hébraïque. On y avait ensuite ajouté des enseignements d'arabe et de syriaque, puis, sous Louis XIV, de sciences exactes et naturelles. En 1715 le Collège royal était déjà un haut lieu de la science moderne.

Sa transformation se poursuit au XVIIIe siècle. Les changements les plus importants interviennent à partir de 1769. L'une des deux chaires d'arabe est convertie en chaire de turc et de persan. L'une des deux chaires de droit canon devient chaire du droit de la nature et des gens. Deux chaires nouvelles sont créées, l'une d'histoire et l'autre de littérature française. Les chaires scientifiques (médecine, botanique, chirurgie, pharmacie) reçoivent de nouvelles dénominations. Ainsi la chirurgie se change en anatomie.

Il est difficile de faire un compte précis du nombre des chaires. Les historiens se contredisent à ce sujet. Il semble qu'il y ait eu dix-huit chaires au début du siècle et vingt à la veille de la Révolution.

Chaque professeur donne trois leçons par semaine d'une heure et demie chacune. Les leçons inaugurales publiques demeurent en honneur jusqu'à la Révolution. Quant aux cours ordinaires ils « étaient très suivis », selon Jean Torlais. Mais nous n'avons pas de chiffres. Le corps professoral comporte quelques grands noms : Charles Rollin, les deux mathématiciens Le Monnier et Lalande, le médecin Astruc, le naturaliste Daubenton, l'abbé Batteux et le poète Delille (pour n'en citer que quelques-uns).

Les bâtiments tombaient en ruine. Ils sont reconstruits. L'abbé Terray affecte à cet ouvrage une somme de 120 000 livres prise sur le vingt-huitième effectif des messageries de l'Université. Cette libéralité ne va pas sans une dure contrepartie : le Collège doit accepter de perdre son indépendance et de se réunir à l'Université. Les lettres patentes du 26 mars 1773 prononcent la réunion. Construit sur les plans de Chalgrin le nouveau Collège est achevé l'année suivante.

COLLÉGIALE. Une collégiale est une église où l'office divin est célébré par un chapitre. La différence avec une cathédrale est qu'il n'y a pas de siège épiscopal. Toutefois certaines collégiales jouissent de droits épiscopaux. Ce sont par exemple les quatre collégiales de Lyon, dont les chanoines portent, quand ils officient, la mitre des évêques.

Le royaume comptait, en 1789, cinq cent vingt-sept églises collégiales.

COLLET, Pierre (Ternay, près de Vendôme, 31 août 1693 - Paris, 6 octobre 1770). Prêtre de la congrégation de la Mission, théologien et moraliste, il est l'auteur le plus fécond de son institut. Son œuvre maintes fois rééditée, abondamment diffusée, a exercé une grande influence sur le clergé et sur les fidèles. Sa carrière est très simple. Prêtre, docteur en théologie, il entre en 1717 au noviciat des lazaristes. Il semble avoir passé la plus grande partie de sa vie à Paris, dans les emplois successifs de professeur à Saint-Lazare, supérieur du collège des Bons-Enfants et, à la fin de sa vie, de supérieur du séminaire Saint-Firmin. Son temps était partagé entre l'enseignement et la rédaction de ses nombreux ouvrages : quarante en quarante années. Cette abondante production peut être répartie pour l'essentiel dans les trois catégories suivantes : histoire, ascétique et théologie. La partie historique se compose de biographies de saints personnages, dont celle de saint Vincent de Paul (publiée en 1748). Les ouvrages d'ascétique ont été conçus à l'intention des prêtres et des fidèles, afin de leur rappeler les devoirs de leur état et de les aider à mener une vie plus chrétienne. Ce sont principalement le *Traité des devoirs d'un pasteur* (1757) et des *Instructions* ou *Traités des devoirs domestiques* (1758) ou *Traité des devoirs des gens du monde* (1763), *de l'Écolier chrétien* (1769) et *des gens de la campagne* (1770), chacun étant conçu à l'usage d'une catégorie sociale. Ces ouvrages sont écrits avec simplicité — on pourrait même dire avec humilité. Ils témoignent d'un certain sens pratique. Par exemple, l'écolier chrétien est averti de la difficulté d'une bonne entente avec ses condisciples. Une classe, explique le P. Collet, est un milieu très mélangé : « Dans une République aussi partagée d'inclinations et de sentiments, il faut beaucoup de prudence, de circonspection et de ménagements : et ces vertus sont encore plus nécessaires à ceux dont le tempérament est vif et qui perdent aisément patience. » La partie théologique est la plus importante de l'œuvre du lazariste. Elle se compose d'une théologie morale (*Tractatus de universa theologia morali*, en dix-sept volumes publiés de 1733 à 1761), continuation de la théologie de Tournely, que ce dernier, mort en 1729, n'avait pu achever, et d'un manuel de théologie en deux volumes (*Institutiones theologicae*, 1742) destiné aux séminaristes. Le cardinal de Fleury avait demandé à Collet de composer ces deux ouvrages. La théologie qui s'y exprime est la théologie traditionnelle inspirée de saint Thomas d'Aquin. Par exemple, dans le chapitre des *Institutiones* sur l'existence de Dieu, l'auteur réfute la preuve cartésienne de l'idée innée de Dieu et utilise les cinq preuves thomistes. Cette fidélité à la théologie thomiste mérite d'être soulignée : elle n'est pas si commune à l'époque. Les séminaristes des séminaires lazaristes (ce sont les plus nombreux) ont eu le moyen, grâce au P. Collet, de se préserver des erreurs cartésiennes qui commençaient alors à s'infiltrer dans l'enseignement. Le P. Collet est également très antijanséniste. En 1770, l'année de sa mort, il publie un *Traité de la dévotion au Sacré Cœur de Jésus*. Comme saint Vincent de Paul, dont il se réclamait toujours, il a été un ouvrier infatigable et désintéressé, ne cherchant que le service de l'Église et des fidèles. « Quand mon travail, disait-il, ne servirait qu'à dix ou douze personnes, je ne devrais pas regretter le temps que j'y aurais employé. »

COLLIN D'HARLEVILLE, Jean-François (Chartres, 30 mai 1755 - Paris, 24 février 1806). Littérateur, il avait commencé par faire des études de droit, et avait même été reçu avocat. Mais il se tourna rapidement vers la littérature et composa une pièce en vers célébrant *L'Infortune d'un clerc au Parlement*. En 1780, il fit recevoir à la Comédie-Française sa comédie

L'Inconstant, dont Diderot disait « c'est une pelure d'oignon brodée de paillettes d'or et d'argent ». Cette comédie, jouée seulement en 1784 au théâtre de la Cour, puis le 14 janvier 1786 au Théâtre-Français, remporta un grand succès qui conduisit l'auteur à donner deux ans plus tard une seconde comédie intitulée *L'Optimiste*. En 1789 ce seront *Les Châteaux en Espagne* [*sic*] également très bien accueillis. Il fait jouer en 1791 un acte en vers, *Monsieur de Crac dans son petit castel* et enfin l'année suivante son chef-d'œuvre, *Le Vieux Célibataire*. Il sera admis à l'Institut dès sa création. En dépit du jugement de Sainte-Beuve (« Le nom de Collin d'Harleville restera dans l'histoire littéraire ») celui-ci est aujourd'hui quelque peu oublié. Son ami Jean Stanislas Andrieux avait recueilli et publié ses œuvres en 1806 sous le titre de *Théâtre et Poésies fugitives* (4 vol., in-8°).

COLMAR. « Ville considérable » selon l'abbé Expilly, Colmar n'a pourtant que 9 000 habitants (1768). Mais elle est la capitale judiciaire de l'Alsace, le Conseil souverain de cette province y faisant sa résidence. La population est composée pour moitié de catholiques et pour moitié de protestants.

COMMANDEMENTS DE DIEU. Les commandements de Dieu ou Décalogue sont les dix préceptes promulgués par Dieu lui-même du haut du Sinaï en présence de tout le peuple d'Israël (Exode, 20, 1-17). L'enseignement religieux leur fait une grande place. « Le Décalogue, écrit Mgr Joly de Choin dans ses *Instructions sur le Rituel*, est un abrégé de ce que nous devons faire, comme le symbole est un abrégé de ce que nous devons croire, et l'oraison dominicale un abrégé de ce que nous devons demander à Dieu. »

Pour aider la mémoire, les Commandements sont généralement présentés sous la forme versifiée suivante :

> Un seul Dieu tu adoreras,
> Et aimeras parfaitement.
>
> Dieu en vain tu ne jureras,
> Ni autre chose pareillement.

Les Dimanches tu garderas,
En servant Dieu dévotement.

Tes Père et Mère honoreras,
Afin que tu vives longuement.

Homicide point ne seras,
De fait ni volontairement.

Luxurieux point ne seras,
De corps, ni de consentement.

Bien du prochain ne prendras
Ni retiendras à son escient.

Faux témoignage ne diras,
Ni mentiras aucunement.

L'œuvre de chair ne désireras,
Qu'en mariage seulement.

Bien d'autrui ne convoiteras
Pour les avoir injustement.

Les Commandements sont enseignés aux enfants dès le plus jeune âge. La leçon sur les Commandements représente l'une des quatre parties du catéchisme, les trois autres étant le symbole des Apôtres, les sacrements et la prière. Les Commandements sont aussi récités tous les jours à la prière du matin et à celle du soir. Dans les catéchismes et dans la prédication missionnaire, ils sont commentés et expliqués aux fidèles dans toutes leurs applications. Ils font également l'objet d'un enseignement détaillé à l'usage des prêtres de paroisse et plus spécialement des confesseurs. Cet enseignement est présenté dans les conférences ecclésiastiques et dans les manuels appelés *Conduites des confesseurs*.

Le Décalogue est pratique. Il dit ce que l'on doit faire et ce que l'on ne doit pas faire. C'est la règle de ce que l'on appelle au XVIIIe siècle la «conduite chrétienne». Comme le dit Joly de Choin, «c'est une règle sûre et droite à laquelle nous devons conformer nos mœurs et nos actions, si nous voulons qu'elles soient justes et saintes.» L'enseignement est donc pratique et aussi réaliste que possible. Il fait voir toutes les applications de chaque Commandement. Il s'efforce de former la conscience, en énumérant avec soin toutes les fautes à ne pas commettre, c'est-à-dire toutes les manières possibles d'enfreindre la loi de Dieu. C'est ainsi par exem-

ple que la *Conduite des confesseurs dans le tribunal de la pénitence* (1773) énumère treize manières possibles d'enfreindre le Quatrième Commandement («Tes Père et Mère honoreras...»). A titre d'échantillon voici la première et la onzième : «Les enfants pèchent contre ce précepte 1 — En ne rendant pas à leurs Pères et Mères le respect qui leur est dû ; par exemple, en ne les saluant pas comme il faut. [...] 11 — En les laissant dans le besoin après les avoir engagés à se dépouiller de tout pour avoir leur bien et s'établir avantageusement.» Dans le même ouvrage on ne trouve pas moins de vingt-trois fautes possibles contre le Septième Commandement («Bien du prochain ne prendras...»). Voici la septième et la dixième : «7 — En ne faisant pas comme il faut l'ouvrage qu'on s'est obligé de faire. [...] 10 — En endommageant mal à propos les maisons et les meubles et autres choses que l'on a prises à louage.» Pour ce qui est des applications aux états de vie et aux fonctions sociales, on peut citer le commentaire de Joly de Choin sur le Quatrième Commandement dans la partie intitulée «Devoirs des supérieurs vis-à-vis des inférieurs» : «Les supérieurs dans l'ordre civil doivent protection à la religion et à l'Église ; ensuite ils doivent à leurs sujets ou aux sujets de ceux qu'ils représentent : 1o de bons exemples ; 2o un soin paternel ; 3o une exacte justice et avoir soin qu'elle soit rendue.»

«Une exacte justice» : l'esprit de la leçon des Commandements est bien sûr l'esprit de religion (l'homme doit reconnaître son Créateur, l'adorer, l'aimer, l'honorer), mais c'est aussi *l'esprit de justice*. Obéir aux Commandements de Dieu, c'est se conduire en homme juste, c'est-à-dire en homme qui respecte l'ordre du monde et la nature des choses («justice générale» selon Aristote) et qui ne prend pas plus que son dû («justice particulière»). Cet esprit, qui est celui de l'Ancien Testament, était aussi celui de la Grèce antique.

C'est donc toujours à la justice que les fidèles sont rappelés. Prenons les leçons sur les Sixième et Neuvième Commandements, dans l'application qui en est faite aux devoirs des époux et des épouses. Ceux-ci sont continuellement invités à se conformer à la nature de leur état, c'est-à-dire à vivre en bonne intelligence et confiance mutuelle, et à ne pas se dérober au devoir conjugal. La leçon sur les professions se fait dans le même esprit. Elle s'attache à recenser toutes les manières possibles dans chaque profession de retenir plus que sa part. Exemple : les avocats pèchent contre le Septième Commandement «lorsqu'ils donnent des consultations sur des matières qu'ils ne savent pas assez».

Cet enseignement des Commandements de Dieu est l'un des fondements les plus solides de la société chrétienne de l'ancienne France. Quand il est appliqué, il peut humaniser les rapports sociaux et faire que ces rapports ne soient pas seulement des rapports de force et de revendication, mais des relations de devoirs mutuels.

COMMENDE. La commende est une provision d'un bénéfice régulier en faveur d'un séculier. C'est une infraction à la règle qui veut que les bénéfices réguliers soient réservés aux réguliers. Il faut donc une dispense de régularité.

Le concordat de 1516 a entraîné une extension de la commende. En vertu du concordat le roi nomme en commende à un grand nombre de bénéfices réguliers. Les propositions sont faites par le ministre de la feuille. La plupart de ces bénéfices sont donnés à des ecclésiastiques destinés à l'épiscopat. Tous les évêques se trouvent ainsi possesseurs d'une ou plusieurs abbayes et prieurés. Il arrive que des abbayes soient données à des enfants simplement tonsurés, mais qui appartiennent à de très grandes familles ducales ou princières. Dillon et Montmorency-Laval furent abbés commendataires à neuf ans.

Les bénéfices en commende sont très recherchés, même par des abbés amis de la philosophie. L'abbé du Bos, que la religion n'étouffait pas, était abbé de Ressons.

Il serait intéressant de connaître exactement le nombre des bénéfices en commende, et la proportion par rapport à l'ensemble des bénéfices. Il semble que la plupart des abbayes bénédictines d'hommes aient été tenues de cette manière. Presque toutes les abbayes de la congrégation bénédictine de Saint-Maur se trouvaient dans ce cas.

L'abbé (ou le prieur) commendataire partage avec les moines le revenu du monastère. Il n'est pas rare qu'il visite ses moines et même qu'il séjourne auprès d'eux. Il n'habite pas alors dans l'abbaye, mais dans un logis spécial situé tout à côté, et dont il se réserve l'usage.

COMMERCE. Le commerce, tant intérieur qu'extérieur, suit une croissance très rapide.

Le commerce intérieur bénéficie de la création d'un véritable réseau routier. Le rythme des échanges s'intensifie. Les voitures chargées de marchandises roulent désormais jour et nuit. Ainsi, sur le territoire correspondant à l'actuel département de la Haute-Vienne, sur les routes conduisant de Paris à Bordeaux et de Paris à Toulouse, le roulage utilise, à la veille de la Révolution, 5 000 chariots et 20 000 chevaux. Le trafic des canaux s'accroît aussi dans des proportions considérables. Par exemple, celui du canal du Languedoc passe de 175 000 livres en 1700 à 970 000 livres en 1785. Cependant, l'amélioration des transports entraîne le développement de la prospection à domicile et le déclin des marchés et des foires. «Toutes les foires du royaume diminuent : toutes les maisons de commerce ont des commis de voyage qui font des offres sur échantillons» (Rapport sur la foire de Guibray, 1785, cité par Dornic, *L'Industrie textile dans le Maine*). Mais la plus grande nouveauté est que les paysans cessent de vivre en autarcie et se mettent à acheter des produits manufacturés, de sorte que le commerce intérieur ne se fait plus en sens unique de la campagne vers la ville. Enfin, à partir des années 1760-1770, la réglementation du commerce intérieur tend à s'assouplir sous l'influence des doctrines libérales, et cela contribue également à l'intensification des échanges.

En prix courants, la valeur du commerce extérieur passe de 215 millions de livres en 1716-1720 à 1 062 millions en 1784-1788, soit un coefficient d'augmentation de 5. La croissance est particulièrement rapide de 1716 à 1748. Ensuite, elle devient plus lente. De 1749 à 1778, le taux de croissance est de 1 % seulement, et à partir de 1779 de 1,4 %.

Dans la sphère du commerce français la part du continent européen reste de loin la plus importante : 74,2 % du commerce total en 1726, 63,2 % en 1775. Cependant, le commerce américain, source des plus gros profits, ne cesse de se développer. De 1716 à 1786, les exportations françaises vers les Antilles augmentent de 368 % et les importations antillaises en France de 784 %. Les autres aires commerciales extra-européennes sont le Levant et l'Extrême-Orient.

La balance commerciale française est toujours en excédent : dans le total importations plus exportations, les exportations représentent toujours plus de 50 %. Les réexportations des produits exotiques tiennent une place importante. Par exemple Bordeaux, dans la période 1721-1778, réexpédie dans toute l'Europe 73,8 % des quantités totales de sucre importées des Antilles. Toutefois, la structure du commerce français n'est pas dans sa qualité aussi moderne que celle du commerce anglais. Les besoins en produits fabriqués restent constants : 14,1 % du total en 1716 et 13,3 % en 1787, et les exportations de produits alimentaires ne descendent pas au-dessous de 50 % du total.

L'influence du libéralisme se fait sentir aussi sur la politique en matière de commerce extérieur. L'édit de Laverdy de juin 1764 accorde la libre sortie des grains du royaume à certaines conditions. La règle de l'exclusif colonial est assouplie après 1780, et le traité de commerce franco-anglais de 1786 abaisse les droits d'entrée sur les produits manufacturés anglais.

COMMERCE FRANCO-ANGLAIS (traité de). Un traité de commerce franco-an-

glais fut signé le 26 septembre 1786. Le négociateur anglais avait été William Eden, le français Gérard de Rayneval. Ce n'était pas, comme on l'a souvent dit, une convention de libre-échange, mais un compromis fondé sur des concessions réciproques. Certains tarifs étaient abolis entre les deux pays, d'autres abaissés. Le traité favorisa les manufacturiers anglais dont les produits étaient moins chers que ceux des Français. Il fut également bénéfique aux grands propriétaires fonciers français, mais il eut sur l'industrie française, dans son ensemble, des effets plutôt malheureux.

COMMIS (premier). Les premiers commis remplissent des fonctions analogues à celles de nos actuels directeurs de ministères. Ils sont à la tête des bureaux du Contrôle général et des secrétariats d'État. Il n'y a donc pas un seul premier commis par ministère, mais plusieurs, dont le nombre dépend de celui des bureaux. Par exemple, en 1749, le secrétariat d'État à la Marine a un secrétariat et sept bureaux, soit huit premiers commis. L'effectif le plus élevé est celui du Contrôle général où non seulement le ministre, mais encore les intendants des finances ont chacun leurs premiers commis. Il faut compter aussi le premier commis des finances, qui est un personnage à part et d'une grande importance : il est chargé du Trésor ; c'est lui qui fait les paiements sur ordonnances.

A partir de la guerre de Sept Ans, le développement de la bureaucratie ministérielle entraîne une augmentation du nombre des premiers commis. Par exemple, au Contrôle général, le nombre des premiers commis du ministre passe de cinq à huit entre 1762 et 1775.

Les ministres passent, les premiers commis restent. Ils possèdent un grand pouvoir bureaucratique, c'est-à-dire qu'ils peuvent faire avancer ou bloquer une affaire. Michel Antoine rapporte dans sa thèse qu'en 1747, le sieur de La Ribellerie, premier commis de l'intendant des finances Taschereau de Baudry, réussit à empêcher, en le soustrayant, l'expédition d'un règlement fait en Conseil sur les abus commis dans la chambre des comptes de Dôle.

Beaucoup de premiers commis sont des personnages effacés. Toutefois l'histoire a retenu le nom de quelques premiers commis des Affaires étrangères employés à des missions délicates et de confiance. Citons entre autres Bussy, envoyé en 1760 à Londres pour négocier, Tercier, agent du Secret du roi et l'abbé de La Ville qui conseilla Louis XV après le renvoi de Choiseul.

Il est à noter que les premiers commis ne sont jamais appelés à des fonctions plus élevées ou plus honorifiques. Nous n'en voyons aucun devenir maître des requêtes ou intendant des finances. Nous sommes dans un régime sclérosé où les places sont réservées et les possibilités de carrières limitées.

COMMISSAIRES. Les commissaires sont des agents royaux. Ils sont désignés par des lettres de commission du roi. Ces lettres précisent dans le détail la mission qui leur est assignée.

Ils se distinguent en tout de ces autres agents royaux que sont les officiers. La source de leur pouvoir n'est pas une loi générale mais une lettre de commission. Ils ne sont pas propriétaires de leurs charges. Ils sont révocables. Bref un « fossé statutaire » (Harouel) les sépare des officiers.

La monarchie leur confie des tâches de confiance. Les secrétaires d'État sont des commissaires, de même que les gardes des Sceaux et les contrôleurs généraux des Finances. Sont aussi commissaires les ambassadeurs, les chefs d'armée, les gouverneurs, lieutenants généraux et commandants en chef des provinces, les intendants (appelés commissaires départis) et les premiers présidents des cours souveraines. Enfin, on voit apparaître chez les commissaires une nouvelle espèce d'agents royaux qui annoncent nos fonctionnaires modernes, ayant un statut définissant leurs obligations professionnelles et les avantages dont ils jouissent : traitement, perspectives de carrière, pension de retraite. Les ingénieurs des Ponts et Chaussées constituent un bon exemple de ce type nouveau de serviteurs du roi.

COMMISSION DES RÉGULIERS. *Voir* RÉGULIERS (commission des).

COMMITTIMUS. Le droit de committimus est le privilège accordé par le roi à certaines personnes et à certaines communautés de faire juger toutes leurs causes en première instance ou souverainement selon les cas, par un tribunal unique. *Committimus* veut dire « nous commettons ». Le roi accorde ce droit en vertu de son pouvoir d'évocation.

Jouissent du droit de committimus les officiers de la Maison du roi, les ducs et pairs et un certain nombre de communautés religieuses.

Les officiers de la Maison du roi ont le droit de plaider en première instance aux requêtes du Palais ou de l'hôtel de Paris, dans toutes les matières civiles, et d'y faire renvoyer tous leurs procès commencés devant d'autres tribunaux.

Le duc d'Orléans a ses causes commises en parlement pour tous les procès dans lesquels il se trouve partie.

Les ducs et pairs ont droit de plaider en première instance devant la Grand-Chambre du parlement de Paris.

Les communautés religieuses jouissant du committimus sont les suivantes : chanoines réguliers de la Congrégation de France, bénédictins de Saint-Maur, Oratoire, Malte, Cluny, Cîteaux, Prémontré, Grandmont, Trinitaires, Fontevrault, Bernardins, prêtres de la Mission et Compagnie de Jésus. Toutes ces communautés peuvent faire porter toutes leurs causes devant le Grand Conseil. Elles n'usent pas toujours de leur droit. En 1760, lors du procès La Vallette, la Compagnie de Jésus obtint du Conseil l'autorisation de porter son appel devant le parlement de Paris.

Le droit de committimus avait été réglementé par l'ordonnance de 1669. La plupart des privilèges des congrégations religieuses datent du XVIIIe siècle. la Compagnie de Jésus a obtenu le sien par lettres patentes datées de juin 1738. L'édit de janvier 1768 restreint l'étendue de ce privilège des congrégations religieuses. Elles ne pourront désormais en user que pour les contestations relatives à leurs privilèges, à leurs statuts, à leur gouvernement, aux réparations de leurs églises et au partage de leurs manses.

COMMUNAUTÉ D'HABITANTS. L'expression peut avoir un sens général et désigner toute agglomération ayant une vie propre, village, ville ou bourg fermé. Le plus souvent, elle est employée pour désigner le village en tant qu'il s'administre lui-même. Cette communauté villageoise est une personne morale. Elle a une existence juridique. Elle se distingue de la paroisse, lieu limité où le curé exerce sa juridiction. Cependant, l'assemblée des habitants se confond le plus souvent avec l'assemblée de paroisse et gère en même temps les affaires de la communauté et celles de la paroisse.

Cette assemblée se compose de tous les chefs de feux ou de ménages. Les veuves, chefs de famille, en font partie. Elle se réunit cinq à six fois par an, généralement le dimanche, à l'issue de la messe paroissiale, sous le porche de l'église, ou sous le chêne ou l'orme de la place.

Les administrateurs permanents sont le syndic dans la moitié septentrionale du royaume, les consuls et les jurats dans la moitié méridionale. Les communautés languedociennes et provençales possèdent un véritable régime municipal. Leurs consuls sont assistés de conseils dit « généraux » ou « politiques ».

La communauté gère les biens communaux qu'il lui est interdit d'aliéner. Elle est chargé de l'entretien de la nef de l'église (celui du chœur revenant au curé), de l'école, du presbytère et de l'horloge. Elle nomme les messiers (paysans commis pour garder les vignes), les gardes-bois, le berger du troupeau communal et le maître d'école. Auxiliaire de l'administration royale, elle élit les asséeurs (officiers s'occupant de faire le rôle des tailles) et les collecteurs de la taille, et détermine les conditions d'application de la corvée. Capable d'ester en justice elle engage souvent des procès pour la défense de ses intérêts.

Toutefois, la liberté dont elle jouit est très limitée par une double tutelle, royale et seigneuriale. La tutelle seigneuriale se fait beaucoup plus sentir dans les pays du Nord que dans ceux du Midi. En Artois et en Flandre, le seigneur ne respecte pas la liberté des habitants de choisir eux-mêmes leur syndic (liberté inscrite dans le code Michau de 1629). Ils désignent eux-mêmes les échevins et le corps municipal. En Bourgogne, c'est très souvent le juge seigneurial qui préside les assemblées. En revanche, en Languedoc et surtout en Provence, la tutelle seigneuriale est réduite au minimum. Les consuls y convoquent les assemblées et ont seuls le droit de faire des propositions. En Provence, dit l'abbé de Coriolis, « les communautés ne connaissent d'autres administrateurs que leurs consuls ». La tutelle royale a été instituée au XVIIe siècle. Depuis 1629 les communautés ne peuvent lever aucune imposition sans autorisation royale. L'édit de 1683 et la déclaration de 1691 ont soumis les comptes communaux à la vérification de l'intendant. C'est donc l'intendant qui permet aux communautés de lever des octrois ou d'aliéner des communaux pour équilibrer des finances très souvent mal en point.

COMMUNAUX. Les communaux sont des biens-fonds, bois, prés, marais, friches, landes, « qui appartiennent en commun à la totalité des habitants d'un lieu quelconque, entre lesquels le seigneur est toujours réputé le premier » (d'Essuiles).

Les communaux irritent les partisans de l'« agriculture nouvelle », qui en demandent le partage afin d'en rendre les terrains plus productifs. La suppression des communaux fait l'unanimité des esprits éclairés, divisés seulement sur la question de savoir si les pauvres et les non-propriétaires doivent ou non être bénéficiaires du partage. Oui pour les intendants consultés, oui pour le comte d'Essuiles, auteur d'un *Traité des communes* (1770), non pour certaines sociétés d'agriculture, dont celle d'Angers. On lit dans un mémoire de cette société « que tous les pauvres qui ne possèdent aucun bien doivent [...] être exclus» du partage. Car «n'étant point propriétaires de terrains dans la paroisse, ils ne peuvent avoir aucun droit sur les communes. La pauvreté fut-elle jamais un titre pour autoriser l'usurpation... ?» (cité par Bourde, *Agronomie...*, 1967, t. II, p. 1179, note 1).

Le gouvernement royal tranche en faveur du partage. De 1769 à 1771 sont prises un certain nombre de dispositions législatives autorisant le partage dans les pays suivants : généralités d'Auch et de Pau, provinces de Bourgogne, Mâconnais, Auxerrois, Gex et Bugey, Alsace, Flandre, Cambrésis et Artois. Il serait intéressant d'étudier la manière dont les partages furent réalisés, selon quelles modalités, et si les pauvres y ont été ou non associés.

COMPAGNIE DE MARIE DE NOTRE-DAME. *Voir* **MARIE DE NOTRE-DAME (Compagnie de).**

COMPAGNIE DES EAUX. *Voir* **EAUX (Compagnie des).**

COMPAGNIE FRANÇAISE DES INDES. *Voir* **INDES (Compagnie française des).**

COMPIÈGNE. La ville de Compiègne en Île-de-France est, avec Versailles et Fontainebleau, l'une des trois grandes résidences royales. La Cour s'y transporte en été pour un séjour d'un mois et demi environ (du début de juillet à la mi-août). Le château a été transformé et embelli par Louis XV qui a également fait construire plusieurs hôtels pour les ministères. Une salle de spectacle a été construite en 1775.

La forêt de Compiègne est la plus belle du royaume. Sur ses 40 000 hectares 3 000 ont été reboisés sous le règne de Louis XV. Ce prince y a fait percer cent quatre-vingts routes afin de faciliter ses chasses. Au voisinage de Compiègne se trouvent des camps militaires servant aux manœuvres des troupes d'infanterie.

La ville de Compiègne a tiré un grand bénéfice de la présence royale. «Le roi Louis XV, écrit Piganiol de La Force, n'a presque point fait de voyage à Com-

piègne qu'il n'ait ordonné quelque ouvrage nouveau et somptueux pour embellir cette ville. »

Compiègne a un collège de jésuites et un carmel dont Piganiol nous dit qu'il n'était «riche qu'en vertus et en bonnes œuvres».

CONCERT SPIRITUEL. Le Concert spirituel fut la première société de concerts publics. Sa fondation en 1725 par Anne Danican Philidor, bibliothécaire et musicien de Louis XIV, mit fin au monopole des concerts de l'Académie royale de musique. La première audition eut lieu le 28 mars 1725 dans la salle des Suisses du château des Tuileries; on joua des œuvres de Lalande et de Corelli. Le Concert eut une longue existence; il dura jusqu'en 1790. En soixante-cinq ans 125 chanteurs, 182 chanteuses et 137 violonistes s'y produisirent, interprétant les œuvres de 456 compositeurs français et étrangers. Le Concert permit au public français d'acquérir une bonne connaissance de la musique étrangère. Haendel, Telemann et Vivaldi — entre autres — y furent joués. C'est au Concert que l'on entendit pour la première fois en France, le 7 février 1728, les *Quatre Saisons* de Vivaldi.

A partir de 1770, le Concert subit la concurrence du Concert des amateurs fondé par Gossec. En 1773, l'entreprise fut vacante et Gossec s'en chargea en collaboration avec Gavinier et Leduc l'aîné. Ce fut un nouveau départ et un nouveau succès.

CONDÉ, Louis Henri, prince de, duc de Bourbon (Versailles, 1692 - Chantilly, 27 janvier 1740). Fils de Louis, duc de Bourbon et de Condé, et d'Anne de Bavière, arrière petit-fils du grand Condé, il s'est marié deux fois, en 1713 et en 1736, et n'a eu d'héritier de son nom que de son second mariage. Il releva le titre de «duc de Bourbon», qu'il fut seul à porter avec son petit-fils Louis Henri Joseph, depuis l'accession au trône de la branche aînée.

Peu avantagé au moral comme au physique, laid, borgne, d'une «bêtise presque stupide » (Saint-Simon), il est au moins assez avisé pour s'enrichir. Ami de Law, il est l'un des grands profiteurs du Système. En 1719, il se fait accorder un droit de souscription (appartenant normalement au roi) sur une émission d'actions de la Compagnie des Indes. En mars 1720, il procède à un retrait de 25 millions de livres tournois de la banque. Il donne des fêtes fastueuses dans son château de Chantilly. La visite de sa ménagerie en est l'attraction principale.

Ce personnage « peu spirité », comme on disait, va néanmoins gouverner la France. Déjà surintendant de l'éducation du jeune roi (à partir du 26 août 1718), il obtient, en décembre 1723, la succession du duc d'Orléans au poste de principal ministre. Il gouverne moins qu'il n'est gouverné par la marquise de Prie, sa maîtresse. Le fait le plus marquant de son ministère est le mariage du roi en 1725. La jalousie causera sa perte. Envieux de l'influence de Fleury, il tente maladroitement de discréditer l'ancien précepteur dans l'esprit du roi. Cela lui vaut son renvoi, signifié le 11 juin 1726.

CONDÉ, Louis Joseph de Bourbon, prince de (Paris, 1736 - id., 1818). Fils du précédent, il a vécu successivement deux existences, la première sous l'Ancien Régime, la seconde dans l'émigration. Sous l'Ancien Régime, il s'adonne à la guerre et à l'art militaire. Lieutenant général des armées du roi, il s'illustre à Hastembeck, Minden, et surtout à Johannisberg (1762), où il remporte une brillante victoire sur le duc de Brunswick. Spécialiste de l'organisation militaire, il écrit des mémoires sur les questions de l'avancement et de la discipline. Il exerce également un rôle politique non négligeable, comme gouverneur de Bourgogne pendant trente ans, et comme prince du sang et membre de la Cour des pairs. Ennemi juré de Choiseul, il contribue à sa disgrâce. En 1771, il réussit à imposer son protégé, le marquis de Monteynard, pour le poste de ministre de la Guerre. Cette même année, il s'associe à la protestation des princes contre le coup d'État de Maupeou. Louis XV ne lui en tient pas longtemps rigueur et accepte très vite son retour à Versailles. Le prince se montre moins magnanime que le roi : avant de revenir à Versailles, il fait jurer à ses vassaux de Chantilly de ne jamais recourir aux nouvelles juridictions instaurées par Maupeou. On comprend mal une telle hostilité. Le prince, il est vrai, a des opinions « éclairées ». Il fait des sourires à la philosophie, correspond avec Voltaire, et emploie successivement Chamfort et Grouvelle comme secrétaires de ses commandements. Sous le règne suivant, son attitude paraît plus loyale. En 1787, en sa qualité de président des états de Bourgogne, il réussit à obtenir, malgré l'opposition de la noblesse, l'augmentation réclamée par le ministère de l'abonnement du vingtième. Cependant, il réprouve les concessions faites au « parti national », et c'est lui qui rédige le « mémoire des princes » remis au roi au début de décembre 1788. Désormais il va incarner la contre-révolution. Il émigre le 27 juillet 1789. Juste à temps : les paysans de ses domaines voulaient le jeter dans l'Oise. Chef de l'armée des émigrés, il combat sur le Rhin jusqu'en 1796, et ne revient en France qu'en 1814 avec Louis XVIII. Il s'était marié deux fois, la première avec Charlotte Godefride Élizabeth, princesse de Rohan-Soubise, dont il avait eu trois enfants, la seconde avec Marie Caroline de Brignoles, princesse de Monaco.

CONDILLAC, Étienne Bonnot de (Grenoble, 30 septembre 1714 - Flux, près de Beaugency, 3 août 1780). Cet abbé est habituellement classé parmi les philosophes des Lumières. On doit cependant préciser qu'il n'est pas comme beaucoup de ces « philosophes » un philosophe amateur, un philosophe littérateur, mais un véritable théoricien, étudiant la philosophie en spécialiste et pour elle-même. Il est le troisième des cinq enfants d'un receveur des tailles, anobli par une charge de secrétaire du roi. Le deuxième de la famille, juste avant Condillac, est l'abbé de Mably. L'enfance du futur philosophe est maladive. Il souffre des yeux. A douze ans il ne sait pas encore lire. A la mort de son père, en 1727, il est envoyé chez son frère aîné, grand prévôt de Lyon, et, dit-on, fait lui-même son éducation. En 1733, l'abbé de Mably l'emmène avec lui à Paris et le fait entrer au séminaire Saint-Sulpice. En 1740, il est ordonné prêtre, sans grande vocation probablement. On a écrit qu'il n'aurait dit la messe qu'une seule fois. Cependant, il conserve la soutane et gardera toute sa vie des mœurs dignes d'un ecclésiastique. Ses trois premiers ouvrages, l'*Essai sur l'origine des connaissances humaines*, le *Traité des systèmes* et le *Traité des sensations* sont publiés de 1746 à 1749. Les principes qu'il y expose ne varieront plus. Il est déjà en possession de l'essentiel de sa théorie. En 1758, sur la recommandation du duc de Nivernais, ambassadeur à Rome, il est choisi pour être le précepteur de Ferdinand, prince héritier de Parme, petit-fils de Louis XV. Il va s'adonner à cette tâche pendant dix ans et dispenser à ce prince médiocre, faible et dissimulé, les connaissances les plus étendues. Son *Cours d'études*, qui sera publié de 1769 à 1773, ne comporte pas moins de seize volumes. A son retour en France en 1767, le roi le récompense de son zèle en lui donnant l'abbaye de Mureau. L'année suivante, il est élu à l'Académie française et prononce son discours de réception le 27 décembre 1768. Il siégera peu. Il choisit bientôt de vivre la plus grande partie de l'année à la campagne, dans le domaine de Flux, en Orléanais, acheté par lui en 1773 pour sa nièce préférée, Mme de Rouville. Il s'intéresse à l'agriculture, est élu le 5 février 1776 à la Société royale d'agriculture d'Orléans, et publie la même année *Le Commerce et le gouvernement considérés relativement l'un à l'autre*, traité d'économie politique, dans lequel il défend l'industrie contre les physiocrates, et soutient la thèse de la liberté totale des échanges. Ses deux derniers traités de philosophie, la *Logique* et la *Langue des calculs* paraissent en 1779, l'année précédant celle de sa mort.

Le système de Condillac est anti-intellectualiste et se rattache aux théories empiristes et sensualistes. Selon ce système, il n'y a rien d'inné en nous, ni idées ni activité intellectuelle élaboratrice. Tout vient de la sensation, qui se transforme elle-même et se combine avec d'autres sensations, devenant ainsi souvenir, plaisir, douleur, idées, jugement, raisonnement. Cette théorie de la « sensation transformée » est expliquée par son auteur avec la fameuse allégorie de l'« homme statue ». Elle aboutit à une conception assez primitive de la connaissance intellectuelle. En effet, pour Condillac le jugement consiste dans une comparaison, qui se réduit à la présence simultanée de deux sensations. L'abbé ne voit pas que les termes des propositions par quoi se formule le jugement ne sont pas que des sensations et des images. Sa théorie du plaisir souffre d'une insuffisance analogue. Selon cette théorie, le plaisir explique toute tendance, toute inclination. C'est oublier que le plaisir suppose lui-même une tendance active préalable (par exemple un appétit naturel) agréablement satisfaite. Sa théorie du langage est celle qui résiste le mieux à la critique. Condillac explique que le vocabulaire gagne en richesse et en précision à mesure que les idées deviennent plus nettes et plus précises. « Une science, écrit-il, n'est qu'une langue bien faite. »

Condillac a entretenu de nombreuses relations avec les philosophes. Il connaissait Rousseau depuis 1739. Avant de publier ses premiers ouvrages, il fréquentait Diderot et dînait souvent avec lui et avec Rousseau. Il a correspondu avec Voltaire et d'Alembert. Son empirisme est celui des philosophes. Sa conception de l'histoire, telle qu'il l'exprime dans son discours de réception à l'Académie française, reflète le progressisme philosophique. Il évoque en effet dans ce morceau d'éloquence « ces temps de barbarie où une ignorance stupide et superstitieuse couvrait toute l'Europe ».

Cependant il se distingue des philosophes par son spiritualisme. Il croit en Dieu et en l'immortalité de l'âme. A Flux, il fait célébrer la messe tous les dimanches dans la chapelle du château et veille à ce que chacun y assiste. Sentant la mort approcher il fait venir un prêtre pour l'administrer.

Pourtant il est exagéré de dire (comme le fera La Romiguière) que son système « anéantit le matérialisme ». Est-il si antimatérialiste celui qui a écrit : « Vivre, c'est proprement jouir », et dont l'anthropologie réduit l'homme à des sensations et à des besoins ? Certes, il fait une place à la liberté, parce qu'il admet des actes volontaires. Mais ses actes volontaires ne le sont pas vraiment parce qu'ils sont définis comme des « états affectifs » et des « désirs prédominants ». L'homme de Condillac n'est pas vraiment libre. Il subit des besoins et des désirs. Il ne les dirige pas.

CONDORCET, Jean Antoine Nicolas de Caritat, marquis de (Ribemont, Picardie, 17 septembre 1743 - Bourg-la-Reine, 29 mars 1794). C'est le plus illustre représentant de la deuxième génération des Lumières. Il est issu d'ancienne noblesse. Son père était capitaine de cavalerie, son oncle évêque. Son père meurt trente-cinq jours après sa naissance. Il est donc élevé par sa mère. Celle-ci est une femme très pieuse. Elle consacre son fils à la Vierge et le voue au blanc. Il sera habillé de blanc jusqu'à l'âge de huit ans. Commencées au collège des jésuites de Reims, ses études se poursuivent au collège de Navarre à Paris. Les écoliers des classes de philosophie recevaient dans cet établissement une formation scientifique très poussée. Le jeune Condorcet manifeste des dons précoces. En 1758 (il a quinze ans), il soutient magistralement ses thèses de mathématiques pour le baccalauréat ès arts. Sorti du collège il continue à étudier les mathématiques sous la conduite de son professeur de Navarre, l'abbé Giraud de Kéraudou. Son *Essai sur le calcul intégral*, présenté en 1765 à l'Académie des sciences, reçoit de grands éloges. « L'ouvrage, écrit d'Alembert, annonce les plus grands talents. » Entre cette date de 1765 et celle de 1774 s'étend la période purement scientifique de la vie de Condorcet. Il adresse de nombreux mémoires de ma-

thématiques aux académies étrangères. Il se lie avec Lagrange. Il est élu le 25 février 1769 dans la section de mécanique de l'Académie des sciences. Il sera en 1773 secrétaire en survivance de cette Académie et en 1774 secrétaire en plein exercice. Son œuvre mathématique a été très admirée en son temps. Aujourd'hui les jugements sont plus réservés. Celui de l'historien des sciences Pierre Humbert est franchement négatif. Cet auteur écrit en effet : les recherches de Condorcet « sur le calcul intégral, son mémoire sur le problème des trois corps, lui valurent une grande réputation, on ne sait pourquoi, car son style est diffus, ses idées sont imprécises, obscures, souvent bizarres, quelquefois inexactes ».

En 1774, s'achèvent les années de spéculation pure. Condorcet fait cette année-là son entrée dans la controverse philosophique. L'abbé Sabatier de Castres venait de publier *Les Trois Siècles de la littérature française*, charge antiphilosophique. Condorcet réplique par la *Lettre d'un théologien à l'auteur du Dictionnaire des trois siècles*. C'est un pamphlet très dur et à longue portée. Condorcet attaque la morale chrétienne, la qualifiant de « morale abjecte ». Le mathématicien devenu un philosophe et un polémiste. A vrai dire sa conversion à la philosophie remonte à plusieurs années. Condorcet a été présenté à d'Alembert dès 1758. En 1770, ce dernier l'a emmené avec lui rendre visite à Voltaire. Il l'a aussi introduit dans le salon de Julie de Lespinasse. Condorcet fréquente également la maison de Mme Helvétius à Auteuil. Il y rencontre Volney et Cabanis qui deviendra son beau-frère. Mais surtout, depuis plusieurs années, une idée se forme dans son esprit, celle de la perfectibilité de l'espèce humaine. Cette idée devient un idéal. Elle le transforme en militant de la philosophie. « Persuadé depuis longtemps, écrira-t-il, que l'espèce humaine est indéfiniment perfectible [...] je regardais le soin de hâter ces progrès comme une des plus douces occupations » (*Fragment de justification*). Il s'engage à fond et dans tous les domaines. Il se fait économiste. Il soutient l'expérience de Turgot. Il combat les thèses des «colbertistes», c'est-à-dire des neckeriens. Ce sont les *Réflexions sur le commerce des blés* (1776) et la *Lettre d'un laboureur de Picardie à Monsieur Necker, auteur prohibitif à Paris* (1775). Il se mue en défenseur des opprimés. Il combat pour la liberté des protestants et pour la libération des Noirs (*Recueil de pièces sur l'état des protestants en France*, 1781, *Réflexions sur l'esclavage des nègres*, 1781). Il n'abandonne pas pour autant les mathématiques, mais les enrôle au service de la cause humanitaire. C'est dans cette perspective qu'il étudie le calcul des probabilités. Son *Essai sur l'application de l'analyse à la probabilité des décisions rendues à la pluralité des voix* (1781) «examine la probabilité qu'une assemblée rendra une décision vraie». A partir de 1787, le combat politique l'accapare. En 1790, il ne publiera pas moins de vingt pamphlets et mémoires sur tous les sujets de gouvernement. Vient enfin le moment où il va pouvoir passer de la théorie à l'acte. En 1791, il est élu à l'Assemblée législative et en 1792 à la Convention. Il se signale par ses mémoires sur l'instruction publique (1792), par ses adresses à différents peuples d'Europe, afin de les inviter à épouser la cause de la liberté (septembre 1792) et par son refus motivé de voter la mort du roi. Décrété d'accusation le 3 octobre 1793, sur dénonciation de Chabot, pour avoir osé critiquer le projet de Constitution présenté par Hérault de Séchelles, il se cache pendant cinq mois dans la maison de Mme Vernet, rue Servandoni à Paris. Puis, un beau jour, ne voulant plus exposer son hôtesse à des représailles, il quitte son refuge, sort de Paris et vient se faire arrêter à Clamart dans une auberge. Il est transféré à Bourg-la-Reine. Le lendemain (29 mars 1794) on le trouve mort dans sa prison. Il s'est sans doute suicidé. «Depuis longtemps, écrira sa fille, il portait sur lui un poison, préparation concentrée d'opium.»

Qui était-il? L'homme privé ne manque pas d'une certaine dignité. Il n'est que moyennement attaché à l'argent. S'il accepte de Turgot la place d'inspecteur des Monnaies, avec les appointements de 5 000 livres par an et un logement à l'hôtel des Monnaies, il refuse de cumuler avec la place et les appointements de directeur de la Navigation. Sa fortune (18 000 livres de rente en 1786) est modeste. Il est vrai qu'il saura l'augmenter par des achats de biens nationaux et en particulier de certaines terres de l'abbaye de Corbie. Il a épousé le 28 décembre 1786 Sophie de Grouchy, nièce de Fréteau de Saint-Just et de Dupaty. Le mariage est bien assorti, sinon par l'âge (elle a vingt et un ans de moins que lui), mais par les convictions philosophiques, la jeune mariée n'ayant jamais pu croire en Dieu. Condorcet sera un bon mari et un excellent père pour leur fille unique. De son refuge de proscrit il adressera à cette dernière des *Conseils* empreints d'une véritable tendresse.

Le penseur est un utopiste. Il croit aux «sciences morales». Il entend par cette expression la science de l'organisation de la société en vue du bonheur des hommes et de l'amélioration de l'espèce. Il croit à la «mathématique sociale». Dans son discours de réception à l'Académie française (21 février 1782), il exprime le regret que la société humaine ne puisse être étudiée par «un être [...] étranger à notre espèce». Car un tel observateur présenterait toutes les garanties d'impartialité. En politique, il est prophète. Son système d'individualisme absolu à la base et de socialisme au sommet préfigure les sociétés politiques occidentales de la seconde partie du XXe siècle.

Il est le type même du mathématicien qui ne juge que par les mathématiques. Dieu n'existe pas et l'âme n'est pas immortelle, puisque nous n'avons sur ces deux points aucune certitude mathématique. L'homme était donc sans espérance, mais il n'était pas sans idéal. Cet idéal était une sorte d'altruisme. Condorcet croyait qu'il était «plus doux et plus commode de vivre pour autrui». C'est alors, pensait-il, «que l'on vit véritablement pour soi» (*Conseils à sa fille*).

CONFÉRENCES ECCLÉSIASTIQUES. Les conférences ecclésiastiques sont des réunions régulières des curés d'une même circonscription ecclésiastique (ordinairement le doyenné). Ce sont des réunions de formation : des instructions y sont données sur divers points de morale et de religion. Les conférences complètent l'enseignement reçu au séminaire.

Quelques-unes de ces instructions sont publiées par les soins des évêques sous le titre de *Conférences ecclésiastiques du diocèse de...* Les trois recueils les plus connus et les plus répandus sont les *Conférences ecclésiastiques du diocèse de Paris,* celles d'Angers et celles de Saint-Malo. Les *Conférences* de Paris sont du P. Le Semelier, doctrinaire, de tendance janséniste. Elles ont été publiées en deux fois, celles sur le mariage en 1713, et celles sur le Décalogue en 1759. Les *Conférences* d'Angers forment une collection de dix-neuf volumes publiés à Angers de 1719 à 1776. Les seize premiers ont été rédigés par M. Babin, doyen de la faculté de théologie d'Angers. Les *Conférences* de Saint-Malo ont paru en 1750. Les enseignements donnés dans ces différentes collections sont pratiques et précis. Ils servaient à aider les prêtres et à les guider dans l'exercice de leur ministère.

CONFLANS, Hubert de Brienne, comte de (Paris, 1690 - *id.*, 1770). Lieutenant général des armées navales, maréchal de France (dans la promotion du 18 avril 1758), il aurait présenté d'après l'historien de la marine Charles de La Roncière de « superbes états de service ». L'examen ne fait rien voir d'exceptionnel. Entré dans la marine en 1706, il sert dans sa jeunesse sous Duquesne et Duguay-Trouin. Il est employé longtemps en Méditerranée. Il y est notamment chargé de protéger le commerce dans les parages de Tunis et d'Alger. Sa carrière se déroule ensuite dans l'Atlantique. Il est blessé et fait prisonnier en 1747. Lieutenant général depuis le 1er septembre 1752, il commande en cette qualité pendant les trois compagnes de 1756, 1757 et 1758 l'escadre destinée à croiser dans l'océan. Sa première grande bataille a lieu le 30 novembre 1759 au large de Quiberon, et c'est un désastre. La plupart des navires français sont coulés ou forcés de s'échouer. La défaite est due pour une part à la supériorité numérique des Anglais (vingt-sept vaisseaux contre vingt et un), mais pour la plus grande part à l'incompétence de Conflans. Ce dernier n'avait que très peu d'expérience du commandement d'une escadre au combat. Il avait passé une partie de sa carrière à éviter le combat, non par pleutrerie, mais en vertu des principes tactiques alors en application. Il écrivait un jour à son ministre ces propos révélateurs : « Si malgré ma prudence, nonobstant toutes nos précautions, je suis attaqué par les forces ennemies, je combattrai avec toute la gloire possible, mais c'est ce que je chercherai à éviter. »

CONFRÉRIE. Une confrérie est une société instituée pour quelque fin pieuse ou charitable. Les confréries ont la personnalité juridique. Cependant il ne faut pas les confondre avec les instituts religieux. Ce sont des sociétés laïques bien que des ecclésiastiques y soient souvent admis. Mais elles sont soumises à l'approbation épiscopale.

Chaque confrérie est placée sous un patronage spirituel qui la consacre à une dévotion particulière. Les patronages de la Sainte-Trinité, du Saint-Sacrement et de la Vierge Marie sont les plus répandus. La moitié au moins des confréries relèvent de l'un ou l'autre de ces trois titres. Les autres sont vouées aux saints, parmi lesquels les grands saints guérisseurs, saint Sébastien et saint Roch, sont les plus souvent représentés. Les confréries dites de pénitents forment une catégorie à part. On les trouve en Provence, en Languedoc et en Limousin. Elles se distinguent par la couleur du capuchon de leurs membres. Il y a des confréries de pénitents noirs, blancs, bleus, gris, rouges et violets. Toutes honorent la Passion du Christ.

Les pays les plus riches en confréries sont la Normandie et les provinces de la moitié méridionale du royaume. Le diocèse de Toulouse compte 228 confréries pour 215 paroisses en 1789. On peut estimer approximativement à 15 000 le nombre total des confréries pour toute la France, et à 1 500 000 le nombre total des confrères, soit à peu près un Français sur douze.

La confrérie tient à la fois de la corporation et de l'institut de perfection. De la corporation par ses droits d'entrée, ses cotisations, ses procureurs élus, sa fête patronale. De l'institut de perfection par l'obligation de « bonne vie » faite à ses membres et par sa vie de prière. On ne demande ni vie commune ni vertus particulières, mais au moins bonne vie. Néanmoins, la principale obligation des confrères est de s'édifier mutuellement et de prier les uns pour les autres. Ils sont liés par un « lien spirituel de fraternité ». Ils sont invités à prier particulièrement pour les confrères agonisants et pour les confrères défunts. On peut dire que les confréries sont des sociétés de secours spirituel mutuel.

Très intériorisée, la dévotion du XVIIIᵉ siècle n'est pas très portée à recourir à l'association pieuse. Pourtant, les confréries demeurent. Très peu disparaissent, et même des confréries nouvelles sont érigées. Par exemple, dans le diocèse de Bordeaux, soixante-sept confréries sont créées entre 1729 et 1789. Dans l'Ouest, les disciples de P. de Montfort fondent des confréries du Rosaire à l'issue de leurs missions. On voit aussi naître un peu partout en France de nombreuses confréries du culte nouveau du Sacré-Cœur. Toutefois, dans beaucoup d'anciennes confréries, on note des baisses d'effectifs inquiétantes. Les confréries résistent, mais plusieurs se réduisent et quelques-unes se vident.

CONGRÉGATION DE NOTRE-DAME. *Voir* **NOTRE-DAME (Congrégation de).**

CONNÉTABLE. La connétablie de France est l'une des juridictions royales spécialisées. Elle connaît en principe de tous les différends entre les gens de guerre. Son nom lui vient de ce qu'elle était attribuée au connétable de France, premier des grands officiers de la Couronne. La charge de connétable a été supprimée en 1627, mais la connétablie a été conservée, de même que l'autre juridiction dépendant du connétable, celle du tribunal du point d'honneur (*voir* TRIBUNAL DES MARÉCHAUX DE FRANCE).

Le siège de la connétablie se trouve à la Table de marbre du Palais de justice de Paris. Son ressort s'étend au royaume tout entier.

Elle est compétente dans toutes les actions entre militaires, soit du fait de guerre, soit *ratione personae*. Elle connaît de tous les procès relatifs aux charges militaires et en particulier des contestations relatives au paiement des gages, aux fournitures de guerre et aux redditions de comptes. Au criminel, elle juge en première instance des affaires de rébellion contre les prévôts des maréchaux. Elle juge aussi en appel des sentences disciplinaires des prévôts, des maréchaux (concernant les militaires). Cependant elle ne juge jamais souverainement. Tous ses jugements sont susceptibles d'appel au Parlement.

Au XVIIIᵉ siècle, son activité semble se restreindre. Elle subit la concurrence des juridictions consulaires pour les redditions de comptes, et celle des conseils de guerre pour les sentences disciplinaires des prévôts des maréchaux.

Exempte — privilège rare — des créations d'offices, elle a un personnel peu nombreux : un lieutenant général, un lieutenant particulier, un procureur du roi, un prévôt général, un greffier et son commis, un premier huissier et deux huissiers audienciers, soit au total huit à neuf officiers, contre plus de quinze dans les deux autres juridictions de la Table de marbre, le siège général des Eaux et Forêts et l'Amirauté. Ces offices sont donc chers, bien qu'ils n'anoblissent pas. Une charge de lieutenant général s'achète 72 000 livres en 1751. Le prévôt général est toujours un homme d'épée.

CONSEIL (Grand). Le Grand Conseil est une cour souveraine, dont la juridiction s'étend à tout le royaume, et qui connaît des affaires qui lui sont attribuées par le roi. Le Conseil du roi est son origine. Charles VIII l'a institué en 1497, comme une sorte de section spéciale, pour s'acquitter des fonctions de justice ordinaire et contentieuse du Conseil.

Le Grand Conseil siège à l'hôtel d'Aligre, puis, à partir de 1754, au Louvre. Son président-né est le chancelier. Il se compose des magistrats suivants : un premier président, neuf présidents et une cinquantaine de conseillers. Un édit adopté au Conseil de régence le 4 août 1717 confère aux officiers du Grand Conseil la noblesse au premier degré.

Juridiction « d'attribution », le Grand Conseil connaît des procès évoqués du parlement de Paris et des autres parlements, lesquels lui sont envoyés par le Conseil, et de toutes les affaires civiles et criminelles qui lui sont renvoyées par arrêt du Conseil privé du roi. Un édit de juillet 1731 enlève au Conseil et donne au Grand Conseil la connaissance des demandes en cassation visant les jugements de compétence rendus en faveur des prévôts des maréchaux et des présidiaux, c'est-à-dire décidant que ces juridictions peuvent instruire et juger en dernier ressort une accusation. Un édit de janvier 1768 élargit encore la compétence du Grand Conseil, en ordonnant que soit porté devant lui « tout ce qui concerne l'exécution des arrêts du Conseil ». Il s'agit notamment des affaires dont les arrêts ont été cassés par le Conseil, et dont jusque-là le Conseil se réservait le jugement. Le Grand Conseil voit ainsi se renforcer ses liens avec le Conseil ; il apparaît de plus en plus comme l'organe de la justice retenue du roi. D'ailleurs, ses principaux magistrats sont issus du Conseil. Depuis 1738, sa première présidence est confiée annuellement par commission à un conseiller d'État. Ses présidents sont choisis parmi les maîtres des requêtes. Il est détesté des parlementaires à cause de sa docilité au pouvoir.

Cette cour a aussi une compétence particulière dans les matières ecclésiastiques. Elle connaît normalement de toutes les affaires concernant les bénéfices à la nomination du roi, et de toutes les contestations de tous les ordres religieux qui par lettres d'attribution ont leurs causes commises à cette cour (par exemple l'ordre de Cluny et les Jésuites). Cependant l'édit de janvier 1768 restreint cette prérogative, ne laissant au Grand Conseil que les procès que ces ordres ont entre eux, leurs autres procès devant être portés devant les juges ordinaires.

Le Grand Conseil est supprimé en avril 1771. Cette suppression est destinée à faciliter le recrutement du nouveau parlement Maupeou. Elle ne dure que trois ans. Le Grand Conseil est rétabli en 1774 avec les autres cours souveraines.

CONSEIL DE LA GUERRE et **CONSEIL DE LA MARINE.** On n'a pas attaché l'importance qui convient à cette véritable innovation dans la constitution du royaume qu'ont été les conseils créés, sur le même modèle, par les règlements du 9 octobre 1787 et du 19 mars 1788. Il est vrai que leur existence a été brève, puisque le premier, celui de la Guerre, a été supprimé par Louis XVI le 11 juillet 1789 ainsi que le Comité intime de la guerre ; le second conseil, celui de la Marine, a été aboli par le décret du 29 décembre 1790 - 5 janvier 1791.

L'idée d'un conseil supérieur ou d'administration de la marine, plus ou moins imité de l'Amirauté britannique, est dans l'air depuis 1780 au moins. Dans ce pays doté d'un parlement, l'Amirauté se compose de sept lords, officiers de marine ou non qui dirigent collégialement (quoique chacun ait des attributions propres) le département en ce qui concerne le mouvement des escadres, la juridiction des mers, les personnels et les finances. Le Navy Board de huit membres, qui lui est subordonné, l'administration civile des ports, les constructions navales, les approvisionnements et la comptabilité. Le maréchal de Castries, ayant en vue la constitution d'un comité de cinq responsables pour suppléer aux insuffisances des secrétaires d'État étrangers à la Marine et ménager une réserve de ministrables, forme peu à peu les quatre directions de son ministère. Une autre inspiration a donné naissance aux deux conseils et aux deux comités intimes dont il s'agit ici ; elle paraît sans rapport avec la polysynodie de la Régence.

Le règlement du 19 mars 1788 divise l'administration du département en une partie « active et exécutive » revenant au secrétaire d'État et une partie « législative et consultative » confiée au nouveau conseil. Celui-ci comprend douze membres, le secrétaire d'État y compris, dont neuf ont voix délibérative sur toutes les matières : parmi ces derniers figurent deux des quatre directeurs, les deux inspecteurs généraux des constructions et de l'artillerie, trois officiers de vaisseau et un intendant de la marine qui a été administrateur en chef dans un port ou dans une colonie ; sur ces mêmes neuf personnes, cinq sont statutairement des officiers militaires.

Les matières sont distribuées entre dix des douze membres du nouveau conseil (le secrétaire d'État et l'intendant général des fonds, qui n'est appelé que pour des mémoires ou le rapport ou encore pour être entendu dans sa partie, sont naturellement exclus). Le Conseil siège toute l'année sauf pendant les vacances, dispose d'une salle de délibération, d'un secrétariat et de frais de mission. Ces matières sont : 1 — la discussion, l'interprétation et le maintien des « ordonnances militaires » ; 2 — l'examen de la comptabilité des fonds affectés au département ; 3 — la vérification des marchés, baux, régies, adjudications et entreprises ainsi que la surveillance de toutes les fournitures ; 4 — le maintien des règles et principes établis par le roi pour la disposition des emplois et des grâces militaires, le secrétaire d'État étant tenu de l'informer, par les expéditions qu'il aura faites, des cas où il s'en est écarté ; 5 — l'examen des affaires de contravention aux ordonnances et de discipline, ainsi que la proposition des punitions à infliger, lorsque les ordonnances ne les déterminent pas ; 6 — la discussion de tous les projets d'amélioration, tant de la constitution que du service de la marine ; 7 — l'examen des ouvrages de marine.

Les missions de membres du Conseil ou commis par lui dans les ports sont des inspections générales qui sont destinées à redresser les abus et à l'éclairer sur les améliorations à apporter dans le service. La Marine a connu la première inspection de ce genre en 1786 seulement.

Le règlement donne des précisions sur le mode de délibération. La forme du travail du Conseil doit limiter les discussions à ce qu'elles ont d'utile et lui permette de « [connaître] parfaitement les résultats auxquels il doit tendre ». Ce Conseil, ébauche de pouvoir législatif distinct quoique dépendant, a l'initiative des lois de la marine. Il délibère selon l'ancienne méthode : le vote n'est pas secret, chaque membre donnant son avis selon un certain ordre et devant se rallier à l'un des deux avis dominants, s'il n'y en a aucun qui recueille la majorité des suffrages. Les projets sont adoptés à la pluralité des voix, celle du secrétaire d'État étant prépondérante en cas de partage et le quorum étant fixé à sept voix sur un total de neuf à onze suffrages. Condorcet expose en cette même année 1788, dans son *Essai sur la constitution et les fonctions des assemblées provinciales*, les inconvénients de cette méthode qu'il condamne et présente la nouvelle, qui « consiste à réduire à des propositions simples, sur lesquelles on puisse voter que par oui ou par non, tous les avis qui peuvent être formés sur l'objet soumis à une délibération ».

Les projets votés par le Conseil passent dans certains cas à une deuxième chambre, le Comité intime de la marine, qui doit être ajouté aux conseils de gouvernement du Conseil d'État. Le secrétaire d'État en est le rapporteur devant une assemblée à géométrie variable mais dont le roi et le principal ministre font naturellement partie. Tous les projets sont soumis au Conseil d'en haut dans lequel le monarque prend ses déterminations. Le texte du règlement ne permet pas de penser que l'intention de Louis XVI ait été de laisser au Conseil de la marine le soin de lui présenter les projets de budget. Néanmoins, le Conseil doit établir annuellement un tableau des dépenses faites, car « la publication motivée des dépenses dans toutes les branches de l'administration est toujours un frein pour les abus et une satisfaction pour ses peuples ».

Le Conseil n'a pas fonctionné comme organe d'élaboration de la loi, selon l'alinéa 6 de ses attributions, mais comme organe de contrôle selon l'alinéa 3. Le ministre La Luzerne écrit qu'il a cherché à fixer la valeur des différentes dépenses et à veiller à ce qu'elle ne soit plus dépassée ; à réprimer des abus dans les ports de façon qu'ils ne renaissent pas sous une autre forme ; à organiser la concurrence des fournisseurs, à surveiller les ports et à étendre les usages utiles d'un port aux autres ports. En somme le Conseil de la marine a été une sorte de Navy Board, quoique celui-ci soit un organe de direction. Quant au Comité intime de la marine, il semble qu'il n'a pas été assemblé. Avec l'instauration, en 1814, du régime représentatif en France, de tels conseils ne pouvaient plus recevoir d'attributions législatives. En 1824, deux nouveaux conseils sont institués dans la marine, le Conseil d'amirauté, initialement composé de cinq membres et la Commission consultative des travaux de la marine de sept membres, devenu Conseil des travaux de la marine en 1831. Mais ces conseils ne comprennent aucun administrateur actif, au contraire des deux conseils de Londres.

CONSEIL DU ROI. Le Conseil est le principal instrument du pouvoir royal. C'est un instrument nécessaire et permanent : le roi ne peut gouverner que dans et par son Conseil. La réciproque est vraie : le Conseil est inséparable du roi. Il est lié à sa personne, à sa vie quotidienne et même d'une certaine manière à son intimité : à Versailles le cabinet du Conseil ouvre sur la chambre à coucher du monarque.

Le Conseil est un organe unique, mais les affaires sont réparties entre diverses séances que l'on appelle des conseils. La complication et le nombre croissant des affaires ont entraîné la multiplication des conseils. Louis XIV a mis au point une organisation qui sera conservée dans ses grandes lignes jusqu'à la fin de l'Ancien Régime.

On peut distinguer deux sortes de conseils, ceux de gouvernement et ceux de justice et d'administration. Le roi préside ordinairement les premiers, non les seconds.

Les conseils de gouvernement sont le Conseil d'État ou Conseil d'en haut, le Conseil des dépêches, le Conseil royal des finances et le Conseil du commerce.

Le Conseil d'État est le premier en dignité. Il s'occupe des affaires étrangères et militaires. Il compte très peu de membres. Le chancelier n'y entre pas. Les ministres n'y entrent pas forcément. Le Dauphin, fils de Louis XV, n'y entre qu'en 1757, après l'attentat de Damien. Les personnalités appelées à ce conseil portent le titre de ministres d'État. Les réunions se tiennent deux fois par semaine, le mercredi et le dimanche.

Le Conseil des dépêches, institué par Louis XIV en 1660, est l'homologue du Conseil d'État pour les affaires du « dedans » du royaume. Il se compose de dix à treize membres. Le chancelier et les secrétaires d'État en sont membres de droit. Les ministres d'État y ont entrée. Les réunions se tiennent le samedi.

Le Conseil royal des finances, chargé de fixer les dépenses de l'État, de fixer les impôts et d'établir le brevet de la taille, se tient le mardi. Ses membres sont le Dauphin (sous Louis XV), le principal ministre, le chancelier, le garde des Sceaux, le chef du Conseil royal des finances et les conseillers d'État, ayant reçu des lettres de « conseiller au Conseil royal des finances ».

Enfin le Conseil du commerce, institué par Orry en 1730, et qui va durer jusqu'en 1786, partage avec le Conseil des finances l'examen des questions économiques.

Dans la deuxième catégorie (conseils où le roi ne préside pas ordinairement), on trouve d'abord le Conseil des parties, appelé aussi Conseil d'État privé, dont la compétence s'étend aux conflits de juridiction entre les cours et à la majorité des requêtes en cassation. Le chancelier préside ce conseil qui se réunit une fois par semaine. Les autres membres sont les conseillers d'État, les intendants des finances, les maîtres des requêtes et les ministres. Ce conseil est le plus important de tous. Il compte de soixante à quatre-vingts personnes.

Les autres conseils d'administration et de justice sont en fait des commissions du Conseil, commissions ordinaires et extraordinaires. Les commissions ordinaires sont la Grande et la Petite Directions des finances et ce qu'on appelle les bureaux du Conseil, comme le bureau des Postes et Messageries (institué en 1716) ou le bureau pour les Affaires coloniales, créé en 1761. Les commissions extraordinaires n'ont qu'une mission temporaire. Ainsi la commission des réguliers créée en 1766 pour combattre les abus qui avaient pénétré dans les ordres religieux.

Le Conseil est à la fois un organe d'étude et un organe de décision. Il est saisi soit par les bureaux ministériels, soit par les requêtes et doléances des particuliers et des corps. Les différentes affaires sont étudiées dans des commissions composées de conseillers d'État. Quand une affaire est au point, le chancelier — qui est en quelque sorte le modérateur du Conseil — la dirige vers la séance compétente. Le rapporteur expose l'affaire en plein conseil. Il a préparé, en forme d'édit ou de déclaration ou d'arrêt, une décision que le Conseil ratifie ou non. La plupart des décisions sont en forme d'arrêt. Le nombre des arrêts est très élevé : 3 740 en 1736 par exemple (Michel Antoine).

L'histoire du Conseil n'est pas uniforme. De 1715 à 1722, l'institution subit une brève éclipse. Elle est alors remplacée par la polysynodie (*voir ce mot*), ensemble formé par le Conseil de régence (équivalent du Conseil d'État) et par sept conseils spécialisés, présidés par des princes du sang et des ducs. Réduits au rôle d'exécutants, les ministres n'y entrent pas. Le système est viable, mais lourd et lent. Au bout de sept ans il est abandonné. On revient au Conseil de Louis XIV.

Cependant le Conseil de Louis XV et

de Louis XVI n'est pas exactement celui de Louis XIV. Une évolution se produit. On voit d'abord se confirmer le rôle effectif du Conseil des parties. Ce conseil devient sous l'impulsion des trois chanceliers successifs le véritable laboratoire de la législation. Ensuite, on observe que le Conseil royal des finances tend à devenir une fiction. En effet, la plupart des arrêts de finance ne font plus l'objet de délibérations. La proportion des arrêts non délibérés serait de un sur dix (Michel Antoine). Ces arrêts sont préparés lors du travail du contrôleur général avec les intendants des finances, et rendus par « le roi en son conseil » sans avoir été présentés au Conseil. Enfin, on constate que les ministres tendent à se substituer au Conseil. Fleury avait institué des « comités de ministres », véritables conseils de cabinet, qui « mâchent » la tâche du Conseil. Sous Louis XVI ces « comités » sont devenus une institution. Par ailleurs, dans la seconde moitié du siècle, les ministres constituent dans leurs propres départements des « comités consultatifs » qui étudient les affaires et concurrencent les bureaux et les commissions du Conseil. Par exemple en 1769 un bureau du Conseil prépare une déclaration sur la vaine pâture, et un « comité consultatif » du ministre Bertin s'applique au même travail. Il y a donc un certain déclin du Conseil. Cela vient probablement du roi. Le Conseil est un excellent instrument, mais à la condition que le roi s'impose une tâche surhumaine de travail personnel et de contrôle vigilant. Louis XIV s'était imposé une telle tâche. Ni Louis XV ni Louis XVI, malgré toute leur bonne volonté, n'étaient capables d'un si grand effort.

CONSTITUTION. Au XVIIe siècle le mot était employé au pluriel. Il signifiait soit les lois du prince, soit les ordonnances du pape, soit encore les statuts d'un ordre religieux.

Dans la seconde moitié du XVIIIe siècle un nouveau sens se généralise, celui de statut fondamental de l'État. Le mot est désormais employé au singulier. Quand on parle de la constitution du royaume, il semble qu'on entende par là les lois fondamentales de la monarchie et l'organisation générale de l'État. Louis XV dit «Je dois transmettre à mes successeurs mon État avec la même constitution qu'il avait lorsque je l'ai reçu» (17 août 1768, cité par Michel Antoine).

A partir de 1787, la question de la constitution est au centre du débat politique. La constitution dont il s'agit n'est plus la constitution coutumière du royaume, celle des lois fondamentales, mais une constitution à faire et à écrire, comme celle dont viennent de se doter les États-Unis d'Amérique. Cependant les partisans de la constitution se divisent en deux camps. Les uns, comme Malesherbes, ne nient pas que la France ait déjà une constitution, mais ils en demandent une nouvelle qui serait octroyée par le roi. Les autres, comme Sieyès, soutiennent que la France n'a pas de constitution, et qu'il appartient à la nation, seul pouvoir constituant, de lui en donner une.

CONTADES, Louis Georges Érasme, marquis de (Beaufort-en-Vallée, Anjou, 1704 - Livry, 1793). Maréchal de France, il sert dès l'âge de seize ans comme enseigne au régiment des gardes françaises. Après avoir fait toutes les campagnes de la guerre de Succession de Pologne, il est chargé de la soumission de la Corse (1738-1739). Nommé lieutenant général le 1er mai 1745, il commande l'armée qui prend Bruxelles en 1746 et Berg-op-Zoom en 1747. Le 4 juillet 1758, pendant la guerre de Sept Ans, il reçoit le commandement de l'armée d'Allemagne, en remplacement du comte de Clermont. Sa campagne de Westphalie est un modèle de rigueur et de méthode. Il reprend tout le pays. Mais il est cruellement battu le 1er août 1759 à Minden par le prince Ferdinand de Brunswick. La défaite semble due principalement à un manque de coordination entre les différents éléments de l'armée française. Contades ne manquait pas de talent, mais sans doute d'autorité. Le 1er novembre, il se démet de son commandement. Après deux années de dis-

grâce, le roi lui donnera le gouvernement de l'Alsace, qu'il conservera jusqu'à sa mort.

CONTANT D'IVRY, Pierre Content ou **Constant,** dit (1698-1777). Architecte parisien de la génération de Blondel et Gabriel, élève de Watteau pour le dessin et de Dulin pour l'architecture, il fut membre de l'Académie en 1726. Le duc d'Orléans le prit pour architecte; il fit pour ce prince de grands travaux au Palais-Royal (avant-corps rue de Valois, grand escalier, décoration). En province, on lui doit les écuries du château de Bizy, célèbres pour leurs voûtes en tuiles, et l'hôtel du Gouvernement à Lille. Il donna les plans de l'abbaye et de l'église de Saint-Waast à Arras, ainsi que de la très belle église de Condé-sur-Escaut.

La fin de sa vie fut marquée par les difficultés qu'il rencontra lors de la construction de l'église de la Madeleine à Paris : ses plans avaient été approuvés en 1764, les travaux furent très pénibles ; à sa mort tout fut modifié et Couture reprit le chantier.

CONTAT, Louise (Paris, 16 juin 1760 - id., 9 mars 1813). Célèbre actrice, elle est la fille d'un bourgeois de Paris, «privilégié du roi». Elle avait été formée par Mme Préville. Ses débuts à la Comédie-Française, le 3 février 1776, ne suscitent pas l'enthousiasme de la critique : «... charmante figure, écrit La Harpe, mais pas de voix et peu de talent». Elle est cependant admise comme sociétaire le 3 avril 1778. Beaumarchais l'ayant choisie pour incarner Suzanne dans Le Mariage de Figaro, elle révèle dans ce rôle toute la magie de son talent. A la première représentation de la pièce, le 27 avril 1784, elle est l'actrice la plus applaudie. Le roi lui accorde une pension de 1 000 livres. Dès lors, elle est placée au premier rang de la scène française. Cette grande actrice est aussi une femme courageuse et fidèle. Au milieu de l'orage révolutionnaire, elle ne craint pas de manifester son attachement à la famille royale. Le 26 septembre 1791, trois mois après Varennes, elle joue la

Gouvernante (qui n'était pas dans son emploi) à la demande expresse de la reine. Ayant appris pour ce rôle cinq cents vers en vingt-quatre heures, elle avait écrit à la personne qui lui avait transmis le vœu de Marie-Antoinette : « J'ignorais où était le siège de la mémoire ; je sais à présent qu'il est dans le cœur. » Arrêtée le 5 septembre 1793 pour cette lettre, elle subit une captivité de dix mois. Le 9-Thermidor la sauve : son dossier était marqué de la lettre « g » (« à guillotiner »). Elle jouera jusqu'à la fin de sa vie. Elle avait épousé en 1809 le chevalier de Forges de Parny, neveu du poète. Du temps de sa jeunesse, ses bruyantes liaisons avaient défrayé la chronique galante. Elle aurait été la maîtresse du comte d'Artois, de Louis de Narbonne et même du chancelier Maupeou, mais on ne prête qu'aux riches.

CONTI ou CONTY, Louis Armand II de Bourbon, comte de la Marche puis prince de (1695-1727). Devenu prince de Conti en 1709 à la mort de son père, François Louis de Bourbon-Conti, le héros de Nerwinden, sa mère est Anne-Marie de Bourbon, légitimée de France, fille de Louis XIV. Il est donc le petit-fils du Grand Roi. Il n'hérite ni de la valeur de son père, ni de celle de son grand-père maternel. Bossu et disgracieux, il ne compense point par son esprit les infériorités de sa condition physique. Son trait le plus marqué est sa distraction. Il trébuche et tombe souvent. Selon la Palatine, chaque fois que l'on entendait tomber quelque chose, on disait : « Ce n'est rien ; c'est le prince de Conty qui tombe. » Ce personnage de peu d'éclat n'en est pas moins membre du Conseil de régence. En 1719, il est désigné pour commander la cavalerie de l'armée envoyée en Espagne. On peut voir à cette occasion qu'il n'est pas assez distrait pour oublier ses intérêts. Il exige et obtient du Régent 100 000 écus pour son équipage de guerre, plus 60 000 livres pour tenir table ouverte pendant la campagne. Il est aussi l'un des grands profiteurs du Système, ayant effectué en mars 1720 un retrait de la banque s'élevant à

14 millions de livres. Ce sont là ses principaux titres de gloire. Il avait épousé en 1713 la sœur du duc de Bourbon.

CONTI ou CONTY, Louis François de Bourbon, prince de (1717-1776). Grand prieur de France pour l'ordre de Malte, il est le fils du prince Louis Armand II de Bourbon-Conti. Il épouse Louise Diane d'Orléans en 1732.

Esprit brillant et appliqué, il se distingue dans l'armée. Lors de la guerre de Succession d'Autriche, plusieurs commandements lui sont confiés, d'abord en Provence, ensuite en Allemagne et en Flandre. A la tête de l'armée de Provence, il force les défilés des Alpes, se rend maître des forts Demonte et de Coni, et résiste aux assauts furieux des Piémontais. Voltaire écrit : « Le prince de Conti, qui était général et soldat, eut deux chevaux tués sous lui et sa cuirasse percée de plusieurs balles. »

Après la guerre, il tente de faire prévaloir ses vues en politique étrangère. Le « système général de politique » dont il est l'auteur, système très traditionnel visant à conserver l'équilibre des traités de Westphalie et à consolider les alliances polonaise, turque et suédoise, est un moment adopté par le roi (1750-1752). Louis XV autorise même son cousin à donner des instructions aux diplomates, et à entretenir une correspondance secrète avec le comte de Broglie, ambassadeur en Pologne (Secret du roi). Cependant il ne l'admet pas au Conseil, et ne lui confie aucune charge. L'hostilité de Mme de Pompadour vaudra au prince de Conti d'être définitivement écarté des affaires et de l'armée.

Est-ce l'effet de la déception ? Le prince embrasse la cause parlementaire. En 1771, il signe la protestation des princes du sang contre le coup d'État de Maupeou. On le verra aussi s'opposer aux réformes de Turgot. Le Temple, qui est sa résidence de grand prieur, et un lieu privilégié, devient un foyer d'intrigues contre le pouvoir. La royauté pourra ainsi regretter de n'avoir pas su confier au plus doué des princes du sang un rôle à sa mesure.

CONTREBANDE. La contrebande la plus active est celle du faux saunage. Est faux saunage tout transport de sel pris ailleurs que dans les greniers à sel et dans les regrats. Cette contrebande est pratiquée sur les frontières des provinces franches, par exemple entre la Bretagne, pays franc, et le Bas-Maine, pays de grande gabelle. Il existe aussi un saunage très actif à la frontière des Pays-Bas espagnols.

Il ne s'agit pas de délits occasionnels. Le faux saunage est incessant et massif, les contrebandiers très nombreux, les chiffres de la répression impressionnants. Pour la seule année 1783, Necker indique les chiffres suivants : 4 000 visites domiciliaires, arrestation de 2 500 hommes, 2 000 femmes et 6 600 enfants, confiscation de 1 200 chevaux et 200 condamnations aux galères. On sait par ailleurs qu'un tiers des forçats des bagnes sont des faux sauniers. Étudiant cette contrebande dans le Bas-Maine, M. Yves Durand a recensé 4 788 faux sauniers jugés par le grenier à sel de Laval entre 1759 et 1788.

Il existe bien d'autres contrebandes, ainsi celle du tabac en Roussillon. Ce tabac de contrebande vient d'Italie. Il est entreposé en Roussillon avant d'entrer clandestinement en Espagne (où le monopole royal du tabac a été établi en 1701 par Philippe V). Mais cette contrebande n'est pas réprimée avec ardeur. Les entrées de tabac en Espagne se traduisent par des sorties de piastres. Or les piastres espagnoles sont fort utiles au grand commerce français pour le trafic avec les pays du Levant.

CONTRÔLEUR GÉNÉRAL DES FINANCES. Le contrôleur général des Finances est l'un des personnages les plus importants de la monarchie. Il dirige les finances royales depuis la suppression en 1661 de la surintendance. Sous Louis XVI on l'appellera « ministre des Finances ». Sa charge est une commission.

En théorie, son pouvoir de décision est plutôt limité. Le surintendant était ordonnateur. Lui ne l'est pas. Il n'est pas non plus vraiment contrôleur. On ne contrôle pas le roi. Son travail est essentiellement de préparer les états et ordonnances soumis à la signature du roi. En fait c'est une fonction très importante. Le contrôleur général étudie et met au point toutes les affaires de finances (budget, impôts, emprunts) et toutes les affaires économiques. Il rend compte au roi lors de son « travail » avec lui. Seul rapporteur au Conseil royal des finances, il peut rapporter de toutes les affaires touchant de près ou de loin les questions d'argent, c'est-à-dire qu'en pratique rien n'échappe complètement à sa compétence. Enfin, la plupart des intendants sont à sa nomination et lui rendent compte. Comme le dit le marquis d'Argenson, « dans un contrôleur général des Finances, il y a deux fonctions, celle de l'intendant du fisc et celle de ministre du dedans ». Ses appointements sont à la mesure de son importance. En 1771, l'abbé Terray reçoit 124 000 livres par an, sans compter les présents.

Le contrôleur général est de tous les conseils. Il est membre de droit du Conseil des finances, du Conseil du commerce et des directions. Il siège de droit au Conseil des parties, entre toujours à celui des dépêches. Enfin, tous les contrôleurs généraux, sauf deux (Boullongne et Dodun) ont été ministres d'État. Notons cependant qu'ils ne l'ont pas toujours été immédiatement. Ainsi Orry, nommé contrôleur général en 1730, a dû attendre six années avant d'entrer au Conseil d'en haut.

Le pouvoir du contrôleur général empiète sur celui du Conseil du roi. La plupart des arrêts de finances ne donnent lieu à aucune délibération du Conseil et sont tout simplement rédigés par le contrôleur général et ses collaborateurs. Par ailleurs, les commissions du Contrôle général font concurrence aux commissions et aux bureaux du Conseil.

Le ministère du Contrôle général représente une machine administrative dont l'ampleur augmente sans cesse. Il est divisé en plusieurs départements, chacun étant confié à un intendant des finances. L'ensemble de cette administration totalisait en 1771 la moitié des dépenses des services de gouvernement en frais de bureaux. L'hôtel du Contrôle général se trouve à Paris, rue Neuve-des-Petits-Champs. Le ministre y a sa résidence officielle. Calonne en refait tout l'ameublement. Mme Necker y donne des dîners. Tous les contrôleurs généraux de Louis XV et de Louis XVI viennent de la robe. Sauf Laverdy et Terray, anciens conseillers au parlement de Paris, tous ont fait la carrière classique des maîtres des requêtes et ont été intendants des finances ou de province. Silhouette est le seul contrôleur général, ancien maître des requêtes, qui ne soit pas passé par une intendance. Necker est à mettre à part. Comme il était protestant il a été impossible de le nommer contrôleur général — il a eu seulement les titres de directeur du Trésor, puis de directeur général des Finances — mais il a exercé toutes les prérogatives attachées à la fonction.

Le poste était convoité, mais il était difficile à tenir. Il était facile d'y échouer, ou cela revient au même, d'y déplaire. Dans la première moitié du siècle il y a quelques longs ministères, par exemple celui d'Orry, de 1730 à 1745, et celui de Machault (1745-1754). Mais à partir de 1754, les ministres vont se succéder à un rythme accéléré. De 1754 à 1789, on en compte dix-sept. Louis XVI en quinze ans a changé dix fois de contrôleur général. Ce ministre est de beaucoup le plus puissant. Il fait même parfois figure de principal ministre. Mais il est aussi le plus instable et le plus vulnérable.

CONTY. *Voir* **CONTI.**

CONVERSATION. « Une société de personnes spirituelles et polies, réunies pour s'entretenir ensemble et s'instruire dans une conversation agréable par la communication de leurs idées et de leurs sentiments, m'a toujours paru […] la plus heureuse représentation de l'espèce humaine et de la perfection sociale. Là, chacun apporte son désir et ses moyens de plaire, sa sensibilité, son imagination, son expérience, le tout embelli par la politesse et contenu par la décence ; là, se montre un instinct mutuel d'affection

bienveillante […] là, sans règlements, sans contrainte, s'exerce une douce police, fondée sur le respect qu'inspirent les uns aux autres les hommes réunis, sur le besoin qu'ils ont d'être bien ensemble et sur une sorte de pudeur qui, devant un grand nombre d'auditeurs et de témoins, repousse ce qu'il y a d'offensant, de maladroit et d'injuste ; là, l'esprit s'exerce par l'observation et l'expérience, lit dans les yeux, sur le visage et dans le maintien de chacun, ce que son amour propre craint ou désire d'entendre et, assurant à la société l'équilibre des prétentions opposées : et des vanités rivales, forme de tout ce qui pourrait dégénérer en luttes et en combats l'accord le plus harmonieux, rend agréables les uns aux autres les hommes réunis, leur inspire le désir de se revoir et sème la veille les jouissances du lendemain » (Delille, *De la conversation*, poème en trois chants, introduction).

CONVULSIONNAIRES. Le nom de convulsionnaires a été donné à des jansénistes illuminés qui entraient dans des sortes de transes et se disaient en communication directe avec le Saint Esprit. Les premières convulsions se produisirent sur la tombe du diacre Pâris au début de l'été 1731. Après la fermeture du cimetière Saint-Médard, les convulsionnaires s'exhibèrent dans des réunions clandestines. Là, se déroulèrent les scènes les plus extravagantes et aussi les plus indécentes, scènes dont les principales actrices étaient des jeunes filles appelées « sœurs ». Certaines de ces « sœurs » faisaient les prophétesses, d'autres jouaient les thaumaturges, d'autres enfin, dites « figuratives », mimaient les actes de la Passion et de la Messe. Quelques-unes de ces femmes se plaignaient de violentes douleurs et se tordaient de souffrance. Pour les soulager, des hommes appelés « frères secouristes » leur administraient des coups violents (« grands secours ») ou usaient de moyens plus doux et plus tendres (« petits secours »).

Les Encyclopédistes et tous les rationalistes ont expliqué les convulsions par la supercherie ou par les forces de la nature. Il semble bien en effet que la plupart de ces faits aient une origine naturelle assez facile à identifier et que l'on peut en rendre compte par le magnétisme ou par le spiritisme ou encore par l'hystérie ou quelque autre maladie. Toutefois, il y a eu des phénomènes où des théologiens non jansénistes ont vu l'intervention du diable. Selon le pape Benoît XIII, ces scènes extravagantes et immorales auraient été « le résultat naturel de l'aveuglement dont Dieu avait frappé une secte qui avait affecté surtout les dehors de l'austérité et de la sainteté ».

CORDELIERS. Les cordeliers, appelés aussi frères mineurs, sont des religieux franciscains. Ils tirent leur nom de cordeliers de leur ceinture de corde nouée de trois nœuds.

Ils étaient divisés en deux branches, les observants et les conventuels. En 1769, les observants avaient en France 8 provinces, 287 couvents et 2 300 religieux, et les conventuels 3 provinces, 48 couvents et 320 religieux. Les deux branches fusionnent en 1769 à l'invitation de la commission des réguliers. Les 11 provinces sont alors réduites à 8. La même commission des réguliers supprime 58 couvents, ce qui fait descendre de 325 à 267 le nombre total des maisons.

L'ordre a commencé à décliner vers le milieu du siècle. En 1763, le commissaire général des observants fait cette constatation : « Le relâchement et la corruption sont partout et font craindre pour peu de temps la décadence et la ruine. » La crise du recrutement s'aggrave à partir de 1765. Le nombre total des religieux passe de 2 620 en 1769 à 2 074 au début de 1790.

CORPS. Les corps sont des groupes de personnes. Ces groupes sont constitués par la permission du roi pour la défense des intérêts légitimes de leurs membres. Ils poursuivent en même temps des fins d'intérêt public. Les villes par exemple, ou les compagnies d'officiers, ou les métiers jurés, sont des corps.

La première caractéristique d'un corps est d'avoir la personnalité juridique,

c'est-à-dire droit de sceau, privilèges, droit d'ester en justice, bourse commune et patrimoine. Ensuite, tout corps est un collège qui se recrute lui-même. Il agrée ses nouveaux membres. La cérémonie d'affiliation comporte le plus souvent la prestation d'un serment. Le nouveau membre jure de respecter les statuts du corps et de ne pas révéler ses secrets. Autre caractéristique importante : tout corps est politique, c'est-à-dire en relation directe avec le pouvoir royal qui le consulte pour le bien commun et auquel il peut adresser ses remontrances. Enfin, les corps ont droit d'assemblée. Ils se réunissent pour défendre leurs privilèges, gérer leurs affaires, élire leurs officiers.

Partant de ces caractères, on peut dire ce qui est corps et ce qui ne l'est pas. Les villes sont des corps. Les métiers le sont également, de même que les ordres d'avocats. Mais on ne saurait qualifier de corps les simples communautés d'habitants des villages. Car ces communautés n'ont pas une personnalité juridique entière. Il leur manque en particulier le droit de sceau et celui d'élire des officiers.

Les historiens (par exemple René Pillorget) distinguent les corps fondés sur la vie en commun (les villes) et ceux fondés sur la fonction. Pour les premiers nous renvoyons à l'article VILLES. Pour les seconds voici les principaux : compagnies d'officiers royaux (parlements, autres cours souveraines, bailliages, élus…), communautés de notaires (par exemple celle des notaires du Châtelet, ou celle des notaires de Tours), communautés des procureurs, communautés d'huissiers et de sergents, ordres d'avocats, universités, académies, collèges de chirurgiens et d'apothicaires et métiers jurés.

La fin du XVIIe siècle et le siècle suivant voient le déclin des corps. La monarchie administrative les surveille de plus en plus et a tendance à les traiter en mineurs. Par exemple elle contrôle étroitement les finances des villes. Ou bien elle impose sa tutelle aux métiers. Depuis 1667, les commissaires du roi présidaient à l'élection des jurés des corporations. Les mesures prises sous le règne de Louis XVI aggravent cette politique de contrôle des corps. L'édit de Versailles de février 1776 abolit toutes les corporations et jurandes. L'édit d'août les rétablit, mais en diminuant de façon sensible leur nombre. La suppression des parlements par Maupeou en 1771 peut aussi être considérée comme une atteinte au droit corporatif; les nouveaux Conseils supérieurs n'ont pas le droit de remontrance.

Le déclin des corps entraîne la désorganisation de la monarchie. La structure du royaume était corporative. L'État résidait non seulement dans les ordres, mais aussi dans les corps. «Chaque partie de l'État, écrit Montesquieu, était un centre de puissance» (*Esprit des lois*, liv. XXIII, chap. 24). Cette structure corporative n'est plus comprise. Cela peut se voir à bien des signes et en particulier à ce projet de Maurepas et de Turgot (projet réalisé par la Révolution) de créer un ministère de l'Intérieur. C'était oublier les corps. L'«intérieur» en France n'est pas une administration centrale. Il est fait du roi, des ordres et des corps.

CORPS DE MÉTIERS. Les corps de métiers sont appelés aussi jurandes, ou maîtrises, ou encore métiers jurés. Le nom de corporation n'est guère employé. La plupart des corps de métiers sont des créations royales, devant au roi leur existence et leurs statuts.

Tous les gens de métier ne sont pas constitués en corps. Dans les campagnes, dans beaucoup de faubourgs et même dans certaines petites villes, les artisans sont libres. Dans l'intendance de Valenciennes par exemple, quatre villes seulement ont des corps de métiers : Valenciennes, Cambrai, Maubeuge et Condé. Le nombre des corps varie selon l'importance des villes. Au début du siècle, Paris en compte 127. Poitiers en avait 35 en 1708, Lille 55 en 1767.

Chaque corps de métier a ses statuts, souvent très anciens, souvent remaniés. Les premiers statuts (octroyés par lettres patentes) des maîtres huchers menuisiers de Paris datent de 1580. Ils sont confir-

més par Louis XV en 1749 avec une modification du nom de la communauté, désormais appelée «des maîtres menuisiers et ébénistes». Les révisions de statut tiennent compte des nouvelles fabrications. Les nouveaux statuts de 1719 des horlogers parisiens ajoutent aux épreuves du «chef-d'œuvre» la fabrication d'une montre à répétition.

Les statuts règlent les obligations des membres, l'élection des jurés et les modalités de fabrication et de vente.

Tout communauté est composée de maîtres, de compagnons et d'apprentis. Les statuts fixent le temps de l'apprentissage, celui du compagnonnage et les conditions d'accès à la maîtrise. Le candidat doit accomplir le chef-d'œuvre et payer les droits de réception. On peut donner comme exemple le chef-d'œuvre des chapeliers parisiens. C'est un chapeau apprêté, teint, garni de velours et orné de plumes. Le montant des droits varie selon le degré de puissance sociale du métier. A la fin du règne de Louis XV, il est de 700 livres chez les couteliers de Paris et de 3 240 livres chez les drapiers de la même ville. Les fils et les gendres des maîtres sont toujours favorisés. Ils sont même parfois dispensés du chef-d'œuvre.

Le syndic et les jurés sont les administrateurs de la communauté. Par exemple les serruriers parisiens ont un syndic et quatre jurés. La fonction principale des jurés est de visiter les maîtres afin de vérifier s'ils appliquent les règlements de la communauté.

La réglementation dresse la liste des produits qui pourront être fabriqués et vendus, à l'exclusion de tous autres. On insiste sur la qualité. Une expression revient très souvent, celle de «bons et loyaux» produits. Il est précisé par exemple que les viandes à cuire des rôtisseurs devront être «loyales et de bonne moelle». Les salaires sont fixés. Il est interdit aux maîtres de proposer des salaires plus élevés. Les statuts des cordonniers parisiens leur défendent de «bailler plus grand prix que les autres pour attirer les compagnons et les apprentis».

L'économie corporative est une économie de répartition. « Le but essentiel, écrit Émile Coornaert, n'est pas la production, ni la richesse. Ce ne sont pas les choses, ce sont les hommes. Cette économie veut avant tout être humaine. » Les corporations ont un rôle social. Elles servent à empêcher les accaparements et la concentration des moyens de production. Elles renforcent l'union entre les gens de métier. La charité corporative est active. A Paris, dans tous les métiers, une quête hebdomadaire est faite pour les confrères nécessiteux. Enfin les corps de métiers assurent l'approvisionnement des villes. Le pouvoir les contrôle et contrôle par là même la régularité de la production.

Le système n'était pas sans défaut. Les abus étaient nombreux : maîtrises réservées aux fils de maîtres, charges de jurés monopolisées par certaines familles, état d'esprit hostile aux innovations. Dans la seconde moitié du siècle les jurandes font l'objet de nombreuses attaques. On les accuse de faire monter les prix et de paralyser la production. Ces attaques viennent des milieux physiocratiques et économistes. L'esprit du libéralisme les inspire. Le seul but est maintenant de créer de la richesse. On ne pense plus aux hommes.

Partisan des idées nouvelles, Turgot (édit de mars 1776) supprime les corporations. Après son départ, elles sont rétablies (édit d'août 1776), mais selon les modalités nouvelles qui les dénaturent. Les statuts sont uniformisés. Plusieurs métiers sont regroupés dans les mêmes communautés. Les droits de réception sont fortement réduits. Les corps de métiers ne sont plus que l'ombre d'eux-mêmes. Il sera facile à la Révolution d'achever leur destruction.

CORSE. En 1768, le royaume de Corse, jusqu'alors possession de la république de Gênes, est annexé à la France.

Gênes ayant toujours traité les Corses comme des sujets de seconde zone, sa domination était mal supportée. Au XVIIIe siècle, les révoltes se succèdent. Incapable d'imposer son autorité, la République recourt à l'assistance du roi de France. Quatre fois des accords sont passés ; quatre fois des troupes sont envoyées par la France : en 1737, 1746, 1756 et 1764. Les termes du contrat sont toujours les mêmes : les Génois s'engagent à fournir l'entretien des troupes ; les Français à rétablir l'ordre. Ce qu'ils font, mais en même temps ils sont amenés par la force des choses à prendre des dispositions d'ordre administratif et à se substituer peu à peu à l'État génois dans l'exercice de la puissance publique.

En 1768, conclusion normale du processus, l'île est cédée à la France. Le traité signé le 15 mai 1768 précise que la cession n'est pas irrévocable et que la République peut un jour, si elle le désire, reprendre sa souveraineté. Mais à la condition de rembourser au roi les avances consenties pour l'envoi de soldats et la répression des révoltes. Or chacun sait que Gênes ne pourra jamais rembourser de telles sommes. La clause de révocabilité ne figure dans le traité que pour rassurer l'Angleterre.

Les Corses n'ont pas été consultés. Or il existait chez beaucoup d'entre eux une aspiration confuse, mais réelle, à l'indépendance. En 1736, un aventurier allemand, le baron Théodore, s'était fait élire roi de Corse. De 1755 à 1763 Pascal Paoli avait essayé de fonder une Corse autonome vis-à-vis de Gênes. Mais le roi de France n'a cure de l'autonomisme corse. Le 5 août 1768, il signe à Compiègne les lettres patentes de la « soumission » de l'île. Il y mentionne les Corses comme ses sujets.

Mais cette soumission est toute nominale. Il reste à la réaliser. C'est l'affaire de deux campagnes militaires (1768 et 1769). Paoli a pris les armes pour la défense de la liberté corse. Le corps expéditionnaire français placé sous le commandement du comte de Vaux a facilement raison de la petite armée. Le 22 juin 1769, le comte de Vaux écrit à Versailles : « Toute la Corse s'est soumise au roi. » Une résistance sporadique subsistera pendant une dizaine d'années, celle de quelques maquisards isolés, que l'administration française toujours «éclairée», qualifie de «bandits».

La Corse conserve son assemblée représentative (*consulte*) et se voit octroyer le statut de pays d'états. Transformée en états de Corse, la *consulte* se réunit tous les ans et députe en Cour. Par ailleurs, toutes les institutions de la monarchie administrative (gouverneur, intendant, Conseil supérieur) sont plaquées sur la nouvelle province. Il s'agit de franciser. Les fils et les filles de notables — c'est le cas du jeune Napoléon Bonaparte, né en 1769, et de sa sœur Élisa — sont envoyés en France, afin d'y étudier dans des institutions royales et d'y acquérir l'esprit français.

Or cet esprit, si l'on en juge par les textes officiels et les correspondances des administrateurs, est à la fois économiste et anticlérical.

Économiste : la seule chose qui intéresse l'administration Choiseul dans l'annexion de la Corse, c'est l'économie du pays. A la première *consulte* du régime français (1770) le gouverneur Marbeuf parle un langage purement économique : «La situation de la Corse, dit-il, est la plus désirable pour le commerce et le sol le plus propre pour toute espèce de production. Cependant le pays est inculte, désert, l'on peut même dire presque sauvage et sans commerce [...] une autorité légitime et puissante [...] vous offre de grands moyens de travailler à vos fortunes et à votre élévation...» Enrichissez-vous, tel est l'idéal proposé aux notables corses par la monarchie française. Cependant, pour cela, deux conditions sont nécessaires, sinon suffisantes : bannir les chèvres que les agronomes français considèrent comme un fléau, et réduire le nombre des moines. La correspondance des administrateurs, et d'ailleurs celle aussi des ministres chargés de la Corse, respire un anticléricalisme forcené. «Les couvents en Corse, écrit l'intendant Chardon, pompent l'essence de la nation.» «J'ai sous les yeux, écrit le ministre de la Guerre au gouverneur Marbeuf, des états qui constatent qu'il y a 1 188 religieux en Corse et que ces religieux coûtent à la province plus de 300 000 livres par an. Voilà donc un nombre considérable d'individus absolument perdus pour la population et l'agriculture, qui ne donnent rien à la société et qui prennent au contraire une portion considérable du revenu du peuple.» Mais non contents d'incriminer les moines, les serviteurs du Roi Très Chrétien s'en prennent aux vocations religieuses : l'ordonnance du 6 juin 1787 interdira l'entrée des couvents aux jeunes gens n'ayant pas vingt ans accomplis.

L'administration française a, il est vrai, d'autres mérites. Elle est «bienfaisante», c'est-à-dire qu'elle s'efforce d'améliorer les conditions de vie des insulaires. Deux routes sont construites : Bastia-Saint-Florent et Bastia-Ajaccio. On installe un service de pépinières. On établit des salines. On lutte contre les maladies du bétail. Tout est ordre, planification, prophylaxie. Mais il n'est pas sûr que cela suffise aux Corses. On distribue aux notables des pensions, des emplois et des bourses pour leurs enfants. Quelques-uns se rallient, mais la plupart demeurent sur la réserve et se plaignent de ce que tous les emplois importants de l'île soient donnés aux Français.

COSMOPOLITISME. Le *Dictionnaire de l'Académie* de 1762 définit ainsi le cosmopolite : «... Celui qui se dit citoyen de l'univers sans s'attacher à aucune patrie.» Le cosmopolitisme fait partie de l'idéologie des Lumières, cette idéologie ne pouvant pas concevoir le lien durable de la patrie, et n'imaginant pas d'autre existence pour l'homme que la satisfaction des biens présents.

Le cosmopolitisme semble avoir été inventé lors de la crise de la conscience européenne. Ses deux premiers théoriciens français sont l'abbé de Saint-Pierre, auteur du *Projet de paix perpétuelle* (1713) et Fénelon. Dans les *Dialogues des morts* Fénelon écrit : «Chacun doit incomparablement plus au genre humain, qui est la grande partie, qu'à la partie particulière dont il est né.»

Le chevalier de Ramsay, dont il convient de rappeler qu'il fut converti au catholicisme par Fénelon, fit du cosmopolitisme une idée maçonnique. En 1737, il développait cette idée devant les « frères » de la Grande Loge : « Le monde entier, leur expliquait-il, n'est qu'une grande république dans laquelle chaque nation est une famille et chaque particulier un fils. » Dans *La Lyre maçonne ou Recueil des chansons des franc-maçons* (La Haye, 1763) nous lisons ce couplet :

Aucun pays n'est étranger
Pour la Maçonnerie
Un frère n'est plus qu'un voyageur,
Le monde est sa patrie.

Mais comment réaliser cette nouvelle fraternité ? Les esprits éclairés préconisent le moyen du négoce. Cette idée du commerce générateur de la fraternité universelle était déjà présente chez Montesquieu, mais elle est largement développée en 1785 par Mgr de Boisgelin, archevêque d'Aix, dans son *Commentaire* manuscrit (bibl. Mazarine) de *L'Esprit des lois* : « Le commerce, écrit ce prélat, semble tendre à faire un seul empire de tous les empires, un seul peuple de tous les peuples, à fonder une nation unique, immortelle, qui n'ait plus d'autre nom que celui du genre humain. »

COSTUME. Bien que soumis à une mode changeante, le costume féminin présente certaines constantes : la robe à panier, introduite sous la Régence, est portée jusqu'à la Révolution ; les capelines (« bagnolettes ») et les chapeaux l'emportent sur les bonnets ; les coiffures sont presque toujours complétées avec des cheveux artificiels et poudrés ; enfin les talons ne cessent pas d'être hauts.

Les principaux changements sont des modifications du panier de la robe. Déjà très large sous la Régence (3,60 m), le panier s'élargit encore sous Louis XVI et finit par atteindre 5 mètres de circonférence. Il est vrai qu'on le porte moins. Vers 1760, la toilette du « négligé » commence à admettre les demi-paniers. Certaines robes du temps de Louis XVI sont sans paniers. Notons que les jeunes filles n'en ont jamais porté. On les habillait de « fausses robes », ce qui voulait dire sans paniers, mais avec des « corps », sortes de corsets pour maintenir la taille. Pour

les robes elles-mêmes la mode n'a cessé de varier. A la fin du règne de Louis XV, les pans s'ouvrent en rond, mettant à découvert tout le jupon et laissant voir deux ou trois rangs d'immenses falbalas (larges bandes d'étoffes plissées), dont il est garni. A peu près à la même époque, la robe est supprimée dans les costumes de moyenne tenue. On ne porte plus qu'un jupon avec un tablier (très à la mode chez les jeunes personnes) et une veste à grandes basques, appelée « caraco » ou « casaquin ». Sous Louis XVI, les robes les plus en usage s'appellent la « Polonaise » (qui a beaucoup d'ouverture au corsage), l'« Anglaise », sorte de redingote très ouverte, commode pour les jeunes femmes voulant allaiter ou « tronchiner » (se promener à pied) et, à la veille de la Révolution, la « Circassienne », robe se portant avec un demi-panier, un petit corsage très bas échancré au-dessus de la taille et un fichu en chemise sur les épaules. Les garnitures aussi ont varié. Au début du siècle, elles étaient de fleurs artificielles et relativement simples et sobres. Elles vont se compliquer de plus en plus. Sous Louis XVI, les robes sont couvertes de coques, de nœuds, de bouquets et de fruits. Selon le marquis de Valfons (*Mémoires*) il y aurait deux cent cinquante façons de garnir une robe. En voici quelques-unes : « Plaintes indiscrètes », « Grande réputation », « Désir marqué », « Doux sourire », « Regrets ». C'est le vocabulaire de la sentimentalité de l'époque.

Demeurée longtemps basse, la coiffure se met à monter à partir de 1750. On relève les cheveux au sommet de la tête. Parfois une crête de rubans est posée sur ce toupet : c'est la coiffure « à la huppe » à la mode entre 1760 et 1770. Sous Louis XVI, l'échafaudage est élevé très haut, si haut que le visage paraît être aux deux tiers du corps. Les caricatures du temps représentent les coiffeurs perchés sur des échelles pour accommoder les dames. Le goût des plumes devient une rage. On en met dans les cheveux aussi bien que dans les bonnets. Elles sont plantées dans toutes les positions, devant, derrière et sur les côtés de la tête. La coiffure « à la Minerve » est un cimier de dix plumes mouchetées d'yeux de paon, qui s'ajuste sur une coiffe de velours noir toute brodée de paillettes d'or.

Comparé au féminin, le costume masculin change assez peu. D'un bout à l'autre du siècle ses trois pièces essentielles sont le justaucorps ou habit, la veste sous l'habit et la culotte. On porte perruque et tricorne. La veste a presque toujours été ouverte pour laisser passer la cravate ou le jabot de dentelle. La culotte s'est allongée au détriment des bas. Ceux-ci étaient d'abord (sous la Régence) longs et attachés sur la culotte. Vers 1730, ils perdent de leur longueur et sont désormais attachés sous le genou au-dessous de la culotte. L'habit s'est peu à peu rétréci. Au début du règne de Louis XV il fermait sur le devant. Après 1750 il ne ferme plus et ne comporte même plus de boutons. Les manches qui étaient largement ouvertes et dont on bouillonnait les pans sont devenues très étriquées. C'est aussi l'époque où apparaissent deux nouveaux vêtements, la redingote et le frac. La redingote vient d'Angleterre (*riding coat*). C'est un large habit croisé sur la poitrine, muni d'une ceinture et d'un petit collet rabattu. On ne la met d'abord que pour monter à cheval. Puis son usage se généralise. Elle devient l'habit d'hiver par excellence. « Frac » est un mot polonais. Ce vêtement est une sorte d'habit, encore plus dégagé que l'habit, privé de boutons, sans poches et avec un petit collet. Sous Louis XVI, frac rayé et pantalon (ce vêtement est tout récent) sont l'uniforme de la jeunesse à la mode.

Selon J. Quicherat (*Histoire du costume*) le « progrès du mauvais goût » serait la tendance générale du siècle. Le même auteur déplore que l'ajustement des femmes soit de plus en plus « chiffonné et confus » et finisse par tomber dans l'extravagance à force de complication et de luxe. Il observe toutefois qu'à la veille de la Révolution, cette tendance semble s'inverser. On passe en effet alors d'un extrême à l'autre, de la plus extraordinaire complication à la simplicité la plus dépouillée. Les vêtements de cérémonie sont délaissés. Les femmes renoncent aux garnitures. La reine s'habille en bergère. La différence des sexes est parfois effacée. Les dames se mettent à porter des robes en redingote, des cravates, des jabots, des gilets, des chapeaux de castor et même des cannes.

Le costume n'a jamais vraiment différencié les catégories sociales, si ce n'est pas la qualité des étoffes et le luxe des ajustements. La robe à panier était portée dans le peuple comme dans la noblesse. Les laboureurs portaient l'habit, la veste et la culotte comme les messieurs.

COTON. L'industrie du coton est une industrie nouvelle. C'est un négociant de Rouen nommé Delarue qui introduit en 1701 la filature sur place du coton nécessaire pour les siamoises, étoffes de fantaisie à trame de coton et à chaîne de soie ou de lin.

Le coton est importé du Levant par Marseille et d'Amérique par les ports de l'Atlantique et de la Manche. Marseille et Rouen sont les deux principaux ports cotonniers français. Les importations n'ont cessé d'augmenter au cours du siècle. A Marseille, les importations de coton brut passent de 4 316 quintaux en 1700 à 95 979 en 1785.

La manufacture du coton est longtemps freinée par les interdictions frappant la fabrication de certaines cotonnades, comme les indiennes. Mais l'arrêt du 5 septembre 1759 levant ces défenses et celui du 7 novembre 1762 autorisant les habitants des campagnes à filer et à tisser ces cotonnades libèrent l'industrie du coton et lui permettent de prendre son essor.

Or ces années 1760-1770 sont précisément celles où l'industrie anglaise du coton se modernise en se mécanisant. La *jenny* de Hargreaves (inventée en 1765), la *water frame* d'Arkwright (1768) et la *mule jenny* de Crompton sont très vite connues en France, adoptées et bientôt fabriquées sur place au lieu d'être importées. L'industrie cotonnière française présente donc cette particularité d'avoir été mécanisée dès ses débuts. En abaissant les droits d'entrée sur les cotonnades anglaises, le traité de commerce franco-anglais de 1786 obligera les manufactures à renforcer encore leurs équipements. Il faut souligner, comme l'a fait dans sa thèse Serge Chassagne (*Le Coton et ses patrons*, Paris, 1991) la rapidité des transformations et la capacité remarquable des entrepreneurs français à s'adapter à la conjoncture.

Mais les machines exigent d'importants capitaux. Il faut beaucoup d'argent pour monter une grande manufacture. Par exemple, la mise de fonds pour l'installation en 1789 de la manufacture Leclerc à Brive a été de 100 000 livres. La mécanisation entraîne la concentration usinière. A la veille de la Révolution, il existe une dizaine de très grandes manufactures : l'Épine, près d'Arpajon, Decretot à Louviers, Foxlow à Orléans, Milne à Montargis et à Montivilliers, Bourkard et Pelloutier à Nantes, Leclerc à Brive et Daly à Crest. La fabrique Decretot de Louviers suscite l'admiration d'A. Young qui la visite le 8 octobre 1788 : « M. Decretot [...] me fait voir sa fabrique, la première du monde certainement, si la réussite, la beauté des tissus et une invention inépuisable pour répondre à tous les caprices de la fantaisie sont des mérites à une telle supériorité » (éd. Lesage, t. I, p. 177).

COTTE, Robert de (Paris, 1656 - *id.*, 1735). Architecte de grande envergure et remarquable décorateur, il travailla dans toute l'Europe y faisant rayonner l'architecture française et le style Régence.

Il était le beau-frère de J.H. Mansart et lui succéda dans les charges de premier architecte du roi et de directeur de l'Académie d'architecture.

Son activité fut intense et diverse : hôtels, bâtiments publics, édifices religieux, travaux d'urbanisme, restaurations, tout était de sa compétence. Dans les années 1700-1715 il construisit à Paris, faubourg Saint-Germain, les hôtels du Lude, d'Estrées et de Bourbon, transforma l'hôtel de La Vrillère et donna les plans de l'abbaye de Saint-Denis et de la colonnade ionique du Grand Trianon. La capitale

lui doit encore la reconstruction de la Samaritaine sur le Pont-Neuf et les pompes qui distribuaient l'eau dans Paris, ainsi que la nouvelle décoration du chœur de Notre-Dame. En province, il restaura l'hôtel de ville de Lyon, donna les plans de la place Bellecour et ceux de la place Royale à Bordeaux.

C'était un véritable chef d'orchestre : il traçait les plans et les faisait exécuter par ses meilleurs élèves. Il procéda ainsi pour l'Alsace (palais de Rohan à Strasbourg et château de Saverne), pour la Lorraine (palais épiscopal de Verdun) et à l'étranger où il donna les plans des palais des Électeurs de Cologne et de Bavière, du comte de Hanau et de plusieurs autres princes allemands. En Italie, le roi de Sardaigne lui fit construire le château de Rivoli et un pavillon de chasse près de Turin. En Espagne, il fut employé par Philippe V pour le palais royal de Madrid.

Sa dernière œuvre fut l'église Saint-Roch à Paris, terminée après sa mort.

COULOMB, Charles Auguste de (Angoulême, 1736 - Paris, 23 août 1806). Demeuré célèbre par ses études sur l'électricité, il est ingénieur du corps royal du génie. Après un séjour à la Martinique où il dirige la construction du fort Bourbon, il effectue diverses missions à l'île d'Aix, à Rochefort, à Cherbourg et à Rennes où il s'oppose aux états de Bretagne au sujet d'un projet de canaux qu'il juge trop dispendieux. Il sera nommé en 1784 intendant général des Eaux et Fontaines de France, et entrera en 1786 à l'Académie des sciences. Ses premiers ouvrages se rapportent à l'art de la construction, ou plutôt aux principes qui servent de base à cet art. Il écrit une *Statique des voûtes*. Ensuite, à Rochefort en 1779, à propos de travaux dont il est chargé, il étudie le frottement des corps solides, question très importante — et jusqu'alors peu étudiée — de mécanique pratique. Avec des appareils très simples il mesure le frottement dans un grand nombre de cas choisis parmi ceux qui se présentent dans les machines usuelles. Il obtient une série de données qui sont restées classiques. On peut le considérer comme le fondateur de la mécanique physique, science qui s'occupe non pas des corps imaginaires, mais bien des mouvements des corps réels. Les études sur l'électricité constituent la troisième époque de ses recherches. Les résultats en sont publiés dans les *Mémoires sur l'électricité et le magnétisme* parus entre 1784 et 1787. Il avait construit la balance, dite balance de torsion, qui lui avait permis de mesurer les forces magnétiques et électriques les plus faibles. En mesurant les forces de répulsion et d'attraction électriques, il avait trouvé que ces forces suivaient la loi de Newton, étant en raison inverse du carré de la distance. Ce fut le début d'une véritable connaissance scientifique de l'électricité. Ce grand savant était un homme pratique, un ingénieur avant tout. Il avait peu de goût pour la pure spéculation. Une de ses grandes préoccupations était d'obtenir du travail humain le meilleur rendement. Il est l'auteur d'un mémoire écrit en 1775, publié en 1801, sur *La quantité d'action que les hommes peuvent fournir par leur travail journalier suivant les différentes manières dont ils emploient leurs forces.* On a voulu voir dans cette recherche une intention philanthropique. Ce serait plutôt du taylorisme avant la lettre. Le mérite de Coulomb n'en est pas diminué pour autant. L'homme était d'ailleurs connu pour sa modestie et son désintéressement. A sa mort, il ne laissa guère à son fils d'autre héritage que celui d'un nom respecté. Il avait été membre de l'Institut à sa création.

COUPERIN, François, dit **Couperin le Grand** (Paris, 10 novembre 1668 - *id.*, 12 septembre 1733). Issu d'une famille qui compte de nombreux musiciens, il hérite à onze ans — à la mort de son père — du poste d'organiste de Saint-Gervais, poste qu'il occupera dix-sept ans. Il a eu pour professeurs d'abord son père, Charles Couperin, ensuite son oncle François, enfin Jacques Thomelin, organiste de la Chapelle royale. Il devient vite célèbre et sa nomination en 1693 comme organiste de la Chapelle royale et comme maître de clavecin des Enfants

de France ne fait que confirmer une grande réputation. On le regarde comme un virtuose du clavier, « doué d'un génie spécial du clavecin ». En 1714 et 1715, il présente aux concerts du dimanche donnés pour le roi ses célèbres *Concerts royaux.* On l'appelle Couperin le Grand à cause de son éclatante supériorité sur tous les autres organistes français.

En 1723, sa santé fragile l'oblige à abandonner l'orgue de Saint-Gervais à son cousin Nicolas. Sa fille Marguerite-Antoinette doit le remplacer dans ses fonctions à la Cour.

Il était le contemporain de Bach. Les derniers Couperin ont raconté qu'une longue correspondance échangée entre les deux grands musiciens aurait disparu après avoir servi à recouvrir des pots de confiture.

Son œuvre est multiple. Elle comprend de la musique vocale (six *Élévations,* trois *Leçons de ténèbres,* des motets et des « airs sérieux »), de la musique de chambre (sonates en trio, quatorze *Concerts royaux*), de la musique d'orgue et deux cent trente-trois pièces écrites pour le clavecin. Bien qu'il s'inspire de Corelli, sa musique est de tradition française. Son art équilibré, raffiné, son émotion tendre et discrète font de lui l'un des plus grands musiciens français de tous les temps.

COUR DES MONNAIES. La cour des monnaies de Paris, cour souveraine instituée en 1552, a la haute main sur la fabrication des monnaies et par voie de conséquence sur la fabrication et le commerce des monnaies.

Elle se compose des officiers suivants : 1 premier président, 8 autres présidents, 36 conseillers, 1 procureur général, 2 avocats généraux, 2 substituts, 1 greffier en chef, 18 huissiers. Le premier président vient souvent du corps des maîtres des requêtes. Il est conseiller d'État à brevet. La noblesse personnelle a été conférée à tous les magistrats de la cour par un édit de mars 1719.

La Cour des monnaies est une cour d'appel. Elle juge des appels des sentences des gardes des monnaies qui sont ses juges inférieurs. Elle connaît ainsi des abus et malversations commises par les officiers des monnaies, des crimes de fausse monnaie et enfin des statuts et règlements des batteurs d'or et d'argent, joailliers et orfèvres.

Une deuxième cour des monnaies a été établie à Lyon par un édit de juin 1704 à l'instar de celle de Paris.

COURS DES AIDES. Les cours des aides sont des cours souveraines établies pour avoir connaissance de toutes les causes concernant les impôts royaux.

Ce sont les plus récentes des cours souveraines. La cour des aides de Paris, la plus ancienne, a été définitivement constituée au XVIe siècle.

Combien y a-t-il de cours des aides dans le royaume ? Ferrière (*Dictionnaire de droit*, 1749) n'en compte pas plus de cinq : Paris, Bordeaux, Clermont, Aix et Grenoble. En fait il y en a treize, celles citées par Ferrière, plus celles de Dijon, Rennes, Pau, Besançon, Metz, Rouen, Montauban et Montpellier. Il est vrai que plusieurs de ces dernières sont réunies aux chambres des comptes ou aux parlements de ces villes, et qu'il n'y ait que Paris, Montauban, Bordeaux et Clermont qui soient des cours des aides proprement dites. La cour des aides de Paris se compose de trois chambres, avec respectivement 18, 16 et 12 conseillers, et un procureur général, 3 avocats généraux, 5 substituts et 2 greffiers en chef. Tous les officiers des cours des aides ont la noblesse au premier degré.

Dans le détail les attributions des cours des aides sont les suivantes : elles connaissent : 1 — des différends pour raison des deniers royaux et des affaires de finances ; 2 — en première instance des matières criminelles concernant tous les impôts ; 3 — de tous les contrats faits avec les traitants, fermiers et munitionnaires ; 4 — des appels des juridictions qui leur sont inférieures, soit les élections, les greniers à sel et les bureaux des traites ; 5 — des usurpations de noblesse à l'effet de l'exemption des tailles. Cependant, les limites de compétence n'étant pas toujours très précises, il y a

de nombreux conflits entre les cours des aides et les autres cours souveraines.

Après 1750 les cours des aides s'associent à l'opposition des parlements contre le pouvoir royal. Les remontrances de la cour des aides de Paris, rédigées par Lamoignon de Malesherbes, son premier président, de 1768 à 1775, constituent un véritable réquisitoire contre la monarchie administrative. Les cours des aides demandent que leur soit rendu un véritable rôle administratif dans la levée des impositions. Elles se considèrent comme les défenseurs des contribuables. «Votre Majesté, dit la cour des aides de Paris, nous a constitué non seulement les juges de ses peuples, mais aussi leurs patrons et leurs défenseurs» (14 septembre 1756).

La cour des aides de Paris est supprimée par l'édit d'avril 1771, puis rétablie en 1774 en même temps que l'ancien parlement. Les autres cours des aides n'ont pas été touchées par le coup de force de Maupeou, sauf celle de Clermont, supprimée par édit de mai 1771 et remplacée par le Conseil supérieur de cette ville.

COURSE. Le XVIIIe siècle voit le déclin de la course, grandes expéditions maritimes rendant nécessaire un chef et un projet d'ensemble. Les entreprises sont individuelles et isolées. Il est d'ailleurs très rare que des navires de guerre soient prêtés à des armateurs. Les corsaires ont maintenant une mentalité mercantile ; ils cherchent à s'enrichir plutôt qu'à s'illustrer par de grandes actions. De sorte qu'on ne voit plus très bien la différence entre corsaires et pirates, et que le fossé se creuse entre corsaires et marins de la marine du roi. Les philosophes des Lumières jugent la course immorale. L'abbé Galiani et Mably réclament son abolition.

COURTANVAUX, Louis Charles César Le Tellier, comte puis duc d'Estrées, marquis de (1697-1771). Maréchal de France, il est le petit-fils de Louvois. Il a fait ses premières armes dans la guerre d'Espagne de 1718. Il se fait très tôt remarquer par sa franchise. Envoyé auprès du roi Stanislas, lors du séjour de ce prince à Wissembourg en Alsace, il aurait osé lui demander la main de sa fille. En 1737, Louis XV étant indisposé, il a l'audace de lui rapporter les ragots malveillants des Parisiens sur l'origine de cette indisposition. Sa carrière n'en est pas compromise. Le 2 mai 1744, à l'issue de la campagne d'Allemagne, qu'il a faite sous Belle-Isle, le grade de lieutenant général lui est octroyé. Le jour de Fontenoy, à la tête de la maison du roi, il commande la charge décisive. Maréchal de France le 24 février 1757, il est nommé quelque temps après commandant de l'armée d'Allemagne. Mais il ne garde pas longtemps ce commandement. Brave et habile, mais autoritaire et cassant, il ne s'entendait pas avec Pâris-Duverney, munitionnaire général des vivres. Ce dernier intrigue à la Cour et pousse Richelieu. Le 26 juillet 1757, le nouveau maréchal remporte sur Cumberland la brillante victoire d'Hastembek. Mais son départ est déjà décidé. Le 28 il est remplacé par Richelieu. Le roi cependant lui reste fidèle. En 1756 il l'avait envoyé à Vienne comme ministre plénipotentiaire, afin de préparer le second traité de Versailles. Le 2 juillet 1758, il l'appelle au Conseil d'en haut, où il finira sa carrière.

COURT DE GÉBELIN, Antoine (Nîmes, 1725 - Paris, 10 mai 1784). Historien et linguiste, il est le fils du pasteur Antoine Court, fondateur de l'école théologique de Lausanne. Il exerce pendant un temps le ministère évangélique, puis renonce à ses fonctions, désirant se consacrer à l'étude. Son œuvre s'intitule *Le Monde primitif*. Elle a été publiée en neuf volumes de 1745 à 1784. Une partie traite des anciennes mythologies. L'auteur en cherche l'explication dans l'agriculture qui, en délivrant les hommes de la faim, leur fut le plus grand des biens. C'est de la mythologie physiocratique. D'ailleurs Court de Gébelin est lié avec Quesnay, qui l'appelle son « meilleur disciple ». Le volume IV du *Monde primitif* est consacré à l'étymologie de la langue latine, et comporte un dictionnaire étymologique

de cette langue. L'idée de l'auteur est qu'il existait une langue mère « parlée par les premiers habitants de l'Europe » et d'où seraient sorties les langues celtique et latine.

Cet érudit a aussi été un militant. Il a combattu pour la cause protestante et pour la tolérance civile. Il avait fondé à Paris un bureau d'agence pour centraliser les plaintes et les avis des protestants du royaume.

COURTONNE, Jean (Paris, 1671 - *id.*, 1739). Architecte, il est surtout connu pour avoir construit le château de Villarceaux et deux des plus beaux hôtels du faubourg Saint-Germain, celui de Noirmoutier (138-140 rue de Grenelle) en 1720 pour le duc de la Trémoille, et celui de Matignon (actuelle résidence des Premiers ministres) rue de Varenne, en 1721, pour le duc de Montmorency. Sa manière est sobre mais il fait preuve de fantaisie et d'imagination dans le décor. Il fut membre de l'Académie d'architecture et architecte du roi. Il est l'auteur d'un *Traité de la perspective pratique* (1725) et d'une *Architecture moderne* (1728).

COUSTOU. Trois sculpteurs portèrent ce nom : **Nicolas** (Lyon, 9 janvier 1658 - Paris, 1er février 1733), son frère **Guillaume Ier** (Lyon, 1678 - Paris, 22 février 1746) et le fils de ce dernier, **Guillaume II** (Paris, 1716 - *id.*, 13 juillet 1777).

Nicolas et Guillaume Ier étaient les fils d'un sculpteur sur bois lyonnais et les neveux de Coysevox, qui présidait alors l'Académie de peinture et de sculpture, les accueillit à Paris et s'occupa de leur formation.

Nicolas fut l'auteur de la plupart des statues qui devaient orner les jardins de Versailles, de Marly et des Tuileries. Guillaume travailla aussi pour Marly. Les deux groupes d'écuyers faits pour Marly et placés aujourd'hui à l'entrée des Champs-Élysées à Paris consacrèrent sa réputation. Le troisième Coustou ne valut pas les deux premiers. Il ne manquait pas de talent, mais de caractère et d'application au travail, faisant faire par d'autres les ouvrages qui lui étaient commandés. Ce fut ainsi qu'un certain Dupré exécuta à sa place et sous son nom le fronton de l'église Sainte-Geneviève de Paris (actuel Panthéon).

COUTUMES. Les coutumes sont les règles du droit privé. Ces règles ont été introduites par l'usage. Elles sont particulières à un pays, à une province. Ferrière les définit ainsi : « ... un droit municipal de quelque lieu, de quelque ville, de quelque contrée et de quelque pays ». Elles ne sont pas les seules règles du droit privé, mais les plus importantes. Aucun juge ne peut aller contre elles. « Chaque coutume, dit encore Ferrière, étant la loi de la province pour laquelle elle est faite du consentement de ses habitants, elle règle indubitablement leurs droits, en sorte qu'on ne peut pas juger contre la coutume d'un lieu. »

Les coutumes règlent la condition des biens et celle des personnes. Leurs principales matières sont celles des fiefs, des censives, des biens meubles et immeubles, des servitudes, du mariage, des donations, des testaments et des successions. Elles s'expriment en de courtes formules contenant rarement plus d'une ou deux phrases. Voici à titre d'exemple l'article 220 de la coutume de Paris au sujet de la communauté de biens des époux : « Hommes et femmes conjoints ensemble par mariage, sont communs en biens meubles et conquets immeubles faits durant et constant le dit mariage. Et commence la communauté du jour des épousailles, et bénédiction nuptiale. »

Les coutumes sont nombreuses. Dans son *Nouveau Coutumier général* (1724) Charles Bourdot de Richebourg publie les textes de sept cents coutumes. Cependant, on peut classer toutes ces coutumes d'après leur esprit en quelques grands groupes ou familles. D'après le droit successoral (très révélateur de l'esprit des coutumes) on peut distinguer trois familles : celle des coutumes d'égalité entre héritiers et d'option où les héritiers dotés peuvent opter pour le rapport à la succession (centre du Bassin parisien et Flandre), celle des coutumes d'égalité

stricte (Bretagne, Normandie, Maine, Anjou, Poitou) où les héritiers dotés sont obligés au rapport, et celle des coutumes dites précipitaires où les parents sont libres d'avantager (Midi, Massif central, Bourgogne, Lorraine, Artois et Vermandois).

Les limites des coutumes sont très difficiles à tracer à cause des enclaves et des pays dont les régions sont soumises à des coutumes différentes. Prenons le cas du Vendômois. Ce pays est soumis à la coutume d'Anjou. Mais dans la ville de Vendôme, sur les quatre paroisses deux seulement sont entièrement soumises à cette coutume. Dans la troisième paroisse trois maisons se trouvent rattachées à la commune de Chartres et une quatrième à celle de Blois. La quatrième paroisse est pour moitié dans le ressort de la coutume d'Anjou, pour l'autre moitié dans le ressort de celle de Blois.

On distingue d'ordinaire les pays coutumiers des pays de droit écrit où domine l'influence du droit romain. Cependant, tous les pays du Midi ont aussi leurs coutumes ou leurs statuts municipaux appelés coutumes (Toulouse). Inversement toutes les coutumes des pays coutumiers s'inspirent plus ou moins du droit romain.

Les coutumes avaient été longtemps un droit non écrit. On avait seulement des compilations faites par des praticiens. La codification ou rédaction s'est faite à partir du XVe siècle sur l'ordre de la royauté (ordonnance de Montilz-lès-Tours, 1454). Ce travail de rédaction a pris beaucoup de temps. Il continue au XVIIIe siècle. Les coutumes de Verdun sont rédigées en 1746, celles de Barèges en 1768.

Selon les jurisconsultes du XVIIIe siècle, l'autorité des coutumes découle d'une triple source. Elle vient d'abord de leur ancienneté : « Les principes les plus précieux de notre droit [...], explique l'avocat Le Paige, remontent jusqu'au premier âge, et c'est de là qu'ils sont venus de main en main jusqu'à nous. » L'autorité de la coutume vient ensuite de ce qu'elle a été approuvée par le peuple. Le jurisconsulte Choppin disait au XVIIᵉ siècle qu'elle était une « loy populaire ». Enfin la troisième source de l'autorité de la coutume est la puissance royale. C'est le roi, dit Ferrière, qui « donne à la coutume la forme et le caractère de loi ».

Les coutumes sont restées jusqu'à la fin de l'Ancien Régime la règle principale du droit privé. Cela explique la stabilité du droit familial dans l'ancienne France. Le roi pourrait toucher aux coutumes, mais il fait profession de les respecter. Cependant, ses ordonnances dérogent aux coutumes. Un article de coutume contraire à un article d'ordonnance royale ne doit pas être suivi.

Les coutumes vieillissent-elles, ou bien est-ce le siècle qui les trouve vieilles et décaties ? Les jurisconsultes du XVIIᵉ siècle se plaisaient à reconnaître en elles l'expression de la liberté populaire. « La loy, écrivait Pierre de l'Hommeau, est commandée et publiée par puissance et bien souvent contre le gré des sujets. La Coutume coule doucement et sans force… » Les jurisconsultes du XVIIIᵉ siècle sont beaucoup moins admiratifs. Certains même trouvent les coutumes injustes ou odieuses. Ferrière par exemple regrette qu'il soit resté dans les coutumes « tant de dispositions odieuses ».

Le XVIIIᵉ siècle n'aime pas non plus la diversité des coutumes. Un droit commun de la France, dit « droit français », tend à se constituer. La coutume de Paris étend son influence et toutes les autres coutumes ont tendance à se régler sur elles. Les ordonnances de Louis XV sur les donations (1731), sur les testaments (1735) et sur les substitutions (1747) jettent les premières bases d'un droit commun. Enfin plusieurs jurisconsultes, parmi lesquels se dégagent les noms de Pothier, de Ferrière et de Pocquet de Livonnière, s'efforcent de faire apparaître les principes généraux observés par toutes les coutumes et confirmés par la jurisprudence des cours. Ils citent aussi les exceptions les plus notables et les particularités les plus importantes.

COYER, Gabriel François (Baume-les-Dames, Franche-Comté, 18 novembre 1707 - Paris, 18 juillet 1782). Abbé philosophe, il avait d'abord été jésuite. En 1736, il quitte la Compagnie et reçoit le soin de l'éducation du prince de Turenne, futur duc de Bouillon. Il exerce pendant quatre ans cette fonction de précepteur. Il devient ensuite aumônier militaire. Aumônier général de la cavalerie, il assiste à la bataille de Lawfeld et au siège de Berg-op-Zoom. La guerre étant finie, sa carrière d'écrivain commence. Il publie plusieurs ouvrages dont les plus remarqués sont les *Bagatelles morales* (1754), *La Noblesse commerçante* (1756) et l'*Histoire de Jean Sobieski* (1761). Les *Bagatelles morales* lui valent le qualificatif de Swift français. *La Noblesse commerçante* a un grand retentissement. Quatre éditions se succèdent en un an. Grimm, dans son journal, couvre l'auteur de grands éloges. L'ouvrage se présente comme un plan de sauvetage de la noblesse française. Cette noblesse est ruinée, endettée. Un seul remède à cet état navrant : abolir toute dérogeance, autoriser la noblesse à commercer sans déroger : « Pour prévenir la chute de la noblesse, donnons-lui le commerce pour appui. » Les idées de l'abbé suscitent une vive polémique. Le chevalier d'Arc répondra à *La Noblesse commerçante* par *La Noblesse militaire*. L'*Histoire de Jean Sobieski* est à la fois un réquisitoire contre le fanatisme des Polonais et un éloge de leurs vertus nationales et républicaines. C'est un curieux mélange de dédain pour la Pologne et d'enthousiasme pour la civilisation des Sarmates, ancêtres des Polonais. L'article « Polonais » de l'*Encyclopédie* (rédigé par le chevalier de Jaucourt) reprend la substance et la forme même de l'ouvrage. C'est ainsi que le jugement de l'abbé Coyer sur la Pologne va devenir celui de toute la philosophie. L'abbé est sacré philosophe. Voltaire et Diderot lui en décernent le brevet. Stanislas Leszczynski, le Philosophe Bienfaisant, lui accorde sa faveur : l'auteur de l'*Histoire de Jean Sobieski* est reçu solennellement à l'Académie de Nancy le 8 mai 1763. L'Académie française n'est pas aussi favorable. Elle refuse obstinément de le recevoir. Il fait plusieurs tentatives, mais en vain. La protection de Voltaire ne lui a pas suffi. A vrai dire il n'était pas un très grand esprit. Sa plume est alerte, mais sa pensée manque d'élévation. Il écrit par exemple : « ... le flambeau de la Philosophie éclaire et dissipe nos préjugés » ou bien « Notre raison a fait un grand progrès si elle nous dit qu'un gentilhomme peut commercer », et quelques autres platitudes du même genre.

COYPEL, Antoine (Paris, 1661 - *id.*, 1722). Peintre, il appartient à une dynastie d'artistes dont il est le plus brillant représentant. Il avait fait sous Louis XIV une étincelante carrière, le Grand Roi l'ayant chargé de dessiner les médailles qu'il faisait frapper à l'occasion des événements les plus notables de son règne. En 1714, il est nommé directeur de l'Académie et le Régent lui confère le titre de peintre du roi. Il exécute pour le Palais-Royal divers épisodes de l'*Énéide*, où les belles dames de l'époque et leurs cavaliers aiment à se reconnaître. Il est aussi un habile graveur à l'eau-forte et reproduit par ce procédé certains de ses propres tableaux, tels que *Démocrite* et *Ecce homo*.

COYSEVOX, Antoine (Lyon, 1640 - Paris, 10 octobre 1720). La carrière de ce sculpteur d'origine espagnole appartient presque toute entière au règne de Louis XIV. Sculpteur du roi, il s'était fait de la représentation des chevaux une sorte de spécialité. Ses deux plus beaux chevaux sont ailés. Ils s'appellent *Mercure* et la *Renommée*. Faits pour Marly en 1702, ils ornent aujourd'hui l'entrée du jardin des Tuileries du côté de la place de la Concorde. Ce grand artiste excellait aussi dans le portrait. Il a fait revivre dans le marbre la plupart des grands hommes du Grand Siècle. Au début du règne de Louis XV, il sculptait encore. Il fit plusieurs bustes du jeune roi. Nicolas et Guillaume Coustou étaient ses neveux ; il s'occupa de les former. Il mourut avec l'humilité du chrétien. Comme, aux approches des derniers moments, on l'entretenait de ses succès, il

répondit : « Si j'en ai eu, c'est qu'il a plu à Dieu de m'accorder quelques moyens, vain fantôme prêt à s'évanouir aussi bien que ma vie. »

CRÉBILLON, Prosper Jolyot, sieur de Crais-Billon, dit (Dijon, 13 janvier 1674 - Paris, 17 juin 1762). Poète tragique, il est l'auteur de neuf tragédies, dont six ont été représentées avant 1715. Les trois dernières sont très espacées : *Pyrrhus* date de 1726, *Catilina* de 1748, et *Le Triumvirat* de 1754 (l'auteur avait à cette date quatre-vingt-un ans). Elles connaissent un immense succès. Crébillon est vénéré de son vivant comme un autre Racine. En 1731, il est élu à l'Académie française. Mme de Pompadour se toque de lui et lui fait attribuer une pension. Elle cherche à l'opposer à Voltaire dont elle veut se venger. Il ne reste pourtant rien de son œuvre. Crébillon était un fabricant de pièces, rien de plus. Doué d'une imagination active, il excellait à inventer des situations surprenantes, et c'était ainsi qu'il soutenait l'intérêt. Il voulait imiter les tragiques grecs et inspirer comme eux une sorte de terreur sacrée, mais ses copies étaient pâles et factices, le goût poli et mondain le paralysant. « Des sujets horribles, adroitement affadis, voilà tout son art », ainsi le juge avec perspicacité Gustave Lanson.

CRÉBILLON fils, Claude Prosper Jolyot de Crébillon, dit (Paris, 14 février 1707 - *id.*, 12 avril 1777). Littérateur, il est le fils de l'auteur dramatique. Au terme d'études au collège Louis-le-Grand, il s'intéresse aux lettres, fréquente les théâtres et la société du Caveau et apporte sa collaboration à un recueil satirique, l'*Académie de ces Messieurs*. Après avoir publié en 1732 un premier ouvrage intitulé *Lettres de la marquise de *** au comte de ****, il donne en 1734 un roman, *L'Écumoir ou Tanzaï et Néadarné*, dont La Harpe raconte que « l'on crut y voir l'allégorie d'une bulle fameuse [*Unigenitus*] dont on a tant parlé et dont on ne parle plus, et la critique du style de Marivaux que l'auteur parut contrefaire très heureusement dans la fée Moustache». Ces allusions et quelques autres à propos de puissants personnages (telle la duchesse du Maine) vont lui valoir un court emprisonnement à Vincennes. Deux ans plus tard, il publie *Les Égarements du cœur et de l'esprit ou Mémoires de M. de Meilcour*, dont l'un des protagonistes, M. de Versac, est pour certains le prédécesseur du Valmont des *Liaisons dangereuses*. Ce roman sera suivi en 1745 par *Le Sopha, conte moral* (en réalité pas du tout moral), où l'on voit s'agiter un sultan nommé Shabaham particulièrement ridicule et fort amusant. Malheureusement, on crut y reconnaître le roi, et Crébillon de partir en exil. Cela ne l'empêche pas de récidiver dès 1746 avec un roman à clefs : *Les Amours de Zeokinisul, roi des Kofirans*, où l'on ne manquera pas de reconnaître à nouveau le roi. En 1748, Crébillon épouse une de ses riches admiratrices, Marie de Stafford, fille d'un chambellan de Jacques II. Enfin, en 1759, il est nommé, grâce à Mme de Pompadour, censeur royal de la Librairie. Il continue de publier des romans : *La Nuit et le Moment* en 1755, *Le Hasard du coin du feu* en 1763, dont Musset se serait souvenu dans *Un caprice*. Les romans de Crébillon sont bien dans la mode d'un temps libertin (comme le sont *Les Bijoux indiscrets* de Diderot) et dans ces œuvres pleines d'imagination galante et de sous-entendus, où l'on trouve une peinture de la société du XVIIIe siècle. Kleber Haedens affirme même que « si l'on estime que la littérature licencieuse est plus divertissante que beaucoup d'autres et si l'on constate que Crébillon écrit dans une très bonne langue, qu'il est spirituel et fin, on ne peut s'empêcher de ranger ses contes parmi les œuvres les plus agréables du XVIIIe siècle ».

CREFELD. La bataille de Crefeld (en Allemagne, sur la rive gauche du Rhin) fut livrée et perdue le 23 juin 1758 par l'armée française que commandait le comte de Clermont, opposée à l'armée anglo-hanovrienne commandée par le duc de Brunswick. Cette grave défaite doit être attribuée à une série de fautes de commandement. Par exemple, lorsque le poids de la bataille retomba sur l'aile gauche française, on n'eut même pas l'idée d'envoyer à son secours les brigades de seconde ligne toutes proches, lesquelles assistèrent au combat sans pouvoir y prendre part (Chagniot).

CRÉMILLES, Louis Hyacinthe Boyer de (1700-1768). Lieutenant général, il appartient à la cavalerie, ayant commencé sa carrière en 1719 comme capitaine de dragons. Il exerce pendant de nombreuses années les fonctions de maréchal-général des logis, fonctions illustrées sous Louis XIV par Puységur et qui consistent à reconnaître le terrain et à prévoir le détail des marches, des fourrages, des vivres et des plans de campagne. Nommé aide-maréchal des logis pendant la guerre de Succession de Pologne, il s'emploie de 1737 à 1741 à reconnaître la frontière du Nord, et en 1741 à diriger la route de l'armée du Bas-Rhin vers la Bohême. Promu maréchal-général des logis en septembre 1742, affecté successivement à l'armée de Noailles en Flandre, à l'armée du Rhin et enfin à celle du roi, il prépare les différentes campages de ces armées, contribuant ainsi pour une large part à la victoire. Le roi reconnaît sa valeur en le nommant, le 1er novembre 1745, inspecteur général de l'infanterie, de la cavalerie et des dragons, charge unique créée en sa faveur. En 1758 le maréchal de Belle-Isle, nouvellement ministre d'État, demande Crémilles comme adjoint et le fait nommer à la fois directeur général des fortifications, surintendant de l'École militaire et directeur des Invalides. Cette collaboration fructueuse cessera avec la démission de Crémilles de tous ses titres et charges, le 9 avril 1762.

CRESSENT, Charles (Amiens, 1685 - Paris, 1768). Ébéniste, il est fils de sculpteur et petit-fils de menuisier. Entré en 1714 dans l'atelier de l'ébéniste Joseph Poitou, rival de Boulle, il lui succédera en tout, épousant sa veuve (1719), reprenant son entreprise ainsi que son titre d'ébéniste du duc d'Orléans. Sculpteur autant qu'ébéniste, membre depuis 1714 de l'Académie de Saint-Luc en tant que sculpteur, il modèle, fond et cisèle lui-même ses bronzes. En témoignent ses démêlés avec la communauté des fondeurs-ciseleurs. De toutes ses créations, ses commodes sont les plus remarquables. On le tient pour le père de la commode Louis XV, cette commode haute sur pied, fortement galbée, dont le décor, où paraît souvent la figure humaine, ignore les divisions des tiroirs. Trois de ces chefs-d'œuvre sont conservés à l'étranger : la commode de Waddesdon Manor, celle de la Wallace Collection et celle de la Residenzmuseum de Munich.

CREUSOT (Le). Construite dans les toutes dernières années de l'Ancien Régime, la fonderie du Creusot est la plus puissante firme métallurgique du royaume.

L'auteur des *Voyages métallurgiques,* le chevalier de Jars, avait été le premier à pressentir l'avenir du Creusot, et à discerner les avantages d'une situation exceptionnelle : mine de houille et mine de fer à faible distance l'une de l'autre, proximité de deux grandes voies fluviales, la Saône et le Rhône, conditions idéales pour l'établissement d'une fonderie selon le procédé nouveau de fonte au coke.

La société du Creusot est formée par acte du 18 décembre 1782, sous la raison Périer, Bettinger et compagnie. Jacques Constantin Périer est le fondateur de la Compagnie des eaux. Nicolas Bettinger est premier commis du trésor général de la Guerre. Figurent également parmi les actionnaires Sérilly, Saint-James et F. de Wendel. Ce dernier est le chef et l'âme de l'entreprise. Enfin, à la suite d'une avance accordée le 28 août 1784 par le Trésor royal, le roi est intéressé à l'affaire pour un douzième.

La construction de la fonderie, sous la direction de Wendel et de l'Anglais Wilkinson, dure trois ans, de 1782 à 1785. C'est le plus grand complexe jamais construit en Europe : deux hauts-fourneaux, quatre fours à réverbère, une grande fosse pour les moules, plusieurs forges et souffleries, et des pavillons pour loger les cinq cent soixante-dix-huit ouvriers. Les deux marteaux de 700 livres pour le cinglage et les grands soufflets cylindriques pour la fonte au coke sont actionnés par des machines à vapeur. Des chariots glissant sur des rails — les premiers chemins de fer — voiturent le charbon. « Cet établissement, s'écrie Daubenton, est une des merveilles du monde. »

La production commence à la fin de l'année 1785. Du 1er octobre 1787 au 1er octobre 1788, elle sera de 4 290 050 livres de fonte et servira pour la fabrication des conduites d'eau et des canons.

CREVIER, Jean-Baptiste (Paris, 1693 - id., 1765). Il fut vingt ans professeur de rhétorique au collège de Beauvais dans l'Université de Paris. Élève de Rollin, il continua son *Histoire romaine* en écrivant une *Histoire des empereurs* en 6 volumes publiés de 1750 à 1756. Ses idées pédagogiques se trouvent condensées dans son traité *De l'éducation publique,* publié en 1763 à l'occasion de la grande controverse sur les collèges et sur les Jésuites. Elles sont d'inspiration janséniste et cartésienne comme celles de son maître Rollin et des maîtres de ce dernier, Nicole et Lamy. La « sagesse » est placée avant le savoir, le « bon esprit » avant l'intelligence. Crevier appartient à cette curieuse espèce de professeurs qui ne veulent pas honorer la science et qui sapent les fondements mêmes de leurs fonctions. Notons cependant qu'il s'intéresse à la condition matérielle des maîtres et veut qu'ils soient « payés avec cette honnête médiocrité qui convient aux gens de Lettres » (cité par M. Grandière).

CRIMINALITÉ. La criminalité n'est pas entièrement mesurable. Il existe en effet un écart non négligeable entre la criminalité jugée par les tribunaux et la criminalité réelle. Deux raisons au moins peuvent expliquer cette différence : les faibles effectifs des forces de police, et la force des solidarités communautaires qui empêchent souvent la dénonciation des crimes et couvrent certains forfaits.

Le nombre des affaires criminelles jugées en appel augmente au cours du siècle. De 1720 à 1760, le nombre des arrêts criminels rendus chaque année par le parlement de Toulouse tournait autour de 200. Le cap des 300 est doublé vers 1765. En 1786, 501 arrêts sont rendus. Le nombre des procès jugés en appel par le parlement de Paris concernant la province d'Anjou double entre 1700 et 1760, et double à nouveau pendant les trente années 1760-1790. Mais ces différentes croissances ne signifient pas forcément une augmentation de la criminalité. Cette augmentation est plus que probable, mais elle n'est pas certaine. Nous avons trop peu de statistiques portant sur des juridictions de première instance, et les rares que nous possédons n'indiquent pas toujours une croissance de la criminalité. Par exemple, le présidial de Château-Gontier en Anjou juge 118 affaires de 1720 à 1724, 98 de 1725 à 1749, 106 de 1750 à 1774 et 91 de 1775 à 1790 (Garnot).

Les deux tiers des crimes commis sont des vols. Les proportions varient assez peu d'une juridiction à l'autre. Voici quelques données :

Délits jugés en appel par le parlement de Paris	
Vols :	75 %
Homicides, violences :	19 %
Affaires de mœurs :	6 %
Délits jugés en 1re instance par le Châtelet de Paris	
Vols :	92,7 %
Homicides, violences :	5,5 %
Affaires de mœurs :	1,6 %
Crimes contre l'autorité publique	0,2 %
Délits jugés en 1re instance par le présidial de Rennes (seconde moitié du siècle)	
Vols :	71 %
Homicides et violences contre l'autorité :	21 %
Rébellion, tapage nocturne, jeux de hasard :	8 %

Le vol, crime dominant, est un vol assez simple. La préméditation est rare, le cambriolage rarissime. On vole à la découverte, à l'étalage, à la tire. Le vol à main armée et le banditisme étaient assez répandus sous la Régence. Le banditisme connaît une recrudescence dans la seconde moitié du siècle. En Bas-Languedoc, de 1750 à 1789, 23 % des vols sont le fait de bandits.

On tue peu. Les homicides représentent 3,1 % des affaires jugées au Châtelet de Paris en 1755, 1765, 1775 et 1785, moins de 2 % de celles instruites au présidial de Rennes dans la seconde moitié du siècle. Les infanticides forment une part importante de cette catégorie de crimes. C'est le crime féminin par excellence.

Les affaires de mœurs sont très rarement graves. Les viols se comptent sur les doigts de la main.

Le vol est un crime populaire. Dans le ressort du parlement de Toulouse, tous les voleurs appartiennent aux classes du peuple. Plus de la moitié sont des « travailleurs », des compagnons et des domestiques. Beaucoup sont des campagnards venus à la ville et déracinés. Il y a aussi quelques « errants » professionnels et quelques soldats chapardeurs.

Si l'on met à part les entreprises des deux grands bandits Cartouche et Mandrin, et celles de quelques bandes dans les années 1780-1789, la criminalité n'a jamais constitué une menace grave pour l'ordre public. Sa fréquence a toujours été faible. De plus, dans toutes les grandes villes, les forces de police ont été progressivement renforcées. Même à la fin de l'Ancien Régime, quand la société donnait de nombreux signes de désagrégation, la plupart des rues des villes offraient une réelle sécurité. « Les rues de Paris, écrivait alors Sébastien Mercier, sont sûres la nuit comme le jour, à quelques accidents près. »

CROISSANCE ÉCONOMIQUE. Le XVIIIe siècle est en France comme en Angleterre une ère de croissance économique. Croissance agricole : la production aurait augmenté de 60 % ; croissance industrielle : le produit aurait quadruplé. La production réelle totale aurait presque triplé. Croissance commerciale enfin : en prix constants, pour tenir compte de la hausse des prix courants français, le coefficient d'augmentation serait de 3.

D'après M. François Crouzet cette croissance serait comparable à celle de l'Angleterre. Elle serait même plus forte, la France étant partie de plus bas.

Les explications généralement données invoquent la hausse des prix liée elle-même à l'afflux du métal monétaire américain, et l'augmentation de la population (de 19 à 26 millions d'habitants). Mais les facteurs psychologiques et idéologiques seraient aussi à considérer : le siècle est à la recherche du bonheur par l'abondance et par la jouissance des biens matériels ; produire toujours davantage devient l'une des conditions indispensables du bonheur.

CROŸ, Emmanuel, prince du Saint-Empire, de Solre et de Mœurs, duc de (Condé, 23 juin 1718 - Paris, 30 mars 1784). Duc à brevet depuis 1767, maréchal de France, son « Journal », publié en partie en 1906, constitue l'une de nos sources les plus précieuses pour la connaissance du règne de Louis XV.

Il n'est pas de grand seigneur dont la vie soit plus remplie ni plus féconde en travaux de toutes sortes. Sa carrière est militaire. Entré aux mousquetaires à dix-huit ans, il fait toutes les campagnes de la guerre de Succession d'Autriche, devient en 1757 commandant des troupes des provinces d'Artois, de Picardie, du Calaisis et du Boulonnais et accède en 1783 à la dignité de maréchal de France. Mais ce militaire est aussi un courtisan. Assidu à la Cour, il réussit à se faire admettre dans le cercle intime du souverain, est de tous les soupers, de toutes les chasses, de tous les « petits châteaux ». En 1762, il décroche la faveur rare des entrées des Cabinets. Il est aussi très présent dans sa province. En son château de l'Hermitage (près de Condé) où il réside trois mois par an, il représente le type parfait du grand seigneur éclairé, à la fois agronome et manufacturier, faisant

amender les sols de ses domaines, dirigeant la Société royale d'agriculture du Hainaut, exploitant les mines de Fresnes et de Bruay, dont il a obtenu en 1756 le monopole d'exploitation. Malgré toutes ces activités il lui reste assez de loisirs pour se livrer à l'étude. Il n'est pas de science qu'il ignore, mais la botanique a sa préférence : il écrit une *Histoire naturelle* en neuf volumes in-folio. Il rédige aussi des mémoires de stratégie.

Curieusement, cet homme qui tient de si près à son siècle par toutes ses activités, ainsi que par ses curiosités, n'en partage ni l'immoralité ni l'incrédulité. Ses mœurs sont pures, sa religion exacte et fervente. Il réussit ce tour de force de fréquenter assidûment la Cour, et de ne pas s'y pervertir : « Je tâchais, écrit-il, de me prêter convenablement sans me corrompre, ce qui est fort délicat. » On a loué aussi, à juste titre, son extrême honnêteté. Par exemple, il offre de restituer des appointements auxquels il n'a pas droit. On a vanté son désintéressement. Là, c'est exagéré. L'homme est fort appliqué à s'enrichir, fort soucieux de son avancement, et de celui de son fils. Il n'hésite pas pour arriver à faire la cour à Mme de Pompadour.

Ses mémoires sont pleins de bon sens, de descriptions fidèles et pittoresques. Il y a même une touche de poésie et d'émotion. Ce grand seigneur écrit aussi avec son cœur, et lorsqu'il parle de Louis XV, on voit qu'il a de l'amitié pour lui.

CROZAT, Antoine, marquis du Châtel (Toulouse, 1655 - Paris, 7 juin 1738). Financier immensément riche, il avait commencé petitement. Il avait été d'abord commis de Penautier, receveur général du clergé. Puis il s'était élevé, avait occupé diverses charges lucratives (receveur général du clergé, intendant du duc de Vendôme, trésorier des états du Languedoc) et par d'heureuses spéculations était devenu le financier le plus puissant de France. En 1712, il lui avait été concédé le monopole du commerce de la Louisiane, avec l'obligation cependant d'avancer au nom de la monarchie les crédits indispensables aux dépenses courantes de la colonie. Au début de la Régence, il est très bien en Cour. Ses avances de fonds au Trésor et les prêts qu'il accorde au chevalier d'Orléans, fils naturel du Régent, lui valent la plus grande faveur. Il est même nommé commandeur et grand trésorier de l'ordre du Saint-Esprit dès septembre 1715. Il veut en profiter pour intéresser la Cour à la Louisiane. Dans les nombreux mémoires qu'il adresse de 1715 à 1717 au Conseil de marine, il fait valoir les richesses naturelles de la nouvelle colonie (peaux de chevreuil, viande de bœuf sauvage, riz), et demande l'accroissement des garnisons. Mais il subit deux graves déceptions : d'une part le gouvernement ne montre aucune hâte à lui rembourser ses avances ; d'autre part la chambre de justice instituée pour enquêter sur les profits illicites réalisés pendant la guerre de Succession d'Espagne le condamne en 1717 à payer une taxe de 6 600 000 livres. Il proteste auprès du roi, se plaignant d'être « confondu avec tous les fripons du Royaume ». Puis il abandonne son monopole de la Louisiane. Le Conseil du roi accepte sa démission par un arrêt du 23 août 1717. En 1724, on lui ôte sa dignité de grand trésorier de l'ordre du Saint-Esprit. « On ne veut pas, commente Mathieu Marais, que ces charges soient au premier venu qui aura de l'argent. » Toutefois l'argent de Crozat ne dégoûte pas tout le monde. Sa fille Marie-Anne épouse le comte d'Évreux, et sa famille contractera des alliances avec les plus grandes maisons.

CUGNOT, Nicolas Joseph (Void, Lorraine, 25 février 1725 - Paris, 2 octobre 1804). Il peut être tenu pour l'inventeur de l'automobile. Cet ingénieur militaire a servi en Allemagne et en Belgique avant de venir s'installer à Paris où il donne des leçons sur l'art militaire et sur la fortification. Il s'était déjà fait connaître en mettant au point un nouveau fusil destiné à l'usage des uhlans du maréchal de Saxe. En 1763, il a l'idée d'appliquer la machine à vapeur à la locomotion, dans le but de faciliter le remorquage des pièces d'artillerie. Sa machine est essayée en présence de Choiseul et de Gribeauval : chargée de quatre personnes, elle marche à la vitesse de 1 800 à 2 200 toises à l'heure (de 3 600 à 4 400 mètres). L'épreuve est jugée satisfaisante. Cugnot est chargé de construire un modèle plus grand, dont la présentation sera faite à l'Arsenal en 1770. Ce nouvel engin traîne une masse de 5 000 livres et parcourt en une heure une distance équivalente à 4 kilomètres. L'expérience, on ne sait pourquoi, n'est pas poursuivie. La machine de Cugnot est reléguée à l'Arsenal. Elle sera plus tard déposée au Conservatoire des arts et métiers, où elle se trouve encore aujourd'hui.

CUISINE. L'art culinaire se perfectionne. Il grandit en dignité. Ceux qui le pratiquent sont de plus en plus nombreux. Avoir un cuisinier n'est plus un luxe réservé aux grands. De nombreux livres de cuisine divulguent les secrets de l'art. Citons parmi les plus répandus *La Cuisinière bourgeoise, suivie de l'office à l'usage de tous ceux qui se mêlent des dépenses de maisons,* de François Menon (1746), les *Dons de Comus ou les Délices de la table* de F. Marin (1739) et *La Science du maître d'hôtel cuisinier avec des observations sur la connaissance et les propriétés des aliments* (1775).

À en croire les auteurs de ces ouvrages, la cuisine française s'est complètement renouvelée. La nouvelle cuisine, telle qu'on la pratique aujourd'hui, recherche la qualité plutôt que l'abondance. « On mange moins, écrit un auteur, mieux et à des heures réglées. » On se pique aussi de finesse. « La science du cuisinier, écrit Marin, consiste aujourd'hui à décomposer, à faire digérer et quintessencier des viandes, à en tirer des sucs nourrissants et légers, à les confondre de façon que rien ne domine et que tout se fasse sentir. » « La Cuisine, lit-on dans la *Science du maître d'hôtel*, subtilise les parties grossières des aliments, dépouille les mixtes qu'elle emploie, des sucs terrestres qu'elles contiennent, les perfectionne, les épure et les spiritualise en quelque sorte. » Étrange époque où la philosophie serait plutôt matérialiste et la cuisine spiritualiste.

Le nouveau cuisinier est un savant. Il connaît la physique. Il est l'auxiliaire du médecin. L'auteur de la *Science du maître d'hôtel* fait des observations sur les propriétés des aliments. Le beurre, dit-il « peut affaiblir les forces de l'estomac ». Les fèves et les pois, en revanche, sont excellents pour la santé : « Il n'y a certainement de si léger sur l'estomac que les végétaux farineux. » D'ailleurs ce qu'on appelle une cuisine « bourgeoise » est précisément une « cuisine bonne pour la santé ». C'est la cuisine dite « moderne », « établie sur les fondements de l'ancienne » mais « avec moins d'embarras, moins d'appareil et [...] autant de variété ».

Considérons-la de plus près.

Elle se compose de plusieurs parties dont les unes correspondent à des produits (telle viande, tel légume) et aux différentes manières de les accommoder, et les autres à des catégories de mets (par exemple les potages et les sauces).

Les livres de cuisine traitent de ces différentes parties. L'ordre est généralement le suivant : les potages, les viandes, les volailles, le gibier, les légumes, les champignons, les œufs, le fromage, la pâtisserie, les sauces, les compotes et les confitures. Chaque partie contient un certain nombre de préparations (ce que nous appelons aujourd'hui des recettes). Par exemple, au chapitre de la viande *La Science du maître d'hôtel* offre trois recettes de foie de veau : à la marinière, à la hollandaise et au chevreuil. Le même ouvrage ne fournit pas moins de dix-neuf recettes de poularde. Les noms des recettes changent, mais les formules sont les mêmes. Par exemple le foie de veau à l'étuvée de certains livres devient dans d'autres le foie à la marinière.

Les recettes sont écrites dans la langue si exacte, si simple et si déliée de ce siècle. On les lit encore sans peine. On pourrait même les préparer. Voici le « Canard à la bourgeoise » :

« Flambez, épluchez et videz un canard, lardez-le de gros lard, faites le cuire à petit feu avec un peu de bouillon, un verre de vin blanc, un bouquet de persil, ciboules, deux clous de girofle, une demie feuille de laurier, basilic, sel, gros poivre ; prenez le fond de la sauce que vous dégraissez, passez au tamis, faites réduire si elle est trop longue, servez sur le canard. »

L'art culinaire consiste aussi à établir des « menus ». Dans tout menu, toutes les catégories de mets doivent être représentées. Ces catégories des menus sont les suivantes : les potages, les hors-d'œuvre, les entrées, les rôtis, les entremets et les salades. Toutes les recettes sont classées dans ces différentes catégories. Il y a les mets des hors-d'œuvre, ceux des entrées, et ainsi de suite. Nous distinguons mal pourquoi tel mets est une entrée, ou un entremets. Le critère de classement est difficile à discerner. Par exemple nous trouvons classés dans les hors-d'œuvre le foie de veau à la marinière, le palais de bœuf grillé, mais nous y trouvons aussi des préparations que nous appelons aujourd'hui des hors-d'œuvre, comme les oignons farcis et les « petits pâtés ». Les entrées sont des préparations de viandes comme la blanquette de veau, le carré d'agneau et l'agneau rôti. Dans la liste des entremets figurent les daubes, les pâtés froids, le saucisson, les haricots verts, les épinards, mais aussi tous les plats sucrés comme par exemple le gâteau de Savoie ou la tourte aux fruits. Ce classement des mets semble obéir à des usages très anciens, vénérables et indiscutés. Cela dit, certaines mets peuvent appartenir à des catégories différentes. « Toutes sortes de petites entrées, précise un auteur, peuvent se servir comme hors-d'œuvre. »

Il reste au cuisinier à composer l'ordonnance du repas. Chaque repas est une succession de services (quatre habituellement). Voici, telle que nous la propose la *Cuisinière bourgeoise*, une « table bourgeoise de 12 couverts à dîner » :

1er service :	2 potages
	1 pièce de bœuf
	2 hors-d'œuvre
2e service :	4 entrées

3e service : 2 plats de rôt
3 entremets
2 salades

4e service
(appelé Dessert) : 1 jatte de fruits crus
2 compotes
4 « assiettes » (gaufres, marrons, gelée de groseille, marmelade d'abricots).

La disposition des plats sur la table obéit à certaines règles. Un mets est placé au milieu. C'est celui qui est seul de son espèce. Ainsi, dans le repas que nous venons de citer, la pièce de bœuf du 1er service est dite « pour le milieu ». Les autres mets sont placés en fonction de leur nombre. S'il y a deux potages ils sont disposés aux deux bouts de la table. Si ce sont quatre entrées, elles occupent les quatre angles.

La cuisine est un art difficile. Le cuisinier doit allier le savoir-faire, l'ingéniosité et la science de la composition. La cuisine supporte la comparaison avec les beaux-arts.

CURÉS. Le curé est le chef et le pasteur de la paroisse. C'est, disent les canonistes, « un prêtre qui possède un bénéfice à vie, auquel est annexée une juridiction spirituelle dans le territoire certain et délimité d'une paroisse ».

L'exercice de la juridiction spirituelle consiste essentiellement dans l'administration des sacrements.

Le pouvoir de juridiction est conféré par l'évêque du diocèse, le bénéfice par le collateur, qui peut être l'évêque, mais aussi un chapitre ou un abbé de monastère. Dans les deux tiers des cas en moyenne, ce n'est pas l'évêque. Certains curés ont le pouvoir sans le bénéfice, celui-ci étant possédé par le « curé primitif » qui est soit un chapitre, soit quelque autre bénéficier. Les curés sans bénéfice portent le titre de « vicaires perpétuels ».

Après Dieu et après l'évêque, le curé est le maître de sa paroisse. L'évêque ne garde sur lui qu'un pouvoir d'inspection et de contrôle. Répandues dans le clergé paroissial les théories richéristes ont renforcé les velléités d'indépendance des

curés. Les revendications se multiplient. Dans le *Dictionnaire ecclésiastique et canonique portatif*, nous lisons cette définition très richériste : « Les Curés représentent les disciples de Jésus-Christ auxquels ils ont succédé, de même que les Évêques aux Apôtres. » L'édit royal de 1695 ayant permis aux évêques de nommer des vicaires de paroisse, leurs nominations sont contestées. Nombre de curés refusent de recevoir les vicaires ainsi désignés.

Le curé a aussi des fonctions temporelles. Officier public, il tient les registres de catholicité. Il lit en chaire les ordonnances royales et celles des intendants. Il a même le droit, si aucun notaire ne se présente, de recevoir les testaments.

Tout curé jouit d'un revenu assuré constitué de deux éléments : le titre clérical et le revenu du bénéfice, dont la dîme représente la part principale. Il est vrai cependant que beaucoup de curés ne perçoivent pas la dîme, celle-ci revenant à d'autres bénéficiers appelés « gros décimateurs ». Mais à ces curés il est versé par les gros décimateurs une pension appelée « portion congrue ». Au revenu régulier s'ajoute le « casuel », rémunération des messes, des mariages et des sépultures. Si tous les curés ne sont pas dans l'aisance, aucun n'est un miséreux.

Originaires pour la plupart de la bourgeoisie, ils vivent tous en bourgeois. Ils sont d'ordinaire convenablement logés dans des presbytères construits aux frais des habitants.

Ils sont instruits (beaucoup possèdent des grades universitaires) et de bonnes mœurs. Dans le diocèse de Périgueux, pour tout le siècle, on trouve seulement quatre curés poursuivis pour attentat aux mœurs.

Demeurant longtemps dans leurs paroisses, ils s'identifient à elles. Ils sont quasiment inamovibles et les évêques n'y peuvent rien. Deux ou trois cures dans une vie de curé, cinq ou six dans un siècle de vie paroissiale, ce sont les moyennes.

Pourtant les relations curés-paroissiens ne sont pas toujours idylliques. Le curé « inquiet », procédurier, chicaneur, est une figure assez commune. La perception de la dîme est une cause permanente de frictions et de procès.

Si l'on peut dire que la plupart des curés sont de «bons curés», c'est en ce sens qu'ils sont assidus à leurs devoirs, administrant les sacrements, prêchant le dimanche, faisant le catéchisme, visitant les malades et donnant aux pauvres.

D

DAMES DE SAINT-MAUR. Les Dames de Saint-Maur sont un institut de religieuses enseignantes, fondé en 1666 par le P. Barré. Leur nom officiel a d'abord été Maîtresses charitables du Saint-Enfant-Jésus, puis, à partir de 1741, Sœurs de l'instruction chrétienne, dites du Sacré-Cœur-de-Jésus. Leur appellation de Dames de Saint-Maur leur vient de la rue Saint-Maur à Paris où se trouve établi leur principal noviciat. A Toulouse et à Montauban, elles sont connues sous le nom de Dames noires.

L'institut est séculier, les sœurs ne faisant pas de vœux, mais de simples promesses, ne chantant pas l'office, mais le psalmodiant. Car leur «exercice capital», selon l'expression de leur fondateur, est d'enseigner. Elles ont pour fin principale, disent leurs constitutions de 1741, de «tenir les Escoles des Enfans pauvres et indigens [...] pour les rendre capables de gagner leur vie».

L'institut connaît tout au long du siècle un développement remarquable. Cinquante maisons sont fondées après 1715, ce qui porte à quatre-vingt-un le nombre total des établissements.

D'abord consacrées entièrement aux petites écoles, elles acceptent d'ouvrir des pensionnats de jeunes filles. Celui de Lévignac, près de Toulouse, est fondé en 1775. Il connaît un grand succès. On l'appelle le «petit Saint-Cyr». En 1785, les Dames noires ajoutent un pensionnat de demoiselles à leurs écoles gratuites de Montauban.

Les Dames de Saint-Maur ont un sens très élevé de leur mission. Elles se souviennent, selon la recommandation de leur fondateur, «qu'elles ne doivent pas se contenter d'instruire les enfants, mais qu'elles doivent aussi prier pour eux».

DAMIENS (attentat de). L'attentat de Damiens est l'attentat commis à Versailles le 5 janvier 1757 sur la personne du roi Louis XV par un homme de quarante-deux ans, quelque peu instable et bizarre, nommé Robert François Damiens.

Ce jour-là, le roi était venu de Trianon où il séjournait, et se disposait à y retourner après avoir rendu visite à sa fille Victoire, alors souffrante. La nuit venait de tomber. Il était environ six heures du soir. Le roi sortait du palais et s'apprêtait à monter en voiture, lorsqu'un individu s'élança et le frappa au côté droit avec un couteau. La blessure était légère. Dès le 8 janvier on cessa de publier des bulletins de santé. Mais le roi demeura longtemps prostré, plus atteint moralement que physiquement. L'attentat survenait dans des circonstances très difficiles pour la royauté. Alors que la guerre (de Sept Ans) venait de commencer, la fronde parlementaire de protestation contre la Déclaration de discipline empoisonnait le climat politique.

Il y eut une première enquête conduite par le grand prévôt de l'Hôtel. Puis Damiens fut transféré à la Conciergerie et jugé par le Parlement qui le condamna le 26 mars à la mort des régicides par le supplice de l'écartèlement. La sentence fut exécutée le 28.

Quels avaient été ses mobiles? Lors de son procès, il dit avoir agi «pour que Dieu puisse toucher le roi et lui remettre toutes choses en place et la tranquillité dans ses États.» Il avait ajouté ceci: «Il n'y a que l'archevêque de Paris qui est cause de tous ces troubles.» Il faisait ainsi allusion à l'affaire des billets de confession, et au conflit qui avait opposé au sujet de cette affaire les parlements et l'archevêque. Ayant servi longtemps comme domestique chez des parlementaires, Damiens avait été impressionné par leurs diatribes contre l'archevêque et contre le roi qui avait pris le parti du prélat. Cet attentat pourrait donc être, comme le dit M. Michel Antoine, «l'un des fruits de la haine parlementaire contre le roi ».

DAMILAVILLE, Étienne Noël (Bordeaux-Saint-Clair, Normandie, 1723 - Paris, 15 décembre 1768). Littérateur de la coterie philosophique et correspondant de Voltaire, il aurait d'abord été garde du corps et aurait même fait les premières campagnes de la guerre de Succession d'Autriche. En 1741, il obtient l'emploi de premier commis au bureau du vingtième. Cette place lui donne le droit de contresigner pour franchise les lettres et paquets transmis par la poste. Il a ainsi l'occasion de faire passer plusieurs paquets que des amis de Voltaire adressaient à ce dernier. C'est l'origine de ses relations avec cet écrivain et avec les principaux philosophes. Son œuvre est des plus minces. Elle consiste en tout et pour tout en deux articles de l'*Encyclopédie* (« Vingtième » et « Population ») et en un pamphlet non signé, intitulé *L'Honnêteté théologique* pour défendre Marmontel contre les censeurs de *Bélisaire*. *Le Christianisme dévoilé* lui a longtemps été attribué, mais il est maintenant prouvé que cet ouvrage est du baron d'Holbach. Il se serait converti avant de mourir. Picot écrit en effet qu'« il se confessa à la mort ».

DANSE. Les danses les plus répandues sont le menuet, la contredanse, la gavotte et la passacaille. Le menuet, qui fait fureur à la Cour, est une danse grave à évolution et révérences et jouée sur un air à trois temps.

L'éducation conserve l'enseignement de la danse, mais lui attribue un caractère d'agrément et non plus d'utilité comme au siècle précédent. Dans toutes les pensions de jeunes filles, le maître à danser est un personnage essentiel du corps professoral. Sur les scènes des théâtres de leurs collèges, les jésuites font représenter des ballets par leurs élèves.

Le divertissement de la danse n'est plus pratiqué que par la jeunesse : « A trente ans on ne danse plus » (Le Maistre de Claville). La morale chrétienne dé-

conseille vivement de danser. Dans les villages, on ne danse pas ; les curés y veillent. En revanche, des bals se donnent à la Cour et dans les sociétés aristocratiques. Sous Louis XVI, les bals de la reine sont très prisés de la jeune noblesse. A la même époque, l'usage des bals d'enfants se répand chez les gens de condition.

L'Académie de danse (fondée par Louis XIV en 1661) protège et encourage l'art de la danse. Elle forme les danseurs et crée les spectacles de ballet. A l'opéra-ballet, suite de tableaux comportant chacun son propre divertissement chorégraphique (par exemple *Les Indes galantes* de Rameau en 1735), succède vers 1750 le ballet d'action où la danse exprime les sentiments et les passions. Cette nouvelle conception est exposée par le chorégraphe Noverre dans ses *Lettres sur la danse et les ballets* (1759).

DAUBENTON, Louis Jean Marie d'Aubenton, dit (Montbard, 29 mai 1716 - Paris, 31 décembre 1799). Naturaliste, il est le compatriote et le collaborateur de Buffon. Ses parents le destinaient à l'état ecclésiastique. Il avait commencé des études de théologie. La mort de son père en 1736 le laisse libre de suivre son penchant pour les sciences et de prendre à Reims ses degrés de docteur en médecine. Buffon le fait venir à Paris en 1742 et lui confie en 1745 l'emploi de garde et démonstrateur du Cabinet royal d'histoire naturelle. Il est pour son protecteur un précieux collaborateur et contribue à rédiger la partie documentaire de l'*Histoire naturelle*. Il est également chargé d'un cours de minéralogie professé au Jardin. Ce sont ses cours qui éveilleront la vocation de minéralogiste de Just Valentin Hauy. Enfin, en 1773, la première chaire d'histoire naturelle du Collège de France lui est confiée. Ses travaux touchent à plusieurs sciences. En physiologie végétale, il étudie la formation des couches ligneuses. En anthropologie, sa contribution est très importante. Son *Mémoire sur la différence de la situation du trou occipital dans l'homme et dans les animaux* permet de le considérer comme l'un des fondateurs de la craniométrie moderne. Enfin, il s'est intéressé à l'amélioration des espèces ovines et a montré en particulier les avantages du parcage naturel. Comme Buffon, il penche du côté de la philosophie. Plusieurs articles de l'*Encyclopédie* sont de lui (par exemple «Abeille» et «Agate»). Il traverse la Révolution sans encombre et meurt chargé d'honneurs, membre à la fois de l'Institut et du Sénat conservateur.

DAUPHIN. Le Dauphin est le fils aîné du roi et l'héritier présomptif de la Couronne. Son titre était primitivement Dauphin de Viennois. Lorsqu'en 1343, Humbert II avait vendu son Dauphiné au roi, il avait fait inclure dans la vente cette clause que l'un des enfants de France porterait ce titre. Louis XIV modifia l'usage. A partir de son règne, l'héritier présomptif fut appelé le Dauphin de France.

De 1715 à 1789 quatre enfants de France ont porté le titre de Dauphin : Louis, fils de Louis XV, Dauphin depuis sa naissance (4 septembre 1729) jusqu'à sa mort (20 décembre 1765) ; Louis Auguste, duc de Berry (le futur Louis XVI), fils du précédent, Dauphin depuis la mort de son père (20 décembre 1765) jusqu'à son avènement royal le 10 mai 1774 ; Louis Joseph, fils aîné de Louis XVI, Dauphin depuis sa naissance le 22 octobre 1781, jusqu'à sa mort le 4 juin 1789 ; Louis Charles, duc de Normandie, deuxième fils de Louis XVI, Dauphin depuis la mort de son frère aîné (le 4 juin 1789) jusqu'à son avènement le 21 janvier 1793 (ou bien jusqu'en juillet 1791, si l'on retient la nouvelle qualification de prince royal attribuée par la Constitution française à l'héritier du trône).

Le roi de France ne partageant pas son pouvoir, le Dauphin n'est que l'héritier. Il n'est associé à la direction des affaires que si le roi le veut bien. Le Dauphin, fils de Louis XV, est entré tardivement dans les conseils : à vingt et un ans au Conseil des dépêches, à vingt-huit ans au Conseil d'en haut. Louis XV enfant avait été très tôt initié à la réalité des affaires. Pour son fils et son petit-fils on se contentera de leur donner des leçons de politique théorique.

DAUPHINÉ. Le Dauphiné est gouvernement et généralité. L'intendant a sa résidence à Grenoble où siège aussi le parlement. L'archevêque de Vienne est primat du Dauphiné. Depuis l'union en 1349 de cette province à la Couronne, le fils aîné du roi de France porte le titre de Dauphin.

La géographie de l'époque distingue un haut Dauphiné à l'est et un bas Dauphiné à l'ouest. La capitale du haut Dauphiné est Grenoble qui est aussi capitale du Dauphiné tout entier. La capitale du bas Dauphiné est Vienne. Annexé au royaume en 1713, le territoire d'Orange, bien que situé en Provence, est rattaché administrativement au bas Dauphiné.

L'économie dauphinoise est équilibrée, aussi bien dans son agriculture que dans son industrie. L'agriculture offre une production animale et végétale très variée. Aux industries textiles (drap, toile, soie, bas au métier) s'ajoutent la ganterie de Grenoble, la papeterie et la chapellerie.

Le déséquilibre est plutôt social ; il est dans la répartition trop inégale des biens et des revenus. Par exemple, les biens-fonds directement tenus par les seigneurs représentent un tiers de la surface totale. Les classes pauvres pâtissent de la guerre : province frontière, le Dauphiné sert de base arrière pendant les guerres de Succession de Pologne et de Succession d'Autriche. D'où les nombreuses réquisitions. La frontière est aussi occasion de contrebande. Le brigand dauphinois Mandrin est un chef de contrebandiers.

C'est au siècle des Lumières que la réforme catholique recueille dans cette province le fruit de ses longs efforts : la pratique est unanime, le catéchisme bien appris, la superstition bannie. Le jansénisme est ici peu influent. Le protestantisme a été très affaibli par les départs qui ont suivi la Révocation. Il est encore persécuté pendant longtemps.

La fin de l'Ancien Régime est très agitée en Dauphiné. La révolte est partout. Les curés s'insurgent contre les évêques. Les troubles agraires se multiplient. Le parlement de Grenoble durcit une opposition déjà très virulente depuis 1760. La révolte parlementaire atteint son paroxysme avec l'émeute de la journée des Tuiles le 7 juin 1788. Peu après, les états du Dauphiné se reconstituent de leur propre initiative. Ils siègent à Grenoble, à Vizille et à Saint-Robert pendant l'été 1788. Dans cette partie du royaume, la Révolution a déjà commencé.

DAVID, Jacques Louis (Paris, 1748 - Bruxelles, 1825). Peintre, il est le fils de commerçants aisés. A la mort de son père tué dans un duel, l'enfant est élevé par ses oncles. Sa mère le confie au peintre Boucher qui est son parent, et qui le dirige vers l'atelier de Vien (1766).

Ce n'est qu'au cinquième concours que David obtient enfin le premier prix de peinture de l'Académie royale. Vien, devenu directeur de l'Académie de France à Rome, l'emmène alors avec lui. Ce séjour romain dure quatre ans. C'est l'époque où les fouilles de Pompéi et d'Herculanum remettent au goût du jour le spectacle de la vie antique. Le jeune artiste dira que, placé devant ces ruines, il eut l'impression « d'être opéré de la cataracte ». L'art antique devient pour lui le modèle parfait. Vien le pousse à se débarrasser de l'influence de Boucher. Bien que son maître l'encourage à rester à Rome, il revient à Paris où il est agréé à l'Académie pour son *Bélisaire* (1781). Le succès du tableau lui vaut une commande d'Angiviller, directeur des Bâtiments du roi ; il s'agit d'une composition sur le serment des Horaces. Ce sera l'une de ses œuvres les plus célèbres.

En 1784, il est reçu à l'Académie avec pour morceau de réception *La Douleur d'Andromaque*. En même temps que *Pâris et Hélène* (commande du comte d'Artois), il présente au Salon de 1789 *Les Licteurs portant le corps de Brutus* (commande du roi). Dans ces compositions d'une ampleur épique, on ne re-

trouve rien de l'ancien pasticheur de Boucher. Ce sont des scènes froides et théâtrales, dont l'émotion est absente. David veut un art qui épure la nature au nom de ses principes, une gravité rigide qui doit remplacer les grâces souriantes de l'Ancien Régime pour lequel il n'a que haine et ressentiment, et dont la peinture se termine avec lui. Ses personnages ne peuvent se comprendre que rapportés à l'anthropologie des Lumières. Ce sont des surhommes. Leur force et leur impassibilité en font une variété supérieure de l'espèce humaine.

La Révolution, dont il est à la fois l'acteur et le témoin, l'oblige à abandonner grecs et romains. Il représente la mort de Marat et les derniers moments de Le Peletier de Saint-Fargeau, qui avait voté comme lui la mort du roi. Le réalisme de ces deux tableaux est en contradiction avec sa doctrine du beau idéal. Son *Serment du Jeu de paume* ne sera jamais terminé.

Élu membre de la Convention en août 1792, révolutionnaire exalté, il exerce une véritable dictature sur les arts en organisant fêtes et spectacles et en faisant supprimer l'Académie royale à laquelle il ne pardonne pas ses échecs passés. Président de la Convention lors de la chute de Robespierre et partisan de ce dernier, il est arrêté le 15-Thermidor. C'est après sa libération qu'il peint *L'Enlèvement des Sabines* (1795).

Subjugué par Napoléon, il devient son peintre favori, l'un et l'autre se considérant comme héritiers de l'Antiquité.

Le talent de David a deux faces : l'une doctrinaire avec ses tableaux d'histoire qui résument l'esprit d'une génération, l'autre, la face vivante, celle des beaux portraits qui font l'unanimité : *Madame Verninac* (1781), le *Comte Potocki*, *Madame Trudaine*, *Madame Pastorel et son fils*, *Monsieur et Madame Lavoisier*, *Sièyès* et un très bel autoportrait sont, dans ce genre, les œuvres les plus connues.

Exilé à Bruxelles comme régicide, il y finira ses jours.

DE BROSSES, Charles (Dijon, 1709 - Paris, 1777). Conseiller, puis président à mortier, et enfin premier président du parlement de Dijon, membre de l'académie de cette ville, esprit curieux et encyclopédique, il est connu de son vivant par ses travaux d'archéologie, de géographie et de philologie. Son *Histoire des navigations aux terres australes* (1756) lui vaut l'admiration de Buffon, et suscite la vocation d'explorateur de Bougainville. Il entre à l'Académie des inscriptions, mais sa brouille avec Voltaire (pour une sordide question d'argent) lui ferme les portes de l'Académie française. On ne lit plus guère les ouvrages savants, ou demi-savants, de Charles de Brosses, mais on lit toujours avec plaisir ses *Lettres familières écrites d'Italie*, publiées pour la première fois en 1799. C'est le journal d'un long périple italien commencé en juin 1730 et achevé en avril 1740. La variété des curiosités du voyageur fait de ce reportage un récit passionnant et très amusant. «Vous aurez tout», écrit-il, et de fait nous avons tout : le pays, les hommes, les lettres et les arts. Le plus intéressant pour nous, ce sont les descriptions de la société. Les tableaux de mœurs défilent, toujours vifs et colorés. Nous entrons par exemple dans les couvents de Venise, et nous y voyons ces religieuses drapées comme des tragédiennes qui assistent les épaules et les bras nus aux offices divins. L'auteur s'attarde sur les monuments et sur les peintures. Il n'aime pas le «gothique», mais, pour le reste, son goût est sûr. Bien qu'assez peu respectueux des choses de la religion, il sait reconnaître la force inspirée qui anime les monuments de la Rome baroque. «Tout y est simple, dit-il de Saint-Pierre, naturel, auguste, et par conséquent sublime.»

DEBUCOURT, Philibert-Louis (Paris, 1755 - Belleville, 1832). Peintre et graveur, il fut agréé à l'Académie de peinture en 1781. Il reste le maître de la gravure en couleur, procédé nouveau dont il usa de façon talentueuse. Ses sujets sont galants comme ceux de Fragonard. On citera parmi les plus célèbres de ses gravures en couleur *L'Escalade ou les Adieux du matin* et *Heur et malheur de la cruche*

cassée. Très populaires, ses estampes ont trop souvent été reproduites, et les mauvais tirages ont nui injustement à la réputation de cet artiste de valeur. Il donne dans le licencieux (voir en particulier *La Rose mal défendue*), mais on voit poindre chez lui ce sentimentalisme larmoyant qui caractérisera la manière de Greuze.

DÉCIMES. Les décimes sont la subvention payée par le clergé au roi à cause du «don gratuit» ou de dons extraordinaires. Le mot signifie également l'imposition annuelle levée par le clergé sur les bénéficiers, afin de pouvoir s'acquitter de son dû envers le roi.

Tous les bénéficiers, y compris ceux qui ont des bénéfices réguliers, sont sujets à l'imposition des décimes. Cependant l'Artois, la Flandre française, la Franche-Comté, le Roussillon et les Trois-Évêchés jouissent de l'exemption.

La répartition ou «département» des décimes est faite par l'assemblée du clergé entre les provinces et les diocèses. Le receveur général des décimes centralise les fonds. Dans chaque diocèse, un «bureau diocésain», appelé aussi «chambre des décimes», établit le rôle particulier des contributions de chaque bénéficier.

Paris, Reims et Amiens sont les trois diocèses les plus imposables et les plus imposés. En 1773, le diocèse de Paris payait 64 113 livres, 12 sols, 2 deniers pour un revenu imposable de 2 008 485 livres. Une fois répartie entre les bénéficiers, la charge apparaît relativement légère. Ainsi, en 1736 les curés de la ville du Mans payaient entre 6 et 51 livres pour des revenus imposables allant de 300 à 900 livres.

DEFFAND, Marie de Vichy-Chamrond, marquise du (château de Chamrond, Bourgogne, 25 septembre 1696 - Paris, 23 septembre 1780). Elle a tenu pendant près de quarante années l'un des salons les plus courus de Paris. Elle était, de naissance, une insatisfaite. Pensionnaire au couvent de la Madeleine du Traisnel, elle prêchait à ses compagnes l'irréligion. Mariée, sans amour, le 2 août

1718, à J.-B.J. du Deffand, marquis de La Lande, elle s'était hâtée de le tromper. Son premier amant avait été le Régent. Elle participa aux orgies de la Régence. Elle descendit très bas. A partir de 1728, elle tenta de mener une vie sinon beaucoup plus vertueuse, du moins plus régulière : elle se sépara de son mari, eut une liaison stable avec le président Hénault et fit à Sceaux chez la duchesse du Maine, puis chez Mme de Lambert, l'apprentissage de la mondanité. En 1747, elle ouvrit son propre salon. Elle signa le 24 avril le contrat de location d'un appartement situé dans le couvent Saint-Joseph, rue Saint-Dominique. En novembre elle s'y installa et commença à y recevoir. Les deux pièces de réception, le salon et la chambre à coucher, étaient tapissées de moire bouton d'or, ornée de nœuds couleur de feu. Les grands habitués vont être le président Hénault, Antoine de Ferriol, comte de Pont de Veyle, J.-B. Nicolas de Fromont, d'Alembert, Mme de Luxembourg, Mme de Mirepoix et Mme de Boufflers, maîtresse du prince de Conti. D'Alembert amène à sa suite la philosophie. L'hôtesse, dit un de ses amis (M. de Forcalquier), « a la physionomie vive et spirituelle, le rire agréable, les yeux charmants ; tous les mouvements de son âme se peignent sur son visage ». Cet extérieur avenant est le masque d'une âme désolée. Deux épreuves l'affligent : elle perd la vue (à cinquante ans) et un ennui incommensurable la gagne. Elle serait désespérée si elle ne savait se tenir. On dit toujours des littérateurs de ce temps qu'ils affectionnent le thème du bonheur. Mme du Deffand serait plutôt la moraliste du malheur : « Je voudrais savoir, écrit-elle à Voltaire, pourquoi la nature n'est composée que d'êtres malheureux ; car je suis persuadée qu'il n'y en a pas un seul de véritablement heureux et j'en suis si convaincue que je n'envie le sort ni l'état de personne, ni d'aucune espèce d'individu quel qu'il puisse être depuis l'huître jusqu'à l'ange » (*Lettres à Voltaire*, éd. Trabucco, avril 1772). Afin d'échapper au désespoir, elle cherche sinon de l'amitié, du moins

quelque chaleur affective. En 1754, elle fait venir, pour lui tenir compagnie et l'aider à recevoir, sa nièce Julie de Lespinasse, fille bâtarde de son frère Gaspard de Vichy. Pendant dix années, le salon est tenu à deux. Mais Julie plaît à d'Alembert. Faute impardonnable : elle est chassée. Du même coup la marquise prend de l'aversion pour les philosophes : elle ne veut plus les recevoir. Voltaire est le seul qui trouve grâce. Il lui écrit, la comprend et lui administre à petites doses des bribes de sa sagesse fataliste. En 1766, commence une autre amitié, celle de Walpole : quinze ans de correspondance, mille sept cents lettres, dont neuf cent cinquante-cinq conservées. La marquise se survit. Elle voudrait se convertir, mais elle ne peut pas. Elle en est affligée : « Pouvoir devenir dévote, écrit-elle, serait pour moi l'état le plus heureux de cette vie. » Elle ne connaîtra pas ce bonheur, mais mourra assistée par son curé et se fera enterrer dans Saint-Sulpice, église de sa paroisse. C'était une femme très intelligente, et à qui quelque chose d'important a toujours manqué. C'était aussi un admirable écrivain. « Elle est avec Voltaire dans la prose, dit justement Sainte-Beuve, le classique le plus pur de cette époque. »

DELAMAIR, Pierre Alexis (1675 - Châtenay, près de Paris, 1745). Architecte, il était le fils d'un maître maçon. Il débuta comme entrepreneur au service de Robert de Cotte. Architecte des Rohan, il construisit pour cette famille deux grands hôtels dans le Marais, celui de Soubise et celui de Rohan. Le premier, achevé en 1709, a une façade majestueuse ornée de sculptures de Guillaume Coustou. Le second, rue Vieille-du-Temple, est de la même époque et du même style. L'un et l'autre sont un peu la préface de l'architecture du XVIIIᵉ siècle.

D'un caractère difficile, Delamair jalousait Robert de Cotte. Il se brouilla avec les Rohan et ne travailla pas autant que son talent le lui aurait permis.

DELANOIS, Louis (Paris, 1731 - *id.*, 1792). Ébéniste, il acquiert la maîtrise en

1761 après avoir travaillé longtemps comme compagnon dans l'atelier de la veuve Lerouge. Installé d'abord rue de Bourbon-Villeneuve (aujourd'hui rue d'Aboukir), il déménage, le succès venu, rue des Petits-Carreaux. Ses premières commandes importantes lui viennent de Mme du Barry : mobiliers pour les résidences de Versailles, Fontainebleau et surtout Louveciennes. En 1774, il fournit le trône du sacre ; c'est l'apogée de sa carrière. La Révolution le ruinera. Il sera contraint en 1790 d'abandonner tous ses biens à ses créanciers. Ayant donné longtemps dans le style rocaille « assagi » (Jean Meuvret), il contribue ensuite à l'évolution des formes durant la période de transition du style Louis XV au style Louis XVI. L'une de ses œuvres majeures, le fauteuil de la collection Carlhian, est déjà d'un dessin classique, mais conserve certaines courbes du style Louis XV.

DELANOUE, Jeanne (Saumur, 18 juin 1666 - *id.*, 17 août 1736). Béatifiée par Pie XII le 9 novembre 1947, proclamée sainte par Jean-Paul II le 31 octobre 1982, elle est mercière à Saumur, avant de se convertir en 1693 à une vie plus parfaite et de devenir, en 1704, la fondatrice d'un institut de sœurs séculières, les Sœurs de Sainte-Anne de la Providence, servantes des pauvres. Son œuvre est celle des plus pauvres. Les pensionnaires qu'elle installe d'abord dans sa propre maison, puis dans la maison de la Fontaine et enfin dans celle des Trois-Anges (1er novembre 1716), sont des pauvres abandonnés : petits enfants déposés aux portes des églises, vieillards délaissés, filles-mères chassées de la maison familiale. Sa religion est celle de l'École française de spiritualité. Dans sa dévotion à l'Enfance de Jésus et à la Vierge, fille de la Trinité, on reconnaît l'influence de la théologie bérullienne. Elle est aussi une mystique en un temps où les mystiques deviennent rares. Elle a été souvent favorisée de visions et d'extases. Lors d'une grave maladie en 1716, elle a des accents qui rappellent sainte Thérèse d'Avila : « Dieu est tout ; tout

est à Dieu. » Par l'esprit de mortification, sa sainteté ressemble à celle du P. de Montfort, son contemporain. Les austérités les plus effrayantes étaient devenues son ordinaire. A partir de 1698, à la suite d'un vœu, elle ne dort plus dans un lit, mais assise sur une chaise. Et depuis cette même date, elle ne fait plus qu'un repas par jour. Un jour, un vagabond lui donne de la viande gâtée conservée depuis trois jours dans sa besace. Les vers fourmillent. L'odeur est écœurante. Elle la fait bouillir et se force à la manger : « Tu as beau faire et gronder, tu la mangeras. » Cette sainteté est une sainteté nouvelle. On dirait qu'elle a été suscitée pour provoquer et scandaliser la sagesse mondaine.

DELILLE, Jacques (Aigueperse, Auvergne, 22 juin 1738 - Paris, 1er mai 1813). Littérateur, c'était un enfant naturel reconnu par un avocat de Clermont-Ferrand. Il fit de brillantes études au collège de Lisieux à Paris, puis enseigna successivement à Beauvais, Amiens et enfin au collège de la Marche à Paris. En 1769, il donne la traduction en vers des *Géorgiques* de Virgile, qui fait sa renommée, lui valant les éloges de Voltaire et de Frédéric II. En 1773, lui est confiée la chaire de poésie latine au Collège royal et, l'année suivante, il est élu à l'Académie française où il succède à La Condamine. En 1782, il publie *Les Jardins* et reçoit le bénéfice de l'abbaye de Saint-Séverin. Le comte de Choiseul-Gouffier, nommé ambassadeur à Constantinople, lui propose de le suivre et Delille, après avoir visité la Grèce, passe un hiver sur les rives du Bosphore, où il trouve, dira-t-on, l'inspiration de son poème *L'Imagination*, publié seulement en 1806. La Révolution survenue, il est chargé de la composition d'un hymne pour la fête de l'Être suprême, mais le *Dithyrambe sur l'immortalité de l'âme* qu'il compose ne donne pas satisfaction à Robespierre et à sa faction. Il s'éloigne alors de Paris et s'établit à Saint-Dié, patrie de sa future épouse. L'année suivante (1796), il passe en Suisse où il achève *L'Homme des champs ou les Géorgiques françaises* et le poème intitulé *Les Trois Règnes de la nature*, œuvres qui seront publiées la première en 1800, la seconde en 1809. Après un séjour en Allemagne, où il compose les quatre chants de *La Pitié* qui célèbre les victimes de la Révolution, il gagne l'Angleterre où il va séjourner deux ans. Chateaubriand, qui l'a rencontré à Londres, tracera son portrait dans les *Mémoires d'outre-tombe* (1re partie, liv. 11, 3) : « Qui n'a entendu l'abbé Delille lire ses vers ? Il racontait très bien, sa figure laide, chiffonnée, animée par son imagination, allait à merveille à la nature coquette de son débit, au caractère de son talent et à sa profession d'abbé. » Malicieusement Chateaubriand ne peut s'empêcher d'ajouter : « L'on prétend que Mme Delille le souffletait » lorsqu'il n'avait pas gagné sa journée par un certain nombre de vers et d'assurer de l'avoir vu un jour « les joues fort rouges ».

Les violences révolutionnaires un peu apaisées, il regagne Paris en 1802, retrouve sa chaire de poésie latine et entre à l'Institut. Il publie alors plusieurs traductions (de Virgile et de Milton). L'année de sa mort, il travaillait à un poème intitulé *La Vieillesse* qu'il laisse inachevé. Sa traduction de l'*Essai sur l'homme* de Pope paraîtra en 1821, à titre posthume.

Sainte-Beuve a vu en Delille « l'Ovide de la France ». On peut ne pas souscrire à un jugement si flatteur. Mais il faut considérer que sa poésie facile, brillante et spirituelle et son remarquable talent de versificateur le mettent en bonne place parmi les poètes de cette période un peu aride qui sépare celle des classiques de celle des romantiques. Son portrait, peint en 1802 par Henri-Pierre Dauloux, se trouve aujourd'hui au musée du château de Versailles.

DELISLE DE SALES, Jean-Baptiste Isouard, dit (Lyon, 1743 - Paris, 22 septembre 1716). Il se fait connaître par un *Essai sur la tragédie* (1772). La publication de sa *Philosophie de la nature* (1775), ouvrage condamné par le Châtelet de Paris, lui vaut un grand succès de scandale. Embastillé pour avoir commis cet écrit jugé subversif, il reçoit dans sa prison la visite de tout ce qui compte dans les lettres. Le Parlement ayant annulé en appel la sentence du Châtelet, il est libéré, mais il juge plus prudent de se réfugier en Prusse. L'accueil de Frédéric II est plutôt frais ; il ne tarde pas à rentrer en France. L'Ancien Régime lui avait été cruel. La Révolution ne lui réussit pas davantage. Emprisonné à nouveau en 1793 pour un écrit intitulé *Éponime*, il ne sera libéré qu'après thermidor. Fort d'une excellente opinion de lui-même, il avait orné sa bibliothèque de son propre buste en marbre, portant cette inscription : « Dieu, l'homme, la nature, il a tout expliqué. » Un mauvais plaisant ajouta : « Mais personne avant lui ne l'avait remarqué. »

Delisle de Sales fait sienne la théorie de la « chaîne des êtres », théorie selon laquelle il n'y a pas de différence de nature entre l'homme et l'animal. Dans une pièce intitulée *Drame raisonnable*, insérée dans la *Philosophie de la nature*, il fait dialoguer quatre personnages : une huître, un homme, un « nègre blanc » et le philosophe Newton. Chacun des quatre soutient qu'il est un être raisonnable, mais à comparer leurs arguments, on a l'impression que l'huître est la plus raisonnable des quatre.

DÉLUGE. *Voir* **GÉOLOGIE.**

DEMACHY ou **DE MACHY, Pierre Antoine** (Paris, 1723 - *id.*, 1807). Peintre, il suivit les leçons de Servandoni et fut peintre d'architecture et professeur de perspective à l'Académie royale. Ses contemporains l'égalèrent à Hubert Robert. La postérité n'a pas confirmé ce jugement. Mais il n'est pas sans mérite et l'on peut le considérer comme un véridique historien de Paris. Il a peint, entre autres, l'*Incendie de la foire Saint-Germain* (1762), la *Démolition de l'église Saint-Jean en Grève* et plusieurs expériences d'aérostat qui se firent en 1785 sur la place Louis XV. Son chef-d'œuvre dans le genre est *La Pose de la première pierre de l'église Sainte-Geneviève* (1765, actuel Panthéon). Au fond du tableau se dresse une maquette grandeur nature de la façade projetée par Soufflot.

DENON, Dominique Vivant, baron (Chalon-sur-Saône, 4 janvier 1747 - 27 avril 1825). Homme aimable, aimé des femmes et choyé par les rois, il eut bien des cordes à son arc : sous l'Ancien Régime — on l'appelait alors le chevalier de Non — il fut graveur et dessinateur, conservateur du cabinet des Médailles, archéologue, membre de l'Académie de peinture et littérateur, auteur d'une comédie médiocre, *Julie ou le Bon Père* (1769) et d'une nouvelle intitulée *Point de lendemain* (1777). Il trouva encore moyen de faire une carrière diplomatique, ayant occupé successivement les postes d'attaché à la légation de Saint-Pétersbourg, de secrétaire de Vergennes en Suède (1774) et de secrétaire, puis de chargé d'affaires à Naples (1780-1787). Son *Point de lendemain* est fort représentatif de l'érotisme littéraire du temps. Nous y voyons un brave jeune homme, un peu benêt, initié au plaisir par une grande dame. C'est de la polissonnerie comme on l'appréciait alors, avec des sous-entendus et des périphrases. Le graveur Denon est beaucoup plus sérieux, sinon plus talentueux que le nouvelliste : il donne dans le religieux. Il grava par exemple l'*Adoration des bergers* de Luca Giordano et le *Bon Samaritain* d'après Rembrandt.

DÉPÔTS DE MENDICITÉ. *Voir* MENDIANTS, MENDICITÉ.

DESANDROUIN, Jacques, vicomte (1682-1761). Il est le fondateur des mines d'Anzin. Il commence par racheter l'affaire en difficulté de Nicolas Desaubois. Ce dernier avait fouillé à Fresnes sur la rive gauche de l'Escaut, mais n'avait trouvé que de la houille maigre. Desandrouin constitue une société et pousse les recherches. Ses efforts sont récompensés. Il découvre en 1734 le gisement d'Anzin. L'année suivante, il vend son premier charbon et obtient le renouvellement de sa concession jusqu'en 1760. Le duc de Croÿ faisant valoir ses droits de seigneur haut-justicier sur le territoire concédé, Desandrouin négocie et constitue avec lui, le 19 novembre 1757, la Compagnie d'Anzin qui finira par exploiter tout le bassin houiller et par éliminer tous ses concurrents.

DÉSERTION. La désertion est le fléau de l'armée. On estime qu'un homme sur quatre ou sur cinq déserte. Et la proportion augmente en temps de guerre. Certains déserteurs veulent fuir la condition militaire mais d'autres cherchent simplement à se rengager dans un autre corps. On appelle ces derniers « billardeurs » ou « rouleurs ». Parmi les premiers, beaucoup passent à l'étranger : quatre mille par an, selon l'estimation de Moheau à la fin du règne de Louis XV. L'ordonnance du 2 juillet 1716 punit la désertion de la peine capitale. Néanmoins, la répression est inefficace. La désertion continue jusqu'à la fin de l'Ancien Régime, les déserteurs bénéficiant de la complicité de leurs camarades et de la sympathie ouvertement exprimée des populations.

La désertion sévit aussi dans la marine militaire (*voir* ÉQUIPAGES).

DESESSARTS, Denis Déchanet, dit (Langres, 23 novembre 1737 - 8 octobre 1793). Célèbre acteur, il était le fils d'un musicien de la cathédrale de Langres, et comme il avait choisi la modeste carrière de procureur, rien n'annonçait sa renommée. Un jour, il assiste à une représentation de la Comédie-Française et la passion du théâtre s'empare tout à coup de lui. Il s'engage dans des troupes d'acteurs. Bellecour le découvre au théâtre de Marseille et lui fait envoyer un ordre de début (engagement pour la Comédie-Française). Il a trente-cinq ans lorsqu'il débute à la Comédie-Française, le 4 octobre 1772. Grimm salue ainsi ses mérites : « Il a une bonne mine, un gros ventre, une voix excellente. » On n'a pas fini de parler du gros ventre. Il est vrai que Desessarts est d'une incroyable corpulence et cela lui attire d'ailleurs les grâces du parterre. Quand il joue Orgon dans *Tartufe*, il lui faut une table spéciale pour pouvoir se cacher dessous. Mais il est vrai aussi qu'il a d'autres mérites, et en particulier une extraordinaire mémoire et une culture étendue qui lui permet d'entrer dans l'intelligence de ses textes. Parmi les nombreux rôles créés par lui, on notera ceux de Bartholo dans *Le Barbier de Séville* et *Le Mariage de Figaro*. Très affecté par les événements révolutionnaires, il tombe malade et va se soigner à Barèges. Il y apprend l'incarcération de ses camarades de la Comédie-Française. L'émotion que lui cause cette nouvelle provoque sa mort.

DES GALOIS DE LA TOUR, Charles Jean-Baptiste, seigneur de La Tour, Chazelles, Dompierre, vicomte de Gléné (1681-1747). Intendant de diverses généralités, il est issu d'une lignée de magistrats provençaux. Nommé maître des requêtes en 1712, il administre successivement les généralités de Poitou (1716-1728), Bretagne (1728-1734) et Provence (1734-1747). Comme il est d'usage en Provence, il cumule la fonction d'intendant avec celle de premier président du parlement d'Aix. Il a laissé dans ses différents postes la réputation d'un homme ponctuel et d'un excellent juriste. En Bretagne, il a su maintenir les prérogatives de l'administration royale, et s'est opposé fermement aux états qui voulaient lui dessaisir des grands chemins. C'est sous son administration que les bureaux de l'intendance de Rennes se sont organisés définitivement de façon autonome.

DES HERBIERS DE L'ÉTANDUÈRE, Henri François. Chevalier, seigneur de La Brosse, chef d'escadre (Angers, 6 juin 1682 - Rochefort, 1750). Il était entré au service du roi en 1692, à l'âge de dix ans. Il accomplit plusieurs missions de cartographie et d'hydrographie : carte de l'embouchure du Gange (1718), observations sur la navigation du Saint-Laurent (1730). En 1745 et 1746, il escorte des convois pour le Canada. Le 25 octobre 1747, il soutient avec dix vaisseaux un terrible combat de cinq heures contre quatorze navires anglais. Il est sauvé par l'intervention *in extremis* d'un secours commandé par Vaudreuil.

DESLANDES, Pierre Delaunay (hameau de Boucéel, Vergoncey, 21 mai 1723 -

Charny, 17 fructidor an XI [5 septembre 1803]). Directeur de la manufacture des glaces de Saint-Gobain, il est issu d'un milieu de gros laboureurs. Formé par l'Oratoire, où il a passé quelques années comme professeur de rhétorique et de mathématiques au collège de Soissons, il n'appartient pas à un corps d'ingénieurs. Nommé en 1755 au poste directorial, il se donne tout entier pendant trente ans à cette tâche écrasante. Comme l'écrit l'historien de Saint-Gobain, Maurice Hamon, «on a avec lui [Deslandes] la naissance du modèle du directeur d'usine, bourreau de travail, responsable nuit et jour d'un lourd outil de production». Citons parmi ses réalisations la construction d'une cinquième halle de fabrication et la mise en chantier à Saint-Gobain même du doucissage et du polissage des glaces, opérations jusqu'alors effectuées à Paris seulement. Et, parmi ses mérites, celui d'être parvenu «à force d'expérience et d'observations, à définir une composition valable du verre» (M. Hamon). Travailler toujours, produire sans cesse, telles sont ses devises. Homme des Lumières, il adore le dieu-travail et n'hésite pas à introduire le travail du dimanche. Le cordon de l'ordre de Saint-Michel et l'anoblissement par lettres patentes récompenseront le directeur modèle et acharné.

DESMARETS, Philippe Onuphre (Arras, 20 août 1700 - *id.* 23 mai 1780). Jésuite, il est le confesseur du roi Louis XV, de 1753 à 1764. Il est nommé ce ministère délicat le 8 mai 1753. Il avait été auparavant régent de collège, puis recteur au noviciat des jésuites du faubourg Saint-Germain. Vis-à-vis de son royal pénitent, son attitude est la même que celle de ses prédécesseurs. Comme le roi ne veut pas renvoyer Mme de Pompadour, il lui refuse l'absolution. Le roi le garde néanmoins comme confesseur jusqu'à la suppression de la Compagnie, c'est-à-dire jusqu'en novembre 1764. Selon Fréron, le P. Desmarets était un «homme fin et madré». Peut-être, mais il était aussi un peu naïf. Il ne semble pas avoir vu venir la suppression de son institut.

Le 17 juin 1761, il écrivait au général que la Compagnie pouvait compter sur le soutien du roi, de la famille royale et de tous les ministres, et que, par conséquent, il n'y avait pas lieu de s'inquiéter.

DESPORTES, François (1641 - Paris, 1743). Peintre portraitiste et de sujets de chasse, il avait été formé par son ami François De Troy dans l'art du portrait, et par le Flamand Nicasius Bernaert dans celui des natures mortes. Le Grand Roi lui avait fait peindre les chiens de ses équipages. Le Régent d'abord, Louis XV ensuite lui passèrent de nombreuses commandes de scènes de chasse pour la décoration des châteaux de Marly, Meudon et la Muette. Il aimait à placer côte à côte sur ses toiles les chiens, les oiseaux morts et les fleurs. D'inspiration très flamande, son art allie à un souci extrême de l'exactitude le goût des coloris chauds et brillants. De l'avis de Louis Réau, son meilleur tableau serait celui du musée de Lyon, *Canards, bécasses et fruits*.

DESTOUCHES, Philippe Néricault, dit (Tours, 9 avril 1680 - château de Fortoiseau, près de Villiers-en-Brière, 4 juillet 1754). Quittant sa famille à dix-sept ans pour se joindre à une troupe de comédiens ambulants, il prend part en qualité de volontaire aux campagnes de 1701 et 1702 et c'est pendant un quartier d'hiver à Huningue qu'il compose sa première pièce de théâtre, *Le Curieux impertinent*. Cinq actes en vers. Une lecture de cette comédie en 1709 devant M. de Puysieux, ambassadeur français en Suisse, lui vaut d'être choisi par celui-ci comme secrétaire particulier et par là d'entrer dans la diplomatie. Distingué par le Régent, Destouches accompagne en 1715 le futur cardinal Dubois en Angleterre et seconde avec habileté celui-ci dans la négociation qui devait conclure en 1717 la Triple-Alliance entre la France, l'Angleterre et la Hollande contre l'Espagne. Exerçant les fonctions de ministre plénipotentiaire, il épouse une Anglaise de religion catholique avant de rentrer en France en 1723. Au *Curieux impertinent*

joué en 1710 avaient succédé *L'Ingrat* en 1712, *L'Irrésolu* en 1713 et *Le Médisant* en 1715. Destouches est reçu à l'Académie française où il remplace Campistron le 25 août 1723. En 1727, il fait *Le Philosophe marié* (cinq actes en vers) qui est considéré comme son chef-d'œuvre, puis en 1732 *Le Glorieux* (cinq actes en vers), en 1736 *Le Dissipateur*. Après avoir refusé le poste de ministre de France en Russie pour se consacrer au théâtre, il achète la charge de gouverneur de Melun puis se retire près de cette ville. Il vit dévotement, écrit dans *Le Mercure* et compose des épigrammes. *La Fausse Agnès*, comédie posthume en trois actes en prose, fut jouée en 1759. Ses œuvres seront publiées par son fils en 1757 et réimprimées en 1758, 1772 et en 1822. L'on connaît son éloge par d'Alembert dans *Le Recueil des éloges des académiciens*.

DE TROY, François (1645-1730). Fils de Nicolas De Troy, peintre, père de Jean-François De Troy, peintre. Peintre lui-même, il fut le portraitiste attitré des dames de la Cour. Soucieux de plaire aux femmes, habile à flatter leur goût du gracieux et du maniéré, il sut à merveille s'adapter à la clientèle mondaine de son temps. L'immense succès qui fut le sien ne fut pas entièrement immérité : il transforma le portrait féminin, lui donnant ce caractère d'amabilité que le genre va conserver longtemps.

Il n'est pas seulement un peintre mondain. Son goût de la vérité le préserva du factice. Son œuvre contient quelques excellents portraits, remarquables par la sûreté du dessin, l'intelligence des lumières, la grâce habilement répandue sur toutes choses. Le portrait de l'actrice Giovanna Rose Benozzi, dite Sylvia (collection des ducs de Portland) est un bon exemple de sa meilleure manière.

DE TROY, Jean-François (Paris, 1679 - id., 1752). Il est peintre et fils de peintre. Son père, brillant portraitiste, sera son premier professeur.

Il fait deux séjours à Rome, le premier aux frais de son père — il en profite peu,

songeant surtout à se divertir —, le second comme pensionnaire du roi, au titre
de lauréat de l'Académie. Il séjourne
aussi longtemps à Pise. A son retour
d'Italie, l'Académie le reçoit (1708) et
plus tard (1717) le nomme professeur.
En 1732, âgé de cinquante-trois ans, il
épouse Mlle Deslandes qui en dix-neuf.
En 1738, il est nommé directeur de
l'Académie de France à Rome. Sa
femme meurt en 1742 et il perd avec elle
son « bon génie », comme il disait, car
elle lui avait redonné la joie de peindre
et l'élan d'une nouvelle jeunesse.

La plus grande partie de son œuvre
appartient à ce qu'on appelle la peinture
d'histoire, c'est-à-dire qu'elle est d'inspiration soit véritablement historique (*La
Peste de Marseille*, *La Mort de Lucrèce*,
La Mort de Cléopâtre, *L'Enlèvement des
Sabines*), soit mythologique (*La Naissance de Vénus*, *L'Enlèvement de Pro-
serpine*), soit biblique (*Suzanne et les
vieillards*, *Bethsabée au bain*). Ses sept
tableaux de l'*Histoire de Jason* exposés
au Louvre en 1748 et son *Histoire d'Esther* sont ce qu'il a fait de meilleur dans
le genre. Ces suites historiques ont été
bien mises en valeur par la traduction en
tapisserie, la laine atténuant la couleur
un peu crue des cartons peints.

Pinceau habile, doté du talent de
plaire, Jean-François De Troy excelle
aussi dans la peinture de genre. Invité à
participer à la décoration des petits cabinets de Versailles, il y réussit aussi bien
que Boucher, Pater et Lancret. Son *Déjeuner d'huîtres* pour la salle à manger
du roi le prouve.

DETTINGEN (bataille de). Livrée (et perdue) par le maréchal de Noailles le
27 juin 1743 contre l'armée anglo-autri-
chienne de lord Stairs, la bataille de Dettingen (village de la rive droite du Main,
dans l'électorat de Mayence) modifie
peu le rapport des forces, mais révèle la
désorganisation de l'armée française.
Noailles avait prévu de s'en tenir à la défensive. L'ennemi reculait déjà sous le
feu de son artillerie, quand l'assaut précipité, sans son aveu, du régiment des
gardes françaises commandé par le duc

de Gramont changea le sort du combat.
Terrorisés par les effets foudroyants du
tir anglais, mal entraînés, les gardes
s'enfuient et provoquent un mouvement
de panique dans le reste de l'armée. Cependant, Noailles réussit à endiguer la
déroute, et à conduire sa retraite en assez
bon ordre. A l'annonce en France de la
panique de Dettingen, le duc de Gramont
et le régiment des gardes sont l'objet de
l'indignation générale.

DÉVOTION MARIALE. Le *Traité de la
vraie dévotion à la Sainte Vierge*, écrit
par le P. Grignion de Montfort à la fin de
sa vie et publié après sa mort, est le chef-
d'œuvre de la théologie mariale du
XVIIIe siècle. L'auteur réhabilite le culte
marial très attaqué depuis plusieurs an-
nées par les jansénistes. Disciple de
l'École française, il loue la « relation »
de Marie à la Trinité. A la suite de Bérulle, il recommande aux dévots de Marie de se vouer à elle par un « vœu de servitude ».

Les missionnaires de la Compagnie de
Marie, qui sont les fils du P. de Montfort, et les missionnaires eudistes vont
pendant toute la durée du siècle répandre
la dévotion au Cœur de Marie associé au
Sacré Cœur de Jésus.

Les sanctuaires de pèlerinages mariaux sont moins fréquentés qu'ils ne
l'avaient été au siècle précédent (*voir*
PÈLERINAGES). Il ne s'y fait plus de miracles. La dévotion mariale prend d'autres formes. Elle suit le penchant de
l'époque pour une piété plus individualiste, plus intériorisée. La récitation du
chapelet est maintenant une pratique
commune, ainsi que celle du rosaire,
dont les confréries se multiplient (surtout dans les provinces de l'Ouest).

DIDEROT, Denis (Langres, 5 octobre 1713
- Paris, 31 juillet 1784). Un des principaux philosophes et le maître d'œuvre
de l'*Encyclopédie* : il est le fils d'un
marchand coutelier fort à l'aise. Il étudie
les humanités au collège des jésuites de
sa ville natale et la philosophie au collège d'Harcourt à Paris (ou à Louis-le-
Grand : ce point n'a pas été éclairci). En-

suite, au grand dam de son père, il refuse de choisir une profession et, pendant près de dix années, bat le pavé parisien, donnant pour vivre des leçons de mathématiques et faisant des travaux de traduction. Sa carrière littéraire commence assez tard. Son premier ouvrage original date de 1745. C'est une adaptation de l'*Essai sur le mérite et la vertu* de Shaftesbury. Il a trente-deux ans. Veut-il alors rattraper le temps perdu ? Pris d'une fièvre d'écriture, il publie en trois ans (1746-1749) trois ouvrages : *Les Pensées philosophiques*, *Les Bijoux indiscrets*, conte licencieux, et la *Lettre sur les aveugles*. La *Lettre* est jugée blasphématoire. L'auteur est arrêté et incarcéré à Vincennes, le 24 juillet 1749. Comme Voltaire, il fait l'expérience de la prison dès le début de sa carrière d'écrivain. Comme Voltaire, il en gardera un très mauvais souvenir et fera en sorte de ne jamais plus s'exposer à pareille infortune. Le voici engagé maintenant dans ce qui va être la grande entreprise de sa vie, la publication de l'*Encyclopédie*. Les libraires associés Le Breton, Briasson, Durand et David lui avaient d'abord demandé de traduire de l'anglais la *Cyclopedia* de Chambers. Mais le projet avait évolué. Par contrat du 19 octobre 1747, Diderot avait été engagé avec d'Alembert pour faire une encyclopédie originale. Il va y travailler sans discontinuer pendant près de vingt-cinq ans, c'est-à-dire de 1749 jusqu'en 1772, date de la livraison des derniers volumes aux souscripteurs. Les suppressions, les interdictions et les condamnations de 1752 et de 1759 ne l'abattent pas et ne l'arrêtent pas. L'*Encyclopédie* achevée, l'événement majeur de sa vie est le voyage à Pétersbourg à l'invitation de Catherine II. Il séjourne en Russie d'octobre 1773 à mars 1774. Il est en effet depuis plusieurs années le protégé de l'impératrice et son premier thuriféraire. La souveraine lui a acheté sa bibliothèque en viager. Elle lui fera même cadeau d'un superbe logement, rue de Richelieu. Le défenseur de la liberté et de la tolérance est l'homme lige du souverain le plus despotique de toute l'Europe. Les vingt-

cinq dernières années de sa vie sont fécondes. Il écrit — entre autres — *La Religieuse*, *Le Neveu de Rameau*, *Jacques le Fataliste*. La plupart de ses œuvres ne seront publiées qu'après sa mort. Il les dissimulait. Il avançait masqué. Craignait-il la Bastille ? C'est probable. Lorsqu'il meurt, le curé de Saint-Roch ne fait aucune difficulté pour l'inhumer dans son église. Cette vie nous paraît très différente de celles de Voltaire et de Rousseau. Ces deux-là sont des errants. Diderot est un bohème, mais un bohème casanier. Sauf quelques escapades chez d'Holbach et à Langres, sa ville natale, il ne sort presque jamais de Paris, ni même de son logis. Sa vie privée est désordonnée, mais d'un désordre finalement modéré et limité. Il s'est marié à trente ans avec Antoinette Champion, la fille de sa lingère, et il a eu d'elle une fille (née en 1753). Il lui a été presque constamment infidèle. Il a eu en particulier deux longues liaisons, la première avec Mme de Puisieux, la seconde (à quarante-six ans) avec Sophie Volland. Mais ce mauvais époux a été un bon père pour sa fille unique. Cependant, l'absence totale d'ambition est peut-être ce qui distingue le plus Diderot de ses confrères philosophes. Il n'a jamais fait la chasse aux dignités. Il n'a même pas voulu être de l'Académie. Son œuvre est moins abondante que celle de Voltaire. Une partie de son génie s'est dépensée dans l'énorme effort de l'*Encyclopédie*. Car il a non seulement dirigé l'entreprise, mais il a rédigé lui-même 5 565 articles (dans les domaines de la grammaire, des arts et de la politique). Le reste de son œuvre se divise en plusieurs catégories. D'abord les pièces de théâtre : Diderot est l'un des inventeurs de ce nouveau genre appelé le drame. Ses deux pièces principales, *Le Père de famille* et *Le Fils naturel* sont des drames. Il y a ensuite les romans, ou ce qu'on peut appeler ainsi, par exemple *La Religieuse* et *Le Neveu de Rameau*. Vient ensuite la critique d'art représentée par les neuf *Salons* (de 1759 à 1781), puis la correspondance dont les *Lettres à Sophie Volland* sont la partie la plus attachante. Toutefois, la catégorie dominante est celle des œuvres philosophiques, dont les *Pensées philosophiques* (1746), les *Pensées sur l'interprétation de la nature* (1754) et le *Rêve de d'Alembert* sont les principales. Diderot a une philosophie, s'il n'est pas un philosophe au sens rigoureux de ce terme, et il excelle à la vulgariser. Une sorte de matérialisme en constitue le fond. Selon lui, le monde est matière et n'est que matière. Mais la matière est sensible. « La sensibilité, écrit-il, est une propriété essentielle de la matière » (lettre à Duclos, 10 octobre 1765). Il n'y a donc pas de solution de continuité entre le minéral et le vivant, entre l'animal et l'homme. « L'animalisation, écrit Vernière, commentateur de Diderot, n'est pas l'apparition mystérieuse de la vie, mais le dégagement des forces mystérieuses de la matière. » L'humanisation de l'animal est donc sans doute possible. Diderot rapporte avec complaisance que son ami, le médecin Bordeu, envisageait de transformer des chèvres en domestiques et même de les baptiser. L'intelligence de l'homme n'est pas innée. Elle se forme peu à peu par les sensations. Ce sensualisme va très loin. Il aboutit à morceler l'homme. « Mon idée, écrit Diderot, serait de décomposer un homme et de considérer ce qu'il tient de chacun des sens qu'il possède. » On reconnaît dans ces conceptions de la nature et de l'homme l'influence du matérialisme antique et plus précisément de l'épicurisme. Le système de Diderot, comme celui d'Épicure, exclut un Dieu qui serait la Première Cause et l'Auteur du mouvement. Parce que pour Diderot, comme pour Épicure, le mouvement ne doit pas être distingué de la matière : il lui est essentiel. Diderot rejette cependant l'atomisme antique. Il croirait volontiers, comme Spinoza, en un Dieu âme du monde. Quant à sa morale et à sa politique, l'une et l'autre s'expliquent par son matérialisme et par son monisme. L'homme, étant matière, est déterminé par les phénomènes naturels et n'est donc pas libre. Par conséquent, il ne peut pas tendre de lui-même à un perfectionnement moral. Toutefois, on peut le fa-

çonner et le rendre bon « par l'exemple, le discours, l'éducation ». Diderot a un style brillant et vif, mais il ne sait pas composer. Il est souvent confus et difficile à suivre. C'est dans les « pensées », dans les aphorismes et dans les dialogues qu'il réussit le mieux. Mais pas dans les dialogues de théâtre. Ses drames sont « déclamatoires » et « insupportables » (Gustave Lanson, *Histoire de la littérature française*). Ses théories sur la littérature et l'art sont plus intéressantes que ses œuvres. Il regrette la disparition de la poésie et prophétise sa résurrection « après le temps de désastres et de grands malheurs, lorsque les peuples harassés commenceront à respirer ». Il est un précurseur littéraire, un pré-romantique. Dans son poème intitulé *Le Souvenir*, Musset reprend presque mot pour mot un passage de Diderot. On peut être matérialiste et comprendre la poésie. Lucrèce avait été un grand poète. Diderot, son disciple, sait reconnaître la véritable poésie.

DIETRICH, Jean III (1715-1795). Maître de forges, il est fils et petit-fils de notables strasbourgeois banquiers et maîtres de forges. Lui-même est lié à la banque par son mariage avec la fille du banquier Hermann. Pendant la guerre de Succession d'Autriche, il assure le paiement des armées françaises en Allemagne. Des lettres de noblesse octroyées en 1761 l'en récompensent. A partir de 1766, il se consacre à la métallurgie. Il commence par acheter pour 700 000 livres les forges de Jaegerthal, que son grand-père et son père exploitaient avec un bail emphythéotique. Il y ajoute celles de Zinswiller, Grafenweiher, Reischhoffen et Niederbronn, les modernise et les dirige lui-même d'une main ferme. En 1789, il est le premier producteur de fer du royaume. Il emploie 1 500 ouvriers et la capacité totale de ses ateliers s'élève à 21 000 quintaux de fer.

DIEU. La théologie catholique et le catéchisme, qui est la théologie populaire, ne se contentent pas de prouver l'existence de Dieu, mais aussi Le définissent.

« Qu'est-ce que Dieu ? » est l'une des premières questions du catéchisme quand ce n'est pas la première. Il est répondu que Dieu est Créateur, Salvateur et qu'Il est en trois personnes.

Les philosophes des Lumières sont divisés au sujet de Dieu. Certains pensent qu'il y a un Dieu. D'autres sont athées.

Du nombre des premiers sont Voltaire, Rousseau et Toussaint. Le Dieu de Voltaire a une certaine consistance. On en jugera par l'article « Dieu » du *Dictionnaire philosophique* de cet auteur, article tout entier rempli par un dialogue imaginaire au sujet de Dieu, dialogue entre Logomachos, « théologal de Constantinople », et Dondindac, « bon vieillard » du Caucase et porte-parole de Voltaire. Dondindac-Voltaire explique à Logomachos que Dieu est prouvé par le spectacle de la Nature, qu'il est créateur, qu'il est à la fois juge et père, qu'il récompense et qu'il punit. Rousseau n'en donne pas autant. Le Dieu de son *Vicaire savoyard* n'est qu'un gouvernement (« Je crois donc que le monde est gouverné par une volonté puissante et sage »). Il n'est pas du tout sûr qu'il soit créateur. Bon gouvernement il est vrai et méritant même le nom de Providence. Quant au Dieu de Toussaint, il est encore moins que celui de Rousseau. Ce n'est que la Vertu personnifiée. Aimer Dieu, c'est aimer la Vertu. Ce qui n'empêche pas la tendresse ; il faut, dit Toussaint, « qu'on aime Dieu comme sa maîtresse ». Il y a donc des différences qualitatives importantes entre ces différents dieux. Mais ils ont ceci de commun que l'on ne connaît pas leur nature. Aucun de nos trois auteurs ne veut répondre à la question « Qu'est-ce que Dieu ? ». « Est-il corporel ou spirituel ? » demande Logomachos. « Comment voulez-vous que je le sache » répond Dondindac-Voltaire. « Pénétré de mon insuffisance, explique le vicaire savoyard, je ne raisonnerai jamais sur la nature de Dieu. » La divinité est-elle une personne ? Aucun de ces trois philosophes n'oserait l'affirmer. Ils la verraient plutôt comme une force, comme un principe, comme un être moral, mais non comme une personne. Ils dépersonnalisent Dieu.

D'autres philosophes sont athées. Par exemple, La Mettrie et d'Holbach. Chez l'un et l'autre c'est la Nature qui a remplacé Dieu. « ... détruire le Hazard, écrit La Mettrie, ce n'est pas prouver l'existence d'un Être suprême, puisqu'il peut y avoir autre chose qui ne serait ni Hazard, ni Dieu, je veux dire la Nature dont l'étude par conséquent ne peut faire que des incrédules » (*L'Homme-Machine*, 1746, p. 116). Croire en Dieu, explique d'Holbach, c'est ignorer la nature : les hommes se forgent des dieux, parce qu'ils sont ignorants des lois naturelles : « Faute de connaître la nature, [le genre humain] se forma des dieux qui sont devenus les seuls objets de ses espérances et de ses craintes » (*Système de la nature*, Londres, 1781, p. 7).

DIJON. Résidence du gouverneur de Bourgogne, d'un lieutenant général et d'un intendant, siège des états de Bourgogne et d'un parlement, dotée d'une chancellerie et d'une chambre des comptes, Dijon est vraiment la capitale de la Bourgogne. La création d'une université (1722) et celle du diocèse de Dijon (1731) ajoutent encore à son importance.

Ce n'est pourtant qu'une ville moyenne de 22 000 ou 23 000 habitants. Elle a peu de commerce et peu d'industrie. On a l'impression que les Dijonnais « n'arrivent pas à passer du stade de la boutique à celui de la manufacture » (D. Ligou, « Les origines de la maçonnerie bourguignonne », *Dix-Huitième Siècle*, 1987). Les classes populaires y gagnent au moins d'être préservées de la misère. Dans le dénombrement de 1784, huit cent quarante et une personnes, c'est-à-dire 3,7 % seulement de la population, sont indiquées comme « ayant part aux charités ». On est loin des taux élevés de prolétarisation des villes manufacturières.

Le percement de la rue Condé, la restauration et l'agrandissement du Palais des états et de l'hôtel de ville, et la construction de nombreux hôtels particuliers transforment et embellissent le visage de Dijon. En 1965, 60 % des maisons du centre de la ville dataient d'avant 1800, et la presque totalité de ces 60 % du règne de Louis XV.

L'académie de Dijon, érigée en 1741 grâce au legs du doyen Pouffier, est célèbre pour avoir couronné Jean-Jacques Rousseau. Le président de Brosses, spirituel auteur des *Lettres familières écrites d'Italie*, et membre de cette académie, était un adepte de la «philosophie». Mais ce ne sont là que des indices; on mesure mal l'étendue de l'influence des Lumières sur les milieux cultivés. M. Daniel Ligou a étudié l'activité des trois ou quatre loges dijonnaises, mais il n'a pas prétendu montrer qu'on ait «maçonné» ici plus qu'ailleurs.

DILLON, Arthur Richard de (Saint-Germain-en-Laye, 14 septembre 1721 - 5 juillet 1806). Archevêque de Narbonne, il est le type même du prélat fastueux, bon administrateur et fort peu dévot. Il était d'origine irlandaise. Son grand-père avait été pair d'Irlande. Sa famille avait souffert des Anglais. Sa grand-mère avait été tuée au siège de Limerick, un de ses frères tué à Fontenoy, un autre tué à Lawfeld. Il entre au séminaire Saint-Sulpice en 1740 et soutient en 1748 ses thèses de licence de théologie. Il est nommé la même année grand vicaire de Rouen. Sa carrière épiscopale commence en 1753, date de sa nomination au siège d'Évreux. Il est ensuite archevêque de Toulouse de 1758 à 1763, et archevêque de Narbonne (nommé à ce siège le 21 mars 1763). A ce titre d'archevêque de Narbonne, il est président-né des états de Languedoc. Il réside peu, ne venant en Languedoc que tous les deux ans. Il passe d'abord quinze jours à Narbonne, ensuite six semaines à Montpellier afin d'y présider les états. Sa résidence la plus ordinaire est celle du château de Haute-Fontaine, près de Compiègne, chez sa nièce et maîtresse, Mme de Rothe. Au dire de Talleyrand, il y séjourne six mois par an. Il y chasse trois fois par semaine et y donne des concerts de la meilleure qualité. Ce n'est pas un si mauvais évêque, puisqu'il lui arrive de visiter ses paroisses. On a par

exemple un procès-verbal de visite faite par lui le 17 août 1761, dans une petite paroisse du diocèse de Toulouse, la paroisse de Pouvourville. Cependant, il est surtout un administrateur et donc un très bon président des états. Il développe l'économie du Languedoc, fait percer le canal de Moissac et lutte contre les épizooties. C'est aussi un conciliateur, un tolérant. Ce descendant d'Irlandais persécutés pour leur foi catholique fait beaucoup en Languedoc pour y apaiser les passions religieuses. Il est associé en 1766 au projet (qui n'aura pas de suite dans l'immédiat) de Louis XV de donner un état-civil aux protestants (M. Antoine, *Louis XV*, Paris, Fayard, 1989). C'est enfin un homme d'assemblées et un habile *debater*. A l'assemblée des notables de 1787, il combat les réformes de Calonne. A celle de 1788, il soutient celles préconisées par Brienne. Cette même année 1788, il se montre un auxiliaire précieux du gouvernement Brienne en faisant voter par les états une augmentation substantielle de l'abonnement des deux vingtièmes. Son grand regret est de ne pas être élu aux États généraux. Après Varennes, il émigre et se réfugie en Angleterre. En 1802, il refuse sa démission à Pie VI, et meurt quatre ans plus tard de façon édifiante. «Rassurez-vous, écrit Dumot son homme d'affaires, Monseigneur est mort en confessant sa foi et en demandant pardon de ses péchés» (cité par Tribout de Morembert, dans *Dictionnaire de biographie française*).

DIMANCHE. Le dimanche est le jour consacré à Dieu. «Le dimanche tu garderas en servant Dieu dévotement»; c'est le troisième Commandement de Dieu. Sous peine de péché grave, les fidèles doivent assister ce jour-là au saint sacrifice de la messe. Ils doivent également s'abstenir des «œuvres serviles», dites aussi «corporelles», c'est-à-dire de ces travaux par lesquels les gens de métier et les domestiques gagnent leur vie.

Mais il ne suffit pas d'observer ces deux préceptes. Pour sanctifier le dimanche, les fidèles sont encore obligés «de s'occuper autant qu'ils le peuvent à de bonnes œuvres, comme assister à l'office divin (les vêpres) [...], vaquer à la prière, lire des livres de piété [...], donner l'aumône aux pauvres, visiter les malades et les pauvres».

Le dimanche, les ateliers et les boutiques sont fermés. Les marchés et les foires sont en principe interdits. Il existe cependant une tolérance de bon sens. Les évêques et les spécialistes des cas de conscience sont accommodants. Les voituriers sont autorisés à continuer leurs voyages, les apothicaires à préparer leurs potions : l'intérêt des malades prime. D'autres métiers ont leurs licences sous condition : les chirurgiens-barbiers, en dehors des heures des offices religieux, les meuniers, s'il y a risque de disette, les cordonniers, si les clients ont besoin de leurs souliers pour aller à la messe. Sur les boulangers-pâtissiers les casuistes sont divisés. D'aucuns proscrivent tout exercice, mais d'autres permettent le travail à condition de ne faire que du pain et de ne fournir aucune gourmandise.

Ajoutons que le dimanche catholique de l'ancienne France n'est pas le dimanche puritain. Il est permis de se divertir. Les «œuvres communes», c'est-à-dire le jeu, la chasse et la pêche sont autorisées à la condition qu'elles n'empêchent pas la sanctification de la journée. On peut, dans les mêmes limites, s'adonner aux «œuvres libérales» (la lecture, l'étude, le dessin…).

Telle est la théorie. Quelle est la réalité?

Dans les campagnes, le dimanche est généralement respecté. Au diocèse de Bordeaux, pendant toute la durée du XVIIIᵉ siècle, les visites pastorales des évêques ne mentionnent aucune infraction. Pour la petite bourgeoisie des villes, le dimanche est encore un jour consacré à la piété, à la famille et au loisir. Dans ses *Mémoires*, Mme Roland raconte les dimanches de son enfance à Paris. L'après-midi toute la famille Phlipon assistait aux vêpres, faisait ensuite visite à la grand-mère et pour finir se rendait à la promenade.

Il semble toutefois que, dans la deuxième moitié du siècle, les cas de transgression du dimanche se soient multipliés. Au point d'inquiéter les évêques. A partir de 1755, toutes les assemblées du clergé de France demandent au roi de remettre en vigueur les lois permettant de faire observer le repos dominical. Les évêques parlent de «profanation des dimanches et des fêtes». «Les confesseurs, écrivait en 1750 Joly de Choin dans ses *Instructions sur le rituel*, doivent être exacts à interroger leurs pénitents sur ce point [de la sanctification du dimanche] ; parce qu'il n'y a peut-être pas de précepte plus généralement violé que celui-ci et point de transgression dont on s'accuse moins.»

DÎME. Une bonne définition de la dîme est donnée par Louis de Héricourt dans ses *Lois ecclésiastiques* (édition de 1721, p. 587) : «La dixme est une portion des fruits de la terre ou des troupeaux, que les Fidèles doivent payer à l'Église pour l'entretien des Ministres ecclésiastiques. Cette portion n'est pas toujours la dixième partie des fruits ; dans quelques endroits c'est la douzième gerbe de bled, en d'autres la quinzième, en d'autres la vingtième ou la trentième, suivant l'usage de chaque Paroisse.»

Toutes les terres du royaume sont sujettes à la dîme. Il n'y a que celles des ordres religieux qui en soient exemptées. Il faut préciser par ailleurs que la dîme est due par les fruits et non par les terres. Par conséquent, les terres en friche ne lui sont pas soumises.

En droit commun, toutes les dîmes appartiennent aux curés. En fait, le plus grand nombre sont possédées par d'autres décimateurs que les curés (évêques, chanoines, monastères et même laïcs). Les curés décimateurs sont la minorité.

On doit faire plusieurs distinctions. Les «grosses dîmes» sont celles qui se perçoivent sur les gros fruits que produit la terre d'une paroisse, c'est-à-dire principalement le blé et le vin. Les dîmes dites «menues» se paient sur les produits qui ne sont pas une part considérable du revenu des terres, par exemple sur les légumes. La difficulté vient de ce qu'il n'y a pas de règle unique : tel fruit peut être « grosse dîme » dans une paroisse, et dîme « menue » dans une autre paroisse. Les dîmes appelées « novales » se perçoivent sur les terres nouvellement défrichées. Cependant, la déclaration royale du 13 août 1766 exempte de toute dîme pendant quinze ans les terres récemment défrichées. Il y a enfin les dîmes « inféodées » (celles que les laïcs tiennent en fief) et les dîmes « solites » ou « insolites ». Les solites sont celles qui sont communément en usage depuis longtemps dans une paroisse, les insolites celles que le décimateur demande sur des fruits que l'on a coutume de récolter dans la paroisse et sur lesquels il n'était pas d'usage de percevoir cette imposition.

Dans les cas où la dîme n'est pas perçue par le curé faisant fonction, il s'agit généralement des grosses dîmes. Les dîmes menues et novales sont presque toujours possession du curé. Les gros décimateurs ont pour charge de payer la « portion congrue » des curés faisant fonction, et de financer les réparations des chœurs des églises.

Les dîmes représentent la plus importante partie du revenu des bénéfices cures. Elles constituent une part notable des menses capitulaires.

La perception de la dîme est souvent une source de conflits. La dîme doit en effet être prise sur le champ, avant que la récolte ne soit enlevée. Les paysans se plaignent de ce que les curés les font attendre. Les dîmes insolites suscitent d'autres récriminations. En 1787, les paysans de la région de Saintes refusent de payer la dîme de la pomme de terre, alléguant qu'il s'agit d'un fruit nouveau. La dîme est source de procès. Mais il ne faut pas exagérer le nombre des litiges. Lorsqu'en 1787, à l'assemblée des notables, le duc d'Aiguillon avance le chiffre de quarante mille procès de dîme en instance, il va trop loin. Nous savons que la sénéchaussée de Périgueux, dans tout le XVIIIᵉ siècle, n'a jugé que cinquante-six procès de ce genre (Guy Mandon, *Les Curés du Périgord au XVIIIᵉ siècle*).

DINOUART, Joseph Antoine Toussaint (Amiens, 1716 - Paris, 1786). Il est surtout connu pour avoir fondé le *Journal ecclésiastique* et l'avoir dirigé jusqu'à sa mort. Prêtre du diocèse d'Amiens, il aurait encouru le blâme de son évêque pour la publication de poésies légères. Il vient à Paris, est attaché à la paroisse Saint-Eustache, donne des leçons aux enfants de Feydeau de Marville, le lieutenant de police, et devient le collaborateur de l'abbé Joannet, directeur du *Journal chrétien*. C'est en octobre 1760 qu'il fonde son *Journal ecclésiastique ou Bibliothèque des sciences ecclésiastiques*. Il est également l'auteur d'un grand nombre d'ouvrages de toutes sortes, et dont beaucoup ne sont que les plagiats de livres d'autres auteurs. Par exemple sa *Vie de Jean de Palafox* (1767) ne fait que reproduire avec quelques corrections de style l'ouvrage du même titre du P. de Pontalier, jésuite. L'abbé Dinouart s'est vu décerner le titre d'« Alexandre des plagiaires ». Il ne faudrait quand même pas oublier les qualités de son *Journal ecclésiastique*, utile recueil de recensions et pour nous précieux document sur la vie intellectuelle du catholicisme de l'époque.

DIOCÈSE. Un diocèse est le territoire d'un évêque. C'est une église, c'est-à-dire une communauté d'âmes, un peuple de fidèles.

En 1789, le royaume comptait cent vingt et un diocèses, en incluant dans ce nombre les diocèses de la Corse et ceux du Comtat venaissin. Au cours du siècle, quatre nouveaux diocèses avaient été créés : Dijon en 1731, Saint-Claude en 1742, Nancy et Saint-Dié en 1777.

Les territoires des diocèses sont d'étendue très inégale. Certains, comme par exemple Rouen et ses mille quatre cents paroisses, sont très vastes. D'autres (comme Toulon et ses vingt paroisses) sont minuscules. Languedoc et Provence sont pays de petits diocèses. Bourges, Clermont et Limoges sont les plus grands diocèses du royaume.

Les différents diocèses sont regroupés à l'intérieur des dix-huit provinces ecclésiastiques du royaume. Cependant, onze diocèses relèvent d'archevêchés situés hors du royaume. Chaque diocèse est lui-même divisé en archidiaconés ou archiprêtrés, et en doyennés. Ainsi, Amiens est composée de deux archidiaconés et vingt-six doyennés.

Un diocèse est aussi une collection de bénéfices, collection dont le catalogue est le « pouillé » du diocèse.

La cathédrale de la ville épiscopale est l'église mère du diocèse. Toutes les autres lui doivent révérence. Les chanoines du chapitre cathédral représentent l'église diocésaine.

DIPLOMATIQUE.

Science des chartes et des diplômes, la diplomatique avait été fondée sur des bases rationnelles et expérimentales par le grand ouvrage de Mabillon, le *De re diplomatica*, publié en 1681 et réédité en 1709 avec un supplément par dom Thierry Ruinart.

Le *Traité des nouveaux diplomatistes*, publié de 1750 à 1765, est, au XVIIIᵉ siècle, l'œuvre majeure de la diplomatique en France et confirme la supériorité des érudits français dans cette discipline. Il s'en fait tout de suite une traduction en allemand. Les auteurs sont les deux bénédictins mauristes, dom Tassin et dom Toustain. Une belle amitié unissait les deux hommes depuis leur noviciat de Jumièges. L'ouvrage est plus riche en observations et en faits que celui de Mabillon. Il ébauche une diplomatique pontificale. Il a enfin le mérite de faire des incursions dans les derniers siècles du Moyen Âge et hors des frontières du royaume.

En 1764, paraît le *Dictionnaire raisonné de diplomatique* en deux volumes *in octavo*, dédié au ministre Bertin, par un autre mauriste, dom de Vaines. Il s'agit ici de mettre la nouvelle science à la portée d'un plus large public que celui des grands érudits.

Il faut noter que dom de Vaines comme dom Toustain et dom Tassin entendent la diplomatique au sens large et y font entrer la paléographie qui pourtant n'en fait pas partie. « L'Art Diplomatique, écrit dom de Vaines dans sa préface, donne [...] des lumières suffisantes pour distinguer le vrai du faux, le moderne de l'antique, et même un siècle d'un autre par le moyen des écritures. »

DISCOURS DE LA FLAGELLATION.

Le nom de « discours de la flagellation » fut donné à la déclaration royale lue au parlement de Paris en présence du roi, lors du lit de justice du 3 mars 1766. Cette déclaration était une sévère mise au pas ; les magistrats se sentirent violemment fustigés : d'où le terme de flagellation.

Le discours royal était une réplique aux remontrances multipliées du parlement de Paris, et une réfutation de la thèse selon laquelle les différents parlements n'auraient formé qu'une seule cour représentative de la nation et participant à l'élaboration des lois (thèse de l'« union des classes »).

Louis XV qualifie cette cour unique de « corps imaginaire ». Il signifie aux magistrats d'avoir à se souvenir qu'ils ne sont que des officiers royaux, chargés d'acquitter la justice du roi. Il réduit à néant la théorie du partage du pouvoir législatif : « ... c'est à moi seul, dit-il, qu'appartient le pouvoir législatif, sans dépendance et sans partage. » Enfin — et c'est le plus important — il réaffirme l'unité du corps politique et le lien substantiel qui unit le roi à la nation : « ... que les droits et les intérêts de la nation, dont on ose faire un corps séparé du monarque, sont nécessairement unis avec les miens et ne reposent qu'en mes mains ».

Ce texte, dont on ne peut qu'admirer la fermeté de ton, la clarté du style et l'élévation de la pensée, avait été rédigé par une commission spéciale formée par le roi en août 1765 et composée de quatre conseillers d'État (Bertier de Sauvigny, Gilbert de Voisins, d'Aguesseau de Fresnes et Joly de Fleury) et d'un maître des requêtes, qui fut d'abord Calonne et ensuite Le Noir (M. Antoine, *Louis XV*, Fayard, 1989).

DIXIÈME.

Le dixième est un impôt direct sur les revenus du contribuable. C'est un impôt qui frappe les personnes et tous les sujets du roi sans privilège, ni exemption.

Institué en 1710, supprimé en 1717, rétabli et supprimé ensuite à plusieurs reprises en raison des circonstances, il est remplacé en 1749 par le vingtième. C'est un impôt de guerre. On l'appelle aussi le « dixième militaire ».

Quatre catégories de revenus sont frappées. Le dixième des biens-fonds frappe les revenus des terres, maisons et immeubles d'après les déclarations faites par les propriétaires. Il y a aussi un dixième des biens mobiliers, un dixième des charges et offices et un dixième d'industrie.

Le clergé, les pays d'états et la ville de Paris sont abonnés.

DOCTRINAIRES. La congrégation des pères de la Doctrine chrétienne, ou doctrinaires, est une compagnie de prêtres, comme l'Oratoire et la Mission. Cet institut a été fondé en 1592 par César de Bus. Il est à la fois français et italien. Le général est français et réside dans la maison de Saint-Charles à Paris.

En 1749, les établissements de la Doctrine en France se comptent au nombre de cinquante-trois. La plupart se trouvent dans la moitié méridionale du royaume. Ils sont répartis en trois provinces (Paris, Toulouse et Avignon). L'effectif total des doctrinaires français était en 1725 de trois cent soixante-deux, soit deux fois moins environ que celui des oratoriens.

Le général, élu tous les six ans, et le chapitre général se partagent le gouvernement. Chaque province a son provincial et son chapitre provincial.

A partir de 1750 environ, la congrégation tend à se séculariser. D'abord clercs séculiers à vœux simples, les doctrinaires deviennent, en 1776, clercs séculiers sans vœux. Depuis longtemps d'ailleurs, les vœux avaient perdu toute signification. Le vœu de pauvreté, en particulier, n'était plus respecté. Une décision du chapitre général de 1750 avait permis aux doctrinaires de garder leur pécule et d'en faire usage comme ils le voulaient.

La Doctrine est avec la Compagnie de Jésus et l'Oratoire l'une des trois grandes congrégations enseignantes du royaume pour les collèges. Trente-neuf collèges ont été régis par elle au cours du siècle, dont douze qui avaient appartenu aux jésuites, et, parmi les douze, celui de La Flèche transformé en 1776 en école militaire. A partir de 1770, l'esprit de l'humanisme disparaît peu à peu des collèges des doctrinaires, et l'enseignement devient encyclopédique, s'ouvrant largement à l'histoire, à la géographie et aux sciences naturelles. La traditionnelle explication des auteurs est réduite au profit d'un cours de littérature française.

Les doctrinaires ont dirigé aussi quinze séminaires diocésains. Ils ont largement contribué à l'apostolat des missions intérieures, principalement dans le sud-ouest du royaume.

La congrégation avait toujours eu de l'inclination pour le jansénisme. Les doctrinaires les plus connus, par exemple, le P. Jard, prédicateur, et le P. Le Semelier, auteur des conférences ecclésiastiques de Paris sur l'usure et sur le mariage, sont jansénisants. Cependant, les jansénistes militants et appelants sont réduits au silence par le chapitre général tenu à Beaucaire en 1744. Après 1750 la congrégation donne dans le moralisme. Selon le *Traité de morale* du P. Firmin Lacroix (1775), la morale, science suprême, est qualifiée pour dicter ses principes à la religion : « Le seul mobile des actions des hommes, écrit cet auteur, c'est le désir du bonheur ; il ne s'agit donc que de les persuader que leurs vrais intérêts et leur bonheur se trouvent à être vertueux, et ils le seront. »

Après s'être convertis au cartésianisme entre 1700 et 1715, et après avoir enseigné Descartes pendant trente ans, les doctrinaires s'orientent vers d'autres philosophies. Vers 1770, certaines jeunes régents, partant de l'empirisme, redécouvrent l'acte de connaissance. Pierre La Romiguière est l'un d'eux. Ses enseignements seront repris par Joubert et par Royer-Collard qui sont l'un et l'autre passés comme lui par la congrégation. Ainsi peut-on dire que les classes de philosophie de la Doctrine sont à l'origine de la renaissance de la philosophie en

France dans les premières années du XIXe siècle.

DODART, Denys (1698-1775). Intendant de justice, police et finances, il administre pendant quarante ans (1728-1767) la généralité de Bourges. Fils et petit-fils de médecin, il avait fait des études de médecine, et avait occupé successivement les charges de conseiller au Châtelet, puis de conseiller au Parlement, avant d'être nommé (en 1722) maître des requêtes. Durant son intendance de Bourges, il s'intéresse principalement à l'agriculture et aux manufactures. Il organise la Société d'agriculture créée à Bourges par arrêt du Conseil du 31 janvier 1762. Il tente de développer la filature du chanvre et crée des prix pour les meilleures fileuses. Il est également le fondateur d'un cours d'accouchement à Bourges.

DODUN, Charles Gaspard, marquis d'Herbault (7 juillet 1679 - Paris, 25 juin 1736). Contrôleur général des finances, il est de modeste extraction, la noblesse de sa famille datant seulement de 1555. La protection de Mme de Prie et du duc de Bourbon fait de ce parlementaire (président de chambre depuis 1710) un homme d'État. Il est d'abord nommé, le 14 novembre 1715, maître des requêtes et membre du Conseil des finances ; puis, en décembre 1721, il devient l'un des commissaires des finances désignés pour assister le contrôleur général Le Pelletier de La Houssaye. Le 28 mars 1722, il est promu intendant des finances, et enfin, le 21 avril de la même année, contrôleur général. Sa nomination est accueillie favorablement. L'Académie française tient à le complimenter. Au nom de l'illustre Compagnie, l'abbé Mongin salue en Dodun le restaurateur attendu après les désordres du Système : «Vous assurerez bientôt les fortunes chancelantes de presque tous les sujets du roi.» Il répond à cette attente. Il est le liquidateur du Système, dont il efface toutes les traces, y compris celles des malversations et des spéculations scandaleuses. Beaucoup de grands seigneurs,

et parmi eux le duc de Bourbon, ne peuvent que s'en réjouir. Saint-Simon dit Dodun capable et honnête. Capable, certainement. Il démissionne le 14 juin 1726 (trois jours après le renvoi du duc de Bourbon), mais l'arrêt du 15 juin, stabilisant la valeur du louis et de l'écu, est son œuvre. On lui doit aussi d'avoir initié, par ses rapports, le jeune roi aux matières de finance et d'administration.

DOMAINE. Le terme domaine est un terme générique signifiant la propriété de chaque chose, mais il désigne plus particulièrement toutes les possessions attachées à la Couronne.

Le domaine est l'une des deux ressources du roi, l'autre étant l'impôt. Le produit du domaine a été longtemps désigné du nom de finances ordinaires, l'impôt constituant les finances extraordinaires. Au XVIIIe siècle, la distinction du domaine et de l'impôt demeure, mais les qualificatifs d'ordinaire et d'extraordinaire ne sont plus employés.

Il y a un domaine corporel et un domaine incorporel.

Le domaine corporel est composé de biens fonciers, palais, châteaux, forêts, fiefs, censives. Les maisons, boutiques et échoppes bâties sur les fonds du domaine sont nécessairement domaniales (par exemple les maisons des trésorier et chanoines de la Sainte-Chapelle de Paris). Les forêts et les droits seigneuriaux représentent les parties les plus productives de ce domaine corporel. On a l'habitude de considérer comme domaniales, bien qu'elles ne soient pas essentiellement, les choses dites publiques, c'est-à-dire les rivières navigables, les grands chemins, les murs, remparts, fossés et contrescarpes des villes et certaines portions de la mer, comme l'étendue maritime se trouvant sous le canon des places côtières.

Le domaine incorporel se compose de droits de toute nature. Il y a d'abord le droit de battre monnaie. Il y a ensuite les droits d'origine féodale et qui sont maintenant réservés au roi : DROIT D'AMORTISSEMENT, DROIT DE FRANC-FIEF, DROIT D'AUBAINE, DROIT DE BATARDISE, CONFIS-

CATIONS ET PRISES (*voir* AMORTISSEMENT, AUBAINS, FIEF). S'y ajoutent enfin plusieurs droits domaniaux de création récente, celui d'insinuation, créé en 1539 et généralisé en 1703, celui du contrôle des actes établi à partir de 1654, celui du papier timbré (datant de 1673) et celui du tabac institué en 1674.

Les jurisconsultes distinguent l'ancien et le nouveau domaine. L'ancien est, selon la définition de Lefèvre de La Planche (*Traité du Domaine*), celui « des premiers rois formé dès le commencement de la monarchie ». Quant au nouveau domaine, ce sont les accroissements. Le domaine s'accroît de plusieurs manières : par retour ou réunion des fiefs démembrés du domaine, par l'union qui se fait de droit du domaine particulier du prince qui monte sur le trône, par union tacite d'un domaine administré pendant dix ans par les officiers du roi, par conquête, ou encore lorsque des terres échoient au roi à titre de succession.

Le domaine est inaliénable, si ce n'est en deux cas : pour l'apanage des puînés mâles de la maison de France, et pour les nécessités de la guerre.

DOMBES, Louis Auguste de Bourbon, prince de (Versailles, 1700 - Fontaine-bleau, 1755). Fils du duc du Maine, il doit à son illustre ascendance, plus qu'à son mérite, d'être comblé de titres et de dignités. Il est maréchal de camp en 1734, lieutenant général en 1735. Sa charge la plus importante est celle de colonel général des suisses et grisons, dont il a reçu la survivance en 1710. Il a eu aussi en 1712 la survivance du gouvernement du Languedoc. Le 4 mars 1748, il tue en duel, après une querelle de jeu, le comte de Coigny, ami du roi. C'est ce qu'on trouve de plus remarquable dans sa vie, et il faut convenir que ce n'est pas rien.

DOMESTIQUES. Le mot s'emploie au singulier et au pluriel. Au singulier il signifie l'ensemble du personnel d'une maison (« Ergaste s'est marié ; sa femme, ses enfants, son domestique ne lui connaissent que ce visage-là... », Mari-

vaux, *Le Jeu de l'amour et du hasard*, acte I, scène I). Au pluriel, il désigne par extension tous les gens de service.

Ces gens sont nombreux. Ils représentent une partie notable de la population. Par exemple, à Dijon en 1784, 13,27 % du nombre total des habitants. Pourtant, les domesticités très nombreuses sont rares. En 1789, à Toulouse, le parlementaire le plus riche de la ville, le premier président de Cambon, a seulement quatorze domestiques. Le grand nombre des domestiques dans le royaume s'explique autrement : presque tout le monde est servi. Ainsi dans les villes, le moindre ménage d'artisans emploie au moins une servante.

On ne sait pas si le nombre des domestiques a augmenté au cours du siècle. Les seules domesticités dont l'accroissement soit avéré sont celles des communautés religieuses masculines. Au début du siècle, les maisons des doctrinaires n'avaient pas de domestiques. Ces religieux faisaient leurs lits et décrottaient eux-mêmes leurs chaussures. Vers 1780, on compte trois domestiques en moyenne pour dix personnes.

On peut distinguer, avec J.-P. Gutton (*Domestiques et serviteurs dans la France de l'Ancien Régime*, Paris, Aubier, 1981), trois catégories de domestiques, ceux des maisons princières et seigneuriales, les serviteurs et les domestiques des campagnes.

Tout grand seigneur a sa maison. Dufort de Cheverny, introducteur des ambassadeurs, constitue la sienne après son mariage (1755). « Ma maison, écrit-il dans ses *Mémoires*, était composée d'un suisse, d'un maître d'hôtel, ce Fontaine Adam qui m'avait élevé, de Mlle Gentil comme femme de charge, d'une Mlle Marival donnée par Mlle le Blond, femme de chambre gouvernante de ma belle-mère, d'un cuisinier, d'un aide de cuisine et de deux superbes domestiques pour moi [...]. Ma femme avait deux domestiques, un petit nommé Duplessis [...] et un autre nommé Lapierre, devenu depuis courrier du cabinet. » Complétant l'énumération il ajoute ses deux cochers, son postillon et son palefrenier.

En ville, la bourgeoisie moyenne et la petite ont rarement plus d'un serviteur (ou d'une servante). Les avocats et procureurs rennais en ont un ou deux en 1721, les avocats toulousains un ou deux à la fin de l'Ancien Régime. Chez les artisans, on trouve surtout des servantes (qui se paient moins cher). Dijon compte, en 1784, 955 domestiques masculins pour 2 090 servantes. Quant aux domestiques des campagnes leur nombre varie selon l'importance de l'exploitation et la dimension de la famille.

Toute domesticité est hiérarchisée. Dans les grandes maisons, le cuisinier occupe la première place. C'est aussi le mieux payé. A la campagne, le garçon de charrue précède le vigneron qui vient avant le berger.

On tient parfois ses domestiques de ses parents, ou d'amis qui vous les donnent. Le plus souvent, ils sont recrutés par voie d'annonces dans les affiches locales ou par le moyen des bureaux d'adresses. Dans les campagnes, on les loue par contrat écrit ou verbal. Les « louées » se font aux foires de la Saint-Jean d'été ou de la Saint-Martin. Les serviteurs des villes viennent presque tous de la campagne. Ceux des campagnes sont généralement recrutés dans le pays proche.

« La plupart de mes domestiques, écrit Dufort de Cheverny, sont morts à mon service. » Tout le monde ne peut pas en dire autant. Une telle stabilité est bien rare. Le fait commun est l'instabilité. Chez Pierre Moreau, notaire lyonnais, se succèdent en huit ans (1773-1781) trente-quatre servantes (J.-P. Gutton, *Domestiques et serviteurs..., op. cit.*). Chez Antoine Alexandre Barbier, notaire bisontin, dans son petit domaine vinicole de Thise, vingt-six domestiques se succèdent en treize ans [1762-1775] (M. Gresset, *Une famille nombreuse au XVIIIe siècle*, Toulouse, Privat, 1981).

Le statut de domestique est privilégié. Serviteurs et servantes bénéficient des exemptions dont jouissent leurs maîtres. S'ils servent des nobles ou des membres du clergé, ils sont exemptés de la taille, de la milice et de la corvée. Pour la capi-

tation, ce sont leurs maîtres qui la paient. Ils sont payés « à la récompense » ou aux gages annuels. Mais, très souvent, les gages ne sont versés qu'en fin de service. Ils ont aussi bien entendu le logement et la nourriture, et quelquefois les habits. Leur condition n'en est pas moins dure. Ils doivent un service continu et la loi les soumet entièrement à leurs maîtres. A cela s'ajoutent leurs devoirs moraux. Parmi les obligations des différents états, l'Église catholique réserve une place particulière à ceux des domestiques. On en trouve un exposé détaillé dans tous les catéchismes, au chapitre des Commandements de Dieu. « Les serviteurs, écrit Mgr Joly de Choin, évêque de Toulon, dans ses *Instructions sur le rituel* (1779), doivent à leurs maîtres le respect, l'obéissance, la fidélité et le service. »

Cependant, les devoirs des maîtres sont également rappelés. L'Église leur prescrit la charité. « Les maîtres, écrit encore Joly de Choin, doivent à leurs domestiques premièrement l'amour. Les domestiques sont égaux à leurs maîtres par la nature, ils peuvent être au-dessus d'eux par les dons de la grâce. » A la charité s'ajoutera la justice. Les maîtres « ont le devoir étroit de payer ponctuellement les gages des domestiques et de les soigner dans leurs maladies ».

Ces principes sont-ils appliqués ? La plupart des maîtres — l'insistance des catéchismes sur ce point précis semble l'indiquer — seraient négligents à payer les gages. Beaucoup, selon la même source, laisseraient leurs anciens domestiques devenus vieux manquer du nécessaire. « C'est là, remarque Joly de Choin, une dureté criante et pourtant ordinaire. » Mais tout n'est pas noir. De nombreux testaments comportent des legs aux domestiques. C'est parfois peu de chose. Jean Heureux, architecte à Baugé en Anjou, par son testament du 23 septembre 1718, lègue à Marie Piché, sa servante « une couette et un drap » (arch. Maine-et-Loire, C 822, fol 20 v°). Mais c'est le plus souvent une rente viagère de 100 à 200 livres. Le sort le moins enviable est celui des servantes engrossées (quelquefois par leurs maîtres). Elles sont immédiatement renvoyées. Rejetées par leurs familles, elles viennent alors se joindre à la cohorte des mendiants et des vagabonds. Ce n'est pas un cas rare. A Nantes, 40 % des filles qui déclarent leur grossesse sont des servantes.

La condition domestique n'est pourtant pas la dernière de la société. Si le maître est homme de qualité, un peu de son prestige social rejaillit sur le serviteur. D'ailleurs, ce dernier ne vient pas toujours du moindre peuple. En 1749 à Paris, un tiers des domestiques d'origine provinciale sont fils de laboureurs. Quand les domestiques se marient — il est vrai que cela n'est pas fréquent — ils le font quelquefois au-dessus de leur milieu. Toujours à Paris à la même date de 1749, 19,2 % des domestiques qui se marient épousent des filles de maîtres de métiers ou de marchands.

Dans la littérature et dans la peinture, l'image du domestique est loin d'être dégradante. Les servantes de Chardin (l'écureuse, la pourvoyeuse, la gouvernante) ont de la dignité et même de la noblesse. Dans le théâtre de Marivaux les valets et les servantes ne sont pas seulement des confidents, des faire-valoir. Leurs rôles (voir par exemple ceux de Lisette et d'Arlequin dans *Le Jeu de l'amour et du hasard*) sont essentiels à l'action. Mais Beaumarchais fait mieux. Dans *Le Mariage de Figaro*, le principal personnage (et quel personnage !) c'est le serviteur. Le siècle se termine sur l'apothéose des valets.

DOMINICAINES. Les dominicaines sont des religieuses du tiers ordre de Saint-Dominique. Elles ont en France quarante-cinq couvents. Ceux d'Aumale, Rouen, Toul et Langres sont à la veille de la Révolution les plus fervents et les plus peuplés.

DOMINICAINS. L'ordre des Dominicains ou Frères prêcheurs est un ordre régulier de religieux mendiants. Répandu dans toute l'Europe catholique, il compte en France sept provinces et trois congrégations en marge des provinces, les congrégations de Sainte-Rose (dans

les diocèses d'Arras et de Saint-Omer), du Saint-Sacrement (à Aix-en-Provence) et d'Alsace. L'effectif total des dominicains français était de mille cent soixante douze au début de 1790.

L'ordre dominicain avait été pendant des siècles le soutien de la théologie thomiste. Il ne l'est plus guère, tout au moins en France. Les deux derniers dominicains français commentateurs de saint Thomas sont le P. Massoulié, mort en 1706, et le P. Noël Alexandre (auteur d'une *Theologia dogmatica et moralis* publiée en 1694) mort en 1724. L'ordre fournit encore des érudits, par exemple le P. de Graveson, historien, et le P. Richard, auteur d'un *Dictionnaire universel des sciences ecclésiastiques*, mais il ne produit plus aucun grand commentateur de saint Thomas.

Dans les dernières années de l'Ancien Régime, les dominicains sont partagés entre deux courants. Certaines maisons, comme le couvent de Saint-Jacques à Paris, sont très relâchées et de tendance antiromaine. D'autres, comme celles de Provence et de la congrégation de Sainte-Rose, sont au contraire observantes et proromaines. Le noviciat général de la rue du Bac à Paris est de cette deuxième catégorie. Il se remplit dans la décennie qui précède la Révolution.

DON GRATUIT. Le don gratuit est une subvention accordée au roi par le clergé de France pour les besoins de l'État.

Gratuit veut dire libre et voluntaire. Les biens d'Église jouissent de l'immunité. Le clergé se réserve de contribuer comme il l'entend aux dépenses de la monarchie. En fait, il défère le plus souvent aux demandes royales.

On distingue décimes et don gratuit. Les décimes sont les dons ordinaires. L'expression de don gratuit s'applique aux dons extraordinaires. Toutefois, le clergé considère que les décimes ont aussi un caractère gratuit.

Les demandes sont présentées à l'assemblée du clergé par les commissaires du roi. L'assemblée discute le chiffre demandé. Elle obtient généralement une petite remise. Un contrat est signé entre le roi et l'assemblée, réglant les modalités d'imposition et les échéances des versements. A titre d'exemple, les trois assemblées de 1755, 1765 et 1770 accordent au roi les trois dons demandés, soit 16,12 et 16 millions de livres. En 1772, une demande extraordinaire de 12 millions avait été présentée et satisfaite.

DORAT, Claude Joseph (Paris, 31 décembre 1734 - *id.*, 29 avril 1780). Littérateur malheureux, il est le fils d'un conseiller du roi, auditeur des comptes. Orphelin très jeune, il hésite sur sa vocation, se destinant d'abord au barreau, puis aux armes (il sera mousquetaire pendant quelques mois en 1757), et finalement à la littérature. Ses débuts au théâtre ne sont pas encourageants. Sa première pièce, *Zulica*, représentée le 7 janvier 1760, est sifflée à outrance. La seconde, *Théagène et Chariclée*, inspirée du roman grec, tombe à plat. Il se tourne vers la poésie lyrique, mais son poème *Les Baisers, précédés du Mois de mai* (1770) est éreinté par Grimm. Son retour au théâtre, avec *Adélaïde de Hongrie* et quelques autres pièces, est salué par les épigrammes de Rulhière et de Lebrun. En 1771, il échoue à l'Académie. On a conservé une lettre qu'il avait écrite en juin 1771 à Mme de Necker pour lui demander son soutien : « J'ai tant confiance en vos bontés, Madame, que je ne crains pas d'y avoir recours en cette occasion. » Vaine supplication. Il serait mort dans le dénuement le plus complet si Mme de Beauharnais et Beaumarchais ne l'avaient secouru. Il ne faut pas chercher loin la raison de ses malheurs : la secte philosophique lui a fait payer cher son amitié pour Fréron et sa collaboration à l'*Année littéraire*. Il valait mieux que ceux qui le critiquaient. S'il était un médiocre dramaturge, il n'était pas un mauvais poète. On trouve même dans *Les Baisers* quelques belles strophes, pleines de souffle, et qui annoncent Chénier. Voici par exemple le baiser de Mars :

Dans les bras caressants de la belle déesse,
Le dieu Mars languissait, brûlant et
[désarmé ;

Et, le front rayonnant de la plus douce
[ivresse,
Il goûtait à longs traits le bonheur d'être
[aimé.
Aux lèvres de Cypris, son âme suspendue,
Loin de ces jeux sanglants qui font couler
[nos pleurs,
De transports en transports, fugitive
[éperdue,
Se reposait en paix sous des voûtes de
[fleurs.

DOUAI. Siège de parlement (depuis 1744) et d'une université, Douai compte environ 20 000 habitants. Il faut y ajouter une nombreuse population militaire. Douai est une garnison très importante : quatre mille six cent cinquante-huit officiers et soldats en 1789.

C'est une ville de magistrats, de rentiers, de couvents et de jardins. L'activité économique en est assez réduite. Mis à part une fonderie de canons créée en 1669 et quelques verreries et fabriques de grès datant du règne de Louis XVI la ville ne possède pas d'entreprises industrielles de grande envergure.

Augmentée en 1747 d'une troisième chaire de médecine et en 1750 d'une chaire de droit français, l'université, bien que déclinante, conserve un certain rayonnement. Mille deux cent cinquante étudiants y étaient inscrits à la veille de la Révolution, mais il fallait inclure dans cet effectif les neuf cent cinquante élèves des collèges d'humanités rattachés à l'université (collège d'Anchin, collèges irlandais, anglais et écossais).

La société douaisienne se passionne pour le théâtre. En 1745, on donnait déjà trois représentations par semaine. Un théâtre est construit en 1785 dans le style néo-classique. On peut encore l'admirer aujourd'hui. Plusieurs autres bâtiments publics et hôtels particuliers de cette époque ont été conservés, par exemple l'hôpital général et l'hôtel d'Aoust. Ils témoignent de la finesse du goût français. On connaît moins bien l'influence exercée par les Lumières : elle a peut-être été plus forte qu'on ne le dit. Venu du milieu parlementaire douaisien, le ministre Calonne n'appartenait pas au clan philosophique, mais la plupart de ses réactions, tant dans le domaine économique que dans celui de la politique, sont celles d'un homme profondément marqué par les Lumières.

DOUANE. Le mot douane a deux sens. Il désigne les droits sur les marchandises à leur entrée et à leur sortie. Il peut signifier aussi le lieu où l'on paie ces taxes. Les droits de douane portent également le nom de traites. Il existe des douanes intérieures et des douanes aux frontières du royaume.

Le système des douanes intérieures est d'une grande complication, étant fait de trois régimes différents. Ces trois régimes sont les suivants :

• celui des pays de l'« étendue », dits aussi pays des « cinq grosses fermes ». Il s'agit d'un ensemble de douze provinces, formant un territoire continu et correspondant à la plus grande partie du Bassin parisien. Des droits sont payés à l'entrée et à la sortie de ce territoire ;

• celui des provinces « réputées étrangères ». Ces provinces sont l'Artois, la Flandre, la Bretagne, la Guyenne, la Saintonge, le Languedoc, la Provence, le Dauphiné et le Lyonnais. Des droits sont payés à l'entrée et à la sortie de chacune de ces provinces, frappant tous les commerces, aussi bien celui de l'« étendue » que celui avec les autres nations ;

• celui de l'« étranger effectif », c'est-à-dire des trois provinces d'Alsace, de Lorraine et de Franche-Comté. Ces trois provinces commercent librement avec l'extérieur du royaume, mais sont séparées douanièrement de l'« étendue » et des provinces réputées étrangères.

Les douanes extérieures sont installées aux frontières. Les droits qui y sont payés sont appelés traites foraines.

Le bail des traites est adjugé à la ferme générale. Cependant le bail Mager de 1786 apporte une modification : les droits de traites seront toujours perçus par la ferme, mais en régie intéressée.

Les physiocrates, les économistes et tous ceux qui réclamaient la liberté complète du commerce ont beaucoup critiqué ce système douanier. Les édits de 1763 et 1766 leur donnèrent en partie satisfaction. Cependant le système fut maintenu jusqu'à la Révolution. La Constituante supprima les douanes intérieures, mais on peut dire qu'elle prit cette décision contre le vœu des populations. En effet, très peu de cahiers de doléances avaient réclamé cette suppression.

DOYEN, Gabriel François (Paris, 1726 - Saint-Pétersbourg, 1806). Peintre, il fut l'élève de Carle Van Loo, il obtint en 1745 le premier prix de peinture, séjourna longtemps à Rome, voyagea en Italie, fut agréé à l'Académie en 1758 avec une toile intitulée *La Mort de Virginie* et y fut reçu l'année suivante. Invité à Saint-Pétersbourg, il y passa plusieurs années dans les conditions les plus favorables : logé au palais impérial, directeur de l'Académie de peinture, jouissant d'une pension de 12 000 roubles, honoré de l'amitié de Catherine II, puis de Paul Ier. *Le Miracle des Ardents*, toile peinte en 1767 pour l'église Saint-Roch, avait mis le sceau à sa réputation. Pendant la première partie de sa carrière, il donna dans le genre tragique et dans un réalisme appuyé qui annonce les *Pestiférés* de Gros. Après son séjour en Russie, on le vit revenir à des sujets plus aimables. Ce fut par exemple en 1779 la toile intitulée *Nymphe qui a volé un nid à l'amour.*

DOYENS RURAUX. Chaque archidiaconé est divisé en plusieurs doyennés. Le doyen rural est le chef du doyenné. Il a des pouvoirs d'administration. Il veille sur les curés de son doyenné. Il en visite les paroisses. Il est nommé par l'évêque et par l'archidiacre conjointement.

Dans certains diocèses, comme celui d'Autun, on ne parle pas de doyens, mais d'archiprêtres. Les fonctions sont les mêmes.

DRAPEAU. Sous l'Ancien Régime le drapeau est un insigne militaire. Cependant, le drapeau blanc, insigne de la plupart des régiments et marque royale, prend pour cette double raison une signification plus large que celle d'un symbole purement militaire, et tend à devenir l'emblème de la nation.

Les noms diffèrent selon les armes. L'infanterie est dotée de drapeaux, la cavalerie d'étendards et de guidons, et les vaisseaux de pavillons.

Dans les régiments d'infanterie on distingue les drapeaux colonels et les drapeaux d'ordonnance qui sont ceux des bataillons. Le drapeau colonel (attaché à la compagnie colonelle) est le drapeau blanc autrefois insigne des régiments permanents. Il porte une croix blanche latine cousue sur le fond. Les régiments « royaux » ajoutent à la croix des fleurs de lys. Dans les autres régiments, on rencontre divers ornements, une couronne par exemple pour les régiments de la Couronne et Lorraine, une Vierge à l'Enfant pour le Royal-Bavière et, dans certains cas, les armoiries des colonels propriétaires. Les drapeaux d'ordonnance (deux ou trois par régiment et un seul à partir de 1776) sont identiques dans chaque régiment. Tous, sauf Bourgogne et Royal-Comtois, ont la croix blanche. « Cette croix détermine quatre quartiers ou cantons de couleurs diverses arrangées de manières très variables sous forme de partitions et de pièces héraldiques » (P. Charrié, *Drapeaux et étendards du roi*, Paris, 1989). Quelques-uns de ces drapeaux d'ordonnance sont ornés de légendes latines : *Potius mori quam vinci* pour le régiment de Bretagne. Les régiments étrangers n'ont pas la croix blanche. Ainsi, les drapeaux des régiments irlandais arborent la croix rouge bordée de blanc, avec la légende *In hoc signo vinces*, une harpe d'or et la couronne d'Angleterre sur chaque quartier.

Dans la cavalerie, tous les étendards et guidons portent d'un côté le soleil rayonnant en or avec la devise *Nec pluribus impar*, et de l'autre, soit une armoirie blasonnée, soit une allégorie accompagnée de la devise du mestre de camp. Toutes les couleurs sont représentées. L'étendard des gendarmes du Dauphin a le fond blanc brodé or et argent, celui du Royal-Cravates Cavalerie le fond bleu brodé d'or.

Les drapeaux sont portés par les enseignes, les étendards et guidons par les cornettes. Contrairement à une idée reçue chez les historiens, l'attachement au drapeau existait bel et bien. Les règlements prescrivent : « ... chacun doit secourir et défendre les drapeaux de son régiment, soit de jour, soit de nuit ».

Quant aux pavillons de marine ils sont tous semblables : le fond en est blanc, semé de fleurs de lys d'or avec au centre l'écusson azur à trois fleurs de lys surmonté de la couronne royale garnie de rouge.

Nul drapeau, nul étendard n'est mis en service avant d'avoir été béni. La bénédiction des drapeaux est une cérémonie solennelle et commémorative puisqu'elle se déroule toujours en présence des anciens drapeaux.

DROIT D'AÎNESSE. Le droit d'aînesse est le droit donné à l'aîné dans les successions. Ce droit est fixé par les coutumes. Dans les pays de droit écrit, l'aîné peut être avantagé mais, sauf exception, il n'y a pas de droit d'aînesse.

Le droit d'aînesse concerne la succession des fiefs et d'une manière générale les successions nobles. Dans la coutume de Paris le droit d'aînesse s'applique à tous les fiefs nobles ou roturiers. En revanche les coutumes d'Anjou et du Maine n'admettent le droit d'aînesse que si le défunt est noble.

On distingue les fiefs de dignité et les fiefs simples. Quand il s'agit des premiers, l'aîné a tout. Il doit seulement « récompenser » les cadets. Dans le cas d'un fief simple, l'aîné a le préciput (c'est-à-dire le droit de prendre hors part le principal manoir ou château, avec un arpent de terre autour), plus la « part avantageuse ». Dans la coutume de Paris, cette part représente les deux tiers du reste des fiefs, ou la moitié selon le nombre des enfants. Dans l'Anjou et dans le Maine, la « part avantageuse » est beaucoup plus importante, l'aîné prenant les meubles et les deux tiers des immeubles.

Outre les droits utiles, le droit d'aînesse comporte aussi des prérogatives d'honneur. L'aîné a la préséance sur ses frères, le droit de s'asseoir à la droite du père, de porter les « armes pleines » de la famille, d'avoir les tableaux de famille et les archives familiales. S'il s'agit d'une famille d'épée il a les armes du père et celles des aïeux, « comme les instruments de leur gloire » (Claude Pocquet de Livonnière, *Règles du droit français*, Paris, 1756). Si la famille est de robe, il a les manuscrits et les livres « notés de la main du père », ainsi que les ouvrages de l'esprit, qui ne sauraient tomber en partage.

S'il n'y a que des filles, la coutume de Paris n'admet pas le droit d'aînesse. En revanche les coutumes d'Anjou et du Maine l'admettent dans le même cas.

DROIT DE CHASSE. Le droit de chasse appartient au roi qui peut l'accorder à ses sujets. Cela est expliqué par Robert Joseph Pothier dans son *Traité du droit de chasse* (n° 32). « C'est au roi, écrit cet auteur, que le droit de chasse appartient dans son royaume, parce que la qualité de souverain lui donne le droit de s'emparer, privativement à tout autre, des choses qui n'appartiennent à personne : tels sont les animaux sauvages. Les seigneurs et tous qui ont le droit de chasse, ne le tiennent que de sa permission... »

Au Moyen Âge, tout le monde chassait. Depuis 1533, ce droit est réservé aux nobles. Les seigneurs haut-justiciers peuvent chasser dans toute l'étendue de leurs justices. Dans certaines régions, comme celle de Toulouse, ils peuvent même prohiber les autres chasseurs (François de Boutaric, *Traité des droits féodaux et des matières seigneuriales*).

Les roturiers sont interdits de chasse, à moins qu'ils ne soient possesseurs de fiefs nobles ou de justices. Certaines villes franches et certaines communautés d'habitants des Pyrénées, du Lauragais et de l'Albigeois font exception au droit commun : l'universalité des habitants y jouit du droit de chasse.

Le privilège des nobles n'existe qu'à la condition qu'ils respectent la réglementation. Ils sont obligés de chasser noblement, c'est-à-dire « à force de chiens et d'oiseaux ». Même les lièvres et les perdrix doivent être suivis à courre. L'usage du fusil est prohibé. Certains gibiers sont protégés, comme les petits oiseaux. Le cerf, la biche et le faon sont gibiers royaux. Il faut pour les chasser une permission spéciale. Enfin, la chasse est interdite à certaines époques de l'année aux endroits où elle pourrait causer des ravages.

En fait, les nobles ne respectent pas la réglementation. Ils chassent tous au fusil, imitant d'ailleurs en cela le roi lui-même. Ils chassent parfois à cheval dans les champs ensemencés. L'inobservation, par les privilégiés eux-mêmes, des règles de la chasse noble accroît l'impopularité du privilège.

A la fin de l'Ancien Régime, on peut parler d'une crise du droit de chasse. Un arrêt du parlement de Toulouse du 5 septembre 1766 (cité par Jean Bastier, *La Féodalité au siècle des Lumières dans la région de Toulouse*) décrit cette situation anarchique : « La licence que toutes sortes de gens, de tous états, se donnent de chasser [...] n'est pas seulement devenu un abus qui détruit le gibier [...] mais encore devient une source de beaucoup d'autres crimes. » Les délits de chasse encombrent les rôles des justices seigneuriales, et les seigneurs trop répressifs sont en butte à l'hostilité des populations. Dans son château de Voré, dans le Perche, le philosophe Helvétius en fait la cruelle expérience. Ayant voulu traquer les délinquants, et ayant armé pour cela vingt-quatre gardes, il s'attire la fureur des paysans. « Helvétius, écrit Diderot, est l'homme le plus malheureux du monde à la campagne. On casse les vitres de son château, on ravage la nuit ses possessions, on coupe ses arbres [...] Vous me demanderez comment cela s'est fait ? Par une jalousie effrénée de la chasse. »

DROIT DES GENS. On appelle droit des gens l'ensemble des normes qui, selon les esprits éclairés, devraient régler les relations internationales. « Les Modernes, dit un auteur, s'accordent généralement à réserver le nom de droit des gens au droit qui doit régner entre les nations et les États souverains » (*Le Droit des gens ou Principes de la loi naturelle...* par M. de Vattel, Londres, 1758).

Les deux grandes autorités en matière de droit des gens sont deux auteurs du siècle précédent, Grotius et Pufendorf. Le *De jure belli ac pacis* de Grotius publié à Paris en 1625 est traduit pour la première fois en français par Jean Barbeyrac en 1724. Le *De jure naturae et gentium* de Pufendorf a paru à Lund en 1672. Tout ce qui pense a lu ces deux auteurs ou prétend les avoir lus. On notera que, dans le droit de la guerre, les règles posées par Grotius sont moins exigantes que celles formulées par la théologie traditionnelle. Il admet par exemple la pratique de l'embargo. Cet auteur a d'ailleurs une conception assez large de la guerre légitime : il introduit la notion — étrangère à la philosophie traditionnelle — de légitimité subjective ; pour lui le droit peut naître de la bonne foi : « On n'agit injustement, écrit-il, que quand on sait que ce qu'on fait est injuste. »

Le droit des gens est enseigné au Collège royal où une chaire de cette matière a remplacé une chaire de droit canonique. Le Dauphin Louis, fils de Louis XV, prenait un intérêt particulier à cette discipline et en faisait donner des leçons à ses fils.

DROIT FRANÇAIS. Le droit français « est celui qui a force et autorité de loi en France » (Claude Joseph de Ferrière, *Dictionnaire de droit et de pratique...*, 1740). Les jurisconsultes le distinguent du droit romain et du droit canonique. L'appellation est entrée au XVIIe siècle dans l'usage courant.

C'est un droit composite. Il est constitué de cinq éléments : les ordonnances des rois, les coutumes rédigées sous l'autorité des rois dans les pays de coutumes, le droit romain dans les provinces dites de droit écrit, le droit canon pour les matières ecclésiastiques et bénéficiales (quand les règles de ce droit sont compatibles avec les « libertés

gallicanes ») et la jurisprudence des cours.

C'est un droit écrit dans sa plus grande partie. Il comporte néanmoins une partie d'usages locaux qui n'ont jamais fait l'objet d'une rédaction officielle et que l'on peut donc qualifier de droit non écrit.

Depuis 1679, le droit français est enseigné dans toutes les facultés de droit du royaume. Les professeurs royaux de droit français, par leur enseignement et leurs publications, font progresser la discipline. Ils dégagent les principes et les règles. L'ouvrage de Claude Pocquet de Livonnière, *Règles du droit français* (1744), constitue un modèle du genre. Les professeurs de droit français des universités méridionales s'efforcent quant à eux de rapprocher le droit romain du droit français. C'est le sens de l'œuvre de François Boutaric, professeur de droit français à Toulouse de 1715 à 1733 et de celle de Claude Serres, professeur à Montpellier et auteur des *Institutions du droit français*.

DROIT PÉNAL. Le droit pénal français du XVIIIe siècle est dans ses caractéristiques principales le droit en vigueur depuis le XIIIe siècle. Cependant, l'ordonnance criminelle de 1670 l'a codifié, systématisé et sensiblement réformé.

La procédure est la procédure inquisitoire. Elle consiste en une sorte de duel entre le juge et l'accusé. Les étapes sont, dans l'ordre chronologique :

• la mise en mouvement de l'action publique, soit par la plainte d'une partie soit par la poursuite d'office par un juge, tout juge étant en quelque sorte procureur général. On parle donc de « procédure d'office ». Le principe en est que tout délit offense la chose publique et que l'État peut et doit poursuivre tous les délits. Toute transaction privée est exclue. On a constaté toutefois que dans certaines régions (par exemple le Languedoc et l'Auvergne) la pratique de ces arrangements s'était maintenue pendant tout le XVIIIe siècle et même dans des cas d'homicide ;

• la deuxième étape est l'instruction

dite préparatoire au cours de laquelle l'accusé n'est assisté d'aucun conseil ;

On a ensuite l'instruction définitive (réservée aux délits majeurs) pendant laquelle l'accusé est confronté avec les témoins ;

• les jugements d'abord interlocutoires, puis définitifs. Il y a deux sortes de jugements interlocutoires : celui qui autorise l'accusé à faire la preuve des faits justificatifs allégués, et celui qui ordonne la question préparatoire. Il est à noter que l'article 7 de l'ordonnance de 1670 place le recours à la question sous la surveillance des cours, toute sentence ordonnant la question devant être confirmée par le parlement du ressort. Les jugements définitifs sont de condamnation ou d'absolution.

• Les voies de recours sont l'appel et le recours en grâce. L'appel est obligatoire pour toute peine corporelle, pour les galères, le bannissement perpétuel et l'amende honorable.

Le pouvoir du juge pénal est considérable. Il est arbitraire au sens étymologique du terme. Le juge peut en effet « arbitrer » les peines, c'est-à-dire choisir dans chaque affaire la sanction la plus adaptée. Il est libre de ne pas tenir compte d'une ordonnance royale portant une peine précise et cela pour des raisons d'équité. La seule exception concerne la peine de mort. Le juge ne peut pas condamner à mort (en dehors du cas d'homicide) s'il n'a pas de texte. En cas d'homicide, sauf lettre contraire du roi, il ne peut pas ne pas prononcer la peine de mort. En matière de responsabilité, cet ancien droit est purement circonstanciel. Par exemple, dans l'intention du délinquant et dans la qualité de ses mobiles il ne voit que de pures circonstances. Le résultat de tout cela est une grande souplesse de la justice pénale.

L'une des caractéristiques principales de la peine est son exemplarité. Elle doit être « donnée à voir », c'est-à-dire infligée publiquement. « Il faut, dit l'ordonnance de 1670, contenir par la crainte des châtiments ceux qui ne sont pas retenus par la considération de leur devoir. » Les principales peines sont la peine de mort (pendaison pour les roturiers, décapitation pour les nobles), les galères (remplacées par le bagne à partir de 1748), les mutilations, les peines dites « infâmantes » du pilori et du fouet, les peines pécuniaires et patrimoniales de l'amende et de la confiscation, et enfin celle de la mort civile et de l'infamie. La prison n'est pas une peine, mais on observe qu'à la veille de la Révolution elle tend à le devenir. Les principaux crimes définis sont les suivants : lèse-majesté, blasphème, sacrilège, adultère, bigamie, viol, rapt de séduction, crimes contre nature, homicide, injures, vol et incendie.

Le droit pénal en vigueur fait l'objet de vives critiques de la part des « philosophes ». Le système anglais est par eux proposé en modèle : pas de torture, *habeas corpus* et jury. Le traité *Des délits et des peines* (1764) de l'Italien Beccaria est la bible de tous les partisans des réformes. Selon cet auteur, le juge ne doit plus être qu'un automate appliquant la loi. Le corps des magistrats est présenté par la propagande philosophique comme un ramassis de tortionnaires obtus. Ce reproche est d'ailleurs souvent immérité. Si l'on note de temps à autre un « sursaut répressif » (Jean-Marie Carbasse, *Introduction historique au droit pénal*), comme par exemple dans l'affaire du chevalier de la Barre, la tendance générale dans la magistrature est à l'humanisation et à la modération dans l'application des peines. Par exemple, le crime de bigamie n'est plus jamais puni de mort, étant seulement sanctionné par le carcan. On note aussi une indulgence croissante dans le châtiment des viols et des crimes contre nature. A la fin de l'Ancien Régime, cette tendance commence à se traduire dans la législation. Le 24 août 1780, Louis XVI supprime la question préparatoire. Sa déclaration du 1er mai 1788 annonce une révision générale de l'ordonnance de 1670 et fixe un délai d'un mois entre la condamnation et l'exécution pour permettre à l'accusé de solliciter utilement la grâce royale.

DROIT ROMAIN. Le droit romain est aussi appelé droit civil. Selon Ferrière, il est même le « droit civil par excellence ». Il est contenu dans le *Corpus juris civilis* constitué sur l'ordre de Justinien, publié par lui en 530 et composé des quatre collections suivantes : les *Institutes*, le *Digeste*, les *Pandectes* et les *Novelles*.

Le droit romain est partie intégrante du droit français. En pays de droit écrit il est le droit commun. En pays coutumier il est « la raison écrite qui au défaut des Ordonnances et de la Coutume du lieu, doit être suivi » (C.J. de Ferrière, *Dictionnaire de droit et de pratique*, Paris, 1740). Les ordonnances royales sont principalement fondées sur lui.

Il est l'un des deux droits qui forment le fonds de l'enseignement des facultés de droit, l'autre étant le canonique. Mais le romain tient la première place. Les professeurs romanistes sont plus nombreux que les canonistes. Les leçons de droit romain occupent en moyenne deux fois plus de temps que celles de droit canon. Elles portent sur les collections de Justinien. On commence toujours par les *Institutes*. A Paris, le cours de première année est la leçon d'*Institutes*. En 1789, l'université d'Orléans recommande à ses étudiants de savoir leurs *Institutes* sur le bout du doigt, de s'en imprégner jusqu'à la moelle (*in succum et sanguinem vertere*).

Un troisième droit est enseigné depuis 1679 : le droit français. Mais les professeurs de droit français recourent souvent au romain. Ils en ont la plus haute opinion. Ferrière, professeur de droit français à Paris, qualifie le droit romain de « science sublime » qui « l'emporte au-dessus de toutes les sciences humaines ».

DROITS HONORIFIQUES. Les droits honorifiques sont ceux qui appartiennent aux seigneurs haut-justiciers dans les églises de leurs seigneuries, et aux patrons de ces églises.

D'après le *Traité des droits honorifiques* de Mareschal, revu et corrigé par Serieux (1772), ces droits sont les suivants :

- précéder tous les autres paroissiens aux processions et à l'offrande ;
- recevoir avec des honneurs particuliers l'eau bénite, l'encensement et le baiser de paix lors de la distribution du pain béni ;
- être recommandé nominalement et particulièrement aux prières publiques ;
- avoir son banc dans le chœur ;
- avoir sa sépulture dans le chœur ;
- enfin avoir droit de litre ou ceinture funèbre à l'intérieur et à l'extérieur de l'église. Ces litres ou ceintures funèbres sont des cercles noirs qui environnent l'église et où l'on met par intervalles les armoiries du seigneur ou du patron.

Durand de Maillane (*Dictionnaire de droit canonique*, 1770) ajoute à cette liste les nominations et présentations aux bénéfices. Il commet là une demi-erreur. Le droit de nommer ou de présenter aux bénéfices est un droit honorifique du patron et non du seigneur. Or un seigneur haut-justicier peut ne pas être patron de telle ou telle église de sa seigneurie.

Il est vrai qu'une certaine confusion règne dans cette matière, et cela pour trois raisons : la première est que l'on a trop écrit sur le sujet, la seconde est que les usages varient selon les lieux et selon la jurisprudence, la troisième est que l'assemblée du clergé a voulu s'en mêler et décider contre l'avis des cours et des seigneurs. Par exemple, en 1655 l'assemblée du clergé a ordonné que l'eau bénite soit donnée partout par aspersion, vexant ainsi les seigneurs en possession du droit de la recevoir par présentation de l'aspersoir.

Si l'on en croit les annales judiciaires et les différents auteurs ayant écrit sur le sujet, il semblerait que beaucoup de curés aient répugné à rendre ces honneurs, et même que certains aient carrément refusé de les rendre. Quelques-uns adoptaient une voie moyenne : ils rendaient les honneurs, mais de telle manière qu'ils ridiculisaient ceux à qui ils les rendaient. Mathias Mareschal raconte l'histoire de ce curé qui avait fait fabriquer un énorme goupillon et, un dimanche, aspergea si bien la dame du lieu qu'il la contraignit à quitter l'église et à changer d'habit et de linge.

DROITS SEIGNEURIAUX. Les droits seigneuriaux sont les droits dus aux seigneurs par les censitaires, c'est-à-dire par ceux qui détiennent les terres et héritages en censive. Il faut les distinguer des droits féodaux dus par ceux qui tiennent les terres à charge de foi et d'hommage.

La première chose que doit le censitaire est la reconnaissance : « Un des premiers devoirs du Censitaire, écrit François Boutaric (*Traité des droits seigneuriaux*, 1775) est celui de reconnaître son seigneur, c'est-à-dire de déclarer par acte à son Seigneur, qu'il possède telle ou telle pièce mouvant de sa Directe, sous tels et tels droits qu'il s'oblige de payer. » Les déclarations contenues dans ces reconnaissances servent à la confection des registres appelés terriers.

Après la reconnaissance, le censitaire doit le cens ou rente. Cette redevance annuelle, payable en argent ou en nature, est définie comme la « reconnaissance de l'obéissance et de la sujétion du censitaire et de la supériorité du seigneur ». C'est le principal droit seigneurial. « Cens, dit Claude Pocquet de Livonnière, emporte et dénote Seigneurie directe. » C'est un droit imprescriptible entre le seigneur et le sujet.

Les autres droits seigneuriaux sont le champart, les lods et ventes, le rachat, la taille, la corvée, la banalité et quelques autres droits de moindre importance.

Le **champart**, appelé aussi dans certaines régions « tasque » ou « agrier », est une portion des fruits de la terre, que le seigneur se réserve parfois, soit pour remplacer le cens, soit en plus du cens. « Cette portion, dit F. Boutaric, est communément le quart ». Les **lods et ventes** sont l'équivalent pour la censive du quint et requint des terres tenues à foi et hommage. Les **relief et rachat** (appelés en Languedoc « acapte » et « arrière-acapte ») sont la même chose que les relief et rachat féodaux. La **taille** est une sorte d'impôt extraordinaire ; elle est levée dans certains cas, par exemple

lorsque le seigneur marie sa fille. La **corvée** consiste dans des journées de travail et de charroi. Généralement, elle ne dépasse pas trois ou quatre jours. La **banalité** est le droit que possède un seigneur d'obliger les habitants de se servir de son moulin, de son four et de son pressoir. Ces trois derniers droits (taille, corvée et banalité), de l'avis général des jurisconsultes du XVIIIe siècle, ne sont pas des droits ordinaires et ne sont pas dus par la nature du bail à cens. Ils ne peuvent être perçus que sur titres. Pour la banalité, le titre du seigneur ne peut être qu'un acte par lequel les habitants de la seigneurie assemblés, « sans aucune impression de force ou de violence », et pour une cause juste, s'obligent eux-mêmes à se servir du moulin, du pressoir et du four du seigneur.

Pocquet classe également parmi les droits seigneuriaux le droit de chasse, le droit de « garenne défensable », celui d'avoir un colombier à pied et enfin celui de mesure à blé et à vin.

Le retrait censuel (équivalent du retrait féodal), la commise et la saisie féodale sont les garanties du seigneur en cas de non-acquittement des droits. Notons cependant que dans le ressort de la coutume de Paris n'ont lieu ni le retrait censuel, ni la saisie féodale.

Le censitaire a lui aussi ses garanties. Selon F. Boutaric le seigneur qui, ayant injurié son censitaire, s'est ainsi rendu coupable de félonie est exposé à perdre ses droits seigneuriaux. Cet auteur cite le cas suivant : « Le sieur de Carière de cette Ville [de Toulouse] possède depuis longtemps au lieu de Blagnac un Domaine considérable affranchi de tous droits ; et il doit cet affranchissement à un soufflet reçu par un de ses prédécesseurs du seigneur du lieu » (*Traité des droits seigneuriaux et des matières féodales*, Toulouse, 1741, p. 261). Le censitaire qui trouve ses charges trop onéreuses a encore la ressource de « déguerpir », c'est-à-dire de se retirer en abandonnant le fonds au seigneur.

Le cens n'est pas une lourde charge. Par suite de l'avilissement continuel de la monnaie il a souvent été réduit à presque rien. En revanche les lods et ventes ne sont pas une petite taxe. Ce droit, qui s'élève presque partout au douzième du prix, est d'un gros rapport pour le seigneur.

DROUAIS, François Hubert, dit **Drouais le Fils** (Paris, 1727 - *id.*, 1775). Peintre portraitiste, il appartient à une lignée d'artistes. Reçu en 1758 à l'Académie de peinture avec pour morceaux de réception les portraits des sculpteurs Guillaume Coustou et Edme Bouchardon, il connaît très vite le succès et devient le portraitiste officiel de la Cour et des grands seigneurs. C'est ainsi qu'il fait les portraits des trois jeunes princes, le duc de Berry, le comte de Provence et le comte d'Artois, puis celui de Mme de Pompadour et enfin celui de Louis XV en 1773. Si l'on met à part le portrait de la Pompadour (aujourd'hui au musée d'Orléans) où l'artiste a bien saisi l'expression satisfaite et le regard dominateur de son modèle, la manière de Drouais le Fils est fade et superficielle. Il a peint beaucoup de portraits d'enfants princiers, mais ses enfants «sont un peu des enfants d'opéra comique [...], il les déguise en jardiniers, en Savoyards ; il les fait jouer avec des chiens, avec des chats ou les juche sur le dos d'une chèvre complaisante». Diderot disait qu'à force de vouloir faire à ses modèles des chairs blanches et laiteuses, il les faisait «de craie».

DUBOIS, Guillaume (Brive-la-Gaillarde, 6 septembre 1656 - Versailles, 10 août 1723). Principal ministre de Louis XV, il est le fils d'un apothicaire de Brive. Élevé par les pères de la Doctrine chrétienne, tonsuré à treize ans, il fait carrière grâce à la protection du marquis de Pompadour, et par le moyen du préceptorat. Sa nomination, le 30 septembre 1687, comme précepteur du duc de Chartres, futur Régent, marque le début de son ascension. Conseiller d'État en 1716, il engage la même année les négociations qui aboutissent à la Triple-Alliance (1717) et à la Quadruple-Alliance (1718). En septembre 1718, il reçoit le département des affaires étrangères. Le 6 mai 1720, il est sacré archevêque de Cambrai, créé cardinal le 16 juillet 1721, et enfin nommé en août 1722 «principal ministre». Il est peu d'exemples d'une aussi rapide et irrésistible ascension.

On a douté qu'il l'ait méritée. Il existe une tradition historiographique de dénigrement de Dubois. Saint-Simon a commencé : «L'avarice, l'ambition et la débauche étaient ses dieux, la perfidie, la flatterie, les servages ses moyens, l'impiété parfaite son repos.» Tel est le jugement sévère porté par le célèbre mémorialiste. On aurait tort d'y acquiescer sans réserves. Ni les mœurs dissolues, ni l'impiété ne sont vraiment prouvées. Le fait qu'en 1720, le cardinal de Noailles ait refusé de délivrer le «licet» pour l'ordination sacerdotale du nouvel archevêque nommé de Cambrai ne constitue nullement une preuve décisive.

Il faut reconnaître à Dubois une intelligence aiguë un talent certain de diplomate. Si l'alliance anglaise aboutit, c'est grâce à lui : exaspérés par les hésitations du Régent, les Anglais étaient sur le point de rompre. C'est lui également qui conclut en 1721 les mariages espagnols. Il excelle dans les négociations secrètes. Il sait aussi très bien faire les cadeaux qui entretiennent les bonnes dispositions. C'est ainsi par exemple qu'en novembre 1716, il fait envoyer à Georges Ier et à Stanhope quarante-cinq pièces de vin de Champagne et dix de Bourgogne.

Enfin il ne manque pas de sens pratique. Chargé de liquider le Système, il s'en tire assez bien pour amorcer le redressement financier. Dans la matière difficile du jansénisme, il fait preuve de sagesse, imposant l'obéissance, mais évitant d'exaspérer la secte avec des mesures trop violentes. L'accession au pouvoir suprême semble l'avoir grandi, élevé au-dessus de lui-même : «Sitôt, écrit le maréchal Villars, qu'il n'eut plus d'autre intérêt que le bien de l'État, il y parut entièrement dévoué, cherchant l'amitié et l'approbation des honnêtes gens et voulant, disait-il, punir les fripons. Enfin sa mort fut regardée comme une perte dans les circonstances présentes» (*Mémoires*). Dubois, dit le marquis d'Argenson, «était un de ces hommes dont on peut dire bien du mal en toute sûreté de conscience, et dont cependant il y aurait quelque bien à dire» (*Mémoires*).

DU BOS, Jean-Baptiste (Beauvais, 21 décembre 1670 - Paris, 23 mars 1742). Abbé littérateur et historien, il est le fils de Claude Du Bos, payeur des gages à l'hôtel de ville de Paris. Il s'engage dans la cléricature, sans la moindre vocation apparemment, étudie la théologie et obtient même le grade de bachelier en théologie. Sa vie se divise en deux périodes bien distinctes. La première est celle des voyages. Pour son plaisir et sa curiosité il visite tour à tour l'Angleterre, la Hollande et l'Italie. Il tâte ensuite de la diplomatie et participe en sous ordre aux négociations de Neuchâtel, Gertruydenberg et Utrecht. La connaissance des pays étrangers lui donne le sens de la relativité des choses. La deuxième période de son existence est celle de la vie académique et littéraire. Il publie en 1719 ses *Réflexions critiques sur la poésie et la peinture* et en 1734 l'*Histoire critique de la monarchie française*. Les *Réflexions* le rendent célèbre. Le 23 décembre 1719, il est élu à l'Académie française. Académicien assidu, il est nommé successivement chancelier, puis secrétaire de cette compagnie. Les dignités et les prébendes s'accumulent sur sa tête : il est chanoine de Beauvais en 1714, abbé de Ressons en 1723 (par la faveur de Dubois) censeur royal en 1730 et rédacteur au *Journal des savants* en 1739. A l'abri du besoin, protégé, par son tempérament tranquille, des passions orageuses, il mène une existence douillette dans un luxueux appartement de la rue des Bons-Enfants. Mais cet intellectuel installé n'est pas un esprit plat. Il présente cette originalité rare d'avoir pratiqué deux disciplines très différentes et d'avoir innové dans l'une comme dans l'autre, c'est-à-dire dans l'esthétique et dans l'histoire. Sa théorie de l'art, telle qu'il l'expose dans les *Réflexions critiques*, est marquée par le sensualisme. L'art n'a selon lui pour fonction que d'exciter «en nous des passions artificielles» et sans risque parce que superficielles. Il ne faut donc pas en juger par la raison, mais par le sentiment. La forme l'emporte sur le fond. «C'est donc par la poésie du style, écrit-il, qu'il faut juger d'un poème, plutôt que par la régularité et par la décence des mœurs.» Du Bos est donc le fondateur de la nouvelle critique, la critique émotive. En histoire, il expose également des idées très nouvelles. Il rejette la thèse de Boulainvilliers du droit de conquête. Son argument principal est la cession faite aux Francs par Justinien des droits de l'Empire sur la Gaule. Il en tire la conclusion que les rois de France sont les successeurs des Césars, ayant régné sur la Gaule non pas comme rois des Francs, mais comme consuls de Rome. Dès lors, il ne peut plus être question d'un droit de conquête, et les prétentions de la noblesse au gouvernement de l'État n'ont plus de raison d'être. Premier historien (et historien exact) des invasions, Du Bos a reconnu la persistance de la société romaine dans les temps dits barbares. Il est l'auteur de la thèse romaniste que reprendra plus tard Fustel de Coulanges.

Du Bos est un homme des Lumières par son cosmopolitisme et par son scepticisme. Il avait toujours été sans religion. A l'heure de la mort, la religion ne viendra pas à son chevet. Frappé de paralysie et d'inconscience, il ne pourra pas recevoir les derniers sacrements.

DUC. Le titre de duc est la suprême dignité du royaume après celle du roi. On comptait soixante-quatorze ducs en 1789.

Trois groupes doivent être distingués. Le plus élevé en dignité est celui des ducs et pairs, possesseurs de fiefs érigés en duchés-pairies. Ils assistent le roi lors de son sacre et siègent au Parlement dès qu'ils atteignent l'âge de vingt-cinq ans. Leur nombre était de quarante-trois en 1789, parmi lesquels figuraient les princes de la famille royale, pairs de droit. Viennent ensuite les ducs non pairs (quinze en 1789) nommés par le roi, et les ducs à brevet d'honneur (seize en 1789) dont le titre est viager. Tous ces pairs sont laïques, mais il y a aussi huit pairs ecclésiastiques, dont le premier en dignité est l'archevêque-duc de Reims.

Ni Louis XV ni Louis XVI n'ont multiplié les créations de nouveaux ducs. Le titre n'a donc subi, au XVIIIᵉ siècle, aucune dévaluation. Parmi les érections de nouveaux duchés-pairies, citons celle du duché de Châteauroux (en faveur d'Anne-Marie de Nesle, marquise de la Tournelle, maîtresse de Louis XV) et celle du duché de Choiseul (pour le comte de Stainville, ministre de Louis XV). Louis XVI fit des ducs non pairs (Polignac) et des ducs à brevet (Guines et Castries).

Le titre ducal ne confère aucun pouvoir politique ni aucune fonction dans les conseils royaux. Hormis pendant le temps de la polysynodie, la partieipation ducale au gouvernement n'a pas été très importante, si l'on regarde au nombre. La liste des ducs ministres (de 1723 à 1789) serait vite faite. On n'en compterait pas plus d'une dizaine. On a déjà cité Choiseul. Mentionnons aussi le duc de Bourbon, premier ministre, Belle-Isle (Guerre), Aiguillon (Affaires étrangères), Noailles (ministre d'État), Broglie (Guerre) et La Vrillière (Maison du roi) qui détient le record du siècle de longévité ministérielle. Aumont, Nivernais, Duras, Mirepoix et Praslin furent ambassadeurs. Le duc d'Antin fut directeur général des bâtiments du roi.

La vocation ducale par excellence est le service des armes. La plupart des ducs servent ou ont servi. Plusieurs, mais non la majorité, accèdent au grade de lieutenant général. Onze, si nous avons bien compté, furent élevés à la dignité de maréchal de France : Brissac, Broglie, Coigny, Croÿ, Estrées, Harcourt, Noailles, Richelieu, Tallard, Villars et Villeroy. Les charges de gouverneurs et de lieutenants généraux des provinces sont traditionnellement attribuées aux ducs, ainsi que les charges de Cour de premier gentilhomme de la Chambre et de capitaine des gardes du corps. Celle de grand chambellan est réservée aux ducs de Bouillon.

Enfin il appartient aux ducs de veiller sur l'éducation de l'héritier du trône. Le duc de Villeroy fut gouverneur de Louis XV, le duc de Châtillon de son fils le Dauphin, et le duc de La Vauguyon du duc de Berry, futur Louis XVI.

DUCIS, **Jean-François** (Versailles, 22 août 1733 - *id.*, 31 mars 1816). Littérateur, il a eu pour principal mérite celui de faire découvrir à beaucoup l'œuvre de Shakespeare. Issu d'une famille de condition modeste — son père, originaire de Savoie, était marchand de lin — il fit de bonnes études au collège d'Orléans fondé à Versailles par le Régent et devint secrétaire du maréchal de Belle-Isle, puis commis au ministère de la Guerre. Sa première tragédie, *Amélise*, fut un échec, mais il prit sa revanche l'année suivante avec une adaptation d'Hamlet. On a écrit que Ducis aurait découvert le théâtre de Shakespeare dans la traduction de Pierre Letourneur (1736-1788), mais cette traduction ne paraîtra qu'en 1771, et l'*Hamlet* de Ducis fut joué en 1769. *Roméo et Juliette* (1772), le *Roi Lear* (1783) et enfin *Othello* (1792) suivirent tout naturellement l'adaptation d'*Hamlet* (dont le succès fut si grand que cette pièce fut représentée plus de deux cent fois entre 1769 et 1851). C'est toutefois dans Sophocle et dans Euripide que Ducis trouva son inspiration en 1778 pour *Œdipe chez Admète* qui, reçu avec faveur, lui permit d'entrer à l'Académie française où il succéda à Voltaire. En 1791, il réside à Paris rue de Cléry comme Chénier et Parny, et l'Assemblée nationale envisage de le nommer gouverneur du Dauphin, mais ce projet reste sans suite. Nommé membre de l'Institut en 1795 il fait représenter la même année une tragédie d'inspiration moderne, *Abufas ou la Famille arabe* que Talma joua avec un grand succès. Il refuse les faveurs de l'Empire, mais reste membre de l'Institut. Ses dernières œuvres sont des poésies qui célèbrent la nature, la retraite et l'amitié. Il arrive que l'on cite ses *Épîtres* et en particulier ces deux vers des *Bonnes Femmes* :

Des maris on vantait la gloire,
Des femmes on ne parlait pas.

et ces quatre au sujet de Racine :

Ce peintre enchanteur de l'Amour
....
Dans sa femme que chercha-t-il ?
Une très simple ménagère qui fit avec lui
[sa prière,
Et répondit «Ainsi soit-il ».

Dans les *Mémoires d'outre-tombe*, Chateaubriand évoque un instant «le vénérable auteur d'*Œdipe* retiré dans la solitude», solitude toute relative, puisqu'il s'agissait de Versailles où Ducis était revenu habiter et où il mourut à l'âge de quatre-vingt-trois ans.

DUCLOS, Charles Pinot ou **Pineau** (Dinan, 1704 - Paris, 26 mars 1772). Romancier et historien. «Dinan, orné de vieux arbres, remparé de vieilles tours [...] ville toute historique [...] qui a donné le jour à Duclos...» a écrit dans les *Mémoires d'outre-tombe* (Ire partie, III, 2) Chateaubriand qui, dans son *Discours de réception à l'Académie française*, disait à propos de son compatriote : «Si vous retrouvez en moi la franchise de Duclos [...] j'espère vous prouver aussi que j'ai la même loyauté...» Né en 1704 dans cette cité bretonne, Duclos décédera dans sa soixante-neuvième année à Paris le 26 mars 1772. Venu tôt dans la capitale, il fréquente une société de beaux esprits et publie deux romans : *La Baronne de Luz* en 1740 et les *Confessions du comte de **** en 1741. Il apporte également sa collaboration à plusieurs petits ouvrages dans l'esprit du temps et notamment en 1744 à *Acajou et Lisphile* dont l'*Épître* fit quelque peu scandale. En 1745, il donne une *Histoire de Louis XI* qui fut appréciée pour son impartialité et son exactitude. Historiographe de France à la suite du départ de Voltaire en Prusse, il est reçu en 1747 à l'Académie française dont il devient secrétaire perpétuel en 1755, il participe alors activement à l'édition du *Dictionnaire* publiée en 1762. Après son *Histoire de Louis XI*, il publie les *Considérations sur les mœurs*

en 1751 qui furent traduites en anglais et en allemand et que suivirent les *Mémoires pour servir à l'Histoire du XVIIIe siècle* (1738-1743) et *Les Druides* (1744-1746), ainsi que des *Remarques sur la grammaire générale et raisonnée de Port-Royal* (1754), œuvre de philosophe que Jean-Jacques Rousseau jugeait celle d'un «homme droit et adroit». Cependant, deux de ses œuvres principales furent publiées qu'après sa mort : *Mémoires secrets sur le règne de Louis XIV, la Régence et le règne de Louis XV* (1791) et *Considérations sur l'Italie* qu'il avait composé en 1766 après son séjour dans ce pays, où il avait jugé prudent de se faire un peu oublier après l'affaire La Chalotais. Chamfort a écrit de ce dernier ouvrage qu'il «ne [pouvait] qu'honorer la mémoire et le talent de Duclos». Maire de Dinan depuis 1744, député du tiers aux états de Bretagne, il reçut des lettres d'anoblissement de Louis XV. Ses *Œuvres* ont été publiées en 1806, puis en 1820 avec une notice de Villenave (le fondateur du *Courrier français*).

DUEL. Le duel est un combat singulier entre deux personnes.

Depuis le XVIe siècle, les duels sont interdits sous peine de mort. Louis XIII, puis Louis XIV avaient fait preuve de beaucoup de sévérité dans la répression. Louis XV et Louis XVI jurent à leurs sacres de n'accorder aucune grâce aux duellistes (serment dit de l'édit des duels). Par l'édit de février 1723, Louis XV renouvelle les défenses portées par les anciennes lois.

La royauté a voulu aussi prévenir les duels. Elle a institué pour cela une juridiction spéciale. Les maréchaux de France constitués en tribunal, les gouverneurs généraux et les lieutenants généraux des provinces ont reçu la charge de juges du «point d'honneur». Ils devaient «empêcher les suites des querelles et des offenses qui [pouvaient] intervenir entre les sujets du roi». Ils assignaient les parties et prononçaient les peines édictées par la législation.

Ainsi l'auteur d'un coup de bâton encourait deux années de prison.

On continua néanmoins à se battre en duel. Cette pratique était la plaie de l'armée. « Il y a plus d'épées, dit-on, tirées entre les seuls officiers français qu'entre tous les autres officiers d'Europe ensemble. » Les mémoires des militaires fourmillent d'histoires de duels. La contagion atteint les écoles militaires. A La Flèche, certains élèves « se donnent mutuellement des billets signés de leur sang, par lesquels ils [promettaient] de se battre jusqu'à la mort » dès qu'ils seraient sortis de l'école (Vaublanc, *Mémoires*).

Il existe aussi quelques cas de duels dans la magistrature. En 1739, M. d'Aligre « fait honneur à la robe » en pourfendant M. d'Argenlieu, lieutenant aux gardes. Le 16 septembre 1769, le parlement de Grenoble condamne par contumace M. du Chelas, conseiller de cette cour, à être rompu vif pour crime de duel et d'assassinat.

D'après certains historiens, le duel aurait passé de mode sous le règne de Louis XVI. C'est possible, mais le fait n'est pas prouvé. Les *Mémoires* du comte d'Hézecques (entré aux pages en 1786) signalent de nombreux duels entre les pages, combats « d'autant plus dangereux qu'on se servait de fleurets aiguisés ».

DU FAY, Charles François de Cisternay (Paris, 14 septembre 1698 - *id.*, 16 juillet 1739). Physicien et intendant du Jardin du roi, il avait été dans ses années de jeunesse successivement officier (lieutenant au régiment de Picardie) et antiquaire. Il avait ramené d'un voyage à Rome avec le cardinal de Rohan une belle collection de bronzes antiques. De l'éveil de sa vocation de savant, on ignore les circonstances exactes. Admis en 1733 dans la section de chimie de l'Académie des sciences, il s'intéresse à toutes les sciences mais s'adonne plus particulièrement à des recherches de physique expérimentale sur l'électricité. En 1734, lors d'un voyage en Angleterre, il rencontre le physicien Gray. Les deux savants

confrontent leurs connaissances sur les phénomènes d'électrostatique. Gray et du Fay sont les premiers à montrer les effets étonnants que l'on peut tirer des corps électrisés par frottement. Reprenant certaines expériences de Gray et les développant, du Fay étudie la propagation de l'électricité. Il est le premier à tirer une étincelle du corps humain. A l'aide des phénomènes de répulsion, il fait les premières estimations d'intensité des charges. Cependant, sa principale découverte est celle des deux sortes d'électricités, la « vitrée » et la « résineuse ». Ses travaux seront continués par l'abbé Nollet, qui fut son élève et son adjoint à l'Académie.

Il contribue aussi à l'avancement de la botanique. Nommé en 1732 intendant du Jardin du roi, il donne à cette institution — jusqu'alors gérée de façon étroite par des médecins — un développement nouveau. Il en fait un jardin botanique d'essai ouvert à toutes les espèces, et non plus seulement aux végétaux de la pharmacopée. Les deux magnifiques serres chaudes qu'il y fait construire seront à Réaumur d'une grande utilité. Buffon lui succéda dans cette intendance. Ce dernier n'était pas encore connu, mais du Fay, peu de temps avant de mourir, avait écrit à Maurepas, lui recommandant le jeune naturaliste.

DUGUAY-TROUIN, René (Saint-Malo, 1673 - Paris, 1736). Lieutenant général des armées navales, originaire de Saint-Malo, issu d'une famille de petits notables, il avait été sous le règne de Louis XIV l'un des marins les plus valeureux, les plus heureux et les plus redoutés de tous les serviteurs du roi à la mer. Son nom seul valait une escadre. Corsaire dès l'âge de seize ans, il avait à dix-neuf ans déjà dix-neuf prises son actif. Son coup de main sur Rio, le 14 septembre 1711, avait été son fait d'armes le plus éclatant. Son rôle sous Louis XV est beaucoup moins brillant. Il est certes officier général (chef d'escadre de l'Amérique en 1715, lieutenant général en 1728), mais toute son activité en mer se réduit au commandement d'une escadre pour le Levant pendant la campagne de 1731. Des infirmités continuelles l'accablent pendant les quinze dernières années de sa vie. L'astre est sur son déclin.

DUHAMEL DU MONCEAU, Henri Louis (Paris, 1700 - *id.*, 1782). Il est l'un des plus grands agronomes français. Issu d'une famille aisée, possédant des terres à Denainvilliers et à Monceau près de Pithiviers, en Gâtinais, il fait ses études au collège d'Harcourt, et s'adonne très tôt aux sciences de la nature, préférant ne pas se marier afin de pouvoir s'y consacrer tout entier. Son œuvre maîtresse est le *Traité de la culture des terres* (1750), complété par les *Éléments d'agriculture* (1760). Ces deux ouvrages font la renommée de leur auteur et sont immédiatement traduits dans toutes les langues. Le système agricole de Duhamel est, à peine modifié, celui de l'Anglais Jethro Tull, tel que ce dernier l'exprimait dans un ouvrage paru à Londres en 1733. Duhamel, après Tull, préconise un travail systématique du terrain par des labours fréquents, une distribution soigneuse du grain par le moyen d'un semoir perfectionné, et la culture, à côté du froment, des navets, des raves, de la betterave, du sainfoin et de la luzerne pour le bétail. Le but recherché est de « procurer tous les ans une bonne récolte de froment dans une même terre ». Cependant, l'activité scientifique de Duhamel est loin de se limiter à l'agronomie. Inspecteur général de la marine, il publie en 1758 des *Éléments d'architecture navale* qui vont faire autorité. Passionné pour les métiers, il rédige plusieurs des traités de la *Description des arts et métiers* de l'Académie des sciences. Il fonde l'école des constructeurs de la marine et (avec Parmentier) celle de la boulangerie. Bon et véritablement humain, il connaît bien la condition réelle des travailleurs et s'efforce de l'améliorer par ses recherches sur les techniques et les machines. Savant probe et honnête, toujours prêt à reconnaître ses dettes scientifiques, il est l'une des figures les plus sympathiques de la science française en ce siècle.

DULAU, Jean-Marie d'Allemans, dit (château de la Coste, à Biras, près de Bourdeilles, dans le diocèse de Périgueux, 30 octobre 1738 - prison des Carmes, à Paris, 2 septembre 1792). Archevêque d'Arles, il est par sa science, ses talents d'administrateur, son zèle pastoral et sa mort glorieuse de martyr l'honneur de l'épiscopat. Il avait accompli à Paris, où son oncle, curé de Saint-Sulpice, l'avait fait venir, de brillantes études, ayant appris la théologie à Navarre et conquis la première place au classement de la licence. Son élévation est rapide. D'abord chanoine et trésorier du chapitre de la cathédrale de Pamiers, il est nommé ensuite grand vicaire de Bordeaux, puis en 1770 agent général du clergé, proposé par la province de Bordeaux. Sa réputation est déjà grande. On admire sa fermeté dans la défense des intérêts du clergé contre les empiètements de l'administration. On s'émerveille de sa charité. Des bénéfices dont il est pourvu (entre autres l'abbaye d'Ivry) il ne retient rien pour lui, distribuant tout aux pauvres. Le 2 mars 1776, Louis XVI le nomme à l'archevêché d'Arles, bien qu'il n'ait pas occupé auparavant de siège inférieur. Son modèle est saint Charles Borromée. Son épiscopat rappelle trait pour trait ceux des grands évêques réformateurs du siècle précédent. Il dresse un règlement de vie pour les membres de sa « famille » épiscopale, ouvre son gouvernement par une mission prêchée en 1776 dans sa ville métropolitaine et présidée par lui, procède en 1777 à une visite générale de son diocèse, restaure le collège, y créant un pensionnat, enfin veille personnellement sur son séminaire, examinant lui-même les séminaristes et payant de ses deniers la pension de nombre d'entre eux. La Révolution survenue il n'émigre pas, demeure autant que possible dans son diocèse, s'occupant de prémunir ses ouailles contre le schisme et de les préparer à la persécution. Il fait en sorte que les « vrais et fidèles catholiques », comme il dit, c'est-à-dire les non-schismatiques, puissent avoir dans Arles deux églises à eux pour y célébrer le culte. En janvier 1792, il institue des prières des quarante heures avec une indulgence plénière accordée à sa demande, et les fait dire dans les églises conventuelles encore ouvertes. Sa seule déclaration publique est son adresse à Louis XVI pour l'adjurer de ne pas sanctionner le décret du 26 mai 1792 ordonnant la déportation des prêtres réfractaires. Il signe ainsi son arrêt de mort. Arrêté à Paris le 11 août 1792, il est enfermé à la prison des Carmes où les gardiens le maltraitent et l'outragent. Lorsque, le 2 septembre 1792, les assassins envahissent la prison, c'est vers lui d'abord qu'ils se dirigent et c'est lui qu'ils massacrent le premier.

DUMARSAIS ou DU MARSAIS, Claude César Chesneau (Marseille, 17 juillet 1676 - Paris, 11 juin 1756). Grammairien et pédagogue, il est surtout connu pour sa contribution à l'*Encyclopédie* dont il rédigea tous les articles de grammaire. Ses humanités achevées, entra chez les Pères de l'Oratoire, mais en sortit très vite (1701). Il vint alors à Paris et se fit recevoir avocat (1704), puis se tourna vers le préceptorat. Successivement, le président Desmaisons, le ministre Law et le marquis de Beauffremont lui confièrent l'éducation de leurs enfants. A un moment, il dirigea même une petite pension au faubourg Saint-Victor. Outre ses articles de l'*Encyclopédie* il écrivit plusieurs ouvrages de grammaire et de méthode latine à l'usage des écoliers. Il passait pour janséniste, mais c'était une façade. En réalité, il était un athée militant et l'un des initiés de la secte philosophique. D'après le témoignage de Saint-Simon, le président Desmaisons, athée lui-même, avait recruté Dumarsais pour enseigner à son fils à n'avoir aucune religion. Voltaire donne à Dumarsais le nom de Diagore, qui est celui d'un philosophe athée. Selon Barruel, la pension du faubourg Saint-Victor était une école d'impiété, ce qui aurait entraîné sa fermeture par la police. Le personnage a donc deux visages, celui rassurant du grammairien, et celui inquiétant du sectaire militant. Il se confessera à sa mort et recevra le viatique. Les philosophes lui pardonneront.

Dans leur opinion, un moment de faiblesse ne pouvait balancer une réputation philosophique établie sur la conviction d'une vie entière.

DUNKERQUE. Le port de Dunkerque connaît en ce siècle une vie difficile. L'article 9 du traité d'Utrecht (1713) en avait prescrit le comblement, ainsi que la ruine des écluses et la destruction des forts. Ces exigences sont renouvelées à La Haye en 1717, à Aix-la-Chapelle en 1748 et au traité de Paris en 1763. Les fortifications reconstruites pendant les guerres doivent toujours être démolies ensuite. Des commissaires anglais résidant à Dunkerque veillent à l'application des traités. Il faut attendre le traité de Versailles de 1783 pour voir Dunkerque retrouver sa pleine liberté.

Cependant, l'activité portuaire n'a jamais été interrompue, et même elle n'a cessé de se développer. Un batardeau a été construit en 1715 pour empêcher l'accès au port et, pendant cinq ans, de 1715 à 1720, tout le trafic a été transféré à Mardyck : une nouvelle écluse permettait d'accéder à ce port de remplacement. Mais après la rupture par le flot, le 20 décembre 1720, du batardeau construit cinq ans plus tôt, l'activité revient à Dunkerque même, et les Anglais laissent faire. Certes, « les Dunkerquois n'ont jamais bénéficié des infrastructures nécessaires à leur commerce » (Christian Pfister Langanay, *Ports, navires et négociants à Dunkerque, 1662-1792*), mais cela n'empêche pas l'essor commercial : le trafic de Dunkerque représente deux fois le trafic malouin. La franchise totale concédée par Louis XIV en 1662, et renouvelée par Louis XVI, est le grand atout de ce port.

La pêche au hareng d'hiver, la pêche à la morue, la pêche à la baleine (à partir de 1777), le commerce des îles et la traite négrière (à partir de 1750) constituent les principaux éléments du trafic. Il faut cependant y ajouter la course et le « smogglage ». La course n'est pas d'un profit négligeable. Pendant la guerre de Sept Ans, Dunkerque arme soixante-sept vaisseaux corsaires qui font six cent quatre-vingt-onze prises, dont la vente produit 15 363 222 livres (C. Pfister Langanay). Pendant la guerre d'Indépendance américaine, le roi prête des navires aux armateurs qui les arment pour la course avec l'aide de fonds recueillis par souscription auprès des grands financiers (Éric Leroy, *Un aspect de l'intendance de Flandre : Calonne et la mer pendant la guerre d'Amérique [1778-1783]*). Quant au « smogglage » il consiste en l'introduction en fraude en Angleterre d'alcool et de thé, denrées dont le prix a beaucoup moins augmenté sur le continent.

En 1784, le gouvernement royal, de concours avec la ville, entreprend de grands travaux pour l'amélioration du port. Dunkerque, dont la population s'élève alors à 15 000 habitants, se renouvelle et s'embellit. On agrandit l'église paroissiale Saint-Éloi. De nouveaux quartiers sont lotis en 1785.

Dunkerque présente cette particularité d'avoir possédé la première loge maçonnique du continent, fondée par des jacobites le 13 octobre 1721.

DUPARC, Françoise (Murcie, 1726 - Marseille, 1778). Peintre, fille du sculpteur marseillais Antoine Duparc, formée par Jean-Baptiste Van Loo, elle manifesta de bonne heure d'étonnantes dispositions, une aptitude extraordinaire à copier, un sens averti de la couleur. Après un court séjour à Paris, elle passa de nombreuses années à Londres où son succès fut très grand, les plus grands personnages de la Cour ayant voulu se faire portraiturer par elle. A la fin de sa vie, elle revint à Marseille et fut admise en 1776 à l'Académie de cette ville. Ses œuvres conservées ne sont pas nombreuses. Quatre sont particulièrement dignes d'admiration : *La Vieille, La Laitière, La Tricoteuse* et *L'Homme à la besace. La Tricoteuse* est un chef-d'œuvre. On trouve dans cette toile l'atmosphère de recueillement et de respect propre aux œuvres de Chardin.

DUPIN DE CHENONCEAUX, Claude (Châteauroux, 1684 - Paris, 1769). Fer-

mier général, il commence modestement sa carrière dans l'emploi de receveur des tailles à Châteauroux, sa ville natale. Il doit son élévation à la puissante protection de Samuel Bernard, dont il épouse en deuxièmes noces la fille naturelle. La seconde Mme Dupin a la fibre philosophique. Cela fait que la maison du financier recueille quelque temps Jean-Jacques Rousseau (1742). On a de Claude Dupin plusieurs ouvrages d'économie, dont un *Mémoire sur les blés*, publié à Paris en 1748.

DUPIN, Louise Marie Madeleine Fontaine, dame (1707 - Chenonceaux, 20 novembre 1799). Seconde femme du précédent, elle est fameuse par ses réceptions de Chenonceaux et par ses liens d'amitié avec les philosophes. Elle était la fille d'un commissaire général de la marine. Cependant, certains auteurs la disent fille naturelle de Samuel Bernard. Elle épouse en 1724 Claude Dupin. Elle a dix-sept ans, son mari en a quarante-trois. C'est un homme fort riche et qui obtient en 1726 une place de fermier général. Il achète l'hôtel Lambert à Paris et le château de Chenonceaux en Touraine. Si l'on en juge par le portrait de Nattier, la jeune Mme Dupin est l'une des plus jolies femmes de son temps : un visage d'un ovale exquis, de grands yeux rêveurs et une finesse remarquable de traits. Elle est aussi l'une des plus vertueuses : on ne lui connaît aucun amant. Elle est enfin l'une des plus spirituelles. Elle écrit des ouvrages de morale. L'abbé de Saint-Pierre est son protégé et son ami. Jean-Jacques Rousseau a été un moment son secrétaire. Elle l'avait chargé de rassembler de la documentation pour un ouvrage qu'elle voulait écrire sur l'éducation des filles. Elle lui confia même pendant un temps l'éducation de son fils. Ses fêtes de Chenonceaux sont parmi les plus brillantes du temps. Le corps de ballet de l'Opéra s'y produit souvent. Elle meurt en 1799, nonagénaire, ayant réussi à empêcher la confiscation de Chenonceaux. Sa mort est chrétienne. Il faut toutefois convenir qu'il y a bien peu de christianisme dans ses écrits. La morale qui s'y exprime est plus stoïcienne que chrétienne. C'est un mélange d'hédonisme sage et d'honnêteté. Dans ses *Idées sur le bonheur*, on relève cette maxime : « Admettons tout, jouissons de tout, ne fuyons que le mal. »

DUPLEIX, Joseph François, marquis (Landrecies, 1er janvier 1697 - Paris, 13 novembre 1763). Gouverneur général des établissements de la Compagnie des Indes en Inde, il a fait toute sa carrière dans cette Compagnie. Son père en était l'un des directeurs. En 1720, il est nommé premier conseiller au Conseil supérieur de Pondichéry ; en 1730, directeur du comptoir de Chandernagor ; en 1742 gouverneur général pour l'Inde. Pendant la guerre de Succession d'Autriche, il doit affronter les assauts des Anglais. Sa résistance est résolue et implacable. En 1746, Mahé de La Bourdonnais, ayant pris Madras aux Anglais, avait consenti à rendre la ville moyennant finance. Dupleix fait annuler cet accord. En 1748, l'amiral anglais Boscawen l'assiège dans Pondichéry. Il réussit à sauver la place. La guerre terminée il entreprend sa grande politique. Son idée est de fonder le pouvoir de la Compagnie des Indes sur une vaste domination territoriale. La puissance du Grand Moghol n'est plus qu'apparente. Des trônes sont vacants. Il y place ses candidats : Tchanda Sahib dans le Carnatic, Mourzapha dans le Dekkan. Il leur fait reconnaître sa protection et les soutient militairement. En 1751, par ce système de protectorat, la zone d'influence de la France s'étend sur un pays peuplé de près de 30 millions d'habitants. Les Anglais ripostent. Ils apportent leur aide à Mohammed Ali, l'adversaire de Tchanda Sahib. Ce dernier est pris et décapité. En cette guerre du Carnatic, Dupleix fait des prodiges. Il se porte sept fois sur Tritchinapali, ville dont la possession l'aurait rendu maître du pays. C'est en vain. Il n'est pas soutenu et manque par trop de moyens. Ni Versailles ni la Compagnie n'approuvent sa politique d'expansion territoriale. Après la capitulation de Siringam (13 juin

1752), la Compagnie engage les négociations avec les Anglais. Godeheu est envoyé à Pondichéry pour relever Dupleix. Le 26 décembre 1754, il passe avec le gouverneur britannique un accord aux termes duquel les directeurs des deux compagnies, l'anglaise et la française, s'engagent à ne plus s'immiscer dans les conflits entre les princes hindous. C'est le désaveu de toute l'œuvre de Dupleix. Celui-ci s'est déjà rembarqué pour la France le 4 octobre 1754. On doit admirer son entreprise, mais on ne peut en nier le caractère chimérique. L'aventure de Dupleix n'avait tenu aucun compte du poids de la mer dans l'édification d'un empire colonial. L'Inde était trop éloignée de la France. Le protectorat français ne reposait que sur le prestige vis-à-vis des populations locales. C'était une base fragile. On le vit bien : au premier accrochage, l'influence française s'effondra.

DUPLEIX DE BACQUENCOUR, Guillaume Joseph (1727-1794). Seigneur de Bucy et de Bacquencour, intendant de diverses généralités, conseiller d'État, il est le fils d'un fermier général et le neveu du gouverneur de Pondichéry. Nommé en 1756 maître des requêtes, il rapporte au Conseil le dossier de révision du procès Calas, et fait casser l'arrêt du parlement de Toulouse. Cela lui vaut les félicitations de Voltaire (1765). La même année, il est envoyé à Pau avec le conseiller d'État Feydeau de Marville, pour tenter de réconcilier le parlement de cette ville. Le succès de sa mission lui vaut une pension et l'intendance de La Rochelle, qu'il échange en 1767 contre celle d'Amiens (1767-1771). Nommé enfin en Bretagne, il fait preuve dans cette troisième intendance (1771-1774) d'une « énergie sans brutalité » (Henri Fréville, *L'Intendance de Bretagne (1689-1790). Essai sur l'histoire d'une intendance en pays d'états au XVIIIe siècle*), et réussit à limiter les empiètements de la commission intermédiaire des états. Intendant de Bourgogne de 1774 à 1781, il est ensuite nommé conseiller d'État et siège à ce titre comme rapporteur aux deux assemblées des notables. Dans la deuxième, celle de 1788, il se montre un adversaire résolu des thèses du parti national. Il finira ses jours à Paris, le 7 juillet 1794, sous le couperet de la guillotine.

DUPLESSIS, François Xavier (1694-1771). Jésuite, il s'est illustré dans la prédication des missions intérieures. Il a prêché dans toute la France. Ses *Avis et pratiques pour profiter de la mission* (Paris, 1739) ont été très répandus et réédités au moins quatre fois.

DU PLESSIS D'ARGENTRÉ, Charles (1673-1740). Évêque de Tulle, il est l'une des figures les plus remarquables de l'épiscopat français. Ses études avaient suivi le cursus classique : séminaire Saint-Sulpice et doctorat en théologie. Il est nommé évêque de Tulle en 1723 après avoir été vicaire général de Tréguier. Il visite inlassablement son diocèse. Dans le mandement des vicaires généraux publié à l'occasion de ses obsèques, on lit que «jamais pasteur ne connut mieux son troupeau». Mais la grande originalité de cet évêque, ce qui le distingue le mieux de ses confrères en épiscopat, est sa science de théologien. Il consacre sept heures par jour à l'étude (hors le temps des visites pastorales) et publie un grand nombre d'ouvrages destinés pour la plupart à l'instruction de son clergé et de ses fidèles. Les titres principaux sont l'*Explication des sept sacrements de l'Église institués par N.S.J.-C. pour l'utilité du clergé et des fidèles de son diocèse* (1734), *Méthode de l'oraison mentale* (1735) et *Explication de l'opération de Dieu qui est la première cause universelle* (1737). La théologie de Mgr d'Argentré est celle de Saint-Thomas et de Banez. Nourri de l'Écriture sainte, il recommande aux fidèles «d'avoir un Nouveau Testament et d'en lire tous les jours quelque chapitre pour en faire le sujet de leur méditation». En matière de morale il n'est ni rigoriste ni laxiste. Résolument opposé au jansénisme, il est aussi très peu gallican et prend la défense de Rome et du sou-

verain pontife. On peut lire par exemple sous sa plume un vibrant éloge de l'esprit de pauvreté des papes de son temps. Tout cela fait de lui une singulière exception.

DUPONT DE NEMOURS, Pierre Samuel (Paris, 14 décembre 1739 - Eleutherian Mills, près de Wilmington, Delaware, 7 août 1817). Économiste, il est un remarquable exemple de réussite rapide et facile. Au désespoir de son père, horloger de talent et sévère huguenot, il ne s'était résolu à aucune étude sérieuse. Il tournait au bon à rien, au raté. Mais un jour — il est alors âgé de vingt-trois ans — il lui prend fantaisie d'écrire des *Réflexions sur la richesse de l'État*. Cela suffit. Il est sacré homme indispensable et penseur à la mode. Quesnay l'enrôle dans son école (1763). Mme de Pompadour s'entiche de lui. Méliand, intendant de Soissons, le prend pour secrétaire. Sa jeunesse, son entregent, son esprit inventif servent grandement le parti physiocratique. Il en devient en quelque sorte le chef d'état-major. C'est d'ailleurs lui qui invente le mot «physiocratie». En 1769, la direction des *Éphémérides du citoyen* lui est confiée. Il y remplace l'abbé Baudeau. Mais le journal vivote et plafonne à deux cents abonnés. Du Pont n'est pas fait pour vivoter. Il abandonne, accepte une place de précepteur des enfants Czartorisky et, le 18 juillet 1774, avec sa famille (il a épousé en 1766 Mlle Le Dée, et en a eu deux enfants), part pour la Pologne. Il n'y reste pas longtemps. Turgot est au pouvoir et réclame ses services. En septembre 1774, Louis XVI lui adresse une lettre de rappel et le nomme inspecteur général du commerce avec des appointements de 8 000 livres par an et un logement de fonction au Contrôle général. C'est ainsi que le jeune économiste devient un grand commis. Les changements de ministère ne l'affectent guère. Il sert Necker après Turgot, Vergennes après Necker, Calonne après Vergennes et encore Necker. Tous lui confient d'importantes missions. Il rédige pour Necker le *Mémoire sur les municipalités*. Il est l'un des négociateurs du traité de commerce de 1786 avec l'Angleterre. Aux deux assemblées des notables, il remplit les fonctions de secrétaire. Tout cela ne l'empêche pas de militer dans le parti national et d'être assidu à la Société des trente. Élu aux États généraux par le tiers état du bailliage de Nemours (d'où son nom de Nemours), il participe activement à l'œuvre de la Constituante et se signale en particulier dans l'entreprise de spoliation des biens du clergé. « Les biens du Clergé sont à vous, déclare-t-il aux députés, c'est-à-dire à la Nation qui vous a confié son pouvoir. » Il est également l'un des principaux auteurs de la suppression des vœux monastiques. Le 10 février 1790, il fait cette déclaration : « … en abolissant les ordres monastiques, on fait une opération excellente et pressante pour l'humanité et les finances. » Sa position de monarchien lui vaut quelques ennuis après le 10 août et après le 18-Fructidor (il est arrêté deux fois et emprisonné deux fois à la Force). Mais il refait toujours surface. On le trouve député au Conseil des anciens sous le premier Directoire, vice-président de la chambre de commerce de Paris sous l'Empire, secrétaire général du gouvernement provisoire en 1814 après l'abdication de Napoléon. Il aurait même été l'un des auteurs de la Charte. Au début des Cent-Jours, il se réfugie aux États-Unis, où il avait déjà passé trois ans (de 1800 à 1803), et où il avait fondé une maison de négoce appelée Du Pont de Nemours, père et fils et cie. Il y finira sa vie. Sa pensée politique est celle d'un libéral et d'un constitutionnel. Déjà, dans le *Mémoire sur les municipalités*, il déplorait que la France n'eût pas de Constitution. Sa philosophie est une sorte d'étrange naturalisme. Selon lui, l'univers se compose de la matière et de l'intelligence qui l'anime. Il pense qu'il y a une parenté étroite entre les êtres, et qu'un même principe intelligent peut animer successivement diverses créatures. « Je n'ai aucune répugnance, écrit-il, à croire que j'étais naguère un très honnête chien, singulièrement fidèle et obéissant à maître et maîtresse, cherchant et rappor-

tant à merveille […] et n'ayant aucune peur du loup. » Il croit également que les animaux, même les plus rudimentaires, peuvent manifester de l'intelligence. L'huître l'intéresse particulièrement. « Par l'intelligence et la réflexion, déclare-t-il, elle acquiert la prudence, la sagesse et l'aptitude au travail » (cité par Pierre Jolly, *Dupont de Nemours, soldat de la liberté*, Paris, 1956, p. 246). On a peine à croire que l'un des hommes de confiance du gouvernement de Louis XVI, l'un des hommes politiques les plus influents de la Révolution et du régime impérial, ait pu penser de pareilles sornettes et surtout qu'il ait pu les écrire.

DUPORT, Adrien (Paris, 1758 - Appenzell, Suisse, 1798). Conseiller au parlement de Paris, sa carrière se déroule en deux temps : avant et après 1789. Sous le règne de Louis XVI, il est le principal animateur de l'opposition parlementaire. Ses interventions les plus agressives datent de 1787 : le 10 août il attaque l'administration Calonne ; le 28 décembre il fait le procès des lettres de cachet. L'année suivante, il prend parti pour le doublement du tiers et la délibération en commun des ordres, et se sépare de l'opposition conservatrice du Parlement. Sa principale affaire est désormais de préparer le changement de régime. A partir de novembre, il réunit chez lui dans son hôtel de la rue du Grand-Chantier les chefs du parti dit « national » : Mirabeau, La Fayette, Montmorency-Luxembourg et quelques autres. Sous la Révolution, il appartient à la catégorie des destructeurs repentis. Après avoir tout fait pour diminuer l'autorité royale, il commence en 1791 à s'effrayer de l'anarchie. Louis XVI le consulte, mais il est trop tard. Arrêté après le 10 août 1792, il est sauvé de la guillotine par son ami Danton. Il meurt en émigration.

DUPRÉ DE SAINT-MAUR, Nicolas (1732-1791). Intendant de province, conseiller d'État, il est le fils d'un trésorier de France, membre de l'Académie française. Après avoir été conseiller au Parlement (reçu en 1751), il est nommé maître des requêtes, puis intendant, d'abord à Bourges (intendant-adjoint de 1764 à 1767, puis intendant en titre de 1767 à 1776), ensuite à Bordeaux, de 1776 à 1787. Comme tous les intendants de cette époque, il s'applique à des entreprises de développement économique et scientifique. Son plan de réseau routier pour le Berry est adopté par Trudaine. A Bordeaux, il crée un jardin botanique, préconise la culture du tabac, fonde la société scientifique du Musée, et fait de grands projets d'urbanisme. Il se distingue des autres intendants par un désir passionné de justice fiscale et par sa volonté constamment manifestée de réformer la corvée. Déjà, lorsqu'il était intendant-adjoint à Bourges, il avait proposé dans un *Mémoire* (1766) un système de répartition plus équitable de cette charge. A Bordeaux, encouragé par l'exemple de Turgot, il passe aux actes, et remplace la corvée par une crue de la taille d'un tiers. Il se heurte alors aux privilégiés. Un supplément de taille se traduirait par une diminution des fermages. Les grands propriétaires ne sauraient l'admettre. Le Parlement casse les ordonnances de l'intendant. Le Conseil du roi casse les arrêts du Parlement. Le conflit dure cinq ans, de 1779 à 1784. Lassé, l'intendant finit par abandonner la lutte. Il est nommé conseiller d'État semestre en 1785, et quitte Bordeaux pour Paris.

DUQUESNE DE MENNEVILLE, Ange (1702-1778). Gouverneur de la Nouvelle-France, il est le petit-fils de l'amiral de Louis XIV. Lui aussi est officier de marine. Il s'élève jusqu'au grade de capitaine de vaisseau. Il est nommé en 1752 gouverneur du Canada, sur la recommandation de La Galissonnière. Ce dernier avait conçu le projet de fortifier la vallée de l'Ohio. Duquesne exécute le plan de son prédécesseur. En 1753, il fait élever plusieurs forts dans la vallée. En avril 1754, il fait construire au confluent de l'Alleghany et de la Monongahela le fort qui porte son nom. Autant de défis lancés aux Anglais. Ceux-ci tentent de

riposter. Ils sont écrasés le 9 juillet 1755 à la bataille de la Monongahela. En novembre, Duquesne rembarque pour la France. Pourquoi un homme si efficace est-il si tôt rappelé ? On l'ignore. Il est vrai que la politique coloniale de la monarchie n'en était pas à une incohérence près.

DURAND DE DISTROFF, François Michel (1714-1778). Ministre plénipotentiaire, garde du dépôt des Affaires étrangères, il est l'un des principaux agents du Secret du roi. Les affaires de Pologne sont sa spécialité. Entre 1759 et 1770, il effectue plusieurs séjours dans ce pays, comme secrétaire ou comme chargé d'affaires. Il y dispose de plusieurs informateurs. Sa liaison avec la princesse Miecznik Radziwill lui permet de recruter celle-ci pour le service du Secret. Deux autres missions lui sont confiées ; la première à Londres en 1762, comme adjoint au duc de Nivernais : il y négocie la paix ; la seconde à Vienne en 1770 : il s'y laisse surprendre par le premier partage de la Pologne. C'était pourtant un esprit lucide et avisé. Dès 1762, il avait conseillé à Broglie de commencer à préparer la guerre de revanche contre l'Angleterre. En 1772, il est l'auteur avec Broglie d'un rapport suggérant au roi la formation d'une ligue des pays du Midi capable de contrebalancer les forces des puissances du Nord.

DUVAL D'ÉPRÉMESNIL, Jean-Jacques (1746-1794). Conseiller au parlement de Paris, puis député aux États généraux et à l'Assemblée constituante, il présente cette particularité rare de n'avoir jamais varié dans ses idées politiques et de les avoir toujours défendues, sous l'Ancien Régime comme pendant la Révolution, avec constance et courage. Il était partisan d'une monarchie à la Montesquieu, contrôlée par les états généraux et par les parlements. L'opposition parlementaire sous Louis XVI n'a pas de chef plus résolu. Le 19 novembre 1787, il adjure le roi de convoquer les États généraux. En 1788, il dévoile le projet du ministère de détruire les parlements et de les remplacer par une « cour plénière ». C'est lui qui rédige les itératives remontrances du 30 avril et l'arrêt du 3 mai opposant une monarchie modérée au despotisme administratif. Arrêté en plein Parlement, le 6 mai au cours d'une scène mémorable, il est envoyé à l'île Sainte-Marguerite et demeure dans cette prison jusqu'au 15 septembre. Aux États généraux, où il a été élu député de la noblesse de Paris, puis à l'Assemblée constituante, il continue à défendre sa monarchie, et siège du côté droit. Il s'oppose à la suppression des parlements et à la Constitution civile du clergé. Le 28 février 1791, il défend l'inviolabilité de la personne du roi. Le 8 août 1791, il élève une protestation solennelle « contre toutes les entreprises pratiquées depuis 1789 sur l'autorité royale, sur les parlements et sur les principes de la monarchie ». Il paie son courage de sa vie. Le roi l'avait emprisonné. La Révolution l'assassine. Il est arrêté à la fin de 1793, condamné à mort par le Tribunal révolutionnaire le 2 floréal an II (21 avril 1794), et exécuté le même jour en compagnie de Malesherbes et de Le Chapelier. Ce défenseur ardent des anciennes institutions était un adepte de Mesmer et un franc-maçon de haut rang, vénérable de la loge parisienne de Saint-Joseph.

E

EAUX. « Prendre les eaux », c'est-à-dire se soigner par les sources d'eau minérale, est une thérapeutique très à la mode.

Les sources les plus fréquentées sont, dans les Vosges : Luxeuil et Plombières ; dans le Sud-Est : Aix-les-Bains, Vals et Balaruc ; en Auvergne : Vichy, Le Mont-Dore et Bourbon-Lancy ; dans les Pyrénées : Bagnères-de-Bigorre, Barèges, Cauterets, Dax et Luchon ; en Champagne : Bourbonne ; et en Normandie : Forges-les-Eaux. On se rend aussi à l'étranger : à Louèche et à Évian en Suisse, à Spa aux Pays-Bas, à Wiesbaden en Hesse et à Bath dans le Somerset.

Chaque station a sa spécialité. Balaruc, Bagnères et Barèges guérissent les rhumatismes, Vals la pierre et les fièvres intermittentes, Louèche l'hypocondrie, les maux hystériques et les maladies de la peau.

Il n'est pas une seule station qui n'ait reçu au cours du siècle la visite de quelque très haut personnage. Mesdames, filles de Louis XV, ont séjourné à Plombières et au Mont-Dore. Plombières est particulièrement à la mode au temps de Louis XV et de Stanislas. Le maréchal-duc de Belle-Isle, la comtesse d'Argenson et Mme du Deffand y viennent régulièrement. Le président Hénault y fait en juillet 1744 une entrée fort remarquée, les « jambes fort enflées ». Sous le règne de Louis XVI, Bourbonne éclipse Plombières. Malgré leur éloignement, les stations pyrénéennes gardent tout au long du siècle la faveur de la noblesse de Cour. Il est vrai qu'elles peuvent se targuer de deux illustres guérisons : celle du duc du Maine enfant et celle du duc d'Orléans, guéri en 1740 d'une impotence presque complète.

Transplantée aux eaux, la société de Cour y continue ses mondanités. A Barèges, selon la relation de Dusaulx (*Voyage aux Pyrénées en 1788*), « on donne des bals ». Le cardinal de Rohan y organise en 1787 un grand dîner sur l'herbe avec des illuminations. Certains trompent l'ennui de la cure en jouant un jeu d'enfer. « En général, écrit Dusaulx, ceux qui viennent ici, aiment mieux y croupir autour d'une table de jeu, que de s'y essouffler gratuitement en gravissant les plus belles collines. » Il est toutefois des curistes sensibles aux attraits de la nature sauvage. Lors de leur séjour à Luchon en 1787, le duc et la duchesse de La Rochefoucauld font chaque après-midi, de six heures environ à huit heures et demie, une longue promenade. Les voyages aux eaux font connaître les montagnes et rapprochent de la nature.

Il serait intéressant de connaître l'autre clientèle, celle des bourgeois et des gens du peuple. Nous savons que de Toulouse, par exemple, des marchands et des artisans venaient boire les eaux sulfureuses des Pyrénées. A Bagnères, on pouvait lire, gravé sur la fontaine du

Pré, ce sixain naïf, ex-voto d'un chapelier toulousain nommé Céré :

> Dieu fit à mon gré
> L'heureux bain du Pré ;
> Je marchais à peine ;
> Après treize bains,
> Mes mains et mes pieds
> N'ont rien qui me gêne.

Un siècle plus tôt, les malades fréquentaient surtout les sanctuaires mariaux. Aujourd'hui les pèlerinages n'ont pas disparu, mais ils déclinent. On a tendance à leur préférer les voyages aux eaux.

EAUX (Compagnie des). La Compagnie des eaux de Paris est une société en commandite, fondée le 28 août 1778 par les frères Jacques Constantin et Auguste Charles Périer. L'article 2 du traité de fondation fixe le fonds social à 1 440 000 livres, représenté par 1 200 actions au porteur de 1 200 livres chacune. Les frères Périer s'étaient engagés en novembre 1775 à distribuer l'eau de la Seine par le moyen de pompes à feu. Sur avis favorable du Bureau de la ville de Paris, des lettres patentes leur avaient été accordées le 7 février 1777.

La Compagnie honore ses engagements (*voir* PÉRIER) malgré de très graves difficultés financières qu'une avance de 1 200 000 livres, consentie par le Trésor royal, ne peut résoudre. En 1785, l'agiotage sur les actions fait monter le titre à plus de 3 000 livres. Mais une campagne d'opinion, orchestrée par le banquier Clavière, le fait retomber à moins de 2 000 en mars 1786. Clavière s'intéresse à un autre projet, celui des eaux de l'Yvette. Mirabeau travaille pour Clavière et publie contre la Compagnie des eaux plusieurs pamphlets, auxquels répond Beaumarchais, défenseur de la Compagnie.

En 1788, à la suite d'un traité passé avec la ville de Paris et homologué par arrêt du Conseil du 18 avril 1788, la Compagnie se renouvelle et prend le nom d'Administration royale des eaux de Paris.

EAUX ET FORÊTS (maîtrises particulières des). Les maîtrises particulières des Eaux et Forêts font partie de ce qu'on appelle les juridictions d'exception, c'est-à-dire ayant une compétence particulière et non point générale. Elles sont établies pour veiller à la conservation des bois et empêcher les abus qui peuvent être commis sur les rivières, tant à l'occasion de la pêche que de la navigation. Elles s'occupent à la fois de l'administration et de tous les procès civils et criminels.

On compte à peu près une maîtrise par bailliage. Par exemple, la Bretagne a sept maîtrises : Rennes, Nantes, Vannes, Quimper, Fougères, Villecartier et Gavre.

Les jugements des maîtrises sont susceptibles d'appel et aboutissent à la Table de marbre des Eaux et Forêts, juridiction tenue dans l'enceinte du palais de justice par le grand maître des Eaux et Forêts.

L'édit de mai 1716 a fixé la composition de ces juridictions. Chaque maîtrise doit comprendre des officiers suivants : maître, lieutenant, procureur du roi, garde-marteau, greffier, receveur des amendes et un nombre suffisant d'arpenteurs, d'audienciers, d'huissiers et de gardes.

ÉCLAIRAGE. On s'éclaire à la chandelle ou à la bougie de cire, ou bien encore à la lampe à huile. Vers 1782, Ami Argand invente une nouvelle lampe à huile où la disposition de la mèche permet d'augmenter le pouvoir éclairant. Il remplace les grosses mèches de coton par des mèches plates qu'il enroule pour en faire un large canal donnant accès à l'air. La lampe est munie d'une cheminée en verre. On va donc l'appeler « lampe à air ». L'apothicaire Quinquet et l'ouvrier Lange s'associent pour la fabriquer. Les lampes à air, ou quinquets, seront utilisées pour la première fois en public à la Comédie-Française le 27 avril 1784 lors de la première représentation du *Mariage de Figaro*.

La lampe à huile (huile de noix le plus souvent) est la lampe du paysan, la lampe du pauvre. On la nomme, selon les régions, « calel » ou « chaleil » (Poitou), « coupillon » (Champagne) ou « calande » (Provence). A la Cour et chez les grands et les riches brûlent les chandelles. Les lustres à cristaux deviennent sous Louis XV une pièce essentielle de l'ameublement. On cherche à se protéger de l'éclat trop brutal de la lumière. Au « conserve de vue », sorte d'écran, succède le « garde-vue » qui n'est autre que notre abat-jour, et dont l'invention en 1751 est attribuée au ferronnier Lazare Duvaux sur une idée de la comtesse de Bissy.

Depuis une ordonnance de police de 1666, Paris bénéficiait d'un éclairage public digne de ce nom. Au cours du XVIIIᵉ siècle, cet éclairage est amélioré. Dans un premier temps, les lampes à huile remplacent les chandelles. Ensuite sont installés des « réverbères » de forme analogue à ceux d'aujourd'hui, invention de Bourgeois de Châteaublanc. Selon la description du nouvelliste Metra, il s'agit de « fortes lampes dont la lumière est multipliée et renvoyée au loin au moyen de miroirs de métal qui la réfléchissent ». Le 30 juin 1769, l'entreprise de l'éclairage de Paris, comportant 3 000 « réverbères » munis de 7 000 becs de lumière, est attribuée pour vingt ans à Tourville-Segrain, constructeur de ces nouvelles lampes. Les autres grandes villes suivent l'exemple de Paris et s'éclairent mieux. C'est ainsi par exemple que la ville de Clermont décide en 1761 de remplacer les chandelles de ses 190 lanternes par des lampes à huile.

ÉCOLE ROYALE DES MINES. Le dispositif de surveillance de l'industrie minière de la France devait être complété, selon les institutions de ce pays et les habitudes de ce peuple, par un corps d'inspection se recrutant à la sortie d'une école spéciale. Orry et Trudaine ont également voulu améliorer l'efficacité du travail des mines : une École des mines devait former des chefs d'exploitation et des techniciens. Pendant longtemps, le gouvernement s'est contenté de donner une formation supplémentaire à quelques élèves du corps des Ponts et Chaussées et d'inciter les concessionnaires de mines à envoyer des sujets à leur école.

En 1765, la Bergakademie de Freiberg, au royaume de Saxe, est créée et sa notoriété s'étend rapidement en Europe. Le ministre Bertin hésite sur le parti à prendre. On lui propose d'établir l'école française près du lieu d'exploitation d'une mine ; il objecte que l'enseignement théorique ne pourrait y être donné. On lui dit que l'École des ponts et chaussées pourrait suffire, moyennant la création d'un cours de métallurgie au Jardin du roi ; mais les inspecteurs des manufactures, dont le corps a été créé en 1669, n'ont pas davantage d'école. Georges Sage, qui a ouvert en 1760 un cours public et gratuit de minéralogie docimastique dans l'officine de son père et qui jouit d'une grande notoriété comme professeur, obtient en 1778 qu'une chaire publique de minéralogie docimastique soit érigée en sa faveur. Sage transfère sa collection de minéraux dans le nouvel hôtel de la Monnaie, quai Conti, et y commence son enseignement le 2 décembre 1778. Puis, en faisant agir ses relations et en donnant de sa personne, il parvient à convaincre le personnel dirigeant du contrôle général de transformer sa chaire en une véritable école : l'arrêt du Conseil d'État du 19 mars 1783 instituant l'École royale des mines à la Monnaie marque le terme de ses efforts.

Selon les termes de l'arrêt il y aurait deux professeurs, l'un pour « la chimie, la minéralogie et la docimasie », l'autre pour « la physique, la géométrie souterraine, l'hydraulique et la manière de faire avec le plus de sûreté et d'économie les percements et renouveler l'air dans les mines pour y entretenir la salubrité, enfin, les machines nécessaires à leur exploitation et la construction des fourneaux ». L'enseignement doit durer trois ans : du 1ᵉʳ novembre au 1ᵉʳ juin, à raison de six leçons de trois heures par semaine, il est sanctionné par des examens partiels et complété par un stage pendant les mois d'été, sous la conduite de directeurs de mines. Les élèves de l'État ayant satisfait aux conditions des examens et du stage reçoivent un brevet de sous-ingénieur des Mines, dernier grade du nouveau corps. Un crédit annuel de 3 000 livres doit permettre d'attribuer douze bourses «à des enfants des directeurs et des principaux ouvriers des mines, qui n'auraient pas assez de fortune pour les envoyer étudier à Paris».

L'État acquiert le cabinet de Sage en 1783 et le roi nomme Sage et Duhamel aux deux places de professeurs, le premier étant également désigné pour être le directeur des études. Ils enseignent aux élèves et, à d'autres heures, au public. Ce dernier peut également suivre le cours de minéralogie de Daubenton au Collège de France. Un professeur de dessin et d'architecture pratique, un professeur de géométrie et de mécanique et un professeur d'allemand sont attachés à l'École. En 1783 et 1785, sont admis onze élèves salariés par l'État et, de 1783 à 1787, une trentaine d'élèves surnuméraires, non salariés ni boursiers; la plupart de ces derniers sont intégrés dans le corps des Mines pendant la Révolution. Au printemps de 1788 l'École comprend six élèves des Mines et dix-huit surnuméraires, mais l'enseignement y est suspendu à cause de la disette de finances. Il reprend en 1794 à la suite de l'arrêté du Comité de salut public du 6 juillet 1794 qui rétablit le recrutement d'élèves du corps des Mines. L'École est installée dans l'hôtel de Monchy.

Cependant, les partisans de l'enseignement pratique parviennent à obtenir le remplacement de l'École par deux établissements sis dans les pays annexés, à Pesey (département du Mont-Blanc) et à Geislautern en Sarré, par l'arrêté des consuls du 12 février 1802. L'École est recréée à Paris en 1814 et installée en 1816 dans l'hôtel de Vendôme, où elle est encore. Une concession est faite aux tenants de l'école pratique par la création de l'École des mines de Saint-Étienne, en 1816 également (ordonnance du 2 août). En 1843 est fondée l'école d'Alès, pour la formation des porions.

ÉCOLE ROYALE DES PONTS ET CHAUSSÉES. On peut considérer Trudaine comme le fondateur de cette école. Ayant été chargé en 1743 du département des Ponts et Chaussées, il en réorganise l'administration et, pour en augmenter l'efficacité, crée en 1744 un bureau des dessinateurs, où les ingénieurs compléteront leur formation. Ce bureau évolue et devient une véritable école, reconnue comme telle en 1775 par Turgot. Trois concours d'entrée ont lieu tous les ans. Le jury est composé d'inspecteurs généraux de l'Assemblée des ponts et chaussées, assistés de membres de l'Académie des sciences. Les études durent trois ans.

ÉCOLES (petites). Les petites écoles sont celles où l'on apprend à lire, écrire et compter.

Elles peuvent avoir des statuts très différents. Les petites écoles villageoises des communautés d'habitants sont les plus nombreuses. Leurs maîtres sont recrutés par la communauté et payés par elle. Certains types de petites écoles propres aux villes, celles des maîtres écrivains et celles des communautés jurées de maîtres. Les petites écoles dites de «charité» sont réservées aux pauvres. Elles sont gérées soit par les hôpitaux, soit par les paroisses. Paris en compte près de deux cents. Les écoles tenues par les instituts religieux enseignants peuvent être considérées comme une catégorie à part, bien que beaucoup d'entre elles rentrent dans les catégories précédentes, certaines étant des écoles de charité, d'autres des écoles municipales, quelques-unes enfin des écoles villageoises. Il s'agit le plus souvent d'instituts féminins, et leurs écoles sont des écoles de filles. Les Ursulines, les Filles de la Charité, les sœurs du Saint-Enfant-Jésus et les Filles de la Providence de Rouen viennent en tête de ces congrégations enseignantes. On trouve ensuite les Filles de la Sagesse, les sœurs de Saint-Charles de Lyon et quelques autres grandes congrégations régionales. Les instituts masculins sont beaucoup moins nombreux. Le plus actif est celui des frères des Écoles chrétiennes, fondé en 1695 par saint Jean-Baptiste de la Salle.

Il y a des écoles payantes et des écoles gratuites. Les payantes sont celles des maîtres écrivains et des communautés jurées de maîtres. Dans les écoles des communautés d'habitants des campagnes, les parents doivent verser des droits d'écolage peu élevés, variant entre 5 et 15 sous par mois. Les écoles de charité sont gratuites, ainsi que celles des frères des Écoles chrétiennes. Ces derniers ont introduit une innovation révolutionnaire : ils accueillent gratuitement tous les enfants, les riches comme les pauvres. Il semble que les Filles de la Providence de Rouen et les sœurs du Saint-Enfant-Jésus aient agi de même. Il faut ajouter que les écoles payantes sont gratuites pour les pauvres. Les statuts synodaux des diocèses font de cette gratuité une règle.

Rares sont les petites écoles qui se suffisent à elles-mêmes. Presque toutes doivent recourir à un financement privé ou public. Les écoles villageoises sont entretenues par la communauté qui s'impose elle-même dans ce but. Un grand nombre d'écoles de tous statuts vivent des revenus de fondations privées. En Anjou, au cours du siècle, trente-cinq nouvelles petites écoles sont érigées par fondations. Les fondateurs sont pour les deux tiers d'entre eux des prêtres, curés ou anciens curés de la paroisse. Certains évêques (par exemple M. de La Poype Vertrieu à Poitiers, et M. de Partz de Pressy à Boulogne) ont soutenu matériellement la création de nombreuses écoles. Toutefois, au moins dans les villes, l'essentiel du financement vient des subventions des municipalités. Presque toutes les écoles des frères lassalliens dépendent entièrement du financement municipal.

Il est difficile de faire des dénombrements complets. Beaucoup de petites écoles n'ont laissé aucune trace dans les archives. On peut cependant avoir une idée approximative de la densité du réseau scolaire, à la veille de la Révolution. Les villes importantes apparaissent privilégiées. Le nombre des écoles y semble suffisant pour une scolarisation très poussée, sinon complète, des enfants. A Grenoble, pour trois mille six cents familles, on a quatorze écoles payantes masculines, treize payantes féminines, plus quatre cents places gratuites pour les garçons de familles pauvres et douze classes pour les petites filles de familles indigentes (G. Chianea). Dans les villes de l'Artois, l'école est capable de scolariser sept garçons sur dix et cinq filles sur dix (Grevet). Les campagnes du Nord et de l'Est offrent deux ou trois écoles pour quatre paroisses ; le Sud-Ouest, le Massif central, une école pour trois paroisses. Le Centre-Ouest, une pour deux paroisses, parfois davantage. Dans les Mauges, en Poitou, on a compté quarante-sept écoles pour soixante-dix-huit paroisses.

La grande époque des fondations de nouvelles écoles a été la fin du règne de Louis XIV et le tout début de celui de Louis XV. Ensuite, la progression s'est beaucoup ralentie, à cause du mauvais vouloir de l'administration royale, peu disposée à permettre aux villes et aux communautés d'habitants d'engager de nouvelles dépenses d'instruction publique. « C'est un grand mal pour l'État, écrit en 1737 M. de Balore, intendant de Béarn, que les paysans apprennent à lire et à écrire. »

On a généralement moins d'écoles de filles que de garçons. Il est vrai que beaucoup d'écoles de garçons admettent aussi des filles, malgré les condamnations de la mixité par les évêques.

L'enseignement de la lecture précède celui de l'écriture. Nul n'est admis à écrire s'il ne sait déjà bien lire. La place donnée à l'arithmétique est petite, mais non négligeable. Les frères lui consacrent deux séances d'une demi-heure, le mardi et le vendredi.

Les premiers textes lus par les enfants avaient été depuis toujours des textes latins (le *Pater*, l'*Ave*). Les frères inversent l'usage : ils font apprendre la lecture française avant celle en latin. Les Filles de la Providence de Rouen et les sœurs du Saint-Enfant-Jésus adoptent la nouvelle méthode, qui n'est cependant pas généralisée, nombre de maîtres gardant l'ancien usage. Et la lecture latine est conservée partout, quel que soit l'ordre adopté. La petite école latinise le peuple.

Elle le civilise aussi et le christianise. L'un des premiers livres de la lecture française est *La Civilité*. Selon l'auteur anonyme de l'*Essai d'une école chrétienne* (1724), l'école est une « académie sainte » et le « noviciat du christianisme ». Le catéchisme y est enseigné. Les sœurs du Saint-Enfant-Jésus établies à Toulouse font lire l'*Imitation de Jésus-Christ* aux quelque six cents petites filles dont elles ont la charge.

La petite école du XVIIIe siècle est plus méthodique, plus organisée que celle des âges précédents. La discipline y est réglée, l'enseignement rationalisé. Deux livres parus au début du siècle, la *Conduite des écoles chrétiennes* de saint Jean-Baptiste de la Salle (1720), et la *Méthode des écoles charitables* de Mgr de La Poype Vertrieu, ont agi dans ce sens. Les enfants sont dressés au silence et à l'exactitude. La *Conduite des écoles* dit qu'ils doivent être « fidèles à se rendre à l'école à l'heure marquée ». Des commandements et signaux règlent le déroulement des exercices scolaires. Dans les écoles du diocèse de Poitiers le passage à la lecture est déclenché par l'ordre suivant : « Lecteurs, prenez garde à vous. Prenez vos livres. »

Certains instituts enseignants forment leurs maîtres. C'est une exception. La plupart des maîtres d'école (on dit aussi « régents d'écoles », « recteurs d'écoles » ou « instructeurs de la jeunesse ») n'ont reçu aucune formation théorique. Un certain nombre, il est vrai, ont le métier dans le sang, l'ayant appris de leur père et de leur grand-père. On a compté en Franche-Comté quarante-sept écoles paroissiales, régies pendant un siècle par des dynasties d'instituteurs. Les communautés d'habitants imposent un examen de capacité. Les évêques sont chargés de vérifier les connaissances religieuses.

La condition de maître d'école est assez besogneuse. Le salaire est suffisant (300 livres en moyenne vers 1720). Mais il faut savoir que le maître d'école de village est très souvent le maître-jacques de la paroisse, servant à la fois de sacristain, de chantre et même de fossoyeur. Parfois, les maîtres exercent une autre

profession et n'enseignent qu'à leur temps perdu. La profession de maître d'école n'est pas vraiment définie. La condition n'est pas stable. Ce sont là les plus grands défauts du système scolaire, ceux qui nuisent le plus à son efficacité.

ÉCOLES CHRÉTIENNES (frères des). Les frères des Écoles chrétiennes sont une congrégation religieuse fondée en 1695 par saint Jean-Baptiste de La Salle (1651-1719) pour instruire gratuitement les enfants. L'institut est approuvé en 1724 par le roi et en 1725 par le pape.

Ne recevant ni la tonsure ni aucun ordre sacré, les frères sont en un sens des laïcs, mais leur état est religieux. Ils prononcent des vœux simples : pauvreté, chasteté, obéissance, stabilité et vœu d'« enseigner gratuitement les pauvres ». Le supérieur général est élu à vie. La maison généralice, qui est aussi un noviciat, est à Saint-Yon, en Haute-Normandie. De la mort du fondateur à 1789, la charge est exercée successivement par les frères Timothée, Claude, Florence et Agathon.

L'institut connaît une grande expansion. Il existait vingt-deux établissements à la mort du fondateur, il y en aura cent dix en 1789. La plupart de ces établissements sont des petites écoles. Neuf (fondés après 1770) sont des pensionnats, sortes de collèges modernes où l'on enseigne, selon un prospectus de 1774, « le commerce, la finance, le militaire, l'architecture et les mathématiques, en un mot tout ce qu'un jeune homme peut apprendre, à l'exception du latin ».

La congrégation recrute, mais l'augmentation de ses effectifs est moins forte que celle du nombre de ses établissements. Les admissions de postulants (25 par an en moyenne au noviciat de Saint-Yon jusqu'en 1750, et de 12 à 15 jusqu'en 1776) suffisent à peine pour fournir à tous les emplois. Au 24 août 1779, l'effectif total des frères était de 760.

Les deux ouvrages de saint Jean-Baptiste de La Salle, *Les Règles de la bienséance et de la civilité chrétienne* (1703) et *La Conduite des écoles chrétiennes*

(1720), sont les directoires de la pédagogie des frères. Selon La Salle, il n'est de civilité que chrétienne. Quant à l'organisation de l'école, elle est conçue de façon très systématique, afin que le régent puisse suivre de très près la progression de chaque écolier. C'est ainsi par exemple que la classe de lecture est répartie en cinq groupes de niveau.

La dévotion des frères est eucharistique et mariale. Ils fêtent avec un éclat particulier l'Immaculée Conception, le 8 décembre. Lors des grandes fêtes, ils pratiquent l'adoration du saint sacrement. Ils sont très antijansénistes et aussi éloignés que possible du gallicanisme, recherchant toutes les occasions de manifester leur attachement au pontife romain.

Leurs établissements sont favorisés par les Sulpiciens, par les Jésuites et par les congrégations mariales secrètes de l'Association des Amis. Ils sont combattus par les philosophes au nom de la nécessité de l'ignorance populaire : « Il me paraît essentiel, écrit Voltaire, qu'il y ait des gueux ignorants » (Lettre à Étienne Noël Damilaville, 1er avril 1766, *Correspondance* publiée par Théodore Besterman, Pléiade, Paris, 1983, t. VIII, n° 9373, p. 422). « Les frères de la Doctrine chrétienne, écrit La Chalotais, qu'on appelle Ignorantins, sont survenus pour achever de tout perdre ; ils apprennent à lire et à écrire à des gens qui n'eussent dû apprendre qu'à dessiner et à manier le rabot et la lime » (*Essai d'éducation nationale*). L'administration partage le sentiment des philosophes sur la nocivité des frères. Loin de leur faciliter la tâche, elle s'emploie très activement à multiplier les difficultés. « L'établissement de ces Frères dans le Royaume », écrit en 1764 le lieutenant général de la sénéchaussée de Toulon, « a répandu la gratuité de l'enseignement, source d'inconvénients sentis dans tous les temps par les génies les plus éclairés » cité par Georges Rigault, *Histoire générale de l'institut des frères des Écoles chrétiennes*, t. II, p. 431.

ÉCOLES DE DESSIN. La première école de dessin est une création lassallienne.

De 1699 à 1705, saint Jean-Baptiste de La Salle, en collaboration avec M. de La Chetardie, avait fait donner un cours de dessin aux jeunes apprentis.

Quarante ans plus tard (en 1746), Ferrand de Monthelon, professeur à l'Académie royale de peinture et de sculpture, publie dans le *Mercure de France* un « Projet pour l'établissement d'écoles gratuites de dessin ». Il s'agit d'une œuvre d'assistance. Dans l'esprit de l'auteur du projet, ces écoles sont destinées aux pauvres. Elles doivent compléter utilement l'enseignement des petites écoles, le dessin étant aussi nécessaire aux ouvriers que la lecture et l'écriture.

Le pouvoir royal et plusieurs villes s'intéressent au projet. Des écoles gratuites de dessin sont créées à Rouen (1746), à Reims (1748), à Toulouse et à Marseille (1753), à Lille (1755), à Lyon (1758), à Amiens (1758). Une école destinée à vingt enfants externes est également créée par Machault en 1750 dans le cadre de la Manufacture royale des tapisseries de Beauvais. La direction en est confiée au peintre Oudry. Les enfants y entrent à l'âge de huit ans ; le premier de leurs exercices consiste à copier les tableaux du roi.

ÉCOLES MILITAIRES. La dénomination d'école militaire a été appliquée à des institutions de nature assez différente. L'École militaire créée à Paris par l'édit de janvier 1751, à l'instigation de Pâris-Duverney et de Mme de Pompadour, était une école de cadets, comme celles de Saint-Pétersbourg et de Berlin. On y entrait à l'âge de quatorze ans pour y recevoir la formation scientifique et technique nécessaire à tout officier. Le programme d'études comportait les mathématiques, la physique, la mécanique, l'hydraulique et la fortification. Les élèves avaient été préalablement formés aux humanités dans le collège. En 1764, le collège de La Flèche, devenu vacant par le départ des jésuites, est désigné comme école préparatoire à l'École militaire de Paris. Huit ans est l'âge d'admission. Les enfants reçoivent à La Flèche le premier fond d'éducation générale.

Dans tout cela, le but n'est pas seulement de systématiser la formation des futurs officiers ; il s'agit aussi d'aider la noblesse pauvre. A l'École militaire de Paris, cinq cents places de boursiers du roi sont réservées à des fils de gentilshommes pauvres, ayant fait preuve de quatre degrés de noblesse du côté paternel. Deux cent cinquante sont également réservées à La Flèche.

Les ordonnances des 1er février et 28 mars 1776 modifient le système. Le comte de Saint-Germain est alors ministre de la Guerre. Il est décidé que les boursiers du roi, au lieu d'être réunis à La Flèche, seront répartis dans douze établissements différents, que ces établissements n'appartiendront pas au roi, qu'ils seront confiés à des instituts enseignants, et qu'ils porteront le nom d'Écoles royales militaires. Les boursiers y feront leurs études classiques, en même temps que des élèves non boursiers. Ensuite ils entreront sur examen à l'École militaire de Paris et y passeront un an. A la sortie, les plus doués pour les sciences pourront se présenter aux concours d'entrée de l'École du génie de Mézières ou de celle d'artillerie de La Fère.

Voici la liste de ces douze nouvelles écoles militaires, avec l'indication des instituts qui en sont chargés : Auxerre (bénédictins), Beaumont-en-Auge (bénédictins), Brienne (minimes), Effiat (oratoriens), La Flèche (doctrinaires), Pont-à-Mousson (chanoines réguliers de Saint-Sauveur), Pontlevoy, Rebais, Sorèze, Tion (bénédictins), Tournon et Vendôme (oratoriens).

Le comte de Saint-Germain était un esprit éclairé. Son plan d'éducation pour les nouveaux établissements s'inspire des grandes orientations de la pédagogie qui dominait alors. Il prescrit de « rendre les corps robustes, les esprits éclairés et les cœurs honnêtes ». Le latin sera enseigné, mais il passera après le français : « Que l'on s'attache avant tout à l'étude de la langue française, qu'il est honteux d'ignorer » (*Règlements concernant les nouvelles écoles militaires*).

Les instituts chargés des écoles ont essayé de correspondre à ces vues et de

mettre sur pied un enseignement de type nouveau. Nous connaissons bien le programme de Sorèze : il est révolutionnaire. Les classes ne sont plus celles du *Ratio studiorum*. Dans chaque classe sont dispensés les enseignements les plus divers, dont certains sont à option. Il existe des cours d'histoire, de géographie, de physique, de chimie, d'agriculture, d'éléments de marine, de fortification et de topographie. Il y a même une filière sans latin. Pontlevoy, qui est aussi dirigé par les bénédictins, a également ses non-latinistes. Encore un paradoxe de ce siècle : qui aurait imaginé que la suppression du latin puisse être le fait des fils de Saint-Benoît ? Il est vrai que ces bénédictins-là sont des hommes évolués : ils enseignent la littérature contemporaine et couvrent d'éloges Voltaire et Montesquieu.

En 1785, les écoles militaires comptaient 2 776 élèves, dont 2 361 pensionnaires. 25 % des pensionnaires étaient boursiers du roi. La bourse était de 700 livres par an, somme que payaient pour leur pension les élèves non boursiers. Plusieurs milliers d'élèves sont passés par ces établissements. Bonaparte, élève de Brienne, est le plus illustre d'entre eux. Les écoles militaires ont contribué à la formation de l'esprit public à la veille de la Révolution.

ÉCURIE. L'Écurie est l'un des services de la Cour. A sa tête se trouve le grand écuyer (on dit « M. le Grand »), dont l'office, depuis le règne de Louis XIV, est héréditaire dans la maison de Lorraine. Sous Louis XVI, le titulaire sera le prince de Lambesc (Charles de Lorraine), excellent cavalier. Il arrivait au manège tous les matins à 5 heures et formait lui-même certains pages à l'art de l'équitation.

L'Écurie se subdivise en Grande Écurie et Petite Écurie, l'une et l'autre logées sur la place d'Armes, face au château, de part et d'autre de l'avenue de Paris. Les magnifiques bâtiments qui les abritaient ont fait l'objet d'une restauration récente.

La Grande Écurie est le service des chevaux de selle, la Petite celui des carrosses du roi. Le chef de la Grande est le grand écuyer lui-même, mais le commandement effectif est assuré par l'écuyer-commandant, lequel avait sous ses ordres (vers le milieu du règne de Louis XV) 11 écuyers, 48 pages, 42 valets et un grand nombre de palefreniers, de maréchaux-ferrants et de garçons d'écurie. La Petite Écurie est commandée par le premier écuyer du roi (charge héréditaire dans la famille de Beringhem). Le nombre des pages y est de 30. La Grande Écurie entretenait, vers 1750, 700 chevaux et la Petite, à la même époque, 650. Le haras du Pin (près d'Alençon) dépend de la Grande Écurie. Louis XV s'est intéressé de près à l'amélioration de la race chevaline. Il voulait des chevaux maigres, fins, résistants, que l'on pût pousser. Il fit importer des barbes du Maghreb, des chevaux polonais et anglais.

Les économies des ministres réformateurs de Louis XVI n'épargnent pas l'Écurie. Des réductions drastiques d'effectifs sont opérées, tant pour les hommes que pour les chevaux. La Petite Écurie est réunie à la Grande. A la Grande Écurie, le nombre des chevaux était tombé à 240 en 1786. Il sera d'une centaine en 1789, c'est-à-dire à peine de quoi fournir au service ordinaire.

ÉDUCATION (théorie de l'). La théorie pédagogique alimente au XVIIIᵉ siècle une littérature extrêmement abondante. Dans sa thèse sur « L'idéal pédagogique en France au XVIIIᵉ siècle », M. Marcel Grandière dresse un répertoire de 464 ouvrages, dont 300 publiés après 1749.

On peut distinguer trois périodes : 1715-1746, 1746-1761 et 1761-1789.

Dans la première période, les trois genres dominants de la littérature pédagogique sont le « traité des études », le « traité d'éducation » et la « méthode ». Le genre du traité est illustré de façon exemplaire par l'œuvre fameuse de Charles Rollin, le *Traité des études ou De la manière d'enseigner et d'étudier les belles-lettres par rapport à l'esprit et au cœur* (1720). Le *Projet pour perfectionner l'éducation* de l'abbé de Saint-

Pierre (1728) est un bon exemple de traité d'éducation. Les ouvrages intitulés « méthodes » ou « conduites » regardent principalement l'instruction élémentaire. C'est par exemple *La Méthode familière pour les petites écoles* de Sébastien Cherrier (1739).

Les idées principales de cette époque sont la primauté de la morale, la moralisation de l'étude et le pessimisme au sujet des capacités intellectuelles de l'enfant.

La formation morale est aux yeux des théoriciens la principale affaire de l'éducateur. « La morale, écrit René de Bonneval, est la seule connaissance de nécessité absolue » (*Les Éléments et progrès de l'éducation*, 1743). Cette morale est sensible. Elle est la morale du « cœur ». C'est pourquoi le cœur, écrit le P. Croiset, jésuite, « est le principal objet de l'éducation ». Mme de Lambert conseille à son fils : « il vaut mieux travailler sur votre cœur que perfectionner votre esprit » (*Avis d'une mère à son fils*).

L'étude proprement dite n'a donc plus qu'une place très limitée dans l'ensemble de l'éducation. L'influence de Locke se conjugue ici avec le moralisme ambiant pour réduire l'importance de l'instruction. On sait en effet que pour l'auteur des *Quelques pensées sur l'éducation* (*Some Thoughts Concerning Education*, 1684) l'instruction n'est presque rien en soi. S'instruire sert à former le jugement et les mœurs, à parachever l'éducation, à former la foi, à ceci ou à cela, mais n'est pas un bien en soi. On retrouve ces idées de Locke chez plusieurs théoriciens de la période et en particulier chez le P. Claude Buffier, jésuite, auteur du *Traité de la société civile* (1726).

On trouve enfin, répandu chez presque tous les auteurs, le doute, exprimé déjà au XVIIᵉ siècle, sur les capacités intellectuelles de l'enfant. Ce dernier est jugé incapable de former des abstractions, de juger, de raisonner. « Sa mémoire, écrit l'abbé Pluche, ne retient que des mots, son jugement ne saisit et n'assemble point d'idées» (*De l'éducation*, 1746).

De tout cela, l'humanisme ne peut que pâtir. En effet, les langues ne seront plus étudiées pour elles-mêmes, mais comme des instruments pour acquérir d'autres connaissances. «L'intelligence des langues, écrit Ch. Rollin, sert comme d'introduction à toutes les sciences.» Le latin n'aura plus que la deuxième place après le français. Si l'étude de l'histoire est recommandée par tous les auteurs, c'est parce qu'«elle est une école de morale pour tous les hommes» (Ch. Rollin).

La théorie de l'instruction élémentaire, celle des «méthodes», préconise une rationalisation de l'exercice scolaire et une organisation très poussée du temps scolaire. Par exemple, dans la *Conduite des écoles chrétiennes* de saint Jean-Baptiste de La Salle, tout est planifié, comptabilisé. C'est l'avènement d'une sorte de taylorisme pédagogique. D'une manière générale, toute la théorie pédagogique de cette époque annonce une reprise en main de l'enfant. Mais avec des méthodes douces. Il ne faut pas brusquer. Il faut que tout se fasse sans peine ; «Il ne faut pas qu'il s'aperçoive qu'on l'instruit» (Beaudoin, *De l'éducation d'un jeune seigneur*). Une idée utopique se fait jour — elle est appelée à une grande fortune — selon laquelle il est possible d'apprendre sans douleur. Il se publie un grand nombre de «méthodes très aisées», par exemple celle-ci, d'un certain Vallange : *Le Latin enseigné en peu de temps sans le secours d'aucun maître, sans fatiguer ni l'esprit, ni la mémoire* (1734).

La deuxième période (1746-1762) est celle où la théorie pédagogique se convertit aux thèses sensualistes et matérialistes, sous les influences conjuguées d'Étienne Condillac (*Essai sur l'origine des connaissances humaines*, 1746) et de Charles Bonnet (*Essai de psychologie, ou considérations sur les opérations de l'âme, sur l'habitude et sur l'éducation*, 1755). Les idées n'étant selon ces auteurs que des sensations, la méthode pédagogique ne mettra en usage que des connaissances sensibles. Par ailleurs, une

opinion très optimiste sur la nature de l'enfant tend à se substituer au pessimisme qui avait régné jusqu'alors. Comme on ne croit plus au péché originel, on pense que l'enfant est bon naturellement.

Les théoriciens de cette deuxième période exaltent le pouvoir de l'éducation. «L'homme, écrit Helvétius, n'est vraiment que le produit de son éducation.» D'Holbach définit l'éducation comme «l'art de modifier les enfants». Ces philosophes matérialistes posent en principe que le cerveau et le cœur étant des matériaux mous, il est facile de les modeler. L'éducation, selon Ch. Bonnet, est une «seconde naissance qui imprime au cerveau de nouvelles déterminations». Un autre auteur parle «d'impressionner les fibres du sentiment». «Vos bienfaisantes mains», écrit un autre, s'adressant au pédagogue, «vont lui pétrir un cœur.» Le travail de l'éducateur sera aisé. Il apportera même de grandes satisfactions. Car il lui sera possible de rendre les imbéciles intelligents : «Mais, dira-t-on, pensez-vous de bonne foi faire un homme d'esprit d'un stupide ? Oui nous le croyons ; modifiez d'abord différemment les organes, ensuite instruisez-le» (Le Camus, *Médecine de l'esprit*, 1753).

La troisième période commence en 1762 avec la publication de l'*Émile ou De l'éducation* de Jean-Jacques Rousseau. Les années 1762 et 1763 sont également celles d'une mobilisation générale contre l'éducation dite «des moines», c'est-à-dire des Jésuites, des collèges et des humanités classiques enseignées par tous les grands instituts enseignants. L'*Émile* se situe dans ce contexte d'offensive contre l'humanisme chrétien. Le pamphlet le plus violent (et le plus injuste) est celui de La Chalotais, l'*Essai d'éducation nationale ou plan d'études pour la jeunesse*. Mais Colomb (*Plan raisonné d'éducation publique*), Combalusier (*Mémoire de l'université*) et Turben (*Idées d'un citoyen sur l'institution de la jeunesse*) ne sont pas loin d'atteindre le même degré de virulence. Les très nombreux ouvrages des années qui suivent (cent quatre-vingt-dix-neuf recensés par M. Grandière pour la période 1764-1789) proposent des formules de remplacement pour les collèges laissés vacants par le départ des Jésuites. Citons parmi d'autres le *Plan d'étude et d'éducation* de Germain Sutaine (1764) et l'*Essai sur les moyens d'améliorer les études actuelles des collèges* (1769) de Michel. Le corps, le cœur et l'esprit sont les trois objets de la nouvelle éducation. Le corps est réhabilité. On se préoccupe de sa santé et de sa « bonne conformation » (Dumarsais). On recommande les exercices physiques sans trop préciser lesquels (« ... les corps les plus exercés sont aussi les plus agiles », écrit Delille). La formation morale, c'est-à-dire celle des « fibres du cœur », est unanimement jugée la plus importante. Elle est, selon le P. Corbin, « la seule formation nécessaire ». Mais la morale prêchée est en fait très utilitaire. L'être moral n'est pas celui qui se perfectionne et qui grandit par l'exercice des vertus ; c'est celui qui est utile à la société. Car les vertus nouvelles sont « ce qui devient utile à tous » (Mercier de La Rivière, *De l'instruction publique*, 1775). L'éducation civique prolonge la morale. C'est la grande nouveauté. Rousseau a écrit dans l'*Émile* que l'éducation doit donner « aux âmes la forme nationale ». Après 1770, la méthode se précise avec Helvétius et l'élaboration d'un « catéchisme de morale civique ». L'idée d'« éducation nationale » est dans l'air ; La Chalotais est l'auteur de la formule. On entend par là un plan d'éducation pour la formation du citoyen par l'instruction civique, par la création d'écoles professionnelles et surtout par l'uniformisation des méthodes et des programmes. L'idée que l'État doit gérer l'enseignement commence à faire son chemin. « C'est au Roi, dit nettement La Chalotais, qu'il appartient de régler l'instruction de la Nation. »

La théorie relative à la formation de l'esprit comporte également de grandes nouveautés. La première révolution de la pensée pédagogique moderne avait eu lieu entre 1680-1715. Nous assistons maintenant à la seconde.

La première idée révolutionnaire est qu'il existe plusieurs âges dans l'enfance et qu'il est des études convenables à chacun de ces âges. Tous les plans d'éducation indiquent avec précision ce qu'il faut étudier à un âge donné. Celui d'un certain Vauréal propose trois programmes, le premier pour trois à six ans, le second pour sept à douze, et le troisième pour les plus de douze ans. Le principe est que les petits ne comprennent rien aux idées. Les études du premier âge ne devront donc porter que sur les « connaissances sensibles ». Dans son *Cours d'éducation*, Condillac écrit : « Il faut commencer par des observations. » « L'enfant, écrit Jean-Antoine Comparet, est un être qui ne connaît que des besoins physiques » (*Éducation morale*, 1770). Dans l'*Émile*, Rousseau critique cette éducation « qui tend à former l'esprit avant l'âge ».

Un deuxième aspect de cette pensée révolutionnaire est son anti-intellectualisme déclaré. On connaît la fameuse « éducation négative » de Rousseau. Mais Rousseau ne fait qu'exprimer d'une manière provocante une opinion commune. Au début du siècle, on plaçait la morale avant le savoir. Maintenant on se passerait très bien du savoir lui-même. Le P. Papon (un oratorien et un professeur) écrit : « Je voudrais qu'on regardât moins à la capacité qu'aux mœurs et à la religion. La société peut subsister sans science et jamais sans vertu » (*Nouvelle Rhétorique à l'usage des collèges*, 1766).

Enfin, la troisième grande nouveauté est la théorie de l'éducation permanente de l'enfant. Tous les pédagogues de cette époque sont d'avis que le contrôle doit s'exercer à chaque instant de la vie de l'enfant. Tout doit être éducatif, les jeux, le repos, les promenades : « Les Promenades », lisons-nous dans le *Plan d'éducation* de Lebon, « deviendront par l'application du maître, une école de Religion et d'Agriculture [...] » L'enfant n'a plus un seul moment de solitude et de liberté. Le pédagogue s'attache à ses pas. Le « gouverneur » d'*Émile* prétend le préparer à la liberté. En attendant, il ne cherche qu'à s'emparer de son élève. Mais il lui fait croire qu'il est libre :

« qu'il croie toujours être le maître et que ce soit vous qui le soyez. Il n'y a pas d'assujettissement si parfait que celui qui garde l'apparence de la liberté ; on captive ainsi la volonté même. »

En même temps, on multiplie les méthodes pour « apprendre sans peine ». Ignace Vanière propose une machine « qu'on peut porter à la poche, et par le moyen de laquelle on peut apprendre en badinant toutes les règles de la déclinaison, de la conjugaison et de la syntaxe ». Comme l'utopie politique l'utopie pédagogique présente un double visage : d'un côté elle offre le travail sans peine et dans la joie ; de l'autre elle enferme et elle « assujettit ».

ÉGALITÉ. Dans les dictionnaires de la langue française à la fin de l'Ancien Régime, le mot « égalité » signifie non seulement parité, mais encore similitude et uniformité.

L'idée que les hommes sont égaux a des origines diverses. On la trouve d'abord dans toutes les utopies. Pour Thomas More (dont l'*Utopie* est traduite en français en 1730 par Nicolas Gueudeville) et pour Campanella, tous les hommes, étant égaux de nature, doivent l'être aussi de fait dans la cité parfaite. L'idée est inséparable du mythe de l'âge d'or (mythe très populaire au début du siècle) : l'innocence et le bonheur de cet âge ne peuvent aller sans égalité. Le *Télémaque* de Fénelon et les ouvrages du chevalier de Ramsay reprennent ces thèmes de la cité idéale et de l'âge d'or. On sait le goût du siècle pour les pastorales, les églogues et autres bergeries, aimables mises en scène d'une civilisation innocente et heureusement ignorante des différences sociales.

L'idée moderne d'égalité emprunte aussi au christianisme. Cette religion enseigne en effet que tous les hommes sont fils de Dieu, que tous ont part aux mérites du Christ et que tous sont frères. Cela, il est vrai, ne les rend pas forcément égaux, et, s'ils sont égaux, c'est d'une égalité de destin et de vocation et non de nature. Mais ces distinctions ne sont pas toujours faites. Il est d'ailleurs inévitable que, pour mieux faire sentir le néant des grandeurs humaines, les prédicateurs soient amenés à rappeler l'égalité des hommes devant Dieu.

On doit cependant admettre que ni l'influence des utopies, ni celle du christianisme, ni les deux réunies ne suffisent à rendre compte du contenu et de la force de l'idée moderne d'égalité, telle qu'elle se manifeste au siècle des Lumières. Il semble bien que, pour comprendre l'égalité moderne, il faille la rattacher à ces deux courants majeurs de la pensée moderne que sont le mécanisme et le jansénisme. Le mécanisme mathématise le réel, le réduisant à un ensemble de données quantitatives. Le genre humain lui-même est soumis à cette entreprise de réduction. Il devient objet de statistique et n'est plus qu'un ensemble d'individus, ou d'unités parfaitement égales entre elles. Le jansénisme de son côté professe la détestation du siècle. Il ne veut voir dans les rangs, dans les hiérarchies et même dans les emplois que des signes sans consistance et totalement étrangers à la nature des hommes. L'alliance de l'esprit mécaniste et de l'esprit janséniste est à l'origine de l'idée d'égalité. Pascal, chez qui se conjuguent ces deux courants, affirme l'égalité de nature entre les hommes. Il avertit les grands de « se souvenir de l'égalité naturelle qui est entre leurs inférieurs et eux » (*Pensées*, éditions Brunschvicg, nº 320).

Au XVIIIᵉ siècle, l'idée d'égalité est professée par les jansénistes, par certains dévots non jansénistes, par un certain catholicisme éclairé, et par les philosophes des Lumières.

La pensée janséniste et pascalienne est représentée principalement par le chancelier d'Aguesseau, disciple du jurisconsulte Jean Domat, lui-même ami de Pascal. L'idée d'égalité est vraiment « l'idée centrale » de l'œuvre du chancelier. « Tous les hommes, écrit-il, sont sortis égaux des mains de la nature, également libres, également nobles, tous enfants d'un même père et membres d'un même corps » (*Essai sur l'état des personnes*, *Œuvres*, éditions Pardessus, 1819, t. X, p. 573).

C'est dans l'entourage du Dauphin, fils de Louis XV, que nous trouvons les dévots égalitaires non jansénistes. Ce sont eux qui présideront à l'éducation du futur Louis XVI et de ses frères. Aux trois jeunes princes, le duc de La Vauguyon fera copier cet exemple d'écriture : « Vous êtes exactement égal par la nature aux autres hommes et par conséquent vous devez être sensible à tous les maux et à toutes les misères de l'humanité » (cité par Pierrette Girault de Coursac, *L'Éducation d'un roi - Louis XVI*). Dans ses *Conseils au duc de La Trémoille pour son entrée dans le monde* (1752), l'abbé Foucher tient des propos du même genre : « Vous êtes », dit cet abbé au jeune prince, son élève, « né comme les hommes du plus bas étage, égal à eux par votre nature. » Et d'ajouter cette remarque très pascalienne « ... le rang et la grandeur n'affectent point votre substance ».

Le catholicisme éclairé, c'est-à-dire celui qui est mélangé de philosophie, professe également l'égalité de nature. Le thème revient souvent dans les ouvrages de ces prélats éclairés que sont Lefranc de Pompignan, archevêque de Vienne, et Boisgelin, archevêque d'Aix. Les philosophes dans leur ensemble sont convaincus de l'égalité naturelle des hommes. « Cette égalité », écrit le chevalier de Jaucourt dans l'article « Égalité » de l'*Encyclopédie*, « est le principe et le fondement de la liberté. » « Il est à croire, écrit Morelly, que le Créateur avait établi une parfaite égalité entre tous les individus du genre humain. »

On pourrait aussi recenser les non-croyants. Ils sont sans doute moins nombreux, mais il en existe, en particulier dans le camp des apologistes. Dom Chaudon, dans son *Dictionnaire antiphilosophique*, rejette « l'égalité prétendue des hommes ».

Les convaincus de l'égalité de nature veulent-ils pour autant l'égalité dans la société ? Certains oui, mais ils sont une minorité. Les égalitaires les plus ardents sont Morelly et Jean-Jacques Rousseau. Morelly conçoit une cité communiste idéale réalisant « l'égalité de conditions et de droits » et une parfaite uniformité : les citoyens seront tous habillés de la même manière, et les monuments publics seront tous construits de la même façon. Chez Rousseau le pacte social est essentiellement destiné à établir « une égalité morale et légitime » entre les citoyens. Cette égalité artificielle doit perfectionner l'égalité de nature, laquelle n'est jamais parfaite à cause des différences de constitutions physiques et de talents. Elle est une égalisation et une épuration de la nature.

À côté de ces différentes doctrines, il existe une revendication égalitaire. Celle-ci s'exprime souvent dans le théâtre. La protestation du Figaro de Beaumarchais est la plus célèbre. Elle n'est pas la seule. Par exemple, dans *La Coquette de village ou le Lot supposé* de Dufresny, le laboureur Lucas tient ces propos égalitaires :

Pour égaliser tout, faudrait-il pas morgoi
Que les autres à leur tour labourissent pour
[moi ?

L'esprit d'égalité pénètre lentement, mais il pénètre. On le sent à certaines agitations sociales ou religieuses. Le mouvement richériste est égalitaire. Les curés richéristes prétendent être les égaux des évêques. La politique royale elle-même est imprégnée d'égalitarisme. Des ministres réformateurs comme Machault et Calonne ont voulu sincèrement supprimer les privilèges fiscaux des deux premiers ordres et aboutir ainsi à plus de justice par plus d'équité.

Cependant, la volonté d'égaliser, si forte soit-elle aussi bien chez les doctrinaires que dans le personnel politique, ne va jamais (sauf chez les utopistes) jusqu'à proposer la disparition de toute hiérarchie et le partage égal des biens. On se donne bonne conscience en proclamant l'égalité de nature, et on ne va pas plus loin. « Le genre humain, tel qu'il est, écrit Voltaire, ne peut subsister à moins qu'il n'y ait une infinité d'hommes utiles qui ne possèdent rien du tout. » L'opinion de Diderot (d'après J. Proust) est que les hommes dans leur majorité ne sont pas assez intelligents pour mériter d'être égaux. Bref, on pense qu'il faut se contenter d'une égalité de droits et de dignité, avec les inégalités inévitables ou souhaitables de rang et de fortune.

EISEN, Charles (Valenciennes, 1720 - Bruxelles, 1778). Peintre et illustrateur, fut formé par son père François Eisen, puis par Le Bas. Il obtint l'un de ses premiers succès en illustrant l'*Henriade* de Voltaire. Plusieurs éditions rares lui doivent leur renom. Les vignettes et les culs-de-lampe des *Contes de La Fontaine* (édition des Fermiers-Généraux) sont de sa main, ainsi que les gravures ornant les *Métamorphoses* d'Ovide et *Les Baisers* de Dorat.

ÉLECTIONS. Les élections sont à la fois des circonscriptions et des juridictions. Ce sont des circonscriptions financières, à l'intérieur desquelles se fait la répartition de la taille. En 1789, elles sont au nombre de cent soixante dix-huit. Il n'y en a pas en pays d'états. La Bourgogne, qui en a quatre, est une exception. On a donc pris l'habitude d'appeler «pays d'élection» les pays sans états particuliers.

Les élections sont aussi des juridictions subalternes. Elles avaient eu longtemps des attributions administratives, étant chargées entre autres de la répartition de la taille, mais ces attributions leur ont été enlevées sous Louis XIV au profit des intendants. Au XVIIIe siècle, leurs fonctions sont exclusivement judiciaires. Elles jugent en première instance de toutes les affaires concernant les tailles, les aides et toutes les autres impositions et subsides. Elles jugent au criminel les cas de rébellion contre les collecteurs et les fermiers. On appelle de toutes leurs sentences aux cours des aides. Toutefois elles jugent en dernier ressort jusqu'à 20 livres (édit de 1679).

Leurs magistrats se nomment les élus. Ce sont des officiers. Ils peuvent ne pas être licenciés en droit. Ils ont droit de committimus par l'édit du 22 septembre 1627.

L'élection la plus nombreuse est celle de Paris. Elle se compose des officiers suivants : deux présidents, un lieutenant, un assesseur, vingt conseillers, un procureur du roi, un substitut et deux greffiers.

ÉLECTRICITÉ. Pour plus de clarté, il convient de distinguer les deux points suivants : 1. les progrès dans la connaissance des phénomènes électrostatiques ; 2. la formation de la théorie des phénomènes électriques et magnétiques.

1. Les progrès dans la connaissance des phénomènes.

Ces progrès sont réalisés grâce au perfectionnement des machines électriques et par diverses expériences. A partir de la décennie 1740-1750, la machine électrique s'améliore peu à peu. Un globe ou un plateau frotté, soit avec la main, soit avec un coussin, sont ses organes essentiels. L'expérience des décharges obtenues par l'appareil appelé «bouteille de Leyde» est refaite en grand à Versailles par l'abbé Nollet, en 1746, devant le roi : une chaîne est formée par deux cent quarante personnes se tenant par la main ; toutes éprouvent la même commotion. La première expérience sur le pouvoir — déjà observé par Franklin — qu'ont les pointes d'attirer et de laisser écouler l'électricité atmosphérique est faite en mai 1752 à Marly-la-Ville, par un botaniste nommé Dalibard : le paratonnerre est né. Il faut signaler aussi les expériences d'électrothérapie tentées par le médecin Jean-Paul Marat (le futur révolutionnaire), dont les *Recherches physiques sur l'électricité* sont publiées à Paris en 1782.

2. Formation de la théorie.

La physique de l'électricité, jusqu'alors très rudimentaire, commence à se former, au moins en ce qui concerne l'électrostatique. Les travaux de Du Fay ouvrent la voie de la recherche française. Dans ses mémoires de 1733 et 1734, ce physicien montre que tous les corps peuvent être électrisés. En 1746, l'abbé Nollet déclare avoir trouvé «la cause générale de l'électricité» dans «l'affluence et l'effluence simultanées d'une matière subtile présente partout et capable de s'enflammer par le choc de ses propres rayons». Cette thèse, qui est à la fois cartésienne et mécaniste, s'oppose à celle de Franklin (1747) des deux électricités positive et négative. C'est finalement Coulomb — mais Daniel Bernoulli, Euler et Priestley lui avaient montré le chemin — qui donne les lois complètes des forces attractives et répulsives dans l'électricité et le magnétisme (1785). Ces lois font entrer la théorie des phénomènes électriques et magnétiques dans le champ de la science newtonienne.

ÉLEVAGE. L'élevage fournit les produits laitiers, le cuir, la laine, la force de travail et la viande de boucherie. A cause du «luxe des tables», la consommation de viande augmente au cours du siècle. Certaines régions se spécialisent en vue de répondre aux besoins des grandes villes. C'est ainsi que le bas Poitou fournit des bœufs aux abattoirs parisiens. Le Hainaut oriental et le Boulonnais convertissent leurs champs de blé en herbages et alimentent en viande de boucherie les populations urbaines du nord du royaume.

Les physiocrates et les agronomes éclairés portent sur les procédés et les techniques d'élevage de leur époque des jugements condescendants. Mais en fait ces techniques — les études de J. Mulliez l'ont montré — étaient souvent judicieuses et même parfois en avance sur la science des zootechniciens du XIXe siècle. L'élevage populaire avait son concept de race locale. La distinction, fondée sur la connaissance des terrains, entre pays naisseurs et pays éleveurs et utilisateurs était pratiquée depuis longtemps.

Cependant, les agronomes éclairés soutiennent que les animaux ruraux sont en trop petit nombre, et surtout qu'ils sont d'une «mauvaise espèce». La multiplication des bestiaux et le «relèvement» des espèces figurent dans leurs programmes d'«agriculture nouvelle». Mais finalement ce qu'ils visent n'est pas tant le développement de l'élevage que l'accroissement des rendements agricoles par l'augmentation de la quantité d'engrais animal. Selon Lavoisier,

«c'est dans l'engrais que les bestiaux fournissent à la terre que consiste leur principale utilité». Ni l'amélioration du régime alimentaire des populations ni la commercialisation des produits ne semblent intéresser beaucoup nos théoriciens.

L'État intervient de deux manières : en favorisant le relèvement des espèces et en créant la médecine vétérinaire officielle. Par le règlement des haras de 1717 (voir CHEVAL), il se réserve le monopole de l'élevage chevalin. En matière d'élevage ovin, sa politique est d'introduire et d'acclimater en France les mérinos espagnols. Des études sont demandées à Daubenton par Trudaine en 1766. En 1785, un troupeau de mérinos venu de Ségovie est installé à Rambouillet dans une bergerie modèle. Le gouvernement et les sociétés d'agriculture s'efforcent d'encourager les croisements des brebis indigènes avec des espèces étrangères, afin d'améliorer la qualité des laines. La création des deux écoles vétérinaires de Lyon (1762) et d'Alfort (1765) institutionnalise la médecine vétérinaire officielle. Le fondateur de l'école de Lyon est l'hippiatre Bourgelat, celui d'Alfort l'intendant Bertier de Sauvigny.

Une crise très grave affecte l'élevage dans les dernières années de l'Ancien Régime. Les premiers signes en sont observés dès les années 1750-1760. En 1764, Veron de Forbonnais écrit : «[...] dans les fermes exploitées par des baux à cheptel, on ne trouve plus d'animaux de boucherie, les propriétaires ne voulant plus en confier aux cultivateurs, à cause des saisies faites à chaque instant par les collecteurs des tailles» (cité par J. Toutain). Aux méfaits de la fiscalité s'ajoutent ceux des épizooties et des sécheresses. En 1773-1774, une épizootie typhoïde partie de Bigorre s'étend à tout le sud-ouest du royaume. En Béarn cette épidémie fait disparaître 87,4 % du troupeau de la province (Desplat). La sécheresse de 1785 provoque dans tout le royaume des mortalités catastrophiques que la nouvelle médecine vétérinaire et l'administration royale ne parviennent pas à enrayer. Il faut ajouter que dans plusieurs provinces la suppression de la vaine pâture met les paysans les plus pauvres dans la nécessité de se séparer d'un bétail qu'ils ne peuvent plus nourrir, et de le vendre à la boucherie. Le résultat de tout cela est une diminution sensible du cheptel. La comparaison des chiffres donnés par Expilly en 1778 et de ceux fournis par Lavoisier en 1791 fait apparaître des écarts importants :

	Chevaux	Bovins	Ovins
Expilly :	3 000 000	7 850 000	3 200 000
Lavoisier :	1 781 000	7 089 000	2 000 000

ÉLISABETH DE FRANCE, Élisabeth Philippine Marie Hélène, dite **Madame Élisabeth** (Versailles, 3 mai 1764 - Paris, 10 mai 1794). Elle est la huitième et dernière enfant du Dauphin et de Marie-Josèphe de Saxe. Elle manifesta dans son enfance un tempérament vif et joyeux, mais aussi un caractère fort et assez difficile. Énergique et pieuse, elle acquit très vite une parfaite maîtrise d'elle-même. Sa tante, Madame Louise, dit d'elle : « C'est la seule de la famille qui ait de la fermeté. » Elle y voyait clair, et jugeait très bien la faiblesse de Louis XVI, son frère. Mais on doit souligner sa discrétion : elle n'essaya jamais de faire prévaloir ses vues, et se contenta d'apporter au roi et à la reine le soutien de son affection. « La monarchie, écrit-elle en 1789, ne pourrait se soutenir que par un coup de vigueur. Mon frère ne le fera pas, et je ne me permettrai pas de le lui conseiller. » Elle partagea jusqu'à la fin le sort cruel de la famille royale. Enfermée au Temple le 13 août 1792, elle fut guillotinée le 10 mai 1794, après un simulacre de procès, dernière d'une « fournée » de vingt-quatre personnes. Pendant le supplice de ses compagnons de charrette, elle récita à voix haute le *De profundis*. Elle est l'auteur de cette prière, qu'elle avait coutume de réciter chaque jour pendant sa détention : « Que m'arrivera-t-il aujourd'hui, ô mon Dieu ? Je l'ignore. Tout ce que je sais, c'est qu'il ne m'arrivera rien que vous n'ayez

prévu de toute éternité. Cela me suffit, ô mon Dieu, pour être tranquille. »

ÉMERY, Jacques André (Gex, 26 août 1732 - Paris, 18 avril 1811). Supérieur général de la Compagnie de Saint-Sulpice, il est l'une des rares très grandes figures du clergé. Il était le fils du lieutenant général criminel de Gex. Après ses études classiques chez les jésuites de Mâcon, il entre en 1749 au grand séminaire de Lyon et en 1750 à celui de Saint-Sulpice. Ordonné prêtre le 11 mai 1758 au titre de la Compagnie de Saint-Sulpice, il exerce d'abord les fonctions de directeur au grand séminaire d'Orléans (1759-1765) et au grand séminaire de Lyon (1765-1776). En 1776, il est nommé supérieur du grand séminaire d'Angers, fonction difficile à cause de la médiocrité de l'évêque de ce diocèse, Jacques de Grasse. Ce premier supériorat (1776-1782) révèle ses qualités de chef et son zèle pour la formation des ordinands. Aussi est-il élu, le 10 septembre 1782, supérieur général de sa congrégation. Le séminaire Saint-Sulpice, au moment où il en prend la direction, était bien déchu de sa ferveur première. Le règlement n'était plus observé ; on négligeait les pratiques de l'oraison mentale et de la prière du soir. Avec sa calme autorité, il introduit la réforme et restaure la santé spirituelle de l'institution. La frisure des cheveux est interdite ; les séminaristes sont priés de se lever à l'heure pour l'oraison mentale du matin ; ceux qui ont découché sont renvoyés. Cette réforme de Saint-Sulpice est un événement très important dans l'histoire religieuse de la fin de l'Ancien Régime. Elle prépare et fortifie une génération de prêtres qui sauront affronter la persécution. La Révolution venue, M. Émery reste à Paris et maintient sa congrégation dans le devoir : aucun sulpicien ne prêtera le serment. L'archevêque de Paris émigré, Mgr de Juigné, lui ayant délégué ses pouvoirs, il se trouve investi d'une grande autorité morale et joue pendant toute la Révolution le rôle d'un véritable directeur de conscience du clergé français. Arrêté une première fois après le

10 août, libéré peu après, il est à nouveau emprisonné le 15 juillet 1793 et ne sera libéré que le 23 octobre 1794, n'ayant échappé à la mort que par miracle. Pendant sa longue détention à la Conciergerie, il confesse de nombreux condamnés à mort (dont les membres du parlement de Toulouse) et réconcilie avec l'Église plusieurs évêques constitutionnels, parmi lesquels Lamourette, évêque métropolitain de Lyon. La tourmente passée, il reconstitue sa congrégation. Membre du comité ecclésiastique de 1809, il couronne glorieusement sa carrière en défendant les droits du Saint-Siège et en s'opposant au projet de Napoléon d'un concile national. Sous l'Ancien Régime il avait publié deux ouvrages : *L'Esprit de Leibniz* (1772) et *L'Esprit de sainte Thérèse* (1775). Dans ce dernier livre, il citait de longs passages des écrits de la grande mystique espagnole, espérant ainsi réveiller chez les fidèles le goût du commerce intime avec Dieu. Si l'on voulait et si l'on pouvait résumer M. Émery, on devrait dire qu'il était avant tout un homme de prière. En 1787, il écrivait dans son journal ces paroles significatives : « Dans le cas où je ne pourrais en même temps remplir mes exercices de piété et veiller sur l'ordre du Séminaire, j'ai renouvelé ma décision de préférer le premier point au second. »

ENCYCLOPÉDIE (de Diderot). Le titre complet de l'*Encyclopédie* de Diderot et d'Alembert est le suivant : *Encyclopédie ou Dictionnaire raisonné des sciences, des arts et des métiers*. L'entreprise avait été conçue dans le but d'illustrer et de glorifier le nouveau savoir du siècle des Lumières, un savoir scientifique et utilitaire, un savoir destiné à rendre l'homme heureux.

L'*Encyclopédie* est le plus grand dictionnaire jamais publié. Elle compte dix-sept volumes in-folio, plus onze volumes de planches, un supplément en cinq volumes et une table analytique en deux volumes.

Les volumes de texte ont été publiés de 1751 à 1766, ceux de planches de 1762 à 1772. Il a donc fallu vingt et un

ans pour venir à bout de l'entreprise, mais c'est un temps record, si l'on songe à l'ampleur de la tâche (68 000 entrées) et aux obstacles rencontrés : la publication fut interdite en 1752 et le privilège révoqué en 1759. Les neuf derniers volumes durent être imprimés en Suisse.

Diderot a été le maître d'œuvre, mais il a fait appel à de très nombreux collaborateurs dont cent quarante-six ont été identifiés. Diderot lui-même a rédigé 5 656 articles. Cependant le chevalier de Jaucourt distance de loin tous les collaborateurs, y compris Diderot, ayant rédigé à lui tout seul près de 17 000 articles.

L'*Encyclopédie* a été vendue par souscription. Le nombre des souscripteurs était de 2 050 pour le premier volume. Lors de la publication des derniers volumes, il s'élevait à 4 200. Le prix de la souscription (980 livres) mettait l'ouvrage hors de portée des bourses modestes.

Il y eut plusieurs éditions ou réimpressions : une réimpression à Genève (1771-1776), trois éditions in-4° à Neuchâtel (1779-1781), deux éditions in-8° à Lausanne et à Berne (1779-1782), le tout représentant plusieurs milliers d'exemplaires, de sorte qu'il existait en France avant 1789 de 11 000 à 15 000 *Encyclopédies* (Darnton).

La valeur de l'ouvrage est très inégale. Beaucoup d'articles sont de pure compilation. Plusieurs ne sont que les traductions littérales des notices de la *Cyclopaedia*, le dictionnaire anglais de Chambers paru en 1728. Dans les matières des sciences et des techniques, bien que Diderot et d'Alembert aient fait appel à des spécialistes (par exemple Blondel pour l'architecture, Daubenton pour l'histoire naturelle, Bourgelat pour la maréchalerie et le manège), le dictionnaire donne souvent un état incomplet et retardataire de la science du temps. Les descriptions des métiers sont inférieures à celles que publie à la même époque l'Académie des sciences.

Finalement, le plus grand intérêt de l'*Encyclopédie* est de nous renseigner sur l'esprit philosophique. Elle est un reflet des Lumières. Certes, les idées nouvelles y sont exposées avec prudence à cause de la censure. Toutefois les principaux articles de philosophie (par exemple l'article « Homme ») et de sciences sociales ne laissent aucun doute sur la doctrine qui les inspire et qui est celle du matérialisme épicurien mélangé de mécanisme malebranchien et de néospinozisme.

ENCYCLOPÉDIE MÉTHODIQUE. L'*Encyclopédie méthodique* est le dictionnaire conçu par le libraire Charles Panckoucke et dont ce dernier commença la réalisation en 1779.

En fait l'idée venait d'un libraire liégeois nommé Deveria, lequel avait formé le projet de corriger et d'élargir le texte de l'*Encyclopédie* de Diderot en le réorganisant par « ordre des matières ». Panckoucke adopta cette idée, s'associa avec Deveria et prit la tête de l'entreprise.

Un premier plan divisa l'ouvrage en 26 sous-encyclopédies, dont chacune devait couvrir une branche du savoir. Ce nombre fut porté à 39 en 1791. Le plan de 1791 prévoyait un total de 125 volumes et demi. A l'intérieur de chaque sous-encyclopédie, l'ordre alphabétique était conservé.

Panckoucke recruta une centaine de collaborateurs, tous ou presque tous académiciens, tous savants spécialistes des matières qu'ils auraient à traiter. Le but était, selon Panckoucke, de fournir « une bibliothèque complète et universelle de toutes les connaissances humaines ».

L'esprit est celui des Lumières, mais l'*Encyclopédie méthodique* prétend avant tout à l'exactitude scientifique. A la différence de l'*Encyclopédie* de Diderot, souvent erronée ou incomplète, elle présente vraiment l'état de la science au moment de sa parution.

En 1832, l'ouvrage était terminé. Le projet de 1791 était presque exactement réalisé. La nouvelle encyclopédie comprenait 126 volumes plus 40 volumes de planches et d'atlas.

ENFANCE, ENFANT. Le terme de l'enfance n'est pas fixé de manière précise.

Toutefois, certains âges sont considérés comme des étapes importantes. Sept ans est l'âge de discernement (nous disons aujourd'hui « de raison »). C'est l'âge où, dans les familles royales et princières, l'enfant, jusqu'alors confié aux soins exclusifs des femmes, passe à ceux des hommes. C'est enfin l'âge où cesse l'obligation absolue pour les parents de nourrir l'enfant. Douze ans est l'âge de la première communion. Quatorze ans est aussi un âge limite : c'est celui de la majorité royale, et celui où prend fin l'obligation (définie par les déclarations royales de 1698 et 1724) de fréquenter l'école élémentaire. Enfin, seize ans est l'âge minimal requis (jusqu'en 1768) pour faire profession dans un institut religieux. La majorité est fixée à vingt-cinq ans.

L'enfance est peut-être un peu moins courte qu'elle ne l'était précédemment ; il y a une tendance à la prolonger. On ne voit plus d'enfants très précoces dans leurs études. Dans les collèges, les âges sont normalisés : les élèves de rhétorique ont seize et dix-sept ans, ceux de philosophie dix-huit et dix-neuf ans.

La vie de l'enfant est protégée par la loi. L'avortement est puni de mort. L'édit d'Henri II de 1556 (renouvelé en 1707 et en 1731) punit aussi de mort toute femme ayant recelé sa grossesse, si son enfant est mort sans baptême et sans sépulture publique.

L'éducation de l'enfant — tout au moins dans sa théorie — est l'une des grandes préoccupations de ce siècle (*voir* ÉDUCATION). Dans sa thèse sur l'idéal pédagogique en France au XVIIIᵉ siècle, M. Marcel Grandière n'a pas recensé moins de 464 ouvrages de pédagogie publiés de 1715 à 1788. Cette fièvre pédagogique s'explique par deux raisons : d'une part on croit qu'une éducation éclairée pourra transformer heureusement la société ; d'autre part on conçoit l'esprit de l'enfant comme une « capacité vide » au départ. Tout est donc à faire, et tout est possible.

L'instruction réelle des enfants fait quelques progrès. Le mérite en revient pour l'essentiel aux congrégations religieuses enseignantes. Entre 1719 et 1789, les frères des Écoles chrétiennes fondent quatre-vingt-neuf écoles. Toutefois la progression du nombre des écoles nouvelles est moins rapide que sous le règne de Louis XIV, et se ralentit encore après 1750. La raison en est que ni l'administration royale ni la « philosophie » ne sont favorables à l'instruction des enfants des classes pauvres.

Dans le comportement vis-à-vis des enfants, on trouve souvent un curieux mélange de contrainte et de laxisme. La contrainte est due à des emplois du temps chargés, mais surtout à la manie (très répandue) de l'éducation permanente : même les jeux, même les promenades et même les histoires doivent être éducatifs. Mme de Genlis interdit de raconter des contes de fées, parce que le merveilleux n'est pas, selon elle, éducatif. Les enfants sont abrutis d'éducation. Le relâchement se voit dans l'abandon progressif des punitions corporelles et dans la faiblesse de certains parents. Le règne de l'enfant roi a commencé. *L'Enfant gâté* est le titre d'un tableau de Greuze. C'est aussi celui d'une comédie en deux actes de Mme de Genlis. L'optimisme des Lumières est sans doute à l'origine de cette indulgence abusive. On sait que pour la « philosophie » le péché originel n'existe pas. L'enfant est bon. « Assemblez, dit Voltaire, tous les enfants de l'univers et vous ne verrez en eux que l'innocence, la douceur et la crainte ; l'homme est partout sur toute la terre, du naturel des agneaux tant qu'il est enfant. »

Au dire de certains historiens, le siècle des Lumières serait celui de la « découverte de l'enfant » après une longue période de relative indifférence à son égard. En fait, il s'agit plutôt d'une nouvelle manière de considérer l'enfance et de la situer par rapport aux autres âges de la vie. Jusqu'alors, l'enfant n'était qu'un adulte en puissance, et ses éducateurs et lui-même avaient hâte qu'il le devînt en réalité. Au siècle des Lumières, les perspectives changent : l'enfance existe en tant que telle ; elle a acquis son autonomie ; elle est beaucoup

plus l'état d'enfance que celui d'adulte virtuel.

On s'attendrit donc sur l'enfance. On s'attarde sur elle. Les peintres savent mieux que jamais saisir le charme de son innocence. Voyez par exemple l'*Enfant au toton* et le *Benedicite* de Chardin, ou le portrait du Dauphin, fils de Louis XVI, par Mme Vigée-Lebrun. Dans la vie des hommes, le temps de l'enfance prend une importance croissante. Ceux qui écrivent leurs souvenirs, au lieu de passer très vite (comme on le faisait autrefois) sur ces premières années, s'y attardent avec complaisance. Grosley, Marmontel, Chateaubriand, Talleyrand et bien d'autres nous racontent longuement leurs jeux, leurs impressions et leurs états d'âme d'enfant.

Cela ne veut pas forcément dire que l'enfant soit mieux compris, ni surtout mieux aimé. Nous savons bien d'ailleurs que la condition des enfants, si on la regarde dans son ensemble, ne s'est pas améliorée. De très nombreux enfants sont abandonnés (180 000 à Paris entre 1760 et 1789). La pratique de la mise en nourrice (parfois jusqu'à deux ou trois ans) est généralisée. La mortalité des enfants abandonnés, placés en nourrice, est très élevée (*voir* ENFANTS ABANDONNÉS). Sur 1 000 enfants abandonnés placés par l'hôtel-Dieu de Lyon, 521 en moyenne meurent avant l'âge de sept ans. Enfin, le travail des enfants devient chose commune. Il est attesté par exemple que la Compagnie d'Anzin accepte d'accueillir dans son personnel des enfants dès l'âge de sept ans, et les fait descendre au fond des mines à l'âge de dix ans (Ph. Guignet). S'il est une découverte de l'enfant, ce serait plutôt celle de son utilité comme main-d'œuvre d'appoint dans les mines et dans les manufactures.

Une telle inhumanité s'explique mal dans un pays chrétien. Mais c'est là justement un signe de déchristianisation, d'une déchristianisation qui n'est pas seulement un recul de la pratique, mais qui est aussi un affaiblissement intérieur. L'une des grandeurs du catholicisme tridentin en France était sa dévotion à la Sainte Enfance du Christ. La faiblesse des enfants était ainsi honorée dans celle de Jésus lui-même. Il est significatif que cette dévotion soit maintenant beaucoup moins répandue et pratiquée.

ENFANTS ABANDONNÉS. L'abandon d'enfants a toujours été pratiqué, mais le mal empire à l'époque moderne et surtout au XVIIIe siècle. « Il n'y a pas », écrit en 1748 le magistrat de Strasbourg, « de vice plus commun et plus en vogue. »

La plupart des enfants abandonnés le sont par exposition. On les appellera « enfants trouvés ». Les lieux d'exposition sont les églises, les couvents, les institutions d'assistance, les portes des villes, les rues commerçantes et les porches des hôtels de riches particuliers. Souvent, un billet agrafé sur l'enfant précise s'il a été ou non baptisé, et le recommande à la charité publique. Voici l'un de ces billets trouvé à Paris le 3 juin 1730 (cité par René Pillorget, *La Tige et le Rameau*) : « Le père et la mère prient instamment d'en avoir grand soin ; il est de naissance et de bonne famille, il a quinze jours, il est baptisé et s'appelle Jean, il a tété [...]. »

Il est aussi des enfants « apportés ». Les uns ont été déposés par leurs parents dans le tour de l'hôpital des enfants abandonnés. Les autres sont confiés à l'hôpital par les sages-femmes qui les ont mis au monde. On peut aussi considérer comme abandonnés les enfants « délaissés », dont les parents, après s'en être occupés un certain temps, ont renoncé à se charger. Ceux-là ont déjà un certain âge et ont connu leurs parents. Par exemple, le 19 septembre 1720, Jaquette Arragon, âgée d'environ dix-huit ans, prie le bureau de l'hôpital général d'Agen de la recevoir comme « pauvre fille délaissée ». Enfin, des enfants peuvent être recueillis car « moralement abandonnés ». C'est l'œuvre des Filles de la Providence de Marseille. Ces religieuses reçoivent des filles « exposées à la corruption du siècle et en danger de se perdre par la mort de leurs pères et mères ou par la vie scandaleuse de leurs parents » (cité par Maurice Capul, *Abandon et marginalité : Les en-*

fants placés sous l'Ancien Régime, Toulouse, 1989).

Il existe des institutions spécialisées dans l'accueil des enfants trouvés. Dans la plupart des villes ce sont les hôtels-Dieu (à Toulouse et à Lyon par exemple). A Rouen, l'hôpital général et l'hôtel-Dieu sont associés dans cette œuvre. Paris a son « hôpital des Enfants trouvés », issu de la Maison de la Couche fondée au XVIIe siècle par les Filles de la Charité, et intégrée ensuite dans l'hôpital général. Certaines municipalités (comme Strasbourg en 1748) créent des maisons spécialisées subventionnées sur les deniers de la ville.

Nous avons des chiffres, mais il faut savoir que ces statistiques portent sur les enfants recueillis par les hôpitaux et les autres institutions, et non sur le total des enfants abandonnés. Par exemple les registres de l'hôpital général de Rouen nous apprennent que 3 588 enfants abandonnés ont été recueillis par cette institution de 1782 à 1789.

Les chiffres indiquent une augmentation considérable du nombre des abandons au cours du siècle. Le phénomène est très impressionnant. Il se manifeste dès 1730 en Auvergne et dès 1740 en Alsace, mais il s'agit là d'exceptions. Dans la plupart des régions, l'augmentation commence après 1750. A Angers, la croissance brutale démarre en 1765, et à Dijon en 1780 seulement. A l'hôpital Saint-Yves de Rennes, la progression des admissions est de 1 à 4 en treize ans, de 1767 à 1780. L'hôpital des Enfants trouvés de Paris reçoit 180 000 enfants de 1760 à 1789, mais beaucoup de ces enfants viennent de province.

Enfants légitimes ou illégitimes ? C'est une des questions que se posent les historiens. Il semble que la grande majorité soient des illégitimes. Mais la proportion des légitimes n'a jamais été négligeable, et elle a certainement augmenté après 1760. Dans l'arrêt du Conseil du 10 janvier 1779, qui interdit d'amener aux Enfants trouvés de Paris des enfants abandonnés en province, on peut lire : « [Sa Majesté] a remarqué avec peine que le nombre des enfants exposés augmentait tous les jours, et que la plupart provenaient aujourd'hui des nœuds légitimes [...] » (cité par François Lebrun, « Naissances illégitimes et abandons d'enfants au XVIIIᵉ siècle », *Annales* [*Économies, Sociétés, Civilisations*], 1972). « La plupart » est sans doute exagéré, mais c'est une indication importante.

La honte attachée à l'état de fille-mère et les difficultés matérielles sont les principales causes de l'abandon des illégitimes. Dans l'abandon des légitimes, le travail des femmes a dû compter. Le lieutenant de police de Lyon écrit en 1789 à propos de ces femmes mariées qui se débarrassent de leurs enfants : « Leur état, leurs travaux, leur condition ne leur laissent ni le temps, ni la faculté de nourrir leurs enfants » (cité par R. Pillorget, *La Tige et le Rameau*). Plusieurs historiens ont noté que la misère ne semblait pas être une cause majeure d'abandon, qu'il s'agisse d'illégitimes ou de légitimes. On a même observé qu'à Strasbourg les montées des prix coïncidaient toujours avec des chutes de l'abandon, comme si les difficultés matérielles encourageaient les parents à garder les enfants.

Que faire de ces innombrables enfants sans famille ? Comment les élever ? Comment les insérer dans la société ? La mort, pour la majorité d'entre eux, se charge de régler le problème. Les taux de mortalité sont effrayants. A l'hôtel-Dieu Saint-Jacques de Toulouse, sur 1 000 enfants recueillis en 1779, 297 seulement dépasseront l'âge de six mois. La mortalité augmente en proportion du nombre des abandons. A Lyon, entre 1715 et 1773, le nombre des enfants trouvés placés en nourrice double, celui des décès triple. L'exposition, le transport à l'hôpital, l'entassement dans des locaux souvent peu salubres, et le voyage à la campagne pour la mise en nourrice : autant de raisons pouvant expliquer ces hécatombes.

Les enfants sont placés en nourrice à la campagne. Ils y restent jusqu'à l'âge de sept ans, puis reviennent à l'hôpital où on les fait instruire. En 1761 il y a cinq classes de garçons aux Enfants trouvés de Paris, rassemblant 424 élèves. Après quelques années d'école, les enfants sont mis en apprentissage. La pratique du travail forcé des jeunes enfants trouvés ne semble pas répandue en France, alors qu'elle l'est en Angleterre. On trouve cependant quelques cas de ce genre dans des manufactures de Béziers et de Montpellier. A Rouen, des enfants de l'hôpital sont envoyés à douze ans sur des chantiers de construction.

ENFANTS ILLÉGITIMES. L'enfant illégitime est l'enfant né hors mariage. Sont qualifiés aussi d'illégitimes par la législation royale les enfants issus de mariages de mineurs sans le consentement des parents, et ceux nés de mariages entre catholiques et protestants.

Dans les campagnes, les taux d'illégitimité sont très faibles. En Languedoc, par exemple, ils sont inférieurs à 0,4 %. Les taux urbains sont beaucoup plus élevés. Dans la paroisse Saint-Georges de Lyon, ils varient entre 5 et 10 %. Deux raisons peuvent expliquer cet écart entre la campagne et la ville. La première raison est l'emprise chrétienne encore très forte sur les campagnes, où les Commandements de Dieu, et en particulier le Neuvième (« Œuvre de chair ne désireras qu'en mariage seulement »), sont encore fidèlement observés. La seconde raison est celle-ci : beaucoup de filles enceintes quittent la campagne pour venir accoucher en ville. Il y a donc un certain nombre d'enfants illégitimes qui sont conçus à la campagne, mais qui naissent en ville. L'écart campagnes-villes est moins grand qu'il ne paraît au vu des taux.

Après 1760, l'illégitimité augmente dans des proportions considérables, et cela aussi bien dans les campagnes que dans les villes. Dans sept villages de Moselle le taux était de 0,5 % au début du siècle. Il est de 2 % à la fin. A Lille et à Nantes, les taux triplent (Lille : 4,8 % en 1740, 12,5 % en 1788 ; Nantes : 3,1 % au début du siècle, 10 % après 1780). L'augmentation la plus spectaculaire est constatée à Toulouse, où l'on passe de 1 enfant illégitime sur 94, au début du siècle, à 1 sur 4 à la veille de la Révolution. Partout la montée de l'illégitimité est impressionnante. Rien n'illustre mieux la dégradation des mœurs à la fin de l'Ancien Régime.

Beaucoup de ces enfants sont issus de rencontres fortuites et de liaisons très passagères. Mais le nombre n'est pas négligeable des enfants de couples illégitimes vivant en concubinage. A Nantes, dans les milieux les plus populaires (ceux des fileuses, des laveuses, des portefaix et des couvreurs), ces sortes de couples ne sont pas rares. Incertains du lendemain, ils ne se marient pas. S'ils ont des enfants, ils les abandonnent. Cela dit, l'illégitimité est de tous les milieux sociaux. D'Alembert est le fils de Mme de Tencin et du commissaire d'artillerie Destouches. Julie de Lespinasse est la fille de Julie d'Albon et de Gaspard de Vichy.

Le statut juridique des bâtards n'a rien d'enviable. Sauf en Dauphiné et dans les coutumes de Valenciennes et de Saint-Omer, où ils sont admis à la succession maternelle, ils ne succèdent pas. S'ils n'ont pas d'enfants, nul ne peut leur succéder. La qualité noble ne leur est pas transmise. Cependant ils peuvent être légitimés par lettres royales.

Le siècle ne favorise pas ces enfants que pourtant il multiplie. On note qu'après 1730, les juges ne forcent plus les séducteurs au mariage (alors qu'ils le faisaient souvent auparavant). Ce fait peut d'ailleurs contribuer à expliquer la progression des taux. La société regarde d'un mauvais œil l'enfant illégitime. Lorsque Fréron veut discréditer La Harpe, il le dénonce comme un enfant illégitime. Enfin, la plupart de ces enfants sont abandonnés. A l'immoralité s'ajoute l'inhumanité.

ENTRESOL (club de l'). Le club de l'Entresol fut ainsi appelé parce qu'il se réunissait à l'entresol d'un hôtel appartenant au président Hénault, place Vendôme. Il tint régulièrement ses séances de 1724 à 1731, date à laquelle Fleury le fit fermer. Les *Mémoires* du marquis d'Argenson font connaître les personnages qui figuraient dans ces réunions. C'étaient les abbés Alary, fondateur du club, de Bragelonne et de Pomponne, le chevalier de Ramsay et plusieurs gentilshommes (Coigny, Matignon, Lassay, Noirmoutiers, Saint-Contest) sans oublier l'abbé de Saint-Pierre, principal animateur de cette société où il exposa la plupart de ses projets pour changer la société et l'État.

ÉON, Charles Geneviève Louis Auguste Timothée de Beaumont, chevalier d' (Tonnerre, 5 octobre 1728 - Londres, 21 mai 1810). Ministre plénipotentiaire, agent du Secret du roi, il est l'un des plus étranges diplomates que le roi de France ait jamais envoyés en mission. Son histoire est compliquée. Les mémorialistes et les historiens de seconde main l'ont embrouillée comme à plaisir. Après quelques vérifications et confrontations, nous proposons la chronologie suivante comme à peu près certaine. D'Éon est né à Tonnerre. Fils d'un avocat au Parlement, il fait des études de droit, est reçu à la licence et se fait connaître par des ouvrages d'histoire et d'économie politique. Sa première mission diplomatique date de 1755. Il est envoyé à Saint-Pétersbourg comme agent du Secret. Il a pour instructions de disposer la tsarine Élisabeth en faveur de la candidature du prince de Conti au trône de Pologne. En août 1756, il est nommé secrétaire d'ambassade, toujours à Saint-Pétersbourg. L'ambassadeur est alors le duc de Nivernais. En 1760, le séjour en Russie se termine. D'Éon revient en France. En mai 1762, on l'envoie à Londres comme secrétaire d'ambassade, chargé d'assister le duc de Nivernais dans la négociation de la paix. C'est lui qui, en 1763, apporte à Versailles la ratification du traité par les Anglais. En récompense, Louis XV (qui s'est toqué de lui) le nomme ministre plénipotentiaire et chevalier de Saint-Louis. La même année, le comte de Guerchy succède à Nivernais à l'ambassade de Londres. Entre lui et d'Éon, la brouille est immédiate. D'Éon le prend de très haut. Il accuse publiquement Guerchy d'avoir tenté de l'assassiner. Le 25 février 1765, les grands jurés de Londres reconnaissent la culpabilité de l'ambassadeur et déclarent qu'il peut être traduit devant l'Old Bailey. Le scandale est énorme. En France, le roi et les responsables du Secret sont très inquiets du comportement de d'Éon. En effet, la raison principale du conflit Guerchy-d'Éon est le refus de ce dernier de rendre certains documents secrets en sa possession, et en particulier une lettre autographe du roi concernant une mission d'espionnage confiée au chevalier de La Rozière afin de préparer un débarquement en Angleterre. D'Éon ne se borne pas à accuser Guerchy. Il fait chanter la cour de Versailles, exige de l'argent et multiplie les extravagances. C'est sans doute à partir de 1769 qu'il commence à s'habiller en femme et se fait appeler la «chevalière d'Éon». Depuis 1767, il n'est plus diplomate accrédité, mais il reste agent du Secret. En 1777, Beaumarchais est mandaté par la Cour pour négocier avec lui. La «chevalière» accepte de restituer les papiers moyennant une pension. Louis XVI l'autorise à rentrer en France. Le 17 août 1777, il se présente à Versailles, toujours habillé en femme. La Révolution ayant supprimé sa pension, il donne pour vivre des leçons d'escrime féminine. Réduit à la pauvreté, il fait, en 1804, cinq mois de prison pour dettes. Il meurt à Londres en 1810 et est enterré près d'Old St. Pancras Church, non loin de l'actuelle gare de King's Cross. Il avait servi à Beaumarchais de modèle pour son Chérubin du *Mariage de Figaro*. Un portrait miniature exécuté vers 1790 par J. Condé le représente dans son habillement féminin.

Deux points sont obscurs. Presque tous les biographes de d'Éon lui attribuent la qualité d'officier militaire, faisant de lui soit un capitaine du régiment d'Autichamp, soit un capitaine de dragons, et situant sa brève carrière militaire entre son retour de Russie en 1760 et son envoi à Londres en 1762. Cependant, son nom ne figure pas sur les contrôles de troupes, ni sur ceux du régiment d'Autichamp, ni sur ceux des dix-huit régiments de dragons de l'armée française.

L'autre difficulté concerne l'habillement en femme. D'Éon aurait-il voulu par cette extravagance faire pression sur la Cour et obtenir de l'argent ? Ou bien s'agit-il de la fantaisie d'un esprit malade ? On ne le saura sans doute jamais.

ÉPICURISME. De toutes les philosophies à l'origine des Lumières, celle d'Épicure et de son chantre Lucrèce a eu sans doute l'influence la plus forte. On retrouve en effet chez tous les philosophes des Lumières les deux grandes idées épicuriennes, celle de la nature conçue comme une totalité immanente, et celle de l'homme libéré de la superstition et de la peur par son adhésion à la «philosophie de la nature». On peut même dire que ces deux idées sont les deux thèmes dominants de la pensée des Lumières. On objectera que les philosophes des Lumières rejettent l'atomisme épicurien, mais l'atomisme n'est qu'un aspect de l'épicurisme, et non le plus important.

Une traduction du *De natura rerum* de Lucrèce fut publiée en 1768 par Lagrange, précepteur des enfants du baron d'Holbach. Une autre traduction, intitulée *Essai de traduction libre de Lucrèce*, avait été donnée au public en 1766 par Le Blanc de Guillet. *L'Anti-Lucrèce* est le titre d'un poème de 12 000 vers du cardinal de Polignac. C'est une réfutation du matérialisme et une œuvre d'apologétique (1745).

Deux questions particulières mériteraient d'être examinées. La première concerne le début du siècle. Une société d'épicuriens se réunissait au Temple sous la Régence, chez le grand prieur de Vendôme. Ce fut là que le jeune Voltaire reçut de l'abbé de Chaulieu et du marquis de La Fare ses premières leçons d'épicurisme. Il faudrait étudier ce passage de l'épicurisme libertin à l'épicurisme des Lumières.

La seconde question est relative à la fin du siècle et précisément à la période révolutionnaire. Il semblerait que la Terreur de 1793-1794 soit d'une certaine manière une réaction antiépicurienne. On peut noter en effet que, dans son discours du 18 floréal an II (7 mai 1794) intitulé *Sur les rapports des idées religieuses et morales avec les principes républicains*..., Robespierre attaque très vigoureusement la « secte épicurienne » (qu'il appelle aussi le « troupeau d'Épicure »), la rendant responsable de la démoralisation de la France. Il faudrait donc étudier les rapports de Robespierre avec l'épicurisme.

ÉPINAY, Louise Françoise Pétronille Tardieu d'Esclavelles, dame de La Live, marquise d' (Valenciennes, 1725 - Paris, 17 avril 1783). Devenue par son mariage Mme d'Épinay, elle est l'une des égéries des philosophes. Fille d'un brigadier des armées du roi, elle épouse à l'âge de dix-neuf ans, par amour et sans dot, son cousin La Live d'Épinay, fils du fermier général La Live de Bellegarde, et fermier général lui-même. Le mariage n'est guère heureux. D'Épinay est un dissipateur et un débauché. Il abandonne sa femme. Celle-ci se console comme elle peut. « Mon cœur, dit-elle, a besoin d'appui. » Dans l'histoire mouvementée de ses amours, on retiendra les deux liaisons les plus brillantes, celle, passagère, avec Dupin de Francueil, et celle, interminable (trente années), avec Grimm. Sans être jolie, Mme d'Épinay est une « séduisante créature » (Mlle d'Ette) et pleine d'esprit. En son château de La Chevrette, elle tient table ouverte, donne des concerts, fait jouer des pièces de théâtre. Toute la philosophie vient chez elle. Diderot est avec Grimm le plus assidu. En 1755, Rousseau est installé dans une petite « loge » du parc, baptisée l'Ermitage. Mme d'Épinay aime son Jean-Jacques, son « ours », comme elle dit. Elle voudrait l'avoir tout à elle. Mais lui se dérobe. C'est la brouille, en 1757, quand il refuse de l'accompagner à Genève où elle doit consulter Tronchin. Elle se rabat sur Voltaire, qui l'invite aux Délices et se montre charmant. A son retour de Genève, les prodigalités de son mari l'ayant à moitié ruinée, elle loue La Chevrette et s'installe dans le petit manoir voisin de La Briche. Les années passant, sa vie se fait plus retirée. On ne la rencontre pas dans les salons parisiens. Elle écrit. On a d'elle *Les Conversations d'Émilie* (1774), ouvrage pédagogique composé pour l'éducation de sa petite-fille, Émilie de Belsunce, et des *Mémoires* (publiés en 1818), qui sont une histoire romancée de sa propre vie. Sainte-Beuve, dans ses *Causeries du lundi*, situe cet ouvrage entre les *Confessions* de Duclos et *Les Liaisons dangereuses* et comme offrant un tableau de la « corruption moyenne ».

ÉQUIPAGES. Commandés par les officiers du grand corps (*voir* OFFICIERS DE LA MARINE MILITAIRE), les équipages de la marine du roi sont formés d'officiers mariniers (sortes de sous-officiers) et de matelots. Le nombre d'hommes par navire est élevé. Par exemple, sur le *Foudroyant*, vaisseau de ligne de l'escadre de La Galissonnière, sont embarqués, à la date du 22 juin 1756, huit cent cinq officiers mariniers et matelots.

Le recrutement se fait par le système des classes inventé par Colbert. Des rôles sont dressés de tous les gens de mer capables de servir. Tout homme inscrit devra le service sur les vaisseaux du roi. Les rôles sont divisés en trois classes servant chacune un an à son tour. Il s'agit d'une véritable conscription.

Les classes permettent à la marine de disposer d'un effectif permanent variant de 50 000 à 65 000 hommes (64 540 en 1788, plus 14 419 officiers mariniers). Cela est à peine suffisant. Pendant la guerre de Sept Ans, il a fallu étendre les classes aux bateliers du Sud-Ouest. Comme l'armée de terre, la marine souffre du mal de la désertion, et la contagion est particulièrement forte chez les recrues du littoral méditerranéen. Toutefois la proportion des déserteurs est beaucoup moins forte qu'en Angleterre où les équipages sont recrutés par le système primitif et barbare de la presse.

Les témoignages sont nombreux sur la dureté des conditions de vie à bord et sur le mauvais état sanitaire des équipages à la fin des campagnes. Un ancien de l'expédition du duc d'Anville sur les côtes d'Acadie (1746) raconte qu'au retour à Lorient, sur six cents hommes formant l'équipage de son navire, deux cents étaient incapables de manœuvrer. Il met en cause le «peu de soin qu'on a des équipages à bord des vaisseaux de guerre», le «peu d'aisance forcé par la quantité de domestiques, provisions et bestiaux embarqués pour la commodité de l'état-major» et «la malpropreté d'entre les ponts».

A la fin de l'Ancien Régime, deux réformes viennent améliorer de façon sensible la vie des gens de mer appelés à servir. L'ordonnance du 31 octobre 1784 libéralise le système des classes : le marin ne devra plus être classé de force. Le code Castries (1786) réglemente l'alimentation des équipages et l'entretien de la propreté des navires. Il est prescrit, entre autres dispositions, de laver les ponts tous les jours et même de les «parfumer alternativement avec le genièvre, le vinaigre et la poudre à canon».

ESCLAVAGE. Le siècle des Lumières est celui de l'esclavage. Éliminé d'Occident par l'influence du christianisme, ce fléau social avait reparu au XVIᵉ siècle dans les territoires colonisés par les Européens. La fin du XVIIᵉ siècle avait vu les débuts de la traite négrière et les achats d'esclaves pour les galères. Mais c'est au XVIIIᵉ siècle que le mal sévit avec le plus de force, toutes les colonies, et particulièrement les françaises, se transformant alors en parcs à esclaves. Aux Antilles et à l'île Bourbon, qui sont les colonies les plus touchées, la disproportion est énorme entre la population esclave et la population libre : 190 000 esclaves aux Antilles sur 250 000 habitants (1739), 37 000 esclaves à Bourbon sur 45 000 habitants (1789). Les esclaves des Antilles sont tous des Nègres importés d'Afrique. Ceux de Bourbon viennent de l'Inde, de Madagascar et du Mozambique.

Le Roi Très Chrétien admet l'esclavage et l'entérine. L'édit de Louis XIV de mars 1685 (dit Code noir) en a défini les normes pour les Antilles. Les lettres patentes de décembre 1723 et l'édit de mars 1724 légalisent de la même manière et presque dans les mêmes termes la servitude pratiquée à Bourbon et en Louisiane. «L'esclavage est aboli en France», dit le droit français. Faut-il croire alors que les colonies ne sont pas la France? Pourtant, le droit français (celui de la coutume de Paris) y est en vigueur. Le même droit précise que «tout esclave qui aborde des Païs étrangers est affranchi en se faisant baptiser» (Pocquet de Livonnière, *Règles du droit français*, p. 54). Mais cette règle ne vaut pas pour les esclaves venant des colonies (qui ne sont pas des pays «étrangers») : «[...] il faut excepter de cette Règle, précise Pocquet de Livonnière, les Esclaves Nègres qui viennent avec leurs Maîtres des Isles de l'Amérique, et qu'on a dessein d'y ramener.» Autrement dit, l'affranchissement par le sol ne joue pas pour les nègres des Antilles (et de Bourbon). Comme cela contredit trop ouvertement le droit, on s'en tire par une supposition. On dit que les Nègres «venant dans le Royaume à la suite de leurs maîtres sont censés ne jamais quitter leur pays [*sic*], ni le joug de la servitude» (Durand de Maillane).

La condition de l'esclave français vaut un peu mieux que celle de l'esclave antique : il n'est pas entièrement livré à l'arbitraire du maître. La législation royale a au moins ceci de bon qu'elle définit de manière très précise et détaillée les obligations des propriétaires et fixe le tarif des peines que ceux-ci sont en droit d'infliger à leurs esclaves. Selon l'article 22 du Code noir, chaque esclave âgé de dix ans et plus a droit chaque semaine à deux pots et demi de manioc, trois livres de bœuf salé et trois livres de poisson. En Louisiane, il appartient au Conseil supérieur de la colonie de fixer la «quantité des vivres et la qualité de l'habillement qu'il convient que les maîtres fournissent à leurs esclaves». Quand les esclaves, devenus vieux et infirmes, ne peuvent plus travailler, les maîtres doivent en prendre soin. Enfin, un recours est possible : si les esclaves ne sont pas nourris, vêtus et entretenus comme la loi les y oblige, ils peuvent adresser leurs plaintes au procureur du roi.

A cela près, l'esclave n'est rien d'autre qu'un bien meuble, rien de plus que le bétail, auquel d'ailleurs l'assimile l'«acte de notoriété» du 13 novembre 1705 émanant du lieutenant civil du Châtelet de Paris. Certes, il est baptisé et se marie à l'église, mais son baptême lui est imposé en vertu de la règle que «tous les esclaves pratiqueront la religion catholique», et son mariage est soumis au consentement de son maître.

Les esclaves ne subissent pas toujours passivement leur misérable sort. Certains désertent; c'est la pratique dite du «marronage», qui est punie de mort à la troisième récidive. Il y a aussi quelques tentatives de révolte, comme cette conspiration générale découverte en 1729 à l'île Bourbon, juste avant qu'elle n'éclate. Mais le peuple servile est assez facile à contenir, car c'est un peuple accablé. Les mauvais traitements, la nourriture médiocre et le surmenage ont vite raison de ses ressources vitales. La mortalité est très élevée : aux Antilles : 5 à 6 % des esclaves décèdent chaque année.

Plusieurs philosophes des Lumières, tout en voyant dans les Nègres une espèce inférieure (*voir* RACISME), se sont émus de leur servitude. Voltaire (dans *Candide*, chap. XIX) et Marmontel (dans *Les Incas ou la Destruction du Pérou* (1770) se sont plu à souligner l'hypocrisie d'une société se proclamant chrétienne et tolérant l'esclavage. «Mon frère, tu es mon esclave, écrit Marmontel, est une absurdité dans la bouche d'un homme, un parjure et un blasphème dans la bouche d'un chrétien.» L'*Histoire des deux Indes* de Raynal peut être considérée comme un manifeste abolitionniste. Cependant, la critique la plus avisée, celle qui va le plus au fond, vient de Montesquieu. L'auteur de *L'Esprit des lois* réfute en effet la thèse de Grotius (admise par tous les bons esprits à la fin du XVIIᵉ siècle), selon laquelle l'esclavage par droit de conquête fait partie du droit des gens. Il s'élève contre cette réhabilitation de la barbarie antique : «L'es-

clavage, affirme-t-il, est aussi opposé au droit civil qu'au droit naturel.»

Il y a toutefois dans les Lumières un courant fortement esclavagiste. Cela peut surprendre mais finalement s'explique très bien par l'influence de la philosophie matérialiste et sensualiste. Dieu n'existant pas, et l'homme n'étant selon cette philosophie qu'une «petite portion de matière organisée», on ne voit pas très bien la raison de la liberté.

Le texte le plus explicite est celui de l'économiste Jean-François Melon — jugé le plus grand économiste de son temps — et se trouve dans l'*Essai politique sur le commerce* (1734), chef-d'œuvre de cet auteur. «L'usage des esclaves dans nos colonies, écrit J.-F. Melon, nous apprend que l'esclavage n'est contraire ni à la Religion ni à la Morale : ainsi nous pouvons examiner librement s'il serait plus utile de l'étendre partout. En partant du principe que le désavantage de l'un est compensé par l'avantage de l'autre, la question serait d'abord décidée, car il est hors de doute que le maître gagnerait autant que l'esclave perdrait, mais le principe juste dans la généralité, est d'une conséquence dangereuse dans les applications particulières» (p. 66-67). Malgré tout, l'application dans ce cas lui semble souhaitable : «[...] que dans une opération générale, explique-t-il, dont le législateur prévoit un bien à sa nation, il s'ensuive le dommage de quelque particulier [*sic*], alors le dommage a une compensation si grande qu'il doit être nul devant le législateur qui n'a pu faire entrer dans son plan les intérêts de détail.» De tels raisonnements sont à peine croyables. Pourtant nul ne les conteste. Ils ne choquent personne. Un magistrat lyonnais, le président Dugas, les reprend même dans une communication faite le 10 décembre 1755 à l'Académie de Lyon, sous le titre suivant : «Mémoire où l'on examine s'il ne serait point avantageux de ramener parmi nous l'usage des esclaves.» «Examiner» est manière de parler. Le président Dugas ne pèse pas le pour et le contre. Il ne voit que des avantages, en particulier celui-ci que «les esclaves n'étant point salariés, il résulterait de cette institution un très gros avantage pour les travaux publics et pour l'agriculture». Ce n'est pas une boutade. D'ailleurs, l'idée semble avoir retenu l'attention de la haute administration. En 1754, dans un mémoire «pour améliorer l'industrie du coton et de la soie», Trudaine proposait d'acheter des esclaves en Inde, les naturels de ce pays étant experts en ces sortes de fabrications, et de les installer à Tours dans une manufacture désaffectée : «On chargerait un homme prudent et sûr de faire dans l'Inde l'acquisition des esclaves et de traiter avec les ouvriers libres.» On ignore si ce projet a été réalisé. Mais la solution d'un «esclavage doux et modéré» (Dugas) séduit de plus en plus. Seulement, faire venir des esclaves d'au-delà les mers serait coûteux et compliqué. A défaut, on imagine après 1770 une sorte d'ersatz d'esclavage pour sujets français. Ce sont les «compagnies d'ouvriers provinciaux» employées par l'intendant Bertier de Sauvigny à la construction du canal de Bourgogne, et les maisons «de travail», c'est-à-dire les dépôts de mendicité transformés en bagnes de travail forcé, selon les idées de l'abbé de Montlinot. On y enferme des gens qui n'ont commis d'autre crime que celui de tendre la main. L'esclavage y est temporaire, mais c'est la seule différence avec l'esclavage antillais. On pense aussi à l'esclavage pour remplacer la peine de mort. C'est la proposition de Beccaria dans son traité *Des délits et des peines* (1764).

Car il s'agit d'être réaliste. Comme l'écrit Simon Linguet dans sa *Théorie des lois civiles* (1767), «il ne s'agit pas d'examiner si l'esclavage est contre la nature en elle-même, mais s'il est contre la nature de la société». La réponse est évidente : non seulement l'esclavage «n'est pas contre la nature de la société, mais encore il en est inséparable». L'esclave, explique un autre auteur, devrait bien comprendre tout le bénéfice de sa condition : «C'est du sein de l'ignorance et de la paresse qu'ils sont tirés pour être appliqués à des travaux utiles, et la ferti-

lité du pays où ils sont transplantés leur promet un sort assez doux» (Hilliard d'Auberteuil, *Considérations sur l'état présent de la colonie française de Saint-Domingue*, 1776). Pour Malouet, ancien gouverneur de la Guyane, le Nègre ne connaît pas son bonheur : il «a pour consolation le spectacle de ses semblables, dont quelques-uns se procurent par leur travail les jouissances du luxe [...] et enfin il voit dans sa vieillesse ses infirmités soignées et ses enfants parcourant la même carrière que lui sans l'inquiétude du besoin» (*Mémoire sur l'esclavage des Nègres*, 1788).

On attendrait une protestation de l'Église. C'est plutôt une approbation qui vient. Consultée en 1698 sur la question de savoir «si en sûreté de conscience on peut vendre des Nègres», la Sorbonne avait répondu : «[...] il n'y a pas de mal en soi d'acheter ou de vendre des Esclaves quand ils le sont à juste titre» (Lamet et Fromageau, *Dictionnaire des cas de conscience*, 1714, 1er vol., col. 1441). Les esclavagistes pouvaient même se réclamer de l'autorité de Bossuet, lequel avait écrit ces lignes inquiétantes : «L'origine de la servitude vient des lois d'une juste guerre. De condamner cet état, serait entrer dans les sentiments que M. Jurieu lui-même appelle outrés, c'est-à-dire dans les sentiments de ceux qui trouvent toute guerre injuste ; ce serait non seulement condamner le droit des gens où la servitude est admise par toutes les lois ; mais ce serait condamner le Saint Esprit, qui ordonne aux esclaves par la bouche de saint Paul, de demeurer en leur état, et n'oblige point leurs maîtres à les affranchir» (Ve *Avertissement*, 50). Quant aux missionnaires, ce n'est pas que les souffrances des esclaves ne les émeuvent pas, mais leur émotion s'apaise à la pensée consolante de tous ces Nègres baptisés, qui ne l'auraient pas été sans l'esclavage : «Ce qui console un peu les personnes zélées pour le salut des âmes, écrit le jésuite Charlevoix, [...] c'est que la nécessité où l'on s'est trouvé de se servir des Nègres a été le moyen dont Dieu s'est servi pour le salut de ce

Peuple né pour l'esclavage, qui le rend plus docile aux instructions qu'on lui fait, qu'il n'aurait été dans sa patrie, ou si transporté dans un Pays étranger il y eût conservé sa liberté » (*Histoire du Paraguay*, 1757, p. 180-181).

Le clergé français n'a pas eu son Bartolomé de Las Casas. Il est vrai que l'esprit de la grande scolastique, dont était nourri le dominicain espagnol, est totalement absent de la pensée religieuse catholique du temps des Lumières. Las Casas avait appris de saint Thomas que « l'homme diffère en ceci des autres créatures dépourvues de raison, qu'il est maître de ses actes » (*Summa Theologiae*, Ia, IIae, qu. Ia, art. Ius). Cette leçon a été oubliée. Rien n'illustre mieux le déclin de la pensée chrétienne que la lâcheté des clercs face au scandale de l'asservissement.

ESCURIAL (traité de l'). Le traité de l'Escurial est le traité d'alliance signé le 7 novembre 1733 entre la France et l'Espagne au début de la guerre de Succession de Pologne. La France assure à l'Espagne la garantie de Gibraltar et donne son accord préalable et de principe à toute conquête en Italie de don Carlos, fils de Philippe V et roi de Naples. On peut dire de ce traité qu'il est la préfiguration du pacte de Famille de 1761.

ESMANGART, Charles François Hyacinthe (1736-1793). Intendant de province, il est d'une famille noble depuis quatre générations. Nommé maître des requêtes en 1761, puis président au Grand Conseil en 1768, il commence en 1770 une carrière d'intendant qui va durer jusqu'à la Révolution, et qui va le conduire d'abord à Bordeaux (1770-1775), puis à Caen (1775-1783) et enfin à Lille (1783-1789). A Caen, il attache son nom à la régularisation du cours de l'Orne, à la construction d'un aqueduc pour amener à Caen les eaux de l'Orne, et à la fondation de deux prix de l'Académie, dont l'un doit récompenser un ouvrage sur « les moyens d'étendre les branches du commerce ». A Lille, sa « bienfaisance »

est également remarquée, mais il ne va pas jusqu'à payer de sa personne. Lors des inondations catastrophiques de Lille en avril 1784, il prévoit des secours, mais il ne visite pas lui-même les populations sinistrées. Il envoie son subdélégué.

ESTAING, Charles Hector Jean-Baptiste, comte d' (Auvergne, 1729 - Paris, 1794). Officier d'infanterie, il s'est converti en marin. Cette conversion a lieu en 1759 aux Indes où d'Estaing est alors en campagne. Trois ans après, en 1762, il est promu lieutenant général des armées navales et en 1777 vice-amiral d'Asie et d'Amérique. On se demande ce qui a pu justifier un tel avancement. D'Estaing est un soldat intrépide. Il avait montré sa valeur en 1759 à Sumatra en enlevant à la pointe de l'épée plusieurs forts anglais ; mais son expérience de la mer et du combat naval était encore très courte. D'ailleurs, la suite va le montrer. Chargé en 1778 du commandement de l'escadre envoyée au secours des Américains, il commence par manquer l'effet de surprise : l'escadre n'en finit pas d'arriver ; elle met quatre-vingt-cinq jours pour aller de Toulon à New York. Les Anglais ont eu largement le temps de se préparer. Ensuite, d'Estaing ne sait pas saisir l'occasion qui lui est offerte d'écraser la flotte anglaise réfugiée dans le mouillage de New York. Il n'ose pas franchir la passe. Quand il veut enfin attaquer l'escadre britannique, un violent orage l'en empêche. Il se tourne alors vers les Antilles anglaises et s'empare de la Grenade (4 juillet 1779), mais ce beau succès terrestre ne sert à rien : la flotte de Byron, venue au secours de la Grenade, réussit à s'échapper. Enfin, le 9 octobre 1779, le pauvre amiral, qui a débarqué 3 000 hommes devant Savannah, échoue dans sa tentative pour s'emparer de la ville. Voilà une série extraordinaire de mécomptes. L'incompétence de l'amiral y est pour beaucoup. « Notre campagne, écrit Suffren (qui sert sous d'Estaing), n'a été qu'un enchaînement de sottises. » Et d'ajouter en parlant de son chef : « Que n'est-il aussi marin qu'il est brave.» De plus, l'amiral est jalousé pour son avancement trop rapide et détesté pour ses manières cassantes et sa préférence affichée pour les officiers bleus. «Je ne conçois même pas, écrit le comte de Charlus, comment il a pu faire ce qu'il a entrepris, étant détesté comme il l'était par ceux qui servaient sous ses ordres» («Journal de mon voyage en Amérique par le comte de Charlus» in duc de Castries, *Papiers de famille*, Paris, 1977, p. 355).

Sa carrière politique n'est pas plus heureuse. Membre de l'assemblée des notables, il y combat les projets de Calonne et fait chorus avec tous les privilégiés. Cela ne l'empêche pas d'afficher en 1789 un grand zèle constitutionnel, et de se faire élire le 10 septembre commandant de la garde nationale de Versailles. On sait le rôle malheureux de cette garde lors des journées des 5 et 6 octobre : elle n'est bonne qu'à empêcher les voitures du roi d'accéder au château, et à interdire ainsi toute sortie à la famille royale. La ferveur patriotique et les rodomontades démagogiques de l'amiral ne sauveront pas sa tête. Condamné par le tribunal révolutionnaire, il montera sur l'échafaud le 16 avril 1794.

ESTRÉES, Victor Marie, duc d' (Paris, 30 novembre 1660 - *id.*, 28 décembre 1737). Il était déjà un homme très important à la mort de Louis XIV : maréchal de France, vice-amiral de France, grand d'Espagne, et l'un des Quarante de l'Académie française (reçu en 1715). Mais il n'était pas ministre. Grâce à la Régence, il le devient. Il est d'abord président du Conseil de marine, ensuite membre du Conseil de régence. On ne peut pas dire qu'il excelle dans ces fonctions. C'est un brave homme, mais d'esprit très confus. Lorsqu'il expose une affaire, personne ne le comprend. La politique et le Système l'enrichissent. Il se met à collectionner. Il réunit des collections immenses de tableaux, de bijoux et de livres ; mais il ne sait pas ce qu'il achète, ne range rien et ne regarde rien. Ses «cinquante-deux mille livres, dit Saint-Simon, toute sa vie restèrent en

ballots». Encore un de ces grands seigneurs transformés en hommes d'État, et à qui la transformation ne réussit pas.

ÉTATS. Les états (que les historiens appellent états provinciaux) sont des assemblées représentatives des pays. Leur principale fonction est de voter les impositions royales.

Les états n'existent que dans certaines provinces. Les pays d'états ne forment que la moindre partie du royaume : un quart environ de sa superficie. Au début de l'époque moderne ils étaient beaucoup plus nombreux. Plusieurs ont disparu au XVIIe siècle, le roi ayant cessé de les convoquer.

Au XVIIIe siècle subsistent les pays d'états suivants : Languedoc, Bretagne, Provence, Bourgogne, Flandre wallonne, Cambrésis, Artois, Corse, Béarn et Bigorre. Il faut y ajouter les petits pays d'états pyrénéens : Quatre-Vallées, Labourd, pays de Soule, Nébouzan et Basse-Navarre.

Les états sont normalement des assemblées des trois ordres du pays. Toutefois l'organisation de ces assemblées varie beaucoup. Prenons les cas de la Bourgogne, de la Flandre wallonne et de la Provence. En Bourgogne, il y a trois chambres des trois ordres délibérant séparément. En Flandre wallonne, on appelle états l'assemblée réunissant tous les ans les baillis des quatre seigneurs haut-justiciers du pays, les députés des magistrats de Douai et d'Orchies et tout le magistrat de Lille. Le clergé et la noblesse de la province tiennent des assemblées à part. En Provence, les états sont en fait une assemblée générale des communautés. Toutefois, parmi les procureurs de Provence (qui représentent le pouvoir permanent des états), il y a des procureurs de la noblesse et des procureurs du clergé.

Dans la désignation des députés des états, l'élection ne joue pas un grand rôle. Beaucoup de députés siègent à titre personnel ou à raison de leurs fonctions. Par exemple aux états de Bretagne siègent de droit les quelque trois mille gentilshommes de la province. Aux états de

Languedoc vingt-trois barons siègent à titre personnel et les vingt-trois évêques de la province y sont députés-nés.

Seul le roi peut convoquer les états. La périodicité varie selon les pays : chaque année en Languedoc, tous les deux ans en Bretagne, tous les trois ans en Bourgogne. Les états de Provence se réunissent à Lambesc, ceux de Languedoc à Montpellier, ceux de Bretagne ordinairement à Rennes.

Pour bien comprendre le rôle de ces assemblées, il faut savoir qu'elles font partie des privilèges du pays. Elles n'existent pas de plein droit mais seulement parce que le roi, respectueux des privilèges du pays, veut bien les concéder et les consulter. « L'institution, dit François Olivier-Martin, n'est pas fondée sur le droit commun, mais sur le privilège » (*Histoire du droit français, des origines à la Révolution*).

De tous les privilèges du pays, le plus important est celui de consentir l'impôt. C'est pourquoi la principale fonction des états est de donner ce consentement. Les commissaires du roi présentent la demande du roi. Les états accordent au roi l'imposition qu'il leur demande. Ils pourraient théoriquement la refuser, mais ils l'accordent toujours, cherchant seulement à négocier des remises. Cependant ils l'accordent non comme un dû, mais comme une « donation » ou comme un « don gratuit ». Aux états de Béarn, les commissaires du roi ont coutume de prononcer la formule suivante : « Chers et bien-aimés, nous vous demandons la donation la plus grande que vous pourrez. »

Les impositions royales fixes et anciennes sont votées sous la forme de subsides. Par exemple les états de Bretagne accordent au roi un subside de deux millions de livres en temps de paix. Pour les impôts nouveaux, tous les états ont obtenu l'abonnement. Aux impôts royaux les états peuvent ajouter les leurs propres pour les « affaires du pays ». En vertu du principe du don gratuit, répartition et levée de tous les impôts sont l'affaire des états, qui ont été obligés de mettre sur pied d'importantes administrations financières, et qui apparaissent de plus en plus comme des agents du prince pour le recouvrement des contributions.

Cependant, le rôle des états ne se limite nullement au vote de l'impôt et à sa perception. Ces assemblées sont chargées des intérêts de la « chose publique » du pays. A ce titre ils interviennent dans plusieurs domaines, réglementant la vie municipale, subventionnant les écoles et les publications, réalisant des travaux importants de routes et de canaux. Ils expriment au roi les doléances du pays. Ces doléances sont rédigées sur un cahier remis au roi par des envoyés députés à cet effet. La mission de ces envoyés s'appelle « voyage d'honneur » ou « ambassade ». Le roi et les ministres les reçoivent. Le cahier est examiné par le Conseil.

Pour préparer les travaux des états, et pour représenter le pays dans l'intervalle des sessions, il existe des officiers permanents et des délégations ou commissions permanentes. Ce sont par exemple la Chambre des élus en Bourgogne, la Procure du pays en Provence, l'Abrégé des états en Béarn et la Commission intermédiaire en Bretagne.

ÉTIGNY, Antoine Mégret, seigneur d' (Paris, 1719 - Auch, 1766). Intendant d'Auch, fils d'un maître des requêtes, il est nommé à Auch en avril 1751, après avoir exercé les fonctions de conseiller au parlement de Paris (reçu en 1740), puis de maître des requêtes (1744). C'est avec un « zèle vibrant et obstiné » qu'il administre son immense généralité. Grâce à lui, achève de se constituer le réseau routier de la région, c'est-à-dire principalement les deux grandes routes d'Agen à Tarbes et de Toulouse à Bayonne. Il fonde la Société d'agriculture d'Auch (1762) et le haras de Rieutort (1758). Plusieurs belles entreprises comme les papeteries de Maslacq et les tanneries de Saint-Jean-de-Luz lui doivent leur existence. L'homme est religieux, bon et affable, soucieux d'améliorer le sort des plus pauvres. Il défend la vaine pâture. Lors de la disette de 1752, il fait vendre à bas prix des céréales et s'oppose aux spéculateurs. A partir de 1755, les cours souveraines de son ressort ne cessent d'entraver son action. Le pouvoir central ne le soutient pas. Il est disgracié en 1765 et meurt l'année suivante d'une maladie de foie.

EUDISTES. L'institut religieux des eudistes tire son nom de son fondateur, saint Jean Eudes, qui le créa en 1643. Il est approuvé sous l'appellation de Communauté des Saints Cœurs de Jésus et de Marie.

Les eudistes sont des prêtres séculiers. Ils ne prononcent aucun vœu et font seulement une promesse de stabilité et d'obéissance au supérieur général. Celui-ci est élu à vie. L'assemblée générale se réunit tous les cinq ans.

La fin principale de l'institut est la formation du clergé séculier. En 1789, les eudistes avaient en charge treize séminaires, trois petits séminaires et quatre collèges. La plupart de ces établissements se trouvent en Normandie.

La présence du Christ dans le cœur de Marie et la présence du cœur du Christ en nous sont les thèmes principaux de la spiritualité eudiste. Cette dévotion « cordicole » valut à la congrégation les attaques du parti janséniste.

ÉVÊQUES. Les évêques sont les successeurs des apôtres et les pasteurs des diocèses.

Le nombre des diocèses français étant de cent vingt et un (en 1789), et chaque diocèse ayant eu en moyenne cinq évêques au cours du siècle, on peut évaluer à six cents environ le nombre des évêques français du XVIIIᵉ siècle.

Les évêques sont des gentilshommes, et des gentilshommes instruits. Presque tous viennent de la noblesse, d'une noblesse provinciale et d'épée. Tous ont reçu une formation poussée de juristes ou de théologiens. Dans la génération des évêques de 1789, tous sauf trois sont licenciés d'une université fameuse et cinquante-sept ont pris leurs grades dans l'Université de Paris. Soixante-dix-sept évêques de cette génération sont passés par le séminaire Saint-Sulpice de Paris

(Michel C. Péronnet, *Les Évêques de l'ancienne France*).

Les carrières sont rapides. Peu de temps après son ordination sacerdotale, le futur évêque est nommé grand vicaire. Il exerce cette fonction pendant une dizaine d'années. Trente-six ans est l'âge moyen de la nomination à l'épiscopat. A notre connaissance, un seul évêque a été curé : Jean de Vaugiraud, évêque d'Angers. Les nouveaux évêques manquent d'une véritable expérience pastorale.

Les candidats aux sièges vacants sont proposés au roi par le ministre de la Feuille. Le roi nomme. Ensuite l'évêque nommé est présenté devant le nonce qui dresse l'information envoyée à Rome. Le pape décerne les bulles de nomination, procédant ainsi à l'institution canonique. Les bulles sont enregistrées par le Parlement. L'évêque est ensuite sacré. Enfin il prête au roi son serment de fidélité.

L'évêque a un double pouvoir, celui d'ordre et celui de juridiction. Par son pouvoir d'ordre, il ordonne les prêtres, administre le sacrement de confirmation, consacre les nouveaux lieux de culte, approuve les confesseurs et les prédicateurs. Par son pouvoir de juridiction, il absout des cas réservés, confère les bénéfices et juge les affaires personnelles des ecclésiastiques.

Nombre de bénéfices ne sont pas à la collation de l'évêque. Rares sont les évêques qui nomment à plus d'un tiers des cures de leurs diocèses ; en revanche tous les curés reçoivent d'eux leur juridiction. Presque tous les vicaires des curés sont nommés par eux.

C'est principalement dans le synode, dans la visite et dans ses mandements et ordonnances que l'évêque manifeste son autorité. Dans le synode, l'évêque règle la discipline du clergé et celle des sacrements. Lors de ses visites pastorales (des paroisses et des communautés religieuses non exemptes), il inspecte les ministres et les lieux de culte. Dans ses ordonnances, il prescrit les réformes et corrige les abus.

Dans les matières d'enseignement religieux et de liturgie, l'évêque légifère souverainement. Il publie un catéchisme pour le diocèse et différents livres liturgiques (missels, bréviaires et rituels).

La curie diocésaine est l'organe du gouvernement épiscopal. Elle se compose du secrétaire de l'évêque, de ses grands vicaires qui sont ses collaborateurs immédiats et de l'official. Plusieurs évêques ont tendance à renforcer l'appareil administratif. C'est ainsi que Gilbert de Montmorin, évêque de Langres (1734-1770), se dote d'un Bureau ecclésiastique diocésain, organisme permanent d'examen des dossiers et de conseil (Dinet).

Si l'évêque est un chef absolu, il est loin d'être tout-puissant. Chapitres, curés et abbés de monastères jouissent d'une large indépendance. Les progrès de la Réforme catholique ont certes favorisé l'accroissement de l'autorité épiscopale, mais il y a encore des résistances et des conflits. Pour les cinquante dernières années de l'Ancien Régime, on trouve des situations conflictuelles dans trente-six diocèses (Péronnet). Après 1774, ce sont les curés qui donnent le plus de fil à retordre. Imbus des idées richéristes ils prétendent participer au gouvernement du diocèse et transformer les synodes en assemblées parlementaires.

Dans leur ensemble, les évêques sont dignes et compétents. Les cas de mauvaises mœurs sont rares ; on n'en trouverait pas une vingtaine dans tout le siècle. Presque tous les évêques sont extrêmement généreux, même quand ils n'ont pas l'esprit de pauvreté. Malvin de Montazet, archevêque de Lyon, prélat fastueux s'il en fut, dépense en bienfaisances le quart de ses revenus. Presque tous sont fidèles à l'obligation de visite. Cependant, plusieurs d'entre eux ont tendance à donner à la visite le caractère d'une formalité administrative ; ceux-là sont plus administrateurs que pasteurs. Ils sont économistes aussi : ils font construire des routes et des canaux ; ils luttent contre les épidémies, propagent de nouvelles cultures, implantent des manufactures.

Honnêtes souvent, pieux quelquefois, rarement saints. Ceux qui acquièrent le renom de sainteté se comptent sur les doigts de la main. Quelques noms émergent : Belsunce (Marseille), J. A. Tinseau, évêque de Nevers (que l'on appelle le « Vénérable »), d'Argentré (Tulle), Partz de Pressy (Boulogne) et J. M. Dulau (Arles, futur martyr de la Révolution).

Les théologiens sont encore plus rares. Massillon est le seul grand prédicateur. Poncet de La Rivière (Angers) et Boisgelin (Aix) ont eu quelque réputation d'orateurs, mais comme des borgnes dans le royaume des aveugles. Les nombreux titres universitaires dont l'épiscopat est bardé ne prouvent rien. Intellectuellement, les évêques sont médiocres. Spirituellement ils sont meilleurs : ils encouragent le mouvement dévot et favorisent après 1750 la dévotion au Sacré-Cœur.

Enfin, ils demeurent profondément gallicans. Presque tous abandonnent la liturgie romaine et adoptent la liturgie néogallicane. Les liens avec le pape sont distendus. Très peu d'évêques font la visite prescrite *ad limina*. Le catholicisme français s'isole, et les évêques en sont en grande partie responsables.

EXIL. L'exil n'est pas le bannissement. L'ordre d'exil émane du roi, alors que le bannissement se dit d'une condamnation faite en justice.

Le roi exile quand il éloigne de la Cour, ou quand il ordonne une relégation. L'exilé n'encourt pas d'infamie. Il n'est pas mort civilement.

Les ordres d'exil prennent la forme de lettres de cachet. Il arrive que le roi les rédige lui-même. Ils sont toujours signés par lui et contresignés par un secrétaire d'État.

Le procédé est très souvent utilisé. Le roi s'en est servi contre les jansénistes, contre les parlementaires et contre les ministres disgraciés.

EXPILLY, Jean-Joseph (Saint-Rémy-de-Provence, 1719 - en Italie, vers 1793). Abbé, géographe, il fut, tout jeune, secrétaire d'ambassade du roi de Sicile, puis examinateur et auditeur général de l'évêché de Sagone en Corse, enfin chanoine-trésorier du chapitre de Tarascon. Les voyages qu'il fit, tant pour ses fonctions que pour son plaisir, éveillèrent en lui la vocation géographique. Ses premiers ouvrages sont une *Cosmographie* (1749) et un *Géographe manuel* (1757) à l'intention du grand public. Mais son grand œuvre est son *Dictionnaire géographique, historique et politique des Gaules et de la France*, prévu en sept volumes, dont le septième ne parut jamais à cause des difficultés d'édition. Le premier fut publié en 1762, le sixième en 1771. La partie démographique de ce dictionnaire est l'une des plus neuves. En annexe des tomes III et IV sont publiés les résultats d'une vaste enquête portant sur 15 186 paroisses et relevant les nombres des baptêmes, des mariages et des sépultures pour les années 1690-1701 d'une part et 1752-1763 d'autre part. La comparaison des deux séries prouve indiscutablement l'augmentation de la population entre ces deux périodes.

EXPLORATIONS. Les principaux voyages français de découverte et d'exploration réalisés au cours du siècle sont les suivants :

• en Europe, l'expédition de Maupertuis en Laponie en 1736, en vue de mesurer l'arc de méridien ;

• en Afrique, les reconnaissances effectuées à partir de 1714 par André Brue sur le cours de la Gambie, et les voyages du naturaliste Adanson dans le bassin du Sénégal de 1748 à 1754 ; ce dernier dressa une carte du cours du fleuve Sénégal ;

• en Amérique du Nord, les explorations de Pierre de Varennes, sieur de La Vérendrye, et de ses quatre fils, de 1730 à 1743, dans l'immense région située entre le lac Winnipeg et le Missouri ; le but en est la découverte du passage vers la mer de l'Ouest ; le 1er janvier 1743, les fils de l'explorateur aperçoivent pour la première fois les montagnes Rocheuses ;

• en Amérique du Sud, la descente de l'Amazone sur cinq cents lieues en 1736 par La Condamine, et les explorations en

Guyane du naturaliste Jean-Baptiste Aublet, l'un des premiers à s'aventurer dans la forêt amazonienne (1762) ;

• dans le Pacifique, le voyage de Bougainville (1766-1769), qui découvre Tahiti le 2 avril 1768, Samoa et les Nouvelles-Hébrides, appelées par lui « Nouvelles-Cyclades », et le voyage de La Pérouse (1785-1788), qui reconnaît les îles Hawaii, l'Alaska, le Kamtchatka, la Corée, les Philippines et l'Australie ; le relèvement précis des côtes jusqu'alors inconnues de Tartarie et du nord-ouest de l'Amérique du Nord représente le principal acquis de ce périple de La Pérouse ;

• dans l'océan Indien et aux abords du continent austral, l'expédition en 1772 de Nicolas Thomas Marion-Dufresne, qui explore les terres antarctiques, gagne la terre Van-Diémen et aborde en Nouvelle-Zélande où il est tué et mangé par les Maoris le 12 juin 1772. Son lieutenant Crozet a donné son nom à un groupe d'îles désertes de l'océan Indien méridional au sud de Madagascar (1772) ; l'expédition d'Yves-Joseph de Kerguélen de Trémarec, lequel découvre en février 1772 les îles voisines du continent austral qui portent encore aujourd'hui son nom.

F

FABRIQUE. Le mot « fabrique » sert à désigner à la fois les biens — ou temporel — d'une église paroissiale et l'organisme qui a la gestion de ces biens. Cet organisme est une émanation de l'assemblée des paroissiens. L'institution de la fabrique a donc un caractère laïque. Quant aux biens gérés, ce sont rarement des biens d'Église. Il s'agit le plus souvent de legs et de fondations faits par les fidèles pour des messes et des offices dans l'église paroissiale. Les revenus de ces legs et ces fondations sont perçus et administrés par la fabrique.

Dans les paroisses des villes, la fabrique se compose de plusieurs administrateurs appelés « marguilliers ». Dans la paroisse de Saint-Jean-en-Grève à Paris, dont le règlement de 1737 est proposé par le canoniste Durand de Maillane (*Dictionnaire de droit canonique*), les marguilliers constituent l'assemblée ordinaire. Ils sont renouvelés chaque année par une «assemblée générale» où sont appelées les «personnes de considération» de la paroisse. Dans les paroisses de campagne les affaires sont le plus souvent gérées par une seule personne appelée «procureur», «marguillier» ou «fabriqueur». Celui-ci est nommé par l'assemblée de paroisse, après reddition des comptes par le procureur sortant.

Les fabriques gèrent les fondations dont elles perçoivent les rentes. Elles répartissent entre les prêtres les messes fondées et les honoraires. Elles relèvent les troncs.

Les principales dépenses des fabriques sont les suivantes : achat et paiement des fournitures nécessaires à la célébration du culte divin (pain, vin, cire, huile, cierges, ornements), paiement des employés de l'église (bedeaux, sacristains, sonneurs), construction et entretien des sacristies, entretien du mur du cimetière, secours aux pauvres de la paroisse. Les paroisses des villes ont souvent un Bureau des pauvres (ou Table des pauvres) qui est une dépendance de la fabrique.

FAÏENCE. Par l'abondance de la production, ainsi que par la beauté et l'extrême variété des formes et des décors, le XVIIIe siècle est certainement le grand siècle de la faïence française.

On désigne sous le nom de faïence un mélange de terres — composé d'une argile plus ou moins pure, de sable, de marne calcaire — recouvert d'un émail stannifère. D'après le procédé de décoration, les faïences se divisent en deux catégories bien distinctes : le décor de grand feu (les couleurs sont posées sur l'émail cru et aussitôt absorbées) ; le décor de petit feu (on peint sur un émail déjà cuit, l'artiste peut corriger, les couleurs se fixent à l'aide d'un fondant incolore par des cuissons successives).

Les faïences représentent des scènes chinoises, des chinoiseries, des gros bouquets, des oiseaux, des scènes galantes ou champêtres, des ports, des ruines. Sont produites des pièces pour la table (terrines ou assiettes), des pièces pour la toilette (par exemple des boîtes à poudre), des bénitiers ou encore des figures (canards, magots chinois).

Les faïences de grand feu sont produites dans les villes suivantes : Lyon, Nevers, Nimes, Narbonne, Montpellier, Paris, Saint-Cloud, Lille, Bordeaux, Clermont-Ferrand, Moulins, Roanne, Quimper, Rennes et Saint-Omer. Les fabriques de Rouen, de Moustiers (près de Digne), de Marseille, de Toulouse, de Saint-Amand-les-Eaux, de Strasbourg, de Lunéville, de La Rochelle, de Samadet (en Chalosse), de Sinceny (à Chantilly), d'Ardus (près de Montauban) d'Aprey (à côté de Langres), de Sceaux, de Niderviller (Lorraine), de Meillonas (Franche-Comté) et des Islettes (Champagne) produisent des faïences des deux catégories. Les productions de Moustiers, de Marseille et de Meillonas surpassent en beauté celles de toutes les autres faïenceries. Le décor de Moustiers (ateliers Clerissy et Olerys-Laugier) fait école. Beaucoup d'ateliers l'imitent. Ses caractéristiques principales sont les suivantes : scènes mythologiques placées au centre des assiettes, décor de camaïeu bleu rehaussé de jaune et de vert, et en bordure le léger décor dit Bérain, car mis à la mode par Jean Bérain (1639-1711) et emprunté aux fresques des loges du Vatican.

FAIGNET DE VILLENEUVE, Joachim (Moncontour, Bretagne, 16 octobre 1705 - 1780). Trésorier au bureau de Châlons, c'est un inventeur, un spécialiste de l'alimentation et un économiste. Un inventeur : il invente une sorte de four mobile et portatif pour le service des armées (1761). Un spécialiste de l'alimentation : il a l'idée de fabriquer un pain composé de trois parties égales de seigle, de froment et de pomme de terre. Un économiste : il rédige pour l'*Encyclopédie* plusieurs articles relatifs à cette discipline, dont l'article «Dimanche». On a aussi de lui quatre ouvrages, dont le plus intéressant s'intitule *L'Économie politique,*

Projet pour enrichir et perfectionner l'espèce humaine (1763), qui sera publié aussi sous le titre *L'Ami des pauvres*. Faignet est un adepte de la physiocratie. Il est pour la liberté du commerce, la suppression des maîtrises, la promotion de l'agriculture. Ses deux grandes valeurs sont le travail et l'épargne. Le travail procure le bonheur. Il faut contraindre les pauvres au travail et les enfermer s'ils persistent à ne pas vouloir travailler. Il faut habituer très tôt les enfants du peuple et de la «médiocre bourgeoisie» aux travaux manuels. Quant aux religieux, il faut les sortir de leur oisiveté et les employer comme juristes, médecins ou professeurs. L'épargne donne la sécurité. Le peuple sera instruit de ses bienfaits par un enseignement approprié. Ainsi l'espèce humaine sera-t-elle enrichie. Mais il faudra encore la «perfectionner». On y parviendra par l'éducation et par une politique eugéniste : «Dans toutes les espèces d'animaux que les hommes ont domestiquées, on choisit pour la propagation les individus les plus beaux et les plus parfaits ; qui le croirait, c'est le contraire dans l'espèce humaine.» On doit y remédier. Il conviendra de marier les beaux et les forts entre eux et de dissuader les faibles de se marier. Cet aspect de la théorie de Faignet de Villeneuve est généralement ignoré. En fait ce «citoyen modeste et laborieux» (*Biographie universelle*) apparaît comme le précurseur des pires totalitarismes contemporains.

FALCONET, Étienne Maurice (Paris, 1716 - *id.*, 1791). Sculpteur, il était le fils d'un compagnon menuisier. Il fut l'élève de J.-B. Lemoyne II et ne suivit pas l'enseignement de l'Académie, où il n'entra qu'avec difficulté en 1754. La protection de Mme de Pompadour et la faveur du clan philosophique compensèrent largement ces désavantages. Il eut des commandes royales et le poste de directeur de l'atelier de sculpture de la manufacture de Sèvres, poste qu'il occupa de 1757 à 1766. Ses œuvres les plus remarquables sont le *Milon de Crotone dévoré par un lion* (morceau de réception à l'Académie), *Pygmalion et Galatée* (1763), *La Baigneuse*, *L'Hiver* (1765) et surtout la statue équestre colossale de Pierre le Grand, ouvrage qui le retint douze années en Russie (1766-1779). Autodidacte et intellectuel, ce sculpteur est le seul qui ait écrit sur son art. L'imitation froide et servile de l'Antiquité lui répugnait. Pour lui la nature «vivante, animée, passionnée» était le seul modèle digne d'un vrai sculpteur.

FAMILLE. Les dictionnaires du XVIIIᵉ siècle définissent ordinairement la famille comme «les personnes du même sang». La famille est donc l'ensemble des personnes entre qui existe un lien quelconque de parenté. Ce sont les grands-parents, les oncles et les tantes, les frères et les sœurs, leurs conjoints et leurs enfants, les cousins, les cousines et leurs enfants. Si l'on considère la succession des générations, la famille porte alors le nom de lignée ou de lignage.

On entend aussi par famille dans un sens plus étroit la famille conjugale, c'est-à-dire le père, la mère et les enfants. C'est cette famille conjugale qui est le lieu ordinaire de vie de la plupart des Français. Elle a son habitation séparée, son toit propre. Elle forme le plus souvent un ménage à elle seule. Dans la France du Nord, cette séparation est le cas le plus fréquent. On a un ménage par famille. Il y a encore quelques cas de communautés familiales, mais en fait il ne s'agit que très rarement de communautés de vie. Elles se réduisent le plus souvent à des indivisions successorales. En revanche, dans la France du Midi (plus exactement au sud d'une ligne Nantes-Genève), les communautés familiales sont encore assez nombreuses, et nous trouvons des cas fréquents de grandes maisonnées aristocratiques ou paysannes, regroupant plusieurs familles conjugales (les démographes qualifient ces ensembles de «familles polynucléaires»). Ces communautés sont de fait dites alors tacites ou taisibles, ou bien conventionnelles, c'est-à-dire liées par un contrat. On peut donner comme exemple les communautés de «parsonniers» du centre de la France. Ces communautés sont soumises à un chef qui est d'ordinaire le frère aîné, et que l'on appelle le «maître de la communauté». Tout le monde vit sous le même toit. Tous les biens sont indivis. Le maître de la communauté négocie et autorise les mariages. Dans son ouvrage *La Tige et le Rameau*, René Pillorget cite un extrait du contrat de mariage (1724) de Jean Vuénart, qui est dit appartenir à la «communauté des Perards» à Saint-Ennemond dans le Bourbonnais, et que son frère aîné Pierre, qualifié de «maître de la communauté», autorise à se marier.

La dimension de la famille conjugale excède rarement cinq ou six personnes : le père, la mère et trois ou quatre enfants au plus. Ce n'est pas que les naissances se limitent à ce nombre : on sait que les époux peuvent avoir huit à dix enfants, parfois même davantage. Mais beaucoup d'enfants — un tiers à un quart selon les estimations — meurent avant l'âge d'un an, et la moitié avant l'âge de vingt ans. Il est vrai toutefois qu'à partir des années 1760 ce cadre familial connaît une modification sensible. La mortalité diminuant, la proportion des enfants survivants augmente, et les familles nombreuses se multiplient. Beaucoup de ces familles nombreuses de la fin du XVIIIe siècle appartiennent à l'honnête et laborieuse bourgeoisie des petits offices et de la marchandise. Voici par exemple maître Joseph Poulle, greffier en chef de la sénéchaussée de Draguignan, conseiller du roi, marguillier de la Compagnie du Saint-Sacrement, qui laisse à sa mort en 1761 huit enfants, six garçons et deux filles.

Le mariage est le fondement de la famille, mais la famille le commande. Le mariage est pour ainsi dire familial. Il est négocié, «arrangé» par la famille, souvent au détriment de la liberté des conjoints. On marie des familles, on marie des patrimoines, non des êtres humains. A ce point que la législation et la jurisprudence (en contradiction flagrante avec la doctrine de l'Église) considèrent comme nul tout mariage accompli sans le consentement des parents. Il est interdit de se marier sans ce consentement. Par ailleurs, la conception du mariage-contrat tend à l'emporter sur celle du mariage-sacrement. Les familles ne reposent plus sur des mariages libres et chrétiens. Elles sont dénaturées dans leur fondement.

La famille est hiérarchisée ; le père est son chef. Cependant, la mère participe à son gouvernement. Le droit français dit que «la puissance paternelle est commune au père et à la mère». La société civile reconnaît aux parents le «droit de garde», c'est-à-dire celui d'élever leurs enfants chez eux ou de les confier à des institutions ou à des personnes de leur choix, et le «droit de correction», c'est-à-dire celui de punir leurs enfants, de les chasser de leur maison et même de les faire mettre en prison. En sa qualité de protecteur des familles, chargé de veiller sur leur «repos», le roi leur prête au besoin l'appui de son autorité. Il peut à leur demande leur accorder ses «ordres» ou lettres de cachet, pour faire enfermer un fils exposé à de dangereuses fréquentations, une fille au tempérament trop généreux, une femme adultère ou même un mari volage, ou encore une maîtresse inquiétante. On peut donner comme exemple le cas de ce Parisien, Charles Mornard, époux infidèle qui en 1721 a quitté le domicile conjugal pour vivre avec la demoiselle Le Beau, sa maîtresse. Son épouse fait présenter un placet au roi. Après enquête, le lieutenant de police fait enfermer la Le Beau à la Salpêtrière. Elle s'engage alors à rompre avec Mornard, et ce dernier réintègre son foyer. L'histoire se termine bien, mais ce n'est pas toujours le cas. Trop souvent, malgré les précautions prises et les enquêtes de l'autorité, les ordres du roi ne sont que les instruments d'une autorité paternelle (ou maritale) abusive. Cela est particulièrement vrai dans le cas des familles nobles. Celles-ci ont en effet plus de facilités pour obtenir des lettres de cachet. Le marquis de Mirabeau, dit «l'Ami des hommes», s'en fit délivrer cinquante-quatre contre les membres de sa famille. Il y a là une alliance contre nature entre le despotisme paternel et l'autorité royale. Les esprits éclairés la dénoncent et ont beau jeu de le faire. Le gouvernement royal n'est pas insensible à leurs arguments. On observe que, dans la seconde moitié du siècle, les demandes de lettres de cachet des familles se voient opposer des refus de plus en plus nombreux. Le 31 octobre 1785, Breteuil, ministre de la Maison du roi, fait libérer toutes les personnes majeures détenues à la demande de leurs parents. Le 23 juin 1789, Louis XVI propose lui-même l'abolition des lettres de cachet. Le roi cesse alors d'être le «conservateur» du «repos des familles».

La famille est le lieu naturel de l'éducation des enfants. La loi civile prescrit le devoir d'éducation. Ce devoir est l'un des thèmes principaux de l'enseignement catholique depuis le concile de Trente. Il est expliqué dans le cadre de la leçon de catéchisme sur le Quatrième commandement de Dieu : «Tes père et mère honoreras afin de vivre longuement.» Les catéchistes ajoutent aux devoirs des enfants envers leurs parents ceux des parents envers leurs enfants.

L'éducation familiale, quand elle est digne de ce nom, est d'abord une éducation de la foi. «Sachez», dit un évêque de Périgueux à ses diocésains, «que vous devez être les premiers et principaux catéchistes de vos enfants.» Les testaments, les livres de raison et les innombrables «avis» imprimés ou non, donnés par les pères et les mères à leurs enfants, nous livrent l'esprit de l'enseignement familial. La leçon paternelle puise son inspiration dans deux textes depuis toujours très lus et très populaires, le livre de Tobie et les *Enseignements de Saint Louis à son fils Philippe.* Conformément à l'esprit de ces deux textes, trois recommandations sont faites aux enfants. Ils devront obéir aux commandements de Dieu. Ils devront être honnêtes et civils, et enfin être modestes. Mme de Lambert dit à son fils : «Rien ne convient mieux à un jeune homme qu'une certaine modestie qui lui fait croire qu'il n'est pas capable de grandes choses» (*Avis d'une mère à son fils et à sa fille*, Paris, 1739, 4e éd.).

Dans maintes familles, l'apprentissage du métier représente un aspect important de l'éducation dispensée. On mesure la force de l'influence de la famille au grand nombre de fils qui succèdent à leurs pères dans les mêmes métiers. L'hérédité du métier fait partie des mœurs de l'ancienne société. On a des dynasties de magistrats (Lamoignon, d'Ormesson), de peintres (Vernet), d'orfèvres (Germain) et de bien d'autres métiers. Ce ne sont pas des individus qui illustrent les métiers et les professions. Ce sont les familles.

Les familles ont des biens, du moins la plupart d'entre elles. En pays coutumier, la famille est aussi une communauté de biens entre le mari et la femme (pour les biens meubles et les conquêtes immeubles pendant le mariage). La grande affaire est de transmettre ces biens aux générations suivantes. Cela est plus facile dans les successions nobles où s'applique le droit d'aînesse. Cela est difficile dans les successions roturières régies par la règle du partage égal entre les héritiers. Divers procédés permettent cependant d'éviter l'émiettement du patrimoine. On pratique l'exclusion des enfants déjà établis ou bien le retrait lignager, ou bien encore les substitutions fidéicommissaires. Le retrait lignager permet de conserver dans la famille les immeubles venus des ancêtres (les propres). Si le propre est aliéné à titre onéreux, le lignager le plus proche peut exercer le retrait à l'encontre de l'acquéreur étranger à la famille. La substitution fidéicommissaire permet à un propriétaire soucieux de préserver l'unité de son bien de substituer une personne, par exemple son fils aîné, à l'ensemble des ayants-droits, à charge pour cette personne de conserver le patrimoine intact et de le transmettre intact.

La famille s'efforce également de durer en esprit. Elle a parfois une mémoire écrite, qui est le livre de raison tenu par le père. Ces livres de raison (que l'on trouve non seulement dans la noblesse, mais aussi dans la bourgeoisie et quelquefois même chez des artisans et des laboureurs) sont ordinairement divisés en deux parties, la première pour la généalogie et l'inscription des principaux événements familiaux, la seconde pour la comptabilité du ménage. A la mort du père, le fils héritier reprend la tenue du livre. Les Français de cette époque étaient pudiques. Ils exprimaient rarement leurs sentiments profonds. Mais il arrive parfois que l'héritier, au moment de commencer à rédiger sa propre chronique, se plaise à rendre hommage à l'auteur de ses jours. Ainsi lisons-nous dans un livre de raison provençal l'exhortation suivante : «Moi Joseph M., fils à feu Toussaint M., voulant laisser à mes enfants et désirant leur inculquer les mêmes principes de religion dont mon père a toujours eu soin de m'entretenir dans l'âge même le plus tendre, je les exhorte à méditer sans cesse les brèves instructions qu'il m'a laissées écrites ci-devant de sa propre main, et à mettre à profit les leçons qu'il m'y donne. Qu'ils prennent l'idée la plus avantageuse de ce grand homme» (vers 1740, cité par Charles de Ribbe, *Les Familles et la société en France avant la Révolution*, t. I, p. 72).

La plupart des familles se contentent de durer, cherchant seulement à maintenir leur niveau de fortune, de pouvoir et de prestige social, ne désirant rien d'autre que de conserver leurs acquis. Les cas d'ascension sociale, tout au moins d'ascension rapide, sont rares. Il est cependant quelques familles qui s'élèvent rapidement (en deux ou trois générations) par leur travail, par leur mérite, par les mariages. Ces familles-là sont les plus riches de sève. Elles conquièrent la noblesse, occupent les hautes fonctions. Si l'on regarde par exemple les origines sociales des intendants de Louis XV et de Louis XVI, on voit qu'il s'agit souvent de familles anoblies depuis peu et qu'une ou deux générations seulement séparent de la médiocrité.

Mais le désir de parvenir ne s'accompagne pas forcément d'une cohésion plus grande ni d'un progrès moral et spirituel. Une famille peut s'élever dans la société par le simple jeu des solidarités familiales fonctionnant de manière automatique et sans qu'une véritable vie familiale les anime. Le XVIIIᵉ siècle, surtout à son déclin, présente de nombreux symptômes d'une crise de la famille. C'est d'abord l'augmentation inquiétante du nombre des enfants abandonnés. Dans la capitale, par exemple, on arrive au chiffre énorme de 180 000 pour la période 1760-1789. Or ces enfants abandonnés ne sont pas tous illégitimes. Sous le règne de Louis XVI, il y a parmi eux une forte proportion d'enfants légitimes. La pauvreté est sans doute la principale raison de ces abandons multipliés, mais on peut y voir aussi un effet de la crise des familles, crise dont témoigne également la pratique généralisée dans tous les milieux sociaux de la mise en nourrice hors de la maison familiale. Il arrive que l'on se sépare de l'enfant pendant deux ou trois ans, quelquefois même davantage. Et pendant tout ce temps, c'est à peine si on va lui rendre une ou deux visites. En 1755, un maître charpentier lyonnais se plaint du mauvais état dans lequel les nourrices lui rendent son enfant. Il s'attire cette vive réponse : «Ce n'était point à nous à avertir les père et mère, mais aux père et mère à aller voir leur enfant» (cité par Maurice Garden, *Lyon et les Lyonnais au XVIIIᵉ siècle*, Paris, Les Belles Lettres, 1970, p. 121). Il y a aussi la montée de l'illégitimité. Tous ces enfants abandonnés ou illégitimes, ou les deux à la fois, sont des sans-famille.

D'autres signes se manifestent. Le lignage se morcèle, le sentiment de solidarité s'affaiblit, la mémoire familiale n'est plus cultivée, il devient de plus en plus rare que l'on tienne son livre de raison. Les ménages se font de plus en plus indépendants. A l'intérieur même des familles conjugales, on perçoit la poussée d'une force de dispersion. «La famille est hachée, écrit Sébastien Mercier dans son *Tableau de Paris*; [...] le fils à peine adulte quitte son père [...] le frère est étranger à son frère» (cité par R. Pillorget, *La Tige et le Rameau*).

A la veille de la Révolution, beaucoup de familles n'existent plus que par leur utilité matérielle, et leur lien n'est plus fait que de besoins réciproques. C'est ce que dit très bien Jean-Jacques Rousseau dans les premières lignes du *Contrat social* : « La plus ancienne des sociétés, écrit-il, et la seule naturelle est celle de la famille ; encore les enfants ne restent-ils liés au père qu'aussi longtemps qu'ils ont besoin de lui pour se conserver. Sitôt que ce besoin cesse, le lien naturel se dissout. Les enfants exempts de l'obéissance qu'ils devaient au père, le père exempt des soins qu'il devait aux enfants, rentrent tous également dans l'indépendance. »

FAMILLE (pacte de). Le pacte de Famille, signé le 15 août 1761, est une union étroite et un système de garanties entre les Bourbons de France, d'Espagne (Charles III), de Naples (Ferdinand Ier) et de Parme (l'infant don Philippe). Le roi Charles III promet d'entrer en guerre aux côtés de la France, si la paix n'est pas encore conclue le 1er février 1761. En échange, Louis XV s'engage à soutenir dans les discussions diplomatiques les revendications espagnoles. Par la conclusion de cette alliance, la France répond au refus anglais de son ultimatum du 5 août 1761, par lequel elle réclamait des droits de pêche et une île sur le Saint-Laurent, et la restitution de la Guadeloupe et du Sénégal.

Le pacte de Famille est une idée de Choiseul ; « idée juste, mais elle venait trop tard » (Pierre Gaxotte, *Le Siècle de Louis XV*, nouv. éd., Fayard, 1958) ; la guerre était déjà perdue sur les deux fronts, le maritime et le colonial.

On notera la date choisie pour la signature : celle de la fête de Notre-Dame de l'Assomption à qui le roi Louis XIII avait consacré la France.

FAMINE (pacte de). L'accusation du pacte de famine fut lancée pour la pre-

mière fois en 1768 par le légiste Le Prévost de Beaumont dans un pamphlet intitulé *Dénonciation d'un pacte de famine*. Le roi y était accusé de spéculer sur les grains avec la complicité de la société Malisset, chargée depuis plusieurs années de la fourniture et de la mise en réserve du « grain du roi ». Selon Le Prévost de Beaumont, cette société avait suscité des hausses factices avec l'appui du gouvernement et profité ensuite de la baisse des cours.

La thèse fut reprise par le parlement de Rouen dans une lettre que cette cour ne craignit pas d'adresser au roi. Puis elle se répandit dans le public, où, venant après l'affaire des enlèvements d'enfants[1], elle contribua au discrédit de la royauté. Plusieurs historiens du XIXe siècle, dont Henri Martin, la firent leur.

Or, elle n'avait aucun fondement. Certes, la société Malisset a bien existé ; le contrôleur général Laverdy avait effectivement passé un contrat avec elle en 1765, mais il a été démontré par L. Biollay (*Le Pacte de famine*, 1885) et par C. Bord (*Le Pacte de famine*, 1923) que le contrat de 1765 n'avait rapporté aucun profit au roi, et que le « pacte de famine » était une pure invention.

FAREINISTES. Le nom de fareinistes est le nom donné à la secte janséniste fondée à la fin de l'Ancien Régime dans le village de Fareins, près de Trévoux, par les frères Bonjour. Ces deux frères, Claude l'aîné et François le cadet, étaient nés à Pont-de-l'Ain. Élevés chez les oratoriens de Lyon, ils avaient été formés par eux dans la vénération des pratiques des convulsionnaires.

Claude Bonjour est nommé en 1775 curé de Fareins. Peu de temps après, son frère devient son vicaire et commence aussitôt à se livrer aux pratiques de

---

1. En 1750 la police de Paris fait preuve d'un zèle intempestif. Chargée d'arrêter tous les vagabonds, comme le veut la loi, elle arrête aussi de jeunes enfants qui jouaient dans les rues. La population proteste violemment : une quinzaine d'émeutes éclatent dans la capitale. Une rumeur se répand : le roi lui-même aurait ordonné ces enlèvements ; atteint d'une maladie grave, il aurait besoin pour se guérir de se baigner dans le sang des enfants. La propagande janséniste est à l'origine de cette fable.

l'«Œuvre» des convulsions. Il débute par trois guérisons miraculeuses qu'il attribue à l'intercession du diacre Pâris. Frappé par ces miracles, Claude, qui avait autrefois signé le Formulaire, décide de quitter ses fonctions de curé afin de mieux pouvoir se consacrer à la pénitence et expier ainsi sa faute. Il résigne sa cure à son frère François, lequel établit aussitôt dans la paroisse les étranges pratiques des «secours». Les faits extraordinaires se multiplient. Par exemple, le 7 septembre 1787, Marguerite Bernard a les pieds percés, et le 12 octobre suivant Étiennette Thomasson est crucifiée.

L'autorité finit par réagir. En 1788, l'archevêque de Lyon obtient deux lettres de cachet contre les frères Bonjour. Claude est envoyé à Pont-de-l'Ain, François est relégué chez les cordeliers de Tanlay. Quand ce dernier tente en septembre 1789 de recouvrer sa cure, cinquante-sept notables demandent son éloignement par une *Déclaration* adressée à l'archevêque de Lyon. Selon ce texte, les frères Bonjour auraient prêché «la fin de la religion catholique [...] qui doit être remplacée par une religion meilleure clairement établie par les miracles qui se font chaque jour». Ce n'est pas une exagération. Lorsqu'à la faveur de la Révolution — ils on tous deux prêté le serment — les deux frères reviennent à Fareins et reprennent en main la population, ils abolissent tout culte et rompent complètement avec le catholicisme.

La secte fareiniste existe encore de nos jours.

FARINES (guerre des). On a donné ce nom aux émeutes frumentaires des mois d'avril et de mai 1775. Le prix du pain avait augmenté. A Paris, le pain de 4 livres était passé de 11 sous en septembre 1774 à 14 sous le 3 mai 1775. Une traînée d'émeutes souleva les foules, à la fin d'avril, à Dijon, à Beaumont-sur-Oise, à Meaux, à Paris où les boulangeries furent pillées le 3 mai, et même à Versailles où le roi dut haranguer les manifestants. La principale cause de la hausse était la maigre récolte de 1774. Toutefois, la li-

berté totale de circulation des grains, liberté décrétée imprudemment par Turgot en septembre 1774, n'avait pas arrangé les choses, bien au contraire, les détenteurs de stocks étant allés vendre leurs réserves au prix fort dans les régions les plus mal approvisionnées. Louis XVI et Turgot firent preuve l'un et l'autre de la plus grande fermeté face à l'agitation. Louis XVI fit donner la troupe et cent soixante-deux émeutiers furent poursuivis.

FAVART, Charles Simon (Paris, 13 novembre 1710 - Belleville, 12 mai 1792). Auteur dramatique, il est le fils d'un pâtissier. Ses parents lui apprennent à lire et à écrire, puis l'inscrivent en classe de cinquième au collège Louis-le-Grand. Le jeune homme succède à son père dans la pâtisserie. Mais le Système a ruiné la famille. Il faut payer les dettes. Tout en faisant des gâteaux, Favart écrit des opéras-comiques pour le théâtre de la Foire. *Les Deux Jumelles* est le premier qu'il signe de son nom. Il est mauvais, mais très applaudi. La carrière de Favart se déroule d'abord à l'Opéra-Comique, dont il devient même le directeur, puis, à partir de 1750, au Théâtre-Italien qui lui devra une bonne partie de son répertoire. Il avait épousé en 1744 une charmante actrice, Marie Justine Benoîte Duronceray. Il en fut toujours très épris. Le maréchal de Saxe la lui disputa. Ce fut l'épreuve de sa vie, bien que la jeune femme ait opposé la plus grande résistance aux tentatives du maréchal. La production de Favart compte une bonne soixantaine de pièces ; mais de tous ces opéras, de tous ces vaudevilles, de toutes ces comédies de foire, rien ne méritera de rester, si ce n'est *La Chercheuse d'esprit* (1741), *Bastien et Bastienne* (1753) et *Les Trois Sultanes*.

FAVART, Marie Justine Benoîte Duronceray, épouse (Avignon, 15 juin 1727 - Belleville, 21 avril 1772). Elle est une actrice brillante et, ce qui est plus rare, vertueuse. Ses parents, musiciens de la chapelle du roi de Pologne, à la cour de Lunéville, lui donnent les meilleurs maîtres de danse et de chant. Elle se produit à l'Opéra-Comique pour la première fois en 1744, sou le nom de Mlle Chantilly, dans le rôle de Laurence des *Fêtes publiques*. A la fin de cette même année 1744, elle épouse Favart, directeur de l'Opéra-Comique, et l'accompagne à Bruxelles où il dirige pendant quelque temps le spectacle de cette ville. En 1749, retour à Paris et débuts le 5 août. Pendant plus de vingt ans, la charmante Favart jouera toutes les pièces et tous les rôles de l'Opéra-Comique, faisant à la fois la cantatrice, la danseuse et l'actrice. « Propre à tous les caractères, dira son mari, elle les rendait avec une vérité surprenante. » Dans les œuvres de son époux (*La Chercheuse d'esprit, Bastien et Bastienne* et *Les Trois Sultanes*), elle se surpasse. Il semble bien qu'elle ait été la première (avant même la Clairon) à porter des costumes de scène adaptés aux rôles. Pour Bastienne, par exemple, elle parut vêtue des habits de laine des villageoises, et c'est ainsi que la peignit Van Loo. Son art était fait de spontanéité et de grâce, mais aussi de travail. Tous les jours, elle étudiait ses instruments favoris, la harpe et le clavecin, et s'adonnait à la lecture. Elle prenait part aux ouvrages qu'elle jouait, en composant des couplets et des airs de musique. Mais le plus remarquable chez elle n'était pas son talent mais sa force d'âme. En 1745, alors que, jeune mariée, elle jouait à Bruxelles et pour les armées en campagne, le maréchal de Saxe lui fit des avances. Il eut même l'ignominie de faire décerner contre Favart une lettre de cachet, puis de faire enfermer la jeune femme (aux Andelys, puis à Angers) afin de vaincre sa résistance. Céda-t-elle ? Oui, selon certains auteurs, non selon d'autres. En tout cas elle résista longtemps. Vis-à-vis de la mort elle montra une force d'âme tout aussi grande. Malade depuis le mois de juin 1771 et n'ignorant rien de la gravité de son état, elle continua à jouer jusqu'à la fin de l'année « pour l'intérêt de ses camarades ». Elle s'alita le jour des Rois, fit appeler le notaire, lui dicta son testament, composa son épitaphe, reçut les derniers sacrements, et s'en alla de ce monde après avoir édifié tous ses proches et en particulier son époux.

FEMME. « Le mari est le chef de la maison, écrit le jurisconsulte Robert Joseph Pothier ; il lui est permis parfois d'user d'une sorte de sévérité dans son ménage » (*Traité de la puissance maritale, Œuvres*, 1817-1820, t. VIII). Le statut juridique de la femme mariée marque son infériorité. Par exemple, elle ne peut ester en jugement sans l'autorisation de son mari. Cependant, ses biens sont préservés. Dans le régime dotal des pays du Midi, les biens dotaux de l'épouse forment son patrimoine ; le mari ne peut les aliéner. Dans le régime de communauté des pays coutumiers, les propres de l'épouse sont également inaliénables par son mari. Il est vrai que la liberté de l'épouse de disposer de ses propres biens est limitée. En pays coutumier (sauf en Auvergne, en Marche et en Normandie), elle a besoin pour cela de l'autorisation de son mari. A cet égard, le régime dotal des pays méridionaux lui est plus favorable, car il lui permet de se réserver des biens dont elle peut disposer seule et sans l'autorisation de son mari. Ces biens, qui viennent en sus de la dot, appelés « paraphernaux ».

La situation politique (à la différence de celle du siècle précédent) n'a jamais donné aux femmes l'occasion d'exercer directement le pouvoir politique. Il n'y a plus de régentes, et, à la seule exception de la duchesse du Maine, il n'y a plus de conspiratrices. Il est vrai qu'il y a des maîtresses (royales et princières) et qu'il n'y en a jamais eu autant. Mais les maîtresses ne commandent pas. Elles gouvernent ceux qui commandent. Le roi et ses ministres sont entre leurs mains. Toutes les grandes maîtresses de Louis XV ont exercé une influence sur la conduite des affaires. Mme d'Estrades a disposé du comte d'Argenson, la duchesse de Gramont de Choiseul, Mme de Langeac de Terray, Mlle Renard du prince de Montbarrey et Mlle Guimard de Jarente (et par la même occasion de la feuille des bénéfices).

Un autre aspect non négligeable du pouvoir des femmes en ce siècle est leur rôle comme chefs d'entreprise. Il existe plusieurs corps de métiers exclusivement féminins. On compte à Paris, en 1750, 50 maîtresses filassières, 800 maîtresses lingères et 1 500 maîtresses lingères (pour ne citer que ces professions). En province comme à Paris, les corporations mixtes sont nombreuses; par exemple les cabaretiers à Tours et Orléans, et les imprimeurs à Paris, à Orléans et à Caen. Comme marchande publique, la femme n'est plus sujette à l'autorité de son mari. Elle peut faire tous les contrats qui dépendent de son commerce sans son autorisation. Elle peut même engager la communauté. Elle peut enfin ester en justice et engager seule toute action.

L'instruction féminine accomplit de notables progrès. Le nombre des femmes sachant lire et écrire demeure inférieur à celui des hommes alphabétisés, mais l'écart diminue. L'alphabétisation féminine croît plus vite que l'alphabétisation masculine. La proportion des femmes sachant signer leur acte de mariage double entre 1686-1690 et 1786-1790. Elle passe de 13,97 % à 26,87 % alors que la proportion des hommes passe seulement de 29 % à 47 %. Ces progrès sont réalisés grâce aux congrégations religieuses féminines enseignantes, à leurs petites écoles et à leurs pensions. Les filles de la noblesse et de la bourgeoisie sont confiées aux pensionnats des sœurs — on dit « le couvent ». La moindre petite ville a son couvent-pensionnat. La formule est celle de Saint-Cyr : on forme des chrétiennes et des femmes aimables. Les jeunes filles apprennent à réciter des vers, à chanter, à danser des ballets et des « pastorales ». On leur apprend le savoir-vivre et la religion. Ce n'est pas une instruction très poussée, mais elle est solide dans ses fondements; cela vaut mieux en tout cas que d'être abandonnées au soin de domestiques ignorantes ou de gouvernantes bornées.

La contribution des femmes à la littérature ne semble pas plus importante qu'au siècle précédent. Le tour est assez vite fait : quelques mémorialistes et épistolières (Mmes de Staal-Delaunay, d'Épinay, du Hausset, du Deffand), deux ou trois romancières (Mmes de Tencin et de Graffigny, et Mlle Aïssé) et la liste est pratiquement close. N'oublions pas toutefois les femmes savantes (Mme du Châtelet, la physicienne, et Mme Lepaute, l'astronome) et les femmes pédagogues (espèce nouvelle), telles que Mme de Genlis et Mme Le Prince de Beaumont. Toutes ces femmes écrivent bien et sans effort; l'une d'elles (Mme du Deffand) est même un maître de la langue. Mais aucune ne produit d'œuvre vraiment forte (comme *La Princesse de Clèves*). La littérature anglaise est féminisée; ce n'est pas le cas de la française.

A défaut d'être des auteurs, les femmes sont au moins des inspiratrices. Mais il ne leur est pas permis d'inspirer la poésie : la poésie est morte. Il n'y a plus de ces grands poètes (comme autrefois Ronsard, Malherbe ou Racine) qui savaient chanter l'éternel féminin. Finalement, le principal rôle des femmes dans la vie littéraire et artistique est un rôle de mères et de protectrices. Mmes de Lambert, de Tencin, Geoffrin, du Deffand, Mlle de Lespinasse et Mme Necker excellent dans cette fonction : elles accueillent les écrivains et les artistes, leur donnent l'occasion de parler d'eux-mêmes et leur font rencontrer des gens de qualité. Elles ne lancent pas les talents, elles les assouplissent. Elles ne font pas les génies mais les font entrer à l'Académie française.

Si, par certains côtés (l'instruction entre autres), la condition féminine se relève, il semble que par d'autres elle se dégrade. La littérature érotique humilie la femme, mais cette littérature elle-même n'est que le reflet de certaines mœurs. Comme l'écrivent justement les Goncourt, « une source d'appétits mauvais s'est ouverte dans l'homme à femmes, qui lui fait rechercher non seulement le déshonneur, mais les souffrances des femmes ». Les femmes prennent leur revanche. « La femme, écrivent encore les Goncourt, égala l'homme, si elle ne le dépassa dans ce libertinage de la méchanceté galante » (*La Femme au xviiiᵉ siècle*, Paris, 1935). La marquise de Merteuil, cruelle héroïne des *Liaisons dangereuses*, n'est pas une invention. Si l'on en croit les confidences de Laclos (à Tilly et au prince de Ligne), il n'aurait eu qu'à raconter la vie d'une grande dame de Grenoble pour trouver en elle son personnage. Un autre signe de l'humiliation des femmes est le développement de la prostitution dans toutes les villes du royaume. « La prostitution, écrit Maurice Garden, sévit à Lyon de manière permanente. » Beaucoup de ces femmes se prostituent afin d'échapper à la misère. Il s'agit de paysannes déracinées ou d'ouvrières sans travail. Car la pauvreté gagne ; les femmes qui travaillent dans les fabriques et les manufactures sont de plus en plus mal payées. Au Puy-en-Velay, les dentellières sont rémunérées 5 sous à la journée. A Valenciennes, la plupart des fileuses ne gagnent que 3 ou 4 sous.

A en croire les Goncourt, la femme « manquait de forces pour l'incrédulité ». La philosophie des Lumières n'aurait donc pu s'emparer d'elle entièrement. Cela est sans doute vrai pour un grand nombre de femmes, pour les paysannes, pour les femmes de la bourgeoisie provinciale. Il est certain que dans ces milieux-là les femmes sont moins touchées que les hommes par le courant de déchristianisation. Les dévotes y sont plus nombreuses que les dévots, les demandeuses et fondatrices de messes plus nombreuses que les demandeurs et les fondateurs. On sait aussi que les couvents féminins sont plus observants que les masculins, et les vocations féminines (bien que toujours contrariées par les familles) plus nombreuses que les masculines. On sait enfin que les confréries se féminisent. Ce qui reste de la religion résiste par les femmes, mais non par toutes. La plupart de celles de la grande noblesse et de la « société d'argent » sont aussi déchristianisées que les hommes. La religion leur est, leur a toujours été totalement étrangère. Lorsqu'en 1795, après la mort de sa fille, la marquise de La Tour du Pin (née Dillon) se tourne vers Dieu, elle consigne dans ses mémoires cet aveu stupéfiant : « Jusqu'à cette époque de ma vie, je ne m'étais jamais occupée de la religion. Au cours de mon éducation on ne

m'en avait jamais parlé » (*Mémoires de la marquise de La Tour du Pin*, Paris, Mercure de France, 1989, p. 227). Beaucoup de ces femmes du grand monde sont sans espérance. Certaines correspondances sont révélatrices ; les lettres de Julie de Lespinasse trahissent un véritable désespoir, celles de Mme du Deffand laissent paraître une morne tristesse. Sous des dehors riants, le siècle est dur pour les femmes. Souvent il les accable. Parfois même il les détruit.

FERME GÉNÉRALE. La ferme générale est la compagnie qui prend à ferme les impôts royaux indirects (aides, gabelle, octroi, tabac).

Le système en vigueur depuis 1726 est le suivant : le bail est périodique. Tous les six ans, le bail des impôts indirects est adjugé à un particulier. Ce personnage (généralement quelqu'un de très obscur, mais le bail porte son nom) est l'adjudicateur général. Les fermiers généraux sont ses cautions. Ils versent une énorme caution à l'État. Cette somme est payée au Trésor par annuités. Elle représente les avances annuelles sur les impôts. Les fermiers touchent un intérêt sur ces avances, plus diverses indemnités, sans parler des bénéfices réalisés sur le prix du bail.

Douze baux ont été passés de 1726 à 1786. Le premier est le bail Carlier (80 millions de livres), le dernier le bail Mager (144 millions).

Les fermiers généraux forment une compagnie, c'est-à-dire une union de personnes associées pour entrer dans les affaires du roi. Ils forment un corps et jouissent des privilèges des corps. Ils gèrent la ferme, qui est devenue une institution permanente. Les baux sont renouvelés, mais la ferme ne se dissout pas à l'expiration du bail. Son matériel et son personnel se transmettent d'un bail à l'autre sans la moindre interruption.

Le nombre des fermiers généraux varie selon les baux entre 40 et 80. Les nouveaux fermiers inspectent en province. Les fermiers chevronnés siègent au Comité des caisses, qui est l'organisme central. Le président du Comité des caisses porte le titre de doyen de la ferme.

L'administration de la ferme est centralisée, uniforme, efficace. Son siège central se trouve à l'hôtel des Fermes, rue de Grenelle-Saint-Honoré, près de Saint-Eustache. Le personnel est qualifié. Les titulaires des grades supérieurs sont généralement recrutés par concours. Une caisse de retraite fonctionne depuis 1768.

Sous Louis XVI, la ferme fait l'objet de nombreuses attaques. En 1780, Necker lui ôte les aides et les domaines. L'institution est impopulaire, pourtant elle présente plus d'avantages que d'inconvénients. Les rentrées étaient régulières. L'État économisait les frais d'une administration fiscale coûteuse.

FERMIERS GÉNÉRAUX. Les fermiers généraux sont des financiers, c'est-à-dire des personnes qui entrent dans les affaires du roi. Constitués en compagnie et en corps, ils prennent à ferme les impôts indirects (aides, traites, tabac, gabelle). Ensemble ils gèrent la ferme générale (*voir ce mot*). Leur nombre varie de bail en bail. L'effectif minimal a été de 44, le plus élevé de 87.

Ils sont nommés par le roi, mais il faut que les nominations soient agréées par le corps. On peut devenir fermier général par deux sortes de carrières : soit par le grand commerce — c'est le cas de Jean-Baptiste de Laborde, enrichi dans le commerce des piastres —, soit par les bureaux de la ferme — par exemple Étienne Marie Delahante (fermier général en 1787) a commencé à vingt ans comme copiste dans les bureaux. Il a exercé ensuite diverses responsabilités de chef de bureau (chef du bureau des retraites, puis du deuxième bureau des petites gabelles).

L'activité des fermiers généraux consiste dans la participation aux comités directeurs de la ferme, dans la correspondance et dans les tournées d'inspection. Ainsi Lavoisier inspecte en 1769 les lignes de douane de la Champagne.

Le rang social des fermiers généraux figure parmi les premiers. Les contemporains les confondent avec la grande noblesse. Pourtant leur noblesse, quand ils sont nobles (ils ne le sont pas toujours : en 1786, sur cinquante-trois fermiers généraux, six le sont pas), est une noblesse récente. Ils ne se marient que très rarement dans la noblesse : neuf sur dix épousent des filles de la bourgeoisie. Mais ils présentent les signes de la plus haute condition : la faveur du roi, la vie noble dans leurs hôtels parisiens et dans leurs «folies», leur accueil fastueux et leur goût parfait. La Pouplinière tient de 1731 à 1762 l'un des salons les plus courus de Paris. Enfin, leurs fortunes supportent la comparaison avec celles de la grande noblesse. Dans la décennie 1775-1785, la fortune moyenne au décès d'un fermier général est de 3 millions de livres. Cet argent est noblement employé. Les fermiers généraux protègent les lettres et les arts. D'Épinay donne à Rousseau l'hospitalité, La Pouplinière aide financièrement Rameau.

Les fermiers généraux sont parmi les fondateurs et les principaux animateurs de cette nouvelle société, que l'on peut appeler la «société d'argent», société mêlée, société de vie luxueuse et de mœurs souvent relâchées. Tous entretiennent des «maîtresses de prestige» (Yves Durand, *Les Fermiers généraux au dix-huitième siècle*, Paris, 1971). Presque tous donnent dans la philosophie nouvelle. Afficher des idées éclairées fait partie de leur train de vie. Certains sont philosophes eux-mêmes (Helvétius). Plusieurs servent efficacement la cause philosophique en protégeant ses sectateurs, et en favorisant par leurs relations et leur crédit la diffusion de ses idées.

FÊTES CHÔMÉES. Les fêtes chômées sont des fêtes religieuses. Les fidèles doivent les observer comme ils observent le dimanche, c'est-à-dire en assistant à la messe et en s'abstenant des «œuvres serviles». Les boutiques et les ateliers sont fermés.

En dehors des grandes fêtes (comme Noël et la Toussaint ou l'Assomption), toujours observées en tout lieu, chaque diocèse a ses propres fêtes chômées. Tel saint chômé dans un diocèse peut très bien ne pas l'être dans un autre. Voici, à titre d'exemple, un calendrier de fêtes chômées, celui du diocèse d'Évreux en 1775 (sans compter les dimanches) :

Janvier : 1er. Circoncision ; 6. Épiphanie ; 20. Saint-Sébastien.

Février : 2. Purification.

Mars : 25. Annonciation.

Juin : 24. Nativité de saint Jean Baptiste ; 29. Saints Pierre et Paul.

Août : 11. Saint Taurin ; 15. Assomption.

Septembre : 8. Nativité de Notre-Dame.

Octobre : 1er. Toussaint ; 2. Morts.

Décembre : 8. Conception de la Vierge ; 25. Noël ; 26. Saint-Étienne.

Le diocèse d'Évreux a donc quinze fêtes chômées outre les dimanches. La plupart des calendriers diocésains tournent autour de ce chiffre à la fin de l'Ancien Régime.

Les fêtes chômées avaient été autrefois très nombreuses. A partir de 1650 et jusqu'en 1789, les évêques s'appliquent à en diminuer le nombre. Cela s'appelle « retrancher » ou « abattre » des fêtes. Au total, pendant cette période, chaque diocèse a connu au moins deux retranchements et a vu diminuer de moitié ou des deux tiers le nombre de ses fêtes chômées. Le diocèse d'Autun est passé de quarante-quatre fêtes chômées en 1657 à seize en 1783. En général, on garde les fêtes du Christ et celles de la Vierge, mais on supprime celles des saints, à l'exception de quelques-unes.

Les évêques suppriment les fêtes pour éviter qu'elles soient profanées. « Combien de chrétiens, fait remarquer l'évêque de Poitiers, qui passent ces saints jours dans la débauche et le libertinage, dans le travail des mains et dans la discussion des affaires temporelles » (*Mandement de Monseigneur l'évêque de Poitiers, portant suppression de plusieurs fêtes et quelques jeûnes*, Poitiers, 1766). Il vaut donc mieux, explique l'évêque d'Évreux en 1775, « restreindre les obligations que d'augmenter le scandale en multipliant les prévaricateurs » (*Mandement de Monseigneur l'évêque d'Évreux portant suppression de quelques fêtes*, Évreux, 1er août 1775).

A ce motif religieux s'en ajoute un autre de caractère humanitaire. Si nous diminuons le nombre des fêtes chômées, expliquent nos prélats, c'est pour satisfaire les revendications des pauvres gens et pour leur permettre d'augmenter leurs revenus en travaillant pendant un plus grand nombre de jours. « Les pauvres Ouvriers des villes, écrit l'évêque de Poitiers, les Laboureurs dans les campagnes, ont représenté combien la cessation du travail leur était préjudiciable. »

Nous n'avons pas trace de telles représentations, mais elles sont vraisemblables. Rappelons-nous la plainte du savetier de La Fontaine : « On nous ruine en fêtes. » Il est vrai que nous enregistrons surtout des protestations dans l'autre sens, c'est-à-dire contre les suppressions. C'est le cas dans le diocèse de Blois en 1725 (les paysans traitent l'évêque de huguenot) et dans celui de Chartres en 1739. Il y a un malentendu. Les évêques disent : nous supprimons les fêtes pour votre bien. Les pauvres gens pensent en eux-mêmes : les fêtes sont notre bien. Il est vrai que les évêques sont des chrétiens éclairés. Ils croient au travail plus qu'à la contemplation. La suppression des fêtes chômées illustre la pensée sociale des Lumières, pensée utilitaire et pour laquelle le meilleur moyen de rendre les pauvres utiles est de les faire travailler. On supprime les fêtes comme on supprime les monastères contemplatifs. Les jours consacrés sont traités de la même manière que les hommes consacrés.

FEUILLE DES BÉNÉFICES. *Voir* **BÉNÉFICES (feuille des).**

FEYDEAU DE BROU, Paul Esprit (1683-1767). Seigneur de Brou, Prunelay et Pomponne, il est garde des Sceaux du 27 septembre 1762 au 3 octobre 1763. C'est le couronnement d'une longue et fructueuse carrière commencée en 1705 comme conseiller au parlement de Paris, continuée comme maître des requêtes (1710) et intendant de diverses généralités, dont celles d'Alençon et de Rennes. Son intendance de Bretagne avait duré douze ans (1716-1728). C'est assurément la partie la plus féconde de sa carrière. Son nom est attaché à la reconstruction de la ville de Rennes après l'incendie de 1720. Il sut mener cette grande opération d'urbanisme d'une manière rationnelle et sans petitesse. La ville de Nantes lui doit ses premiers travaux d'embellissement.

FEYDEAU DE MARVILLE, Claude Henri (1705-1787). Seigneur marquis de Marville, lieutenant général de police de Paris, il est issu d'une vieille famille parisienne intégrée dans la noblesse au XVIIᵉ siècle. Sa belle carrière prouve sa constante docilité. Après avoir été successivement conseiller au parlement de Paris (1726), maître des requêtes (1736), premier président du Grand Conseil (1738), il est nommé en 1740 lieutenant général de police de Paris. Dans ces importantes fonctions, qu'il exerce jusqu'en 1747, il se montre un «exécutant fidèle, voire habile et énergique, mais dépourvu d'initiative personnelle» (Suzanne Pillorget, *Claude Henri Feydeau de Marville, lieutenant général de police de Paris, 1740-1747*). Nommé en 1756 conseiller d'État ordinaire, il est chargé en 1765 d'une importante mission auprès du parlement de Pau. Il y réussit, et sera récompensé de son succès. Il entrera en 1766 au Conseil royal des finances et sera nommé en 1771 conseiller d'honneur au parlement Maupeou.

FIEF, DROITS FÉODAUX. Un fief est un bien immeuble ou réputé tel, dont on a l'usage et la jouissance moyennant certains droits. La propriété du fief est partagée entre le **seigneur** et le **vassal**. Le vassal tient le fief. Il en a l'usage et la jouissance, c'est-à-dire la seigneurie utile. Le seigneur a la seigneurie directe. Bien que la société féodale ait depuis longtemps disparu, le fief reste en France le mode normal de propriété. «Nulle terre sans seigneur», telle est la règle du

droit français. Il y a des alleux, c'est-à-dire des terres sans seigneur, mais leur qualité d'alleux doit être prouvée.

La possession d'un fief est **à charge de foi et d'hommage**. La prestation de foi et d'hommage doit être faite à chaque changement de vassal. La foi est la fidélité. L'hommage signifie l'engagement d'être l'homme de son seigneur, c'est-à-dire de lui être utile et, si l'hommage est «lige», de le suivre partout. On garde les anciens rites. «Le vassal, dit Claude Pocquet de Livonnière, doit faire la Foi et Hommage à son seigneur, la tête nue, sans épée, sans éperons. A Paris et en peu d'autres Coutumes, le genou en terre» (*Règles du droit français*). Mais ces rites sont vidés de leur sens. En effet, les obligations de service du vassal et de protection du seigneur ne sont plus que des mots. Le service militaire est dû au seul roi. «Les fiefs, écrit le jurisconsulte F. Boutaric, ne sont plus qu'une ombre d'honneur» (*Traité des droits féodaux et des matières seigneuriales*). Toutefois, une sorte de prestige s'attache toujours au fief et fait que nul ne songe à mettre en cause ce mode de propriété. Depuis la fin du XVIᵉ siècle, les fiefs n'anoblissent plus, mais ils restent prestigieux à cause de l'ancienne obligation de service militaire. Les fiefs de dignité (duchés, marquisats, comtés, baronnies) sont les plus recherchés. Ceux-là relèvent directement de la Couronne.

La possession d'un fief ou d'une seigneurie utile n'est pas très différente d'une vraie et entière propriété. Les fiefs sont depuis longtemps patrimoniaux et héréditaires. Ils sont divisibles (sauf ceux de dignité) sous certaines conditions. Ils sont aliénables et commercialisables. Le vassal peut vendre son fief sans le consentement du seigneur, qui a seulement la possibilité d'user du retrait féodal, c'est-à-dire de retirer par puissance de fief les choses hommagées vendues par son vassal, en remboursant l'acquéreur. Enfin la possession des fiefs est accessible à tous. A l'origine, elle était interdite aux roturiers et aux femmes. Cette interdiction est depuis longtemps abolie. L'ordonnance de Blois dit expressément que « les Roturiers et les Femmes peuvent à présent posséder les fiefs ». Cependant, les roturiers ne peuvent les posséder qu'à la condition de payer le droit de franc-fief et celui d'arrière-ban. Le droit de franc-fief est égal à une année de revenu tous les vingt ans.

Outre la foi et l'hommage, le vassal doit au seigneur l'**aveu et dénombrement** et les **droits utiles**. L'aveu et dénombrement est dû dans les quarante jours qui suivent la prestation de foi et d'hommage. C'est « une description exacte et par le menu de tout ce qui compose le fief [...] tant en domaines qu'en arrière-fiefs et censives, rentes, servitudes, droits utiles et honorifiques, prééminences et prérogatives » (Joseph Renauldon, *Dictionnaire des fiefs et des droits seigneuriaux utiles et honorifiques*, 1765).

Les droits utiles sont appelés aussi droits féodaux. Ce sont ceux qui sont acquittés au seigneur par le possesseur du fief. Il y a deux droits principaux, les **lods et ventes** et le **relief et rachat**. Les lods et ventes, appelés aussi **quint**, sont un droit sur les ventes. Pocquet de Livonnière le définit ainsi : « droit féodal pour la mutation du vassal, qui arrive par contrat de vente ou équipollent [équivalent] à vente » (*Règles du droit français*). Un contrat équivalent à une vente est par exemple un contrat de constitution de rente. Le montant de ce droit de mutation varie beaucoup selon les coutumes. Il est du cinquième du prix dans la coutume de Paris et du douzième seulement dans la coutume d'Anjou. Le rachat ou relief, appelé aussi « plaît » (en Dauphiné et en Poitou) et ailleurs « muage » ou « muance », est un droit dû sur certaines successions en certains cas réglés par les coutumes. Les successions en ligne directe ne paient jamais ce droit, mais la plupart des successions collatérales le paient. En Anjou et dans le Maine, le rachat est dû en ligne directe par les petits-enfants venant à la succession de leur aïeul ou aïeule, par les puînés nobles, mâles, héritiers ou donataires de leur père et mère.

Si le vassal ne s'acquitte pas de ses obligations, il peut être dépossédé de son fief. Par la « saisie féodale », le seigneur met le fief « en sa main et puissance [...] pour en jouir et l'exploiter » (cité par Roland Mousnier, *Les Institutions de la France sous la monarchie absolue*, t. I, p. 380). La saisie dure trois ans et doit être renouvelée ensuite. La « commise » est la confiscation qui acquiert au seigneur la propriété entière du fief du vassal.

FILLES DE LA CHARITÉ. *Voir* CHARITÉ (Filles de la).

FILLES DE LA SAGESSE. *Voir* SAGESSE (Filles de la).

FINANCES (bureaux des). Les bureaux des finances sont des organes de l'administration financière. Ils ont été institués en 1577 dans chaque généralité pour administrer le domaine et pour surveiller la répartition des impôts. Leur juridiction sur le domaine leur donnait à l'origine des attributions importantes en matière de voirie et de travaux publics. Il y a vingt-six bureaux des finances en 1786. Les officiers de ces corps portent le nom de trésoriers de France (*voir ce mot*).

Au début du XVIIIe siècle, ils sont dépouillés d'une partie de leur juridiction sur les grands chemins dont la construction et le redressement sont confiés aux commissaires départis et aux ingénieurs des Ponts et Chaussées. Ils gardent en principe les chemins de ville à ville et les aménagements à l'intérieur des villes. En matière d'impôts, ils continuent à intervenir dans la répartition de la taille mais ne jouent aucun rôle dans l'administration des nouveaux impôts directs (capitation et vingtième).

Un édit de mars 1693 a divisé chaque bureau en deux chambres, l'une s'occupant des droits féodaux, veillant à ce que les aveux et dénombrements soient fournis en temps utile, l'autre recevant les officiers des élections, des greniers à sel et les receveurs des tailles, avec appel au Conseil.

Les corps des bureaux des finances sont nombreux. Le bureau des finances de Paris se composait en 1789 des charges suivantes : un premier président, deux présidents, trente-deux trésoriers de France, l'avocat et procureur du roi, dix commissaires, un greffier et quatre huissiers.

FITZJAMES, James. *Voir* BERWICK, James Stuart Fitzjames, duc de.

FITZ-JAMES, François, duc de (Saint-Germain-en-Laye, 9 juin 1709 - Soissons, 19 juillet 1764). Évêque de Soissons, il est le second fils du maréchal de Berwick. Entré dans les ordres en 1727 à l'âge de dix-huit ans, il est pourvu la même année de l'abbaye de Saint-Victor, et nommé en 1739 évêque de Soissons, ministère qu'il exerce jusqu'à sa mort. C'est un évêque assidu à ses devoirs. Il fait au moins deux visites générales de son diocèse (1740 et 1745), ainsi que plusieurs tournées de confirmation. Il publie un *Rituel* en 1753. Ses œuvres théologiques seront recueillies dans un volume intitulé *Œuvres posthumes* (1769-1770). La doctrine qu'elles contiennent est très augustinienne, sinon janséniste. Fitz-James s'est toujours montré un adversaire décidé de la constitution *Unigenitus* et de la Compagnie de Jésus. Son instruction pastorale «foudroyante» (Edmond Préclin) publiée en 1760 contre l'*Histoire du peuple de Dieu* du jésuite Berruyer, a été particulièrement remarquée. Cependant, la notoriété lui vient surtout de son rôle pendant la maladie du roi à Metz en août 1744. Ayant succédé au cardinal d'Auvergne comme premier aumônier du roi, il avait à ce titre accompagné ce dernier aux armées. Lorsque Louis XV tomba malade à Metz, Fitz-James lui fit une obligation de renvoyer la duchesse de Châteauroux de cette ville, sous peine de se voir refuser les derniers sacrements. Le 14 août, il lut aux courtisans l'amende honorable du roi, où celui-ci exprimait le repentir de son péché public. Il fit envoyer cette déclaration dans les diocèses pour qu'elle fût portée à la connaissance des fidèles aux prônes des messes de paroisse. Cette attitude lui fut reprochée. On peut y voir la manifestation d'un rigorisme tout janséniste. Observons cependant que l'évêque, en agissant ainsi, se trouvait en parfait accord avec le confesseur jésuite du roi, le P. Pérusseau.

FLANDRE. Le gouvernement de la Flandre est composé des trois pays suivants : la Flandre française propre (Lille, Dunkerque, Douai), le Hainaut français (Valenciennes, Maubeuge) et le Cambrésis. Deux intendances se partagent l'administration de la province, celle de la Flandre française et du Cambrésis, dont l'intendant réside à Lille, et celle du Hainaut, dite encore de Valenciennes.

L'agriculture flamande est florissante. Dans ce pays de petites exploitations, la culture est intensive et les rendements sont les plus élevés du royaume, atteignant pour le blé 21 hectolitres à l'hectare. Les cultures industrielles du lin et du chanvre sont très développées dans les vallées de la Lys et de la Scarpe.

Les industries de la laine déclinent à Lille et à Douai, mais elles démarrent en 1764 à Roubaix. L'industrie du coton est la grande nouveauté des dernières années de l'Ancien Régime. L'exploitation des mines de charbon d'Anzin à partir de 1778 transforme l'économie du Hainaut.

La Flandre est «pays de pauvres gens» (G. Lefebvre), mais il semble que le poids du paupérisme ait nettement augmenté au cours du siècle. Le mal est pourtant contenu autant qu'il est possible par des magistratures urbaines «à l'esprit pétri de traditionalisme et de préoccupations sociales» (Philippe Guignet, *Le Pouvoir dans la ville au xviiie siècle*).

Les Lumières pénètrent peu ; les négociants, maîtres de l'activité économique, ne s'intéressent guère aux choses de l'esprit ; la foi reste vivante ; on peut noter en particulier la ferveur persistante du culte eucharistique : à Lille, entre 1770 et 1790, plus de 75 % des testateurs demandent des messes, alors que dans la plupart des autres régions du royaume cette pratique de religion tend à disparaître.

FLESSELLES, Jacques de (Paris, 1721 - id., 1789). Né d'une famille amiénoise en cours d'anoblissement, il est le prévôt des marchands qui fut assassiné à Paris le 14 juillet 1789. Nommé en 1755 maître des requêtes, il avait fait une longue carrière d'administrateur, et rempli pendant vingt-deux années les fonctions d'intendant, d'abord à Moulins

(1762-1765), ensuite en Bretagne (1765-1767), enfin à Lyon (1767-1784). A Lyon, lors de l'hiver si rigoureux de 1783-1784, il s'était soucié du sort des familles pauvres, et plus précisément de leur chauffage, pressant l'extraction du charbon et réservant une partie du combustible pour la consommation domestique. Conseiller d'État en 1784, il est nommé en 1788 prévôt des marchands et se trouve donc à la tête de la municipalité de Paris lors des événements critiques de juillet 1789. Il croit prudent de transiger avec l'émeute et se fait élire au « comité permanent » du 12 juillet. Mais il y est le seul modéré, le seul qui ne soit pas du parti d'Orléans. Accusé d'avoir soustrait des armes, il est assailli par la populace sur les marches de l'Hôtel de Ville dans la soirée du 14, et tué d'un coup de pistolet par l'orfèvre Moraire. Sa tête est tranchée et promenée au bout d'une pique.

FLEURIAU D'ARMENONVILLE, Joseph Jean-Baptiste (Paris, 22 janvier 1661 - id., 27 novembre 1728). Garde des sceaux, il a commencé sa carrière dans les bureaux ministériels en qualité de premier commis. Son beau-frère, Claude Le Peletier, alors contrôleur général des Finances, lui avait obtenu cette place. Il exerce ensuite et successivement les charges de conseiller au parlement de Metz, intendant des finances, directeur des finances, bailli et capitaine de Chartres, et entre au Conseil d'État le 10 mai 1705 comme conseiller semestre. En 1716, le chancelier Voysin accepte de se dessaisir en sa faveur de la charge de secrétaire d'État aux Affaires étrangères pour la somme de 400 000 livres. Depuis l'instauration de la polysynodie, cette charge était sans fonctions ; elle n'était plus, selon l'expression de Saint-Simon, « qu'une carcasse inanimée de charge, mais qui pouvait se relever et passer à son fils » (*Mémoires*, Ramsay, t. XII, 1978, p. 278). Le passage a lieu quatre ans plus tard : le 25 août 1721, Armenonville obtient pour son fils, Fleuriau de Morville, la survivance de son secrétariat d'État. Nommé garde des Sceaux

le 28 février 1722, il démissionne de cette haute fonction le 17 août 1727, peu de temps avant sa mort au château de Madrid où il faisait sa résidence en sa qualité de capitaine des chasses de Boulogne et des plaines voisines. Le duc de Saint-Simon, qui l'honorait de son amitié, lui décerne ce satisfecit : « Armenonville, dont j'ai parlé plus d'une fois et duquel j'avais eu lieu d'être content toute ma vie » (*Mémoires, op. cit.*).

FLEURIEU, Charles Pierre Claret, comte de (Lyon, 22 janvier 1738 - Paris, 18 août 1810). Fils d'un magistrat de Lyon, il est à la fois un marin et un savant. Entré à quatorze ans aux gardes de marine de Brest, il obtient un rapide avancement : lieutenant de vaisseau à trente-cinq ans, capitaine de vaisseau à trente-neuf. Il faut dire que ses travaux sur les sciences nautiques avaient attiré sur lui la faveur et l'attention du gouvernement. Encouragé par Sartine, dont il devient en 1774 le collaborateur au ministère de la Marine, il se livre à des recherches sur le moyen de parvenir à une détermination exacte de la longitude. Il conçoit l'idée d'un chronomètre marin et travaille à sa réalisation avec l'horloger suisse Berthoud. L'horloge de Berthoud est testée dans l'Atlantique, pendant la campagne de l'*Isis* (février-octobre 1769), dont le commandement a été confié à Fleurieu. En 1778, le roi crée en sa faveur le poste de directeur général des Ports et des Arsenaux. En fait Fleurieu va jouer pendant la guerre d'Amérique le rôle d'un véritable chef d'état-major, dressant les plans détaillés de toutes les opérations navales. Ensuite, il prépare avec son ami La Pérouse les plans de l'expédition qui doit faire le tour du monde austral. Sous la Révolution, il sera sept mois ministre de la Marine (27 octobre 1790-17 mai 1791), gouverneur du Dauphin (18 avril-10 août 1792), prisonnier sous la Terreur pendant quatorze mois et enfin député de Paris lors des élections qui seront annulées par le coup d'État de Fructidor. Le Consulat et l'Empire le combleront de dignités : sénateur, comte, gouverneur des Tuileries. Cela ne l'empêchera pas de continuer jusqu'à sa mort ses travaux de cartographie et d'histoire de la navigation. Le savant est incontestable. Le stratège de la guerre d'Amérique a été critiqué. Dans ses plans, il considérait que le rôle des forces navales était d'éviter les actions décisives et de se borner aux opérations secondaires. Sur le caractère, Mme de Tourzel porte dans ses Mémoires un jugement nuancé : « un honnête homme, dit-elle, [...] mais faible de caractère ». On jugera sur ce trait qu'elle rapporte : s'étant marié en 1792, Fleurieu avait tenu son mariage secret jusqu'au moment où sa nomination de gouverneur du Dauphin avait été rendue publique. Il savait que cette alliance déplairait à la famille royale et craignait qu'elle ne compromît sa nomination. Il avait épousé Aglaé Deslacs d'Arcambal, petite-fille de Le Normant d'Étiolles, le mari de Mme de Pompadour.

FLEURY, Claude (Paris, 1640 - *id.*, 1723). Jurisconsulte, historien, membre de l'Académie française (élu en 1696), confesseur du roi Louis XV de 1716 à 1722, c'est un homme déjà très âgé lorsque commence le règne nouveau. C'est entre 1670 et 1680 qu'il a publié ses trois ouvrages les plus originaux, l'*Histoire du droit français* (1674), l'*Institution du droit ecclésiastique* (1677) et le *Traité du choix et de la méthode des études* (1675). En 1689, il avait été choisi comme précepteur des ducs de Bourgogne, d'Anjou et de Berry, et avait rempli cette fonction jusqu'à la fin de l'éducation de ces princes (1706). En 1716, le Régent le rappelle à la Cour et le nomme confesseur du jeune roi. Il a soixante-seize ans. « Il eut peine à consentir », écrit Saint-Simon. Choisi « parce qu'il n'était ni jésuite, ni janséniste, ni ultramontain », il est nommé le 9 novembre 1716 et entre en fonction le 14. Il va siéger en même temps au Conseil de conscience. Les dernières années de sa vie sont remplies par la continuation et l'achèvement de sa monumentale *Histoire ecclésiastique* (20 volumes), dont le premier volume avait paru en 1691 et dont les autres se succéderont jusqu'en 1723. Ce livre va rester pendant plus d'un siècle l'ouvrage de référence (jusqu'à la publication en 1842 de l'*Histoire universelle de l'Église catholique* de Rohrbacher). Sainte-Beuve en fera un grand éloge. Le comparant à celui de Tillemont, il le juge « supérieur par la composition, par l'étendue du point de vue qu'il embrasse, par l'honorable indépendance du jugement » (*Port-Royal*, t. IV, p. 34). Cependant l'érudition critique de Fleury est aujourd'hui bien vieillie. On ne peut pas non plus se fier à certains de ses jugements, trop empreints d'un gallicanisme de type parlementaire et quelque peu obtus.

FLEURY, Hercule de (Lodève, 22 juin 1653 - Issy, 29 janvier 1743). Cardinal, ministre d'État, il a gouverné la France pendant dix-sept ans.

Il venait d'une famille noble mais de petite position. Son père était receveur des décimes. Il arrive par les protections. Le cardinal de Bonzi, bienfaiteur de sa famille, le fait nommer aumônier du roi. L'archevêque de Paris obtient pour lui l'évêché de Fréjus (1700). Le 6 mai 1714, M. de Fréjus publie un mandement approuvant de manière chaleureuse la bulle *Unigenitus*. Cette prise de position lui vaut la faveur royale : le 23 août 1715, Louis XIV le nomme précepteur du Dauphin. Il exerce cette charge pendant six ans, de 1717 à 1723. « Naturellement bon » (Luynes), de tempérament doux et amène, de conversation agréable, le précepteur attire la sympathie. Le roi se prend d'affection pour lui. Le Régent le regarde d'un œil favorable. L'ascension politique commence. En 1720, Fleury entre au Conseil des affaires ecclésiastiques. En 1723, il est nommé ministre d'État. En juin 1726, il devient principal ministre, sans en accepter le titre. La même année, il est fait cardinal. Il a soixante-treize ans. Il va gouverner avec une très ferme autorité. Luynes comme Saint-Simon parlent de « despotisme », mais c'est un despotisme intelligent. Le nouveau premier ministre ne tombe pas dans l'erreur de Dubois : il se ménage et ne se perd pas dans les détails, ne voulant se réserver que pour les grandes affaires. La confiance inaltérable du roi lui facilite la tâche.

Il est réputé être un pacificateur. On doit quand même observer ceci : deux des trois guerres du règne ont été déclarées sous son gouvernement. Il est vrai qu'il a essayé de les éviter et qu'il a fait la première de la façon la plus économique possible. Par exemple, en 1734, lorsque le roi Stanislas est replié à Dantzig, il se borne à lui envoyer le très modique secours de deux mille hommes.

A l'intérieur du royaume, les deux affaires cruciales sont celles du jansénisme et de l'opposition parlementaire. Il règle l'une et l'autre avec la même ferme modération. La déclaration royale du 24 mars 1730 fait de la bulle *Unigenitus* une loi de l'État. Fleury veille strictement à l'application de cette loi mais s'abstient de recourir à des mesures trop contraignantes, se bornant à faire un exemple avec l'évêque Soanen. Quant à l'opposition des parlements, il réussit à la calmer, utilisant pour cela ses relations amicales avec le procureur général Joly de Fleury.

Il est sans doute l'un des plus grands hommes d'État du siècle. Il en a les atouts, et en particulier «une mémoire infinie» (Luynes). Il en a aussi les deux qualités essentielles, le désintéressement (il n'a jamais rien demandé pour lui-même ni pour ses parents) et le sens du bien commun.

FLORIAN, Jean-Pierre Claris de (château de Florian, près de Sauve [aujourd'hui dans le département du Gard], 6 mars 1755 - Sceaux, 16 septembre 1794). Littérateur, il peut être comparé à Vauvenargues et à Chénier. Il est méridional comme eux ; sa vie fut courte comme la leur. Il fut comme Chénier un amoureux précoce de la Grèce, de ses dieux et de ses héros : l'*Iliade* avait été son premier livre d'enfant. Cependant sa mère, qu'il perdit très jeune, n'était pas grecque, comme celle de Chénier, mais d'origine castillane et elle lui avait transmis un goût très vif, qu'il garda toujours, pour

les lettres et la civilisation espagnoles. Délaissé par un père prodigue, mal élevé par des précepteurs de rencontre, il entre à l'âge de treize ans chez les pages du duc de Penthièvre, en sort à seize ans pour embrasser la carrière des armes. Formé à l'école d'artillerie de Bapaume, nommé à dix-huit ans sous-lieutenant, puis capitaine aux dragons de Penthièvre, il quitte très tôt le service pour se consacrer aux lettres. Assortie d'un logement au château d'Anet, la charge de gentilhomme ordinaire du duc de Penthièvre le délivre de tout souci matériel. Son œuvre illustre tous les genres, et principalement ceux du théâtre, de la pastorale et de la fable. On ne veut retenir aujourd'hui, comme ayant quelque mérite, que les deux pastorales, *Galatée* (1783) et *Estelle* (1788) et les *Fables* (1792). Le tour des *Fables* est simple et aisé. Voici le début des *Deux Chats* :

Deux chats qui descendaient du fameux
　　　　　　　　　　　　　　[Rodilard
Et dignes tous les deux de leur noble
　　　　　　　　　　　　　　[origine,
Différaient d'embonpoint : l'un était gras à
　　　　　　　　　　　　　　[lard,
C'était l'aîné ; sous son hermine,
D'un chanoine il avait la mine,
Tant il était dodu, potelé, frais et beau ;
Le cadet n'avait que la peau
Collé à sa tranchante épine…
(*Fables de Florian*…, éd. J.-P. Stahl, s.d., livre I, fable IX, p. 89.)

Il y a du mouvement dans ces fables. On n'y trouve pas de ces clichés qui encombrent l'ordinaire de la poésie du temps. Mais sont-elles, comme l'écrit Charles Nodier, «un des chefs-d'œuvre du dix-huitième siècle, et un des meilleurs livres de tous les temps» (cité dans l'édition de J.-P. Stahl, p. 9)? Certes pas. Le ton manque trop de force et de poésie : rien qui enchante et rien qui pique. Florian est sans défaut, mais sans génie.

Mme Denis, la nièce de Voltaire, était sa tante par alliance. Elle le présenta au grand homme ; il avait alors dix ans. Voltaire fut enchanté, s'engoua de cet enfant et le baptisa «son Floriannet». Devenu homme de lettres à son tour, Florian saura louer Voltaire et le flatter, notamment dans un discours en vers libres — qui faillit l'envoyer à la Bastille — intitulé *Voltaire et le serf du mont Jura*. Mais il n'appartiendra jamais à la coterie philosophique. D'ailleurs le pieux duc de Penthièvre eût-il admis un philosophe parmi ses commensaux ? La Révolution venue, Florian sera traité comme un suspect. Enfermé à la prison de Port - Libre (Port-Royal), libéré seulement après le 9-Thermidor, il mourra peu après des suites de sa détention.

La biographie de Florian est encore mal connue. On ne saurait l'écrire sans avoir lu au préalable ses *Mémoires d'un jeune Espagnol* ; il y raconte, sous des noms d'emprunt et avec un déguisement espagnol, l'histoire de sa jeunesse depuis sa naissance jusqu'à sa nomination au poste de sous-lieutenant.

FOLARD, Jean Charles, chevalier de (Avignon, 1669 - *id.*, 1752). Un des plus grands théoriciens militaires français, soldat dès l'âge de dix-neuf ans, il acquiert par ses campagnes et par son don d'observation une grande expérience de la guerre. Blessé à Cassano en 1705, blessé encore à Malplaquet, prisonnier des Autrichiens, il paie largement de sa personne. On le voit ensuite à Malte assiégée par les Turcs (1714), auprès de Charles XII pendant la campagne de Norvège, et enfin dans l'expédition d'Espagne de 1719. Cependant, il ne dépasse pas le grade de mestre de camp : sans doute se prononçait-il trop librement sur les opérations de ses chefs. C'est à Cassano, dit-on, dans le feu de la bataille, qu'il conçoit son système — très controversé, et à vrai dire jamais appliqué — de la colonne et de l'ordre profond. Mais il ne faut pas réduire Folard à un système. Dans ses différents ouvrages, les *Nouvelles Découvertes sur l'art de la guerre* (1724), l'*Histoire de Polybe avec commentaires* (1727-1730) et l'*Abrégé des commentaires de M. de Folard* (1754), il énonce avec une clarté et une concision remarquables l'ensemble des principes de l'art de la guerre. Il étudie aussi avec minutie plusieurs cas de batailles exemplaires, comme Pharsale, Cassano et les campagnes de Turenne. Le plus original chez lui est que toute sa tactique tend à la destruction complète de l'adversaire. En cela il est le précurseur de la guerre révolutionnaire. On ne peut pas non plus ne plus admirer la passion qui anime ses écrits et sublime la science militaire. « Tout est grand à la guerre, dit-il, les fautes et les belles actions. »

FOLIE. La notion de folie est très large. Peuvent être réputées folles des personnes allant à contre-courant des règles de la morale naturelle. Par exemple, on pourra interner comme insensé un prêtre en qui on ne trouvera aucun signe de charité. Le lieutenant de police d'Argenson était prêt à croire folle une femme qui préconisait le mariage à l'essai.

Le fou est-il encore un être humain ? Ne serait-il pas plutôt un animal ? « Le thème du fou animal » est « réalisé au XVIIIe siècle dans la pédagogie qu'on a parfois tenté d'imposer aux aliénés » (Michel Foucault, *La Folie à l'âge classique*). Cette pédagogie est celle du dressage et de l'abêtissement.

Les fous soignés comme tels dans les hôpitaux sont peu nombreux. La plupart sont internés dans les hôpitaux généraux ou dans les maisons de correction comme Bicêtre pour les hommes ou la Salpêtrière pour les femmes. Ils ne reçoivent dans ces établissements aucun soin pour leur folie. L'internement n'est pas (comme il le sera au siècle suivant) un acte thérapeutique.

Dans les dernières années de l'Ancien Régime certains médecins, comme Cabanis, sont partisans d'une surveillance perpétuelle des fous internés, et préconisent même de restreindre leurs mouvements d'une manière proportionnelle à leur degré d'aliénation. De plus, pour Cabanis, « les lieux où les fous sont retenus, doivent être sans cesse soumis à l'inspection des différentes magistratures, et à la surveillance spéciale de la police » (cité par Foucault, *op. cit.*).

FONDATIONS. Les fondations sont des donations ou legs. Elles ont pour objet d'établir des églises, des bénéfices, des communautés religieuses, des écoles et des œuvres pies comme des messes ou des missions. Différentes des simples donations, leurs établissements sont durables. Elles sont faites à temps ou à perpétuité. Le fondateur fournit les moyens matériels (fonds ou rente) et le clergé les services. Les fondations pies faites dans les paroisses sont gérées par les fabriques. Nulle fondation ne peut être exécutée si elle n'est homologuée par l'évêque du diocèse et, s'il s'agit d'une fondation en faveur d'une église paroissiale, acceptée par le curé. Enfin, toutes les fondations sont soumises à la formalité onéreuse de l'insinuation, et la plupart aux droits d'amortissement.

Les fondations contribuent de façon notable à l'instruction et à l'assistance. De nombreuses écoles sont établies par fondation, ainsi que de nombreux hôpitaux et lits d'hôpitaux. Les fondations sont des œuvres de miséricorde. Un chrétien qui fait une fondation réalise de la façon la plus expressive qui soit la doctrine des œuvres telle que la formule le concile de Trente. Mais les fondations de messes valent plus et mieux que toutes les autres. Celui qui fonde à perpétuité une messe entre dans l'intention du Christ : « Et voici, je suis avec vous tous les jours jusqu'à la fin du monde. »

Les fondateurs de messes appartiennent à tous les milieux sociaux, mais celles d'écoles, d'hôpitaux et de missions sont faites par des ecclésiastiques, des nobles et des bourgeois. Au total le nombre des fondateurs reste très limité. Par exemple la paroisse de Saumur (Notre-Dame-de-Nantilly) reçoit seulement quarante fondations de messes pendant toute la durée du siècle.

Pour que la fondation puisse durer, il faut que la rente soit payée par les héritiers du fondateur. Il faut encore que le revenu de la dotation soit suffisant. Après 1750, les évêques réduisent de nombreuses fondations de missions et de messes : ils en diminuent les charges, pace que les revenus ne suffisent plus. La législation royale est défavorable aux fondations : l'édit d'août 1749, dans son article premier, interdit de faire sans lettres patentes des fondations d'hôpitaux, de maisons religieuses et de collèges. Enfin l'opinion publique, imprégnée de philosophisme, est hostile aux fondations. Examinant dans l'article « Fondation » de l'*Encyclopédie* « l'utilité des fondations par rapport au bien public », Turgot se propose « d'en montrer les inconvénients ». Pour lui, fonder relève de l'imprudence. Car, dit-il, « aucun ouvrage des hommes n'est fait pour l'immortalité ». On ne saurait donc s'étonner de voir diminuer le nombre des fondations. Cela est particulièrement net pour les fondations de messes, qui deviennent très rares après 1750.

FONTAINEBLEAU. Reconstruit par François Ier, situé au milieu d'une immense forêt de 32 285 arpents (Piganiol de La Force), c'est-à-dire de plus de 15 000 hectares, le château de Fontainebleau est, avec ceux de Versailles et de Compiègne, l'une des trois grandes résidences royales. La Cour s'y transporte en automne ; c'est ce qu'on appelle le « voyage de Fontainebleau », qui a lieu à la mi-octobre, avec retour à Versailles à la mi-novembre. Cette saison de Fontainebleau est consacrée à la chasse et au théâtre. Des représentations de comédie ou d'opéra et des concerts sont donnés tous les jours dans la salle de la Comédie, dont le théâtre a été refait avec des loges en 1725. En janvier 1764, le *Mercure* écrit : « Depuis que le roi est arrivé ici, les plaisirs et les fêtes se sont succédés sans interruption et ont rendu la Cour aussi brillante que nombreuse. » Parmi les spectacles de cette année-là figurait *Le Devin de village* de Jean-Jacques Rousseau.

Le château ne subit pas de transformations importantes, mais plusieurs aménagements et restaurations viennent l'embellir et le mettre au goût du jour. Ce sont principalement la réfection du théâtre, la construction en 1738 de la tribune de la chapelle et la nouvelle décoration du cabinet du Conseil par Jacques Ange Gabriel.

Le dernier « voyage » de Fontainebleau eut lieu en 1786. Ensuite le déplacement fut supprimé pour des raisons d'économie.

FONTAINE DE LA ROCHE, Jacques (Fontenay-le-Comte, 5 mai 1688 - 26 mai 1761). Il est le premier directeur de la gazette janséniste clandestine *Les Nouvelles ecclésiastiques*. Ordonné prêtre en 1712, il était devenu chapelain de l'hôpital général de Tours et conseiller de l'archevêque jansénisant Ysoré d'Hervault. Nommé ensuite curé de la petite paroisse de Manthelan sur le plateau de Sainte-Maure, il n'avait pas tardé à s'opposer au nouvel archevêque, Chapt de Rastignac, sur la question de la bulle. Menacé d'une lettre de cachet, il quitte le diocèse de Tours et vient à Paris, où les frères Desessarts lui confient la direction de la gazette janséniste qu'ils ont fondée. L'abbé Fontaine dirige *Les Nouvelles ecclésiastiques* pendant plus de trente ans. Il opère dans le secret le plus total et réussit à déjouer toutes les recherches de la police. On ne peut nier ses qualités de polémiste. « Il avait le croc dur, la répartie vive et jouait serré, comme il convient avec un adversaire redoutable » (Léon Séché, *Les Derniers Jansénistes depuis la ruine de Port-Royal jusqu'à nos jours* [*1710-1870*], Paris, 1890-1891). Sa doctrine tient le milieu entre le jansénisme rationaliste d'un Bonnaire et le jansénisme convulsionnaire d'un Mongeron. Profondément richériste, il ne cesse de réclamer pour les prêtres la succession des soixante-douze disciples. A sa mort, son collaborateur Guénin lui succède. Dans la notice que Michel Picot lui consacre, on peut lire : « Ses partisans qui n'ont pas eu honte de vanter sa piété, conviennent qu'il ne disait pas la messe » (*Mémoires pour servir à l'histoire ecclésiastique pendant le XVIIIᵉ siècle*). E. Préclin, dans sa thèse sur les jansénistes du XVIIIᵉ siècle, ne fait pas écho à cette observation.

FONTANIEU, Gaspard Moïse, marquis de Fiennes (1694-1767). Intendant de province, il a une vie des plus remplies. Intendant du Garde-Meuble royal de 1717 à sa mort, il est aussi intendant du Dauphiné (de 1724 à 1740), conseiller d'État, collectionneur et historien. Comme intendant du Garde-meuble — il succède à son père dans cette charge —, il est l'agent actif du mécénat royal. Comme intendant du Dauphiné, il a une administration fort paisible, le parlement de Dauphiné étant alors le plus docile de France. Fontanieu emploie ses loisirs grenoblois aux travaux de l'érudition. Il rassemble sur l'histoire du Dauphiné une immense collection de titres. Ce recueil comporte huit cent quarante et un portefeuilles et se trouve aujourd'hui à la Bibliothèque nationale.

FONTENELLE, Bernard Le Bovier de (Rouen, 11 février 1657 - Paris, 9 janvier 1757). Littérateur dans tous les genres et vulgarisateur de talent, il est le fils d'un avocat au parlement de Rouen et de Marthe Corneille, sœur de l'auteur du *Cid*. Il fait ses études au collège des jésuites de Rouen, puis se prépare à la profession d'avocat qu'il abandonne très vite afin de s'adonner aux lettres. Il s'installe à Paris, collabore à partir de 1677 au *Mercure galant* de Donneau de Visé, s'essaie à la poésie et au théâtre. Sa tragédie *Aspar*, représentée le 7 décembre 1680, subit un échec humiliant. C'est à l'occasion de cette pièce que, selon Racine, le public inventa les sifflets. Il se retire alors dans sa ville natale et y écrit ses œuvres les plus marquantes, dont les *Entretiens sur la pluralité des mondes*, l'*Histoire des oracles* (1686), sorte de manifeste libertin, et la *Digression sur les anciens et les modernes* (1688), où il prend parti pour les modernes. Élu en 1691 à l'Académie française, il revient s'installer à Paris, définitivement cette fois. Élu six ans après à l'Académie des sciences, il en devient tout de suite le secrétaire, sans doute sur un ordre de Pontchartrain, transmis par l'abbé Bignon. Il va désormais se consacrer à une œuvre de grande utilité, la publication de l'*Histoire de l'Académie royale des sciences*. Il s'agit des comptes rendus de tous les travaux de l'Académie depuis 1702. En 1733, Fontenelle complète la collection en traduisant en français l'*Histoire*, écrite en latin, de cette même compagnie depuis ses débuts en 1666 jusqu'en 1699. Enfin, il faut ajouter à cet imposant corpus les soixante-neuf éloges qu'il prononce de 1699 à 1740, et qui sont consacrés aux académiciens morts pendant cette période. Mais cet historiographe des sciences est aussi le patriarche des lettres. Il règne sur tous les salons. Au Temple, à la cour de Sceaux, chez Mmes de Lambert, de Tencin et Geoffrin, il n'y a que lui, on ne voit que lui. Il fait le style, il impose le ton, et cela pendant un demi-siècle. Ce n'était pas un grand homme. Il avait, dit Mme de Tencin, « le cerveau à la place du cœur ». Ce n'était pas non plus un grand esprit. Il s'était adonné à la philosophie cartésienne, et n'a jamais su s'en dépêtrer. Son *Essai sur l'histoire*, où il ne sait juger Clio que selon l'utilité, est consternant de pauvreté. Ses vers sont plats, ses tragédies médiocres. Il n'est bon que dans l'épigramme, le dialogue galant et l'éloge officiel. Mais sa place dans l'histoire de la pensée est très importante ; la première génération des Lumières a reçu par lui l'esprit des libertins. Il a formé Voltaire, Hénault, d'Holbach, pour ne citer que ces trois-là. Il a fait le lien entre le siècle des sceptiques et des rationaux et celui des Lumières. Le malheur a voulu que le seul survivant du Grand Siècle fût un homme qui n'avait rien de sa grandeur ni de son génie.

FONTENOY (bataille de). La bataille de Fontenoy est livrée et gagnée le 11 mai 1745 par l'armée française du maréchal de Saxe et en présence du roi Louis XV, contre l'armée anglo-hollando-hanovrienne commandée par le duc de Cumberland, troisième fils du roi Georges II d'Angleterre.

Le 8 mai, l'armée française ayant mis le siège devant Tournai, les alliés décident de marcher au secours de la place. Pour les attendre et les combattre, Maurice de Saxe choisit le site d'Antoing, sur la rive droite de l'Escaut. Le 10 mai, il dispose ses troupes entre Antoing et le village de Fontenoy, les ordonnant sur quatre lignes et gardant en arrière et en réserve la Maison du Roi. Forte d'une centaine de pièces, l'artillerie prend position devant la première ligne et dans neuf redoutes dispersées sur le front. L'armée française compte environ cinquante mille hommes ; les alliés en ont autant.

La bataille commence aux premières heures du 11 mai. Elle s'ouvre par un duel d'artillerie. Après divers essais infructueux d'attaques frontales, Cumberland change de tactique : il entreprend de percer le front français. Une colonne de quinze mille hommes, formée en carré, s'avance vers le centre français, entre le village de Fontenoy et la redoute du bois de Barry. Lorsqu'elle arrive au contact de la première ligne française, les officiers anglais saluent les Français en ôtant leurs chapeaux, et les officiers français leur rendent leur salut. C'est à ce moment précis que Charles Hay, capitaine aux gardes anglaises, sortant du rang, fait seul quelques pas vers la ligne française. Le comte d'Auteroche, lieutenant des grenadiers, vient à lui ; « Monsieur, lui dit Charles Hay, faites tirer vos gens. — Non, répond d'Auteroche, à vous l'honneur. » C'était alors à qui ne tirerait pas le premier. On pensait qu'une troupe était battue quand elle avait tiré son feu, et que son adversaire avait encore le sien.

Finalement on ne sait pas bien qui tira le premier. Quoi qu'il en soit le feu des Anglais fait des ravages. L'avance de la colonne est irrésistible. Le centre français est percé. La défaite paraît probable. Il y a pour l'état-major français deux ou trois heures d'angoisse. Puis Maurice de Saxe imagine sa contre-attaque : la brigade irlandaise et deux régiments d'infanterie lancés sur le flanc droit de la colonne, et la Maison du Roi (cavalerie et infanterie) sur le flanc gauche. Double et furieux assaut soutenu par l'artillerie. L'adversaire finit par plier ; la colonne se disloque : c'est la déroute. Chacune des deux armées aurait perdu environ sept mille hommes.

Le maréchal de Saxe fut traité en héros. Le roi le nomma maréchal général et lui donna le château de Chambord.

Louis XV avait fait bonne contenance pendant toute l'action. Sa présence et son courage augmentèrent pour un temps sa popularité, rehaussant l'éclat de la victoire. En 1746 et 1747, d'autres batailles seront gagnées (Raucoux, Lawfeld), mais aucune ne sera autant célébrée que Fontenoy, parce qu'à Fontenoy on avait conjuré la défaite. On peut vraiment dire que cette victoire est le dernier triomphe de la monarchie française.

FONTEVRAULT. L'ordre de Fontevrault est un ordre monastique fondé en 1100 par Robert d'Arbrissel. La règle est celle de saint Augustin. L'originalité de Fontevrault est d'être un ordre mixte, masculin et féminin, et surtout d'être un ordre mixte gouverné par une femme, l'abbesse de l'abbaye de Fontevrault, sise en Poitou. Les religieux fontevristes, comme les religieuses, sont soumis à l'autorité de l'abbesse. Outre l'abbaye chef d'ordre, la congrégation compte (en 1789) cinquante-sept prieurés répartis entre quatre provinces.

Le recrutement diminue après 1750, mais la baisse est moins forte que dans beaucoup d'autres ordres. L'abbaye chef d'ordre a 180 moniales en 1748, 170 en 1778 et 154 au début de 1790 (Patricia Lusseau, *L'Abbaye royale de Fontevrault aux XVIIe et XVIIIe siècles*). La contagion de l'esprit mondain affecte Fontevrault, mais ici le mal est sans gravité : ni la clôture ni l'office divin ne sont remis en question. Les fontevristes gardent fidèlement leur spiritualité particulière, faite pour l'essentiel de la dévotion à la Croix et de l'esprit d'anéantissement.

Les moniales tiennent des pensionnats où elles accueillent des jeunes filles. En 1738, Louis XV confie à l'abbesse Françoise de Rochechouart l'éducation de ses quatre dernières filles. Les princesses passeront à Fontevrault toutes leurs jeunes années (à l'exception de Thérèse, décédée le 28 septembre 1744).

FORBONNAIS, François Véron Duverger de (Le Mans, 3 octobre 1722 - 20 septembre 1800). Économiste, conseiller au parlement de Metz, il est le fils d'un fabricant d'étamines du Mans, échevin de cette ville. Il fait ses études au collège de Beauvais à Paris. Ensuite plusieurs voyages en Italie et en Espagne pour le commerce paternel et un séjour de cinq ans à Nantes chez un oncle négociant à Nantes lui donnent une expérience très solide des affaires. Ses *Considérations sur les finances de l'Espagne* (1753) le signalent à l'attention du public. Ses *Éléments de commerce* (1754), encyclopédie raisonnée de toutes les matières de l'économie, font sa renommée. Le livre a deux éditions en trois semaines. Il est traduit dans toutes les langues. Ses *Recherches et considérations sur les finances de la France depuis 1595 jusqu'à l'an 1721* (1758), première histoire financière de la France, achèvent de le poser comme expert des questions économiques. De 1758 à 1771, de Silhouette à Terray, tous les ministres le consultent. Il donne des conseils, fait des plans de restauration des finances, mais on ne sait pas la nature de ces conseils et de ces plans. Ses thèses économiques diffèrent assez de celles des physiocrates. La liberté du commerce qu'il préconise est une liberté contrôlée, à l'imitation de celle adoptée par l'Angleterre. Dans ses *Principes et observations économiques* (1767) il attaque vivement le *Tableau économique* de Quesnay et en particulier la thèse selon laquelle l'agriculture autrefois florissante aurait été dégradée par la politique de Louis XIV. Il réhabilite l'industrie et le commerce maritime. C'est un homme réaliste et de bon sens et non un homme de système comme les physiocrates. C'est aussi un homme peu attaché aux honneurs. Lui, que les ministres sollicitent, se contente d'une charge de conseiller au parlement de Metz achetée en 1764 et d'un titre de « garde du dépôt du Contrôle général ». Sa vie privée est digne. Après un long célibat il épouse à soixante-cinq ans Mlle Le Ray de Chaumont qu'il aime depuis vingt ans et qui est pauvre. Il semble avoir une conscience assez nette de la décadence politique et sociale. Dans un libellé intitulé *Lettre à mon curé*, daté du 4 mars 1789, il demande que les députés aux États généraux soient élus au vote par têtes et par les trois ordres réunis. Il voit dans ce mode d'élection le seul moyen de préserver le bien commun. « Et qui peut voter, écrit-il, pour l'intérêt général et commun, si ce n'est la réunion des ordres ? » Il n'est pas élu aux États : on lui reproche d'avoir été anobli par Louis XVI. La Terreur l'épargne. Il était respecté. En 1796, il est nommé membre de l'Institut dans la section d'économie politique. Il vit assez longtemps pour voir l'avènement du Consulat, qu'il accueille avec satisfaction.

FORÊTS. Les forêts françaises ont différents statuts. Il y a les forêts royales, celles des apanages, les forêts ecclésiastiques, les forêts communales et les forêts privées dont beaucoup sont seigneuriales.

La superficie totale de la forêt française à la veille de la Révolution est d'environ 8 millions d'hectares. Le taux de boisement du territoire est de 16 % ; il est inférieur à celui de la fin du Moyen Âge (environ 25 %) et à celui du milieu du XXe siècle (environ 20 %). De très nombreuses forêts sont en mauvais état. Les futaies ont beaucoup diminué. La réduction de la forêt et sa dégradation sont clairement perçues par les contemporains et suscitent l'inquiétude. Les causes en sont multiples : les défrichements, souvent synonymes d'essartage du bois, la multiplication des établissements métallurgiques (un millier environ en 1789) et l'accroissement de la consommation de bois de chauffage sont les principales.

Les maîtrises des eaux et forêts (*voir* EAUX ET FORÊTS) assurent la police des forêts et en contrôlent l'exploitation, selon les règles posées par l'ordonnance forestière de 1669. Ces règles sont appliquées avec rigueur. Les officiers des maîtrises arpentent et délimitent. Ils imposent le « quart de réserve » en réduisant d'un quart le champ exploitable, et sur ce quart la formation de la grande futaie par un gel de cent vingt ans. L'exploi-

tation obligatoire est géométrique et fondée sur les coupes à ras.

La disette de bois de chauffage et le formalisme pointilleux des maîtrises provoquent un mécontentement populaire qui va croissant. Les sentiments d'injustice et de frustration s'exacerbent. A la fin de l'Ancien Régime, les vols de bois et les délits forestiers sont devenus communs. On s'interroge sur les moyens de résoudre la crise forestière. Les conceptions traditionnelles de la sylviculture sont remises en cause. Après 1770, le traitement des conifères est organisé ; la futaie n'est plus le seul idéal, et les taillis ainsi que les taillis sous futaie commencent à prendre de l'extension.

FORTIFICATION. Le XVIIIe siècle n'est pas une grande époque pour la fortification française. Il n'est construit qu'une seule place nouvelle, celle de Cherbourg. Des batteries sont ajoutées aux ouvrages de Toulon et de Brest, par exemple à Toulon le fort des Pomets (1747). Sur la frontière de l'Est, l'ingénieur Cormontaigne élargit l'enceinte de Metz (1728-1730) et restaure la citadelle de Bitche (1738). Tel est l'essentiel d'un assez maigre bilan. On a pu parler de « stagnation » (Pierre Rocolle, *2000 ans de fortifications françaises*).

Les raisons de ce ralentissement sont l'ampleur de l'héritage de Vauban, l'absence de toute guerre sur les frontières de 1715 à 1743, et surtout la « mésestime » (Rocolle) de la fortification. En effet les nouvelles théories de l'art de la guerre, par exemple celles de Maurice de Saxe et du comte de Guibert, tendent à réduire le rôle des places fortes. Le résultat est qu'à la fin de l'Ancien Régime la ceinture fortifiée construite par Vauban n'est plus, faute d'entretien et d'un équipement suffisant, capable de constituer une protection efficace. Les dotations en armement des citadelles ont été réduites, et la plupart des places n'ont pas de garnisons permanentes. Cependant, la publication en 1776 par le comte Marc René de Montalembert d'un ouvrage novateur intitulé *La Fortification perpendiculaire* annonce un regain d'intérêt pour la science des places.

FORTUNES. Le seul moyen scientifique de connaître les fortunes est l'étude des actes notariés (contrats de mariage et inventaires après décès). Plusieurs enquêtes ont été menées à partir de ces sources sur les fortunes de la grande noblesse et sur celles des différents groupes sociaux dans les sociétés urbaines. Les informations ainsi recueillies montrent une très grande diversité des fortunes aussi bien par leur importance que par leur composition.

Selon l'importance, on peut distinguer les quatre groupes suivants :

— un très petit nombre (quatre cents à cinq cents) de très grandes fortunes dépassant le million de livres et s'élevant pour la plupart d'entre elles bien au-delà. Ce sont les fortunes des princes du sang (le prince de Conti possède en 1783 une fortune de 17 millions de livres), les fortunes ducales (duc de Villeroy en 1766 : 12 616 617), celles des fermiers généraux les plus riches (Philippe Cuisy en 1772 : 5 073 540), celles des négociants les plus riches (Gradis de Bordeaux en 1788 : plus de 4 millions de livres) et de quelques parlementaires ;

— un petit nombre (3 000 ou 4 000) de grandes fortunes dépassant le seuil des 100 000 livres. On trouve dans ce groupe une majorité de nobles de robe ou d'épée (marquis de Bauprêau en 1764 : 500 000 livres), quelques avocats et quelques négociants ;

— un assez grand nombre (quelques dizaines de milliers de personnes) de fortunes dépassant le seuil des 10 000 livres, beaucoup de ces fortunes se situant aux alentours de 25 000 livres. Ce groupe est complexe. On y trouve aussi bien des officiers de justice et des avocats que des négociants, des marchands et des gens des professions libérales. On y trouve même des artisans. A Lyon, d'après M. Garden, 61 contrats de mariage d'artisans figurent dans les 761 contrats dépouillés par ce chercheur pour la période 1786-1789, et dont les apports sont égaux ou supérieurs à 10 000 livres ;

— le dernier groupe est celui (sans doute aussi nombreux que le précédent) dont les fortunes ne dépassent pas le seuil des 5 000 à 6 000 livres, et qui se compose de boutiquiers, de titulaires de petits offices et d'artisans.

La pyramide formée par ces quatre strates est très élargie à sa base et très écrasée. La France compte peu de très grandes et de grandes fortunes. La plupart sont moyennes et petites. De plus, tous les niveaux sont représentés. C'est une structure équilibrée.

On peut faire une autre observation : le groupe social supérieur, la noblesse, est également celui qui détient les plus importantes fortunes du royaume. Il existe une nombreuse noblesse désargentée ; mais c'est la noblesse riche que l'on voit. Dans l'opinion, qui dit noble dit riche.

Si nous regardons la composition des fortunes, nous voyons des différences très grandes. Les seules fortunes à large dominante foncière sont celles des princes du sang et des ducs. Les fortunes de la robe font aussi une belle part aux biens fonciers, mais quand même moins importante. Les magistrats parisiens ayant plus de la moitié de leur fortune en terres sont peu nombreux. Chez les fermiers généraux, la part devient très modeste. Les seigneuries et les domaines ruraux représentent 10,04 % de 25 masses successorales sur 32. Chez les négociants, ce qui frappe, c'est l'importante proportion d'argent liquide. Dans 85 % des contrats de mariage des négociants lyonnais, l'argent liquide représente plus de 50 % des apports.

Disons pour finir que notre connaissance des fortunes est encore très incomplète. Il faudrait étudier les petits patrimoines ; il faudrait s'intéresser aux fortunes rurales. La recherche doit aller dans ces directions.

FOUQUET, Charles Louis Auguste, comte, puis duc de Belle-Isle. *Voir* **BELLE-ISLE, Charles Louis Auguste Fouquet,** comte, puis duc de.

FOUQUET, Louis Marie, comte de Belle-Isle, comte de Gisors. *Voir* **GISORS, Louis Marie Fouquet,** comte de Belle-Isle, comte de.

FOURCROY, Antoine François, comte de (Paris, 15 janvier 1755 - *id.*, 16 décembre 1809). Chimiste, il est le fils d'un apothicaire parisien. Il fait ses débuts dans les sciences sous le patronage de Vicq d'Azyr. L'illustre médecin avait pris pension chez ses parents. Il le conseille et lui fait embrasser la carrière médicale. Il est reçu médecin en 1780 et nommé le 24 février 1784 «professeur en chimie aux Écoles du Jardin royal des Plantes». Avec lui la chimie moderne fait son entrée au Jardin du roi. Ses travaux de la période antérieure à la Révolution consistent, pour l'essentiel, en une nomenclature d'affinités et en des études sur la mesure de la grandeur des affinités. Il a également travaillé avec Lavoisier, Berthollet et Guyton de Morveau à la nouvelle *Méthode de nomenclature chimique* publiée en 1787. Après 1789, le rythme de ses publications se ralentit. Il fait partie de ces nombreux savants qui s'engagent dans la politique. Il sera successivement député à la Convention, membre du Comité d'instruction publique, membre du Comité de salut public (après thermidor) et directeur général de l'Instruction sous le Consulat. On lui reprochera beaucoup de n'avoir rien fait pour sauver la tête de Lavoisier. Il s'en défendra sur le ton le plus pleurard, mais effectivement on ne trouve aucune trace d'une intervention de sa part en faveur de l'illustre condamné.

FRAGONARD, Jean Honoré (Grasse, 1732 - Paris, 1806). Peintre, il fut l'élève de Chardin et de Boucher, mais ne suivit pas les leçons de l'Académie. Premier prix de peinture à l'âge de vingt ans, il séjourna ensuite en Italie et y passa plusieurs années en compagnie d'Hubert Robert et de l'abbé de Saint-Non, ses amis. Il y étudia la peinture et la nature. On a de lui de nombreux dessins de cette époque.

L'Académie le reçoit en 1765 à son retour de Rome avec pour morceau de réception un tableau d'histoire intitulé *Coresus et Callirhoé,* qui obtient un grand succès. Mais la vogue de l'artiste lui vient surtout de sa peinture libertine. Des compositions égrillardes comme *La Gimblette, L'Escarpolette* et *Le Feu aux poudres* sont ce que la postérité retiendra de lui.

Pourtant son art est des plus variés. Il peint des paysages où l'on voit l'influence des Hollandais : *L'Orage* et le *Paysage aux laveuses* font penser à Ruysdaël. A la demande de Mme du Barry, il s'essaie à de grandes compositions qui rappellent un peu l'atmosphère des fêtes galantes (*La Fête à Saint-Cloud, La Fête à Rambouillet*). Il peint aussi des portraits, et c'est d'ailleurs là que se manifeste le plus son originalité ; sa technique très personnelle étonne ses contemporains ; la touche est libre, visible, rapide ; l'artiste veut représenter le mouvement, l'expression. C'est ainsi qu'il peint Diderot, l'abbé de Saint-Non, la Guimard, le duc d'Harcourt et bien d'autres.

Il se convertit sur le tard à la manière néoclassique, imitant son ami David. Sous la Révolution, l'organisation du musée du Louvre lui sera confiée. Il mourra pauvre et délaissé.

Peintre méditerranéen, Fragonard aime la lumière et la couleur. Le jaune est sa couleur de prédilection. Il est bien de son siècle par sa sensualité, mais il est unique par sa gaieté.

FRANCE (île de). L'île de France (actuelle île Maurice) avait été occupée par les Hollandais et abandonnée par eux en 1710. Les Français en prennent possession en 1710 mais ne se pressent pas de la mettre en valeur. La Compagnie des Indes, à laquelle la nouvelle colonie est confiée, s'en désintéresse à peu près complètement. Tout change avec l'arrivée en 1734 de Mahé de La Bourdonnais, nouveau gouverneur général des Mascareignes. Sa mission est d'établir à l'île de France une relâche pour les navires de la Compagnie. Mais il dépasse cet objectif et se passionne pour la colonisation. Il introduit la culture de la canne à sucre, installe une raffinerie, et surtout réussit à faire venir des colons (qui sont pour la plupart des Bretons). Enfin il fonde Port-Louis qu'il dote d'un arsenal. Fondée à la fois sur le commerce avec l'Inde et sur l'agriculture vivrière, l'économie de l'île de France va se développer d'une manière très différente de celle de l'île Bourbon, colonie de plantation et à rendement. Par son *Voyage à l'île de France* (1773) et par son roman *Paul et Virginie* (1787), Bernardin de Saint-Pierre fait entrer l'île dans la littérature française, lui conférant ainsi le prestige mystérieux qui s'attache aux lieux de l'inspiration.

FRANCHE-COMTÉ. Conquise par Louis XIV en 1668, rattachée définitivement au royaume en 1678, la Franche-Comté a vu par cette annexion diminuer son autonomie provinciale. Gouvernement, généralité, dotée d'un parlement, la province n'a plus d'assemblée d'états, celle-ci ayant été supprimée par Louis XIV.

L'économie est prospère, les Comtois tirant le meilleur parti de leurs nombreuses ressources naturelles, les bois, les pâturages, le sel (des salines de Salins, de Montmorot et d'Arc-et-Senans), les eaux thermales (Luxeuil), les mines de cuivre, de plomb et surtout de fer : en 1788, la province produit dans ses forges 17 % de la fonte et 15 % du fer du royaume (Maurice Gresset).

La population double au cours du siècle ; elle sera en 1790 de 775 000 habitants. L'essor économique et démographique entraîne le développement des villes et leur embellissement. Nicolas Ledoux vient en Franche-Comté et y construit le théâtre de Besançon ainsi que l'étonnante architecture industrielle d'Arc-et-Senans.

Parmi les nombreuses figures qui ont marqué la province au cours du siècle, il faut citer le marquis Jouffroy d'Abbans, qui fait naviguer sur le Doubs le premier bateau à vapeur, et l'intendant Lacoré (1761-1783), administrateur intelligent et actif. C'est lui qui organise en 1765 avec le docteur Girod une grande campagne d'inoculation contre la variole, au cours de laquelle 33 619 Comtois seront vaccinés.

Les livres clandestins passés en contrebande à la frontière introduisent les idées des Lumières. Mais la province demeure profondément imprégnée de christianisme. De nombreuses missions rurales y ont été prêchées, en particulier celles de la communauté des prêtres missionnaires de Beaupré.

FRANC-MAÇONNERIE. La franc-maçonnerie est une société secrète et initiatique visant à établir la fraternité entre les hommes et le bonheur en ce monde.

Les francs-maçons se réunissent dans des loges ou ateliers, dont l'effectif varie d'une dizaine à une quarantaine de membres. Ces loges portent des noms de saints (Saint-Jean, Saint-Thomas…) ou de vertus maçonniques (Parfaite Fraternité, Parfaite Union, Concorde, Bienfaisance, Amis réunis…). La cérémonie d'initiation se déroule selon un rituel compliqué et bizarre. Le rite le plus important est celui du bandeau : on bande les yeux du récipiendaire, puis on ôte le bandeau et le grand maître dit : « Faites-lui voir le jour… » (d'après un rapport fait à Hérault, lieutenant de police). Il existe une hiérarchie et des grades. A l'origine, on ne connaissait que les trois grades d'apprenti, de compagnon et de maître. Vers le milieu du siècle, les hauts grades, dits « écossais », sont venus se superposer aux grades originels.

Tous les spécialistes en conviennent : les débuts de la maçonnerie française sont mal connus. La première loge fondée l'aurait été « vers 1725 » (Gérard Gayot, *La Franc-Maçonnerie française. Textes et pratiques* [*XVIIIe-XIXe siècles*]) à Paris, rue des Boucheries, chez un traiteur. Ce qui est certain, c'est l'origine anglaise. Les premières loges françaises ont été fondées par des Anglais, dont quelques-unes étaient des exilés jacobites. Montesquieu et quelques autres grands seigneurs sont initiés à Londres en 1730. En 1734, deux émissaires de la Grande Loge de Londres, le duc de Richmond et le pasteur Désaguliers, viennent à Paris et procèdent à plusieurs initiations. Enfin le grand propagandiste de l'idéal maçonnique au temps de Fleury est un Écossais, le chevalier de Ramsay.

La maçonnerie française s'organise dans la décennie 1730-1740. Le premier texte réglementaire, *Les Devoirs de tous*, date de 1735. En 1738 est élu le premier « grand maître perpétuel ». Viendront ensuite les « règlements généraux » de 1743, les « statuts » de 1755 « pour servir de règlement à toutes les loges du royaume », et enfin les « statuts de l'Ordre royal de franc-maçonnerie en France » promulgués en 1773.

Sous le gouvernement de Fleury, la propagation est très lente : 25 loges en 1740, 44 en 1744. Puis le rythme s'accélère un peu : on atteint en 1765 le chiffre de 165 loges. En 1771, la maçonnerie est unifiée et centralisée. Toutes les loges sont réunies au sein du Grand Orient de France, lequel est composé de la Grande Loge (à Paris) et de tous les Vénérables (présidents élus) des loges du royaume. Le Grand Orient se réserve le droit d'approuver ou de rejeter les constitutions des loges. Cette nouvelle structure centralisée confère à la maçonnerie une nouvelle force. Toutefois il convient de préciser que le Grand Orient ne contient pas toute la maçonnerie française. Il existe des loges d'inspiration illuminée ou occultiste, qui ne reconnaissent pas l'autorité du Grand Orient.

Sous Fleury, malgré les efforts de Ramsay pour lui procurer une existence officielle, la maçonnerie était tenue pour suspecte et surveillée. En 1737, la police parisienne ferme à Paris le cabaret Chapelot, où les maçons se réunissaient. Après la mort de Fleury, le pouvoir adopte une attitude beaucoup plus libérale. La charge de grand maître est occupée par de très grands seigneurs : d'abord le duc d'Antin, puis le comte de Clermont (1743-1771) et enfin par le duc de Chartres élu en 1771 et reçu en 1773. Si le pouvoir royal accepte que deux princes du sang occupent cette charge, c'est qu'il accepte aussi la maçonnerie elle-même. On notera également que l'un des premiers initiés fran-

çais (1735) a été le comte de Saint-Florentin, ministre d'État pendant un demi-siècle.

Les « Frères » ne sont pas nombreux. A titre d'exemple, la loge des Amis réunis de Lille recrute 178 frères de 1768 à 1793, soit une moyenne de six par an. On s'accorde pour évaluer à 50 000 environ le nombre total des francs-maçons de toutes obédiences en 1789. Paris, L'Île-de-France, le Bordelais, le Languedoc et la Provence sont les pays les plus maçonnisés. Toutes les catégories sociales sont représentées, sauf le petit peuple. Cependant la bourgeoisie domine. A Bordeaux, 60 % des francs-maçons locaux appartiennent au commerce ou à ses parages immédiats (Johel Coutura, « L'activité d'une loge de Bordeaux entre 1780 et 1782 », *Dix-huitième siècle*, 1989, n° 21, p. 275). Après 1773, le Grand Orient se montre nettement hostile à la constitution de loges d'artisans.

Si l'on en juge par les écrits de Ramsay, l'esprit de la maçonnerie française à ses débuts était nettement cosmopolite. La « société des maçons », écrivait Ramsay à Fleury le 20 mars 1737, « ne vise à rien d'autre qu'à réunir toutes les nations dans l'amour de la vertu et des beaux-arts ». Le même Ramsay écrivait encore : « Le monde entier n'est qu'une grande république dans laquelle chaque nation est une famille, et chaque particulier un enfant. »

Les textes réglementaires manifestent un grand respect du roi, de la religion et des bonnes mœurs. Les loges font dire des messes et célébrer des services funèbres. On lit dans les *Devoirs* de 1735 que le franc-maçon « ne sera jamais ni un athée ni un libertin ».

Il semble quand même exagéré de parler de « loyalisme religieux et monarchique » (G. Gayot). Monarchique peut-être, mais religieux certainement pas. Les textes réglementaires invoquent Dieu mais ne mentionnent jamais le Christ. La religion maçonnique est ouvertement déiste. La maçonnerie est libertine, quoiqu'elle s'en défende. Les papes ne s'y trompent pas. Successivement Clément XII (le 4 mai 1738) et Benoît XIV (le 18 mai 1751) interdisent aux catholiques d'adhérer à la maçonnerie sous peine d'excommunication.

La maçonnerie est parfaitement représentative de l'esprit épicurien des Lumières. Comme Épicure et comme Gassendi, son disciple, elle prétend substituer à la philosophie spéculative de la recherche de la vérité une sagesse nouvelle fondée sur le développement des sciences et des techniques en vue du bonheur de l'humanité. L'idéal maçonnique s'intitule « l'Art ». Ramsay écrit : « La quatrième qualité requise dans notre Ordre, est le goût des sciences utiles et des arts libéraux » (cité par G. Gayot, *op. cit.*). Dans un opuscule maçonnique publié à Londres en 1753, on lit ceci : « D. : Quel est le mystère de la maçonnerie ? — R. : C'est la connaissance de la nature, le discernement de la puissance qu'elle renferme et de ses œuvres multiples, en particulier la connaissance des nombres, des poids, des bonnes mesures et de la bonne manière de façonner toutes choses pour l'usage de l'homme » (Cité par Christian Jacq, *La Franc-Maçonnerie*, 1975, p. 158). Ce texte est imprégné d'épicurisme. On pense en le lisant au *Rerum creatrix natura* de Lucrèce et à la définition de la philosophie par Gassendi : « préparation au bonheur et art de la vie ».

La maçonnerie n'est pas seulement contraire à la philosophie traditionnelle, elle s'oppose aussi à la société traditionnelle. Elle s'y oppose par son esprit à la fois égalitaire et fraternitaire. Elle renie l'Église, mais elle prétend transformer la société humaine en une église où tous les hommes seraient égaux et frères. Quand elle se présente comme un « ordre », il faut bien voir qu'il ne s'agit pas d'un ordre au sens politique de l'Ancien Régime, mais d'un ordre religieux. L'organisation du Grand Orient, avec sa représentation quasi-parlementaire, est d'ailleurs calquée sur celle des instituts religieux. La nouvelle sociabilité que la maçonnerie veut instaurer est celle d'une société utopique, d'une société-Église et sans rapport aucun avec la société des

ordres, des corps et des familles, qui est celle de l'Ancien Régime. Il faut ajouter que, pour les maçons, cette société d'un type nouveau n'est pas à créer mais à révéler. Pour eux en effet, elle existe déjà, elle est un fait de nature, et la franc-maçonnerie en est en quelque sorte la représentation. C'est pourquoi les maçons insistent beaucoup sur la grande ancienneté de leur société. Les premières constitutions de la maçonnerie anglaise la définissaient comme *a very ancient Society, or body of men*. La franc-maçonnerie est donc bien plus qu'une simple association d'hommes de bonne volonté pour construire le bonheur de l'humanité. Elle est la société elle-même, la société telle que la nature l'a engendrée.

FRANQUE, Jean-Baptiste (1683-1758). Architecte, il était le fils d'un maçon de Villeneuve-lès-Avignon. Il s'illustra par sa science de la stéréotomie (coupe des pierres). Les « voûtes plates », sa grande spécialité, le rendirent célèbre. Il introduisit le style français à Avignon et dans le Comtat où lui-même et ses fils édifièrent de nombreux hôtels. La reconstruction de l'abbaye de Montmajour, près d'Arles, fut en grande partie son œuvre.

FRÉRET, Nicolas (Paris, 15 février 1688 - *id.*, 8 mars 1749). Érudit universel et infatigable, il est le fils d'un procureur. Sa vie se confond avec ses travaux savants. Enfant, il était chétif et silencieux et manifestait déjà un goût incroyable pour la lecture. À dix-neuf ans, il fréquentait une société d'académiciens. Le 20 mars 1714, à l'âge de vingt-six ans, il est élu à l'Académie des inscriptions, sans avoir fait les visites d'usage. Le 29 décembre 1742, il devient secrétaire de cette compagnie. Célibataire, « il était presque toujours seul et ne sortait que pour aller à l'Académie ou dans les assemblées de gens de lettres où la conversation roulait sur des matières sérieuses » (Jean-Pierre Bougainville, cité dans Renée Simon, *Nicolas Fréret, académicien*). Il prenait du café quatre ou cinq fois en vingt-quatre heures, et travaillait la nuit comme le jour. Sa santé se dégrada très tôt. Il travailla jusqu'à son dernier souffle, malgré les grandes souffrances que lui causaient ses rhumatismes. On peut dire qu'il est mort à la tâche et d'épuisement.

L'essentiel de son œuvre consiste dans ses quatre-vingt-huit mémoires présentés à l'Académie et publiés dans les actes de cette compagnie. On peut les classer en cinq catégories : chronologie, histoire ancienne, géographie ancienne, histoire de France et histoire de la Chine. La série chronologie est la plus nombreuse. Voici quelques titres de mémoires pris dans les différentes séries : *Traduction d'un abrégé de l'ouvrage de Newton sur la chronologie, suivi des observations générales sur la chronologie de Newton, Observations générales sur la géographie ancienne, De l'origine des Francs et de leurs établissements dans la Gaule, De l'Antiquité et de la certitude de la chronologie chinoise.* Sur les origines de la France, Fréret soutient des thèses très proches de celles de Boulainvilliers.

Il semble avoir eu un assez mauvais caractère. Il était censeur impitoyable et auteur susceptible. Des polémiques retentissantes l'opposèrent à l'abbé Vertot en 1714 et à Fourmont en 1731. Il accusait le premier de l'avoir plagié, et se défendait contre le second de la même accusation. Cependant, l'érudition ne l'avait pas desséché. Il était bon ami. Il disait : « J'aime mes amis avec une ardeur que l'on m'a reprochée plus d'une fois. »

Il a passé pour un membre de l'église philosophique, et même pour l'un des plus sectaires. Cette réputation lui a été faite après sa mort par d'Holbach et Naigeon. Ceux-ci publièrent sous son nom des libelles antichrétiens comme l'*Examen critique des apologistes.* Il est plus que probable que Fréret n'avait jamais rien écrit de ce genre. On ne peut nier cependant que sa sympathie allait à la philosophie. Lors de son affaire avec Vertot, il avait été enfermé à la Bastille. L'abbé en effet était un protégé de la Cour. Ce séjour en prison avait duré six mois (26 décembre 1714 - 28 juin 1715) et l'avait sans doute disposé à la fronde

et à la révolte. Il était en relation avec Voltaire, qui le cite souvent et invoque son autorité. On peut croire aussi qu'il n'avait guère de religion (il n'avait pas fait de testament) ni de sens des choses spirituelles. Dans ses *Observations sur les causes et quelques circonstances de la condamnation de Socrate,* il soutient la thèse que les progrès de la démocratie furent la véritable cause de la condamnation, Socrate ne ménageant pas ses railleries sur la forme du gouvernement démocratique. Cela dit, Fréret n'est pas un ennemi de la religion catholique. On n'en voudra pour preuve que ses relations très cordiales et très confiantes avec les missionnaires jésuites français en Chine. Ceux-ci l'aidaient dans ses études sur la chronologie chinoise, et lui, de son côté, leur rendait des services, allant même jusqu'à se charger de leurs intérêts auprès du ministre Maurepas.

FRÉRON, Élie Catherine (Quimper, 18 janvier 1718 - Paris, 10 mars 1776). Journaliste, directeur de l'*Année littéraire* et grand adversaire de Voltaire, c'est un enfant de l'Armorique, à laquelle il restera toujours sentimentalement attaché. Dans sa petite enfance, il ne parlait que le breton. Il fait cependant ses études à Paris, au collège Louis-le-Grand. C'est un gazetier-né, un critique littéraire de vocation. Il entre à vingt et un ans au journal de Desfontaines, *Observations sur les écrits modernes.* Puis il fonde ses propres feuilles. Ce sont d'abord les *Lettres de la Comtesse de...,* ensuite, en 1749, les *Lettres sur quelques écrits de ce temps,* enfin *L'Année littéraire,* dont le premier numéro paraît le 26 janvier 1754, et qu'il continuera jusqu'à sa mort, c'est-à-dire pendant vingt-deux ans, malgré les attaques et les persécutions. Entre autres mérites, *L'Année littéraire* a eu celui de faire connaître au public les littératures étrangères. Fréron combat les philosophes. Il s'attaque à Marmontel pour son *Denys le Tyran* (1749), lui reprochant un « sujet qui soulève contre son maître et son roi », à Jean-Jacques Rousseau pour son *Discours sur les sciences et les arts,* mais surtout à Voltaire, son ennemi favori, dont il a tracé en 1752 un portrait cruel encore qu'admiratif : « sublime dans quelques-uns de ses écrits, rampant dans toutes ses actions » (*Lettres sur quelques écrits du temps*, Paris, 1752). Sa critique de la philosophie ne va guère au fond. Il voit surtout dans les philosophes des adversaires de la patrie et de la société, et des atrabilaires qu'il accuse de susciter des « doutes désespérants ». Lui-même paraît assez marqué par l'esprit matérialiste de son temps. Il est utilitaire, chante le « bonheur », fait l'éloge de l'agriculture et adhère au populationnisme. Les philosophes ne l'en ont pas moins considéré comme un homme à abattre. Ils ont tout fait pour le discréditer, pour le réduire au silence. Ils l'ont ridiculisé autant qu'ils ont pu. Tout le monde connaît le couplet de Voltaire :

> L'autre jour, au fond d'un vallon,
> Un serpent mordit Jean Fréron.
> Que croyez vous qu'il arriva
> Ce fut le serpent qui creva.

En 1760, le même Voltaire fait représenter à Paris *Le Café ou l'Écossaise* qui est une charge contre Fréron. Les autorités sont complices. Le 24 janvier 1757, le directeur de *L'Année littéraire* est emprisonné pour une peccadille : son journal a osé critiquer certains aspects de la politique espagnole en Navarre. En 1765, la Clairon s'étant plainte d'un article hostile, il échappe de peu à un deuxième embastillement. C'est l'intervention de la reine qui le sauve. L'avènement de Louis XVI lui est fatal. Les philosophes arrivent au pouvoir. Le 10 mars 1776, le garde des Sceaux Miromesnil supprime le privilège de *L'Année littéraire*. Fréron était déjà mal en point, souffrant depuis le mois de novembre d'une sérieuse attaque de goutte. La nouvelle de la décision qui le frappe l'accable et le tue.

FRÉTEAU DE SAINT-JUST, Emmanuel Marie Michel Philippe (1745-1794). Seigneur de Saint-Just et de Vaux-le-Pénil, reçu conseiller au parlement de Paris le 31 août 1764, à l'âge de dix-neuf ans, il fait partie de cette génération de jeunes parlementaires décidés à renverser ce qu'ils appellent le « despotisme ministériel ». Familier du duc d'Orléans, assidu de la société réunie chez Duport, il pratique l'opposition systématique aux réformes de Calonne et de Brienne. Son discours de la séance royale du 19 novembre 1787 le désigne à la vindicte du pouvoir. Il est arrêté dans la nuit du 20 au 21 novembre, emprisonné à Doullens puis exilé dans sa terre de Vaux-le-Pénil jusqu'en septembre 1788. Ce discours du 19 novembre manifestait une lucidité certaine. Le ton était juste. Fréteau disait au roi : « Sire, l'amour de la nation pour la race auguste de ses rois et notamment pour la personne de Votre Majesté, n'est point affaibli, mais tout s'use, et les plus belles institutions ne sont point à l'abri des atteintes du temps. Est-il donc étonnant qu'après tant de siècles les ressorts du gouvernement se soient altérés et qu'ils aient besoin d'être raffermis sur leurs antiques fondements ? » (Cité dans Ferdinand Hoefer, *Nouvelle Biographie générale*, art. « Fréteau de Saint-Just ».) Élu aux États généraux, il est l'un des premiers députés de la noblesse à rejoindre le tiers. A l'Assemblée constituante, il exercera deux fois la présidence, mais se fera toujours le défenseur de la prérogative royale. Après le 10 août, il n'émigre pas et se retire à Vaux-le-Pénil. En pleine Terreur, il ose reprocher publiquement au président du comité révolutionnaire de Melun ses blasphèmes contre la religion. La sanction ne tarde pas : il est arrêté, condamné à mort par le Tribunal révolutionnaire de Paris et exécuté le jour-même (14 juin 1794). On peut le considérer comme un martyr. Après l'incident de Melun, il avait déclaré : « [...] Je me suis souvenu que la confirmation m'avait fait soldat de Jésus-Christ et je n'ai pas hésité à sacrifier ma vie pour défendre la gloire de mon maître. »

FUNÉRAILLES. Les funérailles, appelées aussi obsèques ou enterrement, sont une cérémonie de l'Église. L'ordre en est fixé par le rituel du diocèse et par certaines prescriptions canoniques, et peut subir des modifications selon les usages de la paroisse. Le clergé paroissial doit toujours aller chercher le corps à la maison mortuaire et l'accompagner ensuite au lieu de sa sépulture, qui est soit l'église elle-même, soit le cimetière. Une messe est dite. Dans le Missel de Paris de 1760, la « Messe pour le jour de la mort et de l'enterrement d'un laïc » a pour Évangile celui de la résurrection de Lazare. Dans tous les diocèses, la prose *Dies Irae* est toujours chantée à cette messe entre le Trait et l'Évangile. Il est aussi d'usage que les jurés crieurs (ou les marguilliers) préparent des tentures, le drap mortuaire, la croix, les chandeliers, le luminaire et les manteaux de deuil. Cependant, la seule obligation que comporte le rituel est de ne jamais omettre de porter des cierges allumés pour accompagner le corps. Parents et amis sont invités à la cérémonie soit oralement, soit par des billets de faire-part. Lorsque le défunt est membre d'une confrérie, ses confrères assistent en corps à ses funérailles. Une ancienne tradition veut que les religieux mendiants de la ville suivent la procession d'enterrement, si le défunt dans ses dernières volontés en a manifesté le désir.

En effet les fidèles peuvent, en testant, prendre certaines dispositions au sujet de leurs obsèques afin d'en régler la pompe. Au XVIIᵉ siècle, ils n'y manquaient jamais ; ils se montrent beaucoup moins préoccupés de cette affaire au XVIIIᵉ siècle. En Provence, d'après les études de Michel Vovelle, le nombre des testateurs qui expriment leurs volontés au sujet de la cérémonie de leurs funérailles n'est plus que de 20 % dans les trente années qui précèdent la Révolution. Au XVIIᵉ siècle, les prescriptions étaient toujours très détaillées. Elles le sont ensuite beaucoup moins. On peut considérer comme représentative de la moyenne cette ordonnance de René Blotin, marchand-maréchal-ferrant de la paroisse Saint-Michel à Angers dans son testament du 4 octobre 1764 (arch. Maine-et-Loire, 5 E 7 666). Le testateur ordonne que son corps soit conduit « processionnellement » à l'église, qu'une messe soit chantée le jour de sa sépulture

et qu'enfin les religieux minimes de la ville assistent à la cérémonie. Il n'y a rien de plus, mais c'est déjà beaucoup à côté de ceux qui ne spécifient rien, ou de ceux — ils ne sont pas en petit nombre — qui déclarent ne vouloir aucune pompe ni même aucun convoi funèbre.

G

GABELLE. La gabelle est un impôt sur le sel. La vente du sel n'est pas libre. Le roi s'en réserve le monopole. Seuls peuvent procéder à la vente les fermiers et les officiers royaux. Le sel est mis dans les dépôts appelés « greniers à sel » (*voir* GRENIERS À SEL). C'est là qu'il est vendu. L'impôt de la gabelle est un droit qui se perçoit sur cette vente.

La charge de la gabelle est très inégalement répartie selon les régions. Il y a cinq régimes différents :

• Les pays exempts sont le Béarn, la Navarre, la Flandre, l'Artois, le Hainaut, le Boulonnais et Calais. Le commerce du sel y est totalement libre ;

• Les pays rédimés (Poitou, Aunis, Saintonge, Périgord, Angoumois, Limousin, Marche, Auvergne, Guyenne et Bretagne) sont appelés ainsi parce qu'ils ont acheté leur exemption en 1553. Le sel y est acheté en franchise, sauf de légers droits, comme le « quarantain » en Quercy ;

• Le pays dit de « quart bouillon » est la Basse-Normandie. Le Trésor royal y retient un quart du sel recueilli sur les côtes et traité par ébullition ;

• Les pays de petite gabelle (Languedoc, Provence, Dauphiné) paient le droit sur la vente, mais ce droit est assez modéré ;

• Les pays de grande gabelle, c'est-à-dire le reste du royaume, paient des droits très élevés.

Ces différences de régime produisent de très grandes différences de prix. D'une région à l'autre, le prix peut varier dans la proportion de 1 à 13. Il en résulte une contrebande très active sur les confins des pays exemptés (faux-saunage), par exemple aux frontières de la Bretagne ou sur les limites du Quercy et du Rouergue. Ni la distribution d'office de sel (« sel de devoir ») à la périphérie des pays de gabelle ni les patrouilles des « gabelous » (douaniers du sel) ne parviennent à empêcher ce trafic, mais ne font qu'augmenter l'impopularité de cet impôt.

A l'intérieur même des pays de gabelle, le mode de taxation peut être plus ou moins contraignant. On distingue en effet deux sortes de greniers, ceux de vente volontaire où chacun ne prend de sel qu'autant que bon lui semble, et ceux dits « d'impôt » où le sel est imposé et réparti comme la taille, selon une assiette. Dans les régions dépendant de ces greniers d'imposition, chaque paroisse est imposée pour une quantité, et l'on oblige chaque particulier à prendre tous les ans une certaine quantité de sel proportionnée aux besoins de sa famille.

Le bail des gabelles est incorporé dans la ferme générale. Il y a trois fermes des gabelles. La première comporte la plus grande partie du royaume et s'appelle le « grand parti » ; la deuxième est celle du Lyonnais et du Languedoc ; la troisième est celle de la Provence et du Dauphiné. Les fermiers achètent le sel dans les salines à un certain prix. Ils paient les droits du roi et font conduire le sel dans les greniers où ils le font vendre par leurs commis.

GABRIEL, Jacques, dit **Jacques III Gabriel** (Paris, 1667 - *id.*, 1742). Architecte, fils d'architecte, il était parent de Jules Hardouin Mansart et fut son élève. Il acheva la construction (commencée par son père Jacques II Gabriel) du pont Royal à Paris. On lui doit aussi les hôtels de ville de Rennes et de Dijon et le projet du grand égout de Paris. Il était premier architecte du roi, inspecteur général de ses bâtiments et président de l'Académie royale d'architecture.

GABRIEL, Jacques IV Ange (Paris, 23 octobre 1698 - *id.*, 1782). Il est l'architecte préféré de Louis XV. Fils de Jacques III Gabriel, il est nommé à trente ans contrôleur des Bâtiments du roi. A la mort de son père, en 1742, il lui succède dans ses charges et dignités de premier architecte du roi et de président de l'Académie royale d'architecture. La faveur royale à son endroit ne s'est jamais démentie. Luynes nous dit qu'il travaillait « très souvent seul avec le roi pour des plans et des projets ». Il démissionne peu de temps après la mort de son maître et ami. Cette démission date de février 1775.

Tous les travaux de Versailles, de 1735 à 1775, ont été conduits par lui. Citons les plus importants : le nouvel appartement intérieur du roi (1735-1738), l'appartement de Mme de Mailly, ceux du Dauphin et ceux des Dauphines, l'appartement de Madame Sophie, l'Opéra et la bibliothèque de Louis XVI. Il a fait le Petit Trianon (1762-1764) et refait presque entièrement le château de Compiègne. Fontainebleau lui doit son Gros Pavillon et l'Ermitage de Mme de Pompadour (1749-1755). Enfin il a orné Paris du château de l'Étoile militaire et de la place Louis-XV (actuelle place de la Concorde).

Ce grand artiste n'était pas aimé, peut-être à cause de la faveur dont il jouissait. Quand il mourut, les *Mémoires secrets* le qualifièrent d'« artiste médiocre ». La postérité lui a rendu ample justice. « Gabriel, écrit M. Michel Gallet, n'a pas le génie d'un novateur, mais les qualités d'un grand maître : la noblesse et la simplicité des partis, la distinction des profils, le sens de l'échelle monumentale » (*Les Gabriel*, ouvrage collectif présenté par Michel Gallet et Yves Bottineau, Paris, 1982). Judicieuse appréciation, mais on peut en discuter le premier terme. Le Petit Trianon est le premier chef-d'œuvre du style néo-classique français. Il faut admirer que Gabriel soit ainsi passé sans effort du style rocaille, celui de toute sa carrière, au style nouveau. Il n'est peut-être pas novateur, mais on doit au moins lui reconnaître une remarquable faculté d'adaptation.

GALÉRIENS. On appelle galériens les forçats qui rament sur les galères du roi. La peine des galères fait partie de l'arsenal pénal jusqu'au désarmement des galères en 1748. Elle est alors remplacée par la peine du bagne. Il faut dire toutefois que depuis 1716 les galères étaient peu utilisées, de sorte que les galériens ne ramaient plus guère. Les galères ne sortaient presque plus du port de Marseille et n'étaient plus pour les galériens que des prisons flottantes.

M. André Zysberg, leur historien, estime à 22 000 le nombre des forçats ayant passé par ce bagne de Marseille de 1716 à 1748. Selon ses calculs, un peu moins de la moitié étaient des droit commun, un peu moins de la moitié des fauxsauniers et des contrebandiers, 4,7 % des condamnés pour crime militaire (désertion principalement) et 0,59 % des condamnés pour leur foi protestante en vertu de l'inique persécution systématisée par Louis XIV et continuée par son successeur. Parmi les condamnés de droit commun, figurent un nombre important de mendiants et de vagabonds (13,08 % de cette catégorie). La déclaration royale de 1724 punissait en effet de la peine de galère les mendiants insolents, ainsi que ceux qui s'attroupaient afin d'intimider les populations.

Regroupés en divers points du royaume, les condamnés aux galères sont conduits enchaînés jusqu'à Marseille où ils sont répartis dans les galères, à l'exception de ceux (1/5 environ de l'effectif total) incapables de ramer et affectés à la manufacture du bagne.

Les galères ne sont pas l'enfermement continu. Durant l'hiver et dans les intervalles des campagnes en mer, les galériens peuvent parfois sortir en ville déferrés, se mêler à la population et fréquenter les cabarets. Mais si la prison s'ouvre parfois, elle n'en est pas moins terriblement inhumaine. L'entassement sur le pont (1,2 m par personne), la mauvaise qualité de la ration alimentaire (1 kg de pain et une soupe de fèves par jour), la corruption du milieu carcéral et la dureté des « comites » (maîtres d'équipage) font de cet univers un enfer dont beaucoup ne reviennent pas. Bien que 80 % des peines soient inférieures à six

ans, un condamné sur deux ne survit pas à son châtiment.

GALIANI, Ferdinando (Chieti, royaume de Naples, 2 décembre 1728 - Naples, 30 octobre 1787). Il est le fils d'un auditeur royal. Ses débuts dans l'économie politique sont des plus précoces : il publie à vingt et un ans son premier traité dans cette discipline (*Della Moneta*). On fait de ce jeune homme si doué un diplomate ; il est envoyé à Paris en 1760 comme secrétaire d'ambassade. Les salons se le disputent. Il est l'habitué des mercredis de Mme Geoffrin, des jeudis et des dimanches du baron d'Holbach, le correspondant de Mme d'Épinay, l'ami de Grimm et de Diderot. De retour à Naples, après un détour par la Hollande, il écrit en français ses *Dialogues sur le commerce des blés* qui seront publiés en 1770. Il y soutient les thèses du libéralisme modéré, que l'on qualifiera d'éclectique (*voir* LIBÉRALISME). Bien que le style de cet ouvrage soit agréable et que la manière en soit vive, l'éloge de Voltaire (« Il semble que Platon et Molière se soient réunis pour composer [ce livre] », cité dans Hoefer, *Nouvelle Biographie générale*, art. « Galiani ») paraît néanmoins démesuré. La correspondance de Galiani a été publiée. C'est un précieux document sur la vie littéraire et philosophique.

Galiani est généralement appelé « l'abbé Galiani ». Quels ordres sacrés avait-il reçus ? Ce point n'est pas éclairci.

GALLICANE (libertés de l'Église). Ce qu'on appelle les libertés de l'Église gallicane est un ensemble de franchises, de coutumes et de pratiques dérogeant au droit ecclésiastique commun. Ces libertés sont constamment soutenues par les jurisconsultes et les canonistes français. La déclaration des Quatre Articles, votée par le clergé de France le 19 mars 1682, en exprime les principes fondamentaux. Or cette déclaration, confirmée par plusieurs édits royaux, est enseignée par ordre du roi jusqu'à la fin de l'Ancien Régime dans toutes les facultés de théologie du royaume. C'est la doctrine officielle.

Si l'on en croit le *Discours sur les libertés de l'Église gallicane* de l'abbé Fleury (1724), toutes ces libertés sont contenues dans les trois maximes suivantes :

1. que la puissance donnée par Jésus-Christ à son Église est bornée aux affaires spirituelles, et ne peut s'étendre sur le temporel ;

2. que les papes n'ont aucune autorité temporelle dans le royaume de France ;

3. que l'autorité du pape est soumise au jugement du concile universel, autrement dit que le concile est supérieur au pape.

Toujours d'après l'abbé Fleury, les trois moyens institutionnels dont on dispose pour maintenir les libertés gallicanes sont :

1. l'examen des bulles pontificales par le roi et par le Parlement ;

2. l'appel comme d'abus aux parlements dans le cas d'entreprises sur les juridictions séculières et de violation du droit français ;

3. l'appel au futur concile.

Les jurisconsultes présentent les libertés gallicanes comme des coutumes très anciennes, comme des franchises conservées par le pape à l'Église de France, en raison de l'exactitude de cette église à garder la foi. En fait, et objectivement considérées, les libertés sont un dispositif de défense antiromain. Elles constituent une barrière contre le pouvoir du pape.

GALLICANISME. Le gallicanisme est un système composé de trois éléments. Le premier est l'attachement à l'Église gallicane, forme spirituelle de la patrie. Le second est la théorie des « libertés gallicanes » (*voir* GALLICANE). Le troisième est la revendication de ces libertés.

Le XVIIᵉ siècle avait connu deux gallicanismes, l'un modéré (incarné par Pierre de Marca), l'autre virulent, celui de la Déclaration des quatre articles. Le XVIIIᵉ siècle ne conserve que le second.

L'un des principaux théoriciens de ce gallicanisme des Lumières est le chancelier d'Aguesseau. Sa doctrine est des plus radicales. Il soutient la thèse de la séparation totale des deux pouvoirs et celle du caractère purement spirituel de la puissance de Jésus-Christ. Il n'en est pas moins persuadé que l'Église est dans l'État, et que le roi (qu'il qualifie d'« évêque extérieur ») peut édicter des lois réglant la vie de l'Église. Enfin, il affirme que l'Église n'est pas une monarchie et que le pape est soumis au concile. Son aversion à l'égard de la papauté est sans limites. Il traite Rome de « puissance étrangère toujours attentive à étendre les bornes de son pouvoir et à entreprendre sur nos libertés » (Henri François d'Aguesseau, *Mémoires sur le bref par lequel le pape a condamné le cas de conscience, Œuvres*, t. VIII, p. 375).

Champion du gallicanisme, le parlement de Paris fait siennes les thèses du chancelier. Le 7 septembre 1731, il en résume les principes en quatre articles : la puissance temporelle est indépendante de toute autre puissance ; les canons et règlements de l'Église ne deviennent loi d'État qu'autant qu'ils sont revêtus de l'autorité du souverain ; à la puissance temporelle seule appartient la juridiction qui a le droit d'employer la force ; les ministres de l'Église sont comptables au roi.

Mais le gallicanisme n'est pas seulement la doctrine du parlement. C'est aussi la doctrine de l'État. On dit souvent que le gallicanisme du XVIIIᵉ siècle était parlementaire, mais il était aussi étatique. En effet, il était professé par le gouvernement royal. Par exemple, la Déclaration royale du 24 mai 1766 contient exactement les mêmes principes que ceux formulés par les magistrats du parlement de Paris en 1731. On lit dans ce texte que « le gouvernement des choses humaines et tout ce qui intéresse l'ordre public et le bien de l'État, est entièrement et uniquement du ressort de la puissance temporelle ». On y lit aussi que le roi peut empêcher que chaque ministre [de l'Église] soit indépendant de la puissance temporelle en ce qui touche les fonctions extérieures appartenant à l'ordre public.

GALLIFET, Joseph François de (Aix, 1663 - Lyon, 1749). Jésuite, théologien, c'est un ardent zélateur de la dévotion au Sacré Cœur. Entré dans la Compagnie en 1678, il fait ses études de philosophie à Lyon, où le père de La Colombière, son directeur spirituel, qui avait dirigé Marguerite-Marie Alacoque, l'instruit du message de la voyante de Paray-le-Monial. Tombé gravement malade, guéri à la suite d'un vœu, il se consacre tout entier à la diffusion de la dévotion au Sacré Cœur. Il obtient l'érection canonique d'un grand nombre de confréries du Sacré-Cœur, soit dans les églises de la Visitation, soit dans celles des Jésuites. Il voudrait aussi obtenir de la congrégation des Rites la concession de la fête, de la messe et de l'office du Sacré-Cœur, mais il se heurte aux objections du cardinal Lambertini (le futur pape Benoît XIV), et ses efforts n'aboutissent pas (tout au moins de son vivant). Cependant, son ouvrage intitulé *De l'excellence de la dévotion au Cœur adorable de Jésus-Christ* (Lyon, 1733) fera beaucoup pour le succès de ce culte. Il y présente le message de Marguerite-Marie comme un appel à plus de respect du corps eucharistique et du sacrifice de la messe.

GARDE GARDIENNE. Les lettres de garde gardienne sont un privilège réservé à certaines communautés religieuses, ainsi qu'aux universités. Ces lettres sont octroyées par le roi à des communautés, à des abbayes, à des prieurés et à des églises. Elles leur permettent de faire assigner leurs débiteurs hors de leur juridiction et devant le juge royal dénommé dans les lettres comme conservateur de leurs privilèges. Ce droit est établi sur ce que les églises, chapitres, communautés et monastères sont, en vertu du serment du sacre, placées sous la sauvegarde et la protection générale du roi qui en est le patron gardien.

Jouissent également de la sauvegarde les membres des universités (écoliers, régents, suppôts, officiers et serviteurs), qui peuvent faire assigner devant le juge conservateur de leurs privilèges « toutes sortes de personnes en quelque endroit du royaume qu'elles soient domiciliées et pour toutes sortes de causes » (Jean-Jacques Piales, *Traité de l'expectative des gradués*, 1757).

GAUDREAUX, Antoine (Paris, v. 1680 - id., 1751). Ébéniste établi rue Princesse, à Paris, il est élu en 1744 syndic de sa corporation. Attaché depuis 1726 jusqu'à sa mort au service du Garde-Meuble, il travaille principalement pour la Cour. Ses œuvres ne portent pas d'estampille, mais on les répertorie aisément grâce aux registres du Garde-Meuble. On trouve dans ses livraisons, parmi d'autres meubles curieux, une table de campagne faite pour Louis XV, garnie de fontes d'argent et munie de doubles fonds destinés à serrer des pièces d'or. Son plus bel ouvrage est le médaillier (orné de bronzes des frères Slodz) de Louis XV, livré en 1739 pour le « cabinet à pans » de Versailles.

GÉNIE. Le XVIIIe siècle voit la création du corps du génie et sa militarisation.

Louis XIV et Vauban avaient créé le corps des ingénieurs du roi. Ce corps devient en 1744 celui du génie. « Le corps du génie », dit l'article 1er de l'ordonnance du 7 février 1744, « sera composé à l'avenir de trois cents ingénieurs ». L'ordonnance du 31 décembre 1776 fait du génie un corps vraiment militaire : « Sa Majesté a voulu, dit ce texte, donner [...] au corps du génie toute la consistance militaire qu'il doit avoir. » La même ordonnance précise que les ingénieurs du génie (dont le nombre est porté à 329) seront désormais intitulés officiers.

La formation de ces ingénieurs est assurée depuis 1748 par l'École royale du génie de Mézières. Ils y entrent à la suite d'un examen et suivent une scolarité de deux ans. Après quelques années de stage dans diverses unités de l'armée afin d'y recevoir leur formation militaire, ils sont nommés ingénieurs avec le grade de capitaine.

Le corps du génie a toujours compté beaucoup d'officiers roturiers (dont Lazare Carnot, reçu à Mézières en 1770). L'édit de Ségur de mai 1781, réservant les sous-lieutenances aux gentilshommes, ne lui sera pas appliqué.

Le génie est un corps, mais il n'est pas une arme, ses officiers n'exerçant aucun commandement. La main-d'œuvre qui leur est nécessaire leur est d'abord fournie par des ouvriers civils. L'ordonnance du 2 juillet 1776 met sur pied des troupes de pionniers : deux corps de deux bataillons de sept compagnies chacun. Mais les officiers du génie, s'ils utilisent les services des pionniers, ne les commandent pas. Quant aux compagnies de sapeurs et de mineurs créées sous Louis XIV, elles n'appartiennent pas au génie mais à l'artillerie.

La doctrine du génie est celle de Vauban, mais d'un Vauban figé, qui n'est pas le véritable Vauban. Il n'y a pas de renouvellement. Cependant le corps produit quelques techniciens de valeur : Cormontaigne, qui prend part aux travaux de fortification de Metz ; Bourcet, qui dresse la carte des Alpes ; d'Artois celle du Jura et celle des Vosges. Il faut citer encore le lieutenant-colonel de Portail, chef du génie du corps expéditionnaire en Amérique, nommé en 1781 commandant du génie de l'armée américaine. Il avait établi les plans du siège de Yorktown.

A la fin de l'Ancien Régime, les officiers du génie sont inquiètes. Ils supportent mal les lenteurs de leur avancement. Ils contestent les thèses à la mode, celles de Guibert en particulier, qui remettent en question le rôle des fortifications. Certains prennent la plume pour combattre la doctrine Guibert et pour défendre l'ordre profond étayé par la fortification.

GENLIS, Marie-Félicité du Crest, comtesse de (Autun, 1746 - Paris, 1830). Femme de lettres, elle avait été très mal élevée par un père impécunieux et négligent. A treize ans, elle ne savait rien sauf jouer de la harpe et du clavecin. A seize ans, elle épousa un colonel des grenadiers de France, Charles Alexis Brulart, comte de Genlis, qui devint marquis de Sillery. Puisieux, ancien ministre, et Mme de Montesson, épouse morgana-

tique du duc d'Orléans, sont parents du nouveau marié. Ils usent de leur influence. En 1770, le jeune ménage fait son entrée au palais royal, lui comme capitaine des gardes du duc d'Orléans, elle comme dame d'honneur de la duchesse de Chartres. L'un et l'autre vont exercer sur le jeune duc de Chartres une influence croissante. En 1785, le frère de Marie-Félicité, le marquis du Crest, est nommé chancelier du duc. La jeune marquise de Sillery fréquente les salons. Elle y représente les intérêts de la faction Orléans. Nous avons vingt-six lettres d'elle, adressées à Mme Necker. Il apparaît clairement dans ses missives que la jeune femme avait pour mission de flatter le ménage Necker et de l'attacher aux Orléans. Cependant, sa tâche principale est la pédagogie. Depuis 1770, elle est chargée de l'éducation des deux jeunes princesses, filles du duc de Chartres. En 1782, sa nomination de gouverneur des deux jeunes princes (l'aîné est le futur roi Louis-Philippe) surprend et fait clabauder la Cour et la ville. A l'intention de ses élèves, et peut-être aussi pour compenser son propre défaut d'éducation, elle écrit des romans instructifs et amusants (plus instructifs qu'amusants) destinés aux enfants. Ce sont *Adèle et Théodore ou Lettres sur l'éducation* (février 1782) et les *Veillées du château. Adèle et Théodore* raconte l'histoire de deux enfants dont l'éducation ne laisse rien à désirer. La maison où ils habitent n'est qu'une classe de la cave au grenier : partout des cartes, des maximes, des chronologies. Dans les *Veillées du château*, des enfants parfaits reçoivent avec une patience incroyable les avis d'une mère sentencieuse. Tout cela est bourré de pédagogie, de conseils et de directives à suivre pour devenir un enfant sage. Ce n'est pas drôle pour les enfants. Mme de Genlis n'est pas vraiment distrayante. En 1787, elle se met à jouer les championnes de la religion. Elle publie en effet un ouvrage intitulé *La Religion considérée comme l'unique base du bonheur et de la vérité philosophique.* On y trouve une démonstration de la supériorité de la charité chrétienne sur la bienfaisance philosophique. Ce n'est pas si mal fait. Mme de Genlis a beau être du parti d'Orléans et membre de la loge d'adoption La Candeur, elle n'en est pas moins chrétienne, tout au moins dans ses livres. Pendant l'émigration (1793-1800) et après son retour en France, elle poursuivra sa carrière d'écrivain prolifique. Quatre-vingts ouvrages au total sont sortis de sa plume. Elle était veuve depuis 1793, son mari ayant été guillotiné comme girondin.

GÉNOVÉFAINS. Les génovéfains sont une congrégation de chanoines réguliers, appelée aussi Congrégation de France. Elle tire son nom de génovéfains de l'abbaye Sainte-Geneviève de Paris, qui est l'abbaye chef d'ordre. La congrégation avait été réformée au début du XVIIe siècle par le P. Faure. Cet institut compte 67 abbayes et 28 prieurés conventuels (1766) répartis dans 4 provinces. Le nombre des religieux était de 570 au début de 1790.

L'abbé de Sainte-Geneviève est supérieur général de la congrégation. Il est élu pour trois ans. Les visiteurs sont les chefs des provinces. Le chapitre général se réunit tous les trois ans.

Depuis le début du siècle, la discipline allait déclinant. La piété disparaissait. Certains religieux ne communiaient même plus le dimanche. La crise des vocations se manifeste à partir de 1761. Le général Guillaume de Géry (1778-1784) et son successeur Claude Rousselet tentent de réagir et entreprennent de restaurer les études et l'observance. On note à partir de 1775 une faible reprise du recrutement.

Les génovéfains ont toujours été très jansénistes. En 1719, ils s'opposent violemment à la bulle *Unigenitus*. La théologie génovéfaine est de tendance libérale, comme le montrent l'exemple du P. Dagneaux, passé à l'anglicanisme, et celui du P. Le Courayer, partisan des ordinations anglicanes, et qui devait mourir socinien.

Le P. Pingré, l'un des plus grands astronomes du siècle, était membre de cette congrégation.

GENS DU ROI. On appelle gens du roi les magistrats chargés du ministère public. Ce sont des officiers dont les charges sont vénales.

Ils se divisent en trois catégories :

• les avocats et les procureurs généraux des cours souveraines ;
• les avocats et les procureurs généraux des bailliages, sénéchaussées et autres justices royales ;
• les avocats et les procureurs fiscaux des justices seigneuriales.

Les premiers présidents des cours souveraines sont des commissaires et ne font pas partie des gens du roi.

Les fonctions des gens du roi consistent à poursuivre l'exécution des lois et des ordonnances du royaume dans l'étendue de leurs sièges, à procurer la sécurité publique et la punition des crimes, et à veiller aux intérêts du roi, à ceux du public, des mineurs et d'autres personnes ne pouvant pas défendre leurs droits par elles-mêmes.

Les gens du roi n'ont pas toujours été loyaux. Ils ont souvent trahi leur mission en épousant la cause parlementaire au détriment des intérêts du pouvoir royal. Ainsi Riquet de Bonrepos, procureur général au parlement de Toulouse, a été à la tête de la cabale contre le ministère. Les rares officiers demeurés fidèles ont dû subir les persécutions et les avanies de leurs compagnies. Ce fut le cas par exemple de Le Sens de Folleville, procureur général au parlement de Rouen, et de Doroz, procureur général au parlement de Besançon.

GEOFFRIN, François Louis (1665-1749). Administrateur de la manufacture de Saint-Gobain, il est le mari de la célèbre Mme Geoffrin, la « tsarine de Paris ». La postérité lui a fait une réputation de benêt, il était en réalité un homme d'affaires des plus avisés. Issu d'une famille parisienne récemment agrégée à la noblesse, il débute en qualité de commis d'un associé de la manufacture de Saint-Gobain. Caissier de la manufacture de 1702 à 1742, il en achète patiemment des parts au point de faire figure de dirigeant important et de pouvoir transmettre à sa femme et à sa fille, Mme de La Ferté-Imbault, 12 % du capital. Il a été pendant toute sa carrière l'homme de confiance du clan genevois qui dirige la manufacture et du chef de ce clan, le financier Antoine Saladin.

GEOFFRIN, Marie-Thérèse Rodet, Mme (Paris, 1699 - *id.*, 1777). Célèbre par son salon, elle était la fille d'un valet de chambre de la Dauphine. Orpheline très jeune, elle épouse à quatorze ans François Geoffrin, riche bourgeois quinquagénaire, administrateur et l'un des principaux actionnaires de la compagnie de Saint-Gobain. Belle, vertueuse et raisonnable, la jeune femme se serait sans doute contentée de surveiller sa maison et d'élever sa fille unique (la future marquise de La Ferté-Imbault) si le hasard ne lui avait donné pour voisine Mme de Tencin. Elle fréquente le salon de celleci, se forme à la mondanité et ouvre bientôt son propre salon dans son hôtel de la rue Saint-Honoré. L'un de ses grands atouts est sa fortune. A la mort de son mari, elle et sa fille se retrouvent propriétaires de 12 % du capital de Saint-Gobain. En 1749, Mme de Tencin disparaît et les habitués de son salon se transportent chez Mme Geoffrin. Le salon Geoffrin est, au jugement de Sainte-Beuve, « le plus complet, le mieux organisé et [...] le mieux administré de son temps ». Mme Geoffrin a institué chez elle deux dîners, le premier le lundi pour les artistes, le second réservé aux gens de lettres. Parmi ces derniers, les principaux familiers sont Mairan, Marivaux, Marmontel, Morellet, d'Alembert, Saint-Lambert, Helvétius, Grimm, d'Holbach et certains étrangers résidant à Paris, comme Galiani, Caracciolo et Hume. Mme Geoffrin est inculte, mais elle a « le bon esprit de ne parler que de ce qu'elle connaît très bien » (Brunel). Dévote, d'une dévotion réelle quoique clandestine, elle impose aux libres penseurs une certaine discrétion. En matière d'art, son mécénat est très directif : elle n'aime que la « grande peinture » et ne veut pas qu'on lui parle de Greuze. D'« humeur

donnante », selon sa propre expression, elle est la providence des philosophes. En 1759, elle donne 100 000 écus à Diderot et sauve l'*Encyclopédie*. Lorsque Julie de Lespinasse est obligée de quitter Mme du Deffand, elle lui fait une rente à vie de 3 000 livres. Son salon est l'opposé de celui de Mme du Deffand. Il est à dominante bourgeoise ; celui de Mme du Deffand est aristocratique. Pourtant Mme Geoffrin fréquente les rois. Elle entretient une correspondance avec Catherine II, à qui elle essaie de donner des conseils. Elle est liée d'amitié, presque d'amour, avec Stanislas Poniatowski, roi de Pologne, dont elle avait autrefois (lorsqu'il était un jeune homme impécunieux) payé les dettes. Celui-ci l'invite à Varsovie. Elle accepte mais y reste très peu de temps (juillet-septembre 1766). Comme le dit Jean Fabre, « l'enchantement » n'avait pas « résisté à la présence ». Le spectacle de la cour immorale de Stanislas l'avait cruellement déçue. Curieux destin que celui de cette femme vertueuse, attachée à la morale, respectant la religion, et faisant la fortune et la propagande de la philosophie. On peut dire qu'elle a fait la respectabilité des philosophes.

GEOFFROY, Étienne François, dit Geoffroy l'Aîné (Paris, 13 février 1672 - *id.*, 6 janvier 1731). Il est, avant Lavoisier, le plus remarquable chimiste français. Fils d'apothicaire, maître apothicaire luimême, docteur en médecine de Montpellier, il avait accompli au début de sa carrière plusieurs voyages d'études en Angleterre, en Hollande et en Italie. Il entre à l'Académie des sciences en 1699, est nommé en 1709 professeur en médecine au Collège royal et, le 21 octobre 1712, « démonstrateur de l'intérieur des plantes et professeur en chimie et en pharmacie » au Jardin du roi. Son travail capital, publié en 1718, est sa *Table des différents rapports observés en chimie entre différentes substances*. Il y énonce la loi fondamentale des affinités : « Toutes les fois que deux substances ayant quelque tendance à se combiner l'une avec l'autre, se trouvent unies ensemble et qu'il en survient une troisième qui ait plus d'affinité avec l'une des deux, elle s'y unit en faisant lâcher prise à l'autre. » La table de Geoffroy est un tableau présentant l'ordre dans lequel les substances sont déplacées les unes par les autres dans leurs composés. Les substances sont représentées par les symboles utilisés par les alchimistes, qui retrouvent ainsi une nouvelle jeunesse. Cette table a servi de modèle à toutes les tables d'affinités dressées par les chimistes dans les soixante-dix années suivantes.

GÉOGRAPHIE. Les géographes du XVIIIe siècle se font de la configuration des différentes parties du globe une idée approchant de l'exactitude. La Condamine et Maupertuis déterminent la véritable forme de la terre. Les travaux des astronomes et des mathématiciens permettent de rectifier les cartes. La mappemonde de Guillaume Delisle, professeur de géographie de Louis XV, et celle de J.-B. Bourguignon d'Anville (1761) prennent en compte toutes les informations récentes. L'espace des terres inconnues et celui des terres mal connues tendent à se réduire. Les *Lettres édifiantes et curieuses* des missionnaires jésuites apportent quantité d'informations nouvelles sur les pays d'Extrême-Orient. Le voile se lève peu à peu sur des contrées jusqu'alors mystérieuses, comme l'Abyssinie, l'Arabie, la Louisiane et l'Amérique du Sud. Enfin les grandes navigations scientifiques de la fin du siècle dissipent les mythes de la mer de l'Ouest et du continent austral.

Mais, si la terre est mieux connue, la théorie géographique scientifique ne fait pas de grands progrès. En géographie physique, le seul système cohérent proposé est celui de Philippe Buache, système dont l'idée centrale est celle des montagnes comme charpente du globe (*Essai de géographie physique*, 1752). La seule théorie de géographie humaine digne de ce nom se trouve dans l'*Esprit des lois*, au livre XVIII de cet ouvrage. Montesquieu y explique en particulier (chapitre X) le rapport du « nombre des

hommes [...] avec la manière dont ils se procurent leur subsistance ». L'*Histoire naturelle* de Buffon n'apporte rien de vraiment nouveau. On y trouve une classification des races qui sent le racisme. Buffon écrit par exemple : « [...] le climat le plus tempéré est depuis le 40e degré jusqu'au 50e, [et] c'est sous cette zone que se trouvent les hommes les plus beaux et les mieux faits » (cité par Numa Broc, *La Géographie des philosophes*, Paris, 1975, p. 220).

La plus grande partie de la production géographique est faite de nomenclature, de dictionnaires et de manuels. Certains de ces dictionnaires, par exemple le *Grand Dictionnaire géographique et critique* de Bruzen de La Martinière (10 vol. *in-folio*, 1726-1739) et le *Grand Dictionnaire géographique, historique et politique des Gaules et de la France* (6 vol., 1762-1770), sont des monuments d'érudition, mais d'une érudition limitée trop souvent à la nomenclature. Quant aux manuels (scolaires pour la plupart), ils sont également l'œuvre de nomenclateurs. Les enfants les apprennent par cœur, comme on apprendra au siècle suivant la liste des départements avec les préfectures. Le P. Buffier, professeur au collège Louis-le-Grand, écrit le sien en vers afin de faciliter la mémorisation. Voici un passage de sa *Géographie universelle* (1759) :

Limoges au Limousin; la Marche peu
[fertile,
Vers Guéret entretient une fabrique utile,
Bourges dans le Berry qui fait valoir sa
[laine;
Le jardin de la France a Tours dans la
[Touraine.

On le voit, les géographes eux aussi sont marqués par l'utilitarisme. Pour eux, un pays, c'est d'abord des productions et des manufactures.

GÉOLOGIE. Le mot existe — Diderot l'emploie dans son *Système figuré des sciences humaines* (1751) —, mais il n'est guère utilisé. On préfère « histoire de la Terre », ou « théorie de la Terre », ou encore « science des continents ».

L'*Encyclopédie* ne contient pas d'article *Géologie*.

Les fondations de la géologie moderne avaient été jetées à la fin du XVIIᵉ siècle par l'Anglais Hooke et le Danois Stensen. Ces deux savants avaient en effet démontré l'origine marine des fossiles et tracé les premiers linéaments de la stratigraphie. Les travaux des Français Réaumur et B. de Maillet vont dans le même sens. En 1720, Réaumur présente à l'Académie des sciences des *Remarques sur les coquilles fossiles de quelques cantons de la Touraine et sur les utilités qu'on en tire*, dans lesquelles il prouve l'origine marine des faluns. Dans son ouvrage posthume intitulé *Telliamed ou Entretiens d'un philosophe indien avec un missionnaire français sur la diminution de la mer, la formation de la terre et l'origine de l'homme* (1748), Maillet dresse la première théorie cohérente de la sédimentation.

Cependant, la nouvelle science borne là ses progrès. Elle aurait sans doute avancé plus loin si une controverse extrascientifique ne l'avait détournée de son propos. Il s'agissait du Déluge. Les théologiens et tous les savants hommes d'Église voulaient à tout prix que le Déluge de la Bible (Genèse, 7) eût été à l'origine de tous les dépôts marins constatés sur la surface de la terre. C'était une exigence abusive. La Bible dit bien que le Déluge recouvrit toute la terre mais ne dit nulle part que tous les sédiments et fossiles retrouvés sur la surface de la terre viennent de ce déluge. Les savants ont eu beau jeu de montrer l'absurdité de la thèse diluvienne. A la fin de son mémoire de 1720, Réaumur — qui n'était nullement un adversaire de l'Église —, écrivait : « [...] ce n'est point ce déluge qui a produit l'amas des coquilles de Touraine [...] peut-être n'y en a-t-il d'aussi grand amas dans aucun endroit du fond de la mer ; mais enfin le déluge ne les aurait pas arrachées, et s'il l'avait fait, ç'aurait été avec une impétuosité et une violence qui n'auraient pas permis à toutes ses coquilles d'avoir une même position : elles ont dû être apportées doucement, lentement [...] » Dans sa *Théo-rie de la Terre*, Buffon reprendra la même irréfutable démonstration. Le débat tournera à la confusion de l'Église, des théologiens ayant fait dire à la Bible beaucoup plus qu'elle ne dit.

GÉRARD, Conrad Alexandre (1729-1790). Il est le premier ambassadeur envoyé par la France auprès des États-Unis d'Amérique. Il était premier commis des Affaires étrangères et secrétaire du Conseil d'État lorsque cette mission lui fut confiée. Les instructions de Vergennes sont datées du 29 mars 1778. Elles portent que Gérard doit aller « résider de la part du roi auprès du Congrès général de l'Amérique septentrionale ». Reçu le 6 août par le Congrès, il s'acquitte avec conscience de sa mission, et adresse à Vergennes des informations précieuses concernant l'état réel de préparation des forces armées américaines. Son état de santé déficient l'oblige à demander son rappel. Après avoir été élu membre de la Société philosophique américaine, il s'embarque pour l'Europe où il arrive en février 1780. Il est félicité pour sa mission. Le roi lui accorde une pension et le nomme préteur royal de la ville libre royale de Strasbourg. C'est une satisfaction pour lui, car il est d'origine alsacienne. Il est un ami du cardinal de Rohan. Il a aussi des liens avec les milieux illuministes alsaciens et avec Cagliostro.

GERMAIN, Pierre (1716-1783). Il est l'un des grands orfèvres français dans le style rococo. Il ne semble pas être apparenté à Thomas Germain, mais, au début de sa carrière, il travaille pour lui ainsi que pour Nicolas Besnier, chez lequel il a fait son apprentissage. Un huilier daté de 1774 et conservé au Louvre est la plus belle des rares pièces portant son poinçon. Mais Pierre Germain est connu surtout pour ses *Éléments d'orfèvrerie* (1748), recueil d'une centaine de dessins destinés aux orfèvres. Beaucoup de ces dessins sont d'une grande fantaisie, et impossibles à réaliser tels quels.

GERMAIN, Thomas (1673-1748). Issu d'une famille d'orfèvres, il est le plus grand des orfèvres français dans le style rococo. Il commence néanmoins sa carrière en étudiant la peinture en Italie. Ses premières commandes d'orfèvrerie sont ecclésiastiques (un crucifix et six chandeliers pour Notre-Dame-de-Paris). Reçu maître orfèvre en 1720, il est engagé en 1723 comme orfèvre du roi, avec un logement au Louvre. Depuis ce moment jusqu'à sa mort, il s'emploie à exécuter pour le roi et pour la famille royale de très beaux objets en or et en argent. La plupart de ses œuvres sont ornées de petits animaux. Un escargot pointe entre des grains de raisin et des feuilles de vigne décorant deux seaux à bouteilles datés de 1727 et conservés au Louvre. Une salière de 1734-1736 (également au Louvre) est composée d'un crabe, d'une tortue et d'une coquille Saint-Jacques. Le motif de la tortue se retrouve aussi dans le surtout de table commandé par le duc d'Aveiro et conservé aujourd'hui au Museu nacional de Arte antigua de Lisbonne. Thomas Germain est le père de François-Thomas, très grand orfèvre lui aussi.

GILBERT, Nicolas Joseph Laurent (Fontenoy-le-Château, près d'Épinal, 15 décembre 1750 - Charenton, 12 novembre 1780). Littérateur, il est issu d'une famille pauvre. Après des études au collège de l'Arc à Dôle, ayant perdu son père, il prend à Nancy un emploi de professeur. C'est alors qu'il compose *Les Familles de Darius et d'Éridame* et un roman intitulé *Satira et Amestris* (1770). Ce sont les débuts d'une féconde carrière. En 1771, il publie *Le Début poétique* et un chant intitulé *Abel*, en 1773 des *Odes*, dont *Le Jugement dernier* et une satire en vers, le *Carnaval des auteurs*. Venu en 1774 à Paris où il se heurte à l'indifférence de d'Alembert et aux critiques de La Harpe, il va s'attacher définitivement au parti antiphilosophique. *Le Dix-Huitième siècle* (1775) et *Mon apologie* (1778) sont dirigés contre la secte. L'auteur passe aux yeux de ses amis pour un nouveau Juvénal. Il dénonce la facilité des mœurs, le rationalisme et l'athéisme.

Le poète n'est pas sans talent. Ses odes et en particulier l'*Ode imitée de plusieurs Psaumes* comportent des passages qui méritent de rester. L'un de ses vers est longtemps demeuré fameux :

« Au banquet de la vie, infortuné convive… »

Il est dommage qu'il donne dans le misérabilisme et veuille se faire passer pour ce qu'il n'est pas, c'est-à-dire un poète pauvre et quasi maudit. On lit par exemple ces vers dans son ode *Quarts d'heure de misanthropie* :

… les pâles talents, couchés sur des
[grabats,
Y veillent consumés par la faim qui les
[presse,
Tandis que s'égayant, chantant dans la
[paresse,
L'ignorance au teint frais s'endort dans le
[damas.

Or il ne mourait nullement de faim, étant pensionné à la fois par le roi et par l'archevêque de Paris. La réputation de pauvre hère qu'il s'est faite à lui-même est en partie à l'origine de la légende qui le fait mourir dans la misère, légende rapportée par Vigny dans l'un des trois récits de son *Stello* et par Hégésippe Moreau dans *Un poète à l'hôpital*. Il a eu cependant le malheur de mourir sans avoir donné la pleine mesure de son talent. Âgé seulement de vingt-neuf ans, il fit une chute de cheval et mourut à l'hôpital, la trépanation tentée n'ayant pas réussi. Ses œuvres complètes, publiées en 1802 en deux volumes in-18, le seront à nouveau, avec des notes, en 1823.

GILBERT DE VOISINS, Pierre (16 août 1684 - 20 août 1769). Marquis de Villaines, il a déjà derrière lui une longue carrière de serviteur du roi lorsqu'il entre en 1757 au Conseil des dépêches. Il a été successivement maître des requêtes, avocat général au parlement de Paris et président du Grand Conseil. Il est conseiller d'État depuis 1744. En l'appelant avec Berryer — un autre conseiller d'État — à siéger en permanence au Conseil des dépêches, Louis XV rend hommage à ses qualités de savant et de brillant légiste. Sa mission est d'éclairer le Conseil de ses lumières juridiques. Il la remplit parfaitement. Adversaire résolu des prétentions parlementaires, il les réfute et se montre ainsi d'un grand secours dans les conflits de ces années difficiles. Le *Discours de la flagellation* (1766) porte la marque de son style et de sa science. En 1767, le roi le charge de rédiger le mémoire justifiant la pratique des cassations par le Conseil. On a aussi de lui deux mémoires publiés après sa mort, *Sur les moyens de donner aux protestants un état civil en France.*

GIROUST, François (Paris, 1738 - Versailles, 28 août 1799). Compositeur précoce, il écrivit son premier motet à l'âge de quatorze ans. Nous le retrouvons quatre ans plus tard adjoint au maître de chapelle de la cathédrale Sainte-Croix d'Orléans, appelé de ce fait à diriger l'une des chorales les plus célèbres du royaume. Lauréat en 1768 du concours du *Concert spirituel*, il est nommé en 1775 maître de chapelle du roi et, en 1782, surintendant de la musique du roi, ce qui ne l'empêcha pas ensuite de composer plusieurs hymnes pour les fêtes révolutionnaires, dont un *Hymne aux Marseillais* (1793).

Nous restent de ce musicien quatre oratorios, sept messes, trois Magnificat, des cantates maçonniques, un opéra : *Télèphe* (d'une pâleur soutenue) et un ballet : *Amphion* écrit en 1788, assez souvent repris, auquel aurait assisté Marie-Antoinette peu de temps avant son incarcération. Mais le plus beau titre de gloire de Giroust lui vient de l'une de ses messes, la messe *Gaudete*, exécutée à Reims lors du sacre de Louis XVI, le 11 juin 1775. Selon le musicologue averti qu'était le P. Émile Martin, cette messe n'aurait pas été composée pour le sacre, mais pour le troisième dimanche de l'avent de la même année, dont l'introït commence par le mot *Gaudete*. Elle aurait été ensuite remaniée, amplifiée et orchestrée pour le sacre. Quoi qu'il en soit, l'œuvre respire une émotion profonde et ne manque pas de beauté.

GISORS, Louis Marie Fouquet, comte de Belle-Isle, comte de (1732-1758). Fils unique du maréchal de Belle-Isle, il commande tout jeune un régiment que

lui fait donner son père et obtient le gouvernement des Trois-Évêchés et la lieutenance générale des duchés de Lorraine et de Bar. Il montre pendant la guerre de Sept Ans la plus brillante valeur. Le 23 juin 1758, à Crefeld, il est blessé à mort au cours d'une charge de cavalerie dont il avait pris la tête. Il est le symbole du jeune héros fauché en pleine gloire.

GLUCK, Christophe (Erasbach, Haut-Palatinat, 2 juillet 1714 - Vienne, 15 novembre 1787). Compositeur, il était le fils d'un inspecteur des forêts de l'électorat de Bavière, mais c'est en Bohême qu'il commença ses études musicales, son père étant devenu régisseur des terres du prince Lobkowitz. Sa langue était le tchèque, il parlait aussi l'allemand mais l'écrivait mal. En 1732, il s'inscrivit à l'université de Prague et gagna sa vie en donnant des leçons de violoncelle et en jouant de l'orgue dans les églises. C'est également à Prague qu'il entendit pour la première fois des opéras italiens et fut pris de l'envie d'aller étudier en Italie sous la direction de Sammartini. Il y resta huit ans et y fit représenter avec un grand succès ses premiers ouvrages dramatiques. En 1745, il se rendit à Londres en compagnie du prince Lobkowitz, mais le public anglais ne lui fit pas très bon accueil. En revanche Haendel accepta de lui donner des conseils, tout en trouvant que « son cuisinier » connaissait « mieux le contrepoint que le jeune Gluck ».

Après quelques tournées comme chef d'orchestre d'un opéra italien, Gluck s'installa à Vienne où il fut nommé en 1755 directeur musical de la Cour. Le librettiste Cazalbigi, celui-là même qui écrivit le livret d'*Orphée et Eurydice*, et Durazzo, directeur des théâtres impériaux, l'un et l'autre formés au goût français, incitèrent Gluck à se défaire des conventions de l'opéra italien.

A partir de 1773, Gluck se partagea entre Vienne et Paris où il donna en 1774 son premier opéra français, *Iphigénie en Aulide*. Marie-Antoinette avait été son élève à Vienne ; elle le soutint. C'est cet opéra qui déchaîna une violente réaction des partisans de l'opéra italien groupés autour de Piccini. *Alceste* fut sifflé par les piccinistes (1777), *Armide* et *Iphigénie en Tauride* (1778) obtinrent un grand succès, mais l'échec d'*Écho et Narcisse* (1779) détermina Gluck à quitter la France définitivement.

L'œuvre de Gluck a une grande importance dans l'histoire de la musique. Le genre de l'opéra sera marqué par sa recherche de la simplicité et par son souci d'émouvoir. «Les instruments», dit Berlioz à propos de la musique de Gluck, «chantent en même temps que le chanteur, ils souffrent ses souffrances, ils pleurent ses larmes» (Hector Berlioz, *A travers chants*, rééd. Gründ, 1971). On connaît de lui cent sept opéras, dont quarante italiens et six français, une douzaine d'opéras-comiques et quelques œuvres religieuses.

GOBELINS. Création de Colbert, la Manufacture royale des meubles de la Couronne avait été installée aux Gobelins, à Paris, d'où son nom usuel de manufacture des Gobelins. Toutes sortes de métiers y sont représentés, mais l'activité principale est la tapisserie.

L'institution dépend de la direction des Bâtiments du roi. Elle est administrée par un artiste, généralement un architecte. Jules Robert de Cotte et Soufflot exercèrent cette fonction, le premier de 1706 à 1747, le second de 1775 à 1780. Un directeur artistique, choisi parmi les peintres, est adjoint à l'administrateur. J.-B. Oudry et François Boucher furent directeurs artistiques.

Une manufacture royale n'étant pas une usine d'État, les métiers des Gobelins sont confiés à des entrepreneurs qui conservent une certaine autonomie et travaillent pour les particuliers.

Les principales suites tissées aux Gobelins au XVIIIe siècle sont : les portières des *Dieux* d'après Claude III Audra ; l'*Histoire de don Quichotte* : neuf suites tissées en quatre-vingts ans, de 1714 à 1794, d'après les modèles dessinés par Charles Antoine Coypel ; les *Scènes d'opéra, de tragédie et de comédie* ; l'*Ancien Testament* et le *Nouveau Testa-*

ment ; l'*Histoire de Jason* et l'*Histoire d'Esther*, d'après J.F. De Troy ; les *Nouvelles Indes* ; et les *Chasses* de Louis XV en huit pièces (1734-1745), aujourd'hui à Compiègne et au palais Pitti à Florence ; ces pièces avaient été peintes par Oudry, mais le peintre eut le tort d'exiger une reproduction exacte de ses tableaux ; une telle exigence contrariait gravement les principes de l'art de la tapisserie ; les conséquences s'en révélèrent fâcheuses pour cet art.

GONDOIN, Jacques (Saint-Ouen-sur-Seine, 1737 - Paris, 1818). Architecte, il fut l'élève de Blondel et de l'Académie, obtint en 1758 le second prix d'architecture et fut pensionnaire à l'Académie de France à Rome. A son retour en France, la protection de La Martinière, chirurgien de Louis XV, lui valut la prestigieuse commande de l'École de médecine de Paris. Sous l'Empire, il sera l'un des auteurs du projet de la colonne de la place Vendôme (1810).

GOSSEC, François Joseph Gossé, dit (Vergnies, aux Pays-Bas, 17 janvier 1734 - Passy, 16 février 1829). Compositeur, il quitta son pays natal à l'âge de dix-huit ans et vint s'établir à Paris, où il commença par diriger l'orchestre du fermier général La Pouplinière, sur la recommandation de Rameau. Quelques années plus tard, il entra dans la maison du prince de Condé comme directeur de sa musique au château de Chantilly. Il écrivit alors des quatuors, une *Messe des morts* exécutée à Saint-Roch et des opéras-comiques. En 1770, il fonda le Concert des amateurs, pour lequel il composa deux symphonies. En 1773, il prit la direction du Concert spirituel et donna à l'opéra plusieurs ouvrages : *Philémon et Baucis*, *Thésée* et *Rosine*. Nommé en 1782 directeur de cette dernière institution, il y créa la même année l'École royale de chant, qui est à l'origine du Conservatoire.

Vint la Révolution. Partisan convaincu du nouveau régime, il fut chargé d'écrire des hymnes pour les fêtes nationales. Ce furent le *Te Deum* (1790), l'*Hymne à la Liberté* (1793), la *Marche lugubre* (1793) et la *Marche victorieuse* (1794). Il imagina d'accompagner les chœurs avec des orchestres composés uniquement d'instruments à vent.

A la fondation du Conservatoire en 1794, Gossec sera nommé inspecteur de la nouvelle institution. La Première République le comblera d'honneurs et fera de lui un membre de l'Institut.

Habile orchestrateur, on a pu dire qu'il ouvrait la voie à Berlioz. Son œuvre est très abondante et diverse ; elle comprend de la musique religieuse, des opéras, des pastorales, des ballets, une soixantaine de symphonies et de la musique de chambre.

GOURNAY, Jacques Claude Marie Vincent de (Saint-Malo, 27 mai 1712 - Paris, 27 juin 1759). Économiste, il est surtout connu pour avoir été l'ami et le maître de Turgot dans la science de l'économie politique. Fils d'un négociant, il suivit d'abord la voie paternelle et fonda une maison de commerce en Espagne, à Cadix. Revenu en France après quinze années de séjour espagnol, il acheta en 1749 une charge de conseiller au Grand Conseil, puis en 1751 un office d'intendant de commerce, dont il démissionnera en 1758, après avoir déployé dans l'exercice de cette fonction l'activité la plus zélée. Il n'a laissé aucun traité, mais seulement une traduction de l'économiste anglais Josiah Child et de très nombreux mémoires rédigés pour le Bureau du commerce et analysés dans le registre de ce bureau. Comme les physiocrates, mais sans appartenir à leur école ni adhérer à leur philosophie de l'agriculture ou à leur théorie du « produit net », Gournay est un libéral. Il appelle de tous ses vœux la liberté du commerce des grains (réclamée par lui dès 1752) et l'abolition de la réglementation du Contrôle général et de celle des communautés de métier. La concurrence est pour lui la force féconde qui doit transformer le monde. Sous son influence, le régime militaire disparaîtra et fera place au règne bienfaisant du travail productif. « Tant que les nations, écrit-il, n'ont été que guerrières, on a protégé les guer-

riers ; il faut maintenant protéger le travail. Et comment ? En l'honorant, en lui donnant la protection à laquelle il a droit et surtout en le soumettant au puissant aiguillon de la concurrence » (*Considérations sur le commerce*).

Plusieurs auteurs ont attribué à Gournay l'invention de la fameuse formule « Laissez faire, laissez passer. »

GOUVERNEURS. Les gouverneurs des provinces sont plus particulièrement chargés de la défense. Ce sont des commissaires révocables. Leurs commissions précisent l'étendue de leurs attributions. En dignité, ils sont les premiers personnages des provinces. Ils ont, après les évêques, la préséance sur toutes sortes de personnes.

L'ordonnance du 18 mars 1776 fixe à trente-neuf le nombre des gouvernements. Dix-huit sont de première classe et ne peuvent être confiés qu'à des princes du sang ou à des maréchaux de France. Les vingt et un autres sont dits de seconde classe, mais leurs titulaires sont toujours gens d'épée et le plus souvent très grands seigneurs. Certains gouvernements sont quasi héréditaires. Par exemple les princes de Condé ont la Bourgogne, les ducs de Gramont le Béarn et la Basse-Navarre. Certains gouverneurs ne résident pas ou résident très peu. Ils sont alors remplacés par des lieutenants généraux ou des commandants militaires, qui ont exactement les mêmes prérogatives et les mêmes honneurs. C'est le cas en particulier de la Bretagne où les gouverneurs en titre, le comte de Toulouse, puis son fils, le duc de Penthièvre, ne viennent presque jamais.

Les gouverneurs avaient joui de grands pouvoirs pendant les troubles civils des XVIe et XVIIe siècles. Louis XIV a considérablement réduit leurs prérogatives. Il leur a enlevé entre autres l'administration des deniers publics. Les jurisconsultes du XVIIIe siècle leur attribuent les deux fonctions suivantes : défendre par les armes les provinces qui leur sont confiées et donner main forte à la justice. Au dire de Claude de Ferrière (*Diction-*

naire de droit), les gouverneurs «sont regardés comme représentant en quelque manière la justice du roi». Toutefois il est bien précisé qu'ils n'ont aucune juridiction et ne «doivent rien entreprendre sur la justice et sur les finances». Telle est la théorie. Dans la réalité, il faut distinguer les gouverneurs des pays d'états et deux des pays d'élections. Les premiers sont les commissaires du roi auprès des états particuliers. Ils servent d'intermédiaires entre la province et le gouvernement. Ils sont regardés comme les protecteurs naturels des provinces. Dans les pays d'élection, leur rôle est moins important et leurs prérogatives ne sont que militaires. Cependant ils sont aussi chargés du maintien de l'ordre public, et cela est entendu au sens large. Le maréchal de Richelieu, gouverneur de Guyenne, se mêle par exemple d'interdire les courses de taureaux.

Dans la seconde moitié du siècle, lors des conflits entre le pouvoir et les cours souveraines, les gouverneurs et les commandants militaires paient de leurs personnes. Ils se montrent généralement loyaux et résolus. Ce sont eux qui ont la tâche ingrate de faire enregistrer les édits fiscaux de 1763, puis d'installer en 1771 les nouveaux tribunaux de la réforme Maupeou, enfin de faire enregistrer en 1788, au milieu de la fureur populaire, la réforme judiciaire de Lamoignon. Leur courage et leur fidélité leur attirent l'animosité de la caste parlementaire. En 1763, le duc de Fitz-James est décrété de prise de corps par le parlement de Toulouse. En 1770, le parlement de Bretagne ouvre une information contre le duc d'Aiguillon.

GRÂCE. Partie essentielle de la théologie, la question de la grâce est abondamment exposée dans l'enseignement des séminaires et dans celui des facultés de théologie. Elle y fait l'objet d'un traité particulier intitulé *Tractatus de Gratia Salvatoris Christi*.

Les théologiens définissent la grâce comme le don surnaturel fait par Dieu à l'homme pour l'aider à faire son salut. La grâce est dite «habituelle» ou «actuelle». La grâce habituelle, dite aussi «sanctifiante», est celle qui rend l'homme juste, saint, agréable à Dieu en permanence. La grâce actuelle dispose à obtenir ou à augmenter la grâce habituelle.

Les théologiens donnent encore à la grâce les qualificatifs de «suffisante», «efficace» ou «versatile» selon le système qu'ils adoptent pour expliquer sa nature et ses opérations.

Les molinistes (disciples de Molina) disent la grâce versatile; ils entendent par là que son efficacité dépend du degré de détermination de l'homme. Ils la disent suffisante ou efficace selon que la volonté lui résiste ou non.

Pour les jansénistes et les quesnellistes (disciples du janséniste Quesnel), la grâce efficace est le secours par lequel l'homme opère le bien infailliblement, en sorte qu'il ne résiste jamais à cette grâce, quoiqu'il conserve toujours le pouvoir de résister. Les jansénistes soutiennent aussi que nulle œuvre bonne ne peut être accomplie sans le secours de la grâce.

La querelle avait été très vive au XVIIe siècle entre les jansénistes et les molinistes. Au XVIIIe siècle, les disputes deviennent beaucoup plus tranquilles, parce que les jansénistes édulcorent leur doctrine de la grâce efficace. Si nous prenons par exemple le catéchisme du diocèse de Toul, publié en 1703 par l'évêque janséniste Thiard de Bissy, nous y trouvons la thèse, exposée plus haut, de la grâce efficace, mais dans l'édition qui paraît trente ans plus tard (publiée par Scipion Jérôme Bégon) il est admis que les œuvres bonnes peuvent être simplement naturelles et accomplies sans le secours de la grâce.

GRADIS, Abraham (1699-1780). Négociant et armateur bordelais, il est le petit-fils de Diego Gradis, marchand juif portugais, qui avait fondé à la fin du XVIIe siècle une maison de commerce à Bordeaux. Il est d'abord associé à son père, David Gradis. A la mort de ce dernier, en 1751, il dispose déjà d'une fortune de 400 000 livres. En trente ans, à force de travail («Je me lève avant 6 heures», écrit-il à un ami), il décuple son avoir et donne un extraordinaire essor à l'entreprise familiale. Son réseau commercial couvre les pays de la Baltique, l'Irlande, le Canada et surtout les Antilles. La moitié de sa fortune est investie en habitations sucrières à Saint-Domingue et à la Martinique. Il est anobli en 1751, faveur unique pour un homme de sa religion.

GRADUÉS et EXPECTATIVE DES GRADUÉS. On appelle «gradués» tous ceux qui ont obtenu des degrés dans les universités. Les gradués qui ont la qualité de clercs jouissent de l'expectative. On entend par expectative le droit accordé à un ecclésiastique d'être pourvu d'un bénéfice vacant. Le concordat de 1516 a affecté aux gradués les bénéfices dont les vacances interviennent dans les mois de janvier, d'avril, de juillet et d'octobre. Un certain temps d'études est requis pour jouir de ce droit. Ce temps varie selon les grades : il est de cinq ans pour la maîtrise ès arts et de dix ans pour le doctorat en théologie. Les gradués nobles sont dispensés de deux ans d'études pour les grades des facultés de droit.

On distingue aussi les gradués simples et les gradués nommés. Ces derniers possèdent des lettres de nomination délivrées par les universités. Ces lettres sont des recommandations adressées aux collateurs des bénéfices demandés par les gradués. Elles sont délivrées par les universités.

Les collateurs ont l'obligation de se soumettre à l'expectative. Cependant la déclaration royale du 27 avril 1745 donne aux collateurs des bénéfices à charge d'âmes le droit de choisir entre les candidats celui qu'ils jugeront le plus capable, même si ce n'est pas le plus ancien. Les premières dignités des églises cathédrales et collégiales sont réservées aux docteurs en théologie et en droit canon.

Le droit d'expectative des gradués est en principe en vigueur dans toute l'étendue du royaume. Cependant certaines provinces ne l'appliquent pas. Ce sont la

Bretagne, la Provence, la Franche-Comté, le Roussillon et les Trois Évêchés. En Flandre, plusieurs collateurs refusent de s'y soumettre. Les jurisconsultes spécialistes de la question (tels que Piales) soutiennent que ce refus n'est pas fondé.

GRAFIGNY, Françoise Paule d'Issembourg du Buisson d'Happoncourt, dame de (Nancy, 1695 - Paris, 12 décembre 1758). Connue surtout par son roman *Les Lettres d'une Péruvienne*, elle était la fille d'un officier au service du duc de Lorraine, et la petite-nièce par sa mère du grand artiste lorrain Jacques Callot. Mal mariée à dix-sept ans à un homme qui la battait (François Huguet de Grafigny, chambellan du duc), veuve à trente ans, elle s'empresse de rattraper le temps perdu. «C'est un essaim de jouvenceaux, écrit son biographe, qu'elle attire dans son intimité de choix» (Georges Noël, *Madame de Grafigny* [1695-1758], Paris, 1913). Elle a son préféré, l'avocat Devaux, dit «Pampan». Lorsqu'en 1738 la Lorraine est cédée à Stanislas, Mme de Grafigny, qui vivait jusqu'alors des largesses de la cour, est contrainte de chercher ailleurs le vivre et le couvert. Mais où s'adresser? Elle n'est plus très jeune; ses charmes déclinent; ses amis lorrains l'appellent «la Grosse». Elle a connu Voltaire à Lunéville et le rejoint à Cirey où Mme du Châtelet accepte de l'héberger pendant un an (4 décembre 1738 - 11 décembre 1739). Puis elle se rend à Paris où successivement la duchesse de Richelieu, la Clairon et la Quinault la recueillent. En 1745, elle s'installe enfin chez elle (dans un appartement, rue Saint-Hyacinthe) et ouvre un salon littéraire.

Plus philosophique que littéraire, ses liens avec la philosophie sont anciens, étroits et nombreux. Elle correspond avec Voltaire. Helvétius fréquente chez elle, et c'est elle qui lui présente la jolie Mlle de Ligniville, dite «Minette», dont il fera sa femme. Assurée d'un solide soutien philosophique, elle se lance dans l'écriture. Elle ne réussit pas tout de suite. Sa première œuvre, la *Nouvelle espagnole* (1745), est tellement plate que même ses amis les plus bienveillants préfèrent ne pas en parler. En revanche, les *Lettres d'une Péruvienne* (1747) sont écrites avec aisance, et il n'est pas trop difficile de les faire passer pour un chef-d'œuvre. La bonne dame a bien assimilé les conseils de ses amis. Elle a mis dans son livre tous les ingrédients nécessaires au goût du jour, et en particulier l'exotisme et la philosophie. Le sujet est exotique : Zilia, jeune Péruvienne, fille d'Inca, prêtresse du Soleil, est fiancée selon la coutume du Pérou à son frère Aza. Mais le temple où la jeune vierge attend le jour de l'hymen est envahi et pillé par les conquérants espagnols. Zilia est faite prisonnière. A la suite de diverses tribulations assez confuses, elle se retrouve en France ; de là, elle écrit à son fiancé des considérations assez banales (platement imitées des *Lettres persanes*) sur les mœurs des Français. Voici l'une de ces profondes observations : « La censure est le goût dominant des Français, comme l'inconséquence est le caractère de la nation. » Tout cela ne va pas très loin, et les malheurs de Zilia et d'Aza n'auraient touché personne si Mme de Grafigny n'avait eu la bonne idée de faire parler à ses héros le langage de la philosophie. Le thème dominant du livre est celui du bon Péruvien (Aza) dépossédé, puis converti de force par le méchant et barbare colonisateur espagnol. Sous les apparences inoffensives d'un « gentil roman épistolaire », les *Lettres d'une Péruvienne* sont en fait un acte d'accusation. « Un peuple entier », écrit la dame dans son *Introduction*, « fut passé au fil de l'épée. Tous les droits de l'humanité violés, laissèrent les Espagnols les maîtres absolus d'une des plus belles parties du monde. » Raynal n'en dira pas davantage.

Les *Lettres d'une Péruvienne* ont épuisé sa veine romanesque. Mme de Grafigny essaie alors du théâtre. Elle produit *Cénie* (1750) et *La Fille d'Aristide* (1756), deux comédies en cinq actes. La première a du succès. La seconde échoue misérablement. L'auteur en dépérit de chagrin. Les *Lettres d'une Péruvienne* lui survivront ; elles seront lues jusque vers 1830. L'un de leurs der-niers admirateurs sera le roi Charles X. Aujourd'hui, ce qui nous plaît chez Mme de Grafigny n'est pas sa production littéraire proprement dite mais sa correspondance où elle se montre au naturel. Ses lettres les plus amusantes sont celles de son séjour à Cirey. Nous avons là un témoignage irremplaçable sur la vie quotidienne de Voltaire et sur celle de Mme du Châtelet.

GRAND CONSEIL. *Voir* CONSEIL (Grand).

GRANDMONT. L'ordre de Grandmont est un ordre de chanoines réguliers fondé au XIe siècle. En 1766, au moment où se réunissait la commission des réguliers, il se composait de deux branches, l'une réformée, l'autre de l'ancienne observance, et comptait une trentaine de maisons et soixante-sept religieux. Les maisons réformées sont supprimées par lettres patentes de 1769 à 1770. L'abbé de La Maison-Rouge, abbé du monastère de Grandmont et abbé général de l'ancienne observance, résiste de tout son pouvoir à Loménie de Brienne qui veut supprimer aussi sa communauté. Il déclare vouloir « vivre et mourir religieusement dans [son] état ». Ni le roi ni l'évêque de Limoges (qui convoite les biens de l'abbaye) ne le soutiennent. Finalement une bulle pontificale supprime son monastère en 1771. Lors de sa visite à Grandmont, Loménie de Brienne avait noté sur un ton de reproche et de déplaisir que « l'aspect et l'abord » de l'abbaye annonçaient « la solitude la plus entière et la plus profonde ».

GRASSE, François Joseph Paul, marquis de Tilly, comte de (Valette, Provence, 1723 - Paris, 11 janvier 1783). Il partage avec Washington et Rochambeau la gloire de la victoire de Yorktown. C'est un marin de longue expérience. Il a commencé à servir dès l'âge de douze ans comme garde au port de Toulon. Sa première campagne en mer date de 1749 et se déroule sous les ordres de La Jonquière dans l'océan Indien. Fait prisonnier des Anglais, il reste deux années en détention. Il est capitaine de vaisseau en 1761 et participe en 1778 au combat d'Ouessant. Son premier commandement comme chef d'escadre n'est pas vraiment une réussite. Envoyé en 1779 à la Martinique pour renforcer d'Estaing, il s'engage trop tard dans le combat de la Grenade, permettant ainsi à la flotte anglaise de s'échapper. Néanmoins Castries le préfère à Tréville pour commander l'armada envoyée en Amérique. Il est nommé par le Conseil du roi le 1er février 1781. Le 28 avril, il rencontre la flotte anglaise, qu'il pourrait facilement écraser. Il évite le combat. Cependant l'heure vient de son seul succès. Le 31 août, il mouille dans la Chesapeake et le 5 septembre, par un combat victorieux, oblige la flotte anglaise à se retirer sans avoir pu secourir Cornwallis. C'est sa grande victoire. La campagne de 1782 voit son désastre. Il est cruellement battu au combat des Saintes. Ses instructions lui prescrivaient de rejoindre les Espagnols pour une action concertée sur la Jamaïque. Un incident le retarde. Le *Zélé*, un de ses navires, subit une avarie. Au lieu de poursuivre sa marche, de Grassé fait ralentir pour donner le temps de réparer le *Zélé*. Rodney, l'amiral anglais, en profite pour attaquer. Sa flotte perce la ligne de bataille française. La *Ville de Paris*, le vaisseau amiral, se retrouve isolé au centre. Les Anglais lui font subir une canonnade effroyable douze heures durant. A la fin, de Grasse se retrouve seul sur la dunette avec deux officiers. Bougainville et Vaudreuil, ses seconds, ne l'ont pas secouru. Il est emmené en Angleterre où ses vainqueurs le traitent avec honneur. La suite est moins belle. De retour en France, de Grasse publie un mémoire justificatif dans lequel il accuse ses officiers. Un conseil de guerre réuni à Lorient le justifie (mars 1784). Son courage était indéniable. Ses matelots disaient : « Il a six pieds [il était très grand], et six pieds un pouce les jours de combat. » Il n'est pas moins certain qu'il manquait des qualités manœuvrières nécessaires pour commander une escadre.

GRAVELOT, Hubert François Dainville Bourguignon, dit (Paris, 1699 - *id.*, 1773). Peintre et graveur, il fut l'élève

de Restout et de Boucher. Après un court séjour à Saint-Domingue, il s'installe à Londres et y passa de longues années. Revenu à Paris en 1745, il se précipita dans la gravure et illustra un grand nombre d'œuvres littéraires, dont le *Théâtre* de Voltaire et *La Nouvelle Héloïse* de Rousseau.

GRAVESON, Ignace Hyacinthe Amat de (Graveson, près d'Avignon, 20 juillet 1670 - Arles, 26 juillet 1733). Religieux dominicain, il est l'un des rares grands noms français de la science exégétique. Reçu docteur de Sorbonne en 1675, il occupe ensuite pendant vingt ans les fonctions de bibliothécaire à la Casanate, bibliothèque dominicaine de Rome. Ses principaux ouvrages sont un *Tractatus de Scriptura Sacra* (1711) et une *Historia ecclesiastica Veteri Testamenti* (9 vol. in-folio, 1728-1738). Sa doctrine est la pure doctrine thomiste. Pour avoir soutenu la thèse de la prémotion physique (motion par laquelle Dieu meut la volonté humaine), il s'attire les attaques des molinistes. On le fait passer à tort pour favorable au jansénisme. Il est vrai qu'il est à Rome l'agent du cardinal de Noailles, mais il est vrai aussi que ses conseils ont été pour beaucoup dans la décision du cardinal de recevoir la constitution *Unigenitus*.

GRAVURE. Les graveurs français du XVIIIe siècle préfèrent le procédé de l'eau-forte à celui du burin. Pour interpréter une peinture fluide et libre de touche, comme l'était celle de Watteau, si souvent reproduite par la gravure, le burin se trouvait en défaut ; il fallait avoir recours à l'eau-forte.

Charles Nicolas Cochin, Moreau le Jeune et Gabriel de Saint-Aubin sont les plus célèbres graveurs du temps. Cochin excelle dans les cérémonies royales et les petits portraits. Moreau le Jeune a beaucoup produit (1 961 planches gravées ou dessinées), mais sa manière, presque trop soignée, laisse une impression d'artificiel. Quant à Saint-Aubin, peintre converti à la gravure, il reproduit des scènes de rue (*Le Charlatan sur le pont Neuf*) ou des lieux publics (*Le Salon du Louvre de 1753*). On doit ajouter à ces trois noms ceux des deux grands peintres Boucher et Fragonard, qui, s'étant essayés à graver, y réussirent merveilleusement. Les *Quatre Bacchanales* de Fragonard, gravées par cet artiste en Italie en 1763 et 1764, montrent un talent au moins égal à celui de Tiepolo ou de Castiglione.

Les sujets prisés par les amateurs sont les fêtes royales, la mythologie, les vues de villes, les scènes de genre, les galanteries et les grivoiseries intitulées *Billets doux, Heureux Moment, Carquois épuisé, Qu'en dit l'abbé?* La demande est très forte. Les graveurs doivent satisfaire un public nombreux dont le goût n'est pas toujours très raffiné.

Les graveurs travaillent aussi pour le livre. Innombrables sont les éditions illustrées. Les plus remarquables par la beauté des gravures sont les *Fables* d'Houdart de La Motte, illustrées par Gillot, et la célèbre édition, dite des Fermiers-Généraux, des *Contes* de La Fontaine, gravée par Le Mire et Longueuil en 1762 d'après les dessins d'Eisen.

GRENIERS A SEL. Les greniers à sel sont d'une part des dépôts publics et d'autre part des juridictions.

Ce sont les dépôts publics où l'on met le sel que le roi vend à ses sujets dans le pays de gabelle. Ces dépôts doivent être très faciles d'accès, installés au rez-de-chaussée de la rue ou élevés de deux pieds au plus. Selon les régimes de la gabelle, on distingue les greniers de vente volontaire et ceux d'impôt (*voir* GABELLE).

Les greniers sont aussi des juridictions qui ont d'ailleurs leurs sièges dans les dépôts eux-mêmes. Ces tribunaux connaissent des contestations qui surviennent au sujet de la gabelle, de la distribution du sel, des droits du roi et des malversations et des délits commis dans le débit et dans le transport du sel. Ils jugent souverainement jusqu'à la valeur d'un minot, et en première instance (avec appel aux cours des aides) pour tous les délits supérieurs.

Les greniers à sel sont très nombreux. En 1785, on comptait dans le royaume 397 greniers, soit 250 dans les pays de grande gabelle et 147 dans ceux de petite gabelle.

Selon Ferrière, les corps d'officiers des greniers sont composés chacun de la manière suivante : deux présidents, deux greniers, trois contrôleurs, un greffier et quelques autres officiers subalternes.

GRENOBLE. Siège d'un parlement, d'une intendance, d'une chambre des comptes, d'un bureau des finances et du bailliage de Graisivaudan, Grenoble est une ville d'une grande importance administrative et judiciaire. C'est aussi un évêché. C'est enfin une ville militaire, dont la garnison comptait deux mille hommes en 1789.

Le nombre des habitants n'est pas en rapport avec cette importance. Grenoble avait 20 000 habitants au début du siècle et n'en aura pas plus de 24 000 au début de la Révolution. Pourtant le mouvement naturel est constamment positif. La population aurait augmenté davantage s'il n'y avait eu un courant permanent d'émigration.

L'activité économique progresse, mais lentement. Les deux secteurs dominants et les plus dynamiques sont la ganterie (160 000 douzaines de paires de gants produites en 1787) et la bonneterie. Trois manufactures s'installent après 1760 (moulinage de soie, filature de coton et fabrique d'indiennes). Tout le reste de l'industrie consiste en petites entreprises travaillant pour le marché local.

Les trois cents magistrats des différentes cours et juridictions dominent la société grenobloise. Le peuple représente 60 % des habitants. Entre les magistrats et le peuple s'intercale une catégorie moyenne de quelque mille personnes, gens de justice et marchands enrichis. La magistrature grenobloise attend son historien. Il faudrait l'étudier comme on a étudié celle de Besançon. Elle ne semble pas avoir montré la même dignité dans ses mœurs. Selon une confidence de Laclos, le personnage de la marquise de Merteuil dans *Les Liai-*

sons dangereuses serait la copie conforme d'une grande dame de Grenoble. La présence de la garnison a peut-être contribué au relâchement des mœurs. Les querelles continuelles au début du règne de Louis XV entre jansénistes et molinistes ont certainement desservi la cause de la religion.

Le goût des livres nouveaux et des idées nouvelles se développe subitement à partir de 1770. Grenoble se dote alors d'une bibliothèque publique (1772), d'une société littéraire (1772) qui deviendra en 1789 l'Académie delphinale, et d'un journal d'affiches (1774). Une partie des gens de justice se convertit à la philosophie régnante. Michel Servan, avocat général au parlement, est l'ami et le correspondant de Voltaire.

A la fin de l'Ancien Régime, Grenoble est l'un des foyers les plus intenses de l'opposition au pouvoir royal. Son parlement est l'un des plus rebelles. Il réussit à mobiliser la population en faveur de sa cause. Le 7 juin 1788, les troupes royales affrontent une véritable émeute. C'est la journée des Tuiles. Le 14 juin, une assemblée des notables des trois ordres se réunit à l'hôtel de ville et demande la restauration des états provinciaux. La Révolution a commencé à Grenoble.

GRESSET, Jean-Baptiste Louis (Amiens, 29 août 1709 - *id.*, 15 juin 1777). Poète, il était le fils d'un échevin de sa ville natale. Il fit des études chez les Jésuites, d'abord à Amiens, ensuite à Louis-le-Grand à Paris. A l'âge de seize ans, il entre au noviciat de la Compagnie de Jésus et bientôt commence à enseigner dans les collèges de son ordre. Il débute dans les lettres en 1730 avec une *Ode sur l'amour de la patrie*, et en 1734 (il a vingt-quatre ans) compose un poème en quatre chants, intitulé *Vert-Vert* :

A Nevers donc chez les Visitandines
Vivait naguère un perroquet fameux [...]
Il était beau, brillant, leste et volage
Aimable et franc, comme on l'est au bel
                                                    [âge

Ce poème plein de gaieté et de verve, conte en vers de dix syllabes, est l'his-
toire du perroquet des visitandines de Nevers envoyé par celles-ci à leur couvent de Nantes. Ayant appris malheureusement à bord du bateau qui descend la Loire « tout l'alphabet des bateliers [...] bien vite il sut jurer et maugréer ». Aussi accueillera-t-il les dignes religieuses venues à sa rencontre avec un retentissant « Par le corbleu ! Que les nonnes sont folles ! », et, ajoute l'auteur, « les B. et les F. voltigeaient sur son bec ». Ramené à Nevers et dûment converti, l'aimable volatile aura dans son couvent d'origine une fin, grâce au Ciel, édifiante. Brillante et spirituelle, cette œuvre remporta un vif succès que ne démentirent pas les publications suivantes : deux contes en vers, *Le Carême impromptu* et *Le Lutrin vivant*, ainsi qu'une épître, *La Chartreuse*, qui sont de la même veine. Cependant de tels badinages, si mondains et si moqueurs, ne pouvaient convenir à un jésuite, et Gresset, éloigné par ses supérieurs, quittera l'habit religieux avant de prononcer ses vœux.

Etabli à Paris, il fait jouer ses succès en 1740 une tragédie, *Edouard III*, et récidive en 1745 avec un drame en trois actes, *Sidney*, qui n'est pas mieux accueilli. Alors, abandonnant un genre qui ne semble pas lui convenir, il donne en 1747 la comédie *Le Méchant*. Cette pièce en cinq actes, élégante et pleine d'esprit, consacre sa réputation et lui ouvre l'année suivante les portes de l'Académie française. Frédéric II le fait entrer à celle de Berlin et l'invite en vain plusieurs fois.

Son mariage avec une compatriote, Mlle Galland, fille d'un maire d'Amiens, et parente du traducteur des *Mille et Une Nuits*, elle-même auteur d'épigrammes et de contes en vers, va l'éloigner de la capitale. Installé à Amiens, il y préside l'Académie des sciences, arts et belles-lettres, fondée à sa demande. Il retrouve la foi de sa jeunesse pendant les dernières années de sa vie et rétracte ses ouvrages mondains. En 1775, il reçoit de Louis XVI des lettres de noblesse et de Monsieur la charge d'historiographe de l'ordre de Saint-Lazare. L'année de sa mort, il est fait chevalier de Saint-Michel. Ses œuvres complètes ont été publiées en 1803 et en 1811. Cette dernière édition comprend *Le Parrain magnifique*, poème en dix chants, en vers libres, composé en 1760 et publié à titre posthume en 1810.

GRÉTRY, André Modeste (Liège, 1741 - Montmorency, 1813). Compositeur, il était le fils d'un violoniste de petite réputation. Placé comme choriste à Saint-Denis de Liège, il fut jugé peu doué pour la musique et renvoyé deux ans après. Plusieurs s'employèrent en vain à lui apprendre l'harmonie et l'orchestration. L'aptitude lui vint avec la vocation le jour où il entendit pour la première fois un opéra-bouffe napolitain représenté par une troupe italienne. Il se découvrit alors des dons pour la mélodie, et ces dons lui permirent de concilier le chant à la manière italienne et la prosodie française. En séjour à Rome de 1759 à 1766, il y travailla avec Casali et y fit représenter un petit opéra, *Le Vendemiatrice*. Puis il visita Genève et Ferney. Voltaire l'agréa comme ami, lui trouvant « de l'esprit ». Enfin il partit s'installer à Paris au moment où l'opéra-comique allait connaître sa plus grande vogue. Son *Huron* (sur le poème de Marmontel) fut représenté en 1768 avec un succès éclatant. La gloire ne le quittera plus. Tous les régimes le distingueront. Il sera membre de l'Institut en 1795 et chevalier de la Légion d'honneur en 1802. Il finira ses jours dans l'ermitage de Jean-Jacques Rousseau, qu'il avait acheté.

Il a laissé soixante-dix opéras-comiques, dont les plus remarquables sont *Le Huron*, *Lucile* (1769), *Zémire et Azor* (1771) et *L'Amant jaloux* (1778). On lui doit en dehors du théâtre une messe de Requiem, des symphonies, des sonates. Il a rédigé aussi des *Essais sur la musique* (1789).

Méhul a dit de lui qu'il « faisait de l'esprit et non de la musique ». C'est peut-être trop dur. La musique de Grétry n'est pas savante, mais elle est bien adaptée au théâtre et dénote un sens parfait de la mélodie fraîche et naturelle.

GREUZE, Jean-Baptiste (Tournus, 20 août 1725 - Paris, 1805). Peintre, il fut attiré très jeune par le dessin. Son père, maître couvreur, après avoir résisté à cette vocation, l'envoya à Lyon dans l'atelier du peintre Grandon, véritable usine à tableaux, où il apprit surtout à copier et à recopier. Il alla ensuite à Paris et suivit les leçons de l'Académie où il fut agréé en 1755 et reçu en 1769 avec pour morceau de réception *Les Reproches de Sévère et son fils Caracalla*. Son premier succès fut un tableau exposé en 1755 et intitulé *Un père qui lit la Bible à ses enfants*. Un académicien, l'abbé Gougenot, l'emmena ensuite en Italie où il voyagea pendant deux ans, mais dont les grands maîtres ne semblent pas l'avoir marqué. De retour à Paris, tout inspiré des doctrines de Diderot et de Rousseau, il s'évertua à faire de la morale en peinture et à rendre, selon la formule de Diderot, « la vertu charmante et le vice odieux ». Ses scènes rustiques et familiales arrivèrent à point, au moment où le public commençait à se lasser des pastorales et des amourettes. Exposée au Salon de 1761, *L'Accordée de village* lui valut la gloire. Il peignit ensuite *Le Paralytique servi par ses enfants*, *Le Mauvais Fils puni* (1765) et *Le Retour de nourrice*, compositions auxquelles trop de gestes nombreux et trop violents donnent un caractère mélodramatique. Ses portraits d'enfants et de jeunes filles resteront célèbres. D'aucuns y voient les images charmantes de l'innocence et de la pudeur. Pour d'autres, Greuze est le peintre de l'innocence perdue. Au sujet de *La Cruche cassée*, Théophile Gautier a écrit : « [...] la tête a encore la candeur de l'enfance, mais le fichu est dérangé ». *La Fille confuse*, *L'Innocence tenant deux pigeons* et *L'Oiseau mort* (1765) seraient selon la même interprétation des tableaux semi-érotiques assaisonnés d'une sensualité équivoque.

Après avoir longtemps traité le genre, Greuze se tourna vers des sujets plus solennels et historiques ou mythologiques. Il fit *L'Offrande à l'Amour*, *Danaé* et *Sainte Marie l'Égyptienne*. Il y fut moins heureux que dans le genre.

Greuze fut très malheureux en ménage : frivole et acariâtre, sa femme n'était pas restée la charmante jeune fille qui lui avait servi de modèle pour *La Cruche cassée*. Il s'en sépara. Sa vieillesse fut triste. Il voulut prouver qu'il pouvait égaler les peintres d'histoire, et composa un *Septime Sévère* (1769), dont la critique ne lui cacha pas le peu d'estime qu'elle en avait. A partir de ce moment-là, il n'exposa plus au Salon. Plus tard, il entra en compétition avec le jeune Ingres et fit le portrait en pied de Bonaparte, consul, le plus mauvais portrait qu'ait inspiré le modèle.

Sa gloire peut encore être défendue par ses jeunes filles au joli teint et au charme pervers ; et surtout par ses excellents portraits de Pigalle (1757), du Dauphin (1761), de son beau-père Babuti (1761), de sa femme (1763), du graveur Wille (1765), de Fabre d'Églantine et de bien d'autres personnages.

Il finira sa vie dans la pauvreté, obligé pour vivre de donner des leçons.

GRIBEAUVAL, Jean-Baptiste Vaquette de (Amiens, 1715 - Paris, 1789). De noblesse récente amiénoise, inspecteur général de l'artillerie, lieutenant général, il est l'inventeur du système d'artillerie qui porte son nom, et fera merveille sur les champs de bataille de la Révolution et de l'Empire. Il doit sa formation d'abord à l'école d'artillerie de La Fère (où il est entré à l'âge de dix-sept ans), ensuite à ses séjours en Allemagne. En Prusse, où le comte d'Argenson l'envoie en mission, puis en Autriche où il fait la guerre de Sept Ans au service de Marie-Thérèse, il étudie les matériels légers récemment mis en service par ces deux puissances. De retour en France en 1763, nommé grâce à Choiseul inspecteur général de l'artillerie, commandant du corps des mineurs et lieutenant général, il met au point son système. Il distingue quatre artilleries : de campagne, de siège, de place et de côte. Les pièces de campagne seront de moitié moins lourdes que celles de siège. Plusieurs améliorations techniques, par exemple la hausse de visée (permettant de modifier

l'inclinaison) et la prolonge d'artillerie, augmentent de façon considérable l'efficacité et la rapidité du tir, ainsi que la maniabilité des pièces. La réforme est promulguée en 1765, mais elle ne peut être appliquée. L'armée est trop divisée à son sujet. Il y a deux partis, les «bleus» qui soutiennent la réforme, et les «rouges» qui la combattent. La disgrâce de Choiseul entraîne l'effacement de Gribeauval. Il reparaît en 1776 : Saint-Germain lui rend sa charge d'inspecteur ; le roi le nomme gouverneur de l'Arsenal. C'est donc à partir de cette date que le système entre en application et que commence la fabrication des nouveaux canons. Gribeauval, il faut le noter, n'était pas seulement un génial inventeur. Il était aussi un homme de guerre. Il avait glorieusement combattu, et s'était illustré en 1762 en défendant la place de Schweinitz en Silésie contre Frédéric II. Il avait tenu soixante-trois jours au lieu des cinq prévus par le Grand Frédéric. «Le génie de Gribeauval, avait écrit le roi de Prusse, défend la place plus que les Autrichiens» (lettre au marquis d'Argens du 26 septembre 1762). Cependant, la gloire de Gribeauval n'est pas entièrement pure. Elle a été ternie par l'affaire de la réforme des fusils. On découvrit en 1771 que le lieutenant-colonel de Bellegarde, inspecteur de la manufacture de Saint-Étienne, et chargé de la réforme des armes, en avait réformé 366 000 neuves et les avait vendues à un prix très bas à l'entrepreneur Montieu. Or Gribeauval était compromis : il avait couvert l'opération et constamment protégé Bellegarde. Pour faire oublier cette déplaisante affaire, il faudra la mort de Louis XV et les grands changements politiques de l'avènement de Louis XVI.

GRIMM, Frédéric Melchior (Ratisbonne, 26 décembre 1723 - Gotha, 19 décembre 1807). Membre important de la coterie philosophique et rédacteur de la *Correspondance littéraire*, il vint très jeune à Paris comme précepteur des enfants du comte de Schomberg. Devenu ensuite secrétaire du comte de Friesen, il fut introduit par ce dernier dans les salons et dans les milieux littéraires. De 1753 à 1790, il publia la gazette qui fit son pouvoir et sa renommée. Le titre complet de ce périodique était *Correspondance littéraire, philosophique et critique adressée à un souverain d'Allemagne*. Il s'agit de comptes rendus mensuels de l'activité littéraire pour l'information des souverains allemands. Catherine II, Christian VII de Danemark et Stanislas Poniatowski, roi de Pologne, comptèrent parmi les abonnés. La *Correspondance* fut en quelque sorte le bulletin européen de la philosophie. Raynal, Diderot, Mme d'Épinay, Meister et bien d'autres y contribuèrent. Finalement l'apport personnel de Grimm fut assez mince. L'homme était d'aspect plutôt déplaisant avec ses gros yeux à fleur de tête et son visage plâtré de céruse. Il n'en réussissait pas moins auprès des dames et grâce à elles. Une passion orageuse pour Mlle Fel et un duel pour les beaux yeux de Mme d'Épinay lui valurent une réputation de grand amoureux. Mais c'était un mauvais ami. Lié avec Jean-Jacques Rousseau, il trahit la confiance de ce dernier en lui prenant Mme d'Épinay, sa maîtresse. Les jugements sur l'écrivain sont très partagés. Sainte-Beuve le qualifie de « bon esprit, fin, ferme, non engoué, un excellent critique ». Jean Fabre est très dur : « [...] Cet entrepreneur de critique littéraire, écrit-il, n'eut jamais le respect ni le goût de la littérature, secrètement méprisée et considérée par lui comme un moyen de parvenir. » De fait il avait le culte de la force. Les écrivains ne comptaient pas pour lui, seulement les puissants. « Il n'y a d'autre droit dans le monde, écrivit-il, que le droit de la force [...] et il est le seul légitime. » Il croyait aux dignités et aux honneurs, et on les lui donnait : il fut secrétaire des commandements du duc d'Orléans (1755) puis ministre de la ville de Francfort et enfin en 1769 conseiller à la légation de Saxe-Gotha. Ayant fui la France en 1790, il acheva sa vie en végétant dans de petits emplois diplomatiques.

GRIMOD DE LA REYNIÈRE, Laurent (1734-1793). Il reçoit en 1751 la survivance de la charge de fermier général de son père et succède à ce dernier en 1754. En 1758, il fait une très belle alliance en épousant Suzanne de Jarente, nièce de l'évêque d'Orléans, ministre de la Feuille. La peinture est son plaisir. Non content de posséder dans son hôtel des Champs-Élysées (construit à l'emplacement actuel de l'ambassade des États-Unis) une collection fameuse de soixante-treize toiles, la plupart de maîtres français, il s'essaie lui-même à peindre, et est admis en 1787 à l'Académie royale de peinture. En 1778, il avait renoncé à sa charge de fermier général.

GROSLEY, Pierre Jean (Troyes, 18 novembre 1718 - 4 novembre 1785). Érudit local et littérateur, il est compté ordinairement parmi les illustrations de la philosophie des Lumières. Il avait dans sa jeunesse passé plusieurs années à Paris d'abord comme étudiant en droit, ensuite comme clerc chez un procureur. Il y avait noué des amitiés dans les milieux littéraires. De retour dans sa ville natale, il avait ouvert un cabinet d'avocat. Le barreau l'occupant assez peu, il étudiait l'histoire de sa ville et voyageait volontiers, visitant tour à tour la Suisse, l'Italie et l'Angleterre. Ses travaux d'histoire locale sont nombreux. On retiendra en particulier ses *Mémoires de l'Académie des sciences, inscriptions, belles-lettres, beaux-arts nouvellement établie à Troyes en Champagne*. C'est un recueil d'études sur les sujets les plus étranges. La plus connue de ces dissertations traite *De l'usage de battre sa maîtresse*. La science de l'auteur se rattache à ce que l'on pourrait appeler l'érudition facétieuse. Ses relations de voyage (par exemple *Londres*, 1770) contiennent beaucoup d'observations curieuses. Son meilleur livre, en tout cas le plus agréable à lire, est son autobiographie, intitulée *Vie de Grosley* (1787). L'évocation de ses années de jeunesse est pleine de charme. Il raconte comment il eut « pour instituteur, gouverneur et précepteur » une vieille servante entrée au service de sa trisaïeule à l'âge de quinze ans, et qui « savait par cœur plusieurs morceaux de

Corneille et presque tout de Malherbe ». Le jugement de Sainte-Beuve sur Grosley est sévère. Il lui reproche de trop imiter Bayle et « de s'abandonner à tout propos au sans-gêne de la note, de la digression et de la rhapsodie locale » (cité dans Hoefer, *Nouvelle Biographie générale*, art. « Grosley »). Sa réputation philosophique lui vient de ses relations avec Voltaire, de son antijésuitisme sans nuances et du fait qu'il communiqua à Diderot quelques observations critiques sur des articles déjà publiés de l'*Encyclopédie*. On notera aussi qu'il prit part au concours organisé en 1751 par l'Académie de Dijon, qu'il soutint comme Rousseau la thèse négative et qu'il obtint un accessit.

GUASTALLA (bataille de). La bataille de Guastalla (19 septembre 1734) est une victoire de l'armée franco-sarde, commandée par le maréchal de Coigny, sur l'armée des impériaux. L'attaque impériale débute à 10 heures du matin. L'infanterie française riposte par deux charges successives à la baïonnette. La première échoue ; la seconde réussit. L'intervention massive de la cavalerie achève la défaite des impériaux. Ceux-ci ont perdu 9 000 hommes tués ou blessés, les alliés 6 000. C'est une victoire stérile bien que coûteuse. Les impériaux ne se replieront pas. Au début d'octobre, ayant reçu des renforts, ils reprendront l'offensive.

GUERRE. De 1717 à 1789, la France participe à cinq conflits armés : la guerre d'Espagne (1719-1720), la guerre de Succession de Pologne (1733-1735), celle de Succession d'Autriche (1741-1748), celle de Sept Ans (1756-1763) et celle d'Indépendance américaine (1778-1783). Il faut y ajouter, pour être complet, l'expédition pour la conquête de la Corse en 1768-1769.

Au total le nombre des années de guerre pour la période 1715-1789 s'élève à vingt et un. Vingt et un ans de guerre sur soixante-quatorze, c'est relativement peu par rapport au siècle précédent, où l'on avait compté cinquante-deux années

de guerre sur cent cinq (1610-1715). Le XVIIIe siècle est plutôt pacifique.

Il est même très pacifique, si l'on considère le territoire du royaume de France : les opérations militaires se déroulent presque toujours à l'extérieur des frontières. Les seules incursions ennemies en territoire français sont l'invasion en 1746 par les Austro-Sardes de la Provence et du Dauphiné, et les débarquements anglais sur les côtes de l'Atlantique et de la Manche en 1758 et 1759.

Cependant, si restreinte qu'elle soit, la guerre mobilise un grand nombre d'hommes (deux millions de soldats recrutés de 1715 à 1789) et entraîne de lourdes dépenses. Pour y subvenir, le gouvernement royal est obligé soit de recourir à de nouveaux impôts, tels que le vingtième, soit de multiplier les emprunts. C'est par les finances que la guerre est sensible. Elle atteint les populations indirectement par l'impôt. Elle ruine l'État. La chute de l'Ancien Régime a pour cause immédiate la crise financière, et la crise financière est provoquée par les emprunts contractés pendant la guerre d'Indépendance américaine.

Pour la manière de faire la guerre, elle change beaucoup au cours du siècle. Au début, du fait de la massivité des armées et de leur faible mobilité, les batailles ne pouvaient avoir lieu que par consentement mutuel. Il était rare qu'elles pussent être décisives. En associant la tactique offensive (préconisée par le chevalier de Folard ; *voir* ART MILITAIRE) et un emploi judicieux de l'artillerie, le maréchal de Saxe augmente l'efficacité de la bataille. Mais son innovation la plus intéressante est son application du principe divisionnaire : il crée des détachements permanents appelés divisions, qui sont capables de recevoir le premier choc de l'ennemi et de donner ainsi au reste de l'armée le temps de manœuvrer. En 1759, le maréchal de Broglie reprend l'idée, lui donnant tout son développement. Or le système divisionnaire constitue un grand progrès en ceci qu'il permet à l'armée de progresser rapidement et d'interdire à l'adversaire de se dérober. « L'ère de la bataille par consentement mutuel était terminée. Si l'on songe qu'elle durait depuis la plus haute antiquité, on mesurera le bouleversement que le système divisionnaire apportait à l'art de la guerre» (Yves Gras, «Les guerres limitées du XVIIIe siècle», *Revue historique de l'armée*, 1970, no 1).

Ce qui n'a pas fait de progrès, c'est l'économie des vies humaines. Les batailles de la guerre de Succession de Pologne sont très sanglantes, mais celles des guerres qui suivent le seront tout autant. G. Ferrero a chanté les vertus de la «guerre limitée» en laquelle il voit «une des plus hautes perfections du XVIIIe siècle». Sans doute la guerre fut-elle limitée, mais les batailles ne le furent pas. La plupart furent d'effrayantes tueries. Rappelons qu'à Fontenoy, à Lawfeld et à Raucoux (pour ne citer que ces exemples), des dizaines de milliers d'hommes furent chaque fois tués en moins d'une journée.

GUERRE DES FARINES. *Voir* **FARINES (guerre des).**

GUET. Le mot «guet» signifie «garde». Le nom de guet ou de compagnie du guet est ordinairement donné à une troupe stipendiée, chargée de la police nocturne d'une ville. Cependant, trois villes seulement possèdent une telle police : Paris, Lyon et Orléans. Dans les autres villes, le guet est assuré par les milices bourgeoises.

A Paris, depuis 1736, l'appellation de compagnie du guet recouvre en fait trois corps différents : la compagnie du guet elle-même, la garde de Paris et la garde des ports. La compagnie du guet proprement dite a été établie en 1559, la garde de Paris en novembre 1666 et la garde des ports le 15 septembre 1719. Les trois corps sont à la disposition du lieutenant général de police. La vieille compagnie du guet fait partie du corps de police du Châtelet et est attachée à sa juridiction. Son chef avait porté longtemps le titre de chevalier du guet, mais, si l'on en croit le *Dictionnaire de droit* de Ferrière, il ne le porte plus.

Sous la lieutenance de police de Feydeau de Marville (1740-1747), les effectifs du guet sont les suivants : compagnie du guet : 162 ; garde de Paris : 43 ; garde des ports : 334.

Dans la seconde moitié du siècle, ces différents effectifs augmentent sensiblement. La seule garde de Paris comptait, en 1789, 890 hommes à pied et 132 cavaliers.

GUIBERT, Jacques Antoine Hippolyte, comte de (Montauban, 11 novembre 1743 - Paris, 6 mai 1790). Maréchal de camp, il doit sa renommée à ses ouvrages de théorie militaire. Il avait commencé par la pratique, ayant fait la guerre en Allemagne dès l'âge de quatorze ans, puis la campagne de Corse de 1769 comme adjoint du comte d'Avaux. Son *Essai général de tactique* paraît en 1772. C'est une défense de l'ordre mince (contre Dumesnil, Durand et les partisans de l'ordre profond), mais c'est aussi toute une nouvelle manière de faire la guerre. Guibert préconise en effet l'offensive généralisée, la mobilité accrue, la souplesse plus grande des armées par leur fractionnement en divisions, et surtout l'augmentation de la puissance de feu par l'instruction poussée du tireur. Le succès du livre est énorme. Guibert devient le tacticien à la mode. N'est-il pas l'ami des philosophes et philosophe lui-même ? Julie de Lespinasse, dont il est devenu l'amant en 1772, éprouve pour lui une passion brûlante et malheureuse, car il est volage. Sa philosophie et sa tactique ne sont pas sans rapport. Il voit la guerre comme Turgot voit l'économie, c'est-à-dire comme une mécanique devant tourner à plein régime et efficacement. Les généraux de la Révolution et Napoléon s'inspireront de son *Essai*. Il tentera aussi de briller dans la littérature, mais sans le moindre succès. Son *Connétable de Bourbon*, représenté en 1775, fera un four. Fait rare, ce théoricien a l'occasion d'appliquer ses vues. Le comte de Saint-Germain se l'adjoint en 1775 pour les réformes d'ordre technique. En 1788, il est nommé au Conseil de la guerre. Le *Règlement* de 1788 s'inspira de certaines de ses idées. Curieusement, la Révolution commençante ne voudra pas de lui. Les électeurs du bailliage de Bourges refuseront de l'élire député. A son grand regret, il ne pourra jouer aucun rôle dans ces événements qu'il avait appelés de ses vœux.

GUICHEN, Luc Urbain du Bouëxic, comte de (Fougères, 1712 - Morlaix, 1790). Lieutenant général des armées navales, c'est un marin de longue expérience et de science consommée. Entré dans la marine à dix-huit ans, capitaine de vaisseau en 1755, chef d'escadre en 1775 et enfin lieutenant général en 1779 à soixante-sept ans, il est de tous les officiers généraux celui qui a le plus navigué. Nul ne manœuvre mieux. Lors des exercices organisés par d'Orvilliers, il fait par ses évolutions savantes l'admiration de tous. Ses trois combats de la campagne de 1780 sont une rigoureuse application de la tactique linéaire. Le 16 avril 1780, au large de Fort-Royal, il empêche l'amiral anglais Rodney de rompre sa ligne de bataille. Le 15 mai, il se limite à un court engagement. Le 19, il se détermine à combattre, mais, sa ligne s'étant départie de son ordonnance, il fait le signal de gagner au vent pour se réformer, mettant ainsi fin à l'action. Dans les trois cas, aucun résultat. La belle tactique linéaire si prisée par le grand corps aboutit à éviter la défaite, non à donner la victoire. Les campagnes de 1781 et 1782 ne seront pas plus efficaces. Il faut croire que l'on s'en contentait. En 1784, Louis XVI fait de cet amiral savant mais peu victorieux un chevalier du Saint-Esprit.

GUIMARD, Marie-Madeleine (Paris, 27 décembre 1743 - id., 4 mai 1816). Danseuse, elle était la fille d'un inspecteur des manufactures de Voiron. Elle débuta dans les ballets de la Comédie-Française en 1759 et à l'Opéra en 1762. De petite taille, fort maigre, le visage marqué de petite vérole, elle ne payait pas de mine, mais son jeu de pantomime et la grâce de sa danse fascinaient. Dans *La Chercheuse d'esprit*, ballet de Maximilien Gardel, on la vit rendre les attitudes bêtes de Nicette avec tant de fi-

nesse qu'elle fit de ce spectacle un immense succès. Sa carrière de courtisane ne fut pas moins brillante ; elle eut quantité d'amants illustres, et l'un d'eux, le maréchal de Soubise, fit pour elle des prodigalités. Ce grand seigneur étant capitaine des chasses, elle disposa un moment du pouvoir de distribuer des permissions de chasse à tous ceux qu'elle voulait favoriser. Elle tenait salon dans un magnifique hôtel qu'elle avait fait construire rue de la Chaussée-d'Antin, et que l'on avait nommé « le temple de Terpsichore ». Lorsque, la quarantaine approchant, les amants se firent plus rares, la Guimard fit une fin : elle épousa un riche bourgeois, Jean Étienne Despréaux, et quitta l'Opéra en 1789.

GUINES, Adrien Louis de Bonnières de Souastre, comte, puis duc de (1735-1806). Ambassadeur de France, il entre dans la diplomatie après une courte carrière militaire couronnée en 1762 par le grade de brigadier des armées du roi. Ses liens avec les Choiseul et les Noailles semblent avoir été ses principaux titres à l'exercice de hautes fonctions diplomatiques. Il faut y ajouter ses talents de société. Il chante et joue assez bien de la flûte pour tenir la partie de soliste dans le concerto pour flûte et harpe *KV 299* commandé par lui à Mozart en 1775. L'amitié de Frédéric II, auquel il avait rendu visite en 1766, lui vaut sa désignation en 1768 pour l'ambassade de Berlin. Brève ambassade écourtée par la défaveur : le roi de Prusse ne lui parle plus qu'avec froideur. Rappelé en novembre 1769, il est nommé à Londres en 1770. Il y reste jusqu'en 1776. En 1771 commence l'affaire qui porte son nom. Le 20 avril 1771, il demande au ministre que l'on fasse poursuivre son secrétaire, un certain Tort. Il l'accuse de s'être servi de son nom pour jouer sur les fonds publics et duper des banquiers parisiens. Tort est arrêté, mais d'accusé il se fait dénonciateur. A l'en croire, il n'aurait agi que pour le compte de Guines et sur ses instructions. Désignée par le roi, une commission de conseillers d'État examine le dossier et conclut en faveur de

Guines, mais par sept voix seulement contre six. L'affaire a un retentissement politique. Le duc d'Aiguillon est compromis : il avait essayé d'enfoncer Guines. Marie-Antoinette est compromise également : elle avait voulu protéger l'ambassadeur. Mais s'il subsiste des doutes au sujet de l'honorabilité de Guines, il est clair que le pouvoir royal ne les partage pas. Nous retrouvons le personnage au deuxième bureau de l'assemblée des notables. Le roi le fait lieutenant général, et Ségur le nomme membre du Conseil de la guerre (1787). Enfin, il reçoit en 1788 le gouvernement de l'Artois. Émigré en Angleterre, il rentrera en France dès l'époque du Consulat.

GUYANE. La colonisation de la Guyane a commencé en 1664. L'établissement en 1667 d'une mission jésuite en a favorisé les débuts. Mais au XVIII⁰ siècle la progression est très lente. En 1750, la population non indienne ne dépasse pas 7 000 personnes, dont les 5/7 sont des esclaves noirs. Les Indiens seraient à la même date au nombre de 20 000 environ.

On peut distinguer trois phases dans l'histoire de cette colonie. Pendant la première, de 1716 à 1763, le pays connaît un certain développement, se remettant assez vite de l'épidémie de variole de 1716, qui a tué deux mille personnes. Les jésuites regroupent dix mille Indiens dans des sortes de réductions où ils les catéchisent et les convertissent à l'agriculture. La charge de gouverneur de la Guyane est alors pratiquement héréditaire dans la famille d'Orvilliers.

La deuxième période (1763-1776) est marquée par les deux catastrophes que représentent l'expulsion des jésuites et l'hécatombe de Kourou. L'expulsion des jésuites laisse les Indiens désemparés. «Les Indiens, écrit un colon anonyme, oublièrent en peu de temps les préceptes dont ils avaient été nourris. Abandonnés à eux-mêmes, ils se livrèrent aux plus grands excès. Animés les uns contre les autres, ils cherchèrent à s'entre-détruire» (cité par Paul Jean-Louis et Jean

Hauger, *La Guyane française. Historique*). Selon Moreau de Saint-Méry, la plupart délaissèrent les villages où les jésuites les avaient habitués à vivre et se renfoncèrent à nouveau dans la forêt.

L'hécatombe de Kourou date également de 1763. Choiseul et le chevalier de Turgot (le frère du futur ministre) en sont les principaux responsables. Victimes du mirage guyanais, convaincus de l'efficacité d'une colonisation officielle, ils décident de constituer une zone de peuplement dans le territoire situé entre le Kourou et le Maroni. Des colons sont recrutés dans les provinces de l'Est, en Allemagne et en Suisse. Bruletout de Préfontaine, colon guyanais, auteur d'un livre (qui avait créé l'illusion sur les richesses de la colonie) intitulé *La Maison rustique de Cayenne*, est chargé de préparer les camps d'accueil, l'un à Kourou, l'autre à Sinnamary. Il est vite débordé. En trois mois on lui envoie quinze mille personnes, soit plus du double de la population de la colonie. Beaucoup des nouveaux arrivants étaient déjà dans un état de santé précaire ; le climat fait le reste : huit mille meurent.

Après ces épreuves, la Guyane connaît encore des années difficiles, jusqu'à l'arrivée en 1776, comme intendant-ordonnateur, de Pierre-Victor Malouet, commissaire général de la marine (le futur monarchien de l'Assemblée constituante). Ce nouvel administrateur est bien au fait des questions coloniales pour avoir exercé des responsabilités à Saint-Domingue. Il fait élire une assemblée coloniale, commence des travaux d'embellissement à Cayenne, lance un programme d'assèchement des terres basses, introduit de nouvelles cultures (giroflier), bref ranime la Guyane. L'impulsion est donnée. Dans les années qui suivent l'arrivée de Malouet, on découvre des gisements de différents minerais. Comme l'a écrit un historien guyanais, «les plus grands espoirs s'ouvraient de voir la colonie délivrée de son mauvais destin». Notons cependant que la seule population en augmentation est celle des esclaves noirs (Malouet est un esclavagiste convaincu). En 1789, on ne compte pas plus de 1 320 Européens et de 460 hommes de couleur libres.

GUYENNE. Le gouvernement de Guyenne comprend la plus grande partie de l'ancienne Aquitaine. Deux provinces le constituent, la Guyenne et la Gascogne, chacune de ces deux provinces étant elle-même composée de plusieurs pays : Bordelais, Bazadais, Agenais, Périgord, Quercy et Rouergue composent la Guyenne ; Pays basque, Landes, Chalosse, Condomois, Lomagne, Gascogne toulousaine, Armagnac, Bigorre, Comminges et Couserans composent la Gascogne. L'administration est partagée entre quatre généralités : celle de Bordeaux, celle de Montauban, celle d'Auch et celle de Bayonne-Pau.

Le XVIIIe siècle est pour la Guyenne, surtout à partir de 1750, une période de très grand développement économique. D'abord dans l'agriculture. Le système de métayage, qui s'est généralisé, et qui s'étend maintenant à la plus grande partie de la Gascogne, associe intelligemment les investissements des propriétaires bourgeois et les forces de travail des métayers à mi-fruits en vue d'une agriculture de type intensif et que l'on peut même dire spéculative, où le maïs tient souvent la première place dans les cultures et où l'élevage est subordonné à la production agricole. En Quercy et en Périgord, la petite et la moyenne propriété prédominent, et là ce sont les fruits et la vigne qui constituent les facteurs d'enrichissement. La vigne s'étend parce que les marchands hollandais achètent de plus en plus les vins du haut pays. La Guyenne industrielle n'est pas moins florissante que la Guyenne agricole. Les principaux centres en sont Montauban, avec ses fabriques de drap, et Bordeaux avec ses raffineries, ses distilleries, ses chantiers navals et ses verreries. Mais il faut compter aussi les très nombreuses entreprises de la moyenne Garonne, dans les secteurs du textile, de la corderie et de la toile à voile. L'ensemble du développement économique dépend pour une bonne part de la navigation fluviale. On peut vraiment dire

que, si l'Aquitaine connaît sa plus grande prospérité après 1750, c'est grâce à l'activité de ses fleuves : « devenus voies privilégiées d'échanges », ils « transforment le Sud-Ouest en une vaste manufacture naturelle » (*Histoire de l'Aquitaine*, Privat, p. 312).

La démographie est moins brillante. Une forte mortalité persiste, et l'on voit apparaître ici et là les signes manifestes d'une volonté de limiter les naissances. D'importants mouvements de population contribuent à déséquilibrer les sociétés des différents pays. Nulle part en France l'émigration vers les grandes villes n'est aussi forte. Sur les quelque 60 000 immigrants de Bordeaux entre 1715 et 1789, les 5/6 viennent du bassin aquitain.

La déchristianisation suivant toujours le déracinement, la religion décline à Bordeaux et à Montauban, mais reste forte partout ailleurs. Les nombreuses missions des lazaristes d'Agen, de Montauban et de Buglose, et celles des doctrinaires de Tarbes et de Notre-Dame-de-Tudet en Gascogne réveillent périodiquement la foi des peuples. Les procès-verbaux des visites pastorales donnent une impression de vitalité religieuse. Concluant son travail sur les *Visites pastorales des archevêques de Bordeaux, 1680-1789* (Bordeaux, 1972), B. Peyrous écrivait : « Dans l'ensemble le diocèse donnait l'impression d'un pays chrétien » (p. 194). On pourrait sans doute appliquer cette conclusion à l'ensemble de la province.

GUYTON DE MORVEAU, Louis Bernard (Dijon, 4 janvier 1737 - Paris, 2 janvier 1816). Fils d'un professeur de droit de sa ville natale, il fut successivement avocat général au parlement de Bourgogne, membre de la Législative et de la Convention (où il vota la mort du roi), membre du Conseil des cinq cents et baron d'Empire. Il fit aussi une carrière de savant passionné de chimie, de minéralogie et d'aérostation. Les états de Bourgogne avaient fondé à sa demande en 1774 des cours publics de médecine et de sciences ; il y enseigna lui-même la chimie pratique. On lui doit entre cent publications la partie «Chimie» de l'*Encyclopédie méthodique* et un *Nouveau Moyen de purifier absolument et en peu de temps une masse d'air infectée* (Dijon, 1773).

On peut lire sur lui beaucoup d'éloges. Arthur Young le jugeait «non seulement le premier chimiste de France, mais même l'un des plus grands de l'Europe» (*Voyages en France*). Dans leur *Histoire de Bourgogne*, H. Drouot et J. Calmette le qualifièrent «d'émule de Lavoisier» et voient en lui «l'un des Bourguignons les plus remarquables de tous les temps». Ces dithyrambes ont de quoi surprendre. Certes Guyton de Morveau travailla un temps avec Lavoisier, préparant avec lui *La Nouvelle Nomenclature chimique* (1787), mais ses travaux se situent bien en dessous de ceux du fondateur de la chimie moderne. Il tenta en 1773 une première mesure des affinités chimiques, mais il se trompa dans ses expériences, et ses essais ne mériteraient pas d'être relevés s'ils ne traduisaient une tendance, caractéristique de cette époque, à confondre les phénomènes de la physique macroscopique et ceux de la chimie moléculaire. Il n'était pas non plus un grand penseur. Le mémoire qu'il publia en 1764 en qualité d'avocat général à l'occasion de la suppression des Jésuites, et dans le but de proposer un nouveau système éducatif (*Mémoire sur l'éducation publique, avec le prospectus d'un collège suivant les principes de cet ouvrage*), ne brille ni par l'originalité ni par la vérité. On y trouve les attaques ordinaires et injustifiées contre l'éducation des Jésuites appelés improprement des «cénobites». L'auteur se croit très profond en déplorant le «contraste entre les mœurs des écoles et les mœurs du monde» et en appelant de ses vœux une éducation préparant à la vie.

H

HARCOURT, Anne Pierre, duc d' (1701-1783). Quatrième duc d'Harcourt, il a combattu à Dettingen en qualité de maréchal de camp. Il a fait la campagne de Nice sous les ordres de Belle-Isle, et sauvé les villes du Havre et de Cherbourg assiégées par les Anglais. Lieutenant général depuis 1716 de la province de Normandie, il en est nommé gouverneur en 1764, la même année voyant son élévation à la dignité de maréchal de France. On lui attribue l'invention d'un engin redoutable destiné à brûler à distance les navires. Mais Louis XV lui aurait interdit de donner suite à cette découverte.

HARCOURT, François Henri, duc d' (Paris, 1726 - Staines, Grande-Bretagne, 1802). Cinquième duc d'Harcourt, fils d'Anne Pierre et d'Eulalie de Beaupoil Saint-Aulaire, il a une vie très remplie d'activités diverses. Après une carrière militaire commencée en 1741 comme capitaine de dragons, il est nommé à la mort de son père (1783) gouverneur de Normandie, et chargé de présider les travaux du port de Cherbourg. Lors du voyage de Louis XVI en Normandie, il accueille le souverain, lui présente les chantiers et le reçoit dans son château de Thury-Harcourt le 21 juin 1786. L'atmosphère de bon ton du château séduit Louis XVI. L'année suivante, le duc d'Harcourt est nommé gouverneur du Dauphin. Il prend ses fonctions le 2 mai 1787, jour du passage aux hommes du jeune prince. Après la mort de son élève, il regagne la Normandie puis émigre en Angleterre, où il mourra. Il est l'auteur d'un *Traité de la décoration des jardins*. Cet ouvrage lui avait valu d'être élu à l'Académie française (26 février 1789).

HAÜY, René Just (Saint-Just, en Picardie, 28 février 1743 - Paris, 3 juin 1822). Prêtre, naturaliste, célèbre minéralogiste, il est le frère de Valentin Haüy, le fondateur de l'institution des jeunes aveugles, et le fils d'un pauvre tisserand. Des moines prémontrés, frappés de sa vive intelligence, avaient commencé son instruction. Il vient à Paris, obtient une bourse au collège de Navarre et y achève ses études. Il entre ensuite dans les ordres et est nommé régent de quatrième au collège de Navarre, puis de seconde au collège du cardinal Lemoine. Son ami, le grammairien Lhomond, l'initie à la botanique, et le cours de Daubenton au Jardin du roi — il y entre un jour par hasard — le convertit à la minéralogie. Romé et Carangeot avaient constaté que la forme cristalline était une caractéristique de l'espèce minérale et que les inclinaisons des faces étaient en nombre limité. Haüy part de cette constatation. Il fend divers métaux de dureté moyenne et observe sur leurs faces les mêmes formes rhomboïdales. Son *Essai d'une théorie sur la structure des cristaux appliquée à plusieurs genres de structures cristallisées* (1784) marque une date de l'histoire des sciences. Il y observe que le noyau du spath d'Islande a pour molécules constituantes de petits rhomboïdes. Ensuite, il généralise ses observations et les étend aux autres minéraux, montrant qu'elles contiennent un noyau d'où dérivent toutes les formes de l'espèce. Dans son *Traité de minéralogie* (1794) il procéda à un recension de tous les minéraux connus de son temps. Il avait échappé de peu aux massacres de septembre 1792. Arrêté après le 10 août pour crime de refus de serment, il avait été enfermé avec plusieurs autres prêtres dans le séminaire Saint-Firmin. La plupart de ses compagnons de détention furent massacrés le 2 septembre. Il ne connut pas le même sort, ayant été élargi le 31 août sur l'intervention de Geoffroy Saint-Hilaire. Le gouvernement révolutionnaire utilisera ses compétences pour l'administration des mines, et lui confiera la garde de la collection de minéralogie de l'École des mines. Il avait été élu en 1783 à l'Académie royale des sciences comme adjoint-botaniste.

HAÜY, Valentin (Saint-Just, en Picardie, 13 novembre 1745 - Paris, 18 mars 1822). Frère puîné du savant naturaliste et physicien, il est connu pour s'être dévoué à l'instruction des jeunes aveugles. Il était employé dans les bureaux du ministère des Affaires étrangères, comme traducteur et spécialiste du chiffre, lorsqu'il eut l'occasion d'admirer le talent d'une célèbre pianiste aveugle, Mlle Paradis, venue de Vienne à Paris en 1783. La facilité avec laquelle cette artiste déchiffrait les notes de musique représentées par des épingles distribuées sur des pelotes attira son attention. Il se procura des lettres et des chiffres en relief et les fit apprendre en six mois à un jeune mendiant nommé Lesueur, qui se tenait habituellement à la porte de l'église Saint-Germain-des-Prés. L'expérience fit l'objet d'un mémoire présenté en 1784 à l'Académie des sciences, qui la jugea concluante et alloua les fonds nécessaires et une maison pour une école d'aveugles (18, rue Notre-Dame-des-Victoires). En 1786, le roi se fit présenter Haüy et ses élèves, et prit sous sa protection cette œuvre dont la Convention fera l'Institution nationale des jeunes aveugles. Esprit chimérique, Haüy adhéra à la théophilanthropie et s'attira l'animosité de Napoléon, au point qu'il préféra quitter Paris en 1806 pour aller fonder à Saint-Pétersbourg une autre école pour aveugles. On a de lui un *Essai sur l'éducation des aveugles* (1786).

Les caractères utilisés par Haüy étaient des caractères vulgaires. Ils seront remplacés en 1852 par l'alphabet conventionnel de Braille.

HAVRE (Le). Le Havre est une ville moyenne (18 000 habitants) et un grand port, l'un des quatre grands ports coloniaux français, l'un des quatre grands ports de la traite négrière, le port d'entrepôt de Paris et de Rouen. Pour en améliorer encore la capacité, d'importants travaux sont mis en chantier en 1783. Le pouvoir royal fait montre d'un intérêt tout particulier pour ce port. Louis XV le visite en 1749 et Louis XVI vient en 1786, à l'occasion de la mise en service du bassin d'Ingouville. La ville est aussi une place forte très exposée : pendant la guerre de Sept Ans elle subit quatre attaques des Anglais. Un groupe de cent soixante familles d'armateurs, dont les plus puissantes sont celles des Begouen, des Foache, des Chauvel, des Feray, des Eustache et des Longuemare, domine la société locale.

HAYE (Traité de La). Le traité de La Haye, appelé aussi Triple-Alliance, est signé le 4 janvier 1717. Il ratifie l'alliance défensive conclue entre la France, l'Angleterre et les Provinces-Unies. Il confirme le traité d'Utrecht, mais en accordant à l'Angleterre certaines satisfactions supplémentaires, notamment l'expulsion du prétendant Stuart et l'arrêt des travaux entrepris dans le port de Maryck pour en faire un nouveau Dunkerque. Le traité est évidemment dirigé contre l'Espagne. La France, pour des raisons qui n'apparaissent pas clairement, rompt avec la politique de Louis XIV et se met à la remorque de l'Angleterre. Le négociateur très actif du traité a été, pour la France, l'abbé Dubois.

HELVÉTIUS, Claude Adrien (Paris, janvier 1715 - Versailles, 26 décembre 1771). Fermier général et philosophe, il est issu d'une dynastie de médecins. Son grand-père, un Allemand calviniste du Palatinat, s'était d'abord établi en Hollande, puis était venu à Paris où il avait su persuader le public des vertus de l'ipécacuana. Son père était médecin de la reine Marie Leszczynska. Il fait ses études chez les jésuites au collège Louis-le-Grand, et c'est là qu'il lit pour la première fois l'*Essai sur l'entendement humain* de Locke. On le destine à la finance. Après un bref apprentissage chez un oncle, directeur des fermes à Caen, il obtient à l'âge de vingt-trois ans une place de fermier général. Doté d'une jolie figure (Voltaire l'appelle son « jeune Apollon ») et de revenus imposants, il mène pendant plusieurs années une vie de luxe et de libertinage. En 1751, il se range. Il épouse (juillet 1751) Anne Catherine de Ligneville qui est belle, intelligente et peu amie de la « philosophie ». Presque au même moment, il démissionne — fait sans précédent — de sa place de fermier général et se contente de celle, qu'il vient d'acheter, de maître d'hôtel de la reine. Le ménage vit huit mois de l'année au château de Voré dans le Perche, et les quatre autres mois à Paris, rue Sainte-Anne. Les Helvétius reçoivent beaucoup. On rencontre chez

eux toute la compagnie philosophique. L'ex-fermier général fait bon usage de sa fortune. Il pensionne des écrivains. A Voré, il se montre secourable envers les autres. Il travaille aussi. Sa vocation littéraire lui serait venue à la lecture de l'*Esprit des lois*. En 1758, il publie *De l'esprit*. La hardiesse des thèses du nouveau philosophe suscite l'enthousiasme du public (vingt réimpressions en une seule année), mais déchaîne la tempête. Le livre est supprimé par le Conseil d'État (10 août 1758), condamné par le Parlement (6 février 1759), censuré par la Sorbonne, anathémisé par l'archevêque de Paris et par le pape. L'auteur ne doit son salut qu'aux puissantes protections de la reine et de Choiseul. Il est cependant obligé de se rétracter. Il déclare professer « sincèrement toutes les vérités du christianisme ». En 1764, il fait son tour d'Europe, est reçu par les rois d'Angleterre et de Prusse, et rend visite à Hume. Revenu en France, il ne quittera presque plus Voré. Il meurt subitement le 26 décembre 1771 d'une attaque de goutte. Son livre *De l'homme et de son éducation* paraît l'année suivante. Son œuvre comporte également quatre poèmes philosophiques, dont un sur le bonheur, et deux courts dissertations intitulées *Le Vrai Sens d'un système de la Nature* et *Le Progrès de la Raison*. Sa philosophie est une anthropologie. Il définit l'esprit humain comme la composante de deux facultés, dont l'une est la « sensibilité physique » et l'autre la mémoire qui n'est, selon lui, qu'une « sensation continuée ». Toutes les activités humaines ont pour principe les passions, lesquelles procèdent de la sensibilité physique. « ... C'est toujours, explique-t-il, la douleur et le plaisir physique que nous fuyons ou que nous recherchons » (*De l'esprit*). L'amour et l'amitié viennent de besoins : « Aimer, c'est avoir besoin » (*De l'esprit*). Quant à l'« activité de l'esprit » elle « procède des passions » (*De l'esprit*). L'esprit lui-même est un lieu vide. L'éducation le remplit en utilisant les deux facultés de la sensibilité physique et de la mémoire. Il suffit d'éduquer, car « l'éducation nous fait ce que nous sommes» (*De l'homme*). «Si je démontrais, écrit Helvétius au début de son traité *De l'homme*, que l'homme n'est que le produit de son éducation, j'aurais sans doute révélé une grande vérité aux nations.» L'auteur développe aussi une thèse que les autres philosophes vont rejeter, mais qui connaîtra plus tard une grande fortune, celle de l'égalité des esprits. Il croit qu'une éducation bien comprise pourra rétablir cette égalité. Car, dit-il, «l'inégalité» actuelle «des esprits est l'effet d'une cause connue, et cette cause est la différence de l'éducation» (*De l'homme*). Voltaire, c'est à noter, ressentit avec un grand déplaisir la publication posthume du traité *De l'homme*. A son avis, l'auteur y disait trop crûment ce que les autres philosophes, plus prudents, se contentaient de suggérer. «Cela m'a semblé audacieux, écrivit-il à d'Alembert, curieux en certains endroits, et en général ennuyeux. Voilà peut-être le plus grand coup porté contre la philosophie. Si les gens en place ont le temps et la patience de lire cet ouvrage, ils ne nous pardonneront jamais.» (*Correspondance générale d'Helvétius*, volume III, 1981, lettre 702, p. 439.)

HÉNAULT, Charles Jean François (Paris, 8 février 1685 - *id.*, 24 novembre 1770). Appelé le président Hénault, magistrat et littérateur, il est l'une des figures les plus connues de la société mondaine et littéraire du temps. On peut distinguer trois époques dans sa vie. La première est celle des brillants débuts. Après des études au collège Louis-le-Grand et à celui des Quatre-Nations, et deux années passées dans la congrégation de l'Oratoire, il est reçu en 1706 conseiller au Parlement et en 1716 président de la première Chambre des enquêtes. En 1707, le prix d'éloquence de l'Académie française — le sujet au concours était le suivant : «Qu'il ne peut y avoir de véritable bonheur pour l'homme que dans la pratique des vertus chrétiennes» — et un autre prix décerné par les jeux Floraux lui valent la notoriété littéraire : en 1723 il est élu à l'Académie française. On le

rencontre dans tous les salons. Il a d'abord fréquenté le Temple où il s'est lié avec Chaulieu, Fontenelle et Voltaire. Ensuite on le verra chez la duchesse du Maine à Sceaux et chez Mme de Lambert, où, dira-t-il, «je dogmatisais le matin et je chantais le soir». Sa gentillesse plaît aux femmes. Il trompe la sienne (Marie Lebas de Montargis, épousée en 1714, morte en 1728), notamment avec la maréchale d'Estrées. En 1731, commence la deuxième époque. C'est l'année où il démissionne de sa charge et devient président honoraire. C'est aussi la première année de la longue liaison, de plus de dix ans, avec Mme du Deffand. «Elle était, écrira-t-il, ce [qu'il avait] le plus aimé» («Portrait du président Hénault par Mme du Deffand» dans *Mémoires du président Hénault*, Paris, 1854). En 1744, il publie l'*Abrégé chronologique de l'histoire de France*, livre au succès foudroyant (huit éditions de son vivant). La troisième époque est celle du cercle de la reine, de l'amitié de Mme de Castelmoron («l'objet principal de [sa] vie») et de la conversion. La faveur de Marie Leszczynska — il est nommé surintendant de sa maison — et son retour à la pratique chrétienne sous l'influence de Mme de Castelmoron lui attirent l'animosité de la secte philosophique. «L'esprit faible et le cœur dur», ce sera son oraison funèbre par Voltaire. Il n'est pas un grand écrivain. Ses ouvrages sont pesants. Ses essais dans la tragédie (*François II, Marius à Cirthe*) sont malheureux. Ses *Mémoires*, rédigés dans sa vieillesse, forment le meilleur de son œuvre. Ils sont un témoignage très vivant sur la vie des salons. Plus qu'un écrivain il était un homme de conversation et un mondain au meilleur sens du terme. «Toutes les qualités du président Hénault, écrit Mme du Deffand, et même tous ses défauts, étaient à l'avantage de la société.»

HÉRAULT DE FONTAINE, René (23 avril 1690 - 2 août 1740). Lieutenant général de police de Paris, il est issu d'une famille normande de petite extraction. Son père était receveur général des domaines et des bois de la généralité de Rouen. Reçu avocat du roi au Châtelet à l'âge de vingt et un ans, il fut ensuite procureur général au Grand Conseil (de 1718 à 1722), puis maître des requêtes et intendant de Tours (1722-1725). Sa lieutenance de police (1725-1739), la plus longue après celle de Marc René de Voyer d'Argenson, l'amènent à affronter d'épineux problèmes religieux. C'est lui qui fait fermer le cimetière Saint-Médard et qui doit prendre des mesures de surveillance à l'égard des premières loges maçonniques. Son aversion pour les jansénistes, son amitié pour les jésuites et sa fidélité à Fleury lui valent bien des épigrammes et lui attirent les reproches venimeux des jansénistes. Son honnêteté ne fait pas de doute. Il a eu l'estime de deux très honnêtes hommes, le duc de Luynes et le chancelier d'Aguesseau. Il était modeste et s'effaçait derrière sa fonction. Deux de ses petits enfants feront beaucoup parler d'eux : la duchesse de Polignac, amie de Marie-Antoinette, et Hérault de Séchelles, le conventionnel.

HERBAUT (Georges Louis Phélypeaux d') (château d'Herbaut, dans l'Orléanais, 1729 - Bourges, 29 septembre 1787). Abbé commendataire du Thoronet, il est nommé archevêque de Bourges en 1757 à l'âge de vingt-huit ans et garde jusqu'à sa mort, c'est-à-dire pendant trente ans, le gouvernement de ce grand diocèse. Évêque très résident et pasteur, il attache une importance particulière à la formation et au bon recrutement de son clergé. Il institue des prix pour stimuler les études chez les prêtres, met les curés au concours, fournit de livres les curés les plus méritants, facilite les retraites sacerdotales en constituant un fonds à cette intention, enfin envoie à ses curés, en 1770, l'*Avertissement du clergé de France sur les dangers de l'incrédulité*. Cela ne l'empêche pas d'être un évêque éclairé, administrateur et économiste. On le trouve à la tête des améliorations de l'agriculture. C'est ainsi par exemple qu'il fait construire à Turly des bergeries modèles, pour y loger un troupeau importé du Roussillon en 1785.

HISTOIRE. Le XVIIᵉ siècle avait vu naître et grandir l'érudition historique. Le XVIIIᵉ développe cet acquis. A l'érudition mauriste qui poursuit ses travaux et entreprend notamment deux grandes publications de textes, l'*Histoire littéraire de la France* (commencée en 1733) et le *Recueil des historiens des Gaules et de la France* (1738-1786) s'ajoute maintenant une érudition académique. L'Académie des inscriptions et des belles-lettres entend, au cours du siècle, trois cent dix-sept mémoires sur l'histoire de France. 13 % des communications faites dans les académies de province portent sur des sujets historiques.

De toutes les sciences auxiliaires de l'histoire, l'archéologie, que stimulent les grandes découvertes d'Herculanum et de Pompéi (1710-1713), est celle qui accomplit les plus remarquables progrès. Le *Recueil d'antiquités égyptiennes, étrusques, grecques, romaines et gauloises* (7 vol., 1752-1757) du comte de Caylus fait avancer la connaissance des arts, des techniques, de l'outillage et des monuments anciens. On doit signaler aussi le développement de la géographie historique, spécialité de plusieurs académiciens des Inscriptions, dont Nicolas Fréret.

L'érudition et l'histoire avaient longtemps vécu séparées. Elles commencent à se rapprocher l'une de l'autre. Dans leurs ouvrages historiques, Montesquieu et Voltaire recourent aux sources et donnent leurs références. Voltaire énonce les règles de la cohérence externe des témoignages et du témoin unique dangereux.

La période de la «crise de la conscience européenne» avait été marquée par un certain découragement devant l'entreprise historique. Après 1715, le goût et le zèle se réveillent. Signe des temps, les pédagogues (Rollin par exemple) font à l'histoire une place de plus en plus grande dans les études. Après 1750, l'histoire figure toujours au programme des *Exercices littéraires* des collèges.

Cependant, l'histoire est empêtrée dans une idéologie qui ralentit ses progrès. On veut absolument que l'histoire soit «utile» et qu'elle soit «une école de morale pour tous les hommes » (Rollin). Dans les manuels d'histoire de France, comme par exemple le *Nouvel Abrégé chronologique de l'histoire de France* (1744) du président Hénault, les rois sont classés en deux catégories : les bons, c'est-à-dire les vertueux, et les mauvais, c'est-à-dire les vicieux (vingt-deux sur soixante-sept) coupables principalement d'« excès voluptueux ». On veut aussi à toute force trouver un sens à l'histoire, et comme il n'est plus question de recourir au sens providentiel, on se rabat sur les progrès de l'esprit humain : les Lumières ont succédé aux « temps d'ignorance » ; l'intelligence a triomphé de la « sottise qui régnait dans les temps d'obscurité », tel est le nouveau sens de l'histoire. Cette idée simpliste, ce positivisme avant la lettre desserviront pendant longtemps la science historique.

HOLBACH, Paul Henri Thiry, baron d' (Edesheim, Palatinat, 8 décembre 1723 - Paris, 21 janvier 1789). On ne sait presque rien de ses parents. Originaire du Palatinat, il est élevé presque entièrement par son oncle, François André. Ce dernier a séjourné à Paris sous la Régence et a été anobli. En 1744, le jeune Paul Henri vient faire ses études à Leyde, et, cinq ans plus tard, paraît sur la scène parisienne. Il se marie deux fois (en 1750 et 1756) et épouse ses deux cousines Basile Geneviève d'Aine et sa sœur Charlotte Suzanne. En 1753, son oncle meurt et lui laisse un titre de baron et une fortune considérable. Cette fortune va jouer un rôle important dans l'histoire de la propagation des Lumières. Elle va permettre à son possesseur de financer une entreprise de publication de livres clandestins. Elle lui donne aussi les moyens de recevoir fastueusement et de se faire en quelque sorte le mécène de la philosophie. Dans son hôtel de Paris, il donne à dîner les jeudis et dimanches et reçoit tous les autres jours le cercle intime. Dans sa propriété de Grandval, près de Sucy, il accueille presque en permanence tous les amis philosophes. Dans ses lettres à Sophie Volland, Diderot a conté les journées de Grandval : on travaillait le matin, on se promenait l'après-midi. Chacun était libre. Chacun se sentait chez soi. C'était la philosophie aux champs. D'Holbach s'était lié avec Diderot, Grimm et Rousseau dès son arrivée à Paris. Des goûts musicaux communs les avaient rapprochés. Les premières brochures du baron sont pour défendre (avec ses amis philosophes) la cause de la musique italienne contre la musique française. Il devient dès le premier volume l'un des piliers de l'*Encyclopédie*. Sa contribution y est très abondante : plus de quatre cents articles, dont beaucoup portent sur des questions de géologie et de géographie (par exemple « Fossiles », « Mer », « Montagnes »). En 1760, c'est l'année de la rupture définitive avec Rousseau, et c'est aussi le début de la production de livres clandestins dirigés contre le christianisme. Entre 1760 et 1780, il en fait paraître au moins une quarantaine. Certains de ces ouvrages sont de lui, d'autres de Boulanger, d'autres de déistes anglais, d'autres enfin d'auteurs anciens comme Lucrèce et Sénèque. Parmi ses propres ouvrages, les plus importants sont *Le Christianisme dévoilé* (1761), *Le Système de la Nature* (1770) et l'*Éthocratie* (1776). D'Holbach ne signe jamais ses livres qui paraissent sans nom d'auteur ou bien sous le nom d'un auteur défunt (c'est le cas du *Christianisme dévoilé*, parus sous le nom de Boulanger, mort deux ans auparavant). D'après l'abbé Morellet, une dizaine de personnes seulement savaient que d'Holbach était l'auteur de ces ouvrages. Le secret était bien gardé. Les manuscrits étaient préparés par Naigeon, le collaborateur du baron. Le frère cadet de ce dernier, contrôleur des vivres à Sedan, venait tous les six mois à Paris, copiait les manuscrits, les emportait ensuite à Sedan et les faisait passer à Liège chez un correspondant de Marc Michel Rey, l'imprimeur d'Amsterdam.

D'Holbach est un matérialiste. Pour lui tout est matière, y compris ce qu'on appelle l'âme. La matière est mouvement, le monde est éternel et Dieu n'existe pas. L'homme est matière. Sa pensée est fabriquée par son cerveau. Il n'est pas substantiellement différent des animaux. Il se peut d'ailleurs que des animaux convenablement dressés puissent parvenir à l'élocution humaine. Cet homme matière est soumis à la nécessité universelle. «Dans l'homme, écrit d'Holbach, la liberté n'est que la nécessité renfermée au-dedans de lui-même» (*Système de la nature*, chap. XI). La religion est donc pure illusion. Si cette illusion persiste, c'est parce que «le vulgaire occupé des travaux nécessaires à sa subsistance [...] se repose [sur ses guides] du soin de penser pour lui». Une morale est nécessaire. Il semble — mais ce n'est pas très clair — que le premier devoir de cette morale holbachienne soit de travailler dur pour l'utilité publique. La partie la plus originale de la pensée du baron — encore qu'il y ait de fortes ressemblances avec Diderot — est celle qui concerne le rôle moralisateur du souverain. «C'est à lui [le Souverain] qu'il appartient de réformer les mœurs» (*Le Christianisme dévoilé*). «C'est le Souverain qui doit être le Souverain Pontife de son peuple» (*ibid.*). Il ramènera les peuples «à la raison» et rappellera aux citoyens «qu'ils doivent rendre compte à l'État de leur temps» (*Éthocratie*). On admirera la logique de ce système holbachien, qui conduit de la matérialisation de l'âme à l'asservissement du citoyen.

HOMME. La pensée des Lumières est fondée sur une certaine conception de l'homme. Cette anthropologie pourrait être résumée de la manière suivante: l'homme est «l'ouvrage de la nature», mais il en est aussi partie intégrante et les lois du cosmos déterminent non seulement son tempérament, mais encore toutes ses actions: «...Tous ses mouvements, écrit d'Holbach, ne sont rien moins que spontanés [...] depuis le moment où il naît jusqu'au moment où il meurt, il est continuellement modifié par des causes qui, malgré lui, influent sur sa machine [...] et disposent de sa conduite» (*Système de la nature*, 1781, p. 106). «L'homme, écrit La Mettrie, est une machine, et [...] il n'y a dans tout l'Univers qu'une seule substance diver-

sement modifiée» (*L'Homme-Machine*, 1746, p. 91). L'homme n'a donc pas de raison d'être qui lui soit propre. Il sait seulement «qu'il doit vivre et mourir, pareil à ces champignons qui paraissent d'un jour à l'autre» (*ibid.*, p. 111). Il n'a pas en lui de substance spirituelle. Ce qu'on appelle «esprit» n'est que sa connaissance de ses propres rapports avec la nature: «Considérons la Nature, écrit Helvétius, elle nous présente des objets; ces objets ont des rapports avec nous et des rapports entre eux; la connaissance de ces rapports forme ce qu'on appelle l'esprit» (*De l'esprit*, 1758, p. 24). Non seulement l'esprit de l'homme, mais encore toute son existence sont contenus dans ce rapport avec la nature. Rapport qui est d'ailleurs d'utilité beaucoup plus que de connaissance véritable. Car il est fondé sur la nécessité de satisfaire des besoins. C'est en les satisfaisant que l'homme existe, et il n'existe pas autrement: «... Ses besoins l'éveillant par degrés, le rendent attentif à sa conservation et c'est des premiers objets de cette attention qu'il tire ses premières idées» (Morelly, *Code de la nature*, p. 12). Le rôle de l'éducation sera de faire prendre conscience à l'enfant de ses besoins et de sa relation avec la nature. En cela, elle sera créatrice. Helvétius dit que l'homme est «le produit de son éducation». Phlipon de la Madeleine renchérit: «C'est l'éducation seule qui fait l'homme; il n'est jamais que ce qu'elle veut qu'il soit» (*Vues patriotiques sur l'éducation du peuple, tant des villes que de la campagne*, Paris, 1783, p. 69). C'est aussi l'éducation qui fait la différence avec les animaux et la supériorité de l'homme sur ces derniers: «La Nature, écrit La Mettrie, nous avait faits pour être au-dessous des animaux, ou du moins pour faire par là mieux éclater les prodiges de l'Éducation qui seule nous tire du niveau et nous élève au-dessus d'eux» (*L'Homme-Machine*, p. 91). Enfin les hommes sont égaux par nature et bons dans l'état de nature. Selon l'opinion de Morelly, de Rousseau et de quelques autres, les sauvages que la civilisation n'a pas encore dégradés sont bons ; on trouve parmi eux « des hommes fort laborieux, capables des plus rudes fatigues, chez lesquels la paresse est une infamie ; des hommes qui vivent entre eux avec une espèce de charité » (Morelly, *Code de la nature*, p. 23).

HÔPITAL. « Hôpital » est un terme générique désignant des établissements de caractères très variés, mais qui ont tous en commun la fonction de secourir gratuitement. La charité et la gratuité sont les deux principes de l'hôpital.

Les principales sortes d'hôpitaux sont les hôtels-Dieu destinés à soigner les malades, les hôpitaux spécialisés pour les aveugles, les orphelins et les enfants trouvés, et les hôpitaux généraux pour l'enfermement des pauvres valides (*voir* HÔPITAL GÉNÉRAL). L'équipement hospitalier de la ville de Paris est la meilleure illustration de cette diversité des hôpitaux. On compte dans la capitale, à la fin de l'Ancien Régime, 49 hôpitaux, dont 22 de malades (dont 6 d'hommes, 4 de femmes, 6 mixtes, 6 pour infirmités ou maladies spéciales comme les Quinze-Vingts pour les aveugles), 6 qui accueillent à la fois les malades et les valides, et 21 hospices pour les pauvres valides, dont l'hôpital général de Paris.

Fondations privées et libéralités princières sont à l'origine de la plupart des hôpitaux et de leurs patrimoines. Les dons et les quêtes permettent de compléter les revenus. Car les personnes privées continuent à fonder des lits et à faire des dons en argent et en nature (quoique moins souvent qu'au siècle précédent : l'hôtel-Dieu de Provins, par exemple, reçoit 23 donations au XVIII⁰ siècle contre 38 au XVIIᵉ siècle).

Le réseau hospitalier est très dense, presque autant que de nos jours. On compte, vers 1760, 13 hôpitaux dans la généralité d'Amiens, 21 dans celle de Châlons, 23 dans la province d'Anjou. Mais il faut regarder aussi la capacité d'accueil. Or cette capacité est faible ; les 23 hôpitaux de l'Anjou n'offrent que 717 lits ; l'hôtel-Dieu de Paris n'en a que

1 877. On est souvent obligé de mettre plusieurs malades dans le même lit.

Ainsi que l'a ordonné la déclaration royale du 12 décembre 1698, chaque hôpital est administré par un bureau ordinaire de direction, composé du premier officier de la justice du lieu, du maire, de l'un des échevins et d'un curé de paroisse. A ces « directeurs-nés » s'adjoignent des administrateurs élus tous les ans par les habitants de la ville. Notons la faible représentation du clergé autrefois prépondérant.

Le personnel de l'hôpital comprend d'abord un médecin ordinaire, des chirurgiens et des apothicaires. Dans la plupart des hôpitaux, le médecin-chef et le chirurgien-chef sont recrutés par concours. Des sœurs appartenant à des congrégations religieuses hospitalières assurent le fonctionnement quotidien de l'établissement. Elles sont à la fois infirmières, aides-soignantes, agents hospitaliers et préparatrices de remèdes et de potions. Les Filles de la Charité sont les plus nombreuses de ces sœurs hospitalières ; elles ont en charge la plupart des hôpitaux du royaume.

La philosophie des Lumières n'aime pas l'institution et la remet en cause. Au moins voudrait-elle une nationalisation. Reprenant les idées exprimées par Piarron de Chamousset dans ses *Vues d'un citoyen*, Diderot propose la création d'une « Caisse générale » des hôpitaux, gérée par l'État : « Le souverain est le père de tous ses sujets ; pourquoi ne serait-il pas le caissier général de ses pauvres sujets ? [...] C'est à lui à ramener à l'utilité générale les vues étroites des fondateurs particuliers » (*Encyclopédie*, art. « Hôpital »). Le principal reproche fait aux hôpitaux par les esprits éclairés, c'est de devoir leur existence à la charité privée. Après 1770 les projets de réforme hospitalière se multiplient. D'après ces mémoires, les deux plus graves défauts du système seraient le déficit et l'insalubrité des locaux. Selon les réformateurs, l'endettement hospitalier serait énorme. En fait, si l'on regarde bien, on voit qu'il n'en est rien : le déficit est généralement faible, de plus, il est toujours aisément comblé. Sur les condition d'hygiène et de propreté, Necker ordonne une enquête en 1781 et nomme pour la faire le docteur Jean Colombier en lui donnant le titre d'«inspecteur des hôpitaux». Ce dernier va conduire son étude avec tout le scrupule et toute la conscience voulus. A Amiens, par exemple, il constate cinq faits regrettables : le manque d'air, la malpropreté des lits, les émanations de la salle des morts (placée au milieu de la salle des femmes), la «proximité des latrines» et «l'établissement d'un lavoir au milieu de la salle des femmes, qui répand l'eau sous les lits voisins».

HÔPITAL GÉNÉRAL. L'hôpital général est un nouveau modèle d'hôpital créé sous le règne de Louis XIV dans le but de renfermer les mendiants et les vagabonds et de les rééduquer par la religion et par le travail.

Un édit de 1676 avait ordonné d'établir ces sortes d'hôpitaux dans toutes les villes du royaume. Cet édit ne fut pas vraiment appliqué. En 1789, on ne trouve des hôpitaux généraux que dans trente-trois villes. Le dernier créé a été celui de Lille en 1730.

Il est vrai que beaucoup d'autres hôpitaux remplissent les mêmes fonctions que celle des hôpitaux généraux et dans le même esprit. Ce sont d'abord les quelque cent vingt hôpitaux désignés par l'administration royale en exécution de la déclaration de 1724, pour accueillir les mendiants et vagabonds arrêtés par la maréchaussée. Ce sont aussi les trente et un hôpitaux, appelés «charités», des frères de Saint-Jean de Dieu, dits Frères de la Charité. Tous ces hôpitaux sont d'une certaine manière des hôpitaux généraux sans en avoir le titre.

Les hôpitaux généraux proprement dits tirent leurs ressources de la charité des particuliers (quêtes, troncs, dons et legs) d'une part, et des recettes royales d'autre part. Ces recettes sont le plus souvent des droits d'octroi sur l'entrée des vins et des bières.

En principe — ceci fait partie de la rééducation — les enfermés doivent être employés à un travail productif. Les intendants les plus zélés y veillent. Par exemple Trudaine, intendant d'Auvergne, fonde des manufactures dans les trois hôpitaux généraux de Clermont, Saint-Flour et Riom.

Toutefois, c'est aux exercices religieux que les règlements font la place la plus importante. A la Salpêtrière, en 1790, on dit «la prière en commun dans les dortoirs matin et soir ; et à différentes heures de la journée il se fait des exercices de piété et des lectures spirituelles» (cité par M. Foucault, *Histoire de la folie à l'âge classique*, Paris, Gallimard, 1972, p. 63).

Michel Foucault pense qu'au XVIIIe siècle on a «voulu donner un sens plus religieux à l'enfermement». Il cite entre autres textes le nouveau règlement de 1765 pour la charité de Château-Thierry, règlement où il est dit que «le Prieur fera la visite au moins une fois par semaine de tous les prisonniers, l'un après l'autre et séparément, pour les consoler, les appeler à une meilleure conduite...» (M. Foucault, *op. cit.*).

Ce qu'on appelle l'affaire de l'hôpital général de Paris (1749-1751) semble confirmer l'hypothèse de Michel Foucault. Il s'agit d'un conflit opposant l'archevêque de Paris au bureau de l'hôpital, soutenu par le Parlement et par les polémistes jansénistes, au sujet de la nomination des directeurs spirituels et des prêtres desservant de l'établissement. La violence de la bataille — qui se termine par la victoire de l'archevêque soutenu par le roi — prouve bien l'importance de l'enjeu. En se siècle missionnaire et d'expansion de la dévotion populaire, les hôpitaux généraux avec leur nombreuse population de malheureux et de désemparés constituent un terrain de choix pour l'apostolat, et l'on comprend que les deux partis, le dévot et le janséniste, s'en disputent la possession.

HORLOGERIE. Ce sont les Anglais et les Suisses qui font faire à l'horlogerie ses plus grands progrès. Toutefois, le perfectionnement du chronomètre de marine est dû à l'horloger français Pierre Le Roy (1717-1785), inventeur d'un échappement permettant de dissocier comme requis les roues et le balancier.

Dans la fabrication des montres, il faut signaler deux innovations dues à des horlogers étrangers installés en France : l'Anglais Henry Sully a l'idée de pratiquer de petits creux ou huiliers dans les coussinets, pour éviter que l'huile ne soit éjectée ; l'horloger d'origine suisse, établi à Paris, Abraham Louis Bréguet (1747-1823) invente la « montre perpétuelle » ou montre automatique dotée d'une masse qui, en rebondissant, assure le remontage.

Les horloges domestiques sont dites de console ou de parquet. L'horlogerie décorative atteint son plus haut degré de raffinement sous le règne de Louis XVI : les horloges sont en bronze ou en bronze et en marbre ; elles sont ornées de figurines, de feuillage et parfois de panneaux émaillés. Les figurines représentent des personnages légendaires ou de la mythologie grecque. On trouve aussi des colonnes et des harpes classiques. Mais si l'on en croit Eric Bruton, auteur de l'ouvrage *Horloges, montres et pendules* (Paris, 1983), les horloges authentiques de cette époque seraient introuvables, et celles que proposent les antiquaires ne seraient que des copies fabriquées sous le Second Empire.

HOUBIGANT, Charles François (Paris, 1686 - *id.*, 1783). Oratorien, il est l'un des grands hébraïsants français. Entré en 1704 dans la congrégation de l'Oratoire, l'étendue de sa science le fait désigner en 1722 par ses supérieurs pour donner des conférences publiques au séminaire Saint-Magloire sur la discipline ecclésiastique. L'effort qu'il fournit pour la préparation de ses leçons épuise sa santé. Atteint de surdité, condamné à une vie retirée, il se consacre à l'étude des langues orientales et en particulier à celle de l'hébreu, dans la tradition des grands oratoriens hébraïsants du siècle précédent, Lamy et Morin. Sa *Biblia hebraïca* publiée en 1753-1754 (54 vol. in-folio) est le résultat d'un travail de vingt ans. Il

est également l'auteur d'un traité des études demeuré inédit, intitulé *De la manière d'étudier et d'enseigner les humanités*. Cet ouvrage ne retient aucune des innovations révolutionnaires préconisées par le P. Bernard Lamy (autre oratorien) dans son traité des études de 1683. Le trait le plus original de la pédagogie du P. Houbigant est l'importance qu'il attache à l'enseignement de la langue française. « Je compte le français, écrit-il, parmi les langues qu'il faut apprendre. »

HOUDON, Jean Antoine (Versailles, 1740 - Paris, 16 juillet 1828). Sculpteur, il était le fils du concierge de l'École des élèves protégés. Formé dans l'atelier de Michel Ange Slodtz, il obtint à dix-neuf ans le grand prix de sculpture et fut ensuite pensionnaire du roi, d'abord à l'École des élèves protégés, ensuite à l'Académie de France à Rome. L'une de ses premières grandes œuvres est romaine ; c'est une statue monumentale de saint Bruno pour l'église Saint-Pierre de Rome ; il y révèle le réalisme de sa manière. En voyant cette statue, le pape Clément XIV aurait dit : « Si la règle de son ordre ne lui prescrivait pas le silence, elle parlerait » (cité dans Hoefer, *Nouvelle Biographie générale*, art. « Houdon »). Rentré en France et reçu en 1774 à l'Académie de peinture et de sculpture, le jeune artiste donne pour morceau de réception une statue en marbre dénommée *Morphée*. Toutefois, sa spécialité va être le portrait et de préférence le portrait de littérateur. Son œuvre compose une véritable galerie des Lumières ; il fait les bustes de Diderot, de Turgot, de d'Alembert, de Buffon et de Franklin. Il fait aussi un Voltaire assis, drapé dans une espèce de toge. Enfin, il sculpte les princes et les héros éclairés : Catherine II, Galitzine, Louis XVI, le comte de Provence, Washington et La Fayette. Chez lui, le don d'observation est servi par une connaissance remarquable de l'anatomie : son *Écorché* servira longtemps de modèle dans les écoles de dessin. Son goût n'est pas celui de la réaction antiquisante dont il est pourtant le contemporain. Par exemple sa *Diane* *chasseresse* (refusée pour nudité au Salon de 1781) est d'une « élégance épurée, mais ses formes fines et élancées ne sont guère antiques » (*Histoire de l'art*, sous la direction d'Albert Châtelet et de Bernard-Philippe Groslier, t. II). Cet artiste si célèbre, si recherché, vivra très longtemps et connaîtra la dure épreuve qui consiste à se survivre à soi-même. Il aura encore des commandes (sous la Révolution Mirabeau, Barnave et Dumouriez, sous l'Empire Napoléon, Marie-Louise et plusieurs maréchaux) mais la faveur du public, se détournant de lui, se portera vers la nouvelle génération. Il mourra presque oublié, mais membre de l'Institut et chevalier de la Légion d'honneur : il ne lui aura manqué aucune de ces distinctions auxquelles l'opinion des hommes attache du prix.

HUE DE MIROMESNIL, Armand Thomas. *Voir* **MIROMESNIL, Armand Thomas Hue de.**

HUISSIERS. Les huissiers sont des officiers subalternes chargés d'exécuter les ordres et décisions de justice. On les associe souvent aux sergents qui ont des fonctions presque semblables.

Huissiers et sergents font les exploits d'ajournement, les assignations, les significations et les sommations. On distingue les huissiers des bailliages, sénéchaussées et prévôtés, et ceux des justices extraordinaires, comme les Bureaux des finances ou la connétablie.

Les huissiers-audienciers forment une catégorie particulière. Leur fonction est de se trouver aux audiences pour y faire observer le silence et s'y tenir aux ordres des juges.

I

ÎLE BOURBON. *Voir* **BOURBON (île).**

ÎLE DE FRANCE. *Voir* **FRANCE (île de).**

ÎLE-DE-FRANCE. Le gouvernement de l'Île-de-France (dont le siège est à Soissons, Paris ayant un gouverneur particulier) peut être divisé en deux grandes parties, l'Île-de-France septentrionale comprenant l'Île-de-France propre, le Vexin français, le Beauvaisis, le Laonnais, le Soissonnais et le Valois, et l'Île-de-France méridionale, incluant la Brie française, le Gâtinais français, le Hurepoix et le Mantois. Trois généralités (Paris, Soissons et Orléans) se partagent le territoire de la province.

L'Île-de-France est le pays de la capitale du royaume, le pays des châteaux — Piganiol de la Force n'en dénombre pas moins de vingt-six dans les seuls environs de Paris (*Description... des environs de Paris*, 1765) —, le pays des grandes forêts ; celles de Compiègne et de Fontainebleau réunies représentent 51 000 arpents. Les terres appartiennent en grande partie à la bourgeoisie parisienne (70 % dans la vallée de la Seine). Si on excepte Paris, Beauvais, avec ses manufactures de serge, de drap et surtout de tapisseries, est le seul centre industriel important.

INDE. Les établissements français de l'Inde sont répartis sur trois régions : la côte de Coromandel autour de Pondichéry, celle de Bengale avec Chandernagor, et la côte malabare où le principal comptoir est Mahé. Pondichéry, siège du gouverneur général, est la capitale de l'Inde française. La ville est dotée de vastes et imposants monuments (hôpital, hôtel des monnaies). De chacun des comptoirs principaux dépendent des petits comptoirs, comme par exemple Karikal près de Pondichéry, et de simples postes appelés « loges ».

La Compagnie française des Indes a le monopole du commerce de ces territoires et le droit de les administrer en qualité de seigneur éminent. Toutefois, l'autonomie dont elle jouit est beaucoup plus limitée que celle de sa concurrente, l'East India Company. Pour toutes les décisions importantes, elle consulte le gouvernement royal. Elle nomme le gouverneur des ville et fort de Pondichéry, commandant général des établissements français dans l'Inde. Celui-ci est assisté d'un Conseil supérieur et de conseils provinciaux.

Actif et fructueux, le commerce de l'Inde consiste en envois d'or et d'argent, de métaux et d'étoffes, et en cargaisons de retour vers la France de thé, de poivre, de fils de coton, de salpêtre et de porcelaines chinoises, dites « Compagnie des Indes ».

La grande période d'expansion de l'Inde française commence vers 1740 et dure jusqu'au départ du gouverneur Dupleix en 1754. La présence française s'étend par le moyen d'interventions militaires dans les affaires indiennes. Car l'autorité du Grand Moghol s'est affaiblie et les princes hindous cherchent à en tirer profit. Certains, pour venir à bout de leurs rivaux, sollicitent l'aide armée des Français, et, en échange, leur accordent des concessions de territoires et de monopoles commerciaux. Inaugurée en 1740 par le gouverneur Benoist-Dumas, cette politique d'intervention est développée systématiquement par son successeur, Dupleix, avec le concours d'excellents collaborateurs, tels que Charles de Bussy. En trois années, de 1750 à 1753, Dupleix parvient à contrôler un territoire presque aussi grand que la France, comprenant la majeure partie du Carnatic ainsi que la province du Mazulipatam. Est-ce une politique coloniale ? Oui, puisque les Français mettent en place une administration protectrice des populations et commencent à percevoir des impôts et à affermer les terres domaniales. Toutefois, les visées de Dupleix sont surtout économiques. Il cherche moins à coloniser qu'à ouvrir de nouveaux marchés par l'application de postes militaires, ayant formé pour cela une troupe de huit mille cipayes. Il pratique l'occupation. En 1746, il s'était opposé à Mahé de La Bourdonnais, qui, ayant pris Madras aux Anglais, le leur avait rendu contre rançon. Mais la politique de Dupleix est jugée trop coûteuse par les actionnaires de la Compagnie. Ceux-ci font pression sur le gouvernement. Dupleix est rappelé. Il quitte l'Inde en octobre 1754.

Lors de la guerre de Sept Ans, la Compagnie nomme gouverneur général un militaire, Lally-Tollendal, et lui donne mission de défendre les comptoirs contre les Anglais. C'est un désastre. Le nouveau gouverneur échoue devant Madras. Ensuite, assiégé dans Pondichéry, il doit capituler après un siège de cinq mois (16 janvier 1761). Endommagée par un ouragan, l'escadre de l'amiral d'Aché n'a pu se porter à son secours. Tous les établissements tombent entre les mains des Anglais. Au traité de Paris du 10 février 1763, la France récupère tous les territoires en sa possession en 1749 mais renonce à toutes ses conquêtes postérieures.

INDES (Compagnie française des). Notre connaissance de la Compagnie des Indes a été entièrement renouvelée par la thèse récente de M. Philippe Haudrère (1989). La présente notice est rédigée à partir de cet ouvrage.

Née en 1719, la Compagnie a des premières années difficiles. Issue de la fusion, le 23 mai 1719, de la Compagnie d'Occident et de la Compagnie des Indes orientales, elle survit à sa liquidation, mais éprouve de grandes difficultés, faute de capitaux suffisants pour se développer. Il faut l'intervention du contrôleur général Orry et l'application de son plan de réforme (réduction du nombre des actionnaires et rétrocession de la Louisiane au roi) pour que la Compagnie arrive enfin à trouver son équilibre et un rythme normal de croissance.

La majorité des actions appartient, jusque vers 1750, aux grands seigneurs et aux princes du sang, et ensuite aux banquiers. Il y a un nombre relativement important d'actionnaires étrangers, surtout anglais, ce qui n'est pas sans étonner quand on sait l'âpreté de la concurrence entre la Compagnie et sa rivale anglaise, l'East India Company. Les actionnaires exercent une influence réelle sur la politique de la Compagnie. Ainsi, ils obtiennent en 1753 le rappel de Dupleix, dont les expéditions coûteuses diminuent leurs profits.

Paris et Lorient sont en France les deux pôles de l'administration. A l'hôtel de la Compagnie, rue Vivienne à Paris, siègent les directeurs (dont le nombre a varié de six à douze). Lorient est le port et le siège des ventes.

Au temps de sa plus grande extension le domaine colonial de la Compagnie des Indes comprend la Louisiane, le Sénégal, les Mascareignes, l'Inde et le comptoir de Canton en Chine. Il s'y ajoute le monopole de la vente du castor au Canada, deux habitations à Saint-Domingue et le comptoir de Juda sur la côte de Guinée.

Pour remplir sa double mission de compagnie à monopole et d'administration des territoires qui lui sont confiés, la Compagnie dispose d'une flotte (45 unités dans la période 1729-1741, 25 après la guerre de Sept Ans), d'un personnel d'environ 5 000 matelots et officiers mariniers, de 44 ingénieurs, de commis et d'ouvriers. Elle a aussi sa propre force armée (24 882 soldats recrutés de 1722 à 1769).

La Compagnie a toujours rempli son rôle de fournisseur de la métropole en produits exotiques. Mais elle devait aussi mettre en valeur la Louisiane, le Sénégal et les Mascareignes. Or, on peut dire que, dans cette mission, elle a en grande partie échoué. Les seuls territoires véritablement développés ont été l'île Bourbon et l'île de France. En Inde, la Compagnie s'est opposée à toute expansion de caractère colonial. Finalement, elle n'a toujours cherché que le profit immédiat. Mais pouvait-elle faire autrement avec des directeurs et des actionnaires qui n'étaient que des hommes d'argent et de profit, et avec un personnel dépourvu, sauf exception, de toute vocation coloniale, et que Mahé de La Bourdonnais décrivait bien, quand il écrivait au Contrôle général : « On ne vient aux Indes que pour faire des affaires » ? Le privilège de la Compagnie fut supprimé en 1769, mais une Nouvelle Compagnie des Indes fut créée en 1785.

INDULGENCES. Les indulgences sont une remise de la peine temporelle due aux péchés déjà pardonnés. Elles n'effacent pas le péché, mais la peine.

La remise de peine est soit plénière, soit pour un temps donné (dix ans, vingt ans, par exemple). Elle porte sur les peines canoniques prévues par les anciens canons. Mais ces canons n'étant plus en usage depuis fort longtemps, ces précisions de temps n'ont plus aucun sens. On les emploie pour signifier la plus ou moins grande importance de la remise. Il n'en demeure pas moins que l'indulgence est une remise totale ou partielle de la satisfaction ou pénitence due pour les péchés commis et pardonnés.

Les indulgences sont octroyées par le pape, par la Congrégation romaine des indulgences, et par les évêques. Elles sont liées aux œuvres et aux dévotions. Elles sont accordées à ceux qui visitent certaines églises, adhèrent à des confréries, célèbrent des jubilés, font certains pèlerinages, prient devant des autels privilégiés, récitent certaines prières dites « indulgenciées », accomplissent certaines pratiques de dévotion. Les papes les utilisent afin de développer les dévotions qui leur tiennent à cœur. Par exemple, Benoît XIII et Benoît XIV confèrent l'indulgence plénière à ceux qui récitent l'Angelus. Mais on peut dire qu'à la fin du XVIIIe siècle, toutes les dévotions reconnues étaient munies d'indulgences.

La superstition peut toujours se mêler à la religion. Mais les papes et les évêques font tous leurs efforts pour prévenir ou combattre toute croyance dans ce domaine qui pourrait être superstitieuse. Les fidèles s'entendent maintes fois répéter que l'indulgence n'est pas la panacée universelle, qu'elle ne remet ni la faute, ni la peine éternelle du péché. Les fausses indulgences sont dénoncées par la Congrégation des indulgences. Enfin, il est constamment rappelé que nul ne peut gagner la moindre indulgence s'il ne s'est « confessé, contrit et communié ».

INDULT. On appelle « indult » le droit accordé par le pape de nommer ou de présenter à des bénéfices, ou de les conférer.

Le roi, en vertu du Concordat, nomme à tous les bénéfices consistoriaux. Il est le premier indultaire du royaume.

Tous les cardinaux sont indultaires. Ils

peuvent tenir des bénéfices réguliers. Ils peuvent les conférer en commende. Ils ne peuvent pas être prévenus dans les six mois[1] pour la collation des bénéfices qui dépendent d'eux.

Le parlement de Paris bénéficie d'un indult à lui concédé par le pape Eugène IV, le 24 avril 1431. Dans son *Traité de l'indult du parlement de Paris* (1747, t. I, p. 68), Cochet donne de ce privilège la définition suivante : « Au chancelier de France, aux présidents, conseillers et autres officiers du corps et au sein du parlement de France et à leurs successeurs » appartient « le droit de pouvoir, une fois dans leur vie, se présenter ou nommer au roi, s'ils étaient clercs, ou bien substituer des clercs en leur place, s'ils étaient laïcs, pour obtenir des lettres patentes [...] et, en conséquence, être pourvus par les évêques, abbés, chapitres ou autres collateurs du royaume, auxquels la nomination du roi serait adressée, d'un bénéfice séculier ou régulier à leur collation. » Au début du siècle, trois cent cinquante-deux personnes jouissaient de ce privilège. Il est à noter que l'indult du parlement de Paris n'est pas appliqué en Bretagne.

INFANTERIE. L'infanterie est l'ensemble des troupes à pied, sauf les gardes françaises qui font partie de la maison du roi, et les gardes suisses. Les troupes des colonies et de la marine n'appartiennent pas non plus à l'infanterie, bien que combattant à pied.

La compagnie, le bataillon et le régiment sont les unités constitutives de l'infanterie. Le nombre des compagnies par bataillon varie de dix à quinze, celui des bataillons par régiment de deux à quatre.

Le nombre et la composition des régiments ont été longtemps variables. A la fin des guerres, plusieurs régiments étaient licenciés ou réformés. Par exemple, dix régiments furent réformés le 25 décembre 1762. Cependant, on retrouve toujours à peu près le même nombre de ré-giments, à quelques unités de différence près : cent dix-sept en 1715, cent onze en 1749, quatre-vingt-dix en 1762, cent un en 1776. Rares sont les régiments qui disparaissent complètement. Tous ont une longue histoire ; on les classe par ordre d'ancienneté, les « vieilles troupes » étant les régiments levés avant la paix des Pyrénées (1659). En 1776, les régiments sont numérotés de un à cent un dans l'ordre d'ancienneté. Les quatre premiers numéros sont attribués aux régiments de Picardie, Piémont, Provence et Navarre.

Il faut distinguer entre les régiments français et les régiments étrangers. Ces derniers, dont l'effectif a varié de quatorze à dix-neuf au cours du siècle, sont suisses, allemands, irlandais, italiens, wallons, catalans et piémontais. Ils sont étrangers par leurs noms (par exemple Royal Irish ou Royal Bavière), par leur personnel d'encadrement et par le recrutement des hommes de troupe. Cependant, la plupart des régiments étrangers contiennent une proportion notable de Français.

Aux régiments français et étrangers viennent s'ajouter, à partir de la fin de la guerre de Succession d'Autriche, des corps de troupes légères, légions de volontaires, bataillons de chasseurs et régiments de grenadiers, comme le régiment des grenadiers de France, corps spécial créé en 1749.

Régiments et unités diverses se distinguent par leurs drapeaux et par leurs uniformes. Les régiments français portent l'habit blanc, les régiments étrangers l'habit rouge ou bleu.

L'infanterie est plus nombreuse que la cavalerie. Le rapport infanterie-cavalerie varie de deux pour un à sept pour deux. Les théories privilégient l'action des troupes à pied.

Les fantassins sont maintenant méthodiquement exercés. Dans le régiment de Sparre, dont il est propriétaire, Maurice de Saxe a introduit l'exercice à la prus-

---

1. C'est-à-dire que le pape ne peut user à l'égard de ces bénéfices de son pouvoir de prévention. Le droit canonique appelle prévention le droit que les papes possèdent de disposer des bénéfices dépendants des collateurs ordinaires dès qu'ils sont instruits de leur vacance.

sienne. L'adoption du pas emboîté ainsi que de l'exercice décomposé et à temps marqués vont mécaniser les soldats. Après la guerre de Sept Ans, les troupes passent régulièrement dans les camps d'instruction. A partir de 1765, le camp de Compiègne reçoit pour des manœuvres tous les régiments d'infanterie à tour de rôle.

La charge de colonel général de l'infanterie, rétablie en 1721 pour le duc de Chartres, supprimée en 1730, est rétablie à nouveau en 1780 pour le prince de Condé.

INGUIMBERT, Joseph Dominique d' (Carpentras, 26 août 1683 - *id.*, 6 septembre 1757). Évêque de Carpentras, il présente l'intéressante particularité d'avoir excellé dans trois ministères différents : religieux, bibliothécaire et évêque. Religieux dominicain d'abord et pendant dix-sept ans, il aspire un jour à une vie plus parfaite, et se fait recevoir profès cistercien le 2 août 1715 à la trappe de Buon Solazzo en Italie. Son nom de religion est dom Malachie. Sa carrière de bibliothécaire commence en 1723 lorsqu'il est appelé à Rome par le cardinal Albani. Quelques années plus tard, il devient le théologien et le bibliothécaire du cardinal Corsini, lequel, élu pape sous le nom de Clément XII, fait de lui un abbé cistercien et un évêque de Carpentras, tout en souhaitant le garder à Rome. C'était mal connaître son protégé. Aussitôt nommé, dom Malachie s'empresse de gagner sa ville épiscopale (et natale). Son gouvernement est bienfaisant. Il fait construire un hôpital et lègue à la ville sa bibliothèque personnelle (quatre mille ouvrages achetés à Rome, plus la bibliothèque, acquise ensuite, du président de Mazargues). Cette belle dotation forme le fond de l'actuelle Bibliothèque inguimbertine de Carpentras. Dom Malachie est l'auteur de plusieurs ouvrages d'apologétique, d'une vie (en italien) de l'abbé de Rancé (Rome, 1725), dans laquelle il s'attache à justifier le fondateur de la Trappe de l'accusation de jansénisme, et d'un traité (également en langue italienne) de l'infaillibilité pontificale.

INSINUATION ECCLÉSIASTIQUE. On appelle insinuation ecclésiastique la transcription dans un registre public de certains actes concernant les clercs.

Le régime de l'insinuation est celui défini par l'édit de décembre 1691. Il existe un greffe unique par diocèse, et ce greffe est tenu par un greffier laïc, officier royal. Sur un registre de papier timbré aux feuillets cotés et paraphés à la juridiction royale, le greffier transcrit au jour le jour, sans laisser aucun blanc, tous les actes qui doivent lui être présentés : lettres d'ordination (de la tonsure à la prêtrise), prise de possession des bénéfices, procurations pour les résigner en cour de Rome, significations et réitérations des grades universitaires faites aux patrons ecclésiastiques de bénéfices, et bien d'autres sortes d'actes.

Les collections des insinuations ecclésiastiques sont aujourd'hui conservées dans la série G des archives départementales. Elles représentent une source très précieuse pour l'étude du clergé diocésain.

INSTITUTS RELIGIEUX. Nous rassemblons sous cette dénomination tous les ordres, toutes les congrégations, toutes les compagnies de personnes consacrées à Dieu, et menant la vie commune sous une règle ou de simples constitutions.

On peut distinguer deux grandes catégories, celle des anciens ordres et celle des instituts plus récents fondés à partir du XVIe siècle.

Les anciens ordres sont des instituts réguliers. Ils suivent pour la plupart l'une ou l'autre des deux grandes règles de vie religieuse, celle de saint Augustin et celle de saint Benoît. Leurs membres sont des moines ou des chanoines réguliers. Ils mènent la vie contemplative ou la vie mixte (active et contemplative). Tous prononcent des vœux solennels et observent la clôture. Au XVIIe siècle, la réforme catholique a renouvelé plusieurs de ces anciens ordres. Elle a modifié leurs structures et restauré leur discipline.

Les principaux des anciens instituts masculins sont les suivants : les carmes, les bénédictins des trois congrégations de Cluny, Saint-Maur, Saint-Vanne, les cisterciens, les cisterciens réformés de la Trappe et de Sept-Fons, l'ordre de Grandmont, les chartreux, les augustins, les six congrégations de chanoines réguliers de Prémontré, des génovéfains, des antonins, de religieux de Sainte-Croix, de Chancelade et de Saint-Ruf, les trinitaires, la Merci, les dominicains ou frères prêcheurs, les quatre instituts franciscains des Cordeliers, des Récollets, des Capucins et de Picpus. Les principaux anciens ordres féminins sont les carmélites, les bénédictines, les calvairiennes, les bernardines ou cisterciennes, les augustines, Fontevrault, les dominicaines, les clarisses et les religieuses de Picpus.

Les instituts plus récents sont issus de la réforme catholique du concile de Trente. Quelques-uns sont réguliers, leurs membres prononçant des vœux solennels. La plupart sont séculiers, c'est-à-dire avec des vœux simples ou sans vœux. Leur caractère principal est la grande part donnée à la vie active : ils sont apostoliques, hospitaliers, enseignants. Leur gouvernement est toujours fortement centralisé. Les principaux instituts masculins sont d'abord les « compagnies de prêtres » (jésuites, oratoriens, doctrinaires, lazaristes, barnabites, eudistes, sulpiciens et mulotins ou montfortains), puis les deux congrégations de frères enseignants, celle des frères des Écoles chrétiennes de saint Jean-Baptiste de La Salle, et celle des frères des Écoles chrétiennes du faubourg Saint-Antoine à Paris. Les congrégations féminines sont très nombreuses (cent cinquante environ). Celles qui ont les effectifs les plus importants ont été fondées dans la première moitié du XVIIᵉ siècle. Ce sont les ursulines, la congrégation de Notre-Dame-de-Saint-Pierre-Fourier, les religieuses de Notre-Dame-de-Jeanne-de-Lestonnac, les visitandines, les Filles de la Charité, les Filles de la Croix et la Sainte-Famille. On peut distinguer une deuxième génération formée de dix-sept instituts fondés entre 1660 et 1715, et dont les plus nombreux sont les Filles du

Saint-Enfant-Jésus (Dames de Saint-Maur), les Filles de la Providence de Rouen et les Filles de la Sagesse. La troisième génération est celle des instituts fondés au XVIIIᵉ siècle. Ce sont des congrégations le plus souvent locales, par exemple les Filles du Bon-Sauveur de Caen fondées en 1730, les sœurs du Très-Saint-Sacrement d'Autun (1741), la Divine Providence de Ribeauvillé (1783) ou encore la Doctrine chrétienne (1789).

Il est à noter que le XVIIIᵉ siècle après 1715 n'a vu aucune fondation d'institut masculin de quelque importance, et que presque tous les instituts nouveaux fondés en ce siècle sont féminins.

Les instituts religieux couvrent la France d'un réseau de maisons religieuses. A ne prendre que les vingt et une congrégations les plus importantes (celles ayant plus de cinquante établissements), on obtient déjà le chiffre total de trois mille cinq cent quatre-vingt-dix-neuf maisons (en 1715). On peut donc avancer, sans crainte d'exagérer, le chiffre de dix mille maisons religieuses pour tout le royaume. Cependant, ce nombre sera sensiblement diminué par la commission des réguliers qui supprimera plusieurs instituts et quatre cent vingt-six couvents et monastères.

INTENDANCE (militaire). Il n'existe pas sous l'Ancien Régime de service de l'intendance. L'entretien et l'équipement des armées (habillement, nourriture, fourrage) sont assurés par un système d'entreprise sous le contrôle des agents royaux. On passe des marchés avec des entrepreneurs. Les fournitures sont vérifiées et surveillées.

Le secrétaire d'État à la Guerre conclut certains marchés de fournitures générales. Les intendants de province sont chargés jusqu'en 1788 de l'entretien et de l'équipement des troupes se trouvant dans leurs circonscriptions. Ils passent des marchés à cet effet. Il existe aussi des intendants d'armées, maîtres des requêtes, qui reçoivent des commissions en temps de guerre. Enfin, les commissaires des guerres ont la charge de toute l'administration militaire. A l'origine, ils ne s'occupaient que du paiement de la solde et de la vérification des effectifs. Au XVIIIᵉ siècle, leurs fonctions sont élargies à toute l'administration. Ils passent des marchés, en vérifient l'exécution et en assurent les paiements. Leurs charges sont en titre d'offices. Ils sont au nombre de cent quatre-vingts et forment un véritable corps. Ils prêtent serment, siègent dans tous les conseils de guerre et ont voix délibérative dans le tribunal de la connétablie et maréchaussée de France. Ils portent l'uniforme depuis 1746 et seront assimilés en 1772 à des capitaines d'infanterie.

Quant aux entrepreneurs, appelés aussi « viviers » ou « munitionnaires », ce sont des entrepreneurs généraux s'ils passent des marchés avec le secrétaire d'État à la Guerre pour la fourniture de toute une armée. Par exemple, pendant la guerre de Sept Ans, Pâris-Duverney sera munitionnaire général de toute l'armée française en Allemagne. Mais il y a aussi beaucoup d'entrepreneurs petits et moyens, pourvoyant seulement à l'entretien de telle ou telle troupe. Il arrive aussi que des colonels et des capitaines achètent directement, sans passer par des entrepreneurs, ce qui est nécessaire à la nourriture et à l'équipement de leurs troupes.

INTENDANT (de province). Un intendant de province est un commissaire révocable, chargé de l'administration d'une généralité.

La nature de sa charge est exactement celle-ci : alors que le gouverneur est un commissaire du roi, l'intendant est un commissaire du conseil, dont il est membre, mais membre « départi », c'est-à-dire envoyé dans une généralité pour informer et exécuter selon l'esprit du conseil. Il est nommé par le roi en son Conseil, le plus souvent sur la proposition du contrôleur général.

Presque tous les intendants sont choisis parmi les maîtres des requêtes. Sous Louis XV, cent soixante et onze maîtres des requêtes deviennent intendants de province. Après l'intendance, l'avance-

ment normal est une nomination de conseiller d'État et ensuite, pour quelques anciens intendants, une charge ministérielle. Sous Louis XV, Breteuil, Orry, Machault, et sous Louis XVI, Calonne sont nommés ministres sans avoir été conseillers d'État.

L'intendant est « de justice, police et finance ». Intendant de justice, il est dans la province le principal agent de la justice retenue du roi. Au XVIIᵉ siècle, il était souvent appelé à juger des affaires criminelles et s'occupait aussi beaucoup du contentieux judiciaire. Au XVIIIᵉ siècle, pour ménager la susceptibilité des parlements, sa compétence judiciaire est moins étendue et surtout réservée aux affaires de contentieux administratif. En matière de police, ses attributions s'étendent aux subsistances, aux affaires religieuses et militaires considérées dans leurs aspects administratifs, et à la surveillance des corps et communautés. En matière de finance, il éclaire, active et contrôle l'administration financière. En aucun domaine, il ne se substitue aux officiers, ni ne les supplante, sa fonction étant seulement de coordonner et de contrôler. Il arrive toutefois que le roi lui confie l'administration de nouveaux impôts. C'est le cas pour le vingtième.

L'accomplissement de ces tâches nombreuses et diverses exige beaucoup de travail et oblige à de fréquents voyages d'inspection. Dans les généralités les plus étendues (la Bretagne par exemple), l'intendant est toujours en chevauchée. Cependant, il est représenté par des subdélégués dans les principales villes de son ressort. Au chef-lieu, pour assurer son secrétariat il dispose des services d'une douzaine de commis en moyenne, dirigés par un premier secrétaire. Un subdélégué général le remplace lors de ses déplacements. Dans la plupart des villes chefs-lieux de généralité, il existe maintenant un hôtel de l'intendance (par exemple à Rennes et à Besançon) pour la résidence de l'intendant et pour ses bureaux.

Le pouvoir réel de l'intendant est moins grand qu'il ne l'était sous Louis XIV. L'intendant subit les effets d'une centralisation accrue. Son autonomie est de plus en plus réduite. Le Conseil et les ministres sont portés à l'enfermer dans des règles de plus en plus nombreuses et de plus en plus minutieuses. C'est ainsi par exemple qu'il est obligé de solliciter la validation ou l'annulation de la plus modique gratification. En même temps, d'autres autorités empiètent sur la sienne ou l'entravent. Les prétentions administratives des parlements, les interventions des gouverneurs et des commandants en chef, l'extension de la compétence administrative et financière des états, le développement de certains organismes provinciaux, comme la commission intermédiaire des états de Bretagne et le « syndicat » du Boulonnais, enfin la création sous Louis XVI des assemblées provinciales et de leurs commissions intermédiaires sont autant de faits nouveaux contribuant à diminuer de façon singulière, dans beaucoup de provinces, le prestige et le rôle des intendants. A partir de 1750, on peut même parler d'une entreprise systématique des cours souveraines contre les intendants. Ceux-ci sont de plus en plus vulnérables, car ils sont de moins en moins soutenus par le Conseil et par les ministres. Le cas de Tourny, le grand intendant de Bordeaux, est significatif. Il doit supporter en 1756 et 1757 les interventions tatillonnes du Parlement. Il essaie de se défendre. Son secrétaire d'État, le comte de Saint-Florentin, le désavoue. Il démissionne. On comprend que dans ces conditions certains intendants montrent peu de zèle à défendre les intérêts du gouvernement. Nous voyons par exemple Bruno d'Agay, nommé à Rennes en 1767, desservir ouvertement la politique royale en collaborant avec les parlementaires rebelles.

Les réalisations les plus marquantes des intendants du XVIIIe siècle se situent dans les trois domaines suivants : l'économie, les constructions et l'assistance. Dans le domaine économique c'est l'agriculture qui les intéresse le plus : ils développent la sériciculture, fondent des sociétés d'agriculture, distribuent des conseils aux agriculteurs et s'efforcent de promouvoir les cultures nouvelles. Les constructions sont celles des routes et celles des villes. Un arrêt du Conseil de 1720 les a chargés de la construction et du redressement des routes. Ils s'acquittent de cette tâche en utilisant les corvées. Ce sont eux qui ont construit le réseau routier français. Les réalisations de Tourny à Bordeaux, de Blossac à Poitiers, de Lacoré à Besançon, de Sénac de Meilhan à Marseille et de Montyon à Aurillac et à Mauriac, pour ne citer que ces exemples, témoignent assez de leur effort en matière d'urbanisme. Quant à leur activité d'assistance, elle se déploie surtout dans les secteurs de l'hygiène publique et de la lutte contre la mendicité. Ainsi Lacoré, intendant de Besançon de 1761 à 1784, fait visiter régulièrement par des médecins les villages contaminés par des épidémies. Il fait vacciner les enfants. Pour rendre les pauvres utiles — car la bienfaisance de l'époque est utilitaire — il installe des ateliers dans les dépôts de mendicité. Cet aspect social de l'activité des intendants devient de plus en plus important au fur et à mesure que se restreint leur compétence judiciaire et financière. Les intendants de Louis XVI se posent en philanthropes. Ils ne parlent qu'« humanité », « bienfaisance » et « bien public ». Et si l'on en juge par leurs discours d'ouverture et de clôture des assemblées provinciales en 1787, ils sont aussi les partisans d'une réforme radicale de la société politique, souhaitant la disparition des privilèges et des droits seigneuriaux et l'égalité devant l'impôt. Ces agents de la monarchie administrative tiennent le discours du despotisme éclairé.

INTENDANTS DES FINANCES. Les intendants des finances sont des personnages quasi ministériels. Ils siègent au Conseil en raison de leurs charges. Ils dirigent les départements du contrôle général des Finances. Leur charge leur confère le titre de conseiller d'État. Ils achètent leurs offices et les achètent très cher : 200 000 livres en 1722. Leur nombre varie de quatre à sept, mais ils sont le plus souvent au nombre de six.

Membres de droit du Conseil des dépêches et du Conseil d'État privé, ils siègent aussi à la Grande et à la Petite Direction. En fait, leurs fonctions très absorbantes au Contrôle général ne leur laissent guère le temps d'assister régulièrement aux séances.

Ils ont leurs attributions fixes. Deux exemples : d'Ormesson a dans son département tous les impôts directs. Trudaine a, entre autres, l'administration des Ponts et Chaussées. Leur stabilité est remarquable. Par exemple, Trudaine exerce ses fonctions pendant trente-cinq ans (de 1734 à 1769). Les contrôleurs généraux passent, les intendants des finances restent. Ils acquièrent ainsi une sorte de supériorité sur le ministre.

Par un édit de juin 1777, Necker fait supprimer les six offices alors existants. Selon lui, les intendants des finances coûtent trop cher. De fait l'ensemble de leurs gages et appointements représente plus de 600 000 livres par an. Est-ce trop payer les grands services qu'ils rendent et leur solide compétence ? L'abbé de Véri soupçonne Necker de s'être attaqué à eux pour se débarrasser de rivaux éventuels.

INTENDANTS DU COMMERCE. Les intendants du commerce sont avec les intendants des finances les principaux collaborateurs du contrôleur général. Créés en 1708, supprimés en 1715, ils ont été rétablis en 1724. Ils font partie du «corps du Conseil», mais en fait leur lien avec le Conseil est assez lâche. Leur activité principale consiste à siéger au bureau du commerce dont ils sont les animateurs. Ils y présentent leurs rapports sur les affaires dont ils sont chargés.

Leurs charges sont au nombre de dix : quatre offices et six commissions unies à des offices de maîtres des requêtes. En 1777, Turgot supprime les quatre offices et les remplace par des commissions.

Le titre est moins prestigieux que celui d'intendant des finances. La fonction attire moins. Cependant, plusieurs intendants du commerce ont laissé un nom. Citons entre autres Vincent de Gournay,

qui serait l'auteur de la fameuse formule «Laissez faire, laissez passer», et Antoine Louis Rouillé, le futur secrétaire d'État et ministre d'État.

INVALIDES. L'hôtel des Invalides à Paris est une fondation de Louis XIV en faveur des anciens blessés, malades ou infirmes. Immenses et magnifiques, les bâtiments, construits par Mansart, peuvent loger jusqu'à sept mille invalides. Le règlement est militaire ; les invalides portent un uniforme (habit de drap bleu) et ont l'interdiction de découcher, sauf s'ils sont mariés, mais leur vie est enviable : chacun a son lit et sa chopine quotidienne de vin.

Cependant l'Hôtel, malgré sa grande capacité d'accueil, ne peut contenir tous les anciens soldats enregistrés aux Invalides et pouvant prétendre y être logés. On a donc créé des compagnies détachées, qui sont des sortes de succursales de l'Hôtel. Ces compagnies sont cantonnées dans les places fortes des frontières et dans certains châteaux de l'intérieur du royaume. A Paris, plusieurs compagnies sont affectées à la garde de la Bastille, de l'École militaire, de l'Arsenal et du Temple. En additionnant les effectifs des compagnies détachées à ceux des invalides logés dans l'Hôtel, on obtient pour le règne de Louis XVI un total de trente mille invalides environ.

Il faudrait aussi ajouter les anciens soldats qui, bien qu'enregistrés aux Invalides, préfèrent se retirer chez eux. Une ordonnance de 1729 les y autorisait déjà en leur accordant une gratification. L'ordonnance de 1764 entérine cette pratique en créant les pensions d'invalidité : demi-solde après seize ans de service et solde entière après vingt-quatre ans. Les hommes admis aux Invalides pourront se retirer chez eux et y toucher leurs pensions.

J

JABINEAU, Henri (Étampes, 1724 - Paris, 1792). Père de la Doctrine chrétienne, il est avec Maultrot l'un des principaux docteurs de la dernière génération du parti richériste. Entré à dix-sept ans (1741) au noviciat de Paris des doctrinaires, il refuse de signer le Formulaire d'Alexandre VII, et ne peut être ordonné prêtre que seize ans après sa profession. Il exerce pendant quelques années les fonctions de régent puis de recteur du collège de Vitry-le-François, mais, interdit pour jansénisme, il finit par quitter sa congrégation et s'établit à Paris comme avocat. Parmi ses nombreux ouvrages, ses *Réflexions sur le nouveau rituel de Mgr de Juigné, archevêque de Paris* (mars 1787) sont le plus remarqué. Il y présente le rituel de Juigné comme un monument de l'absolutisme épiscopal. Toutefois, son richérisme ne l'empêchera pas de prendre parti contre la Constitution civile du clergé.

JACOB, Georges (Cheny, Bourgogne, 6 juillet 1739 - Paris, 5 juillet 1814). Ébéniste, il représente par sa double origine, paysanne et provinciale, une exception remarquable, la plupart des grands menuisiers et ébénistes étant fils de menuisiers et nés à Paris. Venu à Paris à l'âge de seize ans, il aurait fait son apprentissage dans l'atelier de Delanois. Il accède à la maîtrise en 1765 ; ses ateliers seront installés d'abord rue de Cléry, ensuite rue Meslay. Il travaille assez peu pour le Garde-Meuble de la Couronne ; la plupart de ses commandes lui viennent de la reine Marie-Antoinette (il fait pour elle, entre autres, les sièges de son boudoir de Versailles), du comte d'Artois et du comte de Provence, qui le nomme son « ébéniste ordinaire » et lui demande les sièges du pavillon offert en 1785 à Mme de Balbi, sa maîtresse. Il travaille aussi pour George IV d'Angleterre, pour Gustave III de Suède et pour certains princes allemands, ne dédaignant pas de s'adapter au goût de ces derniers : les fauteuils qu'il exécute pour le duc Charles des Deux-Ponts et de Birkenfeld, destinés à son château de Karlsberg, sont moins légers, plus majestueux que ceux des commandes parisiennes. Artiste extrêmement inventif, il se renouvelle constamment, trouvant sans cesse de nouvelles formes. La plupart de ses œuvres illustrent l'art de transition caractérisant la fin du règne de Louis XV et le début de celui de Louis XVI, mais ses sièges à l'étrusque, exécutés en 1787 sur des dessins d'Hubert Robert pour le Salon de la laiterie de Rambouillet, prouvent sa conversion au classicisme le plus austère. Notons aussi qu'il fut l'un des premiers à utiliser l'acajou pour la confection de ses sièges.

La Révolution n'arrange pas ses affaires, nombre de ses nobles clients ayant émigré sans le payer. En 1796, il transmet son entreprise à ses deux fils, Georges et François Honoré.

JALLOUTZ, Dorothée, dom (Besançon, 1718 - Sept-Fons, 26 mai 1788). Abbé de Sept-Fons, c'est une belle figure de moine cistercien. Fils d'un procureur au parlement de Besançon, il étudie chez les jésuites, puis entre à Sept-Fons et y fait profession le 24 décembre 1742. On l'emploie d'abord au soin du temporel. Il est nommé abbé le 18 septembre 1757. Son abbatiat de plus de trente années est marqué par trois préoccupations majeures : l'observance, le temporel et le soin des pauvres. Partisan de l'étroite observance, adversaire déclaré de toute mitigation, il annonce dès son installation sa volonté « de faire observer toute la Règle et toute la vie primitive de l'Ordre de Citeaux ». Le 21 novembre 1764, déférant à son désir, ses moines font le vœu — qu'ils renouvelleront désormais chaque année — « de garder la Règle jusque dans les moindres détails et de l'entendre dans son sens littéral et suivant les premières constitutions de Citeaux » (cité par Firmin Lamy, *L'Ancien Sept-Fons* [*1132-1789*]). On peut voir encore aujourd'hui la haute muraille (4 mètres) de clôture construite par dom Jallloutz. Ce monument est comme le témoignage de son bon gouvernement du temporel. A l'intention des pauvres malades et des pèlerins, l'abbé fait construire un hôpital de huit lits. Il vend son blé à bas prix « seulement en détail et au menu peuple ». Ce moine est une exception dans son siècle. Malade d'hydropisie et sentant sa fin approcher, il se fait transporter dans le chœur de l'église afin d'y recevoir les sacrements. Il avait été l'ami de Mgr de La Motte, évêque d'Amiens, et avait reçu au noviciat en 1770 (pour un bien court séjour) Benoît-Joseph Labre, le saint mendiant.

JANSÉNISME. Le jansénisme tire son nom de son premier docteur, le Flamand Jansénius, évêque d'Ypres et auteur de l'*Augustinus* (1640). Deux thèses théologiques d'inspiration augustinienne forment le fond de cette doctrine. La première est celle de l'invincibilité de la grâce divine (« Dans l'état de nature déchue nul ne peut résister à la grâce »). La seconde est celle de la corruption de la nature humaine par le péché originel. Toute controverse étant maintenant interdite par le pouvoir royal sur la première question, c'est donc la seconde qui sera ordinairement soutenue. Au XVIIIe siècle on ne parle plus de la grâce, mais de la corruption.

Le jansénisme est aussi un parti. Un parti puissant (bien que minoritaire) dans l'Église et dans l'État. Ni les condamnations romaines successives (1653, 1705, 1713), ni les persécutions ne l'ont abattu. Les congrégations religieuses de l'Oratoire, de Saint-Maur et de Saint-Vanne lui fournissent ses théologiens. L'église schismatique d'Utrecht (dont l'archevêque est sacré en 1723 par un janséniste français nommé Varlet) lui apporte son soutien. Il compte chez les magistrats de très nombreux partisans.

L'appel et le réappel sont les démonstrations de sa puissance. Par la bulle *Unigenitus* promulguée en 1713 et reçue en France, le pape avait condamné cent une propositions extraites des *Réflexions morales sur le Nouveau Testament* de l'oratorien Quesnel. En 1717, seize évêques et trois mille prêtres séculiers ou religieux appellent de la condamnation pontificale au concile universel. En 1721, trois évêques et deux mille trente ecclésiastiques séculiers ou religieux renouvellent leur appel. Pour appuyer et justifier l'appel, des centaines d'écrits

polémiques sont publiés qui réfutent la bulle et proclament son iniquité.

Le pouvoir royal essaie d'abord de la conciliation. Irrité par le réappel, il revient à la politique de rigueur qui avait été celle de Louis XIV. Les assemblées du clergé de France soutiennent cette politique. Les mesures coercitives se succèdent. En 1722 est renouvelée pour les ecclésiastiques l'obligation de signer le Formulaire d'Alexandre VII qui est une profession d'antijansénisme. En 1727 Soanen, évêque de Senez, l'un des évêques appelants, est déclaré suspens par le concile d'Embrun et relégué à La Chaise-Dieu. La déclaration royale du 24 mars 1730 fait de la constitution *Unigenitus* une loi du royaume. Les ordres religieux touchés par le jansénisme sont mis au pas et épurés. De 1730 à 1744, des commissaires royaux sont envoyés dans les chapitres généraux de ces instituts et les contraignent à faire acte de soumission à la bulle. Les capitulaires récalcitrants sont exilés. Enfin, en 1755, l'assemblée du clergé approuve les décisions épiscopales prescrivant de refuser aux jansénistes obstinés l'absolution au lit de mort.

Le parti fait sa résistance. Depuis 1728, il dispose d'un journal (clandestin), les *Nouvelles ecclésiastiques*. Il s'en sert presque uniquement pour épingler ses adversaires et les ridiculiser. C'est le ton des *Provinciales*, moins le talent. Le parti utilise aussi les convulsions et les miracles qui se multiplient de 1727 à 1732 sur la tombe du diacre Pâris (saint de la secte) au cimetière Saint-Médard. Il présente ces phénomènes étranges et ces pseudo-miracles comme des signes de la vérité de sa cause.

Cependant, sa force diminue. Il n'a plus les appuis dont il disposait. Les évêques appelants disparaissent les uns après les autres. La mort de Caylus, évêque d'Auxerre (1754), marque la fin de l'épiscopat janséniste. Les principaux opposants à la constitution *Unigenitus* ont été réduits au silence. Mais cette défaite n'entraîne pas l'anéantissement de la secte. Le militantisme janséniste se reconvertit dans d'autres combats. Après

1750, le combat janséniste est celui des canonistes (Travers, Maultrot, Piales, Mey) qui soutiennent la thèse richériste de l'institution divine des curés. Il est celui des parlementaires qui attaquent les jésuites, réclament leur suppression et finissent par l'obtenir. Au parlement de Metz, le rapport sur les constitutions et sur la doctrine de la Compagnie de Jésus est confié au conseiller Jacques Michelet qui est janséniste.

La philosophie des jansénistes a d'abord été celle de Descartes, celle de la *Logique de Port-Royal* (d'Arnauld et Nicole). Le chancelier d'Aguesseau, dont la sympathie pour le jansénisme ne fait pas de doute, est aussi un fervent cartésien. Mais la foi en Descartes va progressivement s'effacer. La tendance qui l'emporte est une sorte d'anti-intellectualisme. Les jansénistes de la seconde moitié du siècle sont portés à renier toute philosophie naturelle. Car ils doutent de la raison, corrompue selon eux par la chute originelle. « Qu'y avait-il de plus droit que la raison en Adam innocent ? » demande le théologien janséniste Nicolas Le Gros. « Mais dès qu'elle commença à se corrompre par le premier mouvement d'orgueil, elle ne vit plus l'équité du principe » (*Septième Lettre théologique*, citée par René Taveneaux, *Le Jansénisme en Lorraine*). Autrement dit, la philosophie n'est pas capable de remplir le ministère de « servante de la théologie ».

Les jansénistes n'acceptent pas de vivre dans l'histoire. Ils pensent que l'histoire est accomplie. Ce que les exégètes jansénistes (Le Gros, Le Sesne d'Étemare) cherchent dans l'Écriture, ce sont les signes de la fin des temps, l'annonce d'une victoire ultime pour leur cause.

Ils n'acceptent pas non plus la réalité du monde. Leurs thèmes spirituels ont quelque chose de manichéen. Pour eux, le monde corrompu est celui de la matière et de la chair. « Toute chair, écrit le P. Jard, l'un de leurs plus grands prédicateurs, toute chair a perverti sa voie peu à peu […]. On ne marche plus dans la sainteté de sa vocation » (« Sur le petit nombre des élus », *Sermons*). L'âme spirituelle serait donc totalement étrangère à ce monde qui nous entoure : « Nous habiterons comme étrangers, écrit le P. Lamy, au milieu de toutes les choses corruptibles, n'attendant que la céleste immortalité » (« De la pensée de la mort », *Carême*).

La politique janséniste (telle qu'elle s'exprime par exemple chez le chancelier d'Aguesseau) porte la marque de ce profond pessimisme. Les jansénistes — l'influence de la politique pascalienne est ici aisément reconnaissable [1] — n'ont pas confiance dans la sociabilité de la nature humaine. Ils n'y voient qu'une adaptation nécessaire à un monde corrompu. Selon eux, dans l'état d'innocence, l'homme n'avait pas besoin de vivre en société. Ils jugent par conséquent que l'organisation sociale n'est qu'un artifice nécessaire, et qui n'a rien à voir avec la nature humaine, les hommes étant naturellement égaux.

Le parti janséniste aggrave les divisions du corps politique, lorsqu'il ne les suscite pas. La déclaration de mars 1730 dresse le parlement de Paris contre le roi. L'affaire des refus d'absolution oppose les parlementaires à l'ensemble de l'épiscopat. Le jansénisme aggrave le déclin de l'intelligence en détournant les clercs de l'étude de la philosophie scolastique. Enfin, le jansénisme aggrave le déclin de la religion. Comme l'écrit justement D. Dinet [2], les prêtres jansénistes « poussent à l'extrême jusqu'à les dénaturer les positions de saint Charles Borromée et d'Arnauld sur la nécessité d'être digne pour recevoir la communion et les autres sacrements ». Ce faisant, ils

---

1. Isabelle Storez, « Pascal et l'égalité », *Bulletin de la Société française d'histoire des idées et d'histoire religieuse*, n° 2.

2. « La déchristianisation des pays du sud-est du Bassin parisien au xviiie siècle », *Christianisation et déchristianisation*, Publications du Centre de recherches d'histoire religieuse et d'histoire des idées, 1986.

découragent les fidèles dont beaucoup, dans les diocèses les plus imprégnés de jansénisme (ceux de sud-est du Bassin parisien), ne font plus leurs Pâques. Ils ont également une influence négative sur le recrutement du clergé. Ayant tendance à identifier vocation sacerdotale et prédestination, ils éveillent un sentiment de crainte et de culpabilité chez ceux qui doutent de leur vocation et qui ne sont pas certains d'avoir entendu la voix du Seigneur. Ils sont aussi parmi les principaux instigateurs de la révolution liturgique. En poussant à l'abandon de la liturgie romaine, ils affaiblissent l'Église de France et sapent l'unité nécessaire.

Les jansénistes du XVIIe siècle avaient une conscience très haute de la transcendance de Dieu. C'était ce qui faisait leur grandeur. Les jansénistes du XVIIIe siècle se divinisent eux-mêmes. Ils se croient d'autres Christs, non seulement en tant qu'hommes, mais en tant que jansénistes. «Comme Caïphe condamna Jésus, écrit l'un de leurs polémistes anonymes, la constitution [*Unigenitus*] a condamné la Vérité […], il faut méditer le procès de Jésus qui est condamné dans ses membres par la constitution *Unigenitus*» (*Jésus-Christ sous l'anathème*). D'où le prophétisme qui anime la secte. Chaque janséniste se considère comme un annonciateur des nouveaux temps. D'où ces étranges pratiques de dévotion «affective» (René Taveneaux), d'où ces «secours», ces coups, ces flagellations, ces crucifixions que les dévots jansénistes les plus illuminés (par exemple ceux de la secte des vaillantistes) demandent qu'on leur inflige. Les «philosophes» réduisent l'homme à la matière, mais les jansénistes le dépouillent de son «enveloppe charnelle» et de sa sociabilité naturelle et le divertissent de lui-même par des illuminations extravagantes.

JARD, François (Bollène, 1675 - Auxerre, 10 avril 1768). Père de la Doctrine chrétienne, il fut en son temps un prédicateur réputé. Entré en 1692 dans la congrégation de la Doctrine chrétienne, il avait d'abord enseigné plusieurs an-

nées dans les collèges. Ses premiers sermons (prononcés à la Madeleine de Béziers) attirent l'attention. Noailles le demande pour prêcher à Notre-Dame de Paris le carême de 1713. Il donnera encore dans cette chaire célèbre les stations de 1716, 1721 et 1723. Sa carrière de prédicateur parisien se prolonge jusqu'en 1728 avec des carêmes donnés à Sainte-Opportune. Après la mort de Noailles, il est interdit pour jansénisme. Une lettre de cachet l'exile à Beaucaire. La duchesse de Rochechouart intervient en sa faveur et Beaucaire est changé pour Tours, où Mgr Chapt de Rastignac lui réserve un accueil favorable. A la mort de ce dernier, il est relégué dans le diocèse d'Auxerre, où il finira sa vie. Appelant et réappelant, il est incontestablement du parti janséniste. Ses sermons (publiés en 1768) développent plusieurs thèmes favoris des prédicateurs jansénistes, en particulier celui de la corruption du monde. «Toute chair, écrit-il, a perverti sa voie peu à peu…» Le moralisme de l'auteur est bien celui du jansénisme de l'époque. Dieu ordonne ceci; il défend cela; conformons-nous à ses commandements. Tel est l'essentiel de cette prédication. Il y a toutefois des invitations fréquentes à coopérer avec l'œuvre de la grâce : «Dieu, qui appelle le pécheur, demande toujours qu'il fasse des efforts pour lui répondre.» On observera aussi que Mgr de Rastignac, si accueillant pour le P. Jard, était lui-même un adversaire tenace du jansénisme.

JARDIN DU ROI. Le Jardin du roi est à la fois une collection, un lieu d'expérimentation et une grande école scientifique.

Fondé en 1626 par Louis XIII, le Jardin était destiné à servir les progrès de la médecine. Des médecins en assuraient la direction. Son cabinet de plantes n'était rien d'autre qu'une officine pharmaceutique. Le nom complet du Jardin était d'ailleurs «Jardin royal des plantes médicales».

Au XVIIIe siècle, la fonction médicale passe au second plan, et les sciences naturelles et physico-chimiques prennent le pas sur la médecine. En 1718, le mot « médicales » disparaît du nom du Jardin, qui devient Jardin royal des Plantes. Les intendants cessent d'être des médecins. Le dernier médecin intendant est Chirac (1718-1732). Lui succèdent deux naturalistes : Cisternay Du Fay (1732-1739) et Buffon (1739-1788). Du Fay transforme l'institution en jardin botanique d'essai. Buffon agrandit le Jardin, enrichit ses collections et réorganise le Cabinet d'histoire naturelle, dont il confie la garde à son ami Daubenton.

L'enseignement donné porte sur trois matières : botanique, chimie et anatomie. A chacune, deux chaires sont attribuées, une chaire principale, dont le titulaire est professeur, et une chaire secondaire pour un « démonstrateur ».

Les plus grands savants du siècle dans ces trois disciplines ont enseigné au Jardin. Par exemple, la chaire d'anatomie a été occupée successivement par les deux Du Verney, François-Joseph Hunauld, Jacques-Bénigne Winslow et Antoine Portal. Les deux Jussieu illustrèrent la chaire de botanique.

Les cours étaient très suivis. L'amphithéâtre construit sous Louis XIV pouvait accueillir six cents personnes. Le Jardin est l'une des institutions les plus originales de l'ancien système d'enseignement : il associe de façon exemplaire la formation et la recherche.

JARDINS. Le jardin géométrique, dit « jardin à la française », est encore celui de la première moitié du siècle. Les planches publiées par A. J. Dezallier d'Argenville dans son ouvrage *La Théorie et la pratique du jardinage* (Paris, 1709-1747) montrent des murailles massives, des arcades, des portiques, des amphithéâtres et des labyrinthes de verdure. Toutes les figures sont reproduites (cônes, pyramides, boules), mais jamais les formes des plantes. L'art de Le Nôtre avait donné à ce jardin classique une splendeur inégalée.

Entre 1720 et 1740, deux architectes anglais, William Kent et Charles Bridgeman, créent un nouveau type de jardin, imitation de la nature. Des pelouses, des bouquets d'arbres et des eaux courantes sont disposés sans symétrie apparente sur un terrain vallonné, en réservant à travers les massifs des échappées de verdure. Çà et là se dressent des temples antiques, des chapelles médiévales et des monuments exotiques, mosquées, pyramides ou pagodes. Le nouveau jardin est dit « à l'anglaise », mais il est aussi cosmopolite.

La mode s'en répand après 1760. Dans *La Nouvelle Héloïse* (1761), Rousseau fait la description élogieuse du jardin de milord Stowe. Trois ouvrages vulgarisent le nouvel art des jardins : l'*Essai sur les jardins* de Watelet (1774), le traité du marquis de Girardin, intitulé *De la composition des paysages* (1777), et enfin le poème de l'abbé Delille, *Les Jardins ou l'Art d'embellir les paysages* (1782). Ces auteurs parlent de jardin à l'anglaise, mais plus souvent de « jardin paysager ».

Le premier en date des nouveaux jardins est celui du Raincy (1769-1783). Sont ensuite aménagés le parc Monceau (par Carmontelle, pour le duc d'Orléans en 1773), le Petit Trianon à partir de 1774, le parc d'Ermenonville par le marquis de Girardin en 1775, Betz (par le duc d'Harcourt et Hubert Robert de 1780 à 1789, pour la princesse de Monaco), Bagatelle (par Bélanger, pour le comte d'Artois), la Folie Saint-James (1784) et le désert de Retz, près du parc de Marly, par M. de Monville.

Dans tous ces jardins, comme dans ceux de William Kent, les temps et les lieux sont rassemblés. A Betz, par exemple, on peut voir un obélisque, un kiosque chinois, un temple dorique, un temple de druides et une chapelle médiévale. Le temps est aboli. Toutes les parties du monde sont confondues. Quant aux paysages, rien n'oblige à les faire anglais. Ils peuvent être italiens ou grecs. Ermenonville a sa « prairie arcadienne ». Ou bien on peut donner dans le chinois. Depuis que les missionnaires jésuites en ont fait connaître les charmes secrets, la mode du jardin chinois sévit furieusement. Elle s'allie à celle du jardin anglais. Le parc Monceau est le meilleur exemple de jardin anglo-chinois.

Les sciences naturelles concourent à l'art des jardins. Pour le parc Monceau, on fait venir des plants d'Italie et de l'Orient : peupliers, sycomores, cyprès, thuyas de Chine. Les graines des plantes d'Amérique, dont la marquise de Tessé a établi la liste, lui ont été envoyées par Jefferson pour son jardin de Chaville.

JARENTE DE LA BRUYÈRE, Louis Sextius de (Marseille, 30 septembre 1706 - Meung-sur-Loire, 28 mai 1787). Évêque de Digne, puis d'Orléans, ministre de la Feuille, il passe pour l'un des prélats les moins édifiants de l'ancien épiscopat. Destiné à l'état ecclésiastique, il avait de grands atouts pour y faire carrière : un esprit doux et conciliant, l'antiquité de sa maison et la double recommandation de Mgr de Belsunce, le saint évêque de Marseille (qui le choisit pour grand vicaire), et de Mgr d'Orléans de La Motte, le pieux évêque d'Amiens, cousin germain de son père. Il est nommé évêque de Digne en novembre 1746, abbé commendataire de Lérins en 1752, ministre de la feuille en 1757 (à la succession de Boyer) et enfin évêque d'Orléans (février 1758). Son ministériat de la feuille a été généralement jugé comme néfaste pour l'Église de France. De l'avis du Dauphin, il aurait « élevé dans ce corps trop de sujets bien dignes d'être ignorés » (cité par Louis d'Illiers, *Deux prélats d'Ancien Régime. Les Jarente*). Ami et client de Choiseul, sa disgrâce suit de près celle du ministre : le 30 mars 1771 une lettre de cachet l'exile dans son abbaye de Saint-Vincent du Mans. L'année suivante, il rejoint son diocèse d'Orléans où il finira sa vie. L'évêque n'a pas été inactif. Le diocèse d'Orléans lui doit un nouveau catéchisme (1763), un nouveau Bréviaire et un nouveau Missel, ainsi que l'achèvement de sa cathédrale. Prélat éclairé, il supprime en 1786 les derniers cimetières qui subsistent à l'intérieur de la ville. Prélat bienfaisant, il fonde en 1787 un bureau de charité. Il a laissé une réputation fâcheuse de jouisseur et de débauché. Au temps où il te-

nait la feuille, les libellistes ne le ménageaient pas. L'un d'eux écrivait :

> On vit aussi paraître
> L'évêque d'Orléans.
> Jésus lui dit en Maître
> Paillard, sors de céans,
> Tu n'y rencontreras ni nièce ni bergère.

Il faut dire que Jarente prêtait le flanc à la médisance. Très lié avec Mme de Brionne, la maîtresse de Choiseul, il était aussi l'ami de la danseuse Guimard, ne craignant pas de s'afficher en public avec elle. Contraint de rentrer dans son diocèse, il avait préféré à la résidence de sa ville épiscopale celle du château de Meung-sur-Loire, où il tenait table ouverte, menant la vie d'un grand seigneur, plutôt que celle d'un évêque.

JARS, Antoine (Lyon, 26 janvier 1732 - Clermont-Ferrand, 20 août 1769). Métallurgiste, il étudie d'abord à Lyon la chimie au collège, puis travaille avec son père dans les mines de cuivre dans lesquelles il est intéressé à Saint-Bel et à Chessy ; il est ensuite orienté vers l'École royale des ponts et chaussées par un ami de ses parents (1751). Trudaine cherche à créer une école des Mines et il envoie les deux élèves du corps des Ponts et Chaussées qui lui paraissent les plus doués en la matière, Jars et Duhamel, visiter des mines, d'abord en Bretagne (mine de plomb de Poullaouen), puis en Alsace (Sainte-Marie et Giromagny), dans le Forez, les Pyrénées et les Vosges (1754-1756). Enfin et surtout Jars et Duhamel visitent des mines en Europe centrale et notamment en Saxe, de 1757 à 1759. A leur retour en France et après qu'ils ont adressé quinze rapports, seul Jars peut rester au Contrôle général, par suite de restrictions budgétaires.

En 1764, le gouvernement lui confie la mission d'étudier l'exploitation houillère et l'usage du coke dans la métallurgie du fer en Grande-Bretagne. Jars rentre en France en septembre 1765, après quinze mois d'un séjour rendu très fructueux par le traitement de faveur qui lui a été réservé pour mener les investigations nécessaires. Il est chargé de montrer aux maîtres de forges français les méthodes modernes : c'est ainsi qu'en janvier 1769 il fond, pour la première fois en France et soixante-deux ans après l'essai réussi par Abraham Darby, le minerai de fer avec du coke. Il répète l'essai quelques mois plus tard chez de Wendel à Hayange.

Jusqu'en 1773, personne d'autre que lui n'aura, en France, de connaissance directe des méthodes et procédés britanniques, et la mort prématurée de Jars est une grande perte pour le pays. C'est alors qu'on se décide à publier les *Voyages métallurgiques, ou Recherches et observations sur les mines et forges de fer* (Lyon, 3 vol., 1774-1781) et à faire venir en France des métallurgistes britanniques, tel William Wilkinson (1738-1808), pour accélérer le mouvement. Les matériaux du grand livre ont été rassemblés par le frère aîné de Jars, Gabriel (1729-1808), grâce à la communication de papiers par le secrétaire de Trudaine fils. Jars était membre de l'Académie des sciences depuis 1768 et de la Société royale de Londres.

JAUCOURT, Louis, chevalier **de** (Paris, 27 septembre 1704 - Compiègne, 3 février 1779). Il est de tous les auteurs de l'*Encyclopédie*, après Diderot, le plus fécond. Issu d'une famille de noblesse d'épée et de nouveaux convertis, il fait ses études hors de France dans les pays protestants. Il s'adonne à la théologie à Genève, aux mathématiques et à la physique à Cambridge et enfin à la médecine à Leyde sous Boerhaave. En 1730, il est reçu docteur en médecine de cette dernière université, le même jour que son condisciple et ami Tronchin. Revenu en France en 1738, reçu membre des académies de Bordeaux, Stockholm, Berlin et de la Société royale de Londres, il passe le reste de sa vie dans des occupations studieuses. Ses nombreux articles de l'*Encyclopédie* portent sur des sujets très variés. Cependant, la plupart sont consacrés aux sciences physiques et naturelles. Sa vocation était d'écrire des articles de dictionnaire, de « moudre des notices » comme disait

plaisamment à son sujet son ami Diderot. Peu après son retour en France, il avait rédigé en latin un dictionnaire universel de médecine en six volumes, et l'avait expédié par bateau, sans en garder de copie, à un imprimeur d'Amsterdam. Le malheur voulut que le vaisseau fit naufrage sur les côtes de Hollande. L'*Encyclopédie* fut sans doute pour le chevalier de Jaucourt une manière de refaire son dictionnaire.

JÉSUITES. Les Jésuites, ou Compagnie de Jésus, sont une congrégation de clercs réguliers fondée en 1534 par saint Ignace de Loyola. Ils se divisent en trois catégories : écoliers, coadjuteurs et profès. Les écoliers prononcent des vœux simples après un noviciat de deux ans. Les coadjuteurs font des vœux simples, mais publics. Les profès font des vœux solennels après une longue épreuve de dix-sept ans. Aux trois vœux ordinaires de religion, ils ajoutent un quatrième vœu d'obéissance au pape.

Les jésuites français appartiennent à l'Assistance de France, circonscription elle-même divisée en cinq provinces : Champagne, France, Toulouse, Lyon et Aquitaine. Le régime de la Compagnie étant très centralisé, c'est le général, résidant à Rome, qui nomme les provinciaux et les recteurs des maisons. La Compagnie avait cent seize établissements dans le royaume en 1716 ; elle en aura cent cinquante-deux en 1764, au moment de sa suppression par le roi. La dernière maison fondée en France est le collège de Sarlat (1762). Il y a plusieurs sortes d'établissements selon les fonctions : résidences, collèges, séminaires, maisons de missions, maisons d'exercice et noviciats. Le nombre des jésuites français était de trois mille cinq cents en 1762 (dont mille huit cent quarante prêtres).

La plupart sont employés à enseigner dans les collèges. Avec ses quatre-vingt-cinq collèges, la Compagnie est la première des congrégations masculines enseignantes. Plus de la moitié des enfants formés aux humanités passent par ses mains. La méthode reste celle du *Ratio studiorum* de 1599. Les jésuites continuent à donner une grande importance à l'art oratoire et au théâtre (supprimé vers 1730 par les autres instituts enseignants). Ils font plaider leurs élèves. Ils organisent des spectacles somptueux et mondains de comédie et de ballet. Cependant, ils font quelques concessions à l'esprit du siècle. La part du latin est diminuée. Les plaidoyers sont prononcés en français. La pensée pédagogique s'écarte des principes de l'humanisme chrétien. On fait moins confiance à l'intelligence de l'enfant et à son désir naturel de savoir. « Il vaut mieux, écrit le P. Jean Croiset, une éducation excellente avec un naturel médiocre, que le plus riche naturel du monde avec une médiocre éducation » (*Règlements pour les pensionnaires de la Compagnie de Jésus*).

L'activité des jésuites est loin de se limiter à l'enseignement. Leur apostolat prend de multiples formes. Ils sont, jusqu'en 1764, les confesseurs de Louis XV. Ils forment les prêtres du clergé séculier dans leurs vingt-huit séminaires diocésains. Ils exercent dans les villes de leurs résidences et de leurs collèges une intense activité pastorale. Par exemple, dans leurs collèges et maisons de Molsheim, Neunkirch, Altbronn et Marienthal en Alsace, ils dirigent des confréries et organisent des adorations et des processions du Saint-Sacrement (Châtellier). Ils se dépensent aussi dans les missions paroissiales. Les provinces d'Alsace, de Lorraine et d'Anjou sont leurs principaux champs d'activité missionnaire. Le P. Duplessis a été l'un de leurs missionnaires les plus connus.

La spiritualité qu'ils communiquent est marquée par l'ascétisme. Elle est pratique et attachée aux moyens. Ils n'ont plus de très grands auteurs spirituels (le seul qui émerge est le P. Pallu), mais ils diffusent les œuvres de leurs maîtres du siècle précédent : les PP. Crasset, Nepveu, Saint-Jure. Les dévotions qu'ils recommandent sont la dévotion mariale, celle du saint sacrement et celle du Sacré-Cœur, dont un des leurs, le P. de Galliffet, est à la fois le théologien et l'apôtre.

Ils enseignent la théologie dans plusieurs de leurs collèges, mais leurs meilleurs théologiens professent dans leur université lorraine de Pont-à-Mousson. La *Theologia universa* du P. Antoine (1723) fait honneur à cette école lorraine. Le P. Antoine est un thomiste. Sa doctrine rigoriste désarme les critiques des molinistes.

En philosophie, si l'on en juge par leurs cours manuscrits, la plupart des régents jésuites sont cartésiens ou malebranchiens. Leurs cours de physique reprennent les thèses du mécanisme et celles de l'occasionnalisme malebranchien. Dieu pour ces professeurs jésuites n'est plus « à la racine de l'être ». Il n'est qu'un mécanicien. Le Dieu horloger de Voltaire n'est pas loin. Cela sent le déisme et même le panthéisme. Si Dieu est seule cause efficiente, pourquoi ne se confondrait-il pas avec le monde ? En philosophie politique, certains jésuites ne répugnent pas à faire leurs les thèses de Locke. Dans son *Traité de la société civile* (1726), le P. Buffier tient d'étranges propos qui ne seraient pas déplacés chez l'abbé de Saint-Pierre ou chez Morelly. « Les hommes, écrit-il par exemple, ne subsistent que par le commerce qu'ils entretiennent ensemble et par le besoin mutuel qu'ils ont les uns des autres. »

Il n'empêche que les bons pères se posent en apologistes et qu'ils font profession de combattre la philosophie des Lumières. Le P. Nonnotte, le P. Feller, le P. Berthier et le P. Buffier (pour ne citer que les plus prolixes) attaquent les « philosophes » et prétendent les réfuter. Les *Mémoires de Trévoux*, qui sont le journal savant de la Compagnie, passent au crible d'une critique érudite toute la production littéraire et philosophique. Mais l'apologétique jésuite est incapable de dominer son adversaire, car elle est elle-même imprégnée de déisme. Par exemple dans l'*Exposition des preuves les plus sensibles de la religion* du P. Buffier, s'il est tout le temps question de la « Vérité de Jésus-Christ », il n'est dit nulle part que Jésus-Christ soit Dieu. Pour comble, le fidéisme des pères les laisse sans arguments véritables face au rationalisme des « philosophes ». Comment utiliseraient-ils la raison puisqu'ils n'y croient pas ? « La faiblesse de ses lumières, écrivent en 1725 les *Mémoires de Trévoux*, ne lui permet pas de se faire jour au travers des ténèbres qui l'investissent de toutes parts. »

L'histoire de la suppression des Jésuites en France est racontée dans la partie « récit » du présent ouvrage. Nous y renvoyons les lecteurs. Rappelons seulement qu'après avoir condamné les jésuites français à payer solidairement les dettes du P. La Valette, les parlements voulurent examiner les constitutions de la Compagnie. Comme il fallait s'y attendre, ils les trouvèrent non conformes aux lois de la monarchie et aux « libertés gallicanes ». Par l'édit de novembre 1764, Louis XV supprima la Compagnie dans son royaume : « ... voulons et nous plaît que la Société des Jésuites n'ait plus lieu dans notre royaume ». Cette suppression est une victoire du gallicanisme. Elle est aussi une victoire de la philosophie : à travers les jésuites étaient visés l'humanisme chrétien et la romanité de l'Église.

Si l'on regarde la christianisation du peuple, le bilan de l'action des jésuites au XVIIIe siècle est un bilan positif. Leurs missions, leurs confréries, leurs catéchismes ont contribué puissamment à l'essor du mouvement dévot. Le jansénisme a reculé. Une piété plus confiante et plus chaleureuse a été stimulée. Mais si l'on regarde le combat antiphilosophique, le bilan est négatif. Dans la lutte antiprotestante du siècle précédent, les jésuites s'étaient montrés des adversaires efficaces. Devant la philosophie, ils ont échoué. On peut même dire qu'ils ont formé des philosophes, puisque les plus grands de la pensée des Lumières, à commencer par Fontenelle, Voltaire et Diderot, sont sortis de leurs propres collèges.

JEUX. On distingue alors trois sortes de jeux : jeux d'adresse, jeux de hasard et jeux mixtes. Les jeux d'adresse les plus pratiqués sont les échecs, les dames, la paume et le billard. La science des échecs est totalement renouvelée par Philidor, qui publie en 1749 à l'âge de vingt-trois ans son *Analyse des échecs*. Les jeux de hasard les plus connus sont les dés, le hoca, le lansquenet, le pharaon, l'oie, la blanque et le biribi. Lansquenet et pharaon sont des jeux de cartes. Ils se jouent entre un banquier et un nombre illimité de pontes. Le biribi n'est pas un jeu de cartes. Il se joue au moyen d'un tableau divisé en soixante-dix cases numérotées et de soixante-dix billets également numérotés. Les jeux dits mixtes, comme le piquet, le triomphe et le trictrac, sont ceux qui font intervenir à la fois l'« industrie » et le hasard.

La loi civile et la loi morale prohibent les jeux de hasard. Douze ordonnances sont publiées entre 1717 et 1781, portant cette interdiction, et menaçant les contrevenants d'amendes et de peines de prison. Les moralistes et les casuistes ne permettent que les jeux d'adresse ou mixtes. Dans son *Traité du vrai mérite de l'homme*, Le Maistre de Claville déconseille formellement les jeux « des trois dés, du quinquenauve [?], du lansquenet, de la bassette et du pharaon, qui mènent trop loin ». La morale philosophique manifeste la même réprobation : « La passion du jeu, écrit Jaucourt dans l'article "Jeu" de l'*Encyclopédie*, est l'une des plus funestes dont on puisse être possédé. »

Toutes ces défenses n'ont pas grand effet. Les jeux de hasard vont leur train. D'ailleurs, si le pouvoir interdit les jeux de hasard, il accorde en même temps des licences. Par exemple, le 16 avril 1722, le Régent autorise huit académies de jeu dans Paris. Et la Cour donne le mauvais exemple. Sous la Régence, les courtisans se passionnent pour le biribi. La duchesse de Berry, fille du Régent, tient table de jeu ouverte. Louis XVI tolère de la Cour le jeu de pharaon qu'il interdit à ses sujets. Il le tolère parce que la reine aime y jouer. « Il n'a pas la force de dire à sa femme qu'il ne veut pas qu'on y joue » (Journal de l'abbé de Véri).

On trouve partout des tripots, des cafés, des billards, où l'on joue à tous les jeux et surtout à ceux de hasard. A Paris, le lieutenant de police, obligé de surveiller à la fois le jeu et la fraude au jeu (les fausses cartes, les faux billets de loterie), n'a pas les moyens suffisants pour exercer un contrôle efficace. De temps en temps, la police fait une descente dans les tripots et arrête quelque joueur professionnel. En 1746 par exemple, elle met la main sur un certain sieur de Flamville connu comme banquier de pharaon, biribi et taupe, «jouant, taillant dans diverses maisons et notamment dans tous les tripots de Paris» (cité par S. Pillorget, *Claude-Henri Feydeau de Marville, lieutenant général de police de Paris, 1740-1747*). On joue aussi chez les particuliers. On joue dans les villes d'eau : à Spa, Wiesbaden, Aix-la-Chapelle, les curistes engagent de fortes sommes au piquet, au trictrac et au pharaon.

La contagion du jeu atteint souvent des proportions inquiétantes. «Dans une infinité de maisons, écrit Le Maistre de Claville, l'ordre et le paiement du souper dépendent du nombre et de la fin des parties [...]. On y passe des jours entiers sans se déplacer ; on compte pour rien la faim et l'insomnie ; l'abattement et la pâleur sont les images de la mort, et l'agitation, les plaintes, les grimaces et les blasphèmes représentent l'Enfer» (*Du vrai mérite de l'homme*). Le fléau du jeu affecte particulièrement les villes de garnison et le milieu des officiers : «Que d'exemples, note le chevalier de Mautort dans ses *Mémoires*, je pourrais citer d'officiers que cette funeste passion a perdus.» Trait caractéristique des mœurs du temps, la passion du jeu est souvent évoquée par la littérature. Des Grieux se fait joueur pour complaire à Manon. Le *Beverlei* de Saurin (1768) nous fait assister au suicide d'un honnête homme dépouillé au jeu par des scélérats.

JOANNET, Claude (Dôle, 1716 - Paris, 1789). Prêtre, il est surtout connu pour avoir dirigé pendant dix années, de 1754 à 1763, un recueil périodique intitulé d'abord *Lettres sur les ouvrages et œuvres de piété, dédiées à la reine*, puis, à partir de 1758, *Journal chrétien dédié à la reine*, dont la collection, formée de quarante volumes, contient des recensions d'ouvrages, des nouvelles de la production ecclésiastique et de nombreuses réfutations des ouvrages des philosophes, et en particulier des écrits de J.-J. Rousseau. L'abbé Joannet a également laissé des *Éléments de poésie française* (1752). Il était membre de la Société royale des sciences et belles-lettres de Nancy, et avait le titre de «journaliste de Sa Majesté».

JOLY DE CHOIN, Louis Albert. *Voir* CHOIN, Louis Albert Joly de.

JOLY DE FLEURY, Guillaume François (1675 - 22 mars 1756). Procureur général du parlement de Paris, il avait d'abord opté pour l'Église. Il avait reçu la tonsure et le bénéfice en commende du prieuré de Saint-Pierre de Sélicourt. A vingt ans, il change d'orientation et commence une carrière judiciaire. Son élévation est rapide et brillante : avocat au Parlement en 1695, avocat général à la Cour des aides en 1700, avocat général au parlement de Paris en 1705, il est finalement nommé procureur général de ce même Parlement en 1717, en remplacement de d'Aguesseau devenu chancelier. C'est un juriste consommé. On dit de lui que «si les lois se perdaient en France, on les retrouverait dans sa tête» (cité par dom Louis-Mayeul Chaudon, *Biographie*). Il a des sympathies pour le jansénisme, mais se garde de les manifester trop ouvertement. «Les différends de religion, dit-il, sont tellement mêlés de passion et d'humeur, que pour faire le bien, il faut fuir presque le parti opprimé» (cité par Jean Égret, *Louis XV et l'opposition parlementaire*). Il n'oubliera donc jamais qu'il est un homme du roi, et se montrera toujours un loyal collaborateur du pouvoir. Cependant, il ne donne pas comme son prédécesseur l'exemple d'une parfaite dignité de vie. Il est réputé «un galant homme [...] fort ami des filles». Il démissionne en 1746, tout en gardant la survivance de sa charge. Il avait su retenir le Parlement dans la modération. Son fils, qui lui succède, n'aura pas la même autorité, ni le même sens de l'État.

JOLY DE FLEURY, Guillaume François Louis (1709 - ?). Procureur général du parlement de Paris, il est le fils du procureur général Guillaume François, et lui succède dans sa charge en 1746, après avoir été substitut (1729), puis avocat général (1731), puis premier avocat général et procureur général en survivance (1740). Il n'a ni l'autorité ni la loyauté de son père. Dans l'affaire de l'hôpital général, il agit avec duplicité, faisant le jeu du Parlement contre le roi, et s'opposant à la réforme voulue par Louis XV pour cette institution.

JOLY DE FLEURY, Jean François (1718-1802). Contrôleur général des Finances, il est le type même de l'honnête serviteur de la monarchie. Descendant d'une longue lignée de grands parlementaires, conseiller au parlement de Paris au début de sa carrière, il choisit le service et la fidélité. Maître des requêtes, puis conseiller d'État, il fait partie de la commission de conseillers d'État désignée par Louis XV en 1765 pour préparer la riposte royale à l'offensive parlementaire. C'est ainsi qu'il contribue à la rédaction du «discours de la Flagellation», et c'est lui-même qui lira ce discours le 3 mars 1766, devant les Chambres assemblées et en présence du roi. Il est nommé ensuite intendant de Bourgogne. Le 24 mai 1781, il lui échoit la lourde tâche de remplacer Necker au Contrôle général. On est en pleine guerre d'Amérique. Sur la foi du compte rendu de Necker, Joly de Fleury avait cru à l'excédent budgétaire. Il découvre la vérité. Courageusement, il institue de nouveaux impôts de consommation (1781), décide la levée d'un troisième vingtième (1782) et crée un comité des finances pour enrayer les flux des pensions et comprimer les budgets militaire et naval. Il se heurte alors violemment aux créatures de Necker, les ministres Ségur et Castries, et doit donner sa démission le 30 mars 1783. Il n'émigrera pas et passera en France toute la période révolutionnaire, pendant laquelle — le fait est à souligner — il ne sera pas inquiété.

JOUFFROY D'ABBANS, Claude François Dorothée, marquis de (Roches-sur-Rognon, Champagne, 1751 - Paris, 1832). C'est l'un des inventeurs du bateau à vapeur. Une visite, en 1775, à la pompe à feu des frères Périer lui donne l'idée d'appliquer la vapeur à la navigation. Dans les mois de juin et juillet 1776 il parvient à faire marcher sur le Doubs, à Baume-les-Dames, un bateau à vapeur, dont il a fait exécuter la machine sur ses plans par un chaudronnier de village. En 1780, il invente une nouvelle machine qui lui permet d'obtenir un mouvement continu. Le 15 juillet 1783, le nouveau bateau ainsi équipé remonte la Saône à Lyon en présence des membres de l'académie de cette ville. L'expérience est concluante, mais l'Académie des sciences de Paris n'en juge pas ainsi et donne un avis défavorable à la demande, présentée par l'inventeur, d'un privilège de trente ans pour former une compagnie de construction de bateaux à vapeur. Il lui faudra attendre 1816 pour obtenir enfin les autorisations, les protections et les moyens nécessaires. Le premier bateau de sa compagnie est lancé à Bercy le 20 août 1816. Mais l'entreprise tourne mal. Ruiné par la concurrence d'une compagnie rivale, désillusionné, le marquis meurt du choléra en 1832. Il appartient à la race des grands inventeurs non reconnus de leur vivant et malheureux.

JOURNAL DES SAVANTS. Créé en 1665, d'abord hebdomadaire, puis bimensuel à partir de 1724, publié sans interruption jusqu'à la Révolution, le *Journal des savants* est un journal de recensions. Il veut, selon la définition de l'abbé Desfontaine, l'un de ses premiers rédacteurs, «faire connaître le mérite des livres sans pourtant mêler une critique directe». Toutes les disciplines de l'esprit sont concernées, mais la part donnée à chacune n'est pas toujours la même. Celle de la théologie, par exemple, ne cesse de se réduire au profit de celle des sciences exactes et naturelles. Toute l'élite savante collabore, les abbés Trublet et Dubos pour les belles-lettres et les arts, Fontenelle pour les mathématiques, Barthez pour la médecine, Bouguer, Clairaut, Bailly pour l'astronomie et bien d'autres, dont un bon nombre d'encyclopédistes. L'esprit est celui des Lumières, mais on garde le respect des pouvoirs établis. D'ailleurs comment faire autrement? Le *Journal des savants* est officiel : le chancelier désigne le président du comité de rédaction et dispose des places de rédacteurs. L'abbé Bignon fut ce président jusqu'à sa mort en 1743.

L'audience est assez faible : mille abonnés environ en 1760, avec un abonnement au prix de 16 livres par an (inférieur de 8 livres à celui du *Mercure*).

JOURNAL DE TRÉVOUX. Voir **MÉMOIRES DE TRÉVOUX.**

JOURNAL ECCLÉSIASTIQUE. Fondé en 1760 par l'abbé Dinouart, le *Journal ecclésiastique ou bibliothèque raisonnée des sciences ecclésiastiques* parut jusqu'en 1786 avec une périodicité mensuelle et une moyenne de quatre-vingts pages par numéro. Il remplaçait le *Journal chrétien* de l'abbé Joannet. Sa diffusion fut assez large : en avril 1761 il était déposé chez les libraires de quarante-quatre villes de France et de seize villes d'Italie. Une édition en langue italienne fut publiée à Palerme à partir de 1772.

Directeur et principal rédacteur du *Journal*, l'abbé Dinouart visait à servir le clergé en l'informant et en l'instruisant. Dans les mille sept cents articles de fond de la collection du *Journal*, toutes les matières ecclésiastiques sont traitées, mais principalement celles relatives à l'exercice du ministère sacerdotal ; on trouve en particulier beaucoup de modèles de sermons. Une rubrique de « Nouvelles littéraires » informe les lecteurs des dernières nouveautés autant profanes que sacrées.

L'abbé Dinouart s'interdit toute polémique. Il laisse quand même voir une préférence pour une religion rigoureuse plus proche du jansénisme que des jésuites. Il ne mentionne pas les écrits des apologistes jésuites Nonnotte et Patouillet, ni les mandements des évêques très liés à la Compagnie (comme Mgr de La Motte, évêque d'Amiens).

JOURNAL ENCYCLOPÉDIQUE. De périodicité bimensuelle, le *Journal encyclopédique* fut publié sans interruption par Pierre Rousseau de 1756 à 1794, d'abord à Liège (jusqu'en 1760), ensuite à Bouillon. A la recension de toutes les nouveautés bibliographiques succédait dans chaque numéro la présentation des événements politiques. C'était donc un journal à la fois littéraire et politique, et cette double vocation en faisait la singularité. Directeur et principal rédacteur, Pierre Rousseau avait su attirer de nombreuses brillantes collaborations, dont celles de l'abbé Yvon, de Panckoucke et de Brissot de Warville. Voltaire lui-même aurait prêté au *Journal* le concours de sa plume (Hoefer). Selon M. Nicolas Wagner, rédacteur de la notice consacrée au *Journal encyclopédique* dans le *Dictionnaire des journaux*, l'esprit de la rédaction aurait été un esprit séculier, ou si l'on préfère anticurialiste, mais non antireligieux, ni matérialiste. Pourtant, le même auteur nous dit qu'Helvétius fut « toujours soutenu » par le *Journal*. Rousseau quitta Liège à cause de l'opposition du clergé local et fut ensuite très souvent attaqué par Fréron.

JOURNAUX. Journal, gazette, courrier, affiches et correspondances, tels sont les différents noms des périodiques. Ils sont bihebdomadaires, ou hebdomadaires, ou mensuels ou bimensuels. Un seul est quotidien : le *Journal de Paris*, qui a commencé à paraître le 1er janvier 1777.

Le petit format (in-12 ou in-8) domine. Le nombre de pages varie selon la périodicité. Les mensuels ont de 80 à 100 pages. *La Gazette* (hebdomadaire) paraît depuis 1762 sur 12 pages à deux colonnes.

Selon le contenu, on peut distinguer les catégories suivantes :

— les périodiques donnant principalement des informations politiques françaises ou étrangères. Le seul journal de cette sorte imprimé en France est *La Gazette*. Ce journal officieux du pouvoir royal (fondé en 1631 par Théophraste Renaudot) devient en 1762 son organe officiel et prend alors le titre de *Gazette de France* (surmonté des armes de France). Les autres gazettes politiques diffusées en France sont imprimées à l'étranger. En 1779, neuf gazettes étrangères sont en circulation. Ce sont les *Gazettes* ou *Journaux d'Amsterdam, de Clèves, d'Altona, de Bruxelles* (appelé *Journal politique de Bruxelles*), *de Cologne, des Deux-Ponts, de La Haye, de Leyde* et *d'Utrecht ;*

— les périodiques d'information sur tous les sujets, mais principalement sur les lettres, les arts et les spectacles. Le *Mercure de France* est le plus connu. Le *Spectateur français* lancé par Marivaux (sur le modèle du *Spectator* d'Addison) et le *Journal de Verdun* se rattachent à cette catégorie ;

— les périodiques spécialisés, dont la matière est constituée essentiellement par des recensions d'ouvrages concernant un domaine particulier de la vie de l'esprit. Les titres sont très nombreux. Voici les plus diffusés : *Journal des savants* (fondé en 1655), *L'Année littéraire* (de Fréron) fondée en 1754, la *Correspondance littéraire, philosophique et critique* de Grimm (1770-1782), le *Journal ecclésiastique* de l'abbé Dinouart, dirigé ensuite par Barruel, le *Journal chrétien* de l'abbé Joannet, le *Journal économique* (fondé en 1751), les *Éphémérides du citoyen*, de l'abbé Baudeau (fondé en 1761), le *Journal du palais* (fondé en 1672), le *Journal du théâtre*, le *Journal d'éducation* de Lebon (fondé en 1768), le *Courrier de la mode* (fondé en 1768) et l'*Encyclopédie militaire périodique* (fondée en 1772). Tous ces journaux sont publiés à Paris, mais la province en publie aussi. A Lyon, par exemple, un *Courrier littéraire* est publié de 1766 à 1787. Sont également diffusés en France plusieurs journaux du même type imprimés à l'étranger. Le *Journal encyclopédique* de Pierre Rousseau est publié d'abord à Liège (à partir de 1756), puis à Bruxelles et enfin dans le duché de Bouillon ;

— les périodiques à ragots et à scandales, qui paraissent souvent sous la forme de nouvelles à la main, et sont, sauf exception, clandestins. Barbier mentionne plusieurs de ces écrits et les interdictions dont ils font l'objet. A la fin du règne de Louis XV, cette presse scandaleuse sort de la clandestinité. Elle est

autorisée. Les feuilles les plus connues sont la *Correspondance littéraire secrète* dite de Métra (fondée en 1774) ; les *Mémoires secrets*, dits de Bachaumont (à partir de 1777), les *Affiches de la Cour*, les *Annonces de la Cour* ou *Journal général de la Cour*, qui s'attachent aux ministres et aux grands seigneurs. Voici, à titre d'échantillon, un extrait des « annonces particulières » de ce journal :

Monsieur le comte d'Aranda, ayant trouvé sa femme morte en Espagne, et se disposant à se remarier avec sa nièce, Mademoiselle Flir, sa maîtresse sera vacante. C'est une jeune et jolie personne, qui a des dispositions à devenir hommasse, comme les Allemandes, mais fraîche quant à présent.

La feuille janséniste les *Nouvelles ecclésiastiques* peut être rattachée à cette presse à scandales, bien que les scandales qu'elle dénonce ne soient pas ceux de la galanterie. Elle est imprimée clandestinement à partir de 1728 ;

— les affiches, qui sont des journaux d'annonces, mais comportant parfois des nouvelles politiques et littéraires et des recensions. Les premières affiches sont les *Affiches de Paris, de province et des pays étrangers*, publiées à partir de 1716. Les affiches provinciales apparaissent après 1730. Elles se multiplient après 1770. Dans ses *Origines*, Daniel Mornet recensait quarante-quatre titres.

Les périodiques se vendent au numéro par colportage ou bien dans les bureaux de dépôt. Cependant, la formule la plus utilisée est celle de l'abonnement. Les deux grands périodiques parisiens, *La Gazette* et le *Mercure*, sont ceux qui ont le plus grand nombre d'abonnés. En outre *La Gazette* est réimprimée dans plusieurs villes de province, et le *Mercure* est en dépôt dans toutes les villes importantes (vingt-six villes en 1748).

Sur le nombre total des périodiques diffusés en France, nous n'avons que des estimations très approximatives. Dans sa *Bibliographie*, Hatin indiquait le chiffre de vingt-sept journaux imprimés à Paris en 1779, plus quatorze venant de l'étranger. Si l'on ajoute à ces chiffres ceux des périodiques provinciaux, on arrive sans doute à une centaine de titres pour l'ensemble du royaume.

Le régime juridique est celui du privilège. Cependant la Librairie délivre dans certains cas des permissions tacites.

Le prix des abonnements est relativement élevé. En 1779, ils vont de 18 à 24 livres par an. Les journaux étrangers sont un peu plus chers. Le prix au numéro est de 3 sous pour *La Gazette* en 1762.

Il serait intéressant de connaître les tirages. Nous savons qu'en 1748 le *Mercure* avait deux mille abonnés et acheteurs au numéro. La plupart des périodiques sont sans doute au-dessous de ce chiffre. Même à l'époque de la multiplication des titres (après 1770), il n'y a peut-être pas plus de cent mille Français abonnés à un périodique et acheteurs au numéro. Mais le nombre des lecteurs avoisine peut-être les cinq ou six cent mille grâce aux bibliothèques publiques et aux cabinets de lecture.

La presse du XVIIe siècle donnait la préférence aux nouvelles politiques et aux faits divers. Celle-ci est plutôt tournée vers la littérature, le théâtre, la publicité commerciale, les potins, les scandales. C'est une presse au service du livre : la place des recensions y est très importante. C'est aussi une presse au service des idées, une presse d'opinion et d'opinion le plus souvent philosophique ou tout au moins « éclairée ».

JOURNÉE DES TUILES. *Voir* **TUILES (journée des).**

JUBÉ, Jacques (Vanves, 24 mars 1674 - Paris, 20 décembre 1745). Prêtre, curé d'Asnières, il est connu pour ses innovations liturgiques. Fils d'un blanchisseur, orphelin très jeune, il est recueilli par un prêtre charitable, l'abbé Doyen. Le P. de Jouvency, jésuite, s'occupe de lui et lui fait obtenir une bourse de l'Université. Il étudie la philosophie sous Dagoumer, professeur cartésien et janséniste. Ensuite il entre au séminaire de Saint-Magloire, tenu par les oratoriens, et en est complètement janséniste. Nommé curé de Vaugirard, puis d'Asnières (1701), il se montre un pasteur très zélé, mais d'un rigorisme excessif. Par exemple, il interdit

à la marquise de Parabère, sa paroissienne et la maîtresse du Régent, d'entrer dans son église. Cependant le plus remarqué est sa liturgie nouveau style. Il commence par se faire construire une nouvelle église, plus semblable à un temple protestant qu'à une église catholique : on n'y voit aucune figure de saint ; des images représentent des scènes de la Bible constituent la seule décoration ; l'autel est nu, sans crucifix ni chandeliers, même pendant l'office. La messe est encore plus étonnante : le *Kyrie* et le *Gloria* sont récités par le peuple ; l'Évangile du jour est lu en français par une femme ; le prêtre ne monte à l'autel que pour l'offertoire et récite à voix haute secrète et canon. Ce curieux cérémonial est janséniste et richériste : le peuple s'y voit par moments attribuer le rôle du prêtre, et le prêtre est d'une certaine manière traité en évêque : quand il marche à l'autel, une grande croix le précède, et il se lave deux fois les mains après l'offertoire, comme un prélat. Tout cela fait grand bruit, mais l'archevêque de Paris, le cardinal de Noailles, le tolère. En 1724, Jubé est convaincu d'avoir fait circuler des ballots de livres jansénistes. Il doit s'enfuir en Hollande où l'accueille l'archevêque schismatique d'Utrecht. C'est le début d'une vie nomade. En 1725, Jubé se trouve à Rome où il assiste à un concile provincial. Puis il parcourt l'Allemagne et, en 1728, part pour la Russie comme précepteur des enfants des princes Dolgorouki. Il aurait été chargé par les évêques français d'une mission pour la réunion des Églises latine et orthodoxe. Mais les Dolgorouki sont disgraciés. Jubé se réfugie en Hollande. Il rentre en France pour y mourir pauvre et oublié à l'hôtel-Dieu de Paris. Sa liturgie lui survivra. Dire le canon à voix haute sera longtemps pour le clergé janséniste une manière de fronder l'autorité. On pourrait aussi parler d'une influence à plus long terme. Il est étonnant de voir à quel point la messe de Paul VI ressemble à celle de Jubé. Ce petit curé janséniste était un précurseur.

JUBILÉ. Le jubilé est une indulgence plénière que seul le pape peut accorder et qu'il accorde à l'Église universelle. Les jubilés dits « séculaires » sont accordés tous les vingt-cinq ans. Il arrive aussi qu'un pape proclame un jubilé à l'occasion de son exaltation au trône pontifical.

Les jubilés séculaires du XVIIIᵉ siècle ont été ceux des années 1725, 1750 et 1775.

Diverses œuvres et prières sont nécessaires pour gagner l'indulgence plénière du jubilé. La bulle du jubilé est envoyée aux archevêques français. Ceux-ci la transmettent à leurs évêques suffragants, lesquels promulguent alors à l'intention de leurs diocésains un mandement de jubilé. Ils y expliquent la nature du jubilé et comment obtenir l'indulgence. Tout cela prend du temps. La plupart des diocèses français décalent la célébration d'un ou deux ans. C'est ainsi par exemple que le jubilé de 1775 est célébré en France en 1776.

Pour gagner le jubilé, il faut visiter des églises, prier pour l'exaltation de la religion catholique, pour la conversion des infidèles et pour la concorde entre les princes chrétiens. Il faut recevoir les sacrements de pénitence et d'eucharistie. Le mandement de jubilé indique les églises à visiter. Pour le jubilé de 1776, l'évêque de Chartres désigne quatre églises dans chacune des dix-sept villes du diocèse.

L'esprit du jubilé est celui de la retraite et de la pénitence. La « Prière pour gagner les indulgences au temps du Jubilé » commence par cette invocation : « Lavez-moi de plus en plus, purifiez en moi les restes du péché et donnez-moi la force de faire pénitence. »

JUIFS. Les principales communautés juives du royaume sont les suivantes :
— les communautés du Sud-Ouest (juifs sefardim) établies à Bordeaux, Dax et Bayonne ; leurs membres sont les descendants des juifs espagnols et portugais expulsés en 1492 ;
— les communautés du Comtat Venaissin, établies à Avignon et à Carpentras ;
— les communautés de l'Est (juifs ashkenazi) formant trois groupes distincts : juifs d'Alsace, juifs de Lorraine et juifs des Trois-Évêchés.

La communauté alsacienne est celle qui a le plus augmenté en nombre au cours du siècle par l'immigration de juifs venus d'Allemagne. Elle est passée de 3 300 membres en 1707 à 25 000 en 1784. Quant au nombre total des juifs résidant en France en 1789, on peut l'estimer à 40 000.

Les juifs habitent le plus souvent des quartiers distincts, comme celui de Sainte-Ségolène à Metz.

Ils ne font pas partie de la société civile et ne peuvent résider en France que par la protection du roi. En Alsace et en Lorraine, ils sont astreints à payer un péage corporel pour être admis à établir leur domicile. Partout, la plupart des professions leur sont interdites, et en particulier celles d'agriculteur et de médecin. Cependant, leurs communautés sont reconnues et organisées. Par exemple, la « nation juive » de Bordeaux et la communauté de Metz ont des syndics et peuvent ester en justice. La communauté de Metz est affranchie de plusieurs charges et taxes qui pèsent sur les sujets du roi, par exemple du logement des gens de guerre.

Le culte est toléré, alors que celui des protestants est interdit. On compte sept synagogues à Bordeaux en 1734 et treize à Bayonne en 1755. La synagogue de Carpentras est construite en 1741 et restaurée en 1784.

Ne pouvant cultiver la terre ni exercer la plupart des arts mécaniques et libéraux, les juifs s'adonnent au commerce et à la banque. A Bordeaux, les juifs Gradis, Peixotto, Pereyre et Mendès France comptent parmi les plus grands du négoce. Les juifs des Trois-Évêchés sont spécialisés dans la vente à crédit. Ceux de Lorraine ont le monopole de fait du crédit. Le prêt à intérêt est interdit aux chrétiens, non aux juifs.

Louis XVI entreprend d'améliorer le statut des juifs. L'édit de janvier 1784 supprime le péage corporel. Les lettres patentes de juillet 1784 autorisent les juifs à louer des terres et des mines, mais à la condition de les exploiter eux-mêmes. En 1787, Malesherbes est chargé d'un projet de libéralisation. Aidé de Roederer, conseiller au parlement de Metz, il se met au travail mais le temps lui fera défaut pour mener cette œuvre à bien.

Cette même année 1787, l'académie de Metz met au concours le sujet suivant : « Est-il des moyens de rendre les juifs plus utiles et plus heureux en France ? » L'abbé Grégoire participe au concours et adresse à l'académie un mémoire intitulé *Essai sur la régénération physique, morale et politique des juifs*. Cet écrit est une parfaite illustration du racisme et de l'antisémitisme des Lumières. L'auteur énumère les tares des juifs : « la malpropreté [...], leur genre de nourriture [...], l'usage d'aliments mal choisis [...], le défaut de croisement dans l'espèce... ». Il dénonce les « dangers » que, selon lui, cette nation recèle : « Danger de tolérer les Juifs tels qu'ils sont, à cause de leur aversion pour les autres peuples et de leur moralité relâchée [...]. Danger de tolérer les Juifs tels qu'ils sont à cause de leur commerce et de leurs usures. » Et de porter ce jugement : « Ce sont des plantes parasites qui rongent la substance de l'arbre auquel elles s'attachent... » Pour les « régénérer » l'abbé ne voit rien de mieux que la suppression des rabbins et le rejet des traditions, car celles-ci, écrit-il, « excitent tout au plus le rire de la pitié ». Mais contribuerait aussi à ses yeux à l'œuvre de « régénération » l'intégration des juifs dans la société civile française : plus de ghettos ni de quartiers séparés, accession à tous les emplois civils et militaires. L'abbé attend beaucoup d'une telle réforme ; il pense en effet que les vices des juifs ne sont pas essentiels mais accidentels, et que l'isolement où les nations les ont tenus en est la cause principale. Grégoire est antisémite, mais il l'est beaucoup moins que Voltaire pour qui les juifs sont « le plus abominable peuple de la terre » (*Dictionnaire philosophique*, art. « Anthropophages ») et qui écrit encore à leur sujet : « Vous ne trouverez en eux qu'un peuple ignorant et barbare, qui joint depuis longtemps la plus sordide avarice à la plus détestable superstition et à la plus invincible haine pour tous les peuples qui les tolèrent et qui les enrichissent » (*ibid.*, art. « Juifs »).

JUIGNÉ, Antoine Éléonore Léon Leclerc de (Paris, 1728 - *id.*, 1811). C'est le dernier archevêque de Paris de l'Ancien Régime. Son père avait été tué en 1734 à la bataille de Guastalla. Il fait ses études à Paris au séminaire Saint-Nicolas-du-Chardonnet et au collège de Navarre où lui est conféré le grade de docteur en théologie. Son élévation est rapide. D'abord grand vicaire à Carcassonne, il est nommé, dès 1764, évêque de Châlons. Il est vrai qu'il avait exercé de 1760 à 1764 la charge d'agent général du clergé, très haute fonction considérée comme le marche-pied de l'épiscopat. Il va rester dix-sept ans à Châlons et y déployer une grande activité pastorale et charitable, visitant presque tous les ans son diocèse, reconstruisant son séminaire, fondant après l'incendie de Saint-Dizier une caisse de secours pour les victimes des catastrophes naturelles. Sa bienfaisance et son antijansénisme attirent l'attention. Le 23 décembre 1781, onze jours après la mort de Mgr de Beaumont, le roi le nomme au siège de Paris. Il refuse. Louis XVI doit lui donner l'ordre d'accepter. Son prédécesseur avait fait les mêmes difficultés. Il faut croire que le poste n'était guère désiré. L'histoire de l'épiscopat parisien de Juigné est mal connue. On sait seulement qu'il visita la moitié des paroisses de son archidiocèse, et que ces visites furent peu régulières et assez espacées. Il faut signaler aussi la publication en 1766 d'un *Pastorale parisiense* contenant un rituel et un pastoral. Cet ouvrage, remaniement du rituel de Châlons de 1776, a valu à l'archevêque les critiques des jansénistes G. N. Maultrot et N. de Larrière. Élu député aux États généraux, Juigné s'oppose à la réunion des ordres. Il encourt aussitôt la vengeance des « patriotes ». Le 23 juin 1789, rentrant de Versailles, il est assailli par la populace. Ses chevaux, sa voiture et ses gens sont maltraités. C'était pourtant le meilleur des hommes, bon ecclésiastique, présentant bien, pieux de surcroît : « Mince, grand, bien fait, dit un contemporain [...], au regard céleste et timide comme un séminariste. » Naïf sans doute. Ne le verra-t-on pas le 4 août proposer un *Te Deum* d'action de grâces pour l'abolition des privilèges ? Il est l'un des premiers évêques à émigrer. Le 15 octobre 1789, il demande ses passeports et rejoint Aix en Savoie sous prétexte de saison d'eaux. Il passera la plus grande partie de l'émigration chez l'Électeur de Trèves et, sans faire la moindre difficulté, démissionnera en 1802 de son archevêché.

JULLIEN, Antoine Jean Baptiste Alexandre (? - 1794). Intendant de province, il administre la généralité d'Alençon pendant vingt-quatre ans (1766-1790). Il y fait preuve d'une constante sollicitude pour les pauvres. A la séance d'ouverture de l'assemblée provinciale de Moyenne Normandie, au début de 1788, il demande aux députés de soulager le peuple « toujours malheureusement grevé parce que ceux qui pourraient le défendre sont souvent intéressés à lui laisser un fardeau dont ils ne pourraient le soulager qu'en en prenant une partie pour eux-mêmes ». Lors des troubles de l'été 1789, tout en ordonnant d'arrêter les perturbateurs, il invite la maréchaussée à avoir égard à la condition misérable de la plupart d'entre eux : « Ce sont des malheureux qui demandent du pain et pour lequel en effet il est bien cher » (cité par Ardascheff, *Les Intendants de province sous Louis XVI*). Sa bienfaisance est mal récompensée : condamné à mort par le Tribunal révolutionnaire, il est guillotiné en 1794.

JUSSIEU, Antoine de (Lyon, 6 juillet 1686 - Paris, 22 avril 1758). Il est l'aîné des trois naturalistes portant ce nom. Docteur en médecine de Montpellier, admis en 1715 à l'Académie des sciences, il avait été nommé le 10 août 1710 « démonstrateur de l'intérieur des plantes, sous le titre de professeur de botanique », succédant à Tournefort dans cet emploi. Il dirige à ce titre le jardin de botanique du Jardin royal, tout en exerçant la médecine. Avec son frère Bernard et leur neveu Antoine Laurent, il a jeté les bases de la première classification naturelle des plantes. Son *Mémoire sur les empreintes des végétaux des houillères de Saint-Étienne* est une contribution importante à la géologie. Il y montre que ces traces de plantes se rapportent à des végétaux analogues à ceux qui peuplent aujourd'hui la surface du globe.

JUSSIEU, Bernard de (Lyon, 17 août 1699 - Paris, 6 novembre 1777). Naturaliste, il est le frère cadet d'Antoine. Son principal terrain d'observation est le Jardin du roi, où il est nommé le 30 septembre 1722 « sous-démonstrateur de l'extérieur des plantes » et, le 22 mai 1732, « garde du cabinet des drogues ». Il travaille aussi au jardin botanique de Trianon créé par Louis XV. Il effectue plusieurs voyages d'études : en Espagne, avec son frère Bernard en 1716-1717, et en Angleterre en 1727 et 1734. Enfin, il correspond avec plusieurs savants étrangers, en particulier avec le grand naturaliste suédois Linné, qu'il recevra à Paris en 1738. Plusieurs de ses travaux et mémoires portent sur les plantes aquatiques et sur la zoologie. Les plantes aquatiques étaient alors très mal connues. Il étudie la pilulaire et la littorelle des marais. En zoologie, il établit l'opinion que les polypes d'eau douce sont des animaux et non des plantes. Cependant, sa contribution la plus importante à la science est l'invention de la méthode dite naturelle de classification des plantes. Il a en effet reconnu l'importance des caractères déduits de la structure de l'embryon et de l'insertion des étamines relativement à l'ovaire. Cette lumière jetée par lui sur l'organisation du règne végétal guidera plus tard Antoine Laurent de Jussieu dans la recherche et dans la découverte des familles naturelles. Il était depuis 1725 membre de l'Académie des sciences. Sa renommée était grande dans toute l'Europe. Quand on lui posait une question qui lui paraissait insoluble, Linné avait coutume de répondre : « Demandez à Dieu ou à Bernard de Jussieu. »

JUSSIEU, Antoine Laurent de (Lyon, 12 avril 1748 - Paris, 17 septembre 1836). Naturaliste, docteur en médecine, il est le neveu d'Antoine et de Bernard. Appelé à Paris par Bernard, il lui succède à sa mort comme « sous-démonstrateur de l'extérieur des plantes » (18 juin 1778). De 1777 à 1793 il est professeur titulaire de la chaire secondaire de botanique du Jardin du roi. Son grand travail est la classification naturelle des plantes. C'est un peu une œuvre familiale. Antoine Laurent avait été formé à l'école de ses deux oncles et mis par eux sur la voie de la nouvelle classification. L'ouvrage est publié en 1789 (juste avant la Révolution) sous le titre suivant : *Genera plantarum secundum ordines naturales disposita, juxta methodum in Horto Regio Parisiensi exaratam anno 1774.* L'auteur applique le principe de la subordination des caractères. Il préfère à tout autre caractère celui de la structure de l'embryon et constitue ses familles selon ce caractère. Il était depuis 1773 membre de l'Académie des sciences. En 1790, en collaboration avec Le Monnier et Daubenton, il organisera le Museum tel qu'il est encore aujourd'hui.

JUSTICE SEIGNEURIALE. La justice seigneuriale est celle dont la propriété appartient au seigneur qui la fait rendre par des officiers nommés à cet effet.

La justice seigneuriale est patrimoniale, vénale, héréditaire. Elle est l'une des trois composantes de la seigneurie, le domaine et le fief étant les deux autres. Un grand nombre de possesseurs de fiefs sont possesseurs de justices. Toutefois, il y a des fiefs sans justice. Car la justice n'est pas obligatoirement liée au fief. Dans la plupart des coutumes, il est admis en principe que « fief et justice n'ont rien de commun ». Rares sont les régions où, comme en Bretagne, tous les possesseurs de fiefs sont justiciers.

La possession du droit de justice par les seigneurs ne leur vient pas de la nature de la seigneurie mais de la puissance royale. Le droit de justice est un droit accordé par concession particulière du roi, toute justice dans le royaume appartenant au seul roi. La justice seigneuriale est rendue au nom du seigneur, mais en vertu de la puissance du roi. Les juges des seigneurs ne peuvent connaître des cas royaux, ni des cas prévôtaux. Les juges royaux peuvent prévenir ceux des seigneurs. Les appels des justices seigneuriales sont portés devant les cours royales.

Il y a trois sortes de justices seigneuriales : les hautes justices, les moyennes et les basses. Celui qui a la haute justice a aussi la moyenne et la basse. Celui qui a la moyenne a aussi la basse. La haute justice est compétente pour toutes les infractions entraînant mort naturelle et civile, peine afflictive ou infamante. La moyenne connaît traditionnellement des causes civiles au-dessus de 60 sous et des causes criminelles entraînant une amende inférieure à 60 sous. La basse justice enfin juge les causes civiles ayant un objet valant moins de 60 sous.

Les trois sortes de justices diffèrent aussi par l'importance du personnel. La haute justice a un bailli, un procureur fiscal, un greffier, des sergents, des geôliers et des prisons. La moyenne a juge, procureur, sergent et prison. La basse a maire, sergent et prison.

La distinction des trois sortes de justices subsiste dans toutes les régions où l'institution conserve sa vitalité : en Poitou par exemple. Il y a des régions, comme le Toulousain, où les seigneurs moyens et bas justiciers n'exercent pratiquement plus leurs fonctions.

Cependant, les justices seigneuriales sont encore très nombreuses. Le royaume en compterait de 70 à 80 000. Certaines provinces ont autant de justices que de seigneuries. C'est le cas de la Bretagne où l'on comptait 3 800 justices en 1711 et encore 3 450 en 1789 (dont 1 500 hautes justices). Il y a toutefois beaucoup de provinces où la densité est moins élevée. Par exemple la Marche avec 400 justices pour 800 seigneuries, et le pays de Foix avec 56 justices.

Le trop grand nombre des justices gêne le fonctionnement de l'institution. Il en résulte des conflits de compétence et la multiplication des degrés de juridiction. Par exemple en Bretagne, il peut arriver qu'un justiciable ait à franchir cinq degrés de juridiction avant de pouvoir porter son appel devant un juge royal.

Le personnel des justices seigneuriales est souvent nombreux, trop nombreux. Il passe pour ignorant. Depuis le *Traité des seigneuries* de Charles Loyseau, les jurisconsultes ne cessent de lui reprocher son incompétence. Par exemple La Poix de Fréminville soutient que la plupart des juges seigneuriaux n'ont pas même dans leur cabinet les ordonnances de 1667 et 1670 ni la coutume du lieu. Ces critiques sont peut-être excessives. Chaque fois que l'on regarde de près, on constate sinon une qualification parfaite, du moins une certaine compétence et une honnêteté indubitable.

La plupart des justices (surtout parmi les hautes) conservent jusqu'à la Révolution une activité réelle. Pendant l'année 1789, les justices de Saint-Marc et de Frougier dans la Marche tiennent quatorze audiences chacune. De 1731 à 1789, cent trente et une affaires sont présentées au juge de Lescure dans le Toulousain.

Ces juridictions présentent cet avantage pour le justiciable d'être facilement accessibles. Elles sont aussi peu coûteuses. Dans la Marche en 1783, pour la restitution d'une dot de 700 livres les dépens se montent à 30 livres 9 sous 3 deniers.

Les justices seigneuriales sont surtout très utiles aux seigneurs. Elles lui assurent le paiement des cens, des lods et ventes et des redevances. Elles sont en effet, dans la plupart des coutumes et de l'avis général de tous les jurisconsultes, des justices foncières et censuelles, même si la coutume de Paris ne les reconnaît pas pour telles.

K - L

KERGUELEN DE TRÉMAREC, Yves Joseph de (Quimper, 1734 - Paris, 1797). Capitaine de vaisseau, il est le découvreur des îles qui portent aujourd'hui son nom. Marin depuis l'âge de dix-huit ans, nommé en 1763 lieutenant de vaisseau, il s'était fait connaître par deux campagnes de protection des pêcheurs dunkerquois sur les bancs de morue d'Islande, et par ses travaux d'hydrographe. Dirigeant en 1769 une campagne d'hydrographie sur l'*Aber Wrac'h*, il avait créé à cette occasion la première école de pilotage de la Marine royale. L'Académie de marine l'avait reçu en son sein. C'est en 1770 qu'il forme le projet de re-

connaître le continent austral, dont l'existence lui semble indubitable. L'instruction ordonnant son voyage est datée du 20 mars 1771. Le but officiel de l'expédition est de vérifier la validité de la route établie quelques années plus tôt par l'enseigne de vaisseau Grenier pour une liaison rapide entre l'île de France et la côte de Coromandel. Kerguelen quitte Lorient le 1er mai 1771, arrive à Port-Louis, repart ensuite pour Coromandel, et confirme l'exactitude de l'itinéraire Grenier. C'est ensuite seulement qu'il entreprend le voyage vers les terres australes, véritable objet de sa mission. Parti de Port-Louis le 16 janvier 1772 avec deux vaisseaux, la *Fortune*, commandé par lui-même, et le *Gros-Ventre* commandé par Saint-Allouarn, il met le cap plein sud. Le 12 février, il découvre une petite île qu'il nomme « la Fortune », et le 13 février une autre île. Le second du *Gros-Ventre*, M. de Boisguehenneuc, seul à pouvoir débarquer, à cause du mauvais temps, prend possession de ces terres au nom du roi. Kerguelen est persuadé d'avoir découvert le continent austral. Séparé du *Gros-Ventre* par un coup de vent, il rentre seul à Port-Louis, puis se dépêche de venir annoncer sa découverte en France. Aussitôt, la gloire et les honneurs sont pour lui. Le 25 juillet 1772 le roi le reçoit à Compiègne, le nomme capitaine de vaisseau et chevalier de Saint-Louis. Mais son affaire tourne mal. Sa deuxième expédition échoue piteusement. Revenu sur les lieux de sa découverte au début de janvier 1774, il ne peut pas plus y débarquer que la première fois. Une cabale de jaloux se forme contre lui. Le ministère ordonne son procès. On lui reproche d'avoir abandonné le *Gros-Ventre*, et d'avoir, lors de sa seconde expédition, manqué aux règlements de la marine en faisant embarquer clandestinement sa maîtresse Louise Seguin, et en la faisant dîner à sa table — la table sacro-sainte du commandant. Le 14 mai 1774, il est déchu de son grade et condamné à six ans de forteresse. Cependant, sa carrière ne s'arrête pas là. Libéré en 1778 par anticipation, il participe comme corsaire à la guerre d'Amérique. La Révolution le réintègre, puis le destitue. Homme étrange que ce Kerguelen, caractère obstiné mais fanfaron. Triste destinée que celle de ce découvreur condamné durement malgré ses mérites.

LA BARRE, Jean François Lefebvre, chevalier de. Petit-fils d'un lieutenant général et gouverneur de la Nouvelle-France, il naquit en 1747 près de Coutances, et fut condamné à mort et exécuté en 1766 à Abbeville, à l'âge de dix-neuf ans, pour avoir commis plusieurs profanations et sacrilèges. Orphelin de bonne heure, il avait été recueilli en 1764 par sa tante à la mode de Bretagne, Mme Feydeau, abbesse de Willencourt. Il semble que la vie dans le logis abbatial ne manquait pas d'agréments. Mme Feydeau invitait les amis de son neveu à des soupers fins et quelque peu galants. Selon François-César Louandre, l'historien d'Abbeville, « c'était un bruit généralement répandu que ces jeunes gens, dans leurs parties secrètes de plaisir, mêlaient l'irréligion à la débauche » (*Histoire ancienne et moderne d'Abbeville et de son arrondissement*). Lorsque dans la nuit du 8 au 9 août 1765 deux crucifix furent profanés dans Abbeville, l'un mutilé, l'autre couvert d'immondices, les soupçons se portèrent naturellement sur le chevalier de La Barre et sur ses amis. Mgr De La Motte, évêque d'Amiens, ayant publié un monitoire à l'occasion de cette affaire, des témoins déposèrent que ces jeunes gens étaient passés le jour de la Fête-Dieu à vingt-cinq pas du saint sacrement sans se découvrir et sans se mettre à genoux. Le lieutenant criminel de la sénéchaussée de Ponthieu, Duval de Soicourt, ordonna la prise de corps. La Barre fut arrêté le 1er octobre et l'un de ses amis, nommé Moisnel, le lendemain. Les autres inculpés (Gaillard d'Estallonde, J. F. Douville de Maillefer et P. F. Demaisniel) avaient réussi à prendre le large. La sentence rendue le 28 février 1766 par le tribunal de la sénéchaussée condamnait La Barre et Moisnel à mort, le premier par décapitation, le second par le feu. Les crimes reprochés à La Barre

étaient les suivants : irrévérence envers le saint sacrement le jour de la Fête-Dieu, « blasphèmes énormes et exécrables contre Dieu, la Sainte Eucharistie, la Sainte Vierge, la religion et les Commandements de Dieu et de l'Église », et diverses graves profanations, dont celle du « mystère de la consécration du vin, l'ayant tourné en dérision, en prononçant à voix demi-basse et à différentes reprises, dessus un verre de vin qu'il tenait à la main, les termes impurs mentionnés au procès ». Les condamnés firent appel et furent transférés à Paris. Le 4 juin 1766, la Grand-Chambre du parlement de Paris fit droit à l'appel de Moisnel et rejeta celui du chevalier de La Barre. Ce dernier fut ramené à Abbeville où il subit le 1er août 1766, à six heures du matin, la question ordinaire et extraordinaire, et à cinq heures de l'après-midi le supplice de la décapitation. Son corps fut brûlé en même temps que divers ouvrages impies trouvés chez lui, dont le *Dictionnaire philosophique portatif* de Voltaire. Il mourut en chrétien, assisté par le P. Bosquier, dominicain, et embrassa plusieurs fois le crucifix avant de tendre son cou à l'exécuteur. Voltaire se déclara indigné par la « barbarie » des juges d'Abbeville. Il entreprit une campagne pour la réhabilitation du jeune chevalier, mais ses efforts n'aboutirent pas. La Barre est encore aujourd'hui présenté comme une victime de l'intolérance religieuse. Curieuse intolérance qui sacrifiait un adolescent pour quelques folies de jeunesse, et qui, en même temps, laissait Voltaire, Diderot, d'Holbach, Helvétius et bien d'autres, écrire en paix leurs libelles matérialistes et athées.

LABORDE, Jean Joseph, marquis de (Jaca, Aragon, 1724 - Paris, 1794). Négociant, fermier général et banquier de la Cour, c'est un homme qui s'est fait lui-même. Son père, Jean Pierre Laborde, négociant en Espagne, le place à dix ans chez un cousin nommé Joseph Laborde, négociant à Bayonne, en qualité de commis. C'est pour lui, dira-t-il dans ses *Mémoires* (1766), l'apprentissage « le plus rude que l'on ait jamais fait ». Cependant le cousin Joseph, en 1744, l'associe à ses affaires. Commence alors son ascension. En 1751, il fonde son propre négoce et se lance dans les opérations qui, en moins de dix ans, vont faire sa fortune. Il achète des marchandises en France et les revend en Espagne. Il importe en France des piastres espagnoles. En 1759, il est assez riche et assez influent pour être agréé comme banquier de la Cour (février) et nommé (5 juin) fermier général. A dû compter aussi la protection de son compatriote et ami, l'abbé de La Ville, premier commis des Affaires étrangères, personnage très lancé dans les salons et très influent dans les milieux politiques. Le nouveau banquier de la Cour va être, pendant de longues années, l'un des personnages les plus puissants de l'établissement politique. Son mariage, le 9 septembre 1760, avec Rosalie Claire Josèphe Nettine, fille de Barbe Louise Stoupy, banquière de l'Impératrice, a lié ses intérêts à ceux du clan lorrain. Il est l'homme d'affaires de Choiseul. Il entre dans le cercle d'amitiés et d'intérêts de Mme de Pompadour. Cependant, il a rendu tellement de services (payant même les dettes de jeu du roi) que sa faveur survit à la mort de la favorite et à la disgrâce de Choiseul. Il démissionne en 1767 de ses charges de fermier général et de banquier de la Cour, mais il est nommé la même année par Laverdy l'un des quinze directeurs de la nouvelle Caisse d'escompte. Sa fortune se compose à la fois de créances, de seigneuries dans toute la France, d'immeubles à Paris (dans le nouveau quartier nord) et d'habitations sucrières à Saint-Domingue. En 1786 et 1787, il pratique la traite négrière. Il sera condamné à mort et guillotiné le 29 germinal an II (18 avril 1794). Dans ses *Mémoires*, rédigés en 1766 pour l'instruction de son fils, il se présente comme un parangon de vertu austère : « Je n'ai jamais connu, écrit-il, aucun genre de dissipation. » Il porte aussi un jugement très sévère sur l'argent : « ... cette matière perfide séduit tout, corrompt tout et avilit l'humanité. » Au moins savait-il de quoi il parlait. Il savait aussi utiliser pour ses affaires ses relations politiques. Par exemple, grâce à Choiseul, il put en 1760 faire transporter ses marchandises sur le vaisseau de guerre le *Courageux*. Il avait eu sept enfants. Deux de ses fils, tous deux lieutenants de vaisseau, avaient péri noyés en 1786 sur les côtes de l'Alaska pendant l'expédition La Pérouse.

LA BOURDONNAIS, Bertrand François Mahé de (Saint-Malo, 1699 - Paris, 1754). Gouverneur des îles Bourbon et de France (aujourd'hui la Réunion et Maurice), il doit être considéré comme le restaurateur de ces colonies françaises de l'océan Indien. Nul mieux que lui n'a connu cet océan et ses parages. Depuis sa nomination en 1718 comme lieutenant au service de la Compagnie des Indes, il n'a cessé de le parcourir en tous sens. En 1724, il participe à la prise de Mahé. En 1729, il devient armateur, s'associe avec Lenoir, gouverneur de Pondichéry, et en peu de temps accumule une fortune. De 1730 à 1732, il sert dans la marine portugaise sous les ordres du vice-roi de Goa. De retour en France en 1733, il s'y marie. Son séjour dans la patrie dure peu de temps. En 1735, il est nommé gouverneur des îles de France et Bourbon, et s'embarque à Lorient le 2 février pour son nouveau poste. Les deux îles végétaient. Il les transforme et donne à leur économie une impulsion nouvelle. Il fait planter du manioc afin de remédier aux disettes périodiques. Il fait cultiver le coton, l'indigo, la canne à sucre, importe du bétail de Madagascar, construit un aqueduc à Port-Louis, crée des chantiers navals. Sa résidence « Mon Plaisir », où son épouse donne de fastueuses réceptions, fait figure d'une véritable cour. En 1740, lors du séjour qu'il fait en France, Maurepas lui confie le commandement d'une escadre dont la mission sera de protéger les établissements français de l'océan Indien. En 1741, il délivre Mahé assiégé par les Mahrattes. En 1746, Dupleix, enfermé dans Pondichéry, l'appelle à son secours. Avec cinq vaisseaux dont il a en grande partie payé l'armement, il arrive à Pondichéry, disperse la flotte anglaise, et en trois jours (7-10 septembre 1746) il réussit à s'emparer de Madras, comptoir anglais important sur la côte de Coromandel. C'est alors que ses malheurs commencent. D'anciennes instructions prescrivaient de ne garder aucun comptoir en terre ferme. Ayant pris Madras, Mahé de La Bourdonnais applique les ordres : au lieu d'expulser les Anglais, il préfère leur imposer une rançon. Aussitôt, Dupleix l'accuse de trahison, veut le faire arrêter et le dénonce à Versailles. Lorsqu'il rentre à Port-Louis en île de France, il y trouve un gouverneur nommé à sa place et un ordre de regagner la France avec son escadre, en passant par la Martinique. Il arrive en Martinique en 1747, doit y laisser ses navires en piteux état, et embarquer pour la France sur un navire hollandais. Capturé par les Anglais, retenu prisonnier en Angleterre, il ne peut se présenter à Versailles que le 25 février 1748. Accusé d'avoir touché un million de livres pour ne pas raser Madras, il est incarcéré à la Bastille le 1er mars et tenu au secret. Il va y rester trois ans, jusqu'à ce que la chambre de l'Arsenal le décharge de toute accusation et ordonne son élargissement (3 février 1751). La prison avait altéré sa santé. Il meurt trois ans après, chez lui, rue d'Enfer. La persécution infligée à cet homme de valeur illustre bien l'incapacité de la monarchie administrative à développer une véritable expansion coloniale et à soutenir les pionniers de l'empire d'outre-mer.

Nous avons de Mahé de La Bourdonnais un *Mémoire des îles de France et Bourbon*, rédigé en 1740 pour le contrôleur général Orry, et publié par Albert Lougnon en 1937. C'est un compte rendu de sa gestion. L'ouvrage est divisé en trois parties : « Le passé », « Le présent » et « L'avenir ». Dans sa conclusion, l'auteur fait la recommandation suivante : « … outre la capacité qu'il faut comme partout ailleurs, il est encore nécessaire d'être industrieux, laborieux et de tout métier, d'entrer dans les plus petits détails, afin de parvenir aux plus grandes choses, et travailler de suite avec un esprit de colonie. » Il y a cependant deux étrangetés dans ce mémoire. D'abord on n'y

trouve pas un seul mot ni de l'Église, ni de la religion, alors que tous les aspects de la vie de la colonie sont examinés. Ensuite, l'auteur fait valoir comme un progrès la multiplication par quatre du nombre des esclaves noirs de la colonie en cinq ans : de 638 en 1735 à 2 510 en 1740.

LA BOURDONNAYE DE BLOSSAC, Paul Esprit Marie de. *Voir* BLOSSAC, Paul Esprit Marie de La Bourdonnaye.

LACAILLE, Nicolas Louis de (Rumigny, près de Reims, 15 mars 1713 - Paris, 21 mars 1762). Abbé astronome, il est le fils d'un officier militaire. Orphelin de bonne heure, il peut néanmoins faire de bonnes études (au collège de Lisieux à Paris) grâce à la protection du duc de Bourbon. Entré dans les ordres, il préfère demeurer diacre afin de s'adonner plus librement à la recherche scientifique. S'étant lié avec Cassini, il se voit confier la vérification de la grande méridienne de Paris et accomplit ce travail entre le mois d'avril 1739 et la fin de 1740. Cette même année il est nommé professeur de mathématiques au collège Mazarin à Paris, et l'année suivante membre de l'Académie des sciences. En 1750, l'Académie et le gouvernement l'envoient en mission au cap de Bonne-Espérance, afin d'observer le ciel austral. Tels sont les événements les plus saillants de sa vie.

Son œuvre astronomique est très importante. A l'Observatoire d'abord, ensuite à l'observatoire du collège Mazarin (construit pour lui en 1746), il n'a cessé de regarder le ciel. Pendant son voyage au Cap il a relevé les positions de 10 035 étoiles, dont le recueil sera publié après sa mort par son ami Maraldi, sous le titre suivant : *Cœlum australe stelliferum.* Il est le meilleur astronome de son temps, adroit, scrupuleux, intrépide, calculateur habile et sûr.

Ce grand savant est aussi un professeur consciencieux et de talent. On le voit aux nombreux manuels composés par lui à l'intention de ses élèves, et qui connaissent un grand succès dans toute l'Europe. Citons entre autres les *Leçons élémentaires de mathématiques ou Élé-*

mens d'algèbre et de géométrie (1741) et les *Leçons élémentaires d'astronomie géométrique et physique* (1746). Pour les *Leçons de mathématiques*, il ne voulait pas les publier, craignant qu'elles ne fussent pas au point, et ne s'y résigna que pour épargner à ses élèves la peine de prendre la copie d'un cours dicté. L'homme était modeste.

Il était aussi désintéressé. Un trait le peint tout entier. Pour son voyage au Cap, qui devait finalement durer quatre ans, on lui avait alloué une somme de 10 000 livres. Il ne dépensa que 9 145 livres et rendit le reste.

LA CHALOTAIS, Louis René François de Caradeuc, sieur de (Rennes, 6 mars 1701 - *id.*, 12 juillet 1785). Marquis de Caradeuc, procureur général du parlement de Bretagne, il est sans doute le plus célèbre de ces magistrats frondeurs dont l'opposition constante est la cause principale de l'affaiblissement du pouvoir royal. Ce n'est pas une grande figure. Coléreux, rancunier, avide de pouvoir, endetté jusqu'au cou, il n'est en rien le magistrat audessus de tout soupçon dont il voudrait donner l'image. Mais les sentiments violents et les haines tenaces qui animent cet homme médiocre lui tiennent lieu de génie et l'amènent sur le devant de la scène. Nommé procureur général en 1752, il jouait aussi les agronomes et s'était lié avec Quesnay. De fréquents voyages à Versailles lui avaient permis de se faire de puissantes relations dans le milieu de la Cour. Il aurait même caressé des ambitions ministérielles. Des philosophes avec lesquels il correspondait, il partageait l'incrédulité et la haine de l'Église. Dans l'affaire des jésuites, il va se montrer l'un des plus acharnés. Ses deux «comptes rendus» sur les constitutions de la Compagnie de Jésus, rapports présentés au parlement de Bretagne en décembre 1761 et en mai 1762, entraînent la conviction de cette cour, l'amenant à déclarer la Compagnie dangereuse pour l'État et l'Église. L'*Essai d'éducation nationale*, qu'il publie en 1763, est la suite logique de ses «comptes rendus». En effet, il ne suffit pas de chasser les jésuites, il faut

encore détruire leur système d'enseignement. L'*Essai* est une critique de la méthode jésuite, présentée comme «barbare» et périmée. C'est une critique injuste. Il n'est pas vrai de dire, comme le fait l'auteur, que l'éducation des jésuites est «bornée à l'étude de la langue latine». C'est une critique sans originalité : toutes les innovations proposées se trouvent déjà dans l'abbé de Saint-Pierre, dans Pluche, dans Rollin et dans Locke. Mais peu importe. L'*Essai* connaît un succès foudroyant : quatre éditions dans la seule année 1763, des traductions en hollandais, en russe et en allemand, et des éloges dithyrambiques de Voltaire : «Le siècle du gland est passé. Vous donnez du pain aux hommes.» En 1764, le procureur général engage le combat contre l'administration royale et contre le duc d'Aiguillon, commandant de la province. A son instigation, le parlement de Bretagne refuse d'enregistrer la déclaration royale du 21 novembre 1763 maintenant le second vingtième. Le pouvoir réagit. Soupçonné d'être l'auteur de billets anonymes envoyés au ministre Saint-Florentin, La Chalotais est arrêté avec son fils dans la nuit du 11 au 12 novembre 1765 et interné au château du Taureau, près de Morlaix. Son procès est confié à une chambre royale, dont le procureur général est Calonne. Mais il dispose d'une arme contre le roi lui-même. On trouve chez l'un de ses amis, un nommé Dereine, un paquet de lettres intimes adressées par Louis XV à Mlle de Romans. Craignant le chantage, Louis XV préfère arrêter le procès (22 décembre 1766). Cependant, le procureur général est exilé à Saintes, et le roi ne lèvera jamais l'ordre d'exil. C'est seulement après la mort de Louis XV que La Chalotais pourra rentrer à Rennes et y reprendre ses fonctions.

LA CHAUSSÉE, Pierre Claude Nivelle de (Paris, 1692 - *id.*, 14 mai 1754). Dramaturge, il se signala au public en produisant en 1732 une *Épître à Clio* où il s'opposait à l'académicien Houdar de La Motte, lequel, esprit paradoxal, préconisait la prose après avoir lui-même composé tant d'ouvrages en vers ! En 1734,

La Chaussée, alors âgé de plus de quarante ans, fit jouer au théâtre *La Fausse Antipathie* qui fut suivie de nombreuses pièces habituellement en cinq actes et en vers ; ainsi, *Le Préjugé à la mode* (1735) dont le sujet lui avait été donné par une actrice, Mlle Quinault, *Mélanide* (1741), *L'École des mères* (1744), *La Gouvernante* (1747), qui obtinrent alors un vif succès. En 1738, La Chaussée s'était essayé dans la tragédie avec *Maximien*, qui fut un échec, et l'on connaît sa participation en 1745 au *Recueil des Messieurs*. Reçu à l'Académie française, il fit obstacle à l'élection de Piron qui l'accablait d'épigrammes et à celle de Bougainville. Celui-ci lui succéda et fit à cette occasion son éloge, avec une exagération qui ne trompa personne. Suivant Lanson, La Chaussée fut le créateur de la comédie larmoyante qui ouvre la voie au drame bourgeois de Diderot ; d'autres assurent que son théâtre est « le démarquage bourgeois de la tragédie classique ». Avec mesure, Voltaire avait dit qu'il était « un des premiers après ceux qui ont du génie », ce qui semble aujourd'hui un peu généreux. Il mourut d'une fluxion de poitrine contractée, semble-t-il, lors de travaux qu'il aimait effectuer dans son jardin.

Ses œuvres complètes ont été publiées en 5 volumes, in-12, en 1762.

LACLOS, Pierre Ambroise François Choderlos de (Amiens, 18 octobre 1741 - Tarente, Italie, 5 septembre 1803). Nous connaissons ses traits grâce au tableau peint par Boilly et au pastel attribué à Joseph Ducreux, portraits que l'on peut voir l'un et l'autre au musée du château de Versailles. Alors que son père occupait un poste important de l'administration royale en Picardie et que son frère entrait à la Compagnie des Indes, le futur romancier préféra la carrière des armes. Il fut reçu, le 23 janvier 1760, élève au corps royal d'artillerie. Il est sous-lieutenant en 1761 et lieutenant l'année suivante. Ses débuts littéraires datent de 1773. Cette année-là, il publie quelques poésies dans l'*Almanach des Muses* : « Souvenirs », « Épître à Églé », ainsi que des contes en vers (« La procession », « Le bon choix »). Envoyé

en garnison à Besançon, il y compose deux opéras : *La Matrone* et *Ernestine* (ce dernier, joué en 1777 sur la scène des Italiens avec une musique du chevalier de Saint-Georges, est un échec). En 1779, Laclos est détaché à Rochefort pour s'occuper des fortifications de l'île d'Aix, et c'est en avril 1782 qu'il publie *Les Liaisons dangereuses ou Lettres recueillies dans une société et publiées pour l'instruction de quelques autres*, dont le succès sera si grand que, du vivant de l'auteur, on ne comptera pas moins de cinquante éditions. Cependant Laclos, conscient du caractère graveleux de l'ouvrage, avait pris soin d'abriter celui-ci sous une intention (faussement) morale ainsi que l'indique le titre entier, assurant en outre que « pour prévenir contre le vice, il faut bien le peindre ». Il est alors élu à l'académie de La Rochelle (le 22 juin 1785), fréquente les salons de cette ville et a une liaison avec celle qui sera sa future épouse. L'Académie française ayant mis au concours en 1786 un éloge de Vauban, Laclos envoie des *Considérations sur l'influence du génie de Vauban*, qui indisposent l'administration royale et le font envoyer à Toul où il épouse le 3 mai 1786 Marie Duperré, dont un pastel anonyme, aujourd'hui au musée de l'hôtel de Berny à Amiens, nous conserve le charmant visage. Mis sur sa demande en congé illimité par rapport à ses obligations militaires, il s'établit en 1791 à Paris où il est engagé comme secrétaire surnuméraire par le duc d'Orléans auquel il avait été présenté par le vicomte de Noailles rencontré à Toul. Devenu l'homme de plume du prince, il le suit à Londres et le seconde dans la préparation d'un traité de commerce entre l'Angleterre et la France. Membre du club des Jacobins (jusqu'à la fusillade du Champ-de-Mars), il est alors l'un des principaux rédacteurs du *Journal des amis de la Constitution*. Le 29 août 1791, il est nommé commissaire auprès de l'armée de Lückner ; après Valmy, on en fait un commissaire général des établissements français de l'Inde. Il n'a pas le temps de rejoindre son poste : le 31 mars 1793, il est arrêté comme orléaniste au moment où il vient d'inventer un boulet creux très supérieur aux projectiles alors utilisés. Relâché le 21 décembre 1794 sur l'ordre de Barras, il présente au Comité de salut public un mémoire intitulé *De la guerre et de la paix*. Le 18-Brumaire le trouve commissaire des hypothèques. Réintégré ensuite par Carnot dans son grade, il commande l'artillerie à l'armée du Rhin. Rentré à Paris après la paix de Lunéville, il est affecté au corps de Naples commandé par Murat, et c'est à son arrivée à Tarente, dont il devait assurer la défense, qu'il meurt de la dysenterie. Bien des années après, Stendhal se souviendra avoir rencontré « le célèbre Laclos, que je connus [écrit-il] vieux général d'artillerie dans la loge de l'état-major à Milan et auquel je fis la cour à cause des *Liaisons dangereuses* ». Un seul roman, le succès et ensuite, pour l'auteur, l'abandon de toute œuvre de fiction ! Ainsi que l'écrivait André Malraux : « Le problème de Laclos reste entier, aussi intrigant peut-être que celui de Rimbaud, au-delà de ce livre étrange, où un militaire professionnel semble ignorer l'existence des valeurs de caractère[1]. » Roman toujours édité, lu et commenté, une œuvre révolutionnaire, pensait Roger Vaillant, avec cette « description réaliste et critique d'une aristocratie parisienne corrompue », étonnant tableau surtout d'une volonté de contrainte en amour et d'une sensualité aiguisée par la vanité. Dans la postérité de Valmont et de la marquise se rencontrent Julien Sorel et Raskolnikov » (Malraux).

LA CLUE, Jean-François de Bertet-Sabran, seigneur de (30 septembre 1696 - 4 octobre 1764). Lieutenant général des armées navales, son nom reste attaché à la défaite de Lagos (1759). Jusque-là, sa carrière avait été heureuse. Garde-marine en 1715, embarqué pour la première fois en 1723, sur le *Tigre*, en Méditerranée, pour faire la chasse aux corsaires tunisiens, il avait été nommé capitaine de vaisseau au 1er janvier 1742. Ses missions de 1746 à 1751 sur les côtes d'Acadie avaient été couronnées de succès. En

1751, commandant le *Triton*, il avait « fait passer de nombreuses familles catholiques dans nos concessions » et obligé les Anglais à se réfugier dans le port d'Halifax, ce qui lui avait valu les félicitations du ministre Rouillé. Il est nommé chef d'escadre le 25 septembre 1755, et l'année suivante participe brillamment au combat de Mahon dans l'escadre de La Galissonnière. Il affronte l'amiral Byng. Le roi lui accorde une pension de cent pistoles pour sa conduite devant Minorque. Courageux officier, mais non stratège, lorsque, le 5 août 1759, il appareille de Toulon à la tête d'une escadre de douze vaisseaux en direction de la Martinique, il va au-devant de la plus cuisante des défaites. Se sachant guetté par le terrible amiral anglais Boscawen, il n'a qu'une pensée : lui échapper. L'Anglais le rattrape le 17 août et lui détruit six vaisseaux après un combat de trois jours. Blessé gravement aux deux jambes, La Clue se fait remonter sur le pont après avoir été pansé. Il réussit finalement à échapper à une destruction complète en se réfugiant dans les eaux neutres du Portugal. Ce désastre lui est fatal. Il ne recevra plus aucun commandement et se retirera du service le 28 mars 1764 avec le grade de lieutenant général *ad honores*. Commentant sa défaite, il l'attribua à l'infortune. Il faut plutôt y voir le résultat d'« une série de fausses manœuvres » et d'« une absence de direction maîtresse » (Lacour-Gayet, *La Marine militaire de la France sous le règne de Louis XV*, 1902).

LA CONDAMINE, Charles Marie de (Paris, 28 janvier 1701 - *id.*, 4 février 1774). Mathématicien et géographe, il se consacre à la recherche scientifique après avoir un court moment suivi la carrière des armes. L'Académie des sciences, en 1730, l'admet en son sein comme adjoint chimiste. L'homme est d'une espèce voyageuse et aventureuse. Il passe d'abord plusieurs années à visiter les pays de la Méditerranée, et séjourne à Constantinople. En 1736, Maurepas lui confie la direction de l'expédition scientifique envoyée au Pé-

---

1. André Malraux, *Le Triangle noir*, 1970.

rou dans le cadre des recherches sur la figure de la Terre. Il ne revient qu'au début de 1745 après mille aventures. Il a descendu l'Amazone sur cinq cents lieues et manqué maintes fois d'être tué. Par la suite, il voyagera en Angleterre et fera de longs séjours chez le comte de Bentinck, résident anglais à La Haye.

Le récit de son voyage au Pérou (publié en 1751 sous le titre de *Journal du voyage fait par l'ordre du roi à l'Équateur*) et divers mémoires présentés à l'Académie à son retour représentent sa principale contribution à la science. Avec ses compagnons Godin et Bouguer, il a mesuré l'arc de méridien et vérifié l'exactitude de l'hypothèse de Newton sur le renflement de la terre à l'Équateur. Ses comptes rendus contiennent aussi des observations de paléontologie et d'acoustique. Il décrit des outils indigènes de l'Amérique méridionale. D'expériences faites en 1740 à Quito et à Cayenne, il conclut que la vitesse du son dépend de la température de l'air. De retour en Europe, il s'adonna à d'autres sciences et en particulier à la médecine. Le 21 avril 1754, il lit à l'Académie un mémoire sur la « variolisation », qui est une prise de position en faveur de l'inoculation.

Les indices ne manquent pas de son appartenance au parti philosophique. Il est de la promotion très philosophique recrutée en 1746 par l'Académie de Berlin. Il est intime des Choiseul. Élu en 1760 à l'Académie française, il est reçu (le 21 janvier 1761) par Buffon qui le couvre d'éloges hyperboliques (« Du génie pour les sciences, du goût pour la littérature, du talent pour écrire... ») et se proclame son grand ami. Enfin, il écrit pour l'*Encyclopédie* plusieurs articles d'histoire naturelle et de géographie de l'Amérique du Sud. Cependant, il s'associe à l'action entreprise par Luneau de Boisgermain au nom des souscripteurs du dictionnaire contre les libraires éditeurs.

Le trait le plus distinctif de son caractère semble avoir été une étrange curiosité. A Constantinople, il se lie d'amitié avec un astrologue. Le jour de l'exécution de Damiens, il se mêle aux valets du bourreau afin de voir de plus près. At-

teint de paralysie dans sa vieillesse, ayant entendu parler d'une opération miraculeuse faite par un jeune chirurgien, il oblige ce dernier à la pratiquer sur lui et veut en voir tous les détails afin, dit-il, de pouvoir en rendre compte à l'Académie. Il ne sera pas en mesure de le faire car il mourra des suites de l'intervention.

LA CORÉ, Charles André de (1720-1784). Intendant, conseiller d'État, issu d'une famille à peine sortie de la roture, il est surtout connu pour son intendance de Besançon. Il avait été auparavant à Montauban, mais trois années seulement (1758-1761). A Besançon, il passe vingt-trois ans et se naturalise bisontin en quelque sorte. Il achète d'ailleurs un domaine dans le pays, la seigneurie d'Oyrières. Son administration porte sur bien des points la marque de l'esprit des Lumières. La Coré est un administrateur philosophe. La première loge maçonnique de Besançon est fondée à son initiative en 1764 (loge de la Sincérité). Il en est proclamé aussitôt le Grand Maître Désormais la salle de l'intendance servira de temple maçonnique. Il ne faut pas s'étonner qu'un tel intendant laisse faire la contrebande des livres philosophiques. Sa politique d'assistance est également celle d'un homme très éclairé. Le travail lui paraît le meilleur des remèdes à la pauvreté. Il place les enfants pauvres chez des artisans, pour qu'ils apprennent un métier. Lors du mauvais hiver 1783-1784, il organise en grand les ateliers de charité. Cet ami du travail est aussi un protecteur des arts. Ses initiatives les plus remarquables dans ce domaine sont la création de l'école de peinture et de sculpture de Besançon, et la construction du nouveau théâtre, achevée en 1784. En 1783, lorsqu'il est question de nommer La Coré conseiller d'État, le magistrat de Besançon fait une démarche auprès du contrôleur général, et demande le maintien de l'intendant « à un poste qu'il occupait si dignement ». La démarche n'est pas habituelle et prouve la réussite de La Coré.

LACURNE DE SAINTE-PALAYE, Jean-Baptiste de. *Voir* **SAINTE-PALAYE, Jean-Baptiste de Lacurne de.**

LA FAYETTE, Marie-Joseph Paul Yves Roch Gilbert Motier, marquis de (Château de Chavagnac, Auvergne, 26 juillet 1757 - Paris, 16 mai 1834). La plus remarquable, la plus extraordinaire, et peut-être la seule action extraordinaire du marquis de La Fayette, est sa guerre d'Amérique. Il était entré à treize ans aux mousquetaires, et servait comme capitaine d'une compagnie au régiment de Noailles, mais plutôt falot et maladroit, souffrant d'un fort complexe d'infériorité qui le rendait très susceptible, il ne paraissait guère promis à un brillant avenir. Un choix va changer sa fortune. Le 7 décembre 1776, il passe contrat avec le député américain Silas Deane, et promet de servir les États-Unis d'Amérique. Dans la nuit du 25 au 26 mars 1777, bravant les défenses royales, il s'embarque sur le navire la *Victoire*, affrété par ses soins, et rejoint les Insurgents. Peu de temps après son arrivée, le Congrès le nomme major général de l'armée des États-Unis. Ce n'est pas un général d'opérette. Le 25 juin 1777, il est vainqueur au combat de Monmouth, et gagne en cette occasion la confiance de Washington. En mai et juin 1781, sa belle campagne de Virginie — il tient tête à Cornwallis — prépare la victoire décisive de Yorktown. Il a vingt-quatre ans. Il a séduit les Américains et vaincu les Anglais. Tout ne vient pas de ses mérites. Son alliance avec les Noailles — il avait épousé, le 11 avril 1774, Adrienne de Noailles, fille du duc d'Ayen — a fait beaucoup : les Américains n'auraient pas distingué n'importe quel gentilhomme. Son affiliation à la maçonnerie (le 25 décembre 1775) l'a certainement servi auprès des dirigeants américains. Mais on ne peut pas pour autant diminuer la part du cœur et de l'intelligence. A sa passion pour la cause des insurgés, La Fayette ajoute une remarquable prescience du destin de la nouvelle nation. Le 7 juin 1777, à bord de la *Victoire*, il écrivait à sa femme ces lignes étonnantes : « Le bonheur de l'Amérique est intimement lié au bonheur de l'humanité ; elle va devenir le respectable et sûr asile de la vertu, de l'honnêteté, de la tolérance, de l'égalité, de la tranquille liberté. » A ce moment de sa vie, La Fayette est véritablement un héros par le courage et par la supériorité de ses vues. Revenu d'Amérique, il ne sera plus que lui-même, élevé par sa gloire à des responsabilités au-dessus de son caractère. Esprit simple, nourri de grands et vagues idéaux, il n'était pas fait pour les tragédies du Vieux Monde. Son intervention le 5 avril 1787 au deuxième bureau de l'assemblée des notables contre le plan salvateur de Calonne dérive d'un réflexe de privilégié. Dans la Révolution il sera comme égaré, ne sachant comment choisir entre un idéal de liberté et son conservatisme d'aristocrate. Le 15 juillet 1789, il est désigné comme commandant des « milices citoyennes », qu'il baptise « garde nationale ». Les 5 et 6 octobre, il se montre incapable d'empêcher les massacres et ne peut faire d'autre que de ramener la famille royale à Paris. Le 17 juillet 1791 il fera tirer sur les manifestants du Champ-de-Mars, et le 16 juin 1792 il écrira à l'Assemblée pour protester contre le règne des clubs. Le 19 août 1792, il passe dans les lignes des Autrichiens qui vont le garder sept ans prisonnier à Olmütz. Sa carrière après la Révolution n'est qu'une série de ralliements : à l'Empire, aux Bourbons, aux Cent-Jours et, en 1830, à Louis-Philippe. Napoléon, qui méprisait les hommes, a qualifié celui-ci de « niais ». Peut-être était-il seulement l'un de ces rêveurs ambitieux qui veulent faire de grandes choses et n'y réussissent qu'une seule fois.

LA GALISSONNIÈRE, Roland Michel Barrin, marquis de (Rochefort, 1693 - Nemours, 1756). Gouverneur de la Nouvelle-France, lieutenant général des armées navales, il est l'une des plus remarquables personnalités de la marine sous Louis XV. Capitaine de vaisseau en 1738 après vingt-huit ans de service, il est nommé en 1747 gouverneur de la Nouvelle-France. Il arrive à Québec le 19 septembre 1747 et forme aussitôt le grand projet d'occuper la vallée de l'Ohio et de la fortifier contre les entreprises des Anglais. En juin 1749, il y envoie un détachement sous les ordres de

Céloron. Il intervient aussi du côté de l'Acadie, et annexe d'autorité tous les territoires formant aujourd'hui le Nouveau-Brunswick. Après son départ de la colonie (24 septembre 1749), il continue à veiller sur elle, d'abord au titre de membre de la commission des limites, ensuite pour imposer Duquesne au poste de gouverneur (1752). En 1756, il commande l'escadre de l'expédition de Minorque. Le 20 mai 1756, après un combat de quatre heures, il met en fuite la flotte de l'amiral anglais Byng. Sa santé l'oblige à se démettre de son commandement. Il meurt peu après son retour en France. C'était un homme fort savant. Le botaniste suédois Pierre Kalm, qui l'avait rencontré à Québec, avait fait de lui cet éloge : « Son savoir est vraiment étonnant et s'étend à toutes les branches de la science, surtout à l'histoire naturelle, dans laquelle il est si versé que, quand il commença à discourir dans cette matière, je crus entendre un autre Linné » (*Voyage dans l'Amérique du Nord*, 1753). Nommé à son retour du Canada directeur du Dépôt des cartes et plans de la marine, il avait fait exécuter plusieurs voyages en vue de la détermination de positions géographiques jusqu'alors incertaines. Mais il était surtout un chef digne de ce nom. Il voyait vite et loin. La politique médiocre de Versailles l'empêcha de donner sa mesure. Dès son arrivée au Canada, il avait proposé au ministre un coup de main sur Boston. On l'avait prié de rester tranquille. A Minorque, en mai 1756, les instructions timorées qu'il avait reçues lui interdirent de poursuivre Byng et d'exploiter sa victoire.

LAGRANGE, Joseph Louis (Turin, 25 janvier 1736 - Paris, 10 avril 1813). Gloire de l'analyse, disciple et émule d'Euler, l'un des plus grands mathématiciens des Temps modernes, il est issu d'une famille d'origine tourangelle, émigrée en Piémont au siècle précédent. Sa vie se divise en trois périodes nettement distinctes. Il passe ses trente premières années dans sa ville natale de Turin. Il fait ensuite un long séjour de vingt et un ans

(1766-1787) à Berlin : il y est venu pour répondre à l'invitation de Frédéric II et succéder à Euler comme directeur de la classe de mathématiques de l'Académie royale. La troisième et dernière période se déroule en France, où l'a invité le roi Louis XVI. Pendant la Révolution, il est nommé président de la commission des poids et mesures. Napoléon fera de lui un sénateur et un comte d'Empire, et lui fera décerner les honneurs de la sépulture du Panthéon.

La période turinoise est celle des premières découvertes. Parmi les mémoires publiés à Turin, celui intitulé *Recherches sur la nature et la propagation du son* reprend la théorie des cordes vibrantes et donne raison à Euler contre d'Alembert. La période berlinoise correspond à l'épanouissement du génie de Lagrange. Elle est illustrée par la publication de quatre-vingts mémoires présentés à l'Académie de Berlin. A Paris, Lagrange publie son chef-d'œuvre, la *Mécanique analytique* (1788), écrite à Berlin, et plusieurs autres ouvrages, dont la *Théorie des fonctions analytiques* (1797).

La *Mécanique analytique* applique à la mécanique une méthode uniquement algébrique : l'ouvrage ne comporte aucune figure. Comme Euler, Lagrange a poussé le plus loin possible les conséquences du calcul infinitésimal.

Il a soutenu toute sa vie la peine d'un labeur écrasant, et n'a pu maintenir cet effort surhumain que grâce à une vie mathématiquement réglée. Il avait calculé combien de temps il pouvait travailler dans une journée sans dépasser la limite de ses forces.

LAGRENÉE, Louis Jean François, dit **l'Aîné** (Paris, 1725 - *id.*, 1805). Peintre, il remplaça le Lorrain en 1759 comme directeur de l'Académie de peinture de Saint-Pétersbourg. Disciple de Carle Van Loo, dont il s'inspira souvent, il a laissé une œuvre abondante. Son chef-d'œuvre est sans doute la simple étude intitulée *La Mélancolie* (1785) et représentant une jeune fille. La douceur du visage, la candeur de la pose et la simplicité de la composition font de cette toile une «chose exquise» (Alfred Leroy, *Histoire de la peinture française au XVIIIᵉ siècle (1700-1800). Son évolution et ses maîtres*). On doit admirer aussi *L'Enlèvement de Déjanire par le centaure Nessus* (1755), sujet inspiré du livre IX des *Métamorphoses* d'Ovide (aujourd'hui au musée du Louvre) et *La Mort de la femme de Darius* (1785, musée d'Angers). Coloriste souple, dessinateur spirituel, habile exécutant, Lagrenée évite le pastiche de l'antique, où s'enlisent nombre de ses contemporains.

LA HARPE, Jean François Delharpe ou Delaharpe, dit de (Paris, 20 novembre 1739 - *id.*, 11 février 1803). Littérateur et philosophe repenti, il est le fils d'un gentilhomme et officier suisse. Orphelin de père à neuf ans et de mère à seize, il est recueilli et nourri par les Filles de la Charité de la rue Saint-André-des-Arts. Boursier au collège d'Harcourt, il y fait de brillantes études. Ses talents de critique cruel se manifestent très tôt. Il n'a pas vingt ans lorsqu'il est arrêté et emprisonné pour avoir composé des couplets féroces sur ses maîtres du collège d'Harcourt. Il reste enfermé plusieurs mois, d'abord à Bicêtre, ensuite à For-l'Évêque. Son aversion pour la religion et pour la monarchie date peut-être de ce séjour en prison. Il entre en littérature par le théâtre et produit un grand nombre de pièces. Deux d'entre elles seulement connaissent un vrai succès : *Warwick* (1763) et *Mélanie ou la Religieuse* (1770), qui n'est pas représentée (elle ne sera qu'en 1791), mais que l'auteur fait applaudir en la lisant dans les salons. C'est l'histoire d'une jeune fille (Mélanie de Faublas) que son père oblige contre sa volonté à faire profession religieuse. Les couvents y sont dépeints sous les couleurs les plus sombres :

On ne vit dans ces lieux qu'en désirant la
[mort
Et l'on n'y meurt jamais qu'en détestant la
[vie.

Mélanie fait de La Harpe un auteur à succès. On le voit partout. Châteaubriand, qui l'a connu en 1789, raconte qu'il faisait faire des omelettes «chez les ministres où il ne trouvait pas le dîner bon». Les salons se le disputent. Julie de Lespinasse le fait entrer à l'Académie (1776). Il est à partir de 1780 l'un des piliers du salon Necker. Il se fait aussi des ennemis. Employé au *Mercure* depuis 1770, il y rédige des comptes rendus souvent bien venus, mais rarement appréciés des auteurs. La Révolution trouve en lui le plus fervent des sectateurs. Il approuve tout, même la Terreur. Jusqu'au moment où il est lui-même arrêté (avril 1794). En prison, il change du tout au tout. Il revient au christianisme de son baptême. Les circonstances de cette conversion ne sont pas très bien connues. C'est probablement une conversion par le livre : il aurait été touché par la lecture de l'*Imitation* ou par celle des psaumes lus dans le bréviaire de M. Émery, son compagnon de captivité. A sa sortie de prison, il brûle ce qu'il avait adoré, multipliant les attaques contre les jacobins et contre les philosophes. Parmi ses ouvrages antiphilosophiques, il faut noter *L'Esprit d'Helvétius* et *Du fanatisme dans la langue révolutionnaire ou de la persécution suscitée par les barbares du dix-huitième siècle contre la religion chrétienne et ses ministres* (1797). Ce deuxième ouvrage présente un grand intérêt. La Harpe a été le premier à dénoncer l'imposture du langage révolutionnaire, qu'il qualifie de «langue inverse», parce qu'elle dit le contraire de ce qui est.

L'œuvre dramatique de La Harpe ne mérite que l'oubli. Les personnages de ses pièces sont des morts vivants. Ils débitent mécaniquement des tirades emphatiques et plates. Voici, à titre d'échantillon, les imprécations de Véturie dans *Coriolan* (1784) :

Moi ! sauver Rome ou périr avec elle,
Voilà mon seul destin, et j'y serai fidèle.
Serai-je donc témoin de tes noires fureurs ?
Verrai-je consommer ce spectacle
[d'horreur ?

En revanche, La Harpe est un bon critique littéraire. Ses articles du *Mercure* sont vifs et souvent judicieux. Le *Cours de littérature* qu'il professa au Lycée de

1786 à 1798, et qu'il publia à la fin de sa vie, n'est pas sans intérêt. Mais son chef-d'œuvre est la *Vision de Cazotte*, publiée dans ses œuvres posthumes, et dont on ne connaît pas la date de rédaction. Dans ce texte, La Harpe prête à son confrère en littérature, J. Cazotte, une lugubre prédiction sur la Révolution. Il raconte qu'un soir de 1788 les habitués d'un salon philosophique, au nombre desquels il se trouvait lui-même, entendirent Cazotte annoncer les tueries révolutionnaires et prédire à plusieurs des personnes présentes leur prochaine mort sur l'échafaud. Selon Boulard, l'exécuteur testamentaire de La Harpe, cette prédiction n'était qu'une fiction dramatique, mais jamais l'écrivain n'avait donné une preuve si remarquable de son talent. La fiction fut prise au sérieux et passa pour authentique.

LAINE (industrie de la). L'industrie lainière forme l'armature principale de la puissance industrielle du royaume. Elle est en grande partie exportatrice.

Tout le travail du filage est exécuté à la campagne par les paysannes, celui du tissage par des tisseurs. Pour les fabricants, il en est de deux sortes : ceux qui sont de véritables chefs d'entreprise, disposant de locaux souvent spacieux, et les petits entrepreneurs, très nombreux, travaillant souvent de façon artisanale. Comme exemple des premiers on peut donner la manufacture royale des frères Van Robais à Abbeville, entreprise qui possédait en 1716 une centaine de métiers et produisait à cette date un millier de pièces de drap. Comme exemple de petits entrepreneurs, on peut prendre les quelque cent petits fabricants de la même ville, possédant chacun deux ou trois métiers, et produisant chacun de 40 à 50 pièces, ou bien les six cent cinquante-cinq paysans du duché d'Aumale, réparti dans quatre-vingt-quatre localités, et produisant à eux tous, en 1716, 20 000 pièces de serge d'Aumale.

L'industrie lainière est présente dans presque toutes les régions. Les seules où elle soit très rare, à la fin comme au début du siècle, sont le cœur du Bassin parisien, la région lyonnaise, la Bretagne et le nord-est du Massif central. Les trois grandes régions lainières sont, en premier, l'ensemble Normandie, Picardie, Champagne, Flandre (moitié de la production nationale), en deuxième, les provinces méridionales (Languedoc, Rouergue, Quercy, Gascogne, Béarn, Navarre, Roussillon), et, en troisième position, les provinces de la France centrale (Maine, Anjou, Touraine, Poitou, Limousin, Orléanais, Berry, Bourbonnais, Bourgogne et Auvergne). Les provinces qui ont le plus augmenté leur production au cours du siècle sont l'Anjou, la Touraine, la généralité de Montauban (progression de 405 %) et la généralité de Pau (progression de 450 %).

La production totale du royaume s'accroît notablement. Elle passe de 1 111 470 pièces à 1 551 530 entre le début et la fin du siècle (Tihomir Y. Markovitch, *Histoire des industries françaises. Les industries lainières, de Colbert à la Révolution*). On observe aussi une amélioration remarquable de la qualité, surtout dans les provinces méridionales, où les tissus grossiers (bures, rases, cadis) sont remplacés par des draps fins.

LAINÉE, Thomas (dates incertaines). Architecte et décorateur parisien, il travailla pour Robert de Cotte au décor de la chapelle de Versailles, à Fontainebleau, au chœur de Notre-Dame de Paris.

Il s'établit ensuite à Avignon, où il séjourna de 1716 à 1748. Il y donna les plans de l'hôtel de Forbin, de la Comédie, et de la chapelle des Pénitents noirs, au décor très riche. Thomas Lainée fut un grand ornemaniste de style rocaille ; il laissa de nombreux dessins.

LA JONQUIÈRE, Pierre Jacques de Taffanel, marquis de (château de Lasgraïsses, près de Graulhet, 18 avril 1685 - Québec, 17 mars 1752). Chef d'escadre des armées navales, lieutenant général pour le roi en Nouvelle-France, il doit sa vocation maritime à l'exemple d'un oncle, major des galères. Il est garde-marine à l'âge de douze ans. A trente-cinq ans il totalise déjà vingt-trois ans de service. Il fait en Méditerranée ses premières campagnes. Capitaine de vaisseau en 1731, inspecteur des troupes de la marine au département de Rochefort en 1741, il atteint en 1746 le sommet de sa carrière avec sa double nomination de chef d'escadre et de gouverneur du Canada. En route pour le Canada, il doit combattre le 14 mai 1747, au large du cap Ortegal, l'escadre de l'amiral anglais Anson, et affronter avec seulement 9 vaisseaux et 384 canons les 14 vaisseaux et les 938 canons de son adversaire. La défaite française est totale et La Jonquière est fait prisonnier. Libéré en 1748 après la paix d'Aix-la-Chapelle, il peut enfin gagner le Canada, où il arrive le 14 août 1749. Son gouvernement y sera très court. Il y mourra en mars 1752 après neuf mois de maladie.

LALANDE, Joseph Jérôme Lefrançois de (Bourg-en-Bresse, 11 juillet 1732 - Paris, 4 avril 1807). Astronome, il avait fait ses études à Lyon au collège des jésuites, où l'un des professeurs, le P. Béraud, l'avait initié aux sciences. Envoyé à Paris pour y faire son droit, il suit au Collège royal les cours de Delisle et se passionne aussitôt pour cette science. Il y montre des dispositions précoces mais ne se contente pas d'étudier et cultive très tôt l'art de réussir. En 1751 — il a dix-neuf ans —, il se fait envoyer à Berlin en mission scientifique afin de procéder à certaines observations demandées par l'abbé Lacaille. Ce travail lui vaut d'être élu à l'Académie des sciences (1753). Ensuite il aide Clairaut dans ses calculs sur le retour de la comète de Halley. Enfin, il a l'idée très ingénieuse de faire une carte astronomique où tous les instants des prochains passages de Vénus sont indiqués pour tous les pays du monde. C'est le succès, la gloire. Nommé en 1768 professeur au Collège royal, il y enseignera jusqu'à sa mort, et formera Delambre, Méchain et Pizzi. C'était sans doute un bon professeur, mais ce n'était pas un grand esprit, ni un grand chercheur. Il publiait plus qu'il

ne cherchait. Son *Traité d'astronomie* (1764), qui est son principal titre de gloire, est un ouvrage long et diffus. Il y parle de tout et n'y approfondit rien. Il était surtout bon pour faire travailler les autres. Les cinquante mille étoiles qui formeront le catalogue de sa précieuse *Histoire céleste* (1801) avaient été observées (avant la Révolution) par ses collaborateurs. Aucune n'avait été déterminée par lui.

LALLEMENT DE BETZ, Michel Joseph Hyacinthe (entre 1693 et 1695 - 1773). Seigneur de Vanville, Nanteau et autres lieux, fermier général, fils de fermier général, il a d'abord été, de 1711 à 1716, receveur général des finances de Soissons et fermier général adjoint. Il est ensuite nommé fermier général titulaire et occupe cette charge de 1716 à 1719 et de 1721 à 1758. De 1752 à 1757, il est doyen de la Ferme. C'est un bon courtisan. Les plus hautes protections favorisent sa carrière. Machault et Fleury le soutiennent. Mme de Mailly, puis Mme de Châteauroux lui confient la gestion de leurs affaires. Il a aussi, à un très haut degré, l'esprit de famille. En 1752, il verse la somme de 200 000 livres au cardinal de Fleury pour les bonnes œuvres de ce dernier. Ce geste généreux est destiné à obtenir la nomination de son frère Lallement de Nantouillet dans une charge de fermier général. Les mariages de ses deux filles consacrent son élévation. L'une épouse un Choiseul-Beaupré, l'autre le comte de Pons, mestre de camp de cavalerie. Il leur laisse à sa mort une fortune de plus de 3 millions de livres.

LALLY, Thomas Arthur, baron de Tollendal, comte de (Romans, 1702 - Paris, 1766). Lieutenant général et gouverneur de l'Inde, il illustre parfaitement l'inconséquence du gouvernement royal sous Louis XV. Ce gentilhomme d'origine irlandaise avait servi avec le plus grand courage dans les campagnes de la guerre de Succession d'Autriche, et en particulier à Fontenoy où le roi l'avait fait brigadier sur le champ de bataille. Fervent fidèle de la cause des Stuarts, il avait suivi dans son équipée le Prétendant Charles Édouard et s'était tenu à ses côtés comme aide de camp. Cela dit, rien ne justifie sa nomination en mai 1757 à la tête du corps expéditionnaire de quatre mille hommes envoyé dans l'Inde. Autoritaire, cassant, tout juste capable de «barouder», il n'avait en outre aucune expérience des choses de l'Inde, ni aucune des qualités requises pour une mission d'une telle importance. Il le montra. Sa campagne fut un désastre. Il y déploya beaucoup de courage, mais multiplia les erreurs : entre autres il mit le siège devant Madras (en décembre 1758) que les navires ennemis pouvaient néanmoins aisément ravitailler puisqu'il laissa libre l'accès par la mer. Par ses manières et ses entreprises téméraires et désordonnées, il s'aliéna le chef d'escadre d'Aché, dont le soutien lui était pourtant indispensable, et le commandant des troupes de la Compagnie des Indes, Bussy. Assiégé dans Pondichéry, il dut se rendre aux Anglais et accepter une capitulation sans conditions (14 janvier 1761). Il avait été maladroit et malheureux. Le principal responsable du désastre était le gouvernement qui l'avait nommé. On décida néanmoins de le juger. Son procès s'ouvrit le 6 juillet 1763. Il était accusé d'exactions et d'avoir trahi les intérêts du roi et ceux de la Compagnie. Les débats ne furent pas équitables. La Grand-Chambre du Parlement se montra impitoyable et condamna à mort ce vieux soldat. Il fut décapité le 9 mai 1766. On avait même ordonné qu'il fût conduit bâillonné sur le lieu du supplice. Louis XV aurait dit à propos des juges : «Ils l'ont massacré.» La procédure contenait beaucoup d'irrégularités. Elle fut cassée par le Conseil du roi le 21 mai 1778, à la demande du fils du condamné. Mais il fallut encore à ce dernier cinq années de bataille judiciaire pour obtenir la pleine réhabilitation de son père.

LA LUZERNE, César Henri, comte de (Paris, 1737 - Bernau, Autriche, 1799). Secrétaire d'État pour le département de la Marine, il est, avec Necker, Montmorin et deux ou trois autres, de ces rares ministres du roi qui ont servi successivement l'Ancien Régime finissant et la Révolution commençante. Lieutenant général, puis gouverneur des îles Sous-le-Vent (1784-1787), il doit sa fortune politique à Loménie de Brienne, dont son frère, l'évêque de Langres, est le client fidèle, et à Montmorin, dont son fils a épousé la fille en 1784. Il est recommandé aussi par Malesherbes, auquel sa femme est apparentée. Sa nomination comme ministre de la Marine date du mois d'octobre 1787, mais il ne prend ses fonctions qu'en décembre, ayant dû revenir de Saint-Domingue. Après le départ de Loménie, il choisit le parti de Necker, soutient celui-ci dans le débat sur le doublement du tiers, quitte le ministère avec lui (le 11 juillet), et y revient avec lui après le 14 juillet. Il se retira le 20 octobre 1790, émigrera en Angleterre, puis en Autriche où il finira sa vie.

LA LUZERNE, César Guillaume de (Paris, 1738 - id., 1821). Évêque de Langres, il est considéré, sous le règne de Louis XVI, comme la plus forte tête théologique de l'épiscopat. Issu d'une grande famille de Normandie, frère d'un ministre et d'un ambassadeur, son élévation est rapide et brillante. Docteur en théologie, ordonné prêtre en 1762, il est d'abord grand vicaire de Dillon à Narbonne, puis agent général du clergé de 1765 à 1770 (proposé par la province de Paris), enfin évêque de Langres, nommé à ce siège le 24 juin 1770. Un grand nombre de visites pastorales ont été conservées datant de son épiscopat, mais toutes sont faites par des vicaires généraux ou des archidiacres, aucune par lui. Il semble que ses soins aillent surtout aux études et aux écoles. Il fonde un petit séminaire, appelle les doctrinaires dans l'ancien collège des jésuites de Chaumont (1775), crée à Langres une école des frères des Écoles chrétiennes. Les six volumes publiés de ses œuvres (1856) contiennent un grand nombre d'instructions pastorales destinées à combattre les déistes, comme par exemple celle sur « l'excellence de la religion ». Son apologétique, sans tomber dans le rousseauisme, est au moins très sentimentale. Il cherche, dit-il lui-même, à faire valoir la « beauté » de la religion plus que sa vérité. Il écrit que la prière « n'est point un art », qu'« elle est un sentiment » (*Explication des Évangiles des dimanches*). Élu aux États généraux, il intervient en août 1789 dans le débat sur la Déclaration des droits, proposant un article premier où serait mentionné l'« Auteur de la Nature ». Après avoir combattu le schisme constitutionnel, il quitte la France en 1791 et se réfugie à Constance, d'où il gagnera Vienne et Venise. Fidèle aux Bourbons, il ne rentre en France que sous la Restauration. Louis XVIII lui redonne en 1817 son évêché de Langres dont il s'était démis en 1802. Il est créé cardinal le 28 juillet 1817.

LA MARCHE, Jean François de (1729-1806). Évêque de Léon, il avait d'abord commencé une carrière militaire. Il était capitaine au régiment de la reine, lorsqu'à la bataille de Plaisance (1746) il échappa de peu à la mort. Ce fut l'origine de sa vocation. En 1747, il entre au séminaire Saint-Sulpice. Il sera ordonné prêtre dix ans plus tard (1756), nommé ensuite grand vicaire de Tréguier, puis en 1772 évêque de Léon. Son ministère est extrêmement fécond. Parmi ses nombreuses réalisations, on doit signaler en particulier la construction d'un séminaire et la fondation d'un collège. Il est également un bon administrateur, soucieux du bien-être matériel de ses ouailles. On lui doit d'avoir implanté dans son diocèse la culture de la pomme de terre. En 1790, il élève une protestation véhémente contre la Constitution civile du clergé et contre la suppression de son évêché. Menacé d'arrestation, il quitte clandestinement la France sur une barque de pêche et débarque en Angleterre le 3 mars 1791. Il y sera en quelque sorte le chef et le conseil du clergé français exilé. Il mourra sur la terre étrangère et sera enterré au cimetière Saint-Pancrace de Londres (novembre 1806). Il

avait refusé au pape Pie VI de se démettre de son évêché. On a de lui plusieurs instructions pastorales au ton passionné, ainsi qu'un *Catéchisme nouveau et raisonné*, publié en 1791 sans nom d'auteur, mais que la critique interne permet de lui attribuer. Cet écrit est une dénonciation inspirée, quasi prophétique, de la violence de l'État révolutionnaire.

LA MARTINIÈRE, Germain Pichault de (1696-1783). Premier chirurgien du roi Louis XV, il a aussi été l'ami de ce prince. La faveur royale lui valut d'être nommé en 1770 conseiller d'État, dignité rarement accordée à un chirurgien. Inquiet pour la santé du roi vieillissant, il l'invitait à modérer ses appétits amoureux. « Sentez, Sire, lui disait-il, [...] qu'il faut dételer » (cité par Michel Antoine, *Louis XV*). Il se serait même opposé à l'installation de Mme du Barry à Versailles. Ses mérites et travaux scientifiques sont mal connus. On sait seulement qu'il participa à la création du collège de chirurgie de Tours.

LAMBALLE, Marie Thérèse Louise de Savoie-Carignan, princesse de (Turin, 8 septembre 1748 - Paris, 3 septembre 1793). Fille de Louis Victor de Savoie-Carignan et d'Henriette de Hesse-Rheinfelds, elle est mariée le 18 janvier 1767 à Louis Alexandre Joseph Stanislas de Bourbon, prince de Lamballe, fils du duc de Penthièvre. C'est un débauché, qui meurt le 7 mai 1768 des suites de ses débauches, la laissant veuve à vingt ans. Elle ne se remarie pas et se consacre à soigner son beau-père. Honorée de l'amitié de la reine, devenue surintendante de sa maison, elle est bientôt supplantée par la comtesse de Polignac dans les grâces de la souveraine. Elle n'en reste pas moins fidèle. Quand viennent les jours d'épreuve, elle décide de ne plus quitter la famille royale. Sauf un bref exil en Angleterre au moment de la fuite de Varennes, elle sera désormais constamment aux Tuileries. Elle se réfugie avec la famille dans la loge du logographe de l'Assemblée législative lors de la prise des Tuileries, le 10 août, et puis au Temple, d'où on l'arrache le 20 août pour l'enfermer à la Force. Le 3 septembre, le tribunal des massacreurs lui demande de jurer la haine du roi et de la reine. « Je ne puis la jurer, dit-elle, car elle n'est pas dans mon cœur[1]. » Elle est aussitôt assassinée. Son corps est mutilé et outragé. Sa tête est montrée aux fenêtres du Temple. On peut la considérer comme une martyre de la fidélité. La reine lui avait décerné cet éloge : « Elle est la seule femme que je connaisse qui jamais n'a de rancœur, et en qui l'on ne peut trouver ni jalousie, ni inimitié[2]. »

LAMBERT, Anne Thérèse de Marguenat de Courcelles, marquise de (Paris, 1647 - id., 1733). Elle est surtout connue par son salon littéraire, le premier en date du XVIIIᵉ siècle et le modèle de tous ceux qui suivirent. Elle est fille de magistrat. Le second mari de sa mère, François Le Coigneux de Bachaumont, aimable épicurien et auteur de poésies légères, l'élève dans l'amour des lettres. Mariée à dix-neuf ans au marquis de Lambert, elle se montre bonne épouse et bonne mère. Devenue veuve, elle suit de très près l'éducation de ses deux enfants, écrivant à leur intention des *Avis d'une mère à son fils* et des *Avis d'une mère à sa fille* (publiés en 1726 et 1728). Ses réceptions commencent en 1710 dans son beau salon de l'hôtel de Nevers décoré par Robert de Cotte. Elle a deux jours : le mardi pour les hommes de lettres, les érudits et les artistes, le mercredi pour les gens du monde. La distinction n'est pas rigoureuse : les habitués peuvent changer de jour. Fontenelle et Marivaux président les mardis. Les érudits sont particulièrement nombreux. L'abbé de Choisy, le P. Buffier, Dortous de Mairan et l'abbé Terrasson figurent parmi les plus assidus. Le ton du salon est celui de la bienséance et de l'honnêteté. Mme de Lambert entend réagir contre la vulgarité et le cynisme de la Régence. Elle n'en garde pas moins une grande liberté d'esprit. Indifférente aux critiques des mi-

lieux dévots, elle soutient les *Lettres persanes* et réussit même à faire élire Montesquieu à l'Académie française. Elle est une des premières femmes de la société aristocratique à recevoir chez elle des acteurs. On y voit souvent Baron et Adrienne Lecouvreur. Ses ouvrages pédagogiques méritent qu'on s'y arrête. A cette époque, beaucoup de traités d'éducation sentent l'artifice. Mme de Lambert est naturelle. Elle est simple et agréable, même quand elle donne des conseils. Il faut l'entendre lancer à son fils : « La plus nécessaire disposition pour goûter les plaisirs est de savoir s'en passer », ou bien : « Faites que vos études coulent dans vos mœurs. » Quant à sa fille, elle l'avertit d'« être en soi ». Par sa délicatesse, sa parfaite connaissance de l'âme humaine et son amour de la vraie gloire, elle nous rappelle Montaigne et Charron. Elle est peut-être le dernier pédagogue stoïcien.

LAMBERT, Charles Claude (1726-1793). Il a occupé un an, à la fin du règne de Louis XVI, la fonction impossible de contrôleur général des Finances. Rien ne le désignait pour ce poste, si ce n'est sa réputation d'homme laborieux, probe et d'une austérité de mœurs extraordinaire à cette époque. Conseiller au parlement de Paris, il avait fait partie de la faction la plus antijésuite de cette cour. Nommé ensuite conseiller d'État, il avait été chargé du rapport au Conseil sur la condamnation de Lally, et son rapport avait fait casser l'arrêt. Il siège au Conseil des finances, lorsque, le 31 août 1787, Loménie de Brienne l'appelle au Contrôle général. Il y est dans une position difficile, Loménie se réservant la direction véritable de la politique financière. Il part le 25 août et cède la place à Necker. Compte tenu de son insuffisance, on est surpris de le voir à nouveau appelé au ministère le 29 juillet 1789. A la retraite de Necker, le 4 septembre 1790, il reste à la tête des Finances. Il aurait mieux fait de par-

---

1. Cité par M. de Lescure, art. « Lamballe » dans Hoefer, *Nouvelle Biographie générale*.
2. Cité par Mme Campan, *Mémoires*.

tir lui aussi. L'Assemblée constituante déclare qu'il ne mérite plus la confiance de la nation : le roi le renvoie le 4 décembre. En février 1793, il est arrêté, condamné à mort par le Tribunal révolutionnaire et exécuté le 27 juin de la même année.

LA METTRIE, Julien Offroy de (Saint-Malo, 19 décembre 1709 - Berlin, 11 novembre 1751). Médecin et philosophe, il est le fils d'un marchand de Saint-Malo. D'abord élève des jésuites au collège de Caen, il va ensuite achever à Paris ses études classiques. Il fait ses deux années de philosophie au collège d'Harcourt dont les professeurs étaient depuis longtemps convertis au cartésianisme. Reçu en 1727 bachelier ès arts, il entreprend des études de médecine, sous la tutelle de François Joseph Hunauld, titulaire de la chaire d'anatomie au Jardin du roi et ami de la famille La Mettrie. Ses cinq années de médecine accomplies, il se fait recevoir docteur le 29 mai 1733 à l'université de Reims, les droits d'examen de l'université de Paris étant prohibitifs. Il part ensuite pour Leyde afin de compléter sa formation médicale. Il a donc été à l'école de la meilleure médecine du temps, celle professée par les Hunauld et par Boerhave, le grand médecin de Leyde, celle de l'examen clinique au lit du malade. Revenu en France, il exerce son art à Saint-Malo et publie plusieurs ouvrages de médecine, dont les uns sont les résultats de sa propre expérience médicale (*Traité du vertige*, 1737, *Nouveau Traité des maladies vénériennes*, 1739) et les autres des plaidoyers en faveur de la méthode d'examen préconisée par Boerhave. Cependant, la province ne lui suffit pas. En 1742, il quitte Saint-Malo, abandonnant femme et enfants (il avait épousé Marie-Louise Droneau le 14 novembre 1739 et en avait eu deux enfants), et vient vivre à Paris où il exerce les fonctions de médecin personnel du duc de Gramont et

de médecin des gardes françaises, dont le duc est le colonel. La vie parisienne et ses divertissements conviennent à son tempérament d'homme de plaisir. Il dira lui-même « avoir été galant, homme de plaisir et de spectacles[1] ». Chez le duc, selon ses propres dires, il rencontre « ce qu'il y a de plus grand à la Cour et à la Ville[2] ». Il se lie avec les mandarins des lettres et des sciences. Il devient l'ami de Fontenelle, de Maupertuis et de Mme du Châtelet. La guerre interrompt un moment cette vie agréable. Il suit le duc de Gramont aux armées, et, à la fin de la guerre, est nommé médecin inspecteur des hôpitaux en campagne. Il assiste aux batailles de Dettingen et de Fontenoy. C'est alors que le système matérialiste commence à germer dans son esprit. L'incident de Fribourg a une importance particulière. Saisi d'une fièvre chaude au siège de cette ville (automne 1744), « il crut s'apercevoir que la faculté de penser n'était qu'une suite de l'organisation de la machine » (*Éloge de La Mettrie* par Frédéric II). Sans tarder, parce que chez lui tout passait en livres, il expose sa philosophie dans un ouvrage qui fait scandale, l'*Histoire naturelle de l'âme*. Le parlement de Paris condamne l'ouvrage à être brûlé par la main du bourreau (arrêt du 9 juillet 1746). Craignant d'être arrêté, il se réfugie à Leyde, et c'est là qu'il publie (en août 1747) *L'Homme-Machine*, de tous ses livres le plus important. Mais les calvinistes hollandais ne sont pas plus tolérants que la justice du roi de France. Le livre est saisi et son auteur expulsé. Frédéric II l'invite à Berlin. Il y arrive le 7 février 1748. Son tempérament vif (on l'appelle « le joyeux La Mettrie ») et son matérialisme sans faille lui valent l'amitié du roi. Il est nommé lecteur et médecin ordinaire. Il est avec le souverain sur un pied de grande familiarité. Les autres Français sont jaloux. Infatigable, il continue à moudre des livres : *L'Homme-Plante* (1748), *Discours sur le bonheur*

1. Cité par Aram Vartanian, *La Mettrie's Homme-Machine. A Study in the Origins of an Idea*, Princeton, 1960.
2. *Éloge de La Mettrie* publié en tête des *Œuvres philosophiques* de cet auteur, Berlin, 1774.

(1748), *Le Système d'Épicure* (1750) et encore des ouvrages de médecine (*Traité de l'asthme*, 1750). Il meurt prématurément d'une indigestion le 11 novembre 1751. Il avait mangé, dit-on, une prodigieuse quantité de pâté de faisan aux truffes. Voltaire dira que « ce gourmand était mort en philosophe (cité par Aram Vartanian) ». Il aurait pu aussi bien inverser les termes de cette proposition. Frédéric viendra lui-même prononcer devant l'Académie de Berlin l'éloge funèbre de son cher médecin.

La théorie exposée dans *L'Homme-Machine* part de l'homme pour aboutir à la nature. Les philosophes qui viendront ensuite feront la démarche inverse. Par homme-machine, La Mettrie entend la combinaison complexe des humeurs et des substances formant le corps humain (bile, phlegme, sang...), les dosages variant selon les individus. L'âme — il emploie le mot — est entièrement et perpétuellement dépendante de son corps (« L'âme et le corps s'endorment ensemble »). L'homme ainsi conçu n'est guère différent de l'animal (« la transition » en tout cas « n'est pas violente »). Certes, l'homme obéit à la loi naturelle, mais l'animal aussi. L'homme parle, mais l'animal pourrait parler (« Serait-il absolument impossible d'apprendre une langue à cet animal ? »). Par l'instinct, l'animal est supérieur à l'homme. Si l'homme a quelque supériorité, c'est grâce à l'éducation « qui seule [le] tire du niveau [et] l'élève au-dessus » des animaux. D'où vient l'homme ? Dieu l'a-t-il fait ? Le hasard l'a-t-il produit ? Ne serait-ce pas plutôt la Nature ? Mais qu'est-ce que la Nature ? C'est la substance de l'Univers (« Il n'y a dans tout l'Univers qu'une seule substance diversement modifiée »). De tous les philosophes des Lumières, La Mettrie est sans doute celui qui se rapproche le plus de Lucrèce. Le poète latin inspire sa pensée, mais aussi la manière dont il l'exprime. Quand il écrit de l'homme : « Peut-être a-t-il été jeté au hasard sur un point de la surface de la terre », on pense au fameux passage du livre V du *De natura rerum*, passage qui commence ainsi : « Et l'enfant ? De quelle manière entre-t-il sur la scène du monde ? On croirait voir un malheureux matelot jeté par l'Océan sur le rivage. »

LAMOIGNON, Guillaume II, seigneur de Blanc-Mesnil et de Malesherbes (Paris, 1683 - *id.*, 1772). Il est le second fils du président Chrétien François de Lamoignon. Il est créé chancelier (sans les sceaux) le 10 décembre 1750, succédant à d'Aguesseau, démissionnaire. C'est le couronnement d'une longue carrière de magistrat. Il a d'abord été avocat général, puis président à mortier, enfin premier président de la Cour des aides. L'homme mériterait d'être mieux connu. On sait qu'il était bon juriste, curieux de littérature et d'histoire, alliant une profonde piété à une grande dignité de vie et, ce qui valait mieux encore pour un magistrat, aussi éloigné que possible de la secte janséniste. On a dit qu'il avait manqué d'autorité, qu'il n'avait pas su s'imposer aux parlements. Il est vrai que les magistrats se sont déchaînés contre lui, multipliant les insolences et les refus d'obéissance. Mais c'était le temps de la grande révolte des cours, le temps du paroxysme de l'insubordination. Il aurait fallu au chancelier le soutien résolu du souverain. Or ce soutien lui a manqué. Il supportait de plus en plus mal ce qu'il considérait comme des capitulations de l'autorité royale. Le 3 octobre 1763, Louis XV se débarrasse de ce chancelier encombrant et, ne pouvant obtenir sa démission, l'exile dans son château de Malesherbes. Selon certains auteurs, le coup serait venu de Mme de Pompadour. Dans l'*Encyclopédie méthodique* de Panckoucke, on peut lire ceci : « Il eut [...] à lutter pendant treize ans, armé de sa seule vertu, contre le crédit d'une femme puissante, dont il ne crut jamais qu'il convînt au chancelier de France d'être le courtisan » (*Histoire*, art. « Lamoignon de Blanc-Mesnil »). Quoi qu'il en soit, Louis XV ne rappellera jamais le chancelier de son exil, et celui-ci, qui avait refusé sa démission quand on la lui demandait, la donnera volontairement cinq ans plus tard lorsqu'on ne la lui demandera plus.

LA MORLIÈRE, Jacques de La Rochette de (Grenoble, 1719 - Paris, 1785). Écrivain, c'est un personnage douteux, un libertin vivant d'escroqueries et un auteur de romans licencieux, à la limite du pornographique. Dans l'un de ces délicats ouvrages, intitulé *Angola, histoire indienne* (1746) on assiste à l'initiation d'un jeune prince aux joies de la vie galante. La Morlière avait réussi à devenir «chef de cabale» au Théâtre-Français; il y disposait à son gré des bravos et des sifflets. Cela ne l'empêcha pas de connaître un four avec ses propres pièces (*Le Gouverneur, La Créole*). Éreinté par Fréron, il riposta par un libelle intitulé *Le Contrepoison des feuilles ou Lettres sur Fréron* (1754).

LA MOTTE, Jeanne de Saint-Rémy de Valois, comtesse de (Fontette, près de Bar-sur-Aube, 1756 - Londres, 1791). C'est cette aventurière qui imagina et monta l'escroquerie de l'affaire du Collier[1]. Le sang des rois coulait dans ses veines: son père était indigent, mais descendait en ligne directe d'un fils naturel du roi Henri II. Chérin authentifia l'illustre filiation et la jeune Jeanne de Saint-Rémy et sa sœur furent reçues gratuitement à l'abbaye de Longchamp pour y être éduquées; on leur alloua en outre une pension de 600 livres sur le Trésor royal. Mais les deux demoiselles n'étaient pas faites pour la pension. Elles faussèrent compagnie aux religieuses de Longchamp et vinrent s'établir dans leur pays natal de Bar-sur-Aube (1779). C'est là que, le 6 juin 1780, Jeanne épousa Nicolas de La Motte, gentilhomme servant dans la gendarmerie. Les deux jumeaux qui naquirent un mois après ce mariage, et moururent peu après, étaient-ils de Nicolas de La Motte? Ce point n'est pas élucidé. La nouvelle «comtesse» de La Motte entreprend des démarches afin d'obtenir du roi la restitution de biens qui auraient appartenu à sa famille. Elle s'installe à Versailles et rencontre le cardinal de Rohan dont elle devient la maîtresse. Ce dernier est obsédé par la

crainte, d'ailleurs fondée, que la reine lui soit hostile. Jeanne de La Motte exploite cet état d'âme et fait croire au cardinal que Marie-Antoinette lui est maintenant favorable et, pour lui enlever tout soupçon, lui montre de fausses lettres de la souveraine, fabriquées par son complice Villette de Réaux. Elle imagine ensuite la scène du bosquet du 11 août 1784. Enfin, elle explique au cardinal que la reine désire acheter le collier mis en vente par les joailliers Boehmer et Bossange, et lui demande de servir d'intermédiaire. Rohan est arrêté le 15 août 1785 et elle-même dans la nuit du 17 au 18 août à Bar-sur-Aube. Le Parlement la condamne au fouet, à la marque et à l'emprisonnement perpétuel. Évadée en 1787 de la Salpêtrière, elle se réfugie à Londres où elle retrouve son mari. Elle y publie des pamphlets contre la reine, dont celui intitulé *Vie et Aventures de la comtesse de La Motte*. Elle se tue en 1791 en se jetant par la fenêtre pour fuir la police anglaise qui venait l'arrêter. «Mme de La Motte, écrit le comte Beugnot (qui l'avait bien connue) dans ses *Mémoires* (1866), n'avait pas ce qu'on appelle de la beauté; elle était d'une taille médiocre, mais svelte et bien prise; elle avait des yeux pleins d'expression, sous des sourcils noirs bien arqués [...], son sourire était enchanteur [...]. Elle était dénuée de toute espèce d'instruction, mais elle avait beaucoup d'esprit et l'avait vif et pénétrant.» Imagina-t-elle seule l'énorme escroquerie du collier? Cela n'est pas certain. L'enquête révéla la complicité de l'aventurier Cagliostro, chez qui (nous le savons par Beugnot) elle dînait souvent et qui organisait à son intention des séances de spiritisme.

LA MOTTE, Louis François Gabriel d'Orléans de (Carpentras, 13 janvier 1683 - Amiens, 10 juin 1774). Évêque d'Amiens, il est l'un des prélats les plus apostoliques de son siècle. Sa carrière avant l'épiscopat est toute provinciale et ne passe jamais par la capitale: études au collège des jé-

---

1. Pour l'affaire du Collier, voir p. 405-408.

suites de Carpentras, séminaire à Viviers, canonicat de Carpentras et charge de grand vicaire à Arles. Théologien au concile d'Embrun de 1727, ses interventions le font remarquer. Il est nommé en 1729 administrateur du diocèse de Senez, et, en 1733, évêque d'Amiens. Dès sa première année dans son diocèse, il visite cent quatre-vingts paroisses. Il construit un nouveau séminaire et publie un Bréviaire (1747) et un Missel. Mais le trait le plus distinctif de son épiscopat est son activité missionnaire. Il prêche lui-même deux missions dans sa ville épiscopale, et en préside une troisième en 1773. Il en fait donner plusieurs dans les villes principales de son diocèse. Le remarquable est que l'esprit missionnaire s'allie chez lui avec un tempérament de contemplatif. Il avait une vocation de moine, et émit plusieurs fois le désir de se retirer à l'abbaye de Sept-Fons. Il offrit même sa démission au roi en 1750, mais celui-ci la refusa. Antijanséniste décidé, il autorise les refus de sacrements et subit les foudres du Parlement. Ses mandements sont plusieurs fois condamnés à être brûlés par la main du bourreau. Sa piété le porte aux dévotions de l'Amour divin. En 1767, il est l'un des premiers évêques à instituer dans son diocèse la fête du Sacré-Cœur. Le 1er janvier 1774, il érige dans l'église Sainte-Claire d'Amiens l'adoration perpétuelle du saint sacrement. Il meurt le 10 juin 1774, qui est précisément le jour de la fête du Sacré-Cœur. Ses dernières années avaient été inquiètes et attristées. En témoigne cette confidence faite en 1750 : « la vie me devient tous les jours plus amère par les progrès du mal que nous voyons. »

LA MOTTE-PICQUET, Toussaint Guillaume, comte Picquet de La Motte, connu sous le nom de (Rennes, 1720 - Brest, 1791). Lieutenant général des armées navales, il est, avec Suffren, l'un des rares chefs de la marine doués d'un esprit offensif. Entré dans la marine à l'âge de dix-sept ans, il se signale très tôt par son intrépidité. En 1745, à bord de la *Renommée*, il prend part à un combat acharné, remplace son commandant grièvement blessé, fait face à l'attaque d'un vaisseau de soixante-dix canons, et, à force d'audace, réussit à se dégager. Capitaine de vaisseau en 1777, chef d'escadre en 1778, il combat à Ouessant. En 1779, il contribue puissamment à la prise de la Grenade. Mais son plus bel exploit est celui qu'il accomplit cette même année dans les eaux de la Martinique. Apprenant qu'un convoi français était menacé par la flotte de l'amiral anglais Parker, il se lance à la poursuite de ce dernier, soutient le feu pendant six heures et ramène à Fort-Royal la plus grande partie des bateaux. Très « fair-play », Parker lui adresse quelques jours plus tard ces félicitations : « Quoique vous m'ayez enlevé une frégate et quelques autres bâtiments, je ne puis m'empêcher de vous estimer et de vous admirer. La conduite que Votre Excellence a tenue dans l'affaire du 18 de ce mois justifie pleinement la haute réputation dont vous jouissez parmi nous [...]. Votre mérite a gravé dans mon cœur la plus grande vénération pour vous » (cité par Lacour-Gayet, *La Marine militaire de la France sous le règne de Louis XV*). Promu en 1781 lieutenant général, il enlève peu après vingt-six vaisseaux à Rodney. On demeure surpris qu'un homme si remarquable n'ait pas reçu de plus grands commandements.

LAMOUR, Jean (Nancy, 1698 - id., 1771). Le plus grand ferronnier français du siècle a été formé à Metz, puis à Paris, mais sa carrière de créateur a uniquement pour cadre Nancy, où il est associé à tous les grands travaux du règne de Stanislas. Ses premières réalisations sont les grilles de la primatiale, séparant la nef des chapelles latérales, les grilles du sanctuaire Notre-Dame-de-Bon-Secours, et les balcons et la rampe d'escalier de l'autel des Missions royales. Les grilles forgées de 1750 à 1758 pour la place Royale (actuelle place Stanislas) sont le chef-d'œuvre de la maturité. On y voit des pilastres surmontés de vases, et soutenant des potences au chiffre de Stanislas, en forme de coqs, symboles de l'union nouvelle entre la Lorraine et la France. Tous les ornements sont dorés.

LANCRET, Nicolas (Paris, 1690 - *id.*, 14 septembre 1743). Peintre, il fait ses débuts dans l'atelier de Pierre Dulin. Ensuite, le succès de Watteau l'attire chez Gillot, qu'il va cependant quitter très vite afin de s'inspirer de la nature et de son imagination. Mais il imite si bien Watteau que ce dernier en est jaloux. Il est reçu à l'Académie royale (en 1719) avec la même qualification que Watteau, celle de peintre des fêtes galantes. Mais il est plus sage, sans cette poésie et ce grain de folie qui caractérisent le génie de Watteau. On a pu dire qu'il singeait le maître de Valenciennes, en lui dérobant ses thèmes et ses personnages de la comédie italienne et en gâtant parfois ses pastiches par un laisser-aller et un libertinage assez vulgaires. Ces reproches s'adressent par exemple au *Déjeuner de jambon* (1735), à l'*Hiver* (1738), à la *Conversation galante* et au jeu de *Colin-Maillard*, toutes compositions qui mettent en scène plusieurs personnages au milieu de la nature. Cependant, ces peintures sont admirables par la beauté des feuillages et des fonds.

Lancret était marié depuis deux ans à la fille du poète Boursault, quand il mourut à l'âge de cinquante-trois ans.

LANGUEDOC. Avec ses vingt-quatre diocèses répartis sur trois pays (Haut-Languedoc, Bas-Languedoc et Cévennes), le Languedoc est l'un des plus vastes gouvernements du royaume. La capitale en est Toulouse, mais les états de Languedoc siègent le plus souvent à Montpellier où réside aussi l'intendant de la généralité.

Les états provinciaux et les trois états particuliers du Gévaudan, du Vivarais et du Velay conservent au Languedoc plus qu'une apparence d'autonomie. Dans les états provinciaux, le clergé domine, mais on y vote par tête. En matière d'économie et de routes, l'administration des états obtient des résultats remarquables.

Si l'on en croit le P. Gibrat (*Traité de la géographie moderne*, 1784), le Languedoc «passe pour la plus belle et la plus fertile province du royaume». De fait, la province exporte plus qu'elle ne l'a jamais fait dans son histoire. Elle exporte des grains, et sa puissante industrie lainière produit pour les marchés lointains des deux Amériques, du Levant et de la Chine. Il se produit deux importantes transformations économiques : l'extension du vignoble (la production de vin sera en 1789 de 2,5 millions d'hectolitres) et la mise en exploitation, après 1750, des mines de Carmaux.

Le protestantisme languedocien avait traversé de grandes épreuves. Il avait connu l'exode (lors de la Révocation) et la révolte (avec la guerre des Camisards). Il se reconstitue. Un accord intervient à la fin de 1746 entre l'intendant et les pasteurs. L'administration renonce aux sanctions. Il existe à cette date vingt prédicants pour les trois synodes de la province. Les «nouveaux convertis» de la Révocation ne sont pas restés convertis longtemps ; la plupart sont vite revenus à leur confession d'origine.

Le catholicisme s'épanouit dans les confréries, les plus prestigieuses étant celles des Pénitents bleus. Le culte eucharistique, dévotion majeure de cette province, fortifie la foi. Les nombreuses missions paroissiales des jésuites et des pères de la Doctrine chrétienne raniment périodiquement la ferveur.

LANGUET DE GERGY, Jean Joseph (Dijon, 25 août 1677 - Sens, 11 mai 1753). Évêque de Soissons puis archevêque de Sens, c'est un infatigable adversaire du jansénisme et un pionnier de la dévotion du Sacré-Cœur. Il avait été reçu docteur en théologie en 1701. L'année suivante, Bossuet, qui est son compatriote, son parent et son ami, le recommande à la duchesse de Bourgogne pour être son aumônier. C'est le début de son élévation. Le 15 août 1709, il est nommé grand vicaire d'Autun avec résidence à Moulins et la charge de supérieur des visitandines de Paray-le-Monial. C'est alors qu'il prend connaissance des révélations faites à Marguerite-Marie Alacoque et devient l'ardent propagandiste de la dévotion au Sacré-Cœur. Le 5 janvier 1715, il est nommé à l'évêché de Soissons, et quinze ans plus tard, le 25 décembre 1730, à l'archevêché de Sens. Le clergé de ce diocèse est truffé de jansénistes. «En général, écrit à son arrivée le nouvel archevêque, je ne puis compter que sur le quart des ecclésiastiques de mon diocèse et des couvents de filles» (cité par Edmond Préclin, *Les Jansénistes du XVIIIᵉ siècle et la Constitution civile du clergé*). Il entreprend tout de suite la lutte, fulminant des interdits contre les appelants, les chassant des conférences ecclésiastiques, les faisant exiler par lettres de cachet. En 1731, le catéchisme qu'il publie est vivement attaqué par la secte. Il en prescrit l'usage. De grandes polémiques l'opposent également à ses deux suffragants, Caylus, évêque d'Auxerre, et Bossuet, évêque de Troyes (le neveu du grand Bossuet). Ce dernier a publié en 1733 un missel janséniste et richériste. Languet en fait la critique et en interdit l'usage. Après un long combat, il finit par obtenir les corrections qu'il demande (1738). C'est un polémiste inlassable et d'une incroyable fécondité. Ses écrits antijansénistes se comptent par centaines. Il n'en néglige pas pour autant le soin de ses ouailles. Il visite son diocèse, accordant, semble-t-il, une importance particulière à la visite des communautés religieuses féminines. En 1741, il fait prêcher une mission par le fameux P. Brydaine. Il embellit la cathédrale de Sens. Il s'efforce d'augmenter la piété. Car il est aussi un spirituel et un auteur spirituel. Son livre le plus important dans ce domaine est son *Traité de la confiance en la miséricorde de Dieu* (Paris, 1715). Sa *Vie de la vénérable Marie Alacoque...* (Paris, 1729), dédiée à la reine, a fait beaucoup pour le crédit de la nouvelle dévotion au Sacré-Cœur. L'auteur s'attache à réfuter les objections des jansénistes. Il fait voir le double amour du Christ pour son Père du Ciel et pour les hommes, ses frères, et combien son Cœur en est le symbole. On peut dire qu'avec le cardinal de Fleury et l'archevêque de Paris, Beaumont, Languet est un de ceux qui ont le plus fait pour déraciner en France l'influence janséniste et pour y rendre la dévotion plus confiante.

LA PÉROUSE, Jean François de Galaup, comte de (Albi, 23 août 1741 - île de Vanikoro, 1788). Capitaine de vaisseau, explorateur du Pacifique, il est issu d'une famille de noblesse municipale. L'exemple des La Jonquière, parents de sa famille, coloniaux et navigateurs, suscite sa vocation de marin. En 1756, ayant fait ses humanités au collège des jésuites de sa ville natale, il entre à l'école des gardes-marine de Brest. Il en sort l'année suivante avec le grade d'enseigne de vaisseau. De 1757 à 1782, pendant vingt-cinq ans, sa vie est celle de tout officier du grand corps; elle est vouée à la défense des possessions coloniales et à la lutte contre l'Angleterre. Premier embarquement: le *Célèbre*, envoyé en 1757 au secours du Canada. Premier combat, la bataille de Quiberon du 14 novembre 1759. La Pérouse est prisonnier des Anglais sur parole. Il le restera jusqu'à son échange en 1760. De 1772 à 1775, il sert dans l'océan Indien, et c'est là qu'il obtient en 1773 son premier commandement, celui de la flûte la *Seine*. En 1778 commence la guerre d'Amérique. La Pérouse revient dans l'Atlantique. Il sert sous Ternay, sous d'Estaing et sous de Grasse. En 1780, il fait partie de l'escadre convoyant le corps expéditionnaire. Il manque de peu la bataille de Yorktown, mais se trouve à celle, malheureuse, des Saintes. Dans l'été 1782, il accomplit sa première grande mission de confiance: explorer la baie d'Hudson et tenter d'en déloger les Anglais. C'est une campagne très dure. La Pérouse s'empare de deux forts anglais, mais à la fin quatre cent soixante-dix de ses hommes sont morts ou malades sur cinq cent trente-six. Il y gagne la notoriété. Le roi lui accorde une pension de 800 livres. Le ministère (où il a un ami sûr: Fleurieu, le directeur des ports et arsenaux) le tient désormais comme l'officier le plus capable d'explorer et de trouver ce fameux passage du nord-ouest auquel on pense toujours. Suit pour notre marin une courte période de loisir. Il en profite pour se marier. Le 8 juillet 1783, il épouse à Paris, en l'église Sainte-Marguerite, Louise Éléonore Broudou, une jeune créole, dont il était tombé éperdument amoureux six ans plus tôt à l'île de France. En 1784 commence à mûrir à Versailles le grand projet d'une expédition de reconnaissance des côtes du nord-ouest et du nord-est du Pacifique. La responsabilité en est confiée à La Pérouse au début de 1785.

C'est un projet très ambitieux, trop ambitieux. En vingt mois, l'expédition devra faire le tour du monde, et sur le chemin reconnaître la côte américaine du Pacifique et toutes les côtes de l'Australie. Louis XVI a personnellement étudié l'itinéraire. Les académies et les sociétés savantes ont concouru à le fixer. La préparation est minutieuse. Sur les deux vaisseaux désignés, la *Boussole* et l'*Astrolabe*, on embarque six mois de vivres, des semences de végétaux utiles pour les sauvages, cinquante-neuf arbustes à planter, deux mille peignes et un million d'épingles pour les cadeaux aux aborigènes. Nombre de savants sont adjoints à l'expédition, dont l'astronome Dagelet et le physicien Mongez. Le peintre Duché de Vancy sera chargé du reportage en images. Paul Antoine Marie Fleuriot de Langle, commandant de l'*Astrolabe* et ami de La Pérouse, est membre de l'Académie des sciences.

Le départ a lieu à Brest le 1er août 1785. La première année se passe bien. Le 31 mai 1786, La Pérouse débarque aux îles Hawaii, où Cook avait trouvé la mort. En juillet 1786, il passe quelque temps en Alaska en un endroit appelé aujourd'hui Lituaya Bay, qu'il nomme « Port des Français ». C'est là que se produit le premier accident grave : six officiers et quinze hommes d'équipage noyés dans une passe. La Pérouse descend vers la Californie où il reste dix jours (à Monterey). Puis il retraverse le Pacifique, atteint les Mariannes le 14 décembre 1786, puis Manille en février 1787. Ensuite, il remonte vers le nord, longe les côtes interdites de Corée, reconnaît celles de Tartarie et atteint le Kamtchatka. Après un séjour à Petropavlovsk, il met, en septembre 1787, le cap vers le sud et l'Australie. C'est la dernière étape de son voyage et de sa vie. Le 6 décembre, les Samoans l'ac-

cueillent. Plutôt mal. Le 11 décembre, Langle, qui avait voulu aller chercher de l'eau dans un « charmant village », est massacré par les Samoans avec onze hommes de son escorte. Le moral et la santé des équipages sont au plus bas. C'est dans un assez piteux état que les deux navires arrivent à Botany Bay, sur la côte orientale de l'Australie, le 24 janvier 1788. Ils y passent six semaines en compagnie de l'expédition anglaise du capitaine Phillip. Ils en repartent le 10 mars 1788. Les marins anglais les regardent s'éloigner, se dirigeant vers le nord. Ils sont les derniers Blancs à les avoir vus.

A la mi-1789, aucune nouvelle n'étant parvenue depuis près d'un an, on commence en France à s'inquiéter. Le 14 janvier 1791, Fleurieu, alors ministre de la Marine, déclare l'expédition perdue. L'Assemblée nationale vote des crédits pour financer les recherches. Deux expéditions de secours, l'une commandée par Dupetit-Thouars, l'autre par d'Entrecasteaux, échouent. C'est un navigateur irlandais, Peter Dillon, qui découvre en 1826 aux îles Santa Cruz, les reliques des deux navires : des ustensiles, des armes, des médailles. En 1964, deux explorations sous-marines permettront de reconstituer le drame.

Que s'était-il passé ? On est à peu près certain maintenant que les deux vaisseaux ont été fracassés en même temps et côte à côte sur le récif de Vanikoro, où les aurait jetés un cyclone d'une extrême violence. Il y a eu sans doute des survivants, mais ceux-ci ont été massacrés par les aborigènes.

Le *Voyage de La Pérouse* a été publié pour la première fois en 1797 par Milet Mureau. L'ouvrage est constitué des rapports et dépêches envoyés à Versailles pendant tout le voyage. Un de ces courriers avait été transmis par terre, à travers la Sibérie orientale et la Russie, par un collaborateur de La Pérouse, nommé Lesseps, et avait mis un an à parvenir jusqu'à Paris. En février 1788, à Botany Bay, un officier anglais, le lieutenant Shortland, avait promis de transmettre en Europe un autre courrier. Sans ces deux messagers, nous ne saurions presque rien du voyage de La Pérouse.

On peut admirer, dans les rapports du navigateur, sa clarté d'esprit et son réalisme. En particulier, il ne partage pas les illusions des philosophes sur la bonté naturelle des sauvages. Des Samoans il écrit : « … l'homme presque sauvage et dans l'anarchie est un être plus méchant que les loups et les tigres des forêts. »

Le bilan scientifique de l'expédition est considérable. Le relèvement précis de la côte du nord-ouest de l'Amérique et des côtes inconnues de la Tartarie en est la partie essentielle. Le bilan moral n'est pas moins important. La Pérouse et ses compagnons méritent l'admiration par leur extraordinaire endurance et leur courage. Ils ont vécu pendant près de trois ans sur la mer, ne faisant que de courtes relâches. Ils ont parcouru tous les océans du globe et visité quatre continents, affronté tous les climats et tous les périls. Parmi les grandes actions des Français au XVIIIe siècle, celle des équipages de La Pérouse est sans doute la plus extraordinaire.

LA PEYRONIE, François Gigot de (Montpellier, 15 janvier 1678 - Versailles, 24 avril 1747). Premier chirurgien du roi, il est surtout connu pour avoir été le créateur de l'Académie de chirurgie. Ayant reçu sa formation dans sa ville natale de Montpellier, il avait étudié à la fois la médecine et la chirurgie. Il s'y installa et acquit une si grande réputation que Louis XIV le fit venir à Paris comme démonstrateur d'anatomie au Jardin du roi. En février 1719, son maître et ami Mareschal lui fait accorder la survivance de sa charge de premier chirurgien. Il conquiert la sympathie et la confiance du jeune roi qui ne veut être saigné que par lui, et l'anoblit en 1721. Il lui donne une première idée de l'anatomie et, pour illustrer ses leçons, pratique devant lui la dissection de quelques animaux de la ménagerie. La grande faveur dont il jouit lui permet de réaliser sa grande idée : élever la profession de chirurgien au niveau de la profession médicale et lui donner une véritable qualité

scientifique. Avec la permission royale, il crée en 1731 les «assemblées académiques de chirurgie», qui seront transformées en 1739 en «Société académique de chirurgie». C'est en fait une société d'enseignement mutuel et professionnel. Il en est le président. Il appartenait à l'Académie des sciences depuis 1731, et de 1716 à 1730 avait suppléé Du Verney dans la charge de démonstrateur et opérateur des opérations pharmaceutiques. Il est l'auteur de nombreux mémoires, dont celui-ci, publié à Montpellier en 1708, qui dénote des préoccupations philosophiques et une influence cartésienne : *Observations sur les maladies du cerveau, par lesquelles on tâche de découvrir le véritable lieu du cerveau dans lequel l'âme exerce ses fonctions.*

LAPLACE, Pierre Simon, marquis de (Beaumont-en-Auge, 23 mars 1749 - Paris, 5 mars 1827). Mathématicien et astronome, il était le fils d'un simple paysan. Venu à Paris à l'âge de vingt ans, il étonne d'Alembert par sa virtuosité de mathématicien, et doit à la protection de ce dernier d'être nommé professeur de mathématiques à l'École royale militaire de Paris. Il y exerce de 1769 à 1776, dispensant ses connaissances à des adolescents âgés de dix à dix-huit ans. Cette époque marque pour lui le début d'une prodigieuse activité scientifique. Les mémoires présentés à l'Académie des sciences se succèdent à un rythme étonnant. En 1773, il est admis à l'Académie comme adjoint mécanicien. Il sera pensionnaire en 1785. En 1783 il avait remplacé Bezout comme examinateur des élèves des écoles d'artillerie. C'est à ce titre qu'il interrogera le jeune Bonaparte.

Son grand ouvrage est le *Traité de la mécanique céleste* publié de 1799 à 1825. Il ne fait qu'y rassembler ses travaux antérieurs et leur donner une forme didactique. En fait, l'essentiel de l'œuvre a été conçu avant la Révolution. On peut même dire que dès 1787 Laplace était en possession de toutes ses découvertes. Ses recherches sont orientées vers les deux grands problèmes qui préoccupent alors les savants. Les unes tendent au perfectionnement du calcul des probabilités (voir par exemple le mémoire *Sur la probabilité des causes par les événements*, présenté en 1774) surtout au point de vue de leurs applications à la vie civile. Les autres sont consacrées à l'étude du mouvement et de la figure des astres comme conséquence de l'unique principe de la gravitation universelle (c'est par exemple le mémoire intitulé *Recherches sur le calcul intégral et sur le système du monde*, publié en 1772).

Laplace est supérieur à Lagrange par la puissance du génie, par l'ampleur et l'unité de ses conceptions. Il n'est pas sûr que l'homme vaille le savant. Comblé d'honneurs par Napoléon, qui en fait un ministre de l'Intérieur, puis un chancelier du Sénat et un comte d'Empire, il se rallie à la Restauration, ce qui lui vaut d'entrer à la Chambre des pairs et d'obtenir un titre de marquis.

Il avait pourtant de grandes affinités avec Bonaparte, avec lequel il avait siégé à l'Institut. Tous deux avaient la même conception mécaniste de la société. «Le plus grand bienfait des sciences astronomiques, écrit Laplace en 1796, est d'avoir dissipé les ignorances nées de l'ignorance de nos vrais rapports avec la nature, erreurs d'autant plus funestes que l'ordre social doit reposer uniquement sur ces rapports.» Aussi bien «il n'était pas un pur mathématicien; attiré par les problèmes de philosophie naturelle, il regardait les mathématiques comme un moyen et non comme une fin» (René Humbert).

LA PORTE, Arnaud de (? - 1770). Premier commis de la Marine, il est originaire de Bayonne. Son père était officier et chargé de la garde des côtes. Son intelligence le fait remarquer. Un compatriote, M. de Cazemajor, médecin installé dans la capitale, le fait venir à Paris et le place dans les bureaux d'un avocat aux conseils. Or Pierre de Forcade, premier commis de la Marine, est l'ami de cet avocat. Il fait la connaissance d'Arnaud de La Porte, et en 1731 le prend à son service comme «écrivain». Le jeune homme franchit rapidement les étapes. Il

faut dire qu'il a l'intelligence d'épouser la fille de Joseph Pellerin, un autre premier commis du ministère. Il est nommé commis et écrivain principal le 1er janvier 1736, commis à Rochefort le 1er octobre de la même année, et enfin premier commis le 17 juin 1738, en remplacement de son protecteur Pierre de Forcade. Il conserve ses fonctions de premier commis pendant vingt ans (jusqu'au 27 janvier 1758, date de sa retraite). Chargé du Bureau des colonies, investi de la confiance des ministres successifs, il est en fait pendant ces deux décennies le véritable ministre des territoires d'outre-mer, et porte sans doute une part de responsabilité dans la perte du Canada.

LA PORTE, Pierre Jean François de (1710- ?). Seigneur marquis de Presle, il est nommé intendant du Bourbonnais en 1740, après avoir exercé successivement les fonctions d'avocat du roi au Châtelet, de conseiller au Parlement et de maître des requêtes (nommé en 1734). Il passe quatre ans dans cette province, puis est envoyé à Grenoble (1744) comme intendant du Dauphiné. Il crée le réseau routier de la province. Mais le parlement de Grenoble lui mène la vie dure, s'opposant à lui à propos du vingtième et de la corvée. Il finit par démissionner en 1761. Rappelé à Versailles, il est nommé conseiller d'État.

LA PORTE DU THEIL, Jean Gabriel de (1683-1755). Premier commis au département des Affaires étrangères, il assume pratiquement la direction de ce département, lorsque Louis XV décide en 1743, après le renvoi d'Amelot, de prendre en main la politique étrangère. Il travaille alors avec le roi, et l'accompagne en Flandre. C'est peut-être lui qui, en 1745, suggère au souverain d'appeler le marquis d'Argenson aux fonctions de secrétaire d'État. En 1748, il est adjoint au comte de Saint-Séverin, et envoyé à Aix-la-Chapelle comme négociateur du traité de paix.

LA POUPLINIÈRE, Alexandre Jean Joseph Le Riche de (1692-1762). Fermier général, fils d'un receveur général des Finances, il mérite de rester à la postérité pour la magnificence de son mécénat. Son hôtel de la rue Neuve-des-Petits-Champs et le château qu'il loue à Passy sont les hauts lieux de la musique. Il y entretient des musiciens et y donne des concerts : messe en musique le dimanche, grand concert à cinq heures, petite séance intime à neuf heures et concert du samedi. En 1762, ses quinze instrumentistes ne lui coûtent pas moins de 20 872 livres 80 sols d'appointements. On joue même des opéras. Rameau tient le clavecin. Il est le protégé du maître de maison qui le loge. Ces concerts ont une place importante dans l'histoire de la musique. Ils sont une sorte de laboratoire et banc d'essai. Rameau, Stamitz et Gossec y essaient leurs œuvres. De nouveaux instruments y sont testés. La clarinette y fait son apparition en 1750. La Pouplinière est le premier à réunir en France un quatuor d'instruments à vent. On entend chez lui les plus grandes voix : Mme Van Loo qui lance le chant italien, Mlle Fel et Jéliotte.

La Pouplinière n'est pas tout à fait un libertin. C'est un catholique convaincu et assidu à la messe. C'est un ami fervent de la beauté. Son goût pour la musique a quelque chose de touchant. Il compose des airs charmants (« Les brunettes », « Petits oiseaux sous le feuillage »), les joue lui-même et montre dans toutes les choses de la musique le discernement le plus éclairé. Mais il faut convenir que son goût pour les femmes l'entraîne à certains écarts. En 1727, le prince de Carignan le surprend un soir en compagnie de sa maîtresse, Marie Antier. Ensuite, La Pouplinière élit une maîtresse en titre, une certaine Thérèse Boutinon, fille d'une comédienne. Fleury lui ordonne de l'épouser sous peine de perdre sa charge de fermier général. Il l'épouse, mais elle le trompe avec le duc de Richelieu. En 1748, il découvre dans la chambre de sa femme un passage secret communiquant avec la maison voisine et servant au ga-

lant duc pour rejoindre sa conquête. Colère du mari. L'épouse infidèle est chassée honteusement. Elle meurt en 1752. En 1760, âgé de soixante-huit ans, La Pouplinière épouse en secondes noces Mlle de Mondran. Il meurt deux ans après. Un anonyme lui fait cette épitaphe :

Sous ce tombeau repose un financier.
Il fut de son état l'honneur et la critique :
Généreux, bienfaisant, mais toujours
[singulier,
Il soulagea la misère publique.
Passant, priez pour lui, car il fut le
[premier[1].

LARGILLIÈRE, Nicolas de (Paris, 1656 - id., 1746). Fils d'un chapelier, il devient peintre. Il fait son apprentissage à Windsor en restaurant des tableaux de maîtres anciens. De retour à Paris en 1678, il se lie avec Van der Meulen et Le Brun. Mais c'est son séjour hollandais qui a le plus fortement marqué son art. L'influence de Van Dyck et celle de Rembrandt sont sur lui déterminantes : des Hollandais, il hérite aussi du portrait collectif qu'il acclimate en France. Comme ceux de ses maîtres hollandais, ses modèles sont heureux, pleins de santé et de bonne humeur. Il détient néanmoins un secret technique personnel et rare, celui de faire vivre la chair. Les peintres du XVIIIe siècle apprendront de lui à faire circuler le sang sous un derme bleuté. Il excelle aussi dans la reproduction des étoffes, des soies cassantes et rayonnantes, celles des costumes des notables, et celles des robes des dames, vêtements éblouissants de vérité et de fraîcheur.

Largillière est avec Rigaud le peintre qui nous permet le mieux d'imaginer ce qu'étaient les hommes de la fin du règne de Louis XIV. Bien qu'il fréquente peu la Cour, il fait les portraits du roi, de Colbert, de ses maîtres et amis, Le Brun et Van der Meulen. Il est aussi le peintre des femmes de la Régence : Mme de Parabère, Mlle de Périgny, Mlle Duclos (l'actrice). Il est enfin le portraitiste attitré de la Ville de Paris ; malheureuse-

---

1. Cité dans Louis Bachaumont, *Mémoires secrets*, 1777.

ment, ses groupes d'échevins ont été détruits à la Révolution, mais on peut s'en faire une idée par les esquisses recueillies au musée Carnavalet.

LARIVE, Jean Mauduit, dit de (La Rochelle, 6 août 1747 - Montlignon, près de Montmorency, 30 avril 1827). Comptant parmi les grands acteurs de son temps, il succède à Lekain et précède Talma dans les premiers rôles. Il était le fils d'un épicier. Mauvaise tête, il s'enfuit à neuf ans de la maison paternelle. Les moines de Sept-Fons en Bourbonnais l'ont un moment accueilli. Puis son père l'a embarqué pour Saint-Domingue où il en est resté six ans. C'est à Tours, dans l'une des troupes de Mlle Montansier, qu'il monte sur les planches pour la première fois. La Clairon s'éprend de lui, c'est sa chance. Elle a quarante-sept ans, lui vingt-trois. Il se présente deux fois à la Comédie-Française, la première dans le rôle de Zamore d'*Alzire*, où il ne réussit pas, la seconde dans celui d'Oreste d'*Iphigénie*. Il est reçu sociétaire le 18 mai 1775. Le *Coriolan* de La Harpe (1784) figure parmi ses nombreuses créations. Il joue aussi beaucoup en province. Lille, par exemple, le verra trois fois, en 1784, 1785 et 1788. Il était bel homme autant que Lekain était laid, mais son jeu avait moins de passion que celui de son prédécesseur. Selon Grimm, son principal mérite était de parler dans la tragédie (au lieu de déclamer) et de parler sans enflure ni familiarité. Il fut arrêté le 13 septembre 1793 avec les autres comédiens-français, libéré, incarcéré une seconde fois et à nouveau libéré seulement huit jours après le 9-Thermidor. Il avait passé plus de six mois en prison. Il ne quitte la scène qu'en 1803 et finit sa vie en écrivant sur son art.

LA ROCHE-AYMON, Charles Antoine de (château de Mainsat, 17 février 1697 - Paris, 27 octobre 1777). Archevêque de Reims et cardinal, il a gravi lentement, mais très sûrement le chemin des grandes dignités. Grand vicaire de Limoges, il est sacré évêque de Sarepte *in partibus* le 5 août 1725. Il occupe en-

suite les sièges de Tarbes (1729-1740), Toulouse (1740-1752), Narbonne (1752-1763) et Reims (de 1763 à sa mort). Il sera en outre chargé de la feuille des bénéfices, de la présidence de la commission des réguliers (depuis sa création en 1766) et créé cardinal en 1771. C'est lui qui célèbre le mariage de Louis XVI et qui le sacre le 11 juin 1775. Une si belle carrière était-elle méritée ? Il n'est pas sûr que Mgr de La Roche-Aymon ait mis beaucoup de zèle à visiter les paroisses de ses diocèses successifs. Mais il avait d'autres qualités : des manières simples, un « visible souci de bienveillance et de charité ». C'était aussi un « administrateur avisé et un fin politique » (Yves Castan, « Le diocèse de Toulouse », *Histoire des diocèses de France*). En faut-il beaucoup plus pour faire un cardinal ?

LA ROCHEFOUCAULD, Frédéric Jérôme de Roye de (16 juillet 1701 - 29 avril 1757). Archevêque de Bourges, cardinal, grand aumônier de France, il a gouverné pendant vingt-huit ans le diocèse de Bourges (1729-1757). Pendant les premières années, son gouvernement a été un modèle de soin et d'assiduité. De 1732 à 1740, toutes les paroisses de ce vaste diocèse sans exception ont été visitées par lui. Nous avons de lui mille trois cents procès-verbaux et ordonnances de visites. A partir de 1747, les grandes dignités dont il est pourvu et les hautes responsabilités qui lui sont confiées l'empêchent de se consacrer entièrement à son diocèse. Créé cardinal en 1747, envoyé en ambassade à Rome en 1748, appelé en 1755 et 1760 à présider les assemblées du clergé, chargé en 1755, à la mort de Boyer, de la feuille des bénéfices, il exerce par sa pondération une influence notable sur le premier ordre. A l'assemblée de 1755, il rallie autour de lui les évêques antijansénistes modérés, baptisés « feuillants » (à cause de la feuille des bénéfices qu'il détient), par opposition aux « théatins », disciples du théatin Boyer, antijansénistes intransigeants. Ses efforts pour concilier les thèses en présence échouent. Toutefois, il réussit en 1756, de concert avec le cardinal de Luynes, à obtenir l'adhésion du belliqueux Mgr de Beaumont à l'encyclique pacificatrice *Ex omnibus*, de Benoît XIV.

LA ROCHEFOUCAULD D'ANVILLE, Jean-Baptiste Louis Frédéric, duc de (17 août 1709 - 27 septembre 1746). Lieutenant général des armées navales, il est le neveu de Pontchartrain et le cousin germain de Maurepas. Son père était lieutenant général des galères. Il obtient à l'âge de onze ans la survivance de la charge paternelle. La plus grande partie de sa carrière se déroule en Méditerranée sur les galères. Il n'entre au service des vaisseaux qu'en 1744, un an avant sa nomination au grade de lieutenant général des armées navales. En 1746, le roi lui confie le commandement d'une escadre destinée à reprendre Louisbourg. Or il n'a presque aucune expérience ni de l'Atlantique ni de la guerre navale contre les Anglais. Sa nomination est due sans doute beaucoup moins à ses mérites qu'à sa parenté avec Maurepas, ministre de la Marine. L'expédition est désastreuse. Pour commencer, des vents contraires retardent l'escadre aux Açores pendant plusieurs jours. Ensuite, le 15 septembre, en vue de l'Acadie, un terrible ouragan disperse les navires. Enfin, une épidémie de scorbut décime les équipages. Pour comble de malheur, La Rochefoucauld est foudroyé le 27 septembre par une attaque d'apoplexie. Il avait été fait duc d'Anville le 15 février 1732.

LA ROCHEFOUCAULD DE SAINT-ELPIS, Dominique de (Saint-Elpis dans le diocèse de Mende, 1713 - Munster, 2 septembre 1800). Archevêque de Rouen et cardinal, il appartenait à une branche obscure de la famille, tombée dans la gueuserie. Lors d'une tournée de confirmation, l'évêque de Mende découvrit l'enfant, reconnut son intelligence et sa piété et en avertit son parent, Frédéric Jérôme de La Rochefoucauld, archevêque de Bourges, qui le prit en charge, le fit étudier à Saint-Sulpice, le nomma son grand vicaire et lui fit donner en 1747 l'archevêché d'Albi, d'où il sera

transféré en 1759 sur le siège de Rouen. Le roi lui avait donné en 1757 l'abbaye de Cluny. Il est créé cardinal en 1778 et reçoit la même année l'abbaye de Fécamp. Il semble avoir visité souvent son diocèse d'Albi, moins souvent celui de Rouen. On note cependant une visite de deux mois (juin-juillet 1786) dans les paroisses de l'archidiaconé du Petit-Caux. Il n'est pas un grand administrateur, mais un généreux donateur et un homme courageux. En 1771, il ose protester contre la suppression du parlement de Rouen. Élu député aux États généraux, il s'oppose à la réunion des ordres et préside la fraction du clergé réfractaire à la réunion. Contraint par un ordre du roi de rejoindre l'Assemblée nationale, il y lit le 2 juillet un arrêté par lequel cette fraction minoritaire du clergé se réservait le droit de se retirer dans une chambre séparée afin de délibérer sur des objets particuliers. Il signe la protestation du 12 septembre contre les innovations faites par l'Assemblée en matière de religion. Destinataire du bref de Pie VI du 10 mars 1791, il est le premier signataire de la *Lettre* adressée en réponse le 7 juin par les évêques députés. Il n'émigre qu'après le 10 août et se trouve parmi les derniers évêques à quitter la France. Il mourra en émigration.

LA ROCHEFOUCAULD-LIANCOURT, François Alexandre Frédéric, duc de (La Roche-Guyon, 1747 - Paris, 1827). Fils du duc d'Estissac et petit-fils du duc Alexandre de La Rochefoucauld, il obtient en 1768, en survivance de son père, la charge de grand maître de la Garde-Robe du roi, mais limite sa présence à la Cour au strict minimum exigé par ses fonctions. Lié au clan anti-Du Barry, choiseuliste et antidévot, il préfère le séjour dans son domaine de Liancourt en Beauvaisis, et la fréquentation de la petite cour de Chanteloup. Cependant, il se trouve de service à Versailles lors de la dernière maladie et de la mort de Louis XV. La relation qu'il a laissée de ces événements témoigne de sa partialité. Il y accuse son souverain de lâcheté devant la mort. Sous le règne de

Louis XVI, il se rattache à ce qu'on peut appeler la noblesse libérale. Membre de la loge maçonnique des Amis réunis, il est aussi l'un des familiers du salon de sa cousine, la duchesse d'Anville, et y retrouve Condorcet, Dupont, La Fayette et Barère. Nommé, en 1788, président de l'assemblée provinciale de l'élection de Clermont-en-Beauvaisis, il est élu en 1789 député de la noblesse du bailliage du même nom. Il émigre après le 10 août, revient en France sous le Consulat, et entre en 1814 à la Chambre des pairs. Ce qui ne l'empêche pas de siéger dans la Chambre des représentants des Cent-Jours. Et ce ralliement à l'Empire ne le gêne nullement pour retrouver en 1815 son siège de pair.

Cet esprit éclairé ne manque pas de s'intéresser à l'économie. Lors d'un voyage en Angleterre en 1769, il se lie d'amitié avec l'agronome anglais Arthur Young, et s'efforce d'introduire dans son domaine de Liancourt les méthodes modernes d'agriculture. Il se fait aussi une réputation de spécialiste — en théorie tout au moins — de l'extinction du paupérisme par le travail et par l'épargne. L'Assemblée constituante lui fait présider son Comité de mendicité. Chez lui, à Liancourt, il a essayé de réaliser ses idées. Il a fondé, pour y faire travailler des jeunes filles pauvres et leur apprendre un métier, une manufacture de toiles et tissus mêlés, fil et coton. Arthur Young a visité cette manufacture en 1788, et s'est extasié en cette occasion sur la philanthropie de son fondateur. Mais il ne dit rien des salaires des ouvrières, ni des profits que le duc de Liancourt pouvait retirer de leur travail.

LASSURANCE, Jean Ier Cailleteau, dit (1655-1724). Architecte, il était sorti de l'agence de Mansart. Excellent praticien, il avait été chargé de surveiller la construction de la voûte des Invalides. Sa grande réputation lui vint des nombreux hôtels particuliers qu'il construisit à Paris et décora : hôtels d'Argenson, de Rothelin, d'Auvergne, de Maison et Desmaret.

LASSURANCE, Jean II, dit **Lassurance l'Aîné** (v. 1690 - Paris, 1755). Architecte, fils de Lassurance Ier également architecte, il fut nommé en 1723 contrôleur des Bâtiments du roi. Il travailla beaucoup pour Mme de Pompadour, dont il construisit le château de Bellevue et aménagea l'hôtel d'Évreux à Paris (actuel palais de l'Élysée).

LATIN. Le latin est la langue de l'Église catholique. La messe, l'office divin et toutes les cérémonies de l'Église sont célébrés en latin.

Le latin est aussi la principale langue de l'enseignement. Dans les collèges, les cours de rhétorique et de philosophie sont donnés en latin, de même que dans les universités ceux de théologie, droit civil, droit canon et médecine.

La langue latine est apprise dans les collèges dès la première classe de grammaire (équivalente à notre sixième). A la fin de la classe de rhétorique (équivalent de notre première) tous les écoliers la traduisent aisément et l'écrivent avec facilité. Cela représente environ cinquante mille enfants, soit une petite minorité. Mais il ne faut pas oublier que, dans les petites écoles, l'un des premiers livres de lecture est en latin ; c'est très souvent le psautier. De sorte que tous les enfants qui ont appris à lire savent un peu de latin.

On observe toutefois un recul de cette langue par rapport au siècle précédent. Elle est moins enseignée qu'elle ne l'était. Dans leurs petites écoles, les frères des Écoles chrétiennes enseignent la lecture en français avant de faire lire en latin. Dans les collèges, après 1740, les exercices littéraires de fin d'année se font en français, et, après 1770, les cours de littérature sont donnés en français.

LATOUCHE-TRÉVILLE, Louis René Madeleine Le Vassor, comte de (Rochefort, 1745 - Toulon, 1804). C'est un capitaine de vaisseau de la marine de Louis XVI. Il participe aux manœuvres organisées par d'Orvilliers en 1774. En 1781, le roi le préfère à de Grasse pour le commandement de l'escadre envoyée en Amérique, mais Castries, qui désire garder Tréville au ministère où celui-ci est son collaborateur, réussit à imposer de Grasse. D'opinions libérales, Latouche-Tréville est distingué en 1786 par le duc d'Orléans qui fait de lui son chancelier. Il est élu député aux états généraux de 1789, et se trouve parmi les premiers députés de la noblesse à se rallier au tiers. Bonaparte l'emploie. Il est vainqueur de Nelson en 1801, débarque à Saint-Domingue en 1803, et meurt à Toulon après avoir écarté de ce port l'escadre anglaise.

LA TOUR, Maurice Quentin de (Saint-Quentin, 1704 - *id.*, 1788). Peintre, il reçut les leçons de Louis Boullongne, et ce fut le succès de la pastelliste italienne Rosalba Carriera, lors de son séjour triomphal à Paris en 1720, qui l'orienta vers le pastel. Il sentit que le pastel aurait de l'avenir.

L'école française avait pratiqué les portraits au crayon, mais le pastel conserve la fermeté des traits et y ajoute la couleur. Mieux que personne, La Tour a su tirer parti de cette technique. Toute sa vie de peintre lui fut consacrée. Aucune peinture à l'huile ne peut lui être attribuée avec certitude.

Son dessin est solide et vigoureux. Il saisit du premier coup et avec précision la ressemblance. Avec lui viennent des innovations capitales : les modèles sont en buste, sans les mains. Il néglige les accessoires et se consacre aux visages saisis dans le feu de la conversation, si vivants qu'on s'attend à les entendre parler. « Ils croient, dit-il de ses modèles, que je ne saisis que les traits de leurs visages ? Mais je descends au fond d'eux-mêmes à leur insu et je les emporte tout entiers. »

Il entre à l'Académie et devient peintre de la Cour, bien qu'il n'ait rien d'un courtisan, et se fasse prier avec une certaine insolence. Tout Versailles et tout Paris se pressent dans son atelier. Il fait les portraits de Louis XV et de Marie Leszczyńska, des peintres Restout et du musicien Rameau, des écrivains Jean-Jacques Rousseau, d'Alembert, Marivaux et Voltaire, des actrices (Mme Favart), des magistrats, des financiers et des ecclésiastiques (l'abbé Huber).

Cette galerie de portraits constitue un témoignage historique et humain. L'ensemble est admirable par la beauté du dessin, traité en fines hachures, et par la vie qui se dégage de ces visages expressifs plus révélateurs qu'un tableau plus achevé. Il réussit moins les tableaux fignolés comme ceux de Mme de Pompadour ou du président Bernard de Rieux. Il laisse également quelques belles images de lui-même, se peignant de trois quarts et regardant le spectacle avec une expression aiguë d'intelligence et d'ironie.

Perfectionniste, La Tour cherche toujours à faire mieux et gâche souvent son ouvrage en surajoutant et en recommençant. « Le pastel, écrit justement Bachaumont, ne veut pas être tourmenté, trop de travail lui ôte sa fleur » (*Mémoires historiques et littéraires*). Quentin de La Tour se tourmente tellement que son intelligence s'obscurcit et sombre dans une folie mystique. Mlle Fel, de l'Opéra, amie attentive, veille sur lui. Il veut revoir sa ville natale où il a fondé une école de dessin qu'il dote richement à sa mort en 1788. A la ville de Saint-Quentin il laissa des cartons d'esquisses admirables.

LA TOUR, Pierre François d'Arères (Paris, 1653 - *id.*, 1733). Oratorien, supérieur général de sa congrégation de 1696 à 1733, il avait d'abord été le supérieur du séminaire de Saint-Magloire à Paris. Il avait refusé l'évêché d'Évreux, auquel Louis XIV, qui l'estimait, voulait le nommer. Son généralat est fortement troublé par l'affaire de la bulle *Unigenitus*. Son attitude dans cette affaire est des plus conciliantes. Il avait essayé d'empêcher la parution de la bulle. Lorsqu'elle est publiée, il l'accepte et tente d'obtenir la soumission de ses confrères. Les *Nouvelles ecclésiastiques* ne le ménagent pas. « Il n'y en a point, écrivent-elles à son sujet, qui soit plus porté à accorder à la cour de Rome que lui » (7 février 1727). C'était un homme aimable et apprécié de beaucoup. Saint-Simon lui décerne cet hommage rare : « Jouissant de la confiance des princes et des grands, il ne s'en servit que pour les porter au bien » (*Mémoires*, année 1705).

LA TRÉMOILLE, Charles Armand René, duc de Thouars et de (Paris, 14 janvier 1708 - *id.*, 23 mai 1741). Prince de Tarente, il a, dans sa courte vie, rassemblé sur sa tête un grand nombre de hautes charges et d'éminentes dignités : premier gentilhomme de la Chambre, en survivance de son père (1717), pair de France (1736), gouverneur de l'île de France (1741), membre de l'Académie française (1738). Dans son discours de réception à l'Académie, le récipiendaire fait humblement l'éloge de l'égalité : «L'égalité précieuse qui règne dans votre Académie rassure ceux qui n'ont pas les talents qu'elle est en droit d'exiger[1].» Ses meilleurs titres de gloire lui viennent de sa conduite courageuse sur les champs de bataille d'Italie en 1733. A la tête du régiment de Champagne, il est blessé légèrement à deux reprises. Au siège de Milan, il a son chapeau troué par une balle de mousquet à deux doigts de la tête. De son mariage, le 29 janvier 1724, avec Marie Hortense Victoire de La Tour Bouillon, sa cousine germaine, il n'aura qu'un fils, né le 4 février 1737 et nommé Jean Bretagne.

LATTAIGNANT ou L'ATTAIGNANT, Charles Gabriel de (Paris, 1697 - *id.*, 10 janvier 1779). Chanoine de Reims, ce fut un poète licencieux et sa vie, si l'on en croit ses poèmes, ne fut pas toujours très canoniale. Il fit la plupart de ses *Poésies* (publiées en 1757 en 4 volumes in-12) pour la société du Caveau dont il était membre. Ce sont des couplets, des madrigaux, des chansons à boire. Un épicurisme facile les inspire. Voici par exemple une strophe du poème des *Rois* :

Tous nos jours sont des jours de fête.
La paix règne dans notre cœur ;
Nous n'entreprenons de conquêtes
Que sous les drapeaux de l'amour.

Deux de ces compositions sont restées ; elles ont échappé à l'oubli. Ce sont la chanson *J'ai du bon tabac* et le char-

mant madrigal plein d'esprit, *Le Mot et la Chose*.

Vers la fin de sa vie, l'abbé renonça au monde qu'il avait tant aimé. Il se retira chez les pères de la Doctrine chrétienne, dans leur maison de Saint-Charles, et c'est là qu'il mourut. L'abbé Gautier, ex-jésuite et chapelain des Incurables, avait été l'instrument de sa conversion. Cet abbé était aussi le confesseur de Voltaire. On fit cet épigramme :

L'honneur de deux cures semblables
A bon droit était réservé
Au chapelain des Incurables[2].

LA VALETTE, Antoine de (Martrin, Rouergue, 1707 - Toulouse, 1767). Les spéculations aventureuses de ce jésuite sont à l'origine de la suppression de la Compagnie de Jésus en France. Entré en 1725 au noviciat de Toulouse, il est envoyé à la Martinique en 1740, après plusieurs années de professorat dans les collèges, dont les dernières dans celui de Louis-le-Grand à Paris. Il est nommé supérieur de la mission de la Martinique, puis, en 1754, supérieur général de toutes les missions de l'Amérique méridionale, dépendant de l'Assistance de France. Les biens de ces missions souffraient d'une mauvaise administration. Il y avait des dettes. Le nouveau supérieur est un méridional charmeur, imaginatif et agité. Il pense pouvoir rénover la gestion de ses confrères. Il se lance dans les affaires, s'adonne au trafic maritime et acquiert des plantations. Par exemple, en 1759, il achète la plantation du commissaire de la Marine, Jacques Cazotte, qui rentre en France. Le prix est de 130 000 livres payables en lettres de change remboursables en France. Pendant quelque temps, les affaires réussissent. Des dettes anciennes sont payées. Les frères Lioncy de Marseille paient les créanciers et se couvrent par la vente des denrées provenant des missions. Les pratiques de la P. La Valette inquiètent un moment l'ad-

---

1. «Discours prononcé par M. le duc de La Trémoille le 6 mars 1738», *Recueil des pièces d'éloquence et de poésie qui ont remporté les prix donnez par l'Académie françoise, en 1738-1741. Avec les discours qui ont été prononcez...*, 1741.
2. Cité dans Hoefer, *Nouvelle Biographie générale*, art. «Lattaignant».

ministration. Le père est même convoqué à Paris par Rouillé, le ministre de la Marine (1753). Cependant, il se justifie et retourne à la Martinique (1755). Quant aux supérieurs jésuites, soit ignorance, soit négligence, ils laissent faire. Mais, dès 1755, les entreprises du P. La Valette commencent à mal tourner. Des navires anglais saisissent des cargaisons. Le jésuite ne peut plus faire face à ses échéances. En 1756, les frères Lioncy se trouvent dans la nécessité de faire banqueroute. La juridiction consulaire de Marseille condamne le P. La Valette. Le P. Frey de Neuville, provincial de Paris, refuse de reconnaître l'institut comme responsable des dettes contractées et abandonne le père à ses créanciers. Un visiteur dépêché par le général des jésuites arrive à la Martinique en avril 1762 et, après enquête, prive le P. La Valette de toute administration. Mais il est trop tard. L'affaire a pris entre-temps des dimensions considérables, la justice ayant déclaré la Compagnie de Jésus solidaire de La Valette. Il ne s'agit plus de la culpabilité de La Valette, mais de celle de la Compagnie, dont l'existence même est à cette occasion mise en cause. Quant au P. La Valette lui-même, personne ne s'en occupera plus. Interdit par ses supérieurs et renvoyé en Europe, il n'aura pas le courage de rentrer en France et se réfugiera en Angleterre, où l'on croit qu'il a fini sa vie.

LAVALETTE, Louis de Thomas de (Toulon, 1677 - Paris, 1772). Oratorien, général de sa congrégation de 1733 à sa mort, il avait été auparavant régent de collège, puis supérieur de la maison d'institution de Paris, et enfin supérieur de la maison Saint-Honoré. Élu général le 12 juin 1733 (avec les deux tiers des voix, mais au douzième tour de scrutin), il commence par refuser la charge, et ne consent à l'accepter que sur l'ordre de Vintimille, l'archevêque de Paris. Sa vigilance ne va pas empêcher l'irrémédiable déclin de l'Oratoire. Au moins réussit-il à faire accepter la bulle *Unigenitus* par les assemblées de la congrégation de 1746 à 1749. Il achève en 1750 la

reconstruction de l'église et de la maison Saint-Honoré, et fait consacrer l'église le 12 juillet 1750 par Languet de Gergy, le grand adversaire des jansénistes. Après la suppression des Jésuites, il consent à reprendre la direction de leur collège de la Trinité de Lyon. Cependant, il ne cherche nullement à récupérer les « dépouilles » des Jésuites Les malheurs de la Compagnie de Jésus lui paraissent un signe inquiétant. Apprenant la sentence du Parlement contre elle, il s'exclame : « C'est la destruction de notre congrégation. »

LA VAUGUYON, Antoine Paul Jacques de Quélen de Stuer de Caussade, prince de **Carency,** duc de (Tonneins, 17 janvier 1706 - Versailles, 4 février 1772). Il a deux vies successives, la première de soldat, la seconde de gouverneur des enfants de France. Au cours de la première, il fait toutes les campagnes des guerres de Succession de Pologne et de Succession d'Autriche, et s'illustre particulièrement dans la retraite de Bohême et à Fontenoy. Son plus grand exploit est la prise de Landau (1742), où il se maintient huit jours, le temps de jeter des ponts sur l'Iser pour le passage des troupes françaises. Désigné en 1745 comme menin du Dauphin, il gagne, avec l'amitié de ce prince, l'emploi de gouverneur de ses enfants (30 avril 1758), et les dignités de duc et pair (11 janvier 1759). Lui revient alors la lourde responsabilité de diriger l'éducation du futur Louis XVI. Il prend sa tâche au sérieux, et rédige à l'intention de son élève plusieurs mémoires, intitulés « Conversations » ou « Entretiens », et dont le sujet principal est la morale politique. Ce sont des généralités inspirées de l'utopie fénelonienne, et rédigées dans le style doucereux et humanitaire de l'époque. Le duc de La Vauguyon était certainement un honnête homme et un soldat courageux, mais il n'était pas l'éducateur capable de fortifier le caractère du jeune prince, et surtout de lui ouvrir les yeux sur l'état réel de la monarchie. Mercy et quelques autres ont écrit que, devenu majeur, le Dauphin n'éprouvait plus que des sentiments de crainte vis-à-vis de son ancien gouverneur. C'est possible, mais il faut quand même noter ceci : Maurepas, le mentor désigné lors de l'avènement, était un ami intime de La Vauguyon.

LAVERDY, Clément Charles François de (Paris, 1723 - *id.*, 1793). Rien ne le destinait aux fonctions de contrôleur général des Finances. Issu d'une vieille famille de magistrats parisiens, il avait fait toute sa carrière au Parlement, où il s'était surtout signalé par son acharnement contre les Jésuites, et par son attachement au parti janséniste. Il était l'un des informateurs des *Nouvelles ecclésiastiques*. S'il est choisi en décembre 1763 pour succéder à Bertin, c'est pour des raisons de pure tactique. En appelant au ministère l'un des magistrats les plus en vue, Louis XV espère amadouer l'opposition parlementaire. Certes Laverdy n'est nullement un technicien. Mais il n'est pas le personnage falot que l'on a souvent présenté. C'est un homme de convictions, un chrétien fervent, un partisan résolu de la liberté économique et politique. Très hostile à tout despotisme administratif, il aurait voulu plus de justice fiscale et plus de participation des administrés. Vont dans ce sens la déclaration du 7 février 1768, tentative méritoire pour substituer une taille tarifée à la taille arbitraire, et la réforme municipale de 1764-1765, visant à briser les oligarchies municipales, à supprimer les offices vénaux et à rétablir les élections. Laverdy est également l'auteur de l'édit de juillet 1764, autorisant la libre sortie des grains hors du royaume dans certaines conditions. Après son départ du ministère, le 1er octobre 1768, Laverdy se retire dans sa terre de Gambais, érigée en marquisat en juin 1765. Il y procède à des défrichements et s'y livre à des expériences agronomiques dont il publie les comptes rendus. Il mourra victime de la Révolution. Accusé d'accaparement, il sera exécuté le 24 novembre 1793.

LA VÉRENDRYE, Pierre Gaultier de Varennes, sieur de (Trois-Rivières, Canada, 1685 - Montréal, 1749). Il est le premier explorateur français de l'Ouest américain. Il fait d'abord une carrière militaire, sert en France et est blessé à Malplaquet. Puis en 1730, revenu en Nouvelle-France, il part pour l'Ouest, accompagné de ses quatre fils alors âgés de treize à dix-huit ans, et explore avec eux l'immense région située entre le lac Winnipeg et le Missouri. Doté d'un permis de traite, il fonde des postes et y fait le commerce des fourrures. Cependant, son but est la découverte de la « mer de l'Ouest ». En 1744, il abandonne ses entreprises. Il est ruiné et découragé, n'ayant pu obtenir (sauf en 1741, de la part de La Galissonnière) aucune aide officielle.

Ses fils continuent. En 1743 — leur père ayant déjà cessé d'explorer — ils découvrent non pas la mer de l'Ouest, mais les Rocheuses. Le 1er janvier 1743, soixante-deux ans avant le voyage de Lewis et Clarke, ce sont eux qui voient pour la première fois le sommet qui porte aujourd'hui le nom d'East Pivot Mountain.

LA VILLE, Jean Ignace de (1701-1774). Abbé, premier commis des Affaires étrangères, l'un des Quarante de l'Académie française, il est entré dans la diplomatie par la voie de la pédagogie. Précepteur des enfants du marquis de Fénelon, il avait suivi ce dernier dans son ambassade en Hollande et était devenu son secrétaire avant d'être nommé chargé d'affaires en son absence. En 1740, il remplace Le Dran comme garde du dépôt des Affaires étrangères. Nommé en 1745 premier commis des Affaires étrangères, il exerce cette fonction jusqu'à sa mort, c'est-à-dire pendant près de vingt ans. On crée même pour lui en 1774 une charge de directeur général des Affaires étrangères. Lorsque Louis XV, après le départ de Choiseul, prend en main la direction de la politique étrangère, La Ville est souvent consulté. Le souverain avait composé avec son assistance la lettre qu'il adressait à Charles III d'Espagne, le 21 décembre 1770, pour lui annoncer le renvoi imminent de Choiseul, et le rassurer quant à la solidité du pacte de Famille. L'abbé conseille également le roi au sujet de l'affaire des Malouines. Il était, depuis 1746, membre de l'Académie française, et possédait deux gros bénéfices, l'abbaye de Saint-Quentin-lès-Beauvais et celle de Lessay. Sa vie n'a pourtant rien d'ecclésiastique. Un contemporain la décrit ainsi : « Il court matin et soir chez les grands et se montre partout à la cour, le soir chez les femmes où il joue et soupe. » Le personnage est donc très recherché et très influent. Il a des clients et des protégés. C'est ainsi que Jean Joseph de Laborde, le banquier de la Cour, lui doit en grande partie son élévation.

LAVOISIER, Antoine Laurent (Paris, 26 août 1743 - *id.*, 8 mai 1794). C'est l'inventeur de la chimie moderne. Fils d'un riche négociant parisien, il fait ses études au collège des Quatre-Nations, puis à la faculté de droit. Il est reçu en 1764 avocat au parlement de Paris. Cette charge le retiendra peu. Il ne plaidera qu'un seul procès. La recherche scientifique est déjà sa passion. Un premier mémoire le fait connaître et lui vaut une médaille d'or attribuée le 9 avril 1766. Ce travail pote sur *Les Différents Moyens qu'on peut employer pour éclairer une grande ville*. En fait, il va suivre une double carrière, de savant et de financier. De savant académicien : il entre à l'Académie des sciences en 1768 comme adjoint chimiste. Ses *Opuscules physiques et chimiques* de 1773 et ses célèbres mémoires de 1775 et 1777 sur l'oxygène consacrent sa réputation. Il est nommé pensionnaire de l'Académie le 14 février 1778. Il en sera directeur pour l'année 1785. Depuis 1775, il occupe une autre fonction officielle, celle de régisseur des poudres et salpêtres, à laquelle il a nommé Turgot, et qui lui permet de loger à l'Arsenal. Quant à sa carrière de financier, elle a commencé en mars 1768 avec sa nomination d'adjoint du fermier général Baudon. En 1779, il obtient lui-même une place de fermier général. Il est vrai qu'entre-temps — le 16 décembre 1771 — il avait épousé Marie

Anne Paulze, fille du fermier général Paulze, directeur de la Compagnie des Indes. Les deux carrières ont été menées en même temps et avec le même soin l'une que l'autre. La fortune du financier a servi les travaux du chimiste en lui permettant de s'engager dans des expérimentations très coûteuses.

Les grandes découvertes de Lavoisier se situent dans la période qui va de 1772 à 1787. Le jeune savant est venu à la chimie par la géologie et la minéralogie. Il avait fait en 1767 avec Guettard un voyage minéralogique dans l'est de la France. De 1767 à 1771, il s'entraîne à l'expérimentation. En 1772, il s'engage dans la recherche proprement dite. Comme tous les grands créateurs, il a l'intuition de la direction à suivre. Dans une sorte d'avant-programme qu'il se donne, il décide d'étudier la calcination des métaux, ce phénomène lui paraissant riche d'enseignements. Il part de l'observation que la calcination des métaux provoque une diminution du volume d'air dans lequel ils sont enfermés. Le savant anglais Joseph Priestley avait fait cette observation avant lui, mais il attribuait le phénomène au fait que la calcination faisait dégager du métal un excès de phlogistique. Lavoisier explique au contraire la diminution du volume d'air par la fixation d'une partie de l'air par le métal. Vers le milieu de 1774, il acquiert la conviction que cette explication est la bonne. En 1775, il identifie l'élément fixé. Ce n'est pas, comme il l'avait d'abord cru, le gaz carbonique, mais un autre gaz, inconnu jusqu'alors, et dont il prouve qu'il entretient la respiration. En 1777, il nomme ce gaz « air éminemment respirable ». Il le baptisera plus tard oxygène. A partir de cette découverte décisive, la progression du savant est très rapide et relativement facile. Il étudie d'abord la nature du gaz carbonique et la formation des acides. Ensuite, il résout le problème de la composition de l'eau. En 1784, il apporte la preuve, en opérant la décomposition de l'eau, que celle-ci n'est composée que d'hydrogène et d'oxygène. Ensuite, le 28 février 1785, en présence des commissaires de l'Académie et de nombreux invités, il procède à une grande expérience de recomposition de l'eau. La dernière période de son activité est consacrée d'une part à la rédaction de son *Traité élémentaire de chimie* (1787), ouvrage de synthèse destiné à convaincre les chimistes de la vérité des principes découverts, d'autre part à des recherches de physiologie et de chimie organique. Ces recherches sont à peine ébauchées. Les événements politiques les interrompent.

En effet, à partir de 1787, de multiples tâches d'utilité publique vont requérir Lavoisier et le distraire de son activité scientifique. Il est d'abord député à l'assemblée provinciale de l'Orléanais (1787), puis député suppléant aux États généraux. En 1789, il est nommé administrateur de la Caisse d'escompte, et, en 1790, membre de la commission des poids et mesures. Sa dernière fonction est celle de commissaire de la Trésorerie nationale (1791). Arrêté le 28 novembre 1793 avec vingt-sept autres fermiers généraux, il est jugé et exécuté avec eux le 8 mai 1794. Il est le quatrième à monter à l'échafaud. Son beau-père Paulze était passé juste avant lui.

LAVREINCE LE JEUNE, Niklas Lafrensen, dit Nicolas (Stockholm, 1737 - *id.*, 1807). Peintre, il est aussi appelé Lavreince le Jeune pour le distinguer de son père Nicolas Lafrensen le Vieux, miniaturiste. Il fit un premier séjour à Paris en 1767, fut ensuite professeur à l'Académie des beaux-arts de Suède et revint en 1774 dans la capitale française où il séjourna jusqu'en 1791. Ses gouaches décrivent les intérieurs parés où vivent de jeunes beautés habillées et coiffées selon la mode compliquée dont la reine Marie-Antoinette avait introduit l'usage. Ce peintre suédois fut peut-être le plus parisien des artistes de son temps. Sa peinture illustre mieux qu'aucune autre les engouements, les modes et les travers de la société parisienne à la fin de l'Ancien Régime. On retiendra en particulier sa *Consolation de l'amour* et son *Petit Lever*. Dans un genre déjà illustré par Moreau le Jeune, il a peut-être moins de talent mais il a autant de charme. Il donne parfois dans le libertin et dans le licencieux.

LA VRILLIÈRE, Louis Phélypeaux, marquis, puis duc de (Paris, 18 août 1705 - *id.* 27 février 1777). Il appartient à une famille où l'on est, depuis plus d'un siècle, ministre de père en fils. Lui-même accomplit une carrière ministérielle extrêmement longue et brillante. Le 18 février 1723, il prête serment pour la charge de secrétaire d'État en survivance de son père. Il sera ensuite secrétaire d'État à la Maison du roi, puis élevé à la dignité de ministre d'État le 15 août 1751, et ne quittera le Conseil qu'en juillet 1775 après cinquante-deux années d'exercice continu du pouvoir.

La raison d'une telle longévité est simple : l'homme est docile. Formé dès l'enfance au service du roi, il épouse sans difficulté la volonté de Louis XV et s'y conforme entièrement. D'ailleurs, le monarque l'utilise pour les commissions désagréables, le chargeant de remettre aux ministres disgraciés leurs lettres de congédiement, ou de recevoir à sa place, afin de les morigéner, les parlementaires qui ont déplu. Rôle ingrat que d'être « chargé depuis tant d'années des odieuses violences de la Cour » (Choiseul, *Mémoires*).

Aussi existe-t-il une tradition de sévérité et de mépris à son égard. « Homme sans état et sans consistance », avait déjà dit Saint-Simon (*Mémoires*, année 1723). Mais valait-il si peu ? On pourrait au moins essayer de vérifier. Il appartenait à l'Académie des sciences, ainsi qu'à l'Académie des inscriptions, en qualité de membre honoraire pour cette dernière. La dignité académique ne dénote pas forcément un grand esprit. Ni celle de franc-maçon (il fut l'un des premiers grands seigneurs initiés dans l'« art royal »). Mais peut-être y avait-il chez La Vrillière un peu plus qu'un courtisan.

LAW DE LAURISTON, John (Édimbourg, 1671 - Venise, 1729). Directeur de la Banque royale, contrôleur général des Finances, il offre l'intéressant exemple de l'économiste utopiste réalisateur de son utopie.

Autre particularité à souligner, Law conçoit très tôt son utopie. Le futur « Système » se trouve tout entier dans un ouvrage intitulé *Money and Trade*, publié en 1705. L'idée fondamentale — et fausse — en est la suivante : l'abondance du numéraire est la principale source de richesse d'un État.

Après une jeunesse agitée, où le duel et le jeu ont tenu une grande place, Law voyage en Europe, visite les cours et cherche à placer son projet. Éconduit par le contrôleur général Desmarets, il trouve une oreille complaisante chez le Régent. Les deux hommes ont des affinités. Le duc d'Orléans avait jadis cherché la pierre philosophale. Law propose de faire de l'or avec du papier.

L'aventure du Système se déroule en moins de cinq ans. Le 2 mai 1716, Law est autorisé à créer sa banque particulière, qu'il appelle « Banque générale ». Les lettres patentes d'août 1717 fondent la Compagnie d'Occident chargée d'exploiter la Louisiane. Le 4 décembre 1718, la Banque générale devient Banque royale, et la Compagnie d'Occident, Compagnie des Indes. En août 1719, la nouvelle compagnie est chargée de percevoir les impôts indirects, en octobre de lever les impôts directs. Banque et Compagnie se substituent à l'État. Le 5 janvier 1720, Law est nommé contrôleur général.

Mais, à cette date, le Système a déjà commencé à s'effondrer. Law est un manieur d'argent, mais il n'est pas un homme d'affaires. Il se trompe lui-même sur la valeur des entreprises qui servent de garantie à ses actions et à ses billets. Il veut ignorer par exemple que les richesses tant vantées de la Louisiane ne sont que le fruit de l'imagination. Les émissions de billets, qu'il multiplie sans prudence, atteignent, en décembre 1719, une valeur d'un milliard de livres. Dès janvier 1720, la confiance disparaît. Les actions fléchissent brusquement et la panique se déclare. Le 28 janvier, il faut décréter le cours forcé des billets. Le Système se survit jusqu'en octobre. Law

reçoit en décembre ses passeports pour les Pays-Bas. Il finira sa vie à Venise, solitaire et ruiné. Sa dépouille mortelle repose à l'entrée de l'église San Moïsé. Des centaines de touristes foulent chaque jour, sans y prêter la moindre attention, la dalle qui la recouvre.

LAWFELD (bataille de). La bataille de Lawfeld (village de Belgique, près de Tirlemont) est gagnée par le maréchal de Saxe, en présence du roi Louis XV, sur l'armée anglo-hollando-hanovrienne commandée par le duc de Cumberland. La bataille commence à dix heures du matin par l'attaque française sur le village de Lawfeld, que défendent les Anglo-Hanovriens. Au troisième assaut, le village est pris, malgré un tir terrible d'artillerie. C'est l'épisode décisif. L'intervention massive de la cavalerie achève la déroute de l'adversaire. Les pertes sont très lourdes de part et d'autre : dix-neuf mille morts et blessés jonchent le champ de bataille ; la moitié de ces malheureux sont français. Le maréchal de Saxe était peut-être un grand général, mais il n'était pas ménager du sang de ses soldats.

LAZARISTES. La congrégation des prêtres de la Mission, ou lazaristes (du nom de leur maison de Saint-Lazare à Paris), est une compagnie de prêtres fondée en 1625 par saint Vincent de Paul. Les lazaristes ne sont pas des religieux, mais ils prononcent des vœux simples.

L'institut est surtout répandu en France et en Italie. Il compte en France 58 maisons en 1710 et 74 en 1789. En cette année 1789, l'effectif des lazaristes français est de 500 environ. Le supérieur général est élu à vie et réside à Paris. L'assemblée générale se réunit tous les douze ans et à la mort du général.

L'apostolat missionnaire et la formation du clergé séculier sont les deux fins de l'institut, qui multiplie les missions intérieures et dirige une soixantaine de séminaires diocésains. Les diocèses d'Angers, d'Amiens et de Montauban sont ceux où les lazaristes ont déployé la plus intense activité missionnaire.

Ils ont aussi trois missions lointaines, celle du Levant, celle des îles Mascareignes, et celle de Chine où un décret de la propagande de 1783 les substitue aux jésuites. Comme au temps de leur fondateur, ils assurent également, au péril de leur liberté et parfois de leur vie, l'aumônerie des captifs chrétiens du bagne d'Alger. Chargé de chaînes par l'ordre du dey d'Alger, le P. Lapie de Sauvigny écrivait en 1763 à ses supérieurs que ses liens « ne l'empêcheraient pas de faire le service divin dans le bagne » (cité dans *Annales de la Mission*, 1924, p. 995-996).

La congrégation a toujours échappé à la contagion janséniste. Elle a longtemps été fidèle à la plus solide doctrine. Le *Directoire des études* rédigé par M. Bonnet, général de la congrégation de 1711 à 1735, pour les jeunes régents des séminaires, prescrit à chacun d'eux de s'inspirer de saint Thomas « qu'il doit considérer comme le plus grand théologien et le plus universellement dans l'Église approuvé » (cité par R. Darricau, « La formation des professeurs de séminaire au début du XVIIIᵉ siècle », *Divus Thomas*, janv.-mars 1964).

A la fin de l'Ancien Régime, on note quelques attitudes de relâchement. En 1786, Cayla de la Garde avertit certaines maisons « où l'on ne connaît plus aucun des exercices de piété en usage dans la Congrégation, où le Supérieur aussi relâché que ses confrères, et plus coupable qu'eux, donne l'exemple d'une irrégularité soutenue » (cité par Georges Goyau, *La Congrégation de la Mission des lazaristes*).

LEBEL, Dominique Guillaume (v. 1696 - 1768). Tout d'abord concierge du château de Versailles, il succède en 1744 à Alexandre Denis de Nyert dans la charge de premier valet de chambre du roi. Parfaitement débauché, il gagne la confiance de Louis XV en lui procurant les filles destinées à la condition de « petites maîtresses ». A sa mort, on chuchota que le clan du Barry l'avait fait assassiner. Ce bruit semble peu fondé. Lebel est mort en 1768, l'année même où commence la liaison royale avec Mme du Barry. C'est d'ailleurs lui qui a introduit pour la première fois la nouvelle maîtresse auprès du roi.

LE BLANC, Claude (1669-1728). Secrétaire d'État à la Guerre, il est l'un des meilleurs ministres du gouvernement de la Régence. Comme son père, il avait fait une carrière de maître des requêtes et d'intendant de province. Intendant de la Flandre maritime pendant la guerre de Succession d'Espagne, il acquiert alors une première expérience des choses militaires. Sa nomination en 1716 comme maître des requêtes employé au Conseil de la guerre va lui permettre de compléter sa formation. C'est donc un homme d'une parfaite compétence que le Régent nomme, le 23 septembre 1718, secrétaire d'État à la Guerre. On lui doit d'utiles ordonnances, entre autres celle de mars 1720 portant réorganisation de la maréchaussée dans tout le royaume, et celle du 22 mai 1722 sur le service de l'artillerie. Accusé sur une fausse dénonciation d'avoir puisé dans la caisse du trésorier de l'extraordinaire des guerres, il est renvoyé le 1ᵉʳ juillet 1723, mis à la Bastille, condamné par la chambre de l'Arsenal et acquitté par le Parlement. Le roi lui rend toute sa confiance et ses fonctions ministérielles (le 19 septembre 1726). Il est donc une nouvelle fois ministre et le restera jusqu'à sa mort, le 19 mai 1728. On ne fait de lui que des éloges. Duclos le dit « consommé, actif, aimé des troupes, estimé du public ». Saint-Simon le qualifie de « clairvoyant, travailleur, fort capable ; connaissant bien tous les officiers et tous ceux qui étaient sous sa charge » (*Mémoires*, 1728). Bref un ministre comme il en eût fallu beaucoup à Louis XV.

LE BLOND, Guillaume (1704-1781). Mathématicien, il est nommé, en 1736, professeur de mathématiques des pages de la Grande Écurie du roi. Louis XV le choisit en 1751 pour enseigner les mathématiques aux enfants royaux. Il gardera jusqu'en 1778 cette fonction de précepteur. C'est donc lui qui a enseigné les mathématiques au futur Louis XVI et qui lui en a communiqué le goût. Il est l'auteur de nombreux ouvrages dont *L'Arithmétique et la Géométrie de l'officier* (1748), réédité plusieurs fois. Les articles « Fortifications », « Tactique » et généralement tous les articles d'art militaire de l'*Encyclopédie* sont de sa plume.

LE BRET, Cardin François Xavier (1719-1765). Seigneur de Pantin, comte de Selles en Berry, intendant de Bretagne, il appartient à une lignée de serviteurs du roi, maîtres des requêtes et intendants. Il est d'abord avocat du roi au Châtelet, puis avocat général au parlement de Paris de 1746 à 1753. Il est ensuite nommé intendant de Bretagne sans avoir exercé les fonctions de maître des requêtes, ce qui est exceptionnel. Mais il a appris de son père et de son grand-père ce qu'était une intendance. De fait, pendant ses douze années à Rennes, il déploie une grande activité malgré la tuberculose qui le ronge, et se révèle un grand intendant. Il s'efforce de limiter le rôle des états en matière d'administration des chemins. Il favorise la libéralisation du commerce. Enfin, par l'adoption du plan d'urbanisme de l'architecte Ceineray, il contribue puissamment au développement du Nantes moderne.

LE CAT, Claude Nicolas (Blérancourt en Picardie, 6 septembre 1700 - Rouen, 28 août 1768). Chirurgien, il fit une brillante carrière de praticien doublé d'un anthropologue. Nommé d'abord chirurgien de l'archevêché de Rouen, puis chirurgien en chef de l'hôtel-Dieu de Rouen (poste obtenu au concours en 1731), il se signala comme lauréat de tous les concours organisés de 1734 à 1738 par l'Académie royale de chirurgie. On lui doit l'invention d'un bistouri spécial pour l'opération de l'urètre et de plusieurs autres instruments opératoires, ainsi que la fondation à Rouen d'une école publique d'anatomie et de chirurgie. Il créa l'académie des sciences de Rouen et fut correspondant de l'Académie des sciences de Paris et de nombreuses académies étrangères. Écrivain

infatigable, il publia quantité d'ouvrages, soit dans sa spécialité, soit dans le domaine de l'anthropologie. Son *Traité des sensations et des passions en général et des sens en particulier* (1766) fut accueilli comme un chef-d'œuvre. Son *Traité de la couleur de la peau humaine* (1765) n'eut pas le même succès, mais il nous apparaît aujourd'hui comme son œuvre la plus originale. On y trouve une théorie de la supériorité de la race blanche : « Le texte sacré, écrit l'auteur, et la tradition de tous les Peuples engagent à regarder les hommes blancs comme la tige de toutes les autres espèces. Alors la question est réduite à expliquer comment quelques descendants d'Adam ont pu dégénérer en nègres » (p. 5).

LECLAIR, Jean-Marie, dit l'Aîné (Lyon, 10 mai 1697 - Paris, 23 octobre 1764). Musicien, il travaille d'abord avec son père, dont la profession est la passementerie. Il a deux frères comme lui musiciens, Jean-Marie, le Cadet, et Pierre. Mais c'est lui, l'Aîné, qui va devenir un des plus grands musiciens de son temps. Il commence par être danseur et chorégraphe, ne jouant du violon que pour le plaisir.

À Turin, où il se produit comme premier danseur et maître de ballet, il rencontre le grand violoniste Somis qui devient son professeur.

Installé à Paris en 1728, il débute une éclatante carrière de virtuose en entrant au Concert spirituel. A la Cour, il devient musicien de la Chambre du roi, mais, insatisfait des conditions qui lui sont faites, il démissionne deux ans après et entreprend de nombreux voyages au cours desquels il deviendra célèbre. En Hollande, il rencontre Locatelli, ancien élève de Corelli, puis passe un an à Chambéry auprès de l'infant d'Espagne. De retour à Paris, il est premier violon dans l'orchestre privé du duc de Gramont.

Il est assassiné dans la nuit du 23 au 24 octobre 1764. Jamais on ne saura ni par qui ni pourquoi.

Jean-Marie Leclair est le plus grand

maître français du violon. Comme Couperin, il a cherché à réaliser la fusion de l'art italien et de l'art français. Il a contribué à la création de la symphonie classique en France. Son œuvre est originale et élégante, aussi bien par la qualité de son jeu que par la beauté de ses mélodies. On connaît de lui un opéra, *Scylla et Glaucus* (1746), qui rappelle les opéras de Rameau, des sonates pour violon seul, 49 sonates pour violon ou flûte et basse continue, 12 sonates pour 2 violons seuls, des sonates en trio (2 violons et basse continue), 11 concertos de violon, 1 concerto pour flûte ou hautbois.

LE COURAYER, Pierre François (Rouen, 1681 - Londres, 1776). Chanoine régulier de la congrégation de Sainte-Geneviève, il a suscité de vives controverses par sa prise de position sur les ordinations anglicanes. Dans sa thèse de 1723, il soutenait la validité de ces ordinations, se fondant essentiellement sur le caractère épiscopal de Barlowe, le premier prélat consécrateur (1551). Cette opinion est censurée en 1727 par une assemblée de vingt-deux prélats réunis à Paris sur l'ordre du roi. En 1732, un canonicat d'Oxford est offert à Le Courayer qui l'accepte et se retire en Angleterre, où il finira ses jours. Toute son œuvre publiée a pour objet la question des ordinations. Dans son testament daté du 3 février 1774, il déclare vouloir mourir « membre de l'Église catholique, mais sans approuver plusieurs opinions et superstitions qui ont été introduites dans l'Église romaine [...] et qu'on présente comme des articles de foi ». Selon Picot, Le Courayer aurait été entièrement socinien, n'acceptant ni la Trinité, ni l'Incarnation, ni aucun mystère. Il est vrai que dans l'un de ses écrits (la préface d'une traduction faite par lui de l'*Histoire du concile de Trente* de Sarpi, publiée à Londres en 1736), il accuse le concile de Trente d'avoir inventé plusieurs dogmes de foi.

LECOUVREUR, Adrienne Couvreur, dite (Damery, près d'Épernay, 5 avril 1692 - Paris, 20 mars 1730). Réputée la plus grande actrice de son temps, elle commence à jouer dans des représentations privées de l'enclos du Temple. Elle passe ensuite un an au théâtre de Strasbourg. Puis elle revient à Paris et débute le 27 mars 1717 à la Comédie-Française, dans le rôle de Monime. Elle est révélée par le rôle de Phèdre. La grâce de ses attitudes, les expressions changeantes de son visage et plus encore un débit simple et naturel, contrastant avec l'emphase habituelle aux comédiens-français, enthousiasment le public. Mais elle n'est pas seulement une bête de scène. Elle sait entrer dans l'intelligence des auteurs. On sait qu'elle éprouvait une grande admiration pour Racine, au point d'avoir voulu se loger rue du Marais-Saint-Germain, tout près de la maison où l'auteur d'*Athalie* était mort. La haute société l'adopte. Mme de Lambert l'invite. Elle est l'une des premières actrices à être reçue dans les salons. « C'est une mode établie, écrit-elle, de dîner ou de souper avec moi, parce que quelques duchesses m'ont fait cet honneur » (cité dans Lyonnet, *Dictionnaire des comédiens-français*). Elle-même tient chez elle une sorte de salon restreint, dont notamment Fontenelle, Dumarsais et Voltaire sont les habitués. Le clan Voltaire la soutient, tandis que le clan Piron la dénigre. Sa vie galante est des plus remplies. On ne compte pas ses amants. Voltaire fut parmi ceux-là en 1723. D'Argental se prit pour elle d'une passion violente. Elle fut longtemps la maîtresse attitrée de Maurice de Saxe, qui l'aurait désespérée par ses infidélités. Lorsqu'elle meurt (à trente-huit ans), le curé de Saint-Sulpice lui refuse la sépulture chrétienne. Ses amis enlèvent son corps de nuit et vont l'inhumer dans un terrain vague, rue de Bourgogne. Voltaire écrit *La Mort de Mlle Lecouvreur*, protestation passionnée contre l'intolérance ecclésiastique.

LECTURE (chambres de). Les « chambres de lecture », appelées aussi « sociétés de lecture », sont des associations dont les membres s'abonnent collectivement à des journaux ou achètent ensemblé des ouvrages. Une quarantaine de ces sociétés se sont formées entre 1750 et 1789. Le plus souvent dans les grandes villes. Pour avoir une idée de leur fonctionnement, on peut consulter — entre autres — les *Règlements de la société de lecture établie à la Fosse* à Nantes le 10 juin 1759 (arch. mun. de Nantes GG 669). Il ne faut pas confondre les sociétés de lecture avec les « cabinets littéraires » ou « cabinets de lecture » qui ne sont pas des associations, et qui louent et vendent des livres à leurs clients.

LEDOUX, Claude Nicolas (Dormans, 1736 - Paris, 1806). Architecte novateur et visionnaire, il commence sa carrière en construisant de nombreux hôtels dans les quartiers neufs de la Chaussée-d'Antin et de la rue Montmartre à Paris. L'Académie d'architecture l'admet en son sein ; il est nommé architecte du roi et, en 1771, inspecteur des salines de l'État en Franche-Comté. C'est alors qu'il dessine le projet d'une saline pour Arc et Senans, fabrique et ville idéales, expressions remarquables de son génie et de sa pensée utopique. Mais une partie seulement de ce projet sera réalisée.

Ses autres œuvres sont le palais de justice et la prison d'Aix-en-Provence, le théâtre de Besançon et les barrières (ou Propylées) du nouveau mur des Fermiers-Généraux à Paris. Tous ces monuments sont construits selon des formes simples et géométriques (cubes, pyramides, cylindres) et témoignent d'un goût du colossal et d'une prédilection pour les contrastes d'ombre et de lumière.

Ledoux a laissé de nombreux projets futuristes. Il est l'auteur d'un traité intitulé *L'Architecture considérée sur le rapport de l'art, des mœurs et de la législation.*

LE DRAN, Nicolas Louis (1687-1774). Premier commis et chef du dépôt des Affaires étrangères, il est entré fort jeune dans les bureaux de ce ministère, à titre de traducteur. En 1710, Torcy l'a chargé de la garde du dépôt, c'est-à-dire des ar-

chives. Il conservera cet emploi pendant quarante-deux années. Il y joint celui de premier commis, de 1725 à 1730, et de 1740 à 1749. Pendant la guerre de Succession d'Autriche, il accompagne le roi aux armées. C'est un bon archiviste, mais c'est surtout un rédacteur inlassable de notes et de mémoires, faits le plus souvent à la demande du roi et des ministres. Ses papiers ont été conservés. On en connaît trois collections : les « Mémoires particuliers », recueil de réponses données à quatre cents questions d'État, les « Papiers de Le Dran » (cent volumes manuscrits) et plusieurs mémoires conservés dans les archives d'Argenson. Il serait également l'auteur d'une suite de vingt et une études rédigées en 1722 pour l'instruction du jeune roi sur les principales puissances de l'Europe et leurs relations avec la France. Il n'était pas seulement un compilateur, une machine à faire des rapports. Il avait ses idées et les exprimait fortement. C'est ainsi que, dans un mémoire daté du 14 avril 1752 et concernant la politique de Fleury, il porte ce jugement sévère sur le roi : « Les choses sont au point qu'en vain espèreroit-on en modérant l'ardeur de la chasse, et donnans plus de tems aux affaires, regagner et obtenir après tôt, ce qu'il faut avouer que le Roi n'a pas assés acquis aux yeux de son Peuple du côté de la considération personnelle » (archives d'Argenson).

LEFÈVRE D'ORMESSON, Henri François de Paule. *Voir* ORMESSON, Henri IV François de Paule Lefèvre, marquis d'.

LEFRANC DE POMPIGNAN, Jean Georges. *Voir* POMPIGNAN, Jean Georges Lefranc de.

LEFRANC DE POMPIGNAN, Jean-Jacques. *Voir* POMPIGNAN, Jean-Jacques Lefranc, marquis de.

LE GENDRE, Adrien Marie (Paris, 18 septembre 1752 - *id.*, 9 janvier 1833). Issu d'une famille aisée, il fait ses études au collège des Quatre-Nations et reçoit une instruction scientifique très supérieure à celle que proposent les collèges français à cette époque ; il y présente ses thèses de mathématiques en 1770. Quoique suffisamment fortuné pour se consacrer à la recherche, il enseigne à l'École militaire de 1775 à 1780.

Des travaux à destination de l'Académie des sciences lui permettent d'obtenir une place d'adjoint mécanicien en remplacement de Laplace, promu associé, le 30 mars 1783. Les polynômes de Le Gendre apparaissent dans la mémoire de 1784, *Sur la figure des planètes*. Les *Recherches d'analyse indéterminée* (1785) comportent une proposition qui est démontrée de manière correcte par Gauss (1777-1855) en 1801 : c'est la loi de réciprocité quadratique en théorie de nombres. Le mémoire de 1786 contient une ébauche de la théorie des fonctions elliptiques ; celui de 1787, la transformation de Le Gendre. Tels sont les sujets de prédilection du mathématicien.

Il continue de travailler paisiblement sous la Révolution, mais la perte de ses revenus l'oblige à chercher un emploi rémunéré. En 1794 il est chef du premier bureau de la commission exécutive de l'Instruction publique, l'un des fantômes des ministères supprimés. Il publie aussi ses *Éléments de géométrie, avec des notes*, un manuel dont la fortune est considérable pendant tout le XIXe siècle. Il établit les feuilles de calcul, utilisant sa méthode des différences successives, des tables de sinus et de logarithmes à 22 et 12 décimales respectivement, que calculent deux cohortes de citoyens. En 1799, il succède à Laplace en qualité d'examinateur de sortie de l'École polytechnique et le rest jusqu'à sa démission volontaire en 1815. En 1813, il remplace Lagrange, décédé, au Bureau des longitudes qu'il ne quitte plus.

Mais en Allemagne Gauss l'a surpassé par son génie et par la rigueur de ses démonstrations. Le Gendre est piqué au vif et ils polémiquent. Son *Essai sur la théorie des nombres*, paru en 1798, est très augmenté jusqu'à l'édition de 1830. Le *Traité des fonctions elliptiques* de 1825-1828 marque l'aboutissement de ses travaux sur la question mais, ici également, deux de ses cadets, Abel (1802-1829) et

Jacobi (1804-1851) l'ont rattrapé. Le Gendre se montre beau joueur, la correspondance qu'ils entretiennent en fait foi.

LE GENDRE DE SAINT-AUBIN, Gilbert Charles, marquis de Saint-Aubin-sur-Loire (Paris, 1688 - *id.*, 8 mai 1746). Maître des requêtes (nommé dans cette charge en 1714), il représente en ce siècle, avec d'Aguesseau et Jacob Nicolas Moreau, l'espèce en voie d'extinction des théoriciens de la monarchie française. Son *Traité de l'opinion ou Mémoires pour servir à l'histoire de l'esprit humain* (Paris, 1733, 6 vol.) contient en effet une doctrine de l'institution monarchique. Et cette doctrine présente d'autant plus d'intérêt qu'elle est la doctrine officielle, la doctrine du roi et de ses principaux ministres. Or, on ne peut imaginer doctrine plus absolutiste : « Le roi, écrit cet auteur, n'est comptable de son administration qu'à Dieu seul qui lui a donné cette autorité absolue pour le bien de la monarchie » (*Traité de l'opinion*, p. 122). Pour le bien de la nation et de ses sujets, le roi absolu est le père du peuple : « C'est pour le bien de ses sujets, écrit encore Saint-Aubin, et non pour le plaisir d'un homme [...] que Dieu a établi le monarque au-dessus de la nation. »

Le marquis de Saint-Aubin est également l'auteur de deux ouvrages historiques, l'un sur les *Antiquités de la maison de France*, l'autre sur les *Antiquités de la nation et de la monarchie française*.

LEGRAND, Jacques Guillaume (1743-1807). Architecte, il fut l'élève de Molinos et travailla presque toujours en collaboration avec Clérisseau. En 1782, les deux architectes couvrirent d'une coupole de bois la halle aux blés de Paris. En 1786, ils construisirent la halle aux draps. En 1788, ils restaurèrent la fontaine des Innocents. Legrand publia deux ouvrages de théorie sur l'architecture.

LEKAIN, Henri Louis Cain, dit (Paris, 1729 - *id.*, 8 février 1778). Fils d'un orfèvre, il est l'un des plus célèbres acteurs du temps. Il montre dans sa jeunesse beaucoup d'habileté manuelle — il a même fabriqué de ses mains des instruments de chirurgie —, et son père aurait souhaité qu'il lui succède. Son goût pour le théâtre s'étant éveillé, il a la chance d'être présenté à Voltaire qui lui donne un enseignement et le fait jouer dans son petit théâtre de la rue Traversière. Ses débuts à la Comédie-Française datent de 1751 : il joue le rôle de Titus dans la tragédie de *Brutus*. Son physique est ingrat, sa taille épaisse, mais son jeu passionné. Le roi, l'ayant vu jouer, dira : « Il m'a fait pleurer, moi qui ne pleure guère » (cité par Hoefer, *Nouvelle Biographie générale*, art. « Lekain »). Dessinateur adroit, il est le premier (avec la Clairon) à indiquer les réformes nécessaires dans le costume : il apparaît un jour dans le rôle d'Oreste (*Andromaque*), portant un costume soi-disant grec. Sa garde-robe, dont nous connaissons le détail par l'inventaire après décès de sa femme (morte en 1775), comportait, entre autres, un habit asiatique, un habit africain, un habit tartare et quatre habits grecs. Sa fin fut rapide et subite. Huit jours avant sa mort il jouait Vendôme dans *Adélaïde du Guesclin*. Selon le *Mercure*, il aurait laissé à ses deux fils une fortune considérable.

LE LORRAIN, Louis Joseph (Paris, 1715 - Saint-Pétersbourg, 1759). Peintre, il fut directeur de l'Académie de peinture de Saint-Pétersbourg. Le meilleur de son œuvre consiste en des peintures décoratives, inspirées des vestiges antiques d'Herculanum. Il excella dans ce genre et répondit ainsi à la demande d'une nombreuse clientèle qui aimait à décorer ses salons de panneaux et de plafonds rappelant l'art gréco-romain.

LE LORRAIN, Robert (Paris, 1666 - *id.*, 1743). Sculpteur, élève de Girardon, puis maître de J.-B. Lemoyne et de Pigalle, il illustre le passage du classicisme louis-quatorzien au style rocaille. Après avoir obtenu un premier prix de sculpture, il séjourne à Rome et, à son retour en France, entre à l'Académie (1717). On lui doit plusieurs statues de Marly et

certains des reliefs de la chapelle de Versailles (les Vertus). Les Rohan-Soubise furent ses protecteurs et il suivit en Alsace le prince évêque de Strasbourg. Il fit, pour la façade des écuries de l'hôtel de Rohan, la célèbre composition des *Chevaux du soleil* (1734-1738) et travailla pour l'ornement du palais de Saverne et du palais épiscopal de Strasbourg.

LE MAISTRE DE CLAVILLE, Charles François Nicolas (v. 1670 - 1740). Sieur de Claville, il n'est guère connu que par son *Traité du vrai mérite*. On sait seulement de sa vie qu'il était doyen du Bureau des finances de Rouen. Le *Traité du vrai mérite de l'homme considéré dans tous les âges et dans toutes les conditions avec des principes d'éducation propres à former les jeunes gens à la vertu* est publié en 1734. L'ouvrage connaîtra au moins dix éditions. La dixième est datée de 1777. Elle est dite « revue, corrigée et considérablement augmentée par l'Auteur » (de son vivant, bien sûr !).

Il s'agit de l'une des œuvres les plus remarquables de la littérature moraliste et pédagogique du XVIIIe siècle français. L'auteur traite de toutes les qualités et vertus qu'il estime nécessaires à l'homme devant vivre en société. Ces qualités et vertus sont la douceur, l'égalité d'humeur, la politesse, le bon goût, l'honnêteté dans les divertissements, la justice, la générosité et la reconnaissance, le respect du mariage, le culte de l'amitié, l'esprit de morale et celui de religion. L'ensemble forme un idéal séduisant d'homme du monde, à la fois sage et agréable de rapports, religieux et poli. C'est l'honnête homme tel qu'il existait encore dans les années 1730-1740. C'est un modèle social comparable au *Parfait Courtisan* de Castiglione et au *Héros* de Gracian. Le livre a connu un grand succès. On le lisait encore sous le règne de Louis XVI, mais alors l'idéal qui l'inspirait avait vécu. Dans l'*Encyclopédie* de Panckoucke Le Maistre de Claville est exécuté en quelques mots : « ... auteur d'un livre autrefois plus lu qu'estimé, et qui n'est plus guère aujour-d'hui ni l'un, ni l'autre».

LEMERCIER DE LA RIVIÈRE, Pierre Paul François Joachim Henri (1720-1793). Économiste, il adhère en 1765 à l'école physiocratique, après une carrière de magistrat et d'administrateur. Conseiller à la première Chambre des enquêtes de 1747 à 1758, il avait travaillé utilement pour le rapprochement de la magistrature et de la Cour et en avait été récompensé par une commission d'intendant des îles du Vent. Arrivé en 1759 à la Martinique, il avait dû en repartir après la capitulation de l'île devant les Anglais. Nommé une seconde fois en 1763 dans le même poste, il s'était fait rappeler dès l'année suivante pour avoir autorisé l'exportation des produits de la colonie par navires anglais et enfreint le sacro-sainte loi de l'exclusif. Retiré des affaires publiques, il écrit, dès 1765, dans le *Journal d'agriculture*, organe officiel de la physiocratie, et publie en 1767 l'*Ordre naturel et essentiel des sociétés politiques*. La moitié de l'ouvrage est consacrée à la forme de gouvernement la meilleure et à l'analyse de la constitution idéale. Le succès du livre vaut à son auteur d'être consulté par Catherine II pour le code de lois que celle-ci projette de publier. Il fait donc le voyage en Russie, est reçu par la tsarine et, sur la route du retour, par le prince Henri de Prusse. En butte aux attaques des philosophes et en particulier de Mably et de Voltaire, il est cependant défendu par Diderot qui le proclame «homme de bien» et le déclare supérieur à Montesquieu, le félicitant d'avoir «découvert le secret, le secret éternel et immuable de la sécurité, de la durée et du bonheur des empires». Il est en effet, comme Diderot, un adepte du déterminisme politique. Pour lui, la politique consiste à «reconnaître les lois que Dieu a manifestement gravées dans l'organisation des hommes» (cité par G. Weulersse, *Le Mouvement physiocratique en France de 1756 à 1770*, Paris, 1910). Il dit «Dieu» et Diderot dit «la Nature», mais c'est la même chose. Il est encore l'auteur d'un traité *De l'instruction publique* (1775), composé à la demande du roi de Suède, de plusieurs écrits sur la liberté du commerce des grains, et de projets de constitution, composés au début de la Révolution.

LE MONNIER, Pierre Charles (Paris, 23 novembre 1715 - Hérils, près de Bayeux, 31 mai 1799). Astronome, il appartient à une famille de savants. Son père, Pierre Le Monnier, est aussi astronome. Son frère, Louis-Guillaume, est professeur de botanique au Jardin du roi et médecin ordinaire du roi. Il fait très tôt ses preuves et si bien que l'Académie des sciences l'admet en son sein à l'âge de vingt et un ans. Il sera aussi de l'Académie de marine et appointé par le département de la Marine «pour perfectionner la navigation». Louis XV éprouve à son endroit la sympathie la plus vive et favorise ses travaux. Il le loge au couvent des Capucins, lui fait cadeau d'une belle collection d'instruments, lui fournit les moyens de se constituer un observatoire, et, enfin, le nomme en 1748 professeur au Collège royal. Le Monnier occupe d'abord dans cette institution la chaire de philosophie grecque et latine, puis, à partir de 1773, celle de physique universelle. En fait, son enseignement, dans la première comme dans la seconde chaire, porte sur les questions de physique, de mécanique céleste et d'océanographie, qui lui sont familières. Ses relations avec la science anglaise constituent un trait caractéristique de sa carrière. Il traduit les ouvrages de Keill et de Halley et fait connaître ceux de Bradley. En 1748, il voyage en Angleterre et en Écosse, et observe dans ce dernier pays l'éclipse de soleil du 25 juillet. Il faut noter qu'il avait aussi participé à l'expédition de Laponie de 1736, sous la direction de Maupertuis. Il y avait appris le suédois, ce qui lui permettra de traduire le *Traité de la construction des vaisseaux* de Chapman. De ses nombreuses observations, nous retiendrons comme particulièrement dignes d'intérêt celles portant sur les inégalités de Saturne, inégalités causées par l'attraction de Jupiter. Cependant, sa contribution la plus importante à l'astronomie est sa nouvelle carte du zodiaque, présentée à l'Académie en 1741 et dans laquelle il publie un catalogue de cinq cent soixante-cinq étoiles, selon la méthode de l'Anglais Flamsteed. Ses *Institutions astronomiques* (1746) sont, au dire de Lalande, l'un des meilleurs ouvrages qu'on ait faits en français sur l'astronomie élémentaire. Son histoire pendant la Révolution n'est pas très bien connue, mais on sait que, lors de la création du nouvel Institut, il fut nommé membre de ce corps savant.

LE MOYNE ou **LE MOINE, François** (Paris, 1688 - *id.*, 1737). Peintre, il fait le trait d'union entre Charles Le Brun et François Boucher. Lors de son séjour en Italie comme pensionnaire du roi, il étudie particulièrement les plafonds de Véronèse et se met à l'école de Pierre de Cortone. Il apprend de Véronèse comment donner de la légèreté aux personnages qui volent dans les airs en évitant les attitudes qui peuvent les rendre lourds. Les Italiens lui révèlent aussi que les ciels peints, comme les vrais ciels, doivent être lumineux, transparents et éclairer la salle.

L'œuvre qui fait la gloire de Le Moyne, le plafond du salon d'Hercule pour le château de Versailles, lui coûte la vie. Cette composition, réalisée en 1736, est sans doute le chef-d'œuvre de l'art versaillais sous le règne de Louis XIV. Mais ce travail surhumain a épuisé son auteur, qui devient fou et se suicide en se perçant la poitrine de son épée.

On connaît de lui surtout cette *Apothéose d'Hercule*, le plafond de l'église Saint-Sulpice (exécuté par Le Moyne en collaboration avec son élève Nonnotte) et un tableau intitulé *Narcisse*. La faiblesse du dessin qu'on remarque parfois dans ses œuvres décoratives n'apparaît pas dans l'*Apothéose*, composition inspirée et très travaillée.

Boucher est l'élève de Le Moyne; on peut dire qu'il a peu ajouté à son maître, et qu'il «n'a fait que débiter en menue monnaie le trésor constitué par Le Moyne». Natoire aussi doit tout à Le

Moyne, mais il n'a pas su utiliser la palette que son maître avait composée en observant les peintres vénitiens.

Le Moyne est le dernier grand maître de la peinture décorative du XVIIIe siècle. Après lui, ce genre passera de mode.

LEMOYNE, Jean-Louis (Paris, 1665 - *id.*, 1755). Sculpteur, il fut l'élève de Coysevox. Ses œuvres les plus connues sont deux anges adorateurs à la chapelle des Invalides, une statue de Diane dans le parc de Versailles et un bas-relief de la chapelle du château de Versailles. Ses portraits lui firent une grande réputation. Ses bustes du Régent, de Mansart et de Largillière sont particulièrement réussis.

LEMOYNE, Jean-Baptiste II, dit aussi **Lemoyne fils** (1704-1778). Sculpteur, il était le fils de Jean-Louis Lemoyne dont il reçut des leçons, avant de devenir l'élève de Robert Le Lorrain. Ses débuts furent difficiles; la banqueroute de Law avait ruiné sa famille et son éducation littéraire fut négligée. Prix de l'Académie en 1725 avec le *Sacrifice de Polyxène*, il dut renoncer au séjour romain, son père ayant voulu le garder auprès de lui. Il n'en fut pas moins honoré de nombreuses commandes officielles, entra à l'Académie et succéda même à Boucher en 1768 comme directeur de cette institution. On lui doit deux statues équestres de Louis XV, commandées par les villes de Rennes et de Bordeaux, le mausolée du cardinal de Fleury, celui de Mignard à l'église Saint-Roch de Paris, et les figures du salon de l'hôtel de Soubise. Comme son père, il excella dans le portrait. Ses bustes de Gerbier et de Mme de Brionne sont particulièrement expressifs.

LENOIR, Jean Charles Pierre (Paris, 1732 - *id.*, 1807). Lieutenant général de police de Paris, il a fait toute sa carrière dans la capitale. Il la commence dans la juridiction du Châtelet, où il exerce successivement les fonctions de conseiller, de lieutenant particulier, puis de lieutenant criminel. Il acquiert dans ces emplois une compétence reconnue de criminaliste. Il est nommé ensuite maître des requêtes

(1765), puis président au Grand Conseil et enfin lieutenant général de police. Son administration à la tête de la police de la capitale est interrompue par une disgrâce de près d'une année. Nommé le 25 août 1774, il est renvoyé le 23 août 1775, puis nommé une seconde fois le 17 juin 1776 : c'est Turgot qui est l'auteur de sa disgrâce. En effet, Lenoir était complètement opposé à la politique du contrôleur général et rendait cette politique responsable des troubles de la «guerre des Farines». Dans ses mémoires (inachevés et inédits) il écrit : «Il n'est plus douteux que l'introduction du système de la liberté illimitée n'ait été la cause principale des émeutes» (cité par Darnton, «Le lieutenant de police J.-P. Lenoir...» (*Revue d'histoire moderne et contemporaine*, oct.-déc. 1969). Les réalisations les plus notables de Lenoir sont une école de boulangerie, la suppression du cimetière des Innocents et l'éclairage ininterrompu[1] des rues de Paris. Après sa lieutenance, il est nommé garde de la Bibliothèque du roi (4 avril 1784), puis conseiller d'État (1785) et membre du Conseil royal des finances. Nous le retrouvons à l'assemblée des notables de 1788. Il y exerce comme conseiller d'État les fonctions de rapporteur du 5e bureau. Émigré en 1790, il revient en France en 1802. Il est alors dans le plus complet dénuement : honnête à tous points de vue, il n'a jamais profité de ses fonctions pour s'enrichir. Il n'aura pour subsister dans ses derniers jours qu'une pension versée par le mont-de-piété, sur ordre du gouvernement.

LE NORMANT D'ÉTIOLLES, Charles Guillaume (1717-1799). Fermier général, il est le mari de Mme de Pompadour. On trouve sur lui cette appréciation : «personnage de goût qui mena bien ses affaires» (duc de Castries). Cela dépend des affaires. Celles de sa carrière et de sa fortune certainement. Chevalier d'honneur au présidial de Blois (1737), il est nommé sous-fermier en 1738. Son oncle Le Normant de Tournehem lui avance les fonds nécessaires, et le fait en 1740 son légataire universel. On sait ce que furent les affaires conjugales. Son mariage (arrangé par Tournehem) est célébré à Paris le 9 mars 1741. Le jeune ménage partage sa vie entre l'hôtel de Gesvres à Paris et le château d'Étiolles. Deux enfants naissent. Mais, en 1745, Le Normant d'Étiolles devient le cocu le plus illustre de France. C'est l'oncle Tournehem — toujours lui — qui vers la fin du mois d'avril lui révèle son triste sort. D'après Luynes, il serait tombé évanoui à l'annonce de cette nouvelle. L'oncle le raisonne. Il consent à la séparation. En 1751, il est nommé fermier général. Il avait pris une maîtresse, Mlle Rem, que les libellistes appelaient *rem publicam*. En 1764, il se remarie et épouse Anne Matha de Baillon. Il n'émigrera pas et passera la plus grande partie de la Révolution à Étiolles. Il est un des rares fermiers généraux qui aient échappé à la guillotine.

LE NORMANT DE TOURNEHEM, Charles François (1684 - 19 décembre 1751). Fermier général de 1712 à 1751, il fut l'amant de Mme Poisson, mère de Jeanne Antoinette devenue marquise de Pompadour. On lui attribue souvent la paternité de la favorite. Quoi qu'il en soit, il l'aime comme un père et lui donne maintes preuves de sa sollicitude. D'abord, il la marie à son neveu Charles Guillaume (1741). Ensuite, il favorise sa liaison avec le roi. Enfin, il raisonne son neveu et lui fait renoncer à sa femme. La charge de directeur général des Bâtiments, Arts et Manufactures, charge qu'il exercera jusqu'à sa mort, est la récompense de ses services. Il y est nommé en 1746. On doit le considérer comme le père de l'actuelle place de la Concorde. C'est lui en effet qui, le 27 juin 1748, propose aux membres de l'Académie royale d'architecture de dessiner des projets pour la construction d'une place Royale à Paris. Sa dernière entreprise est, en 1750, l'aménagement

---

1. Avant Lenoir, on faisait à l'entrepreneur de l'éclairage des retenues pour les moments d'interruption où la lune devait éclairer suffisamment. Lenoir supprima cette pratique et la ville fut éclairée en tout temps.

des nouveaux appartements de Mme de Pompadour, au rez-de-chaussée du palais de Versailles. Sa direction des Bâtiments ne marque pas de changement notable dans le goût. On voit par exemple que la plupart des projets pour la place Royale restent fidèles au style « rocaille » en vigueur depuis le début du règne.

LE PAON, Louis (1738-1785). D'abord dragon, puis peintre, il fut l'élève et le disciple de François Casanova et passa de longues années au service du prince de Condé, en qualité de peintre de batailles. Il lui fut demandé de peindre, dans le grand salon de l'École militaire, quatre tableaux représentant les victoires de Louis XV : *La Bataille de Fontenoy*, *Le Siège de Tournai*, *La Bataille de Lawfeld* et *La Prise de Fribourg*. La bibliothèque de l'École polytechnique possède de lui deux sépias intéressantes représentant l'une l'*Hallali d'un cerf dans la forêt de Chantilly* et l'autre l'*Hallali d'un cerf dans le grand canal de Chantilly*.

L'ÉPÉE, Charles-Michel, abbé de (Versailles, 25 novembre 1712 - Paris, 23 décembre 1789). Inventeur de la première méthode connue d'instruction des sourds-muets, c'était un ecclésiastique de sentiments jansénistes. Retardé aux ordres pour avoir refusé de signer le Formulaire, il employa cette attente forcée dans des études de droit, se fit recevoir avocat au parlement de Paris, et finalement trouva pour l'ordonner prêtre l'évêque appelant Jacques Bénigne Bossuet, évêque de Troyes, neveu du grand Bossuet. Il connaissait à Paris le P. Vanin, père de la Doctrine chrétienne, procureur général de cette congrégation, de tendance janséniste lui aussi. Ce doctrinaire avait recueilli deux jeunes sourdes-muettes et s'efforçait de les instruire au moyen d'images. A sa mort, l'abbé de l'Épée continua et augmenta cette œuvre. Il mit au point sa méthode de lecture, dite « dactylologie », consistant en attitudes de la main correspondant aux différents signes de l'alphabet. Par exemple, le poing fermé signifie A,

la main ouverte, pouce replié, B. Son école pour jeunes sourds-muets fut subventionnée par le duc de Penthièvre, pensionnée par Louis XVI sur sa cassette personnelle, visitée par Joseph II. Il a laissé entre autres ouvrages une *Institution des sourds-muets par la voie des signes méthodiques* (1776).

LE PELETIER DE SAINT-FARGEAU, Michel Étienne, comte de Saint-Fargeau (1736-1778). Il est reçu avocat général au parlement de Paris le 6 septembre 1757, après avoir été, de 1754 à 1757, avocat du roi au Châtelet. Il participe à la fronde contre le pouvoir royal, et dénonce comme un abus intolérable la pratique des cassations d'arrêts par le Conseil du roi. Il est l'un des auteurs des remontrances portées au roi le 5 juin 1767. Président à mortier le 23 août 1764, il meurt en charge. Il est le père du conventionnel assassiné en 1793.

LE PELETIER DES FORTS, Michel-Robert, comte de Saint-Fargeau (Paris, 1675 - *id.*, 1740). Contrôleur général des Finances, membre de l'Académie des sciences, il appartient à une puissante famille de parlementaires et de serviteurs du roi. Son père était conseiller d'État, son oncle, ministre des Finances de Louis XIV, ses cousins et ses neveux présidents et conseillers au parlement de Paris. Lui-même exerce les fonctions de conseiller d'État, lorsque le roi le désigne le 14 juin 1726 pour remplacer Dodun au Contrôle général. Si le principal mérite de la stabilisation de la monnaie (édit de janvier 1726 et arrêt du Conseil du 15 juin 1726) revient à son prédécesseur, il a cependant contribué à cette utile réforme en prorogeant de six mois en six mois les rapports valeur intrinsèque-valeur nominale et or-argent, établis par Dodun. On lui doit l'abandon du système de la régie pour la perception des impôts indirects, et le retour au système de la ferme générale. Le bail Carlier du 19 août 1726 est son œuvre. Il eut aussi l'idée de relancer l'économie par une hausse provoquée des actions de la Compagnie des Indes. Des banquiers proches de lui spéculèrent dans ce but sur son ordre secret. Mais le manège fut découvert et l'on crut que le ministre avait agi ainsi pour son propre compte. Il fut donc obligé de démissionner (1er mars 1730). Il était ministre d'État depuis le 1er janvier de cette même année.

LÉPICIÉ, Nicolas Bernard (Paris, 1735 - id., 1784). Peintre, il est le fils du graveur Bernard Lépicié. Élève de Carle Van Loo, il exposa au Salon pour la première fois en 1765 et fut reçu à l'Académie en 1769. Après avoir essayé sans grand succès de la peinture d'histoire (épisode de la *Vie de Saint Louis* à l'École militaire), il opta pour la peinture de genre et s'y fit remarquer. D'abord proche de Fragonard et de Boucher (comme en témoigne par exemple son *Narcisse changé en fleur*), il manifeste ensuite (à partir de 1770) un désir de moraliser, donnant alors dans un sentimentalisme vertueux, très proche de celui de Greuze (*Le Ménage du menuisier*, 1775, *La Demande acceptée*, 1776, *Une cour de ferme*, 1784, et *Le Lever de Fanchon*). Heureusement, il est moins larmoyant et théâtral que Greuze, et l'on trouve chez lui quelque chose de la tranquillité des intérieurs de Chardin.

LE PRINCE, Jean-Baptiste (Metz, 1733 - Saint-Denis-du-Port, près de Lagny, 1781). Peintre et graveur, il fut le protégé du maréchal de Belle-Isle, gouverneur de Metz, et l'élève de François Boucher. Il accepta très jeune les offres qui lui furent faites pour s'établir en Russie où deux de ses frères vivaient déjà. Présenté au tsar par le marquis de l'Hôpital, il fut très bien accueilli et fut honoré de très belles commandes officielles, comme celle des plafonds du palais impérial de Saint-Pétersbourg. En même temps, il remplissait ses carnets de croquis sur les coutumes et les personnages de la Russie. De retour à Paris en 1764, il fut la même année reçu à l'Académie avec une toile intitulée *Le Baptême russe*. Le musée du Louvre conserve aujourd'hui sa composition

nommée *Un corps de garde* (exposée au Salon de 1778, et gravée par Née la même année). On lui doit l'invention de l'aquatinte ou gravure au pinceau. Dans cet art, nul ne l'a jamais surpassé. L'auteur du conte charmant *La Belle et la Bête*, Jeanne-Marie Le Prince de Beaumont, était sa sœur.

LESAGE, Alain René (Sarzeau, 13 décembre 1668 - Boulogne-sur-Mer, 17 novembre 1747). Homme de lettres, il est issu d'une famille de robe. Orphelin de bonne heure, il est placé en tutelle auprès de ses oncles, qui le ruinent. Après des études au collège des jésuites de Vannes, puis à la faculté de droit de Paris, il exerce un moment le métier d'avocat et se tourne ensuite vers la littérature. Il commence par des traductions du grec ancien et de l'espagnol, puis se lance dans la composition de romans et de pièces de théâtre. Il est l'auteur très prolixe de cent douze œuvres, dont cent dix pièces pour le théâtre de la Foire. De ses trois chefs-d'œuvre, *Turcaret*, comédie de mœurs, *Le Diable boiteux*, roman de mœurs, et *Gil Blas*, roman picaresque, les deux premiers sont antérieurs à 1715. L'*Histoire de Gil Blas de Santillane*, ouvrage en quatre parties et douze livres, fut publié en trois fois : 1715, 1724 et 1735. C'est un roman d'aventures à tiroirs, de sept cents pages, où toute la société française est passée en revue, sous le travestissement espagnol. L'auteur souligne l'immoralité de cette société où chacun veut parvenir et s'enrichir. C'est une bonne image du temps de la Régence et de la corruption qui gagnait alors toutes les sphères de la politique et de la société. Le livre n'a que peu vieilli. Il demeure agréable à lire, ce qui est remarquable pour un roman de cet âge. La satire n'est pas forcée. Certains types sont fort bien vus, par exemple celui de l'auteur susceptible. L'ironie fait penser à celle des contes de Voltaire.

LESCALOPIER, Gaspard César Charles (1700-1792). Intendant de province, conseiller d'État, il est célèbre pour ses démêlés avec la cour des aides de Montauban. Reçu en 1727 conseiller au parlement de Paris, il avait été nommé maître des requêtes en 1733, et désigné en 1740 pour l'intendance de Montauban. Dès son arrivée, il avait entrepris la réalisation d'un nouveau réseau de routes. Il avait dû pour cela recourir à la main-d'œuvre corvéable. En 1750, il est pris à partie par les magistrats de la Cour des aides. Ceux-ci refusent que les paysans de leurs domaines soient employés aux corvées. Ils accusent l'intendant et ses subordonnés d'inhumanité : « On a vu un seul laboureur obligé de fournir du 10 juin au 22 septembre [...] quatre-vingt-six journées de charrois. » Ce n'est qu'un épisode du conflit qui oppose les cours souveraines au pouvoir royal. Mais il est vrai que Lescalopier est un homme autoritaire et cassant. Le ministère ne le soutient que mollement et finit par le déplacer en lui donnant de l'avancement. Il est nommé à Tours, généralité très étendue et qui n'a pas de cour souveraine sur place. Il y restera jusqu'en 1766, et sera nommé ensuite conseiller d'État.

LE SEMELIER, Jean Laurent (Paris, 1660 - *id.*, 1725). Père de la Doctrine chrétienne, il est l'un des théologiens les plus réputés de sa congrégation. Entré dans la congrégation en 1678, il avait enseigné la théologie dans la maison de Saint-Julien à Paris. En 1697, l'archevêque de Paris lui avait confié le soin des conférences ecclésiastiques pour le clergé de son diocèse. Sur les dix-neuf volumes de ses conférences, neuf ont été publiés de son vivant : ils traitent du mariage, du péché, de l'usure et de la restitution. Il est probabiliriste et réfute sévèrement la morale de ceux qu'il appelle les « nouveaux casuistes ».

LESPINASSE, Louis-Michel de (1734-1808). Peintre, il fit de nombreux dessins et aquarelles représentant des vues de Paris. Le musée Carnavalet en possède aujourd'hui plusieurs, parmi lesquels certains aspects du Palais-Royal vers 1790, des vues du pont Royal et du port Saint-Paul. Le musée de Versailles conserve une charmante aquarelle représentant *La Maison royale de Saint-Cyr*. Lespinasse est sans doute l'un des témoins les plus intelligents de la fin de l'Ancien Régime. Peu de dessinateurs ont fait preuve d'autant de finesse.

LESPINASSE, Julie de (Lyon, 9 novembre 1732 - Paris, 22 mai 1776). Elle est célèbre par son salon. Ses années de jeunesse sont mal connues. On ignore le nom de son père. Sa mère, la comtesse Julie d'Albon de Saint-Forgeux, prend soin d'elle, mais ne lui donne pas son nom. Lespinasse est le nom d'une terre de la famille d'Albon. A la mort de sa mère, en 1748, sa sœur et son beau-frère, Gaspard de Vichy, la recueillent chez eux dans leur château de Chamrond. C'est là qu'elle fait la connaissance de Mme du Deffand. En 1754, celle-ci l'emmène à Paris pour lui servir de dame de compagnie. Elle excède bientôt son rôle. Jalouse de son succès, Mme du Deffand la chasse de chez elle. Elle s'installe alors rue de Bellechasse et fonde son propre salon (1764). L'année suivante (1765), son ami d'Alembert vient habiter l'appartement au-dessus du sien. Son salon est d'un style nouveau. Il n'y a pas de jours. On tient salon ouvert tous les jours de cinq à neuf. La personnalité de l'hôtesse inspire la sympathie. Elle n'est pas belle — en 1764 la petite vérole l'a défigurée — mais elle est grande, élancée, bien faite. Sa physionomie est très vivante. Elle a un visage expressif. Elle est simple et naturelle. Sa faiblesse est une sensibilité maladive. Souffrant d'hyperesthésie, elle prend pour se calmer des doses répétées d'opium. Ses passions amoureuses sont si fortes qu'elles lui ôtent le repos. En 1766, elle s'éprend du marquis de Mora, en 1772 du comte de Guibert. Le décès du premier en 1774 et l'attitude distante et le mariage du second l'accablent au point d'affecter sa santé d'une manière irrémédiable. Elle contracte la tuberculose, dont elle meurt à quarante-quatre ans. Intelligente, ayant beaucoup lu, sachant l'anglais et l'italien, maniant admirablement (au dire de Guibert) sa propre langue, elle a un grand rayonnement. Elle marque d'abord profondément de son influence ses deux amis les plus chers, d'Alembert et Condorcet. Ce dernier était un jeune homme balourd et ours. Elle l'a formé à l'usage du monde : « Je vous recommande, lui écrivait-elle, de ne pas manger vos lèvres, ni vos ongles. » Point de rencontre des deux générations de la philosophie, son salon a été l'antichambre de l'Académie française et le cénacle politique, laboratoire des réformes du début du règne de Louis XVI. Turgot en était l'un des habitués. L'arrivée de ce dernier au pouvoir fut le dernier triomphe de Julie. Cette femme exceptionnelle vivait pour ses amis. La religion lui était totalement étrangère — elle qualifiait la théologie d'« absurde production de l'esprit humain » — mais elle avait le culte de l'amour et de l'amitié.

LÉTANDUÈRE, Henri François Desherbiers de. *Voir* **DES HERBIERS DE L'ÉTANDUÈRE, Henri François.**

LE TROSNE, Guillaume François (Orléans, 15 octobre 1728 - Paris, 26 mai 1780). Il est l'un des physiocrates. Fils d'un conseiller au bailliage et présidial d'Orléans, il est installé en 1753 comme avocat du roi à la même cour. Il conserve cet office pendant vingt-deux ans. Son adhésion à la physiocratie date de 1764. Il publie en effet cette année-là dans le *Journal d'agriculture*, organe officiel de l'école, des *Notes économistes*, inspirées par les principes de Quesnay. Son traité de *La Liberté du commerce des grains toujours utile, jamais nuisible* paraît en supplément dans le *Journal* de janvier 1766. Cependant, son œuvre maîtresse dans le domaine des études économiques est le traité *De l'ordre et de l'intérêt social* (1777), qui est en fait une théorie de la valeur. Le principe fondamental de cette théorie est le besoin. Le livre commence ainsi : « L'homme est environné de besoins, qui se renouvellent tous les jours [...]. Quels qu'ils soient, ce n'est que de la terre qu'il peut tirer les moyens de les remplir. » Le Trosne n'est pas seulement un économiste. Il est aussi un juriste formé à l'école du grand Pothier, son professeur à l'université d'Orléans. Il avait publié en 1750 (à l'âge de vingt-deux ans) une *Methodica juris naturalis cum jure civili collatio*, et donnera en 1765 un *Discours sur la justice criminelle contre la torture*. Enfin, les questions administratives le passionnent. Il est l'un des premiers à suggérer la création d'assemblées provinciales.

LETTRES DE CACHET. Les lettres de cachet sont des « ordres du roi ». On les nomme ainsi parce qu'elles sont cachetées et scellées. Ce sont des lettres closes. Cependant, on donne aussi le nom de lettres de cachet à des lettres ouvertes. Ces dernières commencent par la formule « De par le Roy ».

Les lettres de cachet peuvent être des ordres de détail adressés à des agents royaux, ou des lettres adressées à des évêques pour leur demander de célébrer un *Te Deum*. Mais l'objet de la plupart d'entre elles est d'ordonner des incarcérations ou des exils. Voici une des formules employées :

De par le Roy

Il est ordonné de l'avis de [...] à [...], d'arrêter et conduire au For-l'Évêque le nommé [...]. Enjoint au geôlier de l'y recevoir et garder jusqu'à nouvel ordre.

Ordres du roi, ces lettres de cachet méritent leur nom. En effet, ces ordres ne sont jamais expédiés sans le consentement du roi. Cet agrément royal est donné soit lors d'un « travail » avec un ministre, soit dans une séance d'un conseil de gouvernement. Il est arrivé que des lettres de cachet en blanc soient remises à des commissaires royaux chargés d'aller tenir des états particuliers. Mais cette pratique est exceptionnelle.

Les lettres de cachet répressives peuvent être classées en cinq catégories : affaires d'État (très peu nombreuses), affaires de police (les plus nombreuses à Paris), discipline militaire ou ecclésiastique (par exemple, les lettres de cachet contre les jansénistes), affaires de famille (les plus nombreuses en province) et ordres d'exil.

La lettre de cachet de police est très utilisée à Paris. Le lieutenant général de police s'en sert comme d'un instrument commode pour obtenir une incarcération immédiate, sans passer par la lente machine judiciaire. Il en use contre les fauteurs de troubles et d'attroupements, contre les gens sans aveu et même pour faire rafler les prostituées. La lettre de cachet de famille est sollicitée soit par le père, soit par la mère, soit par le mari contre sa femme ou par la femme contre son mari. A Paris, le solliciteur adresse son placet au lieutenant de police qui enquête et transmet son avis au secrétaire d'État ayant en charge la généralité de Paris.

Quelques chiffres peuvent donner une idée du nombre des lettres de cachet :
— de 1741 à 1775, 6 000 lettres de cachet contre des ecclésiastiques jansénistes ;
— en 1751, un millier de lettres de cachet pour Paris ;
— de 1738 à 1754, 1 468 personnes arrêtées dans le quartier des Halles en vertu de lettres de cachet (A. Farge, *Le Désordre des familles. Lettres de cachet de la Bastille*, avec M. Foucault, Gallimard, 1982) ;
— de 1745 à 1789, 1 287 lettres de cachet pour la Provence (F. X. Emmanuelli, « Ordres du roi et lettres de cachet en Provence à la fin de l'Ancien Régime », *Revue historique*, oct.-déc. 1974).

Le nombre des lettres de cachet à Paris n'aurait cessé d'augmenter à partir de la lieutenance de police du comte d'Argenson (1720), mais aurait diminué après 1760.

La grande impopularité des lettres de cachet date de leur utilisation massive contre les jansénistes par le gouvernement de Fleury. Les victimes des ordres du roi furent présentées dans les *Nouvelles ecclésiastiques* (le journal janséniste clandestin) comme des saints et des héros. Toutefois, il faudra attendre les protestations de Malesherbes dans ses *Remontrances* de la Cour des aides, et le pamphlet de Mirabeau, *Des lettres de cachet et des prisons d'État* (1782), pour que l'opinion publique exige l'abolition

de cette pratique du « despotisme ». Le gouvernement de Louis XVI essaie, au moins, de faire cesser les abus. En mars 1784, Breteuil, secrétaire d'État à la Maison du roi, demande aux intendants et au lieutenant général de police de visiter les prisons et de libérer les prisonniers injustement ou depuis trop longtemps détenus. Les lettres de cachet seront finalement supprimées par un décret de l'Assemblée constituante, voté le 16 mars 1790.

LEVASSEUR, Marie-Thérèse (Orléans, 1721 - Le Plessis-Belleville, près Dammartin, 17 juillet 1801). Elle fut d'abord la concubine puis l'épouse légitime de Jean-Jacques Rousseau. Leur mariage eut lieu à Bourgoin en 1768. Leur liaison avait commencé en 1745. Il avait trente-trois ans, elle vingt-quatre. « Ouvrière en linge », elle travaillait alors à l'hôtel où il prenait ses repas. Néanmoins, sa condition était plus relevée que celle d'une simple ouvrière : son père avait exercé la profession d'officier de la monnaie d'Orléans, sa mère celle de marchande. On avait seulement négligé de l'instruire : elle savait à peine lire. Avertie de sa liaison avec un homme déjà connu et pourvu de hautes relations, sa parenté se manifesta, vint s'établir auprès d'elle et prétendit vivre aux dépens de Jean-Jacques. Le malheureux fut obligé de se défendre. Il se débarrassa d'abord du père (placé dans une maison de charité, il y mourut « incontinent »), puis de la mère, qu'il mit à la porte en 1757. Le ménage de ces deux êtres si mal assortis dura jusqu'à la mort de Jean-Jacques. En 1778, Thérèse eut une courte aventure avec John, le valet d'écurie du marquis de Girardin. En 1790, Mirabeau lui fit décerner une pension par l'Assemblée constituante, mais cette rente ne fut pas toujours exactement payée. La veuve de Rousseau finit dans la misère, adonnée à la boisson et à moitié folle. Peut-être l'abandon forcé de ses cinq enfants avait-il altéré sa raison. Car son amant l'avait contrainte à cette séparation qui lui répugnait. Lui, si l'on en croit les *Confessions*, n'avait pas éprouvé « le moindre scrupule » ; « le seul que j'eus à vaincre, dit-il, fut celui de Thérèse à qui j'eus toutes les peines du monde à faire adopter cet unique moyen de sauver son honneur» (*Confessions*, éd. Gagnebin Raymond, La Pléiade, 1959, p. 344). Plus loin, relatant l'abandon du deuxième enfant, il écrit encore : «Elle obéit en gémissant.» A l'égard de sa compagne, il affecte la commisération. Il parle de sa «pauvre Thérèse». Il l'estime et nous confie qu'elle recèle des qualités non visibles au premier abord : «[...] cette personne si bornée, si stupide en apparence, écrit-il, était d'excellent conseil, sensée et affectueuse.» Éprouvet-il de l'affection? Peut-être, mais, à l'Hermitage, cette affection n'empêche pas les ardeurs pour Mme d'Houdetot. Cela ne l'empêche pas non plus de se moquer de la «pauvre Thérèse» dans les salons qu'il fréquente : «Autrefois, écrit-il, j'avais fait un dictionnaire de ses phrases pour amuser Mme de Luxembourg, et ses quiproquos sont devenus célèbres dans les sociétés où j'ai vécu» (*Confessions*, éd. Gagnebin Raymond, La Pléiade, 1959, p. 332). Telle était la délicatesse du grand homme à l'égard de la compagne de sa vie.

LÉVIS-MIREPOIX, Gaston Charles Pierre, marquis, puis duc de (1699-1758). Ambassadeur et maréchal de France, il est avant tout un soldat courageux et d'une audace peu commune. On le trouve en 1740 à la tête des troupes escaladant les remparts de Prague. Envoyé en Italie en 1744, il se distingue à l'attaque des retranchements de Monalban, s'empare de deux batteries et de quatorze drapeaux, puis, rencontrant deux régiments piémontais, il leur crie «Bas les armes! vous êtes entourés», et obtient aussitôt leur reddition. Colonel en 1719, il est nommé brigadier en 1734 et lieutenant général le 2 mai 1744. Ses deux missions diplomatiques sont la première à Vienne (1737-1738), où il signe la paix du 7 novembre 1738, et la seconde à Londres (1749-1751), où il est chargé de rechercher une solution diplomatique au problème des limites dans la vallée de l'Ohio. Son échec dans cette négociation ne compromet pas

sa carrière. Il est fait duc, nommé commandant en chef en Languedoc et maréchal de France (24 février 1757). D'aucun de ses deux mariages (avec Gabrielle-Henriette Bernard, fille d'un président aux enquêtes, et avec Anne-Gabrielle de Beauvau-Craon) il n'avait eu d'enfants. Son titre ducal s'éteignit avec lui.

LHOMOND, Charles François (Chaulnes, Picardie, 1727 - Paris, 1794). Régent de l'université de Paris, auteur du *De viris*, il fit ses études comme boursier dans le petit collège parisien de Dainville. Entré dans les ordres, il se consacra à l'enseignement et à l'étude. Nommé régent de sixième au collège du Cardinal-Lemoine, il demeura vingt ans dans cet emploi, refusant des chaires plus importantes, afin de ne pas abandonner ceux qu'il appelait ses «chers sixièmes». Cependant, il acheva sa carrière comme principal du collège de Dainville où il avait fait ses études. La Révolution le persécuta : ayant refusé de prêter le serment civique de 1790, il fut arrêté après le 10 août. Remis en liberté sur intervention de son ancien élève Tallien, il mourut peu après.

Il est l'auteur de plusieurs ouvrages scolaires. Outre le *De viris illustribus Romae*, paru en 1779, qui connut un grand succès, et que l'on utilise encore aujourd'hui dans les classes, il publia un *Epitome historiae græcae*, des *Éléments de grammaire latine*, des *Éléments de grammaire française* et une *Histoire abrégée de l'Église*.

Le *De viris* est une compilation, rassemblant des passages d'auteurs latins et les groupant autour de personnalités dominantes de l'histoire romaine allant de Romulus à Auguste. L'auteur a simplifié le vocabulaire, allégé la syntaxe et assoupli l'ordre des mots, composant ainsi un ouvrage simple, mais non élémentaire, excellente initiation à l'étude des auteurs et l'une des plus remarquables réussites de la littérature scolaire de tous les temps.

LIANCOURT, François Alexandre Frédéric de La Rochefoucauld, duc de. *Voir*

LA ROCHEFOUCAULD-LIANCOURT,
François Alexandre Frédéric de.

LIBÉRALISME. Le mot ne figure pas
dans les dictionnaires de l'époque. Cependant, il existe des théoriciens de la liberté. Il existe même des écoles libérales, ou prélibérales, comme on voudra.

Le libéralisme le plus affiché est
l'économique.

Une totale liberté économique, aussi
bien dans le commerce que dans le travail, est réclamée par les physiocrates au
nom de l'« ordre naturel ». Ces philosophes de l'économie peuvent être
considérées comme les premiers libéraux. Leurs idées sont adoptées par les
hommes au pouvoir. Il en résulte à partir
de 1759 une libéralisation progressive
du commerce, de l'industrie et de l'organisation du travail.

Les effets de cette libéralisation ne
sont pas tous heureux. Dans le cas de
l'expérience Turgot, on peut même parler d'échec. Vers 1770 a commencé une
réaction contre les excès du libéralisme
physiocratique. On a vu se manifester un
nouveau libéralisme plus nuancé, plus
modéré, plus réaliste et appelé par certains auteurs « éclectique ». La nouvelle
école apporte des tempéraments à la liberté du commerce des grains. Elle demande que soient constitués des stocks
de blé. Ces nouveaux libéraux sont
l'abbé Galiani, Linguet, Mably, Necker
et les deux Nantais Montaudoin et Graslin.

Les libéraux en économie ne le sont
pas toujours en politique. Les physiocrates, partisans déclarés du « despotisme », ne sont pas des libéraux politiques. Ou bien, si l'on veut qu'ils le
soient, ils le sont à la manière de Fénelon, pour qui la liberté civile est grandement souhaitable, mais dépend tout entière de la bonne volonté du roi. En
revanche, Montesquieu et Mably méritent le nom de libéraux politiques, dans
le sens où nous entendons aujourd'hui
cette appellation. Montesquieu libère la
liberté, ce que les prélibéraux (Bayle et
Fénelon notamment) n'étaient pas arrivés à faire. Il la libère en la plaçant sous
la protection de la loi. « La liberté, écrit-
il, est le pouvoir de faire tout ce que les
lois permettent. » On peut dire que la liberté de Montesquieu est une liberté
réelle, bien que conditionnelle. Mably,
quant à lui, apparaît comme un disciple
de Boulainvilliers (le seul des prélibéraux qui ait rejeté la monarchie absolue).
Boulainvilliers voulait que des « puissances particulières » équilibrent la puissance souveraine. Mably se dit favorable
à un partage de « la puissance exécutrice
en autant de branches que la société a de
besoins différents ».

LIBERTÉ. *Voir* **LIBRE ARBITRE.**

LIBERTÉS DE L'ÉGLISE GALLICANE.
Voir **GALLICANE (libertés de l'Église).**

LIBRAIRIE. *Voir* **CENSURE.**

LIBRE ARBITRE. La question du libre
arbitre n'est plus au XVIIIᵉ siècle, comme
elle l'avait été au siècle précédent, une
question sur laquelle s'opposent les
théologiens. Les protestants ont abandonné les systèmes durs qui annulaient
la liberté et la rendaient inconciliable
avec la grâce. Il n'est plus aucun théologien, ni protestant, ni janséniste, pour
soutenir que le libre arbitre n'existe pas.

Les attaques contre la liberté viennent
maintenant d'un autre côté. Elles viennent des Lumières. Comme le remarque
ironiquement l'auteur du *Dictionnaire
antiphilosophique*, dom Louis-Mayeul
Chaudon, « il n'y a plus que des philosophes qui nient la liberté ».

Les négateurs les plus radicaux sont
les matérialistes, ceux pour qui l'homme
n'est qu'un morceau de matière et une
partie du « grand tout ». Cet homme-matière est entièrement gouverné par la
« nécessité », c'est-à-dire les lois physiques naturelles. « Le libre arbitre, écrit
d'Holbach, est une chimère » (*Le Bon
Sens*, chap. 80). « L'homme, écrit-il encore, n'est [...] libre à aucun instant de
sa vie » (*Système de la Nature*, 1770, t. I,
p. 229). Diderot ne le formule pas de
manière aussi nette, mais il le pense.
Pour lui, comme pour d'Holbach, il ne
peut y avoir de responsabilité, puisqu'il

n'y a pas de liberté : «Nul, écrit-il, n'est personnellement responsable du mal qui se commet» (cité par J. Proust, *Diderot et l'«Encyclopédie»*, Paris, 1967, p. 320).

Rousseau se pose en défenseur de la liberté humaine et en adversaire du matérialisme. Mais il rejoint Diderot quand il diminue et même réduit à rien la responsabilité, attribuant par exemple le crime à des causes d'ordre matériel et d'origine extérieure, telles que le tempérament, la race, le climat et l'hérédité. Dans les *Rêveries du promeneur solitaire* (1770, rééd. 1960, p. 95), il se dit plusieurs fois entièrement déterminé par les sensations qu'il éprouve : «Dominé par mes sens quoi que je puisse faire, je n'ai jamais su résister à leurs impressions. »

Quant à la position de Voltaire, il semble qu'elle ait évolué. D'abord partisan du libre arbitre, il paraît s'être rallié ensuite à une sorte de fatalisme. Il écrit par exemple : «Nous sommes des brins de paille que le vent jette à tort et à travers» (*Correspondance*, Pléiade, t. X, 1986, p. 1063). Il finira par qualifier la liberté de «chimère absurde» : «La liberté telle que plusieurs scolastiques l'entendent est en effet une chimère absurde. Pour peu qu'on écoute la raison, et qu'on ne veuille point se payer de mots, il est clair que tout ce qui existe et tout ce qui se fait est nécessaire ; car s'il n'était pas nécessaire, il serait inutile. La secte respectable des stoïciens pensait ainsi [...]» (lettre à un destinataire inconnu, vers 1770, *Correspondance*, Pléiade, t. X, 1986, p. 314).

LIEUTENANT GÉNÉRAL DE POLICE. Le lieutenant général de police de Paris est un magistrat chargé d'administrer la capitale et de veiller à la sécurité de ses habitants.

Sa charge a été créée en 1667 et intégrée dans le Châtelet de Paris, c'est-à-dire dans la justice de la vicomté et prévôté de Paris. Cette justice comporte trois lieutenants, le lieutenant civil, le lieutenant criminel et le lieutenant géné-

ral de police. La juridiction du lieutenant de police est donc une juridiction subordonnée, mais l'étendue de ses attributions fait de ce magistrat un personnage très important et même une sorte de ministre.

De lui relèvent précisément les affaires suivantes : le contrôle général de l'urbanisme, la police des égouts et voiries, les baux des entreprises chargées du nettoiement, l'approvisionnement de la capitale (il doit «veiller à ce qu'il y ait toujours les provisions nécessaires pour la subsistance des citoyens[1] »), la bonne exécution des règlements de la Librairie, les affaires de mœurs, la répression de la mendicité et la sécurité publique. Dans la seconde moitié du siècle, il réunit tous les quinze jours un comité restreint, formé du magistrat criminel, du procureur du roi, du lieutenant criminel de robe courte, du prévôt de l'Île et du commandant de la garde de Paris, «pour conférer de tout ce qui est arrivé depuis la dernière assemblée, relatif à la sûreté et à la tranquillité publiques». Lui reviennent également les causes d'exemption de milice, la réquisition des ouvriers pour les charrois et équipages de la Maison du roi, le contrôle des élections universitaires et la surveillance du clergé (il est souvent désigné comme commissaire du roi dans les chapitres conventuels et généraux des ordres religieux).

Il est l'agent essentiel du pouvoir royal à Paris. Cependant, si grandes que soient ses attributions, elles ne recouvrent pas, et de loin, la totalité de l'administration de la capitale. Car interviennent aussi dans cette administration le Parlement, le Bureau de ville, le Bureau des finances, les autres officiers du Châtelet et les juridictions privilégiées comme par exemple le bailliage du Palais. Les limites de compétence n'étant pas toujours clairement tracées, il y a souvent des conflits de juridiction.

Tous les lieutenants généraux de police viennent du corps des maîtres des requêtes. A leur sortie de charge, ils sont nommés conseillers d'État Certains de-

1. Ferrière, *Dictionnaire de droit et de pratique*, 1775, t. II, p. 163-164.

viennent ministres. Parmi les plus fortes personnalités ayant illustré la fonction, il faut citer Marc René d'Argenson (1694-1718), Hérault de Fontaine (1725-1740), Feydeau de Marville (1740-1747), Sartine (1759-1774) et Lenoir (1774-1775 et 1776-1784).

LIGNE, Charles Joseph, prince de (Bruxelles, 23 mai 1735 - Vienne, 13 décembre 1814). Il est issu d'une très ancienne famille du Hainaut. Il sert l'Empereur et lui demeure toujours fidèle. C'est d'abord un homme de guerre. Nommé général-major en 1764 et lieutenant général en 1771, il exerce de nombreux commandements. Mais c'est aussi un homme d'esprit, et d'esprit français. La France est sa seconde patrie. Il fréquente Paris et la Cour à partir de 1766. Presque chaque année pendant dix ans, il descend à l'hôtel de Rome, rue Jacob. A partir de 1776, sur l'invitation du comte d'Artois, il séjourne à Versailles où il passera désormais cinq mois tous les ans jusqu'en 1786. Fêté par tous les princes, lié d'amitié avec la jeune reine, il est aussi très lié avec le duc d'Orléans et avec la marquise de Coigny. Ses *Lettres et pensées* (1809) et ses *Mémoires* posthumes constituent un document précieux sur la vie de la Cour. Le style en est pur, alerte et spirituel. L'homme avait une âme chevaleresque. La reine Marie-Antoinette eut en lui l'un de ses plus fervents admirateurs et défenseurs. Il écrira d'elle : « Ai-je vu dans sa société quelque chose qui ne fût pas marqué au coin de la grâce, de la bonté et du goût[1] ? » Les jugements du prince ne manquent pas de bon sens, mais il ne les approfondit jamais. Malgré toute son intelligence, il reste léger. Il est bien, pour reprendre l'expression de Paul Morand, « le XVIIIe siècle incarné ».

LILLE. Résidence du gouverneur de Flandre, Hainaut et Cambrésis, ville d'intendance, siège des états de la Flandre wallonne, garnison de six mille hommes,

Lille est une capitale administrative et militaire. Le magistrat qui la gère possède des attributions importantes et jouit du droit de haute, moyenne et basse justice.

De toutes les grandes villes du royaume, Lille est (avec Toulouse) l'une de celles dont la population augmente le moins : 60 000 habitants au début du siècle, 67 000 en 1789.

Le textile est le secteur principal de l'économie lilloise ; la ville est l'un des centres lainiers les plus importants du royaume. Après la laine, les secteurs les plus développés sont la tapisserie, la faïence, la porcelaine, la ferronnerie et l'orfèvrerie. Le stade de l'entreprise artisanale est dépassé. Dans le rôle de la capitation de 1787, cinquante-quatre manufacturiers emploient chacun une centaine d'ouvriers. Cependant il n'y a pratiquement pas de manufactures concentrées. Dans le secteur lainier, les marchands fabricants distribuent la matière première à des ouvriers qui travaillent à domicile.

La société lilloise est déséquilibrée : très peu de nobles (0,44 % de la population en 1789), très peu de bourgeois (4 % environ à la même date), le reste de peuple et parmi ce peuple beaucoup de pauvres : 20 000 en 1764, d'après l'estimation des « pauvriseurs[2] », peut-être 30 000 au début de la Révolution, c'est-à-dire près de la moitié de la population. Lille est probablement la ville de France où les pauvres sont les plus nombreux. L'une des causes principales de cette aggravation du paupérisme est l'affaiblissement des corporations, et leur impuissance à protéger efficacement leurs membres dans les nouvelles structures de production.

La plus grande richesse de Lille est spirituelle. La ville a gardé l'idéal de la réforme catholique. La pratique religieuse est générale, les confréries sont nombreuses, les processions (en particulier celle de la ville et celle du Saint-Sacrement) majestueuses et largement suivies. Enfin, les livres de piété publiés à

---

1. Prince de Ligne, *Mémoires, lettres et pensées*, éd. François Bourin, 1989, p. 85.
2. Administrateurs de l'assistance publique municipale chargés de recenser les pauvres et de leur distribuer des secours.

Lille représentent environ la moitié de la production livresque totale des imprimeurs lillois. Certes, les mœurs ne sont plus celles du Grand Siècle : le taux d'illégitimité passe de 4,5 % en 1740 à 12,5 % en 1785, mais ce deuxième pourcentage est encore très inférieur aux taux de Paris, de Bordeaux et de Nantes.

La vie intellectuelle paraît faible. Lille n'a pas d'académie, si ce n'est une académie des arts fondée tardivement (1775). Le premier journal périodique (*Affiches*) n'apparaît qu'en 1781, et la ville n'a que cinq imprimeurs. Quant aux Lumières, elles semblent avoir peu de prise sur une population généralement croyante. Lille n'aura jamais plus de cinq loges maçonniques. Voltaire s'y rend en 1741 et fait jouer son *Mahomet* devant une assistance d'officiels, mais il semble exagéré de parler d'un groupe de voltairiens lillois. Les esprits forts ne courent pas les rues. On ne peut guère citer que Charles Leclerc de Montlinot (d'ailleurs disciple d'Épicure plus que de Voltaire) et le libraire Charles Joseph Panckoucke, le futur fondateur de l'*Encyclopédie méthodique*.

La vie artistique est plus brillante. Lille a sa Société de concerts, son Salon des arts (fondé en 1773), sa salle de spectacle permanente où l'on donne environ cent cinquante représentations par an, une académie d'architecture (ouverte en 1760), une pléiade de grands architectes (Verly, Gombert, Lequeux) et une école de peinture originale, dont Louis Watteau, neveu d'Antoine, est le plus illustre représentant.

Un seul art n'est guère pratiqué, celui de l'urbanisme. Ici, le temps de l'urbanisme a été le règne de Louis XIV. Sous Louis XV et sous Louis XVI, Lille est la seule des grandes villes françaises qui ne se renouvelle pas, qui ne construise ni place Royale ni nouveau quartier, qui ne plante aucun cours ni aucun jardin. Si l'on restaure de nombreux monuments publics (hôpital Saint-Sauveur, grand-garde, hôpital général, hôtel de l'Intendance, hôtel de ville), on ne construit qu'un seul monument public nouveau, le théâtre, inauguré en 1786 et dont l'architecte est Michel Lequeux.

LIMITATION DES NAISSANCES. *Voir* **NAISSANCES (limitation des).**

LIMOGES. Ville épiscopale, chef-lieu d'une généralité, Limoges est capitale provinciale. C'est une ville de taille moyenne (20 500 habitants en 1789) et de faible activité économique. La première manufacture de porcelaine est créée en 1771.

L'urbanisme nouveau ne fait pas vraiment école à Limoges ; les projets de l'intendant Turgot pour aérer la ville ancienne n'aboutissent pas. On construit néanmoins plusieurs bâtiments publics : l'intendance, le présidial, le palais épiscopal et l'hôpital général. L'intendant Tourny fait aménager une place rectangulaire plantée d'arbres (actuelle place Jourdan) et Turgot fait abattre en 1763 les derniers vestiges des remparts. Si le siècle n'a pas transformé Limoges, il l'a au moins embelli.

La Société d'agriculture de Limoges date de 1759 ; elle est la seconde créée en France.

LIMOUSIN. Comme la plupart des provinces, le Limousin est divisé en haut et bas Limousin. Le cours de la Vézère fait la séparation. Le haut Limousin, celui de Limoges, se trouve au nord-ouest, le bas, celui d'Uzerche, Brive et Tulle, au sud-est.

La province forme un gouvernement. La généralité de Limoges couvre les deux Limousins, la majeure partie de l'Angoumois et un fragment de la Saintonge.

Le Limousin est réputé pauvre. On lit dans le *Traité de géographie moderne* de Gibrat (1784) : « Le Limousin [...] est en général peu fertile, et une grande partie de cette province est couverte en forêts de châtaigniers ; le reste produit beaucoup plus de seigle que de froment » (p. 144). Cependant, la province possède des mines de fer et le commerce du bétail y est actif. En 1764, une manufacture d'étoffes fut installée à Brive et, en 1786, une filature de coton dans la même ville.

La province ne possède aucune société ni de lettres, ni de musique, ni de peinture. Elle ne compte que sept loges maçonniques en 1789. Avec ses soixante maçons à cette date, Limoges vient loin derrière des villes comme Montauban, Agen, La Rochelle, qui en ont plus de deux cents (Pérouas). Les Lumières pénètrent donc peu. Les Limousins gardent la foi chrétienne. Un grand nombre d'entre eux sont membres de confréries. Il existait cinquante-cinq confréries de pénitents dans la province en 1720. Et d'après une enquête de 1775-1780, 36 % des paroisses du diocèse de Limoges possédaient une confrérie du Saint-Sacrement.

LINGUET, Simon Nicolas Henri (Reims, 1736 - Paris, 1794). Avocat au parlement de Paris, c'est un personnage curieux et aussi anticonformiste que possible. C'est d'abord un antiparlementaire et un défenseur de l'administration royale. En 1765, il dénonce le parlement de Bretagne pour « fanatisme ». En 1770, il est l'avocat du duc d'Aiguillon dans le procès de ce dernier devant la Cour des pairs. En 1788, il est chargé de rédiger des brochures justifiant des réformes ministérielles et en particulier le projet de cour plénière. C'est aussi un antiphilosophe. Il se signale en 1764 par un pamphlet intitulé *Le Fanatisme des philosophes*. C'est enfin un démocrate avant la lettre et un défenseur des peuples opprimés. Lors de l'insurrection du Brabant, il prend parti pour Van der Noot. En 1791, il défend à la barre de l'Assemblée constituante les droits de l'assemblée coloniale de Saint-Domingue, c'est-à-dire les révoltés noirs « contre la tyrannie des Blancs ». Tout cela ne pouvait lui valoir que beaucoup d'ennemis et beaucoup d'ennuis. Il est d'abord rayé de l'ordre des avocats. En 1774, le privilège de son journal, le *Journal politique et littéraire*, est supprimé. Il passe deux ans à la Bastille (1780-1782). Le seul ministre qui l'ait défendu et protégé a été Vergennes. D'où lui venait sa liberté d'esprit ? Sans doute de sa connaissance du vaste monde. Il avait beaucoup voyagé et séjourné en Espagne, en Suisse, en Autriche, en Angleterre et en Hollande. Un personnage aussi indépendant ne pouvait pas survivre à la Terreur. Il est condamné à mort par le tribunal révolutionnaire de Paris et exécuté le même jour (27 juin 1794). De ses très nombreux ouvrages (qui touchent à tous les domaines) on retiendra surtout sa *Théorie des lois civiles* (1770) qui fit du bruit lors de sa parution.

LIT DE JUSTICE. On entend par lit de justice une séance du parlement de Paris, au cours de laquelle le roi, siégeant en personne, fait enregistrer des lois délibérées dans son Conseil. Les rois tiennent aussi des lits de justice pour déférer la régence et pour la déclaration de leur majorité. C'est ainsi que la majorité de Louis XV a été déclarée en lit de justice, le 22 février 1723.

L'expression « lit de justice » vient de ce que, pendant ces séances, le roi est assis sur un coussin fleurdelisé, deux autres coussins soutenant ses coudes et un ses pieds. Le lit de justice a donc signifié d'abord le trône, puis le tribunal constitué par le trône et enfin la séance au cours de laquelle le roi rendait ses arrêts.

L'opposition incessante du Parlement oblige Louis XV et Louis XVI à tenir de nombreux lits de justice. La liste en serait longue. Citons à titre d'exemple le lit de justice du 26 août 1718, pour l'enregistrement des lettres patentes interdisant au Parlement toute association avec les autres cours, celui du 13 décembre 1756, pour l'enregistrement de la déclaration de discipline et celui du 6 août 1787, pour l'enregistrement de l'édit de la subvention territoriale.

Le lieu du lit de justice peut varier. Ou bien la séance se tient au palais dans la Grand-Chambre, ou bien au Louvre (ainsi le 26 août 1718) ou bien encore à Versailles. Quand la séance a lieu à Versailles, c'est le Parlement qui se déplace et non le roi. Si le lieu varie, le cérémonial est immuable. Le roi est assis sur son trône surmonté d'un dais fleurdelisé. Les princes du sang et les pairs laïcs sont à la droite du trône. Le roi prononce quelques mots. Le chancelier fait ensuite connaître ses intentions. Enfin, le roi rend l'arrêt ordonnant l'enregistrement et se retire avec sa suite.

Il peut y avoir séance royale sans lit de justice. Ainsi, la séance du 3 mars 1766, au cours de laquelle Louis XV fait lire devant lui le fameux texte qui sera qualifié de «discours de la Flagellation», est une simple séance royale, non un lit de justice. Le roi est venu sans son chancelier. Il est assis sur un simple fauteuil et non sur son trône.

LITTÉRATURE DE COLPORTAGE. Les historiens appellent littérature de colportage le fonds de livres populaires diffusé par les colporteurs. L'analyse de ce fonds nous permet de connaître les centres d'intérêt du public populaire.

L'essentiel du fonds avait été constitué au début du XVIIe siècle par les imprimeurs-éditeurs de Troyes. Ces éditeurs avaient eu l'idée de fabriquer des livres très bon marché, c'est-à-dire de petit format, de peu de pages, sans titre ni dos, et sur un papier de mauvaise qualité. La collection s'était appelée «Bibliothèque bleue», à cause des «contes bleus» publiés et de la couverture bleue des ouvrages. La production ne cesse pas au XVIIIe siècle, et même elle s'amplifie. Les imprimeurs troyens (Oudot, Garnier et une dizaine d'autres) réimpriment les ouvrages du siècle précédent et en lancent de nouveaux. Ils ont maintenant de nombreux imitateurs. Dans la France du Nord et dans celle du Centre, toutes les villes importantes ont désormais leur imprimerie de colportage (Chalopin à Caen, Huguetan à Lyon). Cependant, la production est moins libre qu'elle ne l'était. Elle est surveillée par la censure qui peut interdire et interdit effectivement certains livres.

Un ensemble de quatre cent cinquante titres du fonds troyen a été analysé par Robert Mandrou (*De la culture populaire aux XVIIe et XVIIIe siècles. La Bibliothèque bleue de Troyes*, Paris, Stock, 1964). Les ouvrages les plus nombreux sont ceux de piété (25 %). Viennent ensuite les almanachs et les livrets scientifiques et techniques (20 %), les contes

(15 %) et l'histoire de France (un peu moins de 10 %).

Les contes sont des contes de fées (*Peau d'Ane, Cendrillon*) ou bien les aventures extraordinaires de héros populaires comme Gargantua, Till l'Espiègle et Scaramouche. Les almanachs sont divisés en deux parties, l'une d'astrologie, l'autre de recettes et de renseignements pratiques (médecine, soin des bêtes, cuisine, jardinage...). Les livrets techniques ont un caractère très pratique. Ils concernent la médecine (*Le Médecin des pauvres*) ou l'art vétérinaire, comme par exemple le *Recueil des principaux remèdes assurés et éprouvés pour préserver et guérir les bœufs, vaches...*, ouvrage paru dans la seconde moitié du siècle. On trouve aussi de nombreux traités d'arithmétique. *Le Livre des comptes faits* de F. Barrême (1689) est réédité quinze fois au XVIIIe siècle. Les livres de magie sont innocents. L'art de tirer les cartes connaît un grand succès après 1750. Les ouvrages de piété prennent le plus souvent la forme narrative; ce sont la vie du Christ, celles des saints et celles des martyrs. Il s'y mêle des noëls et quelques exercices de dévotion. Les chansons célèbrent l'amour plus que le boire. Les maximes sur le mariage sont un genre très prisé. Le *Tableau de l'amour conjugal* est réédité cinq fois jusqu'en 1751. Quant aux livres d'histoire, ils concernent surtout les temps héroïques, ceux de Charlemagne, des preux chevaliers, des chansons de geste et des croisades.

Il serait important de discerner la part propre au XVIIIe siècle. A première vue, les ouvrages nouveaux publiés après 1715 sont surtout des livrets techniques, des romans galants, des histoires burlesques et des relations de crimes célèbres. Toutefois, cette répartition de la production récente ne modifie pas essentiellement la composition du fonds. La vision du monde reste la même.

Ce monde de la littérature de colportage est un monde gouverné par la divinité, mais que l'homme peut dominer. C'est un monde plein de mystère et de merveilleux. Un monde où le temps a plus de consistance que l'espace. L'homme y réfléchit sur son destin. L'amour, le mariage, la mort, les fins dernières sont ses principaux sujets de réflexion. Il juge plus important de se récréer que de travailler. Enfin ce monde est un monde où l'on cherche à connaître la nature humaine et à établir l'harmonie sociale. Ce monde est en train de disparaître. Les Lumières l'ignorent, mais il respire encore.

LITURGIE. La liturgie est l'ordre des fonctions et des cérémonies du culte. Elle est la règle de la prière publique de l'Église.

Les livres liturgiques sont le Cérémonial, le Rituel, le Bréviaire et le Missel. Le Cérémonial règle dans les moindres détails les gestes et les évolutions des officiants, l'ordre des chants et de la musique et jusqu'aux sonneries annonçant les offices. Le Rituel indique les normes à suivre dans l'administration des sacrements. Le Bréviaire contient l'office divin, et le Missel les textes et les cérémonies de la messe. Chaque diocèse possède ses propres livres liturgiques.

Le calendrier liturgique indique les fêtes à célébrer, ainsi que leur degré de solennité.

L'Église gallicane et chaque diocèse particulier de cette Église revendiquent une certaine autonomie vis-à-vis de la liturgie romaine. Depuis 1660 environ, une liturgie néogallicane est peu à peu mise en place dans les différents diocèses. Les principales tendances de cette évolution (qui se poursuit pendant tout le XVIIIe siècle) sont les suivantes :

— un accroissement de pompe et de majesté : la liturgie se fait de plus en plus démonstrative ; par exemple, les processions se multiplient ;

— une méconnaissance de plus en plus grande du sens symbolique et mystique des cérémonies : on substitue aux raisons sublimes et mystérieuses d'autres raisons qui sont physiques, pragmatiques ou historiques ;

— des changements de plus en plus nombreux dans les textes et dans le calendrier ; une étape très importante est franchie avec les publications du Missel

de Troyes en 1736, et des Bréviaire et Missel de Paris en 1736 et 1738. Ces deux derniers livres seront copiés par quatre-vingts diocèses. L'ordre monastique est gagné par la contagion. Saint-Vanne fait son nouveau bréviaire en 1777, et Saint-Maur le sien en 1787. Dans tous ces nouveaux livres, les antiennes et les répons grégoriens sont remplacés par des prières nouvelles, composées par des auteurs contemporains (comme Charles Coffin). Le calendrier est modifié. Des fêtes sont supprimées, d'autres déplacées. L'esprit est jansénisant et surtout antiromain. On peut parler de révolution liturgique.

LIVRE RELIGIEUX. Dans la production de livres nouveaux, ceux qui traitent de religion tiennent la première place. Ils représentent plus d'un tiers du total des ouvrages imprimés. Le début du siècle (jusque vers 1740) est pour cette production l'époque la plus féconde. Les nombreux ouvrages publiés pendant cette période seront ensuite fréquemment réimprimés. Cependant la veine ne tarit pas. On continue après 1740 à produire du livre religieux. Certains nouveaux titres, comme le *Traité de la paix intérieure* du P. Ambroise de Lombez (1757) et *L'Âme sur le Calvaire* de l'abbé Baudrand (1771) connaissent un grand succès. On les réédite plusieurs fois.

Les chiffres des tirages témoignent de l'importance de la lecture. Pour la seule période 1778-1789, les tirages des rééditions faites en province représentent 1 363 000 exemplaires sur un total de 2 158 400. Ces chiffres sont tirés des permissions simples accordées en vertu de l'arrêt du Conseil du 30 août 1777.

Les ouvrages religieux les plus répandus appartiennent aux catégories suivantes :

— les « manuels du chrétien » (ou « conduites chrétiennes » ou « trésors du chrétien »), qui sont des sortes de vademecum de la dévotion populaire. On y trouve les prières à réciter aux différentes heures du jour, des lectures spirituelles, un résumé des devoirs du chrétien, le texte de la messe, quelques cantiques et un abrégé du catéchisme, bref tout le nécessaire de la vie chrétienne. Le *Trésor du chrétien* publié en 1778 par l'abbé Champion de Pontalier est un bon exemple. Le record des rééditions (cinquante et une entre 1779 et 1789) est tenu par *L'Ange conducteur dans la dévotion chrétienne*;

— les livres dits « d'Église » et les heures (contenant l'office divin); ces ouvrages permettent aux fidèles de suivre la messe et de s'associer à la prière publique de l'Église. On peut donner comme exemple le *Livre d'Église latin-français* imprimé pour la première fois à Paris en 1734;

— les recueils d'instructions populaires et de sermons destinés aux missions; citons les *Instructions courtes et familières pour tous les dimanches et les principales fêtes de l'année. En faveur des pauvres, et particulièrement des gens de la campagne*, par Joseph Lambert (Paris, 1732) et le *Bouquet de la mission*, par Yves Leuduger (1771);

— les livres de spiritualité, parmi lesquels on peut distinguer :

• les auteurs de la réforme catholique : Scupoli (*Le Combat spirituel*), saint François de Sales (*Introduction à la vie dévote*), Louis de Grenade (*Le Guide des pécheurs*), Rodriguez (*Exercices de la perfection et des vertus chrétiennes*), Saint-Jure et Crasset. On continue à lire beaucoup l'*Imitation de Jésus-Christ*, dont vingt et une traductions françaises sont faites au cours du siècle, la plus répandue étant celle de Jean Cusson (faussement attribuée au P. de Gonnelieu), éditée pour la première fois à Nancy en 1712, rééditée deux cent cinquante fois;

• les nouveaux traités de dévotion, dont ceux de la dévotion au Sacré-Cœur. On a pu recenser dix-huit manuels différents publiés entre 1715 et 1785, et traitant de cette dernière dévotion;

— les livres religieux publiés par les imprimeries de colportage; ce sont des noëls ou des instructions chrétiennes en forme de dialogue (par exemple *L'Enfant sage à trois ans*, un des grands succès du siècle); ce sont aussi des livrets d'indulgences et des vies des saints.

La religion qui inspire cette vaste production est celle de la réforme catholique, c'est-à-dire une religion « réglée », d'une fidélité pointilleuse à la loi divine dans toutes les heures de la vie et dans toutes les actions. On peut néanmoins distinguer deux tendances, celle du rigorisme jansénisant, et celle plus optimiste de la nouvelle dévotion du siècle, celle des « dévots ». Cette spiritualité est plus ouverte à la vie réelle. Elle insiste beaucoup sur l'accomplissement du devoir d'état, et sur l'intériorité. « La dévotion la plus intérieure, lisons-nous dans le *Trésor du chrétien*, est la plus cachée, et la plus assurée et la meilleure. »

LOGEMENT. Nous entendons par logement les dimensions des habitations et leur aménagement intérieur.

En ville, on doit évidemment faire la distinction entre les hôtels particuliers de la noblesse et de la grande bourgeoisie, et les autres logements bourgeois et populaires.

De très nombreux hôtels particuliers sont construits dans toutes les villes. Ils sont édifiés entre cour et jardin. La spécialisation des pièces est une caractéristique nouvelle de l'aménagement intérieur. On trouve presque toujours un grand salon (souvent de forme ovale, comme à l'hôtel de Soubise), un salon de compagnie, plus petit et plus intime, et une chambre à coucher d'apparat, où le grand lit est disposé face aux fenêtres. Il y a aussi très souvent une salle à manger, pièce toute nouvelle et qui ne prendra cette dénomination que tardivement, étant encore désignée sous Louis XV comme « antichambre servant de salle à manger ». Les architectes voient grand. Le plan (publié par Michel Gallet, *Demeures parisiennes sous Louis XVI*, Le Temps, Paris, 1964) de l'hôtel construit vers 1770 par Brongniart pour Radix de Sainte-Foix, rue Basse-du-Rempart à Paris, indique vingt-trois pièces, dont une salle à manger, deux salons, un boudoir, un salon de musique, un billard, une galerie de peinture, deux chambres à coucher, plusieurs antichambres et cabinets. L'hôtel est entouré par une cour donnant sur la rue, par un jardin et par une vaste terrasse. Les architectes de ces luxueuses demeures s'efforcent d'isoler les différentes pièces les unes des autres, de créer des passages afin de les desservir et de permettre ainsi une communication qui ne nuise pas à l'intimité. D'où les nombreux antichambres, vestibules et corridors figurés sur les plans. A la maison Richomme, rue du Sentier, dans le bel appartement du premier étage, un corridor dessert la salle à manger, le salon et la cuisine (M. Gallet).

Nous avons, grâce aux travaux de Jean-Claude Perrot (*Genèse d'une ville moderne - Caen au XVIIIᵉ siècle*, Mouton, Paris, 1975), une idée du logement urbain des classes moyennes et populaires à Caen. Le mot entassement n'est pas trop fort. La surface disponible par habitant était en 1793 de 33 m² dans l'île Saint-Jean, 25 m² dans le centre économique de la ville et 15 m² dans les faubourgs populaires. La spécialisation des pièces est encore timide. A la fin comme au début du siècle, la plupart des « chambres » n'ont pas d'affectation particulière, du moins dans les plans et dans les inventaires. Toutefois la majorité des logements ont une « cuisine ». Sur cent appartements dont les inventaires après décès permettent de connaître la distribution, quatre-vingt-dix ont une « cuisine » en 1730 et quatre-vingt-dix également en 1770. Les « salons » sont rares : deux en 1730, treize en 1770. La « salle à manger » est rarissime : cinq et six. Mais, comme dans les hôtels particuliers, on observe une tendance au compartimentage et au cloisonnement. On ouvre des nouvelles portes, on multiple les antichambres. Le désir d'intimité n'est pas seulement le fait des catégories sociales les plus favorisées. Il est vrai que la ville de Caen est une ville importante où souffle l'air de la modernisation. Si l'on regarde le logement des petites villes, on ne voit guère de changements au cours du siècle. A Aurillac par exemple, on continue à se loger à la

mode ancienne dans des maisons ou des appartements composés de « chambres », et dépourvus de pièces dénommées « cuisines ». Seulement 6,2 % des maisons d'Aurillac sont pourvues de « cuisines » (Claude Grimmer, *Vivre à Aurillac au XVIIIᵉ siècle*, Aurillac, 1983).

Le logement populaire à Chartres, ville moyenne, a été étudié par Benoît Garnot, dans une documentation de deux cent quatre-vingt-dix-neuf inventaires après décès de maîtres de métier, de salariés et de domestiques (« Le logement populaire au XVIIIᵉ : l'exemple de Chartres ». *Revue d'histoire moderne et contemporaine*, avril-juin 1989). Ces petites gens ont rarement plus de trois chambres et doivent le plus souvent se contenter d'une ou deux, la densité étant de deux ou trois personnes par chambre. Les pièces spécialisées sont très peu nombreuses. Au début du siècle, un sixième des maîtres de métier et un neuvième des salariés possèdent une « cuisine ». Les « salons », « salles à manger » et « cabinets de toilette » sont inconnus. Un tiers de ces chambres de ces modestes logements n'ont aucun chauffage. Le nombre des chambres pourvues de tentures murales et de rideaux s'accroît notablement au cours du siècle.

Nous connaissons très peu le logement rural et son évolution depuis le siècle précédent. La plupart des études portant sur l'ancien habitat rural ont été faites par des géographes ou par des folkloristes, ou encore par des historiens régionalistes, auteurs pleins de talent et de mérite en général, mais qui ont en commun une certaine indifférence à la chronologie. Ils datent peu. Pourtant, il existe encore aujourd'hui dans les campagnes un certain nombre de maisons sur lesquelles figure, bien en évidence au-dessus de la porte d'entrée, l'inscription de leur date de construction : il serait donc possible de recenser les habitations datant du XVIIIᵉ siècle.

Le logement rural à pièce unique, servant à la fois de cuisine, de salle à manger et de chambre à coucher, est sans doute le cas le plus fréquent. Ce type d'habitation est dominant dans plusieurs provinces, notamment dans celles de Bretagne et du Vivarais. Mais il est loin d'être le seul. Citons, entre autres, ces maisons du Nord et du Centre, construites sur un plan rectangulaire et qui comprennent une cuisine, une chambre et un fournil. Un escalier conduit au grenier. Dans le pays chartrain, la plupart des habitations comportent plus d'une chambre.

Résidences d'été ou du temps de la chasse, les châteaux de la noblesse de cour, des financiers et des parlementaires imitent les hôtels particuliers dans leur plan et dans la disposition des pièces. On construit beaucoup de nouveaux châteaux, mais surtout on répare les anciens pour les mettre au goût de la vie raffinée. C'est ainsi que M. de Rey, conseiller au parlement de Toulouse, modernise son château de Saint-Géry. D'un ensemble disparate formé d'une tour médiévale et d'un corps de logis Louis XIII, il fait un château neuf, plaquant une galerie sur l'ancienne façade, perçant des passages et des corridors, et faisant aménager, pour le confort de ses hôtes et de sa famille, plusieurs « cabinets de toilette » ainsi que des « lieux à l'anglaise », au nombre de quatorze.

LOI. La loi émane du roi et du roi seul.

Les différentes lois peuvent être considérées de deux manières : selon leur objet et selon leur forme. Si l'on regarde l'objet, il existe deux catégories de lois : les privilèges et les ordonnances. Les privilèges sont accordés à des personnes ou à des groupements, et créent ou confirment des situations particulières. Les ordonnances ont une portée générale et ne font pas de différence entre les sujets du roi. Elles se divisent elles-mêmes en ordonnances proprement dites, lois développées englobant des matières diverses, édits ayant un objet plus restreint, et déclarations consacrées à l'interprétation des édits.

Toutes les lois du roi prennent la forme de lettres patentes, c'est-à-dire ouvertes (par opposition aux lettres closes, ou de cachet, qui sont une manifestation du pouvoir exécutif du roi). Les lettres patentes ordonnent l'exécution des lois et jouent en somme le rôle d'une promulgation. Elles sont signées par le roi, contresignées par le secrétaire d'État et munies du grand sceau. Elles passent donc nécessairement entre les mains du chancelier qui contrôle leur régularité avant d'apposer le sceau. Cependant, si toutes les lois sont des lettres patentes, la forme de ces lettres peut être plus ou moins solennelle. Les ordonnances prennent la forme la plus solennelle. Elles sont datées seulement du mois et de l'année. Elles s'adressent « à tous présents et à venir ». Elles sont scellées de cire verte sur lacs de soie. Les édits observent les mêmes formes diplomatiques. Les déclarations sont des petites lettres patentes. Elles sont datées du jour, du mois et de l'année, sont scellées de cire jaune et sont adressées seulement « à tous ceux qui ces présentes lettres verront ».

Existe-t-il d'autres lois que les privilèges et ordonnances ? La question se pose de savoir si les arrêts du Conseil sont ou non des lois. Les historiens du droit diffèrent à ce sujet. Selon P. C. Timbal (*Histoire des institutions et des faits sociaux*, Dalloz, 1966, p. 337), ce ne sont pas de véritables lois. Pour F. Olivier-Martin (*Histoire du droit français des origines à la Révolution*, éd. du CNRS, 1985, p 444), ce sont de véritables lois, mais d'une forme très simple. Quant aux coutumes, les jurisconsultes du XVIIIᵉ siècle ont tendance à les considérer comme des lois. La coutume, dit C. J. Ferrière (*Dictionnaire de droit et de pratique*, 1775), est une « loi écrite à qui le roi donne la forme et le caractère de loi » et « dont les dispositions sont arrêtées par le caractère des habitants ». Restent les lois dites fondamentales, qui sont des lois à part, puisqu'elles n'émanent pas du roi.

Le roi fait les lois et les fait seul. Il les fait en son Conseil. Toutefois, il est admis que les cours souveraines participent au pouvoir législatif en intervenant de deux manières : par les arrêts d'enregistrement et par les remontrances. Cependant, ni les arrêts ni les remontrances n'ont valeur de consentement. Dans la doctrine officielle de la monarchie, ce ne sont que des vérifications. Les cours sont le roi. Ainsi le roi se contrôle lui-même.

La loi n'est pas au-dessus du roi. «Le prince n'est pas lié par les lois» (*Princeps legibus solutus est*). Cet axiome d'Ulpien est souvent posé en principe. Mais si le roi n'est pas lié par sa propre loi, il a obligation de la respecter. Cette obligation lui est imposée par sa conscience de chrétien. «Le prince, écrit Le Gendre de Saint-Aubin, de sa propre volonté doit se conformer au précepte de la loi et il est tenu de son observation par rapport au jugement de Dieu» (cité par M. Antoine).

Selon l'esprit des institutions monarchiques, la loi n'est pas un absolu. Dieu et le roi sont au-dessus d'elle. Elle n'est pas non plus le résultat d'un contrat, ni l'expression d'un rapport, et donc, bien que n'étant pas un absolu, elle n'est pas de nature changeante. La philosophie des Lumières élabore une théorie très différente. Pour Montesquieu, par exemple, dans l'*Esprit des lois*, la loi est quelque chose de relatif et de changeant, puisqu'elle exprime un rapport, mais en même temps elle règne souverainement : «La loi, écrit-il, est la reine de tous, mortels et immortels.» Jean-Jacques Rousseau développera une théorie analogue du pouvoir absolu de la loi, expression de la volonté générale.

LOIS FONDAMENTALES. On appelle lois fondamentales certaines lois anciennes et intangibles, réglant la dévolution de la couronne et le statut du domaine royal.

Au XVIIIe siècle, l'expression est communément employée. On la trouve chez la plupart des théoriciens et des jurisconsultes. Saint-Simon, Le Gendre de Saint-Aubin et Malesherbes, pour ne citer que ces trois auteurs, en font un usage fréquent.

Pourtant, il faut convenir que le sens de l'expression n'est pas clairement défini. Combien y a-t-il de lois fondamentales ? Quelles sont précisément ces lois ? Les réponses varient. Les historiens ont augmenté la confusion. Certains comptent quatre lois fondamentales, d'autres six, d'autres sept. Il est difficile de s'y retrouver.

Un premier point est certain. Au XVIIIe siècle, les lois fondamentales sont considérées comme des lois aussi anciennes que la monarchie et comme des lois coutumières. Le Gendre de Saint-Aubin les définit ainsi dans son *Traité de l'opinion* (1733-1735) : «Les lois fondamentales sont celles qui sont observées de toute ancienneté et sans interruption, qui sont essentielles à la forme d'un gouvernement, d'où la sûreté et le salut du public dépendent, dont on ne trouve point d'origine dans aucune promulgation, parce qu'elles sont nées avec l'État et n'ont d'autre commencement que le gouvernement lui-même. »

L'autre certitude concerne certaines lois reconnues unanimement comme fondamentales.

Ce sont d'abord celles qui règlent la dévolution de la couronne. Il est généralement admis que la succession au trône n'est pas héréditaire, ni élective, mais légale et statutaire. C'est ce qu'on peut appeler l'«indisponibilité» de la couronne : le roi ne peut disposer de sa couronne à sa guise, ni par acte entre vifs, ni par testament. La couronne impose un successeur à son titulaire, qui ne peut rien changer à cette désignation.

Les femmes et les bâtards et les hérétiques sont exclus de la succession.

Les femmes par la loi dite «salique». Dans ses *Règles du droit français*, Pocquet de Livonnière formule ainsi la loi salique : le royaume «est déféré aux mâles à l'exclusion des filles». Cette loi est unanimement révérée. Saint-Simon l'appelle «la loi fondamentale» : «La loi fondamentale de l'État, écrit-il, qui en règle la succession par une disposition consacrée depuis tant de siècles.»

Les bâtards avaient été exclus formellement par les édits d'août 1374 et de novembre 1392. Cette exclusion reçoit une nouvelle confirmation par l'édit de juillet 1717 annulant celui de juillet 1714, qui admettait à la succession les bâtards légitimés de Louis XIV.

Les hérétiques sont exclus en vertu du

serment du sacre, le roi promettant à son sacre de chasser les hérétiques hors de son royaume. Cependant, le principe de catholicité a été expressément formulé par les états généraux de Blois de 1588, et confirmé par l'abjuration d'Henri IV en 1593.

Les autres lois unanimement reconnues comme fondamentales sont celles qui concernent le domaine royal. Elles sont au nombre de deux et peuvent être formulées ainsi :
— le domaine est inaliénable ;
— les biens personnels du prince appelé à la couronne tombent dans le domaine.

Le principe de l'inaliénabilité était très ancien. Il a été confirmé par l'ordonnance de Moulins de février 1566, par l'ordonnance de Blois de mai 1579 et par l'édit de juillet 1717.

Il n'y a pas d'autres lois fondamentales unanimement reconnues comme telles. Certains auteurs considèrent comme une loi fondamentale la loi concernant la majorité royale, loi formulée comme suit : « Le roi est majeur à treize ans accomplis. » Mais cette loi n'est pas issue d'un principe ancien. Elle a été promulguée par Charles V au mois d'août 1393. Elle n'a donc pas le caractère de coutume des lois fondamentales. Il ne semble pas non plus que l'on puisse compter parmi les lois fondamentales les serments du sacre et l'indépendance de la puissance temporelle par rapport à la puissance spirituelle. Un serment n'est pas une loi. Quant à l'indépendance vis-à-vis de la puissance spirituelle, c'est-à-dire vis-à-vis de l'Église et du pape, elle se rattache à la fois à la souveraineté et aux libertés gallicanes.

Les lois fondamentales ont un double effet. Elles placent l'État au-dessus du roi. Elles font que le roi n'a plus rien d'une personne privée. Le prince n'est que le serviteur de l'État. La continuité du pouvoir est assurée par la loi salique, aucun prince salique ne pouvant renoncer à la succession. « Le roi, dit l'adage, ne meurt jamais en France. » Elles font que le roi n'a plus rien d'une personne privée. Il n'a pas de vie privée. Il n'a pas

de patrimoine. Il appartient tout entier au public. S'il n'était pas sacré, il ne se distinguerait en rien de l'État.

François Olivier-Martin appelle les lois fondamentales les « lois constitutionnelles de la monarchie ». Il s'agit bien en effet d'une constitution. La formule « constitution de la monarchie » est d'ailleurs employée dans une déclaration royale du 26 avril 1723, pour désigner les lois fondamentales. C'est une constitution très différente de nos constitutions modernes : la plus grande partie n'en est pas écrite, et son essence est coutumière. On pourrait la rapprocher de la Constitution anglaise si elle n'était beaucoup plus rigide.

Car il est impossible de la changer, ou de la modifier en quoi que ce soit. Le roi dit qu'il est dans l'« heureuse impuissance » de la changer. Cette formule de l'« heureuse impuissance » était déjà dans un traité de politique de 1667, inspirée par Louis XIV. On la retrouve dans l'édit de juillet 1717, et elle est encore reproduite dans un édit de février 1771, parlant de « ces institutions que nous sommes dans l'heureuse impuissance de changer ».

On est en droit de se demander si cette impuissance est véritablement aussi « heureuse » que le dit le roi. Les lois humaines ne sont pas les lois divines. S'il est mauvais de les changer constamment, il n'est pas bon de ne pouvoir jamais les modifier. Ainsi, il n'a pas été bon au XVIIIe siècle de ne pouvoir exclure définitivement le roi d'Espagne de la succession salique. En effet, la renonciation d'Utrecht était considérée par le droit français comme non valable. Il était donc toujours possible au roi d'Espagne de prétendre au trône de France. Mais ce même droit français n'offrait aucune solution pour écarter définitivement cette menace.

LOMÉNIE DE BRIENNE, Étienne Charles (Paris, 9 octobre 1727 - *id.*, 16 février 1794). Second fils de Nicolas de Loménie et de Montbron, il est l'un des hommes qui ont le plus compté au XVIIIe siècle, à la fois dans l'Église et dans l'État.

Une carrière ecclésiastique brillante le conduit en peu d'années à l'épiscopat. Grand vicaire de Rouen (1752), conclaviste du cardinal de Luynes (1758), évêque de Condom (1760), il accède en 1763 à l'archevêché de Toulouse, et en 1787 à celui de Sens. Il est finalement créé cardinal le 15 décembre 1787.

Il a embrassé, dès le temps de ses études, la religion très « éclairée », c'est-à-dire très diluée, prônée par la secte philosophique. Ses thèses de théologie, soutenues le 30 octobre 1751, porteraient déjà la marque de cet esprit. Il est lié à Morellet, à Turgot et à d'Alembert. C'est ce dernier qui le fait élire à l'Académie française (décembre 1770), et qui écrit ensuite à Voltaire : « Soyez sûr encore une fois que jamais la raison n'aura à s'en plaindre. Nous aurons en lui un très bon confrère qui sera certainement utile aux lettres et à la philosophie, pourvu que la philosophie ne lui lie pas les mains par un excès de licence, et que le cri général ne l'oblige pas à agir contre son gré. »

Cependant, Loménie ne veut pas la destruction de l'Église, mais sa réforme selon les principes de la raison. Rapporteur de la commission des réguliers, de 1766 à 1780, il poursuit un double objectif : restaurer les observances primitives, et détacher l'ordre monastique de Rome. C'est ainsi, par exemple, qu'il fait interdire aux bénédictins de Saint-Vanne d'appeler au Saint-Siège des décisions de leur chapitre général. A l'assemblée du clergé, où il joue un rôle important depuis 1762, il essaie de promouvoir le renouvellement des institutions. Il y présente plusieurs rapports, dont celui — très alarmant — de 1775, sur la baisse des vocations.

L'assemblée des notables de 1787 lui fournit l'occasion, attendue depuis longtemps, de jouer un grand rôle politique. Il s'y pose en adversaire de Calonne, et contribue à l'échec de ce dernier. Le 1er mai 1787, sur la recommandation de la reine, il est lui-même au ministère, où il remplace son adversaire, avec le titre de chef du Conseil des finances. En août, il sera nommé « principal ministre ».

Son ministère est le plus catastrophique du règne. Il avait critiqué Calonne, mais n'avait rien à proposer. C'est finalement le plan de Calonne amendé qu'il tente, mais en vain, de faire accepter d'abord aux notables, ensuite aux parlements. Deux fois, lui et le roi capitulent devant les cours. Le 19 septembre 1787, la réforme fiscale enregistrée en lit de justice le 6 août est retirée. La réforme judiciaire, édictée le 8 mai 1788, est abandonnée deux mois après. Le 16 août, la banqueroute est déclarée. Brienne démissionne le 25 août.

Vient la Révolution. La Constitution civile du clergé s'accorde parfaitement à ses vues. Il est l'un des sept évêques à prêter serment. Pie VI lui en fait grand reproche (bref du 23 février 1791). Alors, le 26 mars 1791, il démissionne de la dignité cardinalice. La Terreur ne lui fera pas grâce pour autant. Arrêté à Sens le 9 novembre 1793, il meurt peu après, suicidé croit-on.

LOMÉNIE DE BRIENNE, Athanase Louis Marie, comte de (1730-1794). Lieutenant général des armées du roi, ministre de la Guerre, il est le frère cadet de l'archevêque de Toulouse. Il était plus connu pour le faste de son train de vie que pour ses mérites militaires, d'ailleurs honorables. Il avait épousé une roturière très riche, mais aussi très laide. « Mme de Brienne, écrit Norvins, avait en laideur ce qui lui manquait en esprit : aussi jamais dot aussi considérable ne fut plus légitime. » Les millions de la dot furent convertis en bâtisses. Le comte reconstruisit superbement le château de Brienne en Champagne. Il acheta le bel hôtel de la rue Saint-Dominique, devenu aujourd'hui le ministère de la Guerre. La politique vint à lui. Le roi le nomma à l'assemblée des notables de 1787. Son frère fit de lui un ministre de la Guerre. Il avait peu d'expérience et ses talents étaient modestes. Besenval écrit : « Je n'ai jamais entendu louer le comte de Brienne que sur sa probité. » Le rôle du nouveau ministre se réduisit à approuver les réformes et les économies décidées par le Conseil de la guerre. Lors du départ de son frère, il donna sa démission (25 août 1788) mais le roi ne l'accepta que le 27 novembre. Il était, comme son frère, d'esprit philosophique. La Révolution ne lui en tint aucun compte. Sa mort fut cruelle. Il fut guillotiné le 10 mai 1794, en même temps que sa fille, Mme de Canisy, ses deux fils et son neveu de Loménie, archevêque de Trajanopolis.

LORGES, Guy Michel de Durfort de, duc de Randan. *Voir* **RANDAN, Guy Michel de Durfort de Lorges,** duc de.

LORIENT. Lorient — on orthographie L'Orient — est la ville de la Compagnie des Indes, le chantier de ses constructions navales (depuis 1730), le port de ses armements et de ses désarmements, le siège de ses ventes depuis 1734. La suspension en 1769 du privilège de la Compagnie n'interrompt pas le commerce avec les Indes : dans les années précédant la guerre d'Amérique, Lorient fait encore 38 % du tonnage à destination de l'océan Indien (Le Bouëdec, contribution à *L'Histoire de Lorient,* sous la direction de Claude Nières, Toulouse, 1988).. Cependant, le commerce avec les États-Unis d'Amérique prend de plus en plus d'importance. Créé en 1784, le port franc est destiné à attirer le commerce américain.

Lorient est une ville champignon ; sa population passe de 6 000 habitants à plus de 20 000 en 1789. Cette croissance sans équivalent est due à l'immigration.

Ville d'entreprises et d'affaires, Lorient ne se soucie pas de son aspect monumental. Elle est toutefois la seule ville de Bretagne à se doter d'une salle de théâtre (construite par Detaille entre 1770 et 1780).

LORRAINE. La Lorraine est divisée en trois parties qui sont les Trois-Évêchés, le duché de Bar et celui de Lorraine.

Les Trois-Évêchés (Metz, Toul et Verdun) sont rattachés au royaume depuis 1552. Ils forment un gouvernement et une généralité. Le gouverneur et l'intendant résident à Metz où siège le parlement. Le maréchal de Belle-Isle a été gouverneur des Trois-Évêchés pendant plus de trente ans.

Les deux duchés de Bar et de Lorraine sont cédés par le duc François III à l'ex-roi de Pologne et beau-père de Louis XV, Stanislas Leszczyński, le 25 septembre 1736 pour le premier duché, le 13 février 1737 pour le second. Mais le roi Stanislas (qui garde son titre de roi) n'a qu'une petite partie du pouvoir. Aux termes de la convention secrète de Meudon (1736), les impôts devront être levés au profit du roi de France et l'administration confiée à des Français sous l'autorité d'un chancelier nommé par Stanislas, mais jouissant des pouvoirs d'un intendant de généralité. Cette fonction est exercée d'abord par Antoine Martin Chaumont de La Galaizière, ensuite par son fils. A la mort de Stanislas en 1766, les deux duchés sont rattachés à la France, ne formant plus qu'une seule généralité. Une cour souveraine de Lorraine et de Barrois siège à Nancy.

De nombreuses constructions transforment et embellissent le visage monumental de la Lorraine : bâtisses civiles (place Stanislas à Nancy, aménagement à Metz de l'île du Petit-Saulcy, pour ne citer que ces deux exemples), bâtisses ecclésiastiques (palais épiscopaux de Metz et de Verdun, reconstruction de plusieurs monastères des vannistes) et bâtisses militaires (forteresse de Bitche et nouvelles fortifications de Metz). Mais la province n'est pas aussi prospère que l'activité du bâtiment pourrait le faire croire. L'agriculture décline ; les paysans quittent la terre, la croissance démographique est contrariée par les disettes et les épidémies. Visiblement, l'administration française ne réussit pas tellement à la Lorraine.

La vie religieuse est marquée par les influences très différentes des jésuites et des bénédictins de Saint-Vanne très proches du jansénisme. Protégés par le roi Stanislas, les jésuites enseignent à la jeunesse et font de nombreuses missions dans les campagnes. Leur départ en 1768 crée un vide et favorise la diffusion des Lumières.

LOUIS XV (Versailles, 15 février 1710 -
id., 10 mai 1774), Roi de France, troisième fils du duc de Bourgogne et de
Marie-Adélaïde de Savoie, arrière-petit-
fils de Louis XIV, il a été dauphin à
l'âge de deux ans, et roi à cinq ans. Orphelin de père et de mère, n'ayant ni
frères ni sœurs, il se ressentira toute sa
vie de cette enfance solitaire, et son caractère ne s'épanouira jamais complètement. Sacré à Reims en 1722, déclaré
majeur l'année suivante, il est marié en
1725 à la princesse de Pologne Marie
Leszczyńska, qui lui donnera dix enfants, dont un seul fils.

C'est un bel homme, jouissant d'une
grande force physique et d'une étonnante santé. Dans le divertissement
quasi quotidien de la chasse, il satisfait
son besoin de vie au grand air. Une instruction humaniste et scientifique très
poussée, le fait qu'il ait assisté aux
séances du Conseil depuis l'âge de dix
ans et les leçons de politique pratique
données par le Régent l'ont bien préparé
techniquement à son métier royal, qu'il
exercera toujours avec la plus grande
conscience, quoique de manière «plumi-
tive et paperassière» (M. Antoine,
Louis XV). Il a, pour gouverner, des dons
d'intelligence et de jugement. Il lui
manque celui de l'assurance et de la
confiance en soi. Comme le dit son ami
le duc de Croÿ, «il ne présume pas assez
de lui-même».

Ce n'est qu'après la mort de Fleury
(1743), qu'il commence à gouverner entièrement par lui-même. Les ministres
qu'il choisit sont des hommes brillants,
habiles, compétents, mais trop souvent
sceptiques, cyniques ou découragés. A
l'exception de quelques-uns (Machault,
Chauvelin, Maupeou), ce ne sont pas de
grands caractères. Louis XV a l'impression d'être mal servi. Mais ce roi timide,
secret, dissimulé, peu loquace, n'est pas
facile à servir.

Les débuts du gouvernement personnel sont heureux. La guerre de Succession d'Autriche permet au roi de s'illustrer. Il fait en personne les deux
campagnes de Flandre de 1744 et 1745.
A Fontenoy (1745), le mérite de la vic-

toire lui revient en grande partie. Sa popularité est à son zénith. Lorsqu'en août
1744 il tombe malade à Metz, la France
entière fait des vœux pour sa guérison. Il
est vraiment Louis le «Bien-Aimé».

Mais, à partir de 1749, les difficultés
et les échecs s'accumulent. La seule entreprise réussie est le renversement des
alliances, c'est-à-dire l'alliance autrichienne conclue en 1756. Encore est-elle
mal comprise par l'opinion. Pour le
reste, le gouvernement de Louis XV
s'avère impuissant, incapable d'imposer
aux privilégiés sa politique fiscale, incapable de mettre fin au conflit du Parlement et du clergé, incapable surtout de
maîtriser l'opposition incessante des parlements. Véritable série de désastres, la
guerre de Sept Ans se solde par la perte
du Canada (1763). L'année 1757, la première de la guerre, a été la plus noire du
règne, marquée par l'attentat de Damiens (5 janvier) et par la défaite de
Rossbach. Louis XV sombre dans une
noire tristesse.

En 1771 il se reprend. C'est le coup de
majesté. Les parlements sont dissous et
remplacés par de nouvelles cours. Le roi
peut enfin gouverner. La déclaration
royale appelée «discours de la Flagellation», lue au parlement de Paris le
3 mars 1766, avait en quelque sorte annoncé le rétablissement de l'autorité. Le
roi y avait rappelé les principes fondamentaux de la monarchie, disant notamment ceci : «C'est dans ma personne
seule que réside la puissance souveraine,
dont le caractère propre est l'esprit de
conseil, de justice et de raison.» On voit
dans ce texte que Louis XV se faisait
une idée très claire et très exacte de la
nature de son pouvoir, et qu'il n'était
nullement influencé par les idées politiques des philosophes.

Cependant, le sens chrétien de la monarchie française lui échappe. Certes, il
est lui-même très croyant. Certes, il
choisit de bons évêques. Mais il est le roi
qui a institué la commission des réguliers, et qui a supprimé la Compagnie de
Jésus, compromettant ainsi gravement la
formation chrétienne de la jeunesse. Curieux roi «Très Chrétien», qui ne fait

plus ses Pâques et qui, depuis 1739, ne touche plus les malades des écrouelles. Peut alors parler de sa «haute conscience de la mission religieuse de la royauté» (M. Antoine, *Louis XV*)?

En 1749, il commence à devenir impopulaire. Cela ne fera que s'aggraver. Les reproches adressés au roi sont quelquefois injustifiés. C'est le cas, en particulier, des enlèvements d'enfants dans l'affaire de 1749. Mais tout n'est pas immérité. Il faut convenir que Louis XV donne prise. Il y a d'abord le scandale de sa vie privée, de ses cinq maîtresses titulaires successives (les trois sœurs Nesle, la Pompadour et la du Barry), et de ses «petites maîtresses». Comment la France populaire, demeurée fortement chrétienne, respecterait-elle un roi aussi dépravé? Il y a aussi les interventions des maîtresses dans les affaires politiques. Par exemple, Mme de Pompadour fait renvoyer Machault et d'Argenson, et Mme du Barry obtient la disgrâce de Choiseul. Il y a enfin l'isolement du roi, l'absence de tout contact avec la population. Louis XV vit replié sur lui-même et sur une petite société de favoris, qu'il emmène avec lui à la chasse, et qu'il reçoit à souper dans ses «petits appartements». Il reste cantonné dans ses palais. Il évite Paris autant que possible. A part les campagnes de Flandre et un voyage éclair au Havre, il ne paraîtra jamais dans les provinces. La royauté avec lui se bureaucratise, et la monarchie se sépare de la nation.

LOUIS. (Versailles, 4 septembre 1729 - Fontainebleau, 20 décembre 1765). La vie du dauphin Louis, quatrième enfant de Louis XV et de Marie Leszczyńska, n'a jamais fait l'objet d'aucune étude scientifique. On doit se rapporter — non sans risques — aux mémoires du temps et à des biographies édifiantes.

Ce prince a été élevé d'abord par la duchesse de Ventadour, ensuite par le duc de Châtillon. Enfant et adolescent, il manifeste une nature vive et bouillante. En 1745, lors de la campagne de Flandre, où il se trouve avec le roi, son impétuosité est remarquée de toute l'ar-

mée. A Fontenoy, selon un témoin, le baron d'Espagnac, «M. le Dauphin couroit l'épée à la main à la tête de la Maison du roi; on eut bien de la peine à l'arrêter.» Louis XV n'encourage pas ce penchant guerrier. Il ne permet pas à son fils de suivre les campagnes des années suivantes. Il ne désire pas non plus l'associer véritablement aux affaires. L'entrée du Dauphin dans les conseils sera tardive : à l'âge de vingt et un ans au Conseil des dépêches, à vingt-huit ans au Conseil d'en haut. D'ailleurs le prince ne partage pas, tant s'en faut, les vues de son père. Il désapprouve la politique de Choiseul, demande plus de fermeté à l'égard des «philosophes» et, bien qu'il ne soit nullement l'homme des jésuites, voudrait empêcher leur suppression. Enfin, il déplore l'influence exercée par Mme de Pompadour sur la politique royale.

Cette relative mésentente ne diminue pas l'affection mutuelle que se vouent le père et le fils, ni le respect profond que le Dauphin porte au roi. S'il peut arriver que, dans le Conseil, le prince exprime un avis différent de celui de son père, il ne le fait jamais sans la plus grande modération. Il a des amis et des fidèles (sa sœur, Madame Adélaïde, Boyer, évêque de Mirepoix, Nicolaï, évêque de Verdun, le duc de Châtillon, le comte du Muy), mais il n'a pas de parti. Jamais il ne fera d'opposition.

Privé d'occupations actives (si ce n'est quelques exercices militaires au camp de Compiègne), il s'adonne à l'étude, lisant les classiques et l'histoire, apprenant l'anglais et se passionnant pour le droit. Sa connaissance des anciens jurisconsultes surprendra maintes fois les membres du Conseil. Il écrit aussi énormément sur les matières de politique et de morale. La plupart de ses papiers ont été brûlés sur son ordre lors de sa dernière maladie, mais il en est resté assez pour nous donner une idée de sa pensée politique. Il est un adepte des théoriciens du droit naturel (Grotius et Pufendorf), des préreliberaux français et, plus précisément, de Fénelon. Sa conception de la royauté n'est autre que celle du

Télémaque. Le roi est un père et ne doit s'occuper que du bonheur de ses sujets. « Le Monarque, écrit-il, doit se regarder comme le chef d'une nombreuse famille. Il doit aimer ses Peuples [...] comme un Père aime ses propres enfants. » « Le principal objet de l'attention d'un Roi, écrit-il encore, est le soulagement de ses peuples ; et sa plus grande gloire est de les rendre heureux. » Cette idée du pouvoir, le Dauphin la transmet à ses fils, dont il surveille attentivement les études, se faisant présenter deux fois par semaine les résultats de leurs travaux.

Il a été marié deux fois. Ayant adoré sa première femme, l'infante Marie-Raphaëlle, il a de la peine à se faire à la seconde, Marie-Josèphe de Saxe. Au début, celle-ci se plaint d'être trompée. Le Dauphin n'a donc pas toujours été le parangon de vertu décrit par ses hagiographes. Mais il l'est vite devenu, vivant isolé au milieu de la Cour, se tenant éloigné des fêtes, et formant avec sa femme et ses huit enfants (cinq seulement survivront) une famille exemplaire. Il y aura même chez lui, à la fin de sa vie, un côté rigoriste et moralisateur. « Le Monarque, écrira-t-il, doit apporter les soins d'un père à régler les mœurs de ses sujets. » Sa foi a toujours été très vive, et sa dévotion intense. Il récite chaque jour l'office du diocèse de Paris. Sa piété eucharistique est remarquable. « C'est dans la Messe, dit-il, que nous trouvons de quoi effacer nos péchés. »

Sa mort, après trois mois de maladie (probablement une pneumonie), est un coup très dur pour Louis XV, qui redoutait par-dessus tout de laisser après lui un héritier mineur. Mais le Dauphin aurait-il su régner ? Il est certain qu'il n'en avait pas le désir. On l'avait souvent entendu déplorer « le malheur d'être roi ». Son fils, le roi Louis XVI, héritera non seulement de sa philosophie politique, mais aussi de sa crainte du pouvoir.

LOUIS XVI (Versailles, 23 août 1754 - Paris, 21 janvier 1793). Roi de France, petit-fils de Louis XV, fils du dauphin Louis et de la dauphine Marie-Josèphe de Saxe, il devient Dauphin lui-même en 1765 par la mort de son père. Le 16 mai 1770, il épouse Marie-Antoinette d'Autriche. De ce mariage (consommé seulement sept ans plus tard) naîtront quatre enfants dont deux morts avant la Révolution. Il accède au trône le 10 mai 1774, et se fait sacrer à Reims le 11 juin 1775. Il a vingt ans.

Son instruction a été très complète et très poussée. On lui a tout appris, et même, dès l'âge de huit ans et demi, la morale politique et le droit public. Son gouverneur, le duc de La Vauguyon, écrivait pour lui des « Instructions », par lesquelles il prétendait lui communiquer à la fois « piété, bonté, justice et fermeté ». Cependant, cette éducation comporte une lacune. Nous n'y trouvons pas trace d'une formation politique pratique, semblable à celle reçue par Louis XIV de Mazarin et par Louis XV du Régent.

Cet homme instruit est aussi un homme équilibré. La variété de ses goûts en témoigne : grand liseur, il est aussi grand chasseur, habile aux travaux de menuiserie et de serrurerie, expert dans les sciences de marine et de géographie. Visitant le port de Cherbourg, il étonnera les ingénieurs par la pertinence de ses observations. Lors du départ de La Pérouse, il dressera lui-même ses instructions. Sa vie personnelle sera toujours d'une grande dignité. Il se montrera toujours bon père et bon époux.

Deux idées dominent sa pensée politique, celle de bonheur et celle de nation. D'une part, il ne cesse de souhaiter le « bonheur du peuple ». D'autre part, il voit dans la nation un être distinct du monarque, et dont ce dernier doit écouter les requêtes. Louis XVI est donc d'une certaine manière un démocrate. Il est très marqué par Fénelon, mais il a subi également l'influence de la philosophie des Lumières. Il ne veut pas être un roi comme ses prédécesseurs. Les premiers actes de son gouvernement témoignent d'une volonté de rupture avec le règne de Louis XV. C'est d'abord le renvoi des ministres du Triumvirat (août 1774). C'est ensuite la nomination au Contrôle général de l'intendant Turgot, ami des « philosophes » et « philosophe » lui-même. C'est enfin, en novembre, le rappel des parlements. Le choix comme mentor de Maurepas, ministre autrefois disgracié par Louis XV, est aussi à mettre au compte de ce désir de tout changer.

Ou de tout réformer. Louis XVI veut être un roi réformateur. Il choisit pour principaux ministres des hommes « éclairés », animés de la même volonté d'adapter l'Ancien Régime aux idées modernes de liberté, de tolérance et de respect de l'« opinion publique ». Les principaux ministres successifs, Turgot, Necker, Calonne, Loménie de Brienne, et à nouveau Necker, abondent tous en projets de réformes.

Certains projets aboutissent. Ainsi sont réalisées la réforme judiciaire abolissant la question préparatoire, la réforme administrative instituant les assemblées provinciales (23 juin 1787) et la réforme corrigeant la révocation de l'édit de Nantes, et donnant un état civil aux protestants (janvier 1788).

Par contre, la réforme fiscale échoue. Ce n'est pas que le roi ne la souhaite pas, mais il n'a pas la force de l'imposer. Il approuve le plan Calonne de 1786, créant une « subvention territoriale », impôt perpétuel en nature sur tous les revenus fonciers sans exception, mais, devant la résistance de l'assemblée des notables et des parlements, il abandonne le plan et renvoie son auteur.

Après le rappel des parlements, les deux décisions les plus importantes du règne, et les plus lourdes de conséquences, sont celles de la guerre d'Amérique (1778) et de la convocation des états généraux (1788). Or, ces décisions ne procèdent pas de la volonté du roi, mais lui sont imposées par l'« opinion publique », aux vœux de laquelle il se fait un devoir de déférer.

Désormais, les événements lui échappent complètement. La Révolution qui commence le domine immédiatement. Le 27 juin 1789, capitulant devant le tiers état, il consent à la délibération en commun des trois ordres, et au vote par tête. Il signe ainsi lui-même l'arrêt de mort de l'ancienne monarchie. De ce

jour il n'est plus qu'un roi constitutionnel, n'ayant que le droit de veto et le pouvoir exécutif. Dans les débuts il se fait assez bien à ce nouveau rôle et sanctionne l'œuvre de l'Assemblée constituante. Mais, en 1791, commençant à comprendre la véritable nature du nouveau régime, il manifeste des velléités de résistance. Il tente d'abord de s'échapper (fuite de Varennes, en juin), puis il refuse de sanctionner les décrets sur les émigrés et les prêtres réfractaires (décembre). Ce refus déclenche l'émeute du 20 juin, puis celle du 10 août, qui entraîne sa déchéance. Il est enfermé au Temple avec sa famille, jugé dans une parodie de procès, et condamné à mort.

C'est alors qu'il devient parfaitement le roi sacrifié, le roi victime. L'idée du roi sacrifié lui avait toujours été chère. Elle revenait souvent dans ses propos. Par exemple, le 20 juin 1791, il s'était dit « fidèle au système de sacrifice » qu'il « s'était fait pour procurer la tranquillité publique ». Or ce sacrifice, le roi l'accomplit le 21 janvier 1793 quand il est guillotiné. On lui a déjà tout pris, son trône, sa liberté, sa famille (dont il a été séparé le 12 décembre). Il lui reste à donner sa vie. On connaît ses dernières paroles : « Je meurs innocent des crimes qu'on m'impute. » Il se présente en victime innocente. On sait son grand courage devant la mort. « Cet homme, écrivit Mme de Staël, cet homme qui manqua de la force nécessaire pour préserver son pouvoir, et fit douter de son courage tant qu'il en eut besoin pour repousser ses ennemis ; cet homme dont l'esprit naturellement timide ne sut ni croire à ses propres idées, ni même adopter en entier celles d'un autre ; cet homme s'est montré tout à fait capable de la plus étonnante des résolutions, celle de souffrir et de mourir. »

LOUIS XVII (Versailles, 27 mars 1785 - Paris, 3 ou 4 juin 1795). Duc de Normandie, il est le deuxième fils de Louis XVI et de Marie-Antoinette. Il devient Dauphin à la mort de son frère aîné, le 4 juin 1789, et roi de France à la mort de son père, le 21 janvier 1793. Sa mère et sa troisième gouvernante (après la princesse de Guéménée et la duchesse de Polignac), Mme de Tourzel, l'ont dépeint comme un enfant intelligent, nerveux, «bon et caressant», et d'un amour-propre souvent excessif. Il a vécu à Versailles, puis aux Tuileries, enfin au Temple. Les nouveaux maîtres de la France ont montré leur humanité en séparant cet enfant de sa mère (3 juillet 1793), et en l'isolant dans sa chambre à partir du mois de janvier 1795. Ils ont montré leur vertu en lui faisant signer une dénonciation d'inceste contre sa mère (6 octobre 1793). Ainsi se termine le siècle des Lumières et de la pédagogie «éclairée» : par la persécution d'un enfant.

LOUIS, Victor (Paris, 1731 - v. 1811). Architecte, il obtient en 1755 le grand prix d'architecture et séjourne à Rome à l'Académie de France de 1756 à 1759. Lorsqu'il revient d'Italie, le comte de Caylus l'associe à ses recherches et à ses publications, ouvrages qui préparent l'avènement du néoclassicisme. Les façades de l'hôtel Richelieu à Paris et le théâtre de Besançon (1770) comptent parmi ses premières grandes réalisations.

Appelé à Bordeaux en 1773 par le duc de Richelieu, Victor Louis marque cette ville de sa manière gréco-romaine, y construisant plusieurs hôtels et le Grand-Théâtre (1775-1780) dont le péristyle colossal et l'escalier à triple volée (plus tard imité par Garnier à l'Opéra de Paris) forment les éléments les plus représentatifs.

La troisième partie de sa carrière est parisienne, et ses ouvrages les plus notables sont les galeries du Palais-Royal (1786-1790) et la salle du Théâtre-Français (aujourd'hui Comédie-Française).

LOUISE-MARIE DE FRANCE (15 juillet 1737 - 23 décembre 1787). En religion mère Thérèse de Saint-Augustin, elle est la huitième et dernière fille de Louis XV et de Marie Leszczyńska. Envoyée à l'abbaye de Fontevrault à l'âge d'un an, pour y être éduquée, elle n'en sortira que douze ans plus tard. Les moniales fontevristes lui ont communiqué le sens de la transcendance divine. Mme de Soulanges, sa gouvernante, lui répétait : «Est-ce que vous ne savez pas [...] que tout ce que vous avez et que vous pouvez avoir vient de Dieu?»

Elle va passer ensuite vingt années à la Cour, menant avec ses sœurs, et dans leur intime compagnie, une vie de demi-retraite et de piété. Elle récite tous les jours l'office canonial.

Son entrée au carmel de Saint-Denis date du 11 avril 1770. «Si c'est pour Dieu seul, lui a écrit le roi, je ne puis m'y opposer.» Elle fait profession le 12 septembre 1771, est aussitôt après désignée comme maîtresse des novices, et sera six ans prieure, de 1773 à 1779. Sa présence au carmel est un défi au siècle. L'abbé Bergier qualifie cette «vocation» de «fort extraordinaire pour le siècle, où la moinerie n'est pas en faveur».

Elle demeure cependant en contact avec le monde, recevant de nombreuses visites, écrivant deux mille lettres par an. Son premier visiteur est Louis XV, qu'elle reçoit tous les mois dans sa cellule pendant près d'une heure. Qu'elle ait prié pour sa conversion, cela est sûr. Mais il n'est pas du tout certain qu'elle ait voulu le moraliser et lui faire épouser Mme du Barry. Louis XVI viendra lui aussi voir Madame Louise, mais beaucoup moins fréquemment que son grand-père.

La royale carmélite s'efforce, mais sans grand succès, d'user de son influence pour contrecarrer la politique anticléricale de la monarchie. Elle s'oppose aux sécularisations. Elle se montre navrée de l'édit de tolérance de novembre 1787.

Elle réussit mieux dans ses œuvres carmélitaines. Elle fonde (1780) le carmel d'Alençon, et organise efficacement l'accueil des carmélites chassées des Pays-Bas.

Sa spiritualité est simple, pratique, positive. C'est celle de l'*Imitation*, celle du réalisme chrétien. «Dieu, écrit-elle dans ses *Testaments spirituels*, demande de nous la plus grande fidélité plutôt que les austérités.»

La cause de béatification de Madame Louise a été introduite en cour de Rome.

Trente-quatre guérisons miraculeuses lui ont été attribuées lors de l'enquête canonique.

LOUISIANE. La Louisiane, vaste territoire d'environ 200 000 km², composé de plaines alluviales et du domaine amphibie du delta du Mississippi, est colonie française depuis que Cavelier de La Salle en a pris possession au nom du roi, le 9 avril 1682. Le premier établissement, fondé à Biloxi, date de 1699. De 1712 à 1731, la colonie est administrée par des compagnies auxquelles le roi concède le monopole du commerce : compagnie du financier Crozat de 1712 à 1717, Compagnie d'Occident (associée à la Banque générale de Law) de 1717 à 1719, et Compagnie des Indes de 1719 à 1731. L'image que l'on se fait de la Louisiane à cette époque ne correspond en rien à la réalité. Pour attirer les actionnaires, les financiers entretiennent le mythe d'une Louisiane imaginaire, véritable Eldorado, « la plus riche région de l'univers », dit un prospectus publicitaire. Les illusions tombent vite ; la colonie végète ; l'immigration est très faible (3 000 habitants en 1731) et de médiocre qualité : on a dû recourir à des repris de justice et à des galériens. Les incursions des Indiens chicachas créent un climat d'insécurité permanente. Le 28 novembre 1729, deux cent trente-huit colons sont massacrés. Le seul fait positif de cette période est la fondation, en 1719 par Adrien de Panges, de La Nouvelle-Orléans. La situation ne s'améliore qu'après 1731, le roi ayant repris à cette date l'administration de la colonie. Trois gouverneurs se succèdent : Bienville (1731-1743), Vaudreuil (1743-1752) et Kerlerec (1753-1763). Ils font la guerre aux Indiens et leur imposent une paix durable. A la culture du tabac viennent s'ajouter celle du coton (1740) et de la canne à sucre (1751). La libération du commerce extérieur, avec les Antilles en 1737 et avec la France en 1740, fait démarrer vraiment la colonie. En 1750 la Louisiane compte 7 000 habitants dont 2 000 noirs. Elle sort du marasme, et c'est à ce moment précis qu'elle cesse d'être française : la rive gauche du Mississippi est cédée aux Anglais en 1763 en vertu du traité de Paris, et la rive droite à l'Espagne en 1764.

LOUVRE. Depuis l'installation de Louis XIV à Versailles en 1678, le palais du Louvre n'est plus la résidence des rois. Cependant, le petit Louis XV y passe quelques mois en 1719 dans les anciens appartements d'Anne d'Autriche, avant de s'installer aux Tuileries. Trois ans plus tard, ces mêmes appartements sont aménagés pour la fiancée éphémère du roi, Marie-Anne d'Espagne : le jardin, baptisé « jardin de l'Infante », devant la Petite Galerie, en conserve le souvenir. C'est la dernière présence royale dans le Vieux Louvre, désormais affecté aux lettres et aux arts. A la suite de l'Académie française, toutes les académies royales y font leur résidence. Celle de peinture et de sculpture inaugure dans le salon Carré ces expositions annuelles auxquelles le nom de « salons » restera. Après un premier essai en 1725, les Salons se tiendront au Louvre sans interruption de 1737 à 1848. Par la faveur du roi, de nombreux artistes jouissent, dans le palais, de logements et d'ateliers.

LOWENDAHL ou **LŒWENDAHL, Ulrich Frédéric Valdemar, comte de** (Hambourg, 1700 - Paris, 27 mai 1755). C'est un soldat européen. D'origine danoise et fils d'un grand maréchal de Pologne, il a servi à l'âge de treize ans dans l'armée danoise contre les Suédois, sous le prince Eugène contre les Turcs (1716-1718), en Italie dans l'armée impériale contre les Espagnols (1719), sur le Rhin avec les Impériaux contre les Français (1734), enfin dans l'armée russe contre les Turcs (1739) et contre les Suédois de 1741 à 1743. C'est alors que le maréchal de Saxe l'attire en France et le fait nommer lieutenant général (1er septembre 1743). A Fontenoy, il commande la réserve et charge la colonne anglaise à la tête de la brigade de Normandie. Dans les mois qui suivent, il s'empare de Gand et de plusieurs places des Pays-Bas. Mais sa plus belle campagne est celle de 1747, et son plus grand succès, qui lui vaut le bâton de maréchal, la prise de Berg-op-Zoom, place réputée imprenable et réduite en deux mois. Il meurt le 27 mai 1755, des suites d'une plaie mal soignée. Après lui, jusqu'aux guerres de la Révolution, l'armée française n'aura plus de grands chefs. Son ami le maréchal de Saxe était mort cinq ans plus tôt.

LUCAS, François (Toulouse, 1736 - *id.*, 17 septembre 1813). Sculpteur, fils de sculpteur, il a d'abord été formé dans l'atelier paternel, ensuite par l'académie toulousaine des beaux-arts, enfin par deux voyages en Italie, d'où il rapporta une belle collection d'urnes, de médailles et de figurines. On conserve de lui le mausolée de M. de Puivert (à Saint-Étienne de Toulouse) et les beaux anges adorateurs encadrant le maître-autel des Chartreux. Le bas-relief gigantesque placé aux Ponts Jumeaux sur le canal des Deux-Mers a été détruit lors de la Révolution.

LUMIÈRES. L'emploi du mot «Lumières» pour désigner le mouvement philosophique du XVIIIe siècle est assez récent. Avant 1945, on parlait fort peu des «Lumières». Par exemple, dans sa *Pensée française au XVIIIe siècle* (1926), Daniel Mornet n'employait pas ce mot une seule fois. Appellation neuve donc, mais, il faut en convenir, très appropriée. Elle exprime bien l'intention profonde des «philosophes»: ceux-ci voulaient que leur philosophie fût une illumination de l'esprit. «A quoi nous servent nos lumières, demande Voltaire, si nous conservons toujours nos abus?» (*Dictionnaire philosophique*). «Je vois avec plaisir, écrit encore le même Voltaire, qu'il se forme dans l'Europe une république immense d'esprits cultivés: la lumière se communique de tous côtés» (lettre à Gallitzin, 14 août 1767). Toutefois il semble que la plupart de nos spécialistes modernes des «Lumières» entendent ce mot plutôt dans le sens donné à *Aufklärung* (de *aufklären* qui veut dire éclairer) par les philosophes allemands de la fin du XVIIIe siècle, c'est-à-dire dans le sens de connaissance rationnelle

et de libération de la raison. «Les Lumières, écrivait Moses Mendelssohn en 1784, [...] semblent se rapporter [...] à une connaissance rationnelle [...] et à un savoir-faire [...] permettant une réflexion raisonnable sur les choses de la vie humaine» («Sur la question: que signifie éclairer?», *Berlinische Monatschrift*, septembre 1784). Et nous lisons chez Kant dans un texte daté de la même année, intitulé «Réponse à la question: Qu'est-ce que les Lumières?» (*Qu'est-ce que les Lumières?*, textes choisis et traduits par Jean Mondot, publication de l'université de Saint-Étienne, 1991), la définition suivante: «Les Lumières, c'est pour l'homme sortir d'une minorité qui n'est imputable qu'à lui...» Cette interprétation s'applique-t-elle aux Lumières françaises? Pas exactement, semble-t-il. La philosophie française du XVIIIe siècle est beaucoup moins rationaliste que la philosophie allemande contemporaine.

LUNÉVILLE. Petite ville du duché de Lorraine, résidence de ses ducs, Lunéville est le Versailles lorrain. Son château, construit pendant les années 1702-1723 pour le duc Léopold, est l'œuvre de Germain Boffrand. Les jardins en seront aménagés sous le roi Stanislas dans un style mi-turc, mi-chinois. La cour de Lunéville, sous Stanislas, est galante et littéraire. La maîtresse du roi, la marquise de Boufflers, en est l'étoile. Le roi lui-même est accueillant et tolérant. La philosophie en profite; elle défile au château. Voltaire, Montesquieu, Hénault, Helvétius, Maupertuis et La Condamine séjournèrent à Lunéville.

LUSSAN, Louis d'Audiber de (1703-1769). Archevêque de Bordeaux, il avait d'abord suivi la carrière des armes, puis l'avait abandonnée pour celle de l'Église. Il était grand vicaire de Saint-Omer, lorsqu'un brevet royal le désigna pour le siège de Bordeaux. Sans avoir la ferveur inspirée de Maniban, son prédécesseur, il n'en est pas moins un bon évêque, assidu à tous ses devoirs. En 1748, à l'occasion d'une grave disette, il fait distribuer de larges aumônes. C'est lui qui, en 1750, fait venir à Bordeaux les frères des Écoles chrétiennes. Enfin il visite ses paroisses avec une régularité digne d'admiration. Cent quatre-vingt-quatorze visites personnelles nous sont connues et trente-deux par délégués. Il meurt à la tâche le 15 novembre 1769, ayant encore accompli tout au long de l'été ses tournées pastorales.

LUTHERBOURG, Philippe Jacques (Strasbourg, 1740 - Londres, 1812). Peintre, il fut agréé en 1763 par l'Académie royale de peinture, et fut reçu dans cette même académie en 1767, avec pour morceau de réception le beau tableau intitulé *Le Troupeau*. Disciple de Casanova, il s'inspira de son exemple et se spécialisa comme lui dans la peinture de batailles. Réfugié en Angleterre en 1771 à cause d'une affaire de mœurs, il y demeura jusqu'à sa mort, peignant surtout des décors de théâtre et des paysages.

LUXE. « Le luxe, écrit en 1772 le moraliste Le Pileur d'Apligny, consiste dans l'étalage et la jouissance du superflu des richesses. »

Le luxe a ses partisans et ses adversaires. Il est tout au long du siècle un sujet de vives controverses. On se demande s'il est légitime. On se pose surtout la question de savoir s'il est bon ou mauvais pour un État. Peu de questions sont aussi débattues. Les ouvrages sur le luxe ne se comptent pas. Il n'est pas un livre de morale ou de philosophie qui ne contienne un chapitre sur le sujet. Les académies provinciales mettent la question au concours. Voici par exemple le sujet proposé par l'académie de Dijon en 1742 : « Le luxe généralement répandu est-il plus utile que préjudiciable à un État ? »

Pourquoi un si grand intérêt ? Parce que le phénomène a pris une grande ampleur. Le développement du luxe est si grand et si rapide que certains s'en inquiètent. On y voit une sorte de subversion. Le luxe fait disparaître les distinctions sociales et les hiérarchies traditionnelles, « ... il rompt les bar-

rages, écrit le P. Maugras, il confond tous les titres et tous les rangs ». Le Pileur d'Apligny redoute la « confusion » qu'il provoque « des différentes catégories de citoyens ». Autrefois, l'État sanctionnait le luxe, mais aujourd'hui, il renonce à intervenir. Les dernières en date des lois somptuaires sont la déclaration royale du 8 janvier 1719 portant règlement pour les gens de livrée, et la déclaration du 4 février 1720 faisant défense de porter des diamants. Cette abstention de l'État crée un malaise. L'expansion du luxe devient un problème inquiétant, à partir du moment où la puissance publique décide de l'ignorer.

Dans la controverse sur le luxe, on peut distinguer deux époques : avant 1770 et après.

Dans la première période, les points de vue sont très tranchés. Voltaire et, d'une manière générale, les philosophes ne voient aux luxe que des avantages. Dans *Le Mondain* Voltaire développe l'idée que le luxe enrichit : « Sachez surtout, écrit-il, que le luxe enrichit un grand État. » Pour Helvétius (*De l'homme*), tout luxe est bon parce que tout luxe est utile. Pour l'économiste Melon, le grand avantage du luxe est de faire travailler et d'être « en quelque façon le destructeur de la paresse et de l'oisiveté » (cité par H. Baudrillart, *Histoire du luxe...*, Paris, 1880). Les adversaires du luxe sont les jansénistes (par exemple le P. Jean-François Maugras, doctrinaire, dans ses *Instructions chrétiennes sur les dangers du luxe et les faux prétextes dont on l'autorise...*, 1725), l'abbé de Saint-Pierre (*Projet de paix perpétuelle*), les physiocrates et Jean-Jacques Rousseau. Mais, sauf chez les jansénistes, le motif de la condamnation portée par ces auteurs contre le luxe n'a rien à voir avec la morale. Leur raisonnement est fondé sur l'utilité publique. L'abbé de Saint-Pierre pense que cet argent serait mieux employé dans des grands travaux « fort utiles au public ». Pour les physiocrates, le luxe a le tort immense de diminuer les « avances foncières ». Rousseau est le seul à juger en fonction des pauvres : « Le luxe nourrit cent pauvres dans nos villes et en fait périr cent mille dans nos campagnes. »

Après 1770, les prises de position sont beaucoup plus nuancées. L'abbé Pluquet (*Traité philosophique et politique sur le luxe*, 1786) ne voit de mal dans l'usage des superfluités que si l'homme y attache son bonheur. Le Pileur d'Apligny (*Essais historiques sur la morale des anciens et des modernes*, 1772) discerne bien les inconvénients du luxe, mais ne veut pas qu'on l'interdise par des lois somptuaires. Il pense suffisant d'infliger des amendes à « ceux qui paraîtraient faire une dépense plus forte que leurs charges ou leurs emplois n'exigent ». Sénac de Meilhan (*Considérations sur les richesses et le luxe*) distingue quant à lui le « faste public », qu'il approuve, et le « luxe privé » qu'il rejette. A la question de savoir si le luxe enrichit, il répond négativement : « Le luxe, dit-on, enrichit un grand État. Cette assertion est absurde [...]. Un grand État se maintient non en raison de son luxe, mais malgré son luxe. » On le voit, le luxe n'a plus de partisans inconditionnels. Presque tout le monde admet qu'il est signe de prospérité. Mais presque tout le monde voudrait que des bornes soient posées afin que la mesure soit gardée. Ce n'est pas au nom de la morale, mais de l'utilité. Sauf chez les prédicateurs (dans leur sermon annuel sur le mauvais riche), le luxe n'est que très rarement jugé selon la morale évangélique, c'est-à-dire comme un objet de scandale et comme une offense à la pauvreté. Et même chez les prédicateurs, on a l'impression d'une certaine pauvreté de la doctrine. Aucun d'entre eux à notre connaissance ne cite l'argument traditionnel de la philosophie morale chrétienne, selon lequel l'usage sans frein du luxe est un abus contraire aux trois vertus d'humilité, de modération et de simplicité.

LUXEMBOURG, Marie Angélique de Neufville-Villeroy, marquise de Boufflers, duchesse de (1707 - Paris, 1787). Elle est l'une des protectrices de la philosophie. Elle s'est mariée deux fois, la première à quinze ans avec le marquis de Boufflers, mort en 1747, la seconde à quarante-deux ans, avec Charles Frédéric François de Montmorency, duc de Luxembourg, maréchal de France, mort en 1764. Dans sa jeunesse, elle était réputée pour sa beauté et sa facilité. Ensuite, on la cita surtout pour sa sévérité caustique. Elle accueillit Rousseau en 1757, lorsque celui-ci fut obligé de quitter l'Ermitage, et le logea près de son château de Montmorency. En 1762, son mari et elle favorisèrent sa fuite, quand, après la publication de l'*Émile*, il fut menacé d'une lettre de cachet. En 1764, elle aida Julie de Lespinasse à s'installer rue de Bellechasse et à lancer son salon. On la vit aussi très souvent chez Mme Necker, dont elle fréquentait les mardis. Elle-même recevait beaucoup à Montmorency et dans son hôtel parisien. Elle passa, à la fin de sa vie, pour l'arbitre du bon ton aristocratique.

LUYNES, Charles Philippe d'Albert, duc de (Paris, 30 juillet 1695 - Dampierre, 2 novembre 1758). Duc de Chevreuse, pair de France, chevalier de l'ordre du Saint-Esprit, il est le petit-fils de Dangeau, le mémorialiste du Grand Roi. Il en suit l'exemple. Après une carrière militaire (de 1717 à 1732) comme mestre de camp d'un régiment de cavalerie, il n'exerce plus aucune fonction, et, vivant à la Cour, en écrit les annales. Ses *Mémoires sur la cour de Louis XV*, publiés en dix-sept volumes par l'éditeur Didot, entre 1860 et 1865, représentent l'une de nos sources les plus précieuses pour notre connaissance du roi et de la vie royale de 1735 à 1758. L'auteur est très bien informé. Il vit à Versailles et appartient au petit cercle d'intimes de la reine, dont son épouse est la dame d'honneur. Le souci de la précision est sa qualité principale. L'emploi du temps de Louis XV est décrit avec la plus grande exactitude, jour après jour, et même heure après heure. Aucun jugement personnel ne vient déranger l'objectivité du récit. Le duc de Luynes est un homme pieux et sévère. Il applique à la lettre le précepte évangélique : « Ne jugez pas. » A sa mort, le président Hénault écrira de lui : « Il manque bien à la Cour, aux pauvres et à tous les gens de bien » (*Mémoires du président Hénault écrits par lui-même*, Paris, 1855).

LUYNES, Paul d'Albert de (Versailles, 5 janvier 1703 - Paris, 21 janvier 1788). Évêque de Bayeux, puis archevêque de Sens et cardinal, il est le frère du duc Charles Philippe, le mémorialiste. Il se destinait au métier des armes. Un événement l'en détourna. Gravement injurié, puis souffleté par un officier, il refusa de se battre en duel. Ce fut, dit-on, l'origine de sa vocation. Évêque de Bayeux de 1729 à 1753, puis archevêque de Sens de 1753 à sa mort, il se montre un vrai pasteur et visite ses paroisses. En 1761 par exemple, il effectue une visite générale de son diocèse de Sens. Il est, dans ses visites, le témoin affligé de la déchristianisation qui gagne ces régions et s'efforce d'y porter remède. Son mandement du carême 1779 déplore l'abandon du jeûne, il combat l'incrédulité. On a de lui une *Instruction pastorale contre la doctrine des incrédules et portant condamnation du* Système de la Nature *du baron d'Holbach* (1770). Devenu, par son élévation au cardinalat le 5 avril 1756, l'un des premiers personnages de l'Église de France, il use de son influence en faveur du parti des « feuillants » qui sont les antijansénistes modérés. Il est avec son frère du groupe des amis de la reine. Il est aussi le premier aumônier de la Dauphine et l'ami du Dauphin. C'est lui qui assistera ce prince à ses derniers moments et récitera pour lui, au matin du 20 décembre 1765, les prières des agonisants. En 1743, il avait succédé à Fleury à l'Académie française. Il était aussi membre de l'Académie des sciences pour ses recherches de physique et d'astronomie.

LYCÉE. Le Lycée est une sorte d'université libre fondée à Paris à la fin de l'Ancien Régime. Benjamin Franklin en avait eu l'idée. L'institution s'est d'abord appelée Société apollonienne, puis Musée de Paris et n'a pris son nom définitif qu'en 1786. Le local où l'on donnait les conférences était situé au coin de la rue de Valois et de la rue Saint-Honoré. Nous savons que la leçon d'ouverture fut donnée par Condorcet sur les sciences mathématiques le 15 février 1786, et que, par la suite, La Harpe et Pilâtre de Rozier furent recrutés comme conférenciers. La Harpe y donna les leçons qui formeront son *Cours de littérature*.

LYON. Lyon, deuxième ville du royaume, est une capitale religieuse et administrative. Son archevêque est primat des Gaules. Elle est chef-lieu d'un gouvernement et d'une intendance, et possède en outre un présidial et une cour des monnaies, ainsi qu'une chambre de commerce et une Bourse.

La population lyonnaise augmente de 1 % par an au cours du siècle. Elle passe de 97 000 habitants en 1700 à 114 000 en 1760 et à 146 000 en 1785. Cette augmentation n'est pas due au mouvement naturel, qui est déficitaire, mais à l'immigration.

Entre Fourvière et Croix-Rousse la ville étouffait. Soufflot, qui est lyonnais, propose en 1745 un plan d'extension avec un projet de quartier nouveau entre la Croix-Rousse et le Rhône. Ses élèves (Loyer, Morand) réaliseront ce projet. Soufflot est également l'auteur du nouveau théâtre construit de 1754 à 1756. Un autre quartier neuf, situé au sud de la ville, est réalisé par l'ingénieur et sculpteur Perrache. Ce quartier, qui recevra le nom de son auteur, est aéré par la nouvelle place Louis-XV (actuelle place Carnot) qu'une large rue (actuelle rue Victor-Hugo) relie à la place Louis-XIV (place Bellecour).

Lyon est une ville de manufactures et de négoce. L'industrie dominante est celle des étoffes de soie. La grande fabrique de la soie emploie en permanence 7 000 maîtres ouvriers et 5 000 à 6 000 apprentis, compagnons et ouvrières au seul travail du tissage. L'aire commerciale lyonnaise s'étend à la plus grande partie de l'Europe, et plus spécialement à l'Espagne, d'où les étoffes de soie sont exportées vers l'Amérique du Sud.

Des fortunes considérables s'édifient. Les plus grands noms de la richesse lyonnaise sont ceux des Delessert, Couderc, Vincent, Braun et Fulchiron, négociants ou banquiers. Leur opulence contraste avec la pauvreté des ouvriers en soie. A l'intérieur de la fabrique, le fossé se creuse entre les marchands fabricants et les maîtres ouvriers, leurs compagnons et apprentis. Des actions de grève ont lieu en 1717, 1744 et 1786. Le sort le plus misérable est celui de ces ouvrières appelées «tireuses», dont le travail consiste à soulever d'énormes poids de cordages, et qui sont payées 8 à 10 sols pour des journées de dix-huit heures (Charles Ballot, *L'Introduction du machinisme dans l'industrie française*, Lille-Paris, 1923).

De toutes les grandes villes de province, Lyon et sans doute la plus encline aux choses de l'esprit. Elle possède une académie des sciences et belles-lettres (réunie en 1758 avec l'académie des beaux-arts), une Société littéraire, plusieurs gazettes et journaux, et douze imprimeries dotées de cinquante et une presses. Si l'on en croit Pierre Grosclaude (*La Vie intellectuelle à Lyon dans la seconde moitié du XVIIIe siècle*, Paris, 1933), les académiciens lyonnais auraient brillé par leur «hardiesse de pensée» et par leur «liberté de langage». Ils agrégèrent Voltaire à leur compagnie en 1746 et le reçurent en 1754. Rousseau séjourna plusieurs fois à Lyon. Il y fut de 1740 à 1742 précepteur des enfants de M. de Mably.

Lyon est ville maçonnique. Vingt loges y ont été formées de 1754 à 1789. Plusieurs sont de tendance illuministe. Le grand homme de la maçonnerie lyonnaise est J.-B. Willermoz, fabricant d'étoffes mystique, occultiste et magnétiseur (*voir* WILLERMOZ). Les maçons lyonnais ont tendance à rejeter le rationalisme. Ils accommodent les Lumières à la sauce d'un vague théisme illuminé.

LYONNAIS. Trois provinces forment le gouvernement du Lyonnais : le Beaujolais, le Forez et le Lyonnais propre. Villefranche, siège de bailliage, est la capitale du Beaujolais. En Forez, Montbrison est siège de présidial, et Saint-Étienne d'élection. L'une des plus petites du royaume, la généralité de Lyon se compose de cinq élections. Les tribunaux relèvent du parlement de Paris, mais appliquent le droit écrit. Le très vaste diocèse de Lyon déborde sur le Dauphiné, la Bresse, le Bugey et la Franche-Comté.

Si l'on met à part un vignoble de qualité, des «perdrix fort délicates» en Beaujolais, et des «marrons fort estimés» (perdrix et marrons vantés par le géographe Jean-Baptiste Gibrat), le tableau agricole n'est pas des plus reluisants. Mais la province demeure l'une des plus grandes régions manufacturières du royaume, grâce à la soierie lyonnaise et au charbon stéphanois. La fabrique de soie lyonnaise emploie cinquante mille ouvriers à la veille de la Révolution et fournit des emplois à toute la province : on ne peut devenir ouvrier en soie que si l'on est originaire du Lyonnais, du Dauphiné ou des provinces limitrophes de Lyon. Les magnaneries et les moulinages de la vallée du Rhône permettent aux paysans de compléter leurs ressources. Quant au charbon stéphanois, on l'exploitait depuis longtemps, mais sa véritable mise en valeur ne commence que dans la seconde moitié du siècle. L'ouverture du canal de Givors, en 1770, assure au charbon le débouché de la capitale rhodanienne. A Saint-Étienne, l'alliance de la petite rivière du Furens «dont l'eau est très propre à la trempe de l'acier» et du charbon de terre est à l'origine d'une prospère industrie métallurgique : la fabrique d'armes de cette ville est l'une des plus considérables du royaume.

Le Lyonnais possède deux académies (Lyon et Villefranche) mais n'a pas d'université. Les campagnes ne semblent pas touchées par la déchristianisation commençante qui affecte les régions du sud-est du Bassin parisien. Les confréries se portent bien ; au cours des visites pastorales des années 1773-1789, une seule des paroisses visitées se voit reprocher sa tiédeur.

M

MABLY, Gabriel Bonnot, abbé de (Grenoble, 14 mars 1709 - Paris, 25 avril 1785). Philosophe politique, il est le frère de Condillac. Il fait ses études au collège des jésuites de Lyon, puis au séminaire Saint-Sulpice. Ses biographes assurent qu'il ne fut pas ordonné prêtre. Parent de Mme de Tencin, il fréquente son salon. Elle le recommande à son frère le cardinal, qui l'emploie comme secrétaire. Quelques délicates missions, comme par exemple la négociation avec Frédéric II en 1743, lui sont confiées. En 1746, pour des raisons mal élucidées, il se brouille avec Tencin et abandonne alors la politique active. Si l'on met à part un voyage en Pologne en 1770, à la demande des Confédérés de Bar, sa vie se confond désormais avec ses livres. Quinze sont publiés de son vivant. Trois le seront après sa mort, dont les *Droits et Devoirs du citoyen*, écrits en 1758 et publiés en 1789 (il y suggérait de réunir les états généraux). Quelques ouvrages concernent le droit des nations (par exemple le *Droit public de l'Europe*, 1746). D'autres sont des réflexions sur l'histoire, à la manière de Montesquieu (par exemple les *Observations sur l'Histoire de France*, 1765). D'autres traitent de morale (*Principes de morale*, 1784), d'autres d'économie (*Doutes proposés aux économistes sur l'ordre naturel et essentiel des sociétés*, 1768), d'autres de politique (par exemple les *Observations sur le gouvernement et les lois des États-Unis d'Amérique*, 1781). En fait, toutes les questions sont étudiées relativement à la politique. Pour Mably en effet, la politique — c'est-à-dire l'organisation de la société — est la science la plus importante et pratiquement la seule qui compte pour le bonheur des hommes. En comparaison, la métaphysique ne sert à rien. Il suffit d'admettre l'existence de Dieu et celle de l'âme. Tout le reste n'est qu'« ingénieuses rêveries ». Comme la politique de Rousseau, comme celle de Morelly, la politique de Mably est fondée sur l'idée de nature, et repose sur une anthropologie. Son but est de rendre l'homme à ce qu'« il doit être ». L'homme, selon Mably, se réduit à son amour-propre, et cet amour-propre est la base du lien social. Comme l'explique très bien Brigitte Coste dans son ouvrage sur Mably (*Mably : pour une utopie du bon sens*, Paris, 1975), « l'amour-propre nous fait rechercher la compagnie de nos semblables, nous en éprouvons du plaisir. Par expérience, nous découvrons alors que les autres partagent le même besoin de bonheur, et que pour être heureux nous avons besoin de leur secours. » La politique naturelle a deux instruments, l'éducation et le gouvernement. L'éducation, dit Mably, est « une espèce de création ». La politique est une autre création : elle crée le « caractère national », c'est-à-dire l'instinct collectif favorisant l'amour-propre de chacun. La forme de gouvernement importe assez peu, pourvu que l'on admette la souveraineté du peuple. La monarchie tempérée est peut-être le meilleur régime, mais ce qui importe, c'est que le gouvernement « règle les mœurs publiques ». « Les lois [...] ne feront rien tant qu'elles n'auront pas disposé la vie privée des citoyens. » L'État devra régler aussi la religion et imposer à tous un « culte public » et « sensible », mais pur de toute « superstition ». Cela concerne la politique réalisable : Mably imagine aussi une cité idéale où serait instituée la communauté de biens. Toutes ses idées auront une grande influence sur les membres de l'Assemblée constituante, qui s'en inspireront lors de la rédaction de la Constitution française de 1791.

MACHAULT D'ARNOUVILLE, Jean-Baptiste de (13 décembre 1701 - 12 juillet 1794). Seigneur d'Arnouville, il est l'un des grands ministres réformateurs du règne de Louis XV. Son père avait été maître des requêtes et lieutenant de police de Paris. Il suit la même carrière. Il est nommé maître des requêtes le 15 juillet 1728, et intendant de Valenciennes en mars 1743. C'est là que le roi, lors des campagnes de Flandre, fera sa connaissance et aura l'occasion d'apprécier ses talents. En octobre 1745, Louis XV écrit lui-même à Machault pour le presser d'accepter le Contrôle général, qu'il ne peut faire autrement que d'accepter. Sa nomination à ce ministère date du 6 décembre 1745. La réforme fiscale est la grande idée de Louis XV. Machault tente de la réaliser avec le nouvel impôt du vingtième, impôt égalitaire, réparti sur tous les sujets du roi en proportion de leurs facultés. Mais la résistance est très forte. Machault vient à bout de celle des parlements. Il ne réussit pas à vaincre celle du clergé. En 1751, le roi finit par céder aux évêques : le clergé ne paiera pas le vingtième. Cependant, Machault garde la confiance du roi. Depuis le 9 décembre 1750, il cumulait les fonctions de contrôleur général avec celles de garde des Sceaux. Lorsqu'il quitte le Contrôle général en juillet 1754, c'est pour devenir secrétaire d'État à la Marine. Toujours estimé et aimé du roi, il est pourtant renvoyé le 1er février 1757, en même temps que son ennemi juré, le comte d'Argenson. Mais son renvoi, à la différence de celui de son ennemi, n'a pas la forme d'une disgrâce. Louis XV conserve à Machault sa pension de ministre et les honneurs de garde des Sceaux. Il se dit «persuadé» de sa «probité» et de sa «droiture». Alors pourquoi le renvoie-t-il? L'explication la plus probable est une vengeance de Mme de Pompadour. Au lendemain de l'attentat de Damiens, le garde des Sceaux avait cru bon de conseiller à la favorite de quitter la Cour. Trois semaines plus tard, c'est à lui de la quitter.

En 1774, il s'en faut de peu qu'il ne revienne aux affaires. Son nom est de ceux que le Dauphin a donnés à son fils dans ses dernières instructions. Il aurait pu être choisi au lieu de Maurepas. On ne sait pas très bien pourquoi Maurepas lui a été préféré. Quoi qu'il en soit, cette recommandation ne laisse pas de surprendre de la part d'un prince pieux comme le Dauphin et ami du clergé. Machault, en effet, passe pour anticlérical, et il l'est véritablement. On ne doit pas oublier qu'il est l'auteur de l'édit d'août 1749 qui interdit tout nouvel établissement de mainmorte sans l'obtention de lettres patentes. Cet édit, qui a beaucoup gêné les nouvelles congrégations religieuses hospitalières et enseignantes, est sans doute l'une des mesures les plus importantes de toutes celles prises par le contrôleur général.

MACHINE. La mécanisation touche surtout le secteur de l'industrie textile.

La plupart des machines adoptées par ce secteur sont anglaises. Dans un premier temps, on les importe d'Angleterre. Ensuite, on entreprend de les fabriquer en France. Le métier à bas, la navette volante, les métiers à lacets et à rubans et les machines pour la filature sont ainsi introduites successivement. Le métier à bas, mécanique très compliquée, était entré en France sous Colbert, mais sa grande diffusion commence en 1754, date à laquelle la fabrication des bas au métier est autorisée en tous lieux. La navette volante (inventée par John Kay) pour le tissage est introduite en France en 1747 par son inventeur même; elle a peu de succès, sauf à Lyon où elle est appliquée, à partir de 1772, au tissage de la soie. Le premier métier à lacets est importé en 1745. Les métiers à rubans — qui ne sont pas anglais, mais d'invention hollandaise et de fabrication suisse — sont adoptés entre 1760 et 1770 par la rubannerie stéphanoise. Les machines pour la filature sont les dernières introduites. Achetée par Holker fils, la première jenny est montée en 1773 dans la manufacture de coton de Sens. La fabrication de ces jennys en France commence en 1775. Il y aura neuf cents jennys dans le royaume en 1790. La machine continue d'Arkwright (*water frame*) est construite à partir de 1784 dans les ateliers des sieurs Martin et Flesselles, et la mule jenny de Crompton est importée dès 1773 par les deux fabricants de coton Morgan d'Amiens et Leclerc de Brive. Les filatures de laine, où le travail est fait depuis toujours par les femmes des campagnes, semblent moins pressées de se mécaniser. Toutefois des jennys pour la laine sont installées en 1777 à Louviers et Elbeuf, et en 1783 le fabricant de Châteauroux Quatremère-

Dejonval applique la machine à carder le coton au cardage de la laine.

Quelques machines sont d'invention française : les machines à imprimer au cylindre pour les toiles indiennes (utilisées dès 1756), le métier automatique pour le tissage de la soie, inventé par Vaucanson en 1747, et les machines — dues également à Vaucanson — pour le tirage et le moulinage de la soie, montées pour la première fois en 1755 par Henri Deydier dans sa manufacture modèle d'Aubenas.

Le machinisme transforme aussi, bien que dans une moindre mesure, la métallurgie et la papeterie. Dans la métallurgie, les tours à métaux, forets, alésoirs mus par des manèges ou par l'eau sont d'un usage courant dès le milieu du siècle. Dans la papeterie, la grande innovation est le cylindre d'origine hollandaise. La première machine de ce type est montée en 1761.

La machine à vapeur doit être considérée à part (*voir* MACHINE A VAPEUR). Elle est employée dans les mines pour l'épuisement des eaux, mais on l'utilise encore assez peu dans les manufactures.

L'introduction des machines a au moins deux conséquences, l'une économique, l'autre sociale. La conséquence économique est la naissance d'un mouvement de concentration capitaliste (surtout dans l'industrie cotonnière). La conséquence sociale est le développement du travail des enfants : le travail sur machine étant en effet le plus souvent simple, quasi automatique et ne nécessitant qu'une très courte formation et peu de vigueur physique, il est tentant d'y employer des enfants. Un bon exemple est la nouvelle machine à filer montée en 1782 par l'Anglais Milne dans la fabrique de coton de François Perret à Lyon. Cette machine est « conduite » selon un rapport officiel « par des enfants de six à huit ans qui n'ont autre chose à faire que de recevoir la filature en gros et de la mettre sur celle-ci, et d'ôter les bobines à mesure qu'elles se remplissent et remplacer les vides » (cité par Charles Ballot, *L'Introduction du machinisme...*, Lille-Paris, 1923, p. 66).

MACHINE A VAPEUR. La machine à vapeur, appelée aussi « pompe à feu », est une invention française. Denis Papin (1647-1714) fut le premier à faire mouvoir par la vapeur un piston dans un cylindre.

Cependant, la première machine exploitée en France est une machine anglaise ; c'est la machine de Newcomen installée en 1726 à Passy par les Anglais May et Meyer pour élever l'eau. L'efficacité de cette machine est d'ailleurs remarquable : elle est capable de faire monter plus de 40 000 hectolitres par jour. En 1732, Pierre Mathieu installe une machine du même modèle dans sa mine de Fresnes, près de Condé, pour servir à l'épuisement des eaux. Quelques autres concessionnaires de mines suivront son exemple. L'utilisation industrielle de la machine à vapeur dans la France du XVIIIe siècle ne va pas plus loin.

Il est vrai qu'on songe à l'utiliser comme en Angleterre pour l'alimentation en eau des villes. Les frères Périer réalisent ce projet pour Paris. En 1778, ils commencent à fabriquer dans leurs ateliers de Chaillot des machines à vapeur selon le modèle mis au point par Watt et Boulton, pour pomper l'eau et desservir la capitale.

Les inventeurs français cherchent aussi le moyen d'appliquer la « pompe à feu » à la locomotion. En 1769, l'ingénieur lorrain Cugnot conçoit une machine à vapeur qui, chargée de quatre personnes, peut parcourir de 1 800 à 2 200 toises (3 600 à 4 400 m) à l'heure (*voir* CUGNOT). Les études conjointes du chevalier d'Auxiron, de Constantin Périer et du marquis de Jouffroy d'Abbans (*voir ce nom*) sont à l'origine du bateau à vapeur. En juin et juillet 1776, le bateau construit sur les plans des trois associés par un chaudronnier de Baume pour le compte de Jouffroy d'Abbans fait ses premiers essais sur la Saône.

MAGISTRAT. L'appellation de magistrat semble réservée le plus souvent aux juges des cours souveraines (présidents, conseillers, gens du roi). C'est dans ce sens que nous l'entendrons ici. Elle peut néanmoins être appliquée aux juges des présidiaux et bailliages.

Si l'on en croit Necker (*De l'administration des finances de la France*, 1784), les magistrats sous le règne de Louis XVI se répartissaient ainsi : un millier environ de parlementaires, 220 membres des conseils souverains, 70 membres du Grand Conseil et 900 magistrats des cours des aides et des chambres des comptes, soit au total un groupe professionnel de plus de deux mille personnes.

L'entrée en charge est soumise à plusieurs conditions et formalités. Acheter l'office (ou bénéficier d'une résignation) ne suffit pas. Il faut avoir vingt-cinq ans, être licencié en droit et inscrit au barreau. Après l'enquête de vie et bonnes mœurs, la cour, toutes chambres confondues, doit émettre un vote approbatif. Les conseillers clercs ont aussi à justifier de leur cléricature.

On entre très jeune. A Paris, la moyenne d'âge d'entrée en charge varie selon les périodes entre vingt et un ans neuf mois et vingt-trois ans onze mois. A Besançon, dans 29 % des cas, les jeunes magistrats entrent dans la carrière sans avoir atteint les vingt-cinq ans requis. Maurice Gresset (*Gens de justice à Besançon*, Paris, 1978) cite le cas de ce J. Bonaventure Aliset qui obtient une dispense d'âge pour entrer au parlement à dix-neuf ans (en 1741), ce qui lui permet d'y rester quarante-six ans. L'âge moyen des magistrats est donc peu élevé. A la veille de la Révolution, les conseillers laïcs âgés de moins de trente-cinq ans représentaient la majorité absolue dans l'assemblée des chambres.

On reste longtemps en charge. Beaucoup y meurent. Plusieurs, après un temps raisonnable d'exercice, obtiennent des lettres d'honneur (l'honorariat). Le président Hénault sollicite les siennes à l'âge de quarante-six ans. Quelques conseillers deviennent maîtres des requêtes et parfois peuvent entrer ensuite au Conseil d'État.

Pour celui qui veut l'exercer avec conscience, la charge de magistrat n'est pas une sinécure. A l'étude des dossiers et aux audiences s'ajoutent les séances pour les « affaires publiques », c'est-à-dire consacrées à la discussion et à la lecture des remontrances. Les emplois du temps sont parfois très chargés. Il arrive que les conseillers de la Grand-Chambre soient convoqués dès cinq heures du matin par le procureur général : en 1721, le procès du duc de La Force commence à six heures. S'il s'agit des affaires publiques, les séances deviennent interminables. Le 13 juin 1732, l'assemblée des chambres, commencée à dix heures à la suite de l'audience normale, s'achève six heures plus tard. Et tout ce travail est fourni pour des rémunérations finalement assez minces. Il est rare que le revenu moyen annuel d'une charge, c'est-à-dire le total des gages, des épices et du casuel, dépasse 10 % de la valeur de l'office. Il est le plus souvent très au-dessous. François Bluche cite le cas du conseiller parisien Bragelongue, auquel sa charge rapportait, entre 1750 et 1766, 706 livres 10 sols en moyenne par an : l'office de conseiller valant 50 000 livres, cela représente 2,378 % du capital.

La profession est l'une de celles dont l'idéal est le plus élevé. Cet idéal est constamment rappelé aux magistrats par les discours des premiers présidents et par les mercuriales des gens du roi. « Le magistrat, écrit d'Aguesseau, est ministre et, si nous l'osons dire avec les lois mêmes, prêtre de la justice » (*Mercuriales, Œuvres*, t. I, 1759). Il a « l'amour de son état » et « l'amour de la patrie ». Il doit imiter les grands exemples des de Thou et des Harlay. Il doit, écrit encore d'Aguesseau, « conserver les anciennes mœurs, respecter les exemples de ses pères et adorer, si l'on peut parler ainsi, jusqu'aux vestiges de leurs pas ».

Ces belles exhortations ne sont pas toujours entendues. Le même d'Aguesseau, magistrat modèle lui-même, se plaint souvent de la frivolité et de l'absentéisme de ses jeunes confrères. La littérature et les écrits satiriques nous font rencontrer beaucoup de magistrats peu édifiants, trop occupés à recevoir des solliciteurs et trop sensibles aux charmes des solliciteuses. Il n'empêche que, dans l'ensemble, la magistrature, surtout la provinciale, garde la dignité convenable à ses fonctions. Marmontel écrit : « La magistrature est encore parmi nous l'ordre de la société où les mœurs sont les plus sévères » (*Éléments historiques, Œuvres*, t. VII, p. 152).

Les historiens ont analysé les bibliothèques des magistrats. Il les ont trouvées riches en ouvrages de tous genres, même le juridique. Mais les bibliothèques ne font pas la compétence de leurs possesseurs, bien qu'elles y contribuent. On sait peu de chose de la compétence juridique réelle des magistrats. Une chose est certaine, la profession fournit peu de jurisconsultes. On y trouve des littérateurs, comme Des Brosses et Hénault, des spécialistes de la science politique comme Montesquieu, des économistes comme Lemercier de La Rivière, et des mathématiciens et astronomes comme les frères Dionis du Séjour ; mais, mis à part d'Aguesseau, Lamoignon et Jean Bouhier, aucun grand spécialiste de la science du droit. Les jurisconsultes français du XVIIIᵉ siècle sont des avocats et des professeurs de droit.

La magistrature anoblit, mais c'est presque inutile : la plupart de ceux qui entrent sont déjà nobles. Le parlement de Bretagne ne reçoit que des nobles. Cette noblesse de la magistrature est appelée la robe.

La robe s'allie à l'épée. Les familles de magistrats marient parfois leurs filles à des gentilshommes d'ancienne race. Mais l'inverse n'arrive presque jamais : il est bien rare que des filles de gentilhommes épousent des robins. La robe demeure un groupe à part, que distinguent son statut social, son esprit et ses mœurs. Ce milieu se perpétue par l'hérédité du métier. Le plus grand nombre des magistrats appartiennent à des dynasties de magistrats de plusieurs générations. La famille des Le Peletier, seigneurs de Rosambo et de Saint-Fargeau, est sans doute, à cet égard, la plus remarquable : de 1715 à 1789, elle ne fournit pas moins de neuf magistrats au parlement de Paris.

Mais on pourrait citer bien d'autres dynasties presque aussi fécondes et durables (les Moreau, les Nicolaï, les Lamoignon, les Joly...). Plus que des individus, ce sont des familles qui rendent la justice du roi.

MAHÉ DE LA BOURDONNAIS, Bertrand François. *Voir* LA BOURDONNAIS, Bertrand François Mahé de.

MAHON. La prise de Mahon, dans l'île de Minorque, le 28 juin 1756, par un corps expéditionnaire français, sous le commandement du duc de Richelieu, ouvre brillamment les opérations de la guerre de Sept Ans. Les Anglais avaient conquis Minorque en 1708 et l'avaient gardée. Le corps expéditionnaire chargé de les déloger embarque à Toulon le 9 avril 1756. L'escadre de soutien est commandée par La Galissonnière. Débarquées le 18 avril à Ciudadella, les troupes marchent aussitôt sur Mahon. Le 20 mai, La Galissonnière force l'escadre anglaise à se replier sur Gibraltar, et le 27 Richelieu déclenche une quadruple attaque sur la citadelle de Mahon. Le 28 mai, la garnison anglaise capitule et obtient les honneurs de la guerre. Des vaisseaux français la transportent à Gibraltar. Cette victoire si prompte fait grande impression. Elle exaspère les Anglais. Traduit devant une cour martiale, l'amiral Byng, qui commandait la flotte anglaise, est condamné à mort et fusillé. L'Angleterre entend montrer ainsi à toute l'Europe son implacable résolution de vaincre dans la lutte qui s'annonce.

MAILLET, Benoît de (Saint-Mihiel, 12 avril 1656 - Marseille, 30 janvier 1738). Diplomate, administrateur et savant, il passe de longues années hors de France. Nommé en 1692, par la protection de Pontchartrain, consul général de France en Égypte, il est ensuite consul à Livourne de 1702 à 1708, et pour finir, à partir de 1708, inspecteur des établissements français en Méditerranée. A sa mort, il est encore un inconnu, les récits de voyages qu'il a publiés — entre autres une *Description de l'Égypte* (Paris, 1735) — n'ayant pas rencontré une grande audience. Mais ses ouvrages posthumes, et surtout le *Telliamed* (*Telliamed ou Entretiens d'un philosophe indien avec un missionnaire français sur la diminution de la mer, la formation de la Terre, l'origine de l'homme, etc. Mis en ordre sur les Mémoires de feu M. de Maillet. Par J. A. G.***, 2 vol. in-8°. A Amsterdam, chez L'Honoré et Fils, libraires, 1748*), lui valent la célébrité. Telliamed est son nom renversé. La partie de cet ouvrage consacrée à la formation de la terre contient des vues neuves et pénétrantes et qui autorisent à regarder l'auteur comme un précurseur de la géologie moderne. Partant de l'observation des dépôts d'alluvions et des coquillages marins trouvés sur les montagnes, Maillet établit que celles-ci ont été formées par les courants marins. Il est dommage qu'il ne s'en tienne pas là. Frappé par le retrait des mers, il s'imagine que la masse des eaux diminue graduellement, que la Terre se rapproche du Soleil, et qu'un jour notre globe prendra feu. On tombe ainsi de la science dans le roman. Il est vrai que la partie consacrée à l'homme est encore plus extravagante. Persuadé «qu'il y a différentes espèces d'hommes», Maillet ajoute foi à des fables et à des prétendus témoignages. «Ne sçait-on pas, écrit-il par exemple, que dans l'île de Madagascar il se trouve une espèce d'homme sauvage encore muet si vîte à la course, qu'il est presque impossible de l'atteindre et de l'attraper» (t. II, p. 171). Plusieurs pages traitent des «hommes à queues»: «Il y a beaucoup de ces hommes en Éthiopie; il y en a aux Indes, en Égypte, en Angleterre et surtout en Écosse; toutes nos relations en font foi» (t. II, p. 179). Une courtisane de Pise lui aurait raconté avoir couché avec l'un de ces hommes et lui avoir demandé «ce que c'étoit». Et cet homme dit «d'un ton brusque et chagrin, que c'étoit un morceau de chair, qu'il portoit de naissance par le désir que sa mère avoit eu, étant grosse de lui, de manger d'une queue de mouton» (t. II, p. 180). Après les hommes «à queue», Maillet recense les «hommes qui n'ont qu'une jambe», les hommes sans barbe

et les géants. Ces derniers ne sont pas si rares: «La France a aussi eu des géants. Il n'y a pas plus de cinq cens ans, qu'en Dauphiné il y en avoit un de dix-huit pieds de hauteur [...]. On vient même d'en découvrir une nation entière en Amérique» (t. II, p. 189). Toutes ces espèces sont «sorties de la mer». Cela s'est fait sans difficulté, puisqu'«on peut passer de la respiration de l'eau à celle de l'air (*et vicissim*)» (t. II, p. 201). D'ailleurs «... nous avons plusieurs exemples d'hommes couverts d'écailles visibles» (t. II, p. 206). Et cela continue. On a beau savoir que dans tout savant sommeille un mystificateur, on reste quand même surpris.

MAILLY, Louise Julie de Nesle, comtesse de (1710-1751). Elle fut la première en date des maîtresses déclarées de Louis XV. Elle était l'aînée des cinq filles de Louis III, marquis de Nesle, et avait épousé en 1726 Louis Alexandre de Mailly, son cousin. Ses charmes physiques semblaient minces. Elle avait le nez long, la bouche grande, la voix rude. L'histoire de sa liaison avec le roi se déroule d'une manière assez compliquée. Pendant quatre ans (1733-1737), personne n'est informé, hormis la reine et Fleury. En 1736, la jeune femme dispose d'un logement dans les petits appartements. En 1737, le public est au courant. Barbier en parle dans son *Journal*. Le 15 décembre 1737, un jésuite, le P. de Neuville, dans un sermon en présence du roi, prononce le mot de «scandale». Un an plus tard, Mme de Mailly est supplantée par sa sœur, Mme de Vintimille. En 1740, après la mort de cette dernière, elle voit le roi lui revenir, mais en tant qu'ami seulement, et cette deuxième faveur ne dure pas longtemps. Mme de La Tournelle, la troisième sœur élue, ne voulant aucun partage, Mme de Mailly doit quitter la Cour et aller habiter Paris. Ce départ a lieu le 4 novembre 1742.

Selon certains historiens du siècle dernier, Fleury aurait favorisé cette première liaison durable du jeune roi: disons seulement qu'il n'y était pas défavorable. «Ah! si vous saviez, écrit-il un jour à la duchesse de Brancas, ah! si vous saviez combien il était nécessaire que Mme de Mailly eût le cœur du roi!» Le cardinal craignait sans doute quelque maîtresse intrigante. Dans la même lettre il dit un peu plus loin: «Le roi a du moins les vertus de Mme de Mailly» (cité par Paul del Perugia, *Louis XV*, p. 92).

Quelles étaient ces vertus? De la gentillesse et un total désintéressement. Comme le dit le duc de Luynes, « elle aimait le roi de bonne foi, non seulement sa personne, mais sa gloire». On sait aussi qu'elle cherchait à le faire sortir de son silence et de sa timidité.

C'est en 1739 que Louis XV cesse de communier et de toucher les écrouelles. A cette date Mme de Vintimille a déjà remplacé sa sœur: c'est donc à cette seconde liaison et non à la première qu'il faut imputer cet abandon de la pratique sacramentelle et du toucher royal.

MAINE. On joint communément Maine et Perche, ces deux provinces ne formant qu'un seul gouvernement. Le Maine dépend de la généralité de Tours, le Perche de celle d'Alençon. Le vaste diocèse du Mans excède les limites de la province du Maine: il comporte en plus une petite partie de la Normandie et des portions du Perche et du Vendômois.

Ce sont des pays essentiellement ruraux. Les villes y sont de peu d'importance: la plus grande est Le Mans qui n'a que 15 000 habitants. Cependant, la population rurale ajoute aux activités agricoles celles des travaux du textile et de la métallurgie qui sont les deux industries majeures de la province. Les étamines tissées au Mans, à Bonnétable, Beaumont-sur-Sarthe, La Ferté-Bernard, Laval et Mayenne, sont exportées par les négociants du Mans vers l'Espagne, le Portugal et l'Amérique latine. On tisse aussi des toiles de chanvre autour de La Ferté-Bernard, Mamers et Laval. Si les étamines déclinent après 1740, les toiles ne cessent de progresser jusqu'à la fin du siècle. Les établissements métallurgiques sont au nombre d'une dizaine, le plus important se trouvant à Port-Brillet

à l'ouest de Laval (deux hauts-fourneaux).

La déchristianisation commençante ne pénètre guère ici. Les paroisses sont régulièrement visitées par les évêques. Les capucins et les lazaristes du Mans prêchent des missions dans les campagnes. Les nombreux retables construits dans les églises paroissiales témoignent éloquemment de la vitalité de la foi populaire.

MAINE, Louis Auguste de Bourbon, duc du (Saint-Germain-en-Laye, 31 mars 1670 - Sceaux, 14 mai 1736). Prince légitimé de France, il est le fils de Louis XIV et de Mme de Montespan. Marié le 19 avril 1692 à Louise Bénédicte de Bourbon, il en aura sept enfants.

Sa vie pourrait être divisée en deux périodes: l'élévation et l'abaissement. Louis XIV le légitime en 1673, lui confère en 1714 le rang de prince du sang avec droit de succession à la couronne et, par son testament, l'institue surintendant de l'éducation du roi mineur, avec commandement sur les troupes de sa maison. Après la mort du Grand Roi et la cassation de son testament, il est privé d'une grande partie de ses prérogatives, destitué du commandement des troupes de la Maison du roi (1715), déchu de sa qualité de prince du sang (1717) et de sa préséance sur les ducs et pairs, ainsi que de sa fonction de surintendant de l'éducation du jeune Louis XV (26 août 1718). Entraîné en 1718 par sa femme dans la conspiration de Cellamare, il est arrêté le 27 décembre de cette même année, et retenu prisonnier pendant un an à la forteresse de Doullens.

De tempérament solitaire et secret, incapable de communiquer, peu doué pour l'art de la guerre, et même, si l'on en croit Saint-Simon, peu courageux au combat, commandé par sa femme, accablé par les infortunes, le duc du Maine n'était pas fait pour jouer un grand rôle. C'était pourtant un homme d'esprit et de grande foi. Au témoignage de Mme de Staal de Launay, sa contemporaine, il était «éclairé, fin, cultivé». Sa piété profonde l'élevait au-dessus de lui-même. « La religion, dit encore Mme de Staal de Launay, peut-être plus que la nature, avait mis en lui toutes les vertus » (*Mémoires*, 1755).

MAINE, Anne Louise Bénédicte de Bourbon-Condé, duchesse du (Paris, 8 novembre 1676 - *id.*, 23 janvier 1753). Elle est la fille de Henri Jules, prince de Condé, et la petite-fille du Grand Condé. Elle épouse en 1692 le duc du Maine. De cette union naîtront sept enfants, dont trois seulement atteindront leur majorité.

Cette princesse était remarquable par l'extrême petitesse de sa taille et par l'agilité de son esprit. Dans son château de Sceaux, pendant plus d'un demi-siècle, elle s'entoura d'une cour d'écrivains et d'artistes. Ce fut le premier salon du temps des Lumières. Voltaire et Montesquieu le fréquentèrent. Mais l'hôtesse y tenait trop de place et, trop occupée d'elle-même, ne pouvait favoriser l'éclosion des talents. Mme Staal de Launay, un moment sa confidente, écrivait d'elle : « Sa provision d'idées est faite [...], elle résisterait aux meilleurs raisonnements, s'ils contrariaient les premières impressions qu'elle a reçues » (*Mémoires*, 1755).

En politique, elle ne réfléchissait pas davantage. Indignée de la dégradation infligée à son mari, elle voulut (malgré lui) le venger. Elle complota et s'engagea dans la conspiration de Cellamare, ce qui lui valut de passer quinze mois en prison (1718-1719).

MAINMORTE. On appelle mainmorte le statut des biens d'Église et des biens des hôpitaux, des universités et de toutes les communautés d'habitants. Il s'agit du statut de ces biens par rapport à l'institution seigneuriale. A partir du moment où ils ont été donnés à l'Église (ou aux hôpitaux ou aux universités ou aux communautés d'habitants), ces biens ont été « pratiquement retirés de la circulation » (F. Olivier-Martin) : ils ne peuvent plus être vendus, ni transmis par héritage. Les seigneurs de ces biens se trouvent privés par le fait même de toute possibilité de percevoir les droits de mutation.

En qualité de seigneur et de gardien de toutes les églises de son royaume, le roi consent ou non aux donations qui leur sont faites, ainsi qu'aux donations faites aux autres institutions de mainmorte. S'il y consent, on dit qu'il « amortit » les biens donnés. Étant privé par ces donations de l'occasion de percevoir les droits de mutation, il exige pour se dédommager une taxe, dite d'« amortissement » (*voir ce mot*).

On appelle « gens de mainmorte » toutes les personnes, corps et communautés dont les biens sont inaliénables ; L'édit de décembre 1691 a compris sous cette dénomination les évêques, chapitres, curés, monastères, universités, hôpitaux, maires, consuls, capitouls, manants et habitants des villes et villages, et généralement toute personne et corps possédant des biens inaliénables.

MAISON CIVILE DU ROI. La Maison civile est le service de la Cour chargé de l'approvisionnement, de la cuisine et de la table. C'est un service fort nombreux. Il est composé d'environ cinq cents personnes. L'hôtel du Grand-Commun (aujourd'hui hôpital militaire Larrey), immense construction de près de mille pièces, abrite les cuisines et les logements du personnel.

Comme tous les services de la Cour, la Maison civile est placée sous l'autorité du grand maître de la Maison du roi. Elle est divisée en trois services qui sont le bureau du roi, le service du roi et la cuisine. Le bureau est chargé des achats. Son personnel est composé de douze maîtres d'hôtels, de plusieurs contrôleurs, d'un maître de la chambre aux deniers et de vingt huissiers. Dans le service du roi, douze maîtres d'hôtel servant par quartier ont pour fonction d'escorter la viande du roi des cuisines du Grand-Commun jusqu'à la table royale (où elle arrive froide). Trente-six gentilshommes servants assurent le service ordinaire de table. La présence des grands officiers de table (le grand panetier, le grand échanson et le grand écuyer tranchant) n'est de rigueur que pour les repas les plus solennels. Quant à la cuisine, elle se divise elle-même en cuisine du roi et cuisine du commun. La première comprend les trois services de la paneterie-bouche, de l'échansonnerie-bouche et de la bouche du roi, chacun pourvu de chefs, d'aides et de sommeliers.

Au service, au bureau et à la cuisine s'ajoutent la fruiterie, la fourrière (qui fournit le bois de chauffage) et le Petit-Commun, dont la cuisine est destinée au grand maître et au grand chambellan.

Le règlement de Necker du 17 août 1780, supprimant quatre cent-six offices de chefs, aides, contrôleurs, lavandiers, sommeliers et autre personnel, réduit presque à néant la Maison civile du roi.

MAISON MILITAIRE. La garde et Maison militaire du roi est un corps d'élite. Sous le règne de Louis XV, son effectif est d'environ 10 000 hommes.

En 1757, il était composé des douze formations suivantes (dans l'ordre de préséance) :

gardes de Sa Majesté, dits aussi gardes du corps (1 440 hommes);
gardes de la manche (24 hommes);
gendarmes de la garde (210 hommes);
chevau-légers (310 hommes);
mousquetaires (500 hommes);
grenadiers à cheval (150 hommes);
gendarmerie (800 hommes);
cent-suisses (100 hommes);
gardes de la porte (50 hommes);
gardes de la prévôté de l'hôtel (90 hommes);
gardes françaises (4 290 hommes);
gardes suisses (2 400 hommes).

Ces troupes sont de cavalerie ou d'infanterie. Les gendarmes de la garde et les chevau-légers appartiennent à la cavalerie. Les gardes françaises et les gardes suisses à l'infanterie. Les mousquetaires combattent à pied et à cheval. Le service se fait à l'intérieur du château de Versailles ou à l'extérieur. Les gardes du corps, les cent-suisses, les gardes de la manche et ceux de la porte assurent le service intérieur. Toutes les autres troupes servent à l'extérieur. La garnison des gardes françaises est à Paris, celles des gardes suisses sont à Rueil et Cour-

bevoie. Ces deux régiments participent à la police de la capitale. Cependant, une compagnie de gardes françaises assure également un service à la Cour. Les postes extérieurs lui sont confiés. De toutes les unités de la Maison militaire, les gardes du corps ont la fonction la plus importante, celle de la protection de la personne royale. Le capitaine des gardes en quartier ne quitte jamais le souverain.

La beauté des uniformes, la qualité du recrutement et celle du commandement marquent le caractère de supériorité de la Maison militaire.

Les uniformes, tous splendides, varient selon les unités. Les gardes du corps portent l'habit bleu, la culotte rouge et le chapeau bordé d'argent. Les gardes de la manche revêtent sur leur habit bleu une cotte d'armes à fond blanc semée de fleurs de lis avec la devise du roi. Les gendarmes de la garde ont un habit d'écarlate galonné d'or à brandebourgs.

Certains de ces corps ne se recrutent que dans la noblesse. Ainsi, depuis 1743, les chevau-légers ne peuvent accepter les sujets ayant moins de deux cents ans de noblesse. Quant aux commandements, ils ne sont confiés qu'à de très grands seigneurs. En 1786, les capitaines des gardes du corps sont les ducs de Villeroy et de Guiche, les princes de Poix et de Luxembourg et le duc d'Ayen. Le colonel des gardes françaises est revêtu des plus hautes dignités militaires. La charge est exercée de 1745 à 1786 par le duc de Biron, maréchal de France.

Cependant, le rôle de la Maison militaire n'est pas réservé à la parade, ni au service d'honneur. Les unités d'élite qui la composent constituent la réserve suprême de l'armée. Elles sont engagées dans toutes les campagnes et participent à toutes les batailles. Elles s'illustrent en de nombreuses occasions. A Dettingen, en 1743, la Maison du roi se sacrifie pour sauver ce qui peut l'être des troupes imprudemment engagées par le duc de Gramont. A Fontenoy, en 1745, ce sont les gardes françaises qui soutiennent le premier choc, et ce sont les charges de cavalerie de la Maison qui viennent à bout des colonnes ennemies et décident de la victoire.

On peut donc s'étonner de voir le gouvernement de Louis XVI s'acharner à diminuer les effectifs d'une troupe qui n'avait nullement démérité. Le prétexte invoqué est l'économie. Mais la raison profonde est le souci démagogique de satisfaire une opinion publique toujours prête à critiquer les dépenses de la Cour. Le 15 décembre 1775 le comte de Saint-Germain, ministre de la Guerre, ampute chaque compagnie des gardes du corps d'une brigade, réduit à dix le nombre des gardes de la manche, à soixante-trois le nombre des gendarmes de la garde et celui des chevau-légers, et supprime purement et simplement les mousquetaires et les grenadiers à cheval. Loménie de Brienne poursuit l'entreprise de démolition. Le 30 septembre 1787 disparaissent les gendarmes de la garde, les gardes de la porte et les chevau-légers. Le 2 mars 1788, la gendarmerie n'existe plus. Le même jour l'effectif des gardes du corps est réduit à mille hommes. En ajoutant les suppressions de Brienne à celles de Saint-Germain, on obtient un total de 2 904 hommes. En l'espace de quelques années, la Maison militaire a été diminuée du tiers.

Les économies réalisées sont minces, car il a fallu rembourser les charges. Les résultats les plus clairs sont le mécontentement de toute une noblesse frustrée de ses charges de prédilection, et l'affaiblissement du prestige et de la protection de la personne royale.

MAÎTRES DES REQUÊTES. Les maîtres des requêtes sont des magistrats. Ils exercent les trois fonctions suivantes : rapporteurs au Conseil du roi, rapporteurs à l'audience du sceau de la grande chancellerie et juges de la juridiction des requêtes de l'hôtel. Leur nom vient de ce que leur fonction primitive était de recevoir les plaintes et requêtes adressées au roi, de les examiner et d'en faire le rapport.

Leurs charges sont érigées en titre d'office. Pour devenir maître des requêtes, il faut avoir trente ans accomplis (des dispenses d'âge peuvent être accordées) et avoir exercé pendant un temps déterminé des fonctions soit de magistrat de cour royale, soit d'avocat.

Leur nombre est de 88 jusqu'en août 1752, date à laquelle il est réduit à 80. Ils servent par quartiers de six mois, dont trois au Conseil et trois au sceau et aux requêtes de l'hôtel. Cependant, ils ont leur entrée au Conseil, même hors quartier.

De leurs différentes fonctions, la principale est celle de rapporteurs au Conseil privé (Conseil des parties) et à la Grande Direction. Ils sont admis également à la Petite Direction, mais n'y opinent pas. Au Conseil des parties et à la Grande Direction ils ont entrée et voix délibérative, et l'exclusivité de rapporter. Ils rapportent les affaires dont ils sont chargés et signent les minutes des arrêts rendus à leur rapport.

A la grande chancellerie, leur service consiste à rapporter les règlements de juges, les évocations et les autres lettres de justice qu'ils présentent au chancelier ou au garde des Sceaux pour être scellés.

Comme juges des requêtes de l'hôtel, ils exercent une juridiction ordinaire ou extraordinaire. Ils exercent l'ordinaire en connaissant en première instance des causes des princes, des officiers de la Couronne et de toutes personnes ayant droit de *committimus*. Les appels sont portés au Parlement. A l'extraordinaire, ils connaissent en dernier ressort des causes relatives au titre des offices royaux.

Ajoutons qu'ils sont membres de droit du Parlement et ont séance à la Grand-Chambre. Cependant ils n'y peuvent entrer plus de quatre à la fois.

Par ces différentes fonctions, le corps des maîtres des requêtes joue un rôle essentiel dans le gouvernement central du royaume. Mais son rôle n'est pas moins important dans l'administration des provinces. C'est en effet le plus souvent à des maîtres des requêtes que sont données les commissions d'intendants des généralités. Sous Louis XV, soixante et onze intendants sont venus de leur corps. Le roi les choisit aussi très souvent pour occuper des places de confiance dans les cours souveraines, charges de procureurs généraux et de premiers présidents. Ils constituent ainsi la pépinière de l'administration. La plus grande partie du haut personnel politique et administratif se forme dans l'exercice de leurs fonctions. Ainsi peut s'expliquer sans doute à la fois la grande compétence de ce haut personnel et son esprit centralisateur et bureaucratique.

MAÎTRISES PARTICULIÈRES DES EAUX ET FORÊTS. *Voir* EAUX ET FORÊTS (maîtrises particulières des).

MALESHERBES, Chrétien Guillaume de Lamoignon de (Paris, 6 décembre 1721 - *id.*, 22 avril 1794). Ministre d'État, fils du chancelier Guillaume de Lamoignon, il est gagné dès l'adolescence par l'incrédulité du siècle bien qu'il ait été élevé par les jésuites du collège Louis-le-Grand. Après avoir rempli successivement les charges de substitut du procureur général du Parlement (1741) et de conseiller de cette cour, il est nommé, le 14 décembre 1750, premier président de la Cour des aides, fonction qu'il remplira jusqu'à la dissolution des parlements (1771). Les remontrances qu'il rédige en cette qualité dénoncent avec véhémence les abus de la monarchie administrative. Mais elles ne se limitent pas à cela. Malesherbes est un esprit puissant. Il expose une théorie nouvelle qui dissocie le corps politique et fait de la nation un être autonome et indépendant de la royauté. En même temps que sa charge de premier président, il exerce celle de directeur de la Librairie, favorisant les intérêts des «philosophes» et manifestant une bienveillance particulière pour Diderot et pour l'*Encyclopédie*. Exilé le 6 avril 1771, il revient sur le devant de la scène lors de l'avènement de Louis XVI. Le nouveau roi l'estime, l'admire et partage ses idées au sujet de la royauté et de la nation. D'abord pressenti (en juin 1774) pour le poste de garde des Sceaux, Malesherbes refuse. Il préfère retourner à la Cour des aides, dont il redevient premier président au mois de novembre 1774. Mais en juin 1775 il se voit contraint d'accepter, sur les instances pressantes du roi, le ministère de sa Maison. Il quitte cette fonction un an plus tard, sans avoir eu le temps de mener à bien les deux réformes qui lui tenaient à cœur : l'état civil des protestants et la suppression des lettres de cachet. C'est alors qu'il voyage à l'étranger, et se passionne pour la botanique, se liant d'amitié avec le naturaliste suisse Bonnet. Louis XVI continuant à solliciter ses conseils, il lui adresse en 1785 et 1786 deux mémoires concernant l'état civil des protestants. Le 30 juin 1787, il est nommé ministre d'État sans département. Le 16 novembre de la même année, le Conseil adopte son projet d'état civil. Le roi l'aurait alors chargé de préparer une réforme en faveur des juifs. Mais il n'est pas — il n'a jamais été — à l'aise dans le rôle d'homme d'État. Le 25 août 1788, il demande au roi de le laisser partir afin de pouvoir se consacrer à la retraite et à l'étude. Le 12 décembre 1792, il sollicite et obtient de la Convention le redoutable honneur d'assister Louis XVI à son procès. Il paie son courage de sa vie. Le 16 décembre 1793, il est arrêté avec sa famille. Le 22 avril 1794, il est guillotiné en même temps que sa fille, sa petite-fille et le mari de cette dernière, M. de Chateaubriand (le frère de l'écrivain). Il ne s'était jamais départi de ses principes politiques. Dans un *Mémoire sur la situation présente des affaires* adressé à Louis XVI en 1788, il avait supplié le souverain d'octroyer une constitution. Mais sa philosophie s'était effritée. La foi de Louis XVI l'avait ému. Dans sa prison, il avait dit au comte de Tocqueville, prisonnier avec lui (et mari d'une autre de ses petites-filles) : «Si vous avez des enfants, élevez-les pour en faire des chrétiens. Il n'y a que cela de bon» (rapporté par François Hue, *Dernières Années du règne et de la vie de Louis XVI*, 3e édition, Plon, 1860).

MALLET, Edme (Melun, 1713 - Paris, 25 septembre 1755). Cet abbé est l'un des théologiens de l'*Encyclopédie*. Il est d'abord précepteur des enfants du fermier général Lalive. Puis il entre dans les ordres, conquiert ses grades et devient docteur en théologie de Navarre (1744). Il exerce ensuite les fonctions de curé dans son pays natal près de Melun, et cela jusqu'à sa nomination comme professeur royal de théologie à Navarre. Il est l'auteur de plusieurs ouvrages de méthode pour l'étude des belles-lettres, et d'une traduction de l'*Histoire des guerres civiles de France*, de l'Italien Davila (1757). Mais on le connaît surtout pour son importante contribution à l'*Encyclopédie*, dont il écrit tous les articles d'histoire ancienne et moderne et presque tous les articles de théologie. La doctrine qu'il expose est parfaitement orthodoxe. Il la présente honnêtement. On doit noter cependant une certaine réticence de sa part vis-à-vis de la théologie spéculative et de tout ce qui n'est pas théologie positive. Par exemple, dans l'article « Ange », il écrit ceci : « Les théologiens ont agité différentes questions plus curieuses qu'utiles sur le nombre, l'ordre, les facultés et la nature des anges, qui ne peuvent être décidées ni par l'Écriture, ni par la Tradition. » Les dévots s'efforcèrent de le prendre en défaut. Ce fut en vain. Et l'on vit même Boyer, ministre de la feuille, lui rendre justice et lever tous les soupçons en le nommant chanoine de Verdun.

MALVIN DE MONTAZET, Antoine de. *Voir* **MONTAZET, Antoine de Malvin de.**

MANCINI-MAZARINI, Louis Jules Barbon, duc de Nivernais (Paris, 16 décembre 1716 - *id.*, 25 décembre 1798). C'est un homme chéri de la fortune. Il accumule tout au long de sa longue vie les plus hautes charges et les plus grands honneurs. Après une courte carrière militaire interrompue en 1743 pour cause de faible constitution, il est nommé brigadier des armées du roi. Il est élu à l'Académie française en 1742 en remplacement de Massillon, et à l'Académie des inscriptions et belles-lettres en 1744. Ayant choisi ensuite la carrière diploma-

tique, il obtient successivement quatre belles ambassades : Rome (1748-1752), Berlin (1755-1756), Saint-Pétersbourg (1756-1761), Londres (1761-1762), où il négocie la paix. Enfin il est pendant deux ans, de juin 1787 à juillet 1789, ministre d'État sans département. Il a laissé une bonne réputation. Lord Chesterfield lui a décerné un brevet de « gentilhomme accompli ». Les historiens ne lui ménagent pas leurs éloges : « esprit orné, aimable et parfait honnête homme » (Michel Antoine, *Louis XV*) ; « modération proverbiale » (Jean Égret, *La Pré-Révolution française*). En fait que vaut-il ? C'est un bon mari, qualité rare à l'époque. Il avait épousé en premières noces Mlle de Pontchartrain, sœur de Maurepas, et l'adorait. C'est un ami des arts. Il avait sa loge à l'Opéra, et c'était lui qui avait organisé avec Mme de Pompadour le théâtre des Petits Cabinets. Ce n'est pas un grand écrivain, même si l'on trouve de la « distinction » dans ses *Fables* (publiées en 1796). Ce n'est pas non plus un grand politique. Lié au clan Choiseul, il partage l'hostilité de cette faction contre Maupeou. En 1787, il est à l'assemblée des notables l'un des « tombeurs » de Calonne. Ensuite, il lui vient des craintes. Il tente de défendre devant la Cour des pairs les réformes de Brienne. Ce qui aurait fait dire à un magistrat : « Pourquoi est-il ici ? Il serait mieux dans un boudoir à imaginer des fables. » Il est contre la double représentation du tiers, et soutient Barentin, pour l'abandonner ensuite. La Révolution l'épargne, mais de justesse. Emprisonné deux fois, en 1793 et en 1794, il est libéré le 22-Thermidor, et réussit à mourir dans son lit.

MANIBAN, François Honoré Casaubon de (Toulouse, 1684 - Bordeaux, 1743). Évêque de Mirepoix, puis archevêque de Bordeaux, il est l'un des prélats les plus apostoliques de son temps. Il était d'abord entré à la Chartreuse. Obligé pour raisons de santé de s'en retirer, il est nommé en 1721 évêque de Mirepoix, succédant au janséniste Pierre de La Broue qui lui laisse une très mauvaise situation et un diocèse très agité par les querelles doctrinales. Il apaise les esprits et se fait estimer de tous. Transféré à Bordeaux en 1729, il inaugure son épiscopat par une retraite générale du clergé, retraite prêchée par lui-même. Il agit en faveur des hospices, tient de nombreux synodes et révise la liste des fêtes chômées, dont il diminue le nombre. Surtout, il est grand visiteur de ses paroisses. Cent quarante-deux procès-verbaux de visites pastorales et dix-sept dus à ses délégués attestent de l'ampleur de son effort pastoral. C'est au cours d'une visite que le frappe sa dernière maladie. Il meurt le 29 juin 1743, à peine rentré à Bordeaux.

MANUFACTURE. Le mot avait au XVIIe siècle et garde jusqu'à la fin du XVIIIe siècle un sens très général, signifiant à la fois la « fabrication de certains ouvrages qui se font à la main » (Nicolas Joseph Guyot, *Répertoire universel et raisonné de jurisprudence...*, 1784-1785) et l'établissement industriel spécialisé dans telle ou telle fabrication. Dans ce dernier sens, une manufacture n'est rien d'autre qu'une fabrique.

Pourtant, l'usage courant ne donne pas au mot manufacture le même emploi qu'à celui de fabrique. Depuis 1660 ont été créées plusieurs manufactures royales (les Gobelins et Saint-Gobain par exemple) dotées d'avantages et de privilèges. L'idée de privilège est donc associée à celle de manufacture et non à celle de fabrique. De plus, autre différence avec les fabriques, les ouvriers de certaines manufactures royales travaillent regroupés dans un ou deux ateliers de production.

La grande nouveauté après 1750 consiste dans la multiplication de ces manufactures dites « concentrées » dans le langage des historiens, parce qu'elles regroupent leurs ouvriers. Plusieurs de ces nouvelles manufactures ne sont pas subventionnées, ni privilégiées. Ce sont, d'ordinaire, de grandes entreprises et leurs créateurs sont des entrepreneurs munis d'importants capitaux. Ces « manufacturiers », comme on dit, se distinguent des marchands des fabriques en ce qu'ils ne se contentent pas de vendre, mais fabriquent eux-mêmes en engageant des ouvriers qu'ils regroupent dans des ateliers communs. Toutefois la « concentration » est plus ou moins poussée. Il existe des « concentrations nébuleuses » où une partie des ouvriers est employée à la manufacture elle-même, dans les « halles » de cette manufacture — c'est le mot de l'époque pour désigner les ateliers —, et l'autre partie à domicile. C'est le cas de la draperie Van Robais d'Abbeville, qui fait travailler mille huit cents ouvriers en atelier plus dix mille à domicile. Les concentrations les plus fortes (avec une proportion élevée d'ouvriers dans les ateliers communs, ou même parfois la totalité) se trouvent dans les secteurs de pointe : les filatures de coton, les fabriques d'indiennes, les firmes sidérurgiques, et les manufactures de glaces. A la veille de la Révolution, il existe une dizaine de grandes manufactures concentrées de coton : L'Épine, près d'Arpajon, Decretot à Louviers, Foxlow à Orléans, Milne à Montargis et à Montivilliers, Bourkard et Pelloutier à Nantes, Leclerc à Brive et Daly à Crest. La fabrique Decretot de Louviers arrache des cris d'admiration au voyageur anglais Arthur Young qui la visite le 8 octobre 1788 : « M. Decretot [...] me fait voir sa fabrique, la première du monde certainement, si la réussite, la beauté des tissus et une invention inépuisable pour répondre à tous les caprices de la fantaisie sont des mérites à une telle supériorité » (*Voyages en France*, éd. Lesage, t. I, p. 177). Dans le secteur des indienneries, c'est la manufacture Oberkampf de Jouy qui occupe la première place et de loin : en 1787, huit cents ouvriers y sont employés ; trente mille pièces y sont produites. Dans la métallurgie, l'extraordinaire usine du Creusot, construite de 1782 à 1785, représente ce qui se fait de plus moderne en Europe : deux hauts-fourneaux, quatre fours à réverbères, une grande fosse pour les moules, plusieurs forges et souffleries et des pavillons tout autour afin de loger les cinq cent soixante-dix-huit ouvriers, sans parler des chariots glissant sur des rails (les premiers chemins de fer), voilà ce que les visiteurs peuvent y admirer. « Cet établissement, écrit Daubenton, est une des merveilles du monde. » Mais, à ce compte, la manufacture de Saint-Gobain, établie dans la forêt du même nom en Picardie, est une autre merveille. Vers 1780, on y dénombre cinq « halles » de fabrication avec marche permanente à trois jours de coulage et deux mille ouvriers, dont quatre cents sont logés sur place dans une cité ouvrière construite en 1775. Une enceinte rénovée clôt l'ensemble. La nouvelle manufacture concentrée est un espace fermé.

Les manufactures sont soumises au contrôle de l'administration. Les inspecteurs des manufactures ont été créés par l'édit d'août 1704. Ils sont chargés de relever les contraventions aux règlements de la fabrication, et d'en faire leur rapport devant les juges de police.

MARAIS, Mathieu (Paris, 11 octobre 1665 - *id.*, 22 juin 1737). Avocat, mémorialiste, auteur du *Journal de la Régence*, il est le fils d'un procureur au Châtelet. Esprit brillant et précoce, entré en classe de rhétorique à douze ans et reçu au barreau à vingt-trois, il exerce pendant près d'un demi-siècle la profession d'avocat. Il a la réputation d'être l'«avocat des dames ». Cependant, le prince Charles recourt à ses conseils juridiques. La grande époque de sa vie a été celle de son amitié avec Pierre Bayle. Il a correspondu avec lui. Il a écrit pour son dictionnaire les trois articles *Henri III, Henri, duc de Guise* et *Marguerite, reine de Navarre.* Il le défendra toujours contre ses détracteurs et manifestera toujours à son endroit la plus vive admiration, qu'il tentera même de faire partager à ses nombreuses relations. Celles-ci sont très nombreuses et de qualité. On y compte entre autres Samuel Bernard, le cardinal de Polignac et le chancelier d'Aguesseau.

Le *Journal* de Marais a été publié par Lescure sous le titre suivant : *Journal et mémoires de Mathieu Marais, avocat au parlement de Paris, sur la Régence et le règne de Louis XV (1715-1737)* publiés pour la première fois avec une introduction et des notes par M. de Lescure, Paris, 1863-1868, en 4 volumes. C'est, avec le *Journal* d'Edmond Barbier, l'une des sources les plus utilisées par les historiens du XVIIIe siècle. Marais est éclectique, assez conciliant, porté à la sympathie, non dénué d'humour. Voici, caractéristique de sa manière, l'un de ses « crayons » du Régent : « C'est un Protée et une divinité fabuleuse, qui prend toutes sortes de formes, aujourd'hui amant transporté, demain mari galant, et toujours bien au-dessus de tous les courtisans qui l'entourent et qui ne le pénètrent pas » (t. II, p. 367-368).

La correspondance de Marais avec le président Bouhier n'est pas moins intéressante. Au tome III de son édition du *Journal*, Lescure en avait donné des extraits. Henri Duranton en a entrepris en 1980 la publication complète et scientifique sous le titre suivant : *Correspondance littéraire du président Bouhier n° 8, lettres de Mathieu Marais* (édition en cours aux presses de l'université de Saint-Étienne). Il s'agit d'une correspondance savante du genre de celles qu'échangeaient au siècle précédent les libertins érudits. Toutes les nouvelles publications y trouvent un écho et d'abord celles de philosophie, de théologie et d'histoire. La critique de Marais brille par un aimable bon sens. Voici par exemple son jugement sur les *Voyages de Cyrus* de Ramsay : « Le livre de M. de Ramsay, les *Voyages de Cyrus*, fait grand bruit et n'en devroit point tant faire [...]. Il dit qu'il écrira en historien, et la moitié du livre est plus que poétique ; en d'autres endroits, il resserre les paroles et non les choses, et fait si bien ou si mal qu'il fait se ressembler toutes les religions et fait parler Daniel comme Solon ; cela est trop peu pour les savants et trop pour les ignorants » (*Correspondance littéraire*, citée *supra*, t. II [1726-1728], 1981, p. 190). Mais on trouve aussi dans ces lettres un grand nombre d'informations nouvelles relatives à la politique et à la Cour. De sorte que les lettres de Marais complètent son *Journal* et enrichissent notre connaissance d'une période « assez pauvre en mémorialistes » (Duranton), Saint-Simon s'arrêtant juste avant et d'Argenson en disant peu de chose.

MARBŒUF, Yves Alexandre de (Rennes, 1734 - Lübeck, 15 avril 1799). Évêque d'Autun, ministre de la Feuille des bénéfices, puis archevêque de Lyon, il a fait ses études à Paris au collège du Plessis et au séminaire Saint-Sulpice, et a obtenu à Reims, en 1758, le bonnet de docteur en théologie. Évêque d'Autun de 1767 à 1788, transféré le 15 septembre 1788 sur le siège de Lyon, il est un évêque aussi peu résidant que possible. Il ne paraîtra pas une seule fois à Lyon. On a cependant de lui quelques mandements adressés à ses diocésains, ainsi une lettre pastorale du 22 novembre 1788 « pour exhorter les fidèles à secourir les pauvres ouvriers qui manquent de travail ». On est en droit de s'étonner qu'un aussi médiocre pasteur ait été nommé ministre de la Feuille, et par là même chargé pendant douze ans (de 1777 à 1789) de conseiller le roi dans le choix des évêques. Face à la Révolution, son comportement n'est guère plus brillant. Le 5 décembre 1790 il écrit de Paris à ses diocésains pour leur faire part de sa condamnation de la Constitution civile du clergé. Il déplore, dit-il, son « éloignement, si pénible à son cœur ». Ce devoir rempli, il s'empresse de quitter la France et de passer en Belgique.

MARCHAND. Un marchand, selon l'*Encyclopédie*, est une « personne qui négocie, qui trafique ou qui commerce ».

Les marchands ne veulent pas être confondus avec les artisans. Ils n'admettent pas que certains artisans prennent le titre de marchands et s'intitulent par exemple « maître marchand menuisier » ou « maître marchand boulanger ». Dans le *Mémoire pour le corps de l'orfèvrerie joaillerie* de 1739, on peut lire : « Un Artisan n'est point Marchand encore qu'il vende son ouvrage [...]. Ce qui constitue le Marchand, c'est le droit de vendre et de commercer tant son propre ouvrage

que celui d'autrui, soit en gros, soit en détail [...]. Qui n'est pas Marchand ne doit vendre que son ouvrage et non celui d'autrui. »

Les marchands de toutes catégories représentent entre 5 et 10 % de la population des villes. Ainsi, la ville de Bayeux compte-t-elle à la veille de la Révolution 277 marchands pour une population active de 2 491 personnes, soit un peu plus de 10 %. A Poitiers, d'après une enquête sur les contrats de mariage, les marchands représentent entre 5 et 7 % des actifs.

Il est plusieurs sortes de marchands. On distingue en premier les grossiers appelés aussi magasiniers, c'est-à-dire, selon la définition de l'édit de décembre 1701, « ceux qui [font] leur Commerce en Magasin, vendant leurs marchandises par balles, caisses ou pièces entières [et qui n'ont] point de Boutiques ouvertes, ni aucun étalage et enseignement à leurs portes et maisons ». Après ces marchands de gros viennent les marchands détailleurs ou boutiquiers, puis ceux qui vendent à la fois en gros et en détail, et enfin les marchands forains. Une catégorie à part est constituée par les marchands privilégiés suivant la Cour. Ceux-ci achètent leurs charges. Ils sont plus de cinq cents.

Dans les grandes places de commerce, il arrive que la spécialisation soit très poussée. Chez les marchands merciers parisiens, on ne compte pas moins de vingt classes correspondant à autant de spécialités. La septième classe est celle des marchands de soie en botte, la neuvième celle des marchands de peausseries, la quatorzième celle des marchands de rubans d'or.

En ce siècle utilitaire, la profession de marchand bénéficie d'une assez grande considération sociale. Elle suppose d'ailleurs certaines capacités. On lit dans l'*Encyclopédie* : « La profession de marchand est honorable, et pour être exercée avec succès, elle exige des lumières et du talent, des connaissances exactes d'arithmétique, des comptes de banque, de l'évaluation des diverses monnaies, de la nature et du prix des différentes marchandises, des lois et des coutumes particulières au commerce. L'étude même de quelques langues étrangères telle que l'Espagnole, l'Italienne ou l'Allemande, peut être utile... »

Si tout marchand est honorable, tous ne le sont pas au même degré. « Tout le monde demeure d'accord que le Commerce en gros est plus honorable et plus étendu que celui au détail » (Savary, *Le Parfait Négociant*, 1759). La permission donnée aux nobles de faire du commerce de gros sans déroger (édit de 1701) n'a pas peu contribué à élever le statut social du grossier.

Il y a donc dans la marchandise des différences considérables, non seulement de fortune, mais aussi de situation sociale. A Paris, les marchands des Six Corps[1] constituent une aristocratie reconnue. Le corps le plus puissant des six est celui des merciers. Ils habitent le quartier Saint-Honoré et font travailler des artisans d'art. A Toulouse, sous le règne de Louis XVI, une centaine de marchands d'étoffes tiennent le haut du pavé. Ils occupent le troisième rang par leurs fortunes, après les nobles et les parlementaires. Ils habitent le quartier de la Bourse. Leur ambition est d'acquérir des terres et des offices. Jaques Gonon, le plus riche d'entre eux, a 25 000 livres de revenu annuel. Il marie sa fille aînée à un conseiller au Parlement.

Car les marchands aspirent à monter. Ils ne s'en cachent pas. Dans ses *Confessions du comte de**** (1741), Duclos écrit : « J'ai remarqué aussi que les marchands qui s'enrichissent par le commerce, se perdent par la vanité. Les fortunes que certaines familles ont faites, les portent à ne point élever leurs enfants pour le commerce. De bons citoyens et d'excellents bourgeois, ils deviennent de plats anoblis. »

La catégorie des négociants mérite une analyse particulière (*voir* NÉGOCIANT). Les négociants étaient au début du siècle des marchands plus riches que les autres. Les années passant, ils deviennent une catégorie sociale très différente et très supérieure à celle des marchands.

MARÉCHAL, Sylvain (Paris, 15 août 1750 - Montrouge, 18 janvier 1803). Littérateur et « philosophe », il appartient à l'espèce des provocateurs. Il s'inscrit au barreau, juste le temps d'irriter son père qui le destinait au négoce, et quitte aussitôt la robe d'avocat pour la carrière des lettres. Après avoir un court moment imité Théocrite, puis J.-B. Rousseau (*Litanies sur la Providence*, 1783), mais ne trouvant le succès ni dans l'un, ni dans l'autre genre, il décide de scandaliser et y réussit parfaitement. Sa parodie de la Bible (*Livre échappé au Déluge ou Psaumes nouvellement découverts*, 1784) le fait renvoyer de sa place de sous-bibliothécaire à la Mazarine. Son *Almanach des honnêtes gens* (1788) est brûlé par la main du bourreau et lui vaut quatre mois de séjour à Saint-Lazare. Enfin, le gouvernement s'oppose à la diffusion de son *Dictionnaire des athées anciens et modernes* (1801) et interdit aux journaux d'en rendre compte. Matérialiste et athée, disciple d'Épicure et de Lucrèce, il avait publié en 1781 un *Nouveau Lucrèce*, réimprimé en 1798 sous le titre de *Lucrèce français*. Comme beaucoup de ceux de la secte épicurienne, il donnait aussi dans le genre érotique (*Bibliothèque des amants, odes érotiques*, 1786) et dans l'antiféminisme. Son *Projet de loi portant défense aux femmes d'apprendre à lire* suscita la véhémente protestation d'une Mme Gacon-Dufour, laquelle demanda que l'auteur, atteint selon elle de folie, fût interné dans une maison de santé (1801).

MARÉCHAL DE FRANCE. La dignité de maréchal de France est aussi le grade suprême de la hiérarchie militaire. Le titre jouit d'un très grand prestige. Les ducs et pairs eux-mêmes le recherchent. On peut néanmoins se demander si sa valeur ne souffre pas de l'inflation, car il est décerné avec une libéralité croissante. On

---

1. On nomme « Six Corps » les six corporations formant l'élite du commerce parisien : merciers, drapiers, épiciers, orfèvres, changeurs, pelletiers.

avait cinq maréchaux en 1734. Ils seront vingt et un à la fin de la guerre de Sept Ans (guerre perdue). Au total, de 1724, date de la première promotion du règne de Louis XV, à 1783, date de la dernière promotion du règne de Louis XVI, le roi a fait soixante-cinq maréchaux. Tous sont nobles. Quatre sont étrangers (Saxe, Bercheny, Berwick et Lowendal) ; ce sont les plus méritants.

En 1758, le maréchal de Belle-Isle, ministre de la Guerre, réglemente la forme, les dimensions et les ornements du bâton de maréchal : cylindre de bois plein, de 52 cm de longueur et de 3 et demi de diamètre, recouvert de soie bleue de France, semée de fleurs de lis.

Les maréchaux n'ont plus que des liens formels avec le tribunal de la Connétablie et maréchaussée de France, mais ils continuent à siéger au tribunal du Point d'honneur.

Quatre maréchaux sont élus à l'Académie française. Ce sont les ducs de Villars, de Richelieu et de Duras, et le prince de Beauvau.

MARIAGE. Au XVIIIe siècle, le mariage est considéré sous deux aspects : comme un contrat et comme un sacrement.

Du mariage contrat, le jurisconsulte Pothier donne la définition suivante : « On peut définir le Mariage un contrat revêtu des formes prescrites par les Lois, par lesquels un homme et une femme, habiles à faire ensemble ce contrat, s'engagent réciproquement l'un envers l'autre à demeurer toute leur vie ensemble dans l'union qui doit être entre un époux et une épouse » (*Traité du contrat de mariage*, 1768).

Pour le mariage sacrement, voici la définition du *Dictionnaire ecclésiastique et canonique* (1766) : « Sacrement institué par Jésus-Christ, lequel en vertu d'un contrat légitime et indissoluble [...] confère aux nouveaux époux la grâce d'engendrer et d'élever des enfants pour le Royaume des Cieux, et de soutenir chrétiennement les charges de l'état conjugal. »

Tous les auteurs, qu'ils soient canonistes ou civilistes, font cette distinction

du contrat et du sacrement. Mais les civilistes vont plus loin. Ils font prévaloir le contrat sur le sacrement. Pour eux, l'essentiel est le contrat. Le sacrement a été surajouté pour sanctifier le mariage. Telle est par exemple l'opinion de Léridant (*Examen de deux questions importantes sur le mariage, concernant la puissance civile*, 1753) : « On confond mal à propos le mariage, écrit cet auteur, avec le sacrement [...]. Le mariage existait avant Jésus-Christ [...]. Notre divin Législateur n'en a pas changé la nature. Il a seulement établi dans son Église un sacrement pour le sanctifier et pour répandre des grâces sur ceux qui se marient. » La conséquence — très vite tirée — de tels principes est que seul l'État a le droit de régler la discipline du mariage, et par exemple déterminer les empêchements. L'Église, selon ces auteurs, n'a que le droit de juger si les futurs époux sont dignes de recevoir le sacrement.

Cette doctrine du sacrement surajouté contredit gravement la doctrine traditionnelle de l'Église catholique sur le mariage. En effet, selon l'enseignement de saint Thomas d'Aquin et de tous les docteurs, le contrat dans le mariage ne doit pas être séparé du sacrement. Le contrat est même la « matière » du sacrement (comme disent les théologiens), c'est-à-dire qu'il est le sacrement lui-même, en tant qu'il exprime le consentement mutuel. Car ce consentement, dit encore la doctrine catholique, n'est pas n'importe quel engagement. C'est une promesse de fidélité jusqu'à la mort. L'Église tient qu'un tel engagement n'est pas un acte simplement humain, et que cet acte est un sacrement.

L'Église catholique a également beaucoup insisté sur la liberté du mariage, liberté qui lui paraît essentielle. Le concile de Trente avait rappelé la nécessité de cette liberté pour la validité du mariage. Le mariage, avait-il décrété, doit avoir l'accord des parents, « bien que cet accord ne soit pas nécessaire ». Toutefois, cette doctrine de Trente n'est pas reçue en France où le consentement des parents est obligatoire pour les garçons de moins de trente ans et pour les filles de moins de vingt-cinq. La jurisprudence des parlements fait une application rigoureuse de la législation royale. Nous voyons même ces cours annuler des mariages de mineurs sans autorisation des parents.

Quelques jours avant la célébration du mariage a lieu la passation du contrat chez le notaire. On peut certes se marier sans contrat, mais presque tous les futurs époux en font un.

Le contrat de mariage règle le régime des biens d'après le droit en vigueur. En pays de droit écrit s'impose le régime dotal, régime dans lequel des précautions sont prises pour sauvegarder la dot. En pays coutumier prévaut le régime de la communauté de biens. C'est l'article 220 de la Coutume de Paris : « Hommes et femmes conjoints ensemble par mariage, sont communs en biens meubles et conquests immeubles faits durant et constant le dit mariage. » Cette société de communauté a lieu dans toute la France coutumière, excepté dans les coutumes de Normandie, de Reims et d'Auvergne. Les époux font masse de tous leurs biens meubles et immeubles, dont les revenus alimentent le ménage. Mais chacun garde la propriété de ses biens propres qui, à la dissolution du mariage, retournent à l'époux survivant.

L'étude des contrats de mariage montre que les époux ne se conforment pas toujours à la coutume. Peu à peu apparaît un nouveau principe, celui de la liberté des conventions matrimoniales. En pays coutumier, il arrive fréquemment que l'on introduise des variantes dans le régime de la communauté. On peut même stipuler la séparation de biens.

Le régime des biens une fois réglé, le mariage est célébré. Les fiançailles, la publication des bans et la confession sont les cérémonies qui précèdent le sacrement. Celles qui l'accompagnent sont la bénédiction de l'anneau, la bénédiction de la pièce de monnaie (signe du don que le marié fait à la mariée de ses biens), la cérémonie par laquelle le prêtre fait mettre la main droite de l'époux dans celle de l'épouse, la célé-bration de la messe, l'offrande des époux « avec un cierge à la main, pour montrer qu'ils doivent édifier leurs familles avec une vie exemplaire », le voile étendu sur la tête des époux, et enfin la paix que le prêtre leur souhaite.

On se marie assez tard. A la veille de la Révolution, l'âge moyen au mariage est de vingt-quatre ans neuf mois. On ne reste pas marié très longtemps. La mort vient assez vite. On a calculé que dans telle ville de Normandie (Port-en-Bessin) le tiers des mariages étaient ainsi rompus avant leur quinzième année.

On se marie dans son pays, dans sa ville, souvent même dans son village, dans son quartier, dans sa rue. La société d'Ancien Régime vivait, en bien des lieux, repliée sur elle-même. Le mariage ne l'ouvre guère. On se marie aussi dans son métier, dans sa profession. Les filles se marient souvent au-dessus de leur condition. Ce n'est pas le cas des hommes. On se marie enfin dans son milieu. On ne se mésallie pas. Tout au moins en principe. En fait, nous assistons à partir des années 1750 à de nombreuses mésalliances. A Paris surtout, le brassage est total dans toutes les catégories sociales. La robe et l'épée se confondent. Des gentilshommes épousent des filles de robins, des avocats des filles de marchands, des marchands des Six Corps des filles d'huissiers et d'artisans.

La loi du mariage chrétien, celle du neuvième commandement de Dieu (« Œuvre de chair ne désireras qu'en mariage seulement ») est à peu près observée dans les campagnes, où les conceptions prénuptiales et les naissances illégitimes sont rares. Elle est beaucoup moins respectée dans les villes. Cela dépend toutefois beaucoup des régions. Maurice Gresset, qui a reconstitué les familles des magistrats et celles des huissiers de Besançon, n'y a trouvé aucune conception prénuptiale.

Ce sont les mœurs de la grande noblesse et celles de la « société d'argent » qui profanent le plus gravement le mariage chrétien. Dans ces milieux, la fidélité n'a plus cours, sauf de rares exceptions. Montesquieu écrit : « Ici, un homme qui aime sa femme, est un homme qui n'a pas assez de mérite pour se faire aimer d'une autre» (cité par René Pillorget, *La Tige et le Rameau*, Paris, 1979, p. 79). «Le mariage, observe en 1772 le moraliste Le Pileur d'Apligny, passe communément pour être le tombeau de l'amour» (*Essai historique sur la morale des anciens et des modernes*, Paris, 1772, p. 88). Il y voit l'effet des mariages arrangés, de «ces engagements de convenance et précipités, dont l'usage s'est introduit parmi les hommes» et qui «ont fait du mariage une loterie du bonheur et du malheur». Mais il faut sans doute rappeler les attaques des philosophes des Lumières contre l'indissolubilité. Au mot «Adultère» de son *Dictionnaire philosophique*, Voltaire plaide pour le divorce. Il invoque l'équité, l'histoire, l'exemple de tous les peuples, «excepté le peuple catholique romain». A l'article «Mariage» de l'*Encyclopédie*, on peut lire ceci : «... il n'y a rien ce me semble, dans la nature et dans le but de cette union, qui demande que le mari et la femme soient obligés de demeurer ensemble toute leur vie, après avoir élevé leurs enfants et leur avoir laissé de quoi s'entretenir.»

MARIE NOTRE-DAME (Compagnie de). La Compagnie de Marie Notre-Dame est un institut de religieuses enseignantes, fondé en 1606 par Jeanne de Lestonnac. C'est un institut régulier suivant la règle de saint Benoît. Les religieuses font des vœux solennels et gardent la clôture, mais sont dispensées de l'office de chœur pour mieux se consacrer à leur tâche éducative. Elles ont, en 1789, soixante-quatre maisons, dont onze fondées au XVIIIe siècle (Soury-Lavergne). L'implantation est méridionale : tous les établissements se trouvent au sud d'une ligne Rouen-Lyon. Chaque maison contient deux écoles, un pensionnat de jeunes filles et une petite école externat pour les enfants pauvres. La spiritualité mariale de la congrégation tire son inspiration de la mariologie de saint Bernard. L'influence ignatienne est

également très forte. Les novices doivent faire régulièrement les *Exercices spirituels*.

MARIE LESZCZYŃSKA (Breslau, 23 juin 1703 - Versailles, 24 juin 1768). Reine de France, elle est la fille de Stanislas Leszczyński, ancien roi de Pologne, et de Marie Opalinska. Elle épouse Louis XV à Fontainebleau le 5 septembre 1725. L'annonce du mariage a été une surprise pour tout le monde. Stanislas n'est alors qu'un roi détrôné, vivant médiocrement à Wissembourg en Alsace. La jeune princesse de Pologne n'appartient à aucune des grandes dynasties d'Occident. Elle a six ans de plus que le roi. Son étonnante fortune n'est due sans doute qu'à l'extrême rareté des candidates possibles. Ses avantages physiques sont assez minces. Le duc de Luynes, portraitiste flatteur, les résume ainsi : «Quoiqu'elle ne soit pas grande, et qu'elle n'ait pas ce qu'on appelle une figure noble, elle a un visage qui plaît et beaucoup d'innocence.»

Le mariage commence bien. Louis XV est très amoureux. Marie est féconde. Dix enfants naîtront en dix ans, de 1727 à 1737.

La reine est cependant une mère peu maternelle. Elle voit peu ses enfants, ne s'en occupe guère. Durant le long séjour de ses quatre dernières filles à Fontevrault, elle ne les visite pas une seule fois.

L'adultère de Louis XV commence en 1733. A partir de cette date, Marie est une épouse trompée — elle le sera jusqu'à sa mort — et une reine humiliée. On ne saurait excuser Louis XV. Tous les torts sont de son côté. On a dit — et c'est vrai — qu'en août 1738, après une fausse couche, Marie avait refusé d'accueillir son époux dans le lit conjugal. Mais c'était sur l'ordre des médecins, et il ne faut pas oublier qu'à cette date Louis XV trompait déjà sa femme depuis cinq ans. Le seul tort de la reine est de n'avoir pas su retenir un homme secret, difficile et perpétuellement ennuyé. D'esprit un peu lent, de conversation monotone, elle est incapable de le divertir de ses soucis. Elle écrivait ses pensées, dont quelques-unes ont été recueillies, et témoignent surtout de ses bons sentiments. Par exemple celle-ci : « Nous ne serions pas grands sans les petits ; nous ne devons l'être que pour eux » (cité par la comtesse d'Armaillé, *La Reine Marie Leszczyńska*, Paris, 1901).

Dans la politique, elle n'intervient qu'une fois, et mal lui en prend. C'est en 1726, au début de son mariage. Elle se mêle de soutenir le duc de Bourbon, déjà presque disgracié, contre Fleury dont elle jalouse l'emprise sur le roi. Tentative malheureuse, qui va tourne à son détriment. Louis XV la tiendra toujours à l'écart des affaires.

Elle n'en joue pas moins son rôle de reine. Reine d'étiquette, très attachée à ses devoirs de représentation, elle n'en néglige aucun. Elle a toute une clientèle de protégés, dont elle pousse la carrière dans l'administration.

Elle a son cercle intime d'amis, qu'elle appelle ses « honnêtes gens ». Le duc et la duchesse de Luynes y tiennent la première place. On s'étonne d'y trouver le président Hénault, ami de Voltaire et auteur de vers galants, et le philosophe Helvétius. Elle fait du premier le surintendant de sa maison, du second son maître d'hôtel. Il est vrai qu'elle protège aussi Fréron, le sauvant en 1765 de l'arrestation et de la Bastille.

Ses goûts vont à la lecture et à la musique. Les « concerts de la reine » maintiennent la vie musicale de la Cour.

Enfin, très pieuse et même dévote, elle favorise la diffusion du culte du Sacré-Cœur, et c'est là sans doute qu'elle exerce la plus grande influence.

MARIE-JOSÈPHE DE SAXE (Dresde, 4 novembre 1731 - Versailles, 13 mars 1767). Dauphine, elle est la fille d'Auguste III, Électeur de Saxe et roi de Pologne, et de Marie-Josèphe, archiduchesse d'Autriche. Son mariage avec le Dauphin, fils de Louis XV, date du 9 février 1747. Elle aura huit enfants. Trois de ses fils régneront sur la France.

L'abbé Proyart, hagiographe de la Dauphine, écrit qu'elle « n'avait rien de frappant dans son extérieur » (*Vie du Dauphin, père de Louis XVI*, Paris, 1777, 2 vol. in-12). Nous en dirons autant de son esprit. C'est une femme honnête, pieuse et droite, mais d'une intelligence moyenne, et brillant surtout par ses vertus domestiques. Elle forme avec le Dauphin un ménage parfaitement uni, et s'occupe personnellement de l'instruction de ses fils, leur donnant elle-même des leçons de religion, d'histoire et d'italien. En 1776 (l'année précédant sa mort), dans un mémoire de sa main, elle propose au futur Louis XVI l'exemple de Saint Louis : « Quel roi que Louis IX… Quel saint… Puissiez-vous marcher sur ses traces ! Puissé-je, comme la reine Blanche, voir germer les pieux sentiments que je ne cesserai jamais de vous inspirer. »

MARIE-ANTOINETTE (Vienne, 2 novembre 1755 - Paris, 16 octobre 1793). Dernière fille de François Ier, empereur d'Autriche, et de l'impératrice Marie-Thérèse, Josèphe, Jeanne, Marie-Antoinette de Lorraine, épouse le 16 mai 1770 le Dauphin, futur Louis XVI, et devient reine de France le 10 mai 1774, à l'âge de dix-neuf ans. De ce mariage, consommé seulement au bout de sept années, quatre enfants naîtront, deux garçons et deux filles.

Le charme extraordinaire de la reine tient à la fierté gracieuse de son port de tête, à l'éclat de son teint et à la légèreté de sa démarche. « Elle était, dira Mme Vigée-Lebrun, la femme de France qui marchait le mieux » (*Souvenirs de Mme L. E. Vigée-Lebrun*, Paris, 1835-1837). Sa féminité s'épanouit dans les vertus domestiques, dans son amour pour le roi (« le roy, mon bien aimé roy », écrit-elle à sa mère en 1778), dans son affection intelligente pour ses enfants, dont elle suit de très près l'éducation, et dans son désir très vif de bonne entente et d'intimité avec ses beaux-frères et belles-sœurs, qu'elle réunit tous les jours à sa table. Élevée dans la simplicité des cours allemandes, elle supporte mal les contraintes du cérémonial. « Il y a ici, dit-elle, beaucoup trop d'étiquette pour la vie de famille.» Au Trianon, que le roi lui a donné en 1774, et dans le hameau voisin, elle cherche à se créer une vie privée. Oubliant parfois sa qualité de reine, elle commet des imprudences. Les promenades nocturnes dans le parc de Versailles et les escapades au bal de l'Opéra à Paris susciteront des commentaires scandalisés. Amie généreuse et passionnée, elle comble de dons ses deux favorites successives, la princesse de Lamballe et la duchesse de Polignac.

Sa jeunesse et son goût des spectacles et des fêtes raniment la vie de la Cour. Il y a bal de la reine tous les mercredis, et représentation de théâtre deux ou trois fois par semaine. Marie-Antoinette règne sur le goût et sur la mode. Elle lance la musique de Gluck, et fait abandonner les robes à panier.

Elle se mêle parfois de politique. Elle aurait voulu le rappel de Choiseul. Elle obtient l'exil du duc d'Aiguillon. Elle est peut-être pour quelque chose dans la nomination de Loménie de Brienne au poste de premier ministre. Elle aurait sans doute souhaité peser davantage, mais le roi résistait. Comme elle le dira lors de son procès, «il y a loin de conseiller de faire une chose à la faire exécuter» (cité par Henri Wallon, *Histoire du Tribunal révolutionnaire de Paris avec le journal de ses actes*, Paris, 1880-1882).

On lui attribue beaucoup plus. Dès 1774, une propagande venimeuse la prend pour cible, et ne la lâchera plus, la faisant passer pour le contraire de ce qu'elle est : pour une Messaline, alors qu'elle est pudique et modeste ; pour un agent de l'Autriche, alors que son cœur est français. Elle écrit à son frère : «Je me sens française jusqu'aux ongles» (lettre à son frère Joseph, 11 mai 1774). L'affaire du Collier (1785) achève de la déconsidérer. En s'abstenant d'infliger au cardinal de Rohan le moindre blâme, le parlement de Paris semble donner raison aux calomniateurs de la reine.

Durant toute l'épreuve de la Révolution, elle ne cesse de soutenir Louis XVI. Pour tenter d'obtenir leur appui, elle rencontre secrètement Mirabeau, puis Barnave. Mais Marie-Antoinette n'a pas une politique personnelle, elle est en parfait accord avec son mari. Comme lui, elle désapprouve l'émigration, et c'est avec lui qu'elle prépare la fuite de juin 1791.

Dans le portrait qu'il a tracé de Marie-Antoinette, Sénac de Meilhan écrit : «... il y avait dans elle quelque chose qui tenait de l'inspiration, et qui lui faisait trouver au moment ce qui convenait le plus aux circonstances» (*Caractères et Portraits*, dans *Du gouvernement, des mœurs et des conditions en France avant la Révolution*, Paris, 1795). De fait, sans avoir l'esprit brillant, elle l'a toujours eu clair et lucide. Ces qualités se manifesteront jamais avec plus d'évidence que lors de son court procès du 15 octobre 1793. Toutes ses réponses sont irréfutables. Un exemple suffit. A l'accusation d'inceste avec son fils de huit ans, ignoble calomnie forgée par Hébert, elle dit : «Si je n'ai pas répondu, c'est que la nature se refuse à une pareille inculpation faite à une mère.» Puis se tournant vers la salle, elle ajoute : «J'en appelle à toutes celles qui peuvent se trouver ici» (cité par H. Wallon, *Histoire du Tribunal révolutionnaire..., op. cit.*). On vit ainsi qu'elle avait une force et une dignité à la mesure de son malheur.

MARIE-CLOTILDE ADÉLAÏDE XAVIÈRE DE FRANCE (Versailles, 23 septembre 1759 - Naples, 7 mars 1802). Elle est la quatrième des cinq enfants survivants de Louis, Dauphin, et de Marie-Josèphe de Saxe. Élevée avec sa sœur cadette, Élisabeth, par la comtesse de Marsan, elle épouse le 27 août 1775 Charles Emmanuel, prince de Piémont, et devient reine de Sardaigne le 16 octobre 1796. Elle montre dès son plus jeune âge les plus remarquables dispositions à la vertu et à la piété. Lors de sa première communion, le 17 avril 1770, elle édifie par la ferveur de sa préparation tous les témoins de cette cérémonie. Devenue princesse de Piémont, elle assiste tous les jours à la messe qu'elle suit tout entière à genoux. Elle obtient un bref du pape, qui lui permet de faire célébrer chaque année dans toutes les églises du Piémont une fête en l'honneur de la Compassion de la Vierge. Elle favorise le culte du Sacré-Cœur. Sa cause de béatification sera introduite en cour de Rome le 10 avril 1808. Elle n'a pas eu d'enfants. On attribuait sa stérilité à son extrême embonpoint qui l'avait fait nommer « Gros Madame » par les courtisans de Versailles.

MARIE-THÉRÈSE ANTOINETTE RAPHAËLLE D'ESPAGNE (11 juin 1726 - 22 juillet 1746). Marie-Thérèse, Dauphine, est la fille de Philippe V, roi d'Espagne, et d'Élisabeth Farnèse. Elle épouse le dauphin Louis, fils de Louis XV, le 23 février 1745. Une fille naît de ce mariage, le 19 juillet 1746, mais cette enfant ne vivra pas, et la Dauphine meurt le 22 juillet, des suites de l'accouchement. Son cœur est porté au Val-de-Grâce. Le Dauphin éprouvait pour elle un sentiment vrai. Il fut le seul à la pleurer.

MARIGNY, Abel François Poisson, marquis de Vandières et de (Paris, 1727 - *id.*, 1781). Directeur général des Bâtiments, Arts et Manufactures du roi, il est le frère cadet de Mme de Pompadour. Son élévation est rapide. Introduit à la Cour en 1746, il obtient la même année la survivance de la charge, détenue par son oncle Le Normant de Tournehem, de directeur des Bâtiments. A la mort de ce dernier, en 1751, il lui succède. L'Italie l'avait formé. Sa sœur l'y avait envoyé pour le préparer à sa charge, lui donnant Soufflot, Ch. N. Cochin et l'abbé Leblanc pour compagnons et conseillers. Dans ce voyage de vingt-cinq mois (décembre 1749 - septembre 1751), il avait appris à goûter les grands renaissants, les architectures palladiennes et les antiquités d'Herculanum et de Pompéi. Sa direction des arts porte la marque de l'expérience italienne. Il favorise la peinture d'histoire et, dans l'architecture, ce mouvement de retour à l'Antiquité d'où va naître le néoclassicisme. Ainsi, il protège Soufflot, lui faisant attribuer la construction de Sainte-Geneviève. Cependant, il reste éclectique. Tout en affectant de

préférer le « grand goût », c'est-à-dire Raphaël, le Dominiquin, Poussin et Le Brun, il apprécie Boucher, Van Loo et Pierre, leur passant de nombreuses commandes, et il nomme Natoire directeur de l'Académie de France à Rome. C'est un homme ombrageux, susceptible, craignant toujours de se voir reprocher ses origines roturières, aimant aussi à faire l'important, mais intelligent et conscient de la grandeur de sa mission. Nous le voyons par exemple s'intéresser de très près au programme d'études de l'École royale des élèves protégés, leur prescrivant de dessiner les moulages des statues qu'ils verront à Rome, et leur administrant ce conseil plein de sagesse de « copier sans cesse et sans relâche d'après les grands maîtres ».

MARINE DU ROI. La Marine du roi — nous dirions aujourd'hui la marine de guerre — est gérée par le secrétaire d'État à la Marine, commandée par les officiers d'épée, administrée par les officiers de plume ou d'administration. Le système des classes, sorte de conscription maritime, assure le recrutement des quelque cinquante mille marins nécessaires à la formation des équipages. Quant aux navires, on distingue les vaisseaux de ligne et les frégates plus légères. Les galères ont été désarmées en 1748. Enfin, on divise toujours la Marine en deux départements, celui du Ponant (Océan et Manche) et celui du Levant (Méditerranée).

La Régence est pour la flotte de guerre une période d'abandon et de déclin. Il y a deux raisons à cela : le manque de crédits et le désir de ne pas déplaire à l'allié anglais. Le relèvement commence en 1723 avec la nomination de Maurepas comme secrétaire d'État à la Marine. De 1723 à 1789, presque tous les ministres, et notamment, après Maurepas, Rouillé (1749-1754), Machault (1754-1757), Sartine (1774-1780) et Castries (1780-1787), s'efforcent autant que leurs crédits le leur permettent d'augmenter la puissance de la flotte en poussant les constructions. Si bien que, malgré les pertes subies pendant les guerres, le nombre des vaisseaux ne va cesser de s'accroître : 33 en 1718 (1 048 canons), 43 en 1741 (1 616 canons), 68 en 1756 (2 906 canons), 73 en 1777 (2 844 canons) et 81 en 1786 (4 918 canons) (Jean Boudriot, contribution à l'ouvrage collectif dirigé par Martine Acerra, José Merino et Jean Meyer, *Les Marines de guerre européennes*, Paris, 1985). En même temps, les connaissances hydrographiques se sont améliorées, ainsi que les techniques de navigation. Le dépôt des Cartes, créé en 1720, et l'Académie de marine, instituée en 1752, y ont contribué. Enfin, la formation théorique donnée aux futurs officiers d'abord dans les compagnies de gardes de marine, ensuite dans l'École de marine du Havre (1773-1775), puis chez les élèves de marine (à partir de 1786) n'a cessé de se perfectionner.

Pourtant cette marine puissante, nombreuse et d'un niveau scientifique et technique élevé, est souvent malheureuse à la guerre. Ses victoires sont, sauf exception, rares et petites, ses défaites fréquentes et désastreuses. Pendant la guerre de Succession d'Autriche, le bilan des combats du cap Ortegal et du cap Finisterre est catastrophique. Des deux batailles de Lagos et des Cardinaux pendant la guerre de Sept Ans on a pu dire qu'elles avaient été le « tombeau de la marine ». Sous Louis XVI, grâce à Sartine, les escadres françaises se retrouvent en état de disputer à l'Angleterre la maîtrise des mers et d'assurer au moins la libre communication avec les Antilles et l'Amérique, mais on ne peut pas vraiment parler de revanche. Les campagnes de l'amiral d'Estaing aux Antilles et sur les côtes de la Géorgie n'aboutissent à aucun résultat décisif. Le blocus de Yorktown par l'amiral de Grasse (1781) est la seule opération réussie, mais son éclat est aussitôt terni par la défaite pitoyable du même de Grasse aux Saintes, le 12 avril 1782.

Malgré ses efforts, la marine n'a jamais réussi à retrouver sa supériorité du beau temps du règne de Louis XIV, celui des années 1680-1690. Dans presque toutes les campagnes, elle a souffert de son infériorité numérique et de son incapacité à le surmonter. Les dé-

fauts de son corps d'officiers (le « grand corps ») l'ont toujours empêchée de s'élever au-dessus d'elle-même. Premier défaut, ce corps est pléthorique ; avec moins de vaisseaux qu'au temps de Colbert, il compte deux fois plus d'officiers généraux. Deuxième défaut, ce corps est indiscipliné ; par exemple, lors de la bataille des Cardinaux, Conflans, chef de l'escadre, est abandonné par Beauffremont qui refuse de le rejoindre malgré ses ordres et le laisse presque seul face à l'ennemi. « Il n'y a nulle discipline dans le corps de la marine, dit une note officielle de 1782 [...]. Les capitaines ne veulent pas obéir aux signaux de leurs généraux » (cité par Georges Lacour-Gayet, *La Marine militaire de la France sous le règne de Louis XV*, Paris, 1902, p. 598). Troisième défaut et sans doute le plus grave, le retard de la tactique. Face à des Anglais rapides, hardis, toujours prêts à attaquer, les Français conservent les habitudes de prudence et d'atermoiement du temps de la guerre de la ligue d'Augsbourg. Le seul grand tacticien est Suffren, vrai marin combattant et trois fois vainqueur de la flotte anglaise des Indes. Il est le premier et le dernier.

MARINE MARCHANDE. Nous connaissons exactement le nombre des navires de commerce français à la veille de la Révolution, grâce à une statistique officielle intitulée « Relevé des états envoyés par les consuls et vice-consuls des bâtiments de commerce appartenant aux sujets des pays dans l'étendue de leurs départements ». Ce document, tiré des Archives nationales, a été publié par l'historien italien Ruggiero Romano. Cinq mille deux cent soixante-huit navires y sont recensés pour la France, correspondant à un tonnage de 729 430 tonneaux, le tonneau étant équivalent à 979 kg dans un espace de 1,44 m³. Sur ces 5 268 navires, 4 034 seulement étaient armés à la date de l'enquête (1786). L'effectif total de ces navires armés s'élevait à 50 265 hommes. Ces chiffres font de la flotte de commerce française la deuxième d'Europe, la première étant l'anglaise (881 963 tonneaux) et la troisième la flotte hollandaise (397 709 tonneaux).

MARIVAUX, Pierre Carlet de Chamblain de (Paris, 4 février 1688 - *id.*, 12 février 1763). Écrivain, il est le fils de Nicolas Carlet, trésorier des vivres pendant la guerre de la ligue d'Augsbourg, puis contrôleur contregarde de la Monnaie à Riom où il s'était installé avec sa famille. Le jeune Pierre fit son entrée dans les lettres à l'âge de dix-huit ans : pour relever un défi, il composa en quelques jours *Le Père prudent et équitable*, une comédie en vers assez médiocres. Puis il monta à Paris afin d'étudier le droit et de se mêler à la société. Il fréquenta les salons de Mmes de Lambert et de Tencin, se lia avec Houdar de La Motte et avec Fontenelle, prit part activement à la querelle des Anciens et des Modernes, se faisant l'un des champions de ces derniers. C'est l'époque où il publie ses premiers romans : *Pharamond ou les Folies romanesques* (1712), *Les Aventures de *** ou les Effets surprenants de la sympathie* (1713) et *La Voiture emballée* (1714). Il écrit aussi en vers burlesques une *Iliade travestie* (1717) et les trois premiers livres d'un *Télémaque travesti* qui sera publié en 1726. Il collabore au *Nouveau Mercure* et ses amis le surnomment « le Théophraste moderne ». Le 7 juillet 1717, il épouse une jeune fille de Sens, Colombe Bologne, dont la dot sera emportée dans la banqueroute de Law. Trois ans après son mariage, il fait jouer par les comédiens-italiens une féerie intitulé *Arlequin poli par l'amour* et, la même année, son unique tragédie, *La Mort d'Hannibal*, qui n'aura que trois représentations, mais sera reprise avec succès en 1747, avec Mlle Clairon. Le 3 mai 1722 il donne à la Comédie-Italienne une nouvelle comédie, *La Surprise de l'amour*. Ce chef-d'œuvre sera suivi d'une trentaine de pièces de semblable qualité, toutes charmantes et profondes, parmi lesquelles on se bornera à citer *La Double Inconstance* (1723), *Le Jeu de l'amour et du hasard* (1730) et *Les Fausses Confidences* (1737). De-

venu veuf en 1723, Marivaux voit en 1746 sa fille prendre le voile étant dotée par le duc d'Orléans ; il habite alors chez (et même avec…) Angélique Gabrielle de La Chapelle-Saint-Jean qui lui a loué une partie de son logis. Élu à l'unanimité à l'Académie française le 11 février 1743 (son compétiteur n'était autre que Voltaire), il prononce un discours de réception remarqué où, bien avant Rivarol, il souligne le rôle prépondérant de la langue française en Europe. Outre ses comédies, Marivaux composa plusieurs romans. Dans *La Vie de Marianne* (1731-1741) et dans *Le Paysan parvenu*, la peinture des caractères et l'intérêt des situations divertissent encore aujourd'hui les lecteurs. Enfin et pour être complet, on ne doit pas oublier que Marivaux rédigea un recueil périodique : *Le Spectateur français*, à l'image du *Spectator* de Joseph Addison. *L'Indigent philosophe* (1727) et *Le Cabinet du philosophe* témoignent aussi de l'activité de Marivaux journaliste et essayiste. Découverte en 1965, *La Commère*, comédie écrite en 1741, a été créée par la Comédie-Française en 1967. Réunies en 12 volumes in-8°, les *Œuvres Complètes* de Marivaux furent publiées en 1781. Une édition critique de son *Théâtre complet* a été donnée en 1968 par Frédéric Deloffre (2 vol.). Parmi les nombreuses éditions des œuvres de Marivaux, c'est à celle-ci que l'on se reportera volontiers.

MARMONTEL, Jean-François (Bort, 11 juillet 1723 - Aboville, près de Saint-Aubin-sur-Gaillon, 31 décembre 1799). Littérateur éclairé, il est le fils d'un pauvre tailleur d'habits. Cela ne l'empêche pas de faire ses humanités au collège des jésuites de Mauriac, puis à celui de Clermont. Un prix de l'Académie des jeux Floraux, et surtout les compliments de Voltaire, le persuadent de sa valeur. Il « monte » à Paris et se fait littérateur. Tous les genres lui sont bons : panégyriques, tragédies, livrets d'opéra, articles de dictionnaire (il fait, pour l'*Encyclopédie*, les articles de littérature). Peine perdue : la gloire se dérobe. Les odes tombent à plat. Les tragédies sont des fours (par exemple, *Cléopâtre* en 1750). Cependant, il redouble d'efforts, les amis se mobilisent (Voltaire, Mme de Pompadour, Quesnay) et le succès finit par venir. Les *Contes moraux*, publiés en 1756, obtiennent un véritable triomphe. Avec *Bélisaire*, roman philosophique (1767), Marmontel est sacré grand esprit. La censure de la faculté de théologie, qui a relevé dans ce dernier ouvrage, et en particulier dans le chapitre xv sur la tolérance, de nombreuses impiétés, vaut à son auteur la considération des têtes couronnées : les rois philosophes (Stanislas, Frédéric, Catherine) lui écrivent pour le féliciter. Courageux, mais non téméraire, il se réfugie pendant quelque temps à Spa, mais il ne sera pas autrement inquiété. Il est désormais l'auteur à la mode. Grétry et Piccinni lui demandent des livrets. Il se transforme en pontife de la littérature. Sa *Poétique française* et ses *Éléments de littérature* (1763 et 1787) prétendent rénover le goût. Boileau et même Racine y sont critiqués. Tout vient à la fois au nouveau grand homme : le privilège du *Mercure* (1758), l'Académie française (1763), la fonction d'historiographe de France et celle de secrétaire de l'Académie (1783). La Terreur l'oblige à se cacher et fait de lui un réactionnaire. Élu en 1797 au Conseil des Anciens, il est fructidorisé, mais sans prison ni déportation. Il rédige alors ses *Mémoires* et meurt le dernier jour du XVIIIe siècle. Il n'est pas un grand écrivain. « L'universel et médiocre Marmontel », ainsi le qualifie Lanson, qui n'est pas suspect. Les *Contes moraux* et les *Mémoires* supportent la lecture. Le reste paraît insipide. C'est l'idéologie de Voltaire, mais sans esprit et sans le feu.

MARSEILLE. Siège d'un évêché, mais n'étant que chef-lieu d'une viguerie et d'une subdélégation, Marseille ne saurait faire figure de capitale administrative, encore que l'intendant de la généralité vienne souvent y séjourner. Toute son importance est commerciale et maritime. En témoignent son port, son arsenal, son bagne des galères, sa chambre de commerce et sa Bourse. La ville est administrée par deux échevins élus par un conseil de soixante membres et pris sur une liste approuvée par le gouverneur.

Sa population fait de Marseille la troisième ville du royaume. Il y avait 75 000 habitants en 1700. La peste de 1720 (juillet 1720-février 1723) tue 50 000 Marseillais. Mais cette perte énorme sera bientôt réparée, en grande partie grâce à l'immigration. En 1790, on comptera 120 000 habitants.

La nouvelle enceinte de 1694 avait doublé la superficie de Marseille. La ville se développe à l'intérieur de ce cadre. Des quartiers neufs, aristocratiques et bourgeois, percés de rues droites, se construisent sur la paroisse Saint-Ferréol. Cependant, l'aspect général de la ville n'est pas modifié. L'empreinte de l'urbanisme nouveau est loin d'être aussi profonde qu'à Bordeaux et à Nantes.

La principale industrie est celle du savon : en 1789, trente-trois fabriques produisent 700 000 quintaux de savon, soit, en valeur, la moitié de la production industrielle locale. Les autres industries sont les constructions navales, le textile (fabrication d'indiennes et de chéchias) et la faïence. Les produits des quinze faïenceries marseillaises sont d'une qualité rare et d'une grande beauté.

Après l'âge de prospérité du XVIIe siècle, Marseille connaît une nouvelle phase d'expansion. La croissance est continue, mais s'accélère à partir de 1763, date à laquelle les cinq cents entrées annuelles de navires sont dépassées. Après la guerre d'Amérique on atteint les huit cents entrées. L'aire commerciale de Marseille s'étend désormais au monde entier. Cependant, la part du commerce du Levant, autrefois prépondérante, a progressivement diminué au profit du commerce occidental (Antilles et États-Unis après 1783). On assiste aussi à un progrès (à partir de 1769) de la participation marseillaise dans les commerces de l'océan Indien et de la traite de Guinée.

La bourgeoisie marchande, les artisans et les gens de la mer forment les principales catégories de la société. La vie intellectuelle est forcément moins animée que dans les villes de parlement.

L'académie des belles-lettres, sciences et arts fondée en 1726 n'atteint pas le renom de celles de Bordeaux et de Lyon, bien qu'elle soit affiliée à l'Académie française. En revanche, les arts fleurissent. Une académie de musique est fondée en 1719, une académie de peinture, sculpture et architecture civile et navale en 1752. Des concerts réguliers sont donnés à partir de 1766. En un siècle où la capitale tend à tirer à elle tous les talents, Marseille a de grands peintres (Bachelier, Ozanne, François Duparc) et de grands musiciens (Bellissen) et les garde.

Le catholicisme marseillais était partagé entre deux dévotions, la janséniste et la jésuite. La seconde semble l'emporter. La consécration de la ville au Sacré-Cœur par Mgr de Belsunce pendant la peste de 1720 a été un défi victorieux lancé au jansénisme et aux Lumières naissantes. Marseille résistera mieux que Nantes et Bordeaux à la déchristianisation de ce temps. On note par exemple que les délais de baptême sont respectés jusqu'en 1789 par la presque totalité de la population. Le déclin des legs et fondations charitables, déclin que l'on observe à Bordeaux, ne se manifeste pas ici. La ville du chevalier de Roze, le héros de la peste, reste la ville de la charité.

MARTÈNE, Edmond, dom (Saint-Jean-de-Losne, 22 décembre 1654 - Paris, 20 juin 1739). Moine bénédictin de la congrégation de Saint-Maur, il fut l'un des premiers érudits de cet institut, qui s'honore d'en avoir compté un grand nombre. Enlevé par dom Luc d'Achery à l'abbaye Saint-Remi de Reims (où il avait fait profession) pour être adjoint au groupe des moines «écrivains» de l'abbaye Saint-Germain-des-Prés, il fut formé le dernier à l'érudition. Durant plusieurs années, on l'employa dans ce qu'on appelait alors des «voyages littéraires»: il s'agissait de rechercher et de collecter les documents pour les grands recueils de textes dont la congrégation de Saint-Maur avait accepté la charge. C'est ainsi que de 1708 à 1714 il voyagea pour la *Gallia christiana* et de

1717 à 1719 pour le recueil des *Historiens de la France*, toujours en compagnie de dom Ursin Durand.

Cependant, dom Martène avait d'autres talents à son actif. Il fut aussi hagiographe, annaliste et liturgiste. Hagiographe, il écrivit *La Vie du vénérable père dom Claude Martin* (Tours, 1697) et *La Vie des justes* (publiée par dom Heurtebize en 1924-1926). Annaliste de son ordre, il publia de 1703 à 1739 les *Annales ordinis sancti Benedicti* (dont les cinq premiers volumes sont de Mabillon et le sixième de lui) et écrivit l'*Histoire de la congrégation de Saint-Maur*, qui sera publiée par dom Charvin de 1929 à 1931. Liturgiste, il fut l'auteur d'un traité sur la liturgie des premiers temps de l'Église, intitulé *De antiquis Ecclesiae ritibus* (Rouen, 1700-1702).

Dom Martène était sans doute un bon moine, mais enfin il publiait beaucoup pour un bon moine. On dit même qu'à l'âge de quatre-vingt-cinq ans il travaillait encore avec une assiduité extraordinaire, lorsqu'il fut enlevé à ses manuscrits par une attaque d'apoplexie.

MASSILLON, Jean-Baptiste (Hyères, 24 juin 1663 - Beauregard, près de Clermont, 19 septembre 1742). Prêtre de l'Oratoire, évêque de Clermont, orateur sacré, il est le fils de François Massillon, notaire et avocat de la ville d'Hyères. Sa carrière d'orateur sacré appartient au règne de Louis XIV et au temps de la Régence. De 1699 à 1718, il prêche dix-neuf carêmes et dix avents à Paris et devant la Cour. Sa dernière prédication dans la chaire royale est son *Petit Carême* (on appelait ainsi les avents) donné en décembre 1718. De ce jour, il renonce aux succès de la grande prédication et se consacre tout entier à son diocèse. Pendant ses vingt-quatre années d'épiscopat, il va visiter deux fois — et même pour certaines trois fois — chacune de ses paroisses. Il tient régulièrement ses synodes et, par la discipline de ses ordonnances synodales, extirpe chez ses clercs les habitudes d'avarice et de lucre. Miséricordieux envers les plus pauvres, il intervient souvent auprès de la Cour afin d'obtenir des secours et des dégrèvements fiscaux. Toutefois, c'est aux enfants que s'adresse sa plus grande sollicitude. « Regardons les [enfants], écrit-il, avec une espèce de culte, comme des temples purs où résident la gloire et la majesté de Dieu. » Son ordonnance synodale de 1736 règle l'instruction religieuse dans les petites écoles : les enfants diront la prière du matin et celle du soir ; ils assisteront à la messe tous les jours si possible ; ils recevront trois leçons de religion par semaine. Dans sa doctrine, Massillon est surtout un moraliste. Son *Petit Carême*, prononcé pour l'instruction du jeune roi, est un code abrégé des devoirs des princes. On y retrouve l'esprit de Fénelon et l'idée du bonheur par le bon roi. Cette morale est sévère, mais elle n'est pas rigoriste. On ne saurait non plus y découvrir la moindre trace de jansénisme. Voici par exemple comment notre auteur s'exprime sur la grâce : « Si, malgré tous les soins que Dieu a de notre salut, nous périssons, c'est toujours la faute de notre volonté, et non pas le défaut de sa grâce » (« Sur le délai de la conversion », *Petit Carême, Sermons*, 15 vol., Paris, 1745-1748, t. I). Dans son diocèse, par sa ferme douceur, il réussit à apaiser de querelles doctrinales tout en obtenant de tous le respect de la bulle *Unigenitus*. A la veille de mourir il pourra dire : « Mon diocèse, que j'ai trouvé plein de trouble en entrant, est aujourd'hui le plus paisible du royaume. » Par son testament, il faisait les pauvres de l'Hôtel-Dieu ses héritiers universels, et léguait à son chapitre sa belle bibliothèque de mille cent vingt-six titres. Son *Petit Carême* est l'une des œuvres les plus lues au XVIIIᵉ siècle, et l'une des plus admirées, même par les philosophes.

MATÉRIALISME. Le mot apparaît en 1702. Le *Dictionnaire de Trévoux* l'intègre en 1752 (« dogme dangereux »), le *Dictionnaire de l'Académie française* en 1762.

Un courant de pensée matérialiste venu du libertinage se manifeste dans la première moitié du siècle et culmine avec La Mettrie et son *Homme-Machine* (1747) dans lequel est affirmée « l'unité matérielle de l'homme ». Mais La Mettrie n'est pas un isolé. Les nombreux manuscrits clandestins qui circulent à cette époque, et surtout la lettre de *Thrasybule à Leucippe* (rédigée par Fréret) et le *Testament du curé Meslier*, sont d'inspiration nettement matérialiste.

Mais la grande génération matérialiste est celle des d'Holbach, Helvétius, Naigeon, dom Deschamps, Maréchal, Maubert de Gouvest et Dupuis. Elle appartient plutôt à la seconde moitié du siècle. Son maître est d'Holbach, sa bible le *Système de la Nature* (Londres, 1781) de cet auteur.

Ce qui fait le matérialiste de cette génération, c'est le rejet de la spiritualité de l'âme : « L'homme, écrit d'Holbach, est un être purement physique, l'homme moral n'est que cet être physique considéré sous un certain point de vue. » Et le même auteur écrit encore : « Le dogme de la spiritualité ne nous offre en effet qu'une idée vague ou plutôt qu'une absence d'idées. »

On remarquera cependant que ces matérialistes parlent moins de matière que de nature. Leur ordre n'est pas celui de la matière, mais celui de la nature. Ils ne vont pas pour autant jusqu'à diviniser cette dernière. Ils ne paraissent pas influencés par le panthéisme de Spinoza. Mais ils ne le sont pas davantage par le déisme de Locke. S'ils veulent que Dieu perde ses droits, c'est pour que la nature rentre dans les siens. Maréchal écrit que « l'athée est l'homme de la Nature » (*Dictionnaire des athées*, Paris, 1800).

MATHÉMATIQUES. Trois aspects sont à considérer : les progrès de l'investigation mathématique, la volonté de mathématiser, la diffusion des mathématiques dans le public.

Le domaine privilégié de l'investigation mathématique est celui de l'analyse. Il s'agit d'une manière de résoudre les problèmes en supposant connues les quantités que l'on recherche, pour développer ensuite les conséquences de cette hypothèse et parvenir à quelque fait mathématique, conforme ou contraire à des faits mathématiques précédemment prouvés. Née avec Leibniz et Newton, l'analyse triomphe au XVIIIe siècle avec Euler. Les mathématiciens français se préoccupent surtout de ses applications. Deux générations se succèdent. Les grands noms de la première sont ceux de d'Alembert et de Clairaut. D'Alembert applique l'analyse à la dynamique (*Traité de dynamique*, 1743), Clairaut à la géodésie (*Théorie de la figure de la Terre*). Le trio Lagrange, Laplace, Monge illustre la seconde génération. Lagrange applique à la mécanique une méthode rigoureusement analytique (*Mécanique analytique*, 1788). Laplace développe ses recherches vers la mécanique céleste et le calcul des probabilités. Monge crée les théories les plus importantes de la géométrie analytique à trois dimensions, et va dans ce domaine beaucoup plus loin qu'Euler. Au total, comme l'écrit très bien Jean Dhombres, « une grande quantité de matériaux mathématiques fut réunie [par des mathématiciens] apparemment moins soucieux de mathématiques que d'applications certes encore théoriques des mathématiques, et [...] pourtant sont soulevés des problèmes de fond essentiels » (« Mathématisation et communauté scientifique française » 1775-1825, *Archives internationales d'histoire des sciences*, 1986, no 117).

La « volonté explicite de mathématiser » (Dhombres) s'exprime de diverses manières : « On construit des théories mathématiques suscitées par des applications ; on recherche le modèle d'une langue universelle permettant le développement des sciences ; enfin on prétend étendre la démarche analytique à toutes les disciplines de l'esprit. »

Condillac croit avoir trouvé dans l'utilisation systématique de l'algèbre le modèle d'une langue universelle. L'invention par Lavoisier du nouveau langage chimique apporte une confirmation à sa théorie. Condorcet et, à sa suite, les idéologues prétendront mathématiser l'investigation de l'entendement humain, les recherches sur l'organisation sociale et

jusqu'aux sciences morales et politiques. Pour cette école, les mathématiques sont utilitaires par essence. Elle fait sienne cette maxime de Diderot que « l'utile circonscrit tout » (*Pensées sur l'interprétation de la nature*, 1753).

Les connaissances mathématiques des Français cultivés étaient restées longtemps très faibles. La plupart ne savaient rien de plus que les quatre opérations. Au XVIIIe siècle, l'enseignement et les livres font reculer l'ignorance. Les mathématiques sont enseignées par les jésuites dans leurs cinq chaires d'hydrographie et dans les chaires de mathématiques de vingt et un de leurs collèges, par les oratoriens et par les doctrinaires dans le cadre de leurs classes de philosophie, par l'université de Paris dans les chaires de philosophie des collèges d'Harcourt, de Beauvais et des Quatre-Nations, par les professeurs des écoles militaires, par le titulaire de la chaire de mathématiques du Collège royal et par les nombreux maîtres des nouvelles pensions. Les livres sont les manuels de Bélidor, Varignon, Ozanam, Rivard. Clairaut donne des *Éléments de géométrie* et des *Éléments d'algèbre*. Le cours de mathématiques professé par Bezout entre 1764 et 1767 aux gardes du pavillon et de la marine est un « best-seller » : de 1770 à 1789, on le réédite sept fois. Il existe, depuis 1680 environ, une école pédagogique très favorable au développement de l'enseignement des mathématiques, et prétendant même faire de cette science la matière principale de l'enseignement des collèges. Les mathématiques y sont présentées comme la discipline formatrice par excellence : elles permettent de « dépasser les préjugés » (Jean-Pierre de Crousaz, *Réflexions sur l'utilité des mathématiques*, 1715) ; elles confèrent « l'étendue d'esprit » (André Pierre Le Guay de Prémonval, *Discours sur l'utilité des mathématiques*, 1743). Les acteurs de la mathématisation peuvent venir ; leurs projets ne surprendront pas ; la nouvelle pédagogie a préparé les esprits à les recevoir.

MAUDOUX, Louis Nicolas (Paris, 13 juin 1720 - début janvier 1781). Curé de Brétigny-sur-Orge, confesseur du roi Louis XV de 1764 à 1774, il était le fils d'un petit marchand de Paris, ruiné par le Système. Sa carrière ecclésiastique avait été modeste et ne laissait nullement prévoir son élévation : prêtre habitué à la paroisse Saint-Paul, où il s'occupait des catéchismes, il fut vicaire de Saint-Louis-en-l'Île (1751) et enfin curé de Brétigny, nommé en 1762. Selon le *Journal encyclopédique* du 15 décembre 1764, Louis XV, étant à Choisy, aurait entendu dire du bien de l'abbé Maudoux par ses paroissiens et par le comte de Noailles, seigneur d'Arpajon, près de Brétigny. La nomination de confesseur intervint le 4 décembre. L'abbé fut présenté au roi le 6. Tout le monde fut surpris de ce choix. L'intéressé était effaré. « Le roi, dira-t-il, me fit tirer un coup de pistolet dans la tête en me choisissant pour mon confesseur. » Il partage désormais son temps entre son logement de Versailles, sa cure et des retraites fréquentes chez les prêtres de la communauté de Saint-François-de-Sales à Issy. La mort de son royal pénitent le bouleverse. Louis XV le fait appeler dans la nuit du 7 mai 1774 à quatre heures du matin et se confesse à lui. Il dira plus tard : « Je demande à Dieu de mourir comme le roi est mort » (lettre citée par Paul del Perugia, *Louis XV*, Paris, Albatros, 1976, p. 708). Ce prêtre humble, pieux et miséricordieux aimait et estimait Louis XV. Il l'a certainement préparé à une mort chrétienne. Lui-même mourut dans de grands sentiments de foi. Il était paralysé depuis plusieurs années. Dans sa dernière lettre, il fera siens ces mots de saint Paul : « *Cupio dissolvi et esse cum Christo* » (Je désire être détruit et vivre avec le Christ).

MAULTROT, Gabriel Nicolas (Paris, 1714 - *id.*, 1803). Avocat au parlement de Paris depuis 1733, il est le plus grand des théoriciens du richérisme. Son œuvre, très abondante (trente-six titres recensés), constitue une véritable encyclopédie méthodique des droits des cu-

rés. Selon lui, les prêtres et les évêques se partagent le pouvoir des clefs[1]. Les synodes diocésains sont de vrais conciles « où les prêtres délibèrent et jugent avec l'évêque » (*Les Droits des prêtres dans le synode*, Paris, v. 1780). Cependant, son jansénisme richériste ne l'empêche pas de sauvegarder la distinction du politique et du spirituel. Dès 1790, il entreprend un combat sans merci contre la Constitution civile du clergé. L'homme est courageux, désintéressé, extrêmement laborieux. Devenu aveugle à l'âge de cinquante ans, il cesse de plaider, ne donnant plus que des consultations (les meilleures de Paris). Il a des « principes inflexibles », un « abord sévère », un « orgueil secret » (Edmond Préclin, *Les Jansénistes du XVIIIe siècle et la Constitution civile du clergé*). Il sera aussi hostile au Concordat qu'il l'a été à la Constitution civile et voudra mourir assisté par un opposant.

MAUPEOU, René Charles de (1688-1775). Marquis de Morangles, vicomte de Bruyères, premier président du parlement de Paris, il sera aussi garde des Sceaux en 1763, vice-chancelier la même année, et même chancelier de France un seul jour, le 15 septembre 1768, avant de transmettre la charge à son fils. Mais ce sont ses quatorze années (1743-1757) dans la fonction de premier président qui retiennent l'attention. Il avait été choisi pour ses manières agréables : « Extrêmement gracieux, avec de l'esprit, dit Barbier, il était propre à avoir affaire à la Cour » (*Journal*). En décembre 1743, peu de temps après son entrée en fonction, il réussit à faire enregistrer dix édits bursaux, c'est-à-dire concernant les impôts. Le roi, très satisfait, le récompense et lui accorde, faveur rare, un logement à Versailles. Le contentement dure peu. Dans toutes les grandes affaires, et en particulier celle de l'hôpital général et celle des refus de sacrements, Maupeou évite de prendre le parti du roi. Il joue les intermédiaires et les arrangeurs de situations difficiles. A ce jeu, il finit par se faire détester de la

---

1. C'est-à-dire le pouvoir de pardonner les péchés.

Cour comme des magistrats, et se voit contraint de démissionner. « Ayant trahi tout le monde, il avait perdu la confiance de tout le monde » (M. Antoine, *Le Conseil du roi sous Louis XV*, 1970).

MAUPEOU, René Nicolas Charles Augustin de (Paris, 1714 - Thuit, près des Andelys, 1792). Chancelier de France, principal auteur du coup de force de 1771 contre les magistrats rebelles au roi, il est fils et petit-fils de magistrat et magistrat lui-même, ayant exercé successivement les charges de conseiller au parlement de Paris (1733), président à mortier (1737) et premier président (1763). Il est nommé chancelier et garde des Sceaux le 18 septembre 1768. Petit, le teint bilieux, il ne paie pas de mine. Mais il a de larges vues, une haute conscience de ses devoirs et une grande capacité de travail.

Dans un mémoire de 1789 adressé à Louis XVI, il explique la « révolution » de 1771. Au départ, ni le roi ni lui-même ne projetaient d'aller si loin. Ils voulaient seulement imposer aux cours certaines limites. C'était l'objet de l'édit de décembre 1770. Mais les parlements s'insurgèrent contre l'édit de décembre, et le gouvernement se trouva en quelque sorte obligé de frapper fort : des magistrats furent exilés, la vénalité des charges fut supprimée, le parlement de Paris fut démembré, les cours provinciales furent réformées (février-avril 1771). Grand bouleversement, mais, si l'on en croit Maupeou, il n'était pas prémédité. La révolution de 1771 ne fut selon lui que « l'ouvrage de la nécessité ».

Le Dauphin, futur Louis XVI, avait approuvé chaleureusement les réformes du chancelier. Devenu roi, il s'empresse de les désavouer. Le 24 août 1774, Maupeou doit rendre les sceaux. Il refuse de démissionner de sa charge de chancelier. Lorsqu'en novembre les anciens parlements sont rappelés, il se contente de dire : « Si le roi veut perdre sa couronne, il est le maître. » Il vivra assez longtemps pour la lui voir perdre.

MAUPERTUIS, Pierre Louis Moreau de (Saint-Malo, 17 juillet 1698 - Bâle,

27 juillet 1759). Physicien et philosophe, président de l'Académie de Berlin, il avait fait ses premières études dans la maison paternelle, sous la conduite d'un précepteur. Venu à Paris à l'âge de seize ans, il avait suivi au collège de la Marche les leçons de philosophie du régent cartésien Le Blond. Entré en 1718 aux mousquetaires gris, puis lieutenant au régiment de La Roche-Guyon, il se détourne très vite de la carrière militaire pour suivre celle des études scientifiques. Initié aux mathématiques par François Nicole, il entreprend des travaux de géométrie qui sont tout de suite appréciés. L'Académie des sciences l'admet en son sein le 11 décembre 1723 comme adjoint géomètre. Il sera ensuite associé astronome, puis, en 1731, pensionnaire. Lorsqu'une expédition est décidée pour aller mesurer en Laponie suédoise l'arc de méridien, la direction lui en est confiée (1736-1737). Il connaît alors une gloire européenne. Frédéric II l'invite à Berlin et le nomme en 1746 président de son Académie. Sa présidence est active et féconde. Depuis la mort de Leibniz, l'Académie déclinait. Il lui redonne tout son lustre, et y fait recevoir des mathématiciens prestigieux comme Kaestner et Cramer. Il est aussi de l'Académie française, où il a été élu le 2 mars 1743, à la succession de l'abbé de Saint-Pierre.

Son œuvre scientifique n'est pas mince. Ses premiers travaux portent sur les courbes. Il donne par exemple des formules générales pour « trouver les arcs de toutes les développées qu'une courbe peut avoir à l'infini ». Il réalise ensuite une œuvre géodésique et mécanique importante. D'un voyage en Angleterre en 1728, il revient converti aux idées de Newton. Son *Mémoire sur les lois de l'attraction* (1732) et son *Discours sur la figure des astres* font beaucoup pour accréditer en France la théorie newtonienne. Les opérations de mesure réalisées sous sa conduite pendant l'expédition de Laponie permettent de vérifier l'exactitude de l'hypothèse de Newton sur l'aplatissement de la Terre aux pôles. On lui doit enfin le principe de la moindre action. Dans son mémoire de 1744, intitulé *Accord des différentes lois de la nature qui avaient paru jusqu'ici incompatibles*, il reprend le principe énoncé par Fermat pour l'optique. «Le chemin que tient la lumière, énonce-t-il, est celui pour lequel la quantité d'action est moindre.» L'énoncé manque de précision. Bientôt, Lagrange lui donnera son véritable sens et sa formulation complète. Ajoutons que l'œuvre de Maupertuis ne se limite pas aux sciences physiques. Il est aussi un naturaliste. Ses expériences pratiques d'hybridations méthodiques chez les plantes permettent de le considérer comme l'un des précurseurs de la génétique moderne.

Il est également un philosophe, mais sa philosophie est incertaine et difficile à définir. On y trouve des éléments d'épicurisme, de stoïcisme et de christianisme. Il semble que l'épicurisme l'emporte. A la fin de l'*Essai de philosophie morale*, on lit cette conclusion, de résonance plutôt épicurienne : «Ce qu'il faut faire dans cette vie pour y trouver le plus grand bonheur dont notre nature est capable, est sans doute cela même qui doit nous conduire au bonheur éternel.» Quant aux applications morales pratiques, notre philosophe n'est pas bien fixé. Par exemple, à propos du suicide, ou bien il le conseille, ou bien il le condamne.

Il a été de son vivant un homme très attaqué. Ses trois plus féroces ennemis sont Koenig, Voltaire et Diderot. Koenig, qui est un géomètre allemand, l'accuse d'avoir emprunté à Leibniz son principe de la moindre action et de s'en faire passer indûment pour l'auteur. Voltaire le ridiculise dans sa *Diatribe du docteur Akakia* et dans plusieurs autres pamphlets. Il lui prête des idées loufoques comme celle de ne pas payer les médecins qui ne guérissent pas, ou celle de faire un trou qui aille jusqu'au centre de la terre. Enfin, Diderot fait observer que le système de Maupertuis est sujet à d'effrayantes conséquences contre la religion. Le pauvre homme est très affecté par ces attaques. Sa santé en sera altérée.

On comprend mal les raisons véritables de Diderot et de Voltaire. Après tout, Maupertuis partage sur bien des points leurs convictions philosophiques. Voltaire aurait été fâché par le refus de Maupertuis de faire entrer Raynal à l'Académie de Berlin. C'est une raison, mais qui n'explique pas assez la constance et la méchanceté des attaques. Il est vrai que Maupertuis n'était guère aimable et qu'il manifestait un arrivisme insupportable. Peut-être Voltaire a-t-il été jaloux de ses honneurs et de la confiance que lui accordait le roi de Prusse. On doit observer aussi que Maupertuis, tout en étant très proche des philosophes, n'est pas vraiment de leur parti. Il ne figure pas parmi les collaborateurs de l'*Encyclopédie*. Parmi ses correspondants et ses amis, on trouve plusieurs savants et philosophes allemands ou suisses, comme Haller, Wolff et Euler, mais on ne trouve aucun philosophe français de grand renom. Il se tient à l'écart. La secte ne le lui pardonne pas.

MAUREPAS, Jean Frédéric Phélypeaux, comte de (Versailles, 9 juillet 1701 - *id.*, 21 novembre 1781). Il présente cette curieuse particularité d'avoir été deux fois ministre à vingt-cinq années de distance, la première fois sous Louis XV, et la seconde sous Louis XVI. Secrétaire d'État à la Marine, dès l'âge de dix-sept ans, à la suite de son père (30 mars 1718), il entre au Conseil d'en haut le 6 janvier 1738, et est renvoyé le 24 avril 1749, pour avoir écrit quelques impertinences sur Mme de Pompadour. Sa gestion de la marine passe pour excellente. Elle porte principalement sur les questions techniques et scientifiques : construction navale, cartographie, formation scientifique des officiers. Le ministre s'y connaît moins en hommes. Sous son administration commencent le vieillissement et la sclérose du «corps». Le 20 mai 1774, Louis XVI le rappelle d'exil. Son nom figurait en première ligne sur la liste des personnalités recommandées au nouveau roi par son père, le Dauphin, dans ses dernières volontés. On peut d'ailleurs trouver bizarre que l'attention du fils de Louis XV se soit portée sur un Maurepas, homme habile certes, mais superficiel. Louis XVI est conquis. Maurepas sera son mentor. Il n'aura pas le titre de premier ministre, seulement ceux de ministre d'État et de chef du Conseil royal des finances. Il définit lui-même son rôle : «Vos secrétaires d'État, dit-il à Louis XVI, travailleront avec vous. Je ne leur parlerai pas pour vous, et ne me chargerai pas de vous parler pour eux. En un mot, je serai votre homme à vous tout seul, et rien au-delà» (*Journal de l'abbé de Véri*, Paris, 1928, t. I, p. 96). Dans ce poste de conseiller permanent, voyant tous les jours le roi, logé au-dessus de son appartement, consulté à tout instant, il exerce une influence déterminante. Il a une très grande part de responsabilité dans les deux grandes décisions malheureuses de l'avènement : le renvoi du triumvirat et le rappel des parlements. On lui prête cette parole : «Sans les parlements, point de monarchie.» Par la suite, il défait les ministres plus qu'il ne les fait. C'est ainsi qu'il fait renvoyer Turgot. Soucieux avant tout de conserver son pouvoir sur le roi, il se méfie des éventuels concurrents, et manœuvre pour les faire écarter. C'est un maître de l'intrigue inextricable. «Ce diable d'homme, dit Louis XVI en parlant de lui, a tout embrouillé.» Quant à la véritable question, qui est le salut de la royauté, le «mentor» s'en préoccupe assez peu. Il ne voit pas que le temps des manigances est passé. Reconnaissons-lui au moins un mérite : il a certainement essayé d'apprendre à Louis XVI à prendre des décisions. Mais il n'y a pas réussi. Il a même très vite compris la vanité de ses efforts. En 1777, il faisait cette confidence à l'abbé de Véri : «Notre roi se déforme tous les jours au lieu d'acquérir» (*Journal*, t. I). Il n'est donc pas exclu que le vieux mentor ait éprouvé à la fin de sa longue carrière un sentiment sinon d'inquiétude — il y était peu enclin — tout au moins de découragement.

MAURISTES. Les mauristes ou congrégation bénédictine de Saint-Maur sont une branche réformée de l'ordre de Saint-Benoît. Leur réforme date du XVIIe siècle. Implantés uniquement dans le royaume de France, ils y comptaient, en 1768, 191 monastères, répartis dans 77 diocèses, et environ 2 000 moines. La commission de réguliers supprimera 21 de leurs établissements.

Le régime de la congrégation est composée d'un général, assisté d'un définitoire, et d'un chapitre général. Il y a six provinces et chacune a sa diète provinciale. Les moines peuvent être déplacés d'un monastère à l'autre. La commission des réguliers impose quelques modifications : les charges ne pourront plus être perpétuelles.

Saint-Maur continue la grande œuvre, commencée vers 1680, de reconstruction de ses monastères. Les nouveaux bâtiments sont d'une remarquable beauté. Le chef-d'œuvre de cette architecture monastique du XVIIIe siècle est sans doute l'abbaye du Bec-Hellouin, où les principaux travaux se déroulèrent entre 1730 et 1750.

Les mauristes veulent être utiles et patriotes : «Glorieux du titre de Français, nous voulons être utiles à l'État.» Leurs travaux érudits les avaient rendus célèbres au temps de Mabillon. C'est dans cet esprit de civisme qu'ils les poursuivent. Par leurs grandes collections de documents, l'*Histoire littéraire de la France* (commencée en 1733) et le *Recueil des historiens des Gaules et de la France* (13 volumes publiés de 1738 à 1786), ils ambitionnent de servir l'histoire nationale. Ils étudient aussi l'histoire des provinces. Dom Morice écrit l'*Histoire de Bretagne*, et dom Devic et dom Vaissète l'*Histoire du Languedoc*. La qualité de l'érudition mauriste ne diminue pas. En témoignent *L'Art de vérifier les dates* (1750) et le *Nouveau Traité de diplomatique* de dom Tassin et dom Toustain.

En revanche, la vocation monastique est un peu oubliée. A partir de 1760, on assiste à un déclin très net de l'observance. En 1765, les moines de Saint-Germain-des-Prés à Paris adressent une requête au roi, sollicitant un adoucissement de leur régime de vie. Ils jugent les dévotions nocturnes et la pratique du maigre préjudiciables à leur santé. Toutefois, sauf dans quelques monastères (par exemple celui de Saint-Sever), on ne note pas de fautes graves contre la règle. Les moines prennent seulement l'habitude de vivre plus confortablement. Ils se chauffent, boivent du vin, lisent les gazettes et fument.

Le déclin de l'observance s'accompagne d'une crise matérielle : les monastères sont très endettés ; et d'une chute des vocations : les maisons se vident. En 1789, le nombre moyen des moines par monastère est de huit. La congrégation vit toujours. Elle compte encore 1 699 moines au début de 1790. Mais sa flamme intérieure est éteinte. Il ne reste presque plus rien de l'esprit de pénitence, qui au temps de sa jeunesse l'avait animée.

Six des écoles militaires de 1776 sont tenues par les mauristes.

MÉDECINE. Il convient de distinguer la connaissance du corps humain et l'art de guérir.

La connaissance du corps humain progresse dans trois domaines principalement : la physiologie (fonctionnement des organes), l'histologie (science des tissus) et l'anatomie pathologique (étude des lésions). Cependant, la plupart des progrès réalisés sont le fait de savants italiens (Spallanzani, Morgagni) ou allemands (von Haller). L'apport français est limité à la physiologie respiratoire et à la physiologie générale. Dans deux mémoires de 1777 et 1785, Lavoisier démontre pour la première fois le mécanisme chimique de la respiration. En physiologie générale, Barthez introduit l'idée nouvelle et féconde de l'importance du « terrain ». Toutefois, la médecine française, comme toute la médecine européenne, mais peut-être de façon plus grave, est viciée par l'esprit de système. Beaucoup de médecins donnent dans le mécanisme. « L'homme, écrit par exemple Boissier de Sauvages, est composé d'une âme vivante et motrice unie à une machine hydraulique » (*Chefs-d'œuvre de Sauvages*, 1771). Même le vitalisme de l'école

montpelliéraine a tendance à se réduire en système. « Toute maladie, écrit par exemple Bordeu, est un travail dont le terme est une excrétion quand la guérison survient. » Ces systèmes sont d'autant plus réducteurs qu'une philosophie matérialiste les oriente et les inspire. Le matérialisme des Lumières se sert de la médecine — et la médecine se laisse faire — pour démontrer que l'âme n'existe pas et que tous les phénomènes psychiques s'expliquent mécaniquement. « L'organisation suffirait-elle donc à tout ? demande le philosophe et médecin La Mettrie, oui encore une fois [...]. L'âme n'est donc qu'un vain terme dont on n'a point d'idée » (*L'Homme-Machine*). L'esprit de système n'a qu'un effet positif, celui d'inciter à une classification rationnelle des maladies. D'où le développement de la nosologie. L'ouvrage majeur est ici la *Pathologia medica* de Boissier de Sauvages (1759), où sont distinguées dix classes de maladies. Mais ce développement est prématuré : on ne connaît pas encore assez bien les maladies pour pouvoir les classer.

En matière d'art de guérir, il faut examiner séparément la clinique et la thérapeutique.

La méthode de la médecine clinique avait été définie par l'Anglais Sydenham et le Hollandais Boerhaave. Les médecins français se mettent à leur école.

En thérapeutique, les principaux apports français concernent la cardiologie, l'art des accouchements et l'hygiène médicale. En cardiologie, le *Traité de la structure du cœur, de son action et de ses maladies* de J.-B. Sénac (1749) fait la synthèse de toutes les connaissances acquises. Les chirurgiens Levret, Baudelocque et Chevreul peuvent être considérés comme les fondateurs de l'obstétrique moderne. En matière d'hygiène, Lavoisier définit les règles du contrôle sanitaire hospitalier.

Les facultés de médecine s'adaptent tant bien que mal. Elles créent des enseignements nouveaux de clinique, d'anatomie et d'obstétrique. Les professeurs de médecine prennent l'habitude de venir enseigner dans les établissements hospitaliers au lit des malades. L'information médicale scientifique est diffusée dans de nombreux périodiques, tel le *Journal de médecine, chirurgie, pharmacie* (1774-1794).

Dans la pratique quotidienne, l'art de soigner ne change guère. La *Pharmacopée universelle* de Louis Lémery (1697), rééditée plusieurs fois, demeure le manuel fondamental. On utilise surtout les plantes, dont certaines exotiques (camphre, gingembre, séné), mais aussi des matières animales (foies, excréments) ou minérales, comme le plomb ou le mercure. Les procédés d'application sont ceux traditionnels des purgations, lavements, gargarismes, collyres, infusions, décoctions, emplâtres, cérats, cataplasmes, sans parler des saignées pratiquées encore très souvent, bien que réservées par certains chirurgiens aux malades des poumons. Le chirurgien Quesnay (le futur fondateur de la physiocratie) fait ses débuts dans la littérature médicale avec un *Art de guérir par les saignées* (1736). Quant aux formules, appelées aussi « recettes », elles sont le plus souvent tirées du *Petit Albert* ou du livre de Mme Fouquet. Les familles et les hôpitaux se constituent des recueils de recettes éprouvées, transmises de génération en génération.

La médecine du XVIIIᵉ siècle guérit-elle mieux que celle des siècles précédents ? Un peu mieux sans doute, mais pas beaucoup mieux. Si la mortalité recule, si l'espérance de vie augmente, cela est dû tout autant aux progrès de l'alimentation qu'à ceux de la médecine. D'autres facteurs comptent également : la meilleure conjoncture climatique et la disparition des grandes épidémies de peste (après 1723).

Il est toutefois certains domaines où l'efficacité de la médecine ne saurait être niée, celui des accouchements (d'où la baisse de la mortalité infantile), celui de la lutte contre les maladies vénériennes (on distribue des dragées au mercure dans les hôpitaux et dans les dépôts de mendicité) et enfin celui de la lutte contre les épidémies. Par exemple, lors de l'épidémie de dysenterie de 1779, la nature du mal est tout de suite identifiée,

des mesures de prévention sont immédiatement prises. On observe d'ailleurs que, dans ces trois domaines, les progrès obtenus viennent plus d'une meilleure mobilisation des moyens que des moyens eux-mêmes. Ce sont les intendants et leurs subdélégués qui font donner des cours aux futures sages-femmes, ce sont eux qui accueillent dans les dépôts de mendicité les malades atteints de maladies vénériennes et les y font soigner, ce sont eux enfin qui organisent le quadrillage médical des régions touchées par les épidémies.

MÉDECINS. La médecine est un art libéral. Nul ne peut l'exercer sans avoir obtenu le grade universitaire de docteur en médecine. Les doctorats de Paris, Montpellier et Douai sont parmi les plus réputés. Avant d'entreprendre leurs études de médecine, tous les médecins ont fait leurs humanités. Il faut être maître ès arts pour pouvoir s'inscrire en médecine.

Les médecins sont relativement peu nombreux. La province d'Anjou par exemple compte seulement quarante-cinq médecins en 1786 (dont treize à Angers). Les universités ne délivrent qu'un très petit nombre de doctorats. A la faculté de médecine de Caen, de 1732 à 1783, le chiffre annuel des diplômes décernés varie de neuf (1732) à cinquante-cinq (1788).

On trouve de plus en plus de médecins bien instruits de leur art et même savants. A la formation théorique, toutes les facultés ont ajouté un enseignement d'anatomie et un enseignement de botanique. De plus, un assez grand nombre de médecins reçoivent une formation clinique et hospitalière.

Les médecins de la Maison du roi, ceux des maisons des princes et des princesses, les docteurs-régents des facultés et les médecins membres de la Société royale de médecine représentent l'élite de la profession. Il s'agit d'hommes de science, qui ont complété leur formation universitaire par des travaux et des recherches dans le cadre du Collège royal ou du Jardin du roi, ou encore dans les académies de province et les laboratoires privés. La lecture des quelque cinquante éloges prononcés par Vicq d'Azyr à la Société royale de médecine, de 1776 à 1789, permet de se faire une idée de cette élite médicale, de sa vocation et de ses talents.

La profession de médecin ne déroge pas. Elle est l'une des premières du tiers état. A Dole, en 1789, MM. les médecins sont classés dans la première catégorie du tiers (pour les élections aux États généraux) avec les officiers du bailliage et les gradués en droit. De 1725 à 1786, trente-cinq lettres de noblesse accordées à des médecins sont enregistrées à la Chambre des comptes de Paris. Nous voyons même deux médecins (Barthès et Haguenot) acquérir des charges de conseillers à la cour des aides de Montpellier. C'est là toutefois une exception. Les revenus et les gains des médecins sont généralement assez médiocres et ne leur permettent pas de s'élever par la voie des offices.

MÉGRET D'ÉTIGNY, Antoine. *Voir* **ÉTIGNY, Antoine Mégret d'.**

MEISSONNIER, Juste Aurèle (Turin, 1695 - Paris, 31 juillet 1750). Orfèvre, il est le fils d'un orfèvre d'origine provençale, installé en Italie. Il est formé par son père et reçoit aussi les conseils de l'architecte italien Filippo Juvarra. En 1715, la commande d'une médaille par le gouvernement français le détermine à s'installer en France. En 1723, il est suffisamment implanté pour recevoir la commande prestigieuse d'un seau à bouteille en argent pour le duc de Bourbon. Il est admis maître orfèvre le 28 septembre 1724 par brevet spécial de Louis XV, et nommé en 1726 dessinateur de la Chambre et du Cabinet du roi, chargé de dessiner les décors des festivités de la Cour, et des objets aussi divers que de la vaisselle en argent et des panneaux décoratifs. La plupart de ses œuvres ont disparu et ne nous sont connues que par des dessins. Cependant, l'une des plus inspirées a survécu. Ce sont deux terrines en argent, commandées par le duc de Kingston. L'une est

aujourd'hui dans la collection du baron Thyssen, l'autre au Cleveland Museum of Art. Ces terrines sont modelées en grands coquillages au-dessus desquels tourbillonne une mer écumante. Fidèle au style rococo le plus exubérant, Meissonnier a été critiqué par l'intelligentsia rationaliste. Il n'a pas eu de son vivant toute la réputation qu'il méritait.

Il a travaillé aussi comme architecte décorateur. Il a été (avec Nicolas Pineau) l'un des fondateurs de ce rococo maniériste, nommé à l'époque « genre pittoresque ».

MELFORT, Louis Drummond, comte de (1722-1788). Lieutenant général des armées du roi (promu en 1780), inspecteur de cavalerie, il est le petit-neveu d'un chancelier d'Écosse. Il s'est particulièrement distingué dans les combats de la fin de la guerre de Sept Ans, en 1759 à Radern, Verle et Osnabrück et en 1762 à Holstmar et à Friedberg. Les manœuvres indiquées dans son *Traité sur la cavalerie* seront adoptées en 1788, 1791 et 1793. Selon la baronne d'Oberkirch et selon Mme du Hausset, il aurait été l'amant de la duchesse d'Orléans et serait le père possible de Philippe Égalité.

MELON, Jean-François (Tulle, 26 juillet 1675 - Paris, 24 janvier 1738). Économiste, il est issu d'une famille d'officiers de justice. Après ses études de droit, il s'installe à Bordeaux comme avocat, mais délaisse très vite le barreau pour s'adonner à l'étude des sciences. Lors de la fondation de l'académie de Bordeaux en 1713, il est nommé secrétaire de cette compagnie. Il se lie d'amitié avec Montesquieu. En 1715, le duc de La Force l'appelle à Paris et lui confie des tâches administratives. Depuis cette date jusqu'en 1726, il va remplir diverses fonctions officieuses et importantes au sommet de l'État, conseillant successivement Dubois, Law, le Régent lui-même et le duc de Bourbon. L'ouvrage qui fait sa réputation paraît en 1734. Il est intitulé *Essai politique sur le commerce*. La doctrine qui s'y exprime se rattache au courant néomercantiliste. Melon est favorable à une liberté surveillée du commerce. Il trouve dans le numéraire papier un succédané à l'or et à l'argent. Pour lui, la richesse essentielle n'est pas le numéraire métallique mais le blé. En cela, il est le précurseur des physiocrates. Est-ce l'influence de William Petty (l'homme qui conseillait de déporter les Irlandais), ou bien celle des milieux épicuriens qu'il fréquentait : on trouve dans son œuvre des marques d'inhumanité. Pour lui, gouverner c'est compter : «Tout est réductible au calcul, écrit-il; il s'étend jusqu'aux choses purement morales» (*Essai politique sur le commerce*). Par ailleurs, dans le but d'augmenter la population des travailleurs utiles, il ne suggère rien moins que le rétablissement de l'esclavage dans la métropole. Il s'en justifie de la manière suivante : «... que dans une opération générale, explique-t-il, dont le législateur prévoit un bien à sa nation, il s'ensuive le dommage de quelque particulier, alors le dommage a une compensation si grande qu'il doit être nul devant le législateur qui n'a pu faire entrer dans son plan les intérêts de détail».

MÉMOIRES. (Littérature de témoignage servant principalement de documentation historique.) L'écriture du témoignage a connu, au cours du XVIIIe siècle, un développement considérable. Ces récits d'événements contemporains, qu'ils se rattachent à la sphère intime ou au domaine public, ont emprunté une grande variété de formes sur lesquelles l'historiographie se penche de plus en plus fréquemment. Toutes les caractéristiques de cette littérature sont abordées. Pourquoi écrit-on, tout d'abord? Pour la postérité (comme le protestant Antoine Court, qui veut conserver la mémoire des persécutions dont il a été victime dans les Cévennes avec ses coreligionnaires), pour témoigner d'une époque révolue ou édifier ses enfants, comme le fait la duchesse de La Trémoille, pour justifier sa conduite ou se donner un rôle : les motivations semblent toujours mêlées. En outre, un texte peut combiner plusieurs temps d'écriture (immédiatement après les faits, ou un peu plus tard),

et plusieurs modes (relation lapidaire ou développée, approximative ou scrupuleuse...). Les scripteurs (nobles, bourgeois, artisans, paysans, gens de lettres, ecclésiastiques, ministres, ambassadeurs, souverains, etc.) abordent des sujets différents (eux-mêmes, leurs familiers ou les grandes figures de l'époque, à l'occasion de faits relevant du domaine intime ou public). On s'est également rendu compte que toutes sortes de documents relevaient de la littérature de témoignage : les correspondances, bien sûr — et quels témoignages que les correspondances entre Mme du Deffand et Walpole, entre la marquise de Balleroy et ses amis ! — mais aussi les rapports administratifs (certains mémoires des intendants de province), les comptes rendus de missions diplomatiques, les visites pastorales des évêques, les registres paroissiaux, les journaux de bord de navires (Rigaud de Vaudreuil), les aide-mémoire (ceux de l'abbé Jourdain, secrétaire de la Bibliothèque du roi, de la pastelliste Rosalba Carriera, de l'auteur dramatique Gueulette), ainsi que les multiples livres de raison tenus par des artisans (le livre-journal de Lazare Duvaux), des petits bourgeois (Cabaret-Desforges, avocat au présidial de Soissons, le notaire Sourd-Simeonis, le médecin Brac), des paysans, des pères de famille, etc.

Les Mémoires, le genre le plus répandu, sont rédigés bien après les événements qui en sont les objets et la raison d'être. Leur auteur fut un témoin, passif ou actif. On peut regretter, à cet égard, que ni le Régent, ni Louis XV, ni Louis XVI n'aient, à l'instar de leur prédécesseur Louis XIV ou de leurs voisins Frédéric II ou Catherine II, laissé aucun texte de ce type. Mais il est vrai, en revanche, que quelques grands ministres, comme d'Argenson, Choiseul, Castries ou Bernis, ou d'autres moins connus, comme d'Ormesson et Bourgeois de Boynes, ont écrit d'intéressants mémoires. Toutefois, les auteurs de mémoires sont le plus souvent des membres de la magistrature (le président Hénault), des militaires, et souvent de petits officiers (Valfons, Planelli de Maubec,

Franclieu ou Belleval), des représentants de l'aristocratie (le duc de Lauzun, la baronne d'Oberkirch, le comte de Caraman), des ecclésiastiques (les abbés Baston, Millot, Alary, Georgel), des artistes (les peintres Vien, Mannlich, Mme Vigée-Lebrun, le dessinateur Cochin, le graveur Wille), des gens du spectacle, dont beaucoup de femmes (Mlles Duthé et Clairon, mais aussi l'acteur Fleury) et surtout des gens de lettres, des plus illustres (Rousseau et Voltaire, même s'ils sont restés discrets, ou Marmontel) aux plus obscurs, en passant par d'honnêtes littérateurs ou « philosophes » (Moreau, Collé).

Il est particulièrement remarquable que l'écriture de la plupart de ces mémoires se soit faite à l'issue de trois grandes périodes, aussitôt perçues comme révolues : la mort de Louis XIV, en 1715, n'eut pas pour seule conséquence un adoucissement de la censure littéraire et une libéralisation des mœurs, c'était aussi la fin d'un monde. Fastes révolus d'une cour aux mille intrigues pour les uns, exploits guerriers d'un temps passé pour les autres, le Grand Siècle avait décidément été la belle époque pour bien des nostalgiques, et le démon de l'écriture s'empara d'eux. La publication, en 1717, des mémoires posthumes du cardinal de Retz n'est pas pour rien dans cette multiplication soudaine du nombre de mémorialistes, qui y virent un modèle à imiter, un moule dans lequel couler leurs souvenirs. M. de La Colonie, les maréchaux de Berwick et de Villars se mirent à raconter leurs hauts faits d'armes, tandis que Saint-Simon, avec les notes laissées par le marquis de Dangeau, rassemblait les matériaux pour ses fameux mémoires sur la cour de Versailles au temps du Grand Roi. Les brèves années de la Régence furent encore une période privilégiée : beaucoup des mémorialistes eurent l'occasion d'exercer des responsabilités au gouvernement ou dans l'administration. Saint-Simon et Villars poursuivirent ainsi leurs récits au-delà de la mort de Louis XIV ; le duc d'Antin laissa quant à lui neuf volumes sur cette époque. Duclos préparait ses mémoires secrets, d'autres, comme Buvat, met-

taient au point leurs souvenirs. Puis ce fut le grand silence. Et dans le choc émotionnel que provoqua la Révolution, les historiens n'auraient que bien peu de mémoires sur le XVIIIᵉ siècle : Ségur, Tilly, l'abbé Morellet, Dufort de Cheverny, Augeard, Marmontel, Mme Campan, Montbarrey, Weber, Sénac de Meilhan, la plupart des grands mémorialistes qui ont raconté la seconde moitié du XVIIIᵉ siècle l'ont fait pendant ou après la Révolution. Garder le souvenir de l'Ancien Régime, le transmettre aux générations futures, expliquer ou justifier sa conduite, et le plus souvent dénoncer les maux des troubles révolutionnaires : quelles qu'elles fussent, leurs motivations ont toujours été une réaction à cet événement majeur.

Deux phénomènes caractérisent également le XVIIIᵉ siècle : l'émergence et l'affirmation du genre autobiographique, et la multiplication des recueils d'anecdotes concernant principalement la famille royale, la Cour et les grands personnages de l'État.

L'autobiographie, dont le genre commença à poindre au XVIIᵉ siècle, souvent pour évoquer une expérience religieuse ou mystique, se développa de façon remarquable au siècle des Lumières pour devenir au siècle suivant la littérature du « moi » romantique. Les auteurs sont sensiblement différents de ceux des mémoires, dans la mesure où, essentiellement centrés sur la vie personnelle de leur auteur, ces récits se rapprochent plus du roman, de l'aventure picaresque, que du témoignage intimiste de la réalité historique. On trouve parmi ces autobiographes des écrivains comme Rousseau, bien sûr, qui a poussé fort loin l'introspection sous une forme littéraire très achevée, mais aussi Casanova, le fabuliste Florian ou Restif de La Bretonne, des savants, comme le minéralogiste Charles Bonnet, et surtout des personnages à la fibre romanesque qui se sont plu à rendre avec joliesse des aventures véritablement vécues : socialement modestes, ils ont donné à leur récit, dont on ne saurait mettre en doute la véracité, les allures d'une aventure : Mme de Staal de

Launay raconte son incarcération à la Bastille et ses amours avec son voisin de cellule, Ménétra évoque ses tours de France comme compagnon vitrier, n'épargnant à ses lecteurs aucun détail salace, Jamerey-Duval brosse dans un court récit sa fabuleuse ascension, qui, comme dans un conte de fées, le mène des pâturages lorrains à la cour de l'empereur d'Autriche, Pierre Prion enfin raconte sa vie passée au service du marquis d'Aubais...

Les recueils d'anecdotes ont considérablement fleuri en ce siècle qui vit se développer conjointement l'opinion publique ainsi que son créateur et soutien le plus sûr, le journalisme. Le roi, la reine, les princes, les courtisans de toutes sortes, les hommes du gouvernement, les magistrats, bref l'ensemble des gens en place sont devenus au cours du siècle des cibles privilégiées, phénomène que la Révolution amplifiera encore. Si certains de ces ouvrages avancent des faits plus que douteux, se faisant les véhicules de calomnies reconnues (*La Vie privée de Louis XV*, par Mouffle d'Angerville, par exemple, ou les innombrables recueils sur Mme du Barry), on aurait tort de les mettre tous à la même enseigne. Ainsi gardera-t-on les très célèbres mémoires de Louis Petit de Bachaumont, chronique quasi quotidienne sur tous les personnages de son temps, les anecdotes réunies par François-Vincent Toussaint sur la cour de Louis XV, les compilations de l'abbé Soulavie, qui, pour être parfois sujettes à caution, n'en comportent pas moins toutes sortes de documents authentiques émanant du maréchal de Richelieu, de Maurepas, ou de personnages de la cour de Louis XVI. Ce goût de l'anecdote « piquante » dont parle Diderot est dans l'esprit du siècle : il profite des lectures mondaines des salons, de la relative libéralisation de la censure, de l'effritement progressif de la « sacralité » des personnes publiques, mais surtout du développement d'une opinion qui, pour être souvent frondeuse, moqueuse et critique, n'en a pas moins le sens des responsabilités. Le genre, bientôt commun, prend la forme de « nouvelles à la main », sortes de gazettes privées distribuées à un petit nombre d'exemplaires, où sont inscrits avec une rigueur plus ou moins grande les faits d'actualité. On en trouve un grand nombre, souvent adressées à des provinciaux par des personnes bien informées vivant à Paris, comme celles que reçurent le marquis de Paulmy ou l'intendant de Lyon, Pelloutier de Nainville.

Le journal reste cependant, au milieu de toutes ces formes de témoignage, le genre le plus sûr pour l'authenticité des faits, et c'est à lui que les historiens ont eu le plus volontiers recours, quitte à se passer des charmes plus littéraires des mémoires. Plus proche des événements qu'il relate, il a rarement été écrit en vue d'une publication, du moins immédiate, ou d'une publicité, même restreinte (autant les auteurs de mémoires ont souvent publié de leur vivant, autant les diaristes n'ont dû leur « célébrité » qu'à l'exhumation de leur manuscrit par un érudit du XIXe ou du XXe siècle). Il n'est donc pas soupçonnable d'avoir des ambitions éducatives, dénégatives ou polémiques, comme peuvent en avoir les mémoires : la spontanéité de son écriture est apparue comme le gage de sa véracité. Par ailleurs, les auteurs des journaux, qu'ils soient de grands seigneurs, comme le duc de Luynes, des ambassadeurs, comme Bombelles, des magistrats (le président d'Ormesson de Noiseau, décrivant la vie de ses confrères exilés par le chancelier Maupeou) ou des personnages plus modestes (le chanoine de Reims, dom Chastelain, l'avocat Mathieu Marais ou Micault, professeur à Dijon), présentent l'éminent intérêt de raconter les événements « par le petit bout de la lorgnette » — une optique qui prend depuis quelque temps valeur de vertu. Ainsi s'explique la gloire posthume des volumineux journaux de l'avocat Barbier ou du libraire Hardy, qui ont laissé une peinture unique des événements parisiens pendant tout le siècle. Plus intimistes sont les journaux du duc de Croÿ, du diplomate Corberon, ou celui, écrit en exil, du comte de Belle-Isle, futur ministre de la

Guerre. Les journaux de militaires, nombreux, se classent en sous-genres, non moins nombreux : journaux de marche, journaux de siège, journaux de cantonnement. D'autres sont centrés sur une activité : ainsi, pour les médecins, les journaux de visites médicales (comme celui du médecin avignonnais Pellissier) ou d'observations chirurgicales (celui du chirurgien-accoucheur Férant) ; il y a aussi les journaux de police (celui du commissaire de Versailles, Pierre Narbonne), de confesseurs (l'abbé Maudoux, confesseur de Louis XVI et de Marie-Antoinette), d'intendants privés (Papillon de La Ferté, intendant des Menus Plaisirs, ou Toudouze, intendant du prince de Condé). Il y a aussi ceux qui s'attachent à noter un type de fait (les journaux d'observations météorologiques, ceux concernant les prix des denrées, les inondations les maladies contagieuses comme au moment de la peste de Marseille, etc.). Des centaines de journaux de voyage viennent aussi enrichir le patrimoine de la littérature du témoignage, que leurs auteurs soient des étrangers, comme le célèbre Arthur Young et sa compatriote Mme Cradock, ou des Français sillonnant le royaume.

Il reste encore bien des textes à découvrir ; beaucoup sont toujours enfouis dans les bibliothèques publiques et chez des particuliers ; beaucoup d'autres, encore inédits, mériteraient publication.

MÉMOIRES DE TRÉVOUX. Les *Mémoires pour l'histoire des sciences et des beaux-arts*, appelés aussi *Mémoires* ou *Journal de Trévoux*, sont une gazette mensuelle dont les jésuites ont assuré longtemps la rédaction.

Sa fondation date de 1701. Elle est imprimée d'abord à Trévoux dans les Dombes, sous le patronage du duc du Maine, prince des Dombes, ensuite à Lyon à partir de 1731, le duc du Maine ayant révoqué son privilège. Chaque numéro compte de 180 à 200 pages de format in-16.

C'est essentiellement un journal de recensions de livres. Mais on y trouve aussi une rubrique astronomique et des

« Nouvelles littéraires » des différents pays d'Europe. Les livres recensés appartiennent à toutes les disciplines. A titre d'exemple, le numéro de janvier 1728 compte douze articles. Dix sont des recensions, dont quatre d'ouvrages d'histoire, deux de religion, deux de médecine, un de géographie et un d'astronomie. L'article 11 est la rubrique astronomique et l'article 13 est consacré aux « Nouvelles littéraires ».

Les rédacteurs jésuites figurent parmi les meilleurs esprits de la Compagnie. La première équipe de rédaction était composée des PP. Tournemine, Lallemant et Le Tellier. Ensuite, les recensions historiques seront assurées par les PP. Hardouin, Catrou et Rouillé, les philosophiques par le P. Buffier, et les scientifiques par le P. Castel. Le P. Guillaume François Berthier, qui prend la direction en 1734 et la garde jusqu'en 1762, est une bonne plume et un critique redoutable.

Les *Mémoires* font généralement preuve d'objectivité. Le déisme et l'incrédulité y sont combattus, mais souvent avec modération, quand ce n'est pas avec indulgence. Notons que la spéculation philosophique elle-même intéresse peu les rédacteurs : aucune philosophie n'est opposée à celle des Lumières.

Après la suppression de la Compagnie de Jésus en 1764, les *Mémoires* continuent à paraître sous la direction de l'abbé Aubert. Ils changent encore deux fois de main et disparaissent en 1782.

MÉNAGEOT, François Guillaume (Londres, 1744 - Paris, 1816). Peintre, il fut grand prix de peinture en 1766 et agréé à l'Académie avec une toile intitulée *Les Adieux de Polyxène et d'Hécube* (1777). C'est un peintre d'histoire et un admirateur de l'histoire romaine. Les faveurs de la Cour lui valurent de nombreuses commandes officielles, dont celle d'une vaste composition destinée à l'hôtel de ville de Paris et figurant le corps de ville recevant le Dauphin, fils de Louis XVI. Ménageot fait souvent penser à David ; il en a les goûts et la philosophie. On pensa un moment qu'il égalerait l'auteur du

Serment des Horaces, mais il n'en fut rien. Il sera, pendant la Révolution, directeur de l'École de Rome et, sous l'Empire, membre de l'Institut.

MENDIANTS, MENDICITÉ. Un mendiant est un « pauvre qui tend la main » (Montlinot).

Qui mendie ? On peut le savoir par les registres des hôpitaux et des dépôts de mendicité. La plupart des mendiants sont des gens qui ont une profession (artisans, journaliers, manouvriers, petits marchands, colporteurs), mais qui ont perdu leur emploi, ou bien sont trop âgés pour travailler. Il y a aussi un petit contingent d'enfants souvent très jeunes : sur trois cent trente-trois mendiants conduits à la Charité de Saint-Étienne de 1724 à 1733, vingt-neuf ont moins de dix ans. Quant aux mendiants professionnels, ils seraient très peu nombreux (J. P. Gutton).

Le nombre des mendiants est sans doute très variable. Il dépend de la conjoncture. En 1724, l'abbé de Saint-Pierre l'estime à soixante mille dans tout le royaume, mais ce chiffre ne semble reposer sur aucune base statistique sérieuse. A partir des années 1760, de nombreux textes officiels font allusion à une recrudescence de la mendicité.

Depuis les débuts de la monarchie administrative, la société politique est dure avec les mendiants. Sous le règne de Louis XIV, on avait inventé le « renfermement ». Tous les pauvres convaincus de mendicité et de vagabondage étaient arrêtés et enfermés à temps ou à perpétuité dans des hôpitaux généraux institués à cette fin. On espérait ainsi leur faire passer le goût de l'oisiveté. Toute la France au travail, même les mendiants, c'était le mot d'ordre du colbertisme.

Sous le règne de Louis XV, l'état d'esprit ne change pas. Il semble même que l'attitude vis-à-vis des mendiants se fasse de plus en plus sévère. Curieusement, les esprits éclairés sont ceux qui manifestent la plus grande rigueur. Le *Projet pour renfermer les mendiants* de l'abbé de Saint-Pierre (mars 1724) expose les nombreux inconvénients de la mendicité. Selon cet auteur, « les jeunes mendiants deviennent bientôt de petits fripons ». Il suggère la création d'établissements d'un type nouveau destinés à faire travailler les mendiants. L'*Encyclopédie* n'est pas moins rigoureuse. L'auteur de l'article « Mendicité » élève une protestation véhémente : il ne faut plus tolérer les mendiants ; « ... c'est une chose funeste et honteuse dans un État que d'y souffrir des mendiants ». Leur donner l'aumône serait aggraver le mal. Car l'aumône est « l'aliment de la fainéantise et de la débauche ». La seule solution consiste à les mettre de force au travail : « ... ce n'est pas assez de dire au misérable qui tend la main : va travailler ; il faut lui dire : viens travailler. »

La déclaration royale du 18 juillet 1724 se rattache aux mêmes principes de rigueur. La formule adoptée pour remédier à la mendicité est, comme sous le règne précédent, celle du renfermement. Mais il s'agit ici d'un renfermement d'un type nouveau, d'un renfermement à l'échelle du royaume tout entier. Tous les mendiants valides dans toute l'étendue du royaume doivent prendre un emploi dans les quinze jours, ou se présenter aux hôpitaux pour y être « engagés » et utilisés à divers travaux. Faute de quoi et passé ce délai, ils seront arrêtés par la maréchaussée, conduits de force aux hôpitaux désignés par le roi pour les recevoir, et enfermés à temps ou à perpétuité. Le roi promet aux hôpitaux désignés de les aider à remplir cette nouvelle fonction, en les assistant de ses propres deniers.

La déclaration est exécutée, mais d'une manière assez molle. Au début, les autorités montrent un grand zèle, puis elles se relâchent. Par exemple, la Charité de Saint-Étienne reçoit, en 1724 et 1725, trente et quarante-quatre mendiants arrêtés, mais dans les années suivantes les chiffres tombent à presque rien. Quant au régime de ces maisons de force improvisées, il ne semble pas trop dur. On pourvoit à l'habillement, à la nourriture, au chauffage. On fait travailler les enfermés, mais seulement s'ils sont en bonne condition physique. Dans l'hôpital de

Clermont, l'intendant Trudaine crée une véritable manufacture d'étoffes de laine.

En 1764 et 1767, deux nouveaux textes viennent modifier et renforcer la législation existante. C'est d'abord la déclaration royale du 3 août 1764 «concernant les vagabonds et gens sans aveu». Cette première loi ordonne les galères pour les vagabonds valides et le renfermement pour tous les autres. C'est ensuite l'arrêt du Conseil d'État du 21 octobre 1767, prescrivant d'établir dans chaque généralité «des maisons suffisamment fermées pour y retenir les vagabonds et gens sans aveu». Ces maisons vont porter le nom de «dépôts de mendicité». Peu de temps après l'arrêt de 1767 est publié le *Règlement concernant la constitution et le régime général des dépôts de mendicité*. Il y est précisé que les dépôts recevront les vagabonds comme les mendiants. Les textes de 1764 et 1767 ne font pas mention expresse des mendiants, mais la jurisprudence des cours prévôtales aura tendance à assimiler les mendiants aux vagabonds.

On compte trente-trois dépôts de mendicité dans le royaume en 1773. D'après un «état» de 1773 (cité par Hufton), 71 760 mendiants et vagabonds sont entrés dans les dépôts entre l'ouverture de ceux-ci et la fin de l'année 1773. Le 31 décembre 1773, l'effectif total des enfermés dans les dépôts s'élevait à 8 615. Cet effectif semble avoir diminué ensuite. En 1789, il n'est plus que de 6 650.

Les mendiants sont arrêtés en flagrant délit ou sur dénonciation. Dans le second cas, la fouille du sac fournit les preuves (pain, pièces de monnaie). Il y a aussi les mendiants qui se font arrêter exprès. «Voyant un terme fixe et court à leur détention, ils calculent que c'est le temps nécessaire pour se délivrer de leur vermine, se guérir de leurs maux et ulcères, pour se rafraîchir le sang, renouveler leurs forces et s'engraisser» (rapport d'un administrateur du dépôt de Riom, cité par Hufton). En 1785, au dépôt de Lille, d'après le concierge, vingt-neuf femmes «se sont fait prendre volontairement afin de se faire guérir de la maladie vénérienne». Il est vrai que le même concierge signale un grand nombre de tentatives d'évasion.

On trouve aux Archives du Nord (C 1200), daté du 14 janvier 1789, un plan détaillé du dépôt de Lille. Le bâtiment comporte les locaux suivants : salle, cour, ouvroir, infirmerie, loges (ce sont les cellules pour les récalcitrants) et chapelle. Tous ces locaux sont en double, un pour les hommes, un pour les femmes, même la chapelle.

La mortalité est élevée parmi les enfermés. L'«état» cité *supra* donne le chiffre de 13 899 décès dans les dépôts depuis leur ouverture jusqu'au 31 décembre 1773.

Au début du règne de Louis XVI, un vent de réforme commence à souffler. On s'interroge sur le bien-fondé de la législation en vigueur. En 1775, Turgot change une commission d'étudier les remaniements possibles. Cette commission est composée de deux conseillers d'État (Trudaine et Bertier) et des archevêques de Toulouse (Loménie de Brienne) et d'Aix (Boisgelin). Les deux prélats tentent d'atténuer la sévérité qui était de mise jusqu'alors vis-à-vis des mendiants. Pour Boisgelin, l'acte de mendier peut être imposé par la nécessité ; il est alors «légitime» et même «nécessaire». Le même Boisgelin s'élève contre l'inhumanité du travail forcé. Mais sa protestation n'est guère entendue. L'opinion qui continue à prévaloir est celle de la philosophie des Lumières, celle de l'*Encyclopédie*. La plupart des ouvrages publiés sur la mendicité après 1774 reprennent les thèmes utilitaires de la «honteuse oisiveté», de la «criminelle fainéantise» des mendiants.

Ces ouvrages sont nombreux. La question est à la mode. Dans la livraison du 15 février 1778 de ses *Annales*, Simon Linguet met au concours le sujet suivant : «Quelles sont les causes de la mendicité et les moyens de la supprimer ?» En 1779, la Société royale d'agriculture de Soissons propose un sujet presque semblable : «Quels sont les moyens de détruire la mendicité, de rendre les pauvres valides utiles et de les secourir dans la ville de Soissons ?» L'abbé de Montlinot obtient le prix. Tout pauvre, explique-t-il, est un mendiant en puissance, et tout mendiant est un «homme vil». Il faut «réprimer la fainéantise». C'est le langage de l'*Encyclopédie*. Le mendiant reste un suspect. Cependant, Montlinot propose une solution nouvelle. Il condamne les dépôts de mendicité. Ce sont, dit-il, des «parcs». Il faut arrêter et punir les mendiants, mais on doit ensuite leur procurer du travail. Ils seront mal payés, mais on leur distribuera des secours, à la condition qu'ils puissent produire leurs certificats de travail. Des «inspecteurs des pauvres» vérifieront. Cette solution a le mérite de l'originalité. Les membres du Comité de mendicité de la Constituante s'inspireront de mémoire de Montlinot.

Pour l'instant, on conserve les dépôts. Ils sont fermés un moment sous Turgot, puis rouverts. Quelques intendants éclairés s'efforcent de les améliorer. Bertrand de Molleville, intendant de Rennes, fait un nouveau règlement pour son dépôt. L'article 12 spécifie que les détenus travailleront et qu'ils recevront le quart du prix de la journée de travail ordinaire. Les enfants apprendront un métier manuel. En 1789, Molleville dresse un bilan de succès. Il estime avoir en trois ans «régénéré» son dépôt.

MÉNILDURAND. *Voir* MESNIL-DURAND.

MENUS PLAISIRS. Les Menus Plaisirs ne sont pas comme la Chambre ou la Chapelle un département de la Cour, mais une administration chargée d'assurer le fonctionnement matériel et de régler les dépenses de la Chambre et de la Garde-Robe du roi. Le service est dirigé par un intendant. L'hôtel des Menus-Plaisirs, situé avenue de Paris, abrite à la fois les magasins, les entrepôts et les bureaux du service. Il existe encore de nos jours. La salle dite des Menus-Plaisirs, où se réuniront en 1787 et 1788 les assemblées des notables, et, en 1789, les États généraux, est une dépendance de l'hôtel du même nom. Elle avait été aménagée en 1787 en un temps record (dix-neuf jours) afin de recevoir les notables.

Les dépenses des Menus comportent quatre chapitres :

— l'argenterie (cérémonies d'église, fêtes solennelles, dépenses du sacre, baptêmes, mariages, pompes funèbres, deuils, *Te Deum*, processions) ;

— les menus (renouvellement de la chambre et de la garde-robe du roi, habillements pour diverses personnes, bijoux, portraits, présents faits par le roi) ;

— les plaisirs (dépenses des spectacles, des fêtes, feux d'artifice, bals, appointements et gratifications à l'occasion des spectacles, diverses pensions à des écrivains, ce dernier chapitre figurant à «l'extraordinaire») ;

— affaires de la Chambre du roi (renouvellement des linges et dentelles du roi, meubles de la chambre, pendules du cabinet, argenterie de la chambre et de la garde-robe).

Par le contrôle qu'il exerce sur ces différentes dépenses, l'intendant des Menus est en quelque sorte l'ordonnateur du faste de la Cour. Parmi ses tâches les plus absorbantes figure la régie des spectacles de Versailles et de Fontainebleau. Les comédiens-français sont placés sous la haute autorité du premier gentilhomme de la Chambre, mais il revient à l'intendant des Menus de régler leur service à la Cour. Il a presque quotidiennement affaire avec eux.

De 1756 à 1791, pendant près d'un demi-siècle, la charge d'intendant fut exercée par Papillon de La Ferté. Le compte rendu que celui-ci a laissé de sa gestion est un document essentiel pour notre connaissance de la Cour.

MERCÉDAIRES. Les religieux de l'ordre de Notre-Dame de la Merci, appelés aussi mercédaires, sont des religieux mendiants implantés en Espagne et en France, et voués, comme les trinitaires, au rachat des captifs chrétiens faits par les Barbaresques. En 1766, les deux provinces françaises de l'ordre, celle de France et celle de Paris, comptaient ensemble vingt maisons et cent cinquante-neuf religieux. Les fonds pour le rachat des captifs proviennent des quêtes, des legs, des donations royales et des emprunts. Trois cent trente et un captifs chrétiens ont été rachetés par les mercédaires entre 1715 et 1789 (Cocard).

MERCIER, Louis Sébastien (Paris, 6 juillet 1740 - *id.*, 25 avril 1814). Il fut un écrivain fécond. Il se disait lui-même le « premier livrier » de France, et il composa une trentaine d'ouvrages, dont le fameux *Tableau de Paris* (1782-1788) qui recueillit en son temps un succès considérable et qui aujourd'hui n'est pas oublié. Des promenades désordonnées dans les rues de Paris, la vie quotidienne, notamment des artisans, des idées novatrices, paradoxes audacieux et défis quelquefois extravagants, tout cela au milieu de beaucoup de longueurs, tel est ce « tableau », œuvre d'un journaliste plutôt que d'un véritable écrivain. Certaines pages rendirent l'auteur célèbre et contribuèrent au développement du mythe de Paris : « Naître à Paris, écrivait Mercier, c'est être deux fois français car on y reçoit en naissant une fleur d'urbanité qui n'est point ailleurs. »

Il avait débuté dans les lettres par des poèmes, les *Héroïdes et autres pièces de poésie*, suivis d'un *Essai sur l'art dramatique* où Corneille et Racine étaient également pourfendus. En 1771, il fait preuve d'imagination en publiant une œuvre d'anticipation intitulée *L'An 2440, rêve s'il en fut jamais*. Il écrivit aussi des pièces de théâtre, et son *Théâtre* fut publié à Amsterdam de 1778 à 1784. Deux de ses comédies, *La Brouette du vinaigrier* et *Le Déserteur*, jouées avec succès à la Comédie-Italienne, séduisirent la reine Marie-Antoinette, qui pensionna l'auteur. Le *Tableau de Paris*, publié à Amsterdam de 1782 à 1788 en 12 volumes, plus un volume de figures, sera complété par le *Nouveau Paris* en 6 volumes (1800). L'on cite encore de Mercier *Portraits des rois de France* (4 vol., 1785), *Néologie ou Vocabulaire des mots nouveaux ou à renouveler* (2 vol., 1802), une *Histoire de France* en 6 volumes, suivie en 1808 d'une *Satire contre Racine et Boileau*.

Après la publication du *Tableau de Paris*, Mercier résida quelque temps en Suisse, comme le fit également son ami Restif de La Bretonne. Il devait introduire celui-ci en 1789 chez la comtesse de Beauharnais et fréquenter avec lui la table de Grimod de La Reynière fils ; une gravure du temps nous les montre assis l'un près de l'autre lors d'un banquet chez Grimod. Au début de la Révolution, Mercier s'associa à Carra pour la rédaction des *Annales patriotiques*. Député de la Seine-et-Oise à la Convention, il soutint les Girondins et ne vota pas la mort du roi, mais sa détention. Arrêté pendant la Terreur, on le trouve ensuite au Conseil des Cinq-Cents, puis professeur d'histoire à l'École centrale. Il sera membre de l'Institut. Barbey d'Aurevilly dira de lui : « Il ne manque ni de perçant dans l'observation, ni de neuf dans le style, mais ce n'est qu'un La Bruyère de bas étage » (*Les Romanciers*, Paris, 1866).

MERCIER DE LA RIVIÈRE, Pierre Paul François Joachim Henri, *Voir* **LEMERCIER DE LA RIVIÈRE**.

MERCURE DE FRANCE. Le *Mercure de France* est la suite du *Mercure françois* de Théophraste Renaudot et du *Mercure galant* de Donneau de Visé. *Le Mercure galant* avait été suspendu en 1716 pendant deux mois et avait ensuite reparu sous le nom de *Nouveau Mercure*. Le titre de *Mercure de France* date de 1724.

Le privilège du *Mercure* est donné par brevet royal à des hommes de lettres qui gèrent le journal pour leur propre compte et en assurent la direction. Parmi les détenteurs du privilège, il faut citer Dufresny (1721-1724), La Bruère (mort en 1757), Louis de Boissy (mort en 1758), Marmontel (1758-1761), Pierre-Antoine de La Place (1762-1764), Jacques Lacombe, Philippe Bridard de Lagarde et Nicolas Bricard de La Dixmerie. Après ce dernier, le *Mercure* est géré par une société de gens de lettres.

La périodicité est mensuelle, puis hebdomadaire sous le règne de Louis XVI. Les numéros mensuels sont de deux cent vingts pages en moyenne (in-8°), les numéros hebdomadaires d'une cinquantaine de pages.

L'abonnement est trop cher pour les bourses modestes. En 1762, il était de 24 livres pour Paris et 32 livres pour la province. On comptait, à la même date, 1 600 souscripteurs, dont 660 pour Paris, 900 en province et 40 à l'étranger. Il y a aussi une vente au numéro. En 1764, le *Mercure* était déposé dans 56 villes françaises et 9 villes étrangères.

Le contenu de ce journal a subi au cours du siècle de nombreuses modifications. Sous la Régence, on avait affaire à un journal d'informations politiques avec un supplément littéraire. Au milieu du siècle, la part de la littérature est devenue prépondérante : pièces de vers, énigmes et logogryphes, et nouvelles littéraires ou des arts et des sciences. La politique est réduite à des nouvelles de la Cour et de Paris. Enfin, une nouvelle rubrique a fait son apparition, celle des spectacles. A la veille de la Révolution, les comptes rendus de livres et de spectacles représentent la presque totalité de la publication. Les nouvelles de la Cour ont disparu, mais les abonnés reçoivent aussi le *Journal politique de Bruxelles* qui donne la chronique de toutes les cours, y compris celle de Versailles.

C'est à partir des années 1750-1760 que la philosophie commence à s'infiltrer dans le *Mercure*. Elle s'y établit solidement pendant la direction de Marmontel. Naigeon, d'Alembert, Daubenton, Raynal et La Harpe contribuent à la rédaction. Le 19 avril 1772, Voltaire écrit à La Harpe : « Vous prêtez de belles ailes à ce Mercure qui devient grâce à vos soins un monument de raison et de génie. »

MESMER, Antoine (Iznang, Souabe, 23 mai 1733 - Meersburg, 5 mars 1815). Il est ce médecin allemand dont les cures de magnétisme connaissent à Paris, sous le règne de Louis XVI, un étonnant succès. Docteur de la faculté de Vienne, où il avait soutenu ses thèses en 1766, il s'installe à Paris en février 1778 et y devient le docteur à la mode. Tout le monde veut être soigné par le « baquet de Mesmer », qui n'est qu'un tambour de sapin, contenant des bouteilles remplies

d'eau et de limaille de fer magnétisée. Les malades doivent toucher les tiges de fer sortant du baquet. La méthode fait école. Le docteur a des disciples et non des moindres : Bergasse, d'Éprémesnil, La Fayette, le marquis et le comte de Puységur se transforment à leur tour en magnétiseurs. Une nouvelle secte est née, celle des mesmériens. Cependant, une commission composée de médecins et de membres de l'Académie des sciences publie en 1784 un rapport accablant sur la nouvelle thérapeutique. Mesmer est obligé de quitter la France.

Il a lui-même exposé sa théorie dans un écrit intitulé *Mémoire sur la découverte du magnétisme animal*, publié à Genève en 1779 (in-8°, 85 pages). Le principe de base en est la loi de l'attraction universelle. Les sphères célestes, selon l'auteur, « exercent aussi une action directe sur toutes les parties constitutives des corps animés, particulièrement sur le système nerveux, moyennant un fluide qui pénètre tout » (p. 5). Mesmer définit ensuite le « magnétisme animal » ; c'est, dit-il, « la propriété du corps animal qui le rend susceptible de l'action des corps célestes et de la terre » (p. 7). Pour guérir les maladies, il faut utiliser le « fluide magnétique ». La maladie n'est en effet qu'une « aberration » du fluide ; il suffira donc pour y porter remède de l'« impression déterminée et accélérée » du même fluide, « qui, par ses efforts », rétablira « l'ordonnance dans la machine ».

La doctrine de Mesmer est intéressante en ceci qu'elle offre un mélange curieux de mécanisme et de naturalisme. Mesmer n'est pas un illuministe ; c'est un rationaliste, mais sa doctrine a été reprise par les théosophes comme Saint-Martin et Willermoz, lesquels en ont fait une sorte de mysticisme.

MESMES, Jean Antoine II de (1661-1723). Marquis de Saint-Étienne, vicomte de Neuchâtel et de Brie-Comte-Robert, membre de l'Académie française, il a été successivement conseiller au parlement de Paris (1687), président à mortier (1689) et premier président (1712). C'est donc lui qui accueille le petit

Louis XV le 12 septembre 1715, pour la première séance royale du nouveau règne, et c'est lui encore qui reçoit le jeune souverain le 22 février 1723, pour la proclamation de sa majorité. Il a été pendant toute la Régence l'âme de la résistance parlementaire aux volontés du duc d'Orléans. C'est sans doute la raison du mépris que lui voue Saint-Simon. Ce dernier en effet le qualifie de « corrompu » et de « détestable ».

MESNIL-DURAND, François Jean de Graindorge d'Orgeville, baron de (Lisieux, 9 novembre 1729 - Londres, 31 juillet 1799). Maréchal de camp, il doit sa réputation à sa théorie tactique de l'ordre profond. Entré à quinze ans aux pages, il fait ensuite toute sa carrière dans le corps du génie. Chargé en 1768 de l'inspection des ports, maréchal de camp en 1784, il est nommé en 1787 commandant en Normandie. L'ouvrage où il expose pour la première fois sa théorie est intitulé *Projet d'un ordre français en tactique, ou la phalange coupée et doublée par le mélange des armes, proposé comme système général.* C'est une œuvre de jeunesse — l'auteur avait alors vingt-six ans —, mais il ne démordra jamais des principes exposés dans ce livre ; il défendra jusqu'à son dernier souffle son dogme de l'ordre profond. Le système consiste à former des colonnes puissantes et profondes (trente-deux files et vingt-quatre hommes chacune) agissant par le choc plus que par le feu. Face à Mesnil-Durand et à ses disciples appelés les « durandistes », Guibert et ses partisans soutenaient le dogme opposé de l'ordre mince. Les manœuvres du camp de Vaissieux en Normandie (1778) semblèrent décider en faveur de Guibert. Certaines dispositions du nouveau règlement de l'infanterie de 1788 furent des applications des thèses de l'ordre mince. Malgré tout, l'ordre profond garda ses partisans. Le maréchal de Broglie, le seul chef prestigieux de l'armée à cette époque, demeura constamment « durandiste ».

MESSAGERIES. Les Messageries royales sont le service public des transports.

Depuis le XVIᵉ siècle, le pouvoir royal exerce un quasi-monopole sur cette activité. En 1672, il en a confié l'exploitation à la ferme générale des Postes et Messageries. Sauf deux courts essais de régie intéressée (sous Turgot en 1775-1776, et sous Necker de 1780 à 1782), le régime de la Ferme dure jusqu'en 1789. En 1775, le monopole a été complété, toutes les entreprises privées encore existantes ayant été réunies au Domaine.

Le service des messageries connaît de grandes améliorations au cours du siècle. Ces progrès concernent :

— les voitures : vers 1737, on passe des carrosses non suspendus aux carrosses suspendus. Vers 1750 apparaissent les diligences, véhicules plus rapides et mieux aménagés. En 1775 Turgot met en service les « turgotines » qui sont des diligences extrêmement rapides ;

— la rapidité des liaisons : par exemple, à la veille de la Révolution, la distance Paris-Lyon est couverte en cinq jours (en été et six en hiver) contre huit au début du siècle ;

— la fréquence des départs : vers 1780, il y a des départs quotidiens de Paris pour Le Havre, cinq départs chaque semaine de Paris vers Lyon, quatre de Paris vers Bordeaux. Le service Nancy-Metz offre deux départs chaque semaine en 1771, cinq en 1778 et six en 1788.

L'extension spectaculaire du réseau routier (environ 40 000 km en service en 1789) a permis et facilité cet essor des messageries.

Les prix à acquitter sont fixés par un tarif uniforme. Sous le règne de Louis XVI, le tarif en vigueur est celui du 7 août 1775. Le transport en diligence coûte 16 sols par personne et par lieue, 10 sols en carrosse et 6 en fourgon.

Les premières messageries publiques avaient été au Moyen Age celles des universités. Au XVIIIᵉ siècle, la plupart des baux des messageries universitaires (dont ceux des universités de Paris, Caen et Nantes) sont réunis au bail des Postes. Parmi les universités ayant gardé leurs messageries on citera celle d'Angers. De 1749 à la Révolution, soixante-treize localités de l'ouest de la France sont desservies par un messager de l'université d'Angers.

MESSANCE, Louis de (La Platière, Auvergne, 1733 - Paris, 1799). Un des fondateurs de la science démographique, on sait seulement qu'il fut secrétaire de cabinet de l'intendant La Michodière, qu'il acheta en 1774 la charge de receveur des tailles de l'élection de Saint-Étienne, et mourut à Paris dans le plus extrême dénuement.

Il est l'auteur des *Recherches sur la population des généralités d'Auvergne, de Lyon, de Rouen et de quelques provinces et villes du royaume* (Paris, 1766) et des *Nouvelles recherches sur la population de la France* (Paris, 1788). Dans le premier de ces deux traités, il se fonde sur les statistiques des naissances et des mariages dressées sur l'ordre de l'intendant La Michodière dans les trois généralités successivement soumises à son administration, pour les années 1690-1699 et 1747-1756. La Michodière avait fait faire ces recherches dans le but de juger du bien-fondé de la thèse du marquis de Mirabeau dans son *Ami des hommes* (1756) sur la dépopulation de la France. Par la comparaison des chiffres des deux décennies, Messance prouve que la population des trois généralités non seulement n'a pas diminué, mais encore a augmenté. Voici la conclusion de son étude sur l'Auvergne : « Il résulte de ces [...] comparaisons, la preuve la plus complète que la population de la province d'Auvergne est augmentée progressivement depuis la fin du dernier siècle ; que non seulement le nombre des naissances s'est accru mais que les mariages sont présentement plus féconds qu'ils ne l'ont été depuis soixante ans ; ce qui répond de la manière la plus convaincante à tout ce qui a été écrit sur la dépopulation du royaume, dont la province d'Auvergne a du moins été exempte » (p. 22).

MESSE. La messe occupe une grande place dans la religion et dans l'emploi du temps. A l'exception d'une petite minorité de philosophes et de libertins, tous les Français, chaque dimanche, assistent à la messe de leur paroisse, cérémonie solennelle d'une durée de deux heures au moins. Quelques-uns observent la pratique de la messe quotidienne.

La messe est toujours définie comme un sacrifice. « Qu'est-ce que le Sacrifice de la messe ? » demande le *Catéchisme de Montpellier* (édition de 1747). « Réponse : c'est le Sacrifice du Corps et du Sang de Jésus-Christ offert sur nos autels sous les espèces du pain et du vin pour représenter et continuer le Sacrifice de la Croix. » Les fidèles apprennent aussi que la messe doit être célébrée sans interruption jusqu'à la fin des temps. « L'Église et le Sacrifice, explique le théologien J. Grancolas (*Dissertation sur les messes quotidiennes*, 1715), sont d'inséparable durée. » Par le moyen de la messe, le sacrifice du Calvaire est continuellement renouvelé au milieu du siècle.

Le rite est immuable. Il est celui défini par le pape saint Pie V en 1570. Les églises locales et les ordres religieux qui avaient leurs rites particuliers les ont révisés en tenant compte des corrections apportées par le missel de Pie V. Il ne subsiste que des différences de détail. Mais si la messe est toujours et partout la même, elle peut être célébrée avec plus ou moins de solennité. La distinction essentielle est celle des messes hautes, c'est-à-dire chantées, et des messes dites « à basse voix », c'est-à-dire non chantées. Il y a aussi des messes « particulières » dites dans des oratoires privés ou sur des autels secondaires, et des messes publiques dites sur les autels majeurs devant un grand concours de peuple. La grand-messe de paroisse entre dans cette deuxième catégorie. Pour la plupart des Français (qui n'y vont guère en semaine) il n'est d'autre messe que celle-là.

La messe de paroisse est d'une grande solennité. Destinée au peuple, elle comporte plusieurs actions associant le peuple à la liturgie.

L'heure en est en principe fixée par les statuts du diocèse. Dans le diocèse de Périgueux, la messe de paroisse doit être dite à neuf heures en hiver et à huit heures en été. Les usages locaux règlent les places de chacun dans l'église. Les hommes et les femmes sont toujours séparés, les hommes étant placés dans le côté droit de la nef, les femmes dans le côté gauche.

Les actions particulières à la messe de paroisse sont la bénédiction de l'eau, le prône, la bénédiction du pain, l'offrande et la communion. La bénédiction de l'eau se fait à l'autel. Le prêtre met du sel dans l'eau et exorcise le sel. Ensuite, il asperge les fidèles de cette eau mêlée de sel. Par ce rite, explique un liturgiste, « l'Église se propose de purifier le peuple ». Le prône a lieu le plus souvent entre l'Évangile et le Credo. Il comporte trois parties : les prières, les annonces et l'instruction. Le prêtre fait prier pour les défunts, pour les vivants, pour le seigneur de la paroisse. Il annonce les cérémonies de la semaine. S'il en a été prié, il fait la lecture d'un édit du roi ou d'une ordonnance de l'intendant ou d'un monitoire de justice. Ensuite, il prononce son homélie.

La bénédiction du pain et l'offrande viennent après le Credo. Le prêtre bénit le pain qui sera distribué à tous à la fin de la messe, en « signe de communion » entre les fidèles (Le Brun). L'offrande se déroule de la manière suivante : deux par deux, les fidèles s'approchent du prêtre. Celui-ci leur présente la patène, « instrument de paix », et leur dit « *Pax tecum* » (La Paix soit avec toi). On baise la patène, on répond « *Et cum spiritu tuo* » (Et avec ton esprit), et on dépose son obole dans le plat de quête.

Seul le prêtre communie pendant la messe. Le plus souvent, le peuple vient à la communion, la messe terminée.

L'assistance à la messe n'est nullement passive. L'apostolat de la réforme catholique déploie de grands efforts pour expliquer aux fidèles le sens du sacrifice, et pour leur donner le désir d'y assister. La remarquable *Explication de la messe* du P. Pierre Le Brun, de l'Oratoire, parue entre 1716 et 1726, est plutôt le livre du maître, car elle est écrite pour le clergé. Au commun des fidèles sont destinées les explications des catéchismes et celles des *Exercices de la messe*, largement diffusés dans le public. Il y a enfin de nombreuses traductions de l'ordinaire de la messe. Beaucoup de fidèles sont possesseurs de *Livres d'église*, appelés aussi *Livres de paroisse* (on dira plus tard « paroissiens »). Ils y trouvent le texte latin-français de toutes les parties de la messe, et, pour le canon, le texte français seulement. Le temps est passé où l'on suivait la messe en disant son chapelet, ou en lisant des paraphrases des prières de l'ordinaire. Déjà sous la Régence, c'est le P. Le Brun qui nous le dit, les traductions « sont entre les mains de tout le monde ». A la fin du règne de Louis XV, il n'est pas de bon catholique sachant lire qui n'aille à la messe sans son « livre d'église ».

La théologie veut que les fidèles participent. La participation se traduit de façon active à la messe de paroisse lors de l'offrande et de la distribution de pain bénit. Il est aussi deux moments de la messe où l'assistance prend la parole. A la fin des prières au bas de l'autel, le prêtre récite le *Confiteor*, et le prêtre et le peuple se disent mutuellement le *Misereatur*. Ensuite, à l'*Orate fratres*, le peuple répond par le *Suscipiat*. Désireux d'une participation active, les jansénistes auraient souhaité instaurer la récitation du canon à voix haute. Mais la plupart des évêques s'y opposent. Cependant, le cardinal de Noailles tolère la nouvelle messe de M. Jubé, curé d'Asnières, qui fait répondre le peuple aux prières d'ouverture, lui fait chanter le *Kyrie* et le *Gloria*, et adopte la récitation du canon à voix haute.

Il est très possible que chez les catholiques fidèles la dévotion à la messe ait progressé au cours du siècle. En effet, les cérémonies sont mieux comprises. On assiste davantage à la messe en semaine. L'obligation de la messe quotidienne est inscrite dans tous les règlements des collèges et des pensionnats. Dans son *Traité des devoirs d'un bon pasteur* (1762), Pierre Collet semble dire que les peuples des campagnes ne répugnent pas à venir à la messe en semaine. Pourtant, les fondations et les demandes de messes se font tous les jours moins nombreuses. En Anjou, par exemple, après 1750, il n'y a presque plus de fondations. La même observation a été faite pour la Provence. Ce déclin des fondations et des demandes est un signe de l'appauvrissement de la foi. On a peut-être davantage l'intelligence des cérémonies, mais on croit moins au pouvoir du Sacrifice. On lit sa messe, mais la discerne-t-on ? Il se peut que les paroles aient estompé l'Acte, « Acte d'éternité », comme disait un évêque du siècle précédent. Les fidèles ne sentent plus comme autrefois la nécessité pressante de susciter des messes pour le salut.

MESURES. Les noms des mesures et des poids varient de province à province et même souvent de ville à ville. Pour mesurer les étoffes, on parlera ici d'aunes et là de cannes. S'il arrive que les mêmes noms soient employés dans des pays différents, ces mêmes dénominations ne signifient pas forcément les mêmes quantités. La perche est équivalente à 6,496 m si elle est de l'arpent dit commun, mais elle est moins longue (5,847 m) dans l'arpent de Paris. Enfin, chaque denrée a sa mesure propre réglée par la police. Il n'est pas permis d'en utiliser une autre, à moins que le vendeur et l'acheteur n'en soient d'accord.

On indiquera ici les mesures les plus communes (dites souvent communes) ainsi que celles de Paris, qui sont d'ailleurs parfois les mêmes. On donnera leur équivalence dans le système métrique.

Les mesures communes de **longueur** sont, en partant de la plus petite, le point, la ligne ou grain d'orge, le pouce, le pied et la toise (elle correspond à 1,94 404 m).

La toise	=	6 pieds
le pied	=	12 pouces
le pouce	=	12 lignes
la ligne	=	12 points

Pour les plus grandes longueurs, on utilise la perche et l'arpent qui sont des multiples de la toise. La perche est toujours et partout la centième partie de l'arpent, mais sa valeur en toises varie

selon les lieux. A Paris et aux environs, elle est de 3 toises et 18 pieds, et, en d'autres endroits du ressort de la coutume de Paris, de 3 toises et 22 pieds. La valeur de l'arpent est donc pareillement variable. Pour les distances de chemin et de poste on se sert de la lieue commune de France, dont la valeur (définitivement fixée par l'arrêt du Conseil du 7 août 1775) est de 2 200 toises communes. Il y a aussi des mesures spéciales pour les étoffes. Les deux plus communes sont l'aune de Paris (qui vaut 3 pieds, 7 pouces, 8 lignes, soit 1,18 845 m) et la canne utilisée surtout dans la France du Midi (5 pieds, 5 pouces, 6 lignes, soit 1,804 663 m).

Les mesures communes de **surface** sont le pouce carré, le pied carré et la toise carrée, laquelle est équivalente à 3,7 989 m². On retrouve aussi la perche et l'arpent. La perche de surface est dite carrée, non l'arpent. Les variations selon les pays suivent celles des mesures de longueur. On a un arpent différent presque pour chaque province.

Les mesures de **volume** sont de deux sortes. Il y a celles des liquides, et celles dites « mesures rondes » pour les matières sèches.

Pour les liquides, les petites mesures les plus communes — ce sont celles de Paris et de plus de la moitié du royaume — sont, en partant des plus petites : le poisson, le demi-setier, la chopine, la pinte, le setier et le quart ou pot. Les grandes mesures (composées par multiplication des précédentes) portent des noms divers selon les régions : muids, queues, tonneaux. Pour le vin, le muid de Paris est la mesure la plus utilisée. Il doit contenir 37 setiers et demi, et sa valeur dans le système métrique est de 268,22 l. Un muid et demi fait une queue d'Orléans, de Blois et de Dijon, et une pipe d'Anjou.

Les mesures rondes servent pour les grains, les légumes, le sel et le charbon. On utilise selon les régions le setier, le sac, le boisseau ou encore le tonneau. Le setier de Paris est l'équivalent de 156,10 l. Pour faciliter le commerce, des tables sont publiées « des rapports des différentes mesures de grains à celle de Paris ». Voici quelques-uns de ces rapports :

6 setiers d'Abbeville = 5 setiers de Paris
100 sacs d'Agen = 56 setiers et demi de Paris
4 setiers d'Amiens = 1 setier de Paris
1 tonneau d'Audierne = 10 setiers de Paris

Les mesures de **poids** sont les suivantes :

le grain (= 0,053 g)
le gros (= 3,82 g)
l'once (= 30,59 g)
le marc (= 244,75 g)
la livre (= 489,51 g)

Le contrôle et la vérification des poids et mesures sont des attributions de la police municipale. Des étalons des diverses mesures utilisées sont déposés aux greffes des hôtels de ville. Des étalonneurs visitent régulièrement les différents commerces.

Le pouvoir royal a fait quelques tentatives pour uniformiser les mesures. L'arrêt du Conseil du 13 avril 1734 impose aux marchands d'étoffe l'unique mesure de l'aune de Paris. La déclaration royale du 13 mai 1766 ordonne qu'il soit envoyé à tous les bailliages et sénéchaussées du ressort du parlement de Paris des étalons matrices de la livre, de la toise de 6 pieds et de l'aune mesure de Paris.

MÉTALLURGIE. On entend par métallurgie l'industrie fabriquant la fonte, le fer et l'acier. Les établissements métallurgiques comportent des fourneaux et des forges. Les fourneaux transforment le minerai en fonte. Les forges transforment la fonte en fer malléable. On nomme acier le « fer parfaitement pur » (*Dictionnaire de l'Académie*, 1762).

On trouve des fourneaux et des forges dans tous les lieux où l'on extrait le fer. C'est dire la grande dispersion de cette industrie. Les établissements sont très nombreux et pour la plupart de faible capacité de production. L'enquête du Contrôle général de 1772 (dont une partie a été publiée par B. Gille, *Les Forges*

françaises en 1772, Paris, 1960) recense un grand nombre de petites forges produisant moins de 10 000 livres de fer.

Toutefois, un mouvement de concentration s'effectue après 1740 dans les régions de l'Est et du Nord, où quelques entrepreneurs regroupent plusieurs forges et forment de puissants consortiums. Ce sont Hilaire Després et Graves de Barbançon en Hainaut, Gouvy et Wendel en Lorraine et Dietrich en Alsace.

La concentration entraîne avec elle la rationalisation. La métallurgie était une technique empirique. La théorie dominante du phlogistique méconnaissait le rôle de l'oxygène. Les aciers produits dans la première moitié du siècle étaient d'assez mauvaise qualité. Pour se perfectionner, la métallurgie française se met à l'école de l'anglaise. En 1765, le chevalier de Jars est envoyé outre-Manche en voyage d'études. Les nouveaux procédés de fabrication de la fonte et de l'affinage sont bientôt importés en France. L'innovation révolutionnaire est l'emploi du coke pour la fabrication de la fonte. Les fourneaux à bois seront remplacés par les hauts-fourneaux à coke de 40, 50 et 60 pieds.

Les dernières années de l'Ancien Régime voient naître les premières grandes manufactures concentrées métallurgiques. A Niederbronn, près de Strasbourg, Dietrich emploie mille cinq cents ouvriers. Les forges de François de Wendel, à Hayange, ont une dimension comparable. Mais l'usine du Creusot, construite à partir de 1781, dépasse en nouveauté et en capacité de production tout ce qu'on avait vu jusqu'alors (*voir* CREUSOT).

La production française de fer était de 25 000 t à peine au début du siècle. Elle atteint 150 000 t à la veille de la Révolution. C'est à peu près la moitié de la production anglaise.

MÉTIER. Les dictionnaires du temps définissent le métier comme « la profession d'un art mécanique », c'est-à-dire essentiellement manuel. Aux arts mécaniques on oppose les arts libéraux (la musique par exemple), estimés du ressort de l'intelligence et de l'esprit.

Le nom d'artisan est donné à tous ceux qui exercent les métiers. Les artisans fabriquent et peuvent vendre. Toutefois, ils ne sont pas des marchands, parce qu'ils ne peuvent pas vendre les ouvrages d'autrui, mais seulement les leurs. Beaucoup d'artisans se qualifient de marchands. On trouve par exemple dans les actes notariés les dénominations de marchand maître serrurier ou de marchand ferblantier. Ce sont là des usurpations tolérées.

L'activité artisanale est celle d'une notable partie de la population du royaume : presque le tiers. A Châteaudun, d'après les rôles de capitation, les artisans représentent 31 % des personnes imposées. A Dole, 31 % des époux cités dans les contrats de mariage. A Bayeux, 25 % des taillables. Notons cependant que ces pourcentages incluent les ouvriers des fabriques et des manufactures, qui sont des gens de métier, mais dont les conditions de travail sont très différentes de celles des maîtres artisans indépendants.

Il existe un grand nombre de métiers. A Dole, dans les contrats de mariage des années 1740-1762, on relève quarante-deux dénominations différentes. A Paris, lors d'une enquête sur les contrats de mariage parisiens, conduite par M. Roland Mousnier, on a pu relever cent soixante-douze dénominations pour les seuls métiers du bois, du fer, du verre, du bâtiment, du textile, du papier, des transports, du nettoiement, de l'hôtellerie, de l'alimentation et des métaux et pierres précieuses. Voici, à titre d'échantillon, les dix-huit métiers parisiens du fer : aiguilletier, armurier, arquebusier, balancier, boulonnier, coupeur de fers, coutelier, crieur de vieux fers, éperonnier, épinglier, ferblantier, fourbisseur (ou doreur sur métal), ferreur de bâtiments, ferronnier, cloutier, maréchal-ferrant, rémouleur, serrurier et taillandier.

Les noms des métiers sont souvent très anciens. Celui de menuisier vient de *minutarius* (celui qui travaille à de menus ouvrages). Certains noms deviennent périmés et sont remplacés. « Bahutier, écrit le *Dictionnaire de Trévoux*,

commence à vieillir. Plusieurs aiment mieux dire mallier et même coffretier que bahutier. »

L'activité de chaque métier est définie et limitée par la puissance publique au nom de la police du royaume. La définition est conçue comme une énumération de droits. L'arrêt du parlement ou du Conseil du roi précise que tel métier a le droit de fabriquer tel et tel objet, ou de fournir tel ou tel service. Par exemple, un arrêt du parlement de Paris de 1717 énumère les neuf objets différents que les éperonniers selliers de la ville de Paris auront désormais le droit de fabriquer : éperons, mors, filets, bridons, caveçons, étriers, étrilles, boucles de harnais et boucles de ceinture. Ils auront aussi le droit de dorer ces objets, de les « polir, vernir, mettre en violet et en couleur d'eau ». Ces définitions et délimitations font partie intégrante des statuts des communautés de métier. Il ne semble pas qu'elles aient valeur générale et qu'elles s'appliquent aussi au travail des artisans libres. Mais pour les artisans des jurandes elles sont impératives. Un métier peut être réuni en communauté avec un autre métier (ainsi les épingliers sont intégrés en 1695 à la communauté des aiguilletiers). Cela ne veut pas dire que les deux métiers se confondent. Chacun gardera sa spécificité.

Le grand nombre des métiers signifie une division assez poussée du travail. Dans le textile par exemple, la fabrication semble très compartimentée. Les frangers font des franges, les rubanniers des rubans, les galonniers des galons. L'horlogerie est divisée en trois métiers bien distincts : les horlogers grossiers font les grandes horloges et les cartels, les penduliers les pendules, les horlogers en petit les montres. On peut fabriquer les mêmes ouvrages et travailler sur le même matériau, et appartenir à deux métiers distincts, si la technique n'est pas la même. Menuisiers et layetiers font des meubles, mais ils forment deux métiers séparés (et deux communautés) parce que les premiers assemblent avec des clous et les seconds avec des tenons et des mortaises.

Le développement du luxe et le progrès du confort matériel font que les besoins se multiplient et se diversifient. Une spécialisation accrue en résulte. Les métiers se scindent en plusieurs branches qui deviennent autant de métiers nouveaux. On lit dans *L'Art du menuisier* (André Jacob Roubo, Paris, 1769-1775, 4 vol.) que « le nombre des Menuisiers venant à s'augmenter ainsi que leur industrie relativement aux différents besoins, les a obligés de se séparer en deux Corps (quoique réunis dans une seule et même communauté), qui sont les Menuisiers d'assemblage et les ébénistes, mais encore les premiers se divisèrent en Menuisiers d'assemblage ou de Bâtiment et Menuisiers de carrosses [...] et les seconds en Menuisiers ébénistes ou de marqueterie, et en Menuisiers en meubles d'assemblage ».

Le progrès de la technique peut entraîner une plus grande division du travail à l'intérieur d'un même métier. Ainsi, dans la vitrerie, on voit apparaître en 1740 une spécialité nouvelle, celle des monteurs de diamants. Les vitriers confient le soin de monter leurs diamants « à des hommes qui, adroits à saisir la pente naturelle de ceux qui les employaient, se sont fait une profession de l'art de monter les diamants. Ces hommes, Vitriers eux-mêmes, inventèrent des montures d'une nouvelle forme appelées Rabots » (F. Le Vieil, *L'Art de la peinture sur verre et de la vitrerie*, 1774).

On invente donc des instruments nouveaux, mais surtout on améliore le savoir-faire. Les outils sont mieux utilisés. Les règles de l'art sont précisées avec plus d'exactitude. On connaît mieux la théorie du dessin et celle des mathématiques. Finalement, sans innovation spectaculaire, sans révolution de l'outillage, on arrive à faire ce que l'on ne savait pas faire autrefois. Par exemple, on arrive à exécuter des lambris de toutes formes au lieu des seuls lambris carrés.

Parvenus à leur plus haut degré de perfection, les techniques des métiers retiennent l'attention des savants. Peu de temps après son élection à l'Académie des sciences (1708), Réaumur est chargé par cette compagnie de diriger une collection intitulée *Description des arts et métiers*. Vingt-quatre volumes seront publiés concernant autant de métiers. Plusieurs seront rédigés par Duhamel du Monceau. Réaumur et Duhamel rédigeront en collaboration *L'Art de l'épinglier*. L'*Encyclopédie* fait une grande part aux métiers, leur consacrant des descriptions détaillées, ainsi que plusieurs volumes de planches. Il y a aussi beaucoup d'autres publications. Un recensement exhaustif en dénombrerait plusieurs centaines. Certaines sont de vulgarisation, comme le *Dictionnaire raisonné des arts et métiers* de l'abbé Jaubert (1773).

C'est dans le cadre de l'atelier que se déroule le plus souvent la vie des gens de métier. Il s'agit d'une cellule réduite ne regroupant pas plus de cinq à six personnes dans la plupart des cas. Le maître travaille avec un ou deux compagnons et deux ou trois apprentis. Sauf s'ils travaillent dans le cadre d'une fabrique ou d'une manufacture, les maîtres de métier sont indépendants, n'ayant pour obligation que de respecter les statuts du métier. Les artisans qui ne font pas partie d'une communauté et ceux qui sont installés dans les « lieux privilégiés » — comme à Paris les artisans des galeries du Louvre et ceux de la cour Saint-Benoît —, tous ces gens de métier jouissent d'une totale liberté, n'étant soumis à aucun règlement. Il est aussi bon nombre d'artisans attachés à des institutions. Ce sont d'abord les artisans de la Maison du roi. Ce sont ensuite les artisans qui reçoivent des commandes de la Cour et qui s'intitulent « menuisier du roi », « serrurier du roi »... Ce sont les artisans des manufactures royales et tous ceux qui travaillent pour des compagnies, des maisons religieuses, des institutions militaires. Le parlement de Paris a ses chirurgiens. François Le Vieil, dans son *Art du vitrier*, cite un Langlois, vitrier chargé de l'entretien des vitres de l'abbaye Sainte-Geneviève, et un Hervé chargé de celles des Invalides.

Au XVIIe siècle, on voulait qu'il y ait dans les métiers une hiérarchie des degrés d'honneur. On avait tendance à penser que l'excellence d'un art se mesurait à la dignité de la matière travaillée. On plaçait en tête les arts du feu (artificier, verrier). Au XVIIIe siècle, l'estime de la société va aux arts les plus scientifiques, à «ceux qui tiennent en quelque façon des mathématiques», par exemple ceux d'architecte, de machiniste, de fontainier et d'horloger. Il est vrai que dès lors presque tous les métiers font appel à des connaissances scientifiques. Il est exclu qu'un menuisier ne sache ni dessiner ni compter. A Paris, on trouve même de simples artisans capables d'exposer scientifiquement la théorie de leur art et de la rédiger. F. Le Vieil, auteur de *L'Art du vitrier*, est issu d'une dynastie de maîtres vitriers et est vitrier lui-même. Roubo fils, qui écrit pour la collection de l'Académie des sciences *L'Art du menuisier* et *L'Art du layetier*, est un simple compagnon menuisier. Il faut compter aussi tous ces artisans ébénistes ou ferronniers qui sont des artistes reconnus dans l'Europe entière. La considération admirative dont bénéficient ces ouvriers exceptionnels rejaillit sur leurs métiers et sur l'ensemble des artisans. On assiste donc à une promotion sociale des gens de métier. Dans le «Discours préliminaire» de l'*Encyclopédie*, d'Alembert déplore «le mépris qu'on a pour les arts mécaniques». Ce mépris a peut-être existé dans le milieu fréquenté par d'Alembert, mais il est de moins en moins répandu.

Chaque métier forme un groupe social quelque peu replié sur lui-même. On se marie dans le métier. Chez les menuisiers parisiens, P. Verlet, leur historien, n'a trouvé dans tout le siècle que deux mariages hors du métier. On retrouve cette endogamie — quoique moins affirmée — dans les autres villes. A Châteaudun, sur quatre-vingt-dix-huit artisans du secteur de l'alimentation, vingt-neuf se marient dans le même groupe professionnel. Les fils succèdent à leurs pères. Les dynasties sont innombrables. On habite le quartier du métier. A Paris, les menuisiers sont concentrés dans les quartiers Bonne-Nouvelle et Saint-Antoine. Soixante menuisiers habitent rue

de Cléry, vingt et un logent rue des Vieux-Augustins. Jusqu'aux maisons qui sont du métier. L'artisan, très souvent, travaille et meurt dans la maison où il est né et où son père avait passé sa vie et pratiqué le même métier. Les métiers ne sont pas seulement des catégories professionnelles. Ce sont des groupes d'existence.

METZ. Siège d'un parlement, d'une chambre des comptes et d'une Cour des aides, chef-lieu de généralité, résidence du gouverneur des évêchés, Metz est une capitale provinciale. C'est aussi une grande place forte, dont les ouvrages sont augmentés par l'ingénieur militaire Louis de Courmontaigne, et dont la garnison (11 200 hommes en 1750) est l'une des plus nombreuses du royaume. Enfin, c'est une ville épiscopale et monastique, possédant trois monastères bénédictins. La population est de 22 000 habitants en 1699 et de 36 661 en 1789 (François Yves Le Moigne, *Histoire de Metz*, Toulouse, 1986). La communauté juive comptait, en 1789, 1 940 membres.

Après Paris, Bordeaux, Nantes et Nancy, Metz est la ville de France que l'urbanisme du temps des Lumières a le plus embellie et transformée. Une liste complète des aménagements et des constructions ne pourrait entrer dans le cadre limité de cette notice. Il faut au moins mentionner les trois nouvelles places (Petit-Saulcy, Saint-Thiébault et la place d'Armes), les cinq nouveaux bâtiments publics (intendance, théâtre, hôtel de ville, hôtel du gouverneur et corps de garde), et les églises nouvelles des abbayes et des couvents. Commandant les trois évêchés de 1727 à 1761, Belle-Isle est l'homme qui a le plus fait pour la transformation et l'embellissement de Metz.

Les «académies» des monastères bénédictins vannistes et les bibliothèques monastiques font de Metz un centre d'études ecclésiastiques. La ville a aussi son académie séculière : la Société royale des sciences et des arts, fondée en 1757. Cette société semble avoir été fortement imprégnée de l'esprit des Lumières et des préjugés de la philosophie.

L'«Utilité» était sa devise. Elle couronna en 1788 l'*Essai* antisémite de l'abbé Grégoire *sur la régénération physique morale et politique des Juifs*.

MIGRATIONS. Il existe deux courants d'émigration, l'un des campagnes vers les villes, l'autre des montagnes vers les pays de plaine.

Le premier courant se dirige surtout vers les grandes villes. Dix des plus grandes villes de France (Paris, Versailles, Caen, Lille, Bordeaux, Nantes, Marseille, Toulouse et Strasbourg) voient augmenter notablement leur population, et cet accroissement n'est dû qu'à l'immigration. En 1789, ces dix villes ont au total 400 000 habitants de plus qu'en 1715. Ce chiffre donne une idée de l'importance du courant migratoire qui pousse les gens des campagnes et de certains bourgs et petites villes vers les métropoles régionales.

Mais pas toutes les métropoles. Par exemple, Rouen n'attire pas. Ni Rennes. La population rennaise augmente, mais seulement par mouvement naturel. De même que celle de Grenoble.

Ce mouvement vers les grandes villes a plusieurs causes. Les trois principales sont le surpeuplement de certaines campagnes, l'attrait de salaires nettement plus élevés et de plus grandes possibilités d'emploi. Cette dernière cause est sans doute celle qui a le plus compté. Parmi les villes qui attirent le plus figurent en effet les plus grandes places économiques du royaume : Paris, Lyon, Nantes, Bordeaux et Marseille. La transformation des structures de production a été un autre facteur non négligeable : il existe désormais de larges secteurs libres où les entrepreneurs ont le droit d'embaucher autant d'ouvriers qu'ils le veulent, et le droit de les payer comme ils veulent. Par ailleurs, la multiplication des manufactures après 1760 a créé dans les villes de nouveaux besoins de main-d'œuvre.

L'émigration montagnarde est parfois définitive, mais le plus souvent saisonnière et temporaire. C'est une émigration de travailleurs saisonniers, surtout pendant l'hiver. Ces déplacements ne sont pas nouveaux, mais ils deviennent plus nombreux que par le passé. Les calculs d'Abel Poitrineau (*Remues d'hommes. Les migrations montagnardes en France XVIIᵉ-XVIIIᵉ siècle*, Paris, 1983) permettent d'évaluer à environ 100 000 personnes le nombre total de ces migrants temporaires à la veille de la Révolution. Presque tous sont des hommes et des hommes jeunes, quelquefois même des enfants. Ils sont spécialisés comme pionniers, scieurs de long bois, maçons, ramoneurs (enfants de Savoie ou d'Auvergne), peigneurs de chanvre ou colporteurs. Ils se déplacent en bandes.

Ce développement de l'émigration montagnarde est dû à une forte poussée de population (plus de 20 % en Auvergne dans la première moitié du siècle). Deux autres facteurs ont joué : la crise de l'élevage et l'extension de la superficie occupée par les grandes exploitations.

Ces différents courants migratoires sont les signes d'un désir accru de gagner plus et de vivre mieux. Ils contribuent au déracinement d'une partie non négligeable de la population du royaume. Ils favorisent la circulation des idées.

MILICE. On appelle milice les troupes recrutées chaque année par le roi dans les paroisses par tirage au sort. Ce recrutement, dit «recrutement du roi», est différent de celui des troupes réglées, fondé sur le volontariat.

La milice avait été créée par Louvois en 1688. Elle est réorganisée par l'ordonnance royale du 25 février 1726. Ce texte précise les conditions pour être miliciable. Il faut avoir de seize à quarante ans. Seuls les roturiers sont miliciables. Toutes les paroisses du royaume doivent contribuer.

Cependant, les exemptions personnelles sont innombrables. Citons entre autres les fils uniques, les maréchaux-ferrants, les maîtres d'école et les domestiques des nobles. Le résultat est que sur 600 000 miliciables chaque année, un peu plus de 300 000 seulement tirent au sort.

La répartition du nombre des miliciens est faite entre les généralités par ordonnance royale. A l'intérieur de chaque généralité, c'est l'intendant qui détermine le contingent que doit fournir chaque paroisse. L'opération du tirage au sort dans la paroisse est présidée par le subdélégué. On écrit la mention « milicien » sur autant de billets que la paroisse doit fournir de miliciens. On mêle ces billets dits « noirs » avec des billets laissés en blanc. On met le tout dans un chapeau tenu à la hauteur de la tête de celui qui tire.

Le remplacement est théoriquement prohibé, mais toléré en fait. Le volontariat est admis dans certaines provinces.

L'effectif de la milice était de 60 000 hommes environ en 1726, et de 75 260 en 1789.

Le service dure de quatre à six ans. En temps de paix, les obligations en sont très réduites, les miliciens n'ayant que celle d'assister aux assemblées périodiques de quelques jours, destinées à leur donner une formation militaire. En temps de guerre, une partie notable des effectifs est envoyée sur le théâtre des opérations et incorporée dans les troupes réglées. Pendant la guerre de Succession d'Autriche, quatre vingt mille miliciens sont ainsi intégrés dans l'armée régulière.

La milice n'était guère populaire. Le gouvernement royal envisagea plusieurs fois de la supprimer, mais ne donna jamais suite à ce projet.

MINES. Un contrôle royal sur les mines existe depuis l'ordonnance de Louis XI de 1471, instituant la charge de « général, maître, gouverneur et visiteur des mines ». Au début du XVIIIe siècle, cette charge est intitulée « grande maîtrise et surintendance des mines et minières ». Le duc de Bourbon en est investi en 1717.

Quelques années plus tard, une nouvelle étape est franchie. En 1740, la charge de grand maître est supprimée. L'année suivante, les concessionnaires sont invités à remettre aux intendants leurs titres et privilèges. Enfin, l'arrêt du Conseil du 14 janvier 1744 rappelle le droit du roi sur le fond et interdit de mettre une mine en exploitation sans l'autorisation de l'État. Le droit du propriétaire du sol est ainsi pratiquement annulé. Une véritable administration des mines va être progressivement constituée. Elle est d'abord confiée au contrôleur général, puis intégrée dans le département ministériel de Bertin, et, à la mort de ce dernier, à nouveau rattachée au Contrôle général. En 1776 est créé un poste d'inspecteur général des mines. En 1783, l'École des mines est fondée.

La date de 1744 marque également le début d'une nouvelle politique dans les concessions, désormais réservées à de grandes entreprises munies d'importants capitaux. L'une des plus importantes de ces nouvelles sociétés est la compagnie d'Anzin, fondée en 1757 par le vicomte Desandrouin et le marquis de Cernay.

Les progrès techniques suivent. Les ouvertures de nouvelles mines sont précédées de sondages et du creusement de « fosses d'épreuve », permettant d'établir la « géométrie souterraine » et de dresser le plan d'exploitation. En 1760 apparaissent les premières bennes pour descendre les mineurs. L'évacuation de l'eau est facilitée par les machines de Newcommen.

Sous le règne de Louis XVI sont publiés plusieurs ouvrages savants sur la minéralogie et l'exploitation des mines. Ce sont le *Mémoire sur les mines et carrières* de Turgot, *Les Anciens Minéralogistes du royaume de France* de Gobet (2 vol., 1779), et les *Voyages métallurgiques* d'Antoine Jars (1774-1781), rassemblés par son frère Gabriel. L'auteur de cette dernière publication était un ingénieur des Ponts et Chaussées, qui avait visité de 1759 à 1767 les mines de fer et de charbon d'Allemagne de Suède, de Norvège, d'Angleterre et d'Écosse.

MINIMES. Les minimes sont un ordre de religieux mendiants fondé au XVe siècle par saint François de Paule. Ils font un quatrième vœu qui est d'observer un carême perpétuel. L'ordre compte en France neuf provinces. L'effectif total des minimes français en 1789 est de six cent quatre-vingt-quatre. En 1776, ils avaient reçu en charge l'École royale militaire de Brienne. Bonaparte fut leur élève.

MIQUE, Richard (Nancy, 1728 - Paris, 1794). Architecte, il est issu d'une lignée d'architectes lorrains, et commence sa carrière à Nancy après avoir suivi les cours de Blondel. Ayant succédé à Héré comme architecte du roi Stanislas, il travaille au nouvel hôtel du Gouvernement, et donne les dessins des portes Sainte-Catherine et Saint-Nicolas et de la caserne Sainte-Catherine. En 1766, il quitte Nancy, à l'appel de la reine Marie Leszczyńska, dont il devient le contrôleur des Bâtiments. Lors de la démission de Jacques Ange Gabriel (février 1775) il en recueille toutes les charges, et en particulier celles de premier architecte du roi et de directeur de l'Académie d'architecture. Honoré de la faveur de Marie-Antoinette, il construit pour elle les fabriques du Petit Trianon, le temple de l'Amour (1778), le Belvédère, le théâtre miniature et le fameux Hameau où la reine jouait à la fermière. On lui doit aussi l'aménagement des petits appartements de la reine à Versailles, à Saint-Cloud et à Fontainebleau.

Le style de Mique, gracieux et raffiné, est assez éloigné du renouveau néo-antique incarné par Soufflot et Ledoux.

Fidèle de Marie-Antoinette, il finit comme elle guillotiné.

MIRABEAU, Victor Riqueti, marquis de (Pertuis, 4 octobre 1715 - Argenteuil, 13 juillet 1789). Économiste, il est l'un des maîtres de l'école physiocratique. Après quatorze ans dans l'armée, il quitte le service du roi, publie en 1756 l'ouvrage qui le rend célèbre, *L'Ami des hommes*, rencontre en juillet 1757 le docteur Quesnay et adhère à ses thèses. Ses dîners du mardi (donnés à partir de 1767) sont les rendez-vous des économistes. De ses quarante ouvrages, on retiendra principalement *L'Ami des hommes*, la *Théorie de l'impôt* (1760) et *La Philosophie rurale* (1764). La thèse fondamentale de *L'Ami des hommes*, thèse qu'il abandonnera après sa rencontre avec

Quesnay, est que la population est la source de toute richesse. Mais l'ouvrage comporte aussi un éloge de l'agriculture, art par excellence, et une théorie de la liberté du commerce. On y trouve également ment des propositions de réforme sociale. L'auteur conseille aux grands d'adopter vis-à-vis des pauvres une attitude moins méprisante. Il leur recommande d'honorer les petits : « Honorez les petits, leur dit-il. Les larmes me viennent aux yeux [...] quand je considère toutes les obligations que nous leur avons. » Il est un adepte du travail obligatoire pour tous. Tout le monde doit travailler. Les marginaux seront employés à « des travaux malsains pour des ouvriers volontaires ». Les enfants trouvés seront enrégimentés. Les filles de joie seront transformées en « filles de travail ». Un ton à la fois prophétique et familier fait le succès du livre. Les souverains d'Europe consultent celui que l'on n'appelle plus que « l'ami des hommes ». Gustave III le fait commandeur de l'ordre de Wasa. Cependant, la *Théorie de l'impôt* est un livre beaucoup plus audacieux. Les trois thèses principales en sont les suivantes : les souverains n'ont pas le droit d'imposer les sujets sans leur consentement ; l'impôt le plus naturel et le plus juste est celui sur le revenu foncier ; la ferme générale doit être supprimée. Louis XV se montre fort irrité. Le marquis subit un emprisonnement de huit jours à Vincennes (du 16 au 24 décembre 1760) suivi d'un exil dans sa terre de Bignon, près de Nemours. Il s'y essaie à l'agriculture, mais on notera que ce grand économiste gère bien mal ses propres affaires. Il perd beaucoup d'argent dans des opérations hasardeuses. Ayant acheté en 1752 le duché de Roquelaure, il est obligé de le revendre huit ans plus tard. Il échoue pareillement dans son entreprise pour exploiter une mine de plomb à Glanges en Limousin. « Mon plus continuel et poignant souci, écrit-il en 1764 à la comtesse de Rochefort, a toujours été d'avoir de l'argent. » On observera aussi que cet « ami des hommes » ne l'est pas de sa propre famille. Marié en 1743 à Marie de Vassan, il la trompe après lui avoir fait onze enfants. En 1760, il installe chez lui, au Bignon, sa maîtresse, la jeune et jolie Mme de Pailly. En 1766, il obtient une lettre de cachet contre l'épouse trompée, la maintenant prisonnière dans un couvent de Limoges. La malheureuse n'aura de cesse que de se venger. Elle fait un procès à son époux et obtient en 1783, après huit ans de procédure, une séparation de corps et de biens qui achève de le ruiner. Furieux, il se répand en injures grossières. «Les vingt ans que j'ai passés avec elles ont été, dit-il, vingt ans de coliques néphrétiques.» Il pousse la délicatesse jusqu'à écrire à l'une de ses filles (le 22 juin 1776) une lettre où il lui détaille tout au long les vices et les défauts de sa mère («nulle trace de pudeur»; «un monstre de folie dans tout»). Mari détestable, il est aussi, vis-à-vis de son fils aîné, le futur révolutionnaire, le père le plus dénaturé qui soit, le faisant d'abord interdire (1774) puis emprisonner quatre fois par lettres de cachet. On comprend la révolte du jeune homme, cette révolte terrible qui sera l'une des forces de la Révolution commençante. A cause de son despotisme paternel, le marquis de Mirabeau peut être considéré d'une certaine manière comme l'auteur de la Révolution.

MIRABEAU, Honoré Gabriel Riqueti, comte de (Château du Bignon, près de Nemours, 9 mars 1749 - Paris, 2 avril 1791). Fameux comme révolutionnaire, il est le fils de Victor Riqueti, marquis de Mirabeau (l'économiste, dit «l'ami des hommes») et de Marie-Geneviève de Vassan. Destiné aux armes, sous-lieutenant à dix-sept ans au Royal-Comtois, il quitte le service en 1769. Il épouse Émilie de Marignane, et ses malheurs commencent peu de temps après son mariage. Couvert de dettes, poursuivi par ses créanciers, il encourt la colère de son père qui obtient contre lui des lettres de cachet et le fait enfermer. Entre 1772 et 1782, l'abusive autorité paternelle du marquis lui vaut sept années entières de prison dans diverses forteresses (fort de

l'île de Ré, château d'If, forts de Joux et Vincennes). Dans la nuit du 24 au 25 mai 1776, il s'évade du fort de Joux et s'enfuit en Hollande, accompagné de sa maîtresse, Sophie de Monnier. Mais il est arrêté à Amsterdam et incarcéré de nouveau. La longue épreuve de la prison le marque pour toujours. Elle fait de lui un révolté. Libéré et délivré enfin de la tutelle paternelle (1783), il se fait le publiciste des intérêts financiers des banquiers genevois Clavière et Panchaud. Ses libelles sur la Caisse d'escompte (mai 1785), sur les actions de la Compagnie des eaux (1785) et sur la banque Saint-Charles dénoncent les pratiques de certains spéculateurs et ne lui font pas que des amis. En 1786, il obtient une mission officieuse en Prusse et en rapporte une *Correspondance du cabinet de Berlin*, qui fait scandale, et dont le Parlement ordonne la suppression. Arrive la convocation des États généraux. Mirabeau siège dans la Chambre de la noblesse de Provence. Il y plaide pour le doublement du tiers. Il en est exclu le 11 février 1789, sous le prétexte qu'il n'est pas possesseur de fief. Élu député du tiers à Marseille et dans la sénéchaussée d'Aix, il s'impose comme l'un des grands orateurs de la représentation nationale et joue un rôle décisif dans le déclenchement de la Révolution. La réunion des trois ordres et la préparation psychologique des journées du 14 juillet et des 5 et 6 octobre sont en grande partie de son fait. Toutefois, dès 1790 il commence à s'effrayer d'une démagogie qu'il a lui-même déchaînée. Il se rapproche alors secrètement de la Cour. Son dernier grand discours (le 28 février 1791) est pour combattre le projet de loi contre les émigrés. Il écrit à Louis XVI : «Je ne voudrais pas avoir travaillé seulement à une vaste destruction.» Mais le temps lui fait défaut. Usé par l'excès de travail et par l'abus des plaisirs, il meurt prématurément le 2 avril 1791.

Il avait dans ses prisons composé plusieurs écrits politiques, dont l'*Essai sur le despotisme*, écrit à l'île de Ré à l'âge de vingt-trois ans, et l'*Essai sur les lettres de cachet et les prisons d'État*, fait à Vincennes en 1777. La *Correspondance du cabinet de Berlin* et une *Histoire de la monarchie prussienne sous Frédéric le Grand* sont également révélatrices de sa pensée politique avant la Révolution. Cette œuvre est le cri d'un persécuté. C'est une véhémente protestation contre le pouvoir arbitraire. L'auteur invente un nouveau langage politique. Il met à la mode certains de ces mots accusateurs dont il sera fait grand usage dans le discours révolutionnaire, par exemple les mots d'«aristocratie» et d'«aristocrates», ceux de «préjugé» et d'«esclavage».

Son anthropologie est courte. Il semble que le jeune Mirabeau ait été marqué très tôt par le matérialisme le plus épais des Lumières. L'homme tel qu'il le conçoit n'est pas beaucoup plus que les animaux. «... convenez, écrit-il, que l'homme naturel n'est probablement qu'un animal d'une organisation très supérieure, mais surtout incomparable à toute autre espèce par son instinct pour la société» (*Essai sur le despotisme*, dans *Œuvres de Mirabeau*, Paris, 1834, t. I, p. 7). Il se demande si les orangs-outangs ne pourraient pas acquérir les «connaissances de l'homme» (*ibid.*). Il écrit encore : «La société est l'état naturel de l'homme, comme celui de la fourmi et de l'abeille» (*ibid.*, p. 24). Il est curieux que le pionnier de la Révolution, le chantre de la liberté se sente si proche des abeilles, des fourmis et des singes.

MIRACLES. Les miracles (guérisons, mais aussi protections spéciales dans les accidents, tempêtes et incendies) procurés par l'intercession de la Vierge et des saints avaient été très fréquents au siècle précédent, surtout dans les sanctuaires mariaux de pèlerinage. Ils le sont beaucoup moins en ce siècle. Depuis les années 1680-1690, les sanctuaires mariaux, si l'on met à part ceux de Marientahl et d'Ettenheimmünster en Alsace, n'en produisent presque plus. La plupart des miracles du XVIIIᵉ siècle sont ceux opérés par les saints de leur vivant, par exemple ceux de saint Benoît Labre (qui guérit

des malades comme le tailleur Fanjou) ou ceux de Jeanne Delanoue, qui multiplie les aliments afin de nourrir ses pauvres. On voit aussi quelques saints du Grand Siècle obtenir encore des guérisons. C'est ainsi qu'entre 1700 et 1789 quarante et un miracles peuvent être attribués à l'intercession d'Alain de Solminihac, évêque de Cahors, mort en 1659.

Les miracles jansénistes doivent être mis à part. Il s'agit principalement des guérisons survenues sur la tombe du diacre Pâris au cimetière Saint-Médard de 1727 à 1732, et de celles qu'auraient opéré à Fareins dans les Dombes, à la veille de la Révolution, le curé de cette paroisse, son vicaire et son frère. Il faut mettre ces miracles à part pour la bonne raison que l'authenticité n'a jamais pu en être établie. L'apologie des miracles de Saint-Médard par le président Carré de Montgeron dans son recueil intitulé *La Vérité des miracles opérés à l'intercession de M. de Pâris et autres appelans* (3 vol., 1737-1741) ne prouve rien malgré son titre. Ce qui n'empêche pas les jansénistes d'utiliser leurs miracles et de s'en servir comme preuves de la vérité de leur cause, ainsi que Pascal l'avait fait avec le miracle de la sainte épine.

Les philosophes des Lumières se gaussent des miracles dont ils nient la réalité et la possibilité. Ils ne peuvent admettre ce qui leur est présenté (bien maladroitement d'ailleurs) comme une dérogation aux lois de la nature. Car ils ne peuvent concevoir une puissance supérieure à celle de la Nature. Les plus dures attaques sont celles de Diderot dans les *Pensées philosophiques* (1746, pensées 48, 50, 53 et 54) et celles de Voltaire dans ses *Questions sur les miracles* de 1769. Voltaire ironise, Diderot argumente : «Tous les peuples, écrit-il, ont de ces faits à qui, pour être merveilleux, il ne manque que d'être vrais» (*Pensées philosophiques*, *Œuvres complètes*, 1875, t. I, p. 148). L'un et l'autre pratiquent l'amalgame, c'est-à-dire que, pour mieux ruiner la croyance aux miracles, ils mélangent les miracles authentiques avec les miracles invraisemblables de certaines légendes et avec les prétendus miracles des jansénistes.

MIREPOIX, Gaston Charles Pierre François de Lévis et de Lomagne, marquis, puis duc de. *Voir* LÉVIS-MIREPOIX, Gaston Charles Pierre François de.

MIROMESNIL, Armand Thomas Hue de (près d'Orléans, 1723 - Miromesnil, Normandie, 1796). Garde des Sceaux de France, il doit sa fortune politique à la protection de Maurepas. Ce conseiller au Grand Conseil avait été nommé en 1757 premier président du parlement de Rouen. Il avait essayé de modérer l'opposition de ce parlement. Ses efforts n'avaient pas été couronnés de succès. Après la dissolution des parlements, il avait fréquenté le château de Pontchartrain et s'était lié d'amitié avec Maurepas. Devenu le mentor du nouveau roi, Maurepas n'a garde d'oublier Miromesnil et, le 24 août 1774, lui fait donner les sceaux. On peut considérer que la décision de Louis XVI de rappeler les parlements est due pour une bonne part aux instances du nouveau garde des Sceaux. Ce dernier est également responsable d'une autre décision malheureuse du monarque, le renvoi de Calonne. Il fait d'abord semblant d'approuver les projets de réforme fiscale du contrôleur général, mais aussitôt après il commence à les saper et à les dénigrer. Entre décembre et avril 1786, il écrit à Louis XVI plusieurs lettres dénonçant l'incompétence et la maladresse de Calonne, et l'accusant de vouloir indisposer la noblesse et la magistrature contre l'autorité royale. Ces accusations calomnieuses font leur effet. Calonne est renvoyé le 8 avril. Miromesnil l'est aussi le même jour, Louis XVI ayant décidé dans son étrange justice de se séparer à la fois de l'accusateur et de l'accusé.

MISSIONS INTÉRIEURES. Les missions intérieures, appelées aussi missions paroissiales, sont des prédications extraordinaires faites dans les paroisses. Elles sont destinées à renforcer l'action du clergé paroissial et à renouveler la ferveur des fidèles. Elles reposent généralement sur des fondations pieuses, les fondateurs fournissant les moyens matériels. Les missionnaires sont des membres des instituts religieux issus de la réforme catholique. Les Jésuites, les Lazaristes, les Oratoriens, les Doctrinaires et les Mulotins ou Montfortains sont les instituts qui ont montré la plus grande activité dans ce domaine. Le P. Bridaine, des missionnaires de Sainte-Croix, le P. Duplessis, jésuite, le P. Badou, doctrinaire, et l'abbé Sylvestre Receveur ont compté parmi les missionnaires les plus fameux du siècle.

L'entreprise des missions intérieures avait commencé au début du XVIIe siècle. Au début du XVIIIe siècle, elle retrouve un second souffle. Dans les dernières décennies de l'Ancien Régime, il y aura un ralentissement. Beaucoup de fondations de missions seront réduites, les revenus laissés par les fondateurs ne suffisant plus à l'entretien des missionnaires.

La prédication, le catéchisme, la confession, les processions eucharistiques ou pénitentielles, et parfois le renouvellement des vœux du baptême, sont les principaux exercices de la mission. Une croix est plantée à la fin de la mission pour commémorer le souvenir de la conversion du peuple.

Il serait intéressant de procéder à une estimation quantitative. Nous avons calculé que, de 1715 à 1789, 10 % des paroisses du diocèse d'Angers avaient été visitées au moins une fois par des missionnaires. Compte tenu du fait qu'une mission faite dans une paroisse attire toujours une partie notable des habitants des trois ou quatre paroisses voisines, on peut estimer qu'en un siècle la moitié au moins des paroisses de ce diocèse ont été touchées par la mission. Il est vrai qu'avec le Poitou, le pays nantais, la Normandie, la Bigorre, le Quercy, l'Albigeois, la Lorraine et la Franche-Comté, l'Anjou est l'une des provinces les plus évangélisées par ce moyen des missions. Ces provinces seront justement celles qui, au XIXe siècle, conserveront la foi la plus intense et la pratique la plus élevée.

MOBILIER. Le XVIIIe siècle est l'âge d'or du mobilier français alors admiré, imité, recherché dans l'Europe entière. La production de meubles n'a jamais été aussi abondante : les deux cent soixante-dix ateliers de menuisiers parisiens (*Almanach de Paris*, 1789) fabriquent chacun plusieurs centaines de sièges par an. On peut donc estimer approximativement à trois millions le nombre de sièges fabriqués dans la capitale de 1715 à 1789. L'ensemble des ateliers provinciaux a dû avoir une production équivalente.

Les meubles sont fabriqués par les « menuisiers en meubles » et par les ébénistes, dont la spécialité est de pratiquer la marqueterie (incrustation de bois précieux dans les trous aménagés à la surface du bois) ou les placages de bois exotiques. La technique de l'ébénisterie est connue en France depuis le règne de Henri IV, mais elle parvient en ce siècle à des sommets de raffinement et de virtuosité. Les ébénistes font des placages moins épais et plus souples. Ils utilisent de nouveaux bois de couleur, provenant des îles, d'Amérique et de Chine. Ils recourent à la polychromie des laques ou au vernis Martin. Dans l'ébénisterie, les plus grands noms sont ceux de Boulle, Cressent, Joubert, Riesener, Leleu et Œben ; dans la menuiserie en meubles, ceux des Foliot, Roubo, Delanois et Jacob.

Concourent à la fabrication des meubles les sculpteurs sur bois, les bronziers, les peintres doreurs et les tapissiers. Les étoffes d'ameublement ne furent jamais plus gracieuses que sous le règne de Louis XVI, ni l'art de les harmoniser plus raffiné.

On voit apparaître quantité de meubles nouveaux : la commode qui date du tout début du siècle, et qui, réservée d'abord aux intérieurs princiers, finit par entrer dans l'usage commun, le secrétaire à pente (dit faussement « en dos d'âne ») et le secrétaire en armoire, l'un et l'autre lancés vers 1730, le cabriolet, petit fauteuil conçu un peu avant 1750, le bureau à cylindre, dont le meuble exécuté pour le roi en 1769 par Œben et Riesener peut être considéré comme le prototype, le « bonheur-du-jour », petite table à écrire, surmontée d'un gradin à tiroirs et à vantaux, née au début du règne de Louis XVI, et la « table à manger » (ovale et presque toujours en acajou) apparue également sous ce règne. Il faut ajouter à ces nouveautés la grande variété des petites tables aux fonctions diverses (table volante, dite « à café », table « en chiffonnier », table de chevet) et ces fauteuils confortables destinés aux appartements intimes, comme la « duchesse brisée », fauteuil en trois pièces (bergère, tabouret et bout de pied) et la bergère « en gondole » à haut dossier enveloppant.

Cependant, l'évolution des formes est lente. Le style dit « rococo » est long à s'affirmer ; ce qu'on appelle le style « Régence » ne fait que continuer le style Louis XIV. Il faut attendre les abords de 1740 pour voir la ceinture des meubles s'arrondir délibérément et les pieds s'élancer et s'amincir. Les formes nouvelles, dites « Louis XVI », apparaissent dès 1765. Vers 1770, Georges Jacob invente des pieds « en console » et abandonne les courbes continues des cabriolets. Toutefois, on continuera à faire du « Louis XV » bien après 1774, surtout en province. Les meubles illustrant le mieux le style Louis XVI, c'est-à-dire les sièges à dossier carré ou ovale, dits « en médaillon », n'apparaissent que bien après le changement de règne.

La fabrication provinciale n'a pas la réputation internationale de celle de Paris, bien que souvent elle vaille cette dernière. De très beaux meubles d'acajou massif, dits aujourd'hui « meubles de port », sont fabriqués à Nantes et à Bordeaux. Provence et Normandie produisent des pièces d'un style rococo très exubérant, riches en sculptures et d'une indéniable qualité.

Les prix sont très variables. La sculpture, la dorure et les garnitures de bronze font monter dans d'énormes proportions le coût des ouvrages. Sous le règne de Louis XVI, un meuble d'ébénisterie sortant d'un grand atelier parisien peut valoir entre 200 et 300 livres (ce qui représente environ 8 000 de nos francs actuels). Mais on fabrique aussi des meubles plus simples et moins coûteux : à la même époque, on peut acquérir pour une dizaine de livres un fauteuil mouluré et sculpté de quelques fleurettes. Le meuble nouveau, le meuble moderne n'est donc pas réservé aux palais et aux châteaux ; il entre dans de nombreux logements et, avec lui, font leur entrée la grâce et la beauté.

MŒURS. Les mœurs, c'est-à-dire les habitudes de vie considérées par rapport à la morale, sont encore chez la plupart des Français façonnées par la morale chrétienne, et leur esprit est celui de la justice chrétienne, invitant chacun à respecter l'ordre naturel et à rendre aux autres ce qui leur est dû. La marque propre du siècle est la douceur. Si la violence est encore acceptée, la société semble mieux armée pour la conjurer : politesse et civilité réduisent les heurts. Le modèle proposé est celui de l'« homme de mérite », tel que le définit le moraliste Le Maistre de Claville dans son *Traité du vray mérite de l'homme*, publié en 1734. Les principales qualités de cet homme idéal sont la douceur, la modestie, la docilité, l'humeur égale et complaisante. L'« honnête homme » du XVIIᵉ siècle n'était pas dépourvu du désir de paraître. L'homme de « vrai mérite » ne veut être que vertueux. Il ne recherche pas l'admiration, seulement l'estime.

Toutefois, les mœurs subissent de graves dérèglements. La contagion du libertinage, la passion du jeu et le débordement du luxe les affectent en profondeur. Leur esprit se transforme. On assiste dans les dernières décennies de l'Ancien Régime à un retour de la violence, retour dont témoigne la hausse très forte du nombre des affaires criminelles. La douceur se mue en sensiblerie larmoyante. Rousseau met les confessions à la mode. Les Français n'ont plus honte d'étaler leurs sentiments.

Le sens du mot « mœurs » change au cours du siècle. Il avait gardé longtemps son sens traditionnel. Dans ses *Considérations sur les mœurs* (1750), Duclos les définit comme « la pratique des vertus morales ou le dérèglement de la conduite

suivant que ce terme est pris en bien ou en mal ». Mais, par la suite, plusieurs auteurs confondent les mœurs avec les coutumes et les usages. C'est le cas de Voltaire dans son *Essai sur les mœurs* (1756) et de Saint-Foix dans ses *Essais historiques sur Paris* (1754-1757) qui sont en réalité un essai sur les mœurs entendues au sens de coutumes. Cette confusion a pour effet d'éloigner les mœurs de la morale car les coutumes et usages n'ont pas en principe de signification morale. D'ailleurs, pour certains philosophes, les mœurs n'ont rien à voir avec la morale, mais elles résultent d'un consensus : « Les mœurs, écrit Diderot, consistent dans la conformité d'un grand nombre de volontés » (*Opinions des anciens philosophes. Thomasius*). Pour Toussaint, l'auteur des *Mœurs* (1748), elles doivent s'inspirer de la vertu, mais non de la vertu chrétienne. La vertu selon Toussaint n'est en effet rien d'autre que « la fidélité constante à remplir les obligations que la raison nous a dictées ».

MOHEAU, Jean-Baptiste (Paris, 1745 - id., 27 janvier 1794). Il est connu pour avoir signé de son nom l'un des premiers grands traités de démographie « pure », les *Recherches et Considérations sur la population de la France*. Sa biographie est mal connue. On sait seulement qu'en 1773 il était secrétaire personnel de Montyon, alors intendant d'Auvergne ; qu'en 1776 il passa au service de Bouvard de Fourqueux, beau-frère de Montyon, qu'il fut nommé en 1779 commis au secrétariat d'État à la Guerre, qu'il se maria la même année, adhéra à la franc-maçonnerie en 1785, divorça la même année, fut arrêté en 1794 sous prétexte de malversations, condamné à mort le 27 janvier de cette même année par le Tribunal révolutionnaire et exécuté le même jour.

Les *Recherches et Considérations* parurent en 1778 sous le nom de Moheau, mais plus tard Montyon se déclara l'auteur de l'ouvrage. En fait, les fragments manuscrits conservés sont bien de la main de Moheau. Montyon y apporta seulement des corrections.

Le traité est divisé en deux livres, le premier s'intitulant *État de la population*, le second, *Des causes du progrès ou de la décadence de la population*. L'auteur aborde tous les champs de la démographie, pose tous les problèmes et réunit en une synthèse cohérente toutes les analyses des arithméticiens politiques. Voici la liste des chapitres du premier livre : « Valeur de la population dans un État », « Utilité des recherches sur la population », « Moyens de connaître la population », « Idée de la population de la France », « Division de la population par sexe et par âge », « Répartition de la population en différentes classes », « De la taille et de la force », « De la fécondité », « De la mortalité », « De l'émigration... », « Y a-t-il augmentation ou perte de population en France ? »

Moheau croit à l'augmentation. Cependant il sous-estime la population du royaume, n'attribuant à celle-ci que 23 millions et demi d'habitants.

MOISSET, Sauvé (? - 1790). Oratorien, général de sa congrégation de 1779 à sa mort, il avait dirigé successivement, avant d'être appelé à la fonction générale, le collège de Condom, le séminaire de Saint-Magloire, l'institution de Paris et la maison Saint-Honoré de Paris. Élu général le 14 septembre 1779, il tente de réagir contre le relâchement de la discipline et s'efforce d'infuser à ses confrères une nouvelle vertu spirituelle. En témoignent ses trois instructions prononcées à l'occasion des trois assemblées générales de 1782, 1785 et 1788, et pour lesquelles il avait retenu les sujets suivants : le sacerdoce du Christ, l'amour du Christ pour les hommes et les devoirs du prêtre. Son dernier acte est un mémoire adressé en 1790, quelques jours avant sa mort, à l'Assemblée nationale, pour la dissuader de supprimer l'Oratoire.

MOLÉ, Mathieu François (1705-1794). Premier président du parlement de Paris, titré en 1781 comte de Champlâtreux, il est issu d'une très ancienne et illustre famille de parlementaires. Conseiller aux enquêtes en 1724, président à mortier le 17 mai 1731, il est en 1757 l'un des artisans du retour victorieux des parlements après l'affaire de la déclaration de discipline. C'est peut-être ce qui lui vaut d'être nommé le 12 novembre 1757 à la charge de premier président. Selon Michel Antoine, il « n'avait pas de génie, mais quelque droiture » (*Louis XV*). Quoi qu'il en soit, il se montre plus loyal que Maupeou, son prédécesseur. Grâce à lui est inauguré un régime de concertation entre le pouvoir royal et le Parlement. Ainsi la législation fiscale de février 1760 est combinée entre le contrôleur général Bertin et les chefs de l'opposition parlementaire, lui-même servant d'intermédiaire. Il démissionne en 1763, mais reste président à mortier jusqu'à la Révolution. Il sera guillotiné en 1794 avec d'autres membres du parlement de Paris.

MOLLET, Armand Claude (1670 - Paris, 1742). Architecte, il est issu d'une lignée de jardiniers architectes. Nommé en 1698 contrôleur des Bâtiments du roi, reçu en 1699 à l'Académie d'architecture, il travaille surtout à Paris. Son style est sobre et léger. En 1715, il construit l'hôtel d'Humières, rue de Lille, chef-d'œuvre gracieux, mais sa consécration est l'hôtel d'Évreux, aujourd'hui palais de l'Élysée. Construit pour Henri de La Tour d'Auvergne, cet édifice a de vastes proportions, une belle cour d'honneur, une belle réception et des appartements plus intimes et confortables. Mollet en a signé aussi la décoration sobre et symétrique. Plus tard l'hôtel, acquis par Mme de Pompadour, sera transformé par Lassurance. Mollet construisit également le château de Stains (près de Bobigny).

Le nom de cet architecte est associé à l'introduction des « commodités » dans les aménagements intérieurs.

MONCRIF, François Auguste Paradis de (Paris, 1687 - *id.*, 13 novembre 1770). Littérateur, ayant perdu très tôt son père (un procureur), il fut élevé par sa mère qui s'attacha à lui faire acquérir tous les talents susceptibles de le faire recevoir dans la société la plus brillante. Poète et musicien, pourvu d'un caractère agréable, causeur spirituel, il est protégé par le comte de Maurepas et par le comte d'Argenson qui en fait son secrétaire ; on le voit ensuite secrétaire des commandements du comte de Clermont, puis secrétaire général à la surintendance des Postes lorsque le comte d'Argenson devient ministre. Il fréquente la Cour et devient lecteur de la reine Marie Leszczyńska. Déjà membre des académies de Berlin et de Nancy, il est reçu le 29 décembre 1733 à l'Académie française où il succède à Mgr de Caumartin, évêque de Blois. Il décède à quatre-vingt-trois ans aux Tuileries où il avait un logement. On lui a attribué *Les Aventures de Zéloïde* ; paru en 1714, cet ouvrage sera réédité en 1716 sous le titre de *Mille et Une Faveurs, contes indiens*. Il publia des romans (*Les Âmes rivales*, 1738) et des comédies : *L'Oracle de Delphes* fut joué au Théâtre-Français en 1722, et *Les Abdérites*, un acte en vers, fut représenté en novembre 1732 à Fontainebleau. Il écrivit également des opéras-ballets (*Zelindor*), et des poésies dont la plus charmante, *Le Rajeunissement inutile*, est encore quelquefois citée. En 1738, Moncrif publia *Les Moyens de plaire* et, en 1747, *Poésies chrétiennes*. De 1739 à 1743, il collabore au *Journal des savants*. L'on n'aurait garde enfin d'omettre cette malheureuse et trop fameuse (en son temps) *Histoire des chats* (Paris, 1727-1748, Amsterdam, 1767) illustrée de dessins de Coypel gravés par le comte de Caylus, dont l'érudition pédante et boursouflée devait attirer maints quolibets à l'auteur (celui-ci, ayant sollicité une place d'historiographe, fut surnommé « l'historiogriffe »). Moncrif dans ses *Œuvres mêlées* publiées en 1751 avait omis cette *Histoire des chats* qui est absente également de l'édition de 1768, mais que l'on retrouve après sa mort dans les éditions de 1791 et 1801.

MONDAIN DE LA MAISON ROUGE, François Xavier, dom (Saint-Maurice, près de La Souterraine, 1706 - Grandmont, 11 avril 1787). Il est le vingt-

septième et dernier abbé général de l'ordre de Grandmont. Issu d'une famille noble de la Marche, troisième enfant d'une famille qui en comptait cinq, dont quatre dans les ordres, il prend l'habit religieux le 29 avril 1725 et est élu abbé général le 28 mai 1748. Contaminé par le jansénisme, souffrant du manque de formation spirituelle, en proie à de graves difficultés financières, l'ordre de Grandmont se trouvait dans un état lamentable. Loménie de Brienne et du Plessis d'Argentré, évêque de Limoges, en tiraient argument pour demander sa suppression. Dom Mondain de la Maison Rouge s'efforce de le sauver. Mais son projet de réforme est repoussé.

MONDONVILLE, Jean Joseph Cassanéa de (Narbonne, décembre 1711 - Belleville, 8 octobre 1772). Musicien, il obtint dans sa jeunesse de brillants succès de violoniste, notamment à Lille et à Paris. Nommé, en 1744, surintendant de la chapelle du roi, il soutiendra la cause de la musique française dans la querelle suscitée en 1752 par la présence des bouffes italiens à l'Opéra. Protégé de Mme de Pompadour, il devient le champion du « coin du feu du roi », c'est-à-dire de l'école française. Les défenseurs de la musique française opposent son opéra *Titon et l'Aurore* (1753) à *La Servante maîtresse*, le chef-d'œuvre de l'italien Pergolèse. Le succès obtenu par *Titon et l'Aurore* entraîne le départ des bouffons. De 1755 à 1762, Mondonville occupe la fonction de directeur du Concert spirituel.

Il est l'auteur de dix opéras, dont *Titon et l'Aurore, Daphnis et Alcimadure* (1754) où il utilise la langue d'oc et les traditions populaires provençales, les *Fêtes de Paphos* (1758), *Thésée* (1767) et *Psyché* (1769). Il a également composé de nombreux oratorios (exécutés au Concert spitiruel), des motets, des sonates pour violon et clavecin et des pièces de clavecin.

MONGE Gaspard, comte de Péluse (Beaune, 9 mai 1746 - Paris, 28 juillet 1818). Fils d'un marchand, il est l'un des plus grands mathématiciens français. Après des études chez les oratoriens de Beaune et de Lyon, il est recruté comme dessinateur de plans à l'école du génie de Mézières (1764). La qualité de ses travaux amène la direction de l'école à lui confier en 1769 la chaire de mathématiques et, l'année suivante, celle de physique, vacante par la mort de l'abbé Nollet. Ces premières années d'enseignement à Mézières correspondent à celles de ses premiers mémoires de mathématiques. Nommé en 1773 correspondant de l'Académie des sciences, il adresse à cette compagnie, par l'intermédiaire de Condorcet, les résultats de ses recherches. Une nouvelle période de sa vie commence en 1780, lorsqu'il est élu (le 14 janvier) membre de l'Académie comme adjoint géomètre. Tenu de résider cinq mois par an à Paris (pour assister aux séances de l'Académie), il est obligé de délaisser quelque peu son enseignement de Mézières. C'est l'époque où, donnant moins de temps aux mathématiques, il s'intéresse à la chimie et participe aux expériences de Lavoisier. Nommé le 25 octobre 1783 examinateur des élèves de la marine, il quitte alors définitivement Mézières et partage son temps entre des tournées d'inspection dans les écoles de la marine et des séjours à Paris. En 1788 est publié son *Cours de statique* pour les écoles de la marine. Au moment où commence la Révolution, il est l'un des savants français les plus célèbres. Il jouit d'une grande réputation de physicien et de chimiste. Sa doctrine mathématique, d'inspiration géométrique, commence à être connue.

La Révolution, à laquelle il adhère avec enthousiasme, fait de lui un homme public. Il est chargé de responsabilités très importantes : ministre de la Marine du 10 août 1792 au 10 avril 1793, membre de la commission fondatrice de l'École polytechnique, directeur des fabrications d'armement à Paris. Il n'abandonne pas pour autant l'enseignement et professe à l'École normale et à l'École polytechnique. Très lié avec Bonaparte, il participe à l'expédition d'Égypte. L'Empereur le comble d'honneurs et de

dotations. Il reçoit même plusieurs propriétés en Westphalie. La Restauration l'exclura de l'Institut, mais lui conservera son enseignement.

Il est considéré comme l'un des créateurs de la géométrie descriptive, pour laquelle il a mis au point des « méthodes belles et lumineuses » (Pierre Humbert).

MONNAIE. Le système monétaire de la France, comme celui de tous les autres pays d'Europe, associe monnaie de compte et monnaie réelle. La monnaie de compte est fictive. La monnaie réelle est la monnaie métallique ayant cours. La monnaie de compte est la livre tournois, divisée en sols et en deniers (1 livre vaut 20 sols et 1 sol 12 deniers). La monnaie réelle, ce sont les louis d'or et les écus d'argent. Ces pièces ne portent aucune indication de valeur. Il appartient au souverain de fixer le rapport entre la monnaie de compte et la monnaie réelle. Pour cela, il définit l'alliage, la taille et le cours. L'alliage est le degré de pureté (mesuré en carats) des pièces frappées, c'est-à-dire l'aloi pour l'argent et le titre pour l'or. La taille est la quantité de pièces taillées dans une unité de poids de métal précieux. Le cours est la valeur légale de la pièce, exprimée en unités de la monnaie de compte.

Sous le règne de Louis XIV et sous la Régence, le rapport des deux monnaies avait été souvent modifié. Pour financer les guerres, Louis XIV avait procédé à quarante-trois manipulations monétaires. Sous la Régence, Law avait diminué la valeur de la monnaie métallique afin de la discréditer au profit de son papier-monnaie. Le gouvernement de Fleury opte pour la stabilité monétaire. C'est la réforme si importante de 1726.

Cette réforme consiste en ceci :

— la valeur du marc d'or (unité de poids) est fixée à 740 livres 9 sols, et celle du marc d'argent à 51 livres 2 sols 3 deniers ;

— le rapport or-argent est ainsi établi à 14,5 ;

— et les valeurs respectives du louis et de l'écu ainsi fixées à 24 livres et 6 livres.

Mais le plus important est la résolution prise de ne plus jamais modifier ces valeurs et ces rapports. L'arrêté du Conseil qui les avait établies est daté du 15 juin 1726. Il est ensuite prorogé de six mois en six mois. Finalement, le 11 novembre 1738, il est décidé que l'arrêt de 1726 sera considéré comme renouvelé une fois pour toutes et le prix des espèces fixé pour toujours.

Résolution tenue. Toutefois, en 1785, Calonne se voit obligé de procéder à un ajustement. Il était en effet nécessaire de changer le rapport or-argent de 1726. La valeur métallique augmentait sans cesse, la valeur légale restant la même. Le résultat était une abondante sortie d'or du royaume. Le 30 octobre 1785, un arrêt du Conseil change la proportion fautive, la faisant passer de 14,5 à 15,5, et ordonne la refonte des pièces d'or. Le louis est maintenu à 24 livres, mais on taillera dans un marc d'or 33 louis au lieu de 30. La réforme entraîne des rentrées d'or importantes. La France reste néanmoins le pays de l'argent. L'or à la fin de l'Ancien Régime ne représente qu'un tiers de la circulation monétaire.

On compte, en France, dix-sept hôtels des monnaies correspondant à autant d'ateliers de frappe. Un nouvel hôtel des Monnaies est construit à Paris entre 1771 et 1779 par l'architecte Jacques-Louis Antoine.

MONNAIES (cour des). *Voir* COUR DES MONNAIES.

MONSIGNY, Pierre Alexandre (Fauquembergues, 17 octobre 1729 - Paris, janvier 1817). Il est regardé comme l'un des fondateurs de l'opéra-comique. Élevé au collège des jésuites de Saint-Omer, ce fut dans cet établissement que lui furent données ses premières leçons de musique. Venu à Paris en 1749, à la mort de son père, il subvient aux besoins de sa famille en travaillant dans les bureaux de la chambre des comptes du clergé. Cela ne l'empêche pas de compléter ses connaissances musicales sous la direction de l'Italien Gianotti. En 1759, son premier opéra-comique, *Les Aveux in-*

discrets, est joué au théâtre de la Foire-Saint-Germain. Suivront douze autres pièces, dont cinq appartiennent au même genre de l'opéra-comique. La dernière, *Félix ou l'Enfant trouvé*, fut créée à Fontainebleau en 1777. Après la période difficile de la Révolution, les mérites de Monsigny seront à nouveau reconnus : il sera nommé « inspecteur des études » au Conservatoire (1802) et membre de l'Institut, où il succédera à Grétry.

On a dit qu'il manquait « de connaissances techniques suffisantes dans l'harmonisation », mais qu'il « possédait une grande facilité mélodique et un sens du théâtre » (M. Lefèvre, cité par Hoefer, *Nouvelle Biographie générale*, art. « Monsigny »). Quoi qu'il en soit, il plaisait au public. Les airs de ses opéras-comiques resteront longtemps dans les mémoires, comme plus tard ceux des opérettes.

MONTALEMBERT, Marc René, marquis de (Angoulême, 1714 - Paris, 1800). C'est un homme qui a beaucoup d'idées. Après une courte carrière militaire, il est admis comme associé à l'Académie des sciences (1747) et se livre à des travaux sur la fortification. Il invente le « système perpendiculaire » qui consiste dans la substitution au tracé bastionné de Vauban d'un tracé dit « tenaillé » ou « polygonal » avec emploi général des casemates pour assurer un flanquement perpendiculaire de la ligne de défense. En 1779, le gouvernement lui confie la fortification de l'île d'Aix. Il est aussi un maître de forges et un fabricant de canons. En 1750, il installe sa fonderie dans ses domaines, à Ruelle-sur-Touvre, et offre de fournir chaque année huit cents canons de marine. Mais il ne tient pas ses promesses. Les premières livraisons sont désastreuses. Les ateliers doivent être mis en régie et placés sous la direction d'un fondeur expérimenté, le Suisse Maritz. Partisan de la Révolution, il n'émigre pas et profite de la nouvelle législation pour divorcer et se remarier (à plus de quatre-vingts ans). Le nouveau régime reconnaît sa compétence. Carnot le consulte. Candidat à l'Institut en 1797, il doit se retirer devant Bonaparte. On a de lui ses onze volumes de *La Fortification perpendiculaire* (1776-1786) et quantité d'autres ouvrages, dont trois comédies légères.

MONTAUBAN. Ville épiscopale, chef-lieu d'une généralité, siège d'une cour des aides, d'un bureau des finances et d'une élection, elle est qualifiée par le P. Gibrat (*Traité de géographie*, 1784) de « ville belle, marchande, et située dans un pays agréable et fertile ». De fait, la ville bénéficie d'une remarquable croissance économique, marquée surtout par le progrès de la fabrique des tissus de laine et par l'essor du commerce de la minoterie. Mais la population ouvrière, dont la condition se dégrade, ne tire aucun profit de cet enrichissement. Après 1770 éclatent plusieurs émeutes de la faim. Celle de mai 1773 dure trois jours et fait six morts.

La Société littéraire créée en 1730, érigée en académie en 1744, longtemps dominée par la personnalité de Lefranc de Pompignan, président de la cour des aides, poète renommé, adversaire de la philosophie, est l'une des académies les plus rebelles à l'influence des Lumières. La ville possède également plusieurs sociétés littéraires et quatre loges maçonniques.

Autrefois citadelle du protestantisme, Montauban est devenue une ville catholique. A la veille de la Révolution, les cinq sixièmes de la population sont catholiques. Fondée en 1682, la maison des Dames de Saint-Maur (appelées ici « Dames noires ») est l'une des plus prestigieuses pensions de jeunes filles du royaume.

A la fin de l'Ancien Régime est achevée la construction des quais qui mènent au cours Foucault, créé par l'intendant du même nom en 1679. Le « grand rond » et les boulevards périphériques sont nés à la même époque, au carrefour des routes royales.

MONTAZET, Antoine de Malvin de (Château de Quissac en Agenais, 17 août 1713 - Paris, 2 mai 1788). Archevêque de Lyon, abbé de Saint-Victor et de Mons-

tier-en-Argonne, il avait d'abord été aumônier du roi puis évêque d'Autun de 1748 à 1758. Transféré le 15 septembre 1758 sur le siège de Lyon, il gouvernera ce diocèse jusqu'à sa mort, c'est-à-dire pendant trente ans. C'est un prélat fastueux. A Autun, il a reconstruit le palais épiscopal et a vu si grand que les finances de l'évêché en ont été gravement obérées. C'est un homme du monde recevant beaucoup. C'est un évêque peu résidant : il est la moitié du temps à Paris, où il descend dans son abbaye de Saint-Victor. Quand il est dans son diocèse, il ne loge pas à Lyon mais au château d'Oullins, qu'il a magnifiquement restauré. Il a, malgré tout, conscience de ses devoirs pastoraux. Il visite son diocèse. En 1772 et 1773, par exemple, il visite lui-même cent vingt-six paroisses du Beaujolais et du Lyonnais. Il publie un *Catéchisme* (1768) et un *Rituel* (1788). Il porte une grande attention aux études ecclésiastiques. En 1782, il modifie le cycle des études. Il faudra désormais cinq ans et demi d'études pour pouvoir être ordonné prêtre. Enfin, il dote son séminaire de deux manuels, les *Institutiones philosophicae* (1782) et les *Institutiones theologicae* (1788). La question se pose de son jansénisme. Les jansénistes le revendiquent pour leur. Il ne fait rien pour démentir cette réputation. Bien au contraire. Son secrétaire, l'abbé Bazile, est janséniste. Son conseiller en matière canonique, l'abbé Mey, est janséniste. L'oratorien Valla, auquel il confie la rédaction de ses manuels, l'est aussi. Lui-même l'est-il ? C'est moins sûr. Très infatué de lui-même, très jaloux de ses prérogatives primatiales, il semble avoir été l'instrument de la secte, qui a su flatter sa vanité et utiliser son pouvoir.

MONTBARREY, Alexandre Marie Léonor de Saint-Mauris, comte, puis prince de (Besançon, 1732 - Constance, 1796). Ministre de la Guerre, il avait accompli sous le règne de Louis XV une carrière militaire sans histoire et plutôt honorable. Il s'était distingué à la bataille de Creveldt. Pendant la campagne, il avait pris au duc de Brunswick six canons, que le roi lui avait donnés pour orner son château de Ruffey en Franche-Comté. En 1774, il était maréchal de camp et, à partir de 1771, capitaine colonel des suisses du comte de Provence. Il avait été aussi inspecteur général de l'infanterie. C'étaient là des grades et des fonctions importantes mais non éminentes. Sa grande fortune date du règne de Louis XVI. Il la doit à sa jovialité naturelle, mais surtout à la recommandation de Maurepas, son protecteur. Tout vient à la fois : le collier des ordres, le grade de lieutenant général, 200 000 livres pour doter sa fille et enfin le ministère. On le nomme d'abord directeur de la Guerre, puis secrétaire d'État adjoint et enfin, au départ de Saint-Germain, secrétaire d'État (27 septembre 1777). On ne saurait lui reprocher d'avoir trahi son prédécesseur. Il en garde toutes les réformes, même celles relatives à la Maison du roi. Il ne revient sur aucune des réductions des effectifs. Sa carrière ministérielle dure un peu plus de trois ans. Il est renvoyé pour avoir déplu à la reine, ayant préféré, pour un poste vacant, le candidat de sa maîtresse à celui de Marie-Antoinette. Celle-ci se plaint au roi. Montbarrey donne sa démission le 17 décembre 1780. Il émigrera en juin 1791 et finira sa vie en Suisse.

MONTCALM DE SAINT-VÉRAN, Louis Joseph, marquis de (Candiac, près de Nîmes, 1712 - Québec, 1759). C'est ce lieutenant général mort au combat en essayant de sauver la Nouvelle-France. D'origine rouergate, il était entré au service à neuf ans. Excellent officier, il s'était illustré de la manière la plus brillante à la bataille de Plaisance et au combat d'Exiles. En 1756, il est nommé maréchal de camp et envoyé au Canada en qualité de commandant d'un corps de secours de quatre mille hommes. Ses débuts sont heureux. Il s'empare de plusieurs forts anglais. Le 18 juillet 1758, avec seulement trois mille hommes, il écrase quinze mille Anglais à Fort-Carillon. D'esprit sarcastique et philosophique — c'est un grand lecteur de l'*Encyclopédie* —, il est gagné ce jour-là par la ferveur de croisade des Canadiens. Au

soir de la bataille, il compose ce poème d'action de grâces :

Chrétien, ce ne fut point Montcalm et sa
                              [prudence,
Ces arbres renversés, ces héros, leurs
                              [exploits,
Qui des Anglais confus ont brisé
                              [l'espérance ;
C'est le bras de ton Dieu vainqueur sur
                              [cette croix.

Mais Fort-Carillon est le chant du cygne. En 1759, trois armées anglaises envahissent le Canada. Le 27 juin, le siège est mis devant Québec. Le 13 septembre, le général anglais Wolfe réussit à débarquer ses troupes en amont de Québec sur les plaines d'Abraham. Montcalm accourt. Il est vaincu en quelques heures et meurt le lendemain soir de ses blessures. On a parfois mis en doute ses compétences tactiques. On s'est demandé en particulier s'il avait eu raison de courir sus aux Anglais dès l'annonce de leur débarquement, au lieu de les attendre derrière les murs de Québec et de les user. On peut en discuter. Quoi qu'il en soit, la principale cause de la défaite de Montcalm est la double supériorité navale et numérique des Anglais.

MONT-DE-PIÉTÉ. Les monts-de-piété sont des établissements de crédit populaire et destinés à aider les pauvres. Ils sont souvent fondés par des personnes dévotes ou par des confréries charitables. On y prête aux pauvres sur gages et à très faible intérêt. Très répandu en Italie dès la fin du XVIe siècle, ce type d'institution n'a pas vraiment réussi à s'implanter en France, sauf en Provence, où les monts-de-piété sont très peu nombreux. L'un des plus anciens est celui d'Angers, fondé en 1684. Celui de Paris date seulement de 1777. Lyon a connu plusieurs projets, dont aucun n'a abouti, cette ville ayant dû finalement se contenter d'un « bureau de prêt charitable » (fondé en 1679).

MONTESQUIEU, Charles Louis de Secondat, baron de La Brède et de (La Brède, 18 janvier 1689 - Paris, 10 février 1755). Il est le fils de Jacques de Secondat et de

Marie-Françoise de Paesnel. Il passe en dehors du foyer familial plusieurs années de sa jeunesse : trois années en nourrice chez des paysans, au moins cinq années dans la pension du collège des oratoriens de Juilly. Il étudie ensuite le droit, d'abord à l'université de Bordeaux jusqu'en 1708, ensuite à Paris de 1709 à 1713. Lors de ce premier séjour parisien, il rencontre Nicolas Fréret et Boulainvilliers. Les années 1715 et 1716 sont celles de l'entrée dans la vie : en 1715, il épouse Jeanne de Lartigue, native de Clairac, fille d'un négociant en vins ; en 1716, il est reçu président à mortier au parlement de Bordeaux. 1716 est aussi l'année de son élection à l'académie de Bordeaux. Ne goûtant guère la procédure, il siégera peu au Parlement. En revanche, il sera toujours un académicien très assidu. Sa grande carrière littéraire est inaugurée en 1721 par la publication des *Lettres persanes*. C'est un roman par lettres, selon le genre à la mode, et un roman exotique. Usbek et Rica, deux riches Persans, quittent Ispahan et partent vers l'Ouest à la recherche de la sagesse. Ils s'écrivent et font part à leurs amis de leurs impressions. Le succès est triomphal : dix éditions en un an. L'auteur vient à Paris profiter de sa gloire. On le voit dans tous les salons. Mme de Prie le reçoit à Bélebat. Il est à partir de 1724 l'un des familiers des mardis de Mme de Lambert. L'Académie française l'accueille en 1728 parmi ses membres. Suivent trois années de voyages en Europe : 1728-1731. Il va d'abord à Vienne où il est présenté à l'Empereur, puis en Italie (Venise, Rome et Naples), enfin en Angleterre, où l'accueil est très empressé : il est admis dans la Royal Society, et reçu franc-maçon le 16 mai 1730 à la loge de la Horn Tavern. En juin 1733 paraît son deuxième grand ouvrage, les *Considérations sur les causes de la grandeur des Romains et de leur décadence*. Sa vie se partage désormais entre sa province et Paris, avec une part plus grande pour la capitale. En Guyenne, il défend ses droits et privilèges seigneuriaux, poursuit les braconniers, marie son fils Jean-Baptiste et fait distribuer des secours à ses paysans dans les années de disette. Dans la capitale, il fréquente chez les Bauveau et chez les Brancas. Il y fait la connaissance des philosophes. La rencontre d'Helvétius lui fait une forte impression : il le qualifie d'« homme au-dessus des autres ». Cependant, depuis 1734, il consacre le plus clair de son temps à préparer *De l'esprit des lois*. Il fait de très nombreuses lectures et prend des notes sur des cahiers. L'ouvrage, imprimé à Genève, paraît en 1748. Il est attaqué par les jésuites et par les jansénistes, et mis à l'Index le 29 novembre 1751. L'auteur mourra en pleine gloire, quatre ans après. Sa mort sera chrétienne. Il recevra les sacrements et permettra que soit publiée une déclaration attestant de ses sentiments de bon chrétien. Pourtant, ni sa vie privée, ni ses écrits ne témoignent de son christianisme. Il s'est conduit souvent en libertin. Sa philosophie religieuse est déiste. Il adresse à Dieu cette invocation : « Dieu immortel ! Le genre humain est votre plus digne ouvrage. L'aimer, c'est vous aimer et, en finissant ma vie, je vous consacre cet amour » (cité par Robert Shackleton, *Montesquieu. Biographie critique*, Grenoble, 1977, p. 273). Propos de spiritualiste, non de chrétien. D'ailleurs, le christianisme est absent de son œuvre. Dans les *Considérations*, il se tait à son sujet. Il semble convaincu que « le christianisme n'était pas un phénomène politique de grande importance ». *De l'esprit des lois* contient une théorie des gouvernements (républiques, monarchies et despotismes), une doctrine de la liberté politique inspirée du modèle anglais, et une théorie des climats. La clé de voûte de l'édifice est une certaine conception de la loi. Pour Montesquieu, la loi est un absolu. Il cite Plutarque : « La loi est la reine de tous, mortels et immortels. » Sa théorie est neuve en ceci qu'il suppose tout droit fondé sur certains rapports et relations. Elle s'inspire de Malebranche. Ce philosophe dit en effet que « la vérité et l'ordre sont des rapports de grandeur et de perfection » (*Traité de morale*, partie I, chap. I, XIV). L'influence de Jean Domat, juriscon-

sulte janséniste, est également perceptible. Par son déisme, par ses combats
contre les préjugés et pour la tolérance,
Montesquieu est un homme des Lumières. Par sa théorie de la loi, il se rattache à la pensée malebranchiste et à la
pensée politique janséniste.

**MONTESSON, Charlotte Jeanne Béraud
de La Haie de Riou,** marquise de. (Paris,
173 7- *id.,* 1806). Épouse morganatique
du duc Louis-Philippe d'Orléans, elle
avait été mariée une première fois, à
l'âge de seize ans, au marquis de Montesson, lieutenant général des armées,
beaucoup plus âgé qu'elle. Veuve en
1769, elle vient à la Cour et s'y fait présenter. Sa première rencontre avec le duc
d'Orléans daterait de 1766, mais le mariage ne pourra être célébré que sept ans
plus tard (le 23 avril 1773). Louis XV a
fait attendre longtemps son autorisation.
Puis il a posé cette condition que le mariage demeure secret. Secret de polichinelle : « Jamais union, écrit le duc de Lévis, n'a eu plus de publicité que ce
mariage secret » (*Souvenirs et portraits,*
s.d.). Le duc a fait un bon choix. Mme de
Montesson est une bonne personne.
Simple et obligeante pour tous, elle acquiert à la fois bienveillance et considération. Elle a deux passions inoffensives : écrire et jouer la comédie. Elle
n'écrit pas moins de quatre-vingts livres.
On la surnommera « la Danaïde de
l'écritoire ». Parmi ses œuvres — toutes
assez plates — il y a beaucoup de pièces
de théâtre, qu'elle fait représenter chez
elle, s'y réservant toujours un rôle. Elle
avait, dit très méchamment Mme de
Genlis, « l'espèce de talent d'une comédienne de province parvenue par son âge
aux premiers emplois » (*Mémoires*).

MONTEYNARD, Louis François, marquis
de (1716-?). Il est nommé secrétaire
d'État à la Guerre le 26 janvier 1771,
dans le ministère dominé par le triumvirat. Lieutenant général des armées du
roi, ayant commandé une expédition de
pacification en Corse, il possède une
bonne expérience des affaires de son département. Il a l'intelligence de ne pas

rompre avec la politique de Choiseul. Il
continue l'œuvre de restauration de l'armée, fait enquêter dans les provinces
frontières et maritimes sur les désordres
et abus de l'administration militaire, crée
à Saumur une sixième école de cavalerie, et prend des mesures pour prévenir
les désertions. Cependant, il met à
l'écart Gribeauval, le réformateur de
l'artillerie, et sur ce point sa politique se
sépare de celle de son prédécesseur. La
Corse, province récemment conquise, se
trouve dans son département. Il l'administre à la satisfaction des insulaires,
subventionne les plantations d'arbres et
fait exempter les éleveurs de la taille.
C'est donc un ministre honnête et assez
efficace, bien que naïf et sans grande
personnalité. En 1773, il commet une
imprudence ; il fait confiance à l'intrigant Dumouriez, le chargeant — à l'insu
de d'Aiguillon — d'une mission secrète
en Allemagne. Le ministre des Affaires
étrangères l'apprend et demande le départ de Monteynard, qui se trouve ainsi
contraint à démissionner, le 27 janvier
1774.

MONTGOLFIER Joseph (Vidalon-lès-
Annonay, 1740 - Balaruc, 26 juin 1810).
Il est, avec son frère Étienne, l'inventeur
de l'aérostat. Son père, fabricant de papier, le fait étudier au collège de Tournon, puis l'associe à son commerce. Il a
montré dès sa prime jeunesse un esprit
curieux et inventif, multipliant les expériences de physique et de chimie, créant
de nouvelles machines. Son invention de
l'aérostat est le fruit de plusieurs années
de recherches menées en commun avec
son frère. Dans les années 1781 et 1782,
il observe à plusieurs reprises l'effet as-
censionnel de la vapeur et de la fumée.
Par exemple, en chauffant sur un feu de
paille la chemise de sa femme, il constate
qu'elle se gonfle et a tendance à s'envo-
ler. Il lit aussi beaucoup et en particulier
l'ouvrage du chimiste anglais Priestley
sur les « différentes sortes d'air », publié
à Londres en 1777 et qui vient d'être traduit en français. En novembre 1782, il
touche au but. Il se trouve alors à Avignon, rue Saint-Étienne. C'est là qu'il

fait l'expérience décisive du sac de taffetas d'air chaud. Avec quelques aunes de vieux taffetas, il façonne une sorte de parallélépipède creux de 40 pieds cube environ, présente l'engin sur un feu de papier et le voit monter au plafond. Il écrit aussitôt à son frère Étienne, resté à Vidalon, de préparer une provision de taffetas et de cordes. Revenu lui-même à Vidalon, il commence avec Étienne les essais en plein air. Tous deux construisent une grande sphère de 110 pieds de circonférence, consistant en une enveloppe de toile consolidée par des ficelles et recouverte par du papier. Attaché au ballon, un panier de fer contient le foyer destiné à entretenir l'effet de chaleur. Le 5 juin 1783, à Annonay, le premier ballon monte à 1 000 toises, est déporté par le vent sur une lieue, tient l'air dix minutes et retombe dans une vigne. Les deux expériences publiques suivantes ont lieu, la première à Paris le 12 septembre 1783, en présence des commissaires de l'Académie des sciences, et le 19 septembre, en présence du roi à Versailles. Mais, à cette date déjà, l'aérostat échappe à ses inventeurs et les expériences se multiplient de toutes parts. Les différents gouvernements révolutionnaires ne donnent pas à Joseph Montgolfier les moyens nécessaires à la poursuite de ses expériences. Toutefois Bonaparte honore le mérite de l'inventeur, lui confère la Légion d'honneur et le nomme administrateur du Conservatoire des arts et métiers.

MONTGOLFIER Étienne (Vidalon-lès-Annonay, 7 janvier 1745 - Serrières, 2 août 1799). Il partage avec son frère aîné, Joseph, le mérite de l'invention de l'aérostat. Il avait fait ses humanités à Paris, au collège Sainte-Barbe, et commencé des études d'architecture sous la direction de Soufflot. En 1775, son père l'avait fait revenir en Vivarais pour l'associer à ses affaires. Dans la recherche qui conduit à l'invention de l'aérostat, la part de son frère Joseph est celle de l'expérimentation. La sienne est celle de l'intuition. En 1782, revenant de Montpellier et montant la côte de Serrières, il réfléchissait aux lois de l'équilibre et de

la suspension des aériformes. Il imagine alors soudain qu'une enveloppe suffisamment étanche et légère, remplie d'un fluide plus léger que l'air, devra s'élever jusqu'à une hauteur où la densité progressivement affaiblie de l'air ambiant équilibrera celle du fluide. Dès son arrivée, il instruit son frère de son idée. Il ne restera plus à ce dernier qu'à procéder aux expérimentations décisives. Cependant, c'est Étienne qui réalise l'ascension de Paris du 12 septembre 1783. Il retourne ensuite s'occuper de sa manufacture. Il est nommé en 1790 administrateur du département de l'Ardèche. Les dénonciations dont il est l'objet pendant la Terreur affectent sa santé. Il contracte une maladie de cœur dont il mourra.

MONTLINOT, Charles Antoine Joseph Leclerc de (Crépy-en-Valois, 1732 - Paris, 1801). Il remporte en 1779 le prix du concours organisé par la Société royale d'agriculture de Soissons sur le sujet suivant : «Quels sont les moyens de détruire la mendicité, de rendre les pauvres valides utiles et de les secourir dans la ville de Soissons ?» Les «moyens» proposés par Montlinot sont les suivants : on commencera par défendre de mendier «sous les peines les plus graves» ; ensuite les pauvres seront secourus, mais à la condition expresse qu'ils travaillent : «On ne saurait trop sévir contre la paresse et la fainéantise. Avant de donner des secours à un homme, il faut savoir s'il en est digne.» Des «inspecteurs des pauvres» seront chargés de vérifier les certificats de travail et d'attribuer les secours. Ces aides seront calculées au plus juste, de trop grandes générosités pouvant encourager la fainéantise : «... je veux seconder, écrit Montlinot, mais non endormir leur activité» (*Discours qui a remporté le prix à la Société royale d'agriculture de Soissons, en l'année 1779 sur cette question proposée par la même société : Quels sont les moyens...,* Lille, 1779, p. 63 et suiv.).

Ce grand philanthrope est un homme instruit (docteur en médecine et en théologie) et un prêtre : il a été longtemps chanoine et bibliothécaire du chapitre

Saint-Pierre de Lille. Mais, en 1766, il résigne sa prébende et vient s'établir à Paris comme libraire (d'après Ferdinand Hoefer, *Nouvelle Biographie générale*). Les écrits des libertins lui sont plus familiers que ceux des Pères de l'Église. Il publie en 1769 un recueil d'extraits de l'œuvre de La Mothe Le Vayer, sous le titre *L'Esprit de La Mothe Le Vayer*. Il collabore aussi quelque temps au *Journal encyclopédique*. Finalement, Necker se toque de lui et le nomme, le 15 mars 1781, inspecteur du dépôt de mendicité de Soissons, avec mission d'en faire un dépôt modèle. Belle occasion pour l'ex-chanoine d'appliquer ses idées sociales. Il se met à l'œuvre et déploie une activité considérable dont ses rapports annuels (publiés de 1781 à 1786) nous donnent des comptes rendus fidèles. Propreté et travail sont ses maîtres mots. Les désinfections régulières, la chasse aux rats et les nettoyages répétés assurent la propreté. Quant au travail (polissage des glaces de Saint-Gobain et fabrication de vêtements), Montlinot a soin de le présenter toujours comme «la route du bonheur». Une discipline militaire est instituée. D'anciens exempts de la maréchaussée remplacent les gardiens pour infliger les punitions et distribuer la maigre nourriture. Les prisonniers n'ont ordinairement que du pain et de l'eau, mais, s'ils travaillent bien, ils sont payés, et avec l'argent de leur paie peuvent s'acheter des suppléments à la cantine du dépôt. Enfin le dépôt est rebaptisé «Maison du travail». Tout cela annonce la «société disciplinaire» que Michel Foucault voit émerger dans la première moitié du XIXe siècle (*Histoire de la folie à l'âge classique*, Gallimard, 1976). Montlinot est donc un précurseur. Sa philosophie, qui est celle des libertins, lui donne cette mentalité matérialiste et utilitaire si bien adaptée aux temps nouveaux.

MONTMORENCY-LAVAL, Louis Joseph de (Château de Brayers-en-Aunis, 11 décembre 1724 - Altona, duché de Holstein, 17 juin 1808). Évêque de Metz et cardinal, il avait d'abord occupé successivement et brièvement les sièges d'Orléans et de Condom (1753-1757). Transféré à Metz en 1760, il n'y paraît qu'en 1762. Fils et frère de maréchaux de France, très en cour auprès de Choiseul, puis de la reine Marie-Antoinette, il accumule les honneurs et les dignités. Il succède en 1786 au cardinal de Rohan comme grand aumônier de France, et est créé cardinal en mars 1789. Son activité épiscopale est mince. Elle consiste pour l'essentiel dans la construction d'un nouveau palais épiscopal. Cet ouvrage, commencé en 1785, restera inachevé. Dans ses *Souvenirs* (présentés par E. Bourassin, Paris, Tallandier, 1987, p. 57), le comte d'Hézecques évoque la figure du cardinal. Il le dépeint ainsi : «Prélat fier et fastueux, que son nom, plus que ses connaissances, avait porté aux plus hautes dignités de l'Église».

MONTMORIN-SAINT-HEREM, Armand Marc, comte de (Paris, 1745 - *id.*, 1792). Ministre des Affaires étrangères, il a été menin du dauphin, futur Louis XVI. Sa femme sera dame d'atour de Madame Sophie, fille de Louis XV. Il avait commencé une carrière militaire, mais, à l'avènement de Louis XVI, son intimité avec le nouveau roi lui procure les grands postes et les grandes faveurs : l'ambassade de Madrid (1777-1783), la désignation comme membre de l'assemblée des notables et enfin le secrétariat d'État des Affaires étrangères. Il est nommé à ce dernier poste le 18 février 1787, cinq jours après la mort de Vergennes. Bertrand de Molleville et le comte Ferrand ont souligné la faiblesse de caractère du nouveau ministre. De fait, son ministère est celui de l'inaction. Les pourparlers avec la Russie sont laissés au point mort. L'intervention prussienne en Hollande n'entraîne aucune protestation. Toutefois, si Montmorin est un «esprit faible» (Molleville), il est aussi un esprit «éclairé», grand lecteur des philosophes et en particulier de l'*Encyclopédie*, dont on sait qu'elle figurait dans sa bibliothèque d'ambassadeur à Madrid. L'hôtel de Montmorin, rue Plumet, abrite un des salons les plus courus de la Cour et de la ville, et les plus fréquentés par la philosophie. On y rencontre souvent Condorcet et André Chénier. Les idées libérales du maître de maison, jointes à son amitié avec Necker (qu'il a toujours soutenu), lui valent sous la Révolution une seconde carrière ministérielle. Renvoyé avec Necker le 11 juillet 1789, il est rappelé avec lui quelques jours plus tard. Bien considéré pendant longtemps par la majorité de l'Assemblée, membre de la Société des amis de la Constitution, il réussit à conserver son portefeuille jusqu'en octobre 1791. Arrêté le 21 août 1792, décrété d'accusation le 31, il est assassiné à la prison de l'Abbaye le 2 septembre. Sa fin est particulièrement atroce. Il est empalé alors qu'il respire encore. Sa femme et sa fille seront guillotinées.

MONTPELLIER. Résidence du gouverneur et de l'intendant du Languedoc, siège d'une cour des aides, Montpellier est ville capitale. Mais ce n'est pas une très grande ville, ni par sa superficie, ni par sa population de 25 000 habitants. On y fabrique le verdet (acétate de cuivre qui sert à faire les couleurs de vert céladon et de soufre pour la teinture des laines) et des couvertures de laine. Mais l'industrie qui se développe le plus dans la seconde moitié du siècle est celle des toiles indiennes, qui font vivre cinq mille personnes à la veille de la Révolution. La renommée de Montpellier lui vient surtout de ses savants, ceux de l'université de médecine (la seule université du royaume qui voie augmenter ses inscriptions au cours du siècle) et ceux de la Société royale des sciences. Plusieurs des grands médecins de l'école montpelliéraine — entre autres Chirac, Astruc, Bordeu, Barthez — « montent » à Paris, où les chaires et les emplois les plus honorifiques leur sont confiés. La ville se montre assez peu perméable à l'influence des Lumières. La foi demeure vivante. Le catholicisme ne décline pas — la ferveur de la dévotion eucharistique et la vitalité des confréries en témoignent — et le protestantisme se réveille : un consistoire est fondé en 1731 ; le culte est célébré librement à partir de 1767. La transformation du Peyrou en place Royale (1717), puis la construction d'un théâtre par Mareschal (1754-1756) et de cinq nouvelles églises embellissent la ville et la mettent au goût du siècle.

MONTYON, Antoine Jean-Baptiste Robert Auget de (1733-1820). Intendant de diverses généralités, conseiller d'État, il est un administrateur philanthrope et ami des lettres. L'administrateur suit le cursus classique : avocat au Châtelet, conseiller au Grand Conseil, maître des requêtes, intendant d'Auvergne (1767-1771), de Provence (1771-1773), de La Rochelle (1773-1775), et finalement conseiller d'État (nommé en 1775) et chancelier du comte d'Artois de 1780 à 1789. Le philanthrope donne aux pauvres, à la vertu et aux lettres. Ayant hérité de son père, un maître des comptes, une immense fortune, il la dépense en aumônes et en fondations. Ses administrés d'Auvergne lui décernent le titre d'« Ami de l'humanité ». Entre 1780 et 1787, il fonde huit prix de littérature et de vertu à décerner par l'Académie française. Le septième est destiné à récompenser « un acte de vertu d'un Français pauvre ». La Révolution supprime ses fondations. Revenu d'émigration en 1815, il s'empresse de les rétablir. Quelles sont ses idées ? Il incline vers le parti parlementaire. En 1766, il parle au Conseil contre la mise en accusation de La Chalotais. En 1771, il laisse voir son hostilité à la suppression des parlements. Il fait siennes les idées philosophiques de tolérance et de liberté. Dans son *Éloge de Michel de L'Hospital*, il condamne le fanatisme religieux et prône le pacte social. « Dans toute forme de gouvernement, écrit-il, l'homme soumis au pouvoir dont il a consenti l'existence peut et doit être libre. » Cependant, il n'appartient pas à la secte philosophique. Ses protecteurs sont le duc de Penthièvre et le comte d'Artois. On ne le rencontre jamais ni chez Julie de Lespinasse, ni chez Mme Necker. Enfin ce grand bienfaiteur de l'Académie n'a jamais été académicien. Fut-ce par modestie ? Ce serait plutôt sans doute qu'il n'avait pas la tête assez philosophique.

MOREAU, Jacob Nicolas (Saint-Florentin, 20 décembre 1717 - Chambourcy, 29 juin 1804). Littérateur du parti dévot et grand adversaire des philosophes, c'est un juriste de formation et de profession. D'abord avocat à Aix, il est reçu ensuite conseiller à la cour des aides de Provence, dont il rédige plusieurs remontrances et en particulier celles de 1763. Mais auparavant, il s'était déjà fait connaître par son fameux *Mémoire pour servir à l'histoire des Cacouacs* (1757), spirituelle et féroce satire du parti philosophique, et certainement le meilleur ouvrage sorti de ses mains. Le Dauphin désire le connaître, se le fait présenter en 1763 et lui confie la rédaction d'un ouvrage de morale politique, destiné à l'éducation de ses fils. Ce seront les *Leçons de morale, de politique et de droit public, puisées dans l'histoire de notre monarchie, ou Nouveau Plan d'étude de l'histoire de France rédigé par les ordres et selon les vues de monseigneur le Dauphin pour l'instruction des princes ses enfants* (publiées en 1773). En 1767, à la demande de La Vauguyon, gouverneur du futur Louis XVI, Moreau compose à l'intention de ce dernier ses *Devoirs du prince, réduits à un seul principe, ou Discours sur la justice* (publiés en 1782). Depuis 1755, il avait des fonctions dans le ministère, étant employé par le crédit du maréchal de Noailles au cabinet de législation du secrétariat d'État des Affaires étrangères. Louis XVI, à son avènement, comble de dignités celui qui avait été l'ami de son père. En 1774, Moreau est nommé historiographe de France, premier conseiller de Monsieur, bibliothécaire de la reine et enfin garde du dépôt des chartes. Sous la Terreur, il échappe de peu à la prison. Arrêté dans la nuit du 19 au 20 mars 1794 (29-30 ventôse an II), il n'est pas incarcéré, mais seulement gardé à vue chez lui. Quelques jours après le 9 thermidor, sa liberté lui est rendue.

Sa pensée politique est démocratique et moralisante. Il croit à l'égalité naturelle des hommes. « Comme homme et devant Dieu, explique-t-il à Louis XVI, vous êtes égal au moindre de vos sujets » (*Leçons de morale, de politique et de droit public*). Il sépare le roi de la nation. Pour lui, le roi n'a pas pour fonction de conserver l'être politique de la nation, mais seulement d'assurer « la félicité publique ». Gouverner, selon lui, n'est pas commander, mais remplir un devoir moral qui est de « faire jouir » les sujets : « Gouverner, écrit-il, ce n'est pas jouir, c'est faire jouir les autres [...]. Car les rois doivent plus à leurs peuples que les peuples ne doivent à leurs rois... Le but du gouvernement est la félicité publique ; voilà la dette du roi » (*Les Devoirs du prince...*, 1782, p. 22).

Les *Souvenirs* de Jacob Nicolas Moreau ont été publiés en 1901 par Camille Hermelin. Ils ne sont pas dénués de tout intérêt. On notera en particulier les pages très vivantes sur le chancelier d'Aguesseau et sa famille. La conclusion développe cette idée que les causes profondes de la Révolution furent l'adultère de Louis XV et l'immoralité et l'impiété de la Cour.

MOREAU, Louis Gabriel, dit **l'Aîné** (Paris, 1739 - *id.*, 1805). Peintre, il est appelé Moreau l'Aîné pour le distinguer de son frère cadet Jean-Michel, dit Moreau le Jeune. Sa voie fut originale ; il ne passa ni par l'Académie royale, ni par les genres à la mode. Ayant débuté en 1760 à l'exposition de la Jeunesse, il se fit recevoir à l'académie de Saint-Luc avec pour morceau de réception un tableau de ruines, et l'on aurait pu le croire acquis au genre alors très prisé du paysage d'architecture. Mais il s'en détourna pour s'adonner au paysage naturel. Il passa toute sa vie à peindre la région parisienne, la Touraine et les côtes de Provence. Il fut le seul peintre français de ce siècle à faire des études de ciels : plaçant l'horizon très bas dans ses toiles, il laissait se déployer un ciel immense qu'il traitait avec beaucoup de sincérité. Sa nature était certes une nature apprivoisée, mais peinte pour elle-même, et l'homme n'y tenait qu'une place de figurant. Le musée du Louvre conserve aujourd'hui deux toiles très représentatives de son talent : *Vue du château de Vincennes* et *Vue du coteau de Bellevue prise du parc de Saint-Cloud*. Sur cette seconde toile, on peut voir le château de Bellevue, maintenant disparu, qui avait été construit par Mme de Pompadour.

MOREAU, Jean-Michel, dit le Jeune (Paris, 1714 - *id.*, 1814). Graveur et illustrateur, il fut l'élève du peintre Le Lorrain et le suivit en Russie, lorsque cet artiste alla enseigner le dessin à l'académie de Saint-Pétersbourg. Revenu à Paris en 1759 après la mort de son maître, il fit alors son apprentissage de graveur chez Le Bas. En 1760, il prendra la succession de Cochin comme dessinateur des Menus Plaisirs.

Il excelle dans l'illustration du livre, et son chef-d'œuvre dans ce genre est l'illustration de *La Nouvelle Héloïse*. On a pu écrire que nul artiste du temps n'avait « compris et senti Rousseau comme lui » (Alfred Leroy, *Histoire de la peinture*, Paris, 1934). On admirera aussi sa série d'estampes pour le *Monument du costume*. Mais le meilleur de son œuvre consiste dans ses dessins de fêtes et de parades de Cour. *Le Souper offert à Louis XV par Mme du Barry dans son pavillon de Louveciennes* (1771) et *Les Fêtes données à l'Hôtel de Ville à l'occasion de la naissance du Dauphin* (1782) figurent parmi les plus remarquables échantillons de cette série.

Les images de Moreau le Jeune sont irremplaçables pour qui veut connaître et comprendre la vie de la « société d'argent » et l'existence quotidienne d'une jeunesse riche et désœuvrée. Toutefois, cette richesse documentaire ne doit pas faire oublier le talent de l'artiste. Moreau fait penser à Hogarth, mais le surpasse pas sa science de la lumière, par son goût charmant et par son habileté à ordonner les masses.

MOREAU DE SÉCHELLES, Jean (Paris, 10 mai 1690 - *id.*, 31 décembre 1760). Intendant de province, contrôleur général des Finances, il appartient à cette catégorie peu nombreuse de ministres se distinguant à la fois par leur origine sociale modeste (lui-même était fils d'un marchand drapier de Paris, anobli en 1708 par une charge de secrétaire du roi) et par leur caractère bien trempé. Jeune homme, il fait ses classes comme secrétaire de Le Blanc, ministre de la Guerre. Ensuite, après un bref passage de deux mois au parlement de Metz (en 1719), il est nommé maître des requêtes et commence une longue carrière d'administrateur, presque entièrement consacrée aux deux grandes intendances du Hainaut (1727-1733) et de Flandre (1743-1754). C'est dans ce dernier poste qu'il fait la pleine démonstration de sa capacité, attirant l'attention du roi. Intendant d'armée en même temps que de la province, il seconde efficacement Maurice de Saxe dans la préparation de la campagne de Flandre de 1745. Nommé le 30 juillet 1754 contrôleur général des Finances, il n'a pas le temps de donner sa mesure et doit démissionner le 24 avril 1756 pour raison de santé. Son gendre, Peyrenc de Moras, lui succède. Avec Machault et Rouillé, il avait fait partie du comité secret chargé en 1755 par le roi de poursuivre la négociation franco-autrichienne amorcée par Bernis. Il était membre honoraire de l'Académie des sciences.

MORELLET, André, abbé (Lyon, 7 mars 1727 - Paris, 12 janvier 1819). Littérateur « éclairé » et économiste, il est l'aîné des quatorze enfants d'un marchand papetier. Des bourses lui permettent de faire des études poussées. Après ses humanités au collège des jésuites de Lyon, il entre en 1741 au séminaire des Trente-Trois à Paris, et enfin est admis en 1748 comme pensionnaire de la maison et société de Sorbonne, où il pourra se préparer commodément à la licence de théologie. Le grade de la licence lui est conféré en 1751, celui du doctorat en 1752. Les cinq années passées en Sorbonne, sans aucun souci matériel, ont été un moment privilégié. Il a énormément lu. Il a découvert Spinoza, Locke et Bayle. Il s'est lié avec deux autres bacheliers en théologie, admis en Sorbonne en même temps que lui. L'un de ces bacheliers est Turgot, l'autre Loménie de Brienne. La conversion à la philosophie date de ces années-là. Conversion franche et totale. Le jeune abbé collabore à l'*Encyclopédie*, lui donnant les articles «Fatalité», «Figure» et «Fils de Dieu». Il milite. Lorsque Palissot fait représenter sa comédie satirique *Les Philosophes*, Morellet lui répond. C'est le pamphlet cruel intitulé *La Vision de Charles Palissot*. Voltaire ne parlera plus que de «l'abbé Mords-les». Ce coup d'essai vaut à son auteur deux mois de prison. Il a eu le tort d'égratigner au passage la princesse de Robecq, protectrice de Palissot. La Bastille avait sacré Voltaire et Diderot. Elle consacre Morellet. Tout le monde le fête. Tout le monde veut le recevoir. Cette faveur ne s'usera pas. Pendant près d'un demi-siècle l'abbé philosophe est de toutes les compagnies, de tous les salons. On le voit chez Mme Geoffrin, puis chez d'Holbach, ensuite chez Mme du Deffand, Julie de Lespinasse et Mme Necker. A l'exception de Fontenelle, aucun littérateur de ce siècle n'a été plus répandu que Morellet.

La théologie ne l'intéresse plus. Ses travaux, depuis 1760, portent sur les questions juridiques et économiques. Il est l'auteur de la première traduction française (1766) du *Traité des délits et des peines* de Beccaria. En économie, Turgot et lui suivent les thèses de Gournay, thèses libérales comme celles des physiocrates, mais différentes de la physiocratie par l'importance donnée à l'industrie. Les principaux écrits économiques de Morellet sont les *Lettres sur la liberté des grains* (1764) et le *Mémoire sur la situation actuelle de la Compagnie des Indes* (1769), concluant à la suppression de la Compagnie. Ce dernier ouvrage suscite une réplique très vive de Necker, défenseur des intérêts des actionnaires.

L'abbé est un théoricien engagé. Il est même d'une certaine manière un homme politique. Depuis 1769, les gouvernements successifs le consultent et parfois l'emploient. Le *Mémoire sur la Compa-* *gnie des Indes* est écrit à la demande du contrôleur général Maynon d'Invault. Lorsque Turgot arrive au pouvoir, il s'empresse de placer ses amis. Morellet est nommé attaché au Bureau des dépêches, avec un traitement sur la Caisse du commerce. Ami du ministre anglais lord Shelburne, il participe de manière officieuse à la négociation du traité de paix mettant fin à la guerre d'Amérique. Enfin, pendant toute la durée du ministère de son ami Loménie de Brienne, il va être le conseiller le plus intime et le plus écouté de l'archevêque ministre. Lors de la réforme judiciaire de mai 1788, il figure parmi les publicistes engagés par le ministère pour la défense de sa politique. Il est partisan d'une révolution royale et d'un despotisme éclairé. On peut certes le compter en 1788 parmi les membres du parti national, mais, de tous les clubs de ce parti, celui qu'il réunit chez lui tous les dimanches passe pour le plus modéré, ou, si l'on préfère, le moins démocratique. Élu en 1785 à l'Académie française, il s'efforce en 1793 d'empêcher la suppression de cette compagnie. Il réussit au moins à sauver les archives en les cachant dans sa maison. La Terreur l'épargne. Le Consulat et l'Empire sont les régimes de ses vœux. Membre depuis 1803 de la nouvelle Académie, depuis 1807 du Corps législatif, recevant une rente confortable de l'État, il coule une vieillesse heureuse, achevant la rédaction de ses *Mélanges de littérature et de philosophie* et de ses *Mémoires sur le dix-huitième siècle et la Révolution*, source précieuse pour notre connaissance du mouvement philosophique.

MORELLY. Le nom de Morelly, auteur du *Code de la Nature*, est toujours cité dans la liste des principaux philosophes des Lumières. Mais on ne sait rien de sa vie. Selon certains auteurs, il aurait été régent ou précepteur à Vitry-le-François, mais il n'existait à cette époque dans cette ville ni régent, ni précepteur de ce nom. D'aucuns y voient donc un nom d'emprunt. Morelly serait Toussaint selon les uns, Diderot selon les autres. Plusieurs chercheurs ont tenté de percer le mystère Morelly. Guy Antonetti est à notre connaissance le dernier en date. Pour lui, ce personnage a bel et bien existé. Il a reconstitué la généalogie de sa famille : le père du littérateur serait Gabriel Morelly (1687-1764), employé dans les fermes du roi, lui-même fils de Jean-Jacques Morelly, contrôleur au grenier à sel d'Avignon. Étienne-Gabriel, le littérateur, « serait né probablement en 1717 ». Protégé par Helvétius et par Dumarsais, qui l'auraient connu lors d'inspections en Champagne, il aurait été introduit par eux dans l'entourage du prince de Conti, dont il serait devenu le familier et l'interprète de la pensée. Séduisante reconstitution et des plus vraisemblables, mais qui ne règle pas le problème, car l'existence d'Étienne-Gabriel n'est toujours pas prouvée : non seulement son acte de baptême n'a toujours pas été retrouvé, mais encore il n'apparaît dans aucun écrit du temps comme un personnage réel que l'on a vu et rencontré.

Quoi qu'il en soit, six ouvrages sont signés de son nom : *Essai sur l'esprit humain* (1743), *Essai sur le cœur humain. Physique de la beauté* (1748), *Un prince, les délices du cœur* (1751), *La Basiliade* (1753), poème épique, et le *Code de la Nature* (1755).

Le système du *Code de la Nature* peut être subdivisé en cinq théories distinctes et complémentaires : l'homme, la sociabilité, la bienfaisance, la paresse et le travail, le rôle de la morale et de la politique. L'homme est un être de besoin. La satisfaction de ses besoins a pour effet de développer sa raison et de faire naître chez lui l'idée de bienfaisance. Toute sa liberté consiste à « jouir sans obstacle et sans crainte de tout ce qui peut satisfaire ses appétits naturels ». Sa sociabilité est l'œuvre de la Nature et ses besoins ne se contredisent pas, mais se complètent. L'amour de lui-même est le principe de sa bienfaisance : « C'est le sentiment de l'amour de nous-mêmes, impuissants, sans secours, qui nous met dans l'heureuse nécessité d'être bienfaisants. » L'oisiveté est le mal suprême ; elle n'est pas

naturelle à l'homme, qui est actif par nature, et vient de la propriété. La morale et la politique n'ont d'autre fin que de rendre l'homme à lui-même en supprimant la propriété. Dans la cité idéale, dont Morelly dresse la constitution, le travail manuel sera obligatoire. Tous les citoyens seront employés de vingt à vingt-cinq ans dans l'agriculture. Le mariage aussi sera obligatoire, mais les enfants seront élevés par l'État. Cependant, il ne faut pas réduire Morelly à son utopie communiste. Il y a bien plus que cela dans le *Code de la Nature*. Sa théorie de l'amour de soi, principe de bienfaisance, établit les fondements de l'individualisme moderne.

MORPHISE, Marie Louise O'Murphy, dite **Morphise** (1737- ?). Elle est celle des « petites maîtresses » royales dont le nom est le plus connu (avec celui de Mlle de Romans). Elle avait servi à Boucher de modèle. Lorsque Louis XV en fait sa maîtresse, elle n'a pas encore dix-sept ans. Il se prend pour elle d'un goût très fort. Elle a de lui une fille, nommée Agathe-Louise, née à Paris le 20 juin 1754. Après cette naissance, la faveur dont elle jouit ne décline pas. Elle revient à Versailles et retrouve son logement au château. Mme de Pompadour s'inquiète. Alors on se débarrasse de la jeune personne en la mariant d'autorité à un capitaine d'infanterie, M. de Beaufranchet d'Ayat. Le contrat est signé le 25 novembre 1755. Le roi donne à la mariée 200 000 livres de dot. Le mari sera tué à Rossbach, laissant deux enfants, le second posthume et parrainé par Louis XV.

MORT. La mort n'est pas beaucoup moins présente qu'au siècle précédent. Certes, les grandes famines disparaissent, les épidémies se font moins meurtrières, et, après avoir dévasté Marseille et la Provence de 1720 à 1723, la peste ne reparaît plus. On peut observer enfin que la mortalité a tendance à diminuer. Mais la mort est toujours grande faucheuse de femmes en couches et de jeunes vies. La moitié des enfants continuent à mourir avant l'âge de vingt ans. De sorte qu'on voit dans une vie beaucoup de gens mourir : «Que de morts accumulées dans la mémoire d'un homme adulte!» (R. Favre, *La Mort dans la littérature et la pensée françaises au siècle des Lumières*, Lyon, 1978). La mort est aussi très présente à ceux qui meurent : on se sent, on se voit mourir. Grâce aux mémoires du temps, aux livres de raison et aux nécrologes des congrégations religieuses, nous avons un bon nombre de relations des derniers instants; on est frappé du grand nombre des mourants qui meurent avec toute leur tête, «malades de corps», disent les testaments, «mais sains d'esprit».

La mort est toujours montrée, exposée. Le roi meurt publiquement. Les condamnés à mort sont exécutés publiquement. Et chacun de ceux qui meurent a fortement à cœur de mourir devant les siens. S'il est père de famille, il fait venir ses enfants, leur parle et les bénit. Ce n'est pas une image d'Épinal, ce n'est pas une fiction, c'est la réalité. C'est ainsi que dans leur plus jeune âge les enfants deviennent familiers de la mort.

Avec le ciel et l'enfer, la mort fait partie des trois «fins dernières». Il faut donc s'y préparer. La bibliothèque de dévotion continue à faire une grande place aux exercices de préparation. Chaque manuel de piété offre le sien. Tous les exercices distinguent la préparation «générale» qui est une «sainte vie», et la préparation «particulière» qui peut se faire de deux manières différentes, soit par une retraite annuelle dans un couvent, soit par une journée consacrée tout entière à l'évocation de la mort et employée ainsi : après l'examen de conscience, la confession et la communion, ensuite on récite les prières des agonisants. Le principe est de se «disposer à l'éternité».

Les philosophes des Lumières voudraient bien supprimer la crainte de la mort. «Cet ennemi n'est rien», écrit le chevalier de Jaucourt (article «Mort» de l'*Encyclopédie*). D'Holbach indique la recette; si l'on veut ne plus craindre, on remplacera l'«image» par l'«idée»,

l'image terrible par l'idée de l'anéantissement dans l'univers. Car la mort n'est pour cet auteur et pour tous les disciples d'Épicure, ses pareils, que le retour à la mère nature. Boulanger écrit ces vers :

Crois moi. Rien ne périt dans ce vaste
[univers,
Rien ne s'anéantit, tout se survit, tout
[change.

et d'Holbach annonce :

«La mort sera pour toi la porte d'une existence nouvelle dans un ordre nouveau.» Quelle existence nouvelle? Certains philosophes n'excluent pas la possibilité de la métempsycose : «... cette hypothèse, écrit Delisle de Sales, satisfait à tout».

Malheureusement la crainte persiste. Et même, dans un sens, elle est plus forte qu'elle ne l'était. Alors ayant très peur de la mort le siècle s'acharne à la faire reculer. C'est pour cela qu'il invente l'hygiène, combat la «corruption de l'air», éloigne les cimetières du séjour des vivants et interdit les inhumations dans les églises. Quand il glorifie les vieillards et loue les centenaires, il s'imagine avoir vaincu la mort.

Apparente victoire. La prétendue vaincue va revenir en force. La Terreur sera son nouveau visage, et le siècle qui avait décrété la mort de la mort finira dans d'abominables massacres.

MORTALITÉ. La mortalité ne descend que rarement au dessous de 33 ‰.

Il n'y a pas au cours du siècle de baisse sensible de la mortalité infantile, dont le taux se maintient partout jusqu'à la veille de la Révolution aux alentours de 260 ‰.

En revanche, on observe une baisse notable de la mortalité des adultes, dont l'espérance de vie augmente. Pour le sexe féminin, l'espérance de vie au cinquième anniversaire passe de 41,2 ans (1740-1749) à 44,3 (1780-1789). Le fait que le *Mercure de France*, à partir de 1773, tienne une rubrique des décès de centenaires signifie probablement une banalisation de ce type de record.

La baisse de la mortalité est la principale cause de la croissance démographique.

MORT CIVILE. Il existe deux sortes de morts civiles, l'une pour cause de condamnation, l'autre pour cause de vœux de religion.

La première est la punition d'un crime : « ... lorsqu'un homme a commis quelque crime qui mérite que la société le retranche de son sein, la condamnation portée contre lui le prive non seulement du droit de cité, mais même de la vie civile [...]. On mérite d'être réduit à ce triste état quand, loin d'exécuter le contrat par lequel on est lié à la société, on en trouble l'ordre et l'harmonie par des crimes contraires au bien des citoyens » (François Richer, *Traité de la mort civile*, Paris, 1755).

La mort civile comporte ici la perte de la puissance maritale, de la puissance paternelle, de la noblesse et de l'office. Elle peut cesser par grâce du prince ou par révision du procès de réhabilitation.

La mort civile résultant des vœux ne comporte pas d'effets infamants. Simplement, les religieux ayant fait des vœux ne peuvent ester en justice, ni tester, ni succéder, ni posséder. Dans cette société encore chrétienne, la promesse faite à Dieu marque de son sceau celui qui la prononce et, lui imprimant un caractère particulier, le retranche de la société civile.

Il faut préciser que seuls les vœux solennels (par exemple ceux des moines) entraînent la mort civile. Les vœux dits « simples », c'est-à-dire prononcés sans solennité, ne l'entraînent pas, tout au moins complètement. Par exemple, les pères de la Doctrine chrétienne, clercs séculiers à vœux simples, se trouvent exclus de toutes successions directes ou collatérales (lettres patentes de 1726), mais ils peuvent ester en justice, disposer de leurs biens et tester.

MOTET (grand). On appelle grand motet « toute pièce de musique composée sur le texte latin des Psaumes, du *Te Deum* ou du *Magnificat*, faisant appel au grand

orchestre, au chœur et à un ensemble de solistes » (Jean Mongrédien dans *Catalogue thématique des sources du grand motet français [1663-1792]*, Munich, 1984). Ces pièces portent pour titres les *incipit* des Psaumes. Elles sont destinées à être exécutées lors de la messe du roi dans la chapelle de Versailles pendant toute la partie de la messe précédant l'élévation.

Le genre avait pris naissance au début du gouvernement personnel de Louis XIV et se trouvait parfaitement constitué dès les dernières années du XVIIᵉ siècle. Les plus grands maîtres s'y adonnent et lui confèrent ses lettres de noblesse. Ce sont, après Marc Antoine Charpentier, Michel Richard Delalande, Henri Desmarest, André Campra et Jean-Philippe Rameau.

Uniquement versaillais à son origine, le grand motet atteint au XVIIIᵉ siècle un public de plus en plus large. Le Concert spirituel l'ayant inscrit à son répertoire, il se transforme insensiblement et finit par devenir un genre « mi-liturgique, mi-concertant » (J. Mongrédien).

Vers 1750 le genre s'essouffle ; il faut pour maintenir son succès les artifices et la virtuosité d'un Mondonville. L'inspiration d'un François Giroust, compositeur de la Chapelle, ne suffit pas à le ranimer. La fermeture de la Chapelle, le 10 août 1792, entraîne sa disparition.

MOUCHY, Philippe de Noailles, duc de (Paris, 1715 - *id.*, 1794). Gouverneur des châteaux de Versailles et de Marly, maréchal de France, il est le fils cadet du duc Adrien Maurice de Noailles, ministre d'État. Il commence sa carrière militaire à quatorze ans chez les mousquetaires, fait ses premières armes à seize ans au siège de Kehl, et participe à toutes les campagnes des trois guerres du règne de Louis XV. Sa bravoure et son sang-froid se manifestent plus particulièrement dans trois batailles : à Hickelsberg, en Bavière, où il empêche la déroute (1742), à Dettingen, où il a deux chevaux tués sous lui (1743) et à Fontenoy où, à la tête d'une brigade de cavalerie, il charge la colonne anglaise. Il se retire du service en 1759, et est nommé maréchal de France le 24 mai 1775, sans avoir jamais exercé le commandement d'une armée entière dans une affaire importante. Sa fin est aussi courageuse que sa vie. Englobé dans la pseudo-conspiration des prisons, condamné à mort avec sa femme par le Tribunal révolutionnaire le 27 juin 1794, il quitta la prison du Luxembourg pour celle de la Conciergerie. Quelqu'un cria : « Courage, monsieur le maréchal. » Il fit cette réponse · « A quinze ans j'ai monté à l'assaut pour mon roi ; à près de quatre-vingts je monterai à l'échafaud pour mon Dieu » (cité par Jacques Hérissey, *Les Aumôniers de la guillotine*, Paris, 1954, p. 96).

MOUHY, Charles de Fieux, chevalier de (Metz, 1701 - Paris, 1784). Écrivain, il tenta, mais sans succès, d'imiter Marivaux et l'abbé Prévost. Il fabriqua des romans : *La Paysanne parvenue* (1735), *Mémoires d'une fille de qualité* (1747), *Les Mille et Une Faveurs* (1748) et *Les Délices du sentiment* (1753). Le genre en est libertin et la lecture aujourd'hui bien difficile.

MOŸE, Jean Martin (Cutting, diocèse de Metz, 27 janvier 1730 - Trèves, 4 mai 1793). Le bienheureux Jean Martin est l'un des treize enfants d'un cultivateur et maître de poste lorrain. Il fait ses études chez les jésuites de Strasbourg et de Pont-à-Mousson, entre au séminaire de Metz et est ordonné prêtre en 1754. Après plusieurs années de ministère paroissial comme vicaire (à Saint-Victor de Metz, Saint-Dizier, Sainte-Croix de Metz et Dieuze), il décide de se vouer aux missions lointaines, et se fait admettre en 1769 au séminaire des missions étrangères à Paris. Il passe en Chine plus de dix ans (1772-1783), puis revient en Lorraine où il se consacre aux missions intérieures. Il émigre en 1791 et meurt en exil. Trois grandes œuvres ont compté dans sa vie. La première est celle de la congrégation des sœurs de la Providence de Portieux, institut fondé par lui en 1762 et destiné à l'éducation des petites filles des campagnes. La deuxième est la mission de Chine. Il évangélise le district de Su-Tchuen. Le ministère qui lui tient le plus à cœur est celui du baptême des enfants chinois. Il fonde l'Œuvre du baptême des enfants pour le temps de la famine et de la peste. Son troisième et dernier apostolat est celui des missions des campagnes lorraines à la fin de sa vie. Les persécutions ne lui ont pas manqué. Comme il avait guéri à Dieuze en 1767, d'une manière miraculeuse, un enfant tombé dans le feu, ses ennemis s'emparèrent du récit de ce miracle et le commentèrent de façon à faire croire qu'il se prenait pour un thaumaturge. Ils agirent si bien qu'ils le poursuivirent jusqu'au tribunal de l'évêque. Le mardi saint de 1768, ses pouvoirs lui furent retirés pour la ville de Dieuze. En Chine, il fut arrêté en 1774 et mis à la torture. A la foule accourue à la prison pour le voir, il prêchait l'Évangile. Sa spiritualité est simple. Elle n'est rien d'autre que celle de la Croix. « Chaque semaine, raconte l'abbé Marchal, l'un des ses premiers biographes, du jeudi soir au vendredi trois heures de l'après-midi, il était tellement absorbé par la contemplation des souffrances du Sauveur qu'il devenait comme étranger à toute autre chose » (*Vie de M. l'abbé Moÿe... par M. l'abbé Y. Marchal*, Paris, 1872). Adorateur de la Croix il en est aussi l'adepte. Il multiplie les mortifications les plus effrayantes, ne se chauffe jamais, porte exprès des chaussures percées de clous dont les saillies lui déchirent les pieds. Comme Benoît Labre, son contemporain, il semble avoir eu la prescience de la persécution révolutionnaire. En 1780, le mercredi de Pâques, il eut un songe. Il vit le Christ revêtu des habits sacerdotaux, le visage amaigri et ruisselant de sueur. Il aurait eu également le don de prophétie. En 1774, par exemple, il annonça que les jésuites seraient rétablis. L'Église l'a béatifié en 1954.

MULOTINS. Les Mulotins ou Montfortains sont une communauté de prêtres fondée par le P. Grignion de Montfort (1673-1716) pour le ministère des missions paroissiales. On les appelle aussi prêtres de la communauté du Saint-Esprit, ou les «messieurs prêtres de Saint-Laurent-sur-Sèvre» à cause de leur résidence dans cette bourgade poitevine qui abrite aussi le tombeau de leur fondateur. L'appellation de «mulotins» vient du P. Mulot, premier supérieur après le P. de Montfort. Les lettres patentes d'approbation datent seulement de 1773. Elles spécifient que la communauté ne devra pas dépasser le chiffre de douze membres.

Les mulotins prêchent des missions en Poitou, Anjou et Saintonge, et dans les pays nantais et vannetais. Ces missions sont très spectaculaires. Elles comportent toujours deux ou trois processions, dont une du Saint-Sacrement, une cérémonie de rénovation des vœux du baptême et une autre cérémonie de l'amende honorable. A l'exemple de leur fondateur, les mulotins recommandent la dévotion mariale. Ils répandent la pratique du chapelet et fondent des confréries du Rosaire.

Ils entretiennent avec Rome des liens particuliers. Un bref de Benoît XIII du 20 octobre 1728 leur accorde, entre autres privilèges, celui de pouvoir «donner la bénédiction du pape ou l'indulgence plénière aux agonisants». Trois prêtres de la congrégation sont reçus très chaleureusement par Benoît XIII le 27 septembre 1748.

Jansénistes et philosophes se réunissent pour vitupérer contre les mulotins et tenter de contrecarrer leurs missions. Dans les villes de l'Ouest, les notables éclairés et les officiers royaux rivalisent de mauvaise volonté à l'égard des missionnaires. Ceux-ci n'en poursuivent pas moins leur œuvre d'évangélisation. Le pays qu'ils ont christianisé est celui-là même qui se soulèvera contre la persécution révolutionnaire. La carte de leurs missions fait apparaître qu'un grand nombre de paroisses angevines et vendéennes insurgées au printemps 1793 ont reçu au moins une fois la visite des messieurs prêtres de Saint-Laurent-sur-Sèvre.

MUSIQUE. L'histoire de la musique française au XVIIIe siècle se divise en trois périodes correspondant à trois générations successives de musiciens. La première génération est celle dominée par les noms de Michel Richard Delalande (mort en 1726) et de François Couperin (mort en 1733) Les deux grands génies de la deuxième sont Jean-Philippe Rameau et Jean-Marie Leclair, disparus l'un et l'autre en 1764. La troisième est celle de Grétry et de Gossec, ces deux musiciens ayant survécu à l'Ancien Régime et continué leur carrière sous la Révolution.

Pendant la première période, c'est encore Versailles qui dirige et domine la création musicale. Couperin, Delalande et les continuateurs de ce dernier, Bernier et Campra, font tous leur carrière dans la Musique du roi. La manière est la manière classique et louis-quatorzienne : Delalande travaille dans le même style que Lully, Du Mont et Charpentier. Couperin cultive aussi le goût classique : son idéal est de réaliser la fusion de la manière italienne et de l'art français.

Dès le début de la deuxième période, la Cour cesse d'être le foyer unique de la musique. Rameau et Leclair composent souvent pour la Cour, mais ni l'un ni l'autre ne font une carrière de cour. La musique se privatise et se parisianise. En 1725, Anne Danican Philidor fonde le Concert spirituel au château des Tuileries. De riches amateurs, dont La Poupelinière et le duc de Gramont, se constituent des orchestres. Mais ces changements d'organisation ne modifient pas l'inspiration, qui demeure française, classique et raisonnable. «La musique de raison, écrit L. Laloy, doit à Rameau son achèvement» (cité par N. Dufourcq, *La Musique française*, Paris, Picard, 1970). Norbert Dufourcq voit dans cette période «l'une des plus brillantes de la musique française» (*ibid.*).

La troisième période est marquée par l'irruption des étrangers. Des musiciens d'autres pays en grand nombre, surtout des Italiens et des Allemands, colonisent la musique française. Duni, Piccinni et Viotti sont les principaux Italiens. L'allemand Gluck s'installe à Paris en 1774 ; Telemann et Mozart voyagent en France.

Grétry est liégeois. Un autre événement marquant de cette période est le dépérissement de la musique religieuse, encore si vivante jusqu'au milieu du siècle. En revanche, les genres dramatiques (l'opéra et l'opéra-comique) n'ont jamais connu un pareil succès. Enfin, et c'est le plus important, l'inspiration se porte vers le sentiment et rompt avec la tradition française de la musique raisonnable. La musique de Gluck est bien représentative de cette période : c'est un art qui émeut, qui touche, mais qui ne s'élève pas au pathétique ; c'est de la musique sensualiste.

On assiste tout au long du siècle au renouvellement des instruments. Couperin était le grand maître de l'orgue ; lorsqu'il disparaît, la musique d'orgue commence à végéter. Mais Couperin était aussi le virtuose, le magicien du clavecin, dont il définissait la théorie dans son *Art de toucher le clavecin* (1717). Après 1760, le clavecin cède progressivement la place au piano-forte. L'art du violon bénéficie de l'extraordinaire talent de Jean-Marie Leclair, virtuose de l'archet, mais aussi compositeur fécond, auteur de dix-neuf sonates pour violon seul et basse continue et de douze concertos de violon. Le violoncelle n'apparaît qu'assez tard comme instrument solo. C'est en 1739 que Bertault de Valenciennes, violoncelliste virtuose, se fait entendre à Paris pour la première fois. La flûte traversière remplace le flageolet dès 1720. La clarinette (venue d'Allemagne) est utilisée pour la première fois en 1749 par Rameau dans *Zoroastre*. Le cor — que l'on trouvait grossier — reçoit droit de cité grâce à Naudot qui transcrit en 1742 vingt-cinq menuets pour deux cors de chasse, trompette, flûte traversière, hautbois et violon.

Si l'on considère enfin les genres, il faut dire que la musique religieuse, avant de dépérir, a connu au début du règne de Louis XV une très belle renaissance. Le genre du grand motet, cantate chantée pendant la messe du roi avec accompagnement d'orchestre et de chœurs, est brillamment illustré par Delalande, Bernier, Campra et — d'une façon plus maniérée — par Mondonville. La musique de théâtre n'a jamais été aussi florissante en France : le talent de Rameau renouvelle l'opéra et fixe les règles de la tragédie musicale. Le genre mineur, mais plaisant de l'opéra-comique est porté à sa perfection par Philidor, Monsigny et Grétry. Enfin la musique instrumentale se développe ; la symphonie naît de la sonate à trois. A partir de 1760, Gossec, s'inspirant de Haydn, jette les bases de la symphonie classique française.

N

NAIGEON, Jacques André (Paris, 1738 - *id.*, 28 février 1810). Collaborateur du baron d'Holbach et éditeur de livres clandestins, il est issu d'une famille de peintres et a lui-même peint dans sa jeunesse. C'est Damilaville qui le fait connaître à Diderot, qui le présente à d'Holbach. De 1765 à la mort de d'Holbach en janvier 1789, c'est-à-dire pendant vingt-quatre ans, il habite chez le baron, dirigeant son officine de livres clandestins. C'est lui qui prépare les textes, les annote et en rédige les avertissements. Ensuite, il les fait copier par son frère cadet. Ce dernier, contrôleur des vivres à Sedan, vient tous les six mois à Paris, fait son travail de copiste et repart à Sedan, d'où il fait passer les manuscrits à Liège et de là à Amsterdam. A la mort de d'Holbach, Naigeon publie son éloge funèbre dans le *Journal de Paris* (9 février 1789). « J'ai vécu, dit-il, avec lui dans la confiance et l'amitié de l'intimité la plus tendre. » On a cependant l'impression que Naigeon était plus proche de Diderot que de d'Holbach. Il apparaît en 1766 pour la première fois dans la correspondance du maître d'œuvre de l'*Encyclopédie*. En 1773, au moment de partir pour Saint-Pétersbourg, Diderot confie à Naigeon ses intérêts littéraires. A sa mort, il lui laissera tous ses papiers.

Naigeon semble avoir peu écrit lui-même. La *Biographie générale* de Hoefer lui attribue *Le Militaire philosophe*, célèbre pamphlet antichrétien publié en 1768. Il est certain qu'il fut l'éditeur de cet ouvrage et qu'il en rédigea même l'avertissement. Il n'est pas du tout prouvé qu'il en soit l'auteur. P. Naville lui attribue l'article « Unitaires » de l'*Encyclopédie*. J. Lough ne mentionne pas cette contribution. Naigeon a surtout été l'éditeur des livres des autres. Il a publié, pour le compte de l'officine d'Holbach, nombre de pamphlets matérialistes rédigés à la fin du règne de Louis XIV par les libertins du cercle de Boulainvilliers. Ce furent en particulier *Le Militaire philosophe, Le Testament du curé Meslier*, et *Israël vengé* d'Isaac Orobio. Naigeon sera également l'éditeur, en 1798, de la première édition des œuvres complètes de Diderot.

Il faut cependant lui reconnaître la qualité d'auteur. Il est en effet l'auteur des trois volumes de l'*Encyclopédie méthodique* consacrés à la philosophie ancienne et moderne, et d'une biographie de Diderot publiée en 1821.

Il apparaît comme une sorte d'éminence grise de la philosophie. On aimerait en savoir davantage sur lui. Un des ouvrages qu'on lui attribue, la *Théologie portative*, témoigne d'un matérialisme grossier. Par exemple, il qualifie l'âme de « substance inconnue, qui agit d'une façon inconnue sur notre corps ». Mais cette *Théologie* est-elle de lui ? On est seulement certain qu'il était passionné par les philosophes de l'Antiquité tardive. C'est lui qui achèvera la traduction de Sénèque commencée par La Grange et publiée en 1778-1779 avec un *Essai sur la vie de Sénèque* de Diderot. Il fera aussi pour d'Holbach une édition de Lucrèce. L'homme était discret, effacé, austère. On ne le voyait pas dans les salons. Il a peut-être plus d'importance qu'on ne le dit généralement.

En 1795, il est nommé au nouvel Institut. Son maître d'Holbach ne lui avait sans doute pas laissé beaucoup d'argent. Il mourut pauvre, ayant vendu sa bibliothèque pour payer son médecin.

NAISSANCES (limitation des). L'usage des pratiques contraceptives est aussi ancien que l'humanité. On pratiquait surtout le *coïtus interruptus*, mais le condom en peau était connu depuis l'Antiquité. Dans son *De morbis venereis* (1736), Jean Astruc en attribue la paternité aux Anglais. D'où l'expression « capote anglaise ».

Toutefois, ces différents procédés n'étaient que très rarement utilisés dans le mariage, où la limitation des naissances demeurait exceptionnelle. Les époux observaient l'enseignement de l'Église ; ils savaient que la procréation est la fin première du mariage chrétien. La seule forme de limitation était le mariage tardif des filles. En 1789, l'âge moyen de la femme au mariage était de vingt-six ans et demi.

L'apparition du malthusianisme représente donc dans l'histoire des mœurs une très grande révolution. Cette apparition se produit en France un peu avant le milieu du siècle. Il n'y a pas lieu d'en douter ; tous les indices convergent : baisse du nombre d'enfants par familles complètes, décroissance du taux de fécondité légitime après trente ans et augmentation considérable des intervalles intergénésiques à partir du second enfant. Nous voyons aussi l'Église manifester ouvertement sa réprobation : jusque vers 1730, les prédicateurs et les auteurs des traités de morale ne mentionnaient que pour mémoire les pratiques contraceptives. Ils en parlent maintenant avec beaucoup plus d'insistance et les dénoncent avec vigueur. Ils s'en prennent surtout à l'onanisme, et leurs propos laissent entendre que ce péché est souvent commis. Toutefois, plusieurs « cas de conscience » proposés aux clercs dans les *Conférences ecclésiastiques* indiquent la répugnance de certaines épouses à accepter le *coïtus interruptus*.

Comment expliquer cette apparition du malthusianisme ? On a parlé d'« adaptation à une société en pleine mutation ». Peut-être. Mais il ne faudrait pas oublier que cette adaptation implique l'oubli du véritable sens du mariage chrétien. Or cet oubli signifie à n'en pas douter un commencement de déchristianisation. Et la déchristianisation va de pair avec la déshumanisation. La limitation des naissances n'est qu'un phénomène parmi d'autres qui sont les abandons d'enfants et la pratique généralisée de la mise en nourrice, et qui tous indiquent l'oubli de la dignité de l'homme. Un peuple qui abandonnait ses enfants nouveaux-nés ne pouvait pas ne pas être conduit à la limitation des naissances.

NANCY. Nancy a d'abord été la capitale politique du duché de Lorraine. La mort du roi Stanislas (1766) la ramène au rang de capitale provinciale. Elle est siège d'une cour souveraine, résidence d'un intendant depuis 1737, évêché depuis 1747, date de la création du diocèse de Nancy. Les fondations successives de la bibliothèque publique (1750), de la Société royale des sciences et belles-lettres (1751), du collège de médecine (1752) et le transfert de l'université de Pont-à-Mousson (1769) font de cette ville une capitale intellectuelle.

Cependant, la principale raison de la croissance de Nancy (de 20 000 à 30 000 habitants en 1789) est très probablement le développement de l'industrie lainière. A trois grandes manufactures de drap, dont le chancelier La Galaizière a favorisé l'installation, s'ajoutent de nombreuses petites fabriques.

Le mécénat ducal, celui du duc Léopold, puis celui du roi Stanislas, ont permis de nombreux aménagements et constructions. Sous Léopold ont été construites l'église Saint-Sébastien et la Primatiale ; sous Stanislas, l'hôtel des Missions royales, la nouvelle église de Bon-Secours, la place d'Alliance (1756) et la place Royale (actuelle place Stanislas). La place de la Carrière est embellie par le nouvel hôtel de l'intendance. Nulle ville ne témoigne mieux de l'art de ce siècle d'orner le décor de la vie publique. De la place Royale, René Taveneaux a écrit : « Cet ensemble monumental si heureusement équilibré acquiert avec les grilles, les portiques et les balcons de Jean Lamour un surcroît de grâce et de géniale fantaisie » (*Nancy*, Colmar, 1971).

La pauvreté des classes populaires est l'envers de ce beau décor. Les ouvriers « des manufactures, privés de toute protection corporative, sont rivés à un niveau de vie d'une misérable uniformité » (*Histoire de Nancy*, sous la direction de René Taveneaux, Toulouse, 1978, p. 280). Le roi Stanislas avait fait des fondations charitables et réussi à atténuer cette misère. Après sa mort, ses fondations déclinent, et l'administration royale, imprégnée de l'esprit égoïste et utilitaire des Lumières, se montre indifférente au drame de la pauvreté. Il n'est donc pas étonnant que le mécontentement populaire ait parfois (comme en 1771) dégénéré en révolte.

NANTES. Nantes est l'une des plus grandes villes du royaume, et c'est avec Bordeaux la cité la plus marquée par l'esprit des Lumières.

Capitale du comté nantais, siège d'un évêché, d'une chambre des comptes, d'un présidial, d'un hôtel des monnaies, d'une chambre de commerce et d'un bureau d'agriculture, Nantes est ville d'autorité. Cependant, le gouverneur et l'intendant de Bretagne ainsi que le parlement se trouvent à Rennes.

La municipalité est une institution très souple, pouvant, selon les affaires à traiter, prendre les formes les plus diverses, depuis l'assemblée générale des habitants jusqu'à des formations très restreintes comme le « bureau servant » (Guy Saupin, *La Vie municipale à Nantes sous l'Ancien Régime*, thèse dactylographiée, Nantes, 1983).

La population double en un siècle, passant de 40 000 habitants en 1700 à 90 000 en 1790, chiffre qui en fait la cinquième ville du royaume. Principale cause de cet accroissement, l'immigration est non seulement locale, mais régionale.

Nantes est le deuxième port de commerce français (après Bordeaux). La croissance de son commerce international est très forte : en valeur, le trafic passe de 29 millions de livres en 1720 à 65 millions en 1780. La traite des Noirs en forme l'élément essentiel. Avec mille quatre cent vingt-sept expéditions négrières de 1715 à 1789, Nantes est le premier port négrier français. Il est vrai que la ville n'a jamais consacré à ce trafic des esclaves plus du cinquième de son armement, et si tous les armateurs ont fait de la traite, il n'y en a eu aucun qui n'ait fait que cela. Mais la traite conditionne tout le commerce à cause de ses profits considérables.

L'industrie nantaise dépend elle aussi de la traite. Elle fabrique des chaussures, des chapeaux, des sabres, des toiles, tous produits destinés au troc sur les côtes de l'Afrique. La grande manufacture d'indiennes, fondée en 1759 par Langevin, fournit la côte de Guinée, mais aussi le marché créole des Antilles.

Poursuivie pendant toute la durée du siècle, une grande campagne de constructions renouvelle complètement le visage de la ville. Cette transformation s'accomplit en trois étapes. Le lotissement de l'île Feydeau, la plantation du cours Saint-Pierre sur les anciens remparts, la construction des nouveaux ponts et celle de la Bourse constituent la première de ces étapes (entre 1720 et 1736). L'aménagement par Ceineray de la place terminant le cours Saint-Pierre (actuelle place Louis XVI) et les débuts de la construction de la chambre des comptes (actuelle préfecture) forment la deuxième. La troisième étape est celle de l'expansion de la ville vers l'ouest, avec les capitaux et selon le projet de Graslin, receveur général des fermes : tout un nouveau quartier est construit entre 1779 et 1787 par les architectes Ceineray et Crucy. Son plan est radioconcentrique, les rues rayonnant d'une place centrale, où Crucy édifie le nouveau théâtre (appelé aujourd'hui théâtre Graslin). Cette dernière époque est celle du décor géométrique et de l'uniformité. L'historien d'art Pierre Lelièvre a justement reproché au quartier Graslin un « certain manque d'ampleur » (*L'Urbanisme et l'architecture à Nantes au XVIIIᵉ siècle*, thèse, Nantes, 1942). Nantes ne vaut pas Bordeaux.

Les négociants armateurs (au nombre de deux cent trente en 1725 et de quatre cents en 1790) dominent la société nantaise. Les familles les plus puissantes s'appellent Montaudoin, Bouteiller, Walsh, Mac Namara et Clark, ces trois dernières étant d'origine irlandaise. Les profits de la traite ont considérablement enrichi ces familles : la plupart ont multiplié leur patrimoine par six.

A l'autre extrémité de l'échelle sociale, on trouve une population flottante d'immigrés habitant surtout les faubourgs (La Fosse, le Marcix, Saint-Clément et les Ponts), monde misérable et marginal par ses mœurs. Domestiques, lingères, tailleuses, laveuses, les filles célibataires y sont nombreuses. Le concubinage précaire est la norme de ce milieu ; les naissances illégitimes y sont fréquentes.

L'université de Nantes a été démembrée par le transfert à Rennes en 1735 des facultés de droit. La ville n'a pas d'académie, mais les loges maçonniques y prolifèrent. Le collège de l'Oratoire et la communauté missionnaire de Saint-Clément ont fait prévaloir pendant longtemps l'influence quesnelliste. Mais cette influence est contrebattue par la Visitation-Sainte-Marie. Ce monastère est un vivant foyer de dévotion au Sacré-Cœur.

NATALITÉ. Les taux montrent que la natalité n'augmente pas au cours du siècle et qu'elle ne diminue pas non plus de manière sensible. Voici quelques-uns de ces taux : 39,9 ‰ en 1715 ; 41 ‰ en 1755-1759 ; 37,2 ‰ en 1770-1774 ; 38,8 % à la veille de la Révolution (Dupâquier).

La natalité n'est donc pas à l'origine de la croissance démographique de la France au XVIIIᵉ siècle.

L'apparition après 1750, dans certains milieux sociaux et dans certaines régions (comme la Normandie), d'une mentalité malthusienne n'a pas de conséquences sensibles sur le taux de natalité moyen de l'ensemble du royaume.

NATOIRE, Charles (Nîmes, 1700 - Castelgandolfo, 1777). Peintre, il est admis très jeune (à vingt et un ans) à l'Académie. Directeur de l'Académie de France à Rome de 1751 à 1774, il jouira pendant cette période d'une grande autorité. Fortement marqué par François Le Moyne dont il a été l'élève, il cherche à exprimer dans sa peinture, comme l'avait fait son maître, la joie de vivre et le goût de plaire. Se peinture religieuse est toute profane (voir par exemple sa décoration de la chapelle des Enfants-Trouvés de Paris), sa peinture mythologique est gracieuse, mais trop frivole, ainsi qu'en témoignent sa *Vénus demandant des armes à Vulcain* et son *Triomphe de Bacchus*. Il est pourtant l'auteur de deux chefs-d'œuvre : l'*Histoire de Psyché*, suite de huit caissons soutenus par des amours (dans le salon ovale du premier étage de l'hôtel Soubise) et l'*Histoire de Don Quichotte*, série des tapisseries de Beauvais, dont il a dessiné les cartons.

NATTIER, Jean-Marc (Paris, 1685 - *id.*, 1766). Peintre, fils de peintre, élève de son père, Marc Nattier, le portraitiste, il dessine à quinze ans les Rubens du Luxembourg et on fait des gravures de ses dessins.

En 1715, un ministre du tsar l'emmène à Amsterdam ; il y peint Pierre le Grand et sa famille. Invité à se rendre en Russie pour y faire le tableau de la bataille de Poltava, il hésite et finit par refuser.

Il est reçu à l'Académie en 1718, avec pour morceau de réception *Phryné changée en pierre*. A court d'argent, il s'associe en 1721 avec Watteau pour reproduire les plus beaux tableaux du roi en vue d'un recueil.

Sa conversion au portrait est relativement tardive dans sa carrière. C'est un genre lucratif dont il va tirer tout le parti possible. Il se fait d'abord connaître dans la famille d'Orléans, puis il devient en 1745 le portraitiste attitré de la famille royale. Il est adopté par la reine et par ses filles, qu'il représentera de nombreuses fois sous les traits de Diane et de Flore. Toute sa carrière, il montrera une telle fidélité à une même manière que son œuvre donne une impression un peu déprimante d'uniformité. On disait que Louis XV avait de la peine à distinguer ses filles les unes des autres.

Cela n'empêchait pas la faveur. Celui que Maurice Gresset appelle « l'élève des Grâces » fut vraiment le peintre préféré de Louis XV.

Nattier n'est peut-être pas un grand portraitiste. Tous ses modèles ont un visage doux et serein. Leur personnalité ne nous intrigue pas comme celle des modèles de La Tour par exemple. Cependant, quelques portraits font exception et montrent qu'il pouvait faire plus naturel, comme le très beau portrait de Marie Leszczyńska et le portrait de l'artiste, avec sa famille réunie autour d'un clavecin.

Il finit sa vie dans la décrépitude, supplanté par son gendre Tocqué.

NAVIRES (de guerre). Les navires de guerre sont appelés vaisseaux de ligne, frégates ou corvettes. Leur technique de construction réalise de grands progrès : allongement progressif des coques, diminution de la hauteur des œuvres mortes, stabilité plus grande, meilleur comportement à la mer. La Marine du roi possède un corps d'ingénieurs de très haute compétence. Le vaisseau les *États de Bretagne*, construit sous le règne de Louis XVI par l'ingénieur Sané, sera considéré pendant longtemps comme un chef-d'œuvre inégalable. On le copiera jusqu'en 1850. Par leurs études, les savants Duhamel du Monceau, Bouguer, Bossut et Fleurieu aidèrent à ces perfectionnements.

On conserve la classification datant de Colbert, en cinq rangs selon les dimensions, le nombre de ponts et le nombre des canons. Mais, dans la réalité de la guerre, les caractéristiques les plus importantes sont le nombre des ponts et le calibre des canons. Si l'on considère ces deux critères, il y a trois catégories de vaisseaux, ceux — très peu nombreux — à trois ponts avec des batteries basses de calibre de 36, ceux à deux ponts avec également des calibres de 36, et enfin les vaisseaux à deux ponts munis de canons de calibre de 24 et de 18.

L'*Encyclopédie* donne de la frégate la définition suivante : « Vaisseau de guerre peu chargé de bois, qui n'est pas haut élevé sur l'eau, léger à la voile et qui n'a ordinairement que deux ponts. » Il semble qu'il y ait un autre critère : le nombre des canons est toujours inférieur à cinquante; et pour les corvettes inférieur à vingt.

Les galères, bateaux plats que des rameurs actionnent, sont encore utilisées pendant la guerre de Succession d'Autriche. Mais en 1748 le corps des galères est réuni à la Marine du roi. Après cette date, il n'y aura plus d'armement de ce type de vaisseau.

NECKER, Jacques (Genève, 30 septembre 1732 - Coppet, 9 avril 1804). Il est le second fils de Charles Frédéric Necker, «Ancien du Consistoire» de Genève, d'origine poméranienne, et de Jeanne Gautier. Il commence à dix-huit ans à Genève une carrière bancaire, la poursuit à Paris, et devient en 1756 l'un des trois associés de la banque Thellusson, Vernet, Necker. En 1764, il épouse Suzanne Curchod, fille d'un pasteur. Bientôt se manifestent ses ambitions politiques. Dans un *Éloge de Colbert*, publié en 1773, il fait le portrait de celui qui pourrait le ministre idéal, c'est-à-dire de lui-même. Choiseul puis Terray apprécient en lui le banquier toujours disposé à prêter au Trésor royal. La recommandation de la duchesse d'Enville à Maurepas va faire le reste. Le 22 octobre 1776, il est nommé conseiller des Finances et directeur général du Trésor royal, et, le 29 juin 1777, directeur général des Finances, sa qualité de protestant lui interdisant l'entrée du Conseil et le titre de contrôleur général des Finances. Il est trois fois ministre. Le premier ministère se termine avec la démission du 19 mai 1781. Il est rappelé à nouveau le 26 août 1788, nommé ministre d'État le 27, et renvoyé à nouveau le 11 juillet 1789. Enfin il est encore rappelé le 15 juillet 1789, nommé «premier ministre des Finances» le 1er août, et il démissionne le 18 septembre de l'année suivante. Cela fait environ sept années au gouvernement.

Quel bilan? Necker a beaucoup réformé. Pendant le premier ministère, il réduit la compétence de la ferme générale, lui ôtant la perception des aides confiée à une régie générale, crée une administration provinciale nouvelle, et

multiplie les emprunts : 530 millions de livres au total. En 1788, il rétablit la confiance, et remet le Trésor à flot en obtenant des avances du haut commerce et de la banque. En 1789-1790, il ne peut rien faire. L'Assemblée constituante l'ignore. Il s'oppose en vain à la confiscation des biens du clergé et aux émissions supplémentaires d'assignats. On ne saurait le qualifier de grand ministre des Finances. Habile certes, mais plutôt nocif : ses emprunts répétés ont aggravé considérablement le déficit.

Comment expliquer alors son incroyable popularité? Car il est extraordinairement populaire. Lors de son premier renvoi, la foule des admirateurs afflue à sa résidence de Saint-Ouen. Son deuxième renvoi est l'une des causes de l'émeute parisienne du 14 juillet. A la vérité, le principal talent de Necker consiste à faire très bien sa propre publicité. Il publie des ouvrages où il se loue lui-même. C'est par exemple le *Traité de l'administration des finances*, publié en 1784, et dont le tirage atteint des chiffres astronomiques. Il se montre aussi très habile à masquer ses échecs et ses fautes. Dans son *Compte rendu au roi* (1781), il aurait (selon Calonne) dissimulé un déficit de 60 millions. Il préfère l'emprunt à l'impôt, et cela aussi est de nature à lui attirer la faveur de l'opinion. Enfin sa femme tient un salon, dont les familiers, des littérateurs et des grands seigneurs, font sa propagande. La popularité de Necker est artificielle. C'est un phénomène d'opinion. Ajoutons qu'elle repose sur un malentendu. Necker n'est pas vraiment un «libéral». Il ne veut nullement la mort de l'Ancien Régime.

Il est bon administrateur. «Jamais, dit un de ses collaborateurs, l'État n'a été mieux servi, et à moindre frais» (Hennet cité par Jean Égret, *Necker, ministre de Louis XVI*, 1975, p. 52). Mais ce n'est pas un homme d'État. Sa fille, Mme de Staël, qui est pourtant sa grande admiratrice, déplore sa «maladie de l'incertitude» (cité par Aimé Cherest, *La Chute de l'Ancien Régime 1787-1789*, Paris, 1884, t. II, p. 120). Il flotte au gré des circonstances. Par exemple, en novembre

1788, il demande l'avis des notables sur le doublement du tiers. Les notables donnent un avis négatif et, le mois suivant, Necker se prononce pour le doublement. Beaucoup de prétention avec cela. Jusqu'à la fin, il restera persuadé que si on l'avait laissé faire, il aurait épargné à la France les malheurs de la Révolution. Le Noir de La Cochetière, un émigré qui lui rend visite à Coppet en 1797, demeure stupéfait de sa naïveté : « J'ai été choqué, écrit-il, de la confiance avec laquelle M. Necker assure plusieurs fois qu'il nous eût sauvés du naufrage si on l'eut laissé faire » (*Mémoires d'un prêtre émigré*, manuscrit, archives privées).

NECKER, Suzanne Curchod, épouse (Crassier, canton de Vaud, 1739 - château de Beaulieu, près de Lausanne, 14 mai 1794). Fille d'un pasteur, sa beauté blonde, ses yeux bleus et l'étendue de ses connaissances la font remarquer. A dix-huit ans, elle est courtisée par Edward Gibbon, le futur historien. En 1761, à la mort de son père, elle s'installe à Genève et rencontre chez Paul Moultou, ami de ses parents, une jeune veuve, nommée Mme de Vermenoux, qui part pour Paris et cherche une demoiselle de compagnie. Suzanne est engagée. En avril 1764, la voici à Paris. Le 30 septembre de la même année, elle épouse Jacques Necker, familier du salon de Mme de Vermenoux. Les deux époux ne se déprendront jamais l'un de l'autre. Ce mariage sera exemplaire. Une petite fille (la future Mme de Staël) naît le 22 avril 1766. Dès 1765, la jeune femme entreprend de former un salon. Habilement, elle se concilie la bienveillance de Mme Geoffrin et de Mme de Marchais qui tient un salon physiocratique. Pourvue de leur bénédiction, munie des encouragements de la duchesse d'Anville, elle commence à recruter. Les tout premiers habitués sont Arnaud, Chabanon, Grimm, La Harpe, Thomas et Suard. Le 17 avril 1770 a lieu la célèbre assemblée où dix-sept philosophes réunis chez elle décident, après un copieux dîner, d'ériger une statue à Voltaire. La maîtresse de maison

est chargée de recueillir les « cotisations ». C'est la consécration du salon, le début de sa grande carrière. Les réceptions se font d'abord à l'hôtel Bouligneux, rue Michel-le-Comte, ensuite rue Bergère et pour finir rue de Cléry. Parfois, elles auront pour cadre les châteaux du ménage (Saint-Ouen, puis le château de Madrid). Le jour est le vendredi. Cependant, Mme Necker a aussi ses mardis, réservés en principe à la noblesse. Son salon n'est pas celui d'une coterie. Toutes les tendances, toutes les factions, tous les milieux dirigeants y sont représentés. On y voit les philosophes, mais on y rencontre aussi la grande noblesse de cour, et même plusieurs évêques dont Lefranc de Pompignan. Mme de Montesson et Mme de Genlis représentent la faction Orléans, le comte d'Adhémar la faction Polignac. Car le salon est fait pour soutenir Necker. Dans l'esprit de son épouse, il n'a pas d'autre raison d'être. Il permet, par sa variété même, de manipuler les différents secteurs de l'opinion publique et de les disposer en faveur du ministre.

Mme Necker offre un curieux mélange d'habileté et de gaucherie. Elle a composé son salon, elle l'a organisé, elle l'a fait servir à ses desseins. Il est probable qu'elle ne l'a guère animé. C'était une femme intelligente et cultivée, mais elle préparait tout ce qu'elle allait dire. Un jour son mari trouva cette note dans ses papiers : « Relouer plus fort M. Thomas sur le chant de la France dans le poème de Pierre le Grand. »

Cette femme a tenu assemblée d'esprits forts. Elle a honoré Voltaire. Elle a, par son salon, redonné une nouvelle vie au mouvement philosophique. Elle garda cependant toute sa vie sa foi chrétienne et sa stricte morale de calviniste. Elle désapprouva hautement l'inconduite de sa fille. Le seul livre qu'elle écrivit (*Réflexions sur le divorce*, 1794) fut un éloge de l'indissolubilité du mariage chrétien.

NÉGOCIANT. Si l'on en croit J. Savary (*Le Parfait Négociant*, 1675), l'appellation de négociant fut d'abord appliquée à des marchands qui faisaient le commerce de l'argent et négociaient des lettres de change.

Au début du règne de Louis XV, négociant est synonyme de marchand. Certains marchands (par exemple à Lyon) s'intitulent « marchands-négociants ». Si l'on trouve une différence entre le marchand et le négociant, elle tient à la fortune : les négociants sont les marchands les plus riches. Toutefois, il existe déjà dans certaines grandes places de commerce des groupes de négociants nettement séparés socialement de ceux des marchands. Ce sont par exemple les trois cents négociants de Marseille, véritable ploutocratie qui tient entre ses mains toute la vie économique et le pouvoir dans la cité.

Dans la seconde moitié du siècle, les négociants constituent vraiment une catégorie socioprofessionnelle distincte des marchands. Chaque grand port, chaque grande ville de commerce a son groupe de négociants. Les plus connus et les plus puissants de ces groupes sont ceux de Bordeaux et de Nantes. On y rencontre de grands hommes d'affaires, tels que François Bonnaffé et les Gradis à Bordeaux, les Montaudoin et les Walsh à Nantes. Certains de ces négociants sont armateurs, les autres commissionnaires. Les premiers font le commerce de mer, celui des îles, celui des Noirs. Les autres font la commission, c'est-à-dire redistribuent les marchandises dans toute l'Europe. Ces derniers doivent voyager beaucoup pour visiter leurs correspondants et passer des marchés. Chaque entreprise de négociants a son comptoir, c'est-à-dire son bureau, ses associés et ses commis.

Les fortunes de tous ces négociants sont supérieures à celles des plus grands marchands. Quelques-unes dépassent le million de livres. Toutes sont caractérisées par l'importance du numéraire. A Lyon, en 1786, dans 85 % des fortunes des négociants (au mariage), l'argent liquide entre pour plus de 50 % des apports.

Les négociants se sont élevés dans la société. Le temps est fort loin où l'on pouvait dire : « Il suffit d'être négociant pour être regardé avec mépris » (déclaration du député du Commerce de Dunkerque, 1701, citée par P. Léon, *Économies et sociétés pré-industrielles*, t. II, 1970, p. 370). Les négociants font maintenant partie de la plus haute bourgeoisie. Ils adoptent le train de la noblesse. Lucien Danse, négociant à Beauvais, mort en 1727, vivait avec la plus grande simplicité. Son fils Gabriel est anobli. Il a un château à Villers, un riche mobilier et une berline tapissée de soie rouge. Les mariages des négociants ne sont pas encore des plus brillants (il est rare qu'ils se marient au-dessus d'eux) mais ceux de leurs filles sont généralement très flatteurs. A Bordeaux, un tiers des parlementaires épousent des filles de négociants.

D'étape en étape, le haut négoce se rapproche de la noblesse. Un arrêt du Conseil de 1767 accorde aux négociants les privilèges de la noblesse : « Veut et entend Sa Majesté qu'ils soient réputés vivant noblement [...] et jouissent de tous les honneurs et avantages qui y sont attachés [...] spécialement de l'exemption de milice pour eux et leurs enfants et du privilège de porter l'épée. » De la condition noble, certains s'élèvent à la noblesse elle-même, soit en achetant des charges anoblissantes, soit par des lettres de noblesse (c'est le cas pour treize négociants bordelais et quatorze négociants nantais).

NICOLAÏ, Aymard Jean de (1709-1785). Marquis de Goussainville, il appartient à l'une des familles les plus considérables de la noblesse française. D'abord mestre de camp de Nicolaï dragons, puis conseiller à la première Chambre des requêtes du parlement de Paris, il exerce de 1734 à 1773 la charge de premier président de la Chambre des comptes. Son demi-frère l'avait exercée avant lui. Son fils l'aura après lui. Proche du camp des dévots, familier du cercle de la reine, il soutient Mgr de Beaumont dans le conflit qui oppose ce prélat au Parlement lors de l'affaire de l'hôpital général.

NICOLAÏ, Aimar François Chrétien Michel de (1721-1769). Évêque de Verdun, il est le fils d'un premier président de la Chambre des comptes, et le frère d'un maréchal de France. D'abord pourvu de divers bénéfices, dont un canonicat de Notre-Dame de Paris, il exerce ensuite de 1745 à 1760 la haute fonction d'agent général du clergé (proposé par la province d'Auch, où il possédait un bénéfice). Nommé le 16 juin 1754 évêque de Verdun, il gouverne ce diocèse pendant quinze ans et y meurt le 9 décembre 1769. C'est un des évêques du clan dévot, un ami de la reine et un confident de la dauphine Marie-Josèphe de Saxe, avec laquelle il échange une correspondance. Ses fonctions d'aumônier de cette princesse lui valurent de l'assister à ses derniers moments.

NIVERNAIS, Louis Jules Barbon Mancini-Mazarini, duc de. *Voir* MANCINI-MAZARINI, Louis Jules Barbon, duc de Nivernais.

NOAILLES, Louis Antoine de (27 mai 1651 - 4 mai 1729). Archevêque de Paris depuis 1695, cardinal depuis 1700, proviseur de Sorbonne, il avait encouru les rigueurs de Louis XIV pour s'être opposé à la bulle *Unigenitus*. Le roi l'avait exilé de la Cour. En le nommant, dès le mois de septembre 1715, président du Conseil de conscience, le Régent opère une révolution. Le parti janséniste jouit d'une si grande revanche. Tous les espoirs de la secte se fondent sur le cardinal. Il les déçoit quelque peu. C'est un homme très indécis et toujours hésitant. S'il appelle de la bulle (le 3 avril 1717), c'est parce qu'il y a été poussé par des centaines de pétitions et d'exhortations. D'ailleurs, il garde son appel secret et ne le publie que le 24 septembre 1718 (après avoir démissionné du Conseil de conscience). Le 13 mars 1720, il adhère à cette sorte de compromis qu'est le Corps de doctrine. C'est le début de son recul. Il finira par céder complètement. Son conseil, sa famille, Chauvelin, Fleury et le pape Benoît XIII lui-même se liguent pour faire pression sur lui et le détacher de son parti. Dans une lettre au pape du 19 juillet 1728 et dans un man-

dement du 11 octobre de la même année, il rétracte son acte d'appel et adhère à la bulle. Le chancelier d'Aguesseau disait de lui qu'il était un homme « accoutumé à se battre en fuyant » et qu'il avait fait dans sa vie « plus de belles retraites que de belles défenses ».

NOAILLES, Adrien Maurice, comte d'Ayen, puis (1704) duc de (22 septembre 1678 - 24 juin 1766). Grand d'Espagne depuis 1711, il est le fils du duc Anne de Noailles et de Françoise de Bournonville. Il a fait en 1698 une alliance souveraine en épousant Françoise d'Aubigné, nièce héritière de Mme de Maintenon.

Sa carrière militaire est longue et remplie. Les états de service en sont les suivants : sept campagnes en Catalogne pendant la guerre du Succession d'Espagne, campagne d'Allemagne de 1734 pendant la guerre de Succession de Pologne, sous les ordres de Berwick, élévation à la dignité de maréchal de France le 14 juin 1734, commandement en chef de l'armée d'Allemagne en 1743 pendant la guerre de Succession d'Autriche, et campagne de Flandre aux côtés du roi en 1745.

Son rôle politique n'est pas moindre. Nommé en 1715 président du Conseil des finances, il démissionne de cette fonction en janvier 1718, mais est en même temps déclaré conseiller du Conseil de régence. Le 10 mars 1743, il est élevé au rang de ministre d'État et siège en cette qualité au Conseil jusqu'au 28 mars 1756, date à laquelle, invoquant l'âge et la décrépitude, il remet sa démission au roi.

Que vaut ce pilier du royaume ? Il avait montré dans sa jeunesse de grandes qualités de soldat. Mais au temps de son importance il n'est ni un grand général, ni un grand politique. Ses exploits militaires (par exemple Figuières en 1709, ou Ettlingen en 1734) sont ceux du courage ou de l'habileté, non du génie. C'est sous son commandement qu'à Dettingen, le 27 juin 1743, l'armée française en proie à la panique subit l'une des défaites les moins honorables de son histoire, et l'on ne peut pas dire qu'il n'en soit pas responsable. Pourtant, il ne manque ni d'intelligence, ni même de sagesse. Sous sa présidence, le Conseil des finances de la Régence n'a pas fait de trop mauvaise besogne, évitant la grande banqueroute totale, au prix, il est vrai, de banqueroutes partielles. En 1743, il donne à Louis XV, en matière de fiscalité, des conseils (qui ne seront pas suivis) de fermeté. C'était, dit Saint-Simon, qui ne l'aimait pas, un «courtisan», mais «amoureux de l'État» (*La Cour du Régent*, Georges Crès, Paris, s.d., p. 153).

NOAILLES, Louis de, comte, puis duc d'Ayen et de (Versailles, 21 avril 1713 - Saint-Germain-en-Laye, 22 août 1793). Né sous le règne du Grand Roi, il meurt en pleine Révolution. Il est fait duc d'Ayen en 1737 et devient duc de Noailles en 1766, et la dignité de maréchal de France lui sera conférée le 24 mars 1775. Il la mérite moins par ses talents militaires que par ses impressionnants états de service. Depuis l'âge de seize ans il n'a cessé de servir. Il a combattu dans les trois guerres du règne de Louis XV. On le trouve à Kehl en 1733, à Dettingen en 1743, à Fontenoy en 1745, à Lawfeld en 1747, à Hastembeck en 1757. Sa carrière de courtisan n'est pas moins remplie. Car il a, pour plaire à la Cour, tous les talents voulus. Doté d'une jolie voix, il est le seul courtisan que Mme de Pompadour admette à jouer avec elle de petits opéras. On se répète ses bons mots et ses piquantes saillies. Bien que ses sarcasmes le fassent haïr de ses victimes, il ne résiste pas au plaisir d'exercer ce talent, n'épargnant même pas son souverain. «Je sais, lui dit un jour Louis XV au début de sa liaison avec la du Barry, je sais que je succède à Saint-Foye. — Oui, Sire, lui répond d'Ayen, comme Votre Majesté succède à Pharamond.» Mais le roi ne se formalise pas. Le duc d'Ayen l'amuse. Il se souvient aussi de l'avoir eu à ses côtés en deux circonstances critiques : comme aide de camp à Fontenoy, et le soir de l'attentat de Damiens, le duc étant ce jour-là le capitaine des gardes du corps

en service. Enfin, le duc partage la passion du roi pour la botanique, et lui fait souvent les honneurs de son jardin expérimental de Saint-Germain. Pour tout cela, et à cause de tout cela, Louis de Noailles est de ceux qui sont entrés le plus avant dans l'intimité du prince.

NOAILLES, Jean Paul François, duc d'Ayen et de (Paris, 26 octobre 1739 - Fontenay-Trésigny, 20 octobre 1824). Duc d'Ayen en 1766 puis duc de Noailles en 1793, il est le fils du duc Louis de Noailles. Colonel à seize ans du régiment de dragons Noailles cavalerie, il sera nommé trente-quatre ans plus tard lieutenant général des armées du roi, ayant fait les quatre dernières campagnes de la guerre de Sept Ans, et gravi les différents échelons de la haute hiérarchie militaire. Toutefois, le couronnement de cette carrière est la nomination en 1781 au Conseil supérieur de la guerre. Le duc d'Ayen y propose d'intéressantes améliorations des conditions de vie du soldat. Cette haute fonction convient à son tempérament et à ses idées. A son tempérament : il est minutieux, zélé, tracassier dans ses inspections. A ses idées, qui sont «éclairées». Il est irréligieux et philosophe dans le mode scientiste. Sa science est indéniable (reçu en 1777 à l'Académie des sciences, il y présente des mémoires de physique et de chimie), son scientisme ne l'est pas moins : il professe que l'âme n'existe pas et que l'homme n'est qu'une «moisissure». De son union mal assortie avec la pieuse Henriette d'Aguesseau naissent cinq filles. Adrienne, la seconde, sera l'épouse de La Fayette. Mère et filles vivent à Paris, lui à l'armée et à la Cour où il passe pour un bel esprit. La Révolution consomme la séparation. Le duc émigre sans sa famille. Une première fois en 1791, une seconde fois définitivement en 1792, après avoir défendu les Tuileries, le 10 août. Le 4 thermidor an II (22 juillet 1794), sa mère, sa femme et sa fille aînée sont guillotinées. Lui se trouve alors dans une «retraite paisible», à Rolle, en Suisse. La Restauration lui rend ses dignités : il est intégré dans la Chambre des pairs, et nommé à l'Institut de France.

NOBLESSE. La noblesse est une qualité attachée aux personnes. Cette qualité se transmet par le sang dans la filiation paternelle. On peut néanmoins la perdre par la dérogeance, c'est-à-dire par des actions ou des activités (la marchandise par exemple) incompatibles avec elle. On peut aussi l'acquérir par des charges dites anoblissantes. La noblesse française n'est pas une caste. Elle se renouvelle.

La qualité de noblesse confère une supériorité sociale. Elle place ceux qui la possèdent, et leurs descendants, « au-dessus des autres citoyens » (Joseph Nicolas Guyot, *Répertoire universel et raisonné de jurisprudence...*). Les nobles précèdent même les clercs, sauf si ces derniers se présentent constitués en ordre. Car le clergé est le premier ordre dans la monarchie, la noblesse formant le second.

Les estimations du nombre des nobles varient de façon surprenante selon les historiens. Pour la fin de l'Ancien Régime, les chiffres varient de cent vingt mille à six cent mille personnes. Trois cent mille est peut-être l'estimation la plus vraisemblable. Si l'on retient ce dernier chiffre, il faut admettre que la noblesse représente à peine 1 % de la population totale du royaume, et qu'elle est en proportion l'une des noblesses les moins nombreuses d'Europe.

Le qualité de noblesse confère des droits honorifiques et des droits utiles. Les nobles portent des armoiries timbrées, c'est-à-dire surmontées d'une couronne ou d'un casque. Ils ont seuls droit au port de l'épée. Ils possèdent le droit de chasse. Ils sont les seuls en principe à pouvoir tenir des fiefs et des seigneuries. Ils bénéficient héréditairement de l'exemption de taille, sauf toutefois pour les biens roturiers qu'ils pourraient posséder en pays de taille réelle. Un certain nombre d'emplois civils, militaires et ecclésiastiques leur sont réservés, comme les charges de la Maison du roi ou les prébendes des chapitres nobles.

La noblesse est une, mais elle comporte des degrés, qui sont des degrés d'ancienneté. La distinction essentielle se fait entre la noblesse de race ou noblesse ancienne, et la noblesse des anoblis. Si votre famille a toujours joui des privilèges de noblesse, si l'on ne peut découvrir aucun acte d'anoblissement, ni aucune trace de roture, vous appartenez à la noblesse dite de race. Sinon vous n'êtes qu'un anobli. La noblesse ancienne comporte elle-même des degrés d'ancienneté. Le plus haut est celui de la noblesse prouvée antérieurement à l'an 1400.

Une autre hiérarchie existe, qui tient compte plutôt des emplois et des genres de vie. Au sommet de cette échelle, on trouve la noblesse dite de cour, ou grande noblesse, dont la plupart des membres occupent des emplois à la Cour et résident peu dans les provinces où ils possèdent pourtant de grands domaines. Ce sont par exemple, dans le Maine, les Tessé, les Balincourt, les Villiers, les Fontenay, les Monbrun, les Luynes et les Richelieu. Toute cette haute noblesse est titrée, c'est-à-dire qu'elle possède des terres érigées en fiefs de dignité (duchés, marquisats, baronnies, comtés). Les quatre-vingts familles des ducs et pairs en forment le noyau. On peut y ranger aussi les nobles « présentés » et par conséquent admis aux « honneurs de la Cour ». De 1732 à 1789, il y a eu neuf cent quarante-deux présentations. Juste au-dessous de cette noblesse vraiment dominante on doit placer les magistrats des cours souveraines. Ceux-ci composent la noblesse de robe, puissante dans l'État, souvent riche, parfois alliée à la noblesse d'épée, mais demeurant bien distincte d'elle et inférieure en qualité. Viennent ensuite la moyenne et la petite gentilhommerie, formées de familles souvent très anciennes, mais qui n'ont jamais eu ni grande fortune ni remarquable illustration. Enfin, en bas de l'échelle on trouve les anoblis par charges ou par lettres patentes. Les charges anoblissantes sont nombreuses et diverses. Elles sont militaires, municipales (par exemple le capitoulat de Toulouse ou l'échevinage de Niort), de commensal du roi, de judicature et de finance. Parmi celles de commensal, les plus convoitées sont celles de conseiller, secrétaire du roi, maison et couronne de France, office de chancellerie, pour lesquelles il n'est exigé aucune aptitude particulière et que l'on appelle des «savonnettes à vilain». En 1789, le nombre total de ces officiers s'élèvera à sept cent trente. Les charges militaires contribuent également pour beaucoup à l'accession à la noblesse. L'édit de Fontainebleau a déclaré nobles tous les officiers généraux ainsi que leur descendance. Le même édit a décrété que, dans le cas de trois générations d'officiers dans la même famille, le grand-père et le père seraient exempts de taille et que le petit-fils serait noble. Les anoblissements par lettres patentes sont beaucoup moins nombreux que ceux par charge, le roi n'usant plus guère de cette faculté. Cependant, il anoblit souvent ses propres médecins et chirurgiens, ainsi que ses peintres architectes et orfèvres. Citons entre autres Jacques Roettiers, orfèvre du roi, anobli en 1772. On voit également le roi — fait nouveau — anoblir des négociants. Dans la période 1715-1789, treize négociants bordelais et quatorze nantais reçoivent leurs lettres de noblesse. Si l'on fait le total des nouveaux anoblis du siècle, tant par charges que par lettres, on arrive à des chiffres qui ne sont pas très élevés. On constate que les anoblissements suffisent à peine à compenser les pertes dues à l'extinction des familles ou aux réformations fiscales rayant de la noblesse ceux qui étaient incapables de payer la capitation noble. La Bretagne par exemple n'aurait pas eu plus de trois cents anoblis (de 1700 à 1788) pour une population noble totale de six mille ménages environ.

La hiérarchie des fortunes a aussi son importance. Les écarts sont considérables. La grande noblesse de cour a de 100 000 à 150 000 livres de rente en moyenne. Mais on y trouve des revenus très supérieurs. Ainsi, le duc Anne François de Montmorency-Luxembourg possédait à sa mort, en 1761, 389 384 livres de rente. Dans les provinces, le hobereau à l'aise jouit de 10 000 à 15 000 livres de rentes et peut avec cela faire le grand personnage, à condition de rester dans sa campagne. La plus grande partie de la gentilhommerie provinciale est au-dessous de ce chiffre. Un bon nombre sont vraiment pauvres. D'après l'assemblée d'élection de Saint-Flour en Auvergne en 1788, «une partie de la noblesse de cette province jouit d'une fortune convenable à son rang, mais aussi la majeure partie y est presque sans exception fort pauvre».

On peut dire que le XVIIIe siècle est un siècle nobiliaire. En effet, la noblesse a tenu pendant cette période une place très importante dans la vie du pays. Elle a cherché aussi continuellement à accroître sa fortune et ses avantages. Elle détient, en 1789, le cinquième de la propriété foncière du royaume. Elle ne se contente pas des emplois qui lui étaient traditionnellement réservés. Elle cherche à obtenir l'exclusivité des charges militaires, et l'obtient en partie. L'École militaire, fondée en 1751, est réservée aux nobles nécessiteux pouvant faire la preuve de quatre quartiers de noblesse paternelle. Le règlement du 22 mai 1781, appelé édit de Ségur, du nom du ministre de la Guerre, exige la même preuve de tous ceux qui seront proposés au grade de sous-lieutenant. Nous voyons aussi la noblesse chercher à partir de 1770 à augmenter ses droits féodaux et seigneuriaux, et cela par tous les moyens possibles : réfection des terriers, usurpation des communaux, augmentation des cens et des corvées. Ce sont là les manifestations les plus spectaculaires de ce que les historiens appellent la «réaction seigneuriale» et la «réaction nobiliaire». Ces manifestations sont tardives, mais en fait l'avancée nobiliaire a commencé dès le temps de la Régence. Un de ses aspects les plus importants est le retour de la grande noblesse de cour dans les fonctions de gouvernement. Depuis la Régence jusqu'à la Révolution, cette noblesse siège au Conseil d'en haut presque sans discontinuer. Elle fournit également un bon nombre de secrétaires d'État. L'échec de la polysynodie n'a compromis en rien la mainmise des grands seigneurs sur le pouvoir politique. Le pouvoir ecclésiastique est également accaparé. En 1789, sur cent trente évêques il n'y a qu'un seul roturier. Si l'on ajoute que le corps des ambassadeurs et ministres de France est presque entièrement composé de nobles, que neuf mille officiers de l'armée sur onze mille sont nobles, que les gouverneurs des provinces et les intendants des généralités appartiennent tous à la noblesse et qu'enfin la haute magistrature est toute noble, on peut vraiment dire que la noblesse tient dans ses mains le gouvernement, l'administration, la justice, la défense et la politique étrangère du royaume.

La noblesse gagne en puissance, mais sa substance morale s'affaiblit. Depuis l'époque dissolue de la Régence, ses mœurs ne cessent de se dégrader. A la fin de l'Ancien Régime, le luxe aidant (un «luxe effrayant» selon la baronne d'Oberkirsh), elles atteignent un degré de corruption inimaginable. La marquise de La Tour du Pin écrit dans ses *Mémoires*: «Le règne dévergondé de Louis XV avait corrompu la haute noblesse. La noblesse de la Cour donnait l'exemple de tous les vices.» Tous ces grands seigneurs ne savent plus que leurs droits. Ils ignorent leurs devoirs. «Nous jouissions à la fois, écrit le comte de Ségur, nous jouissions avec incurie et des avantages que nous avaient transmis les anciennes institutions et de la liberté que nous apportaient les nouvelles mœurs» (*Mémoires ou Souvenirs par M. le comte de Ségur*, t. I, Paris, 1824).

Comment s'étonner alors de l'impopularité croissante? La célèbre apostrophe de Figaro à un noble (dans *Le Mariage de Figaro*, de Beaumarchais, représenté en 1784) explique pour une bonne part le succès immense de la pièce: «Vous vous êtes donné la peine de naître et rien de plus.» En 1788, Mme Vigée-Lebrun, en séjour chez le maréchal de Ségur, note le mauvais esprit des paysans qui non seulement ne saluent pas les Ségur, mais dévisagent les Ségur et leurs amis avec insolence et les menacent parfois de leurs bâtons.

Le plus grave est que la noblesse ne se comprend plus elle-même. Elle ne sait plus très bien ce qu'elle est et à quoi elle sert. Doit-elle, comme le lui conseille l'abbé Coyer dans sa *Noblesse commerçante* (1756), renoncer au service inutile et se lancer à fond dans les affaires lucratives? Ou doit-elle au contraire, selon les recommandations du chevalier d'Arc (dans sa *Noblesse militaire* publiée en 1756), se convertir entièrement à l'exercice des armes? Comment choisir? Et finalement elle ne choisit pas. Les théories émises au début du siècle par Henri de Boulainvilliers sur l'origine franque de la noblesse avaient un moment conforté la foi du second ordre en lui-même et servi son prestige. Les nobles, expliquait cet auteur, étaient les descendants des conquérants francs. Ils devaient leur supériorité à l'avantage glorieux de la conquête. Mais, dans un siècle de plus en plus tolérant et humanitaire, cet avantage ne vaudra bientôt plus rien et la thèse de l'origine franque se retournera contre ceux qu'elle avait d'abord servis. Et dans un siècle de plus en plus féru d'égalité, la noblesse elle-même, la noblesse du sang et de la race, n'aura plus grande valeur. A la fin de l'Ancien Régime, on ne veut plus parler de cette qualité venant des ancêtres, et si l'on admet encore la noblesse, on veut qu'elle vienne de l'État. Dans son *Répertoire* de 1786, Guyot la définit «une qualité que la puissance souveraine imprime à des particuliers».

La noblesse dans sa grande majorité adhère aux idées nouvelles qui sapent les fondements de son existence. Au début du siècle, elle s'est convertie en masse à la lecture et ses lectures l'ont convertie à la philosophie et à l'irréligion. Les grands seigneurs donnent l'exemple de l'athéisme et de l'impiété. A la fin de l'Ancien Régime, dans le milieu de la noblesse de cour, sauf de rares exceptions, la religion est absente. «Au cours de mon éducation, écrit Mme de La Tour du Pin (née Dillon), on ne m'en avait jamais parlé» (*Mémoires*, Paris, 1989, p. 229). Les forces spirituelles font défaut. Lorsque viendra la grande épreuve, elle vont manquer cruellement.

NOLLET, Jean Antoine, abbé (Pimprez, diocèse de Noyon, 19 novembre 1700 - Paris, 25 avril 1770). Physicien, il fut renommé en son temps pour ses travaux sur l'électricité. Fils d'un laboureur de Picardie, après ses humanités au collège de Beauvais, il vient à Paris suivre la classe de philosophie. Ses parents le destinent à l'état ecclésiastique. Fils obéissant, il étudie la théologie et conquiert même le grade de docteur. Il est ordonné diacre, mais ne reçoit pas la prêtrise. Déjà, la passion de la recherche scientifique le possède tout entier. Réaumur, qui a patronné ses débuts, lui confie en 1732 la direction de son laboratoire. En 1735, il inaugure un cours public de physique expérimentale. Le succès en est tel que Fleury, à la demande de Maurepas, institue pour lui une chaire royale (1738). En 1739, il entre à l'Académie des sciences comme adjoint mécanicien de Dufay. Il sera membre associé en 1742 et remplacera en 1758 comme pensionnaire son maître Réaumur. A partir de 1753, de hauts enseignements lui sont confiés : en 1753, la chaire de physique expérimentale du collège de Navarre ; en 1757, le brevet de maître de physique des Enfants de France et un cours au collège d'artillerie de La Fère ; en 1761, un poste de professeur à l'école du génie de Mézières. Telles sont les principales étapes de cette carrière bien remplie. Il faudrait aussi recenser tous les voyages. Nollet est l'un des savants français qui voyagent le plus. En 1734, il est à Londres avec son maître Dufay, en 1736 en Hollande, où il se lie d'amitié avec le grand physicien Musschenbroek, en 1739 et 1740 en Italie, où il donne des leçons au duc de Savoie. Son dernier déplacement est pour Bordeaux, où il professe toute l'année 1742.

Les sujets de ses études sont très variés. Il publie sur l'ébullition des liquides, sur la formation de la glace, sur l'ouïe des poissons, sur la machine pneumatique et sur bien d'autres questions. Mais l'électricité a sa préférence. Ses mémoires *Sur les causes particulières des phénomènes électriques* et *sur l'électricité des corps*, et ses *Lettres sur l'électricité* font date dans l'étude de ce phénomène. Il est le premier à reconnaître que les corps aiguisés dégagent des courants lumineux, le premier à émettre l'idée que le tonnerre ne pourrait être que « de l'électricité en grand ». Le 20 avril 1746, dans une assemblée publique de l'Académie des sciences, il répète la fameuse expérience de la bouteille de Leyde et de la secousse produite par la décharge électrique.

Cependant, il est surtout un remarquable professeur. Des auditoires de plus en plus nombreux l'écoutent avec passion. Il démontre, il expérimente en public, mais il enseigne aussi la méthode. Dans la leçon inaugurale de son enseignement à Navarre, prononcée le 16 mai 1753, il énumère les qualités du physicien expérimentateur : « patience », « attention », « pénétration », « imagination sage et modérée » et enfin « réserve et circonspection dans le jugement ». Les *Leçons de physique expérimentale*, publiées à partir de 1743, témoignent encore aujourd'hui de la valeur de cet enseignement.

C'était un homme calme — on n'a aucune trace du fait qu'il soit sorti un moment de son calme ordinaire —, modeste, juste, rendant toujours aux autres savants leur dû. Il était de mœurs réglées. Il était pieux et faisait la charité secrètement. L'homme en lui était à la hauteur du savant.

NONNOTTE, Claude François (Besançon, 1711 - *id.*, 1793). Jésuite, il est régent de collège, prédicateur, rédacteur des *Mémoires de Trévoux*, et surtout apologiste tenace et persévérant. La plus grande partie de son œuvre est consacrée à la réfutation des erreurs historiques de Voltaire. On citera en particulier *Les Erreurs de Voltaire* (2 vol. in-12, Avignon, 1762). Ce livre eut un grand succès. On le traduisit en allemand, en espagnol et en italien. La critique du P. Nonnotte est très pointilleuse, et l'on se demande parfois si elle ne l'est pas trop. Par exemple, selon lui, Marie Stuart n'a pas fait brûler huit cents personnes (chiffre de Voltaire), mais deux cent quatre vingt-quatre. Il est à noter que Voltaire ne réfuta jamais vraiment les critiques de son contradicteur. Il se contenta de l'accabler d'injures. « Ce Nonnotte, écrivit-il, n'avait jamais étudié l'histoire. Pour mieux vendre son livre, il le farcit de sottises, les unes dévotes, les autres calomnieuses, car il avait ouï dire que ces deux choses réussissent » (cité dans Hoefer, *Nouvelle Biographie générale*, art. « Nonnotte »).

NORMANDIE. La province de Normandie correspond à un gouvernement, mais elle est formée de deux généralités distinctes, celle de Rouen et celle de Caen. Le parlement de Normandie siège à Rouen, capitale de la province. Les états de Normandie n'existent plus, Louis XIV les ayant supprimés. La province est traditionnellement divisée en Haute-Normandie (à l'est) et en Basse-Normandie (à l'ouest).

La réputation de la Normandie n'est plus à faire. « Cette province, lit-on dans l'*Encyclopédie*, est l'une des plus riches, des plus fertiles et des plus commerçantes du royaume ; elle est aussi celle qui donne le plus de revenus au roi. C'est la province du royaume qui a produit le plus de gens d'esprit et de goût pour les sciences. »

L'éloge n'est pas usurpé, du moins pour la richesse. La grande variété des ressources et des activités fait l'originalité de l'économie normande. Aux cultures céréalières (du pays de Caux par exemple) s'ajoutent les élevages florissants du pays de Bray et du pays d'Auge. L'industrie textile traditionnelle était celle de la laine (draps de Rouen, de Louviers, d'Elbeuf et de Darnetal) et de la dentelle (Alençon), mais, en 1752, le jacobite John Holker installe ses manufactures de coton à Saint-Sever, et c'est le début de la période cotonnière. Par ses trois ports de Rouen, Le Havre et Cherbourg, la Normandie participe au mouvement du grand commerce international. Les travaux du port du Havre valent à la province la visite de Louis XV en

1749 et les travaux de Cherbourg celle de Louis XVI en 1786.

Mais tout n'est pas croissance et prospérité. La Normandie est dans la seconde moitié du siècle l'une des provinces du royaume les plus touchées par le malthusianisme naissant. Par ailleurs, l'accroissement de la richesse ne bénéficie ni aux petits propriétaires, ni aux journaliers, dont le nombre va augmenter, et dont beaucoup viennent grossir les troupes de mendiants.

Les Normands sont instruits. La province est même l'une des plus instruites du royaume avec des taux d'alphabétisation en 1789 de 60 à 80 %. Elle ne possède pas moins de trois académies (Rouen, Caen, Cherbourg). Est-ce l'influence des Lumières, on aperçoit des signes d'un affaiblissement de la religion (sauf dans certains « bons pays » comme celui de Caux). Le phénomène est particulièrement net dans l'archidiocèse de Rouen où il peut s'expliquer par plusieurs facteurs qui sont la non-résidence des archevêques, la rareté des missions paroissiales et une forte influence du jansénisme, la congrégation de Saint-Maur, fortement jansénisée, ne tenant pas moins de vingt-sept abbayes dans la province.

NOTAIRES. Les notaires sont « des officiers publics, dont la fonction est de rédiger par écrit, dans la forme prescrite par les lois, les actes, conventions et dernières dispositions des hommes » (Ferrière).

Il y a trois sortes de notaires : les notaires royaux, les seigneuriaux et les apostoliques. Les fonctions de ces derniers sont restreintes à passer seulement les actes qui concernent les bénéfices. Nous traiterons ci-après des notaires royaux, qui sont les plus nombreux et les plus importants.

Les notaires royaux sont distingués des tabellions. Le notaire reçoit les actes et en délivre la minute. Le tabellion la met et la délivre en grosse[1] et en parche-

---

1. La grosse est l'expédition d'un acte. Elle est généralement rédigée en caractères plus gros que ceux de la minute, d'où son nom.

min. Dans la plus grande partie du royaume, les offices de notaires et ceux de tabellions sont réunis, et les notaires sont aussi tabellions. Cependant, la distinction subsiste dans certaines provinces (Artois, Cambrésis, Picardie).

On recourt très souvent au notaire. Ainsi, les donations et fondations pieuses et les testaments sont beaucoup plus nombreux qu'aujourd'hui. Le métier n'est donc pas une sinécure. Le moindre notaire de petite ville peut recevoir dans son année deux ou trois cents actes. Presque tous les notaires ont des clercs, avec lesquels ils mènent une vie patriarcale, prenant toujours ensemble le repas du matin et parfois celui du soir.

Les notaires au Châtelet de Paris sont les principaux de la profession. Avec ceux d'Orléans et de Montpellier, ils jouissent du droit de suite, c'est-à-dire d'instrumenter dans toute l'étendue du royaume. Pour être reçu notaire au Châtelet, il faut avoir été clerc pendant cinq ans, être âgé d'au moins vingt-cinq ans et professer la religion catholique.

Les notaires au Châtelet sont au nombre de cent treize. Les notaires des villes de province sont en proportion plus nombreux. L'effectif des notaires de Tours varie de douze à vingt. La ville de Dole, qui a 9 000 habitants en 1789 compte à cette date sept notaires royaux.

Une étude est un office vénal. Dans la valeur interviennent trois éléments : le titre ou droit d'exercer la fonction, la finance (somme versée aux parties casuelles) et la pratique (ensemble des dettes actives et des créances).

L'office est domanial et pour cette raison ne vaque pas en cas de mort [1]. Il peut être transféré comme un bien patrimonial. Toutefois, de 1709 à 1743, l'hérédité n'est pas complètement reconnue, et les offices sont soumis à l'annuel. La pleine hérédité est rétablie en 1743, mais à nouveau supprimée en 1771.

Les notaires au Châtelet jouissent de nombreux privilèges et exemptions : exemption de taille et de corvée, de logement des gens de guerre et de tutelle et curatelle, droit de franc salé (pour un minot de sel), droit de garde gardienne et de *committimus*, préséance sur les procureurs et titre de conseiller du roi. Les autres notaires ont également des privilèges, mais moins nombreux et moins importants. Ainsi les notaires de Tours n'ont ni le droit de *committimus*, ni (jusqu'en 1737) le titre de conseillers du roi.

Le notariat étant plus ancien dans les pays du Midi, la position sociale des notaires y est plus élevée. En Dauphiné et en Provence, il n'est pas rare que des nobles exercent la profession. Les grands notaires parisiens, surtout à la fin de l'Ancien Régime, sont également très considérés. La plupart d'entre eux achètent des charges de conseillers secrétaires du roi.

La dépréciation des offices touche aussi les offices de notaires. Vers 1750, le prix moyen d'un office de notaire à Tours est de 10 000 livres. Un arrêt du Conseil du 5 septembre 1751 constate que les offices de notaires, trop nombreux, trouvent difficilement des acquéreurs et encombrent le bureau des parties casuelles. Cependant, les offices parisiens ne sont pas affectés par cette baisse. Après 1786, la moyenne des prix d'acquisition est de 300 000 livres.

Il faut dire que le grand notariat parisien est devenu un notariat d'affaires. Certains notaires amassent des fortunes considérables qui supportent la comparaison avec celles des fermiers généraux. Duclos-Dufresnoy, notaire rue Vivienne de 1763 à 1791, est administrateur de la Caisse d'escompte, croupier du bail Laurent David et négocie pour ses clients des prêts importants. Il accepte même de recevoir chez lui en dépôt le montant des paris des courses de chevaux. Il a une galerie de tableaux et s'offre même le luxe de professer des opinions philosophiques, ce qui ne lui servira guère : il

---

1. Cela signifie que, comme tous les offices domaniaux, c'est-à-dire faisant partie du domaine royal, les offices de notaires sont possédés comme de véritables propriétés et peuvent être transmis comme des biens patrimoniaux, à la différence des autres offices.

sera guillotiné en 1794. Un de ses confrères, le notaire Deshaies, donne carrément dans les pratiques frauduleuses. Convaincu de faux et de soustraction de minutes, il est condamné à mort et pendu en 1764. Il avait fait une banqueroute de 3 millions de livres. Voltaire écrivit : « C'était bien une chose inouïe autrefois qu'un notaire pût être banqueroutier. »

NOTRE-DAME (congrégation de). La congrégation de Notre-Dame est un institut de religieuses enseignantes, fondé en 1597 par saint Pierre Fourier, curé de Mattaincourt, en Lorraine. A la fin de l'Ancien Régime la congrégation comptait dans le royaume une centaine d'établissements. Celui de Paris était situé rue Neuve-Saint-Étienne.

Cet institut est régulier, les religieuses faisant des vœux solennels et gardant la clôture. Aux trois vœux ordinaires de religion elles ajoutent un quatrième vœu : enseigner gratuitement les petites filles pauvres. Chaque établissement est double, offrant un pensionnat payant et une petite école gratuite pour les pauvres.

NOUVELLES ECCLÉSIASTIQUES. Organe de combat du parti janséniste, les *Nouvelles ecclésiastiques*, connues aussi sous le nom de *Gazette ecclésiastique*, sont une gazette hebdomadaire publiée à Paris de 1728 à 1803, avec une seule interruption en 1795. Fondée par l'abbé Alexis Desessarts, la rédaction en fut confiée presque aussitôt à un prêtre d'origine poitevine, Jacques Fontaine de La Roche, qui assuma cette fonction jusqu'en 1761. Son collaborateur, Claude Cuénin, abbé de Saint-Marc, le remplaça.

Les *Nouvelles* se présentent comme un imprimé de format in-4°, de quatre modestes pages divisées en deux colonnes, ornées de temps à autre de quelques belles gravures. La publication est anonyme et clandestine. Une organisation remarquable permet de garder le secret et d'échapper à toutes les recherches de la police.

Journal essentiellement polémique, les *Nouvelles ecclésiastiques* ont pour but principal de dénoncer les persécutions exercées contre les adversaires de la constitution *Unigenitus*. Les informations sont recueillies par un réseau très dense de correspondants. Elles sont généralement sûres ; les travaux des historiens en ont le plus souvent vérifié l'exactitude. Les *Nouvelles* s'en prennent aussi à la philosophie des Lumières. Elles réfutent le déisme et soutiennent la thèse de la ténébreuse alliance entre les philosophes et les jésuites : « Voltaire prodigue son encens à la Société, et la Société par reconnaissance ferme les yeux sur les productions impies et scandaleuses de Voltaire » (mai 1746, p. 49).

Les *Nouvelles ecclésiastiques* ont contribué à répandre les thèses richéristes dans le bas clergé. Par leurs attaques perpétuelles contre Rome, contre les évêques non jansénistes et contre les jésuites et les instituts religieux fidèles à Rome, elles ont miné l'édifice de l'ancienne Église de France.

NOUVELLE-FRANCE. La Nouvelle-France est le Canada français. En fait, au XVIIIe siècle, la seule région vraiment colonisée est la vallée du Saint-Laurent, de Québec à Montréal. L'Acadie et l'île Royale ont été cédées à l'Angleterre au traité d'Utrecht, mais la France a conservé la forteresse de Louisbourg.

Intégrée dans le système centralisateur de la monarchie administrative, la Nouvelle-France est gouvernée de Versailles par le roi et ses ministres. Elle est dans le département du secrétaire d'État à la Marine, mais celui-ci se décharge sur le premier commis de l'administration des colonies, de sorte que les affaires canadiennes sont réglées par des bureaucrates qui n'ont jamais vu le pays.

Sur place, la plus haute autorité est le gouverneur général, la seconde l'intendant. Le gouverneur a dans ses attributions la défense, les relations diplomatiques et l'administration du pays d'En-haut, c'est-à-dire des territoires indiens. L'intendant a la justice, les finances et les affaires économiques. Si l'on compte deux grandes figures de gouverneurs, La Galissonnière (1748-1749) et Duquesne

(1752-1755), aucune personnalité d'intendant ne se détache vraiment. Les Anglais (rapport Durham de 1837) qualifieront les institutions du régime français de « despotisme centralisateur, incompétent, stationnaire et répressif ». Ce jugement n'est pas dénué de fondement, mais il est excessif. Car la population n'est pas complètement privée de représentation. Il existe des corps de ville, et des notables siègent au Conseil souverain qui est le parlement de la colonie.

La fragilité de la Nouvelle-France face aux treize colonies anglaises vient de sa faible population. Le nombre des habitants a beau quadrupler au XVIIIe siècle, il n'est encore que de 55 000 en 1754. Les deux tiers vivent sur la terre. Le reste est composé de « marchands équipeurs » (qui montent les expéditions de la traite des fourrures), d'agents de commerce et d'administrateurs ; Il y a très peu de grandes fortunes. La société canadienne se caractérise par une « égalité remarquable de fortunes et de conditions » (rapport Durham).

La colonisation est fondée sur le régime seigneurial, le roi concédant des seigneuries avec l'obligation de mettre en valeur : trois cent soixante-dix seigneuries ont été ainsi concédées entre 1735 et 1761. La plupart ont une superficie allant de 10 à 15 km². Les censitaires sont en fait de véritables propriétaires. On les appelle « habitants » ; ils vivent mieux que les paysans de la métropole, ne payant ni taille ni gabelle.

Cependant, la principale richesse de la colonie est la traite des fourrures de castor, de loutre et de renard. Les Indiens vendent les fourrures ; les traitants les achètent et doivent les déposer dans les magasins de la Compagnie des Indes qui a le monopole de la vente (et achète à un prix inférieur à celui pratiqué en Nouvelle-Angleterre). L'administration royale délivre les permis de traite. Le commerce des fourrures enrichit la colonie, mais affaiblit la société coloniale : trop d'hommes s'engagent pour la traite et courent les bois, privant la colonisation de la main-d'œuvre nécessaire. La vente de l'eau-de-vie aux Indiens pour les attirer vers les postes de traite a sur les tribus de graves effets démoralisateurs. Au XVIIe siècle, on s'efforçait de limiter cette vente. Au XVIIIe siècle, on laisse faire, de peur, comme le dit le gouverneur Vaudreuil, « de faire perdre à la France le commerce des nations sauvages » (cité par Norman Ward Caldwell, *The French in the Mississippi Valley 1740-1750*, Philadelphie, 1974).

La Nouvelle-France n'est pas n'importe quelle colonie. C'est une colonie chrétienne, une colonie consacrée. On a pu parler de ses « origines mystiques » : beaucoup des premiers colons étaient venus au Canada non pas dans l'intention de s'enrichir, mais dans celle de fonder une chrétienté nouvelle et d'annoncer l'Évangile aux nations sauvages. Au XVIIIe siècle, la conscience d'une si haute vocation s'est en partie effacée. Toutefois, la religion du plus grand nombre demeure fervente. Nous lisons dans un « mémoire au roy » de 1746 que « les peuples du Canada sont religieux ». Les missionnaires jésuites poursuivent chez les Indiens leurs activités apostoliques. Ils gouvernent, dans la vallée du Saint-Laurent, six communautés catholiques indiennes, soigneusement isolées par eux de la population française, dont ils redoutent la mauvaise influence sur leurs néophytes. Dans leurs missions lointaines de Tadoussac, de l'Illinois, des Outaouais et de l'Acadie, ces hommes intrépides partagent la vie des Indiens. Par exemple le P. Loyard passe vingt-quatre années chez les Malécites sans jamais revenir à Québec.

La Nouvelle-France est en expansion continuelle. Ce sont des Canadiens français qui ont fondé en 1699 le premier établissement de la Louisiane. L'explorateur La Verendrye remonte le Saskatchewan et parvient en vue des Rocheuses. En 1739 commence l'occupation de la vallée de l'Ohio, dont le gouverneur La Galissonnière prendra possession en 1749, au nom du roi.

Les Anglais des Treize Colonies se sentent alors menacés d'encerclement. En 1754 (en pleine paix), ils attaquent les forts français de la vallée de l'Ohio.

Le 28 mai 1754, un officier français, Joseph Celoron de Jumonville, est abattu sans sommation par une patrouille anglaise que commande Georges Washington, le futur président des États-Unis. Les Français remportent encore les deux victoires de la Monongahela (1755) et de Fort-Carillon (1758), mais en 1759, trois armées anglo-américaines, que soutient un flotte de soixante-seize vaisseaux, convergent vers Québec, ravageant et brûlant tout sur leur passage. Montcalm risque la bataille aux plaines d'Abraham et la perd. Québec capitule le 13 septembre 1759 et Montréal un an plus tard (8 septembre 1760), la contre-offensive de Levis ayant échoué. Par le traité de Paris du 10 février 1763, le Canada est cédé au roi d'Angleterre. L'opinion publique éclairée s'en console aisément. On connaît le mot de Voltaire : « La France peut être heureuse sans Québec » (cité par P. Gaxotte, *Le Règne de Louis XV*, 1933, p. 240), mais Choiseul mérite aussi d'être cité : « La Corse, a écrit ce grand ministre, est plus utile de toute manière à la France que ne l'était ou ne l'aurait été le Canada. »

NOVERRE, Jean Georges (Paris, 29 avril 1727 - Saint-Germain-en-Laye, 19 octobre 1810). Illustre danseur et chorégraphe, il crée en 1751 *Les Fêtes chinoises*, son premier ballet. Il va bientôt révolutionner la danse en imaginant le ballet d'action, c'est-à-dire un ballet où la danse, par des pantomimes et des figures, exprime les sentiments et les passions de l'âme. « J'appris à la danse muette, écrira-t-il, à articuler, à exprimer les passions et les affections de l'âme » (*Lettres sur la danse*). Une danse sensualiste en quelque sorte. Quand il est nommé, en 1760, maître de ballet à Stuttgart, cette ville devient la capitale européenne du ballet. Il exerce ensuite son art à Vienne et enfin à Paris où, sur ordre de la reine Marie-Antoinette, les portes de l'Opéra s'ouvrent devant lui. Ses *Lettres sur la danse* (1760) restent l'ouvrage le plus important consacré à la danse de son époque. Malheureusement, sur les cent cinquante ballets de sa composition aucun n'est parvenu jusqu'à nous.

O

OBERKAMPF, Christophe Philippe (Wiesenbach, Bavière, 1738 - Jouy-en-Josas, 1815). Manufacturier, créateur des toiles de Jouy, son histoire est celle d'une remarquable réussite obtenue à force de travail et d'ingéniosité. Descendant d'une ancienne famille de teinturiers wurtembergeois, il travaille d'abord dans l'atelier de son père, à Aarau en Suisse. A vingt ans, il vient en France, passe quelques mois dans l'emploi de graveur chez Koechlin et Dolfuss, à Mulhouse, puis entre chez Cottin, fabricant parisien d'indiennes. En 1760, en association avec un Suisse nommé Guerne de Tavannes, huissier au Contrôle général, il fonde sa propre manufacture et l'installe à Jouy sur la Bièvre. En mai 1760, il sort ses premières toiles peintes. L'association avec Tavannes ne dure pas. Le 20 décembre 1763, Oberkampf constitue une nouvelle société en commandite. Les trois associés sont Levasseur, Sarrasin-Demaraise et Oberkampf lui-même. L'entente sera toujours excellente. Demaraise s'occupe de la gestion. Sa femme — le mariage date de 1767 — tient les écritures. La croissance est très rapide. En 1787, la manufacture de Jouy produit trente mille pièces et emploie huit cents ouvriers. En 1789, le capital social est estimé à 8 828 094 livres. Cet étonnant succès est dû à la faveur de la mode, aux commandes et à la protection de la reine, mais surtout au souci permanent d'Oberkampf d'améliorer la fabrication. En 1773, après avoir visité les indienneries anglaises, il décide de substituer les toiles blanches de coton des Indes aux toiles de Rouen. Il s'attache le concours des meilleurs dessinateurs et fait de ses toiles de véritables œuvres d'art. Louis XVI l'anoblit en 1787. Les ateliers continueront à fonctionner sous la Révolution et sous l'Empire. Oberkampf a été un homme entièrement voué à sa tâche. Il n'avait aucune autre préoccupation. Son père était piétiste, mais lui-même ne semble éprouver aucun sentiment religieux. On peut douter de son humanité. Il employait dans sa manufacture de nombreux enfants de cinq et six ans.

OCTAVIEN, François (1682-1740). La manière de ce peintre rappelle celle de Watteau. Sa *Foire de Bezons*, qui est son morceau de réception à l'Académie royale de peinture, affirme une étroite parenté avec l'art du maître des *Fêtes galantes*. Sa *Répétition dans un parc* et son *Pierrot désappointé* (musée de Nancy) sont également pleins de réminiscences de Watteau. Un peu différente est son *Entrée du roi dans la ville de Reims* (1724), toile dont on peut dire qu'elle renouvelle la peinture d'histoire, lui donnant un caractère anecdotique et plaisant.

ŒBEN, Jean François (Eusbern, Franconie, v. 1720 - Paris, 1763). Ébéniste, il est d'origine allemande. Formé à son art dans l'atelier de Charles-Joseph Boulle, fils du grand Boulle, il épousa en 1749 Françoise Marguerite Vandercruse, sœur de Roger Vandercruse dit Lacroix, et ce mariage le fit entrer dans le milieu très fermé des grands ébénistes parisiens. La protection de la Pompadour lui permit d'obtenir en 1754 la succession de Charles-Joseph Boulle comme ébéniste du roi aux Gobelins, avec atelier et logement de fonction. La commande prestigieuse du bureau du roi en 1760 consacra à la fois la faveur dont il jouissait et le talent dont il faisait preuve. Ce grand ouvrage l'occupa entièrement jusqu'à sa mort ; il n'en vit pas la fin et laissa à son compagnon et collaborateur Riesener le soin de l'achever. Ses affaires n'étaient pas brillantes. Sa veuve dut se déclarer en faillite. L'entreprise continua cependant. Riesener en obtint en 1767 la direction effective et fit coup double en épousant (la même année) la patronne.

L'œuvre d'Œben est encore assez mal connue. Il n'acquit la maîtrise que deux années avant sa mort et la plupart de ses productions ne sont pas estampillées. Mais sa facture est inimitable ;

on la reconnaît sans difficulté. L'un de ses ornements favoris est la corbeille de fleurs encadrée d'entrelacs. Il en décore souvent les abattants de ses secrétaires. Ses tableaux de marqueterie mêlent l'acajou, le sycomore, l'ivoire et les bois teintés. Dans le genre, on ne sait rien de plus parfait. Notons aussi qu'il s'était fait une spécialité des meubles à transformation.

OFFICE. On donne le nom d'office à ce que nous appelons aujourd'hui une fonction publique. Cependant il n'y a pas exacte équivalence. Un office est plus qu'une fonction. C'est aussi une dignité et une qualité. Voici deux définitions de l'office par deux jurisconsultes du XVIIIe siècle. La première est tirée des *Règles du droit français* de Pocquet de Livonnière (1730). Elle est reprise de Loyseau, théoricien du siècle précédent : « Les offices sont des titres d'honneur et de dignité avec fonction publique. » La seconde définition est de Ferrière dans son *Dictionnaire de droit et de pratique* (1734) : l'office « est une fonction publique qui nous donne une qualité, un titre et un rang selon les fonctions ». On notera la différence entre les deux définitions. Dans la première, l'honneur précède la fonction. Dans la seconde, l'ordre est inversé.

Il existe plusieurs sortes d'offices. Les jurisconsultes du XVIIIe siècle proposent diverses classifications. Ils retiennent d'ordinaire les trois critères suivants : la nature de l'office, sa fonction et sa vénalité.

Selon la nature, il y a trois sortes d'offices, les domaniaux (c'est-à-dire ceux qui ont été démembrés du domaine, comme les greffes et les tabellionages), les non domaniaux et les offices de la Maison du roi.

Selon la fonction, il y a également trois catégories : les offices de gouvernement (par exemple les charges de secrétaires d'État), ceux de judicature et ceux de finance.

Enfin, tous les offices sont vénaux sauf ceux de la Maison du roi. De même, tous les offices sont patrimonialisés sauf ceux de la Maison du roi, ces derniers « étant dans la seule et entière disposition du roi ». La plupart des offices, c'est-à-dire des fonctions publiques, sont donc devenus des biens de famille. Ces biens sont réputés immeubles et comme tels sont susceptibles d'hypothèques, sujets à saisie et entrent en partage dans les familles.

La royauté continue à créer des offices ou à ériger en titre d'office des fonctions qui ne l'étaient pas. En période de difficulté financière, et surtout en temps de guerre, elle use et abuse de cette pratique. Elle érige alors en titre d'office, pour les vendre et les faire acheter, des fonctions royales, des charges municipales, des fonctions d'expertise et de contrôle. Une fois les difficultés résolues et la paix revenue, elle rachète ces offices inutiles. Cela fait des changements perpétuels. Ces changements altèrent la valeur des offices.

De fait, la plupart des charges en titre d'office subissent au cours du siècle une dépréciation sensible. François Olivier-Martin cite le cas de ce conseiller au présidial de Rennes, qui vend, en 1787, 7 000 livres une charge qui valait soixante ans plus tôt de 15 à 20 000 livres. Si l'on tient compte de l'augmentation générale des prix dans le même temps, la diminution est spectaculaire.

Est-ce la baisse de la valeur ? Est-ce le discrédit du service du roi ? Toujours est-il que les acheteurs se font plus rares. On lit dans un rapport adressé au chancelier d'Aguesseau que les charges de lieutenant général au bailliage de Troyes et de lieutenant criminel au bailliage de Sens ne peuvent être pourvues faute d'acquéreur. Cette mévente va s'accentuer dans la seconde moitié du siècle.

OFFICIALITÉ. On appelle officialité la cour de justice de l'official. Cette cour exerce la juridiction contentieuse de l'évêque. Les appels en sont portés devant la juridiction métropolitaine (officialité archiépiscopale). En cas d'abus, les justiciables peuvent se pourvoir devant les parlements.

L'officialité ordinaire du diocèse est établie dans la ville épiscopale. Si le diocèse s'étend dans les ressorts de plusieurs parlements, d'autres officialités, dites foraines, peuvent être établies dans des villes de ces ressorts. On comptait en 1770 vingt-six officialités foraines pour tout le royaume (ainsi celle de Saint-Denis dans le diocèse de Paris, et celles de Saint-Lo et Valognes dans le diocèse de Coutances).

L'official doit toujours être prêtre et licencié en droit canon ou en théologie. Le promoteur et son lieutenant, le vice-gérant, représentent le ministère public. Tous sont nommés par commission de l'évêque et destituables à volonté.

La compétence des officialités est définie et limitée par l'ordonnance de 1539 et par l'édit de 1695. Le juge ecclésiastique est pleinement compétent dans les matières de foi (par exemple les cas d'hérésie). Il est également compétent pour les matières de sacrements, de vœux de religion, de service divin et de discipline ecclésiastique. Ainsi, il est le juge du mariage et de sa validité. Il peut prononcer des séparations de corps. Toutefois, dans ces différentes matières, il peut y avoir abus (par exemple si le mariage n'a pas été célébré par le curé de la paroisse). Dans ces cas d'abus, c'est le parlement du ressort qui est compétent.

Le juge ecclésiastique est juge des actions personnelles des clercs, s'il s'agit d'actions entre clercs ou de laïcs contre clercs, mais non de clercs contre des laïcs.

Il est juge des crimes des clercs, si ce sont des crimes purement ecclésiastiques (comme la simonie). Dans les crimes contre la société civile, c'est le juge séculier qui est compétent. De même, appartiennent au juge séculier toutes les actions réelles des clercs et toutes les affaires de dîmes et de bénéfices.

L'official de Cambrai constitue un cas particulier. L'archevêque de ce diocèse étant duc de Cambrai et comte du Cambrésis, son official est à la fois juge ecclésiastique du diocèse et juge ordinaire de la province du Cambrésis.

OFFICIERS (des armées du roi). Les officiers militaires forment le personnel d'encadrement des troupes.

On distingue les officiers généraux, les officiers supérieurs et les officiers subalternes. Les grades d'officiers généraux sont (en descendant) maréchal de France, lieutenant général, maréchal de camp et brigadier. Ceux des officiers supérieurs sont ceux de colonel (mestre de camp dans la cavalerie), lieutenant-colonel et major (chargé de l'administration). Ceux des officiers subalternes sont : capitaine chef de bataillon ou d'escadron, capitaine, lieutenant, sous-lieutenant (grade créé en 1762) et enseigne (cornette dans la cavalerie). Les inspecteurs généraux des différentes armes visitent les corps et notent les officiers pour leur avancement. Les qualités intellectuelles sont de plus en plus prisées. Ceux qui ont « de l'esprit » sont les mieux notés.

On compte à peu près un officier pour quinze hommes. Le nombre total des officiers est très élevé : entre quinze et vingt mille. Il y a surtout pléthore d'officiers généraux. Guibert donne pour 1787 le chiffre de mille deux cent soixante et un lieutenants généraux, maréchaux de camp et brigadiers, c'est-à-dire, selon le même Guibert, « plus qu'il n'y en a dans toutes les armées de l'Europe réunies ».

Jusqu'en 1776, la plupart des charges d'officiers sont vénales et chères : au début du règne de Louis XV une charge de capitaine d'infanterie coûtait de 3 à 6 000 livres, une charge de colonel d'infanterie de 42 à 80 000 livres (Chagniot, *Histoire de l'officier français des origines à nos jours*, 1987). On assiste souvent à des trafics scandaleux qui discréditent l'institution militaire. Pendant la guerre de Sept Ans, beaucoup d'emplois ne sont obtenus que par l'argent, ni le mérite ni l'ancienneté n'étant pris en compte. La pratique du « concordat » (arrangement pécuniaire que les officiers font entre eux pour engager l'un des leurs à se retirer par l'appât d'une somme destinée à augmenter sa pension) facilite également les promotions imméritées. L'ordonnance du 25 mars 1776 abolissant la vénalité représente donc un progrès en ce sens qu'elle met fin à ces pratiques regrettables.

Les officiers sont dits de fortune ou de naissance. Les officiers de fortune sont ceux qui sont passés par le rang et ont été formés « sur le tas ». Ils sont peu nombreux (environ 10 %). Trop pauvres pour acheter des charges de capitaine, ils ont parfois la chance de s'en faire octroyer gratuitement. Les officiers de naissance ont fait leurs études dans les collèges, et ont parfois bénéficié d'un temps de formation dans les compagnies de cadets gentilshommes des gardes françaises, ou aux pages, ou aux mousquetaires. A partir de 1751, l'École militaire de Paris leur dispense une formation scientifique et militaire. Les douze écoles militaires créées en province en 1776 leur donneront « une éducation appropriée à leur destinée », c'est-à-dire plus moderne que celle des collèges traditionnels. Les corps du génie et de l'artillerie ont leurs propres écoles d'ingénieurs officiers.

L'idée qu'il fallait réserver les places d'officiers aux gentilshommes s'est peu à peu imposée. Depuis 1718, on demandait des certificats de noblesse, mais il fallait bien remplir les places, surtout pendant les guerres, et l'on avait besoin d'officiers suffisamment riches pour pouvoir entretenir leurs soldats de façon convenable : on continuait donc à accepter les roturiers. Mais cela n'allait pas sans protestations : les officiers nobles pétitionnaient contre ces nominations. Ils allaient jusqu'à accuser les officiers roturiers de lâcheté et d'incompétence. Le règlement du 22 mai 1781, dit « édit de Ségur », intégré dans l'ordonnance du 12 juillet 1784, leur donne raison, en exigeant des candidats aux sous-lieutenances qu'ils fassent leurs preuves de quatre degrés de noblesse.

Tant que les capitaines recrutaient eux-mêmes leurs hommes, il y avait des liens très forts entre la troupe et ses officiers, liens de fidélité, liens entre « pays ». En substituant au recrutement personnel le « recrutement du roi », l'ordonnance du 10 décembre 1762 supprime ces liens et augmente la distance entre la hiérarchie et les simples soldats.

OFFICIERS (de la marine militaire). La distinction faite par Colbert entre les officiers de plume, chargés de l'administration, et les officiers d'épée est maintenue jusqu'en 1776. Mais l'importance prise par la plume est jugée excessive par l'épée : « La plume, écrit en 1756 un officier d'épée, a fini par tout accaparer. » Choiseul prétend rétablir l'équilibre. Son ordonnance du 25 mars 1765 relève la compétence des officiers d'épée dans leurs fonctions à terre, et leur attribue la charge de tenir la comptabilité en mer. Les intendants, c'est-à-dire la plume, sont cantonnés dans la seule administration et porteront d'ailleurs la dénomination restrictive d'« officiers d'administration ». C'était encore trop. L'ordonnance du 27 septembre 1776 donne aux officiers d'épée la direction des travaux des ports et supprime les officiers d'administration, remplacés par des commissaires des ports et arsenaux.

Dans l'épée, les grades sont les suivants : amiral de France, vice-amiral, lieutenant général, chef d'escadre, capitaine de vaisseau, lieutenant de vaisseau, enseigne. En 1776, est créé le grade nouveau de sous-lieutenant pour les volontaires qui ne sont pas passés par les écoles de la marine du roi. En même temps, le grade d'enseigne est supprimé.

On compte 914 officiers en 1755 et 896 en 1775. Est-ce trop ? Sartine le pense et l'écrit au roi le 2 mai 1776 : « On ne saurait dissimuler [...] que le nombre des officiers de marine est trop considérable dans tous les grades » (*Mémoire au roi*). Il en résulte, observe le ministre, que les officiers « parviennent beaucoup trop tard et trop âgés ». De fait il n'est pas rare de trouver des officiers généraux, commandant à la mer à l'âge de soixante-quinze ans et plus. On est donc surpris d'entendre, en 1790, le ministre La Luzerne exprimer une opinion radicalement contraire à celle de Sartine. Pour ce dernier, en effet, il convient d'augmenter le nombre des officiers, à l'imitation des Anglais qui alignent à cette date un personnel de 2 088 officiers. Mais La Luzerne semble oublier que l'Angleterre a deux fois plus de navires de guerre que la France.

La formation des futurs officiers est d'abord donnée dans les compagnies des gardes de la marine et du pavillon à Brest, puis, de 1773 à 1775, à l'éphémère École royale de marine du Havre, et enfin, à partir de 1786, dans les collèges militaires de Vannes et d'Albi pour les enfants de onze à quinze ans, sur des bâtiments d'instruction à la sortie des collèges militaires. Les études ont toujours été d'un très haut niveau scientifique. Certains des plus grands mathématiciens du temps (par exemple Bezout et Monge) ont figuré parmi les examinateurs des gardes de la marine. Beaucoup d'officiers de marine sont des mathématiciens et des hydrographes. En témoignant en particulier les observations de Bougainville, de Kerguelen et de La Pérouse. Étaient-ils aussi bien formés à la technique du combat naval ? Cela est moins sûr.

Colbert avait voulu un recrutement varié aussi bien géographiquement que socialement. Cette caractéristique s'atténue au XVIIIe siècle. Le « grand corps » — c'est ainsi qu'on appelle le corps des officiers de marine — tend à s'isoler, devenant plus héréditaire et plus fermé, se recrutant de plus en plus dans les zones littorales et de moins en moins à l'intérieur du pays. Il se comporte comme une caste. Les officiers « bleus », cadres issus du négoce et de la course, recrutés pour les besoins de la guerre et placés au commandement d'unités auxiliaires, sont rejetés et méprisés par les officiers gentilshommes, dits officiers « rouges ». Lorsque le ministre Peyrenc de Moras est obligé, du fait du manque d'officiers, de délivrer en 1757 à des roturiers des brevets de capitaine de frégate, il s'attire les représentations indignées de Du Guay, le commandant de la marine de Brest. Une telle mentalité ne peut apporter avec elle que l'indiscipline. Les officiers du grand corps sont si contents d'eux-mêmes qu'ils n'acceptent aucune autorité. Ils critiquent, ils désobéissent. Témoin de cet état d'esprit lors de la guerre d'Indépendance américaine, le comte de Charlus s'en indigne : « Leur orgueil, écrit-il, leur hauteur, et l'insubordination insoutenable dont ils sont... me révoltèrent [...]. Ils me tinrent des propos dont on ne peut pas se faire d'idées. L'un d'eux me disait : "Quand un ministre ose donner une ordonnance qui ne nous convient pas, nous ne la suivons pas."» («Journal de mon voyage en Amérique», *Papiers de famille*, France-Empire, 1977.) Une telle attitude — on ne peut s'empêcher de l'observer — forme un curieux contraste avec la manie de réglementer des ministres de l'époque. En somme, les ministres réglementent de plus en plus et les officiers obéissent de moins en moins.

OLLIVIER, Michel Barthélemy (Marseille, 1712 - Paris, 1784). Il est de ces peintres qualifiés de «petits maîtres» pour n'avoir pas fait de carrière académique. Après un long séjour en Espagne où il avait accompagné en 1736 Michel Van Loo, il entra dans la maison du prince de Conti, dont il devint le premier peintre, et pour lequel il peignit quatre toiles illustrant la vie raffinée de ce grand seigneur et de son entourage : *Le Thé à l'anglaise dans le salon du Temple, avec le petit Mozart au clavecin* (exposé en 1777, aujourd'hui au Louvre), la *Fête donnée par le prince de Conti au prince héréditaire de Brunswick-Lunebourg à l'Isle-Adam en 1766*, le *Cerf pris dans l'eau devant le château de l'Isle-Adam* (1766) et le *Souper du prince de Conti au Temple* (ces trois dernières toiles se trouvent aujourd'hui au musée de Versailles). L'*Almanach des artistes* de 1776 qualifiait Ollivier de «peintre d'histoire dans le genre de Watteau». De fait, sa *Causerie dans le parc* mais aussi ses toiles sur la vie du prince de Conti montrent bien la parenté de son art avec celui de Watteau. On se souvient en les voyant de l'enchantement des *Fêtes galantes*.

OPÉRA. L'opéra, que l'on appelle aussi «tragédie lyrique», associe le drame, la musique et le chant. L'opéra-ballet y ajoute la danse. Les opéras sont, de tous les spectacles, ceux qui possèdent la plus grande puissance d'illusion.

La tragédie lyrique est un genre strictement défini. Née en 1673, elle dispa-

raît à la fin du siècle. C'est une pièce en cinq actes précédés d'une ouverture instrumentale et d'un prologue, et intégralement chantée. Les sujets sont tirés de la mythologie gréco-latine. Les emprunts aux *Métamorphoses* d'Ovide sont fréquents.

Trois musiciens de génie ont fait de l'opéra l'une des plus hautes expressions de l'art français : Lully (sous le règne de Louis XIV), Rameau et Gluck. Rameau sait fondre de manière remarquable le chant et les instruments dans un tout harmonieux. Quant à l'art de Gluck, on peut le définir comme la recherche d'une belle simplicité. Les autres auteurs sont, pour le XVIIIᵉ siècle : Campra, Desmarest, Destouches, Batistin, Bouvard, Francœur, Lacoste, Mouret, Montéclair et le régent Philippe d'Orléans.

Fondé par un Italien, perfectionné par un Français, parachevé par un Allemand, l'opéra français demeure fidèle dans ses grandes lignes à ce qu'il était au temps du Grand Roi. Il continue à respecter les lois et le ton de la tragédie classique, et l'amour et la gloire sont toujours les principaux mobiles de l'action. Une autre caractéristique est que les dieux rencontrent les humains : la tragédie littéraire se sécularise, mais l'opéra garde quelque chose de sacré à cause de la présence des dieux.

C'est peut-être la raison principale de la vive attaque menée contre le genre lors de la querelle des bouffons (1752) par le clan philosophique et ses spécialistes des questions musicales, Rousseau, Grimm et Cazotte. Ceux-ci semblent viser l'harmonie, mais en fait ils en veulent surtout aux fables, aux histoires et aux légendes qui, selon leur philosophie, égarent la raison humaine et l'éloignent de la nature.

La production de tragédies lyriques est beaucoup moins abondante qu'au temps de Lully : de 1715 à 1774, on compte seulement vingt-trois titres nouveaux.

OPÉRA-COMIQUE. L'opéra-comique est un opéra dont l'action, mi-sérieuse, mi-comique, est illustrée à la fois par des chants et des dialogues parlés. Le genre doit beaucoup à l'*opera buffa* italien, mais il est d'origine française ; par sa musique facile, gracieuse et charmante, il est typiquement français.

Sa formation a été progressive. Depuis le début du siècle, on jouait sur les théâtres des foires Saint-Germain et Saint-Laurent des comédies burlesques ornées de vaudevilles. Après 1740, le livret de l'opéra-comique se façonne à une action suivie. Entre 1754 et 1760, les airs originaux éliminent les vaudevilles. Après 1760, le genre choisit son style propre, qui est le style sensible : airs et paroles doivent inspirer l'attendrissement, l'amour de la nature et le goût de la vertu.

Les premiers grands compositeurs dans le genre — ses créateurs en quelque sorte — furent La Ruette (*Cendrillon*, 1759), Gluck (*Isle de Merlin*, 1758) et le Napolitain Duni (*Le Peintre amoureux de son modèle*, 1757). C'est entre 1760 et 1780 que se situe l'apogée du genre : c'est le temps des trois maîtres, Monsigny (*Le Déserteur*, 6 mars 1769), Philidor (*Tom Jones*, 1765) et Grétry (*Le Huron*, 20 août 1768). Philidor est le meilleur des trois, mais Grétry est le plus apprécié du public, parce qu'il est le plus sensible : « Le sentiment, écrit-il, doit être dans le chant » (cité par G. Cucuel, *Les Créateurs de l'opéra-comique français*, Paris, 1914).

Les opéras-comiques ont été joués d'abord sur les scènes des foires, puis dans des théâtres appelés « Opéras-comiques », théâtres dont les existences successives ont été fort brèves à cause des réclamations des théâtres privilégiés, exigeant leur suppression. Le premier Opéra-comique a duré de 1715 à 1718, le deuxième de 1721 à 1745 et le troisième de 1752 à 1762, date à laquelle il a fusionné avec la Comédie-Italienne. Tous les chefs-d'œuvre de Philidor et de Grétry furent joués à la Comédie-Italienne.

ORANG-OUTANG. La pensée des Lumières a de la sympathie pour l'orang-outang plus peut-être que pour l'homme. Ayant croisé un jour l'un de ces singes,

Buffon en a éprouvé de l'émotion ; il lui a semblé voir un homme : « L'orang-outang que j'ai vu, écrit-il, marchait toujours debout sur ses deux pieds, même en portant des choses lourdes ; son air était assez triste, sa démarche grave, ses mouvements mesurés, son naturel doux et très différent de celui des autres singes » (*Histoire naturelle, Quadrupèdes*, t. VII, p. 73). L'orang-outang est aussi, Buffon l'admet, très différent de l'homme, mais « c'est peut-être faute d'éducation ». Est-il « le premier des singes ou le dernier des hommes », notre naturaliste n'en décide pas.

Charles Bonnet non plus, mais l'intelligence de ce singe (ou homme) l'a beaucoup frappé : « Si l'éléphant, écrit-il, paraît se rapprocher de l'homme par l'intelligence, l'orang-outang paraît s'en rapprocher bien davantage par la conformation tant intérieure qu'extérieure, et par les inclinations, les habitudes et les talents qui en dérivent » (*Contemplation de la nature*, t. XII, p. 47).

Rousseau est dans la même incertitude : « ... il est bien démontré, écrit-il, que le singe n'est pas une variété de l'homme, non seulement parce qu'il est privé de la faculté de parler, mais surtout parce qu'on est sûr que son espèce n'a point celle de se perfectionner, qui est le caractère spécifique de l'espèce humaine : expériences qui ne paraissent pas avoir été faites sur le pongo et l'orang-outang avec assez de soins pour en tirer la même conclusion » (*Discours sur l'origine de l'inégalité*, note j).

Enfin, dans *Le Rêve de d'Alembert*, Diderot s'attendrit sur l'orang-outang du Jardin du roi, « qui a l'air d'un saint Jean qui prêche dans le désert » et auquel le cardinal de Polignac aurait dit un jour : « Parle et je te baptise » (éd. Vernière, p. 165).

D'autres auteurs éprouvent des sentiments non moins amicaux, mais ne veulent pas pour autant de ce singe pour frère. Ils en font un chaînon intermédiaire entre l'homme et l'animal, juste au-dessous du Nègre. « On serait tenté de croire, écrit par exemple Rousselot de Surgy, que les Nègres forment une race de créatures qui est la gradation par laquelle la nature semble monter des orang-outangs, des pongos à l'homme» (*Mélanges intéressants et curieux...*, 10 vol., 1763-1765, t. X, p. 164-165).

ORATORIENS. La congrégation des prêtres de l'Oratoire de Notre-Seigneur Jésus-Christ, ou Oratoriens, est une compagnie de prêtres séculiers fondée au début du siècle précédent par le cardinal de Bérulle, et implantée dans le seul royaume de France. Ses membres ne prononcent pas de vœux, mais une simple promesse. On distingue trois catégories d'oratoriens : les prêtres, les confrères qui sont des laïcs et les frères voués aux tâches matérielles.

Il y avait, en 1732, soixante-treize établissements oratoriens. Il y en aura soixante et onze en 1788. Quant aux membres de la congrégation, leur nombre n'a cessé de diminuer au cours du siècle. La réduction a été particulièrement forte dans les dernières années de l'Ancien Régime. On est passé de mille six cent quatre-vingt-trois en 1761 à huit cent dix-huit au début de 1790.

L'assemblée générale se réunit tous les trois ans. Elle est formée des députés des maisons. Elle détient la «puissance et autorité suprême et entière de la congrégation» (*Recueil des statuts de la congrégation de l'Oratoire de Jésus*). Un supérieur général élu à vie exerce le pouvoir dans l'intervalle des assemblées.

La plupart des oratoriens sont employés à l'enseignement dans les collèges. Après 1764, l'Oratoire ajoute à ses trente collèges sept autres collèges ayant appartenu aux jésuites. En 1776, l'institut est chargé des trois écoles militaires de Vendôme, Effiat et Tournon. Le collège oratorien le plus renommé est celui de Juilly qui recevait, en 1725, trois cents pensionnaires, dont la moitié issus de familles nobles. La pédagogie oratorienne donne beaucoup d'importance à l'enseignement du français. Les thèses latines sont supprimées en 1757. Les discours latins des distributions des prix sont remplacés en 1759 par des discours français.

L'Oratoire est un foyer de jansénisme. Sous la pression de la Cour, les généraux de la congrégation se voient contraints de prendre des mesures disciplinaires. A l'assemblée générale de 1732, le P. de La Tour prive vingt-cinq pères de leur droit de vote. Ses successeurs arrivent tant bien que mal à contenir le jansénisme dans des limites acceptables. Mais sa réputation de jansénisme fait grand tort à la congrégation. Plusieurs évêques lui retirent leurs séminaires.

Au palmarès de la pensée oratorienne du XVIII⁰ siècle, on ne peut inscrire qu'un seul grand nom, celui du P. Houbigant, auteur d'une édition de la Bible et d'un traité des études. Quant à l'idéal sacerdotal qui avait été celui de l'Oratoire au temps de Bérulle, on peut se demander ce qu'il en reste dans une congrégation dont la moitié des membres ne veulent pas accéder au sacerdoce et préfèrent demeurer simples confrères.

ORCEAU DE FONTETTE, François Jean d' (1718-1794). Marquis de Tilly d'Orceau, baron de Fontette, intendant de Caen, il est issu d'une famille anoblie en 1703. Son père était fermier des postes. Il suit le cursus classique : conseiller au Parlement en 1738, maître des requêtes en 1745, président au Grand Conseil en 1750. Sa grande période est son intendance de Caen. Il reste vingt-trois ans dans ce poste (1752-1775), ce qui est un record. Esprit éclairé, il ouvre aux protestants les portes de l'académie de Caen. Féru d'urbanisme, il fait disparaître les anciens remparts de la ville. En 1760, la cour des comptes, aides et finances de Caen lui reproche d'avoir accepté les offres des communautés préférant faire faire à prix d'argent les ouvrages dont elles étaient chargées plutôt que de les accomplir elles-mêmes. Son ordonnance est dénoncée comme contraire aux lois du royaume. Il fait donc figure de victime des cours souveraines. En fait, il est plutôt un homme de compromis. En 1772, il montre beaucoup de mauvaise volonté pour répartir le vingtième selon les normes de justice établies par l'édit de 1749, c'est-à-dire proportionnellement aux revenus. Ce qui lui vaut une semonce de Terray. Il est surtout très attaché à ses propres intérêts. En 1775, le Contrôle général porte de graves accusations contre lui : « ... abus d'autorité dans l'administration des vingtièmes, abus de confiance en se faisant payer un logement à Caen, tandis que la province le logeait, abus d'autorité dans l'administration des travaux de charité et des corvées » (cité par Lucien Laugier, *Un ministère réformateur sous Louis XV. Le triumvirat 1770-1774*, 1975). On s'aperçoit même qu'il avait empoché 2 000 livres attribuées à un atelier de charité. Sa carrière n'en souffre nullement. Il est nommé conseiller d'État. Le comte de Provence fait de ce personnage douteux son chancelier et garde des Sceaux. De plus, Fontette siégera au Parlement jusqu'en 1789, en qualité de conseiller honoraire.

ORDINATIONS. On entend par ordination l'action par laquelle l'évêque confère aux clercs les ordres sacrés.

L'Église catholique latine distingue sept ordres, les trois majeurs (sacerdoce, diaconat, sous-diaconat) et les quatre mineurs (portier, lecteur, exorciste et acolyte).

Nul ne peut recevoir aucun ordre s'il n'a été préalablement tonsuré. Pour que l'ordination soit licite, le sujet doit avoir atteint l'âge prescrit pour chaque ordre, être en état de grâce et avoir une science compétente. Pour l'ordination au sous-diaconat, le droit français exige le titre clérical.

Les candidats aux ordres ou ordinands doivent se préparer en effectuant une retraite de quelques jours ou quelques semaines dans le séminaire du diocèse. Cela est généralement prescrit dans les statuts synodaux des diocèses.

Les registres des insinuations ecclésiastiques, s'ils ont été conservés, permettent aux historiens de compter les ordinations et d'observer ainsi les variations du recrutement sacerdotal aussi bien séculier que régulier. On a calculé par exemple la moyenne annuelle des ordinations de prêtres séculiers diocésains dans le diocèse de Cambrai, soit une trentaine par an pour les périodes 1743-1749 et 1758-1768. Une quarantaine de recrutements diocésains ont fait jusqu'à présent l'objet d'études scientifiques. La comparaison des mouvements fait apparaître des fluctuations semblables : après le maximum des années 1700, le creux vers 1730, la forte remontée ensuite (les chiffres les plus hauts du siècle se situant vers 1750), le déclin rapide de 1760 à 1770, la brève remontée entre 1770 et 1780 et la baisse prérévolutionnaire. Les deux grandes baisses, celle des années 1730 et celle de la décennie 1760-1770, correspondent la première au début de la contre-offensive janséniste, et la seconde à la grande mobilisation philosophique contre les jésuites et contre l'humanisme chrétien.

La tendance générale du siècle est à la baisse. Le nombre des ordinations à la prêtrise dans la dernière décennie de l'Ancien Régime semble avoir été partout inférieur à celui de la décennie 1740-1750. Il y a de moins en moins de nouveaux prêtres. Déjà, en 1775, lors de l'assemblée du clergé, Loménie de Brienne alertait les évêques sur cette baisse inquiétante. Il les exhortait ainsi : « Le nombre des ecclésiastiques qui s'appliquent aux fonctions du saint ministère diminue tous les jours, et leur rareté, qui nous est déférée par plusieurs provinces, est sans doute l'objet le plus digne d'exercer votre zèle » (*Procès-Verbaux du clergé*, t. VIII, col. 764-766.

ORDONNANCE. Le mot ordonnance a, au XVIIIe siècle, un sens large et un sens restreint.

Au sens large, les ordonnances (on dit « ordonnances royaux ») sont les lois du roi ayant une portée générale. Elles se distinguent des lois particulières ou « privilèges ». « Les ordonnances royaux, dit Ferrière, sont des lois et des constitutions générales que le Roi fait publier dans son Royaume et qui obligent tous les sujets » (*Dictionnaire de droit*). Ces lois peuvent se présenter sous les formes diplomatiques variées de lettres patentes, d'édits, de déclarations ou d'arrêts du Conseil.

Au sens restreint, les jurisconsultes du

XVIIIᵉ siècle entendent, par ordonnances, des lois développées, comprenant de nombreuses matières, « promulguées soit à la requête des états généraux, soit après des consultations multiples et une préparation minutieuse » (F. Olivier-Martin). Ce sens se précise peu à peu. Il apparaît déjà dans le *Dictionnaire de droit* de Ferrière. Il est très net dans le *Répertoire* de Guyot. Les historiens du droit donnent souvent à ce type de textes le nom d'« ordonnances de réformation ».

Les jurisconsultes donnent la liste des textes correspondant à cette définition. C'est une liste assez brève. Elle contient les lois suivantes pour l'époque moderne : ordonnance d'Orléans (1560) ; ordonnance de Roussillon (1564) ; ordonnance de Moulins (1566) ; ordonnance de Blois (1579) ; Code Michau (1629) ; ordonnance civile dite Code civil (avril 1667) ; ordonnance sur les Eaux et Forêts (13 août 1669) ; ordonnance criminelle dite Code criminel (août 1670) ; ordonnance sur le commerce, dite Code marchand (mars 1673) ; ordonnance de la marine (1681) ; Code noir (mars 1685) ; ordonnance sur les donations (février 1731) ; ordonnance sur les testaments (août 1735) ; ordonnances concernant les évocations et les règlements de juges (août 1737) et ordonnance concernant les substitutions (août 1747).

Comme toutes les lois du roi, les ordonnances sont de droit public, en principe. On notera que sur les quatre ordonnances de Louis XV, trois dérogent à cette règle. En effet, les trois ordonnances sur les donations, sur les testaments et sur les substitutions représentent une tentative sans précédent pour la réformation des coutumes et pour l'unification du droit privé.

ORDRE (politique et social). Le sens de ce mot a beaucoup évolué depuis le début du XVIIᵉ siècle.

Au temps de Henri IV et de Louis XIII, le mot ordre avait une double signification juridique et sociale. Au sens juridique, les trois ordres étaient les trois éléments composant le corps de la monarchie, dont le roi formait la tête. Le premier ordre était le clergé, le deuxième la noblesse et le troisième le tiers état. Au sens social, on entendait par ordres les « dignités » attachées à certains états comme celui de clerc ou celui de gentilhomme. Les valeurs de dignité et d'honneur étaient alors celles qui comptaient le plus. Elles servaient à distinguer les catégories sociales. D'une certaine façon, la société française était alors une société d'ordres. Elle l'était politiquement et socialement. Les deux sens du mot ordre, le juridique et le social, étaient d'ailleurs très proches l'un de l'autre. Le jurisconsulte Loyseau les avait en quelque sorte réunis en définissant l'ordre comme une « dignité avec aptitude à la puissance publique ».

Au XVIIIᵉ siècle, l'ordre **juridique** est conservé dans les institutions. Les états particuliers sont des assemblées des trois ordres. Les assemblées provinciales créées par Necker en 1778 et 1779 et celles de Brienne de 1787 sont constituées sur le même principe. Toutefois, la composition des assemblées provinciales n'est pas exactement la même que celle des états traditionnels. Une innovation a été introduite : la représentation du tiers a été doublée. Le Conseil du roi décidera le même doublement pour les États généraux (résultat du Conseil du 27 décembre 1788). On introduit ainsi le quantitatif dans un système qualitatif. Cela n'a aucun sens.

L'ordre comme **catégorie sociale** connaît un sort analogue. La notion est toujours en usage, mais elle est vidée de son sens. En effet, plusieurs théoriciens politiques d'une part et les cours souveraines d'autre part font un emploi fréquent du mot. On lit sous la plume de l'abbé Coyer (dans sa *Noblesse commerçante* de 1756) que « tous les Ordres de l'État sont touchés de la même misère qui accable la Noblesse ». Dans ses *Remontrances* des années 1756 à 1775, la Cour des aides parle souvent des « ordres », de même que le parlement de Paris à la même époque. Mais le sens donné à ce mot n'est plus celui du XVIIᵉ siècle. Par ordres, on entend non plus des « dignités » ou des « qualités », mais des professions ou des corps. Par exemple, lorsque la Cour des aides, le 30 août 1770, parle des « ordres de l'État », elle énumère comme ordres les nobles, les magistrats, les commerçants, les laboureurs et les artisans. Les dictionnaires de la fin de l'Ancien Régime (*Dictionnaire de l'Académie* et *Dictionnaire* de Restaut de 1785) définissent les ordres de la manière suivante : « corps qui composent un État ». Le terme perd progressivement sa signification ou bien est totalement rejeté. Les réformateurs politiques et sociaux du camp des Lumières se gardent de l'employer. On ne le trouve ni dans les ouvrages de Mably ni dans l'*Éthocratie* du baron d'Holbach (1776). Ce n'est pas que ces auteurs refusent le principe d'une société hiérarchisée, mais ils ne veulent pas de la hiérarchie des dignités. Ils ne veulent pas de la dignité attachée à un état ou à un métier, et comme engendrée par l'exercice de cet état ou de ce métier. Pour eux, la profession est nue, le métier est nu. Pour eux, toute supériorité ne peut venir que du prince ou du mérite. Elle ne peut venir de l'état lui-même. C'est là sans doute dévaluer considérablement toutes les professions, tous les états, tous les métiers. On les dévalue en les dépouillant de leur vertu, c'est-à-dire de leur pouvoir de conférer à ceux qui les exercent un honneur et une dignité. Il n'y a plus que des fonctions. Il n'y aura plus que des fonctionnaires.

Notons aussi que depuis le milieu du siècle le mot ordre subit la concurrence du mot **classe**. Les deux mots sont employés indifféremment pour désigner les catégories sociales. Toutefois, chez le docteur Quesnay — qui en fait un usage systématique dans son *Tableau économique* — le mot classe prend le sens très particulier de groupe d'agents économiques. On sait qu'il distingue trois « classes » dans la société française : les agriculteurs, classe productrice, les travailleurs de l'industrie et du commerce, classe « stérile industrieuse », et les propriétaires fonciers, classe dominante.

On observe donc au XVIIIe siècle un appauvrissement de ce concept d'ordre. La diffusion de l'esprit égalitaire est pour beaucoup dans cette perte de substance. Les jansénistes du siècle précédent, parce qu'ils confondaient la nature et la surnature, avaient conçu l'idée de l'égalité de nature entre les hommes. Les jurisconsultes jansénistes ou jansénisants (Domat et d'Aguesseau principalement) font leur cette idée. Par eux, elle se répand chez les théoriciens politiques et dans le haut personnel de l'État. Elle fait apparaître la notion d'ordre comme archaïque et irréelle.

A l'influence de l'égalitarisme vient s'ajouter celle des doctrines étatisantes. Plus on avance dans le siècle, plus deviennent nombreux les partisans d'une monarchie despotique où seul commanderait le souverain et à laquelle ces prétendus ordres sans existence réelle n'auraient plus aucune part. Révélateur à cet égard est le mémoire adressé en 1781 par Vergennes au roi Louis XVI. Le ministre « éclairé » y fait l'éloge de la monarchie nouvelle telle qu'il la conçoit, cette monarchie réduite au roi et amputée des trois ordres : « Il n'y a plus de clergé, écrit-il, ni de noblesse, ni de tiers état en France ; la distinction est fictive, purement représentative et sans autorité réelle. Le monarque parle ; tout est peuple et tout obéit. La France, dans cette position n'est-elle par l'arbitre de ses droits au-dehors et très florissante dans l'intérieur[1] ? »

ORDRE DE SAINT-LOUIS. *Voir* **SAINT-LOUIS (ordre royal et militaire de).**

ORDRE DE SAINT-MICHEL. *Voir* **SAINT-MICHEL (ordre de).**

ORDRE DU SAINT-ESPRIT. *Voir* **SAINT-ESPRIT (ordre du).**

ORLÉANAIS. Le gouvernement de l'Orléanais se compose de six pays (Blaisois, Vendômois, Beauce, Gâtinais orléanais, Orléanais propre et Sologne) et de trois diocèses : Orléans, Chartres et Blois. L'intendance d'Orléans, qui recouvre

---

1. Cité par J. F. Labourdette, *Vergennes, ministre principal de Louis XVI*, 1990.

l'ensemble de la province, est une intendance de fin de carrière. Elle a eu quelques administrateurs de grande compétence dont Cypierre.

L'agriculture est d'une extrême diversité : monoculture du froment en Beauce, vignoble dans le Val de Loire et pâturages dans la Sologne. Dans l'ensemble, c'est une agriculture en progrès. D'importants défrichements ont lieu après 1764.

La situation de la province au carrefour de grands axes de communication, et sa jonction avec la vallée de la Seine par les canaux de Briare et d'Orléans lui permettent de jouer un rôle commercial important. Pour l'activité industrielle, la plus grande partie se concentre à Orléans (raffineries de sucre, toiles peintes et filatures) et pour une plus faible part à Montargis.

La querelle janséniste, particulièrement vive dans cette région, affaiblit la religion. On ne compte pas moins de huit monastères de religieuses jansénistes en révolte permanente avec l'autorité épiscopale. La bourgeoisie orléanaise est marquée par le rigorisme janséniste. Les évêques n'ont généralement pas la stature suffisante pour restaurer le prestige de la religion. Les trois évêques de la fin de l'Ancien Régime ne brillent pas par leurs qualités d'apôtres et de docteurs. Ils en ont d'autres, mais ce ne sont pas des qualités apostoliques : Thémines à Blois est un grand seigneur très cultivé, Lubersac à Chartres est acquis à la philosophie des Lumières ; quant à Jarente d'Orléans, sa réputation est celle d'un aimable épicurien.

ORLÉANS. Orléans est ville épiscopale, chef-lieu du duché de ce nom, siège d'intendance et d'élection. Sa population de 35 000 habitants la met au rang des grandes villes. L'abbé Expilly la qualifie de « ville ancienne, grande, belle, agréable, l'une des plus considérables du royaume ».

Son commerce et son industrie lui valent cette appréciation flatteuse. On y compte, à la veille de la Révolution, cent quarante maisons de commerce, faisant chacune de 150 000 à 500 000 livres d'affaires, de nombreuses fabriques de bonneterie et de couvertures de laine, deux manufactures de toiles peintes, une de porcelaine, deux cents vinaigriers et vingt-quatre raffineries de sucre employant au total sept cent trente-huit ouvriers (Lefebvre). La croissance économique enrichit les négociants, mais ne profite guère aux ouvriers. Car les négociants ne respectent pas les règlements corporatifs, et les ouvriers ne sont défendus ni par la municipalité, ni par l'administration royale. A la fin de l'Ancien Régime, les salaires vont de 10 à 30 sous par jour. Plusieurs grèves de protestation sont suscitées par les compagnonnages (dans la période 1751-1767).

L'université de droit jouit d'une grande et ancienne réputation. La chaire de droit français y est occupée de 1749 à 1772 par Robert Joseph Pothier, auteur de nombreux traités de droit coutumier et privé, réputé l'un des meilleurs jurisconsultes de son temps.

Orléans possède aussi une société littéraire transformée en 1781 en académie des sciences, arts et belles-lettres.

ORLÉANS, Philippe, duc d' (Saint-Cloud, 4 août 1674 - Versailles, 2 décembre 1723). Régent, il est né du mariage de Monsieur, frère unique de Louis XIV, avec la seconde Madame, princesse Palatine. Fait duc de Chartres à sa naissance, devenu duc d'Orléans à la mort de Monsieur en juin 1701, les décès successifs du Grand Dauphin, du duc de Bourgogne et du duc de Berry le rapprochent du trône. Il est depuis mai 1714 le premier héritier de la Couronne, après le petit dauphin Louis, alors âgé de quatre ans.

Le testament de Louis XIV le désignait comme régent, mais d'une manière toute nominale, en sans que cette dignité lui confère un pouvoir réel. Le 2 septembre 1715, il fait casser le testament par le parlement de Paris, et se fait attribuer, avec le titre de Régent, la présidence du Conseil de régence et la tutelle du jeune roi. Il va exercer ces fonctions jusqu'en février 1723, date de la majorité royale. En août 1723, il remplace Dubois au poste de premier ministre. Son ministériat est court : il meurt subitement le 2 décembre. En 1692, Louis XIV l'avait obligé à épouser Mlle de Blois. Il en avait eu huit enfants, dont un seul fils.

Physiquement, le duc d'Orléans n'est pas un prince charmant. Le visage est rouge et large, la démarche lourde. Il voit mal, souffrant d'une myopie accentuée. Mais c'est l'homme le plus aimable du monde. Il a « dans toutes ses manières une grâce infinie » (Saint-Simon). Il a le don de la parole, celui du courage physique (on l'avait vu charger intrépidement à Neerwinden à la tête de la Maison du roi), celui d'une prodigieuse mémoire, et beaucoup de goût et de talent pour les sciences et les arts. Il peint. Il fait des expériences de chimie. Brillant, rapide et valeureux, il paraît né pour commander.

Le malheur pour lui est qu'il parvient tard — il a quarante et un ans — au suprême pouvoir. L'ennui et la débauche l'ont usé. Sa réputation de débauché n'est pas surfaite. Il a toujours abusé du vin et des femmes. « Mon fils, écrit la Palatine, est un vrai fou à l'égard des femmes. » Saint-Simon, son ami et véritable ami, évoque ses « débauches étranges, [...] scandaleuses, [...] outrées ». Dans la compagnie de ses « roués » (Canillac, Broglie, La Fare, Brancas, Riom, Nocé et quelques autres), il n'est pas de nuit qu'il ne passe en beuveries et fornications. Pour comble, son esprit est dépravé par l'irréligion et la superstition. Il s'est adonné très tôt à des pratiques de sorcellerie. « Il croyait le diable, écrira Saint-Simon, jusqu'à espérer de le voir et de l'entretenir. »

On ne prête qu'aux riches. Contre un tel personnage, les plus monstrueuses accusations trouvent crédit. Que ne dit-on pas sur lui ! Il aurait avec sa fille préférée, la duchesse de Berry, des relations incestueuses. Il aurait fait empoisonner le duc de Bourgogne. Il méditerait l'assassinat du jeune roi.

C'est donc un homme diminué et discrédité qui exerce le pouvoir en ce début du règne de Louis XV. Certes, on ne peut le taxer de négligence, ni d'indifférence à sa tâche. Levé tous les matins à six heures, il travaille sans relâche jusqu'à cinq heures de l'après-midi. « Mon fils, écrit la Palatine, aime sa patrie plus que sa propre vie. Il travaille jour et nuit, et y consume sa vie et sa santé. » Mais ce zèle ne suffit pas. On peut se demander si le Régent ne manque pas des deux qualités les plus nécessaires à un homme d'État, le bon sens et la constance. Saint-Simon le dit « incapable de suite dans rien ». C'est un jugement inquiétant.

De fait, cette courte période de huit ans de la Régence est fortement troublée par de grands revirements. D'abord le Régent prend le contre-pied de la politique de Louis XIV. Le Parlement retrouve son droit de remontrance. Un système de polysynodie remplace le pouvoir ministériel. Les jansénistes rentrent en grâce. Une alliance est conclue avec l'Angleterre. La guerre est faite à l'Espagne. Ensuite, à partir de 1718, le Régent semble vouloir revenir à un mode de gouvernement plus conforme aux orientations louis-quatorziennes. Le Parlement et les jansénistes sont mis au pas. La polysynodie est supprimée. La paix est conclue avec l'Espagne. Cependant, une politique financière anarchique et les désordres venant du Système de Law compromettent l'équilibre politique et moral de la monarchie.

On ne peut dénier au duc d'Orléans son attachement au jeune roi. Il aimait cet enfant, et c'était une affection partagée. Il le voyait tous les jours et lui donnait lui-même des instructions de politique pratique. On lui doit d'avoir préparé Louis XV à son métier de roi. Mais avait-il la stature et le caractère voulus pour insuffler au jeune prince, à l'âge où toutes les impressions sont fortement ressenties, l'âme et la volonté d'un roi de France ?

ORLÉANS, Louise Adélaïde d' (1698 - 20 février 1743). Elle est la deuxième fille du Régent. Moniale professe à l'abbaye de Chelles, nommée par le roi, le 10 mai 1719, abbesse de ce monastère, elle démissionne de sa charge le 5 octobre 1740, et vient achever sa vie à Paris, au prieuré de la Madeleine de Tresnel. Beaucoup moins folle que sa sœur, la duchesse de Berry, elle est cependant une instable, « tantôt austère à l'excès, tantôt n'ayant de religieuse que l'habit, musicienne, théologienne, directrice et tout cela par sauts et par bonds » (Saint-Simon, *La Cour du Régent*, préface et notes d'Henri Mazel, Paris, Georges Crès et Cie, s.d., p. 56). Il faut cependant reconnaître qu'elle ne fit jamais vraiment scandale, et qu'elle acheva sa vie dans la dévotion.

ORLÉANS, Louis Philippe, duc de Chartres, puis (1752) duc d' (Versailles, 12 mai 1725 - Sainte-Assise, 18 novembre 1785). Il est le fils du duc Louis. Le projet, formé en 1739, de lui faire épouser Madame Henriette, fille de Louis XV, est abandonné pour éviter de favoriser la branche cadette. Il épouse le 16 décembre 1743 Louise Henriette de Bourbon-Conti, qui meurt en 1759, le laissant veuf avec deux enfants. Le 23 avril 1773, il se remarie secrètement avec Mme de Montesson. La période la plus active de son existence est celle de la guerre de Succession d'Autriche. Maréchal de camp, puis lieutenant général, il participe à toutes les batailles, y compris celle de Fontenoy. Le reste de sa vie se passera dans sa résidence du Palais-Royal et dans ses châteaux de Villers-Cotterêts et de Bagnolet. De goûts épicuriens, il donne des fêtes et des spectacles. A Bagnolet, il a fait construire un théâtre où il ne dédaigne pas de se produire. Le poète Charles Collé, dont il a fait son lecteur et secrétaire particulier, a en outre la charge d'amuser cette petite cour. Avec les autres princes du sang, il proteste en 1771 contre les réformes de Maupeou, mais il est loin d'être le plus virulent des protestataires. Dès que le roi l'y autorise, il s'empresse de reparaître à la Cour (27 décembre 1771). On peut se demander s'il n'éprouvait pas pour Louis XV un certain attachement. Pendant les derniers jours du roi, il sera constamment auprès de lui et s'efforcera de l'assister.

ORLÉANS, Louis Philippe Joseph, duc d' (Saint Cloud, 13 avril 1747 - Paris, 6 novembre 1793). Baptisé « Philippe Égalité » par la Commune de Paris le 15 septembre 1793, guillotiné à Paris le 6 brumaire an II, il est le fils de Louis Philippe, duc d'Orléans, et de Louise Henriette de Bourbon-Conti. Duc de Montpensier à sa naissance, puis duc de Chartres à partir de 1752, il devient duc d'Orléans à la mort de son père, le 18 novembre 1785.

Louis XV, puis Louis XVI lui manifestent de la méfiance, mais on ne saurait parler d'une hostilité systématique. En 1777, le jeune duc de Chartres est nommé lieutenant général des armées navales, et inspecteur général de la marine. Sa conduite au combat d'Ouessant, le 27 juillet 1778, n'ayant pas donné satisfaction (hésitations ou lâcheté ?), sa carrière maritime n'ira pas plus loin. Mais, la même année, le roi le nomme colonel général des hussards. A chacune des deux assemblées des notables, le roi l'appellera à présider l'un des bureaux. Il n'est pas tenu à l'écart, ni privé d'emplois.

Pourtant, il s'oppose à la politique royale. A deux reprises, en 1771, lors du coup d'État de Maupeou, et en 1787, il manifeste clairement et publiquement son opposition. Lors de la séance royale du Parlement, du 19 novembre 1787, pour l'enregistrement des édits sur les emprunts, il ose déclarer à Louis XVI : « Je regarde cet enregistrement comme illégal » (cité par Hubert La Marle, *Philippe Égalité, « Grand Maître » de la Révolution*, Paris, 1989, p. 91). Le lendemain il est exilé à Villers-Cotterêts.

Opposant, mais non chef de parti. Certes, il a des liens étroits avec l'opposition parlementaire, et reçoit au Palais-Royal l'abbé Sabatier de Cabre, l'un des chefs de cette faction. Il emploie ou stipendie quelques-uns des publicistes les plus virulents du « parti national ». Brissot est le lieutenant général de sa chancellerie, Laclos le secrétaire de ses commandements, Sieyès l'auteur de l'*Instruction à ses représentants aux assemblées des bailliages* qu'il adresse en mars 1789.

Cela dit, le « parti d'Orléans » n'a pas de consistance réelle. En tout cas, le duc n'en est nullement le chef. On a voulu voir en lui l'organisateur de l'émeute Réveillon. Ce n'est pas prouvé.

Son rôle pendant la Révolution n'est guère plus important. Il est sûr qu'il s'engage à fond dans le mouvement. Élu aux États généraux, il est l'un des premiers députés de la noblesse à rejoindre le tiers. Élu député à la Convention, il vote la mort du roi. Mais il suit plus qu'il ne conduit. C'est sans la moindre preuve concluante qu'on a fait parfois de lui l'instigateur des journées d'octobre, et de la pétition du Champ-de-Mars de juillet 1791.

Arrêté en avril 1793 comme membre de la famille des Bourbons, il est englobé en octobre dans la fournée des Girondins, et jugé et exécuté le 6 novembre.

En l'accusant d'avoir renversé la monarchie, on lui a fait beaucoup d'honneur. C'était en fin de compte un homme assez médiocre et de peu de caractère. Il faut réduire son rôle. « Ce prince, a dit Brissot, aimait assez les conspirations qui ne duraient que vingt-quatre heures ; passé ce terme, il était effrayé. » « Tout le monde est de son parti, disait Mirabeau, excepté lui-même » (cités par Hubert La Marle, *op. cit.*).

ORLÉANS, Louise Marie Thérèse Bathilde d', duchesse de Bourbon (9 juillet 1750 - 10 janvier 1822). Elle est la fille de Louis Philippe, duc d'Orléans, et la sœur de Philippe Égalité. Ayant épousé en 1770 Louis Henri Joseph, duc de Bourbon, prince de Condé, elle s'en sépare peu après la naissance de leur fils, le duc d'Enghien. Dans les années qui précèdent la Révolution, elle est la femme la plus moderne de Paris, cultivant à la fois la bienfaisance et l'illuminisme. La bienfaisance, en fondant un hospice, et en visitant les malades ; l'illuminisme, en protégeant Saint-Martin et sa secte. Initiée à la maçonnerie, elle préside une « loge d'adoption ». Elle organise chez elle des séances de magnétisme et de spiritisme. Rien de ce qui est bizarre ne lui est étranger. Acquise aux idées démocratiques, elle mélange mysticisme et révolution. En 1791, son salon du Luxembourg est le rendez-vous des visionnaires exaltés et éclairés (Catherine Théot, Suzanne Labrousse et dom Gerle). Elle n'est pas épargnée pour autant par la Révolution, et passe en prison deux années entières (mai 1793 - avril 1795). Dernière singularité de cette femme étrange : l'assassinat de son fils, le duc d'Enghien, ne l'empêche pas de manifester à Bonaparte des sentiments de véritable adulation, et de solliciter de lui, d'ailleurs en vain, dans les termes les plus courtisans, son rappel d'exil. Revenue à Paris en 1814, elle y reprend ses activités philanthropiques et illuministes, et meurt subitement, frappée d'apoplexie, alors qu'elle assistait à une cérémonie religieuse dans l'église Sainte-Geneviève (actuel Panthéon).

ORMESSON, Henri IV François de Paule Lefèvre, marquis d' (Paris, 1751-*id.*, 1807). Il a été nommé contrôleur général des Finances le 28 mars 1783. Étrange idée qu'un tel choix. Certes le nouveau ministre connaît les finances. Fils et petit-fils d'intendant des Finances, conseiller d'État et intendant des Finances lui-même, il ne manque pas de compétences techniques. Mais il n'a que trente-deux ans, et c'est bien jeune pour le premier poste du ministère. Il a d'ailleurs commencé par refuser l'offre du roi, en arguant de sa jeunesse. Louis XVI lui aurait alors fait cette réponse : « Je suis plus jeune que vous et j'occupe une fonction autrement plus importante. » À la mort de son père, Lefèvre d'Ormesson lui avait succédé dans tous ses emplois, et en particulier dans celui d'administrateur de la maison de Saint-Cyr. A ce titre, il avait travaillé avec le roi qui avait apprécié ses services. Là serait l'origine de sa promotion. Cet homme jeune et ingénu ne tarde pas à faire la preuve de sa maladresse. Il mécontente tout le monde : les frères du roi en refusant de payer leurs dettes sur les deniers de l'État, les fermiers généraux en cassant le bail de la Ferme, les rentiers en autorisant la Caisse d'escompte à suspendre le paiement en argent des billets de plus de

300 francs. Il avait été nommé en mars. Il est renvoyé le 2 novembre. La Révolution lui sera clémente. Il est nommé en 1790 président d'un des tribunaux de Paris. On lui offre même la mairie de la capitale, mais il la refuse. Il se retire à la campagne et vieillit oublié.

ORRY, Philibert, comte de Vignory (Troyes, 22 janvier 1689 - château de Nogent-sur-Seine, 9 novembre 1747). Contrôleur général des finances, il est certainement, des nombreux ministres des Finances de Louis XV, le plus sage et le plus soucieux du bien commun. Il descendait d'une famille bourgeoise. Son père, directeur général des Finances de Philippe V d'Espagne, avait acheté la noblesse avec une charge de secrétaire du roi. Lui-même, après un court stage de jeunesse dans l'armée comme cornette d'un régiment de cavalerie, avait fait la carrière classique des grands serviteurs du roi : conseiller au Parlement, maître des requêtes (en 1715), intendant à Soissons, puis à Perpignan et enfin à Lille. Le 20 mars 1730, Louis XV l'appelle au Contrôle général. Le 11 novembre 1736, il accède au rang de ministre d'État et entre au Conseil d'en haut. Cette même année 1736, il avait été nommé directeur des Bâtiments.

Orry est le contraire d'un prestidigitateur. S'il brille et s'il étonne, c'est par le bon sens et la simplicité. Il supprime les dépenses inutiles et fournit, par les ventes d'offices, les emprunts et les impositions, ce qui est nécessaire aux dépenses. Pendant les deux guerres de Succession de Pologne et de Succession d'Autriche, il remet en vigueur l'impôt du dixième, déjà pratiqué par Louis XIV, et qui est une ébauche d'impôt égalitaire. Son but principal, durant toute son administration, est d'arriver à équilibrer les dépenses et les recettes. Il y parvient en 1739. Ce bon comptable est également un bon économiste. Afin de bien connaître les ressources du royaume, il diligente plusieurs enquêtes sur le commerce et les manufactures. On lui doit aussi le premier « dénombrement général de la population », opéré en 1744 par les intendants sur ses instructions.

Un homme aussi exact pouvait-il être aimé ? « Ce ministre utile et bienfaisant » fut « l'un des plus détestés de son temps » (P. Gaxotte, *Le Siècle de Louis XV*, Paris, 1933, p. 116). La rigueur de sa gestion fut la cause de son départ. Les frères Pâris, fournisseurs aux armées, se plaignirent de lui. Ils étaient les protecteurs de Mme de Pompadour. La favorite exigea le renvoi. Orry démissionna, et fut remplacé par Machault le 5 décembre 1745. Il n'avait ni femme ni enfants. Il se retira donc solitaire dans sa terre de La Chapelle en Champagne, où il mourut deux ans après.

ORVILLIERS, Louis Jacques Honoré Guillouet, comte d' (Moulins, 1710 - *id.*, 1792). Lieutenant général des armées navales, il est le chef malheureux de la vaine tentative de débarquement en Angleterre en 1779. Entré dans la marine en 1728, chef d'escadre en 1764, lieutenant général en 1777, il a soixante-huit ans lorsque lui est confié en 1778 le commandement de la grande escadre de Brest, chargée d'attaquer l'amiral anglais Keppel. Il montre tout de suite une grande circonspection. Ses ordres lui sont parvenus le 29 juin. S'estimant mal préparé, il ne met à la voile que le 8 juillet. Le combat s'engage le 23 au large d'Ouessant. Il n'y a ni vainqueur ni vaincu. D'Orvilliers n'a pas su profiter de l'occasion offerte au début de l'engagement de percer la ligne anglaise. Il en rend responsable le duc de Chartres, chef de l'une de ses divisions. Sa campagne de 1779 est une succession de malchances. Les instructions du 29 mai prescrivaient d'aller au-devant des escadres espagnoles. Le rendez-vous était fixé près de La Corogne. Ensuite l'escadre combinée devait se rendre dans la Manche et débarquer des troupes à l'île de Wight. Il eût fallu agir vite. Mais divers incidents retardent le rassemblement des flottes. D'Orvilliers ne peut quitter l'Espagne que le 2 août. Il arrive le 16 août devant Plymouth. A ce moment, de nouvelles instructions lui parviennent, l'invitant à débarquer à Falmouth et à conquérir la Cornouailles. Il s'y refuse, arguant du mauvais temps et de l'épidémie qui décime ses équipages. Finalement, il quitte la Manche et regagne Brest, où huit mille malades sont débarqués. On peut certainement dire qu'il a manqué d'énergie et de volonté. On peut dire aussi qu'il a surestimé les possibilités de l'ennemi. Mais il faut être juste. Son échec est dû pour la plus grande part à des circonstances échappant à son contrôle. Sa carrière finit là. Il donne sa démission, qui est acceptée. Ajoutons que la mort de son fils, jeune officier promis à un grand avenir, et victime lui aussi de l'épidémie, avait fait de lui un homme brisé, n'aspirant plus qu'au repos.

OUDRY, Jean-Baptiste (Paris, 1686 - Beauvais, 30 avril 1755). Il est le plus doué des peintres animaliers de ce siècle. D'abord élève de son père, il travaille ensuite chez Serre, peintre des galères du roi, et enfin chez Largillière qui lui livre les secrets de son art. Reçu à l'Académie en 1719 comme peintre d'histoire, il se spécialise ensuite comme animalier. Louis XV le nomme son peintre animalier et historiographe de son chenil. La reine de Suède lui commande une chasse au sanglier pour la salle à manger du palais royal de Stockholm.

En 1725, Oudry est nommé peintre de la manufacture de tapisseries de Beauvais dont il deviendra le directeur en 1734. Il cumulera bientôt cette charge avec la surinspection des Gobelins.

C'est dans la forêt de Chantilly qu'Oudry préfère travailler. Très doué dans tous les domaines, il réussit surtout dans les représentations des animaux de la chasse et du chenil, ce qui lui vaut le nom de « La Fontaine de la peinture ». Il compose avec talent des cartons de tapisserie (ainsi la série des *Chasses de Louis XV*). Ses remarquables natures mortes sont célèbres, comme le *Canard blanc* (1753). Enfin, on a pu dire que les plus beaux paysages peints du XVIIIe siècle sont les fonds de paysage de Desportes et d'Oudry pour faire valoir les animaux. *L'Hallali au loup* et *L'Hallali du cerf* (1721) ont pour décor des arbres et des lointains très bien traités.

En 1743, Oudry accède à la fonction de professeur à l'Académie. La même année, il publie un *Discours sur la pratique de la peinture*.

Ce grand artiste était père de treize enfants. Outre son talent, il avait la réputation d'un homme honnête et bon.

OUESSANT (bataille d'). La bataille d'Ouessant est livrée par le comte d'Orvilliers le 27 juillet 1778 contre l'escadre anglaise de l'amiral Keppel, au tout début de la guerre d'Indépendance américaine.

Fin juin, d'Orvilliers reçoit mission d'intercepter un convoi anglais en provenance de la Jamaïque. Le 9 juillet, Keppel quitte Portsmouth et se dirige à la rencontre du convoi pour le protéger. Il a la supériorité numérique : 30 vaisseaux et 2 888 canons contre les 27 vaisseaux et les 1 934 canons du comte d'Orvilliers (Patrick Villiers, *La Marine de Louis XVI*, t. I, 1985). Le 23, les Anglais sont en vue des Français. Le 27, d'Orvilliers, qui a pour lui l'avantage du vent, prend la flotte anglaise sous un tir d'enfilade et lui inflige d'importants dégâts. Mais lorsque, voulant poursuivre l'offensive, il donne l'ordre à ses différentes divisions d'envelopper la flotte anglaise, ses signaux sont mal compris par l'escadre du duc de Chartres, dont l'indécision permet à l'adversaire de s'échapper. C'est donc une demi-victoire, même si les pertes des Anglais sont plus sévères. D'ailleurs, le convoi de la Jamaïque n'a pas été intercepté. Mais toute la France pavoise. On voit dans ce combat le signe de la renaissance de la marine. Sartine et d'Orvilliers sont portés aux nues. En revanche, il n'y a qu'un cri pour blâmer la « lâcheté » du duc de Chartres.

OZANNE, Nicolas (Brest, 12 janvier 1728 - Paris, 3 janvier 1811). Il fut élève de Roblin en 1743, puis son successeur en 1750 comme maître de dessin des gardes de la marine de Brest. Il collabore au dessin des fêtes données à l'occasion de la visite du port du Havre par Louis XV en 1749. Il publie les cinq *Cahiers des principales manœuvres* (1749-1754) et surtout sa *Marine militaire, ou Recueil* *des différents vaisseaux qui servent à la guerre, suivi des manœuvres qui ont le plus rapport au combat ainsi qu'à l'attaque et à la défense des ports* (1762), qui établissent sa réputation de dessinateur.

Nicolas Ozanne vit dès lors à Versailles, où il est occupé au bureau des géographes de la Guerre, puis aux embarcations et modèles du Grand Canal. Il est chargé de l'éducation maritime du Dauphin, le futur Louis XVI, et de divers travaux de dessin pour les ports. Il prend sa retraite d'ingénieur des bâtiments civils de la Marine en 1789. Si le génie de la famille Ozanne est bien Nicolas, on ne doit pas négliger pour autant le talent de son frère Pierre (1737-1813), qui lui succède à Brest avant d'être employé comme ingénieur-constructeur dans la deuxième partie de sa longue carrière, ni celui de ses sœurs Jeanne-Françoise et Marie-Jeanne, à qui Nicolas a appris la gravure et qui l'ont bien secondé dans cette partie de son œuvre.

P

PAJOT DE MARCHEVAL, Christophe (Paris, 1724 - *id.*, 3 avril 1792). Intendant, conseiller d'État, on connaît les grandes étapes de sa carrière (substitut au parlement de Paris de 1743 à 1745, conseiller, puis avocat général au Grand Conseil, maître des requêtes en 1749, intendant à partir de 1770 et enfin conseiller d'État en 1784), mais on ne sait presque rien ni de sa personnalité, ni de son action. Ses trente-deux années d'intendance (d'abord à Limoges de 1751 à 1761, ensuite à Grenoble de 1761 à 1783) n'ont guère retenu l'attention. Une chose est sûre : c'était un homme honnête. Il quitta l'administration moins riche qu'il n'y était entré. En 1779, il remarquait que, depuis trente-cinq ans qu'il occupait des charges, il avait vu diminuer sa fortune et celle de sa femme « de près de 300 000 livres ».

PAJOU, Augustin (Paris, 1730 - *id.*, 1809). Sculpteur, fils d'un sculpteur or-

nemaniste du faubourg Saint-Antoine, il poursuivit sous les deux règnes de Louis XV et Louis XVI une longue et riche carrière. Élève de J.-B. Lemoyne, son cursus fut des plus classiques : grand prix de sculpture à l'âge de dix-neuf ans, long séjour italien et entrée à l'Académie. C'est à lui que l'on doit toute la sculpture ornant l'opéra de Versailles. Il travailla aussi pour le Palais-Bourbon et pour la cour du Palais-Royal. Enfin il s'illustra comme portraitiste des célébrités vivantes (Buffon, Mme du Barry) et de celles du passé (bustes de Pascal, Descartes et Bossuet, commandés par Louis XV et exécutés de 1773 à 1778). Sa production fut très abondante. Plus de cent quatre-vingts œuvres portent sa signature.

PALISSOT DE MONTENOY, Charles (Nancy, 3 janvier 1730 - Paris, 15 juin 1814). Littérateur, fils d'un conseiller du duc de Lorraine, il avait été un enfant surdoué ; ses études précoces et excellentes l'avaient fait remarquer notamment par l'érudit dom Calmet. Entré à l'Oratoire, il en sort rapidement pour se consacrer aux lettres. A dix-neuf ans, il avait déjà écrit deux tragédies : *Zares* et *Ninus II*, qui eut trois représentations. Établi à Paris en 1749, il fait jouer en 1754 *Les Tuteurs*, puis *Le Barbier de Bagdad*. Le 23 novembre 1755, il fait jouer à Nancy devant le roi Stanislas une comédie intitulée *Les Originaux ou le Cercle*, charge en règle contre les philosophes, qu'il renouvelle l'année suivante dans les *Petites Lettres contre de grands philosophes*, où Diderot notamment est fort maltraité. En 1760, il donne son œuvre la plus connue : une comédie en trois actes et en vers, intitulée *Les Philosophes*, qui est jouée avec succès au Théâtre-Français. Cette pièce, calquée sur le plan des *Femmes savantes*, attaque sans ménagement les idées et les manières de personnages célèbres tels que Rousseau et Helvétius. Désormais, le parti des philosophes va se déchaîner et poursuivre sans trêve de sa rancune le malheureux Palissot. Celui-ci fait représenter en 1762 *Les Nouveaux Mé-*

nechmes puis *Le Satirique ou l'Homme dangereux* et *Les Courtisanes*. A l'invitation du pape, il compose en 1764 *La Dunciade ou la Guerre des sots*, poème satirique en trois chants, porté bientôt à dix par l'auteur qui règle ses comptes avec ses adversaires; ceux-ci ripostent par de nombreux libelles et lui barrent la route de l'Académie. On connaît également de Palissot une *Histoire des premiers siècles de Rome* publiée en 1756 et un *Mémoire sur l'histoire de la littérature française*, paru en 1771. Sous l'Empire, il publiera *Le Génie de Voltaire*. Ruiné par la Révolution, retiré à Pantin, il fut nommé administrateur de la bibliothèque Mazarine. Ses œuvres ont fait l'objet de son vivant d'éditions complètes à Liège chez l'éditeur Plomteux, puis à l'imprimerie de Monsieur à Paris en 1782, et enfin sous sa propre direction, en 6 volumes in-8°, en 1809.

PANARD, Charles-François (Courville, près de Chartres, 1694 - Paris, 13 juin 1765). Il fut vaudevilliste et chansonnier. Le vaudevilliste a laissé plus de quatre-vingts pièces (dont *Le Tour de carnaval*, 1731, et *Zéphyr et Fleurette*, 1754), le chansonnier plusieurs dizaines de chansons toutes dédiées au vin, à la bonne chère et à l'amour. Le Caveau en eut la primeur (*voir* CHANSON). Le *Caveau moderne* les publiera dans ses recueils parus sous l'Empire. Dévot fanatique du plaisir de boire, Panard est l'auteur d'un poème célèbre de par l'arrangement de ses vers qui imite la forme d'une bouteille. Ce chef-d'œuvre finissait ainsi :

Ma lyre de ma voix accompagnant le son
Répétera cent fois cette aimable chanson.
Règne sans fin ma charmante bouteille
Règne sans cesse ô mon joli flacon.

On a parlé d'un « La Fontaine du vaudeville » (Marmontel) et d'un « esprit plein de finesse et de goût » (Hoefer). Appréciations démesurées : l'esprit de Panard avait peut-être du goût, mais ce goût était plutôt celui des habitués des cafés.

PAPIER. Les manufactures de papier sont appelées moulins à papier.

Le procédé en usage pour la fabrication du papier avant l'adoption du cylindre hollandais est le suivant : on fait d'abord séjourner le chiffon dans des pourrissoirs, puis on le soumet à l'action de maillets hydrauliques, afin de le transformer en pâte. On verse la pâte dans des cuves où l'ouvrier la prend pour la mettre dans des formes où elle se convertit en papier. L'importance d'un moulin est évaluée d'après le nombre de ses cuves. Beaucoup de moulins n'ont qu'une ou deux cuves. Rares sont ceux qui en ont plus de quatre.

La fabrication, très coûteuse à cause de l'outillage nécessaire, exige des capitaux importants. Les fonds sont souvent avancés par un bourgeois qui loue le moulin au seigneur, et pour qui travaille le maître fabricant, véritable salarié.

On trouve des papeteries dans toutes les provinces de France, mais les grandes provinces papetières sont l'Angoumois et le Languedoc. L'Angoumois possède, à la veille de la Révolution, 25 moulins et 33 cuves, le Languedoc 44 moulins répartis en trois groupes : 20 dans l'Albigeois et le Castrais, 4 dans les Cévennes et 20 dans les grandes papeteries de Johannot et Montgolfier à Annonay.

Après 1760, l'adoption d'un nouveau procédé de fabrication révolutionne l'industrie papetière. Ce procédé est d'origine hollandaise. Les papetiers hollandais ont supprimé le pourrissoir et inventé des machines nouvelles, les cylindres, qui convertissent directement le chiffon en pâte. Le premier cylindre est monté en 1761 au moulin de Puymorin en Angoumois. Trois cylindres fonctionnent chez les Montgolfier en 1782. En 1789, presque tous les moulins à papier sont équipés de cylindres.

PAPILLON DE LA FERTÉ, Denis Pierre Jean Papillon, dit (1727-1794). Intendant des Menus Plaisirs du roi, il est le fils d'un subdélégué général de l'intendance de Champagne. D'abord directeur du dixième en Champagne, il est nommé en 1756 intendant des Menus Plaisirs. Il garde cette charge jusqu'à la Révolution et, de 1786 à 1791, la cumule avec celle d'administrateur général des Postes. Son frère Papillon d'Auteroche et son cousin Papillon de Fontpertuis sont tous les deux fermiers généraux. Lui-même est intéressé dans les fermes. Son *Journal*, publié en 1887 par E. Boysse, est un précieux document sur les spectacles de la Cour au temps de Louis XVI. Papillon s'y révèle un administrateur scrupuleux. Sa tâche était délicate. D'un côté, l'opinion publique surestimait les dépenses de la Cour et réclamait leur réduction. D'un autre côté, la reine et les premiers gentilshommes de la Chambre poussaient à des spectacles coûteux. Papillon essaie de garder le juste milieu. Il maintient les spectacles tout en faisant le plus d'économies possible. « Autant je pense, écrit-il dans son *Journal*, qu'il faut soutenir et encourager les arts pour l'honneur de la nation [...], autant je suis d'avis qu'il faut pour cela consulter le temps et les circonstances. » Cet homme honnête embrasse avec ferveur et une parfaite bonne foi le parti de la Révolution. Cela ne suffit pas. Il est jugé et guillotiné le 7 juillet 1794. N'avait-il pas organisé les plaisirs du « tyran » ?

PARABÈRE, Marie Madeleine de La Vieuville, comtesse de (1693-1755). Elle est l'une des maîtresses du Régent. Elle se marie à dix-huit ans avec César Alexandre de Baudéan, comte de Parabère. Devenue veuve après cinq années de mariage, elle inaugure alors une carrière galante, qui va être des plus remplies. Elle est un moment la maîtresse officielle du duc d'Orléans, mais elle a beaucoup d'autres liaisons. Comme le dit son ami le comte de Caylus, « jamais son cœur n'a été vide un instant ; elle a quitté ; elle a été quittée ; le lendemain, le jour même, elle avait un autre amant qu'elle aimait avec la même vivacité... » Le Régent l'appelait son « petit corbeau noir ». Elle fut l'une des maîtresses qui eut le plus de pouvoir. Elle s'en servit avec habileté et persévérance.

PARIS. Paris est la capitale du royaume, mais c'est une capitale où le gouvernement ne réside pas. Presque tous les mi-

nistères sont à Versailles, Paris ne gardant que la finance, c'est-à-dire le Contrôle général et la ferme générale. Pendant sa minorité, Louis XV a passé cinq années à Paris, mais en 1722 il s'est installé à Versailles et a délaissé sa capitale. Il y a encore un bref séjour parisien (du 13 au 19 novembre 1744, après la maladie de Metz). C'est le dernier. Désormais le roi se bornera à de courtes visites d'une journée, une ou deux fois par an. Louis XVI ne viendra pas plus souvent. La capitale est veuve du roi. Pourtant, les rois continuent à bâtir. La place Royale (actuelle place de la Concorde), l'École militaire, l'hôtel des Monnaies, l'église Sainte-Geneviève (actuel Panthéon) et l'École de droit témoignent de la munificence royale.

La capitale n'en a que le titre. La municipalité n'en a que les honneurs. Composé du prévôt des marchands et des échevins, le Bureau de ville a de faibles moyens et son autonomie est des plus réduites. Le prévôt des marchands est nommé par le roi. Les circonscriptions administratives réelles ne sont plus les seize quartiers de la ville, mais les vingt quartiers de la lieutenance de police.

Paris s'étend. Sa superficie était de 1 300 hectares en 1702. Elle est de 3 370 hectares à l'intérieur de l'enceinte des Fermiers-Généraux (1785). Le diamètre est doublé. Il y a 10 kilomètres de l'Étoile à la place du Trône, et 7 kilomètres du pied de Montmartre à l'Observatoire. La population n'augmente pas dans les mêmes proportions. Paris gagne seulement cent mille habitants, passant de cinq cent cinquante mille à six cent cinquante mille. Nantes, Bordeaux et Marseille ont des taux d'accroissement très supérieurs. Mais, comme dans toutes les grandes villes du royaume, l'accroissement de la population est dû à l'immigration, le mouvement naturel étant déficitaire.

Un nouveau Paris se construit. Les lotissements du faubourg Saint-Germain et du faubourg Saint-Honoré commencent sous la Régence. Après 1750 débute une nouvelle série de constructions au faubourg Saint-Denis et à la Chaussée-d'Antin. On ouvre de nouveaux axes de communication : une voie continue relie le pont Neuf au pont de Neuilly ; les Champs-Élysées sont prolongés (en 1724) du rond-point à la butte (un peu rabotée) de l'Étoile, puis continués par une large avenue construite de 1770 à 1772, menant jusqu'au pont de Neuilly.

Toute la poussée de Paris se fait vers l'ouest et au bénéfice des catégories sociales dominantes. Ce sont en effet la noblesse et la bourgeoisie riche qui viennent s'installer dans les nouveaux quartiers. De sorte que la géographie sociale de Paris se modifie. La noblesse délaisse le Marais et vient habiter le faubourg Saint-Germain. La finance s'installe à Montmartre et au Palais-Royal.

La police est assurée conjointement par le Parlement et par le lieutenant général de police, que secondent les quarante-huit commissaires de quartier. Si l'on en juge par les règlements de police, la préoccupation dominante de l'autorité est d'assurer le bon approvisionnement de la capitale en grains, en farine, en bois et en vin. Les règlements sur l'ordre public sont relativement rares. Pourtant la ville est sûre, et l'est même de plus en plus. « Les rues, écrit Sébastien Mercier, sont sûres la nuit comme le jour, à quelques exceptions près » (*Le Tableau de Paris*). La foule parisienne est devenue beaucoup moins émotive : dans tout le siècle, il ne se produit qu'une seule émeute grave, celle de décembre 1749, suite de l'affaire des enlèvements d'enfants. Pourquoi une telle sécurité ? Pourquoi une si grande tranquillité ? Cela n'est pas dû à un renforcement de la présence policière : en 1753, toutes les forces de police rassemblées comptent mille trente-sept hommes (Jean Chagniot, *Paris au XVIIIe siècle*, 1988). La tranquillité vient du bon approvisionnement et de la force de l'organisation corporative. Paris est la ville des métiers. La plupart des quelque cinquante mille artisans parisiens travaillent dans le cadre des métiers jurés, dont les statuts et règlements les protègent. Nous n'avons pas ici comme à Lyon une mainmise d'un groupe dominant d'employeurs sur une masse de salariés. Toutefois, dans les dernières années de l'Ancien Régime, ces structures professionnelles sont fortement ébranlées par la politique « libérale » du gouvernement : des confréries sont supprimées, le livret ouvrier est institué, les jurandes sont « désavouées au nom du droit naturel, puis rafistolées à la hâte et sans justification » (Chagniot). Cela, joint à l'installation (favorisée par les pouvoirs publics) de nouvelles manufactures concentrées, dérogeant au droit corporatif (comme celle de Réveillon), ne pouvait qu'aboutir à l'exploitation des ouvriers et au mécontentement populaire.

Le pouvoir de Paris est d'abord d'ordre judiciaire. C'est la ville des cours souveraines (Parlement, Cour des aides, Chambre des comptes, Cour des monnaies). Aucune autre ville en France n'a autant de cours souveraines, autant de magistrats, autant de justiciables dépendant de ses cours.

Le pouvoir de Paris est ensuite le pouvoir de l'argent. La ville représente un quarantième de la population française, mais le Trésor lui doit un septième de ses recettes. Avec ses quelque cinquante banquiers, ses soixante agents de change et ses puissants notaires faisant la banque, Paris domine en France le marché de l'argent.

Le pouvoir de Paris est aussi celui de la mode. De la mode dans l'ameublement, dans la décoration, dans la coiffure, dans l'habillement. En 1740, la ville ne compte pas moins de vingt mille ouvriers travaillant dans les seuls secteurs des articles de mode.

Mais le principal pouvoir de Paris est son pouvoir intellectuel. Ce pouvoir ne lui vient plus de son université (dont toutes les facultés réunies ne comptent pas plus de cinq mille étudiants en 1789), mais d'institutions et de sociétés de création récente. Tous ceux qui en France veulent progresser dans les sciences doivent recourir un jour ou l'autre à l'Académie des sciences, au Jardin du roi, à l'Académie de chirurgie et à l'Observatoire, et toutes ces institutions sont parisiennes et n'ont pas d'équivalent dans la province. De même, tout talent de peintre ou de sculpteur doit être un jour reconnu par l'Académie royale de peinture et de sculpture. Enfin la «philosophie» des Lumières est essentiellement parisienne. Elle a été conçue à Paris; elle s'est développée à Paris; elle a été diffusée à partir de Paris. Fontenelle, l'abbé de Saint Pierre, Diderot, d'Alembert, Helvétius et d'Holbach ont vécu et écrit à Paris. Et il n'y a pas plus parisien que Voltaire. Presque tous les salons sont parisiens et presque tous les journaux parisiens ont une diffusion nationale. La centralisation maçonnique de 1770 se fait à partir de Paris. C'est donc Paris qui fait l'opinion publique. Le roi règne sur le royaume; Paris règne sur l'opinion. Le pouvoir essaie en vain de contrôler ce pouvoir parisien de l'opinion. Il enferme à la Bastille les imprimeurs clandestins, les libellistes subversifs et les philosophes qu'il juge insolents. La Bastille devient le signe de cette concurrence des deux pouvoirs.

La société parisienne est plus complexe que celle de toute autre ville. Sa noblesse est composée de plusieurs groupes sociaux, celui des magistrats, celui des grands seigneurs de la Cour et celui des plus hauts gentilshommes de province qui viennent faire de longs séjours et se ruinent en constructions dispendieuses. Il y a ces «bourgeois de Paris» que Jean Chagniot définit très bien de la manière suivante: «ni nobles, ni actifs et vivant de leurs rentes» (*Paris au XVIIIᵉ siècle*). Il y a le monde de la finance et celui de la haute marchandise des Six Corps. Il y a le peuple des artisans et celui des quarante mille domestiques. Pour ne citer que les principales catégories. Autre trait de Paris: les distinctions de rang social y sont moins marquées qu'en province. Il se forme une haute société mêlée, où se côtoient les grands seigneurs, les financiers et les littérateurs. Après 1760, les mésalliances se multiplient dans tous les milieux. Les gens du peuple font les bourgeois, et l'on a «de plus en plus de mal à distinguer le peuple des classes moyennes» (Jean Chagniot, *op. cit.*). La diffusion de l'instruction élémentaire — la plupart des Parisiens savent au moins signer —

entre pour beaucoup dans ce grand mouvement d'ascension sociale. Mais la discipline et l'esprit du travail artisanal y sont également pour quelque chose. L'idéal de perfection et le goût raffiné qui prévalent dans les métiers de luxe et d'art ne peuvent qu'élever les intelligences et polir les mœurs. D'ailleurs, très souvent les plus grands artistes sont fils ou petits-fils d'artisans. Le père de Chardin était menuisier.

Le mal de Paris est la dégradation morale des gens les mieux placés. L'habitude s'est prise dans ce milieu d'entretenir des liaisons avec des actrices et des danseuses. Les grands seigneurs sont les clients les plus nombreux et les plus assidus des maisons de débauche. Il y a aussi, mais ceci concerne toutes les classes sociales, l'inhumanité dont on fait preuve vis-à-vis des petits enfants. La plupart des bébés sont mis en nourrice, beaucoup sont abandonnés. D'où l'effrayante surmortalité de cette classe d'âge.

Paris se déchristianise-t-il? Ni plus, ni moins que le reste du royaume. Si l'on met à part la haute société presque entièrement paganisée, l'emprise chrétienne reste forte. Tous les enfants de la bourgeoisie et du peuple reçoivent une instruction religieuse solide. Le jubilé de 1776 est encore célébré avec une grande ferveur. Dans les testaments postérieurs à 1770, le nombre des demandes de messes ne diminue pas plus que dans les autres grandes villes. La piété est moins ostentatoire, mais la plus grande partie de la population garde la foi.

PARIS (traité de). Signé le 10 février 1763, le traité de Paris est l'un des deux traités qui mettent fin à la guerre de Sept Ans, l'autre étant celui d'Hubertsbourg entre la France et l'Autriche.

Les signataires du traité de Paris sont la France et l'Espagne d'une part, l'Angleterre d'autre part. Le négociateur français était le duc de Nivernais.

La puissance coloniale de la France est considérablement diminuée. La France cède à l'Angleterre le Canada et ses abords (sauf l'archipel de Saint-Pierre-et-

Miquelon, qu'elle avait perdu en 1713 et qu'elle recouvre), les îles de Marie-Galante, la Désirade et Saint-Martin, et le Sénégal moins l'île de Gorée. En Inde, elle doit abandonner toutes ses acquisitions postérieures au 1er janvier 1749 et ne garder que les cinq comptoirs de Pondichéry, Yanaon, Chandernagor, Karikal et Mahé.

Heureux d'avoir pu sauver les îles à sucre (Saint-Domingue, la Martinique et la Guadeloupe), Choiseul se vanta sans rire d'avoir dupé les Anglais. Imprégnée d'une mentalité utilitaire, l'opinion publique fut indifférente à la perte du Canada, colonie coûteuse et réputée inhospitalière. C'était pourtant un événement d'une très grande importance qui décidait du sort d'un continent tout entier : l'Amérique du Nord serait anglaise. Or peu d'années auparavant il semblait bien que son destin fût français.

PARIS, Pierre Adrien (Besançon, 1745 - *id.*, 1819). Architecte, il suivit les cours de Trouard à Paris, puis vint se former à Rome, où il devint un spécialiste de l'art antique. Très bon dessinateur, ses illustrations dans le *Voyage* de Saint-Non et dans les *Tableaux de la Suisse* le font connaître. De retour à Paris, une carrière officielle commence. Nommé dessinateur du Cabinet du roi, il remplace Soufflot à l'Académie d'architecture. Ses fonctions d'architecte des Menus Plaisirs lui valent d'organiser la plupart des fêtes publiques à Versailles, Marly et Paris. Il donne aussi de nombreux décors à l'Opéra. Comme architecte constructeur, ses ouvrages les plus connus sont l'hôtel de Chastenoux, le dépôt de mendicité de Bourges, la façade de l'église Sainte-Croix d'Orléans et l'hôtel de ville de Neuchâtel. Percier fut son élève.

A la Révolution, il émigra. Il avait auparavant aménagé la salle du Manège pour les séances de l'Assemblée constituante. Sa dernière charge officielle fut, après la Révolution, la direction de l'Académie de France à Rome. On lui doit l'acquisition des antiques de la villa Borghèse pour le musée du Louvre.

PÂRIS, Antoine, dit **le grand Pâris** (Moirans, 9 février 1668 - Sampigny, 29 juillet 1733). Fils de Jean Pâris et de Justine La Montagne, aîné des quatre frères financiers Pâris, il doit son surnom à sa taille de plus de deux mètres. Le grand-père La Montagne était hôtelier à Moirans dans le Dauphiné. Quant aux Pâris, ils venaient de la bourgeoisie locale. C'est dans les fournitures de vivres aux armées que les frères Pâris commencent l'édification de leur puissance financière. Antoine et Claude, son cadet, sont nommés en 1690 directeurs des voitures par terre et par eau des grains des munitionnaires. En 1696, ils s'installent à Paris. En 1701, Antoine devient directeur général des vivres à l'armée des Flandres. La Régence voit son ascension. En 1719, le Régent fait de lui son conseiller officieux pour les affaires financières. Le ressentiment de Law lui vaut d'être exilé en 1720 avec ses frères. De retour à Paris en janvier 1721, les frères Pâris son chargés de la liquidation du Système. Le procédé du « visa » (consistant dans la vérification par une commission de conseillers d'État de tous les papiers du Système), inventé par Antoine, leur permet de s'acquitter habilement de leur tâche. Sous le gouvernement du duc de Bourbon, ils sont tout-puissants. Antoine est alors garde du Trésor royal, ayant acheté cette charge pour un million de livres, le 23 janvier 1722. Exilé une seconde fois avec ses frères quatre jours après la disgrâce du duc de Bourbon, il se rend dans sa terre de Sampigny en Lorraine. Il y mourra le 29 juillet 1733, entouré de la considération générale. L'abbé Pierrard, qui l'avait assisté à ses derniers moments, le qualifiera de « généreux, libéral et même aumônier ». En 1724 il avait marié Antoinette Justine, son unique fille, à son frère Pâris de Montmartel. Il semble avoir été le maître de ses frères dans l'art de conduire les affaires, et le plus doué des quatre pour la finance.

PÂRIS, Claude, dit **La Montagne** (Moirans, 1670 - en Dauphiné, 1734). Financier, surnommé La Montagne, du nom de son grand-père, hôtelier à Moirans près de Grenoble, il est le deuxième des frères Pâris et le moins en vue des quatre. Lui et son frère aîné suivent dans leurs débuts la même fortune. Ils sont tous deux intéressés dans la fourniture des vivres. Claude participe également avec ses frères à la liquidation du Système. Il subit lui aussi les deux exils de 1720 et de 1726. Mais il n'a jamais occupé de grands emplois publics. Il possédait plusieurs seigneuries en Dauphiné (Serpaize, Illins, La Buisse, Meyzieu) et habitait à Paris l'hôtel Saint-Paul, acquis par les frères en 1714. Il meurt à Serpaize au printemps de 1744. Sa fille Anne Justine avait épousé en 1734 le comte de Choiseul-Meuse, consolidant ainsi l'alliance du quadrumvirat Pâris avec le clan lorrain.

PÂRIS, Joseph, dit **Duverney** (Moirans, 1684 - Paris, 1770). Financier, il est le troisième des quatre frères Pâris, et non le moins doué. Il est distingué par Dubois. Le cardinal ministre lui commande pour l'instruction du jeune roi une étude sur les finances de la France. Le duc de Bourbon le fait secrétaire de ses commandements. Mais sa vocation spécifique est la fourniture des vivres. Il est nommé en 1733 directeur général des vivres, et, en 1736, contrôleur général de l'extraordinaire des guerres. Il gardera cette fonction jusqu'en 1757. On peut vraiment dire de lui qu'il est arrivé par les femmes. Mme de Prie le révérait. La duchesse de Châteauroux lui a demandé aide et conseil. C'est à Plaisance, propriété de Duverney, qu'elle a eu en 1742 sa première entrevue avec le roi. Enfin Mme de Pompadour est l'amie de confiance du financier. Leur association forme une puissance dans l'État, puissance qui ne s'exerce pas toujours pour le bien commun. C'est ainsi qu'en 1756 la favorite et Duverney agissent de concert pour faire nommer au commandement d'une armée le fameux Soubise qui sera l'année suivante le vaincu de Rossbach. Heureusement pour sa mémoire, Duverney a un plus beau titre de gloire. Il est l'auteur du projet d'École

militaire (1748) et dirige les travaux de construction.

PÂRIS, Jean, dit **Montmartel** (Moirans, 1690-1766). Marquis de Brunoy, il est le plus jeune des quatre frères Pâris. Son ascension, comme celle de ses frères, commence avec la Régence. Il achète, en 1715, la charge de trésorier général des Ponts et Chaussées. En 1721, il est reçu secrétaire du roi. En 1724, il épouse avec dispense pontificale sa nièce Antoinette Justine, qui lui apporte en dot une charge de garde du Trésor royal. Démissionnaire en 1762, il est alors nommé conseiller d'État. Le temps de sa grande faveur est celui de Mme de Pompadour dont il est le parrain. Il avait favorisé les débuts de la liaison royale. En 1745, Louis XV faisait passer par lui les lettres qu'il adressait à Mme d'Étiolles. Le faste du financier s'étale au château de Brunoy, acquis en 1722, érigé en marquisat en 1757 et embelli par l'architecte Jean Mansart de Jouy. On fait sa cour à Mme de Pompadour en allant à Brunoy. Montmartel possède également l'hôtel d'Antin à Paris et un hôtel à Versailles, rue de Satory. Il se marie trois fois. Son troisième mariage (arrangé par la marquise de Pompadour) avec Marie Armande de Béthune, de la branche cadette des Charost, consacre son élévation.

PÂRIS, François de, dit **le diacre Pâris** (Paris, 30 juin 1690 - *id.*, 1er mai 1727). Diacre, il est surtout connu pour les guérisons miraculeuses opérées sur sa tombe et pour les convulsions que provoquèrent ces miracles. Il était le fils aîné d'un conseiller au parlement de Paris, et devait normalement lui succéder dans son emploi. Mais, après des études de droit, il choisit l'état ecclésiastique et entre au séminaire Saint-Magloire. En 1714, il s'engage dans les rangs des anticonstitutionnaires. En 1717, il adhère à l'appel, renonce au sacerdoce et prend le parti de demeurer diacre sans toutefois exercer aucune des fonctions de son ordre. Retiré d'abord au collège de Bayeux, puis à la Trappe, ensuite chez les ermites du mont Valérien, enfin dans une modeste maison de la rue de Bourgogne au faubourg Saint-Marceau, il mène une vie de prière, de travail et de mortification. Son jansénisme est de l'espèce la plus excessive. Par exemple, il reste deux années sans communier (1723-1725). Les macérations et les jeûnes usent sa santé. Il meurt à l'âge de trente-sept ans. On publie une foule de miracles opérés sur sa tombe au cimetière Saint-Médard. Puis ce sont les convulsions et les transports prophétiques. En 1732, le gouvernement fait fermer le cimetière. Tous les écrits du diacre Pâris sont posthumes. La plupart n'ont pas été composés par lui, mais lui ont été attribués afin d'assurer leur succès. Serait authentique un *Compendium theologiae et moralis* demeuré manuscrit. Cet ouvrage est inspiré des *Institutiones theologicae* de l'oratorien Juénin, auteur gallican et janséniste.

PARLEMENTS. Les parlements sont des cours de justice dont la fonction principale est de juger en appel. Un parlement, écrit Ferrière, est une « compagnie souveraine établie par le roi pour juger en dernier ressort les différends des particuliers et prononcer sur les appellations des sentences rendues par les juges inférieurs » (*Dictionnaire de droit*). Les parlements représentent le roi, qui est leur « vrai chef ». Dans la Grand-Chambre du parlement de Paris, on laisse toujours la première place vide, comme étant celle du roi.

Il y a douze parlements : Paris, Toulouse, Grenoble, Bordeaux, Dijon, Rouen, Aix, Rennes, Pau, Metz, Douai et Besançon. Les deux conseils supérieurs de Colmar et de Perpignan ont des prérogatives semblables à celles des parlements.

On notera que, dans la définition de Ferrière (et de tous les autres jurisconsultes), un parlement est une « compagnie ». Cela veut dire que les officiers composant chaque parlement sont groupés en corps. Ils rendent la justice en corps. Ils exercent en corps toutes leurs prérogatives. Le nombre des membres de ces compagnies parlementaires varie selon l'importance des cours : deux cent quarante magistrats composent le parlement de Paris, une centaine chacun des parlements de province. Douai, Colmar et Perpignan n'ont que vingt à trente magistrats.

Les parlements sont la justice du roi. Leur compétence judiciaire est générale. Chaque parlement peut juger dans son ressort toute affaire civile, criminelle ou administrative qui n'a pas été attribuée spécialement à une autre cour souveraine. Cependant, la liste des causes dont ils connaissent en première instance est relativement courte. Ce sont les causes des pairs de France, les causes de régale, les causes de l'hôtel-Dieu, le crime de lèse-majesté et les procès criminels des principaux officiers de la Couronne. Ils sont essentiellement juridiction d'appel. Ils connaissent de tous les appels des sentences rendues par les présidiaux, bailliages et autres juridictions dans leurs ressorts. Ils connaissent aussi des appels comme d'abus des jugements rendus par les officiaux et vicaires des diocèses et les juges délégués en France par le pape.

Les parlements se composent de plusieurs chambres dont chacune a sa compétence particulière. Le parlement de Paris, qui est le plus complexe, se divise en dix chambres : la Grand-Chambre, les cinq chambres des enquêtes, la chambre de la Tournelle, les deux chambres des requêtes du Palais et celle des requêtes de l'Hôtel. La Grand-Chambre connaît des appels verbaux, les chambres des enquêtes des appels de sentences sur procès par écrit. La Tournelle est la chambre criminelle.

Outre les arrêts de justice, les parlements rendent des arrêts de règlement, que l'on peut définir comme des dispositions de caractère législatif de portée générale et de valeur permanente. Ces arrêts portent sur des questions de droit privé et de procédure, ou bien constituent des mesures de police. Le parlement de Paris intervient dans la police de Paris et participe aux assemblées hebdomadaires de police de la capitale. Il s'agit toujours de la justice, mais au sens général et dans la mesure où l'ordre public est une des formes de la justice.

Enfin, les parlements jouissent de la prérogative de remontrance. La procédure de remontrance est partie intégrante des fonctions de tous les corps d'officiers des cours souveraines. Ces corps collaborent avec le roi et son conseil pour légiférer, rendre la justice et administrer. Ferrière définit ainsi la remontrance : « Humble supplication que les Cours souveraines font au Roi, pour le prier de faire réflexion sur les inconvénients ou les conséquences de quelqu'un de ses Ordres ou de ses Édits. » Les cours font remontrance à l'occasion de l'enregistrement des actes royaux.

Louis XIV avait considérablement réduit la faculté des parlements de faire des remontrances. La déclaration du 15 septembre 1715 rend à ces cours toute l'étendue de leur prérogative. Les lettres patentes du 26 août 1718 apportent quelques restrictions, mais de forme, et finalement conservent aux parlements la liberté restituée en 1715.

Ils en usent et abusent. On peut même dire qu'à partir de 1750 ils font de l'opposition systématique. Le conflit est permanent. Le roi rejette les remontrances et expédie des lettres de jussion. Les parlements décident d'itératives remontrances. Le roi fait enregistrer en lit de justice. Aux parlements de province, il expédie des porteurs d'ordres, qui font enregistrer d'autorité. Les parlements poussent alors l'insubordination jusqu'à délibérer sur les lois enregistrées d'autorité. Pour mieux résister au pouvoir royal, ils se solidarisent et adoptent la théorie des « classes », selon laquelle les différentes cours ne seraient que les classes d'un Parlement unique et indivisible. Imprégnés des idées de Boulainvilliers et de quelques autres théoriciens, ils se considèrent comme les héritiers du Conseil primitif des premiers rois. Ils se posent en représentants de la nation. En janvier 1771, Louis XV et Maupeou réussissent à venir à bout de cette opposition. Le ressort du parlement de Paris est réduit par l'institution de six conseils supérieurs, composés de commissaires révocables à volonté. La fonction d'enregistrement des lois est ramenée à une simple formalité automatique. Ces mesures révolutionnaires ne rencontrent aucune véritable résistance. En 1774, à la

mort de Louis XV, la partie était gagnée. Mais Louis XVI rappelle les anciens parlements et remet tout dans l'ancien état. Les cours reprennent alors leur opposition et arrêtent tous les édits réformateurs. L'édit du 8 mai 1788 supprime le pouvoir des parlements de vérifier les actes royaux et confie cette fonction à une cour plénière. Mais cette réaction vient trop tard. L'édit n'aura jamais d'effet. Il déclenche une révolte aristocratique, d'où sortira la Révolution. L'autorité de l'État monarchique a été ruinée par son propre pouvoir judiciaire.

PARME (bataille de). La bataille de Parme, livrée le 29 juin 1734 pendant la guerre de Succession de Pologne, est une victoire de l'armée coalisée franco-sarde commandée par le maréchal de Coigny, sur l'armée des Impériaux. Ces derniers tentaient de s'emparer de Parme. Les instructions de Versailles à Coigny étaient de les en empêcher. Mais leur pression se renforçait. Dans la nuit du 28 au 29 juin, les généraux français et sardes se concertent et décident à l'unanimité d'attaquer « parce que cette audace est plus honorable et convient mieux au génie de la nation » (lettre de Fontanieu au ministre de la Guerre). La bataille se déroule sans manœuvre savante et comporte seulement des assauts redoublés (selon la tactique, très prisée par les généraux français, du chevalier de Folard). L'engagement dure de onze heures du matin à minuit. Aux premières heures du 30 juin, les Impériaux finissent par abandonner le champ de bataille. Ils ont d'énormes pertes : au moins dix mille hommes hors de combat, les Franco-Sardes n'en ayant perdu que quatre mille. Victoire assurément, mais très chèrement acquise : « De mémoire d'homme, dit la dépêche au ministre, il n'y a point eu d'affaire plus affreuse et il est aisé de concevoir qu'un avantage de cette espèce nous coûte infiniment » (cité par le général Pajol, *Les Guerres de Louis XV*, t. I, 1881).

PARMENTIER, Antoine Augustin (Montdidier, 17 août 1737 - Paris, 13 décembre 1813). Pharmacien, il naît dans une famille pauvre. Très tôt orphelin de père, il se forme à la pharmacie d'abord chez un apothicaire de sa ville natale, puis à Paris.

En 1757, il obtient une commission de pharmacien sous-aide major (c'est un poste contractuel) à l'armée de Hanovre. La guerre de Sept Ans bat son plein, Parmentier a vingt ans : il portera pendant cinquante-six ans l'uniforme de pharmacien militaire, et ses mérites (il sera tout de suite remarqué par le pharmacien en chef de l'armée, Pierre Bayen, qui deviendra son ami) lui feront gravir tous les échelons de sa spécialité jusqu'au poste de « premier pharmacien des armées », inspecteur général du service de santé. Les cinq autres inspecteurs généraux portent les plus grands noms de la médecine et de la chirurgie militaires : Coste, Desgenettes, Heurteloup, Larrey et Percy.

Président du conseil de salubrité, administrateur des hôpitaux et hospices, il est avec Bayen, son maître et ami, le fondateur de la pharmacie militaire moderne.

Il s'efforce d'améliorer la nourriture des soldats et d'organiser le service de santé (travaux sur le pain de munition, le biscuit, les boissons, composition et organisation des caisses de pharmacie, des fourgons réglementaires, propagation de la vaccine par le procédé de Jenner, lutte permanente dans les hôpitaux militaires pour l'ordre, l'économie, la salubrité et les abus de toutes sortes) ; il passait pour être sévère dans le service, « exerçant cette surveillance qui va découvrir les abus partout où ils se cachent, qui les démêle jusque dans les apparences du bien ». « La nourriture principale du peuple est ma sollicitude, mon vœu est d'en améliorer la qualité et d'en diminuer le prix. » Dans cette voie, Parmentier va poursuivre une œuvre considérable d'amélioration de l'alimentation humaine ; il est le véritable créateur de la chimie alimentaire, de la science de l'alimentation, de la moderne diététique.

Celui que son ami Bayen traite amicalement de « pharmacien agronome » va rechercher des sources d'alimentation nouvelles (principalement végétales) tout en améliorant la qualité de celles déjà connues : le blé et les farines, la fabrication du pain (il fondera l'école de la boulangerie), le maïs, la châtaigne, la patate et le topinambour, les vins, les eaux de vie, le vinaigre, les soupes aux légumes dites « à la Rumford », les sucres de raisin, la conservation des viandes par le froid, les laits et bien d'autres sujets retiendront son attention, toujours dans le même esprit. « Quoique ce soit toujours la perfection des aliments qui fixe mes recherches, je m'attache à ne considérer que ceux auxquels les moyens du pauvre lui permettent d'accéder. »

Sans oublier la pomme de terre. Ses efforts en faveur de la culture et de la consommation de ce précieux tubercule ont presque complètement et injustement gommé l'ensemble considérable des travaux de Parmentier (cent soixante-cinq publications) et, pour la renommée populaire, il reste (quoiqu'il s'en soit toujours défendu) « l'inventeur de la Parmentière ».

Il est vrai que vingt ans de combat difficile suffirent à peine à faire triompher le bon sens.

A la fin du XVIIIe siècle, la pomme de terre n'a pas bonne presse en France ; « elle n'est généralement pas acceptée sur la table des gens de qualité » (Arthur Young, *Voyages en France*) et « les gens d'un certain ordre mettent au-dessous d'eux de la voir paraître sur leur table » (Combles, *École du jardin potager*, Paris, 1780). Les philosophes la dénigrent : pour Voltaire (qui changera d'avis), « elle n'est qu'un colifichet de la nature » ; Diderot déclare dans l'*Encyclopédie* (1765) cette racine « fade et farineuse », tout juste bonne « aux gens qui ne demandent qu'à se sustenter » […], « les paysans n'en veulent pas ; cette racine est dangereuse, elle communique la gale et peut-être pire ». En 1748, le parlement de Besançon en interdit la culture dans son ressort « car il s'est avéré qu'elle peut donner la lèpre », et l'évêque de Castres, qui du haut de sa chaire ose vanter les mérites du précieux tubercule, manque de se faire lapider !

Parmentier, quant à lui, blessé pendant la campagne de Hanovre, et cinq fois prisonnier (complètement dépouillé : « Ces hussards sont les plus habiles valets de chambre que je connaisse ; ils m'ont déshabillé plus vite que je n'aurais pu le faire moi-même »), a pu apprécier la nourriture des armées du Grand Frédéric et découvrir les qualités nutritives de la pomme de terre.

Dès sa libération (1763), et « prévoyant bien que les pauvres n'auraient partout des pommes de terre en abondance que lorsque les riches sauraient qu'elles peuvent aussi leur fournir des mets agréables », Parmentier, en même temps qu'une étude scientifique et technique très poussée, mène une véritable campagne de « relations publiques » avant la lettre qui réussira à faire adhérer à ses vues les « personnages » de l'époque (Franklin, Lavoisier, Vilmorin, le maréchal de Castries, l'intendant Bertier et bien d'autres) et jusqu'au roi lui-même qui fournira les soldats pour la garde bienveillante des fameuses plantations des Sablons. « La France vous remerciera un jour d'avoir trouvé le pain des pauvres », lui dira Louis XVI, et Marie-Antoinette lancera la mode de piquer dans les coiffures féminines des fleurs de pomme de terre.

Son acharnement a triomphé, mais Parmentier y laissera quelques illusions : « Personne plus que moi n'a fait une épreuve plus désagréable de l'humeur dénigrante [...] de nos concitoyens dédaigneux. L'ignorance et la prévention ont presque été jusqu'à me faire un crime d'avoir osé montrer qu'il était possible d'utiliser la pomme de terre. » Candidat à quelque élection administrative en 1793, Parmentier verra se dresser un furieux qui jettera : « Il ne nous fera manger que des pommes de terre, c'est lui qui les a inventées. »

A cette carrière exceptionnellement bien remplie les honneurs civils ne manqueront pas : censeur royal en 1779, membre de l'Institut dès sa fondation (1795), officier de la Légion d'honneur, premier président de la Société de pharmacie, membre de nombreuses académies françaises et étrangères.

Parmentier a consacré sa vie entière à la lutte contre la misère et la faim ; son œuvre est immense et ce n'est pas un hasard si, de Louis XV à Napoléon, tous les gouvernements successifs le gardèrent à leur service et surtout l'honorèrent.

Quant à l'homme lui-même, Cuvier l'a parfaitement dessiné : « Partout où l'on pouvait travailler beaucoup, rendre de grands services et ne rien recevoir, partout où l'on se réunissait pour le bien, il accourait le premier et l'on pouvait être sûr de disposer de son temps, de sa plume, et au besoin de sa fortune. »

PARNY, Évariste Désiré de Forges, chevalier, puis vicomte de (Saint-Paul, île Bourbon, 6 février 1753 - Paris, 6 décembre 1814). Il est l'un de ces médiocres poètes dont l'époque se contente. Il est d'origine créole et appartient à l'une des premières familles de la colonie. Son frère aîné sera écuyer de la reine. Ayant quitté très jeune son île natale afin de poursuivre ses études au collège des oratoriens de Rennes, il n'y reviendra que deux fois pour des séjours assez longs (1773-1776 et 1784-1786). Entré au service à dix-neuf ans, le 5 juin 1772, dans la compagnie des gendarmes du roi, il ne s'y attarde pas et quitte l'armée en 1786, après avoir été capitaine de dragons et un moment aide de camp du gouverneur de Pondichéry. De ses nombreux ouvrages de poésie, on retiendra surtout celui qui a fait sa réputation, les *Poésies érotiques*, publiées en 1778, inspirées à leur auteur par sa passion pour Éléonore, une jeune créole de treize ans. L'érotisme de Parny est fade, mièvre et finalement assez pitoyable. On y retrouve « toujours partout la même profusion de niaises obscénités, la même imagination de collégien dépravé » (Henri Potez, *L'Élégie en France avant le romantisme [de Parny à Lamartine], 1778-1820*, Paris, 1897). Le plus grave est que ce poète n'en est pas un. Son inspiration est quasi nulle. Ses vers sont de mirliton. Il écrit par exemple :

Ta pudeur en ce lieu, se montra moins
[farouche
Et le premier baiser fut donné par ta
[bouche.
Des jours de mon bonheur, ce jour fut le
[plus beau.

La philosophie de Parny est le vulgaire hédonisme :

Quel mal ferait aux dieux cette volupté
[pure ?
La voix du sentiment ne peut nous égarer,
Et l'on n'est point coupable en suivant la
[nature.

Pendant la Révolution il se terre dans son coin. Il réapparaît sous le Directoire et publie en 1799 sa *Guerre des dieux*, poème soi-disant épique et véritablement très antichrétien. Bonaparte le pensionnera et la nouvelle Académie française l'élira en 1803 parmi ses membres.

PAROISSE. Une paroisse est un territoire circonscrit et limité, où un curé remplit auprès des habitants les fonctions de pasteur spirituel. Elle est aussi un « peuple ». Un canoniste la définit « le Peuple d'une contrée limitée anciennement ». Elle est enfin une « église particulière » (comme le diocèse, comme les instituts religieux), mais, plus que toutes les autres églises particulières, elle rend l'Église visible. C'est en effet dans le cadre de la paroisse que l'assemblée des fidèles peut se réaliser concrètement.

Le royaume compte environ trente-six mille paroisses. Les superficies et les populations sont très inégales. En principe, dix maisons suffisent pour faire une paroisse. Au diocèse de Boulogne, en 1725, la paroisse de Welle a un feu et celle de Preures en a cent quatre-vingts. Montfort de Bretagne, qui a neuf cents habitants compte trois paroisses, et Saumur, qui en a trois mille, se contente d'une seule paroisse. D'après l'opinion commune, les trois paroisses les plus peuplées de tout le royaume seraient d'abord Saint-Eustache de Paris, puis Saint-Nizier de Lyon et enfin Saint-Étienne de Forez. Cette dernière paroisse compte seize mille communiants et quatorze prêtres, et mesure 8 lieues dans sa plus grande dimension.

Ces inégalités ne scandalisent personne. Chaque paroisse, petite ou grande, est un être vivant. Une petite paroisse n'est pas moins paroisse qu'une grande. On ne touche pas aux paroisses. Les évêques peuvent créer de nouvelles paroisses, mais ils ne le font que rarement, ne voulant pas amputer les paroisses voisines. On ne compte pas plus de deux ou trois créations de paroisses par diocèse pour toute la durée du siècle.

La paroisse a son curé. Elle a aussi son seigneur. Lorsque le seigneur est le successeur du fondateur de l'église, il exerce sur elle le droit de patronage. Il est le « patron » de l'église et jouit des droits honorifiques.

La paroisse a ses cloches. Les bénédictions et les baptêmes de cloches reviennent souvent dans la chronique paroissiale. En un siècle, deux cent quarante-deux paroisses du diocèse du Mans célèbrent trois cent trente-quatre bénédictions de cloches.

L'église paroissiale a son temporel, c'est-à-dire les revenus qui lui sont propres, et qui sont destinés aux dépenses du culte. Ces revenus sont souvent très modiques. En 1788, dans la région lyonnaise, plusieurs paroisses n'ont aucun revenu, sauf la quête du dimanche. La gestion est assurée par la fabrique.

Enfin, comme toute institution, la paroisse a ses titres et ses livres. Le registre des fondations porte les noms de tous les fondateurs de messes et de cérémonies diverses. Le coutumier indique les usages liturgiques propres à la paroisse. Les registres paroissiaux servent au curé à inscrire les actes de catholicité.

La paroisse est aussi une communauté territoriale. L'assemblée des paroissiens et celle de la communauté d'habitants se confondent le plus souvent.

PARROCEL, Charles (Paris, 1688-*id.*, 1752). Peintre, il est fils, neveu et cousin de peintres. A l'exemple de son père Joseph Parrocel, il se spécialise dans les études de chevaux et les compositions de batailles, poussant le scrupule jusqu'à servir trois ans dans un régiment de cavalerie afin de perfectionner sa connaissance du cheval. Le musée de Versailles possède ses deux grandes compositions représentant la réception de l'ambassadeur Méhémet Effendi aux Tuileries (1721) et le musée du Louvre *La Halte des grenadiers à cheval de la Maison du roi*, toile commandée en 1737 pour la salle à manger du château de Fontainebleau.

PARTZ DE PRESSY, François Joseph Gaston de (1712-1789). Évêque de Boulogne, c'est un évêque réformateur dans le plus pur esprit de la réforme catholique. Originaire de l'Artois, où son père, le marquis de Partz de Pressy habite le château d'Equirre, il étudie les humanités chez les jésuites d'Arras. Envoyé ensuite à Paris, il fait son noviciat à Saint-Sulpice et conquiert en Sorbonne le grade de docteur en théologie. Revenu dans son pays (qu'il ne quittera plus), il est nommé d'abord grand vicaire de Boulogne (1738), puis évêque de ce même diocèse, en 1742, à l'âge de trente ans. L'œuvre de ses quarante-sept années d'épiscopat est immense et embrasse tous les domaines où la fonction d'un évêque doit normalement s'exercer. D'abord la visite : en quarante-sept ans, il visite huit fois toutes les paroisses de son diocèse. Le culte : il donne en 1780 une nouvelle édition du rituel de son diocèse. La formation du clergé : il crée en 1786 un petit séminaire destiné aux jeunes gens pauvres ; il prescrit à ses prêtres de faire tous les quatre ans au séminaire une retraite spirituelle. La discipline ecclésiastique : il procède à une refonte des statuts synodaux, diminuant le nombre des suspens et des excommunications, et abaissant l'âge canonique de quarante-cinq à quarante ans. L'instruction des fidèles : il publie en 1762 un nouveau catéchisme, remaniement de celui de 1730 ; à chaque carême, il fait lire au prône un mandement sur l'une des vertus chrétiennes. La piété : en 1766, il institue dans son diocèse la dévotion au Sacré-Cœur ; en 1762, il publie des *Heures sur l'obligation de prier souvent et dignement*. Les œuvres de miséricorde : il fait en 1779 une fondation pour

doter une rosière par paroisse. Ajoutons que ce pasteur est aussi un docteur et un défenseur de la foi. Ses différents écrits seront publiés en 1786 sous le titre suivant : *Instructions pastorales et dissertations théologiques de Mgr l'évêque de Boulogne sur l'accord de la foi et de la raison dans les mystères considérés en général et en particulier*. Les adversaires qu'il pourfend sont les philosophes et les jansénistes. Le jansénisme était en déclin dans son diocèse. Il achève de l'extirper avec une fermeté qui ressemble à de la dureté, n'hésitant pas à refuser les derniers sacrements à des curés appelants. Il est cependant charitable et pieux, proche de Dieu par une continuelle oraison, et sachant reconnaître le Christ dans ses saints. Instruit parmi les premiers de la mort de Joseph Benoît Labre à Rome, il n'attend pas l'enquête canonique et proclame aussitôt dans un mandement du 3 juillet 1783 la sainteté de son diocésain, se plaisant à opposer ce pénitent héroïque aux « faux sages du siècle ».

PATER, Jean-Baptiste Joseph (Valenciennes, 1695 - Paris, 1736). Peintre, il peut être considéré comme l'élève de Watteau. Bien qu'il se soit toujours refusé à former des élèves, Watteau accepta en effet dans les derniers jours de sa vie de donner des conseils à son compatriote.

Pater travailla seul ensuite et produisit à la manière de son maître un grand nombre de tableaux de genre, de bambochades, de cartouches et de dessus de porte. Il fut reçu en 1728 à l'Académie de peinture.

Les très bons tableaux de Pater sont en petit nombre : il faut dire qu'il souffre dans les musées du voisinage écrasant de Watteau. Pourtant Pater n'est pas un vulgaire imitateur de Watteau, bien qu'il utilise les mêmes procédés, les mêmes thèmes, les mêmes personnages de la comédie italienne. On serait plus fondé à lui reprocher un libertinage assez misérable.

On retiendra surtout *La Fête champêtre*, *La Tente des vivandiers*, l'*Arrivée des comédiens dans la ville du Mans*, le

Mari battu et content, Conversation dans un parc et *La Foire de Bezons*. Si, dans ses compositions, Pater place de nombreux personnages, ses paysages en comptent peu : ils représentent des campagnes idylliques, des maisons de paysans améliorées. On pressent la nature vue par Boucher.

PAU. La population de Pau (7 771 habitants en 1776, 9 000 en 1789) n'est pas proportionnée à l'importance de la ville. Siège de parlement, dotée d'une académie des belles-lettres en 1718 et d'une université de droit en 1722, Pau est capitale provinciale. Il est vrai que sa vie économique manque d'intensité : toute son industrie consiste en de petites fabriques de mouchoirs et de linge de table ; il n'y a aucune manufacture. La ville garde son aspect ancien ; l'esprit du nouvel urbanisme ne souffle pas ici. Le seul projet, celui de la place Gramont, n'aboutit pas. En 1789, Pau ne possède encore aucune place monumentale. L'opposition de son parlement, soutenue avec obstination de 1765 à 1775 avec l'appui du populaire, fait à la capitale du Béarn une mauvaise réputation de ville contestataire.

PAULMY, Antoine René de Voyer, marquis de. *Voir* **VOYER, Antoine René de, marquis de Paulmy d'Argenson.**

PÂTURE (vaine). La vaine pâture est l'accès de tous les troupeaux d'une localité à tous les champs non cultivés de cette localité. Ce qu'on appelle droit de parcours n'est qu'une extension de la vaine pâture. C'est « le droit réciproque de deux ou plusieurs communautés très voisines, qui consiste à envoyer paître le bétail sur leurs territoires respectifs en temps de vaine pâture » (Guyot).

Les agronomes éclairés voient dans ces différents droits des obstacles à la rénovation de l'agriculture. Les grands propriétaires y sont également hostiles. Chargé en 1761 des questions agricoles, le ministre Bertin épouse la cause des agronomes et des grands propriétaires. Cependant il ne lui est pas possible d'abolir d'un seul coup tous ces anciens usages, dont une enquête conduite de 1767 à 1769 lui a fait voir la très grande diversité. Il décide donc de procéder par des édits particuliers aux différentes provinces. Ces édits sont publiés de mars 1767 à mai 1771. Ils abolissent la vaine pâture et le droit de parcours dans les provinces suivantes : Lorraine, duché de Bar, Trois-Évêchés, Béarn, Champagne, Hainaut, Flandre, Bourgogne et Boulonnais. Ce sont précisément les régions du royaume où ces usages étaient les plus communément établis. Les édits comportent également le droit pour les propriétaires de clore leurs héritages.

Ces mesures ne sont pas acceptées facilement. Le parlement de Pau et le conseil souverain de Nancy refusent longtemps de les enregistrer. Les communautés rurales font entendre leurs protestations. Dans les subdélégations d'Avesnes, Maubeuge et Landrecies en Hainaut, la très grande majorité des communautés se prononcent contre. Elles font valoir le dommage causé aux habitants les plus pauvres : ceux-ci, n'ayant plus de quoi nourrir leurs bestiaux, sont obligés de les vendre.

Dans un article déjà ancien (1914) de la *Revue d'histoire économique et sociale*, Henri Sée émettait des doutes sur l'efficacité des édits de Bertin. Il estimait que le gouvernement n'avait pas réussi à supprimer la vaine pâture dans les provinces concernées, les résistances ayant été trop fortes. La question mériterait d'être réexaminée.

PAUVRES, PAUVRETÉ. La langue du XVIIIe siècle entend par pauvre celui qui ne peut subsister sans secours. L'*Encyclopédie* définit la pauvreté (à l'article « Besoin ») : « un état opposé à celui d'opulence ; on y manque des commodités de la vie ; on n'est pas maître de s'en tirer ». Dans le *Dictionnaire de l'orthographe française* (1785), on lit à « Pauvre » : « qui n'a pas de bien, qui est dans l'indigence ». Pauvre et indigent sont généralement synonymes. L'indigence, écrit l'*Encyclopédie*, « n'est autre chose que l'extrême pauvreté ». S'il y a une différence, elle n'est donc que de degré.

Le problème de la pauvreté (et du

grand nombre des pauvres) s'était posé avec acuité pendant les nombreuses crises économiques du XVIIe siècle. Le siècle suivant connaît une conjoncture beaucoup plus favorable. Mais il faut distinguer deux périodes. Pendant la première, qui va de 1715 à la crise des années 1771-1773, la pauvreté ne disparaît pas, mais on ne constate pas d'appauvrissement notable. Chaque ville a ses pauvres recensés. A titre d'exemple, la ville d'Angers a, en 1769, huit cent quatorze pauvres enregistrés, soit environ 5 % de la population. La crise des années 1771-1773, la mauvaise conjoncture du règne de Louis XVI, l'écart croissant entre les prix et les salaires, la réaction seigneuriale, la multiplication des manufactures concentrées, autant de phénomènes qui provoquent l'augmentation du nombre des pauvres. A Toulouse, en 1790, les pauvres recensés représentent 18,49 % de la population ; à Amiens, à la fin de l'Ancien Régime, de 25 à 30 % ; à Lille, près de la moitié. On constate aussi une augmentation — quoique peut-être un peu moins forte — dans les campagnes. En 1790, dans le nouveau département du Loiret, le Comité de mendicité recensera trente mille pauvres, soit 12 % de la population. Dire qu'à la fin de l'Ancien Régime un Français sur dix en moyenne est pauvre, c'est-à-dire a besoin de secours pour subsister, n'est peut-être pas exagéré. Avec un accroissement notable du taux de criminalité, les conséquences de l'appauvrissement sont la prolifération de la mendicité et la multiplication des vagabonds.

Il existe depuis toujours un grand nombre de moyens pour remédier à la pauvreté. Ce sont d'abord les œuvres privées, l'aumône, les donations et les fondations par testament ou par acte entre vifs. Le remède avait été très employé. Il l'est beaucoup moins au XVIIIe siècle à cause du refroidissement de la charité des riches. A Bordeaux, par exemple, après 1770, les magistrats s'abstiennent de toute donation ou fondation en faveur des pauvres (Philippe Loupès, « L'assistance paroissiale aux pauvres dans le diocèse de Bordeaux au XVIIIe siècle », *Annales du Midi*, t. 84, no 106, janvier-février 1972). Dans son *Sermon sur l'aumône* (1760), le P. Le Chapelain, jésuite, se lamente : « Ou les riches ne donnent rien, ou bien ils donnent si peu que leurs dons ne sont pas capables de soulager la moindre partie de la misère humaine. » En revanche, les œuvres et institutions publiques demeurent vivantes et gardent leur efficacité : bureaux ou « assemblées des pauvres » des fabriques des paroisses, bureaux diocésains des pauvres (comme celui institué en 1752 par Mgr de Lastic dans le diocèse d'Auch), instituts religieux spécialisés dans l'assistance aux pauvres et aux pauvres malades (les Filles de la Charité, par exemple, auront quatre cents établissements dans le royaume en 1789), « aumônes générales » et « charités » des villes (à Lille en 1764, cinq mille pauvres sont secourus par le bureau de charité générale), hôtels-Dieu et hôpitaux divers, sans parler des interventions de l'administration royale (nous voyons par exemple Fournier de La Chapelle, intendant d'Auch, faire accorder par le ministre des indemnités de 50 à 100 livres aux pères de neuf enfants et plus, jugés dans le besoin). A tous ces moyens traditionnels le XVIIIe siècle ajoute les siens propres : ateliers de charité, manufactures pour donner du travail aux pauvres (dues le plus souvent à des initiatives privées) et surtout répression accrue de la mendicité et du vagabondage. Avec les hôpitaux généraux, le XVIIe siècle avait créé le « renfermement » municipal des pauvres. Le XVIIIe siècle inaugure le renfermement royal (1724) et institue les « dépôts de mendicité » (1764).

Curieusement, les nombreuses théories sociales des philosophes et économistes des Lumières (abbé de Saint-Pierre, *Encyclopédie*, Morelly, Mirabeau, Faignet de Villeneuve, Montlinot) ne comportent pas de réflexion sur la pauvreté. Leur grande préoccupation est de faire disparaître la mendicité en mettant les mendiants au travail. Ainsi, explique Montlinot, rendra-t-on « les pauvres utiles » (*Quels sont les moyens de rendre les pauvres valides utiles ?* 1779). Les esprits éclairés s'attaquent à la mendicité, non à la pauvreté. Pour eux, le scandale est la mendicité, non la pauvreté. A condition que le pauvre soit « laborieux », il n'y a pas de problème. Ces auteurs ont bien constaté qu'un certain type d'économie produit des pauvres, mais ils ne voient rien à y redire. « Cette ville, écrit l'abbé de Montlinot, contiendra des fabriques de laine en fils, ce qui donnera beaucoup de Pauvres » (*Discours qui a remporté le prix à la Société royale d'agriculture de Soissons, en l'année 1779*, Lille, 1779, p. 63). Le marquis de Mirabeau affecte la plus grande considération pour les pauvres « laborieux » (« Je dis sans crainte d'être démenti que les pauvres laborieux sont [...] la portion la plus essentielle de l'humanité » (*L'Ami des hommes ou Traité de la population*, Avignon, 1756), mais il ne propose aucun moyen pour tenter de diminuer leur nombre. D'ailleurs les écrivains catholiques partagent cette indifférence. Eux non plus ne semblent pas intéressés par la diminution du nombre des pauvres. Boisgelin, La Luzerne se préoccupent de la mendicité, non de la pauvreté. Quant à la bienfaisance prônée par toutes les écoles de pensée, son contenu semble vague et mince. Il s'agit d'un sentiment plus que d'une volonté réelle et réaliste de secourir les pauvres.

PAYSANS. La France compte, en 1789, vingt-deux millions de paysans sur une population de vingt-huit millions d'habitants.

La propriété paysanne représente plus de la moitié du sol. La proportion varie selon les régions de 30 à 70 %. Cette proportion est très inégalement répartie, mais la grande majorité des paysans sont propriétaires. Beaucoup des plus démunis possèdent au moins leur logement et leur lopin de terre. La paysannerie française est l'une des plus enracinées, des plus attachées au sol.

On se trouve devant une extrême variété de conditions. Il faut distinguer les propriétaires de leurs exploitations, ceux qui louent et ceux qui sont salariés. Chacune de ces grandes catégories présente elle-même plusieurs types différents.

La première est composée du grand propriétaire (par exemple le gros laboureur marchand du nord de la Bourgogne) ; du moyen propriétaire, comme ces « bordagers » ou « closiers » du bocage manceau, ou ces nombreux « ménagers » de la France méridionale ; du petit propriétaire ; ce type est très bien représenté dans les provinces de Flandre et d'Artois (propriétés de 3 à 10 hectares) ; enfin du très petit propriétaire. Dans le Limousin, plus de la moitié des propriétaires possèdent moins de 2 hectares. En Beauce, les « hommes de labour » n'ont pas davantage. En Auvergne, 70 % des propriétés ne dépassent pas l'hectare. A ce niveau de propriété, le paysan ne peut pas vivre entièrement de sa terre. Ou bien il prend d'autres terres en exploitation, ou bien il fait le journalier, ou bien encore il a un métier à tisser et reçoit de l'ouvrage d'un marchand fabricant.

Dans la catégorie des locataires figurent également toutes les tailles d'exploitation. Les grands fermiers du Nord louent au moins 20 hectares. Ils ont aussi une petite propriété de 2 à 3 hectares. Les métayers du bocage manceau et ceux de l'Anjou, et la plupart des closiers, bordiers, brassiers de Bourgogne et d'Auvergne, louent des exploitations dont la taille varie entre 6 et 10 hectares. La formule du métayage, c'est-à-dire du partage à moitié avec le propriétaire, est celle de la plupart des régions.

Les salariés sont ceux qui travaillent à la journée ou comme domestiques. Les journaliers de Bretagne ne possèdent souvent rien d'autre que la force de leurs bras. Ceux du Nord sont propriétaires de quelques parcelles. Ceux du bocage manceau sont presque toujours propriétaires de leur maison et de leur jardin.

Au bas de l'échelle, on trouve les miséreux et les mendiants, ces derniers souvent professionnels (comme les « sommeurs[1] » du Nord).

Certaines régions présentent un type dominant : ainsi, dans le Quercy, le « ménager » petit ou moyen propriétaire ou

1. Bandes de pauvres qui « somment » les propriétaires de leur donner de l'argent ou de la nourriture, en les menaçant.

encore, dans la Gâtine poitevine, le métayer, locataire d'une exploitation de taille moyenne. Cependant la diversité des conditions est la règle. Presque toutes les sociétés paysannes de l'ancienne France sont complexes. Dans chacune, plusieurs types différents sont représentés. Un bon exemple est le village de Saint-Germain-de-Lespinasse dans la région de Saint-Étienne au début de la Révolution (Dontenwill). Dans cette communauté rurale, les paysans sont répartis de la manière suivante :

Laboureurs propriétaires	22
Grangers et fermiers	26
Vignerons	25
Journaliers	28
Domestiques	56

La part de la propriété paysanne a un peu augmenté au cours du siècle. Mais la propriété moyenne, facteur traditionnel d'équilibre social, ne semble pas avoir tiré grand bénéfice de cet accroissement. Dans certaines régions, le partage des communaux aurait pu permettre à de nombreux paysans non propriétaires d'accéder à la propriété. Mais, sauf exception, l'administration n'était guère favorable à un partage égal entre tous les habitants. Beaucoup d'intendants de Louis XV pensaient en leur for intérieur que la masse des salariés n'était pas digne de s'élever à la condition de propriétaire. « En général, écrit Calonne, alors intendant de Metz, les manœuvres et les journaliers n'étant à l'égard des cultivateurs que comme l'accessoire est au principal, il ne faut pas s'inquiéter de leur sort lorsqu'on améliore celui des cultivateurs ; c'est un principe constant qu'en augmentant les productions dans un canton, on augmente l'aisance de tous ceux qui l'habitent » (cité par P. Gaxotte, *Le Siècle de Louis XV*, 1933, p. 414).

Divers par les conditions, le monde paysan l'est aussi par les usages, les manières de vivre et même par les manières de parler. Un bon tiers des habitants du royaume ne parlent que les dialectes et les patois. Les patois locaux sont innombrables. Par exemple, dans le Jura, deux villages de la même paroisse, à une demi-heure de marche l'un de l'autre, parlent deux patois différents. Il faudrait considérer aussi la diversité extraordinaire des manières de manger, le nombre incroyable des soupes et des plats de pays. Enfin, l'habitat est d'une extrême variété. Chaque pays a sa maison typique. Il n'y a rien de commun entre la maison de brique, basse et pauvre du Toulousain (deux pièces : la grande salle et l'étable qui la chauffe) et les grandes « censes » à cour fermée de l'Artois et de la Flandre.

Les traits communs sont la solidarité villageoise, l'attachement à la communauté d'habitants, à la paroisse et au clocher, la stabilité de la population. Toutefois, ce dernier trait n'est plus toujours vérifié. Des courants d'émigration rurale s'établissent vers les plus grandes villes (surtout Paris et Bordeaux). Mais ici également une distinction apparaît. Les paysans propriétaires (tout au moins ceux qui arrivent à vivre de leurs exploitations) résistent à l'attraction urbaine. Les autres bougent.

Les lettres et les arts idéalisent la vie paysanne. Rousseau dans *La Nouvelle Héloïse* dresse un tableau idyllique de la vie simple et pure des habitants des campagnes. Florian peuple ses *Contes* de bergers innocents. Les tableaux de Greuze (*La Bénédiction paternelle*, *L'Accordée de village*, *Le Donneur de chapelet*, *Le Gâteau des Rois*) représentent un monde patriarcal, aimable, doux, presque opulent.

La réalité est assez différente. Les écrivains et les artistes escamotent la violence et la pauvreté. Il n'empêche que ces visions poétiques ne sont pas purement imaginaires. Les mœurs patriarcales des paysans ne sont pas des inventions. Le récit par Restif du souper en commun à la ferme de La Bretonne, près de Sacy en Bourgogne, traduit une réalité, même si peut-être il l'embellit. Et nous n'avons pas que des récits de ce genre. Les études des historiens démographes montrent de façon certaine que la société paysanne continue dans son ensemble à respecter le mariage chrétien. Les conceptions prénuptiales et les naissances illégitimes y sont encore assez rares. L'emprise chrétienne demeure forte. Sauf dans les campagnes du sud-est du Bassin parisien, la pratique religieuse est toujours vivante et unanime. Les nombreuses plantations de croix aux carrefours et au bord des champs, et les innombrables constructions et reconstructions d'églises paroissiales sont des signes tangibles de cette foi des paysans.

On peut aussi parler de mieux-vivre. Si l'alimentation ne s'améliore pas de manière substantielle (tout au moins quant à l'apport en calories), il se fait d'assez grands progrès dans l'hygiène et dans la santé. Médecins et chirurgiens visitent les campagnes. Lors des épidémies, les intendants organisent un véritable quadrillage médical. Le savoir aussi progresse. Les nombreuses fondations d'écoles des religieuses enseignantes, font avancer l'alphabétisation des filles.

Vers 1770, le tableau commence à se noircir. Dans les deux dernières décennies de l'Ancien Régime se produit une dégradation des conditions de vie des plus démunis. Dans certaines provinces (par exemple la Bretagne et le Comminges), des villages entiers se paupérisent. Même les régions les plus riches se trouvent devoir secourir un grand nombre de pauvres. A Lalloeu en Artois, en 1789, on ne compte pas moins de trois mille pauvres sur dix mille habitants. L'émigration rurale s'accentue. Les délits ruraux (vols de bois, dépaissances abusives) se multiplient. Les propriétés des bourgeois et des nobles sont l'objet d'agressions répétées. Des curés de campagne commencent à s'inquiéter. Ils voient des « mauvais livres » circuler, l'irréligion progresser, la modestie vestimentaire se perdre. Le curé de Brulon (diocèse du Mans) écrit en 1784 : « Les servantes d'aujourd'hui sont mieux parées que les filles de famille ne l'étaient il y a vingt ans. »

En 1789, les cahiers de doléances des communautés rurales réclament presque tous l'abolition ou la limitation des dîmes, la suppression de certains droits seigneuriaux (banalités, droit de chasse) et la suppression des privilèges fiscaux des deux premiers ordres. Depuis la fin du règne de Louis XIV, le monde paysan n'a plus connu de révoltes, mais la mauvaise conjoncture des années 1770-1780 a ranimé chez les travailleurs de la terre le vieil esprit antifiscal et antiétatique.

PEINTURE. Sont distinguées suivant les normes académiques les catégories suivantes de peinture : histoire, fêtes galantes, genre, portrait, animaux, fleurs, batailles, natures mortes et paysages.

La peinture dite d'histoire est tenue pour la plus noble. Sous le règne de Louis XV, les peintres d'histoire les plus illustres sont Antoine Coypel, Jean-François De Troy, François Le Moyne, François Boucher, Jean-Baptiste et Carle Van Loo et Fragonard. Le mot « histoire » est entendu dans une acception très large : il s'agit de peindre des scènes de la Bible ou de la mythologie. On peut donner comme exemple de peinture d'histoire biblique la série de dix-sept tableaux commencée en 1737 par Jean François De Troy et intitulée *Histoire d'Esther*, et comme exemple d'histoire mythologique le tableau de Fragonard présenté à l'Académie en 1765 comme morceau de réception et dénommé *Le Grand Prêtre Coresus se sacrifie pour sauver Callirhoé*. Sous le règne de Louis XVI, les noms les plus connus dans le genre sont ceux de J.-B. M. Pierre, Ménageot, André Vincent et Louis David. L'histoire qu'ils peignent n'est plus celle de la Bible, ni celle des dieux de l'Olympe ; ils se plaisent à représenter l'histoire romaine et l'histoire de France, et les épisodes qu'ils choisissent sont toujours des actes d'héroïsme ou édifiants par les vertus dont ils témoignent. *Le Serment des Horaces* de Louis David (1785) et *La Mort de l'amiral de Coligny* de Joseph Benoît Suvée sont de parfaites illustrations du nouveau style.

Le genre très particulier des fêtes galantes est cultivé avec délectation pendant la première moitié du siècle. On entend par « fête galante » une « réunion de jeunes gens et de jeunes femmes travesties en bergères, qui échangent des propos d'amour ou se livrent en plein air aux plaisirs de la musique et de la danse» (Louis Réau). Ce n'est pas un thème nouveau, mais le xviiie siècle le transforme en faisant participer à ces fêtes des personnages de théâtre, par exemple des arlequins. L'Embarquement pour Cythère d'Antoine Watteau est le chef-d'œuvre du genre que vont cultiver à la suite de Watteau ses élèves, Jean-Baptiste Pater et Nicolas Lancret, et ses imitateurs, François Octavien, Bonaventure de Bar et J. A. Portail.

Les peintres de genre se complaisent dans les sujets libertins, souvent licencieux, parfois même érotiques. Cela va de la déclaration d'amour à l'étreinte, en passant par les baisers. Cette sorte de genre a grand succès et les meilleurs artistes ne dédaignent pas de s'y adonner. Fragonard compose une série de toiles, intitulée Les Baisers. Boucher peint, entre autres, une petite toile galante représentant une Femme couchée sur le ventre, la chemise relevée sur les reins (1744). Toutefois, le genre libertin est plutôt la spécialité de ceux qu'on appelle les «petits maîtres», peintres attachés à des princes et à des grands seigneurs, et qui ne sont pas membres de l'Académie royale. Pierre Antoine Baudoin (Le Coucher de la mariée) et Gabriel de Saint-Aubin (L'Académie particulière) sont les plus connus de ces petits maîtres. Leurs œuvres ont été popularisées par la gravure.

Se rattachent aussi à la peinture de genre des toiles comme Le Souper au pavillon de Louveciennes, de Moreau le Jeune (1771), Le Concert de Gabriel de Saint-Aubin, et Le Thé à l'anglaise chez le prince de Conti de Barthélemy Ollivier (1777), scènes de la vie luxueuse et raffinée des salons, des palais et des châteaux. On classe également dans la peinture de genre les représentations de la vie quotidienne dans les intérieurs bourgeois ou populaires, à la manière de la peinture hollandaise. Ici le grand maître est Jean-Baptiste Chardin, peintre de la paix domestique et de l'innocence enfantine. Avec lui, le genre atteint les sommets de l'art. Le Bénédicité, son chef-

d'œuvre, date de 1740. Sa meilleure disciple est Françoise Duparc, dont La Tricoteuse (aujourd'hui au musée de Marseille) témoigne de la même puissance de recueillement.

Après les scènes d'alcôve, le portrait est le genre le plus prisé du public. Il est décoratif et majestueux sous la Régence, avec Rigaud, De Troy et Largillière, plus gracieux vers 1730 avec Nattier et Tocqué, plus vrai vers 1750 avec Quentin La Tour et Perronneau, plus naturel et plus beau vers 1780 avec Mme Vigée-Lebrun, toujours séduisant, quel que soit le portraitiste, mais toujours un peu superficiel et moins attentif à la nature humaine qu'à l'expression fugitive et à l'instant qui passe. Le D'Alembert de Quentin La Tour (1753) est peut-être le meilleur exemple que l'on puisse donner de ces portraits du xviiie siècle, faits pour plaire et si émouvants par leur caractère d'instantanéité.

Le meilleur peintre de chasse est Oudry; le meilleur peintre de soldats et de chevaux Charles Parrocel; le meilleur peintre de fleurs J.-J. Bachelier et le meilleur dans la nature morte Chardin. La nature vivante n'attire guère; le paysage agreste est sacrifié. Les paysages à la mode sont urbains et d'architecture. Les deux plus grands paysagistes du siècle, Joseph Vernet et Hubert Robert, peignent le premier les ports français et le second les ruines romaines.

Telle est la peinture considérée dans ses genres. Mais on peut aussi l'étudier dans son inspiration. Et là on s'aperçoit qu'il n'y a pas de progrès au cours du siècle, mais plutôt un déclin. Jusque vers 1760, il existe chez de nombreux artistes une très grande faculté créatrice : le souffle de la plus haute poésie anime l'œuvre de Watteau ; Chardin spiritualise tout ce qu'il touche ; Le Moyne éclate de vitalité ; Fragonard tient du magicien. Après 1760, il y a encore quelques peintres inspirés (David, Joseph Vernet, par exemple) mais ils sont des exceptions. La vogue de l'érotisme, la mode du sentimentalisme niais et moralisateur (dont la peinture de Greuze est la meilleure illustration) et la manie de l'antique étouffent l'inspiration. Le matérialisme ambiant a tari les sources du génie. Ou bien l'art est devenu la distraction des libertins, ou bien il s'est confondu avec le moralisme et a été absorbé par lui.

PÈLERINAGE. Le XVIII⁰ siècle voit le déclin de cette pratique de dévotion si répandue au siècle précédent.

Parmi les sanctuaires mariaux, ceux des Pyrénées (Garaison, Bétharram, Piétat, Médous) connaissent encore une belle affluence. Mais ce sont des exceptions. Le grand sanctuaire des Ardilliers en Anjou, qui avait été au XVII⁰ siècle l'un des plus fréquentés du royaume, est maintenant délaissé ; les pèlerins se font rares et l'on ne voit plus un seul miracle depuis 1713. Notre-Dame-de-Verdelais en Guyenne et Notre-Dame-de-Liesse en Picardie souffrent du même abandon. A Liesse, en 1758, l'aubergiste Tanneux se plaint du marasme de son commerce, « attendu, dit-il, la stérilité du pèlerinage depuis plusieurs années » (Bruno Maës, *Notre-Dame-de-Liesse*, OEIL, 1991).

Comment expliquer un tel déclin ? On sait que la dévotion de cette époque préfère aux pratiques extérieures une piété « véritable », c'est-à-dire qui ne paraît pas. C'est déjà une première raison, mais on ne peut s'en contenter. Il faut faire entrer en ligne de compte la double opposition aux pèlerinages, celle du clergé janséniste et celle de la philosophie des Lumières. Ces lignes de l'article « Liesse » de l'*Encyclopédie* donnent une idée de l'aversion des philosophes pour le pèlerinage : « [Ce bourg] est très connu par une image de la Sainte Vierge qui y attire les pèlerinages du petit peuple et l'entretient dans l'oisiveté. Il vaudrait mieux qu'il fût remarquable par quelque manufacture qui occupât les habitants et les mît à l'aise » (cité par Bruno Maës, *op. cit.*).

Sur les pèlerinages de Compostelle en Espagne et de Lorette en Italie, on est mal renseigné, mais il semble d'après divers indices qu'il y ait toujours un courant continu de pèlerins français vers ces deux sanctuaires, et cela jusqu'à la fin de l'Ancien Régime. Joseph Benoît Labre,

le saint mendiant, est un fervent visiteur de Lorette.

PENSIONNAT DE JEUNES FILLES. Le pensionnat de jeunes filles — on dit aussi le « couvent » — est un internat tenu par des religieuses et fréquenté par les jeunes filles de la noblesse ou de la bourgeoisie.

Ce type d'école date du siècle précédent. La maison royale de Saint-Cyr en avait fixé la formule d'une manière définitive. Le XVIII⁰ siècle assure le succès de l'institution : beaucoup de familles prennent la commode habitude de se débarrasser du soin de l'éducation de leurs filles, et les confier à des religieuses.

Un certain nombre de pensionnats sont tenus par des « spécialistes », si l'on peut dire, c'est-à-dire par des instituts fondés au siècle précédent pour l'éducation des filles : Ursulines, Filles de la Croix, Filles de Notre-Dame, congrégation Notre-Dame de Jeanne de Lestonnac, et Maîtresses charitables du Saint Enfant-Jésus, appelées aussi Dames de Saint-Maur, sans oublier les Dames de Saint-Louis, qui tiennent Saint-Cyr. Les filles de Jeanne de Lestonnac sont les plus répandues : elles ont soixante-neuf établissements dans le royaume. Les Dames de Saint-Maur tirent un grand prestige du succès de leurs deux maisons modèles, Montauban et Lévignac, près de Toulouse (appelé le « Petit Saint-Cyr »). Dans tous ces établissements, ce sont les dames elles-mêmes, c'est-à-dire les religieuses, qui font la classe.

Une autre catégorie de pensionnats est constituée par les établissements des communautés régulières contemplatives ou semi-contemplatives (bénédictines, cisterciennes, augustines, fontevristes) qui ajoutent ainsi à leurs fonctions ordinaires de moniales celle — d'ailleurs exercée depuis longtemps dans beaucoup de monastères — d'éducatrices. Les plus illustres pensionnats de cette catégorie sont ceux de l'Abbaye-aux-Bois et de Penthemont à Paris, et de Fontevrault. En 1738, les moniales de Fontevrault se voient confier l'éducation des quatre dernières filles de Louis XV.

Le réseau de ces écoles est très dense. A la fin de l'Ancien Régime, il est peu de monastères (abbayes ou même prieurés) qui n'aient leurs pensionnaires. Quatre au moins des prieurés de l'ordre de Fontevrault (La Madeleine du Traisnel, Boubon, Montaigu et Wariville) accueillent des élèves. La moindre petite ville a son pensionnat. Cependant, les effectifs ne sont jamais très importants. Avec cent soixante-dix-sept pensionnaires en 1778 l'Abbaye-aux-Bois compte parmi les pensionnats les plus importants. Fontevrault en 1754 n'en a pas plus de quarante.

Nous connaissons bien le programme de l'enseignement à Lévignac, à la veille de la Révolution : lecture, écriture, religion, histoire, géographie, musique et danse. C'est, avec quelques variantes de détail, le programme de tous les pensionnats. A titre de comparaison, voici celui des Dames mirepoises à Moissac : lecture, écriture, arithmétique, histoire, espagnol et morale. C'est ce que nous appellerions aujourd'hui de la culture générale. Il y a cependant deux dominantes : les arts d'agrément et la religion. Musique et danse sont enseignées par des maîtres (et non des maîtresses) extérieurs à l'établissement. L'enseignement religieux est de bonne qualité. Ce que nous en savons témoigne d'un christianisme sans complaisance, mais dépourvu de tout rigorisme.

On a quelques souvenirs d'anciennes élèves, ceux de Mme Roland, élève des Filles de Notre-Dame, ceux de la marquise de Ferrières (admise en 1754 à Fontevrault) et ceux d'Hélène Massalska, future princesse de Ligne, ancienne pensionnaire de l'Abbaye-aux-Bois. Ces trois femmes semblent avoir gardé dans l'ensemble un bon souvenir de leur séjour au couvent. « Douce et heureuse éducation », ainsi la qualifient les Goncourt (*La Femme au dix-huitième siècle*, 1935). Rien jusqu'ici n'a démenti cette appréciation favorable.

PENSIONS. Les pensions, appelées aussi « maisons d'éducation », sont des établissements concurrents des collèges, mais,

comme leur nom l'indique, tous les enfants y sont internes. Ce sont des écoles privées et payantes. Toutefois les « maîtres de pension » ne peuvent exercer sans une autorisation délivrée par l'Université. On appelle ces autorisations des « lettres de pédagogie ».

Les premières pensions apparaissent après 1750. Elles se multiplient après le départ des jésuites. Vers 1770, on comptait à Paris cinquante-six maîtres de pension. Mais on en trouvait dans toutes les villes. Certaines sont réputées : la pension Gorsas à Versailles, la pension Lebon à Beauvais, la pension Debaupin à Lyon. Le succès de ces sortes d'établissements nuit beaucoup aux collèges.

Les gazettes parisiennes et les Affiches de province assurent la publicité des pensions, en faisant paraître leurs prospectus et leurs plans d'éducation. Nous voyons dans ces documents les hautes prétentions des maîtres. Ceux-ci en effet se présentent comme des chercheurs et des novateurs en matière de pédagogie. Ils disent avoir étudié « les causes qui retardent le progrès des études » ; ils veulent « abréger », « faciliter » l'effort, quand ils ne souhaitent pas le supprimer. Avec eux plus de « dégoût des études » ; ils instruisent en divertissant. Adeptes de la philosophie sensualiste, ils entendent parler d'abord aux sens. Les petits enfants, écrit M. Lebon, maître de pension à Beauvais, « ne sont pour ainsi dire que des machines organisées [...], ils n'ont pour ainsi dire que des yeux. C'est donc aux yeux qu'on doit parler » (« Plan détaillé », *Journal d'éducation*, 1768). Ce sont là tous les principes de la pédagogie des Lumières. La pension est l'école nouvelle, l'école selon la philosophie.

Une grande importance est donnée — tout au moins dans les prospectus — à l'« air pur », à la propreté, à l'alimentation « saine et abondante ». L'emploi du temps est plus varié que dans les collèges : on alterne exercices physiques (équitation, gymnastique), arts d'agrément (musique, danse) et études classiques. Les plans d'études sont également très variés, donnant autant de place à l'histoire et à la langue française qu'au latin. Cependant, il ne faut pas exagérer l'originalité des pensions : nous ne trouvons dans leurs programmes aucune discipline qui ne soit aussi enseignée dans les collèges. La différence est dans la répartition. Elle est aussi dans la discipline. Les enfants sont beaucoup plus surveillés que dans les collèges. Ils sont même sous surveillance permanente, et même leurs divertissements sont contrôlés, tournés à usage éducatif, et comme on dit alors « réglés ». Un tel système est fait pour des enfants naturellement dociles. D'ailleurs, les pensions ne reçoivent que des enfants « dont les mœurs et la docilité ne soient point équivoques » (cité par Marcel Grandière, *L'Idéal pédagogique en France au XVIIIe siècle*, thèse dactylographiée, 1991). Les autres ne sont pas admis, ou, s'ils ont été admis, on les renvoie. La pédagogie nouvelle ne cherche pas la difficulté. Elle n'est pas de tempérament combattant.

Elle est très critiquée par les éducateurs d'esprit traditionnel. L'abbé Proyart, principal du collège du Puy, brocarde ces plans qui, dit-il, font « en très peu de temps des sujets admirables, des prodiges de science, des petits encyclopédistes ». Mais nous manquons de témoignages d'anciens élèves. Il faudrait savoir ce qu'étaient réellement ces pensions, et non seulement ce qu'elles promettaient. Il faudrait pouvoir les juger autrement que par leurs prospectus, ou par les critiques de leurs détracteurs.

PENTHIÈVRE, Louis Jean Marie de Bourbon, duc de (Rambouillet, 16 novembre 1725 - Vernon, 4 mars 1793). Il est le fils du comte de Toulouse et de Marie Victoire Sophie de Noailles. Marié lui-même (en 1744) à Marie Thérèse Félicité d'Este, fille du duc de Modène, il en aura quatre enfants, dont la duchesse d'Orléans, mère du roi Louis-Philippe, et le prince de Lamballe, époux de la grande amie de la reine.

Comme tous les princes du sang de sa génération, il fait les campagnes de la guerre de Succession d'Autriche, et se distingue à Raucoux et à Fontenoy.

Mais, la guerre terminée, il ne reparaîtra plus jamais aux armées.

Revêtu des grandes charges de son père, grand amiral de France, grand veneur et gouverneur de Bretagne, il exerce peu, vivant loin de la Cour, et menant à Rambouillet et à Sceaux, une vie familiale et retirée. Les décès successifs de sa femme (en 1754) et de son fils, le prince de Lamballe, le plongent dans un état de tristesse dont il ne se défera pas.

Son temps se passe en dévotions (il fait des retraites à la Trappe), et à gérer une fortune immense, agrandie encore par l'héritage du comte d'Eu, son cousin, mort sans enfant, et dont le montant s'élève, en 1789, à 104 millions de livres.

Il l'administre dans l'intérêt des pauvres, auxquels il consacre environ un dixième de ses revenus. L'hospice de Saint-Just à Vernon, l'hôpital des Andelys et plusieurs petites écoles lui doivent d'exister. Le poète Florian, qu'il s'est attaché, lui sert de distributeur de ses aumônes. Mais il lui arrive de visiter lui-même les indigents, et de servir lui-même la soupe aux mendiants.

Son attitude politique est de juste milieu. Il approuve tacitement les réformes de Maupeou, mais il reste en bons termes avec les autres princes du sang, et s'entremet pour les réconcilier avec la Cour. Cependant, il salue avec plaisir le nouveau règne. Il y est en faveur. En 1774, Louis XVI, désireux d'apaiser les Bretons, l'envoie présider les états de Bretagne.

Pendant la Révolution, son sort est unique. Il n'émigre pas, reste à Eu, puis à Vernon, mais ne fait aucune démagogie, et se trouve très exposé à des représailles, à cause de l'amitié liant sa belle-fille à la reine. Mais la population de Vernon, autorités en tête, le prend sous sa protection. Le 20 septembre 1792, un arbre est planté devant son château, en signe de sauvegarde, avec cette inscription : « Hommage à la vertu ». Lorsqu'il meurt le 4 mars 1793, des chagrins conjugués de l'exécution du roi et de l'assassinat de la princesse de Lamballe, tous les citoyens de Vernon défilent devant son cercueil, et trois jours plus tard, le *Journal de Perlet* lui adresse cet hommage : « Tout le monde sait l'usage qu'il faisait de ses richesses ; c'était le patrimoine des pauvres, déposé par la fortune entre les mains de la vertu. » Rien ne dit que la Terreur aurait épargné le duc de Penthièvre. Il est néanmoins permis de s'interroger. Si tous les princes de la maison de France et tous les grands seigneurs de la Cour s'étaient conduits comme celui-là, la Révolution aurait-elle éclaté ?

PÉRIER, Jacques Constantin (Paris, 1742 - *id.*, 1818). Lui et son frère puîné, Auguste Charles, sont des ingénieurs mécaniciens et des hommes d'affaires ; leur principal titre de gloire est l'invention d'un système pour l'alimentation en eau de Paris. Après cinq voyages en Angleterre, où il a étudié les dernières applications de la machine à vapeur, Jacques Constantin fait installer à Chaillot deux pompes à feu (c'est-à-dire à vapeur), destinées à élever l'eau de la Seine. Le 8 août 1781, en présence du lieutenant de police, les pompes fonctionnent et élèvent l'eau dans quatre réservoirs situés à 110 pieds au-dessus de la rivière. Le succès est complet. Il est prévu que l'eau sera distribuée dans la capitale par des conduits en fonte. Fondée par les deux frères en 1771, la Compagnie des eaux de Paris offre l'eau à domicile pour 50 livres par an et par muid quotidien (268 litres). En août 1784, la compagnie prend consistance et commence à distribuer des actions. Les frères n'en restent pas là. Ils étendent encore leurs affaires et les diversifient. Un arrêt du Conseil du 20 août 1786 les autorise à établir une chambre d'assurances contre les incendies. Jacques Constantin était membre de l'Académie des sciences. Il y sera maintenu après l'organisation de l'Institut.

PERPIGNAN. Perpignan est une petite ville (9 000 habitants à la veille de la Révolution), mais une capitale provinciale, résidence d'un lieutenant général commandant en chef, siège du Conseil souverain de Roussillon, chef-lieu d'une intendance, dotée d'une université. La bourgeoisie perpignanaise achève de se franciser ; la ville prend un aspect français : l'antique Loge de mer est transformée en théâtre, l'élargissement des rues est entrepris ; les bastions des remparts sont plantés d'arbres, enfin on construit (1760-1763) un palais pour loger l'université. Avec l'école de droit de Paris, la nouvelle université de Perpignan est un des deux seuls bâtiments universitaires nouveaux édifiés en France de 1715 à 1789.

PERRACHE, Michel Ange (Lyon, 1725 - *id.*, 1779). Sculpteur, fils de sculpteur, auteur du décor sculpté du théâtre lyonnais de Soufflot, il est surtout connu pour son plan d'aménagement du confluent de la Saône et du Rhône, plan destiné à augmenter la surface habitable de la ville de Lyon. Ce plan fut accepté par le Consulat et par le Conseil d'État en 1770. Une société fut constituée à l'initiative de Perrache, au capital de 1 500 000 livres. Les travaux commencèrent. Ils devaient consister en remblais, digues, aménagement d'un cours et construction d'un pont (le pont de la Mulatière). Ils furent achevés en 1826, bien après la mort de Perrache. On sait que le nom de ce dernier a été donné à la gare centrale de Lyon.

PERRÉGAUX, Jean Frédéric, comte de (Neuchâtel, 4 septembre 1744 - Paris, 21 février 1808). Banquier, il s'installe à Paris à l'âge de vingt et un ans, après plusieurs années passées en Angleterre et en Hollande pour s'initier aux affaires de la banque. En 1781, son nom apparaît pour la première fois dans l'*Almanach royal* sur la liste des banquiers de Paris. Il est installé rue du Sentier. Travaillant beaucoup pour l'Angleterre et correspondant avec plusieurs grands seigneurs anglais, comme le marquis Cecil de Salisbury, il use de ses relations pour hâter la signature du traité de commerce de 1786. Ce manieur d'argent est aussi un ami des arts et des artistes. Il protège les actrices, sait se faire le confident discret de leurs embarras pécuniaires et n'hésite pas à se charger de leurs commissions. Par exemple, il achète du rouge à lèvres pour Rosaline Duthé, danseuse (et courtisane) qui se trouve alors à Londres. Dans son hôtel de Guimard, acheté en 1786 à la comtesse Dulau, rue de la Chaussée-d'Antin, il donne des fêtes superbes. Un homme si bienfaisant ne pouvait être que patriote. Il adhère à la Révolution, jusqu'au moment où les nouveaux maîtres le font arrêter sous l'accusation d'accaparement. Il réussit à quitter la France et à se réfugier en Suisse. Il revient sous Bonaparte. Nommé régent de la Banque de France, sénateur et comte d'Empire, il marie sa fille à Marmont, duc de Raguse. Ainsi se fondent les dynasties nouvelles.

PERRENEY DE GROSBOIS, Jean Claude Nicolas (1718-1810). Premier président du parlement de Besançon, il est issu d'une famille bourguignonne dont la noblesse remonte au XVIᵉ siècle. Son père était président à mortier du parlement de Dijon. Lui-même avait d'abord exercé dans ce parlement la charge de procureur général. A Besançon, où il est nommé le 13 octobre 1761, il remplace Bourgeois de Boynes, dont le parlement, après une lutte homérique, avait obtenu le départ. Il ne ressemble pas à son prédécesseur. Il est le type même de ces commissaires qui ont constamment trahi les devoirs de leur charge. A peine nommé, il fait siennes les doctrines parlementaires et pactise avec les rebelles. Maupeou doit le destituer et le remplacer (par Chifflet d'Orchamps). Il refait surface en 1775 et retrouve sa place. Nommé à l'assemblée des notables, il rédige l'arrêté du quatrième bureau contre l'*Avertissement* de Calonne. Enfin, il se solidarise avec le Parlement lors du refus de cette cour d'enregistrer l'édit de juin 1787 instituant les assemblées provinciales. Son élection comme député de la noblesse aux États généraux (le 6 avril 1789) apparaît en quelque sorte comme la récompense de ses trahisons.

PERRIN DE CYPIERRE, Jean François Claude (1727-1789). Il a pour principal titre de gloire d'avoir administré pendant vingt-cinq années la généralité d'Orléans. Après avoir été d'abord conseiller au Grand Conseil (1747), puis président à cette même cour (1757), il est nommé en 1760 intendant d'Orléans et le reste jusqu'en 1785. Il apparaît «comme un homme d'action à la fois aimable et ferme» (Louis Guérin, *L'Intendant de Cypierre et la vie économique de l'Orléanais* (1760-1785), Paris, 1938). Il procède à la réfection des routes, supervise la construction des quais d'Orléans, crée une société d'agriculture (1761) et une loge maçonnique, étend les défrichements, pourvoit les villes d'«artistes vétérinaires» et encourage les manufactures de toiles peintes et de blondes de soie. Son fils lui avait été adjoint en 1784. L'année suivante, il se retire et lui cède la place. Il est alors nommé conseiller d'État. Il mourra en charge.

PERRONET, Jean Rodolphe (Suresnes, 8 octobre 1708 - Paris, 27 février 1794). Ingénieur, il est le fils d'un officier suisse au service de la France. L'exemple de son oncle maternel, le savant Jean-Pierre de Crousaz, lui inspire le goût des mathématiques. Admis dans le corps des ingénieurs militaires, il choisit une autre carrière et entre en 1725 dans les bureaux de Debeaussire, architecte de la Ville de Paris. Là, lui sont confiés de nombreux travaux, dont celui de la conduite du grand égout devant les Tuileries. En 1745, il est remarqué par Trudaine qui le fait passer dans le corps des ingénieurs des Ponts et Chaussées. Nommé l'année suivante ingénieur en chef des Ponts et Chaussées de la généralité d'Alençon, il y crée un bureau de dessinateurs. Cette initiative lui vaut d'être choisi en 1747 par Trudaine pour diriger la cartographie des Ponts et Chaussées. La nouvelle institution s'appelle «bureau des géographes et des dessinateurs»; elle se transforme peu à peu en un centre de formation pour les jeunes sous-ingénieurs. Dès 1757, on l'appelle École des ponts et chaussées, nom que Turgot lui décernera officiellement (1775). Comme directeur de cette école, Perronet a formé trois cent cinquante ingénieurs. Ce qui ne l'a pas empêché de continuer à faire son métier d'ingénieur. Treize ponts furent construits par lui, dont ceux de Nogent-sur-Marne, Neuilly et Sainte-Maxence. Enfin il exerça de 1757 à 1786 les fonctions d'inspecteur général des salines. Anobli en 1763, élu à l'Académie des sciences en 1782, son élévation illustre la montée d'une catégorie sociale tout entière, celle des « gens à talent ».

PERRONNEAU, Jean Baptiste (Paris, 1715 - Amsterdam, 1783). Peintre portraitiste, il étudia d'abord la gravure sur cuivre chez Laurent Cars, puis la peinture dans les ateliers de Natoire et de Drouais. Son pastel de Quentin La Tour, exposé au Salon de 1750, le révéla au public, et il fut agréé à l'Académie le 28 juillet 1753 avec les portraits de J.-B. Oudry et de Lambert-Sigisbert Adam. Cependant, le grand succès tardait à venir. L'artiste quitta Paris et commença une existence de nomade qui ne devait s'achever qu'avec sa mort. On le vit d'abord en Italie, puis dans diverses villes de France (Bordeaux, Orléans, Abbeville), en Russie et enfin à Amsterdam où il séjourna en 1760 et en 1781 et où il mourut. Ses portraits au pastel représentent surtout des grands bourgeois, comme Abraham Van Robais et le jurisconsulte orléanais Daniel Jousse. Son art est celui d'un coloriste dans la tradition flamande. Tandis que La Tour présente une image précise aux contours nettement dessinés, Perronneau se plaît aux tons fondus et aux jeux de lumière. Son pastel de Mlle Huquier, dit *La Femme au chat* (1749), aujourd'hui au musée du Louvre, est un modèle à cet égard : la figure d'une gracieuse jeune fille baigne dans une lumière douce aux tons d'aigue marine et de jade transparent. Les contemporains n'ont pas toujours su apprécier ces recherches de couleur et de lumière. Diderot écrit des pastels de Perronneau qu'ils sont « fades et transparents » et classe l'artiste parmi « les pauvres diables qui ne valent pas ensemble une ligne d'écriture » (*Salons*).

PERRUQUES. L'usage de la perruque avait commencé sous Louis XIII et s'était répandu sous Louis XIV. Il est universel sous Louis XV : tout le monde porte perruque, de l'ouvrier au grand seigneur, de l'enfant à peine sevré au vieillard. Seuls font exception les moines et les religieux. Le clergé séculier avait résisté quelque temps. Il a cédé. Toutefois, le droit canon interdit de célébrer la messe en perruque, sauf permission expresse de l'ordinaire.

Les formes ont changé. Les hautes perruques du temps du Grand Roi ont été remplacées par des perruques plus basses et plus étroites, bientôt séparées en trois touffes qui composent les cadenettes sur les côtés et la queue par derrière. A partir de ce modèle commun, l'imagination des barbiers-perruquiers crée des formes particulières. L'*Encyclopédie perruquière* (1757) publiée par l'avocat Marchand représente une série de quarante-cinq types de perruques, distinguées par un nom spécial : il y a par exemple les perruques « A l'ordinaire », « A la Port-Mahon », « A l'adorable », « A l'impatient ».

Toute perruque est obligatoirement poudrée avec de la poudre faite de farine d'amidon. Cet usage de la poudre s'est généralisé. Même les militaires et les élèves des collèges portent perruque poudrée. Il paraît que la poudre est bienséante : « L'usage modéré de la poudre, écrit en 1786 Sobry, auteur du *Mode français*, tient autant de la bienséance que de la commodité. »

PÉRUSSEAU, Sylvain (1678-1753). Jésuite, confesseur du roi Louis XV de 1743 à 1753, il avait été auparavant un prédicateur réputé. Pourtant, ses sermons prêchés devant la Cour (publiés en deux volumes en 1758) ne sont pas exempts d'une certaine grandiloquence. L'auteur semble s'être donné pour mission de rappeler les rois à leurs devoirs. Il le fait avec une lourde insistance. Son panégyrique de Saint Louis, prêché dans la chapelle du Louvre le 25 août 1737, établit une antithèse frappante entre le saint du jour et un autre roi dans lequel on ne peut que reconnaître Louis XV : « Pour lui, dit le P. Pérusseau parlant de Saint Louis, point de temps pour les spectacles, point de temps pour les fêtes inutiles, pour des amusements ruineux. » C'est pourtant à ce grand moralisateur que revient en 1743 la charge de confesser le roi. Il est présent à Metz lors de la maladie royale, et c'est lui qui le 13 août confesse le malade. Son attitude en cette occasion est d'ailleurs remarquable de retenue et de discrétion, et contraste avec celle, ostentatoire et même insolente, de Fitz James, le premier aumônier. Toutefois, il ne se départira jamais de son rigorisme. Il est consulté en 1752 par la marquise de Pompadour. Celle-ci, qui n'est plus alors que l'amie du roi, voudrait se convertir tout en restant à la Cour et près du roi. Le jésuite refuse cette solution. Si la marquise, décide-t-il, veut se réconcilier avec Dieu, elle doit quitter la Cour. Résultat de cette belle intransigeance : Mme de Pompadour et Louis XV continueront à vivre loin des sacrements.

PESNE, Antoine (Paris, 1683 - Berlin, 1757). Peintre, il est le neveu du peintre et graveur Jean Pesne. Appelé à Berlin par Frédéric II, il passe toute sa vie en Prusse, où il exerce les fonctions de premier peintre du roi et de directeur de l'Académie royale de peinture de Berlin. Le château de Charlottenburg conserve son portrait de *La Comtesse Sophie Marie de Voss* et le musée germanique de Nuremberg son autoportrait. Grand admirateur de Watteau, il s'en inspire souvent et le fait connaître en Allemagne, conseillant même à Frédéric II d'acheter ses toiles, ainsi que celles de Pater et de Lancret.

PETITDIDIER, Mathieu, dom (1659-1728). Moine bénédictin de la congrégation de Saint-Vanne, abbé de Senones de 1715 à 1727, c'est un janséniste converti aux thèses romaines. Fort lié avec les messieurs de Port-Royal, il avait longtemps professé le plus pur jansénisme. Son attitude au moment de l'appel témoigne de ses premières hésitations. Il refuse d'appeler, ne se sentant pas, dit-il, « la tête assez forte pour soutenir une prison » (René Taveneaux, *Le Jansénisme en Lorraine 1640-1789*, Paris, 1960). Cependant, il reste en relations avec les jansénistes français et hollandais et donne même asile dans son abbaye au P. Quesnel. Sa « conversion » totale date de 1724. Il publie en effet cette année-là un *Traité théologique sur l'autorité et l'infaillibilité des papes*. La thèse qui s'y exprime est quasiment ultramontaine. L'auteur démontre l'inutilité d'une ratification de l'Église pour rendre infaillible un jugement du pape. Benoît XIII le reçoit à Rome, le nomme évêque de Macra et tient à le sacrer lui-même (1726). Mais le chapitre général de sa congrégation l'exclut en 1727 de toutes les supériorités. « Son ouvrage, écrit l'un des capitulants, l'avait rendu odieux à toute la nation française » (Taveneaux). Toutefois, sa conversion n'a pas été inutile. Elle a contribué à « étouffer la vigueur du jansénisme dans la congrégation de Saint-Vanne » (Taveneaux). On notera qu'il n'était pas seulement un théologien, et qu'il s'était adonné dans sa jeunesse à des travaux d'histoire ecclésiastique.

PETITPIED, Nicolas (Paris, 1665 - *id.*, 1747). Prêtre, docteur de Sorbonne, il est sans doute le plus brillant de tous les champions du jansénisme richériste. Sa carrière est très mouvementée. C'est une suite d'éclats, de vives polémiques et de persécutions subies pour la cause. Professeur d'Écriture sainte à la faculté de théologie de Paris, il avait été privé de sa chaire en 1702 pour avoir signé le *Cas de conscience*. Il s'était alors exilé en Hollande où il avait retrouvé son ami le P. Quesnel. Revenu en France en 1719, il est réintégré dans sa chaire « à l'applaudissement général ». Commence alors la période de sa plus grande activité. Il est l'écrivain officiel du parti janséniste. C'est lui qui rédige la lettre des douze évêques en faveur de Soanen et le mémoire du clergé parisien, intitulé *Très*

Humbles Remontrances des curés de Paris (1727). C'en est trop. Une lettre de cachet est lancée contre lui. Le 12 juin 1728, on vient pour l'arrêter. Se place alors l'épisode le plus rocambolesque de sa carrière. Tandis qu'il prépare son bagage pour aller coucher à la Bastille, l'exempt de police a un moment de distraction et s'amuse à caresser un petit chat. Petitpied en profite et se sauve par la fenêtre. En septembre 1728, le voici à nouveau en Hollande. Il va y demeurer jusqu'en 1734. Son retour n'est pas glorieux. Le ministre l'ayant autorisé à rentrer, il est accusé de trahison. Ses écrits contre les convulsionnaires le font taxer de modérantisme. C'est le crépuscule. Le «petit» Bossuet, évêque de Troyes, lui demande de défendre son Missel. Ce sera sa dernière polémique. Son œuvre est très abondante. Elle ne compte pas moins de quatre-vingts titres. Elle est talentueuse. Elle annonce et prépare le grand mouvement syndical des curés d'après 1760. Petitpied est plus richériste que janséniste. Les *Nouvelles ecclésiastiques* lui ont reproché à plusieurs reprises d'abandonner la vraie doctrine d'Arnauld et de Nicole.

PEYRENC, Abraham (1686-1732). Financier, il est issu d'une famille huguenote des Cévennes. Son père était collecteur des tailles et chirurgien juré. Lui-même commence sa carrière en travaillant chez un drapier à Lyon. En 1709, il se rend à Paris et gagne des sommes importantes en négociant les billets de l'extraordinaire des guerres. Si importantes que la chambre de justice de 1716 le taxe à deux millions de livres. Il juge prudent de s'exiler à Londres, mais en revient très vite. C'est alors le début de sa grande fortune. Il épouse la fille de J.-M. Fargès, munitionnaire général des armées. Son beau-père et lui s'engagent très tôt dans le Système. Ce sont eux qui, en septembre 1717, sont parmi les premiers souscripteurs de la Compagnie d'Occident, et souscrivent les plus fortes sommes. Ils

vendent très tôt, réalisent leurs billets de banque et font passer les fonds en Angleterre. Le visa[1] attribue 30 millions de livres à Peyrenc. Il emploie presque aussitôt cette somme en terres, dont la seigneurie de Moras. Son fils François sera contrôleur général en 1756.

PEYRENC DE MORAS, François Marie (Paris, 11 août 1718 - *id.*, 3 mai 1771). Contrôleur général des Finances, il bénéficia pour sa carrière de deux atouts importants : un père riche (Abraham Peyrenc) et un beau-père puissant (Moreau de Séchelles, contrôleur général des Finances de 1754 à 1756). Conseiller au parlement de Paris à l'âge de dix-neuf ans, il est maître des requêtes à vingt-quatre ans, et peu de temps après intendant d'Auvergne, puis du Hainaut. Nommé intendant des finances en 1755, grâce au crédit de son beau-père, il devient le 17 mars 1756 l'adjoint de ce dernier au Contrôle général et lui succède en titre le 20 avril 1756. Ministre des Finances pendant seize mois (jusqu'au 27 août 1757), ministre de la Marine pendant à peu près le même temps (1757-1758) et ministre d'État en même temps que ministre de la Marine, sa carrière ministérielle est chargée mais brève. Il n'a pas laissé de grands souvenirs. Sa fortune fut sans doute très au-dessus de sa compétence.

PEYRON, François Pierre (Aix-en-Provence, 1744 - *id.*, 1814). Peintre, il fut à Aix l'élève d'Arnulphi, puis à Paris celui de Lagrenée l'Aîné. Il obtint en 1773 le grand prix de peinture. Grand admirateur de Poussin, il aurait voulu allier dans ses œuvres son goût de l'Antiquité à son amour de la nature. Mais il ne sut pas résister à la mode imposée par la réaction antiquisante. L'archéologie et le conformisme néoclassique étouffèrent son inspiration. Ce qui apparaît avec évidence dans des compositions telles que *La Mort de Sénèque* ou *Paul Émile vainqueur de Persée*.

---

1. La chambre du visa avait été établie en 1721 pour vérifier et réduire les actions émises par Law. L'opération du visa fut effectuée par les frères Pâris.

PEZAY, Alexandre Frédéric Jacques Masson, se disant **marquis de** (Versailles, 1741 - Pezay, près de Blois, 6 décembre 1777). Littérateur, officier, courtisan et intrigant, il est le fils d'un financier genevois, qui avait fait une fortune rapide dans l'administration du duché de Lorraine. Après des études au collège d'Harcourt, il entre au service du roi et s'élève aux grades de colonel et de maréchal général des logis. Son œuvre poétique ne doit être mentionnée que pour mémoire. Elle est dans le genre galant et antique de l'époque (*Zélis au bain,* 1763 ; *Lettre d'Alcibiade à Glycère,* 1764 ; *Lettre d'Ovide à Julie,* 1767). Il réussit mieux dans un autre art, celui de l'intrigue politique. Selon les témoignages concordants de plusieurs mémorialistes (Sénac de Meilhan, d'Angivillier, l'abbé de Véri, Moreau et Dufort de Cheverny, son voisin de campagne), ce personnage en apparence assez superficiel, aurait joué un rôle de première importance, d'abord comme informateur de Louis XVI, auquel il aurait adressé une correspondance régulière, ensuite comme agent de Necker, dont il aurait fait la fortune en disposant Maurepas en sa faveur. Malheureusement, nous devons nous contenter des mémorialistes. La correspondance avec le roi a disparu, et il n'existe aucune trace écrite de la collusion avec Necker, si ce n'est des lettres insignifiantes. Pezay est mort soudainement (peut-être un peu trop soudainement) en 1777, et sa sœur, Mme de Cassini, a eu le temps de faire disparaître les papiers les plus révélateurs. Cependant, certains détails de la vie de Pezay sont significatifs et ont valeur, sinon de preuves, tout au moins d'indices de probabilité. Pezay (d'après la *Biographie générale* de Hoefer) avait participé à l'éducation du duc de Berry, futur Louis XVI, et lui avait donné des leçons de tactique. Il n'était donc pas un inconnu pour le jeune roi. On sait aussi (d'après la même source) qu'il était le filleul de Maurepas et l'amant de Mme de Montbarrey, épouse du ministre de la Guerre, et grande amie de Mme de Maurepas. Voilà qui pourrait suffire à

expliquer son influence sur le vieux ministre. Enfin, on note que, dès son arrivée au ministère, Necker s'empresse de nommer Pezay à la place importante d'inspecteur général des côtes, avec des appointements de 60 000 livres par an. On ne peut nier que cela ressemble fort à une récompense pour grands services rendus.

PHÉLYPEAUX, Jean Frédéric, comte de Maurepas. *Voir* **MAUREPAS, Jean Frédéric Phélypeaux, comte de.**

PHÉLYPEAUX, Louis, comte de Saint-Florentin et duc de La Vrillière. *Voir* **LA VRILLIÈRE, Louis Phélypeaux, comte de Saint-Florentin et duc de.**

PHÉLYPEAUX D'HERBAUT, Georges Louis. *Voir* **HERBAUT, Georges Louis Phélypeaux d'.**

PHILIDOR, André, dit l'Aîné (1667 - Dreux, 11 août 1730). Musicien, il fait partie d'une nombreuse famille de musiciens français, dont le patronyme est Danican. La tradition veut que l'un d'eux, très habile hautboïste, ait charmé le roi Louis XIII, qui avait comparé son talent à celui d'un hautboïste italien venu de Sienne et nommé Filidori ; le surnom était resté.

André Philidor est membre de la Grande Écurie et de la Chapelle royale. Il joue de toutes sortes d'instruments et surtout du basson et du cromorne. Nommé bibliothécaire du roi, il réunit une importante collection de manuscrits connue sous le nom de collection Philidor. On y trouve la musique de tous les anciens ballets dansés à la Cour, de plusieurs opéras de Lully et de ses successeurs, et de vieux airs de danse dont certains datent du règne de François Ier.

Sur ses vingt et un enfants, quatre seront musiciens, dont le célèbre François André. Son frère Jacques et quatre fils de ce dernier seront musiciens à la Cour.

Il est l'auteur de plusieurs opéras ballets (*Le Canal de Versailles, La Princesse de Crète*), de mascarades et de divertissements, de pièces instrumentales et de marches militaires.

PHILIDOR, François André Danican, dit **le Grand** (Dreux, 7 septembre 1726 - Londres, 1795). Musicien, il est le fils du précédent. Enfant, il est admis comme page de la Musique du roi, puis devient l'élève de Campra. Mais c'est comme joueur d'échecs qu'il commence à se faire connaître. Vivant mal de ses travaux de copie musicale, découragé par les difficultés de la vie d'artiste, il décide de se produire comme joueur d'échecs dans plusieurs pays d'Europe. Il n'a que vingt-deux ans quand il publie à Londres son *Analyse du jeu des échecs*, ouvrage demeuré classique. Il gagne trois parties simultanées avec des joueurs de première force.

Ses amis, dont Diderot fait partie, le pressent de rentrer à Paris. Il accepte et entreprend de composer des motets à grand chœur, selon la manière des oratorios de Haendel qu'il a entendus à Londres. Mais ses œuvres religieuses n'ont pas le succès qu'il escomptait et ne lui permettent pas d'obtenir le poste qu'il briguait de surintendant de la musique. Il se tourne alors vers l'opéra-comique et débute dans le genre avec *Blaise le savetier*, qui est un triomphe (1759). Cette réussite décide de sa carrière de compositeur et sa réputation musicale devient aussi grande que celle de champion d'échecs.

L'invention mélodique de son œuvre est originale, et l'harmonie et l'instrumentation sont remarquables. On considère que Philidor est l'un des meilleurs représentants de l'opéra-comique français avant Boieldieu.

Il a écrit trente opéras-comiques, dont les plus connus sont *Blaise le savetier*, *Le Jardinier et son seigneur*, *Tom Jones*, *L'Amant déguisé*, *Le Bon Fils*, *L'Amitié au village*. Il a collaboré avec Jean-Jacques Rousseau pour *Les Muses galantes* et pour *Le Devin du village*. Enfin, il a composé un *Te Deum* qui fut exécuté en 1764 aux funérailles de Rameau.

PHILIPPSBURG (siège de). Le siège de Philippsburg (24 mai - 18 juillet 1734), place forte impériale très importante de la rive droite du Rhin, est l'une des opérations les plus notables de la guerre de Succession de Pologne en Allemagne. Assiégée pendant deux mois par les quatre-vingt mille hommes de l'armée française, la garnison impériale, que le prince Eugène s'abstient de secourir, finit par capituler et obtient les honneurs de la guerre. Cependant, les Français paient leur succès très cher. Ils ont perdu beaucoup de monde et plusieurs officiers généraux, dont le maréchal de Berwick, commandant l'armée, tué à la tranchée le 12 juin. Les relations du siège soulignent l'indiscipline et la dissipation des officiers français, qui passaient leurs nuits en plaisirs et en fêtes, quand ce n'était pas en rixes et en duels souvent meurtriers. C'est ainsi que le jeune prince de Lixen fut tué par son compagnon de beuveries, le duc de Richelieu.

PHYSIOCRATIE. La physiocratie est une école d'économistes, dont la doctrine établit la primauté de l'agriculture et la nécessité de la liberté économique.

Les publications des physiocrates s'échelonnent de 1758 à 1777. 1758 est la date de parution du *Tableau économique* du Dr Quesnay, fondateur et pape de l'école. Paraissent ensuite la *Théorie de l'impôt* (1760) et la *Philosophie rurale* du marquis de Mirabeau, la *Physiocratie ou Constitution essentielle du gouvernement le plus avantageux au genre humain* de Dupont de Nemours (1761), les *Réflexions sur la formation et la distribution des richesses* de Turgot (1766), l'*Introduction à la philosophie économique* de l'abbé Baudeau (1771), *L'Ordre naturel et essentiel des sociétés politiques* de Lemercier de La Rivière (1767) et *De l'intérêt social...* de Le Trosne (1777), pour ne citer que les principaux auteurs et titres.

L'«ordre naturel», le «produit net» de l'agriculture, la primauté de la propriété foncière ainsi que la liberté du travail et du commerce sont les éléments principaux du dogme physiocratique.

L'«ordre naturel» est défini par Dupont de Nemours comme «la constitution physique que Dieu a lui-même donnée à l'Univers». Cet «ordre» est une évidence que l'intuition, alliée à la raison, peut saisir.

Le «produit net» n'existe que dans une seule catégorie d'opérations productives, celles de l'agriculture. Là seulement, la richesse créée dépasse la richesse consommée. Ce miracle ne se produit nulle part ailleurs. Les artisans et les industriels ne font que mélanger et additionner. Ils ne créent pas de richesse. Ils sont la «classe stérile», ce qui ne veut pas dire inutile.

La circulation des richesses se fait dans les trois «classes» du corps social : la classe productive, celle des agriculteurs, la classe des propriétaires fonciers et celle des artisans ou industriels, ou «classe stérile». Cependant, la primauté sociale n'est pas attribuée à la classe productive, mais à celle des propriétaires fonciers, pour ces raisons qu'elle a défriché les terres et qu'elle fait les avances foncières. Elle engendre en quelque sorte la classe productive.

Commerce et travail doivent être entièrement libres, en vertu du principe qu'il faut laisser faire l'«ordre naturel», et ne lui apporter aucune entrave.

Telle est la doctrine commune des physiocrates. On notera cependant l'hétérodoxie de Turgot qui refuse le dogme de la «stérilité» de l'industrie.

La physiocratie a été un moment la doctrine officielle du pouvoir politique. Quesnay, médecin de Louis XV, était honoré de la faveur royale. Dupont de Nemours écrit dans ses *Mémoires* que Mme de Pompadour eut pour lui «une espèce d'engouement». Les édits de 1763 et 1766 établirent la liberté du commerce des grains et consacrèrent l'autorité de l'école. Le règne physiocratique dura une quinzaine d'années. A partir de 1770, il fut ébranlé. Les *Dialogues sur le commerce des grains* (1770) de l'abbé Galiani lui portèrent un coup très dur, et l'échec de l'expérience libérale de Turgot discrédita l'«ordre naturel». Cependant, la physiocratie n'était pas morte. Certaines de ses idées revivront dans la législation de la Constituante, comme par exemple l'idée de la primauté de l'impôt foncier. Dupont de Nemours sera l'un des principaux législateurs de la Révolution commençante.

La physiocratie se présente comme une sorte de religion. Elle a son maître, sa doctrine, ses livres classiques, sinon révélés. C'est bien une religion, mais de la Nature, non de Dieu, de la jouissance, non du sacrifice. Les physiocrates sont disciples d'Épicure. Pour eux, le principe naturel de toute société est le «désir de jouir» : «Le désir de jouir, écrit Lemercier de La Rivière, imprime à la Société un mouvement qui devient une tendance perpétuelle vers le meilleur état possible» (cité par Georges Weulersse, *Le Mouvement physiocratique en France de 1750 à 1770*, Paris, 1910).

PHYSIQUE. Le mot «physique» garde encore le sens très général de connaissance de la nature. On continue à distinguer la physique générale, qui est la philosophie de la nature, et la physique particulière qui englobe tout ce que nous entendons aujourd'hui par sciences physiques et naturelles. C'est à la partie dénommée aujourd'hui sciences physiques et seulement à cette partie que nous limitons ici notre propos.

Dans le domaine de la théorie générale des sciences physiques, le fait majeur est l'introduction en France de la théorie newtonienne. Les principes de Newton sont vulgarisés par Voltaire dans ses *Éléments de la physique newtonienne* (1738) et par Mme du Châtelet qui publie en 1759 la première traduction française des *Principia mathematica*. Toutefois, le newtonianisme se heurte à la résistance des cartésiens. La conversion aux thèses du physicien anglais ne se fera que lentement.

En recherche fondamentale, les physiciens français ne valent pas ceux du siècle précédent. Les grandes découvertes sont rares. Les seuls domaines où les savants français fassent preuve d'une grande capacité d'innovation sont ceux de la calorimétrie, de la photométrie et de l'électricité. L'Écossais Joseph Black est l'inventeur de la calorimétrie, mais Lavoisier et Laplace en établissent les bases méthodologiques. Les débuts de la photométrie remontent aux travaux de Pierre Bouguer (1698-1758), premier savant à mesurer l'intensité de la lumière. Charles Du Fay perfectionne la machine à produire de l'électricité (1733-1739). L'abbé Nollet, son élève, reproduit en grand l'expérience de la bouteille de Leyde. Coulomb dégage les lois de l'attraction électrique (1784-1789).

La perspective dans laquelle s'effectuent les recherches est soit expérimentale (connaître les phénomènes en multipliant les expériences), soit technique (servir par le progrès de la physique le perfectionnement de l'art de l'ingénieur). Les travaux réalisés dans le domaine de l'hydrodynamique sont une bonne illustration de cette physique appliquée : les ingénieurs Bélidor, Pitot, de Chézy, Perronet, du Buat et le mathématicien Bossut établissent ici une liaison étroite entre la technique et la science. Ainsi Pitot invente l'appareil connu sous le nom de tube de Pitot, qui sert à mesurer les débits.

Les connaissances de physique sont largement vulgarisées. Le collège de Navarre crée en 1753 une chaire de physique expérimentale et la confie à l'abbé Nollet. Cet exemple est bientôt suivi par des dizaines de collèges. Après 1750, dans plusieurs collèges des doctrinaires, l'enseignement de la physique cesse d'être philosophique pour devenir exclusivement scientifique. Des cours publics de physique sont fondés entre 1770 et 1780 dans les villes de Reims, Angers, Verdun, Grenoble, Metz, Bourg, La Rochelle et Lille. Enfin, on publie de nombreux manuels de vulgarisation scientifique. Les *Leçons de physique expérimentale* de l'abbé Nollet (publiées à partir de 1743) en sont le meilleur exemple. Et la vogue des cabinets de physique gagne tout le royaume. Pas d'académie, pas de collège, pas de professeur qui ne possède le sien.

Un rapport existe — il conviendrait de l'étudier plus attentivement — entre l'histoire de la physique et celle de l'industrie. Il n'est pas douteux que la diffusion des connaissances et la multiplication des expériences ont grandement favorisé les progrès de la mécanisation. Par ailleurs, il est sûr que des inventions spectaculaires et fécondes, comme les métiers de Vaucanson, le bateau à vapeur de Jouffroy d'Abbans et l'aérostat des Montgolfier, n'auraient jamais vu le jour sans cette passion du public pour la physique expérimentale.

PIARRON DE CHAMOUSSET, Claude Humbert. *Voir* **CHAMOUSSET, Claude Humbert Piarron de.**

PICARDIE. La Picardie forme un gouvernement auquel la province d'Artois est rattachée. La haute Picardie (à l'est) se compose de quatre pays : la Thiérache (capitale La Fère), le Vermandois (capitale Saint-Quentin), le Santerre (capitale Péronne) et l'Amiénois (capitale Amiens, qui est aussi la capitale de toute la Picardie, et la résidence de l'intendant). La basse Picardie (à l'ouest) se compose du Ponthieu (Abbeville), du Boulonnais (Boulogne) et du «pays reconquis» (Calais).

Ne possédant que très peu de terres, les paysans picards s'emploient dans l'industrie textile, où ils trouvent un complément indispensable de ressources. Cette industrie est celle des étoffes de laine dans l'Amiénois, la manufacture de draps autour d'Abbeville et la bonneterie dans le Santerre, où une manufacture de draps est fondée en 1745.

Dans la forêt de Saint-Gobain en Thiérache, se trouve la fameuse manufacture royale de glaces.

Féconde en talents des plus divers, la Picardie a donné à la peinture Quentin La Tour, à la poésie Gresset, à la philologie Lhomond et à l'agronomie Parmentier.

PICPUS. Les religieux de Picpus sont des religieux réformés du tiers ordre de Saint-François. Ils tirent leur nom de leur couvent de Picpus, près de Paris. Leur effectif était de trois cent soixante-sept au début de 1790.

PIERRE, Jean-Baptiste Marie (Paris, 1713 - *id.*, 1789). Peintre, il occupa de grands emplois officiels : il fut recteur

(1768) puis directeur de l'Académie de peinture (1778), premier peintre du roi et directeur des Gobelins. Disciple de Natoire et de J.-F. De Troy, les sujets aimables le retinrent dans ses débuts, mais il les abandonna très vite pour l'histoire et la décoration. En 1753, il décora la salle du Conseil du roi à Fontainebleau ; en 1756, il peignit pour l'église Saint-Roch l'*Assomption de la Vierge*. Il faut citer aussi deux toiles aujourd'hui au Louvre : *Junon demandant à Vénus sa ceinture* (1748) et *L'Automne ou Bacchus* (1768). La peinture de cet artiste offre un curieux mélange d'éléments pris à Natoire et à Boucher, de souvenirs de l'école de Bologne et d'aspirations nouvelles. Bien qu'il appartienne à la génération des Fragonard et des Boucher, Pierre est de ceux qui préparent et annoncent la réaction néoclassique.

PIGALLE, Jean-Baptiste (Paris, 1714 - id., 1785). Sculpteur, il était le quatrième fils d'un menuisier du roi. Ses débuts furent difficiles : bien que formé par Le Lorrain et par Lemoyne, il échoua au concours de l'Académie, et dut faire à ses frais le voyage indispensable d'Italie. A son retour, il se fit connaître par une statuette de *Mercure* pleine de mouvement et de vie, et qui lui ouvrit les portes de l'Académie. Cette compagnie l'agréa en 1741 et le reçut en 1744. La protection de Mme de Pompadour lui valut de nombreuses commandes royales : ainsi les statues de *Mercure* et de *Vénus* (1745-1748), que Louis XV offrit à Frédéric II après la paix d'Aix-la-Chapelle et que celui-ci plaça dans son jardin de Sans-Souci, et le mausolée funéraire du maréchal de Saxe dans le temple luthérien Saint-Thomas de Strasbourg (1756). Pour la ville de Paris, il termina la statue de Louis XV commencée par Bouchardon. On lui doit aussi de nombreux portraits dont celui de Mme de Pompadour et celui de Voltaire représenté dans un état de complète nudité, ce qui choqua la critique. Suard écrira de Pigalle qu'il « avait plus le sentiment du vrai que celui du beau ».

PILÂTRE DE ROZIER, Jean-François (Metz, 30 mars 1756 - Boulogne-sur-Mer, 15 juin 1785). Il se fait connaître d'abord en fondant l'Athénée royal, appelé aussi musée de Monsieur, établissement d'enseignement dispensant des cours publics, puis par ses expériences aérostatiques. Il commence par trois ascensions en solitaire dans le jardin du fabricant Réveillon à Paris. Suivent plusieurs ascensions dans un ballon captif avec plusieurs passagers et passagères. Le 21 novembre 1783, il effectue en compagnie du marquis d'Arlande la première ascension aérostatique dans laquelle un ballon libre ait emporté des hommes : le départ a lieu au château de La Muette à Passy, à une heure cinquante-quatre de l'après-midi, et l'atterrissage vingt-cinq minutes plus tard sur la butte aux Cailles près de Gentilly. Un an plus tard, Pilâtre se démet de la direction de l'Athénée, quitte Paris et s'installe à Boulogne-sur-Mer afin d'y préparer l'exécution de son grand dessein, la traversée de La Manche en ballon. Ayant obtenu de Calonne, alors contrôleur général, une importante subvention, il fait construire une machine nommée par lui « aéro-montgolfière » associant les deux inventions, celle de Montgolfier du ballon à feu, et celle du physicien Charles du ballon à hydrogène : un ballon à hydrogène surmonte un cylindre destiné à servir de montgolfière. Mais la persistance des vents contraires oblige l'aéronaute à repousser toujours la date du départ. Il doit attendre et se résigner à n'être plus le premier : le 7 janvier 1785, Blanchard et Jeffries ont réussi la traversée de Calais à Douvres. Enfin, le 15 juin le vent paraît meilleur. Pilâtre de Rozier monte dans la galerie en compagnie du physicien Romain qui l'a aidé à construire la machine. Le départ a lieu à sept heures et cinq minutes du matin. Quelques instants plus tard, c'est la catastrophe : Pilâtre tente sans doute d'ouvrir la soupape afin de s'élever pour trouver un courant favorable, le taffetas crève, l'enveloppe se fend, et la machine tombe de plus de mille mètres d'altitude en chute libre. On en retrouvera les morceaux avec les deux corps fracassés dans la garenne de Wimille, à moins d'une lieue de Boulogne. Ainsi finit l'un des pionniers de l'aérostation. On l'inhuma dans le cimetière de Wimille et un poète anonyme fit pour lui cette épitaphe :

Ci-gît un jeune téméraire,
Qui dans son généreux transport,
De l'Olympe étonné franchissant la
[barrière,
Y trouva le premier et la gloire et la mort.

(Cité par le *Journal de Paris*, 1785.)

PILLEMENT, Jean (Lyon, 1728 - *id.*, 1808). Peintre paysagiste, décorateur et peintre de fleurs, il passa une grande partie de sa vie hors de France, visitant la plupart des pays d'Europe et faisant de longs séjours en Angleterre et en Pologne, où il obtint le titre de peintre du roi. Si l'on pouvait parler d'une école de Watteau, il faudrait l'y rattacher. Il a en effet partagé de Watteau le goût des chinoiseries et l'amour de la nature. Il l'a suivi dans sa débordante fantaisie.

PINCZON DU SEL, Julien Joseph (1712-1781). Manufacturier, c'est un gentil-homme breton converti à l'industrie cotonnière. Il crée sa première fabrique en 1741 sur sa terre du Sel, et, par un arrêt du Conseil du 18 avril 1747, obtient pour elle le titre de manufacture royale. Il s'installe alors au Pré-Perchet, à côté de Rennes. Sa manufacture fabrique des cotonnades pour la traite négrière. C'est une entreprise importante qui supporte la comparaison avec celle de Van Robais à Abbeville. Elle compte quatre-vingt-neuf métiers et emploie six cent cinquante ouvriers, dont cinq cent trente femmes, plus un millier d'ouvriers à domicile. Malgré plusieurs prêts des états de Bretagne, l'entreprise n'est pas vraiment rentable. La guerre de Sept Ans lui porte un coup très dur. Le nombre des métiers tombe à trente-deux. En 1770, Pinczon est compromis dans l'affaire La Chalotais et emprisonné pendant deux mois. Il semble que son activité industrielle ait cessé à ce moment-là.

PINGRÉ, Alexandre Guy, dom (Paris, 4 septembre 1711 - *id.*, 1er mai 1796).

Chanoine régulier de la congrégation de Sainte-Geneviève, c'est un astronome. Sa vocation scientifique paraît être assez tardive. Il a d'abord enseigné la théologie, mais les querelles du jansénisme l'auraient dégoûté de ce ministère. Converti à l'astronomie, devenu en 1753 correspondant de l'Académie des sciences, il utilise pour ses travaux l'observatoire que son abbaye de Sainte-Geneviève a fait aménager à son intention. Appointé (en même temps que Clairaut et Le Monnier) par le département de la Marine « pour perfectionner la navigation », il effectue au moins deux voyages scientifiques dans l'océan Indien (1761 et 1769), dans le but d'essayer la montre marine de Berthoud. On lui doit les premières bonnes observations des passages de Vénus, un almanach nautique (intitulé *État du ciel*) pour les années 1754 à 1757, et un répertoire de toutes les observations astronomiques du siècle précédent. Toutefois, son ouvrage majeur est la *Cométographie ou Traité historique et théorique des comètes* (1783). C'est un bon livre où l'on trouve tout ce que l'on savait alors sur les comètes. La Révolution ne semble pas l'avoir inquiété. Il sera même appelé en 1795 à faire partie du nouvel Institut.

PIRON, Alexis (Dijon, 9 juillet 1689 - Paris, 21 janvier 1773). Littérateur, il est fils d'Aimé Piron, apothicaire, échevin de sa ville et poète plus sacré que profane. Après des études au collège des jésuites de Dijon, puis à la faculté de droit de Besançon, il choisit la profession d'avocat, mais ne l'exerce guère, préférant s'amuser à faire des vers et à mystifier ses compatriotes. Il arrive à Paris à l'âge de trente ans. Les débuts sont durs. Il copie des mémoires pour le chevalier de Belle-Isle et gagne 40 sous par jour. En 1722, l'occasion survient qui fait de lui un auteur connu. Un arrêt du Parlement, rendu à la demande des comédiens-français, interdit à l'Opéra-Comique de faire représenter des pièces où plus d'un personnage parlerait. Piron relève le défi avec *Arlequin Deucalion* : Arlequin, seul échappé au Déluge, repeuple la terre à coups de pierres, selon le procédé de la mythologie. Il est, par la force des choses, seul homme à parler. Les deux autres personnages parlants, Polichinelle et un perroquet, n'étaient pas prévus par l'arrêt du Parlement. Après cette pièce, qui est un grand succès, Piron produit pour les théâtres des foires Saint-Germain et Saint-Laurent. Il écrit des opéras-comiques et des comédies. En 1728, Mlle Quinault, la grande actrice qui sera toujours son amie, lui conseille d'essayer la Comédie-Française. Il y fait jouer *Les Fils ingrats*, sorte de drame avec des scènes larmoyantes, puis trois tragédies, la première grecque, les deux autres exotiques (*Callisthène*, 1730, *Gustave Wasa*, 1733, *Fernand Cortés*, 1734). Aucune de ces différentes productions ne suscite l'enthousiasme du public. En revanche, la *Métromanie*, comédie en cinq actes (1738), est jugée un chef-d'œuvre.

Piron, comme Voltaire, a voulu être universel : tragédies, comédies, drames, odes, épîtres, églogues, idylles, pastorales, tout lui est bon. Mais les grands genres ne lui réussissent guère. Mis à part *Arlequin Deucalion*, où il y a de la magnificence et même quelques beaux vers, son théâtre ne mérite pas qu'on s'y arrête longtemps. Il est surtout bon dans les petits vers, ceux de l'épigramme ou de la chanson bachique. Avec ses amis Collé, Gallet et Saurin, il avait fondé en 1737 une sorte de société de poètes, appelée le Caveau. On se réunissait à dîner deux fois par mois chez un traiteur, et, tout en mangeant et buvant, on se communiquait les épigrammes et chansons qu'on avait faites. Les chansons à boire de Piron seront chantées pendant longtemps après sa mort. Par exemple ce *Réveil-Matin*, dont voici la dernière strophe :

> Dès l'aube du jour je m'éveille
> Au bruit d'un cabaret voisin.
> On sonne un tocsin de bouteilles ;
> L'agréable réveil-matin !

Piron n'était d'aucune secte. Il était donc mal vu à la fois des philosophes et des dévots. Il était détesté par Voltaire, depuis qu'il avait relevé dans *Sémira-mis*, tragédie faite par ce dernier, des vers de Corneille et de Racine. Lorsqu'en 1753 il fut élu à l'Académie française, les dévots, ayant à leur tête l'abbé d'Olivet et Boyer, firent annuler l'élection par le roi, sous le prétexte que dans sa jeunesse il avait écrit une ode libertine. C'est alors qu'il rédigea sa célèbre épitaphe :

> Ci-gît Piron qui ne fut rien
> Pas même académicien.

Sa vie fut digne, ses mœurs honnêtes. Il se maria sur le tard, en 1741, et fut un bon mari. La fin de sa vie fut donnée à la piété. Il publia des *Poésies sacrées* et traduisit en français les Psaumes de la pénitence.

Il est l'une des figures originales du XVIIIe siècle. Il ne s'est pas grimé. Il n'a pas cherché à ressembler à celui-ci ou à celui-là. Il est resté lui-même. Né Alexis Piron, il est mort Alexis Piron.

PLUCHE, Noël Antoine (Reims, 1688 - La Varenne-Saint-Maur, près de Paris, 19 novembre 1761). Abbé, il est surtout connu pour son ouvrage intitulé *Le Spectacle de la nature*. Il vient de la pédagogie, ayant enseigné au collège de Reims, puis dirigé celui de Laon. Son refus d'adhérer à la bulle *Unigenitus* l'oblige à se démettre de ses fonctions. Il fait alors le précepteur : successivement, M. de Gasville, intendant de Rouen, et lord Stafford lui confient l'éducation de leurs enfants. Le succès du *Spectacle de la nature* (1732) l'amène à choisir la carrière des lettres. Atteint de surdité, il se retire à La Varenne-Saint-Maur, près de Paris, et s'y adonne à la confection d'ouvrages les plus divers. On retiendra surtout son *Spectacle de la nature* et son *Histoire du ciel* (1739). Le *Spectacle* est destiné à la jeunesse. C'est une sorte d'encyclopédie éducative écrite sous une forme dialoguée. Le sous-titre (*Entretiens sur les particularités de l'histoire naturelle*) est trompeur. En fait, l'auteur aborde les sujets les plus variés : les animaux et les plantes pour commencer, mais ensuite la terre, l'homme, la société, les métiers, le logement, la musique, la paléographie, la fonte des cloches, les horloges, le commerce, la Révélation et, pour finir, la «tolérance chrétienne». On y trouve même un «mémoire sur la fabrique des glaces de Saint-Gobain». En somme, on peut considérer l'abbé Pluche comme l'inventeur de la «leçon de choses». L'*Histoire du ciel* est une présentation des différentes théogonies et des différents systèmes du monde. L'auteur prend position contre Descartes. Il a été cartésien dans sa jeunesse, mais il ne veut plus l'être : «Il est nécessaire, écrit-il, d'examiner si Descartes, qui nous a si bien servis en nous invitant à secouer le joug de la doctrine aristotélicienne qui tyrannisait les écoles, ne nous a pas induits en erreur en nous faisant croire qu'on peut enseigner la physique comme la géométrie.» Les ouvrages de l'abbé ont été très répandus. Ils ont sans doute beaucoup fait pour ruiner le crédit de Descartes et pour préparer l'avènement des sciences de la vie et de la nature.

POCQUET DE LIVONNIÈRE, Claude (La Gravoire, pays nantais, 18 juillet 1651 - Paris, 31 mai 1726). Il doit être compté parmi les plus grands jurisconsultes. Il fait ses études au collège de l'Oratoire d'Angers et à la faculté de droit de Paris. Après un bref intermède militaire il rejoint le droit, prête le serment d'avocat au parlement de Paris et fait ses premières armes contre Denis Lebrun, le célèbre auteur du *Traité des successions*. Revenu à Angers, il est reçu en 1680 conseiller au présidial de cette ville. En 1684, sa compagnie le choisit pour solliciter auprès du roi l'établissement à Angers d'une académie des belles-lettres. En 1689, le chancelier Boucherat le nomme professeur de droit français dans l'université d'Angers. Il exerce alors simultanément les deux fonctions de professeur et de conseiller au présidial. En 1720 cependant, son état de santé l'oblige à laisser son titre et sa chaire à son fils Grabriel, qui était déjà son suppléant depuis 1711. Trois grands livres ont fait sa réputation : les *Coutumes du païs et duché d'Anjou, confé-*

rées avec les coutumes voisines et corrigées sur l'ancien original manuscrit avec les commentaires de M. *Gabriel Dupineau* (Paris, 1725, 2 vol. in f°), le *Traité des fiefs* (Paris, 1729) et les *Règles du droit français* (Paris, 1730). Selon certains auteurs, ce dernier ouvrage serait en partie l'œuvre de son fils, Claude Gabriel. Mais cette attribution est contestée à juste raison, nous semble-t-il, par le professeur Xavier Martin.

Pocquet est remarquable, non seulement par l'étendue de sa science, mais aussi par sa grande modestie («Je redoute, disait-il, la qualité d'auteur») et par l'élégance de son style. L'Avertissement qu'il a mis en tête des *Règles du droit français* est à cet égard un modèle. En voici les premières lignes : «Il n'y a rien de plus nécessaire en toutes sortes de Sciences, que la connaissance des principes. Ils servent d'introduction à ceux qui commencent, ils rafraîchissent et rappellent dans un instant les idées de ceux qui sont consommés.»

Pocquet avait épousé, le 26 avril 1680, la fille d'un avocat, Renée Quatrembat, qui lui avait donné cinq fils et six filles, dont cinq entrèrent en religion.

POÉSIE. La période 1680-1715 avait déjà été «une époque sans poésie» (Paul Hazard, *La Crise de la conscience européenne*, Paris, 1935). L'absence de la poésie va durer encore longtemps, presque le temps d'un siècle.

Cette stérilité poétique a été attribuée à l'influence du rationalisme. Il faut y voir aussi un effet du matérialisme ambiant et de l'esprit de jouissance. Si l'on ne voit plus rien au-delà du sensible, il ne peut plus y avoir de poètes. Il est d'ailleurs frappant que les seules pièces véritablement poétiques produites pendant ce siècle soient celles d'inspiration religieuse : certains passages du poème *La Religion* de Louis Racine (1742), les *Cantates* de Jean-Baptiste Rousseau, les *Poésies sacrées* (1734 et 1763) de Lefranc de Pompignan et les *Adieux à la vie* (*Œuvres complètes*, 1788) du poète Gilbert, inspirés des Psaumes de la pénitence :

J'ai révélé mon cœur au Dieu de
               [l'innocence,
Il a vu mes pleurs pénitents ;
Il guérit mes remords, il m'arme de
               [constance :
Les malheureux sont ses enfants.

Mais de tels accents demeurent exceptionnels. La plus grande partie de la production poétique n'est qu'artifice, froideur et clichés. Le public ne sait même plus ce qu'est la poésie. On goûte surtout les petits vers, la poésie légère, satirique ou galante. Les poètes deviennent des amuseurs publics. La poésie se dégrade. Comme on l'a justement écrit, « sa dignité même se trouve menacée ». Si les poètes traitent de l'amour (par exemple Léonard, Bertin et Parny), ils ne peuvent s'empêcher de donner dans l'érotisme ou dans le grivois. S'ils s'appliquent à décrire les beautés de la nature, ils n'y parviennent pas vraiment. Saint-Lambert chante *Les Saisons* (1769), mais sa poésie bucolique demeure conventionnelle. « C'est que son corps était aux champs, écrit Diderot, et que son âme était à la ville. » Les *Mois* de Roucher (1779), *Les Jardins* (1780) de l'abbé Delille ne sont pas plus réussis bien que ce dernier auteur se montre parfois sensible à l'harmonie de la nature.

Toute cette médiocrité fait paraître d'autant plus étonnante l'œuvre admirable d'André Chénier, son *Épître sur ses ouvrages* (1785), ses *Bucoliques* (1785-1787) et surtout son *Invention*. Avec ce génie inspiré, la poésie ressuscite. L'influence de la Grèce y est pour beaucoup. Chénier se met à l'école de la Grèce, il se fait une âme grecque, il entre dans le secret du miracle grec : il partage l'émerveillement des Grecs devant la beauté. Ce rationaliste est malgré lui un initié. Il saisit sans le savoir le rapport du divin et du beau. Il fait donc sortir la poésie de la décadence où l'avait plongée un siècle d'incompréhension du sens véritable du Beau.

POITIERS. Toute l'importance de Poitiers, ville d'intendance et d'université, est contenue dans ces deux institutions. Car l'industrie est peu développée (petit centre textile) et le commerce inactif. Il n'est donc pas surprenant de voir la population diminuer au cours du siècle, passant de vingt-cinq mille habitants en 1715 à dix-huit mille en 1789. Arthur Young classe Poitiers parmi « les villes les plus mal construites » (*Voyage en France*) qu'il ait vues en France. Jugement trop sévère. L'urbanisme nouveau a marqué Poitiers, qui lui doit plusieurs voies de communication nouvelles et deux promenades, le parc des Gilliers et la promenade de Guillon.

POITOU. Le Poitou se compose du haut Poitou (autour de Poitiers, Thouars, Loudun, Chatellerault et Parthenay) et du bas Poitou (dont les villes principales sont Fontenay-le-Comte, Saint-Maixent, Niort, Luçon, Les Sables et Noirmoutiers). Il y a un lieutenant général pour chacune des deux régions. La généralité de Poitiers englobe Poitou et Aunis, plus l'élection de Confolens en Limousin. Plusieurs villes et lieux du gouvernement de Saumur font également partie du Poitou : Montreuil-Bellay, Richelieu, Mirebeau, Moncontour et Fontevrault (avec l'abbaye de ce nom).

La province associe l'élevage à la culture : « On y nourrit beaucoup de bestiaux » (Jean-Baptiste Gibrat, *Traité de la géographie moderne*, 1784). La métairie, unité d'exploitation typique de la Gâtine poitevine, est un domaine d'au moins 15 hectares avec un cheptel important, exploité par un fermier ou par un métayer. La propriété paysanne est très réduite. La propriété noble est la plus étendue (par exemple 62 % du finage sur le terroir de Secondigny).

Les manufactures de drap de Fontenay-le-Comte et celles d'étoffes de laine de Niort forment l'essentiel de l'industrie de la province. Amélioré par d'importants travaux, le port des Sables peut contenir des vaisseaux de 150 tonneaux. Ajoutons à ces différentes ressources celle-ci, que signale le géographe Jean-Baptiste Gibrat : « On trouve [dans le Poitou] beaucoup de vipères, dont il se fait un bon commerce ; on en envoie jusqu'à Venise pour faire la thériaque. »

Il se peut que la présence du philosophe dom Deschamps à Montreuil-Bellay et le rayonnement du château des Ormes, résidence du comte d'Argenson, protecteur des philosophes, aient contribué au progrès des idées nouvelles. Il semble que la maçonnerie ait été active dans toute la province. A la veille de la Révolution, il existait dans toutes les petites villes poitevines une nombreuse bourgeoisie d'officiers royaux et seigneuriaux acquise aux Lumières.

L'autre visage du Poitou est celui d'une religion fervente. Les églises protestantes se reconstituent vers le milieu du siècle, bénéficiant d'une tolérance de fait. Les missions des montfortains revitalisent le catholicisme populaire. Ces missionnaires parcourent sans cesse le pays, fortifiant la foi, fondant des confréries du Rosaire. Soixante et onze missions et retraites furent données par eux entre 1740 et 1779 dans cette partie du Poitou qui correspond à l'actuel département de la Vendée.

POLIGNAC, Melchior de (Château de la Ronte, près du Puy-en-Velay, 11 octobre 1661 - Paris, 21 novembre 1741). Archevêque d'Auch et cardinal, c'est aussi un diplomate de grand renom et un apologiste réputé. Sa carrière diplomatique avait commencé en Pologne, où Louis XIV l'avait envoyé en 1693 comme ambassadeur extraordinaire. Cette première mission s'était mal terminée, le prince de Conti, candidat français au trône de Pologne, ayant été évincé par l'Électeur de Saxe. Le jeune diplomate s'était racheté par la suite. Nommé plénipotentiaire à Utrecht en 1712, il s'était montré un négociateur fort avisé. Louis XIV lui avait alors fait donner le chapeau de cardinal (1713) et l'avait nommé abbé commendataire d'Anchin et de Corbie. Depuis 1704, il siégeait à l'Académie française où il avait succédé à Bossuet. Le temps de la Régence lui est moins favorable. Il défend la mémoire du feu roi. En 1715, il fait exclure l'abbé de Saint-Pierre de l'Académie française pour avoir, dans son *Discours sur la polysynodie*, critiqué implicitement le mode de gouvernement de Louis XIV. Soupçonné d'avoir trempé dans la conspiration de Cellamare, il est un moment exilé dans son abbaye d'Anchin. Il reprend du service sous le duc de Bourbon. En août 1724, il est nommé chargé d'affaires à Rome et garde ce poste pendant six ans. Ses instructions lui permettent d'entretenir une correspondance privée avec le cardinal de Noailles et d'essayer d'obtenir de lui sa soumission à la bulle *Unigenitus*. Il y serait parvenu très vite si Fleury ne lui avait rendu la tâche plus difficile en se montrant beaucoup plus exigeant et «constitutionnaire» que le pape lui-même. Il est populaire à Rome où il donne de grandes fêtes avec des courses de chevaux barbes. Il s'adonne à l'archéologie, dirige des fouilles et découvre près de Frascati les vestiges de la maison de campagne de Marius, le vainqueur des Cimbres. Rappelé sur sa demande, il rentre en France en avril 1732. Il avait été nommé en 1726 à l'archevêché d'Auch. Il y réside peu, occupant la plus grande partie de son temps à l'achèvement de son poème latin, *L'Anti-Lucretius*, qui a été l'œuvre de toute sa vie. Avant de mourir, il en confie le manuscrit à son ami l'abbé de Rotholin, avec la «liberté absolue de le supprimer ou de le publier». L'abbé choisit la publication. L'ouvrage paraît en 1745. Une traduction française en sera donnée par Bougainville en 1763. Le propos de ce long discours en neuf livres et plus de dix mille vers est la réfutation du système d'Épicure, le maître de Lucrèce, et, à travers l'épicurisme, de l'athéisme contemporain. Contre les athées, le cardinal prouve l'existence de Dieu et l'immortalité de l'âme. Son argumentation n'est pas fondée sur la philosophie d'Aristote, qu'il trouve absurde et obscure («un système qui, loin d'éclairer l'esprit, le repaît de termes obscurs»), mais sur celle de Descartes, dont il est depuis sa jeunesse l'ardent défenseur. C'est pourquoi il renonce à la plupart des preuves traditionnelles de l'existence de Dieu, ne proposant, outre la preuve cartésienne de l'idée innée de Dieu, que celles de l'«agencement du corps humain» et du «spectacle de l'univers». Son cartésianisme invétéré le pousse également à rejeter la physique newtonienne en laquelle il ne voit que des «chimères». Au total donc, un ouvrage assez faible, et dont on peut s'étonner que les apologistes aient fait longtemps un si grand cas.

POLIGNAC, Yolande Martine Gabrielle de Polastron, comtesse, puis duchesse de (1749-1793). Elle est surtout connue pour avoir été, après la princesse de Lamballe, la grande amie de la reine Marie-Antoinette. Elle épouse en 1767 Armand Jules François de Polignac, et vit alors loin de la Cour. Sa faveur semble avoir commencé en 1776, date de la nomination de son mari comme premier écuyer de la reine en survivance. Deux ans plus tard, au dire du duc de Croÿ, elle a déjà «tout le crédit du côté de la reine» (*Journal inédit du duc de Croÿ*, Paris, 1906-1907, année 1778, t. IV, p. 273). En 1780, elle souffre d'une grossesse pénible, et la reine vient la voir tous les jours chez elle, dans son hôtel parisien de la rue de Bourbon. Sa nomination en 1782 de gouvernante des Enfants de France marque l'apogée de sa faveur. Les familiers de son salon (sa belle-sœur Diane, Besenval, le duc de Coigny, d'Andlau, d'Adhémar, le prince de Ligne), forment ce qu'on appelle à la Cour la «société», soit l'entourage intime de la reine. Yolande de Polignac en est le chef et l'inspiratrice. Son crédit est très grand. Il n'est pas sûr qu'elle en abuse. Son mari est fait, en 1780, duc héréditaire et, en 1785, directeur général des Postes. Son gendre est titré duc de Guiche. Mais il n'y a rien dans ces nominations qui excède les usages de la Cour. Yolande de Polignac n'a jamais rien demandé pour elle-même. Si la reine n'avait pas insisté, elle aurait refusé la charge de gouvernante. Elle était charmante : «charmante, douce et fine» (duc de Croÿ), «la plus jolie femme de son temps» (Besenval), son sourire était «enchanteur» (Mme Campan). Elle n'avait cependant ni coquetterie ni prétention. Elle n'était pas indigne de l'amitié de la reine.

POLITESSE. Le sens de ce mot s'est rétréci. Au XVIIᵉ siècle, il désignait la culture intellectuelle et morale des sociétés. Il n'est plus maintenant que le synonyme du savoir-vivre.

Mais la politesse est le savoir-vivre naturel, celui qui ne s'apprend pas dans les livres. Elle est en cela différente de la civilité, savoir-vivre méthodique, enseigné dans les manuels. «Soyez aisé, naturel», recommande M. de Jumigny dans son ouvrage *Le Père, gouverneur de son fils* (1780).

Le fondement de la politesse est moral. Car elle est faite d'abord d'attention véritable à autrui. «Des jeunes gens, écrit Rollin, qui auront été accoutumés à avoir de la complaisance pour leurs compagnons, à leur faire plaisir, à leur céder […] auront bientôt appris les règles de la politesse» (Charles Rollin, *Traité des études*, 1726). Le deuxième élément de la politesse est la modestie : «Évitez le ton de la suffisance, de la fatuité» (Jumigny). Le troisième élément n'est autre que la bonté : «Soyez poli par humanité […], par charité» (Jumigny). La politesse, chante Voltaire,

Est à l'esprit ce que la grâce est au visage
De la bonté du cœur elle est la douce
                                                    [image.

L'âge du sentiment influe sur la politesse. De même qu'au début du siècle on avait distingué la politesse de la civilité, on va maintenant faire la différence entre la politesse des manières et celle du cœur. «Il est bon, facile, écrit l'abbé Barthélemy de son héros, le jeune Anacharsis, il a la politesse du cœur, bien supérieure à celle des manières.» Ainsi s'éloigne-t-on toujours davantage de la civilisation des usages, pour aller vers celle de la spontanéité, celle du cœur à cœur. Rousseau va très loin dans ce sens. Il ne veut connaître ni civilité ni politesse. Émile n'aura d'autre «vertu sociale» que «l'amour de l'humanité». Cependant, la politesse des manières ne disparaît pas. Rousseau est une exception. La politesse passe maintenant pour un artifice, mais il est admis qu'il n'y a pas de vie possible sans un minimum d'artifice. L'abbé Barthélemy loue «cette bienséance qui fait croire qu'un homme s'estime lui-même, et cette politesse qui fait croire qu'il estime les autres » (*Voyage du jeune Anacharsis*, 1799).

POLYSYNODIE. La polysynodie est le système de gouvernement central établi par le Régent à la place du Conseil du roi. Instituée en 1715, la polysynodie a été complètement supprimée en 1723. Son nom lui vient de l'abbé de Saint-Pierre, auteur d'un ouvrage intitulé *Discours sur la polysynodie*, qui est un éloge du système.

L'idée vient du duc de Bourgogne et du cercle intime de ses amis. Dans ses *Projets de gouvernement du duc de Bourgogne*, Saint-Simon l'a formulée et développée. L'objectif était de renverser le « ministère dur, hautain, injuste » (cité par M. Benoît, *La Polysynodie*, Paris, 1928) des secrétaires d'État, et de lui substituer des conseils spécialisés, présidés par des grands seigneurs. Un régime polysynodal existait dans la monarchie des Habsbourg d'Espagne. Le duc de Bourgogne, c'est fort probable, avait cet exemple présent à l'esprit.

La polysynodie est instituée par les deux déclarations de Vincennes du 15 septembre 1715, la première créant le Conseil de régence et les six conseils particuliers (Conseils de conscience, des finances, des affaires étrangères, de la guerre, de la marine et des affaires du dedans), et la seconde supprimant presque entièrement les secrétaires d'État. Un septième conseil particulier, celui du commerce, sera créé par la déclaration du 14 décembre 1715.

Les présidents des conseils particuliers sont le cardinal de Noailles (conscience), le duc de Noailles (finances), le maréchal d'Huxelles (affaires étrangères), le maréchal de Villars (guerre), le duc d'Estrées (marine), le duc d'Antin (affaires du dedans) et le duc de Villeroy (commerce). Chaque conseil a son propre règlement. Les membres des différents conseils sont spécialisés : chacun a son département et ses affaires déterminées. Par exemple, au Conseil du dedans, La Vrillière a dans son département les huit provinces de Champagne, Brie, Lyonnais, Dauphiné, Limousin, Augoumois, Saintonge et Bretagne.

Le Conseil de régence ne comptera jamais plus d'une quinzaine de personnes. Sa principale fonction est d'entendre les rapports des présidents des conseils particuliers, de ratifier les décisions de ces conseils et de rendre les arrêts correspondants.

La polysynodie est condamnée dès 1718. Law et Dubois lui portent les premiers coups. Le 28 janvier 1718, Law obtient la disgrâce de d'Aguesseau et celle du duc de Noailles, coupables d'avoir voulu s'opposer à ses projets financiers. En septembre 1718, Dubois remet au Régent un mémoire pour la suppression des conseils et pour le rétablissement des charges des secrétaires d'État. L'édit du 18 septembre 1718 opère ce rétablissement. C'est presque la mort de la polysynodie. Cependant, le Conseil des finances subsiste jusqu'en 1720, celui du commerce jusqu'en juin 1722 et celui de la marine jusqu'en février 1723.

Les contemporains d'abord, les historiens ensuite n'ont pas ménagé leurs critiques. L'organisation aurait été défectueuse et les membres des conseils incompétents. De fait, le système portait le caractère de l'utopie. On avait oublié de lui donner une unité. Chaque conseil était livré à lui-même et n'avait aucune communication avec les autres. Pour trois conseils, le choix des présidents était tombé sur des hommes médiocres (Noailles, d'Huxelles et Villeroy). Cela dit, la polysynodie n'a pas été entièrement un échec. Il y avait aussi des hommes de valeur, et qui firent la preuve de leur compétence (par exemple le duc d'Antin et le comte de Toulouse au Conseil de la marine). Certains conseils firent une besogne utile. Le Conseil des finances tenta d'établir la taille proportionnelle. Celui de la guerre fit le projet de 1718 tendant à généraliser l'emploi des casernes. Enfin, celui du commerce favorisa la reprise de l'activité économique après les années difficiles de la fin du précédent règne.

POMME DE TERRE. La culture de la pomme de terre s'est répandue en France dans la seconde moitié du XVIIIe siècle, alors qu'elle était déjà très pratiquée dans plusieurs pays voisins (les Pays-Bas par exemple).

A la fin de l'Ancien Régime, les superficies les plus importantes se trouvent en Alsace, Lorraine et Dauphiné. Ce sont les provinces qui ont connu la plus forte augmentation de population au cours du siècle. La pomme de terre y joue un rôle très utile de culture d'appoint, permettant d'éviter la disette.

Longtemps ignorée dans certaines provinces (par exemple l'Île-de-France, l'Orléanais, le Languedoc), la pomme de terre y pénètre à la fin de l'Ancien Régime. En 1789, le Vivarais a 7 000 hectares en pomme de terre, pour 50 000 en céréales. En 1785, la nouvelle culture est signalée en Sologne.

Tenue pour une culture pauvre et pour pauvres, la pomme de terre ne jouit pas d'un très grand prestige. Elle ne figure pas dans les livres de cuisine. Les esprits « éclairés » la dénigrent. L'*Encyclopédie* la juge « fade et farineuse », tout juste bonne pour des « paysans et des manœuvres ». Le pharmacien Parmentier (*voir ce nom*) essaie de vaincre ces réticences et de dissiper ces préjugés. Prisonnier de guerre en Prusse, il y avait expérimenté les vertus nutritives de ce tubercule. Ardent propagandiste, il en fait goûter au roi et à la reine. Il invente un pain de pomme de terre. Il écrit aux intendants, les pressant de s'employer à diffuser la nouvelle culture. On lira par exemple sa lettre à l'intendant du Hainaut (1779, Archives du Nord, C 9782).

POMPADOUR, Jeanne Antoinette Poisson, dame Le Normant d'Étiolles, marquise de (Paris, 20 décembre 1721 - Versailles, 15 avril 1764). Elle a été pendant près de vingt ans la maîtresse et l'amie du roi Louis XV.

Elle est de modeste origine. Son père n'est qu'un petit financier. Mais un personnage important (qui est l'amant de sa mère), Charles Le Normant de Tournehem, fermier général, prend soin d'elle, lui paie une éducation raffinée, et la marie à son neveu, Charles François Paul Le Normant d'Étiolles, sous-fermier (9 mars

1741). Les salons s'ouvrent devant elle. Mme Geoffrin et Mme du Deffand la reçoivent. C'est en 1745 qu'elle devient la maîtresse du roi. La première entrevue a sans doute été arrangée par Binet, premier valet de chambre de Louis XV, et proche parent des Le Normant. La première rencontre en public a lieu le 25 février, lors d'un bal masqué. Fin avril, sa position est faite : elle est installée à Versailles, et titrée marquise de Pompadour. Sa présentation, le 14 septembre, consacre sa qualité de maîtresse officielle.

Son intimité avec Louis XV est totale. Le roi passe auprès d'elle une grande partie de ses journées. Elle est de tous les « voyages ». Elle reçoit aussi très souvent le souverain à Crécy ou à Bellevue, qui sont ses résidences personnelles. Enfin, beaucoup des soupers d'après la chasse se font chez elle. Son ascendant sur l'esprit de son royal amant est donc très grand. Certes, la liaison proprement dite est finie dès 1750, et l'on peut même dire qu'à partir de cette date la marquise est aussi trompée que la reine, mais elle seule sait distraire le roi de sa mélancolie. Elle réussit donc à déjouer les entreprises des rivales (Mmes de Choiseul-Beaupré, de Coislin et de Romans), et à garder toujours l'amitié du roi.

Son influence politique augmente avec le temps. Elle défait et fait les ministres. Bernis et Choiseul lui doivent en grande partie leur élévation. Elle conseille les ambassadeurs. Elle joue un rôle important dans le renversement des alliances. Les premières conversations secrètes entre Bernis et Starhemberg ont lieu chez elle à Bellevue. Elle intervient à Rome pour que soit publié le bref *Ex omnibus*. On ne peut pas dire que sa politique soit toujours celle de l'intérêt commun. En particulier, il semble regrettable qu'elle ait fait renvoyer des ministres de valeur comme Maurepas, Machault et le comte d'Argenson.

En 1751, elle juge nécessaire d'annoncer sa conversion. Mais elle ne sait guère ce qu'est la religion. Imprégnée de « philosophie », recevant et protégeant Voltaire et les encyclopédistes, elle parle le langage des Lumières. Ainsi elle croit vraiment que l'archevêque de Paris, Beaumont, et les jésuites sont des « fanatiques ».

On doit admirer en revanche le goût dont elle fait preuve dans la protection des arts. Elle fait travailler les meilleurs artistes. Ayant obtenu pour son frère, Marigny, la direction des Bâtiments, elle organise, pour le former à ses responsabilités, ce voyage d'Italie (1749-1751) qui est à l'origine du néoclassicisme.

C'est une femme intelligente et d'une rare énergie. Véritable amie du roi, elle essaie de l'aider. On la voit par exemple tenter de convertir l'un des chefs de l'opposition parlementaire, le président de Meinières. Elle n'y réussit pas, mais le président se dira « émerveillé » de sa « facilité » de parole et de la « justesse » de ses propos. Elle n'a donc pas toujours été le mauvais génie du règne. Mais il est permis de se demander si, en isolant le roi comme elle l'a fait, elle n'a pas contribué à le couper de son peuple.

POMPIGNAN, Jean Jacques Lefranc, marquis de (Montauban, 10 août 1709 - Pompignan, Guyenne, novembre 1784). Magistrat et poète, sa destinée est celle d'un opposant. Comme magistrat, il s'oppose au pouvoir royal. Comme littérateur, il s'attaque à la philosophie. Premier président de la cour des aides de Montauban (nommé en 1745), il conduit la campagne de diffamation menée par cette cour contre l'intendant de Montauban Lescalopier, dénonce ce dernier pour irrégularités budgétaires, et finalement obtient son déplacement. Élu en 1759 à l'Académie française, il fait de son discours de réception (prononcé le 10 mars 1760) une violente diatribe contre les philosophes. Cela lui vaut la haine de la secte. Abreuvé d'insultes, devenu la cible de tout le parti philosophique, il quitte le terrain et se retire dans son pays natal (1763). Son œuvre se compose de comédies, d'opéras et de poésies sacrées et profanes. Une véritable inspiration anime parfois ses vers. Voici par exemple un extrait de l'« Éloge de Clémence Isaure » (1741) :

Ainsi quand le Flambeau du Monde
Loin de nous parcourt d'autres Cieux,
Et qu'une obscurité profonde
Cache les astres à nos yeux,
Souvent une vapeur légère
Forme une Étoile passagère
Dont l'éclat un instant nous luit ;
Mais elle rentre au sein de l'ombre
Et par sa fuite rend plus sombre
Le Voile immense de la nuit.

Membre de l'Académie française, le président Lefranc l'était aussi (depuis 1740) de celle des jeux Floraux et de celle de Cortone en Italie.

Le souvenir du magistrat-poète reste encore aujourd'hui très vivant dans le pays montalbanais. On peut admirer à Montauban son hôtel et à Pompignan le château familial qu'il avait fait reconstruire à partir de 1763, et qui domine la vallée de la Garonne.

POMPIGNAN, Jean Georges Lefranc de (Montauban, 22 février 1715 - Paris, 30 décembre 1790). Archevêque de Vienne, il est le frère de l'académicien. Il est surtout connu pour avoir été l'un des apologistes les plus réputés de son temps. Il a fait ses études à Louis-le-Grand et à Saint-Sulpice. En 1742, Fleury le fait nommer évêque du Puy. Il a vingt-sept ans. Ses trente-deux années (1742-1774) de présence au Puy sont extrêmement actives et fécondes. Il dirige personnellement les retraites de son clergé. Il visite trois fois toutes les paroisses de son diocèse. Il appelle des missionnaires, dont le fameux P. Bridaine. Il intervient dans la fondation de la communauté des religieuses de la Croix instituée pour desservir l'hôpital de Craponne. Enfin, il œuvre pour l'établissement au Puy des frères des Écoles chrétiennes. Rares sont les évêques pouvant présenter un bilan aussi positif. Doctrinalement, il se range parmi les antijansénistes, mais sans excès. A l'assemblée du clergé de 1755, il figure parmi les « feuillants » qui sont les antijansénistes modérés, opposés aux « théatins », antijansénistes intransigeants. Son activité à Vienne, où il est transféré en février 1774, est moins connue que celle du Puy. Il doit subir dans ce diocèse les revendications des curés dauphinois pour l'augmentation de la portion congrue et pour obtenir la permission de s'assembler. Pour les calmer, il leur permet en 1779 de procéder dans le synode à la nomination de leur représentant au bureau diocésain. A partir de 1788, il intervient dans les affaires politiques, et ses interventions vont dans le sens des novateurs. En 1788, à l'assemblée de Vizille, il appuie les revendications du tiers. Élu aux États généraux, il œuvre pour la réunion du clergé au Tiers, et devient l'un des premiers présidents de l'Assemblée nationale. Le 4 août 1789, Louis XVI le charge de la feuille, et, le 5 août, fait de lui un ministre d'État. Il se démet alors de son siège. Le pape lui écrit, ainsi qu'à Champion de Cicé, pour l'inviter à détourner le roi de sanctionner la Constitution civile du clergé. A-t-il rempli cette mission que lui confiait Pie VI ? Rien n'est moins sûr. Malade depuis le 17 août 1790, il ne siégeait plus au Conseil. Or, la sanction royale date du 24 août. Il est l'auteur d'une œuvre abondante d'apologétique, dont les principaux titres sont les *Questions diverses sur l'incrédulité* (1753) et l'*Instruction pastorale du 15 août 1763 sur la prétendue philosophie des incrédules*. Le talent de cette défense a valu à son auteur d'être appelé « l'homme de la religion en France ». En fait, son apologétique est faible. Elle manque de fondements philosophiques. Pour l'archevêque de Vienne, il n'existe pas de philosophie distincte de la religion. Il écrit que la religion révélée est « la véritable, l'unique philosophie ». Par ailleurs, les idées des Lumières (qu'il prétend combattre) ne sont pas sans prise sur lui. Par exemple, il se dit convaincu de l'égalité naturelle des hommes. Enfin ses théories politiques sont très audacieuses et peuvent expliquer son attitude favorable au mouvement révolutionnaire. Il professe en effet « que la souveraineté ne repose pas sur une seule tête [...], qu'elle réside dans le peuple ». Cet « homme de la religion » n'est pas celui de la philosophie chrétienne. Ce ministre du roi n'est pas le soutien du trône.

PONCET DE LA RIVIÈRE, Michel (1672-1730). Évêque d'Angers, il est le fils d'un intendant de province. Il est nommé évêque d'Angers le 4 avril 1706, après avoir été le grand vicaire de son oncle, l'évêque d'Uzès. Ses missions chez les protestants cévenols et ses succès d'orateur sacré lui ont valu son accession à l'épiscopat. Il prêchait depuis l'âge de vingt-deux ans. Devenu évêque, il ne cesse pas ses prédications et vient souvent à Paris et à Versailles pour y donner des oraisons funèbres et des stations. Ses trois morceaux les plus remarqués sont l'oraison funèbre du Dauphin (1711), le sermon du sacre de Louis XV (1722) et l'oraison funèbre du Régent (1724). Dans ce dernier sermon, il laisse paraître son inquiétude au sujet du salut éternel du défunt, et s'écrie : « Mais pourquoi mon Dieu, après en avoir fait un prodige de talents, ne feriez-vous pas un prodige de miséricorde ? » Sauf ses voyages pour cause de prédication, il réside ordinairement dans son diocèse et le visite, semble-t-il, assez régulièrement. Les procès-verbaux de visite sont perdus, mais nous avons, grâce aux registres paroissiaux, la trace du passage de l'évêque dans vingt et une paroisses. L'éducation religieuse des enfants est l'œuvre qui lui tient le plus à cœur. En 1719, il publie une édition allégée du catéchisme de son prédécesseur, afin que l'ouvrage soit plus accessible aux enfants. Il encourage et soutient l'œuvre des écoles de filles fondée en 1714 par Anne Jallot, et qui est à l'origine de la congrégation des sœurs de Saint-Charles. Antijanséniste décidé, il sanctionne les appelants de son diocèse, leur interdisant de prêcher et de confesser, mais conserve à leur égard une certaine modération dans la rigueur. Cet homme pacifique et doux laissera un très bon souvenir à son clergé. Après sa mort, il est qualifié par un de ses curés de « prélat le plus aimable, le plus poli, le plus éloquent de son siècle » (cité par Véronique Bailliard, *Michel Poncet de La Rivière, évêque d'Angers*, mémoire de maîtrise, Angers, 1984).

PONTCALLEC (conjuration de). La conjuration de Pontcallec (1719-1720) est un complot de gentilshommes bretons dirigé contre le gouvernement du Régent.

Il faut en voir l'origine dans l'Union pour la défense des libertés de la Bretagne, association séditieuse formée le 15 septembre 1718 par soixante-deux gentilshommes exclus pour insubordination des états de la province. Le nom de la conjuration est celui du principal conjuré, le marquis de Pontcallec, dont le château, situé non loin de Vannes, dans la vallée du Scorff, leur sert de rendez-vous et de refuge. Les conjurés appellent au refus de l'impôt. Ils sont en relation avec le prince de Cellamare et avec la duchesse du Maine. Ils entrent en relation avec Philippe V d'Espagne et lui demandent des armes et de l'argent. Cependant la conjuration n'a pas grande consistance. Lorsque le commandant de la province invite les gentilshommes à se présenter devant lui pour se justifier, c'est la débandade. Pontcallec se livre à la justice et donne les noms de ses complices. Une Chambre royale est instituée à Nantes. Le 25 mars 1720, Pontcallec et trois de ses acolytes ont la tête tranchée. On jugea la punition sévère, mais on oubliait que les conjurés avaient pactisé avec l'Espagne, alors en guerre avec la France.

PONT DE VEYLE, Antoine de Ferriol, comte de (Paris, 1er octobre 1697 - *id.*, 3 septembre 1774). Ami de Voltaire et de Mme du Deffand, il est le frère du comte d'Argental et le neveu de Mme de Tencin. Son père, président à mortier au parlement de Metz, le destinait à la magistrature. Il refusa, aimant mieux les salons que les prétoires. Il ne demeura pas tout à fait sans emploi. Il eut une charge de lecteur du roi et occupa de 1740 à 1749, sous le ministère de son ami Maurepas, l'importante fonction d'intendant des classes de la marine. Sa seule passion était la littérature, surtout celle de théâtre. Il possédait une riche bibliothèque dramatique. Il fut considéré comme l'auteur ou le coauteur de certains des romans de sa tante, Mme de Tencin. Il écrivit trois comédies, mais sous le voile de l'anonymat : un homme du monde n'écrit pas. Avec son frère d'Argental et Thiériot, il formait ce conseil que Voltaire appelait son triumvi-

rat, qu'il chargeait d'examiner et de faire jouer ses pièces. Son séjour de prédilection était le salon de Mme du Deffand. Il avait fait sa connaissance à la Source chez Bolingbroke, et entretint avec elle pendant près de quinze années des «rapports suivis faits d'habitude et d'indifférence» (Benedetta Craveri, *Madame du Deffand et son monde*, Paris, 1987). Rempli d'esprit, poursuivi par l'ennui, il incarne le mondain. Hénault dira de lui : «Il s'amuse de tout et n'aime rien» (*Mémoires du président Hénault*, Paris, 1911).

POPULATION. On peut estimer la population de la France à :

21 500 000	en 1700
23 000 000	en 1740
25 000 000	en 1755
26 600 000	en 1770
28 100 000	en 1790

L'accroissement de la population aurait donc été de 14 % entre 1700 et 1740 et de 14,7 % entre 1750 et 1790 et la croissance serait également répartie entre les deux moitiés du siècle (Dupâquier).

Une telle poussée n'a rien d'original. Elle est celle de tous les pays d'Europe occidentale. La France n'est pas dans les pays dont la population augmente le plus, ni dans ceux où elle augmente le moins.

Les deux causes de la croissance sont la baisse de la mortalité des adultes et l'augmentation de la fécondité.

Au XVIIIe siècle, les connaissances des contemporains sur la population du royaume étaient très incertaines. On crut pendant longtemps que la France se dépeuplait. Dans son *Ami des hommes* (1756), le marquis de Mirabeau exprima son inquiétude à ce sujet. Les premières évaluations scientifiques du chiffre total de la population furent tentées par l'abbé Expilly, dans son *Dictionnaire géographique, historique et politique des Gaules et de la France* (t. I, article «Feux», 1762, et annexes des t. III et IV, 1764), par J.-B. Moheau dans ses *Recherches et Considérations sur la population de la France* (1778) et par Louis Messance dans ses *Nouvelles Recherches sur la population de la France* (1788). Les trois auteurs suivent la même méthode, c'est-à-dire que pour obtenir le chiffre de la population ils appliquent le coefficient 25 au nombre des naissances. Ils prouvent contre les dépopulationnistes que la population a augmenté et non diminué depuis la fin du XVIIᵉ siècle. Cependant, leurs estimations sont inexactes, car ils sous-estiment le gain et sous-évaluent la population. Leurs chiffres, celui d'Expilly (20 905 400 habitants en 1762), celui de Moheau (24 millions en 1778) et celui de Messance (23 825 079 en 1788) sont très inférieurs à la réalité.

PORCELAINE. L'art de la porcelaine vient de Chine. L'Europe a commencé à le pratiquer au XVIᵉ siècle.

Au XVIIIᵉ siècle, les principales fabriques de porcelaine sont celles de Saint-Cloud, Chantilly, Vincennes, Sèvres, Mennecy et Lille. La manufacture de Vincennes avait été fondée en 1738 par le contrôleur général Orry. En 1753, cédant aux instances de Mme de Pompadour, le roi prend l'établissement sous sa protection. Les ateliers sont alors transférés à Sèvres et l'entreprise reçoit le nom de « Manufacture royale de Sèvres ».

Ces différentes fabriques ne produisent encore que de la porcelaine tendre, selon le procédé français qui consiste à mélanger artificiellement des alcalis, du sable et de la chaux entrant en fusion à une très haute température et donnant une composition se rapprochant de celle du verre. Ce procédé permet de créer à Sèvres, sous le règne de Louis XV, des pièces de vaisselle d'un beau blanc laiteux, des figures (dont *La Lanterne magique* de 1767, sur un modèle de Falconet, est l'une des plus réussies), et de somptueux décors polychromes et dorés, comme celui de la terrine couverte, avec son plateau bleu de roi, peinte par Morain et dorée par Le Gai (1774).

Composée de trois éléments (kaolin, feldspath et quartz), la porcelaine dure était fabriquée en Saxe depuis 1708. La découverte en 1765 du gisement de kaolin de Saint-Yrieix près de Limoges permet à la manufacture de Sèvres d'en entreprendre à son tour la fabrication. En 1769, les premières pièces de porcelaine dure de Sèvres sont présentées à l'Académie des sciences par le chimiste Maquer.

PORÉE, Charles (Vendes, près de Caen, 1675 - Paris, 1741). Jésuite, c'est un grand professeur. Après avoir fait ses humanités au collège des jésuites de Caen, il entre en 1692 dans la Compagnie, et est nommé en 1708 l'un des professeurs de rhétorique du collège Louis-le-Grand à Paris. C'est là qu'il va enseigner pendant plus de trente ans et jusqu'au jour de sa mort, sans interruption. Il compose six tragédies et de nombreuses comédies latines, et les fait jouer par ses élèves, formant lui-même ses acteurs. Dans son enseignement, il accorde une place non négligeable à la composition française. Son goût est sûr : il place Molière au premier rang des comiques et prise La Fontaine. Voltaire, qui fut son élève en 1710, gardera de lui un souvenir reconnaissant et attendri : « Rien n'effacera dans mon cœur, a-t-il écrit, la mémoire du P. Porée [...]. Jamais homme ne rendit l'étude et la vertu plus aimables. Les heures de ses leçons étaient pour nous des heures délicieuses » (cité par Jean Orieux, *Voltaire ou la Royauté de l'esprit*, Paris, 1963). On possède le cours manuscrit dicté par le P. Porée en 1708, sa première année à Louis-le-Grand. On peut y voir que le régent aimait à proposer à ses élèves des modèles composés par lui de poésie latine ou française. L'un de ces poèmes invite les adolescents à chercher Dieu dans la retraite et dans la solitude. Voici les premiers vers :

Oui je veux m'enfoncer dans quelque bois
[épais
Ou jamais le plaisir ne trouvera d'accès.
Là, parmi les horreurs d'un éternel silence,
Les grandeurs de mon Dieu, ses bienfaits,
[sa clémence,
A mon esprit charmé s'offriront tour à tour.
Je pourray les apprendre aux échos
[d'alentour.

Ces échos m'apprendront qu'il faut estre
[fidèle
Et répondre à la voix du Dieu qui nous
[appelle...

PORTAIL, Jacques André (Brest ou Nantes, 1695 - Versailles, 1759). Peintre, il fit une carrière académique. Son long séjour en Italie — où il s'était lié avec Natoire — fut suivi d'emplois officiels. Il était chargé de la décoration des salles du Louvre consacrées aux expositions et occupa, de 1742 à sa mort, les fonctions de garde des plans et tableaux du roi. Cet excellent conservateur connaissait ses collections mieux que personne. Marmontel, dans ses *Mémoires*, lui rend cet hommage : « C'était mon délassement, ma promenade du matin que d'aller voir les tableaux du roi. J'y passais des heures entières avec le bonhomme Portail, digne gardien d'un tel trésor, à causer avec lui sur le génie et la manière des différentes écoles d'Italie et sur le caractère distinctif des maîtres. »

Portail exposa régulièrement au Salon entre 1749 et 1759. Il faisait des paysages, excellait en des gouaches très enlevées figurant des fleurs et des fruits, mais ce sont ses dessins et ses sanguines qui, à n'en pas douter, forment le meilleur de son œuvre. On les attribuerait à Watteau. L'*Étude d'homme debout*, très beau dessin à la sanguine du musée Condé à Chantilly, a été considéré longtemps comme une des plus parfaites créations de Watteau. Lucien Guiraud démontra que ce dessin n'était pas de Watteau, mais de Portail, que cette découverte honore grandement.

PORTION CONGRUE. La portion congrue est une rétribution qui se paie à un curé ou à un vicaire pour son entretien.

Les curés en situation de toucher la portion congrue sont ceux qui desservent la paroisse mais n'en touchent pas les grosses dîmes, celles-ci étant passées en d'autres mains. La portion congrue est destinée à remplacer les grosses dîmes. Elle est donc à la charge des gros décimateurs.

Les déclarations royales des 29 janvier 1686 et 30 juin 1690 en ont fixé le montant à 300 livres et en ont arrêté le régime : exemption de toutes charges, sauf de celle des décimes. Les curés congruistes ont en outre le casuel et les dîmes novales.

Les gros décimateurs paient souvent en nature. Il arrive aussi qu'ils concèdent aux congruistes une portion des dîmes en représentation totale ou partielle de la pension due.

L'édit de mai 1768 augmente la congrue, tout en l'indexant sur le prix du blé : 25 setiers de blé, mesure de Paris, évalués 500 livres en argent (pour les curés). Les vicaires n'ont que 150 livres. L'édit permet aux congruistes d'opter librement soit pour un paiement total en argent, soit pour une représentation de la portion par des fonds et des dîmes. Mais les dîmes novales cessent d'être attribuées aux congruistes. Rattachées aux grosses dîmes, elles seront désormais possédées par les gros décimateurs.

Dans les années qui suivent, l'indexation sur le prix du blé n'est pas appliquée. Il faut de nombreuses protestations pour que l'on se décide à relever la portion congrue. L'édit de septembre 1786 la fixe à 700 livres, chiffre que les curés estiment encore insuffisant. En 1789, plusieurs cahiers de doléances réclament 1 200 livres.

La congrue ne rend pas riche mais elle ne laisse pas non plus pauvre. S'il est muni d'un bon casuel, un curé congruiste peut vivre à l'aise.

POSTES. Les Postes royales, en tant que service public pour la commodité des particuliers, existent depuis la fin du Moyen Âge. Louis XI avait créé la poste aux chevaux, Henri IV la poste aux lettres. Le service des postes est en principe un monopole royal.

Depuis 1672, les postes sont affermées. De 1693 à 1738, c'est le groupe Pajot-Rouillé qui cautionne les baux successifs. Lui succède, de 1738 à 1770, le groupe Grimod-Thiroux. Cependant, le roi nomme un surintendant général des Postes (Choiseul et Turgot auront cette charge), des intendants généraux et des contrôleurs généraux. Surintendance et ferme générale gèrent ensemble le service. Le Conseil de la ferme générale (installé à Paris rue des Déchargeurs) est présidé par deux intendants généraux de la surintendance.

Le royaume est divisé en quinze départements postaux, ayant chacun ses bureaux provinciaux. On compte mille bureaux provinciaux. Les directeurs des bureaux sont les employés de la Ferme.

Le tarif tient compte à la fois de la distance et de la missive. Il y a quatre taxes : lettre simple, lettre avec enveloppe, lettre double et once de paquet.

Sur les routes les plus importantes, le transport du courrier est effectué par les « grands courriers » de la Ferme. Ces liaisons privilégiées sont Paris-Strasbourg et Paris-Lyon (trois fois par semaine), Paris-Bordeaux (deux fois par semaine), Paris-Toulouse (une fois) et Paris-Brest (une fois). Sur toutes les autres liaisons, le service est assuré par des adjudicataires.

Le service postal ne transporte pas les lettres écrites et distribuables dans la même localité. Cette lacune est comblée par les « petites postes ». En 1759, Piarron de Chamousset crée la petite poste de Paris. Les villes de Bordeaux, Nancy, Lyon, Nantes, Rouen et Strasbourg ont également leurs petites postes.

Par ailleurs, les messageries universitaires n'ont pas complètement disparu. Certaines universités ont consenti à réunir au domaine royal les baux de leurs messageries, mais d'autres (par exemple celle d'Angers) les ont gardés.

POTHIER, Robert Joseph (Orléans, 9 janvier 1699 - *id.*, 2 mai 1772). Jurisconsulte, fils d'un conseiller au présidial d'Orléans, il devient lui aussi, à l'âge de vingt et un ans, conseiller à ce même présidial. Un goût particulier le porte à l'étude du droit romain. Il publie en 1748 une nouvelle édition des *Pandectes* de Justinien, « mises dans un meilleur ordre ». Cet ouvrage lui vaut l'estime du chancelier d'Aguesseau qui lui donne, sans qu'il l'ait demandée, la chaire alors vacante de professeur royal de droit fran-

çais à l'université d'Orléans (1749). Il est l'auteur de nombreux traités de droit coutumier et privé. On peut citer entre autres sa *Coutume d'Orléans* (1740 et 1760, 2 vol. in-12), son *Traité des obligations* (1764) et celui des *Contrats aléatoires*. L'œuvre entière a été réimprimée en un seul recueil en 1774. L'enseignement de Pothier était réputé. Mais il n'était pas seulement un professeur célèbre. Comme tous les vrais savants, il était soucieux de rendre service. Un de ses premiers biographes le dit « occupé sans cesse à être utile à ses concitoyens et à tous ceux qui le consultaient ».

POUPART, Jacques (? - 19 mars 1796). Ancien oratorien, curé de Saint-Eustache, confesseur de Louis XVI, il avait été recommandé au roi par le duc de Penthièvre. On ne sait pas bien la date de sa prise de fonction comme confesseur. Il n'a pas succédé tout de suite à l'abbé Soldini, mort en 1775. Il semble n'avoir confessé Louis XVI qu'à partir de Pâques 1778. A la différence des confesseurs précédents, il n'a pas de logement à Versailles et continue à résider en permanence dans sa cure. Il est encore confesseur au moment où éclate la Révolution et n'est pas élu aux États généraux pour cette raison. Dans l'affaire du serment, son attitude surprend. Pendant les derniers mois de 1790, la Constitution civile n'avait pas d'adversaire plus décidé. On lui envoie Mirabeau qui passe toute une nuit à le catéchiser. Il se retourne et jure. Demeuré à Paris, il jouira pendant la Terreur d'une remarquable tranquillité. En 1795, il rouvrira son église et mourra l'année suivante sans s'être rétracté.

POUR ET CONTRE. Le *Pour et Contre* est le nom du périodique publié de juin 1733 au 17 octobre 1740 par Antoine François Prévost, l'auteur de *Manon Lescaut*. La parution en fut d'abord bimensuelle, ensuite hebdomadaire. Prévost avait voulu faire une « grande revue culturelle » (Jean Sgard, *Dictionnaire des journaux*, Paris, 1991) offrant articles, rubriques et recensions aussi bien dans les sciences et les arts que dans les lettres. On y trouvait aussi des informations politiques et commerciales. L'esprit de la rédaction était anglophile et sa conception du monde « éclairée » et utilitariste. Voici comment il était rendu compte dans le numéro 170 (année 1737, p. 175-176) d'une révolte d'esclaves à Antigua : « ... une troupe de misérables n'ayant que l'apparence d'hommes, ne mériteroit pas qu'on y fît plus d'attention qu'à l'importunité des grenouilles et des mouches, si leur force et leur haine, plus redoutables que leur esprit et leur raison, n'obligeaient à prendre plus de précautions pour s'en défendre. »

POUSSEPIN, Marie (Dourdan, 14 octobre 1653 - Sainville, 24 janvier 1744). Fondatrice des sœurs de Charité, dominicaines de la Présentation de la Sainte-Vierge, elle est la fille d'un marchand fabricant de bas de soie à l'aiguille. Sa vie se divise en deux parties, la première à Dourdan auprès de sa famille et dans sa paroisse pendant quarante-trois ans, la seconde à Sainville dans l'institut fondé par elle, pendant quarante-huit ans (1696-1744). A la mort de son père, en 1683, elle avait repris la manufacture familiale et l'avait améliorée en faisant venir d'Angleterre des métiers à tisser. En 1696, ayant constaté la misère des habitants de Sainville, elle s'établit dans ce village, y sert les malades et enseigne les enfants. En 1697, elle y fonde une communauté du tiers ordre de Saint-Dominique « pour l'utilité de la paroisse ». C'est l'origine d'un nouvel institut de filles séculières vouées à l'assistance des malades et à l'enseignement gratuit. La fondatrice inculque à ses sœurs la foi en la présence de Dieu, les invite à faire de fréquentes oraisons jaculatoires et les exhorte à la communion quotidienne. Sa cause est introduite en cour de Rome. La *Positio super virtutibus* a été publiée en 1985.

POYANNE, Charles Léonard de Baylens, marquis de (1718-1781). Lieutenant général des armées du roi en 1758, inspecteur de la cavalerie, il s'était particulière-

ment distingué en 1743, à la prise de Schmidmill, et en 1761, lors de la marche sur Hameln. Il est l'auteur d'un mémoire hostile aux ordonnances Monteynard (1772). D'Argenson dans son *Journal* de 1756 et Dumouriez dans sa *Galerie* portent sur lui des jugements très négatifs.

PRADES, Jean Martin de, abbé (Castelsarrasin, 23 juillet 1724 - Glogau, 1782). Il est connu par ses thèses jugées scandaleuses et dont la dénonciation compromit un moment l'entreprise de l'*Encyclopédie*. Clerc tonsuré du diocèse de Montauban, issu d'une famille ancienne et d'épée, il gagne Paris en 1741 afin d'y poursuivre ses études ecclésiastiques. Renvoyé en 1747 du séminaire de Saint-Nicolas-du-Chardonnet, il s'inscrit à celui de Saint-Firmin. En 1749, il est ordonné prêtre par l'évêque de Montauban. Il entreprend alors de « courir » la licence de théologie, tout en exerçant un ministère comme prêtre habitué de la paroisse Saint-Barthélemy, et en écrivant des articles pour l'*Encyclopédie*, dont l'article « Certitude ». En 1750 et 1751, il soutient ses trois thèses de théologie. La troisième dite « majeure » est soutenue le 18 novembre 1751. C'est celle qui fait scandale. Elle est dénoncée peu après la soutenance, et censurée par la faculté de théologie le 27 janvier 1752. Les évêques d'Auxerre et de Montauban et le pape lui-même la condamnent. C'est une énorme affaire. Les relations de l'abbé et de Diderot sont évoquées. L'*Encyclopédie* est interdite. Il semble qu'on ait un peu exagéré le caractère hétérodoxe des thèses. Les docteurs ont été scandalisés par la thèse définissant le théisme. Or cette définition ne paraît pas contrevenir à la doctrine. Elle dit seulement ceci (que Pascal aurait pu dire) : le théisme est « le bon sens de l'esprit qui n'a pas encore été aidé de la lumière plus féconde de la Révélation » (cité par John S. Spink, « Un abbé philosophe : l'affaire de J. M. de Prades », *Dix-Huitième Siècle*, n° 3, 1971, p. 145-180). Il est vrai qu'une autre des thèses, celle concernant les miracles de Jésus, sent fortement le déisme. « Toutes les guérisons de Jésus-Christ, dit cette thèse, [...] sont des miracles équivoques, parce que les guérisons d'Esculape auraient en quelques cas les mêmes apparences. » On ne peut donc nier que l'abbé de Prades ait éprouvé quelque inclination pour le déisme. Mais cette inclination a été passagère. Le 6 avril 1754, il signe une rétractation solennelle. Peu de temps après, le pape Benoît XIV le réhabilite. En attendant, il a été obligé de s'exiler, se trouvant sous le coup d'un décret de prise de corps lancé contre lui en février 1752. Il a d'abord gagné la Hollande, puis, en 1753, Berlin, où Frédéric a fait de lui son lecteur. En 1756, il obtient deux bénéfices, l'archidiaconé d'Oppeln et un canonicat de Breslau. Cependant, la malchance le poursuit. En 1757, le roi Frédéric l'accuse de trahison et le fait arrêter. Le malheureux abbé reste enfermé dans la citadelle de Magdebourg jusqu'à la fin de la guerre de Sept Ans. Aucune preuve ne sera jamais faite de sa prétendue trahison. Il avait seulement déclaré qu'il gardait « un cœur extrêmement français ». N'avait-il pas plusieurs parents proches servant dans l'armée française ? Libéré en 1763, il est assigné à résidence à Glogau. C'est là qu'il mourra dans les sentiments les plus chrétiens, ayant reçu le viatique et s'étant confessé.

PRAGUE (retraite de). La retraite de Prague, ou plus exactement de Bohême (15-27 novembre 1742), est l'un des épisodes les plus fameux de la guerre de Succession d'Autriche. Peu après la prise de Prague par les Français, la défection de leur allié prussien et de leur allié saxon et l'entrée de la Sardaigne dans le conflit aux côtés de l'Autriche avaient changé le rapport des forces et rendu périlleuse la situation de l'armée française de Bohême. Cette armée (dixhuit mille hommes environ), enfermée dans Prague, menacée d'encerclement, très éloignée de ses bases, isolée en pays ennemi, risquait d'être anéantie. Le cabinet de Versailles finit par s'en inquiéter : ordre fut donné au commandant en Bo-

hême, le maréchal de Belle-Isle, de quitter Prague et de se replier sur Egra, en Bavière. Le 15 novembre 1742, le maréchal sortit de la ville de Prague et parvint à Egra le 27, ayant couvert 40 lieues en dix nuits de marche forcée dans un pays accidenté, rendue plus difficile encore par le brouillard, le verglas et la neige. Quantité de soldats étaient morts de froid, mais la sagesse des dispositions prises (les troupes avaient été divisées en cinq divisions autonomes et gardées sur leurs flancs) avait permis de déjouer les entreprises de la cavalerie légère adverse et de sauver la plus grande partie de l'armée. En quittant Prague, Belle-Isle avait confié la place à Chevert, mais ne lui avait laissé pour la défendre que mille huit cents hommes valides et quatre mille malades. Le 2 janvier 1743, Chevert signera une capitulation honorable, ayant opposé à l'ennemi une très courageuse résistance.

PRAGUE (siège et prise de). La prise de Prague par l'armée franco-saxonne le 26 novembre 1741 est l'un des faits d'armes les plus remarquables de la guerre de Succession d'Autriche. Les Saxons du comte Rutowski et les Français du comte de Saxe avaient investi la ville le 14 novembre. Redoutant l'arrivée prochaine des secours autrichiens, les deux généraux décident de ne pas temporiser ; l'assaut est fixé pour la nuit du 25 au 26 novembre ; vers deux heures du matin sont déclenchées deux attaques. Dirigée sur la porte Caroline, celle des Français se fait par escalade. Les grenadiers français, commandés par Chevert, dressent leurs échelles, montent sur le rempart, tuent les sentinelles, forcent le poste de garde par le dedans de la ville et enfin abattent le pont-levis, permettant ainsi l'entrée en force de l'armée de siège.

PRASLIN, César Gabriel de Choiseul-Chevigny, duc de (Paris, 1712 - *id.*, 1785). Ministre d'État, il doit sa carrière politique à son cousin Choiseul-Stainville. Sa carrière militaire avait été brillante (lieutenant-colonel à dix-neuf ans, lieutenant général à trente-six ans), mais courte. Sa mauvaise santé l'avait obligé en 1757 à quitter le service. Mais, en 1758, son cousin, devenu ministre des Affaires étrangères, l'appelle à le remplacer comme ambassadeur extraordinaire à Vienne. Le 17 août 1761, il est nommé ministre d'État, et le 13 octobre 1761 ministre des Affaires étrangères. C'est donc lui qui négocie les préliminaires de paix de Fontainebleau. Louis XV l'en récompense en le titrant duc et pair. Il est curieux de voir un ministre récompensé pour avoir cédé l'Inde et le Canada à l'Angleterre. Le 10 avril 1766, il passe à la Marine où il va continuer la politique de constructions navales commencée par son cousin. Il sera renvoyé lui aussi le 24 décembre 1770, mais, comme il est malade, on lui donne une semaine pour s'exiler. Sa personnalité est mal connue. Son brillant cousin l'a éclipsé. Mais l'historien Michel Antoine (*Louis XV*) lui décerne l'appréciation pédagogique suivante : «sérieux et travailleur».

PRATIQUE RELIGIEUSE. La pratique religieuse dans le christianisme catholique tient pour l'essentiel dans les deux actions suivantes : la communion pascale et l'assistance à la messe du dimanche. La communion pascale est prescrite par le concile général de Latran (1215). L'assistance à la messe du dimanche est ordonnée par le Premier Commandement de l'Église.

Ces obligations sont-elles observées ? Nous n'avons pas de données précises concernant la participation dominicale, mais les procès-verbaux des visites pastorales des évêques permettent de conclure à un recul de la pratique pascale. Après 1750, il y a des villes où beaucoup de gens ne font plus leurs Pâques : à Auxerre, en 1767, ce serait plus de la moitié de la population ; à Pau, la même année «sept à huit cents personnes» ; à Troyes, en 1787, sur la paroisse Sainte-Savine, trois cent soixante-douze personnes sur six cents en âge de communier. La baisse de la pratique affecte également les campagnes de cer-

taines régions, comme celles des diocèses d'Auxerre, Langres, Dijon, Sens et Orléans. En 1768, à Saint-Jean-le-Blanc, près d'Orléans, on trouve 58 % de non-pascalisants.

L'abstention du devoir pascal n'est donc plus exceptionnelle comme au siècle précédent. Ceux qui s'abstiennent ne sont pas des pécheurs d'habitude à qui leur curé aurait refusé l'absolution. Ce sont pour la plupart des indifférents qui ne se sont même pas présentés à la confession. Ce sont des incrédules, des libertins. On observe d'ailleurs que le nombre des non-pratiquants augmente après 1760, lors de la grande diffusion des Lumières. Les évêques ne s'y trompent pas. En 1780, l'assemblée du clergé de France accuse la philosophie nouvelle «d'éloigner les peuples de la sainte table». Cependant, l'influence du jansénisme a joué aussi, le rigorisme des curés jansénistes ayant découragé beaucoup de fidèles. On observe d'ailleurs que les régions du sud-est du Bassin parisien, qui sont les plus atteintes par la déchristianisation commençante, sont aussi parmi les plus fortement touchées par le jansénisme.

S'il ne faut pas exagérer le recul de la pratique — à regarder l'ensemble de la population, la France est toujours en 1789 un pays de pratique très forte et même, dans les campagnes, de pratique quasi unanime — il ne faut pas non plus en sous-estimer l'importance. La baisse marquée ici et là des taux de pascalisants est le signe d'un mouvement de fond et d'un commencement de désaffection vis-à-vis de la religion du Christ.

PRÉCEPTEUR. On appelle précepteur celui qui est chargé dans la maison de l'instruction des enfants, parfois même de toute leur éducation. Il y a aussi des provinces où le titre de précepteur est donné aux maîtres des petites écoles. En Saintonge, les instituteurs sont appelés «précepteurs de la jeunesse».

A la fin du XVIIᵉ siècle, un débat pédagogique s'était instauré au sujet des mérites respectifs de l'éducation domestique et de celle des collèges. Au XVIIIᵉ siècle, cette discussion a perdu de son actualité. Que les parents fassent élever leurs enfants chez eux ou dans les écoles, de toute manière ils ne s'en occupent pas eux-mêmes. S'ils les confient à des écoles, ils les y mettent pensionnaires. S'ils les gardent chez eux, ils les confient à des précepteurs. Jean-Jacques Rousseau répète en vain que «le véritable précepteur est le père». Y croit-il lui-même ? Où est le père de son Émile ?

La demande en précepteurs s'est donc accrue. La qualité a baissé d'autant. Trouver un bon précepteur devient difficile. On finit par se satisfaire de peu. Le Maistre de Claville blâme ces pères avares qui se contentent de précepteurs au rabais. Certains précepteurs sont des ignorants, d'autres des excentriques, d'autres enfin des malins, heureux de vivre en parasites. Le cardinal de Bernis racontera dans ses *Mémoires* comment il avait dans sa jeunesse usé cinq précepteurs, dont l'un était fou et les quatre autres incompétents.

Le métier aussi devient difficile. L'excessive complaisance des parents pour leurs enfants réduit l'autorité du précepteur. «Soumis aux caprices impérieux d'une mère idolâtre de son fils, il faut qu'il défère à ses conseils» (Bonneval, *Les Éléments et Progrès de l'éducation*, 1751, p. 9).

Les précepteurs sont en général des hommes jeunes, des abbés à petit collet, des écoliers d'université, des clercs dégoûtés de la pratique, des littérateurs débutants. Diderot, Marmontel et J.-J. Rousseau tâtèrent du préceptorat. L'abbé Morellet fut précepteur des enfants de La Galaizière, chancelier du roi de Pologne.

Le préceptorat des princes est autrement relevé. Certes, le précepteur d'un prince n'est pas son gouverneur. Il n'est chargé que de l'instruction. Mais la profession est considérée. Elle est souvent le marchepied d'une grande carrière politique ou ecclésiastique. Fleury et Dubois sont arrivés par le préceptorat. Boyer, évêque de Mirepoix, ministre de la Feuille, avait été le précepteur du Dauphin, fils de Louis XV. Il sera élu à l'Académie française. L'abbé de Condillac,

précepteur du prince de Parme, petit-fils de Louis XV, et Mgr de Coëtlosquet, précepteur du duc de Berry, futur Louis XVI, seront également académiciens.

PRÉMONTRÉS. Les prémontrés sont un ordre de chanoines réguliers. On les appelle aussi l'«ordre blanc» à cause de leur habit blanc, marque de leur dévotion particulière à la Vierge Marie. Leur nom de prémontrés leur vient de la solitude de Prémontré en Lorraine, qui avait été au XIIe siècle le lieu de leur fondation par saint Norbert.

L'ordre est répandu dans toute l'Europe catholique. Il comptait, en France en 1790, quatre-vingt-trois monastères, dont vingt seulement avaient des abbés réguliers, et mille cent quatre-vingt-dix religieux. L'originalité de la France est l'existence d'une observance dite «de l'antique rigueur» (fondée au XVIIe siècle) à côté de l'observance commune.

Les prémontrés mènent la vie dite «mixte» : ils sont à la fois actifs et contemplatifs. Nombre d'entre eux desservent des cures et ont le titre de prieurs-curés.

Un abbé général gouverne l'ordre. Le chapitre général est peu souvent réuni (deux fois seulement au XVIIIe siècle).

La crise des vocations touche aussi les prémontrés. En 1790, soixante et onze monastères sur quatre-vingt-trois avaient moins de vingt religieux. La vie des prémontrés reste digne et honnête, mais l'austérité primitive est oubliée. Le prémontré Le Sage écrira qu'au moment de son entrée en 1777 «l'observance n'était plus qu'une mécanique menaçant ruine» (*De la Bretagne à la Silésie. Mémoires d'exil de Hervé-Julien Le Sage. 1791 à 1800*, présentés par Xavier Lavagne d'Ortigue, Paris, Beauchesne, 1983).

PRESBYTÈRE. Le presbytère ou maison curiale est la maison destinée à loger le curé ou tout autre ecclésiastique desservant la paroisse.

L'édit royal d'avril 1695 oblige les communautés d'habitants à fournir aux curés des logements convenables, les réparations et l'entretien étant à la charge de ces derniers. Le XVIIIe siècle est le grand siècle de la construction des presbytères. Beaucoup de ces édifices ont résisté au temps. On peut encore les admirer aujourd'hui. Ils sont spacieux et conçus comme des maisons de maîtres.

Il est à noter que les curés ont parfois contribué aux dépenses de construction, et que même, dans certains cas, ils les ont entièrement payées.

Cependant, toutes les paroisses ne sont pas pourvues de presbytères. Il arrive en effet que la paroisse soit trop pauvre et que le curé ne veuille pas payer, ou bien que les travaux traînent en longueur et finissent par être abandonnés.

PRÉSIDIAUX. Les présidiaux sont des cours qui ont la compétence des bailliages et sénéchaussées (voir BAILLIAGES ET SÉNÉCHAUSSÉES), mais qui ont en plus le pouvoir de juger en dernier ressort de certaines affaires de petite et moyenne importance. En 1764, le nombre de ces cours s'élevait à cent.

L'institution a été créée par l'édit d'Henri II, de janvier 1551. En fait, il n'y a pas eu à proprement parler de création de tribunaux nouveaux, mais les bailliages les plus importants, dont celui de Paris (le Châtelet), ont été érigés en présidiaux, recevant ainsi une compétence augmentée.

Selon le *Dictionnaire de droit* de Ferrière (édition de 1749), les présidiaux :

— peuvent juger définitivement par dernier ressort et sans appel jusqu'à la somme de 250 livres à payer en une seule fois ;

— peuvent juger par provision en baillant caution, jusqu'à 500 livres en principal. Ils ne peuvent juger en dernier ressort ni du retrait lignager ni du domaine ni de la mouvance féodale.

PRÊTRE HABITUÉ. Un prêtre habitué est un prêtre fixé dans une paroisse où il exerce son ministère. Il est placé sous l'autorité du curé et est obligé d'assister aux offices. Cependant, les évêques ont le droit d'envoyer des prêtres habitués dans les paroisses, sans le consentement des curés.

Les habitués n'ont ni commission ni bénéfice, mais ils ne sont pas entièrement dépourvus. Ils jouissent de « prestimonies », c'est-à-dire des revenus d'une fondation, avec l'obligation de célébrer chaque année quelques messes à l'intention du fondateur.

PRÉVILLE, Pierre Louis Du Bus, dit (Paris, 19 septembre 1721 - Beauvais, 18 décembre 1799). Il est l'un des plus grands caractères de la scène française. Sa jeunesse avait été difficile. Fils d'un marchand tapissier, il s'était enfui de la maison paternelle et avait commencé à jouer dans une troupe de campagne assez misérable. Après un engagement pour la foire Saint-Laurent (1743), il débute à la Comédie-Française le 20 septembre 1753 dans le rôle du Crispin du *Légataire universel* de Reynard. C'est une révélation. L'ayant vu jouer à Fontainebleau le 20 octobre suivant, Louis XV dit au maréchal de Richelieu, premier gentilhomme de la Chambre, chargé à ce titre de l'administration de la Comédie-Française : « Jusqu'ici j'ai reçu les comédiens pour vous ; je reçois celui-ci pour moi. Vous pouvez le lui annoncer » (cité par Henry Lyonnet, *Dictionnaire des comédiens-français*, Genève, 1911-1912). De 1753 à 1784, Préville crée soixante-quatre rôles, dont celui de Figaro dans le *Barbier de Séville* (1775). La vérité de son art lui venait d'une étude approfondie du cœur humain. Il jouait avec un tel naturel qu'on l'avait surnommé « l'enfant de la Nature ». Il était très soucieux d'assurer aux jeunes comédiens la formation la meilleure. Le projet de règlement de 1765, prévoyant que les premiers rôles iraient chercher dans les provinces les sujets capables d'être des élèves et les formeraient, serait son œuvre (Arch. nat. O 1 844). On doit à son initiative l'école d'art dramatique instituée en 1786. Son épouse, Mme Préville, était elle aussi une étoile de la scène. Tous deux quittèrent en même temps la Comédie-Française le 1er avril 1786, et se retirèrent à Senlis.

PRÉVOST D'EXILES, Antoine François, abbé (Hesdin en Artois, 1er avril 1697 - Saint-Firmin, près de Chantilly, 23 novembre 1763). Il est l'auteur de *Manon Lescaut*, roman immortel. Sa vie est aussi un roman. Deuxième des cinq enfants d'un procureur du roi au bailliage d'Hesdin, il étudie d'abord au collège des jésuites de sa ville natale, ensuite (pour une deuxième année de rhétorique) au collège d'Harcourt à Paris. Les jésuites le recrutent. Il entre à seize ans à leur noviciat. Mais il ne sait pas se fixer. Il s'échappe du noviciat pour se faire soldat, y revient et en repart à nouveau, toujours attiré par les camps. Les jésuites n'en veulent plus. Il se fait bénédictin, et passe sept années — un record dans son cas — dans la congrégation de Saint-Maur. Il y fait profession (1720), séjourne dans plusieurs maisons de l'ordre, prêche un carême à Évreux, reçoit l'emploi d'écrivain à Saint-Germain-des-Prés, où il travaille à la *Gallia christiana*. En 1727, le démon du changement le saisit à nouveau. Il veut quitter Saint-Maur pour Cluny. L'autorisation lui est refusée. Il s'enfuit alors de Saint-Germain-des-Prés, gagne la Hollande, où il va vivre pendant six ans. De là, il passe en Angleterre (1733) et obtient finalement l'autorisation de rentrer en France (1734) en y portant le costume de prêtre séculier. Le prince de Conti l'ayant nommé aumônier de sa maison, il est débarrassé des soucis matériels et peut s'adonner à la littérature. Cependant, sa carrière de romancier dure peu de temps : six années à peine. Les *Mémoires d'un homme de qualité* sont publiés à partir de 1728, *Manon Lescaut* en 1733 et *Le Doyen de Killerine* en 1735. Après 1735, l'abbé ne produit plus que des compilations historiques (par exemple l'*Histoire générale des voyages*) ou des considérations morales ou encore des traductions de romans anglais : il est le premier traducteur de *Pamela* (1742) et de *Clarisse Harlowe* (1751) de Richardson. Pourquoi la période de l'invention a-t-elle été si brève ? L'âge de l'imagination a-t-il passé si vite ? Ou bien l'abbé a-t-il jugé le métier de romancier indigne du prêtre qu'il était ? La soixantaine passée, il se retire dans une petite maison à Saint-Firmin, près de Chantilly, et se propose de consacrer sa plume à la défense de la religion. Sa fin est étrange et cruelle. Il tombe un jour inanimé sur le chemin de Saint-Firmin. On le croit mort. La justice est appelée. Un chirurgien procède à l'ouverture du corps. Le malheureux n'était pas mort. Il ouvre les yeux, pousse un cri affreux et meurt cette fois pour de bon.

Son œuvre est abondante, mais tout est médiocre sauf *Manon*. Le roman a un « charme puissant qui ne relève ni de l'invention, ni du style, mais qui s'explique très bien par la forme même de la vérité » (Jean-Baptiste Gustave Planche, *Appréciation de « Manon Lescaut »*, Paris, 1855). C'est un roman réel, plutôt que réaliste, et dont la substance reste pure. L'auteur n'a pas eu de pensée libertine. Il a respecté l'amour. Il n'a vu que la puissance de la passion qu'il voulait peindre. Comme l'a dit justement Gustave Lanson, « la lecture de *Manon Lescaut* est plus innocente que celle du *Paysan parvenu* » (*Histoire de la littérature française*, Hachette, 1895).

PRÉVÔTS DES MARÉCHAUX. Les prévôts des maréchaux de France sont des juges spécialisés. Leur fonction principale est d'arrêter et de juger les vagabonds. Ils sont établis dans tous les sièges présidiaux, où ils ont rang et séance après le lieutenant criminel.

On appelle « cas prévôtaux » les affaires dont ils ont connaissance et qui leur sont réservées. Ces cas sont énumérés et précisés par deux ordonnances, celle de 1670 et celle du 5 février 1731. Il y a deux sortes de cas. Les uns sont réputés prévôtaux par la qualité des personnes accusées, les autres par la nature des crimes. Les cas prévôtaux par la qualité des personnes sont tous les crimes commis par les vagabonds, gens sans aveu et sans domicile, et les exactions commises par les gens de guerre. Les cas prévôtaux par la nature des crimes sont les vols sur les grands chemins, les vols avec effraction et les séditions et émotions populaires, à condition que ces crimes ne soient pas commis dans les villes et faubourgs de leurs résidences. Car, nous dit Ferrière, les juges prévôtaux « n'ont été institués que pour les champs » (*Dictionnaire de droit et de pratique*, Paris, 1717). Dans tous les cas, ils jugent en dernier ressort, jamais à charge d'appel. Établis « pour extirper les brigands », ils constituent une justice rapide, expéditive et radicale. Ils peuvent ordonner la question et condamner à mort.

Ils battent la campagne avec leurs archers, arrêtent les criminels, les font conduire aux prisons du lieu et les interrogent dans les vingt-quatre heures. S'ils reconnaissent que les accusés ne sont pas « de leur gibier » (Ferrière), ils doivent les renvoyer.

Ils sont qualifiés de « juges d'épée » et ont les titres d'écuyers et de conseillers du roi.

PRIE, Agnès Berthelot de Pléneuf, marquise de (Paris, 1698 - Courbépine, Normandie, 7 octobre 1727). Maîtresse du duc de Bourbon, elle était liée au monde de l'argent. Son père, Étienne Berthelot de Pléneuf, financier, avait fait sa fortune dans les fournitures de vivres aux armées. Il avait de l'influence et des relations. Il en use pour marier sa fille. Le 27 décembre 1713, Agnès épouse le marquis Louis de Prie, cousin de la duchesse de Ventadour et parrain du roi. En 1716, le jeune marié est nommé ambassadeur à Turin. Il y part avec sa femme, y mène grand train et y reste trois ans. C'est en 1720 (peu de temps après son retour à Paris) que la marquise devient la maîtresse du duc de Bourbon. Il l'exhibe sans pudeur et le gouverne sans difficulté. Le ministère du duc est son règne. C'est trop dire qu'elle marie le roi, mais il est sûr qu'elle pousse au mariage polonais. Selon Saint-Simon elle serait à l'origine des fausses accusations contre le ministre Le Blanc. Elle aurait fait cela pour se venger de sa mère qu'elle détestait et dont Le Blanc était l'ami. On a dit aussi qu'elle avait essayé de renverser Fleury. C'est vraisemblable. Lorsque Fleury l'emporte sur le duc, la disgrâce de la marquise suit aussitôt. Dès le 12 juin 1726, elle est exilée dans sa terre de Courbépine en Normandie. Elle meurt l'année suivante, s'étant, croit-on, empoisonnée. Elle n'était pas une intrigante vulgaire. Voltaire vante son « esprit juste ». Saint-Simon la dit « belle, bien faite, plus charmante encore par ces je-ne-sais-quoi qui enlèvent, et de beaucoup d'esprit » (*Mémoires*). Elle protégeait les artistes et les écrivains. Elle annonce la Pompadour.

PRIEURÉ. Un prieuré est un bénéfice dont est pourvu un ecclésiastique appelé prieur.

On distingue deux catégories de prieurés : les prieurés conventuels et les prieurés cures. Les prieurés conventuels sont ceux qui donnent à leurs titulaires une supériorité sur les monastères appelés prieurés. Ils peuvent être conférés en commende. Les prieurés cures sont des bénéfices cures appartenant à des abbayes ou à des monastères de chanoines réguliers, et desservis par des religieux de ces communautés.

PRIVILÈGE. Le mot privilège a deux sens, l'un en droit public, le second en droit coutumier.

Un privilège est d'abord un droit que le prince accorde à une personne ou à un groupement par grâce spéciale et particulière. Tout privilège crée ou confirme une situation particulière, et déroge au droit commun. Les rois ont accordé et accordent encore au XVIIIe siècle un très grand nombre de privilèges qui sont soit le droit de plaider devant tel juge, soit une exemption de charges. On peut donner comme exemples caractéristiques de privilèges les privilèges de cléricature, des foires et ceux en fait de juridiction. Le privilège de cléricature est celui des ecclésiastiques de n'être jugés que par le juge d'Église. Le privilège des foires est l'exemption des droits ordinaires qui se lèvent les jours de marché sur les marchandises. Le privilège en fait de juridiction est le droit qu'ont certaines personnes (par exemple les suppôts d'une université ou les corps et communautés ayant droit de *committimus*) de plaider devant le juge de leur privilège.

Ces privilèges sont justifiés non seulement par la faveur du prince, mais aussi par des considérations de droit public. Ils doivent être en principe renouvelés à chaque avènement. Le roi a toujours le droit de les supprimer. Il les accorde par lettres patentes.

Il ne faut pas confondre ces privilèges avec les situations anciennes et constitutionnelles, telles que l'exemption de la taille et de certaines charges publiques, dont jouissent la noblesse et le clergé. Car de telles exemptions ne dérogent pas au droit commun et font partie de ce droit. La confusion a été faite à la fin de l'Ancien Régime par les polémistes du tiers état, quand ils ont qualifié de « privilégiés » les membres des deux premiers ordres. Ils voulaient ainsi faire passer la société française pour une société d'injustice.

En droit coutumier, privilège signifie droit sur certains biens. Ce droit est le suivant : des biens sont accordés en gage à certains créanciers par cause de préférence et en raison de la qualité de ces biens. Par exemple, les hôteliers ont un privilège sur les hardes, chevaux et équipages de leurs hôtes (coutume de Paris, art. 175).

PRIX. Le mouvement de longue durée de hausse des prix conditionne toute la vie économique du XVIIIᵉ siècle et d'une certaine manière l'évolution de la société.

Le point de départ de la hausse est un peu plus tardif en France, où il se situe selon les régions entre 1730 et 1735, qu'en Espagne et en Allemagne. Il est moins tardif qu'en Angleterre.

La hausse la plus forte est celle des prix agricoles, pour lesquels l'augmentation globale est de 163 % entre les années 1731-1740 et 1801-1810. Les prix céréaliers sont ceux qui augmentent le moins. Entre les périodes 1726-1741 et 1771-1789 le blé subit une hausse de 60 %. Dans le même temps, la viande de bœuf augmente de 67 %. L'augmentation la moins importante est celle du vin : 13 à 14 %.

Dans le domaine des matières premières et des combustibles, la hausse la plus forte est celle du bois à brûler (91 % entre 1726-1741 et 1785-1789). L'augmentation est plus modérée pour les produits manufacturés. Par exemple, les toiles (dans le même temps) augmentent de 36 %. Les mouvements des denrées coloniales sont d'amplitude très variée. A Marseille, par exemple, les prix des sucres antillais progressent de 20 à 58 % entre 1743 et 1776 ; ceux des cafés de 125 % de 1743 à 1789, et ceux des cotons de 80 % dans le même temps.

La hausse des produits de consommation nécessaire et commune affecte beaucoup les petits salariés. Le pain finit par absorber la moitié du budget populaire. Comme le salaire réel reste le même ou diminue, les petites gens n'ont plus les moyens d'acheter ce qui augmente le moins, c'est-à-dire les produits manufacturés. Ils se rabattent sur le vin resté bon marché. Cela peut expliquer les progrès remarquables de l'ivrognerie.

Les bénéficiaires de la hausse sont les rentiers fonciers. Les fortunes de la haute noblesse étant essentiellement terriennes, cette catégorie sociale est très favorisée par la conjoncture. Elle se trouve placée dans une situation de prospérité qu'elle n'avait pas connue depuis longtemps, et qui, d'une certaine manière, la désoriente et la trouble. On pourrait se demander si cet enrichissement rapide et considérable n'est pas l'un des facteurs de la dégradation morale et intellectuelle de ce groupe social.

Les mouvements de courte durée seraient aussi à considérer. Il y a des variations saisonnières, des variations cycliques, mais les plus amples sont celles, imprévisibles, dues aux accidents climatiques. Avant 1768, ces accidents sont rares et généralement sans gravité, mais, après cette date, leur fréquence et leur gravité augmentent notablement. C'est ainsi que la récolte désastreuse de 1782 fait augmenter de plus d'un tiers le prix du pain dans plusieurs provinces, et que la sécheresse de 1785, en provoquant la disette des fourrages, fait doubler les prix du bétail.

PROCUREURS. Les procureurs sont chargés de représenter en justice les personnes qui les chargent de leurs intérêts. Ils font pour ces personnes les actes de procédure nécessaires. Cependant, ils ne peuvent plaider par eux-mêmes et doivent le faire par l'intermédiaire de leurs avocats. Leurs charges sont des offices vénaux et héréditaires.

Ils sont établis dans les différentes juridictions : parlements, bailliages, présidiaux. Ils ne font pas partie de ces cours, mais ils leur sont soumis et leur servent d'auxiliaires. Dans chaque juridiction, ils forment une communauté.

Ils sont très nombreux. L'*Almanach royal* de 1789 ne mentionne pas moins de trois cent quarante procureurs au parlement de Paris et de deux cent trente au Châtelet. La moindre juridiction de province n'a pas moins d'une vingtaine de procureurs.

A la fin de l'Ancien Régime, l'opinion « éclairée » ne leur est guère favorable. Elle leur reproche de faire durer les procès, d'être pour cela des « fléaux ». Une pétition de 1789 pour l'abolition de la vénalité se plaint de cette « vermine inouïe des procureurs qui ne respirent que la ruine du genre humain ».

Pourtant, les jurisconsultes du XVIIIᵉ siècle insistent beaucoup sur l'éthique de la profession. « La probité, écrit Ferrière, doit être tellement particulière aux Procureurs que sans elle tous les talens qu'ils pourraient avoir d'ailleurs leur deviendroient non seulement inutiles, mais même funestes. Ceux qui embrassent cette profession avec des sentiments d'honneur, doivent aussi y joindre le désintéressement (*Dictionnaire de droit et de pratique*, 1717).

La condition de procureur est médiocre. L'état déroge à la noblesse. Si les procureurs ont préséance sur les huissiers, ils passent après les notaires. Ils sont l'un des éléments de cette nombreuse petite bourgeoisie de gens de justice, de gens à talent et de marchands, qui constitue l'une des plus sûres assises de la société française.

PROSTITUTION. La prostitution parisienne est la plus florissante. Les « maisons de débauche » sont particulièrement nombreuses dans le quartier Saint-Germain-l'Auxerrois (31,3 % de l'ensemble des maisons recensées) et dans ceux du Palais-Royal et de Saint-Eustache. A la périphérie de la ville se trouvent les « petites maisons galantes » où l'on fait venir les filles pour les soupers et les orgies. Elles appartiennent à des financiers ou à des grands seigneurs. Le comte de Clermont achète en 1753, rue de la Roquette, un hôtel que le Régent avait utilisé pour ses rendez-vous galants. Il y fait construire un théâtre privé où l'on joue des pièces libertines.

Les « maisons de débauche » parisiennes sont appelées aussi « bordels », « magasins de filles », « maisons publiques » ou « claque-dent ». Ce ne sont pas des maisons closes, mais, pour reprendre l'expression de Mme Benhabou, leur historienne, des maisons « demi-ouvertes ». Les pensionnaires y sont peu nombreuses (six au maximum), les externes formant la majorité de leur effectif, « demoiselles de journées » ou « filles à passades ». Les maquereaux sont l'exception. Ce sont des maquerelles qui recrutent les filles et les gouvernent despotiquement. « L'argent que "les filles" reçoivent, écrit Sébastien Mercier, va à la mère [maquerelle] ; celle-ci ne parle que de la reconnaissance qui lui est due » (*Le Tableau de Paris*). Les prix pratiqués sont très variables, souvent à la tête du client. Cependant, la somme la plus fréquemment mentionnée est un louis, ce qui met le divertissement hors de la portée des bourses modestes. La grande noblesse fournit la clientèle la plus assidue. Sous le règne de Louis XV, le marquis de Paulmy, neveu du comte d'Argenson, est connu de tous les bordels de Paris. Il est traité partout avec la considération et les égards dus à un vieil habitué. Le clergé n'est pas en reste. Pendant la décennie 1755-1764, des descentes de police sont effectuées dans les maisons à la demande de Mgr de Beaumont, archevêque de Paris : elles aboutissent à l'arrestation de plus d'un millier d'ecclésiastiques. On connaît moins bien les clientèles bourgeoise et populaire, les rapports de police leur prêtant peu d'attention. On peut se faire une idée de la clientèle populaire d'après la liste des vénériens admis à Bicêtre. Selon un échantillon de trois cents malades admis en 1765, il s'agirait de jeunes hommes (66 % de moins de trente ans) et de célibataires (81 %).

Les historiens ont peu étudié la débauche provinciale. Elle ne semble pas beaucoup moins développée que celle de Paris. La petite ville d'Aurillac (six mille habitants) ne compte pas moins de onze maisons publiques, à quoi il faut ajouter une prostitution artisanale et familiale, mère et filles travaillant ensemble à domicile (Claude Grimmer, *Vivre à Aurillac au XVIIIe siècle*, Aurillac, 1983).

La prostitution est un délit. L'ordonnance d'Orléans de 1560 avait interdit «tous bordeaux». La déclaration royale pour la ville de Paris du 26 juillet 1713 distingue les «cas de débauche publique et vie scandaleuse des femmes» où il n'y aura lieu que de punir d'amende ou d'expulsion, et ceux de «maquerellage, prostitution publique et autres», sévèrement punis de peines afflictives et infamantes. Enfin, l'ordonnance de police du lieutenant de police Lenoir, du 6 novembre 1778, interdit de «raccrocher» dans les rues. A Paris, un inspecteur est chargé depuis 1747 de «la partie des filles et des femmes galantes». Il emploie des «espions de filles» (cité par Erika Benhabou, *La Prostitution et la police des mœurs au XVIIIe siècle*, Paris, 1987).

En fait, la répression est très modérée, pour ne pas dire faible. La plupart des peines prononcées sont des enfermements à l'hôpital général (à Paris, la Salpêtrière), ou des bannissements, les uns et les autres toujours temporaires (de trois mois à neuf ans). Les peines afflictives et infamantes (marque, fouet, promenade à âne) et le bannissement à perpétuité sont réservés à des maquerelles convaincues d'avoir utilisé des filles vierges ou débauché de jeunes enfants. Les tribunaux de province ne sont guère plus sévères.

A partir de 1750 environ, la prostitution ne cesse d'empirer. A Paris, à la veille de la Révolution, Sébastien Mer-

cier estime à vingt mille le nombre des filles publiques, sans compter toutes les femmes entretenues. A Caen, le nombre des interpellations de proxénètes et de prostituées augmente à un rythme accéléré :

1750-1759	6
1760-1769	41
1770-1779	223
1780-1789	218

Le libertinage y est pour beaucoup, mais la misère et le chômage ont aussi leur part. Selon un rapport du policier Marais en 1752, «beaucoup de filles de province viennent à Paris dans l'intention de servir, ne trouvant point à se placer, la misère les réduit bientôt à devenir raccrocheuses» (cité par Erika Benhabou, *op. cit.*).

L'autorité est dépassée. D'ailleurs veut-elle vraiment réagir ? Les maquerelles ne sont-elles pas les meilleures informatrices de la police ? Les grands seigneurs et certains ministres ne sont-ils pas les meilleurs clients des bordels ? Le roi lui-même (Louis XV) ne s'y fournit-il pas à l'occasion ?

Puisqu'on ne peut pas supprimer la prostitution, ne pourrait-on l'humaniser ? Certains se le demandent. En 1769, Restif de La Bretonne publie *Le Pornographe des idées d'un honnête homme sur un projet de règlement pour les prostituées, propre à prévenir les malheurs qu'occasionne le publicisme des femmes*. Il s'agit d'un programme de prostitution idéale contrôlée par l'État. Les bordels de Restif s'appellent des Parthénions. Il y règne la plus grande mansuétude. Les filles y ont même la possibilité de refuser le client. Le siècle était déjà bien pourvu d'utopies en tout genre, politiques, économiques, pédagogiques. Restif lui fournit l'utopie «putanesque».

PROTESTANTISME. Sept cent mille Français environ demeurent fidèles aux confessions de foi des églises réformées : deux cent mille luthériens en Alsace et cinq cent mille calvinistes dans le reste du royaume. La carte de la France calviniste est formée d'abord d'un grand ensemble méridional, allant de Valence à Niort par Montauban et Agen, et de plusieurs groupes isolés dans le centre Ouest, en Normandie, en Brie, en Champagne et à Paris. 80 % des protestants français sont des ruraux. La noblesse est très peu représentée. Les principales bourgeoisies protestantes sont celles des négociants des grands ports de Bordeaux et La Rochelle, et celle des banquiers parisiens (Mallet, Thelusson, Tronchin, pour ne citer que les plus importants). Les émigrés protestants en Allemagne, Hollande, Angleterre et Suisse forment ce qu'on appelle les églises du Refuge.

En vertu de l'édit de Fontainebleau de 1685, le culte protestant demeure interdit dans toute l'étendue du royaume, sauf en Alsace où la liberté de culte est presque totale en vertu des clauses religieuses des traités de Westphalie (1648). D'ailleurs la majorité des protestants français sont considérés comme officiellement convertis au catholicisme. On les appelle «nouveaux convertis». En réalité, la plupart des nouveaux convertis ne sont pas convertis du tout et ne pratiquent pas la religion catholique. Ni les évêques ni les missionnaires ne parviennent à les rallier. Certains nouveaux convertis glissent dans l'indifférence religieuse, d'autres font de la résistance active et célèbrent secrètement leur culte. En 1715, l'Église du Désert renaît dans les Cévennes. Les assemblées et les synodes clandestins se multiplient.

Le gouvernement de Louis XV n'est pas beaucoup moins répressif que celui de Louis XIV. De 1715 à 1774, dix mille personnes subissent la persécution à cause de leur foi. Deux cents sont envoyées au bagne. De nombreuses femmes sont enfermées à la tour de Constance. Quinze pasteurs et prédicants sont pendus.

Cependant, vers 1750 commence une campagne d'opinion pour la tolérance en général et pour la tolérance civile en particulier (*voir* TOLÉRANCE). L'affaire Calas (1761) et le *Traité de la tolérance* de Voltaire (1763) ont pour effet de répandre un état d'esprit favorable aux protestants. Philosophes, littérateurs et historiens se gardent de critiquer trop ouvertement la Révocation, mais ne se gênent pas pour condamner la Ligue.

Le personnel politique finit par se convertir entièrement à la tolérance. Dès 1750, le culte privé est toléré en beaucoup d'endroits. Les dernières prisonnières de la tour de Constance sont libérées en 1769. Les derniers forçats le seront à leur tour en 1775.

L'édit de 1787 (dont Malesherbes eut la première idée) améliore la condition des protestants, mais concerne uniquement leur statut civil : un mariage civil leur est accordé et il leur est permis de faire constater la naissance de leurs enfants, soit par déclaration devant le juge, soit par acte de baptême. Mais le culte est toujours interdit. Il ne s'agit donc pas à proprement parler d'un édit de tolérance.

A cette époque de libéralisation, succédant à la persécution et précédant la Révolution, les historiens ont donné le nom de «second désert». Les églises reconstituées font preuve de beaucoup de provincialisme et d'individualisme ; elles se montrent rebelles à toute organisation nationale centralisée. La théologie des pasteurs en activité (par exemple Rabaut-Saint-Étienne ou Jean Bon-Saint-André) semble assez peu chrétienne. L'anthropologie de Rabaut-Saint-Étienne est celle de Condillac. Comme la théologie catholique, la théologie protestante est contaminée par la philosophie des Lumières.

PROVENCE. La Provence est l'une des plus vastes provinces du royaume. Elle compte treize diocèses, six en haute Provence (Apt, Sisteron, Digne, Senez, Riez, Glandèves) et sept en basse Provence (Vence, Grasse, Fréjus, Toulon, Marseille, Aix et Arles).

Cependant, la province ne forme qu'un seul gouvernement et une seule généralité. L'intendant réside à Aix. Il est aussi premier président du parlement de Provence. Outre le Parlement, la ville d'Aix, capitale de la Provence, possède une cour des comptes et une cour des aides.

La Provence est pays d'états, dont l'assemblée, présidée par l'archevêque d'Aix, est composée des procureurs du pays. La Provence est aussi pays de libertés communales où le régime municipal trouve sa plus forte expression aussi bien dans les villages et bourgs que dans les villes. Chaque communauté de campagne a au moins son consul. « Les communautés provençales, écrit l'abbé de Coriolis, ne connaissent d'autres administrateurs que leurs consuls. »

L'histoire de la Provence au XVIIIe siècle ne ressemble pas beaucoup à celle des autres régions du royaume. C'est une histoire fort troublée. Elle est perturbée par la peste de 1720-1722, qui tue quatre-vingt-dix mille Provençaux, par les invasions étrangères de 1743 et 1746 au temps de la guerre de Succession d'Autriche, enfin par les querelles religieuses opposant un nombreux et tenace parti janséniste au parti jésuite. Le procès de l'évêque janséniste Soanen par le concile d'Embrun, l'acquittement du jésuite Girard accusé d'avoir séduit une jeune fille janséniste, Marguerite Cadière, et l'affaire des convulsionnaires de Pignans divisent profondément l'opinion.

Singulière par ses troubles, la Provence l'est aussi par sa prospérité matérielle. Elle connaît en effet une croissance remarquable, croissance continue et que ralentit à peine la crise des quinze dernières années de l'Ancien Régime. L'activité industrielle est particulièrement intense à Marseille, port en pleine expansion, mais elle s'étend à tout le pays. Des tanneries, des savonneries, des chapelleries, des filatures et des moulinages de soie s'implantent partout.

Est-ce l'influence des Lumières ? Est-ce l'enrichissement ? Est-ce le spectacle des querelles religieuses ? Toujours est-il que la Provence commence à se déchristianiser. Cela peut se voir à la diminution des demandes de messes dans les testaments et au déclin très net des confréries.

PROVENCE, Louis Stanislas Xavier, comte de (Versailles, 17 novembre 1755 - Paris, 16 septembre 1824). Il est le cinquième enfant du Dauphin, fils de Louis XV, et de Marie-Josèphe de Saxe.

A l'avènement de Louis XVI, il devient « Monsieur, Frère du Roi ». C'est un esprit très délié, très cultivé. Il sait le latin à la perfection. Est-il de bon conseil pour son frère ? Il est difficile de l'affirmer. Ses avis sont contradictoires. Il s'oppose au rappel des parlements, mais comme président du septième bureau de l'assemblée des notables contribue à l'échec de Calonne, et dans la deuxième assemblée des notables, se prononce pour le doublement du tiers. Imperméable à la religion, se piquant d'idées nouvelles, il reçoit chez lui à Versailles et dans son château de Brunoy des littérateurs et des libellistes d'esprit avancé, comme Treilhard et Target. En décembre 1789, le marquis de Favras, gentilhomme de sa garde, est arrêté et accusé de conspiration. Monsieur (qui avait sans doute encouragé le complot) se désolidarise hautement de lui, et le laisse pendre sans essayer un seul moment de lui porter secours. Monsieur a donc des sentiments libéraux, mais ces sentiments ne l'empêchent nullement d'émigrer. Dans la nuit du 20 au 21 juin 1791, plus heureux que le roi, il réussit à s'échapper et à gagner les Pays-Bas. La suite de son histoire appartient à d'autres temps. Il se proclame lui-même régent après la mort de Louis XVI, puis roi après la mort de l'enfant du Temple (février 1795). Il est désormais Louis XVIII. En 1814, il sera le roi de la Charte, ayant accepté d'acheter son trône en garantissant l'inviolabilité des biens nationaux.

PUCELLE, René (1655-1745). Sous-diacre, abbé de Saint-Léonard de Corbigny, reçu en 1684 conseiller clerc au parlement de Paris, membre du Conseil de conscience sous la Régence, il est le grand champion parlementaire du jansénisme. Dans sa jeunesse, il avait servi comme volontaire sous son oncle maternel Catinat, et en avait gardé une fougue toute militaire, alliée à un véritable talent d'orateur. « Sans affecter l'éloquence, écrit le président Hénault, il n'en était que plus éloquent » (*Mémoires du président Hénault*, Paris, 1911). Il affronte à plusieurs reprises le pouvoir royal. En

1730, il défend les appelants. Le 14 mai 1732, lors de l'affaire de la protestation du Parlement contre le mandement de Vintimille condamnant les *Nouvelles ecclésiastiques*, il fait partie de la délégation de la Cour mandée à Compiègne par le roi. Comme il présente à Louis XV le manuscrit du discours qu'il a rédigé pour la circonstance, le souverain se tourne vers Maurepas et lui dit : « Déchirez ! » Au retour de Compiègne, l'abbé reçoit un ordre d'arrêt l'exilant dans son abbaye. Ses discours sont remplis d'exagérations gallicanes. Il se dit par exemple « trop fidèle sujet du roi pour qu'on le dépouille de ses droits et qu'on le déclare vassal du pape » (cité par Jean Égret, *Louis XV et l'opposition parlementaire*, Paris, Armand Colin, 1970). On ne peut pas cependant ne pas observer chez lui une certaine lucidité politique. Il est dans le vrai quand il dénonce l'isolement du roi, et lorsqu'il écrit dans l'un de ses discours que « l'accès du trône » est « fermé aux particuliers ».

PUISIEUX, Louis Philogène Brulart, marquis de Sillery, vicomte de. *Voir* **SILLERY, Louis Philogène Brulart,** vicomte de Puisieux, marquis de.

PUYSÉGUR, Jacques François de Chastenet, marquis de (Paris, 13 août 1656 - *id.*, 15 août 1743). Maréchal de France, il a fait sous Louis XIV la plus grande partie de sa carrière militaire. Maréchal-général des logis pendant la guerre de la ligue d'Augsbourg, chargé à ce titre de toute la logistique de l'armée, il a montré dans cet emploi une remarquable compétence. Sous la Régence, il est appelé au Conseil de la guerre. Pendant la guerre de Succession de Pologne, il sert encore malgré son grand âge. Les fruits de sa longue expérience sont consignés dans son *Art de la guerre* publié après sa mort (1748). Il y déplore l'ignorance de beaucoup de généraux et l'absence de toute formation théorique pour les officiers : « On fait donc la guerre sans principes, ce n'est donc qu'une routine où le hasard a plus part que l'art. » Le premier remède serait d'entraîner aux exercices de manœuvre

sur la carte, moyen excellent « sans faire la guerre et sans troupe, d'apprendre toutes les parties de l'art militaire et d'en faire l'application sur le terrain ».

PUYSÉGUR, Pierre Louis de Chastenet, comte de (Rabastens, 1726-*id.*, 1807). Lieutenant à quatorze ans, commandant de plusieurs régiments, lieutenant général le 5 décembre 1781, membre de la première assemblée des notables (1787), il est nommé le 9 octobre 1787 membre du Conseil de la guerre, enfin ministre de la Guerre le 30 novembre 1788. Il ne reste pas longtemps ministre. Louis XVI le renvoie le 11 juillet 1789 et le remplace par le maréchal duc de Broglie. On ne connaît pas les raisons de ce changement et on peut s'en étonner. Puységur est en effet un défenseur de la monarchie. Lors du débat du Conseil relatif à la représentation du tiers, il s'est opposé à l'idée néfaste du doublement. Après le 14 juillet, il n'émigre pas immédiatement comme beaucoup. Le 10 août, il est auprès du roi pour le défendre. La date de son émigration est inconnue. Il rentrera en France sous l'Empire et finira sa vie dans sa propriété familiale de Rabastens, dans le département du Tarn.

Q

QUADRUPLE-ALLIANCE. *Voir* **ALLIANCE (quadruple-).**

QUENTIN DE LA TOUR, Maurice. *Voir* **LA TOUR, Maurice Quentin de.**

QUERELLE DES BOUFFONS. *Voir* **BOUFFONS (querelle des).**

QUESNAY, François (Méré, près de Montfort-l'Amaury, 4 juin 1694 - Versailles, 16 décembre 1774). Chirurgien, médecin, économiste, chef d'école des physiocrates, il est le fils d'un laboureur et le huitième d'une famille de treize enfants. Ses débuts dans la carrière des études sont tardifs et difficiles. A onze ans, il ne sait pas encore lire, à treize ans il est initié à la chirurgie par un rebouteux, à dix-sept ans il entre en apprentissage chez un graveur parisien. C'est alors qu'il s'inscrit à l'université et au collège de chirurgie de Saint-Côme. En 1717, il est reçu maître ès arts et, en 1718, maître dans la communauté des chirurgiens de Paris. Installé à Mantes, il commence une carrière de praticien, se fait des relations et réussit à s'attirer la protection de deux très grands seigneurs, le maréchal de Noailles et le duc de Villeroy. Deux événements le font sortir de l'obscurité. Le premier est sa polémique en 1727 avec un certain Silva, médecin à la mode, dont il conteste les méthodes de saignée. Le second est son entrée en 1734 dans la maison du duc de Villeroy comme médecin de ce puissant personnage. C'est probablement à cette même date qu'il est initié à la maçonnerie. Il a tout pour réussir ; il est « malin comme un singe » ; sa conversation plaît aux dames ; enfin il affiche les idées à la mode : tolérance et aversion pour la « bigoterie ». En 1749, il franchit une nouvelle étape. Mme de Pompadour, dont il a soigné avec compétence et discrétion l'amie intime, la comtesse d'Estrades, le prend pour son médecin particulier et lui fait donner un logement à Versailles. Le roi l'affectionne, l'appelle son « penseur » et l'anoblit en 1752 après qu'il a guéri le Dauphin de la petite vérole. Il a derrière lui une œuvre médicale importante : un *Art de guérir par la saignée* (1736), un *Traité de la gangrène* et un *Traité de la suppuration* (1749). En 1740, La Peyronie l'a fait nommer secrétaire de la nouvelle Académie de chirurgie. En 1744, il a été reçu docteur en médecine par l'université de Pont-à-Mousson. En 1751, il est entré à l'Académie des sciences. En 1755, il est devenu médecin ordinaire du roi. C'est alors que, d'une manière très inattendue, il se convertit à l'étude de l'économie politique. A soixante et un ans, il invente un nouveau système économique. Les principes en sont formulés d'abord dans les deux articles « Fermiers » (économie politique) et « Grains » publiés dans les tomes VI et VII de l'*Encyclopédie*, ensuite dans le *Tableau économique* de 1758, enfin dans la *Physiocratie*, recueil

d'œuvres choisies, publié par les soins de Dupont de Nemours en 1767. Pendant la période écoulée entre le *Tableau* et la *Physiocratie*, Quesnay a formé une véritable école où sont entrés notamment Mirabeau (l'auteur de *L'Ami des hommes*), Turgot, Lemercier de La Rivière et Dupont de Nemours. En 1774, à l'avènement de Louis XVI, il encourt une demi-disgrâce et doit quitter son appartement du château. Il s'installe dans le Grand-Commun, dont il est médecin, et y passe les derniers mois de sa vie sans que son activité intellectuelle se soit jamais un seul instant ralentie. Dans le mois qui précède sa mort, il rédige encore trois mémoires. L'originalité de son système est triple : il fait de l'agriculture la seule fonction productive réelle ; il construit une théorie de la circulation du produit national ; enfin il réduit la société à un système de production, distinguant trois « classes », les agriculteurs et assimilés qui produisent les richesses (classe productive), les travailleurs de l'industrie, qui transforment les richesses (classe stérile industrieuse) et les propriétaires fonciers et le souverain qui dirigent l'économie et entretiennent la classe stérile soudoyée. Ce système n'est pas pour lui une simple spéculation. Il conçoit sa « physiocratie » comme la loi de l'« ordre naturel » et comme une règle qu'il faut appliquer. On explique par l'influence de Malebranche ce caractère positiviste et normatif. Quesnay, en effet, a toujours été un grand lecteur de Malebranche. Il en a adopté l'occasionnalisme. Pour lui, le corps et l'âme, étant des substances distinctes, sont incapables d'agir l'un sur l'autre. Le corps et l'âme ne sont que des causes occasionnelles offertes à l'action divine. Cette théorie est très importante pour comprendre l'autorité quasi religieuse conférée par Quesnay à son propre système. Marx sera un admirateur de Quesnay. Il verra en lui et en ses disciples « les créateurs de l'économie moderne ». On peut comprendre cette admiration. Le *Tableau économique* contient déjà l'idée que Marx se fera de la société. C'est bien un réseau macroéconomique, socialement structuré, de circulation du produit national.

QUILLARD, Pierre Antoine (Paris, 1701 - Lisbonne, 1755). Peintre, il obtient en 1724 le second prix de l'Académie de peinture, puis s'expatrie et s'installe en 1726 à Lisbonne où il va exercer les fonctions de peintre de la Cour et de directeur de l'Académie de dessin. Parce qu'il a su imiter Watteau de manière à tromper même les amateurs, on le rattache à l'école de ce peintre. En fait sa peinture, attentive aux menus détails et préférant les fonds sombres, se rapproche plutôt de l'école hollandaise. On a de lui des compositions religieuses pour les églises de Mafra et d'Alcantara, et des scènes de genre pour le château du duc de Cadaval à Muge.

QUINAULT, Jeanne Françoise, dite **Quinault cadette** (Strasbourg, 13 octobre 1699 - Paris, 18 janvier 1783). Fille, sœur de comédiens et comédienne elle-même, elle débute le 14 juin 1718, sous le nom de Quinault Defresne, dans le rôle de Phèdre. Les comédiens-français l'admettent le 22 décembre suivant pour l'emploi de soubrette. Elle y ajoutera ceux des «caractères» et des «ridicules». Cette excellente actrice est une femme d'esprit. Elle donne à La Chaussée le sujet du *Préjugé à la mode*, et à Voltaire celui de *L'Enfant prodigue*. C'est elle aussi qui conseille à Piron d'écrire pour le théâtre. Les beaux esprits du temps fréquentent volontiers sa société du «bout du blanc», qui est une sorte de salon intime. Le marquis d'Argenson, Voltaire et d'Alembert en sont les habitués les plus assidus. Elle mourra «philosophiquement», c'est-à-dire sans les secours de l'Église. Elle avait légué à d'Alembert l'un de ses diamants.

R

RACINE, Louis (Paris, 6 novembre 1692 - *id.*, 29 janvier 1763). Septième et dernier enfant de Jean Racine, il s'illustra par le poème de *La Religion*. Il avait longtemps cherché sa voie, ayant cru la trouver d'abord au barreau, ensuite dans la congrégation de l'Oratoire (où il passa trois ans). Il vint aux lettres en 1720, publia cette année-là le poème *De la grâce*. Il était depuis l'année précédente membre de l'Académie des inscriptions. Mais il fallait vivre. Il accepte en 1722 une place d'inspecteur général des fermes. Il sera ensuite directeur des gabelles à Soissons et enfin maître particulier des Eaux et Forêts du Valois. *La Religion* est publiée en 1742. C'est un exploit. L'auteur a réussi à traiter de manière poétique un sujet qui n'a rien de poétique, puisqu'il mêle l'apologétique et la philosophie. Comme il l'explique dans sa préface, il a voulu montrer l'accord de la religion et de la raison, la vérité de la religion et son amabilité.

Louis Racine était cartésien et janséniste. Un cartésien fanatique. Il écrit dans *La Religion* :

> Rassurons-nous pourtant. Le jour
> [commence à naître.
> Nous allons tous penser, Descartes va
> [paraître.

Le janséniste est convaincu, mais frileux. Le poème *De la grâce* avait fait scandale. Lorsque l'auteur voulut se faire élire à l'Académie française, Fleury mit son veto. Cela le rendit prudent. Il devint même timoré. Il alla jusqu'à oser corriger, pour en faire disparaître toute trace de jansénisme, les admirables traductions par son père des hymnes du bréviaire romain. Dans *La Religion*, il serait difficile de déceler le moindre vestige de jansénisme.

L'homme était doux et humble, mais peu réjouissant. On disait de lui : «C'est un saint qui a la figure d'un réprouvé.» Ce n'était pas non plus un très grand esprit. Le chancelier d'Aguesseau, qui le protégea, l'estima et l'accueillit souvent à Fresnes, ne se faisait pas d'illusion sur ses capacités : «Son génie, disait-il, ne le porte point à l'invention.»

Ayant épousé en 1728 Marie Presle de L'Écluse, fille d'un conseiller à la cour des monnaies de Lyon, il en avait eu plusieurs enfants. Son fils aîné avait péri en 1755, dans le tremblement de terre de Lisbonne.

RACISME. Le racisme des Lumières est né pendant la crise de la conscience européenne. Citons seulement deux textes. Le premier est de Fontenelle dans ses *Lettres galantes* (1683) :
« L'Afrique s'épuise pour vous, madame, elle vous envoye les deux plus vilains animaux qu'elle ait produits [...]. Voilà le plus stupide de tous les Mores et le plus malicieux de tous les Singes. Je vous assure qu'il y a une de ces bêtes-là qui respecte fort l'autre et qui en admire tous les traits d'esprit. Vous jugez que l'admirateur est le More. »
Le second texte est de François Bernier, parlant des Lapons dans le *Journal des savants* du 24 avril 1684 : « Je n'en ai jamais veu que deux à Dantzic, mais selon les portraits que j'en ay veus [...] ce sont de vilains animaux. »
Les grandes consciences des Lumières ne s'expriment pas autrement. Mais leur mépris s'adresse d'abord aux Noirs jugés par elles comme des êtres inférieurs. Commentant une révolte d'esclaves noirs dans l'île d'Antigua, l'abbé Prévost écrit : « ... une offense de la part d'une troupe de misérables qui n'ont que l'apparence d'hommes, ne mériteroit pas qu'on y fît plus d'attention qu'à l'importunité des grenouilles et des mouches » (*Pour et Contre*, 1737). Aux yeux de Voltaire, l'infériorité raciale des Noirs fait si peu de doute qu'ils en sont eux-mêmes convaincus : « ... on peut dire que si leur intelligence n'est pas d'une autre espèce que notre entendement, elle est très inférieure. Ils ne sont pas capables d'une grande attention, ils combinent peu et ne paraissent faits ni pour les avantages, ni pour les abus de notre philosophie. Ils sont originaires de cette partie de l'Afrique comme les éléphants et les singes ; ils se croient nés en Guinée pour être vendus aux Blancs et pour les servir » (*Essai sur les mœurs*, *Œuvres*, édition de Kehl, 1785-1789, t. XVI, p. 270). Pour Buffon « ... les Nègres [...] sont grands, gros, bien faits, mais

niais et sans génie ». Raynal est anti-esclavagiste, mais raciste, jugeant les Noirs prédestinés à l'esclavage par leur constitution physique et morale : « ... on voit les Nègres, écrit-il, allier à leur poltronnerie naturelle une fermeté inébranlable. La même organisation qui les soumet à la servitude par la paresse de l'esprit et le relâchement des fibres, leur donne une vigueur extraordinaire » (*Histoire des deux Indes*, Amsterdam-La Haye, 1785-1789, t. VI, p. 120). Condorcet renverse la proposition : pour lui aussi les Noirs sont stupides, mais c'est à cause de la servitude : « On ne peut dissimuler, écrit-il, que les Nègres n'aient en général une grande stupidité [...]. Avilis par les outrages de leurs maîtres, abattus par leur dureté, ils sont encore corrompus par leur exemple » (*Réflexions sur l'esclavage des nègres*, Paris, 1788, sous le pseudonyme de M. Schwartz, p. 31). Pour Chambon, les Noirs sont des hommes, bien qu'ils soient noirs : « ... les Nègres, tout Nègres qu'ils sont, sont des hommes comme nous » (*Le Commerce de l'Amérique par Marseille*, Avignon 1764).
Si les Noirs sont naturellement inférieurs, comment l'expliquer ? Voltaire et quelques autres soutiennent la thèse polygénétique. « La race des Nègres, dit Voltaire, est une espèce d'hommes différente de la nôtre » (*Essai sur les mœurs*, *Œuvres complètes*, 1785-1789, t. XVI, p. 269). Prévost juge impensable qu'Adam et Ève « ayent pu produire des Nègres » et suppose que « les Blancs et les Nègres doivent être issus de différentes sources » (*Histoire des voyages*, t. X, 1747). Selon une autre école l'origine serait la même, mais ensuite une dégénérescence aurait donné les Nègres : « ... quelques descendans d'Adam, écrit le médecin Le Cat, ont pu dégénérer en Nègres » (*Traité de la couleur de la peau humaine*, 1765). Enfin une troisième théorie voudrait que le Noir soit dans la chaîne des êtres le chaînon intermédiaire entre l'homme et l'animal. « On serait tenté de croire, écrit Rousselot de Surgy dans ses *Mélanges interessans et curieux* (1763-1765, t. X, p. 164-165) [...], que

les Nègres forment une race de créatures, qui est la gradation par laquelle la nature sensible monte des Orang-Outangs, des Pongos à l'homme...» Voltaire est tenté aussi par cette explication. Il parle «... des singes, des éléphants, des nègres qui semblent avoir tous quelque lueur d'une raison imparfaite» (*Traité de métaphysique*, 1739).

Selon l'historienne italienne Carminella Biondi, le «préjugé racial» des Lumières serait «strictement lié à la traite». Il nous semble que cette dame prend l'effet pour la cause. Le racisme des Lumières est d'origine philosophique. Il vient d'une philosophie matérialiste niant l'existence de l'âme. Tant qu'on avait cru à l'existence de l'âme, on avait cru aussi au caractère unique de chaque être humain, les différences de race, de couleur, de mœurs comptant peu devant la singularité de l'âme. Mais pour la philosophie matérialiste des Lumières, l'âme n'existe pas. Il en résulte au moins deux conséquences. La première est que l'on ne voit plus que les différences physiques et que l'on réduit l'humanité à des catégories raciales. La seconde est que l'on confond l'homme et l'animal : «Des animaux à l'homme, écrit La Mettrie, la transition n'est pas violente» (*L'Homme-Machine*, éd. 1966, p. 78). S'il en est bien ainsi, on ne voit pas pourquoi les animaux ne seraient pas des hommes, les hommes des animaux et les Noirs des singes.

RAMBOUILLET. Après avoir appartenu successivement à la famille d'Angennes et à l'intendant des finances Fleuriau d'Armenonville, le château et la terre de Rambouillet avaient été achetés en 1705 par le comte de Toulouse. A la mort de ce dernier en 1737, le domaine devint la propriété de son fils, le duc de Penthièvre, qui le vendit à Louis XVI en 1783.

Le château garde un aspect médiéval : «bâtiment à l'antique, écrit Piganiol de La Force, tout de brique et flanqué de cinq grosses tours» (*Description historique de la ville de Paris et de ses environs*, t. IX, 1765, p. 336). Le comte de Toulouse construit deux nouvelles ailes, et y aménage des «appartements d'assemblée» afin de permettre à Louis XV, très attiré par Rambouillet, d'y tenir sa cour. Les admirables boiseries de ces appartements sont attribuées à Jacques Verbeckt.

Le château est entouré d'une forêt de 30 000 arpents (10 000 hectares environ) où sont tracées 300 lieues de routes pour faciliter la chasse. Louis XVI achète Rambouillet pour la chasse. Le domaine n'est pas loin de Versailles (7 lieues seulement). Pendant quatre mois de l'année, à la belle saison, Louis XVI y vient deux fois par semaine et n'en revient qu'après souper, c'est-à-dire à trois heures du matin.

La reine Marie-Antoinette n'aimait pas beaucoup Rambouillet, lui trouvant un «air gothique» et l'appelant une «crapaudière». Désireux de vaincre ses préventions, Louis XVI flatte ses goûts de fermière, et demande à l'architecte Thévenin de construire une laiterie. L'édifice est couvert d'une coupole et contient une grotte mythologique, ornée du merveilleux groupe de la nymphe Amalthée et de sa chèvre, sculpté par Pierre Julien. Une ferme est également construite dans le parc. On y installe des vaches suisses, et, en 1786, trois cents brebis mérinos et soixante béliers y sont amenés d'Espagne, afin de contribuer à l'amélioration de l'élevage ovin.

RAMEAU, Jean-Philippe (Dijon, 1683 - Paris, 1764). Son père, organiste, lui apprend très tôt la musique. Ses études chez les jésuites sont médiocres et courtes. Ses débuts sont lents. Après un bref voyage en Italie, il se fixe à Clermont-Ferrand comme organiste, où il reste plusieurs années : il y compose des cantates, motets, œuvres pour orgue et clavecin. Surtout, il rédige son ouvrage théorique essentiel : le *Traité de l'harmonie réduite à ses principes naturels*. Il fonde la théorie de l'harmonie sur les bases physiques de la résonance et des harmoniques naturels, produits par une basse fondamentale. Il simplifie les accords.

Ce livre, publié à Paris en 1722, base de l'harmonie moderne, le fait connaître comme savant; mais il veut surtout être compositeur d'opéra; il s'installe donc à Paris en 1723. Après des difficultés pour trouver des livrets, grâce à La Pouplinière, il publie sa première grande œuvre, *Hippolyte et Aricie*, sur un livret de Pellegrin en 1733, qui fait scandale par son originalité. Soutenu par Campra, Rameau finit par s'imposer: en 1735, *Les Indes galantes*, opéra-ballet, un énorme succès; suit *Castor et Pollux* en 1737. Presque chaque année, l'Opéra voit une œuvre nouvelle de Rameau, compositeur fécond et travailleur infatigable.

Le roi crée pour lui la charge de compositeur de son Cabinet. C'est alors, en 1752, qu'éclate la querelle des bouffons: les encyclopédistes, dont Rousseau, soutiennent la musique italienne (les bouffons) contre Rameau et la musique française. Tout Paris s'enflamme, les libelles pleuvent. Rameau riposte et tient bon: il continue de composer jusqu'à la fin de sa vie. Il meurt à quatre-vingts ans en 1764. Son originalité fut d'être à la fois un théoricien et un compositeur qui apporta beaucoup à la musique sur le plan de l'orchestration et de l'intensité dramatique. C'est un précurseur de Gluck.

RAMSAY, André Michel, chevalier de (Ayr, Écosse, 9 janvier 1686 - Saint-Germain-en-Laye, 6 mai 1743). C'est un des littérateurs les plus connus des premières Lumières. Les dictionnaires le qualifient de noble écossais. C'est une erreur. Il n'était pas noble, mais fils d'un boulanger. D'ailleurs, il ne vécut pas en Écosse. On mentionne aussi presque toujours sa conversion au catholicisme et on ajoute que cette conversion eut lieu en 1709 et fut l'œuvre de Fénelon. Il n'y a aucune raison sérieuse de mettre en doute cette assertion. Toutefois, les thèses soutenues par cet auteur dans son principal ouvrage paraissent tout à fait étrangères au catholicisme et même au christianisme. Cet ouvrage s'intitule *Les Voyages de Cyrus avec un discours sur la mythologie et une lettre de Fréret...* Il a été publié à Paris

et à Londres en 1727. L'histoire est la suivante : le jeune Cyrus, empereur des Perses, voyage dans le monde et apprend de la bouche des sages les précieux secrets dont les anciennes théologies et antiques sagesses (l'égyptienne, la pythagoricienne, l'orphique, l'hébraïque et celle de Zoroastre) sont dépositaires. Ainsi lui est révélée la condition première de l'humanité dans les temps reculés : « ... les habitants de la terre vivaient dans une innocence parfaite » (t. II, p. 7) ; « ... ils étaient dans une harmonie constante et toutes les nations de la terre n'étaient qu'une république de sages » (t. I, p. 101). Un jour, malheureusement, « les hommes ne suivirent point le char de Jupiter... », « l'Amour abandonna la Terre » et « le siècle de fer succéda au siècle d'or ». Cependant, il ne faut pas désespérer. L'âge d'or reviendra : « Le Dieu Saturne reprendra les rênes de son empire et rétablira l'univers dans son premier éclat. Alors toutes les âmes seront réunies à leur principe » (t. II, p. 8). Ramsay prétend accorder ces mythes avec la révélation biblique : le siècle d'or serait le paradis terrestre ; l'avènement du siècle de fer serait l'effet du péché originel. Mais il ne sait pas très bien ce que signifie le retour de l'âge d'or. Sa théorie est une sorte de sécularisation ou de naturalisation du message chrétien. Elle évacue le péché originel et la Rédemption. Pour un converti, Ramsay n'est guère croyant.

On peut se demander si cette mythologie de l'âge d'or n'est pas l'expression de la religion maçonnique. L'ardent prosélytisme maçonnique de l'auteur porte à le penser. Très haut gradé de cette société (Grand Orateur), il rêve d'une maçonnerie officielle française protégée par le roi et présidée par lui. Il adresse à Fleury, le 20 mars 1737, une supplique dans ce sens : « Daignez Monseigneur soutenir la société des francs-maçons dans les grands buts qu'elle se propose » (cité par Bernard Faÿ, *La Franc-Maçonnerie et la révolution intellectuelle du XVIIIᵉ siècle*, Paris, 1961). Le gouvernement fit la sourde oreille et le chevalier en fut pour ses frais.

RANDAN, Guy Michel de Durfort de Lorges, duc de (1704-1773). Maréchal de France, il a commencé à servir aux mousquetaires à l'âge de quinze ans. Il fait la campagne d'Italie de 1733, celle de Bohême de 1741 et celle de Flandre de 1746.

Élevé le 1er mai 1745 au grade de lieutenant général, il sera nommé le 1er mars 1757 à l'armée d'Allemagne, et participera à la conquête du Hanovre sous les ordres de Richelieu. A la différence de son chef, il manifeste envers la population de ce pays beaucoup de bienveillance et d'humanité. Après la bataille de Crefeld, il se retire de l'armée pour ne pas se trouver sous le commandement de Contades, moins ancien lieutenant général que lui. Il se consacre alors au gouvernement de Franche-Comté, dont il avait été nommé lieutenant général le 15 mars 1741. Les parlementaires rebelles de Besançon éprouvent sa rigueur. Il en fait emprisonner quatre et exiler quatre autres. Le roi le récompense par les entrées de la chambre et par la dignité de maréchal de France. Selon Dumouriez, ce grade convenait «bien à ses vertus» mais il était «au-dessus de ses talents» (*Galerie des aristocrates militaires*, Paris, 1790).

RAOUX, Jean (Montpellier, 1677 - Paris, 1737). Peintre, il est l'un des portraitistes les plus courus du temps de la Régence. Son genre préféré est celui du portrait allégorique. Il fut l'un des premiers à peindre les dames de la Cour en Cérès, en Pomone, en Vénus et en Diane et fit naître chez les femmes le goût de la métamorphose divine et antique. C'est ainsi qu'il peignit Marie-Jeanne Buzeau, l'épouse du peintre Boucher, en vestale et l'actrice Mlle Journet en prêtresse de Diane.

Il fut un artiste pleinement reconnu par ses contemporains. Le grand prieur de Vendôme le protégeait et le logeait au Temple, le Régent lui commandait des toiles. Invité en Angleterre en 1720, il y fut reçu à l'égal d'un roi. Son talent est aujourd'hui moins apprécié. On juge son style trop maniéré, ses couleurs trop sourdes et son métier conventionnel.

RASILLY, Armand Gabriel, comte de (château de Velort, près de Chinon, 1690-1766). Fils de Gabriel de Rasilly et de Perrine Gaultier, il entre au service du roi à l'âge de douze ans dans la compagnie des mousquetaires noirs en 1703. En 1705, il est au régiment des gardes françaises où il fera toute sa carrière. Il participe à de nombreuses campagnes. En 1749, il commande le cinquième bataillon du régiment des gardes. En 1744, il est promu maréchal de camp des armées du roi, puis lieutenant général de ses armées en 1748. Il était commandeur de l'ordre royal et militaire de Saint-Louis. En 1759, il a été choisi comme gouverneur de l'île et de la forteresse de Ré. Il épousa en 1760 Amédée Desnoyer de l'Orme. Il avait une grande réputation de joueur de piquet et faisait souvent la partie du roi ou de la reine.

RASILLY, Gabriel Clair, comte de (château d'Aulnay, Poitou, 1720 - château de Velort, près de Chinon, 1806). Fils de Louis-Melchior de Rasilly et de Françoise Claire Chevreau, il entra dans la marine en 1739. Il fut chef d'escadre en 1780. Pendant les quarante ans de sa vie de marin, il fut toujours embarqué ; il assista à sept combats, dont celui mené par la *Bellone*, où il fut grièvement blessé et perdit un œil. Il avait épousé, en 1759, Gabrielle Jeanne Bouchard de La Poterie. Il mourut en 1806 au château de Velort sans avoir été inquiété durant la Révolution.

RAUCOUX (bataille de). La bataille de Raucoux (Rocourt près de Liège en Belgique) est livrée et gagnée le 11 octobre 1746 par le maréchal de Saxe, en présence du roi Louis XV, contre l'armée des alliés (Autrichiens, Anglais, Hanovriens, Hessois, Hollandais et Bavarois). A la nouvelle que ses adversaires voulaient prendre leurs quartiers d'hiver dans le pays de Liège, le maréchal décide de les y attendre afin de les combattre. Mais il garde sa décision secrète et ne la révèle que la veille de la bataille, la faisant annoncer au cours d'un spectacle donné à l'armée par la troupe de théâtre attachée à sa personne. L'actrice principale, la charmante Mme Favart, s'avance sur le devant de la scène et chante :

Demain nous donnerons relâche
Sans que le directeur s'en fâche ;
Demain bataille, jour de gloire !
Que dans les fastes de l'histoire
Triomphe encore le nom français,
Digne d'éternelle mémoire !
Revenez après son succès
Jouir des fruits de la victoire [1].

L'ordre de bataille est ainsi rédigé : « Le corps d'armée marchera sur huit colonnes, quatre de cavalerie aux deux ailes et quatre de cavalerie au centre. Chaque division aura en tête l'artillerie qui lui sera assignée [2]. » En fait, la cavalerie interviendra très peu. Raucoux est une bataille d'infanterie. Les colonnes de fantassins, soutenues par le feu de l'artillerie, enlèvent les positions adverses les unes après les autres. Les alliés auront dix mille hommes hors de combat et les Français trois mille cinq cents seulement.

RAYNAL, Guillaume Thomas (Lapanouze, en Rouergue, 12 avril 1713 - Paris, 6 mars 1796). Abbé, historien philosophe, fameux auteur de l'*Histoire des deux Indes*, il est le fils de Guillaume Raynal, marchand. Élevé chez les jésuites de Rodez, il entre ensuite dans la Compagnie de Jésus et enseigne dans plusieurs collèges (Pézenas, Clermont, Toulouse). Cette période de sa vie est mal connue. Par exemple, on aimerait en savoir davantage sur le contenu de ses cours. En 1747, il quitte la Compagnie avant de prononcer le troisième vœu, et va s'installer à Paris, où il occupe pendant plusieurs années les fonctions de prêtre desservant à Saint-Sulpice. Habile et plein d'entregent, il sait se concilier la faveur des personnes influentes. Puisieux, ministre des Affaires étrangères, lui fait attribuer en juillet 1750 la charge de la rédaction du *Mercure de France*. Il

publie aussi des *Nouvelles littéraires* et plusieurs ouvrages historiques (par exemple, en 1748, une *Histoire du Parlement d'Angleterre*) qui ne sont que des compilations. A cette époque, ses opinions politiques et philosophiques ne sont pas de nature à choquer ni à inquiéter. Dans ses livres et dans les gazettes, il critique le parlementarisme anglais, défend les jésuites et qualifie l'*Encyclopédie* d'« œuvre informe ». Cependant, il évolue. Il noue de nombreuses relations avec la « secte », devient l'ami de Grimm et de Rousseau, fréquente tous les salons et se transforme peu à peu en philosophe convaincu. La publication (d'abord à l'étranger en 1770, ensuite en France en 1772) de l'*Histoire philosophique et politique des établissements et du commerce des Européens dans les deux Indes* fait de lui l'un des philosophes les plus connus. Le succès de ce « livre médiocre » (Anatole Feugère, *Un précurseur de la Révolution. L'abbé Raynal (1713-1796). Documents inédits* (Angoulême, 1922) peut s'expliquer pour plusieurs raisons : l'intérêt, alors très répandu, pour les questions économiques et coloniales, le goût de l'exotisme, mais surtout le caractère philosophique de l'œuvre. L'auteur ne voit dans la peinture des « sauvages » qu'un prétexte pour opposer leurs vertus naturelles aux vices des nations policées. Il se fait le théoricien de la confusion des puissances au profit de l'État. « L'État, écrit-il, a la suprématie en tout. La distinction d'une puissance temporelle et d'une puissance spirituelle est une absurdité palpable. » Il va jusqu'à blasphémer : « ... au lieu d'un Dieu mort sur la Croix », adorons « le soleil qui ne meurt jamais ». Les autorités réagissent mollement. Un arrêt du Conseil du 19 décembre 1772 supprime l'ouvrage, mais Vergennes et Maurepas conviennent avec l'auteur lui-même de divers stratagèmes pour en permettre la vente publique en plein Paris. Cependant, le 25 mai 1781, le Parlement lance ses foudres : Raynal est décrété de prise de

---

1. Cité par le général Pajol, *Les Guerres sous Louis XV*, Paris, 1881.
2. *Ibid.*

corps. Il doit quitter la France. Il en profite pour aller prendre les eaux de Spa en compagnie du prince Henri de Prusse, et pour aller rendre visite à Frédéric II. Rentré en France en août 1784, il s'installe à Marseille et soigne sa popularité en fondant divers prix littéraires et de vertu dans les Académies française, des sciences et des inscriptions. Au total, le capital est de 72 000 livres. D'où lui venait tant d'argent ? Sans doute de la vente de son livre. La Révolution l'inquiète par ses débordements. Il envoie aux députés une *Adresse* de remontrances, qui est lue à l'Assemblée nationale le 31 mai 1791. Il s'en prend à la puissance des clubs, condamne l'anarchie et s'indigne des mesures prises contre le clergé. André Chénier a beau jeu de lui répondre qu'il avait lui-même suggéré ces mesures dans son *Histoire des deux Indes*. La Terreur lui confisque son argenterie, mais le Directoire le nomme, en décembre 1795, membre de l'Institut national. Il meurt l'année suivante. On ignore s'il était revenu à des sentiments chrétiens.

RÉAUMUR, René Antoine Ferchault de (La Rochelle, 28 février 1683 - La Bermondière, dans le Maine, 17 octobre 1757). Il est le plus grand naturaliste français du siècle. Sa mère était née à Calais. Son père était originaire du bas Poitou et exerçait les fonctions de conseiller au présidial de La Rochelle. Le jeune Réaumur va en classe chez les jésuites de Poitiers, puis étudie le droit à Bourges. En 1703, il se rend à Paris. Son cousin Hénault (le futur président) l'introduit dans les milieux intellectuels de la capitale et le présente à l'abbé Bignon, que l'on appelait « l'ange tutélaire des sciences et des savants ». Trois mémoires de géométrie, publiés entre 1703 et 1708, le font connaître. Le mathématicien Varignon se l'attache comme élève et le fait entrer (le 3 mars 1703) dans la dernière classe de l'Académie des sciences, celle des « élèves » attachés à des pensionnaires. Il ne va pas tarder à s'élever. Ses premiers mémoires lus à l'Académie (sur l'origine des coquilles

fossiles en novembre 1708, et sur les araignées en 1710) sont jugés prometteurs. Le 2 mai 1711, il est nommé pensionnaire. Il a vingt-huit ans. Ses deux *Mémoires sur les thermomètres* (1731) et ses six *Mémoires pour servir à l'histoire des insectes* publiés de 1734 à 1742 consacrent sa réputation. De 1713 à 1752, il est à neuf reprises directeur de l'Académie des sciences. Il est aussi chargé par cette compagnie de diriger la publication qu'elle a entreprise de la *Description des arts et métiers*. Il partage alors sa vie entre les séances de l'Académie, sa maison de Charenton, où il entretient une ménagerie et un superbe jardin expérimental, et son domaine de Réaumur en Poitou, retraite propice aux observations en plein air, et qu'il regagne chaque année en septembre.

Ses contributions principales à l'avancement des sciences sont, d'une part, le thermomètre qui porte son nom, d'autre part, ses travaux sur les insectes. L'innovation majeure du thermomètre de Réaumur consiste dans le choix d'un nouveau point fixe, plus aisé à déterminer que tous ceux déjà en usage. Ce point fixe est « le degré de froid qui fait geler l'eau commune ». Les mémoires sur les insectes représentent le premier ouvrage scientifique sur le sujet. Ils sont remarquables par l'observation minutieuse des insectes vivants et de leurs activités. « La partie de l'histoire des insectes à laquelle j'ai été le plus sensible, écrit l'auteur, c'est celle qui regarde leur génie, leurs industries. » La langue dans laquelle sont rédigées ses descriptions est admirable. Il est difficile d'allier davantage l'élégance et la précision. Les mémoires sur les chenilles processionnaires et sur la pariade des libellules sont des chefs-d'œuvre, non seulement de l'entomologie, mais aussi de la littérature française.

Cependant, Réaumur ne limite pas ses travaux à la fabrication des thermomètres et à l'observation des insectes. Esprit étonnamment actif, il enrichit de ses expériences et de ses découvertes plusieurs branches des sciences. L'entomologie l'amène naturellement à la biologie. Grâce à diverses expériences en serre, il observe que le cours de la vie d'un insecte peut être prolongé ou abrégé cinq à six fois. Il étudie également l'incubation artificielle des poulets. Il se passionne pour la métallurgie et présente à l'Académie, de 1720 à 1722, dix-huit mémoires sur la question des fers et des aciers. Il est même l'inventeur de l'un des premiers procédés efficaces pour la conversion du fer en acier. Il essaie de retrouver le secret de la porcelaine chinoise et, après d'innombrables expériences, lit à l'Académie, le 26 avril 1727, un mémoire intitulé *Idées générales des différentes manières dont on peut faire la porcelaine.*

Homme aimable, accueillant, nullement jaloux de son savoir, il entretient des relations amicales avec de nombreux savants français et étrangers, et surtout avec les naturalistes Bonnet et Trembley et avec l'ornithologue suédois De Geer. Il fait connaître leurs travaux à l'Académie et au public scientifique français. Par ses fructueuses et incessantes correspondances, il sert l'avancement de la science autant que par ses propres recherches. Il est d'ailleurs membre de toutes les grandes sociétés savantes d'Europe, de la Société royale de Londres, de l'Académie de Berlin et de celles de Bologne et de Saint-Pétersbourg.

Tout occupé de ses travaux, il fréquente peu le monde. On le voit pourtant quelquefois dans le salon de Mme de Tencin. A-t-il de la religion ? C'est difficile à savoir. En tout cas, ses mœurs sont d'une dignité parfaite et ne donnent jamais prise au moindre commérage. Nullement idéologue, aussi respectueux que possible de la réalité des faits, il éprouve une certaine défiance à l'égard des « philosophes » et des savants qui leur sont proches. Daubenton et Buffon lui sont un peu suspects. Il écrit de leurs ouvrages : « Je ne sais pas qu'ils ont observé eux-mêmes. » Lors de la publication des premiers volumes de l'*Encyclopédie*, il a la pénible surprise d'y trouver les planches qu'il avait lui-même fait graver pour la *Description des métiers*. Il se plaint d'avoir été volé : « L'infidélité et la négligence de mes graveurs, dont

plusieurs sont morts, ont donné, écrit-il, la facilité à des gens peu délicats sur les procédés de rassembler les épreuves de ces planches et on les a fait graver de nouveau pour les faire entrer dans le dictionnaire encyclopédique » (cité par Jean Torlais, *Réaumur*, 1961). Diderot est directement visé par cette accusation. Cependant, Réaumur n'ira pas plus loin. « La tranquillité d'âme, écrit-il encore, est le bien le plus assorti à un âge avancé » (cité par Jean Torlais, *op. cit.*).

Il avait toujours joui de la meilleure santé. La mort le frappe d'une manière inopinée. Il meurt d'une attaque au château de la Bermondière, propriété que lui avait léguée l'un de ses amis. Dans sa lettre de condoléances, adressée le 11 septembre 1757 au secrétaire de l'Académie des sciences, Charles Bonnet dira de son ami disparu : « Il voyageait souvent dans un monde peu connu et où les merveilles se multiplient à chaque pas. »

RECEVEUR, Antoine Sylvestre (Bonnétage, 28 décembre 1750 - Cercy-la-Tour, près d'Autun, 7 août 1804). Prêtre, fondateur de la Société de la retraite chrétienne, il est issu d'une famille de magistrats bisontins. Ordonné prêtre en 1775, nommé curé des Fontenelles dans le diocèse de Besançon, il crée dans cette paroisse une confrérie de Sainte-Anne et une Association aux pensées de l'éternité pour les personnes suivant les exercices spirituels. Il anime des retraites et des missions et fonde en 1786 un institut destiné à ces formes d'apostolat, composé de prêtres, de frères et de sœurs. Persécuté par son évêque qui lui interdit de prêcher et de confesser (1787-1791), obligé de s'exiler en 1792, il revient en France au moment du Concordat, est alors nommé curé de Cercy-la-Tour et meurt trois ans après, en réputation de sainteté. Le décret d'introduction de sa cause en cour de Rome est daté du 10 mai 1883. On peut se demander pourquoi cette cause n'a pas encore abouti. De l'institut fondé par l'abbé Receveur, seule subsiste aujourd'hui la branche féminine.

RÉCOLLETS. Les récollets, ou Frères mineurs de l'étroite observance, sont des religieux franciscains réformés. Leur nom de récollets vient de « récollection » qui veut dire retraite. Ils avaient en France, en 1766, 222 maisons (réparties entre 11 provinces) et 2 491 religieux. Ils semblent être demeurés fidèles à l'austérité de leur règle. Cependant, la crise générale des vocations les a touchés eux aussi. Au début de 1790, ils n'étaient plus que 2 151. Plusieurs d'entre eux exercent les fonctions d'aumôniers militaires.

RECRUTEMENT (de l'armée). Le droit de lever des soldats n'appartient qu'au roi. Nul recrutement ne peut se faire sans son autorisation.

Il existe deux types de recrutement : le volontariat pour les troupes réglées, le tirage au sort pour la milice. Ce dernier type, appelé « recrutement du roi » parce qu'il est organisé par l'administration royale, est étudié à l'article MILICE (*voir supra*).

L'engagement dans les troupes réglées doit être volontaire. L'emploi de la ruse et de la violence est interdit aux recruteurs. Il n'est pas toujours facile de respecter ces conditions. Les besoins sont en effet très importants ; il convient de remplacer les morts, les invalides, les déserteurs et les soldats qui ont obtenu leur congé. En temps de guerre, il faut pourvoir à l'augmentation des effectifs. De 1715 à 1762, la demande de soldats s'est élevée à 2 millions d'hommes environ (André Corvisier, *L'Armée française de la fin du XVIIIe siècle au ministère de Choiseul*, Paris, 1964).

Dans les régiments français, le recruteur naturel est le capitaine, qui fait son « travail de recrues » pendant le semestre d'hiver, dans son pays d'origine, avec l'aide de sa parenté et de ses principaux subordonnés, le lieutenant et les sergents. Toutefois, ce recrutement naturel ne suffit pas. Il faut également recourir au « racolage », c'est-à-dire à un mode de recrutement dans lequel « le capitaine et son sergent ne connaissent pas leurs recrues » (A. Corvisier, *op. cit.*). Le racolage prend des formes variées : recrutement public du sergent qui « fait battre la caisse », emploi d'embaucheurs appointés ou de véritables agences. Les moyens utilisés pour attirer les recrues ne sont pas toujours très honnêtes, mais il y a beaucoup moins de recrutements forcés qu'il n'y en avait sous le règne de Louis XIV. Simplement les recruteurs ont tendance à exagérer les agréments de la vie militaire. Albert Babeau (*La Vie militaire sous l'Ancien Régime*, t. I, *Les Soldats*, Paris, 1890) cite la curieuse affiche où un capitaine de Richoufz invite en 1766 la « belle jeunesse » à « prendre party » dans le régiment de La Fère. Il fait miroiter des perspectives de plaisirs et de farniente : « L'on y danse trois fois la semaine, on y joue au battoir deux fois, et le reste du temps est employé à faire des armes. Les plaisirs y règnent ; tous les soldats ont la haute paie. »

Recrutement naturel ou racolage, l'appel de recrues se fait toujours au nom de l'officier, capitaine ou colonel. Le recrutement est personnalisé. Une tentative est faite par Choiseul pour le dépersonnaliser, le rendre en somme plus étatique : l'ordonnance du 10 décembre 1762 déclare que « le roy se charge des recrues ». En conséquence, on crée, en 1765, trente-trois régiments de recrues, que l'on remplace en 1768 par quatre « dépôts » ayant pour fonction de fournir des hommes aux régiments. Mais ce système ne donne pas satisfaction et disparaît bientôt.

Les recrues doivent être aptes au service et ne pas avoir d'engagement antérieur. Pour ce qui est de l'âge, il est en principe interdit de recruter au-dessous de seize ans, mais on ne tient pas compte de l'interdiction. Les recruteurs se préoccupent davantage de la taille et ne descendent que rarement au-dessous de cinq pieds (1,62 m). Quant aux motifs des engagements, ils sont des plus divers, mais « dans bien des cas il n'est pas nécessaire de faire intervenir d'autres raisons que la vocation militaire et le patriotisme » (A. Corvisier, *op. cit.*, p. 358).

Pour les corps étrangers, la plupart des recrues proviennent des levées faites hors du royaume avec l'accord des gouvernements. Ces accords portent le nom de « capitulations ».

La prime d'engagement versée à chaque nouvelle recrue peut comporter, outre une somme d'argent, des prestations ou cadeaux en nature. Le montant varie selon l'aptitude, l'expérience, la taille de la recrue et aussi selon la durée de l'engagement. A la compagnie d'Argenlieu des gardes françaises, de 1751 à 1756, la moyenne des primes est de 77 livres 18 sols.

Dans les dernières années de l'Ancien Régime, les précautions multipliées pour assurer la liberté de l'engagement compliquent le recrutement et le rendent plus malaisé. Sous le règne de Louis XVI, l'engagement n'était définitif que lorsque la nouvelle recrue avait déclaré devant le subdélégué de l'intendant qu'elle avait signé sans contrainte.

RÉGALE. La régale est le droit de la Couronne de percevoir les fruits et les revenus des évêchés et des archevêchés vacants. La régale comporte aussi le droit de conférer les bénéfices dépendant de ces évêchés.

RÉGENCE LATINE. Une régence latine — on dit aussi « école latine » — est une école intermédiaire entre la petite école et le collège. Elle ajoute à l'enseignement élémentaire celui des lettres latines, donné par un régent latiniste. Cette sorte d'établissement se trouve dans les bourgs et dans les toutes petites villes. Les enfants peuvent y commencer le latin, et les parents tirent l'économie des frais de pension dans un collège éloigné, du moins pour les petites classes. Quelques-unes de ces régences existent depuis longtemps. Beaucoup sont instituées au XVIIIᵉ siècle. Dans le midi de la France, on relève par exemple les créations de Lauzun (1735), La Souterraine (1741), Maringues (1727), Montflanquin (1756), Mazères (1717) (Dominique Julia, Marie-Madeleine Compère). La plupart de ces nouveaux établissements doivent leur naissance à l'initiative des communautés d'habitants et à leurs subventions. A Mazères (comté de Foix),

les habitants décident de choisir un régent, « lequel soit capable d'élever les écoliers latinistes et de les mettre en état d'entrer en rhétorique et même en philosophie » (Julia, Compère, *Les Collèges français XVIᵉ-XVIIIᵉ siècle*, éd. du CNRS, 1984). La création de ces régences peut contribuer à expliquer la diminution des effectifs des collèges. L'enseignement de ces régents latinistes valait-il celui donné dans les collèges par des professeurs confirmés? C'est peu probable. Trop heureux de cette solution économique, les parents n'y regardaient pas de si près.

RÉGÉNÉRATION. Les mots « régénération » et « régénérer » ont d'abord appartenu exclusivement aux vocabulaires spécialisés de la religion, de la médecine, de la chirurgie et de la biologie. « Terme de théologie, dit le *Dictionnaire de Trévoux*, […] qui ne se dit qu'en cette phrase : il a été "régénéré" pour dire il a été engendré de nouveau spirituellement, il a reçu une nouvelle naissance qui le fait enfant de Dieu. » « Terme de chirurgie, dit l'*Encyclopédie* de Diderot, […] pour exprimer la réparation de la substance perdue. » Quant à la régénération biologique, elle est l'objet de nombreuses observations et expériences : Réaumur en 1712 avait constaté que l'écrevisse régénère ses pattes quand elles sont brisées et sectionnées. Trembley en 1740 signale les extraordinaires facultés régénératrices du polype ou hydre d'eau douce. Enfin Charles Bonnet éprouve en 1741 les facultés régénératrices de certains vers d'eau douce. Il constate qu'après avoir été coupés en tronçons (jusqu'à vingt-six) ces vers deviennent autant d'animaux complets. En 1769, il confirme les résultats obtenus par l'abbé Spallanzani sur la repousse de la tête chez le limaçon.

Mais si les animaux se régénèrent, l'homme, lui, aurait plutôt tendance à dégénérer. Le thème de la dégénérescence (on dit aussi « dégénération » des races humaines est essentiel à l'anthropologie des Lumières. Buffon évoque la possibilité d'une dégénérescence par l'influence d'un climat malsain ou d'une mauvaise nourriture. Selon Delisle de Sales, « il importe de distinguer la dégénération qui est l'ouvrage des hommes de celle qui est la suite de l'action des parties hétérogènes qui composent notre machine » (*Philosophie de la nature*, 1777, t. IV, p. 170).

Au début du règne de Louis XVI, un espoir se fait jour : on croit possible de promouvoir par la politique la régénération des espèces humaines en voie de dégénérescence. Après 1780, le mot régénération entre dans le vocabulaire philosophico-politique. C'est ainsi qu'en 1788 l'abbé Grégoire donne à l'académie de Metz un mémoire intitulé *Essai sur la régénération physique et morale des juifs*. Lors de la réunion des États généraux, en mai 1789, le mot est constamment utilisé pour désigner les grands changements souhaités par tous. Louis XVI dit « l'Assemblée nationale que j'ai convoquée pour s'occuper avec moi de la régénération de mon royaume » (Discours aux États généraux, 28 mai 1789, *Discours prononcés à la tribune nationale*, s.d., t. I, p. 84-85). Le même jour, Mirabeau propose au tiers état de « s'occuper de concert avec Sa Majesté de la régénération du royaume » (*Archives parlementaires de 1787 à 1860*, t. VIII, p. 55, déclaration du 28 mai 1789).

Cependant, bien que devenue morale et politique, la régénération garde le caractère religieux qui lui vient de son premier sens. Seront régénérés ceux qui seront éclairés par les lumières de la raison ; il s'agit d'un nouveau baptême. L'aspect chirurgical subsiste aussi. Régénérer voudra dire que l'on commencera par tailler les parties mortes. Ce qui poussera à la place sera neuf et sain, comme les nouvelles pattes de l'écrevisse ou la tête du limaçon. Ainsi, pour Grégoire, régénérer les juifs consiste d'abord à supprimer leurs usages les plus barbares et à les empêcher de parler leur « jargon ». La régénération sera donc volontariste. A la différence de celle des animaux, elle ne se fera pas toute seule. Il faudra, comme disent Louis XVI et Mirabeau, « s'en occuper ». Le verbe n'est plus pronominal : on

ne se régénère plus soi-même, on vous régénère, on « s'en occupe » et vous n'avez qu'à vous laisser faire : si vous voulez que votre tête repousse en mieux, il faut d'abord qu'on vous la coupe.

REGISTRES PAROISSIAUX. On appelle registres paroissiaux ou de catholicité les registres sur lesquels sont portés par les curés les actes de baptême, de mariage et de sépulture des habitants de leurs paroisses.

L'origine en est l'ordonnance de Villers-Cotterêts de 1539. Cette ordonnance prescrivait la tenue de registres où les curés inscriraient les naissances des enfants baptisés par eux. L'ordonnance de Blois de 1579 leur fit la même obligation pour les actes de mariage et de sépulture.

Les registres paroissiaux font preuve de l'âge, du mariage et du temps du décès. Ces preuves sont reçues en justice. Ainsi en a décidé l'article 7 du titre 20 de l'ordonnance de 1667.

La déclaration royale du 9 avril 1736 impose certaines normes. Elle ordonne la tenue de deux registres dans chaque paroisse. Après l'expiration de chaque année, l'un des deux registres doit être déposé au greffe du bailliage. Dans les actes de baptême, il doit être aussi fait mention du jour de la naissance, des noms du père, mère, parrain et marraine de l'enfant. Les actes devront être signés sur les deux registres, tant par le prêtre que par le père et les parrain et marraine. Pour ceux qui ne savent pas signer, il doit être fait mention de la déclaration qu'ils en donnent. Les actes de mariage comprendront les noms, âges, qualités des mariés et des quatre témoins. Tous devront signer avec le prêtre ou déclarer ne pas savoir, et cette déclaration sera portée sur l'acte. Enfin, dans les actes de sépulture seront mentionnés le jour du décès et le nom et la qualité de la personne décédée. Le prêtre signera ainsi que deux témoins.

Bien que la loi oblige les curés à tenir les registres de la même manière, on observe souvent qu'un registre est plus mal tenu que l'autre. Très souvent c'est le registre du greffe qui est le moins complet.

Les collections des registres paroissiaux sont conservées aujourd'hui dans les archives départementales et dans les archives municipales. Elles représentent l'une des sources sérielles les plus précieuses pour les historiens. On les utilise principalement pour les études généalogiques et démographiques. Elles servent également à l'histoire sociale (par le relevé des qualités et des professions) et à l'histoire de l'alphabétisation (par le relevé des signatures). Elles peuvent aussi rendre de grands services aux historiens de la vie religieuse et de l'histoire locale. Il arrive en effet assez souvent que les curés se servent de leurs registres comme d'un journal de la paroisse et y fassent la chronique des événements parvenus à leur connaissance.

REGNAULT, Jean-Baptiste, baron (Paris, 1754 - *id.*, 1829). Peintre, il fut élève de Bardin, premier prix de peinture en 1776, et l'un des rivaux de David. L'Académie l'agréa en 1782 avec une toile intitulée *Andromaque et Persée* et le reçut en 1783 avec *Achille et le centaure Chiron* (aujourd'hui au Louvre). Ses *Trois Grâces* ont été popularisées par la gravure. Il représente bien le goût qui prévalait à la fin de l'Ancien Régime, ce goût qui annonçait le style néogrec de l'Empire.

RÉGULIERS (commission des). La commission des réguliers est une commission extraordinaire du Conseil du roi, créée en 1766 pour remédier au déclin de l'observance dans les ordres religieux d'hommes.

Créée par les édits des 25 mai et 31 juillet 1766, elle est présidée par le cardinal de La Roche-Aymon. Son rapporteur est Loménie de Brienne. Ses autres membres sont des théologiens et des conseillers d'État. Prorogée en 1769, elle sera dissoute le 19 mars 1780.

Consultés sur les réformes à opérer, les évêques d'une part et les religieux d'autre part avaient formulé des avis. Les évêques auraient souhaité la création de maisons réformées, comme cela s'était fait au début du XVIIe siècle. Les religieux, quant à eux, étaient partagés, certains demandant le retour à l'observance primitive, d'autres au contraire des adoucissements. Mais presque tous aspiraient à des modes de gouvernement moins « despotiques ».

La commission n'entend qu'à moitié les avis donnés. Elle procède à sa manière qui est radicale et destructrice. Elle recule l'âge des vœux de religion (édit du 3 mars 1766). Elle annule l'exemption et autorise les évêques à visiter tant qu'ils le voudront toutes les maisons régulières (édit de février 1773). Elle impose la réforme des constitutions. Elle supprime les maisons qu'elle juge trop petites. Elle fait disparaître quatre cent vingt-six couvents et neuf ordres religieux : les Camaldules, les Exempts, les Célestins, les chanoines de Sainte-Croix, les chanoines de Saint-Ruf, les Servites, Grandmont, Saint-Antoine et les anciens Bénédictins.

La méthode employée est celle de la pression et de l'intimidation. Des commissaires royaux sont envoyés dans les chapitres généraux des différents ordres. Ils invitent les religieux à rétablir la conventualité et à réformer leurs constitutions dans le sens souhaité par la commission. Les suppressions d'ordres sont obtenues de la manière suivante : l'édit de mars 1768 prévoyait le cas où les religieux d'un ordre jugeraient impossible de rétablir la vie conventuelle. Ils devraient alors le faire savoir à la commission, qui jugerait de l'opportunité de conserver ou de supprimer cet ordre.

La commission agit souvent contre l'opinion des religieux. Elle se heurte à de vives protestations (comme celles que lui opposèrent par exemple l'abbé de l'ancienne observance de Grandmont, et l'abbé général de Saint-Vanne). Elle passe outre. Les réclamations de Rome et celles des évêques ne sont pas davantage entendues.

On ne peut guère parler de réforme, mais plutôt de destruction. L'arbre peut être jugé à ses fruits : la vie monastique ne fut pas réformée. Au contraire, elle fut affaiblie et discréditée. Quant aux mesures prises, ce furent des abus de pouvoir, aucune concertation sérieuse n'ayant eu lieu avec Rome. Une telle manière de faire annonce celle de Joseph II et celle de l'Assemblée constituante.

RELIGIEUX. *Voir* **INSTITUTS RELIGIEUX.**

RENNES. Rennes est ville épiscopale, siège de parlement et d'intendance. Les états de Bretagne y tiennent la plupart de leurs sessions. La Commission intermédiaire des états y est installée. Sa population augmente légèrement au cours du siècle, passant de trente mille à trente-six mille habitants, par l'effet, non de l'immigration, mais du mouvement naturel. Quelque trois cents ateliers de tannerie représentent le secteur dominant de l'industrie. Une douzaine de manufactures (dont une de chapeaux, sept de textile et quatre de faïence) sont fondées après 1750, mais connaissent des fortunes médiocres. On ne peut pas dire que ces nouvelles entreprises soient parvenues à créer les conditions d'un véritable démarrage économique. En revanche, elles ont favorisé le développement du paupérisme et la dégradation de la vie sociale. La condition populaire se détériore à tous points de vue. On notera en particulier la baisse des taux d'alphabétisation dans la seconde moitié du siècle.

En grande partie détruite par l'incendie de 1720 (23-29 décembre), la ville est reconstruite entre 1726 et 1754, sur les plans de Jacques Gabriel et de Robelin, directeur des fortifications de Bretagne.

Jean Meyer (*Histoire de Rennes*, Toulouse, Privat, 1972) a souligné la puissance et la richesse du haut tiers état rennais. Cette catégorie sociale entre en nombre dans la maçonnerie. Elle constitue l'une des forces majeures de la prérévolution dans l'ouest de la France.

REQUÊTES (maîtres des). *Voir* **MAÎTRES DES REQUÊTES.**

RESTIF ou **RÉTIF DE LA BRETONNE,** Nicolas Edme, dit (Sacy, près d'Auxerre, 23 octobre 1734 - Paris, 3 février 1806).

Littérateur infatigable, il est le fils d'un laboureur. Il fréquente l'école du village et, pendant un court moment, le séminaire de Bicêtre. Il est le seul des écrivains de son temps à n'avoir jamais fréquenté le collège. Destiné au métier d'imprimeur, il fait son apprentissage à Auxerre et va ensuite se placer à Paris, où il trouve facilement du travail, d'abord chez Hérissant, puis chez Knapen et enfin à l'Imprimerie royale. Il sera toute sa vie un excellent prote et composera même ses propres livres. A l'âge de trente-trois ans, il décide de se faire auteur. Ses premières productions passent inaperçues, mais en 1775 son roman *Le Paysan perverti* conquiert le public. Alors il ne cesse plus d'écrire. De 1767 à 1802, il ne publiera pas moins de 47 ouvrages en 194 volumes faisant près de 60 000 pages. Le succès est considérable, surtout en province. Au début, l'auteur gagne de l'argent. Mais la Révolution le ruine. Carnot cherche à le tirer d'affaire et lui procure un poste de professeur d'histoire à Moulins, puis de sous-chef de bureau dans le service des lettres interceptées du ministère de la Police générale. Rayé des cadres en 1799, il tombe dans l'indigence. Le public ne l'avait pas oublié. Lorsqu'il meurt, mille huit cents personnes suivent son cercueil. Il s'était marié en 1760 avec Anne Lebègue. Le mariage avait mal tourné. Elle était hystérique. Lui était un obsédé sexuel. Doué, à l'en croire, d'une extraordinaire puissance sexuelle, il a pu établir dans *Mon calendrier* une liste de sept cents femmes qui l'auraient, nous dit-il, rendu heureux.

Plus qu'un écrivain, Restif est un témoin. Il a écrit quelques romans, mais la plus grande partie de son œuvre consiste en tableaux de mœurs. Ses deux grandes réussites sont *Les Nuits de Paris* (1788-1794), vision hallucinante du Paris de la fin de l'Ancien Régime et de la Révolution, et *Monsieur Nicolas ou le Cœur humain dévoilé*, sorte d'autobiographie écrite de 1783 à 1797, tableau fidèle et achevé de la vie paysanne sous le règne de Louis XV. De tous les écrivains de son temps, Restif est le seul qui ait travaillé de ses mains. Il a fait la double expérience de la vie paysanne et de la condition de l'artisan. Quand il décrit les mœurs populaires, il sait de quoi il parle.

RETABLE. Selon la définition du *Dictionnaire de l'Académie* de 1718, un retable est un «ornement d'architecture contre lequel est appuyé l'autel, et qui enferme ordinairement un tableau». L'art religieux du XVIIIe siècle, comme celui du siècle précédent, affectionne cet ornement. Car le retable rehausse la majesté de l'autel et la solennité du sacrifice. En outre, par ses images peintes ou sculptées, placées bien en vue devant les fidèles, il est comme une expression sensible des mystères de la religion. Soutenu par des colonnes, souvent coiffé d'un fronton, il se présente comme un petit édifice, comme une sorte de théâtre où les personnages du Christ, de la Vierge, des saints et des anges jouent leurs rôles respectifs.

Les retables du XVIIe siècle sont les plus nombreux, mais on en trouve également beaucoup datant du XVIIIe. A la fin de l'Ancien Régime, presque toutes les églises du royaume possédaient un ou plusieurs retables. Certaines régions étaient particulièrement riches, par exemple le diocèse du Mans, où toutes les églises paroissiales étaient ainsi décorées.

Des études récentes et d'une grande qualité nous ont révélé les retables du Roussillon, du Quercy, de la Normandie, et surtout ceux de Bretagne, du Maine et du pays lavallois. Les iconographies des retables bretons et manceaux présentent des caractères communs. L'image la plus fréquente est celle de la divinité. La Trinité est figurée par un triangle placé au sommet du retable. Les scènes de la vie du Christ (en Bretagne, un quart des images sont christiques) se rapportent à la Nativité plus souvent qu'à la Rédemption. La Vierge apparaît presque toujours comme la Fille de la Trinité, ou bien comme la Mère du Sauveur, le portant dans ses bras, ou se tenant au pied de la Croix. Les figures des saints — moins fréquentes que celles de la Vierge — sont celles des apôtres et des grands

saints guérisseurs (saint Sébastien, saint Roch). L'éducation de la Vierge par sainte Anne est l'un des sujets préférés des artistes. En Bretagne, on voit aussi très souvent saint Dominique recevant le rosaire des mains de la Vierge. Enfin le retable, à l'image du paradis, est peuplé d'anges, les uns porteurs de flambeaux, le autres volant dans le ciel, ou adorateurs agenouillés de part et d'autre du tabernacle.

Le retable exprime une religion qui n'est nullement superstitieuse, une religion véritable où les intercesseurs ne sont que des intercesseurs. Le message délivré est un message de confiance et d'espérance. A propos du retable manceau, Michèle Ménard (*Une histoire des mentalités aux XVIIe et XVIIIe siècles. Mille retables de l'ancien diocèse du Mans*, Beauchesne, 1980) a écrit qu'il «rassure». Enfin le retable est le catéchisme des plus simples, de ceux qui ne savent pas lire. Ils peuvent y contempler les grandes vérités et l'évocation consolante des beautés du paradis.

RÉVEILLON. Réveillon est ce fabricant de papiers peints dont le nom est associé à l'émeute parisienne d'avril 1787. On ne sait ni son prénom, ni sa date de naissance, ni celle de sa mort.

Sa carrière préfigure celles de maints industriels du XIXe siècle. Simple ouvrier au départ, il débute dans les affaires en 1752 avec un petit commerce de papeterie. En 1760, il se met à fabriquer à Laigle, en Normandie, des papiers veloutés imités de ceux d'Angleterre. En 1765, il se lance dans la grande fabrication, s'installe dans l'ancienne Folie-Titon, rue de Montreuil, faubourg Saint-Antoine à Paris, et entreprend de concurrencer la toile peinte, passant commande des cartons aux artistes employés par Oberkampf, et faisant exécuter leurs dessins en planche de cuivre. Le bon marché de ses produits lui vaut une énorme clientèle, mais aussi les attaques de plusieurs corporations de métiers, dont il enfreint les monopoles. Soutenu par le gouvernement, il persévère. En 1770, il achète des moulins à papier et fabrique son propre papier. Les honneurs pleuvent sur sa tête : le titre de manufacture royale en 1784, la grande médaille d'or des industriels en 1785. En 1783, il a fabriqué la montgolfière qui s'est envolée le 21 novembre avec le marquis d'Arlande à son bord.

La fabrique du faubourg Saint-Antoine est mise à sac et incendiée le 28 avril 1789 par une bande d'émeutiers. Le bruit avait couru que le manufacturier avait l'intention de diminuer les salaires de ses ouvriers. C'est ce que les historiens appellent l'affaire Réveillon, affaire très grave, puisqu'il n'y eut pas moins de vingt-cinq morts et de vingt-six blessés. Certains ont voulu y voir la main du duc d'Orléans et les effets d'une propagande attisant le désordre. Mais cette hypothèse n'a jamais été pleinement vérifiée. Il ne faut pas oublier que Réveillon avait mécontenté les ouvriers de plusieurs métiers. Cela, joint au climat d'anarchie de l'époque et à la hausse des prix, suffirait amplement à expliquer l'émeute.

REVEL, Jean (Paris, 6 août 1684 - Lyon, 6 décembre 1751). Peintre, il est le fils du peintre Gabriel Revel, qui avait collaboré à la décoration du château de Versailles. Venu à Lyon en 1710 pour y faire des portraits, il se découvre une vocation de dessinateur des étoffes de soie. On lui attribue l'invention des «points rentrés» qui consistent dans l'enchevêtrement des soies, de manière à adoucir le passage d'une nuance à l'autre.

RHÉTORIQUE. La rhétorique est «l'art de bien dire». Les règles fondamentales de cet art ont été définies dans l'Antiquité. Aristote et Quintilien sont ses principaux théoriciens.

L'enseignement de la rhétorique est dans les collèges le couronnement de la formation humaniste, la classe de rhétorique étant la dernière du cycle des lettres humaines. Le but de cet enseignement est de former des orateurs, ou au moins des hommes capables de s'exprimer en public d'une manière élégante et convaincante.

Le traité de rhétorique, dicté dans la classe du même nom, comporte traditionnellement quatre parties : l'*inventio* (recherche des idées et des preuves), la *dispositio* (art de faire le plan), l'*elocutio* (choix des mots) et la *pronuntiatio* (art de prononcer le discours). Dans l'*inventio*, on distingue la recherche des preuves destinées à «établir les choses qui paraissent douteuses», et l'«amplification», dont le but est de montrer par des figures appropriées «la grandeur de ce qu'on regarde comme petit, ou la petitesse de ce qu'on croit être considérable» (M. Gilbert, *La Rhétorique ou les Règles de l'éloquence*, Paris, 1742). Preuves et amplification sont les vrais ressorts du discours, car le discours de la rhétorique classique est toujours en forme de plaidoyer.

À l'étude des préceptes s'ajoute celle des auteurs latins, et surtout de Cicéron. Les écoliers s'entraînent aussi à la dispute et à la déclamation. Ils jouent dans les pièces de théâtre qui sont représentées lors des fêtes du collège, et cela leur est une autre occasion de s'exercer à l'art de la parole. La rhétorique a un but pratique. Elle est, dit Gilbert, professeur au collège Mazarin, «un Art capable de nous conduire dans les actions ordinaires de la vie». Les sujets de déclamation sont toujours des sujets pratiques ou d'actualité. En 1722, le P. de La Sauve, régent de rhétorique au collège Louis-le-Grand, fait disputer ses élèves sur la question suivante : «Quel est le partage le plus équitable d'un patrimoine?»

La pédagogie des Lumières n'aime pas beaucoup la rhétorique. D'Alembert dénonce l'abus des amplifications qui selon lui «consistent pour l'ordinaire à noyer dans deux feuilles de verbiage ce qu'on pourrait et ce qu'on devrait dire en deux lignes» (art. «Collèges» de l'*Encyclopédie*).

La rhétorique essaie de s'adapter au goût du jour. Elle change, mais ce changement n'est pas heureux ; elle s'en trouve dénaturée. L'évolution est particulièrement rapide chez les pères de la Doctrine chrétienne. Ceux-ci commencent par réduire la part de l'enseignement théorique. Ensuite, ils suppriment les représentations théâtrales dans leurs collèges. Enfin, vers 1770, ils se convertissent à une rhétorique nouvelle, celle de Condillac, rhétorique sensualiste, et qui n'est plus, selon la définition de cet auteur, que «l'art de toucher, d'émouvoir, d'intéresser...». L'orateur, tel que le conçoit Condillac, ne cherche plus à prouver, mais à «faire passer [...] les sentiments» dont «il est lui-même pénétré» (*Cours d'études pour l'instruction du prince de Parme*, *Œuvres philosophiques*, *Corpus général des philosophes français*, Paris, 1947, t. I). En faisant passer les sentiments, il fera passer les idées, puisque les idées, dans ce système, ne sont que des sensations transformées. A ce stade, la rhétorique n'a plus qu'un rôle accessoire : la nature seule, pensent les régents de la Doctrine chrétienne, rend éloquent. C'est la mort de la rhétorique.

Toutefois, cette évolution ne s'observe pas dans tous les collèges. Les enseignements des oratoriens et ceux des jésuites ne semblent pas avoir changé de manière aussi rapide et aussi radicale. Quant aux collèges artiens[1] de l'université de Paris, ce sont les conservatoires de la rhétorique classique. Les manuels utilisés par les professeurs de ces collèges sont conformes en tout à la théorie de Quintilien. Dans le *Manuale Rhetorices*, publié en 1782 par Hurtaut, professeur de l'université de Paris, la définition de la rhétorique est bien la définition traditionnelle : «Art de bien parler de toutes choses dans le but de persuader.»

RICHARD, Charles Louis (1711-1794). Religieux dominicain d'origine lorraine, c'est un érudit, un «écrivain fécond et zélé» (M. Picot, *Mémoires pour servir à l'histoire ecclésiastique pendant le xviii*^e *siècle*, Paris, 1855-1859) et — ce qui est plus rare — un homme courageux. Son œuvre majeure est le *Dictionnaire universel des sciences ecclésias-*

tiques (1760, 6 vol. in-f°), instrument de travail encore très utile aujourd'hui. Il est également l'auteur de *Conférences dogmatiques et morales* et d'une *Vie de Joseph Benoît Labre*, l'une des premières qui aient été écrites, et où il a le courage d'exalter la mémoire de ce saint vagabond si étranger à l'esprit des Lumières. Émigré à Mons en Belgique, il y est arrêté en 1794 lors de la seconde invasion française, traduit devant une commission militaire et fusillé pour avoir publié, avant l'entrée des Français, un *Parallèle des Juifs qui ont crucifié Jésus-Christ avec les Français qui ont exécuté leur roi*.

RICHELIEU, Louis François Armand de Vignerot du Plessis, duc de Fronsac et de (Paris, 13 mars 1696 - *id.*, 8 août 1788). Il est le fils unique d'Armand Jean de Vignerot du Plessis, duc de Richelieu, et d'Anne Marguerite d'Acigné, sa deuxième femme. Lui-même se marie trois fois : la première fois avec Anne Catherine de Noailles, la deuxième avec Marie Élisabeth Sophie de Lorraine, et la troisième, à l'âge de quatre-vingts ans, avec Mlle de Lavaux.

Sa carrière est également triple : militaire, diplomatique et de gouvernement des provinces. Militaire : il participe aux trois guerres du règne de Louis XV. Successivement colonel d'un régiment d'infanterie (1718), brigadier des armées du roi (1734), maréchal de camp (1738), il accède le 11 octobre 1748 à la dignité de maréchal de France. Diplomatique : le roi le nomme à deux reprises ambassadeur extraordinaire, à Vienne en 1724, et à Dresde en 1746. Enfin, il sera gouverneur du Languedoc et, à partir de 1755, gouverneur de Guyenne et Gascogne.

Intelligent et audacieux, il force la fortune. Sa carrière militaire est jalonnée de succès. A Fontenoy, le mérite de la victoire lui revient en grande partie. C'est lui qui conseille au roi de rester sur le champ de bataille. Et c'est lui qui, à la tête de la Maison du roi, charge furieusement et emporte la décision. En 1747-

---

1. Collèges de la faculté des arts, dans les anciennes universités.

1748, on lui doit la délivrance de Gênes des Autrichiens. En 1756, il conduit la campagne victorieuse de Minorque, et enlève de haute lutte la place de Port-Mahon. Enfin, sa campagne de 1757, comme général en chef de l'armée du Hanovre, est un chef-d'œuvre de stratégie. Le diplomate n'est pas moins heureux. A Vienne, en 1724, en décidant l'Autriche à garder la neutralité, il obtient un résultat spectaculaire.

L'homme n'a aucune valeur morale. Il ne songe qu'à jouir et à dominer. La liste de ses maîtresses, depuis les princesses (comme Mlle de Charolais) jusqu'aux prostituées, est interminable. Pour avoir de l'argent, tous les moyens lui sont bons. Ses pillages de guerre passent l'imagination. Ses propres soldats l'appellent « le Petit Père la Maraude ». Gouverneur de Bordeaux, il profite de sa position pour spéculer dans l'immobilier. On a voulu voir en lui l'incarnation de la « légèreté » et de la galanterie française. Ce serait plutôt de la basse débauche et de la crapulerie de soudard. D'où lui viendraient les scrupules ? Il n'a aucune croyance. A côté de lui Voltaire, qui est son ami intime, serait plutôt un dévot.

Il est curieux que, d'un tel personnage, le roi Louis XV ait fait son confident et l'un des compagnons ordinaires de sa vie, l'honorant même de la charge de premier gentilhomme de sa chambre (4 février 1744). Richelieu est le courtisan de toutes les maîtresses royales. Il en est même parfois le recruteur. Il est l'un de ces « roués » « fièrement impies » (Michel Antoine, *Louis XV*, Fayard, 1989), qui ont fait tous leurs efforts pour détourner Louis XV de la foi. A Metz, et lors de la dernière maladie, il a essayé d'empêcher le clergé de s'approcher du roi. Il est vrai que, sur ce point, il n'a pas réussi. Il n'a pas réussi non plus à devenir ministre. Louis XV voyait en lui un serviteur, mais non un conseiller.

RICHÉRISME. Le richérisme était à l'origine la doctrine d'Edmond Richer (1560-1631), syndic de la faculté de théologie de Paris. Les thèses soutenues par Richer étaient celles du gallicanisme

politique, avec en outre cette thèse qui lui était propre, de la participation des curés au gouvernement de l'Église, en tant que successeurs des soixante-douze disciples du Christ.

Les jansénistes du XVIIIᵉ siècle reprennent les thèses de Richer. Ils s'en servent pour justifier leur appel au concile et pour ruiner l'autorité des évêques, dont la persécution les opprime. Les canonistes jansénistes, N. Travers (1674-1750), G. N. Maultrot (1714-1803) et J. J. Piales (1720-1789) développent les idées richéristes et en particulier celle du pouvoir ecclésial des curés. Dans son *Institution divine des curés* (1779), Maultrot soutient que les prêtres sont aptes à user de la voix délibérative dans les conciles et dans les synodes.

Ces idées se répandent dans le bas clergé. Elles inspirent la révolte des curés contre les évêques, cette révolte qui trouble sous le règne de Louis XVI la province du Dauphiné et plusieurs diocèses de l'Ouest.

RIESENER, Jean-Henri (Glaebeck, près d'Essen, 1734 - Paris, 1806). C'est l'un des plus grands ébénistes du siècle. Son ascension est exemplaire. Venu très jeune à Paris, il se forme à l'Arsenal chez son compatriote J. F. Œben. A la mort de ce dernier, il épouse sa veuve et reprend ses commandes. Il achève le bureau du roi (commencé par Œben) et le signe en 1769. Fontanieu, directeur du Garde-Meuble, le remarque et lui confie la succession de Joubert comme fournisseur du mobilier royal. Marie-Antoinette lui conservera toujours sa faveur. On peut calculer qu'il reçut, en l'espace d'une quinzaine d'années pour le seul mobilier royal, plus d'un million de livres. La Révolution lui est néfaste. Sa clientèle est ruinée. Le goût change. Il fait des spéculations malheureuses en tentant de racheter à moindre prix une partie du mobilier de Versailles. Enfin, la mort de sa femme et un remariage malheureux assombrissent ses dernières années. Ses meubles sont de deux sortes, les uns d'acajou uni rehaussé de moulures et de quelques ornements de cuivre, les autres enrichis de

marqueteries et de bronzes. Le bureau à
cylindre à marqueterie de nacre du boudoir de Marie-Antoinette à Fontainebleau (vers 1784-1787) et le cabinet à bijoux en acajou, exécuté pour la comtesse
de Provence (collection de la reine
d'Angleterre), comptent parmi ses plus
belles pièces.

RIVAROL, Antoine Rivarol, dit le **comte
de** (Bagnols, 26 juin 1753 - Berlin,
13 avril 1801). Il est l'un des esprits les
plus brillants de son temps. Les Marmontel, La Harpe, Condorcet, Suard et
autres maîtres font pâle figure à côté de
lui. Il était l'aîné de seize enfants. Ses
parents étaient pauvres et de noblesse incertaine et contestée. Son père aurait
tenu une auberge. La protection de
l'évêque d'Uzès lui permet toutefois de
faire des études au collège des josé-
phistes de Bagnols. Il vient à Paris en
1777 après voir enseigné comme précepteur à Lyon. Pendant plusieurs années, il
se contente de charmer les salons et les
cafés de son aimable figure et de les
étonner par la vivacité de son esprit. Il
fréquente aussi les théâtres et le Caveau.
Il entre en littérature en 1784 et son coup
d'essai est un coup de maître. C'est le
*Discours sur l'universalité de la langue
française.* Le thème avait été mis au
concours par l'Académie de Berlin, la
question étant la suivante : « Qu'est-ce
qui a rendu la langue française universelle ? » Rivarol est couronné et récompensé. Louis XVI lui fait une pension de
4 000 livres. En 1785, il donne une traduction de *L'Enfer* de Dante. En 1787, il
publie deux lettres à Necker pour répondre au livre de ce dernier sur *L'Importance des idées religieuses.* En 1788,
son *Petit Almanach des grands hommes,*
suite d'éloges ironiques des maîtres de la
« petite littérature » (comme il dit), lui attire un grand nombre d'ennemis. Voici
par exemple la notice consacrée à un
certain Perrot : « Maître poète et tailleur
à Paris. Il donne dans la tragédie et voici
deux vers très connus et très pathétiques :

"Hélas, hélas, hélas, et quatre fois hélas !
Il lui coupa le cou d'un coup de coutelas". »

Le spectacle de la tragédie révolutionnaire élève Rivarol au-dessus de lui-
même et le transforme en un grand journaliste politique. En 1789, il collabore
au *Journal politique national* de Sabatier
de Castres. De 1790 à 1792, il écrit dans
les *Actes des Apôtres.* Son parti est celui
du roi. Il ne défend pas l'Ancien Régime. Il défend la royauté. A Louis XVI
qui lui demande conseil, il répond :
« Faites le roi. » Il est en quelque sorte le
premier royaliste. Ses articles montrent
une certaine magnanimité chevaleresque
et un don remarquable d'évocation. Il
faut lire en particulier son récit de la
journée du 6 octobre 1789, publié en
1790 dans le *Journal politique national,*
et intitulé « La dernière journée de la
monarchie ». Forcé de quitter Paris en
1791, il se réfugie d'abord au château de
Manicamp, chez son ami le comte de
Lauraguais. Ensuite, il gagne l'étranger
et commence une vie errante qui le mè-
nera de Bruxelles à Londres, puis à
Hambourg et enfin à Berlin, où il meurt
après une courte maladie de sept jours,
sa dernière parole ayant été celle-ci : « Il
est temps de contempler l'éternité. »

Dans le *Discours sur l'universalité de
la langue française* la partie faible est
la partie philosophique, celle de la théorie du langage. Rivarol est soumis à la
double influence du sensualisme et de
l'épicurisme. Cela se voit en particulier
dans ce passage : « L'homme, étant une
machine très harmonieuse, n'a pu être
jeté dans le monde sans y établir une
foule de rapports. La seule présence des
objets lui a donné des "sensations" qui
sont nos idées les plus simples... » Le
meilleur du *Discours* est le discernement
de la langue française, dont il montre
fort bien les caractères originaux et la
supériorité. Ces caractères sont selon lui
l'« ordre direct », la clarté, la « syntaxe
incorruptible », la probité et enfin l'universalité : « Sûre, sociale, raisonnable, ce
n'est plus la langue française, c'est la
langue humaine. » Vers la fin de son discours, il prévoit la mort des langues et
annonce leur immortalité : « C'est en devenant langues mortes qu'elles se font
réellement immortelles. »

Les mœurs de Rivarol n'ont pas toujours été celles de la morale chrétienne. Il s'était marié, mais il a peu vécu avec sa femme, lui préférant d'abord une certaine Manette, ensuite une noble dame, la princesse Olgorouska. Cependant, et bien que marqué par la philosophie de son temps, il avait toujours gardé la plus grande révérence pour la religion chrétienne. Ses lettres à Necker en témoignent. Il s'y livre à une critique féroce du déisme et cette critique est faite au nom de la religion populaire : «... le peuple, écrit-il, sait fort bien que, non seulement il n'est point de morale sans religion, mais encore que sans religion il n'est point d'honnête homme ; et non seulement sans religion, mais encore sans la religion chrétienne et surtout sans la religion catholique » (*Lettres à M. Necker* [1788] dans *Œuvres de Rivarol*, Paris, 1852, p. 128).

ROBERT, Hubert (Paris, 1733 - *id.*, 1808). Peintre, il avait commencé par apprendre la sculpture. Sa famille l'ayant envoyé en Italie, suivant le conseil de Joseph Vernet, il y fait la connaissance de Fragonard. Tous deux dessinent ensemble les mêmes sites romains, les mêmes architectures et les mêmes bosquets. Hubert Robert subit l'influence de Pannini, peintre des ruines antiques.

De retour en France, il est reçu à l'Académie (1766) avec pour morceau de réception la *Vue du port de Ripetta*, dont Diderot loue les effets de lumière.

Cet artiste abondant — Mme Vigée-Lebrun disait de lui qu'il peignait un tableau comme on écrit une lettre — représente les ruines en décorateur. Il s'inspire de ses admirables dessins de Rome et de Provence et rassemble tout ce qu'il aime sur un même tableau (un pont, une chute d'eau, un temple, une église) en une composition impossible, en y ajoutant quelques arbres et des personnages aux costumes colorés. Mais comment lui reprocher cette profusion ? N'est-il pas le maître de la lumière, de la couleur des nuages et des rayons de soleil qui font chanter les vieilles pierres ?

Il ne se contente pas des ruines romaines et peint aussi les antiquités de Provence et de Languedoc : le théâtre d'Orange, la maison Carrée de Nîmes et le pont du Gard. Plus tard, son goût des ruines sera alimenté par le Paris révolutionnaire. Il peindra la *Démolition des boutiques du Pont-au-Change*, *L'Incendie de l'Opéra* et *La Bastille dans les premiers jours de sa démolition*.

La sévérité géométrique d'un Le Nôtre étant venue à lasser par sa froideur, on fait appel à Hubert Robert pour dessiner les nouveaux jardins. Il répand le goût des jardins anglais et anglo-chinois, en dessinant le bosquet des *Bains d'Apollon* à Versailles et la laiterie de Rambouillet. Ses jardins sont parsemés de ruines factices, de donjons lézardés artificiellement, de kiosques turcs et de pagodes chinoises.

Emprisonné pendant la Terreur, il continue à peindre dans sa prison. La plus saisissante de ses compositions représente le lugubre cortège des prisonniers dans des charrettes à la lueur des torches. Délivré après Thermidor, il sera nommé conservateur du musée du Louvre.

ROBERT DE SAINT-VINCENT, Pierre Augustin (1725-1799). Seigneur vicomte de Saint-Vincent, fils de conseiller au parlement de Paris, reçu conseiller lui-même le 12 janvier 1748, personnage médiocre et acrimonieux, il se pose sous le règne de Louis XVI en défenseur de la tradition antidespotique et janséniste du Parlement. C'est lui qui, dans l'affaire du Collier, fait adopter par les magistrats l'arrêt favorable au cardinal de Rohan. Le 19 novembre, devant l'assemblée des Chambres tenue en présence du roi, il ne craint pas d'adresser au souverain les observations les plus violentes. En fait, cet opposant si fougueux n'est autre qu'un conservateur borné. Il réclame les états généraux, mais tout en demandant qu'ils se réunissent selon les formes traditionnelles. Courageux face à la monarchie déclinante, il sera moins devant la Révolution : dès 1789, il s'empressera d'émigrer. Il mourra au Brunswick, dix ans plus tard.

ROBINET, Jean-Baptiste (Rennes, 23 juin 1735 - *id.*, 24 mars 1820). La vie de ce philosophe ne semble pas des mieux connues. On sait seulement qu'il fut d'abord jésuite, puisqu'il quitta la Compagnie de Jésus pour se convertir à la philosophie, et qu'enfin en 1778 il fut nommé censeur royal et secrétaire du ministre Amelot. Son œuvre est bipartite : elle comporte des traités de grammaire et des essais de philosophie, d'une philosophie plutôt spécialisée dans l'anthropologie. C'est un adepte de la théorie de la « chaîne des êtres ». Dans ses *Considérations philosophiques de la gradation naturelle des formes de l'être, ou les Essais de la nature qui apprend à faire l'homme* (Paris, 1768), il exprime cette idée que l'orang-outang « doit être distingué » des autres espèces de singes « comme en formant une espèce intermédiaire entre elles et l'espèce humaine ».

ROCHAMBEAU, Jean-Baptiste Donatien de Vimeur, comte de (Vendôme, 1725 - Thoré, Orléanais, 1807). C'est un soldat exemplaire et un chef méthodique. Sa carrière est pourtant assez lente. Destiné d'abord à l'état ecclésiastique, il entre dans l'armée en 1742 comme cornette au régiment de cavalerie de Saint-Simon. Pendant la guerre de Succession d'Autriche, il joue un rôle décisif dans la prise de Namur. Pendant la guerre de Sept Ans, il est sans cesse à la tâche. Sa conduite est brillante à Minorque en 1756. Il est blessé à Lawfeld et à Clostercamp. A Creveld, il soutient seul avec sa brigade tous les efforts de l'armée prussienne. Cependant, sa nomination de lieutenant général est tardive : 1er mars 1780. A cette date, il vient d'être désigné pour la mission qui fera sa gloire, le commandement du corps expéditionnaire d'Amérique. Il prépare l'expédition avec le plus grand soin, s'attachant aux moindres détails. Il sera le 19 octobre 1781 l'un des trois vainqueurs de Yorktown avec l'amiral de Grasse et Washington. Mais son principal mérite est d'avoir su maintenir la discipline et la tenue de ses troupes au milieu d'un pays étranger dans la longue inaction qui avait suivi le débarquement. Sa réputation mi-litaire lui avait valu ce commandement, mais aussi ses convictions philosophiques. En 1787 et 1788, il adhère aux thèses du « parti national » et fait de l'opposition. En 1787, il refuse d'entrer au Conseil de la guerre, ne voyant dans cette place, écrira-t-il dans ses *Mémoires* (Paris, 1809), « que de nouveaux moyens pour tourmenter encore notre état militaire ». Nommé en 1788 à la seconde assemblée des notables, il y plaide la cause du tiers et vote pour le doublement. La Révolution le consacre. Il est nommé le 15 décembre 1791 commandant de l'armée du Nord, et le 28 maréchal de France. Sa guerre sera courte. Il se retire de l'armée le 15 juin 1792. La Terreur viendra chercher dans sa retraite l'illustre défenseur de la révolution américaine. Transféré à la Conciergerie, il échappe de justesse à la guillotine grâce au 9-Thermidor. Il meurt sous l'Empire, pensionné par Napoléon.

ROCHELLE (La). Ville épiscopale depuis 1648, chef-lieu de généralité depuis 1694, La Rochelle n'est cependant qu'une ville moyenne, dont la population se maintient aux alentours de dix-huit mille habitants. Mais c'est un grand port, second port négrier français, l'un des premiers pour l'importation des sucres des Antilles, pour le commerce antillais et pour les réexportations de produits coloniaux en France et en Europe. Nombreuses sont les constructions nouvelles témoignant de la prospérité rochelaise. Ce sont la chambre de commerce, l'intendance, la façade néoclassique de l'hôtel de ville, la cathédrale (achevée en 1784) et les hôtels particuliers appelés ici « grandes maisons » Les marchands protestants qui composent la classe dirigeante ne se désintéressent pas de la vie intellectuelle : une académie royale des belles-lettres est fondée en 1732. Le culte protestant est toléré à partir de 1751.

ROETTIERS, Jacques (Saint-Germain, 1707 - *id.*, 1784). Célèbre orfèvre, il est issu d'une famille d'orfèvres anversois. Son père avait travaillé pour la cour d'Angleterre. Lui-même se rend en Angleterre en 1731, mais en 1733 revient à Paris où il est admis dans la corporation des orfèvres. Il fait ensuite un stage chez Nicolas Besnier, dont il devient le gendre en 1734 et auquel il succède en 1737 comme orfèvre du roi. Il exécute la vaisselle de la Dauphine en 1745 et fera celle de Mme du Barry. On conserve encore de lui deux services de table. L'un, de cent soixante-huit pièces, avait été commandé en 1735 par la famille du comte Berkeley. L'autre, exécuté entre 1735 et 1738, figure aujourd'hui dans la collection de Stavros Niarchos. Jacques Roettiers avait été anobli en 1772.

ROHAN, Armand Gaston Maximilien de (Paris, 26 juin 1674 - *id.*, 19 juillet 1749). Cinquième fils de François de Rohan et d'Anne de Chabot, évêque de Strasbourg et cardinal, il n'a pas mis beaucoup de temps à s'élever aux plus hautes dignités ecclésiastiques. Il était chanoine de Strasbourg à seize ans, coadjuteur du prince-évêque Egon de Furstenberg à vingt-sept ans, évêque de Strasbourg à trente ans, cardinal à trente-huit ans et grand aumônier de France à trente-neuf ans. Il sera en outre abbé de Foigny, La Chaise-Dieu et Saint-Waast d'Arras, membre de l'Académie française (1704) et proviseur de Sorbonne. Il passe pour un prélat mondain. Il a, dit Saint-Simon, le « visage du fils de l'Amour ». Crébillon fils, dans son roman *Tanzaï et Néadarmé*, en fait un « homme à bonnes fortunes ». Ce sont des jugements malveillants. Le personnage ne manque pas de fonds. Il a fait de brillantes études en Sorbonne et au séminaire Saint-Magloire. Il est docteur de Sorbonne. Il aime et collectionne les livres et achète la bibliothèque du président de Ménars, ancienne bibliothèque de Thou. Il se déclare constitutionnaire, mais sans esprit de parti. Le texte de compromis, appelé corps de doctrine, signé par quarante évêques le 13 mars 1720, est en partie son œuvre. Il est certain qu'au début de son épiscopat le courtisan l'emporte sur l'évêque, et qu'on le voit dans la capitale plus souvent qu'à Strasbourg. C'est lui qui accepte de sacrer Dubois. Mais la Régence finie, son diocèse l'accueille plus souvent. Il commence par embellir son palais épiscopal de Strasbourg et son château de Saverne. Les années passant, il se fait davantage pasteur. Ses actes pastoraux les plus importants sont une instruction pour les confesseurs (1704), une grande ordonnance sur les sacrements de pénitence et d'eucharistie et un Rituel publié en 1742. L'instruction aux confesseurs est de ferme doctrine. Pour être constitutionnaire, le cardinal n'en est pas moins opposé à tout laxisme : il recommande de refuser l'absolution aux pécheurs d'habitude et aux récidivistes. Son Rituel de 1742 est un rituel « éclairé » : le nombre des fêtes chômées est limité, les processions sont contingentées, les bénédictions restreintes. Le cardinal a donc marqué son diocèse. Force est néanmoins de constater qu'il ne l'a guère visité, ayant abandonné le plus souvent à ses vicaires généraux et à ses archiprêtres le soin de remplir la fonction essentielle de la visite pastorale.

ROHAN, Louis Constantin, prince de (Paris, 24 mars 1697 - *id.*, 11 mars 1779). Évêque de Strasbourg et cardinal, il présente cette particularité remarquable d'avoir servi dix-neuf ans dans la marine avant d'embrasser la carrière ecclésiastique. D'abord chevalier de Malte, il commence en 1713 son apprentissage militaire comme garde de la marine à Rochefort. Il franchit rapidement les grades et parvient le 24 février 1720 à celui de capitaine de vaisseau (information communiquée par Ch. Varachaud). Il ne quittera le service que douze années plus tard, pour prendre le petit collet. Sa carrière ecclésiastique le porte très vite aux plus hautes dignités : successivement chanoine et grand prévôt de Strasbourg en octobre 1732, abbé de Lyre au diocèse d'Évreux en 1734, premier aumônier du roi en 1748, abbé de Saint-Epvre au diocèse de Toul en 1749, évêque et prince de Strasbourg, élu à l'unanimité par le chapitre le 23 mars 1756, et enfin cardinal proclamé le 23 novembre 1761. C'est un prélat « éclairé ». Il poursuit et interdit les nombreuses pratiques de dévotions, pèlerinages et bénédictions qui lui paraissent suspectes. En 1770, il supprime ou transfère au dimanche suivant plusieurs fêtes de saints. Enfin il s'en prend aux jésuites, les obligeant à se placer pour leur séminaire sous le contrôle exclusif de l'évêque. L'historien du diocèse de Strasbourg, Louis Châtellier, a cru pouvoir reconnaître chez cet évêque « épiscopaliste » une tendance au fébronianisme[1].

ROHAN, Charles de, prince de Soubise. *Voir* **SOUBISE, Charles de Rohan,** prince **de.**

ROHAN, Louis René Édouard, prince de (Paris, 25 septembre 1734 - Ettenheim, Bade, 18 février 1803). Évêque de Strasbourg et cardinal, il est surtout connu pour son rôle malheureux dans l'affaire du Collier. Après des études au collège du Plessis et au collège Saint-Magloire, il est très vite porté aux plus hautes dignités. Nommé en 1760 coadjuteur de son oncle Constantin de Rohan, évêque de Strasbourg, il est sacré le 18 mai évêque de Canope. Grand aumônier de France en 1777, il devient à ce titre administrateur de l'hôpital des Quinze-Vingts. Cardinal en 1778, évêque de Strasbourg en 1779, il est en outre abbé de Saint-Waast, de La Chaise-Dieu et de Noirmoutiers, membre de l'Académie française (élu le 11 juin 1761) et proviseur de Sorbonne. Au milieu de cette carrière ecclésiastique se place un intermède séculier : deux années comme ambassadeur extraordinaire à Vienne (de janvier 1772 à août 1774). Ses réceptions fastueuses indisposent l'impératrice qui les trouve peu convenables pour un prince de l'Église. Mais il n'est pas un trop mauvais ambassadeur. Le duc de Lévis a tort de dire que le partage de la Pologne se trama « à son insu ». Ses dépêches (d'avril à septembre 1772) montrent qu'il voyait bien la machination, et

qu'il essayait de la prévenir par des avertissements répétés adressés à Kaunitz. On est moins renseigné sur ses activités ecclésiastiques. Sur ce qu'il a été comme évêque de Strasbourg, on sait très peu de choses, beaucoup d'archives ayant été perdues. Sa plus grande œuvre a été la reconstruction, au faubourg Saint-Antoine, de l'hôpital des Quinze-Vingts. Ce n'était donc pas tout à fait un incapable. Mais il n'avait rien du saint évêque réformateur et pasteur de son diocèse. C'était le type même du prélat mondain, vivant au milieu d'un faste inouï, menant « un train de maison ruineux et impossible à raconter » (*Mémoires de la baronne d'Oberkirch sur la cour de Louis XVI et la société française avant 1789*, Paris, 1970, p. 115). Il n'avait pas moins de quatorze maîtres d'hôtel et de vingt-cinq valets de chambre. Malgré des revenus énormes (2 millions de livres), il était toujours à court d'argent et cherchait toujours à s'en procurer. On l'accusa un moment d'avoir touché un très gros pot-de-vin dans la reconstruction des Quinze-Vingts. Cela dit, tout le monde s'accordait à reconnaître sa très grande allure et sa sociabilité. « Un beau prélat, écrit la baronne d'Oberkirch, visiblement sous le charme, fort peu dévot, fort adoré des femmes, plein d'esprit et d'amabilité. » Mais la baronne ajoute : « d'une faiblesse et d'une crédulité inconcevables ». De fait cette crédulité — qui confine à la bêtise — passe l'imagination. Il consulte Cagliostro et s'en entiche : « Il fait de l'or, confie-t-il à la baronne d'Oberkirch, il en a composé devant moi. » On ne peut s'étonner après cela de le voir tomber dans le piège que lui tend une aventurière, la dame de La Motte. Celle-ci réussit sans peine à lui faire croire — tant il est fat — qu'il est aimé de la reine. Elle machine la scène du bosquet (fin août 1784), au cours de laquelle le malheureux Rohan déguisé rencontre une jeune femme qui se fait passer auprès de lui pour la reine, et lui donne une rose comme gage d'amour...

1. Doctrine de Jean Nicolas de Hontheim dit Febronius (1701-1790) selon laquelle le pape n'est pas le premier des évêques et doit renoncer aux droits usurpés au long des siècles.

Enfin elle persuade le naïf que la reine veut acheter par son intermédiaire le fameux collier proposé par les joailliers Boehmer et Bossange à toutes les souveraines d'Europe. Le 26 janvier 1785, il achète le collier. Le 1er février, il court le livrer à Versailles et le remet à un prétendu valet de chambre de la reine. Une lettre de Boehmer à la reine (12 juillet) fait découvrir le pot aux roses. Le cardinal est arrêté le 15 août au milieu de la Cour, envoyé à la Bastille et traduit devant le Parlement. Le 31 mai, après un procès houleux, il est déchargé de toute accusation. Sentence inique. Pouvait-on accepter d'un prince de l'Église qu'il ait trempé, même de bonne foi, dans une telle combine ? Mais les Rohan avaient fait jouer toutes leurs relations. Vergennes, leur ministre favori, averti de la présence à Londres du sieur de La Motte, mari de l'aventurière, s'était bien gardé de le faire arrêter, son témoignage pouvant accabler le prévenu. Indigné par cet acquittement, Louis XVI exile Rohan à La Chaise-Dieu et lui enlève sa charge de grand aumônier. Il sortira vite de son exil. Nous le retrouvons en 1789, député aux États généraux. En 1790, il refuse de prêter le serment à la Constitution et invite son clergé à suivre son exemple (mandement du 20 novembre). Il mourra en 1803 à Ettenheim dans la partie de son diocèse située au-delà du Rhin. L'homme avait été mondain, scandaleux, désastreux, mais fidèle à l'Église.

ROHAN-GUÉMÉNÉE, Henri Louis Marie, prince de (Paris, 31 août 1745 - Allemagne, 1807). Il ne doit sa célébrité qu'à la faillite retentissante à laquelle son nom est associé. Fils du prince Jules Hercule Mériadec et neveu du cardinal de Rohan (celui de l'affaire du Collier), il fut pourvu en 1767 de la survivance de la charge de capitaine lieutenant des gendarmes de la garde, et devint en 1775 grand chambellan de France, et par là même officier de la Couronne. Par son mariage avec sa cousine Victoire Armande Josèphe de Soubise, il avait plus que doublé sa fortune. Il crut pouvoir doubler aussi son train de vie et se flatta

d'entretenir des musiciens, des chanteurs, des comédiens et des danseuses. L'argent venant à manquer, il emprunta, et, ses créanciers le poursuivant, il se réfugia au château de Navarre chez son oncle maternel, le duc de Bouillon. Sa faillite fut déclarée en son absence, le 30 septembre 1782. Elle était énorme ; le bilan général se clôturait en octobre par un passif de 33 millions de livres. On citait plus de trois mille créanciers, surtout des petites gens, des valets, des portiers, des violoneux, mais aussi des gens de lettres qui firent grand tapage. L'indignation souleva le petit peuple de Paris. Le roi fit arrêter le notaire du prince et son homme d'affaires, mais se contenta pour le prince lui-même de le prier de rester dans son château de Navarre et de ne pas reparaître à la Cour. Quant à la princesse, elle dut abandonner sa charge de gouvernante des Enfants de France. La liquidation de la faillite n'était pas achevée quand survint la Révolution ; pourtant les Rohan s'étaient cotisés pour rembourser les créanciers les plus pauvres, et le roi avait acheté Lorient, propriété du prince, afin de hâter la liquidation. L'auteur de ce terrible scandale ne reparut jamais à Versailles, ni à Paris. Il émigra et mourut en Allemagne.

ROI. Le roi de France règne souverainement. Il «ne tient son Royaume, dit le droit français, que de Dieu et de son épée» (Pocquet de Livonnière, *Règles du droit français*, 1756).

Sa royauté possède une triple nature. Elle est sacrée. Elle est féodale. Elle est romaine.

Elle est sacrée. L'alliance contractée lors du baptême de Clovis, entre Dieu et le roi des Francs, est renouvelée à chaque avènement par le rite du sacre. L'onction du sacre ne fait pas le roi, mais elle le fortifie. Elle le sépare du commun des mortels. Le roi, disait-on au Moyen Âge, n'est pas «pur lai». Elle en fait un thaumaturge, lui donnant le pouvoir de guérir les écrouelles. Au XVIIe siècle, la doctrine du droit divin a renforcé d'une certaine manière ce caractère sacré de la royauté. Cette doctrine enseigne en effet que le roi de France est l'image de Dieu. Elle enseigne aussi qu'il reçoit son pouvoir directement de Dieu et non par l'intermédiaire du peuple. La conséquence est celle-ci : le roi ne doit de comptes à personne, sinon à Dieu. «Les rois, déclare en 1751 l'abbé Chauvelin, conseiller clerc au parlement de Paris, ne doivent rendre compte qu'à Dieu de leur administration» (cité par Roland Mousnier, *Les Institutions de la France sous la monarchie absolue*, Paris, PUF, 1974).

La royauté est aussi féodale. Le roi est le suzerain suprême, le seigneur des seigneurs. Il est de ce fait le justicier suprême, exerçant un droit de ressort et de supériorité sur toutes les justices de son royaume.

Enfin la royauté est romaine, ou plutôt elle a été romanisée par la théorie des légistes et des jurisconsultes. Selon cette théorie, le roi possède l'*imperium*, ce qui signifie la souveraineté «en puissance absolue, c'est-à-dire parfaite et entière de tout point» (Charles Loyseau, *Des ordres et simples dignitez*, *Œuvres*, Lyon, 1901). Cette puissance lui a été confiée non pas pour lui, mais pour la *res publica*, pour le «bien public», pour l'État. Car le roi n'est pas l'État. Il n'est pas non plus propriétaire de l'État. Depuis le XVIᵉ siècle, la notion d'État est clairement distinguée de celle de royauté, étant admis que la dynastie royale est au service de l'État. La succession royale est donc réglée de telle manière que soit assurée la continuité de l'État. Le successeur légitime est considéré comme roi dès la mort de son prédécesseur. «Le royaume, dit-on, n'est jamais sans roi.» La loi fondamentale dite «salique» précise que le royaume «est déféré aux mâles, à l'exclusion des filles» et qu'«il appartient au plus proche prince du sang de la ligne masculine» et «tout entier à l'aîné».

Les fonctions du roi sont de faire la loi et de rendre la justice. «Si veut le roi, dit l'adage, si veut le roi». Ses lois sont les ordonnances, les lettres patentes et les arrêts du Conseil. Il rend la justice, étant, dit le droit français, «le principe et le terme de toute justice». Il délègue sa justice ou la retient. Il exerce sa justice

retenue soit en personne, soit par intervention de la justice déléguée.

Plus généralement le roi commande et il est le seul à commander. «A moi seul, dit Louis XV dans le discours dit de la Flagellation, à moi seul appartient le pouvoir législatif, sans dépendance et sans partage.» Il pourrait en dire autant de ses autres pouvoirs. Le roi ne partage pas l'autorité. Il ne partage pas non plus l'obéissance. Il n'y a pour lui qu'une seule obéissance : «Toutes les personnes de son Royaume lui sont sujettes, de quelque dignité qu'elles soient revêtues» (*Règles du droit français*, *op. cit.*). Tous les Français sont égaux devant le roi.

Ce roi est-il un despote ? Nombre de théoriciens politiques (parmi lesquels Boulainvilliers), de philosophes et de libellistes l'affirment ou le laissent entendre. Ont-ils raison ?

Une chose est certaine. Le roi possède un si grand pouvoir qu'il pourrait facilement devenir un despote. Ce pouvoir en effet est absolu, c'est-à-dire totalement indépendant et parfait. Les moyens d'action de ce pouvoir sont illimités. Certes, le roi ne doit pas enfreindre les lois fondamentales. Il doit, en vertu du serment du sacre, respecter les privilèges de l'Église. Mais sauf ces quelques contraintes, sa liberté d'action est totale. Il pourrait agir à sa guise et tyranniser ses sujets. On avancera que le domaine normal de l'exercice de son pouvoir est limité, que c'est celui de la sphère de ses droits régaliens : la paix et la guerre, les impositions, la monnaie, les grâces et les rémissions. Mais il ne faut pas oublier que les droits régaliens ne sont pas tous les droits du roi, et qu'il a aussi la police du royaume, et plus généralement la charge du bien public, et qu'au nom de la police et du bien public, il peut intervenir où bon lui semble et comme il lui semble. Par exemple, c'est au nom de la police du royaume qu'il intervient plusieurs fois dans le domaine de l'instruction publique, et qu'il y intervient directement, ce qui n'avait jamais été le cas auparavant. Y a-t-il des domaines préservés, c'est-à-dire où il ne peut pas intervenir ? On mentionne généralement les coutumes et les privilèges des corps, des villes et des pays. Mais si le roi ne peut pas changer les coutumes (le droit privé), il peut au moins les réformer. Les ordonnances de Louis XV sont une réforme des coutumes dans le sens de l'unification. Quant aux privilèges, le roi peut les révoquer ou les suspendre. Il le fait rarement, mais il lui arrive de le faire. Par exemple, Louis XVI, lors de son avènement, s'abstient de renouveler les privilèges de certaines universités. Ni les coutumes ni les privilèges n'échappent à l'action du roi.

Si le roi ne se transforme pas en despote, et s'il n'est un tyran que de manière occasionnelle, on le doit à son mode de gouvernement. Il gouverne par conseil et il gouverne avec modération. C'est par conseil et en son Conseil que toutes les décisions sont prises. Il gouverne avec modération, c'est-à-dire qu'il respecte, ou tout au moins fait profession de respecter, l'« honnête liberté » des Français. D'ailleurs, son mode de vie reflète son libéralisme. Il ne se cache pas au fond de ses palais, comme ont coutume de le faire les despotes. Au contraire, il se montre et s'expose, et sa vie quotidienne est constamment publique. Il naît et meurt en public. Il se lève, se couche et mange en public. L'accès de ses palais de Versailles, Fontainebleau, Compiègne est presque complètement libre. Cette vie publique du roi a une signification profonde. Elle est le signe du sacrifice royal. Le roi sacrifie sa vie privée. Il ne s'appartient pas. Il appartient au public. Il ne peut pas être un despote.

Tel est le roi de France au XVIIIᵉ siècle. Est-il le même que celui des siècles précédents ? A-t-il changé ? L'apparence est la même, mais un examen attentif fait apparaître des transformations importantes.

Le caractère sacré tend à s'estomper. Le roi est toujours sacré, mais personne ne sait plus très bien ce que cela signifie. Lors du sacre de Louis XVI, l'opinion publique se montre très critique vis-à-vis d'un rite qu'elle juge archaïque et périmé. Louis XV et Louis XVI usent peu de leurs pouvoirs thaumaturgiques. De 1738 à sa mort, Louis XV ne touche pas

une seule fois les malades. Louis XVI les touche une seule fois : à Reims, après son sacre.

Le caractère féodal s'efface. La plupart des Français n'ont plus conscience d'être liés au roi par une obligation de fidélité. Ceux qui occupent les emplois publics ne se disent plus « serviteurs du roi ». L'abbé de Véri en fait la remarque : « On ne dit plus : je sers le roi, mais : je sers l'État » (*Journal de l'abbé de Véri*, Paris, 1928, p. 195).

Le roi continue à faire la loi et à rendre la justice, mais comme ferait une machine, et par routine. On a l'impression qu'il ne commande plus. Le mot de Louis XV « Si j'étais lieutenant de police, j'interdirais les cabriolets » est souvent cité avec admiration par les historiens comme une preuve de la modération royale. Or il s'agit d'un aveu d'impuissance. Le roi ne veut plus ou ne peut plus commander. Henri IV ou Louis XIV n'auraient jamais dit une chose pareille. La crise du commandement est d'autant plus sensible que la royauté a tendance à étendre le domaine de ses interventions et à réduire les libertés locales. Centralisation et dirigisme vont de pair avec le déclin de l'autorité.

Le gouvernement par conseil est encore une réalité dans les grandes décisions politiques, mais pour le reste il n'est plus qu'une fiction. En particulier dans le domaine des finances où tout est décidé par le Contrôle général et ses bureaux. Les décisions du Conseil ne sont donc le plus souvent que celles du roi après concertation et travail avec ses ministres, ou celles des ministres, ou celles des sections spécialisées du Conseil. Le Conseil est devenu un instrument — et d'ailleurs un bon instrument — du pouvoir royal. Une machine administrative s'est substituée au gouvernement par conseil. Les parlementaires ont raison quand ils se plaignent du despotisme ministériel et quand ils déplorent la dénaturation de la royauté.

Enfin le roi appartient de moins en moins au public. Louis XV se fait une vie privée en marge de sa vie publique. Louis XVI et Marie-Antoinette s'efforcent de se soustraire aux contraintes de l'étiquette. Ils réduisent le décorum. Ni Louis XV ni Louis XVI n'entreprennent de visiter leur royaume. Les Français ne voient plus leur roi. Autant dire que ce roi n'est plus leur. Ils éprouvent encore à son endroit une sorte de vénération. «J'avais pour le roi, dira le maréchal Marmont dans ses *Mémoires*, un sentiment difficile à définir, un sentiment de dévouement avec un caractère religieux» (*Mémoires du duc de Raguse de 1792 à 1832*, Paris, 1856). Cependant le roi n'est plus intouchable. Au XVIIᵉ siècle, il y avait eu de nombreuses révoltes contre son gouvernement, mais jamais contre lui. Maintenant on ne craint pas de s'en prendre à la personne royale elle-même, et de vilipender ses défauts. Le roi est comme une idole que l'on vénère encore, mais que l'on piétine, parce qu'elle a déçu.

ROLLIN, Charles (Paris, 30 janvier 1661 - *id.*, 14 septembre 1741). Recteur de l'université de Paris, auteur du fameux *Traité des études*, il est le fils de Pierre Rollin, maître coutelier à Paris. Le temps de sa carrière universitaire appartient au règne de Louis XIV. Elle est brillante et rapide. Après des études comme boursier au collège des Dix-Huit, Rollin devient à l'âge de vingt-trois ans régent de la classe d'humanités au collège du Plessis, et titulaire de la chaire d'éloquence au Collège royal. Au bout de dix années d'enseignement, il est élu recteur et garde cette fonction pendant deux années consécutives (1694 et 1695). Ayant accepté ensuite la principalité du collège de Beauvais, il le dirige jusqu'en 1712, date à laquelle sa réputation de janséniste l'oblige à se retirer. Élu à nouveau recteur en 1730, il est démissionné avant la fin de son temps pour la même raison. Retiré en 1712 dans une petite maison d'un quartier calme de Paris, Charles Rollin commence alors sa seconde carrière, celle d'écrivain. Il publiera successivement le *Traité des études*, dont le véritable titre est *De la manière d'étudier et d'enseigner les belles-lettres par rapport à l'esprit et au cœur* (1726-1728,

4 vol. in-12°), l'*Histoire ancienne* (13 volumes parus de 1730 à 1738) et l'*Histoire romaine*, qu'il commence à l'âge de soixante-quinze ans, et qui restera inachevée. Le *Traité des études*, conformément à la loi du genre, expose la théorie de la connaissance intellectuelle et propose un plan d'études original. Rollin conseille de faire précéder l'étude des auteurs latins par celle des auteurs français. Il donne à l'histoire une importance nouvelle et lui consacre un bon tiers de son traité.

Rollin a exercé une grande influence. Comme professeur, comme précepteur (il a surveillé les études de Louis et Philippe de Noailles, et celles du jeune duc de Chartres, né en 1725) et comme auteur d'ouvrages pédagogiques, il a profondément marqué les premières générations de ce siècle. Ses livres sont été très lus et très admirés dans l'Europe entière. Montesquieu l'appelle «l'abeille de la France». Le seul *Traité des études* sera réédité sept fois avant la Révolution. Rollin est responsable du moralisme qui imprègne toute la pédagogie du XVIIIᵉ siècle. Pour lui le savoir en tant que savoir ne signifie rien. Il faut qu'il soit subordonné à la morale, qu'il serve à donner des leçons de morale. Ainsi de l'histoire. «L'histoire, écrit Rollin, est une école de morale pour tous les hommes.» Une telle pensée est confuse. Le mélange du savoir et de la morale n'est bon ni pour le savoir ni pour la morale.

Rollin était-il vraiment janséniste? Sa fidélité au parti anticonstitutionnaire le donna à croire. Il fut même soupçonné d'abriter dans sa maison l'imprimerie des *Nouvelles ecclésiastiques*. Fleury fit perquisitionner chez lui, d'ailleurs sans résultat. Sa piété fervente n'a rien de particulièrement janséniste. Nous savons qu'il communiait tous les dimanches, et qu'aux jours des fêtes mariales il se rendait à Notre-Dame pour y prier longuement. L'esprit du christianisme vit dans ses livres. Pourtant, la génération qu'il forma se détacha de la religion et ne se montra guère sensible à cet aspect de son œuvre.

ROMAN. Le roman connaît un énorme développement et prend son essor dans des genres assez divers. Il est philosophique avec Voltaire (*Candide, Zadig, L'Ingénu*) et Mme de Graffigny (*Lettres d'une Péruvienne*), satirique avec Le Sage (*Gil Blas de Santillane*), passionné avec l'abbé Prévost (*Manon Lescaut*), psychologique avec Marivaux (*La Vie de Marianne, Le Paysan parvenu*), sentimental et moralisateur avec Jean-Jacques Rousseau (*La Nouvelle Héloïse*), licencieux avec Moncrif, Mouhy, La Morlière, Voisenon, Duclos et Crébillon fils, réaliste, cynique et noir avec Restif (*Le Paysan perverti*), Choderlos de Laclos (*Les Liaisons dangereuses*) et Sade (*Justine*). Telles sont les notes principales, mais on observera que le ton dominant est celui de la licence : la plus grande partie de la production romanesque est libertine et érotique ; les scènes sensuelles et galantes abondent non seulement dans les romans réalistes et dans ceux classés licencieux, mais aussi dans les romans dits psychologiques.

Le but des romanciers n'est pas de créer des caractères, des personnages. Ils ne cherchent pas non plus à nous captiver par leurs récits. Leurs romans sont des romans d'atmosphère et des romans de mœurs, dans la mesure où ils reflètent les mœurs du temps, sans pour autant chercher à en donner une description attentive et fidèle. Leurs œuvres sont une sorte de miroir ; la société peut y contempler une image d'elle-même et de sa quête inlassable de jouissance et de bonheur.

ROMANS, Anne Couppier de, dite Mlle de Romans (1738-?). C'est l'une des « petites maîtresses » de Louis XV. Elle était issue d'une famille de la bourgeoisie dauphinoise. Le temps de sa faveur se situe en 1761. Fort belle et sûre d'elle-même, elle refuse de loger au Parc-aux-Cerfs, se fait installer un logement à Passy et entretient des relations avec des parlementaires et des physiocrates. En janvier 1762, elle a de Louis XV un fils, et cette maternité ne fait que renforcer ses prétentions. Heureusement pour Mme de Pompadour qui commençait à voir en elle une concurrente, elle est assez vite supplantée par d'autres « petites maîtresses » et disparaît bientôt de la scène.

ROSSBACH (bataille de). La bataille de Rossbach, près de Mersebourg en Saxe, le 5 novembre 1757, est l'une des plus graves défaites françaises de la guerre de Sept Ans. Elle est livrée et gagnée par le roi Frédéric II de Prusse contre l'armée franco-allemande commandée par le prince de Hildburghausen.

À la fin du mois d'octobre 1757, le roi de Prusse se trouvait dans une situation très critique, presque désespérée, cinq années ennemies convergeant vers Berlin. Battu successivement par les Autrichiens et par les Russes, il décide alors d'attaquer l'armée franco-allemande.

Mais cette armée est très supérieure en nombre à la sienne : soixante-quatre mille hommes contre vingt et un mille. De plus, établie sur une hauteur, défendue par un ravin, sa position est excellente. Conscient de son infériorité, Frédéric renonce au combat et se retire dans son camp de Braumsdorf (4 novembre).

C'était sans compter avec l'esprit offensif de Hildburghausen et de Soubise, qui commande les Français. Au matin du 5 novembre, l'armée alliée entreprend de tourner les Prussiens sur leur gauche. Une marche de flanc commence, mais elle se fait en désordre et au vu de l'ennemi. Frédéric laisse avancer. Puis, ayant effectué, masqué par la hauteur du mont Janus, un rapide mouvement de retour, il attaque la colonne alliée à la tombée du jour, la surprenant de côté. En une heure à peine, l'action combinée de l'artillerie prussienne et des trente-sept escadrons de Seydlitz a raison de l'armée alliée. Les Franco-Allemands ont deux mille hommes hors de combat et cinq mille des leurs sont faits prisonniers. Les Prussiens n'ont que cinq cents tués ou blessés.

Rossbach illustre l'impéritie des généraux alliés qui négligent les précautions les plus élémentaires. Éclatante démonstration du génie militaire de Frédéric, elle a un grand retentissement dans toute l'Europe et surtout en France, où elle est ressentie comme une terrible humiliation.

ROUBO, André Jacob (Paris, 8 juillet 1739 - *id.*, 10 janvier 1791). Menuisier, il offre un exemple remarquable d'artisan, à la fois praticien et théoricien de son art. Fils et petit-fils de compagnons menuisiers qui n'avaient jamais voulu ou qui n'avaient jamais pu devenir maîtres, il débute à onze ans chez un menuisier en bâtiment. Le soir, il étudie. A vingt-neuf ans il publie le premier volume de son *Art du menuisier*. Grâce à la protection du duc de Chaulnes, cet ouvrage est admis dans la collection de l'Académie des sciences (*Description des arts et métiers*). Il comprendra quatre volumes infolio, parus de 1769 à 1775. Les cinquante planches ont été dessinées par Roubo lui-même. Dans l'avertissement, Duhamel du Monceau souligne les mérites de l'auteur : « Je puis assurer qu'il règne beaucoup d'ordre et de clarté dans cet ouvrage, qu'il est écrit dans le style convenable à la chose ; et je suis persuadé que ceux qui liront cet Art, seront surpris de voir au Titre qu'il a été fait par un Compagnon Menuisier. Que l'Académie serait satisfaite si dans tous les Arts il se trouvait des Ouvriers capables de rendre aussi bien les connaissances qu'ils ont acquises par un long exercice. » En 1774, sur les interventions de l'Académie et de Sartine, un arrêt du Conseil d'État confère la maîtrise à Roubo, avec exemption des droits d'usage. En 1782, notre menuisier-auteur publie *L'Art du layetier*. Nous apprenons par la page de titre qu'il est devenu entre-temps « associé ordinaire de la société des Arts de Genève ». Dans la pratique, Roubo est un menuisier en bâtiment. Ses deux principaux ouvrages sont le modèle de la coupole de la halle aux blés de Paris et le grand escalier en acajou de l'hôtel Marbeuf.

ROUCHER, Jean-Antoine (Montpellier, 1745 - Paris, 7 août 1794). Poète, il fit ses études chez les jésuites, et sembla d'abord se destiner à l'état ecclésiastique. Venu à Paris étudier à la Sorbonne, il change d'orientation et se consacre à la poésie. A l'occasion du mariage du Dauphin, il compose un poème intitulé *La France et l'Autriche au temple de l'Hymen*. Turgot le remarque et le nomme receveur des gabelles à Montfort-l'Amaury. C'est en 1779 qu'il publie son principal ouvrage, celui qui fera sa renommée : un poème didactique en douze chants, *Les Mois* (2 vol. in-4°), qui contient quelques beaux passages et fut reçu avec éloge. Cependant, composé sans plan précis, ce poème très inégalement écrit sera sévèrement critiqué par La Harpe. « La sentimentalité, a-t-on dit, y étouffe la sensibilité. »

Admirateur de Rousseau, Roucher inséra dans l'édition de son poème quatre lettres inédites de Jean-Jacques à Malesherbes, lettres où l'Académie française était quelque peu malmenée, ce qui lui en fermera les portes. Roucher publia également une traduction de l'œuvre d'Adam Smith, *De la richesse des nations* (1790 et deuxième édition en 1795).

Après avoir accueilli avec sympathie les prémisses de la Révolution, Roucher devait très vite en repousser avec horreur les excès. L'on raconte qu'invité à assister à une fête en l'honneur de ceux qui avaient massacré l'officier Desilles lors de l'insurrection de Nancy en 1790, il avait marqué sa réprobation et son refus en demandant que le buste de ce malheureux fût d'abord porté en triomphe « afin que tout Paris étonné contemple l'assassiné porté par ses assassins » (cité dans F. Hœfer, *Nouvelle Biographie générale*, t. XLII, 1862, art. « Roucher »). Arrêté, puis relâché grâce au jurisconsulte Guyot-Desherbiers, Roucher fut emprisonné le 4 août 1793 à Sainte-Pélagie près du Jardin des Plantes, puis transféré à Saint-Lazare. Une gravure d'Audiban d'après Marekt (aujourd'hui conservée au musée de la Préfecture de police à Paris) nous le montre posant pour son portrait exécuté par l'un de ses compagnons d'infortune. Au bas de cette toile destinée à sa femme et à ses enfants, il fit mettre quelques vers :

Ne vous étonnez pas [...]
Si quelque air de tristesse obscurcit mon
[visage [...]
J'attendais l'échafaud et je pensais à vous.

Il allait comparaître le 7 août 1794 devant le Tribunal révolutionnaire et le même jour à cinq heures de l'après-midi la guillotine lui tranchait la tête.

Dans son étude consacrée à André Chénier (dans *Tableau de la littérature française de Corneille à Chénier*, Paris, 1939), Charles Maurras a évoqué l'auteur de *La Jeune Captive* et celui des *Mois* dans la même charrette les conduisant au supplice : les deux poètes, dont la République n'avait pas besoin, se récitaient amicalement ces vers de Racine commençant ainsi :

Oui, puisque je retrouve un ami si fidèle

ROUEN. Archevêché, siège d'un parlement et d'une intendance, Rouen est ville d'autorité. Elle est encore une des grandes villes du royaume, mais elle a déchu de son ancien rang. Avec ses soixante mille habitants environ (cinquante-cinq à soixante mille vers 1700, soixante-trois à soixante-huit mille vers 1750), elle n'est plus que la cinquième ville de France. Elle était la deuxième au début du XVIIᵉ siècle.

Sa croissance économique est due moins au trafic portuaire, demeuré d'importance modeste (pas plus de 300 000 tonneaux avec Le Havre dans les meilleures années), qu'à l'essor de l'industrie du coton. Déjà, en 1724, dans la ville et ses faubourgs 24 430 personnes filaient et tissaient le coton.

Non seulement les ouvriers ne profitent pas de l'enrichissement, mais leur condition se dégrade. Alors que le prix du blé augmente de 100 %, le salaire nominal du maçon ne s'accroît dans le même temps que de 27 %. Cependant, le petit peuple ouvrier est peut-être moins pitoyable que dans d'autres grandes villes. Car il a au moins l'instruction : les frères des Écoles chrétiennes, les Sœurs grises et les sœurs de la Providence assurent sa scolarisation.

Rouen est doté d'une académie (1744),

d'une société d'agriculture (1760), d'un théâtre construit par Guéroult en 1776. Neuf loges maçonniques s'y constituent. Mais les progrès des Lumières ne semblent pas avoir rendu les beaux esprits de la ville plus sensibles à la misère ouvrière.

L'urbanisme rouennais est utilitaire. On se préoccupe surtout de faciliter les communications avec l'extérieur. On aménage une promenade (le cours la Reine), on comble les fossés des remparts, mais le seul ensemble monumental nouveau est celui de la place Royale devant le nouvel hôtel de ville (1755).

ROUILLÉ, Antoine Louis, comte de Jouy et de Fontaine-Guérin (Paris, 1689 - Neuilly, 1761). Ministre d'État, il est issu d'une puissante famille de robe, d'origine bretonne, dont plusieurs membres ont occupé sous le règne de Louis XIV de hautes charges dans l'État. Lui-même gravit lentement et patiemment les degrés du *cursus honorum* : il est successivement conseiller au parlement de Paris (1711), maître des requêtes (1717), intendant du commerce (1725), directeur de la Librairie (1732) et enfin ministre en 1749 à l'âge de soixante ans. Il est d'abord à la Marine, où il est nommé le 30 avril 1749. Puis il accède au Conseil d'en haut le 15 août 1751, échange la Marine avec Machault contre les Affaires étrangères (24 juillet 1754), quitte les Affaires étrangères en juin 1757, mais reste au Conseil d'en haut jusqu'en 1758. Il est le type même du serviteur honnête, consciencieux et plat. Son passage aux Affaires étrangères est marqué par le renversement des alliances, mais il n'y est pour rien, l'affaire ayant été négociée par Bernis à son insu. Il n'a eu connaissance des pourparlers qu'en octobre 1755. Avait-il des idées personnelles en matière de politique étrangère ? Peut-être, mais on les ignore. Cependant le roi l'aimait bien et, tout en souhaitant le remplacer par Bernis, il ne voulait pas lui faire de peine en le renvoyant. Ce fut Choiseul, ami de Bernis, qui par un tour de passe-passe arracha la démission du vieux ministre. Il démontra à Mme Rouillé que, pour sa position à la Cour, elle avait le plus grand intérêt à garder son mari en vie, qu'elle ne pouvait le faire qu'en lui assurant le repos, et que ce repos passait par la démission.

ROUSSEAU, Jean-Jacques (Genève, 28 juin 1712 - Ermenonville, 2 juillet 1778). C'est le fils d'Isaac Rousseau, horloger, et de Suzanne Bernard. Il n'est guère élevé. Sa mère meurt quelques jours après sa naissance des suites de ses couches. Son père n'en prend d'autre soin que de lui donner à lire des romans. Donc peu de famille. Et peu d'école : seulement quelques mois en pension chez le pasteur Lambercier à Bossey. Les années d'adolescence et de jeunesse sont instables et vagabondes. Après deux années d'apprentissage (chez un greffier, puis chez un graveur), c'est à seize ans la fuite de Genève et la conversion au catholicisme (abjuration à Turin, le 21 avril 1728), puis les petits travaux pour vivre. On a parlé des « douze métiers de Jean-Jacques », mais il y en a au moins quatorze. Citons seulement ceux qui ont duré le plus longtemps : laquais, séminariste, pensionnaire à la maîtrise de la cathédrale d'Annecy, interprète d'un archimandrite quêteur et employé au cadastre. Parfois il séjourne aux Charmettes, chez Mme de Warens, qui l'avait accueilli en 1728 et envoyé à Turin pour abjurer. Elle est sa protectrice. Il l'appelle « maman ». Elle l'appelle « petit ». Ainsi se passe la jeunesse.

1738-1741 sont trois années essentielles. Pendant les trois étés, Rousseau séjourne aux Charmettes. Mme de Warens s'absente souvent. Il est presque tout le temps seul. Il en profite pour refaire son éducation. Il lit énormément. Il apprend à plus de vingt-cinq ans et seul tout ce que les autres grands écrivains de sa génération avaient appris sur les bancs des collèges. La formation classique du *Ratio studiorum* n'a jamais eu prise sur lui. Il est un autodidacte. D'où son côté sentencieux, d'où l'absence totale d'humour (il se prend toujours au sérieux), d'où son peu de sympathie pour l'Antiquité. Ce temps de retraite studieuse est aussi celui où se fixent cer-

tains traits de sa personnalité, et en particulier « un goût décidé pour la solitude » et « un mépris inné pour les hommes » (Conzie).

On peut qualifier de période parisienne les années 1742-1756. Il séjourne en effet dans la capitale pendant toute cette période, à l'exception de douze mois et demi passés à Venise comme secrétaire particulier du comte de Montaigu, ambassadeur de France auprès de la Sérénissime. Ces années parisiennes sont celles des premiers succès et de la naissance à la gloire. Les débuts sont musicaux. Jean-Jacques, il faut le remarquer, n'obtient pas la renommée par la littérature mais par la musique. Il publie un *Projet concernant de nouveaux signes pour la musique* (il veut remplacer les notes par des chiffres). On joue chez La Pouplinière ses *Muses galantes*. Il écrit pour l'*Encyclopédie* plusieurs articles de musique. Cependant, il est vrai que, s'il entre tard en littérature (en 1750, à l'âge de trente-huit ans), l'entrée est fracassante. C'est la publication du *Discours sur les sciences et les arts*, couronné par l'académie de Dijon. La question posée était de savoir : « Si le progrès des sciences et des arts a contribué à corrompre ou à épurer les mœurs. » Rousseau a choisi la thèse négative. Suivent peu après la représentation triomphale, le 18 octobre 1752, à Fontainebleau devant le roi, de son opéra-comique, *Le Devin du village*, et la publication du *Discours sur l'origine et les fondements de l'inégalité parmi les hommes* (1754), thème mis au concours par la même académie de Dijon. Cette fois, Jean-Jacques n'est pas couronné, mais il n'en a pas besoin. Il est célèbre. Il est adulé. Les salons se disputent sa présence. Voltaire, Diderot et Grimm sont ses amis. Au firmament littéraire et mondain, il est l'une des étoiles majeures.

Il choisit ce moment pour se retirer du monde. C'est alors en effet qu'il prend la fameuse décision de « passer dans l'indépendance et dans la pauvreté » le temps qui lui « reste à vivre » (*Les Confessions*). Mme d'Épinay, son amie et admiratrice, lui prête dans le voisinage de son château de la Chevrette une maisonnette baptisée l'Ermitage, située à la lisière de la forêt de Montmorency. Il s'y installe le 9 avril 1756 en compagnie de sa concubine, Thérèse Levasseur, et de la mère de celle-ci. Lorsqu'en décembre 1757 Mme d'Épinay — avec qui il s'est brouillé — le met à la porte, il trouve un autre ermitage, celui de Montlouis, prêté par le maréchal de Luxembourg. Ce sont les années sylvestres, agrestes, idylliques. C'est aussi le temps de la passion pour Mme d'Houdetot, l'amour le plus romanesque de sa vie. *La Nouvelle Héloïse*, parue en Hollande en 1760 (mise en vente à Paris en 1764), est la transposition littéraire et idéalisée de cet amour. Julie, c'est Mme d'Houdetot. Saint-Preux, c'est Rousseau lui-même. Le succès est prodigieux. De 1761 à 1800, soixante-dix éditions seront faites. C'est enfin le temps où Jean-Jacques, parfaisant son image, se présente à l'univers en juste persécuté. Il se brouille avec tous ses amis. Qui a commencé ? Difficile à dire. La *Lettre à d'Alembert sur les spectacles* (1758) est certainement un facteur important de la rupture avec la coterie philosophique. Rousseau avait déjà (dans le *Discours sur les sciences et les arts*) condamné les arts et les lettres. Maintenant c'est aux artistes eux-mêmes, aux littérateurs qu'il s'en prend. La secte philosophique contre-attaque. Elle voue à Jean-Jacques une haine éternelle. Celui-ci s'exalte. On dirait que ce climat d'inimitié décuple son génie. Il prend conscience de son pouvoir de démiurge. En avril 1762 paraît *Du contrat social*, en mai l'*Émile*. Dans le *Contrat social*, il refait l'État. Dans l'*Émile*, il refait l'homme. C'est trop. Les censeurs s'émeuvent. L'auteur est dénoncé, condamné. Mgr de Beaumont, archevêque de Paris, réfute comme il peut l'*Émile* (août 1762). Le parlement de Paris décrète son auteur de prise de corps. Dans la nuit du 9 au 10 juin, Jean-Jacques s'enfuit. Il gagne Genève. C'est la fin des doux ermitages, auxquels succède pendant huit ans (de 1762 à 1770) une vie assez misérable de proscrit et d'errant. Successivement Genève, Berne et Neuchâtel ac-

cueillent le philosophe, puis au bout de quelque temps le chassent. Il ne sait où reposer sa tête. Le voici à Yverdon (Berne), puis à Môtiers (Neuchâtel), puis en Angleterre (de janvier 1766 à mai 1767), où il ne tarde pas à se brouiller avec Hume. Mirabeau, puis le prince de Conti dans son château de Trye, lui donnent l'hospitalité. On se dispute l'honneur d'avoir dans sa maison cet hôte indésirable. Malgré les déplacements incessants il continue à écrire. En Angleterre, il a achevé le manuscrit des *Confessions* qui restent encore aujourd'hui la principale source de l'histoire de sa vie.

En 1770, toujours accompagné de Thérèse (épousée en 1768), il peut revenir à Paris. Il s'installe dans son appartement de l'hôtel garni du Saint-Esprit, rue Plâtrière. Il est malade, éprouvant de graves troubles urinaires. La tête aussi est malade. Il se voit environné d'ennemis. Sa manie de la persécution atteint des proportions incroyables. « La ligue, écrit-il, est universelle sans exception, sans retour ; et je suis sûr d'achever mes jours dans cette affreuse proscription, sans jamais en pénétrer le mystère » (*Rêveries du promeneur solitaire*). Cependant, le spectacle de la nature le console. Il herborise. Il écrit les *Rêveries du promeneur solitaire*, qui ne seront publiées qu'en 1782, après sa mort. Le 20 mai 1778, il s'installe dans l'asile que lui offre le marquis de Girardin, une petite maison dans le parc d'Ermenonville. Le voilà donc redevenu anachorète. Pas pour longtemps. Il meurt le 2 juillet et sera inhumé dans l'île des Peupliers. Ainsi s'achève cette étrange vie.

Il s'était fait une certaine conception de la nature. Cette idée explique toute sa vie et toute son œuvre.

Ce qu'il appelle la nature est l'état primitif des choses. L'homme naturel est l'homme primitif. La nature est bonne. L'homme naturel est bon.

Cette idée de nature permet de comprendre sa vie. Il a voulu refaire dans sa vie l'homme primitif, l'homme bon naturellement. Il s'est donc posé en personnage vertueux. Mais de la vertu il n'a gardé que la théorie, étant bien incapable de passer à l'acte. L'abandon de ses cinq enfants aux Enfants trouvés (malgré les supplications de leur mère), ses crises passionnelles et ses ruptures innombrables d'amitié illustrent sa veulerie morale. Il fait le saint. On a pu parler à son propos de «mimétisme de la sainteté» (Jacques Maritain, *Les Trois Réformateurs - Luther - Descartes - Rousseau*, Paris, Plon, 1925). Il fait le saint, mais c'est un saint sans sacrifice, et sans humilité, un saint qui ne cesse de se louer lui-même. Il ne croit pas que l'on puisse trouver meilleur que lui : «Et puis qu'un seul te dise, s'il l'ose : *Je fus meilleur que cet homme-là*» (livre I des *Confessions*). Il écrit à Malesherbes : «Je suis très persuadé que de tous les hommes que j'ai connus en ma vie, aucun ne fut meilleur que moi» (cité par J. Maritain, *op. cit.*).

Son esthétique — ce sera celle du romantisme — dérive également de sa conception de la nature. En effet, son homme naturel a deux caractéristiques : d'une part il ne fait aucune résistance aux impulsions du sentiment, d'autre part il professe la sincérité la plus totale. «Il faut être soi», répétait toujours Jean-Jacques à la fin de sa vie. «Être soi», dans son langage, veut dire se confondre avec sa propre sensibilité, l'accepter tout entière et la faire accepter aux autres en l'étalant au grand jour. C'est le principe du déballage des *Confessions*. Rousseau a supprimé la pudeur. Il a appris à l'homme à s'aimer soi-même d'un amour-propre sensuel. J. Maritain a bien raison de dire : «L'homme de Rousseau est l'ange de Descartes qui fait la bête.»

Sa politique et sa pédagogie découlent des mêmes prémisses. «La nature, écrit-il, a fait l'homme heureux et bon, mais [...] la société le déprave et le rend misérable» (*Dialogues*). La société est donc mauvaise, et tout ce qui tient à la société : les institutions, les arts, les lettres, toute la civilisation. L'homme naturel étant souverainement indépendant et tous les hommes naturels étant parfaitement égaux entre eux, la science politique consistera à «trouver une forme d'asso-

ciation» conservant cette liberté totale et cette égalité parfaite. La solution est le «contrat social». C'est une merveille : «Chacun, se donnant à tous, ne se donne à personne» (*Du contrat social*, livre I, chap. VI). L'éducation visera le même but : restituer l'homme primitif. Le moyen est ici l'«éducation négative», c'est-à-dire «celle qui tend, explique-t-il, à perfectionner les organes, instruments de nos connaissances, et qui prépare la raison par l'exercice des sens» (*Émile*, La Renaissance du livre, t. I, p. 87). Il n'y entrera donc rien d'intellectuel. Toutefois ce n'est pas une mince affaire que de ressusciter l'homme naturel. Il va falloir user de contrainte. La politique et la pédagogie rousseauistes instituent des pouvoirs despotiques. La «volonté générale» établie par le contrat social ne saurait souffrir la moindre désobéissance. Le «gouverneur» du jeune Émile est pire que les pires des jésuites. Il captive la volonté de l'enfant, sans que celui-ci s'en doute : «Qu'il croie toujours être le maître, et que ce soit vous qui le soyez. On captive ainsi la volonté même» (*Émile*).

Et Dieu? Rousseau y croit. Il croit même à la Providence. Il croit aussi à l'immatérialité de l'âme. Mais il ne croit pas à la Rédemption. Si l'homme est bon, pourquoi le racheter? Rousseau n'est donc pas chrétien. Il n'y a pour lui d'autre révélation «que ce que Dieu dit au cœur de l'homme» (*Émile*; *Profession de foi du vicaire savoyard*). Il invoque parfois l'Évangile. Mais c'est un Évangile sécularisé, dénaturé. Son Dieu est vague. «Moins je le conçois, dit-il, plus je l'adore» (*Vicaire savoyard*). Son Dieu n'est pas l'auteur des sociétés humaines. Il n'est peut-être rien d'autre que sa mythique Nature.

Un des mots que Rousseau a le plus souvent répétés à la fin de sa vie est celui-ci : «Il n'y a rien de beau que ce qui n'est pas» (cité par Maritain, *op. cit.*). Il a dit aussi (au début du *Discours sur l'origine de l'inégalité*) : «Commençons donc par écarter les faits.» Il a dit encore : «Je hais les livres» (*Discours sur l'origine de l'inégalité*). Il a prôné une «éducation négative ». Sa pensée est marquée par le goût de la négation, par l'attrait du non-être. Merveilleux orateur et à sa manière poète, il a illusionné les Français, il les a convertis à ses mythes. Il a changé la sensibilité et la raison. Il a changé l'esprit français. On peut vraiment l'appeler le « père des Temps modernes ».

ROUSSILLON. Conquise par Louis XIII sur les Espagnols, cette province a été annexée au royaume par le traité des Pyrénées de 1659. Elle est gouvernement et généralité et possède un conseil souverain. Les trois circonscriptions administratives sont les comtés (ou vigueries) de Roussillon, Conflent et Cerdagne.

La politique de francisation de l'administration royale porte maintenant ses fruits : vers le milieu du siècle, les classes dirigeantes abandonnent l'usage du catalan.

Le rattachement à la France a été suivi d'une mutation de l'économie ; les industries textiles ont périclité ; le Roussillon est devenu un pays exclusivement agricole. L'abolition du droit de parcours en 1769 déclenche un mouvement de défrichements.

Le visage des villes, et en particulier celui de Perpignan, se transforme et s'embellit. Une ville nouvelle est créée à Port-Vendres sur les plans de l'architecte Charles de Wailly. Un obélisque y est élevé en 1780 en l'honneur des victoires de Louis XVI.

ROUTES. Dix mille lieues (environ 40 000 kilomètres) de routes sont construites ou refaites sous les règnes de Louis XV et de Louis XVI. Le réseau routier moderne de la France date de cette époque. Ces grands travaux ont commencé dans la décennie 1730-1740. Ils seront poursuivis jusqu'en 1789.

Deux hommes ont donné l'impulsion : Orry, contrôleur général, et Charles Daniel Trudaine, intendant des finances, qui a dans son département l'administration des Ponts et Chaussées. Jusqu'à sa mort en 1769, Trudaine assume la direction générale des travaux. Chaumont de La Millière sera l'un de ses plus remarquables successeurs.

L'administration des Ponts et Chaussées existait bien avant Trudaine, mais il lui donne une ossature. En 1747, il crée l'École et, en 1750, le corps des Ponts et Chaussées. Chaque généralité aura désormais son directeur des Ponts et Chaussées, et recevra une dotation sur le budget des Ponts et Chaussées.

La corvée royale fournit la main-d'œuvre et permet de compléter le budget des Ponts et Chaussées. Il s'agit d'une contribution gratuite en travail (ou en argent) exigible de tous les taillables. Sous les règnes précédents cette contribution n'était exigée que d'une manière occasionnelle. Orry en généralise l'emploi. Désormais, dans toutes les provinces les populations riveraines des « grands chemins » auront à fournir cinq ou six journées de travail par an.

Une très grande marge d'initiative est laissée aux intendants, qui supervisent les travaux en collaboration avec les directeurs des Ponts et Chaussées et avec les trésoriers de France (chargés depuis 1508 de veiller à l'entretien des chemins par les riverains).

Les principes directeurs pour la construction du nouveau réseau ont été énoncés dans la circulaire de Trudaine du 13 juin 1738 : les « grands chemins auront 64 pieds de large ; ils seront plantés d'arbres. Ils relieront Paris aux principales capitales régionales. Ils suivront autant que possible la ligne droite ». La technique de construction bénéficie des inventions des deux ingénieurs Perronet et Trésaguet. Perronet a été le premier à recommander « les chaussées faites de cailloux et cailloutis purs non mélangés de sable ». Trésaguet explique dans un mémoire de 1775 sa technique d'empierrement sur une base solide de pierraille.

La carte des routes importantes ou « routes de poste » à la fin de l'Ancien Régime appelle les observations suivantes : nous avons un réseau très dense dans le Nord et dans le Nord-Est ; toutes les grandes villes sont bien reliées à Paris ; quelques régions sont peu ou mal desservies, par exemple le Poitou, la Gascogne et le haut Languedoc ; enfin, au sud de la Loire, la seule grande liaison transversale est Limoges-Clermont-Lyon.

Tel qu'il est, le réseau français suscite l'admiration presque générale des étrangers. L'Anglais Arthur Young et l'Allemand Henri Stork, par exemple, ne tarissent pas d'éloges.

Les routes nouvelles favorisent une accélération des échanges économiques mais aussi une circulation plus intense et plus rapide des nouvelles et des idées. Elles rapprochent les Français les uns des autres, et contribuent ainsi au progrès de l'idée de nation.

ROUX, Georges, dit **de Corse** (1702 - v. 1775). C'est le plus célèbre, sinon le plus riche, des négociants marseillais. Son père, François Roux, ancien capitaine de navire, s'était installé à Marseille en 1714 et y armait pour le Levant. Georges, quant à lui, fait toutes ses affaires avec Cayenne et les Antilles. C'est un de ses bateaux, la *Vénus*, qui apporte à Marseille en 1730 le premier café venu des Antilles. En 1743, il annonce, non sans ostentation, qu'il se retire des affaires fortune faite. Il y revient toutefois pendant la guerre de Sept Ans, mais d'une autre manière : il arme pour la course. Donnant un nouveau témoignage de son goût d'étonner, il lance sa fameuse « Déclaration de guerre de Georges Roux à Georges roi ». Cependant le jeu est risqué. Malgré de nombreuses prises, il perd beaucoup d'argent. Il reprend ensuite le commerce des îles et de Cayenne. On le voit encore faire belle figure. Anobli en 1750, et possesseur du marquisat de Brue, il se fait appeler le marquis de Roux. C'est ainsi qu'il signe, en 1764, au mariage de sa fille Marie Désirée Marseille avec Raymond Pierre de Glandèves. La dot est considérable : un million de livres. Mais ce sont là les derniers feux. En 1770, le grand négociant est assailli par les créanciers. Il mourra presque ruiné.

S

SACRE. Le sacre est la cérémonie au cours de laquelle les rois de France reçoivent les onctions saintes et sont couronnés. Le prélat consécrateur est l'archevêque de Reims. La cérémonie se déroule dans la cathédrale de Reims.

Depuis le XIVe siècle, le sacre ne fait plus le roi. Mais on pense généralement que sans le sacre le roi n'est pas pleinement roi. Le rite est considéré comme une adjonction utile. Complimentant Louis XVI après son sacre, le directeur de l'Académie française exprime les sentiments communs en déclarant : «... l'autorité royale passe sans intervalle du roi à son successeur ; le sacre y apporte le sceau de la religion, et l'engagement que Sa Majesté royale y vient prendre, redouble le zèle de la nation » (*Recueil des pièces d'éloquence et de poésie qui ont remporté les prix de l'Académie française [...] Avec les discours et pièces de poésie prononcés ou lus dans l'Académie*, Paris, 1775).

Louis XV est sacré le dimanche 25 octobre 1722, Louis XVI le dimanche de la Trinité, 11 juin 1775. Les deux cérémonies se déroulent selon un rituel qui n'a pas sensiblement varié depuis le XIIe siècle.

Les rites du sacre sont les suivants :
— les vêpres de la veille du sacre, suivies du sermon du sacre ;
— la veillée de prière du roi ;
— le matin du sacre, le réveil du roi ;
— la marche du roi vers l'église ;
— le chant du *Veni Creator* ;
— l'arrivée de la Sainte Ampoule contenant l'huile destinée aux onctions. Cette huile, qui ne diminue jamais, aurait été apportée pour le baptême de Clovis par une colombe descendue du ciel. La Sainte Ampoule est habituellement confiée à la garde des moines de l'abbaye Saint-Remi de Reims ;
— les serments. Avant d'être sacré, le roi prononce successivement cinq serments : le serment dit des Églises (qui est de conserver et de défendre les privilèges et immunités des églises), le serment du Royaume (par lequel le roi promet à Dieu de donner à son peuple « la vraie paix », « l'équité » et la miséricorde), le serment de l'ordre du Saint-Esprit, le serment de l'ordre de Saint-Louis et le serment de l'Édit des duels

(par lequel le roi promet de ne jamais accorder sa grâce aux duellistes);

— entre le serment des Églises et celui du Royaume se place le rite du consentement, introduit pour le sacre de Henri II en 1547 : le roi est soulevé de sa chaire par les évêques de Laon et de Beauvais, lesquels « demandent au peuple s'ils ne le reconnaissent pas pour leur roi ». A cette demande, il est d'usage qu'il soit répondu par un « respectueux silence » (*Traité historique et chronologique du sacre et couronnement des rois et reines de France depuis Clovis Ier jusqu'à présent [...] par M. Menin, conseiller au parlement de Metz*, Paris, 1723, 507 p., section VII);

— la prosternation du roi sur un carreau violet. Pendant qu'il est ainsi étendu, on chante les litanies des saints. Ce rite est celui des ordinations;

— les onctions, qui sont le rite essentiel : l'archevêque consacre le roi en lui faisant à même la peau six onctions. Plusieurs oraisons précèdent et accompagnent les onctions;

— la bénédiction et la remise au roi des « insignes » de la royauté (les gants, l'anneau, les éperons, l'épée, le sceptre);

— le couronnement : au milieu des douze pairs du royaume assemblés, l'archevêque tient au-dessus de la tête du roi la grande couronne dite « de Charlemagne ». Puis il la place sur la tête, les pairs la soutenant à un doigt des cheveux;

— l'intronisation : le roi est mené au trône dressé sur un échafaud en avant du chœur. Il demeure là, exposé à tous les regards;

— la messe;

— la cérémonie des offrandes apportées au roi par quatre chevaliers du Saint-Esprit, et présentées par le roi à l'archevêque;

— les acclamations : on ouvre les portes de la cathédrale; on lâche des colombes; le peuple acclame le roi en criant : *Vivat Rex in aeternum.*

Le sens du sacre ne peut se comprendre que si l'on rapporte ce rite à ses origines bibliques. Les onctions faites aux rois de France les fortifient comme elles fortifiaient les rois d'Israël. Le roi puisera dans la grâce du sacre la force dont il aura besoin pour rendre bonne justice à son peuple. La justice est l'effet du sacre. Tous les textes de l'*ordo* le soulignent, aussi bien celui du serment du Royaume (« Je promets de faire observer la justice et la miséricorde dans les jugements ») que celui des oraisons précédant les onctions (« ... qu'on voye naître en ces jours justice et équité »), et celui de la grande oraison du sacre, assimilant le roi au Christ de justice, « qui, par la vertu de sa croix, a surmonté toutes les puissances de l'air et détruit le royaume des démons ».

Le pouvoir de guérir, conféré au roi par l'onction de son sacre, est comme le signe sensible de cette grâce de justice. Le roi sacré touche les malades des écrouelles, et ce toucher peut les guérir. La cérémonie du toucher royal a lieu le 29 octobre 1722 lors du sacre de Louis XV, et le 14 juin 1775, après le sacre de Louis XVI. Le toucher est chaque fois suivi de la libération d'un certain nombre de prisonniers.

On doit signaler deux dérogations au cérémonial. Lors du sacre de Louis XV, le peuple n'a été admis dans la cathédrale qu'à la fin de la cérémonie, ce qui a choqué plusieurs témoins, dont le duc de Saint-Simon. Au sacre de Louis XVI, le rite du consentement a été omis.

La richesse du rituel et la grande élévation des prières font du sacre des rois de France une cérémonie incomparable. En outre, le sacre exprime une idée politique essentielle, celle de la subordination des États au Dieu créateur. Le sacre spiritualise le pouvoir politique et l'élève au-dessus de lui-même.

SACRÉ CŒUR. *Voir* **CŒUR (Sacré).**

SACREMENT (saint). Un culte est rendu au saint sacrement, c'est-à-dire à la présence réelle de Jésus-Christ dans l'hostie consacrée. Ce culte est distinct du sacrifice eucharistique, mais il le complète en quelque sorte. Il avait été conçu au siècle précédent comme un culte de réparation et d'expiation. Il occupe au XVIIIe siècle une place centrale dans la prière de l'Église.

Ses principales cérémonies sont les quarante heures (oraison continue de jour et de nuit devant le saint sacrement exposé), les processions, les expositions et les saluts du saint sacrement. Dans toutes ces cérémonies, l'hostie consacrée est exposée aux yeux des fidèles dans l'ostensoir rayonnant communément appelé «soleil».

Le salut du saint sacrement, dont la pratique a commencé à se répandre vers 1660, est une cérémonie vespérale. C'est une cérémonie dans le goût baroque, avec des encensements, un abondant luminaire et des chants. Tous les saluts étant établis par fondation, l'ordre de la cérémonie varie selon les prescriptions des fondateurs, mais on y retrouve presque toujours l'*O Salutaris Hostia*, le *Pange lingua* et l'*Ave verum*. A la fin de l'Ancien Régime, les fondations s'étant multipliées, la moindre paroisse célèbre au moins un salut par semaine. Un salut est chanté tous les jours à la chapelle royale de Versailles.

Les processions du saint sacrement (porté sous un dais) ont lieu lors des fêtes eucharistiques, mais aussi à l'occasion des jubilés et des missions.

Après 1760, commence à se répandre une nouvelle pratique, celle de l'Adoration perpétuelle. Les confréries du Saint-Sacrement et les communautés religieuses organisent une veille continuelle devant le tabernacle.

Le culte du saint sacrement est extrêmement populaire. Il est au cœur de la dévotion populaire. Joseph-Benoît Labre, le saint mendiant de Rome, est un adorateur du saint sacrement, dont il ne manque pas un seul salut. La moindre irrévérence envers le saint sacrement est considérée comme un crime odieux. Entre autres sacrilèges, le chevalier de La Barre commit celui de garder son chapeau sur la tête au passage du saint sacrement. Il le paya de sa vie.

SADE, Donatien Alphonse François, marquis de (Paris, 2 juin 1740 - Charenton, 2 décembre 1814). Écrivain, il est issu d'une famille fort ancienne : son ancêtre Hugues de Sade fut le mari de Laure de Noves aimée et chantée par Pétrarque. Il fut confié pour sa première éducation à son oncle le lettré abbé de Sade d'Ebreuil, auteur de quelques ouvrages estimables. A l'âge de dix ans, Sade entre au collège d'Harcourt à Paris et, en 1754, il est reçu à l'école des chevau-légers. L'année suivante, il est sous-lieutenant et, en 1757, capitaine de cavalerie. Il fait toute la guerre de Sept Ans en Allemagne et quitte l'armée en 1763. Le 17 mai 1766 il fait un riche mariage en épousant Rose Pélagie de Montreuil, dont il aura deux fils et une fille. Son père, le comte Jean-Baptiste de Sade, étant décédé en 1767, il lui succède dans la charge de lieutenant général de Bresse. Cependant, cinq mois après son mariage, Sade est emprisonné quinze jours à Vincennes pour une question de mœurs, et en 1768 éclate l'affaire Rose Keller, femme de petite vertu qu'il conduit à sa maison de campagne d'Arcueil, et là, raconte Mme du Deffand, «il s'enferma avec elle, lui ordonna le pistolet sur la gorge de se mettre toute nue, et la fustigea cruellement» (*Correspondance complète*, t. II, Paris, 1865). Plainte ayant été déposée, Sade est à nouveau enfermé et condamné à une amende. Ayant obtenu grâce à sa famille des lettres d'abolition, il se trouve en juin 1772 à Marseille, où, lors d'une nuit de débauche, il offre à des prostituées — et l'une d'elles s'en trouva incommodée — des bonbons cantharidés. Poursuivi devant le parlement d'Aix, il est condamné le 11 septembre 1772, pour empoisonnement, voyeurisme et homosexualité, à la peine de mort par contumace, et exécuté en effigie en la place des Prêcheurs-d'Aix le 12 septembre. Prévenu à temps, il s'était enfui en Italie avec une chanoinesse, sa belle-sœur, dont il avait fait sa maîtresse. Rentré en France, arrêté par deux fois, évadé grâce à sa femme, il est finalement enfermé au donjon de Vincennes, où il va rester douze ans. Sa belle-mère, la présidente de Montreuil, après avoir réussi à faire casser l'arrêt infamant d'Aix, obtient une lettre de cachet le maintenant à Vincennes, où son épouse, qui lui restera longtemps attachée, pourvoit à ses besoins. Sade recouvrera en 1790 sa liberté, après qu'un arrêt de l'Assemblée a supprimé les lettres de cachet. Pendant la Révolution, qu'il accueille avec sympathie, il devient membre de la section des Piques, laquelle a son siège place Vendôme, et il y prononce un discours lors de la fête « décernée aux mânes de Marat et de Le Pelletier ». Il devient président de sa section en 1793 et, oubliant sa rancune, épargne sa belle-famille. Sous la Terreur, dénoncé comme « modéré », il est pendant dix mois une nouvelle fois emprisonné (ainsi qu'il l'avait été sous la monarchie et le sera sous l'Empire, pour des motifs, il est vrai, différents). C'est à la Bastille, « un an avant la Révolution de France », comme il l'a écrit sur la page de titre de son roman *Aline et Valcour* (publié en 1795) que Sade — il avait alors cinquante et un ans — a commencé une carrière littéraire qui le verra composer une vingtaine de romans, une soixantaine de contes, une vingtaine de pièces de théâtre et divers opuscules. Son premier roman, *Justine ou les Malheurs de la vertu*, fut publié en 1791 chez les Libraires Associés avec un frontispice dessiné par Chery, l'un des vainqueurs de la Bastille. La même année, il fait jouer au Théâtre de la Nation *Oxtiern ou les Malheurs du libertinage*, qui sera suivi en 1795 des dialogues de la *Philosophie dans un boudoir* en deux volumes in-18. Ce sont une nouvelle version de *Justine*, dont il adresse un exemplaire sur vélin à chacun des cinq directeurs, puis en 1798 la publication de *Juliette* qui vont conduire à son arrestation comme « pornographe », le 6 mars 1801. Après Sainte-Pélagie et Bicêtre, il est interné à l'hospice de Charenton où sa maîtresse, Marie-Constance Duchet, vient se fixer près de lui. C'est là que, quatorze ans plus tard, après deux jours de maladie, il décédera sans avoir recouvré la liberté, à l'âge de soixante-quinze ans, ayant connu onze prisons différentes et passé vingt-neuf années en détention.

Justine ou les Malheurs de la vertu, suivie de l'Histoire de Juliette sa sœur, en dix volumes in-18 : « Édifice mons-

trueux et grandiose d'un caractère tout romantique », a écrit Henri Heine, et *Les Cent Vingt Journées de Sodome ou l'École du libertinage*, roman également en dix volumes (seulement retrouvé en 1931-1935), forment le corpus de ce qu'on appelle le sadisme. Un siècle avant les travaux de Freud, Sade aura avec complaisance observé, peint et révélé à beaucoup les anomalies et les perversions sexuelles. Rejetant les prudences mondaines des encyclopédistes et le déisme de Robespierre, son collègue à la section des Piques, Sade, individualiste et pessimiste, se sera voulu fermement le prophète dévot du mal et de l'athéisme. Ainsi que l'avait annoncé Apollinaire, l'influence de son œuvre grandira et progressivement envahira de façon incontrôlable la vie quotidienne et les lettres de la fin du XXᵉ siècle. Depuis le procès (encore) intenté à l'éditeur Jean-Jacques Pauvert en 1956, les éditions des œuvres de Sade se multiplient. Sa présence est manifeste dans le cinéma (le film produit en 1975, repris en 1991, de l'écrivain Pier Paolo Pasolini : *Sade ou les Cent Vingt Journées de Sodome*) et à chaque instant de notre civilisation matérialiste.

Aux portraits d'époque de l'auteur de *Justine*, on peut préférer l'étrange toile, peinte en 1938, par Man Ray, intitulée *Portrait imaginaire de D.A.F. de Sade* (The Menil Coll. Houston), où surgit brutalement le profil meurtrier de cet « écrivain excessif qu'il est (a-t-on dit) difficile de juger avec mesure ».

SAGES-FEMMES. *Voir* **ACCOUCHEMENT.**

SAINT-AUBIN, Gabriel de (1724-1780). Peintre et dessinateur, il est le fils d'un brodeur du roi et le cadet de quatre enfants qui tous entreront dans la carrière de peintre. Après avoir suivi les leçons de Jeanrat, de Vermont et de Boucher, il tente trois fois sans succès le concours du grand prix de peinture, et se rabat finalement sur l'académie de Saint-Luc, où il se voit confier l'emploi de professeur. C'est un talent à cent facettes. On le voit bien au Salon du Colisée de 1776 : il y expose des gouaches, des pastels, des paysages, des portraits et des scènes de genre. Malheureusement on ne conserve presque rien de lui, juste sept ou huit peintures et une cinquantaine d'eaux-fortes. L'une de ces peintures est l'*Académie particulière*, où l'on voit un jeune artiste en train de dessiner le modèle vivant d'une femme nue renversée sur un lit. Les eaux-fortes représentent des scènes de la vie publique, des spectacles, des foires, des courses, des expositions. Citons entre autres tableaux *La Marche du bœuf gras*, *La Foire de Bezons*, *Le Spectacle des Tuileries*, *Vue du Salon de 1753* et *Le Charlatan du Pont-Neuf*. Avec Hubert Robert, Demachy et Lespinasse, Gabriel de Saint-Aubin fut un des meilleurs chroniqueurs de son époque.

SAINT-CAST. Le 11 septembre 1758, sur le rivage de la baie de Saint-Cast, près de Saint-Malo, un corps anglais de débarquement, commandé par le général Bligh, est taillé en pièces par les forces françaises. La flotte anglaise avait jeté l'ancre début septembre dans la baie de Saint-Lunaire. Aussitôt prévenu, le duc d'Aiguillon, commandant général de la province, accourt promptement de Brest, où il se trouvait. Sur son passage, il rameute tout ce qu'il peut trouver de troupes réglées et de milices provinciales. Les Anglais cherchent alors à gagner la rive pour rembarquer. Soutenus par plusieurs batteries de canons, les Français en font un carnage ; deux mille d'entre eux sont tués ou blessés. Riposte décisive : jusqu'à la fin de la guerre de Sept Ans, les Anglais ne tenteront plus aucune descente sur les côtes de France.

SAINT-CONTEST, François Dominique de Barberie de. *Voir* **BARBERIE DE SAINT-CONTEST, François Dominique de.**

SAINTE-PALAYE, Jean-Baptiste de Lacurne de (Auxerre, 6 juin 1697 - Paris, 1er mars 1781). C'est l'un des grands érudits de ce siècle. Il était issu d'une famille de noblesse ancienne, mais quelque peu déchue. Son père était titulaire de l'office modeste de receveur du grenier à sel d'Auxerre. De constitution faible et maladive, il avait été retardé dans ses études et n'avait pu les commencer, disent ses biographes, qu'à l'âge de quinze ans. Après une courte carrière diplomatique — dont une mission en 1725 à Wissembourg auprès du roi de Pologne — il décide de se tourner vers les travaux savants et de leur consacrer désormais ses veilles et ses peines. Élu à vingt-sept ans à l'Académie des inscriptions et belles-lettres, il publiera dans les *Mémoires* de cette compagnie une très abondante série de notices érudites, consacrées à l'histoire médiévale de la France. Il étudie en particulier les chroniqueurs et les historiens de la « troisième race » (Rigord, Guillaume de Nangis, Froissart). Cependant, ses deux œuvres majeures sont les *Mémoires sur l'ancienne chevalerie, considérée comme un établissement politique et militaire* (3 vol., 1759-1781) et un *Glossaire de l'ancienne langue française*, qu'il n'eut pas le temps de terminer, et qui fut achevé par son collaborateur, J.-G. Mouchet. Les *Mémoires sur l'ancienne chevalerie* préludent à la naissance de cette nouvelle discipline, que l'on appellera l'archéologie médiévale. Le *Glossaire* est, avec *L'Art de vérifier les dates*, l'un des chefs-d'œuvre de l'érudition française du XVIIIe siècle. Lacurne était un historien exact et honnête. Il travaillait non seulement sur les sources narratives, mais aussi sur les actes conservés au cabinet des Chartes. L'Académie française l'avait élu en juin 1758. Il ne se maria jamais et vécut toute sa vie dans la compagnie de son frère jumeau.

SAINT-ESPRIT (ordre du). L'ordre du Saint-Esprit, ordre militaire et chevaleresque, a été institué en 1578 par le roi Henri III. Il se compose de cent chevaliers seulement qui doivent faire preuve de trois générations de noblesse. Grand maître de l'ordre, le roi prête le serment à son sacre. Neuf prélats, qui sont parmi les cent membres, ont le titre de commandeurs. Chaque membre reçoit une pension (3 000 livres en 1772). Tous portent la croix du Saint-Esprit, qui est une croix d'or à huit rayons émaillés, chaque rayon pommeté d'or, une fleur de lys dans chacun des angles de la croix et dans le milieu un Saint-Esprit ou colombe d'argent d'un côté, et de l'autre un saint Michel.

Les obligations des chevaliers du Saint-Esprit sont essentiellement religieuses. Ils ont à lire quotidiennement l'office du Saint-Esprit. Rassemblés autour du roi lors des grandes fêtes religieuses, ils assistent avec lui à la messe solennelle.

C'est le 1er janvier que, traditionnellement, le roi nomme les nouveaux chevaliers. La veille de leur nomination, les futurs chevaliers du Saint-Esprit ont reçu l'ordre de Saint-Michel. C'est pourquoi on les dit « chevaliers des ordres du roy ».

SAINT-FOIX, Germain François Poullain de (Rennes, 5 février 1698 - Paris, 25 août 1776). Littérateur, il avait d'abord servi et s'était distingué à Guastalla en 1734. Ensuite, ayant quitté l'armée, il avait acheté à Rennes une charge de maître des Eaux et Forêts. Mais les lettres l'attiraient : en 1721, il y avait déjà fait ses preuves en publiant une première comédie intitulée *Pandore*. En 1740, il vient à Paris, s'y installe et devient un auteur à la mode. Ses quelque vingt comédies sont toutes agréables et toutes fades, toutes écrites à la même eau de rose. L'homme ne ressemblait pas à ses pièces. Autant celles-ci étaient douces, autant lui-même était rude. Il aimait la querelle et la provocation. Un jour par exemple, au café Procope, il vit entrer un garde du roi, qui demanda une tasse de café au lait et un petit pain. « Voilà un fichu dîner », s'écria-t-il, et il répéta si souvent le propos que le garde, exaspéré, le pria de sortir avec lui. Ils se battirent. Saint-Foix fut blessé. « M'eussiez-vous tué, dit-il alors à son adversaire, vous n'en auriez pas moins fait un mauvais dîner. »

Saint-Foix mérite de rester par ses *Essais historiques sur Paris* (Londres, 1754-1757, 5 vol.), ouvrage au titre trompeur : il n'y est nullement question de Paris, l'auteur ayant un objet tout à fait diffé-

rent, celui, comme il l'explique lui-même, « de faire connaître par des faits et des anecdotes le caractère, les mœurs et les coutumes » de la France. L'ouvrage se présente donc comme un recueil d'observations et de sentences. L'idée de Saint-Foix, celle qui inspire toute sa philosophie, est celle de la profonde unité du genre humain. Les usages peuvent différer, mais leur sens est le même. Voici par exemple au sujet de la dévotion des grands seigneurs :

La dévotion dans le royaume de Bénin n'est pas formaliste ; on appelle un esclave ; voilà, lui dit-on, un présent que je veux faire à tel dieu, vous le lui porterez et le saluerez de ma part. Nos maréchaux de France, nos ducs et autres personnes considérables qui demeurent sur une paroisse, n'assistent pas personnellement à la procession de la Fête-Dieu, mais y envoient leurs laquais en livrées et avec un flambeau où est attaché l'écusson de leurs armoiries (*Essais*, 1766, t. V, p. 216).

Saint-Foix n'est pas de la secte philosophique. Et même il la combat. Voici un passage où il soutient, contre les philosophes, l'immortalité de l'âme :

Vos écrits, leur dit-il, tendent à prouver, que tout fini pour nous avec la vie ; mais réfléchissez donc qu'il y a eu de tous les temps sur la terre des millions d'hommes qui ont presque toujours souffert depuis l'instant de leur naissance jusqu'à celui de leur mort ; n'écrivez-vous que pour ceux qui sont puissants, riches et dont les jours s'écoulent dans les plaisirs ?

SAINT-GERMAIN, comte de (1707 ? - Eckernförde, Schleswig, 27 février 1784). L'aventurier connu sous le nom de comte de Saint-Germain est évoqué dans presque tous les mémoires du temps, et en particulier dans les souvenirs du baron de Gleichen, de Mme du Hausset et de la comtesse d'Adhémar. On ignore encore aujourd'hui son origine et son identité véritables. Peut-être était-il chargé (comme le sera plus tard le chevalier d'Éon) de missions occultes pour le compte de la France. On le rencontre pour la première fois à Paris en 1743. Le maréchal de Belle-Isle l'a ramené avec lui d'Allemagne, où il s'est toqué de ses dons de guérisseur. En 1745-1746, il est en Angleterre. Ensuite, on perd sa trace. En 1756, il est de nouveau à Paris. Il réussit inexplicablement à gagner la confiance de Louis XV et de Mme de Pompadour et à devenir leur familier. Il aurait enseigné au roi les secrets de l'alchimie. On le retrouve encore une fois à Versailles en 1774. Présenté à la jeune reine, il lui aurait prédit son sort tragique. Finalement il se retire à Slesvig auprès du Landgrave de Hesse-Cassel. C'est là qu'il mourra le 27 février 1784 à l'âge (approximatif) de quatre-vingt-huit ans.

SAINT-GERMAIN, Claude Louis, comte de (château de Vertamboz, Franche-Comté, 13 avril 1707 - Arsenal de Paris, 15 janvier 1778). C'est un cas très original. Il devient ministre de la Guerre du roi de France, après avoir servi la plus grande partie de sa carrière à l'étranger. Il appartient à la noblesse pauvre et sera toujours un officier de fortune. Cependant, ses débuts ne sont pas militaires. D'un court passage en 1726 au noviciat des jésuites, il gardera un penchant pour la dévotion. Une affaire d'honneur l'ayant obligé à quitter la France, il sert dans l'armée autrichienne contre les Turcs et dans celle de l'Électeur de Bavière, devenu l'empereur Charles VII. Suit un intermède français de quatorze années. Le maréchal de Saxe le prend sous son aile. Il combat en Flandre, obtient le 10 mai 1748 le grade de lieutenant général et, la paix revenue, se voit confier les commandements de la Basse-Alsace, puis du Hainaut, et, en 1756, du camp de Dunkerque. Sa conduite à Rossbach est remarquée. S'étant placé sur une hauteur, il couvre la retraite, et dissuade les Prussiens de poursuivre les fuyards. Mais il est de tempérament atrabilaire et croit toujours les autres chefs ligués contre lui. Ses dissentiments avec certains généraux l'amènent à quitter à nouveau la France, et à se mettre au service du roi de Danemark, dont il commande l'armée pendant près de neuf ans (1760-1769). Sa nomination de secrétaire d'État à la Guerre —

due probablement à la recommandation de Malesherbes — intervient le 27 octobre 1775, alors qu'il vit retiré en Alsace, solitaire et désargenté. Il entrera au Conseil d'en haut le 19 mai 1776. Ce ministère de Saint-Germain dure vingt-trois mois et n'est qu'une succession de réformes : quatre-vingt-dix-huit ordonnances en moins de deux ans, soit une tous les cinq ou six jours. Le but est noble : restaurer les vertus militaires, mais les moyens sont étranges. Le ministre ne jure que par l'exemple prussien. Il pense par systèmes. Philosophe bien que dévot, il confond tout, le dressage et la pédagogie, la pédagogie et la formation, l'uniformité et l'unité, l'humanitarisme et l'humanité. C'est ainsi qu'il multiplie les mesures radicales, abolit la vénalité des charges, répartit toute l'armée en seize divisions, codifie l'exercice à la prussienne, supprime plusieurs compagnies de la Maison du roi, remplace par les galères la peine de mort pour désertion, et par les coups de plat de sabre les baguettes et les courroies, et institue douze nouvelles écoles militaires. Son résultat le plus clair est de déchaîner l'opinion contre lui. Le roi l'abandonne, après avoir promis — mais il est coutumier du fait — de le soutenir. Il démissionne le 27 septembre 1777, et meurt l'année suivante, ayant eu le temps de voir toutes ses mesures annulées, sauf celle qui institue les nouvelles écoles militaires.

SAINT-GOBAIN. La Manufacture royale des glaces à miroir de Saint-Gobain a été créée en 1665. Elle jouit d'un monopole légal. Son privilège est renouvelé tous les trente ans.

La manufacture compte plusieurs établissements. Celui de la rue de Reuilly à Paris est aussi le siège social. Celui de Saint-Gobain, d'où la manufacture tire son nom, date de 1692 ; il est situé dans une forêt entre Laon et Soissons. La fabrication est répartie comme suit : à Tourlaville, en Normandie, sont fabriquées les petites glaces selon le procédé traditionnel du soufflage ; à Saint-Gobain, les grandes glaces par le procédé nouveau, mis au point en 1702, du coulage ; à Paris, les ouvriers polisseurs et doucisseurs travaillent au façonnage. L'unité la plus importante est celle de Saint-Gobain : dans les années 1780 on y compte cinq halles de fabrication avec marche permanente à trois fours de coulage. Deux mille personnes y travaillent, dont quatre cents logées sur place dans une cité ouvrière construite en 1775. C'est un des premiers exemples de manufacture concentrée à feu continu.

La demande ne cesse d'augmenter. Saint-Gobain vend dans le monde entier. La production est très diversifiée. La manufacture assortit cinq mille modèles de glaces.

La gestion de l'entreprise est marquée par une grande régularité. Pas d'emprunts ; le capital est stable. Le nombre des deniers (parts) est immuable : 288. Mais leur répartition se modifie. Le nombre des actionnaires augmente considérablement, passant de treize en 1702 à deux cent quatre en 1830.

La gestion est collégiale. Les administrateurs (dont le nombre varie de huit à onze) sont les plus gros actionnaires : il faut posséder 18 deniers pour entrer au conseil de la compagnie. Trois groupes se partagent la domination : celui des banquiers genevois, dont Antoine Saladin (1725-1814) est le principal représentant, celui des bourgeois parisiens et celui de la grande noblesse. François Geoffrin appartient au deuxième groupe. Ses parts (12 % du capital) allèrent à sa femme, la célèbre Mme Geoffrin, hôtesse du plus célèbre salon de Paris, et à sa fille, la marquise de La Ferté-Imbault. Parmi les actionnaires grands seigneurs, Anne Léon de Montmorency, premier baron du royaume, est le plus prestigieux ; il entre au conseil en 1752. Les trois groupes se retrouvent chez Mme Geoffrin. C'est ainsi que dans les salons se noue l'alliance entre le grand capital et la pensée des Lumières.

SAINT-LAMBERT, Jean François, chevalier, puis marquis de (Nancy, 26 décembre 1716 - Paris, 9 février 1803). Il est le poète de la philosophie. De naissance noble et de parents pauvres, il étudie chez les jésuites de Pont-à-Mousson, et s'engage ensuite dans la carrière des armes. Il sert aux gardes lorraines. En 1748, le roi Stanislas Iᵉʳ le nomme grand maître de sa garde-robe. Il reprend du service lors de la guerre de Sept Ans et fait la campagne de Hanovre (1756-1757) comme colonel dans l'état-major de Contades. Une attaque de paralysie le force à quitter l'armée. En 1766, à la mort de Stanislas, il s'installe à Paris et devient l'un des piliers de l'église philosophique. Il était déjà bien connu dans ce milieu. Sa liaison avec Mme du Châtelet (à Lunéville, en 1748) l'avait en quelque sorte lancé. Il avait collaboré à l'*Encyclopédie* et donné à ce dictionnaire les articles « Fastes », « Familiarité », « Fermeté », « Flatterie », « Frivolité », « Fantaisie », « Fragilité » et « Génie ». La publication du poème *Les Saisons* (1769) lui apporte la gloire et un fauteuil d'académicien : il est élu à l'Académie française le 23 juin 1770. On le rencontre dans tous les salons, chez Mme d'Épinay à la Chevrette, chez Julie de Lespinasse et chez Mme Necker. Il achève en 1789 la rédaction de sa somme philosophique, ouvrage intitulé *Principes des mœurs chez toutes les nations ou Catéchisme universel*. Pour lui, la Révolution se passe bien. Il se réfugie à Eaubonne, près de la maison de Mme d'Houdetot, jadis sa maîtresse et maintenant sa garde-malade. Le 28 janvier 1803, la nouvelle Académie française l'appelle parmi ses membres. Il ne pourra siéger, étant depuis peu retombé dans l'enfance, et mourra quelques jours après.

Voltaire avait qualifié ainsi *Les Saisons* : « Le seul ouvrage de notre siècle qui passera à la postérité » (lettre à Saint-Lambert citée par F. Hoefer, 1773, *Nouvelle Biographie générale*). En fait, ce poème illustre de manière remarquable l'incapacité des hommes des Lumières à s'élever à la grande poésie. Saint-Lambert est certes sensible à l'harmonie de la nature. Il a parfois des vers qui en témoignent. Par exemple dans l'*Été* :

Tout est morne, brûlant, tranquille, et la
[lumière
Est seule en mouvement dans la nature
[entière…

Mais il ne s'envole jamais. Les tableaux de la vie rustique sont d'une mièvrerie affligeante. Voici le retour du paysan, sa journée finie :

> Lorsque l'astre du jour a fini sa carrière
> Qu'il revient avec joie à son humble
> [chaumière !
> Qu'il trouve de saveur aux mets simples
> [et sains
> Du repas que sa fille apprêta de ses mains.

Le conteur ne vaut pas mieux. Le *Conte iroquois* (1770), histoire de deux amis peaux-rouges, qui font ménage à trois avec une sauvagesse, est d'une platitude effrayante. Quant au penseur du *Catéchisme universel*, le mieux serait pour lui d'être oublié. Le thème de cet ouvrage est qu'une morale est possible sans religion, mais une morale très particulière, puisque les vices et les vertus n'y sont que des affaires de convention. Sans la publicité que lui firent ses amis philosophes, cet écrivain médiocre aurait à peine existé.

SAINT-LOUIS (ordre royal et militaire de). L'ordre de Saint-Louis est un ordre militaire créé en avril 1693 par Louis XIV afin de récompenser les officiers les plus valeureux de ses troupes. Pour être admis dans l'ordre, il faut avoir dix ans de service et être catholique. Cependant, le roi donne parfois la croix sans tenir compte du temps de service.

Le grand maître de l'ordre est le roi, qui prête le serment à son sacre. Les dignités sont celles de grand-croix, commandeur et chevalier. On comptait, en 1772, vingt-huit grands-croix et soixante-trois commandeurs. Le chancelier, le prévôt maître des cérémonies et le secrétaire greffier sont les principaux officiers de l'ordre.

Les grands-croix portent le grand ruban rouge et la croix en broderie d'or sur le justaucorps ou sur le manteau ; les commandeurs, le grand ruban rouge en écharpe, mais sans croix ; les chevaliers, la croix attachée à la boutonnière de l'habit par un petit ruban rouge.

Les membres de l'ordre sont pensionnés. L'ordre avait, en 1772, 300 000 livres de rentes annuelles, distribuées en pensions de 6 000 livres pour les grands-croix, de 3 000 pour les combattants et de 200 à 800 pour les chevaliers.

L'ordre de Saint-Louis forme une sorte de noblesse militaire. En 1781, les fils des chevaliers de Saint-Louis sont dispensés de faire les preuves de quatre degrés de noblesse, exigés pour les sous-lieutenances.

SAINT-MARTIN, Louis Claude de, dit le **Philosophe inconnu** (Amboise, 18 janvier 1743 - Aunay, 23 octobre 1803). Il est l'un de ces illuminés, dont le vague spiritualisme témoigne de la confusion des esprits et de la décadence intellectuelle de l'Ancien Régime finissant. Il était né dans une famille noble, mais pauvre, et avait étudié au collège de Pontlevoy, puis à la faculté de droit d'Orléans. Après six mois dans la magistrature, comme avocat du roi au présidial d'Orléans, il opte pour la carrière des armes. La protection de Choiseul lui permet d'obtenir un brevet de lieutenant au régiment de Foix. Envoyé en garnison à Bordeaux, il rencontre dans cette ville le juif portugais Martinez Pasqualis, se fait initier dans sa loge et participe à ses expériences de communication avec l'au-delà. En 1771, il quitte le service afin de pouvoir se consacrer à la diffusion de ses idées. Son premier ouvrage, intitulé *Des erreurs et de la vérité*, est publié en 1775. Au livre et à son auteur, la société parisienne réserve le meilleur accueil. Plusieurs grandes dames s'entichent de Saint-Martin. La maréchale de Noailles et la duchesse de Bourbon se constituent ses disciples. Il voyage en Angleterre, en Italie et en Suisse, et parcourt toute la France. En 1788 à Strasbourg, Charlotte de Boecklin, protestante convertie, lui fait connaître les douceurs de l'amour, ainsi que les écrits de l'illuminé allemand Jacob Boehme. La Révolution l'oblige à se retirer dans son pays natal. Il y finira sa vie en écrivant plusieurs ouvrages, dont le titre est aussi bizarre que le contenu : *Crocodile* (1799), *De l'esprit des choses* (1801) et *Le Ministère de l'homme-esprit* (1802).

La pensée du Philosophe inconnu est de nature à déconcerter les esprits positifs. Après avoir lu son premier ouvrage, Voltaire écrivait : « Je ne crois pas qu'on ait rien imprimé de plus absurde, de plus obscur et de plus sot » (cité par Adolphe Franck, *La Philosophie mystique en France au milieu du XVIIIᵉ siècle. Saint-Martin et son maître Martinez Pasqualis*, Paris, 1866). Sans aller si loin, on doit convenir que l'interprétation est difficile. Saint-Martin se prétend l'adversaire des matérialistes. Il est vrai qu'il s'oppose au sensualisme de Condillac. Pour lui, en effet, la pensée est indépendante de la parole et des sensations. Cependant il ne parle pas de l'âme, mais de l'existence d'un « sens moral supérieur ». Or on ne voit pas très bien ce qu'est exactement ce sens moral. Par ailleurs, il n'est pas chrétien. Les véritables révélations, selon lui, sont la « voix du sens moral » parlant en chacun de nous, et le grand livre de la nature : « La nature entière, écrit-il, peut se considérer comme étant dans une révélation continuelle, active, et effective » (cité par Adolphe Franck, *op. cit.*). Cela est très proche du panthéisme. En politique, notre auteur ne sera pas un adversaire de la Révolution, en laquelle il verra un événement surnaturel aux conséquences sociales plutôt bénéfiques. Cependant, il ne croit pas à la volonté générale et préfère à tout autre régime une « théocratie » de son invention où le pouvoir est exercé par des sages inspirés de Dieu.

SAINT-MAUR (Dames de). *Voir* **DAMES DE SAINT-MAUR.**

SAINT-MICHEL (ordre de). Institué par Louis XI en 1469, l'ordre de Saint-Michel a été restauré par Louis XIV en 1664. Le roi est grand maître de l'ordre, et le confère à des « gens à talents », médecins, artistes, écrivains et financiers. Au 1ᵉʳ janvier 1772, on comptait soixante-dix-sept chevaliers de Saint-Michel.

Les cérémonies et réceptions de nouveaux chevaliers ont lieu le 8 mai et le premier lundi de l'Avent dans le couvent des Cordeliers de Paris. La décoration de l'ordre est un grand ruban de soie noire, passé en écharpe de l'épaule droite au côté gauche, d'où pend la croix à huit pointes où est représenté Saint-Michel.

L'ordre de Saint-Michel est donné à tous les futurs chevaliers du Saint-Esprit la veille de leur réception dans cet ordre.

SAINT-PIERRE, Charles Irénée Castel de, dit **l'abbé de Saint-Pierre** (Saint-Pierre-Église, 13 février 1658 - Paris, 29 avril 1743). Auteur de nombreux projets de réforme politique et économique, il était issu d'une ancienne famille de la noblesse normande. Orphelin de mère à l'âge de six ans, il est pris en charge par sa tante, prieure des bénédictines de Rouen. Son instruction est faite chez les jésuites, d'abord au collège de Rouen pour les humanités, ensuite à celui de Mont à Caen, pour la théologie. Tenté un moment par la vie monastique, il ne suit pas cette inclination, se fait ordonner prêtre et vient vivre à Paris en 1680. Il y fréquente les milieux savants, s'initie aux sciences exactes en suivant les cours du Jardin du roi et se lie d'amitié avec Fontenelle, l'abbé Vertot et le mathématicien Varignon. Sa désaffection des croyances de son enfance date sans doute de cette époque. Il se fait libertin et déiste. Cela d'ailleurs ne le gêne pas pour accepter le bénéfice de l'abbaye de Tiron et pour acheter la charge de premier aumônier de la duchesse d'Orléans. Élu à l'Académie française, il y est reçu le 3 mars 1695. Mais sa carrière d'auteur commence beaucoup plus tard. Le *Projet pour rendre la paix perpétuelle en Europe*, publié en 1712, est son premier ouvrage paru. Il sera suivi de beaucoup d'autres. Le *Discours sur la polysynodie* (1718) lui vaut le désagrément d'être exclu de l'Académie française (15 mai 1718). Il s'était mêlé en effet dans cet ouvrage de critiquer vivement l'action du roi défunt et de regretter — horrible sacrilège — que celui-ci n'ait pas été plus « occupé à faire fleurir le commerce [...] à rendre nos lois plus propres à diminuer les procès [...] à perfectionner les établissements qui regardent les pauvres et l'éducation des enfants ». Il se console en fréquentant le club de l'Entresol et les salons de Mmes de Lambert, de Tencin et Geoffrin. Sa vieillesse sera charmée par l'amitié d'une jeune femme, Mme Dupin, qui l'accueille dans son château de Chenonceaux et l'appelle son « enfant gâté ». Il mourra (d'apoplexie) à Paris à l'âge de quatre-vingt-cinq ans. Il n'avait pas fait de testament, mais il avait écrit en 1738 qu'il lui restait « une grande espérance du bonheur éternel » (cité par Joseph Drouet, *L'Abbé de Saint-Pierre. L'homme et l'œuvre*, Paris, 1912). Son œuvre est composée pour la plus grande partie de mémoires appelés « projets », dans lesquels il conseille certaines réformes et améliorations destinées à faire le bonheur du genre humain. Les questions traitées sont politiques, au sens large du terme. On notera en particulier le *Discours sur la polysynodie*, le *Projet pour perfectionner le gouvernement des États*, le *Projet pour diminuer le nombre des procès*, le *Mémoire sur l'établissement de la taille proportionnelle* (1717), le *Mémoire sur les pauvres mendiants et sur les moyens de les faire subsister*, le *Projet pour rendre les chemins praticables en hiver*. Il est inexact de dire que l'abbé n'a pas eu d'influence sur ses contemporains. Les ministres lisaient ses mémoires et certaines de ses réformes ont reçu de son vivant un commencement d'application. Ainsi sa taille tarifée, impôt sur le revenu, basée sur la déclaration, a été essayée sous Fleury en Normandie. Ou encore son idée de faire travailler les mendiants a été appliquée dès 1724 avec la création des dépôts de mendicité. Quelques autres de ses idées feront leur chemin. Par exemple, dans son projet de former une « académie politique » destinée à préparer à leurs fonctions les futurs intendants et maîtres des requêtes, ne peut-on voir une préfiguration de l'École nationale d'administration ? D'autres mémoires sont consacrés à des questions ecclésiastiques ou d'éducation. Deux idées inspirent l'ensemble des projets de l'abbé : l'idée de bienfaisance et celle d'utilité. Il est l'inventeur du mot bienfaisance. Le bienfaisant est celui qui accomplit des œuvres utiles à la société, c'est-à-dire

améliorant le sort matériel des hommes. Cet utilitarisme est massif et grossier. L'abbé demande la suppression de tous les ordres religieux autres que ceux qui se consacrent au service des pauvres et des malades et à l'instruction des enfants (*Projet pour rendre les établissements religieux plus parfaits*). Dans ses *Questions pour perfectionner l'éducation des collèges*, il demande la suppression de l'enseignement du latin et du grec : « Nous avons dix fois plus besoin dans le cours de la vie des opérations de l'arithmétique et de la géométrie [...] que de nous amuser à faire des vers grecs, des amplifications de rhétorique, des vers latins... » L'abbé n'était pas un mauvais homme. Tout le monde le trouvait doux et plaisant. Pratiquait-il lui-même cette « bienfaisance » qu'il recommandait si fort ? Ses biographes n'ont pas éclairci ce point. On sait seulement qu'il inventa en 1734 un curieux fauteuil agité de secousses spasmodiques, et destiné à remédier, sans voyager, aux maux de ventre et de foie, soulagés ordinairement par le voyage en poste. Ce fauteuil reçut le nom de « trémoussoir ». Ce fut la preuve tangible de la philanthropie de son inventeur.

SAINT-PIERRE, Jacques Henri Bernardin de. *Voir* **BERNARDIN DE SAINT-PIERRE, Jacques Henri.**

SAINTONGE. La petite province de Saintonge forme un gouvernement avec l'Angoumois. La majeure partie de son territoire relève de la généralité de Bordeaux.

Blé, vin et sel des marais salants constituent les principales ressources. Royan est port de pêche pour la sardine, Tonnay-Charente pour l'exportation des eaux-de-vie de Cognac.

SAINT-PIERRE-ET-MIQUELON. L'archipel de Saint-Pierre-et-Miquelon était devenu français en 1670, date à laquelle l'intendant de la Nouvelle-France, Jean Talon, en avait pris possession. Abandonné à l'Angleterre au traité d'Utrecht (1713), il est restitué à la France en 1763. Mais en septembre 1778, les Anglais s'en emparent à nouveau : la population est expulsée, les maisons sont rasées. Enfin, en 1783, l'archipel redevient français par le traité de Versailles de septembre 1783.

Un recensement de 1776 indiquait 1 208 habitants pour l'île de Saint-Pierre et 776 pour celle de Miquelon. Beaucoup de ces habitants étaient d'origine acadienne et très attachés à la religion catholique. La cure de Saint-Pierre avait été érigée après le traité d'Utrecht en préfecture apostolique. En 1765, les deux cures de Saint-Pierre et de Miquelon furent confiées par la congrégation de la Propagande aux missionnaires du Saint-Esprit.

La principale ressource de l'archipel est la pêche de la morue. Cette pêche connaît au XVIIIᵉ siècle une activité croissante : les exportations de morue sèche vers la France passent de 15 153 quintaux en 1766 à 91 582 en 1790.

SAINT-PRIEST, François Emmanuel Guignard, comte de (1735-1821). Ambassadeur et secrétaire d'État, issu d'une famille dauphinoise, fils d'intendant, il accomplit successivement trois carrières. La première est militaire. Elle commence à Malte (Saint-Priest est chevalier de Malte depuis l'âge de quatre ans), et se poursuit à l'expédition de Portugal, sous les ordres du prince de Beauvau. La deuxième carrière est diplomatique. C'est la plus longue et la plus fructueuse. Elle se compose de deux ambassades : Lisbonne (1763-1768) et Constantinople (1768-1785). Dans ses rapports avec les ministres ottomans, Saint-Priest se montre un bon ambassadeur. Il est un excellent informateur, un diplomate habile et seconde parfaitement la politique du duc d'Aiguillon visant à prolonger autant que possible le conflit turco-russe. La troisième carrière n'est pas la plus heureuse, et c'est la plus courte. Entré au Conseil d'en haut en décembre 1788 grâce à la protection des Necker, dont il est le familier, il soutient la position du Genevois sur la double représentation du tiers. Il est d'ailleurs aussi un habitué du Palais-Royal. Renvoyé avec Necker le 11 juillet 1789, il revient avec lui et oc-

cupe successivement les ministères de la Maison du roi et de l'Intérieur. Attaqué par Mirabeau, constamment vilipendé par l'Assemblée, il finit par quitter le ministère (en décembre 1790), et émigre presque aussitôt. Louis XVIII l'attache à sa fortune et fait de lui un membre de la Chambre des pairs lors de la seconde Restauration. La *Biographie universelle* de Hoefer qualifie Saint-Priest de « ferme », « digne » et « résolu ». Digne sans doute. Mais résolu est de trop. Il est en effet l'un des responsables de l'inaction ministérielle lors des journées des 5 et 6 octobre 1789.

SAINTS. Nous donnons ici la liste des saints français canonisés, celle des saints béatifiés et enfin celle des saints personnages dont les causes ont été introduites en cour de Rome. Nous n'incluons pas dans ces listes les martyrs de la période révolutionnaire.

Cinq saints français du XVIIIᵉ siècle ont reçu les honneurs de la canonisation :
Louis-Marie Grignion de Montfort, fondateur des Pères montfortains (dits aussi mulotins) et des Filles de la Sagesse (1673-1716),
Jeanne Delanoue, fondatrice des Servantes des pauvres de Saumur (1666-1736),
Jean-Martin Moÿe, prêtre, fondateur des sœurs de la Providence (1730-1790),
Joseph-Benoît Labre (1748-1783),
André-Hubert Fournet, prêtre, fondateur de la congrégation des Filles de la Croix (1752-1834).

Deux ont été béatifiés :
Marie Poussepin, fondatrice des sœurs de la Présentation de Tours (1653-1744),
Marie Dufrost de La Jemmerais, fondatrice des sœurs de la Charité (1701-1771).

Sept ont leurs causes introduites :
Pierre Vigne, fondateur des sœurs du Saint-Sacrement (mort en 1740),
Pierre Jean Cayrou, jésuite (1672-1754),
Marie-Louise Trichet, en religion Marie-Louise de Jésus, première supérieure des Filles de la Sagesse (1684-1759),

Antoine-Sylvestre Receveur, prêtre, fondateur des sœurs de la Retraite chrétienne (1750-1804),

Pauline Pinczon du Sel, fondatrice des sœurs de Notre-Dame-de-Grâce de Saint-Thomas de Villeneuve (1752-1822),

Pierre Joseph Picot de la Clorivière, jésuite, fondateur de la société des Prêtres du Cœur de Marie et des Filles du Cœur de Marie (1735-1820),

Marie-Clotilde de France, reine de Sardaigne, sœur du roi Louis XVI (1759-1802).

SAINT SACREMENT. *Voir* **SACRE-MENT (saint).**

SAINT-SIMON, Louis de Rouvroy, duc de (Paris, 16 janvier 1675 - Paris, 2 mars 1755). Si l'on met à part les années de l'enfance, la vie de Louis de Rouvroy, duc de Saint-Simon, l'auteur des *Mémoires*, est divisée en deux parties de durée exactement égale, chacune comptant trente-deux années. La première va de 1691 à 1723 ; c'est celle de l'activité dans le siècle. La seconde, de 1723 à 1755 ; c'est celle de la retraite et de la rédaction des *Mémoires*.

La carrière active commence sous les armes. Entré aux mousquetaires à l'âge de seize ans, capitaine au Royal-Roussillon à dix-huit ans, mestre de camp à dix-neuf, il participe aux combats de la guerre de la ligue d'Augsbourg et se distingue particulièrement à Neerwinden. Mais sa vocation n'est pas militaire. La politique l'attire et ceux qui exercent le pouvoir le fascinent. Il entre dans l'intimité du duc de Bourgogne et devient l'un de ses conseillers. Le ministre Pontchartrain et le duc Philippe d'Orléans sont ses amis et le consultent. Il acquiert donc déjà une influence politique. Son *Projet de gouvernement du duc de Bourgogne*, composé entre 1709 et 1712, propose un ensemble de réformes radicales allant dans le sens indiqué par les penseurs préliberaux tels que Fénelon et Boulainvilliers. Pour anéantir le « despotisme ministériel », il propose d'instaurer la polysynodie. Pour associer la nation à l'examen et à la conduite des affaires, il

veut que soit redonnée vie aux états généraux. Le Régent l'associe au gouvernement et l'appelle au Conseil de régence. Le voici donc devenu l'un des personnages les plus importants de l'État. Il refuse toutefois de présider l'un des conseils de gouvernement et se contente d'une mission diplomatique en Espagne en 1721. Le Régent l'a déçu en se servant du Parlement pour accéder au pouvoir. Mais il lui a donné aussi deux satisfactions en instaurant la polysynodie et en réduisant les fils légitimés de Louis XIV au rang de leur pairie (1718). En août 1722, Dubois accède au poste de « principal ministre » ; Saint-Simon comprend que son temps est fini. A la mort du Régent, il quitte Versailles. Sa vie sera désormais partagée entre son château de La Ferté-Vidame et son hôtel parisien de la rue de Grenelle, vie de semi-retraite seulement, puisqu'il continuera à voir beaucoup de monde et à se passionner pour la politique.

Que fait-il pendant cette seconde existence ? De temps à autre des retraites à la Trappe, où son père et lui-même autrefois avaient connu Rancé. Mais surtout il s'adonne à la rédaction de ses *Mémoires*. Il rédige tout d'une traite mais en s'aidant de notes prises au jour le jour depuis 1694, et en prenant appui sur une immense documentation dont le total représentera, à la date de sa mort, cent vingt-trois volumes manuscrits et cent cinquante et un portefeuilles. Il n'écrit pas en vue de la gloire, mais pour servir la vérité : « ... il faut, dit-il, que celui qui écrit, aime la vérité au point de lui sacrifier toutes choses. »

Quelque temps après sa mort, un ordre du roi du 26 décembre 1760, signé de Choiseul, ordonne que ses papiers soient transférés au dépôt des Affaires étrangères. On veut sans doute éviter la divulgation de secrets d'État ou des révélations compromettantes sur des personnes encore en fonction. Mais déjà des copies (plus ou moins fidèles) ont commencé à circuler. Mme du Deffand s'amuse à les lire, « quoique le style, selon son goût, en soit abominable ». « L'auteur, écrit-elle encore, n'était point un homme d'esprit, mais comme il était au fait de tout, les choses qu'il raconte sont curieuses et intéressantes » (cité par J.-P. Brancourt). On voit ici à quel point le duc de Saint-Simon est étranger à son siècle. Son œuvre n'y est pas comprise.

A l'exception peut-être de sa théorie politique. Sa critique de la monarchie administrative et son projet d'états généraux réactivés ne détonnent pas et sont même capables de rencontrer la faveur du public. Or ces idées sont connues de tous ceux qui ont été les familiers du duc, et de tous ceux qui ont été ses hôtes à La Ferté-Vidame, et nous savons qu'ils étaient nombreux. La question se pose alors : ont-elles exercé une influence sur le personnel politique ? C'est très possible pour Maurepas, dont le père, le ministre Pontchartrain, avait été l'ami intime du mémorialiste.

SALAIRES. La question des salaires est difficile à élucider, beaucoup de salariés n'étant pas payés à la pièce ou au temps. Nombre de salariés agricoles sont payés à l'année. Enfin une part du salaire est souvent payée en nature, ce qui rend impossible une évaluation exacte. Nous ne connaissons bien que les salaires des ouvriers des villes, salaires dont le taux est fixé soit par les ordonnances royales ou municipales, soit par les règlements des métiers, soit encore par entente entre les maîtres.

Dans sa thèse publiée en 1933 (*Esquisse du mouvement des prix et des revenus en France au XVIIIᵉ siècle*), Ernest Labrousse a étudié le mouvement des salaires nominaux, à partir de soixante et une séries régionales (ensembles de salaires de plusieurs professions dans soixante et une régions ou villes). Ayant calculé l'accroissement en pourcentage entre une période initiale 1726-1741 et une période terminale 1771-1789, il a observé dans trente séries une augmentation des salaires nominaux de 0 à 5 %, dans dix-sept séries de 6 à 10 % et dans quatorze de 10 à 60 %. L'augmentation moyenne est donc faible. Et les prix augmentant plus que les salaires nominaux,

les salaires réels ne progressent pas et souvent même diminuent.

A la veille de la Révolution, les ouvriers et compagnons gagnent entre 20 et 60 sous par jour. Les ouvriers du bâtiment sont les mieux payés. Viennent ensuite ceux du meuble, puis ceux du textile. Les salaires des grandes manufactures sont médiocres. A Saint-Gobain en 1769, les ouvriers permanents des halles de fabrication ne gagnent pas plus de 20 sous par jour, et les journaliers sont payés de 4 à 12 sous (Claude Pris, *La Manufacture royale des glaces de Saint-Gobain [1665-1830]. Une grande entreprise sous l'Ancien Régime*, université de Lille III, 1975, 3 vol.). A Anzin, un mineur peut arriver à faire 21 sous 9 deniers par jour (vers 1780). Les salaires sont plus élevés à Paris qu'en province. Sous le règne de Louis XVI, la journée d'un charpentier est payée 2 livres 5 sous à Paris et 1 livre seulement à Limoges.

La stagnation du salaire réel rend la vie de plus en plus difficile. A la fin de l'Ancien Régime, une partie notable de la population des villes, pouvant atteindre jusqu'à un tiers et même la moitié du nombre total des habitants, gagne à peine de quoi subsister. A Paris en 1789, le pain à 2 sols la livre absorbe la moitié du salaire d'un ouvrier, père de trois enfants, gagnant 35 sous. Le travail féminin, et parfois même celui des enfants, est donc souvent nécessaire pour assurer la subsistance du foyer.

SALONS. Les salons sont ces réunions privées à la fois mondaines et littéraires, où l'on s'adonne à l'art de la conversation.

Le plus souvent, ce sont des femmes qui reçoivent, et la plupart de ces femmes sont soit veuves, soit séparées, soit célibataires. Il est cependant des salons matrimoniaux, si l'on peut dire, où l'on est reçu par un ménage, par exemple ceux du duc et de la duchesse de Sully, du prince et de la princesse de Poix, du duc et de la duchesse de Choiseul, d'Helvétius et de son épouse. Il y a enfin quelques rares salons masculins, par exemple ceux du baron d'Holbach, du fermier général La Poupelinière, du ministre Breteuil et de l'érudit Foncemagne.

On cite toujours les « grands » salons et les femmes remarquables qui en furent les hôtesses : la duchesse du Maine, la marquise de Lambert, Mme de Tencin, Mme Geoffrin, Mme du Deffand, Mlle de Lespinasse et Mme Necker. Et il est vrai que ces salons furent les plus courus et les plus fameux dans l'Europe entière. Mais il y en eut beaucoup d'autres. La comtesse de Boufflers, la duchesse de Montmorency-Luxembourg, la marquise de Créqui, Mme de Simiane, Mme Filleul, la duchesse de Gramont, la comtesse de Lamassais, les marquises de Broglie et de Caraman, Mme de Marchais, Mme de Graffigny, Mme Dupin, Mme du Boccage et Mme Doublet du Persan tinrent, elles aussi, des salons, réunirent de brillantes compagnies et influencèrent la vie littéraire.

Le salon est un phénomène parisien. En cherchant bien, on trouverait quelques salons en province, mais les salons provinciaux ne sont pas littéraires. Ce n'est pas qu'on ne reçoive pas en province, mais la coutume de recevoir à jour fixe des compagnies mêlées de mondains, d'artistes et d'écrivains n'y est pas acclimatée.

Le salon est un phénomène français. L'érudit Feuillet de Conches écrivait : « Quand je visitai l'Angleterre, je voulus savoir si elle avait eu, comme la France, ses salons de causerie, et j'ai dû me convaincre de la négative » (Les Salons de conversation au XVIIIᵉ siècle). Ces lignes datent de 1891, mais nous ne pensons pas que les recherches postérieures les aient démenties.

Les salons..., il faudrait plutôt dire le salon. Car tous les salons ne font qu'un. Les hôtes attitrés qui ne partagent pas leurs faveurs sont peu nombreux. Les clients des salons les fréquentent tous ou presque tous. Les clients sont interchangeables, de même que les sujets de conversation. Certes, chaque salon a sa tonalité propre, sociale ou idéologique. Tel est plus aristocratique, tel est

plus bourgeois. Tel est plus littéraire et tel plus philosophique. Mais ces nuances tiennent plus à la personnalité de l'hôtesse qu'à la composition de la clientèle. Il y a parfois des brouilles entre les hôtesses (par exemple, celle qui opposa Mme du Deffand à Mlle de Lespinasse) ou des querelles entre salons à propos de telle ou telle mode musicale ou littéraire ou scientifique : il y eut des salons mesméristes et des salons antimesméristes. Mais ces rivalités ne divisaient pas profondément la clientèle.

Le salon est une sorte d'exposition des talents. Les écrivains y font lecture de leurs œuvres. Les musiciens s'y produisent. Les acteurs s'y exhibent. Chacun exerce son esprit dans la conversation. Les talents de tous sont stimulés.

Mais ils ne sont pas fortifiés. On peut même se demander si le goût mondain qui règne dans ces cénacles ne les affadit pas. Le salon donne à tous l'occasion de briller, mais par là même il suscite, chez ceux qui le fréquentent, un contentement, une autosatisfaction peu favorables à la véritable inspiration et par conséquent aux grandes créations. Le salon est une société d'admiration mutuelle. Il s'y établit un conformisme de l'esprit et du goût. Le salon fait la notoriété. Il fait des académiciens. Il ne fait pas d'écrivains. Les meilleurs écrivains du siècle ne sont pas ceux qui ont fréquenté le plus les salons. Voltaire y alla beaucoup dans sa jeunesse, mais c'est ensuite, à l'écart du monde parisien, qu'il composa ses meilleures œuvres. On peut en dire autant de Rousseau. Diderot, pourtant très sollicité, n'aimait guère ces sortes de compagnies. Vauvenargues n'y mit jamais les pieds. Montesquieu les appréciait, mais il passait la moitié de sa vie dans sa province bordelaise. Tous les piliers de salon (Fontenelle, Marmontel, Hénault, Morellet, La Harpe, Saurin, Thomas) sont des esprits de médiocre envergure. De Marivaux, grand familier du salon de Mme de Tencin, on pourrait dire qu'il est l'exception confirmant la règle.

La plupart des femmes qui recevaient étaient charmantes. Presque toutes possédaient au plus haut point l'art de mettre en valeur les talents de leurs hôtes. Mais, à l'exception de deux ou trois (Mme du Deffand, Mlle de Lespinasse et peut-être Mme Dupin), elles n'étaient pas des grands caractères. Aucune n'était une grande âme. Plusieurs avaient le cœur usé, atrophié par les passions vulgaires de leurs années de jeunesse. Elles faisaient la loi du monde de l'esprit, mais comme elles n'étaient pas des héroïnes, leur loi n'était pas sublime.

Le plus grand mérite du salon est d'avoir affiné l'art de la conversation. Par là, il a servi la langue française, la rendant plus agile, plus prompte, plus apte au dialogue, plus naturelle. Mais la plus brillante des conversations de salon ne suffit pas à créer une grande littérature. Il existe une conversation féconde, mais c'est rarement celle des salon. La conversation de salon ne pouvait engendrer qu'une littérature de jeux d'esprit, une littérature de salon.

SALONS (expositions). Les expositions parisiennes de peinture appelées «Salons» datent du règne de Louis XIV, qui les avait instituées. De 1667 à 1704, on a une première série continue de Salons. Les expositions reprennent après la Régence. Un Salon a lieu en 1725. A partir de 1737, les Salons se tiennent régulièrement. Sous le règne de Louis XV, on en compte vingt-cinq au total.

Les tableaux sont exposés dans le Salon carré du Louvre (d'où le nom de cette manifestation). L'exposition est organisée par l'Académie royale de peinture et de sculpture. Seuls ont le droit d'exposer les peintres affiliés à l'Académie.

Il y a également des Salons à Bordeaux. Le premier a lieu en 1771. Ces expositions bordelaises sont placées sous le patronage de l'Académie des arts, fondée en 1768. Le Salon des arts de Lille est institué en 1773. Les Salons de l'Académie royale de peinture de Toulouse ont eu lieu tous les ans de 1751 à 1791.

Dans ses *Salons*, Diderot a fait la critique des expositions du Louvre de 1761,

1765, 1766 et 1767. Il y exprime ses idées sur l'art : il faut avoir du génie, il faut «être vrai», il faut «tourner la tête», il faut enfin être «observateur de la nature». Dans ses appréciations sur les artistes exposés, Diderot manifeste un goût assez sûr. Cependant, il commet des fautes. Les éloges qu'il décerne à Greuze sont excessifs. Il sous-estime Chardin, dont il ose écrire (*Salon* de 1761) : «Il y a longtemps que ce peintre ne finit plus rien ; il ne se donne plus la peine de faire des pieds et des mains. Il travaille comme un homme du monde qui a du talent, de la facilité et qui se contente d'esquisser sa pensée en quatre coups de pinceau.»

SARTINE, Antoine Raymond Jean Galbert Gabriel de, comte d'Alby (Barcelone, 12 juillet 1729 - Tarragone, 7 septembre 1801). Il a été quinze ans lieutenant de police de Paris, et six ans ministre. Dans l'une et l'autre fonction, il a toujours déployé la plus grande activité. Sa carrière avait commencé au Châtelet, dans les charges de conseiller (15 avril 1752), puis de lieutenant criminel (12 avril 1755). Le 24 novembre 1759, il est nommé lieutenant de police de Paris. Les Parisiens lui doivent des améliorations notables de leur confort et de leur sécurité. Citons entre autres choses la création de la poste urbaine (1760), l'installation de nouvelles lanternes à huile et à réflecteurs (1766) et la réorganisation du service de la lutte contre le feu (1767). Policier dans l'âme, Sartine met son point d'honneur à se tenir informé de tout ce qui se passe. Le président Pupil de Myons avait parié qu'il viendrait dans la capitale, et qu'il y séjournerait à l'insu de Sartine. Il perd son pari. Après la révolution royale de 1771, Sartine reste en place. Il est pourtant très hostile à Maupeou, et très lié à Le Paige, théoricien de l'opposition parlementaire. On touche ici du doigt les contradictions et les limites de la politique royale. La chute du Triumvirat entraîne l'ascension de Sartine. Le 24 août 1774, il est nommé secrétaire d'État à la Marine et, le 6 juillet 1775, ministre d'État. Le nouveau ministre fait un effort méritoire pour rajeunir et revitaliser le « grand corps ». Afin de donner plus de place au mérite, il modifie le tableau d'avancement. Il intensifie les constructions navales, et fait si bien que, sous son impulsion, la flotte dépasse la puissance de feu du temps de Louis XIV. La guerre venue, il se montre moins capable de la faire que de la préparer. Selon lui, le meilleur moyen d'aider les insurgés d'Amérique est de débarquer en Angleterre. Mais la tentative de débarquement échoue, faute d'une réelle maîtrise de la Manche. Sartine est renvoyé le 13 octobre 1780. Il a eu le tort d'engager des dépenses de son propre chef, et Necker a exigé son renvoi. Il ne reparaîtra plus sur la scène politique, émigrera en Espagne au début de la Révolution, et y finira sa vie.

SAULX-TAVANNES, Nicolas Charles de (1690-1759). Archevêque de Rouen et cardinal, il a d'abord été évêque de Châlons de 1721 à 1733. Il a déployé dans ce diocèse une importante activité pastorale. Nous avons de lui un grand nombre de procès-verbaux et d'ordonnances de visites de paroisses. Transféré en 1733 sur le siège de Rouen, il s'y montre moins assidu à ses devoirs qu'il ne l'avait été dans son premier diocèse, ses charges de grand aumônier de la Reine, puis de grand aumônier de France (1758) le retenant à la Cour. Il avait été créé cardinal en 1756.

SAURIN, Bernard Joseph (Paris, 1706 - id., 17 novembre 1781). Auteur de théâtre, il était le fils d'un pasteur calviniste converti au catholicisme, et contre lequel les ministres de Genève avaient forgé des accusations calomnieuses. Voltaire s'était fait son défenseur. Bernard Joseph, quant à lui, après des études de droit, est reçu avocat au parlement de Paris et occupe pendant quelques années la charge de secrétaire du duc d'Orléans. A l'âge de trente-sept ans il commence une carrière de dramaturge. Carrière difficile : ses premières pièces tombent à plat. Le succès finit par venir avec *Spar-*

tacus, tragédie représentée en 1760. Voltaire le compare à Corneille. C'est la gloire. En 1761, il est élu à l'Académie. *Blanche et Guiscard* (1763) et *Beverlei* (1768), œuvres inspirées par le théâtre anglais, connaîtront également un grand succès. Il est vrai qu'il est protégé par la coterie philosophique. Voltaire l'encense et Helvétius lui verse une pension. Dès 1770, on le rencontre chez Mme Necker. Sa jeune et jolie femme est l'intime de celle-ci. L'homme était aimable mais l'auteur sans inspiration. Le duc de Nivernais lui décernera cet éloge perfide : « Ses vers étaient sans faste, son commerce sans épines » (cité dans F. Hoefer, *Nouvelle Biographie générale*).

SAUVAGE (le bon). Il se peut que la croyance à la bonté naturelle des sauvages soit assez répandue.

Les jésuites dans leurs lettres et récits de missions et de voyages contribuent à l'accréditer. Auteur d'un ouvrage intitulé *Mœurs des sauvages américains* (1724), le P. Lafitau met en relief les vertus des Indiens : bonté, hospitalité, affabilité, même. Le P. Charlevoix, grand voyageur, reprend le thème, souvent développé par ses confrères au siècle précédent, du bonheur de l'Indien dans une vie simple et naturelle : « Effectivement en quoi ils sont plus estimables, et doivent être regardés comme de vrais philosophes, c'est que la vue de nos commodités, de nos richesses, de nos magnificences, les ont peu touchés, et qu'ils se savent bon gré de pouvoir s'en passer » (*Relation d'un voyage fait par l'ordre du roi dans l'Amérique septentrionale*, 1744, t. VI, p. 32). Dans son *Histoire du Paraguay*, le même P. Charlevoix fait l'éloge des Indiens de ce pays : leurs qualités naturelles s'épanouissent grâce au régime théocratique et socialiste des réductions (communautés indiennes gouvernées par les jésuites). Cependant les jésuites sont les seuls à trouver aux sauvages tant de vertus. Les autres voyageurs et les explorateurs portent des jugements beaucoup plus sévères. Par exemple Pierre Barrère (*Nouvelle Relation de la*

France équinoxiale, 1743) trouve les Indiens de la Guyane superstitieux, lâches, efféminés, paresseux, mous et cruels. Le seul «bon sauvage» de la littérature de voyages est le Tahitien du *Voyage autour du monde* (1771) de Bougainville. Encore n'est-il pas tout à fait bon : sa paresse d'esprit et sa cruauté à la guerre ont choqué Bougainville.

Quant aux auteurs passant en revue les «variétés de l'espèce humaine», comme ils disent, Voltaire (*Essai sur les mœurs*), Buffon (*Traité de l'homme*) et Raynal (*Histoire des deux Indes*), ils n'en voient aucune de «bons sauvages». Et s'il leur arrive — rarement — d'attribuer aux sauvages des qualités morales, ce n'est jamais la bonté.

D'où vient alors cette croyance?

Elle vient d'un «bon sauvage» imaginaire et convaincant. Celui de l'utopie, de l'essai philosophique et du roman. Utopie sauvage : la *Basiliade* de Morelly, dont le titre complet est *Naufrage des îles flottantes ou Basiliade du célèbre Pilpaï, poème héroïque, traduit de l'indien par MM...* Philosophie sauvage : le *Supplément au voyage de Bougainville* (écrit en 1773) de Diderot. Roman sauvage : le *Huron* de Voltaire (1767). Ce bon sauvage est un être tout neuf. Voltaire écrit de son Huron qu'il «avait une mémoire excellente» et que «sa conception était d'autant plus vive et plus nette, que son enfance n'ayant point été chargée des inutilités et des sottises qui accablent la nôtre, les choses entraient dans sa cervelle sans nuage» (éd. Garnier, p. 307-308). Le bon sauvage n'est pas déformé par la propriété (il vit en communiste) ; il n'est pas dégradé par la civilisation. Rousseau dit que «nos âmes sont corrompues à mesure que nos sciences et nos arts sont avancés à la perfection» (*Discours sur les sciences et les arts*). Diderot va plus loin : «Les hommes, écrit-il, sont d'autant plus méchants et plus malheureux qu'ils sont civilisés» (*Supplément au Voyage de Bougainville*).

Le bon sauvage est tellement bon qu'il devrait exister. On plaque son image sur le sauvage réel, de sorte qu'on ne voit plus ce dernier. La Pérouse et ses compagnons furent victimes de cette illusion. Le massacre, le 8 décembre 1787, de douze membres de l'expédition par les indigènes de Maouna est dû en grande partie à la confiance excessive accordée à ces hommes «naturels» au nom du mythe du bon sauvage.

SAVALETTE, Charles (1683-1756). Seigneur de Magnanville et autres lieux, fermier général, c'est un homme qui s'est fait lui-même. Son grand-père était marquis vinaigrier, son père notaire au Châtelet de Paris. Il était le neuvième enfant. En 1718, à trente-cinq ans il est directeur de la Compagnie des Indes. Il est nommé la même année fermier général, et reste en charge jusqu'en 1748. De 1749 à sa mort, il occupe la plus haute charge de finance, celle de garde du Trésor royal. Dans le milieu hédoniste des financiers, sa vie rangée fait exception. Il passe pour être très attaché à son épouse. Mme d'Épinay écrit des Savalette qu'«il règne dans cette famille une union, une gaieté, une égalité d'humeur qui fait qu'on a du plaisir à les voir et à vivre parmi eux» (*Mémoires et Correspondance*, Paris, 1818).

SAXE, Hermann Maurice, comte de (1696-1750). Maréchal de France, c'est un soldat-né. Depuis l'âge de douze ans il fait la guerre, d'abord en Flandre contre les Français, ensuite dans l'armée russe contre les Suédois. Il entre à vingt-quatre ans au service de la France avec le grade de maréchal de camp (7 août 1720). La guerre de Succession d'Autriche fait sa renommée. Ses plus grands succès sont l'attaque et la prise des places : Prague (1741), Bruxelles (1746), Maastricht (1747). Il est peut-être un peu moins brillant dans les batailles. La belle victoire de Raucoux lui appartient, mais le mérite de Fontenoy revient en grande partie au roi. Quant à Lawfeld, on peut en discuter. Il y aurait interdit la poursuite, donnant aux Anglais le temps de fuir. Ce qui justifierait le mot du marquis de Valfons, son aide de camp : «Il ne faisait jamais les batailles qu'à demi.»

Exprimée dans les ouvrages suivants, *Rêveries*, *Mémoires sur l'art de la guerre*, *L'Esprit des lois de la tactique*, sa théorie de l'art militaire est de l'école de Folard, qu'il admirait. Il donne une grande attention à la psychologie des troupes, et à ce qu'il appelle le «cœur humain», qui n'est finalement que les sensations éprouvées par les combattants. «... la tête tourne toujours aux hommes, écrit-il, lorsqu'il leur arrive des choses auxquelles ils ne s'attendent pas. Cette règle est générale à la guerre; elle décide de toutes les batailles, de toutes les affaires; c'est ce que j'appelle le cœur humain.» Il préconise les mouvements rapides et, curieusement, les poursuites alors qu'il ne les pratique guère. Il écrit : «Tout le secret de l'exercice, dont celui de la guerre, est dans les jambes.» Il jouit de son vivant d'une gloire immense et quelque peu disproportionnée de son mérite. La philosophie l'encense, car il est son ami. Frédéric II, à qui il rend visite, l'appelle le «professeur des généraux». Le roi l'avait fait maréchal général (comme Turenne) le 12 janvier 1747, et lui avait donné Chambord. Il vit là dans le faste, entouré d'un régiment de uhlans, qui y fait le service régulier d'une place de guerre. Il y meurt le 30 novembre 1750, usé par l'hydropisie et par la débauche.

SCEAUX. «Les sceaux, écrit dom de Vaines dans son *Dictionnaire raisonné de diplomatique* (Paris, 1764), confirment et ratifient les contrats, attestent la vérité des actes, donnent aux diplômes une des principales marques de solennité.» Toutes les autorités publiques, tous les corps constitués, toutes les compagnies laïques et religieuses ayant la personnalité juridique possèdent un sceau.

Les sceaux royaux de France sont le grand sceau et le petit sceau.

Le grand sceau royal est réservé aux lettres patentes. Il représente le roi dans ses habits royaux et assis sur son trône. Il est de cire verte pour les ordonnances et les édits, de cire jaune pour les déclarations, de cire rouge pour les actes concernant le Dauphiné et la Provence, et de cire blanche pour les lettres concernant les universités et les académies.

Le petit sceau ou contre-scel est celui des chancelleries des parlements, des présidiaux et des autres justices royales, chancelleries appelées petites chancelleries. Il est de cire jaune et utilisé pour les lettres de justice et pour les expéditions les plus ordinaires. Son écu porte les armes de France, c'est-à-dire les trois fleurs de lis.

L'apposition du grand sceau est faite par le garde des Sceaux au cours d'une cérémonie solennelle appelée l'«audience du sceau». Le chauffe-cire présente le coffret contenant les armes de France. Le grand audiencier présente les lettres à sceller. Le rapport est fait. Si le chancelier garde des Sceaux décide qu'il y a lieu de sceller, il fait apposer le sceau par le chauffe-cire. L'audience du sceau est un tribunal où se contrôle la légalité des actes royaux.

Cependant, M. Antoine note qu'«au XVIIIᵉ siècle les honneurs et le prestige entourant le sceau n'étaient plus qu'une survivance» (*Le Conseil du roi*, Genève, 1970, p. 342) et que les tenues de l'audience s'étaient espacées. D'ailleurs la plupart des décisions royales, c'est-à-dire les arrêts en conseil, n'étaient pas scellées.

SCULPTURE. La sculpture est employée à décorer les églises et les parcs des châteaux, à orner les villes et à embellir les demeures des particuliers.

Décorer les églises : la sculpture religieuse est toujours vivante et plus active que la peinture religieuse; il n'est pas un seul grand sculpteur qui ne produise un ou plusieurs morceaux religieux. Lambert Sigisbert Adam fait le *Saint Jérôme* des Invalides, Michel Ange Slodtz, un *Saint Bruno*, Pigalle la *Vierge* de Saint-Sulpice et Clodion une *Sainte Cécile*, pour ne donner que ces exemples. Toutefois aucun de ces maîtres ne fait de la sculpture sacrée sa spécialité. On a sculpté en France pendant ce siècle des milliers d'autels et de retables; la plupart sont des œuvres d'artistes provinciaux de renom local.

Décorer les parcs; deux maîtres en particulier y ont excellé : Lambert Sigisbert Adam et Guillaume Coustou. Le premier a fait le groupe central du bassin de Neptune à Versailles et les statues des fleuves de la cascade de Saint-Cloud; le second a orné l'abreuvoir de Marly de ses *Chevaux* fougueux, que maintiennent difficilement leurs palefreniers.

Orner les villes; ici la demande grandit : on commande aux sculpteurs des portes, des fontaines et des statues équestres du roi pour être dressées au milieu des places royales. Bouchardon par exemple fait la fontaine des Saisons de la rue de Grenelle (1739-1745) et la statue équestre de Louis XV pour la nouvelle place Royale, actuelle place de la Concorde (1749-1751).

Embellir les demeures des particuliers; c'est la demande la plus forte, si l'on y ajoute les commandes des collectionneurs. La sculpture se privatise en quelque sorte, et du même coup ses dimensions se réduisent : les œuvres n'ont plus rien de monumental; ce sont des bas-reliefs et des figurines de collection. Les artistes travaillent à orner les escaliers, les jardins, les salons et même les salles de bains. C'est ainsi par exemple que Clodion décore de bas-reliefs la salle de bains de l'hôtel de Besenval.

On sculpte le marbre, le biscuit, succédané du marbre, le bronze et surtout la terre cuite, matériau préféré de cette époque. Une grande partie de l'œuvre de Clodion consiste dans des terres cuites. Le bronze est utilisé pour les réductions : Vassé par exemple fait en bronze sa réduction de la statue équestre de Louis XV par Bouchardon.

Si les grands maîtres continuent à traiter parfois des sujets religieux, ils le font avec talent, mais sans ressentir le souffle du sacré. La véritable inspiration religieuse se trouve chez les sculpteurs provinciaux. Par exemple, les *Anges adorateurs* de François Lucas dans la chapelle des Chartreux de Toulouse témoignent d'un sens profond du surnaturel.

Les thèmes mythologiques sont encore les plus souvent traités. Ils sont obligatoires pour les «morceaux de réception» à l'Académie royale de peinture et de sculpture. *Neptune calmant les eaux* (1737) et *Milon de Crotone* (1754) sont les titres des morceaux de réception de Lambert Sigisbert Adam et de Falconet. Toutefois cette mythologie est souvent travestie. Par exemple Guillaume Coustou représente Marie Leszczynska en Junon (1731). Parfois elle est galante : les divinités deviennent alors de jeunes personnes grassouillettes et dénudées, prenant des poses lascives. La *Psyché abandonnée* de Pajou (1785-1790), l'*Amalthée ou Jeune Fille à la chèvre* de Pierre Julien (1788) et les nymphes et les satyres de Clodion sont les modèles du genre.

Le thème de l'enfance est abondamment traité ; les enfants sont de vrais enfants, vifs, jolis, spontanés. Voir par exemple l'*Enfant à la cage* de Pigalle et l'*Enfant pleurant d'avoir la main pincée par un homard*, tous deux exposés au Salon de 1750. Mais l'innocence n'est pas toujours respectée, certains artistes donnant dans la grivoiserie. C'est le cas de Houdon avec sa *Frileuse*, petite fille s'emmitouflant la tête et le haut du corps, mais montrant généreusement ses jambes et ses fesses.

Quelques sculpteurs se spécialisent dans le portrait. Jean Baptiste II Lemoyne fait le buste de Louis XV à tous les âges de la vie du souverain, Caffieri, celui du chanoine Pingré (1788), Pigalle, celui du «Nègre Paul» (vers 1760). On portraiture de préférence les littérateurs et les savants. Voltaire est statufié de son vivant, par Houdon, drapé dans une toge, par Pigalle dans sa nudité. Mais les rois aussi sont des héros : Bouchardon représente Louis XV en empereur romain, Falconet, Pierre le Grand dressé sur un rocher dominant la mer. Le portrait rétrospectif, genre promis à un bel avenir, commence à fleurir : Caffieri fait un Corneille assis, Clodion un Montesquieu. Enfin la mort inspire les sculpteurs ; le mausolée funéraire est un genre où ils excellent. Nicolas Sébastien Adam fait celui de la reine Catherine Opalinska (chapelle du Bon-Secours de Nancy), Michel-Ange Slodtz, celui des archevêques de Vienne, et Pigalle donne son chef-d'œuvre avec le tombeau du maréchal de Saxe à Saint-Thomas de Strasbourg (1766).

Ayant tous passé de longues années à l'académie de France à Rome, les grands sculpteurs français sont imprégnés de la manière de Bernin. Si bien que l'on peut dire de la sculpture qu'elle est le plus baroque de tous les arts du XVIIIe siècle. Lambert-Sigisbert Adam, le Lorrain et Guillaume Coustou sont vraiment des artistes baroques. Il est vrai que Clodion et Michel-Ange Slodtz donnent dans le rococo, mais Bouchardon est mi-rococo, mi-baroque. Pigalle est marqué par la réaction néoclassique, mais son classicisme très réaliste n'a rien de froid ni de sévère. Le baroque d'Adam et de Coustou n'a jamais exclu l'inspiration antique. La sculpture est finalement l'art le plus indépendant, le plus libre par rapport aux modes : l'inspiration baroque domine sans cesse, mais la nostalgie de l'Antiquité est toujours présente et la sensualité, à fleur de peau.

SECRET DU ROI. Cette appellation désignait la diplomatie personnelle et secrète de Louis XV, ses ministres n'en étant pas informés.

Les principaux « chefs du Secret », c'est-à-dire les principaux collaborateurs du roi dans cette action diplomatique, furent successivement le maréchal de Noailles, le prince de Conti et, à partir de 1758 jusqu'à la mort du roi, le comte Charles François de Broglie, ce dernier étant secondé par Tercier, premier commis aux Affaires étrangères. Certains diplomates étaient initiés au Secret, d'autres non. Le Secret disposait de son propre réseau diplomatique à l'intérieur de la diplomatie officielle. Les diplomates initiés étaient priés d'envoyer au chef du Secret copie des lettres que leur adressait le ministre. De cette manière, la diplomatie secrète était informée de la diplomatie officielle.

La politique constante du Secret fut de maintenir les alliances lointaines et traditionnelles avec la Pologne, la Suède et la Turquie. Après le renversement des al-

liances (auquel il ne semble pas avoir été associé), le Secret s'efforça de préserver les bonnes relations avec la Russie et avec l'Autriche. Après le traité de Paris il voulut préparer la revanche contre l'Angleterre et organiser un débarquement. Ces différentes politiques n'eurent pas de grands résultats. L'élection en 1764 de Poniatowski au trône de Pologne consacra l'échec de la politique polonaise. Quant à la revanche contre l'Angleterre, il ne fut pas habile de faire choix, pour la préparer, d'un aventurier au cerveau fragile, le chevalier d'Éon. Les extravagances de ce personnage obligèrent à abandonner le projet.

Le Secret demeure difficile à expliquer. Il était certainement utile d'avoir des politiques de rechange, mais il n'était sans doute pas très bon de conduire à la fois deux politiques différentes, et à plus forte raison des politiques opposées. Nous nous trouvons ici devant l'une de ces contradictions qui caractérisent le gouvernement de Louis XV et plus généralement l'Ancien Régime à son déclin.

SECRÉTAIRES D'ÉTAT. Les secrétaires d'État sont ce que nous appelons aujourd'hui des ministres. Avec le chancelier garde des Sceaux et le contrôleur général, ils forment le « ministère ».

Ils sont ordinairement au nombre de quatre. Cependant une cinquième charge a existé de 1718 à 1723 pour Dubois, et de 1763 à 1780 pour Bertin.

Les secrétaires d'État sont spécialisés. Leurs départements ont été fixés par un Règlement du 11 mars 1626 : Maison du roi, Affaires étrangères, Marine et Guerre. Louis XIV, Louis XV et Louis XVI maintiennent cette répartition. En plus de leurs attributions principales, ces ministres se voient confier à l'occasion tels ou tels groupes d'affaires, par exemple les relations avec le clergé, ou les protestants, ou les bâtiments, ou les postes. Enfin, chaque secrétaire d'État est chargé des relations avec un certain nombre de provinces. La Guerre a en principe les provinces frontières, la Marine les provinces maritimes, la Maison du roi et les Affaires étrangères se partageant les autres provinces. Toutefois, on a tendance à décharger les titulaires des Affaires étrangères de toute administration du dedans du royaume, et, au contraire, à confier à ceux de la Maison du roi un nombre toujours plus grand de provinces. Sous Louis XVI, le secrétaire d'État à la Maison du roi est appelé parfois « ministre de l'Intérieur ».

Les secrétaires d'État entrent dans les conseils du roi. Ils sont membres de droit du Conseil privé. Ils sont normalement membres du Conseil des dépêches, qui est vraiment leur conseil. La plupart sont nommés ministres d'État, ceux des Affaires étrangères dès leur entrée en fonction, les autres au bout de quelque temps.

Leur fonction est d'authentifier, d'expédier et de faire exécuter les ordres du roi. Eux seuls sont qualifiés pour donner force véritable aux décisions du roi, qui n'ont pas lieu d'être scellées, soit les lettres de cachet, les brevets, les ordonnances et les arrêts du Conseil en commandement. Ils signent au-dessous de la signature du roi, après la mention « par le roi ». Ils conduisent à l'audience du roi les députés des parlements, des provinces et des états de leurs départements respectifs. Toutes les lettres adressées au roi par les provinces et par les parlements doivent leur être aussi adressées.

La spécialisation des secrétaires d'État n'a pas changé leur destination primitive et essentielle, qui est d'être en permanence auprès du prince et à sa disposition pour le servir, le conseiller, donner forme à ses commandements. Leur présence tous les matins au lever du roi symbolise ce devoir de quotidienne assistance.

Déjà très augmentée sous Louis XIV, la puissance politique et administrative des secrétaires d'État est encore affermie et développée sous Louis XV et sous Louis XVI. La considération attachée à la charge ne cesse de grandir. L'évolution du recrutement le prouve. Sous Louis XIV, les secrétaires d'État se recrutaient dans la robe exclusivement. Sous Louis XV et sous Louis XVI, la grande noblesse de cour ne dédaigne pas

d'accepter ces charges. Elle les convoite même. A partir de 1750 environ, les secrétaires d'État venus de cette noblesse sont en majorité. Aux Affaires étrangères, depuis Bernis nommé en 1757, tous les titulaires, sauf Vergennes, sont de grands seigneurs. A la Guerre, depuis le maréchal de Belle-Isle nommé également en 1757, tous sans exception sont de haute noblesse. La noblesse de Cour ne se contente plus de sa puissance sociale, il lui faut encore le pouvoir politique. Elle s'empare de cette monarchie administrative que Louis XIV avait créée contre elle.

SEDAINE, Michel Jean (Paris, 4 juillet 1719 - *id.*, 17 mai 1797). Auteur dramatique, ayant perdu son père — un architecte sans fortune — il doit, pour subvenir aux besoins de sa mère et de ses trois frères, apprendre tôt le métier de tailleur de pierre. Employé chez l'architecte Buron, celui-ci s'intéressa à lui, l'aida à s'instruire et l'associa à ses travaux ; plus tard, Sedaine protégera à son tour le petit-fils de son bienfaiteur, le peintre Jacques Louis David, et lui fera avoir un logement au Louvre. Après quelques pièces de vers, dont en 1745 une *Épître à mon habit*, il publia en 1752 les *Poésies fugitives* et, en 1756, un poème didactique intitulé *Le Vaudeville*, en quatre chants. Cette même année, il fait jouer le *Diable à quatre ou la Double Métamorphose*, dont le fameux compositeur (et joueur d'échecs) François Danican Philidor avait fait la musique ; ce fut un succès qu'il renouvela en 1759 avec *Blaise le Savetier*. Mettant à profit la disparition du célèbre Vadé, décédé en 1757, Sedaine devient l'auteur à succès de l'Opéra-Comique, où il va, entre 1759 et 1791, donner de nombreuses œuvres avec pour la musique le concours de Philidor, puis de Monsigny et de Grétry, parmi lesquelles on peut citer notamment en 1761 le *Jardinier et son seigneur*, en 1763 *Rose et Colas*, en 1779 *Aucassin et Nicolette*, en 1784 *Richard Cœur de Lion*, qui en réalité est un opéra, et enfin en 1791 *Guillaume Tell*, dont le succès sera particulièrement éclatant. Librettiste adroit, on peut le considérer comme le fondateur de l'opéra-comique. Cependant c'est en 1765 que Sedaine fera jouer au Théâtre-Français une comédie en cinq actes en prose, *Le Philosophe sans le savoir*, qui reste son chef-d'œuvre, puis en 1768, sur la même scène et avec le même talent, un acte en prose intitulé *La Gageure imprévue*. « Je ne connais personne qui entende le théâtre mieux que vous et qui fasse parler les acteurs avec plus de naturel », devait écrire Voltaire dans sa *Lettre à Sedaine* en 1769. Entré à l'Académie française en 1786, il sera cependant oublié lors de la création de l'Institut, ce qui devait assombrir ses dernières années. En 1813, ses *Œuvres choisies* seront publiées en trois volumes, avec une notice par Auger, son confrère à l'Académie.

SÉGUR, Philippe Henri, marquis **de** (20 janvier 1724 - 3 octobre 1801). Les états de service de Philippe Henri, marquis de Ségur, maréchal de France, ministre de la Guerre, sont impressionnants : au service à quinze ans, colonel à dix-huit ans d'un régiment de cavalerie, il fait les campagnes de Bohême et d'Italie. Blessé à Raucoux, il perd un bras à Lawfeld, fait les campagnes de la guerre de Sept Ans, devient lieutenant général le 18 mai 1760, maréchal de France le 13 juin 1783. Il exerce également plusieurs commandements de province : lieutenance générale de Champagne et de Brie (1748), gouvernement du comté de Foix (1753), commandement temporaire de la Franche-Comté (1755). L'amitié de Necker et de Mme Necker, dont il fréquente le salon, fait de lui un ministre de la Guerre (23 décembre 1780). Le comte de Ségur décrit ainsi dans ses *Mémoires* l'accession de son père au gouvernement : « ... il n'y parvint que par le zèle ardent de ses amis [...]. L'opinion de M. Necker et de M. de Castries le seconda ; tous agirent même longtemps à son insu » (*Mémoires ou Souvenirs et anecdotes par M. le comte de Ségur*, t. I, Paris, 1824). Faut-il croire que le marquis de Ségur n'avait

pas brigué lui-même cette haute fonction ? En tout cas, son passage au ministère est marqué par d'importantes et utiles réformes : création en 1783 d'un corps permanent d'officiers d'état-major, ordonnances sur le régime du casernement et celui des hôpitaux militaires, augmentation de la solde. Le nom de Ségur est également attaché au fameux règlement du 22 mai 1781, en vertu duquel tous ceux qui seraient proposés pour le grade de sous-lieutenant devraient faire la preuve de quatre quartiers de noblesse en filiation paternelle. Peu après l'arrivée de Loménie de Brienne, le maréchal quitte de lui-même le ministère (29 août 1787). Il n'émigre pas. Emprisonné pendant quelques mois sous la Terreur, il voit tous ses biens confisqués, et se trouve dans une condition voisine de la gêne. Il meurt à Paris en 1801, ayant accepté une pension de Bonaparte.

SÉGUR, Louis Philippe, comte **de** (Paris, 10 décembre 1753 - *id.*, 27 août 1830). Ambassadeur de France, il est le fils du précédent, ministre de la Guerre et maréchal de France. Ses jeunes années sont dissipées, émaillées de duels et de liaisons. Avec Noailles, les Dillon, Durfort, Coigny, La Fayette, il est de ces jeunes gens terribles qui multiplient les frasques et égaient la Cour du nouveau règne. Il essaie d'abord de l'armée. Il est successivement colonel en second d'Orléans-Dragons (1776), colonel en second du régiment de Soissonnais et colonel des dragons de Ségur (1783). Embarqué en 1782 pour l'Amérique, il y arrive la guerre finie, ce qui le déçoit. La diplomatie le recueille alors. Son premier poste est considérable. Ce n'est rien de moins que l'ambassade de Russie. Cette promotion extraordinaire s'explique par la faveur et par les belles relations. Ségur est le protégé de la reine, et l'ami de la comtesse de Polignac. Cependant il n'est pas tout à fait ignorant. En 1776, il avait suivi à Strasbourg le cours de droit public du célèbre Koch. De plus, il s'est préparé à sa mission en lisant dans les archives des Affaires étrangères les correspondances de ses prédécesseurs. Son ambassade russe dure cinq ans. Il arrive à Pétersbourg en décembre 1784 et en repart en novembre 1789. Il réussit. Il sait plaire à Catherine II, qui l'emmène avec elle dans son voyage en Crimée de 1787. Il parvient à conclure avec les Russes un traité de commerce donnant à la France le statut de la nation la plus favorisée. Il aurait voulu aller plus loin, jusqu'à une alliance politique, mais la prudence de Louis XVI s'y opposa. La Révolution, à laquelle il se rallie, lui confie deux nouvelles ambassades, la première à Rome en 1791, la seconde à Berlin en 1792. L'une et l'autre sont manquées. Le pape lui interdit d'entrer dans ses États. Frédéric-Guillaume III refuse de le recevoir. Rentré en France en mars 1792, il n'émigre pas, et n'est pas inquiété grâce à la protection de Boissy d'Anglas, dont il est l'ami. Il se rallie à l'Empire, qui le comble de dignités et de charges, parmi lesquelles celle de grand maître des cérémonies (1804). La Restauration ne lui tient pas rigueur. Il est membre de la Chambre des pairs de 1819 à 1830. Il se piquait d'écrire et a laissé une œuvre abondante et mêlée, où les comédies légères et les petits vers côtoient les traités de diplomatie et les ouvrages historiques. Rien de tout cela ne vaut ses *Mémoires*, publiés en 1824, écrits de spirituelle manière et jamais ennuyeux. On y remarque sa lucidité. Il a bien vu la légèreté coupable de sa caste. On connaît sa phrase fameuse : « Pour nous jeune noblesse française, sans regret pour le passé, sans inquiétude pour l'avenir, nous marchions gaiement sur un tapis de fleurs qui nous cachait un abîme. » Il avait, dans sa jeunesse, fréquenté chez Mme Geoffrin et chez Mme du Deffand. Il s'était lié avec d'Alembert. Il avait reçu la bénédiction littéraire de Voltaire. Il restera toute sa vie attaché à une idée vague et confuse de la liberté. Mais cela ne l'empêchera nullement de faire sa cour aux plus grands despotes de son temps, Frédéric II, Catherine II et Napoléon. Il ira même jusqu'à justifier dans ses *Mémoires* l'asservissement des paysans russes. Il écrira en effet ceci : « Pendant un séjour de cinq années en Russie, je n'ai pas entendu parler d'un trait de tyrannie et de cruauté. » « Certes,

ajoute-t-il, les paysans sont esclaves, mais ils sont traités avec douceur. On ne rencontre dans l'Empire aucun mendiant. »

SEIGNEURIE. Une seigneurie est une terre sur laquelle on a certains droits. La plupart des seigneuries relèvent en fief d'un seigneur supérieur. Quelques-unes sont des alleux (*voir ce mot*) et n'entrent pas dans la hiérarchie féodale.

Celui qui possède une seigneurie en a la seigneurie utile, c'est-à-dire l'usage et la jouissance. Il en a aussi la seigneurie publique, c'est-à-dire le droit de police et de justice. Si la seigneurie relève en fief d'un seigneur supérieur, celui-ci conserve ce qu'on appelle la seigneurie directe, et le seigneur du fief doit à ce seigneur supérieur les droits que l'on appelle féodaux.

La seigneurie utile elle-même se subdivise d'ordinaire en domaine proche, ensemble de terres exploitées directement par le seigneur, ou louées par lui comme fermes ou comme métairies, et en « mouvance », composée de tenures ou censives appartenant à des paysans censitaires, qui en sont les véritables propriétaires (pouvant les vendre et les léguer), tout en payant au seigneur les droits dits seigneuriaux.

Une seigneurie comporte généralement un château, un four banal, une forge banale et un moulin. Les seigneurs hauts justiciers jouissent de droits honorifiques dans les églises paroissiales.

Les seigneuries sont hiérarchisées. Les plus grandes sont celles qui ont un titre capable de souveraineté : les pairies, les duchés, les marquisats, les comtés et les principautés.

Les droits seigneuriaux sont inventoriés dans les registres appelés terriers.

SEL. Le sel de mer est extrait des marais salants, celui de terre des « fontaines salantes ». On appelle « salines » les manufactures de sel.

Les principaux marais salants sont ceux de Saintonge (Brouage et Marennes), du comté de Nantes (Le Croisic, Guérande), du Cotentin et du Languedoc.

Les «fontaines salantes» sont celles de Lorraine et de Franche-Comté. En Lorraine, il s'agit des salines de Moyenvic, Salmes, Dieuze, Rozière et Château-Salins. Les salines de Franche-Comté sont situées à Montmorot, près de Lons-le-Saunier et à Salins. La saline d'Arc et Senans a été fondée par le gouvernement en 1775 pour exploiter le banc de Salins. L'architecte Nicolas Ledoux fut chargé de la construction de la manufacture.

La plus grande partie du sel des fontaines salantes de l'Est est vendue à l'étranger. Presque toute la production du sel des marais salants est achetée par l'État, qui s'est réservé le monopole de la vente dans les pays de gabelle. Les droits pesant sur le sel sont très élevés, de sorte que les profits des propriétaires et des ouvriers sauniers se trouvent réduits à l'extrême. A titre d'exemple, sur le prix de vente d'un muid de sel à Brouage en 1763, prix s'élevant à 10 livres 14 sous, il ne revient au propriétaire, tous droits et frais payés, que 1 livre 11 sous et au saunier 15 sous 6 deniers. *Voir aussi* GABELLE et GRENIERS À SEL.

SÉMINAIRES. On appelle séminaires, des établissements destinés à la formation des prêtres. Les évêques en sont les fondateurs et en ont le contrôle.

La moitié des séminaires de la France d'Ancien Régime ont été fondés après 1715. En 1789, presque tous les diocèses en sont dotés. La direction et l'enseignement sont assurés par des instituts religieux. Dans le cours du XVIIIᵉ siècle, les lazaristes ont dirigé 60 séminaires, les jésuites 32, les sulpiciens 20 (dont celui de Saint-Sulpice à Paris, appelé le séminaire des évêques), les oratoriens 14, les doctrinaires 14 et les eudistes 13.

Pendant une grande partie du siècle précédent, la plupart des séminaires servaient seulement pour de courtes retraites données aux clercs devant se faire ordonner. C'était ce qu'on pourrait appeler le séminaire-stage, ou le séminaire court. Au XVIIIᵉ siècle la durée du séjour des séminaristes s'allonge. On voit de plus en plus de séminaires internats, où les jeunes aspirants à la prêtrise demeu-

rent pendant une ou plusieurs années. Vers 1750, la plupart des séminaires de province gardent leurs séminaristes au moins deux ans.

Les revenus des séminaires proviennent de plusieurs sources : la taxe prélevée sur les bénéfices du diocèse (selon les prescriptions du concile de Trente), la contribution personnelle de l'évêque, les dons des généreux fondateurs et parfois les revenus de bénéfices unis au séminaire. Le plus souvent cela ne suffit pas, et les séminaristes doivent payer pension. A Saint-Sulpice en 1758, la pension est de 400 livres par an.

Les effectifs sont très modestes. Avec ses trois cents séminaristes, Saint-Sulpice est de loin le séminaire le plus peuplé du royaume. La plupart des séminaires diocésains ne dépassent pas la vingtaine de séminaristes.

Les études se partagent entre la théologie (scolastique et morale) et l'Écriture sainte. Au séminaire de Besançon, vers 1780, il y a deux conférences hebdomadaires d'Écriture sainte. Dans les villes universitaires, les séminaristes suivent aussi les cours de l'université. L'oraison mentale et la lecture spirituelle sont les exercices principaux de la formation spirituelle. Quant à la formation pratique, elle n'est pas négligée. Les séminaristes étudient la liturgie et le plain-chant. Ils sont exercés à la prédication et à l'enseignement du catéchisme.

A partir de 1760 environ, des signes de déclin apparaissent. La discipline se relâche, ainsi que la formation. En 1773, le jeune Charles Maurice de Talleyrand-Périgord, élève au séminaire Saint-Sulpice de Paris, fait le mur chaque nuit pour aller retrouver une jeune comédienne. Les supérieurs le savent, mais ne disent rien. Dans ce même séminaire Saint-Sulpice, en 1759, le temps de l'oraison mentale a été réduit de moitié (d'une heure à une demi-heure). Les manuels en usage dans les dernières années de l'Ancien Régime (par exemple la *Philosophie de Lyon* du P. Valla, publiée en 1782) donnent une piètre idée de la formation intellectuelle. Ces ouvrages recommandent Descartes et Locke, ignorent les richesses de la pensée scolastique et ne font qu'une petite place au raisonnement.

SÉNAC, Jean-Baptiste (Lombez, 1693 - Paris, 20 décembre 1770). Premier médecin du roi, il est sans doute l'un des meilleurs médecins français du siècle. Pourtant, il n'a pas eu de biographe. On ne sait presque rien de ses études ni des débuts de sa carrière. On ne le suit bien qu'à partir de 1745. A cette date, il est attaché à la personne du maréchal de Saxe et le suit aux armées. A la mort du maréchal, il s'installe à Versailles et devient médecin consultant de Louis XV. Sa nomination de premier médecin du roi date d'avril 1752. Son *Traité de la structure du cœur, de son action et de ses maladies* (1749) permet de le considérer comme le fondateur de la cardiologie. On y trouve une bonne étude des arythmies, de la dyspnée, des hémoptysies et de l'œdème d'origine cardiaque.

SÉNAC DE MEILHAN, Gabriel (Paris, 1736 - Vienne, Autriche, 1803). Intendant de province, fils du précédent, il a parcouru deux carrières, l'une administrative, l'autre mondaine et littéraire. D'abord conseiller au Grand Conseil, il est nommé en 1764 maître des requêtes, et administre successivement trois généralités : La Rochelle (1766-1773), Aix-en-Provence (1773-1775) et Valenciennes, où il reste fort longtemps (1775-1790). Il est un intendant éclairé, philanthrope, enfin tel qu'on le veut aujourd'hui. Il prend part en 1783 à l'organisation de l'académie de Valenciennes. Il établit une filature à Saint-Amand pour donner du travail aux pauvres (1781). Il fait construire un établissement thermal dans cette même ville, avec des chambres pour les malades pauvres. Toutefois, les tâches administratives lui laissent quelques loisirs. Il passe à Paris des trimestres entiers. Il ne veut pas s'éloigner du soleil. Il veut être ministre et académicien. De belles relations favorisent son ambition : la comtesse de Tessé, la duchesse de Gramont, sœur de Choiseul, et la pieuse marquise de Créqui. Cela ne suffit pas. Il n'est pas

nommé ministre, il n'est pas élu à l'Académie. Les lettres vont le consoler. A partir de 1786, il se met à écrire. Il écrit en moraliste. Il « considère » son siècle. *Considérations sur le luxe et les richesses* (1787), *Considérations sur l'esprit et les mœurs* (1787), *Des principes et des causes de la Révolution française* (1789), tels sont les titres de ses principaux ouvrages. L'ensemble forme un diagnostic du déclin de la monarchie. Pour l'auteur, l'Ancien Régime n'est pas vicieux, il a été « dénaturé ». La monarchie n'est pas malade, elle est faible. Finalement, le mal profond est la médiocrité : « En France, écrit Sénac, les grandes passions sont aussi rares que les grands hommes » (*Considérations sur l'esprit et les mœurs*). Tout cela est judicieux, mais il y a aussi beaucoup de naïveté. Sénac a l'air de croire que, pour tout arranger, il suffit de supprimer les mauvaises gens, et d'abord Necker et Maurepas, qu'il n'aime pas. Il émigre en juin 1790. L'exil et les voyages (en Russie, à Hambourg, en Autriche) stimulent son génie. Le roman qu'il publie en 1797, et qu'il intitule *L'Émigré*, est son chef-d'œuvre. Il meurt à Vienne sans avoir revu la France.

SÉNÉGAL. Les premiers établissements français du Sénégal et de la Gambie datent du XVIIᵉ siècle. Fort Saint-Louis et l'île de Gorée, près du Cap-Vert, en sont les principaux comptoirs. Nommé en 1696 commissaire de la Compagnie d'Afrique alors chargée de gérer ces comptoirs, l'administrateur André Brue avait donné à la colonie une grande extension. La Compagnie des Indes ayant succédé en 1714 à celle d'Afrique, Brue est maintenu dans ses fonctions ; il poursuit sa politique de développement, rétablit le comptoir d'Albreda sur la rive droite de la Gambie et fonde un nouvel établissement à Fort-Bissao. Il remonte le cours du Sénégal, et cette exploration sera poussée par son successeur, David, jusqu'au confluent de la Falemé supérieure.

La *Nouvelle Relation de l'Afrique occidentale* du P. Labat (1729), rédigée à partir des notes d'André Brue, les travaux du naturaliste Adanson, qui visite plusieurs fois la colonie de 1749 à 1754, et la *Nouvelle Histoire de l'Afrique française* de l'abbé Demanet, ancien curé de Gorée (1762), éveillent l'intérêt du public français pour cette partie de l'Afrique et pour ses richesses naturelles.

Abandonnés aux Anglais (sauf Gorée) en 1763, les comptoirs du Sénégal et de la Gambie sont restitués à la France vingt ans après, au traité de Versailles.

SENSUALISME. On nomme sensualisme une théorie de la connaissance propre à la philosophie des Lumières et voisine de l'empirisme de Locke. Le théoricien en est Condillac.

Selon ce philosophe, il n'y a rien d'inné en nous, ni idées, ni activité intellectuelle élaboratrice : tout vient de la sensation qui se transforme elle-même et se combine avec d'autres, devenant ainsi souvenir, plaisir ou douleur, attention, idées, jugements, raisonnements. Condillac explique cette théorie de la « sensation transformée » par la célèbre allégorie de l'« homme statue ». Il s'agit pour lui de démontrer ce que nous devons à chaque sens. Sur les traces de Locke, qui avait posé l'hypothèse de la table rase, il imagine une statue organisée intérieurement comme nous et animée d'un esprit dénué de toute espèce d'idées. Il suppose également que l'extérieur de cette statue toute de marbre ne lui permet l'usage d'aucun sens, et il se réserve d'ouvrir à son choix chaque sens aux différentes impressions dont ils sont susceptibles. Il commence par le sens de l'odorat, parce que c'est celui qui paraît contribuer le moins au développement de l'esprit humain. Il continue par l'ouïe, le goût, la vue et le toucher.

La théorie sensualiste est donc semblable à la théorie empiriste, en ce qu'elle ne voit entre l'image et l'idée qu'une différence de degré de généralité, non pas de nature. Mais sa marque principale est qu'elle ne reconnaît pas dans la pensée la manifestation d'une activité personnelle. La notion aristotélicienne et scolastique d'acte de penser du sujet pensant (*cogitatio*) lui est étrangère.

Le sensualisme permet de mieux comprendre certains aspects de la pédagogie des Lumières. En effet, à partir de sa théorie de la connaissance, Condillac a élaboré toute une pédagogie. Il veut que le pédagogue prenne assise sur ce qu'il appelle les « idées sensibles », qu'il se méfie des abstractions et qu'il joue avec les enfants, la « vérité » ne se découvrant « que par des compositions et des décompositions » (*Essai sur l'origine des connaissances humaines*, 2ᵉ partie, section II, chap. I, paragraphe 10). La théorie pédagogique d'Helvétius dans *De l'Esprit* (1758) s'inspire du même sensualisme. L'esprit selon Helvétius, ne crée rien : « … la sensibilité physique (c'est-à-dire la faculté de recevoir les impressions) et la mémoire sont les causes productrices de toutes nos idées » (Discours I, chap. I). Il en résultera ce principe de pédagogie : les enfant devront appliquer toute leur attention à toutes les faces des objets qui leur fournissent des sensations. L'éducation devra tourner les enfants non pas vers eux-mêmes, non pas vers la considération de la nature humaine, mais vers le monde extérieur (la nature) et vers les rapports que leurs sens établissent avec ce monde.

Tous les philosophes sont sensualistes. Même Rousseau, qui écrit : « Nous naissons sensibles, et dès notre naissance nous sommes affectés de diverses manières par les objets qui nous environnent : sitôt que nous avons pour ainsi dire la conscience de nos sensations, nous sommes disposés à rechercher ou à fuir les objets qui les produisent […]. C'est donc à ces dispositions primitives qu'il faudrait tout rapporter [il veut dire rapporter toute l'éducation] » (*Émile*, livre premier).

Le sensualisme est aussi dans la politique des philosophes. On sait que la plupart d'entre eux sont partisans d'un régime autoritaire. Or ils savent que la force d'un État lui vient en grande partie de son pouvoir sur les esprits. Cet État, pensent-ils, n'est fort que s'il parvient à s'emparer des esprits des citoyens. Comment s'en emparera-t-il ? C'est ici qu'intervient le sensualisme. On agira sur les sens, on suscitera des sensations qui se transformeront en idées. On fera cela par des images, par des spectacles, par des cérémonies. Diderot par exemple conseille à Catherine II de rendre très solennelle l'inauguration d'un député : « Je désirerais donc que l'inauguration d'un député fût très solennelle... » Et il ajoute ce commentaire : « Les hommes ne sont que de vieux enfants [...]. L'homme et l'animal ne sont que des machines de chair ou sensibles » (*Mémoires pour Catherine II*, éd. P. Vernière, Paris, Garnier, 1966, p. 245).

SEPT-FONS. L'abbaye cistercienne de Sept-Fons en Bourbonnais avait été réformée à la fin du XVIIᵉ siècle. Les moines de Sept-Fons suivent un régime de vie presque aussi dur que celui de la Trappe. Par le gouvernement vigilant de grands abbés (comme dom Jalloutz), l'observance est strictement maintenue jusqu'en 1789. Sept-Fons est l'une des rares abbayes d'hommes qui ne présentent aucun signe de décadence. De septembre 1769 à juillet 1770, le pèlerin mendiant Joseph-Benoît Labre fut novice dans cette maison, qui conserve encore aujourd'hui un livre de prières lui ayant appartenu.

SERAN, Marie Marguerite Adélaïde de Bullioud, comtesse de (1742-?). Elle mérite de passer à la postérité car elle préféra l'état d'épouse fidèle à celui de maîtresse du roi. Fille d'un gouverneur des pages du duc d'Orléans, elle était remarquablement belle, et d'un esprit aimable et vif. Elle fut mariée à l'âge de quinze ans à Louis François de Seran de La Tour, qui était riche, vieux, d'une laideur rebutante, mais avait au moins pour lui la bonté. Sa femme lui fut inébranlablement fidèle. Le roi s'était pris d'une grande admiration pour elle. En 1765, il la reçut plusieurs fois dans ses petits appartements, mais la belle comtesse ne fut jamais sa maîtresse. Comme l'écrit un ancien auteur « elle déclina l'honneur d'être déshonorée ». Elle y gagna l'estime du roi et de tous. Louis XV lui voua

de l'amitié. Il lui écrivait souvent. « Mme la comtesse de Seran, dit M. de Lédans, était belle comme Vénus et spirituelle comme Mme de Sévigné. » Nous avons d'elle un portrait de Carmontelle. C'est une improvisation, mais qui donne une idée juste. Vêtue d'une robe jaune, les épaules couvertes d'un peignoir blanc, elle est assise au milieu de la campagne et tient un livre à la main. Les traits sont d'une grande pureté. On admire cette beauté chaste et l'on se prend de sympathie pour elle.

SERVANDONI, Giovanni Niccolo (Florence, 1695 - Paris, 1766). Né à Florence d'un père français, il fut un artiste fécond et imaginatif, à la fois peintre, architecte et décorateur dans l'Europe entière. Il étudie la peinture en Italie avec J.P. Panini, l'architecture avec J.J. de Rossi. Il se fixe à Paris en 1724. Il commence comme décorateur à l'Opéra, donne de nombreux dessins décors (*Orion*) et maquettes.

Il est aussi organisateur de grands spectacles officiels en France (naissance du Dauphin, mariage de Mme Élisabeth), mais aussi à Londres (feu d'artifice), Dresde, Bruxelles et Vienne.

Dans le même temps, il peint beaucoup, paysages ou ruines, qu'il expose au Salon. En 1731, il est reçu à l'Académie de peinture.

Comme architecte, son œuvre la plus connue est la façade de Saint-Sulpice à Paris. Il signe les autels de la cathédrale de Sens, de Saint-Bruno à Lyon, des projets de rotondes, de fabriques. Si son architecture est tournée vers l'antique, ses décorations sont baroques, fastueuses, avec efforts de polychromie et beaucoup de fantaisie.

SERVITES. L'ordre des Servites de la Bienheureuse Vierge Marie est un ordre de religieux mendiants. Né en Italie, cet institut s'était implanté en Provence au XVᵉ siècle. Il y comptait, au début du XVIIIᵉ siècle, onze maisons (dont une à Aix-en-Provence) et une soixantaine de religieux.

Les servites mènent une vie mixte, à

la fois contemplative et active. Ils participent à l'évangélisation des milieux populaires dans lesquels ils répandent leur dévotion particulière à Notre-Dame des Sept Douleurs.

Toutes les maisons françaises de l'ordre seront supprimées en 1770 par la commission des réguliers.

SIGORGNE, Pierre (Rambercourt-aux-Pots en Lorraine, 25 octobre 1719 - Mâcon, 10 novembre 1809). Ecclésiastique, professeur et savant physicien, il naquit d'une famille de moyenne bourgeoisie, commença ses études à l'université de Pont-à-Mousson, et les continua à Paris, où il embrassa l'état ecclésiastique et obtint en Sorbonne le doctorat de théologie. La publication en 1747 des *Institutions newtoniennes* lui valut la célébrité. Nommé la même année professeur de philosophie au collège Du Plessis, il ne craignit pas d'y professer publiquement la doctrine de Newton dans un temps où l'Europe savante était encore cartésienne. Sa vie suivait un cours tranquille lorsqu'il fut accusé d'avoir composé des vers injurieux pour le roi et enfermé pour ce motif à la Bastille pendant dix-huit mois (de juillet 1748 à la fin de 1749). Ces vers commençaient ainsi :

Lâche dissipateur des biens de tes sujets,
Toi qui comptes les jours par les maux
[que tu fais,
Esclave d'un ministre et d'une femme
[avare,
Louis apprends le sort que le ciel te
[prépare...

(cité par J. Delort, *Histoire de la détention des philosophes* [...], t. II, Slatkine reprints, Genève, 1967, p. 192).

Les avait-il écrits ? Non sans doute. Il s'en défendit toujours. L'accusation reposait sur le dire d'un certain Bosancour qui les lui avait entendu réciter. Il s'agissait donc très probablement d'une erreur judiciaire. Mais le scandale avait été trop grand. L'abbé Sigorgne fut contraint de quitter Paris. Mgr Moreau, évêque de Mâcon, l'accueillit chez lui et le nomma vicaire général. Il administrera ce diocèse pendant près de cinquante ans et mourra presque oublié, bien que faisant partie de l'Institut impérial de France depuis 1803. Ayant refusé de prêter le serment constitutionnel, il avait passé plus d'une année dans les prisons de la Terreur.

SILHOUETTE, Étienne de (Limoges, 5 juillet 1709 - Brie-sur-Marne, 20 janvier 1767). Le nom de famille d'Étienne de Silhouette, contrôleur général des Finances du 4 mars au 21 novembre 1759, est devenu un nom commun, inscrit comme tel pour la première fois en 1835 dans le Dictionnaire de l'Académie française, avec le sens de profil dessiné autour de l'ombre d'un visage. Littré en donne la raison : sur les murs du château qu'il avait fait construire en 1759 à Brie-sur-Marne, Étienne de Silhouette s'amusait à dessiner ces sortes de figures. Il n'y aurait donc aucune allusion — contrairement à la croyance commune — à la brièveté de son passage au ministère. D'ailleurs, avec ses huit mois au Contrôle général, Silhouette ne détient pas le record de la brièveté. Clugny fera mieux avec cinq mois. Il n'est pas non plus tout à fait sans mérite. Après une carrière bien remplie, ayant été successivement conseiller au parlement de Metz, maître des requêtes, chancelier du duc d'Orléans, commissaire du roi auprès de la Compagnie des Indes, il arrive au ministère en pleine guerre de Sept Ans, à un moment très difficile. Son atout majeur est sa réputation d'homme éclairé. Il a écrit sur la philosophie des Chinois. Il a traduit les œuvres de Pope et de Bolingbroke. Il trouve tout de suite de l'argent, par un moyen bien simple, celui de l'emprunt. En même temps, il diminue le tarif de la taille. Du coup, sa popularité monte au zénith. Voltaire le qualifie de « génie calculateur et courageux ». Mais cette faveur ne dure pas. Soucieux de réduire les privilèges, il crée la « subvention générale », qui est une sorte de troisième vingtième. Aussitôt, il est attaqué de toutes parts. Le crédit s'effondre. Le Trésor se vide. Le roi vend sa vaisselle. Les philosophes avaient encensé Silhouette. Maintenant ils l'abominent, et le roi ne peut alors mieux faire que de le renvoyer.

SILLERY, Louis Philogène Brulart, vicomte de Puisieux, marquis de (1702-1771). Ministre d'État, il est issu d'une lignée de grands serviteurs du roi. Son aïeul, Nicolas Brulart, avait été chancelier de France. Lui-même est un diplomate devenu homme d'État, comme il arrive souvent sous le règne de Louis XV. Après avoir rempli plusieurs ambassades, il est nommé le 21 janvier 1747 secrétaire d'État pour le département des Affaires étrangères. C'est le début d'une longue carrière ministérielle. Il ne reste pas longtemps aux Affaires étrangères, sa mauvaise santé l'obligeant à donner sa démission (9 septembre 1751), mais il siège au Conseil d'en haut de 1750 à 1756 et de 1758 à 1763. Son attachement pour les jésuites aurait été la cause de son départ définitif du ministère. Son passage aux Affaires étrangères a correspondu au congrès et à la paix d'Aix-la-Chapelle. Il était partisan d'un système traditionnel d'alliances avec la Turquie, la Pologne et la Suède. Ce qui ne l'empêcha pas d'approuver le renversement des alliances et les stipulations du premier traité de Versailles, lorsque celles-ci furent soumises aux ministres d'État.

SINSART, Benoît, dom (1695-1776). Moine bénédictin de la congrégation de Saint-Vanne, théologien réputé, il avait d'abord commencé une carrière militaire, pour choisir ensuite la voie ecclésiastique. Il fait profession à Senones le 7 septembre 1716, et y enseigne la théologie pendant plusieurs années. Envoyé à l'abbaye de Munster (diocèse de Strasbourg), il en est élu abbé le 1er mars 1745. Ses ouvrages sont de controverse et d'apologétique. Les premiers réfutent le jansénisme et le protestantisme, les seconds le matérialisme et l'incrédulité. On doit citer en particulier sa dissertation intitulée *Défense du dogme catholique sur l'éternité des peines...* (Strasbourg, 1748). Il a été très attaqué dans sa propre congrégation, pour avoir soutenu dom Mathieu Petitdidier et défendu les thèses de ce dernier sur l'infaillibilité du pape. On doit signaler aussi qu'il était un homme de grande culture, non seulement théologique et historique, mais aussi artistique, goûtant la musique, l'architecture et la peinture.

SIRVEN (affaire). En 1764, le protestant Pierre Paul Sirven, accusé d'avoir tué sa fille, fut jugé par la justice seigneuriale de Mazamet. Ayant quitté la France, il fut condamné à mort par contumace. Or sa culpabilité ne paraissait pas bien établie. Voltaire prit sa défense et, comme pour l'affaire Calas, dénonça l'erreur judiciaire, conséquence du « fanatisme ».

Les faits étaient les suivants. Le 6 mars 1760, Élisabeth Sirven, fille de Pierre Paul, simple d'esprit, s'était réfugiée au couvent des Dames noires de Castres, déclarant vouloir se faire catholique. Atteinte peu après de folie furieuse, elle avait été rendue à sa famille. Le 16 décembre 1761, elle disparaissait. On retrouvait bientôt son cadavre dans le puits de Saint-Alby. Les soupçons étaient tombés immédiatement sur le père, accusé d'avoir tué la jeune fille pour l'empêcher de se convertir.

Le procès s'était déroulé en l'absence de l'accusé, Sirven et sa femme ayant fui en Suisse, à Lausanne. Ils avaient, un moment, bénéficié de l'hospitalité de Voltaire à Ferney. En 1769, l'opinion ayant été préparée par les écrits de Voltaire, Sirven rentra en France et se constitua prisonnier afin d'être jugé de nouveau. La justice de Mazamet rendit sa sentence le 16 novembre 1769. Elle ne statuait pas sur l'innocence du prisonnier, mais ordonnait simplement son élargissement.

Il est très possible que la condamnation de Sirven en 1764 ait été une erreur judiciaire, mais il n'est pas du tout sûr, contrairement aux allégations de Voltaire, que les juges aient agi par fanatisme catholique. Les raisons de leur partialité auraient été plutôt — Jean Bastier, dans une étude récente (« L'affaire Sirven devant la justice seigneuriale de Mazamet», *Revue d'histoire du droit français et étranger*, 1971, p. 601-611), l'a bien fait voir — d'ordre social. La justice seigneuriale de Mazamet avait été rachetée par des bourgeois de la communauté de la ville. Or il faut savoir que Sirven était feudiste de son état, travaillant avec zèle pour tous les nobles seigneurs de la région, et par conséquent très impopulaire auprès des bourgeois.

SLODTZ. Le nom de Slodtz fut porté par quatre sculpteurs. Le premier fut **Sébastien** Slodtz, né à Anvers en 1655, mort à Paris en 1726. Les trois autres furent trois de ses fils : **Sébastien René** (1694-1754), **Paul Ambroise** (1702-1758) et **René Michel** (1705-1764) ; le quatrième fils, **Dominique** (1711-1764), était peintre.

Sébastien René et René Michel l'emportent sur les autres par le talent.

Dessinateur du Cabinet du roi, **Sébastien René** fut admis à l'Académie royale en 1743, avec pour morceau de réception *La Chute d'Icare*. Il exécuta différents ouvrages dans des églises parisiennes de Notre-Dame, Saint-Merri, Saint-Sulpice et Saint-Barthélemy. On le considère comme l'un des créateurs du style rocaille.

René Michel, surnommé Michel-Ange, ayant remporté à deux reprises le second prix de sculpture (en 1724 et 1726) fut envoyé à Rome en qualité de pensionnaire du roi ; il y resta dix-sept ans. Il y fut chargé au concours d'exécuter pour la grande nef de Saint-Pierre la statue colossale de saint Bruno refusant la mitre épiscopale qu'un ange lui apporte. Rome lui doit encore le mausolée du marquis de Capponi (église Saint-Jean-des-Florentins) et le buste de Nicolas Vleughels (Saint-Louis-des-Français). Revenu à Paris en 1747, il n'y reçut pas l'accueil mérité. Toutefois, son *Tombeau du curé Languet* (Saint-Sulpice) lui valut un concert de louanges. En 1754, il avait succédé à son frère Sébastien René comme dessinateur du Cabinet du roi.

SOANEN, Jean (Riom, 6 janvier 1647 - La Chaise-Dieu, 25 décembre 1740). Évêque de Senez, célèbre figure du parti janséniste, il était entré en 1661 dans la congrégation de l'Oratoire et y avait fait une belle carrière de prédicateur. La Bruyère pensait à lui quand il écrivait dans ses *Caractères* : «... il prêche simplement, fortement, chrétiennement». Il avait été nommé évêque de Senez en 1695, mais ce petit diocèse de cinquante-six paroisses lui avait laissé le temps de continuer à donner des stations de Carême et d'Avent en Provence, à Toulouse et à Paris. Sa prédication était certes rigoriste, mais elle n'était nullement janséniste. Il affirmait même la possibilité de résister à la grâce. Le jansénisme n'apparaît chez lui qu'à la publication de la bulle *Unigenitus*. Peut-être est-il plus juste de dire que c'est le gallicanisme qui l'a rendu janséniste. Il s'oppose donc à la bulle et, le 5 mars 1717, signe l'acte d'appel au concile. Exilé dans son diocèse, il y persiste dans son opposition. Sa lettre pastorale du 1er août 1727 contient cette proposition : «C'est par soumission à l'Église que l'on refuse de se soumettre à la bulle.» Un concile provincial, réuni à Embrun sous la présidence de Tencin, l'entend, le juge et le condamne, le suspendant de toute juridiction et des fonctions épiscopales. Le roi l'exile à La Chaise-Dieu. Il y entretient une abondante correspondance (1 461 lettres sont datées de La Chaise-Dieu) et y reçoit de nombreux jansénistes venus comme en pèlerinage. A aucun moment il ne donnera le moindre signe de soumission, mais il ne sera jamais excommunié et pourra recevoir les derniers sacrements. Il avait été dans son diocèse un évêque véritablement apostolique, grand visiteur de ses paroisses, vivant dans la plus grande simplicité, distribuant de nombreuses aumônes et donnant même à l'occasion ses couvertures et ses repas. Certains de ses contemporains ont pensé qu'il ne s'était pas rendu compte de l'importance de son refus de se soumettre et de la gravité de son obstination. «Ce bon vieillard, écrivit Massillon, n'entend rien : il ne perd point de vue son fantôme. Ses correspondants abusent de sa simplicité [...]. Je crains fort qu'il n'entre dans sa conduite un peu de complaisance sur les applaudissements du parti...» (lettre du 28 février 1728 à Mgr de Touraivre, évêque de Rodez). Si sévère qu'il puisse paraître, ce jugement de l'évêque de Clermont est très probablement juste.

SOCIÉTÉS D'AGRICULTURE. La création des sociétés d'agriculture est d'inspiration physiocratique. Ces sociétés ont en effet pour mission de développer l'agriculture, source unique, ainsi que le pensent les physiocrates, de toutes les richesses de la nation.

Ce sont des institutions officielles. Créées par arrêts du Conseil, elles sont rattachées d'une certaine manière à l'administration royale : l'intendant de la généralité préside à leurs séances et prélève sur ses crédits les fonds nécessaires à leur fonctionnement.

Dix-neuf sociétés sont ainsi instituées par arrêts du Conseil entre 1760 et 1786, et seize sur dix-neuf dans les trois années 1761, 1762 et 1763, qui sont celles du plus grand succès de la mode physiocratique. Ces dix-neuf sociétés sont établies dans les villes suivantes : Tours, Paris, Limoges, Lyon, Rennes, Orléans, Riom, Rouen, Soissons, Alençon, Bourges, Auch, La Rochelle, Montauban, Caen, Valenciennes, Aix-en-Provence, Perpignan et Moulins. En fait, chaque société se compose de plusieurs bureaux (de deux à cinq, selon les sociétés), dont l'un est installé au chef-lieu de la généralité, et les autres dans certaines villes importantes de la généralité. Le nombre des membres varie de quinze à vingt-cinq. Ils se recrutent dans le clergé, la noblesse et la bourgeoisie. La paysannerie est absente. C'est de l'agriculture sans paysans.

Car les sociétés ont embrassé la cause de l'«agriculture nouvelle». Elles militent pour les défrichements, l'amélioration de l'outillage, la protection des bois, l'introduction des cultures nouvelles, telles que la pomme de terre, les betteraves, les prairies artificielles. Certaines étendent leurs études et leurs enquêtes aux questions sociales et médicales, s'intéressant, par exemple, à l'inoculation ou

au problème de la mendicité. On en voit même qui interviennent auprès des évêques «pour parvenir à diminuer le nombre des fêtes préjudiciables à l'agriculture».

Quelques sociétés sont très actives. D'autres le sont peu. La société de Montauban ne se réunit jamais. Celle de Valenciennes dure seulement quatre ou cinq ans. La Société royale d'agriculture de France est créée en 1788, dans le dessein d'établir une correspondance entre toutes les sociétés du royaume et de ranimer celles qui avaient dépéri.

SOCIÉTÉS LITTÉRAIRES. Les sociétés littéraires sont des sortes d'académies libres. Elles ont à peu près les mêmes activités que les académies, mais ne forment ni des corps ni des compagnies, bien qu'étant approuvées par les pouvoirs publics.

La plupart sont créées après 1770. Dans ses *Origines*, Daniel Mornet en recense trente-huit, fondées entre 1759 et 1789. Toutes ne s'appellent pas sociétés littéraires. Par exemple, celles de Saint-Brieuc et de Rennes portent le nom de Chambres littéraires. Celle de Lille (fondée en 1785) s'intitule Société ou Collège des philalèthes.

Le savoir honoré dans ces sociétés est le savoir encyclopédique. Les sujets traités touchent à toutes les disciplines, avec une préférence pour les questions de politique, d'économie et de morale sociale, et nettement moins de goût pour les belles-lettres. Les sociétés littéraires n'ont de littéraire que le nom.

Leur rôle est important dans la diffusion des Lumières et dans la préparation des grands changements politiques et sociaux. En 1780, la Chambre littéraire de Rennes invite ses membres «à communiquer à la société [...] leurs idées et réflexions relatives au bien commun». La Société des philalèthes de Lille est une fondation maçonnique, et une émanation de la loge des Amis unis, à l'Orient de Lille. Ce cas de la société lilloise n'est probablement pas le seul. Il serait intéressant d'étudier les relations des sociétés littéraires avec les loges locales.

SOIE. On distinguera la filature et le tissage. L'industrie de la filature prend une grande extension. Son développement est favorisé par l'amélioration de l'outillage et par les aides du gouvernement. On voit se fonder un grand nombre de manufactures nouvelles, équipées de moulins à l'italienne. Les deux machines inventées par Vaucanson, l'une pour le tirage, l'autre pour le moulinage, sont expérimentées après 1750 à Aubenas et à Lavaur. On peut dire qu'à la fin de l'Ancien Régime la filature de la soie est solidement établie en France. Les fabricants disposent d'un bon outillage, supérieur même à celui des Italiens. Selon l'estimation de Roland de La Platière, inspecteur des manufactures, il y aurait en France, en 1786, mille cinq cents moulins à soie. Les principales régions de filature sont le Dauphiné, la Provence, le bas Languedoc et le Vivarais. On trouve aussi des filatures à Saint-Chamond, Lyon et Tours.

La mécanisation est aussi introduite dans le tissage, où elle rend moins pénible le travail des tireurs et des tireuses. Les différents métiers inventés par Bouchon, par Falcon et par Vaucanson annoncent et préparent celui de Jacquart.

Le grand centre de la fabrication des étoffes de soie est la ville de Lyon, où la grande fabrique emploie en permanence sept mille maîtres ouvriers et de cinq à six mille apprentis, compagnons et ouvrières au seul travail du tissage. Il faut y ajouter les nombreux ouvriers de divers métiers associés à la préparation des étoffes, comme les teinturiers et les passementiers.

Parmi les nombreuses belles soieries fabriquées, deux qualités se distinguent, celle des soieries dites «bizarres», et celles qui sont décorées par le peintre Jean Revel et tissées à Lyon dans les années 1735-1740. Les motifs des premières sont mouvementés et irréguliers, de style typiquement Régence; les secondes sont couvertes de grappes de fruits et de légumes (*voir* REVEL).

SOISSONS. Soissons est une ville peu considérable (moins de dix mille habitants), mais elle est le siège d'un évêché, d'une intendance et de plusieurs juridictions; c'est une ville intellectuelle dotée d'une académie royale, appelée Académie française (fondée en 1674) et d'une Société d'agriculture très active et distributrice de prix. En 1779, le sujet suivant fut proposé au concours : «Quels sont les moyens de détruire la mendicité, de rendre les Pauvres valides utiles, de les secourir dans la ville de Soissons?» L'abbé de Montlinot, lauréat du concours, fut nommé en 1781 directeur du dépôt de mendicité de la ville dont il fit une maison de travail forcé.

SOLDINI, Placide (1718-1775). L'abbé Placide Soldini, confesseur du roi Louis XVI, est né de parents italiens. Aumônier du Grand Commun de Versailles, il avait confessé Louis XV après l'attentat de Damiens, le P. Desmarets, confesseur en titre, se trouvant à Paris au moment du drame. C'était avec le plus grand zèle qu'il remplissait sa charge d'aumônier, faisant les catéchismes et confessant continuellement. En 1764, la comtesse de Marsan le recommande à la Dauphine, qui cherchait un confesseur parlant allemand pour remplacer le P. Croust, jésuite, obligé de quitter la Cour. Marie-Josèphe en fait aussi le confesseur de ses enfants. Il prend donc en charge, à partir de cette date, la direction de la conscience du futur Louis XVI, qui le confirme dans ce ministère en avril 1770. C'est alors qu'il adresse à l'héritier du trône une longue lettre de recommandations, véritable institution du prince chrétien. Il lui conseille de lire Fénelon et Duguet sur les devoirs de la royauté. Il l'avertit de ne pas s'adonner au jeu ni au divertissement du théâtre, et de ne jamais lire, sauf autorisation spéciale, les livres condamnés par l'Église. Lorsque Louis XVI monte sur le trône, l'abbé demeure son confesseur. Il ne le reste qu'un an à peine, devant mourir en 1775 des suites d'un accident de carrosse.

SORBONNE. La «Maison et société de Sorbonne» est l'une des parties de la faculté de théologie de Paris, les trois autres étant la maison de Navarre, les docteurs religieux et les docteurs ubiquistes. Fondée en 1253, elle tire son nom de Robert de Sorbon, son fondateur.

Elle est composée de deux sortes de membres, les «associés» (*socii*) et les «hôtes» (*hospites*). Les hôtes sont des candidats à la licence. Ils ne professent pas et sont tenus de mettre leur séjour à profit pour préparer la licence. En 1789, la Maison comptait trois cent soixante sorbonistes, tant associés qu'hôtes. Les trente-deux appartements de la Sorbonne (reconstruite au siècle précédent par Richelieu) sont réservés aux associés professeurs de théologie et aux hôtes. Les trente-deux pensionnaires ont à leur disposition un restaurant et une bibliothèque. Parmi les heureux pensionnaires qui bénéficièrent de ce statut enviable d'hôtes, il faut citer Turgot, Boisgelin et Morellet.

La Sorbonne est une école de théologie. Six professeurs y enseignent cette discipline. Les licenciés et les docteurs sont dits de Sorbonne, s'ils ont soutenu leur thèse dans cette école. Outre les cours a lieu tous les vendredis la réunion des cas de conscience. On y discute sur des questions de théologie particulièrement difficiles, et sur lesquelles une consultation a été demandée.

La Sorbonne exerce également une fonction de contrôle et de censure des livres. Sur les seize maîtres en théologie de la faculté de théologie composant la commission d'examen des livres religieux et des manuels scolaires, quatre sont désignés par la Sorbonne.

Le prieur et le proviseur sont les deux principaux dignitaires chargés d'administrer la Maison. Le proviseur est toujours choisi parmi les plus hauts prélats. Le cardinal de Rohan (celui de l'affaire du Collier) exerça cette charge.

SOUBISE, Charles de Rohan, prince de (Paris, 1715 - *id.*, 1787). Les débuts militaires de Charles de Rohan, prince de Soubise, puis duc de Rohan-Rohan et maréchal de France, ont été brillants et rapides comme il convenait pour un prince de sa maison : capitaine à dix-neuf ans, brigadier à vingt-cinq, maréchal de camp à vingt-huit, au moment où commence la guerre de la Succession d'Autriche. Son élévation par la suite est due à la faveur toute spéciale du roi, dont il est l'ami intime et le familier, et de Mme de Pompadour, qui ne jure que par lui. «Je suis enchantée, écrit-elle, du cœur de M. de Soubise ; il n'y a rien qu'il ne me faille faire pour avoir un pareil ami » (cité par Pierre de Nolhac, *Madame de Pompadour et la politique*, Paris, 1928). Aide de camp du roi dans les deux campagnes de Flandre de 1744 à 1745, Soubise est élevé le 1er janvier 1748 au grade de lieutenant général. Arrive la guerre de Sept Ans. Le 15 juin 1757, il est nommé commandant des troupes qui passent le Rhin. Puis il est mis à la tête de l'armée auxiliaire de l'armée des Cercles. Mme de Pompadour a beaucoup intrigué pour lui faire donner ce commandement. Elle voudrait voir son favori révéler sa valeur militaire et décider de la victoire. En fait de victoire, c'est la terrible défaite de Rossbach (5 novembre 1757). Le principal responsable du désastre est Hildburghausen, commandant de l'armée des Cercles. Mais Soubise n'est pas innocent. Il a donné lui aussi dans le piège tendu par Frédéric, et n'a rien deviné de la manœuvre de ce dernier. Cependant, il a fait preuve de courage en chargeant la cavalerie prussienne et en commandant lui-même la retraite au pas, sous le feu, de deux régiments. L'opinion l'accable et le ridiculise. Mais le roi ne lui retire pas sa faveur. Il sera fait maréchal de France le 19 octobre 1758, et ministre d'État le 18 février 1759. Il restera au Conseil jusqu'à la fin du règne. Il aura le mérite d'apporter au chancelier Maupeou un soutien sans faille, et la noblesse d'assister fidèlement son roi et ami dans ses derniers moments.

SOUFFLOT, Jacques-Germain (Irancy, près d'Auxerre, 1713 - Paris, 1780). Architecte, fils d'avocat, il entendit très tôt l'appel de sa vocation, et partit étudier en Italie dès l'âge de dix-huit ans. Paestum et l'Antiquité romaine le marquèrent ; il s'intéressa plus particulièrement aux coupoles et aux dômes. Rentré en France en 1738, et fixé à Lyon, il donna le plan d'une coupole pour l'église des Chartreux et réalisa le grand hôtel-Dieu, le quai Sainte-Claire et la Loge du Change.

En 1749 il accompagna Marigny, frère de Mme de Pompadour, en Italie. Revenu à Lyon, il construisit quelques hôtels particuliers et une salle de spectacle. Établi ensuite à Paris, la protection de Marigny lui valut de nombreuses commandes officielles, dont celles de la sacristie de Notre-Dame et de la fontaine de la rue de l'Arbre-Sec. Ayant gagné le concours de l'église Sainte-Geneviève (actuel Panthéon), il construisit et édifice au milieu des difficultés et des critiques. Il mourut avant de l'achever. Son assistant Rondelet le terminera. C'est son chef-d'œuvre et le début d'un style nouveau.

SOUILLAC, Jean Georges de (Périgueux, 1685 - Lodève, 14 février 1750). Évêque de Lodève de 1732 à sa mort, il avait été auparavant vicaire général de Périgueux. C'est un évêque assidu à ses devoirs. De 1734 à 1736, il visite toutes les paroisses de son diocèse. Son attitude au milieu des querelles doctrinales de son temps l'a fait classer dans ce qui a été appelé le « tiers parti ». Il est officiellement constitutionnaire, mais en fait favorable aux appelants. Le 10 septembre 1745, il confie son séminaire aux pères de la Doctrine chrétienne, réputés proches du parti janséniste, et les envoie prêcher des missions préparatoires à ses visites pastorales.

SPINOZISME. Le spinozisme est l'une des sources principales de la pensée des Lumières.

Les thèses spinozistes avaient d'abord été divulguées par Pierre Bayle, qui les exposait avec complaisance dans son *Dictionnaire historique et critique*. Toutefois, dès les premières décennies du siècle, les œuvres mêmes de Spinoza trouvent en France d'assez nombreux lecteurs. Dans cinquante catalogues de bibliothèques privées édités entre 1720 et 1760, Paul Vernière a trouvé douze exemplaires du *Tractatus*, neuf de la traduction de Saint-Glain et quatre des *Opera posthuma*. Parmi les possesseurs de ces ouvrages figurait notamment l'abbé Dubois (*Spinoza et la pensée française avant la Révolution*).

Les premiers penseurs éclairés marqués par Spinoza sont le chevalier Ramsay et le marquis d'Argens. On reconnaît ensuite très nettement son influence chez Montesquieu et chez Rousseau. Spinoza et Montesquieu font le même diagnostic du monde réel. L'un et l'autre sont déterministes, bien qu'ils ne le soient pas de la même manière, et leurs œuvres concourent au même but, la laïcisation du droit et de l'histoire. Spinoza et Rousseau envisagent pareillement les rapports de l'Église et de l'État. Spinoza écrit que « le droit de régler les choses sacrées appartient entièrement à l'État et que, si nous voulons obéir à Dieu, le culte religieux extérieur doit se régler sur la paix de l'État » (*Tractatus theologicus politicus*, chap. XIX, p. 360, cité par Vernière).

Paul Vernière a distingué un courant néospinoziste représenté par B. de Maillet, La Mettrie et Diderot. Spinozisme nouveau en ceci que le panthéisme de Spinoza y cède la place au matérialisme. Pour Diderot, par exemple, la « substance unique » n'est pas Dieu, mais la matière vivante.

D'une manière générale, on retrouve chez tous les philosophes des Lumières le dogme de Spinoza de l'unité de substance, son déterminisme non seulement physique mais encore moral, et son assimilation (très nette chez d'Holbach en particulier) de la liberté à la nécessité.

Mais plus frappante encore — si frappante que l'on s'étonne de ne la voir jamais clairement soulignée — est la ressemblance des anthropologies. Selon Spinoza, tout l'agir de l'homme ne doit tendre qu'à « conserver son être ». Toute sa « vertu » réside dans son application à se conserver ainsi, et tout son « bonheur» dans l'exercice d'une telle vertu. Il est heureux s'il se conserve. Et il se conserve en recherchant ce qui lui est utile. Car il n'y a d'autre bien pour lui que l'utile («J'entendrai par bien ce que nous savons avec certitude nous être utile»). Parmi les «objets extérieurs utiles», les hommes figurent au premier rang («... rien n'est plus utile à l'homme que l'homme»). Tel est cet homme spinoziste (*Éthique*, IV, 7, 8, 18), homme sans finalité, sans aspiration à se dépasser lui-même, n'existant que par le recours à l'utile et n'ayant d'autre raison de fréquenter ses semblables que l'utilité que ces derniers peuvent présenter pour lui. C'est l'homme des Lumières.

SPIRITUALITÉ. Une spiritualité est une manière d'exercer l'âme pour la perfectionner aux yeux de Dieu. Il y a plusieurs spiritualités parce qu'il y a plusieurs manières.

Mais on ne retrouve pas au XVIIIe siècle la grande variété du siècle précédent. L'école française (Bérulle, Olier) et l'école normande (Bernières, Renty) n'ont guère de continuateurs. Cependant, un auteur de la fin du siècle, le jésuite Nicolas Grou, reprend dans ses ouvrages (*Caractères de la vraie dévotion*, 1788, et *Maximes spirituelles*, 1789) le thème bérullien de l'homme dépouillé, pure capacité de Dieu. «Il faut, dit-il, susciter en nous Jésus-Christ. Son esprit nous dépouille et nous déifie dans la mesure fixée par le Père.»

La spiritualité dominante, celle que l'on trouve chez presque tous les auteurs de livres de dévotion, est la spiritualité ascétique de la Compagnie de Jésus, illustrée au siècle précédent par les PP. Saint-Jure, Crasset et Nepveu (dont les ouvrages sont d'ailleurs maintes fois réédités). Cette méthode indique d'abord les «principes de la perfection», puis les moyens de progresser, enfin la manière de mettre en œuvre ces moyens. Il y a de nombreux auteurs, mais aucun ne vaut ceux du XVIIe siècle. Le plus lu est sans doute l'abbé Baudrand, dont les traités (*L'Ame élevée à Dieu, L'Ame sur le Calvaire*, et *L'Ame sanctifiée par la perfec-*

tion de toutes les actions de la vie ou la Religion pratique [1770]) sont écrits avec simplicité et beaucoup de force de persuasion. Le thème le plus original de cet ascétisme du XVIIIe siècle est l'insistance sur le devoir d'état, dont l'accomplissement est proposé comme le principal moyen de perfection.

Il existe une spiritualité propre aux jansénistes. Les deux meilleurs maîtres de cette école sont Jacques Joseph Nicolas Duguet et Jérôme Besoigne. Leur spiritualité est une spiritualité de la conversion, représentée comme une éclosion progressive de l'âme s'ouvrant peu à peu à la lumière et se dégageant de la corruption qui l'entoure.

En dehors de ces différentes écoles, quelques auteurs développent des thèmes nouveaux et proposent des synthèses originales. Ce sont deux capucins, le P. Ambroise de Lombez (auteur du *Traité de la paix intérieure*, 1757) et le frère Philippe de Madiran (*Le Triomphe de la grâce*, 1786) et deux jésuites, le P. de Caussade (*L'Abandon à la Providence divine comme le moyen le plus sûr de sanctification*, 1778) et le P. Picot de La Clorivière (*Considérations sur l'exercice de la prière et de l'oraison*, 1778). Ces quatre maîtres spirituels ont plusieurs traits communs. Tous puisent en même temps aux sources de la tradition salésienne et à celles de la tradition ignatienne. Tous recommandent de s'abandonner avec confiance à la volonté de Dieu. Tous prônent les vertus d'«une dévotion intérieure qui dilate le cœur». Enfin, tous considèrent l'union mystique comme l'aboutissement normal de la vie chrétienne. Non seulement ils réhabilitent la mystique, mais encore ils lui rendent sa place dans la dévotion, une place qu'elle n'aurait jamais dû perdre.

STANISLAS Ier LESZCZYŃSKI (Lwow, 20 octobre 1677 - Lunéville, 23 février 1766). Roi de Pologne, beau-père du roi Louis XV, fils de Stanislas Leszczynski, grand trésorier de Pologne, et d'Anna Iablonowska, il a été dans la première partie de sa vie un souverain malchanceux. Élu roi de Pologne le 12 juillet 1704 grâce à l'appui de Charles XII, il est détrôné par les Russes. Il s'exile en France, s'établit en janvier 1720 à Wissembourg, et marie sa fille en 1725 au roi de France. En 1733, le gouvernement français le pousse à revenir en Pologne afin d'y reprendre son trône. Élu roi pour la seconde fois (le 11 septembre 1733), il est à nouveau chassé par les troupes russes. Sous un déguisement de paysan, il réussit à s'échapper de la citadelle de Dantzig, assiégée. Le 28 janvier 1736, il signe son abdication. La souveraineté de la Lorraine lui est donnée en compensation. C'est alors que commence la seconde partie de sa vie, celle d'un règne paisible et heureux. Sa souveraineté est plus nominale qu'effective. En vertu de la convention secrète de Meudon (1737), la réalité du pouvoir appartient au roi de France. Il n'en règne pas moins. S'il est un figurant, il est un figurant magnanime et magnifique. Magnanime : ses dons aux pauvres, les caisses de secours qu'il institue, le collège de médecine qu'il fonde (1752), la Bibliothèque publique et la Société des sciences et belles-lettres, dont il est le créateur, lui valent le titre de « Bienfaisant ». Magnifique : sa cour de Lunéville compte quatre cents dignitaires et officiers ; la ville de Nancy lui doit son nouvel urbanisme et sa belle place Royale, œuvre de Héré, son premier architecte. L'abbé Proyart, dans la biographie qu'il lui consacre, en fait un saint bonhomme et paterne. Il correspond assez peu à cette image. Fastueux, épicurien, il aime tous les plaisirs, à la condition qu'ils soient raisonnables. Sa table est exubérante. Il adore les pâtisseries et en particulier les babas. Il n'est pas sans faiblesses pour les femmes. La marquise de Boufflers a été sa maîtresse. Car il concilie aisément la morale et le plaisir. « Cette vertu, écrit-il, que la religion inspire, n'est point austère et rebutante ; elle assaisonne au contraire, elle épure nos plaisirs » (cité par Guy Cabourdin, *Quand Stanislas régnait en Lorraine*, Paris, 1980, p. 197). On ne peut nier pourtant la réalité de sa foi catholique. Il est dévot au Sacré Cœur et à la Vierge Marie. Il

fait reconstruire le sanctuaire de pèlerinage de Notre-Dame-de-Bon-Secours. Il fonde des « missions royales » et les confie aux jésuites, qui sont ses amis, et dont il exigera le maintien dans le duché après leur suppression en France. Mais il veut être un chrétien sans fanatisme, ami de la tolérance et de la paix. Il écrit un ouvrage d'apologétique intitulé *L'Incrédulité combattue par le simple bon sens* (1760). Il compose également un traité, *De l'affermissement de la paix générale* (1748), où il préconise l'instauration d'un tribunal international chargé de régler les conflits. Vraiment, une telle combinaison de la dévotion jésuite et des principes de l'*Aufklärung* n'a pas d'équivalent dans toute l'Europe.

STRASBOURG. Rattachée en 1681 au royaume de France, Strasbourg, siège d'un gouvernement militaire et d'une intendance, est la capitale militaire et administrative de l'Alsace, mais n'en est pas la capitale judiciaire, le Conseil supérieur siégeant à Colmar. C'est aussi un évêché que le roi réserve à la famille de Rohan.

La population fait plus que doubler, passant de 22 000 à 48 500 habitants (de 1681 à 1789). Le mouvement démographique naturel étant déficitaire, cet accroissement est dû à l'immigration. La plupart des immigrés sont des catholiques, et la population catholique finit par dépasser la protestante en 1765.

La construction de nombreux bâtiments publics renouvelle le visage de la ville. Ce sont l'hôtel du Gouverneur, celui de l'intendance, et le magnifique palais épiscopal commencé en 1728 et achevé en 1741 (sur les plans de Robert de Cotte). L'hôpital des Bourgeois est reconstruit. Les bâtiments de la Douane sont agrandis. Enfin des casernes sont édifiées en 1785 par l'architecte Werner dans les quartiers Saint-Nicolas et Ponts-Couverts. Mais le plan d'urbanisme de l'architecte Blondel (vers 1765) n'est pas réalisé, faute de moyens, et l'organisation générale de la ville ne subit pas de transformations majeures.

L'activité économique de Strasbourg

est relativement médiocre, si l'on considère la situation géographique de la ville et son statut privilégié de port fluvial ouvert au trafic libre vers l'Allemagne. C'est une ville de boutiquiers et d'artisans, plus que de banquiers et de manufacturiers. L'armature corporative est très forte et les métiers (au nombre de vingt) savent se faire respecter. En 1776, ils obtiennent le retrait de l'édit portant suppression des jurandes. Ils freinent autant que possible l'établissement de nouvelles manufactures. Les industries principales, c'est-à-dire les industries d'art (ferronnerie, orfèvrerie, ébénisterie) et les fabriques de tabac (au nombre de cinquante-trois en 1787) ont une structure artisanale.

Le siècle voit l'essor de la dévotion catholique. Mais le protestantisme (auquel la Capitulation de 1681 garantit la liberté de culte) garde toute sa vitalité. Les principales manifestations de la vie intellectuelle et artistique sont de nature religieuse. La musique religieuse est de tous les arts le plus cultivé. Les Silberman, facteurs d'orgues, sont fameux dans toute l'Europe. Sur un tel milieu, le rationalisme sec des Lumières françaises ne peut avoir de prise. L'*Aufklärung*, en revanche, y trouve un climat propice et les différentes maçonneries, un terrain favorable. Entre 1757 et 1767, cinq loges se constituent. La ville est accueillie aux illuminés et aux charlatans. En 1778, Mesmer y fait des adeptes. Cagliostro y séjourne trois ans (1780-1783), subjugue le cardinal-évêque et lui fait croire qu'il sait fabriquer de l'or.

STYLE (art). On sait que dans le vocabulaire des arts le mot style signifie la manière d'un artiste ou la manière d'une époque. Nous l'entendons ici dans le second sens.

Le style d'une époque met sa marque sur tous les arts, mais il imprègne plus fortement la décoration intérieure, le mobilier et l'architecture. C'est pourquoi ces arts mieux que tous les autres incarnent le style.

La distinction communément reçue aujourd'hui est celle des trois styles Ré-

gence, Louis XV et Louis XVI. On peut garder ces divisions, mais il faut savoir ce qu'elles ont d'artificiel. Le style Régence n'est en fait que le style Louis XIV prolongé. Le style Louis XV en contient en fait deux très différents, le style rococo et le style néoclassique. Sous Louis XVI, on fait encore ici et là un peu de rococo, mais le néoclassicisme domine.

Le mot rococo a été employé pour la première fois en 1796 par Maurice Quaï pour désigner le goût à la mode pendant la plus grande partie du règne de Louis XV. Au XVIIIe siècle, on parlait de style « rocaille ». Aujourd'hui certains historiens de l'art réservent l'appellation de « rocaille » au prérococo.

C'est dans le décor intérieur que se manifeste de la façon la plus expressive le génie du rococo. Créé à la fin du règne de Louis XIV par les ornemanistes Berain et Lepautre, le décor rococo est porté à sa perfection par les deux architectes décorateurs du Régent, Oppenord et Vassé : la plastique est abandonnée, la colonne disparaît, le pilastre est très atténué, les « panneaux des murs gagnent en hauteur, en même temps que la saillie de leurs moulures diminue » (F. Kimball, *Le Style Louis XV*, Paris, 1949). Les plafonds sont plats et blancs, ou décorés de légères arabesques. Les murs sont couverts de boiseries sculptées. Au début, la discrétion et la retenue dominaient, mais vers 1730 Meissonier et Pineau adoptent un genre plus exubérant et caractérisé par l'asymétrie. C'est le genre qualifié alors de « pittoresque ». Sous la Pompadour, après 1750, on reviendra à des formes plus calmes.

L'architecture offre des caractéristiques analogues : disparition des colonnes, pilastres atténués. Il faut également noter que les palais et les châteaux rococos sont de proportions modestes et qu'ils sont gracieux et légers. Les architectes gardent le sens de la mesure et n'abusent pas des effets. Ils respectent les matériaux. Un bon exemple de cet art délicat est l'hôtel de Lassay à Paris (aujourd'hui résidence du président de l'Assemblée nationale), commencé par Lassurance et achevé en 1729 par J. Gabriel et Aubert.

Dans le mobilier, l'apparition du rococo est plus tardive. Il faut attendre les abords de 1740 pour voir la ceinture des sièges s'arrondir délibérément, les pieds s'élancer et s'amincir avec hardiesse. Le mobilier Régence n'est qu'à demi rococo.

C'est à partir de 1750 que le néoclassicisme commence à se répandre. Marigny, nouveau directeur des Bâtiments, a voyagé en Italie de 1749 à 1751 ; il s'y est initié aux beautés de l'art antique. Les recueils de planches de Winckelmann (*Geschichte der Kunst*, 1764) et de Delafosse (*Nouvelle Iconologie historique*, 1768) éveillent chez les amateurs et chez les artistes le goût de l'art grec. L'exemple des Anglais, convertis à l'Antiquité depuis plusieurs années déjà, est un autre facteur important. Le premier projet de l'église Sainte-Geneviève (actuel Panthéon), par Soufflot, date de 1755. Le Petit Trianon de Gabriel est achevé en 1764. Ce sont les premières grandes réalisations du nouveau style. On continue néanmoins à faire du rococo. Ou bien on fait du néoclassique avec des traces de rococo. C'est le cas notamment des intérieurs de Contant d'Ivry au Palais-Royal (1765), décors comportant des colonnes engagées, mais aussi des boiseries rococo dans la boiserie des portes. Vers 1770, Œben fait pour Louis XV un bureau à cylindre dont les lignes ne sont que galbes et larges courbes.

Il faut donc attendre les toutes dernières années du règne de Louis XVI pour voir triompher le nouveau goût. L'inauguration, le 27 septembre 1771, du pavillon de Louveciennes, construit par Ledoux pour Mme du Barry, est le signe de cette victoire. Car, dans ce pavillon, tout est du style néoclassique (pilastres, plafonds à petits caissons, chaises à dossier ovale), tout est Louis XVI avant Louis XVI.

En architecture, les caractéristiques du style nouveau sont les surfaces nues, la ligne droite ininterrompue et les longues colonnades. Ces mêmes formes s'imposent aussi dans la décoration des intérieurs. En 1768-1769, le salon de l'hôtel de Villette (aujourd'hui 27, quai Voltaire à Paris) est orné par Charles de Wailly de corniches, de pilastres et même de colonnes. Le mobilier se met lui aussi à la mode antique : les pieds des chaises sont cannelés comme des colonnes, les lits ont des frontons ; tous les éléments décoratifs, grecques, oves, guirlandes, bucranes et serviettes, passent du monument dans le meuble.

SUARD, Jean-Baptiste Antoine (Besançon, 16 janvier 1733 - Paris, 20 juillet 1817). Littérateur de la coterie philosophique, il est le fils d'un secrétaire de l'université de Besançon. Sa chance est d'épouser très jeune (en 1751) la sœur du libraire Panckoucke, le futur continuateur de l'*Encyclopédie*. Amélie Panckoucke est intelligente et séduisante. Elle a sans doute beaucoup aidé son mari à s'introduire dans les milieux littéraires et philosophiques. En 1762, sur la recommandation de Mme Geoffrin, le jeune Suard obtient de Choiseul une place de rédacteur à la *Gazette de France*. Le ménage est reçu chez Julie de Lespinasse et compte parmi les premiers habitués du salon de Mme Necker. En 1771 survient un coup dur : un article de Suard déplaît à la Cour ; le 29 août 1771, sa place de rédacteur à la *Gazette* lui est retirée. Il est élu le 7 mai 1772 à l'Académie française, mais Louis XV refuse de confirmer l'élection. Cependant, il ne prononce pas l'exclusive absolue, et Suard peut être admis deux ans plus tard. Après l'avènement de Louis XVI, il est nommé censeur royal des spectacles. Fonction difficile et qui lui vaut beaucoup d'ennemis. Mais la protection constante des Necker lui permet de s'y maintenir. En remerciement, il corrige les textes du ministre et aurait même participé à la rédaction de ses ouvrages. La Terreur l'épargne malgré ses opinions royalistes. Devenu, sous le Consulat, l'un des journalistes quasi officiels du régime, il a cependant le grand mérite de faire connaître sa désapprobation de l'assassinat du duc d'Enghien. Son œuvre tient presque tout entière dans ses contributions aux différentes gazettes dont il a été le collaborateur. Il faut cependant mentionner ses nombreuses traductions d'ouvrages anglais. Il avait séjourné en Angleterre en 1773 et s'y était lié avec l'historien Robertson.

SUBDÉLÉGUÉS. Ils sont des auxiliaires des intendants des provinces.

Les intendants ont toujours eu la faculté de subdéléguer, mais depuis 1661 ils en usent de manière très large en délivrant des commissions générales à des subdélégués permanents.

Nommés par l'intendant, dont ils sont en quelque sorte les commissaires, ils dépendent de lui entièrement et n'ont d'autre pouvoir que celui que l'intendant leur confère. Après avoir été un moment (1704-1715) des offices, leurs fonctions sont redevenues de simples commissions. Ils ne touchent donc pas de gages et sont rémunérés par des remises d'impôts et par des gratifications. Il faut distinguer le subdélégué général, principal collaborateur de l'intendant et résidant à ses côtés au chef-lieu de la généralité, et les autres subdélégués, installés à poste fixe dans les principales villes des élections, où ils ont leurs bureaux et leurs greffiers.

L'action des subdélégués s'étend à tous les domaines où s'exerce l'action de l'intendant. Avant tout agents de renseignement, ils sont les principaux relais de l'information économique et de l'information sanitaire. Ils sont aussi des agents d'exécution, intervenant alors en vertu d'ordonnances royales, ou d'arrêts du Conseil, ou d'ordonnances de l'intendant lui-même. C'est ainsi qu'ils prennent une part très importante à l'établissement et à l'exécution de la corvée.

Il est intéressant d'observer l'augmentation de leur nombre. Par exemple, la généralité de Lyon compte 4 subdélégations au XVIIᵉ siècle, 11 en 1750 et 22 en 1789. En Provence, le nombre des subdélégués passe de 15 à 30 entre 1715 et 1789. La Bretagne avait déjà 82 subdélégations en 1735. Ainsi se constitue un réseau administratif de plus en plus dense. Les subdélégations sont plus nombreuses que ne le

seront plus tard les sous-préfectures. Cependant, les deux institutions diffèrent sensiblement. Les sous-préfets seront des fonctionnaires venus d'ailleurs. Les subdélégués sont choisis par l'intendant parmi les notables locaux.

SUBLEYRAS, Pierre (Saint-Gilles-du-Gard, 25 novembre 1699 - Rome, 1749). Peintre dans les genres les plus divers, doué d'une grande facilité, il se forma d'abord à Uzès dans l'atelier de son père, Mathieu Subleyras, puis à Toulouse chez Antoine Rivalz. Lauréat en 1727 du premier prix de peinture de l'Académie royale (avec une toile intitulée *Le Serpent d'airain*, aujourd'hui au Louvre), il partit pour Rome à l'Académie de France, et, venu pour quelques années, y resta jusqu'à sa mort, ayant épousé la miniaturiste italienne Maria Felicia Tibaldi. Ses genres préférés sont le religieux et le galant. Le second lui réussit mieux que le premier. Sa *Messe de saint Basile* (1748) et son *Martyre de saint Pierre* sont assez conventionnels. Il y a en revanche de la vie et du charme dans ses deux compositions sur les sujets des *Contes* de La Fontaine, *Les Oies du frère Philippe* et *Le Frère Luce* (aujourd'hui au musée du Louvre).

SUBSISTANCES. On entend par subsistances les vivres nécessaires à l'approvisionnement des villes, et principalement les grains. Il importe avant tout pour la bonne police du royaume que les villes aient du pain en suffisance, du pain à bon marché, du pain de bonne qualité. Veiller aux subsistances, c'est-à-dire au bon approvisionnement, est l'une des principales attributions des autorités de police. On dit que ces autorités ont en charge la «police des grains». Dans la capitale, cette responsabilité est partagée entre le lieutenant général de police, l'intendant de la généralité de Paris et le Parlement. En province, elle appartient aux intendants.

La police des grains ne prétend pas se substituer au commerce. Sa mission est seulement de contrôle. Elle consiste à imposer le marché public comme lieu des transactions, à vérifier la bonne qualité des produits, à calmer, par des propos lénifiants, l'inquiétude des populations en cas de sorties des grains, enfin à importer du blé si le marché donne des signes de dérèglement. L'approvisionnement ordinaire est laissé au commerce.

Les marchands achètent les grains dans ce qu'on pourrait appeler le bassin d'approvisionnement de la ville. La ville de Caen, par exemple, se fournit ordinairement sur un territoire de 667 km² (Jean-Claude Perrot, *Genèse d'une ville moderne. Caen au XVIIIe siècle*, Mouton, Paris, La Haye, 1975). L'aire de subsistances de Paris s'étend jusqu'à la Champagne, l'Orléanais, la Picardie et la Normandie.

Deux changements interviennent au cours du siècle et modifient en profondeur les mécanismes de l'approvisionnement. Le premier est la substitution de la farine au blé. Dès 1730, les arrivages de farine à Paris dépassent ceux de blé. Le second changement est l'adoption par les meuniers du procédé de mouture dit économique, parce qu'il diminue beaucoup le gaspillage.

Dans chaque ville, quelques groupes de marchands concentrent entre leurs mains tout le commerce des subsistances. A Paris, ce sont les marchands des ports, installés rue de la Mortellerie, les marchands de la Halle et les marchands meuniers de la capitale, représentés par leurs facteurs.

SUFFREN de Saint-Tropez, Pierre André de, dit **le bailli de Suffren** (Saint-Cannat, Provence, 13 juillet 1727 - Paris, 8 décembre 1788). Vice-amiral, vainqueur des Anglais aux Indes, il est issu d'une ancienne famille de robe d'origine lucquoise. Sorti en 1743 de l'école des gardes, ses débuts dans la carrière seront assez lents. Il ne sera capitaine de vaisseau qu'en 1772. Reçu dans sa jeunesse chevalier de Malte, il s'élève aux dignités de commandeur, puis de bailli de cet ordre. Ses « caravanes » de Malte lui ont été précieuses. Elles l'ont engagé dans la course des pirates en Méditerranée. Il y a

acquis sa décision et sa virtuosité tactique. Son heure sonne en 1781, lorsque Castries, ministre de la Marine, l'envoie aux Indes. En 1778, dès le début de la guerre, les Anglais avaient mis la main sur les quelques établissements conservés par la France en Inde. Le gouvernement français veut récupérer ces comptoirs et, aussi, garder ouverte la route des Indes. Ces objectifs constituent la double mission de Suffren. Il appareille de Brest le 16 avril 1781. La victoire de la Praya, remportée sur le chemin du Cap, est la première révélation de son génie. Ses instructions lui prescrivaient de n'engager aucun combat avant l'arrivée aux Indes, mais, ayant découvert plusieurs vaisseaux anglais ancrés au mouillage de la Praya (île de Santiago de l'archipel du Cap-Vert), il enfreint les ordres, attaque les bateaux ennemis, les canonne pendant quatre-vingt-dix minutes, les endommage gravement et vire au large. Arrivé à Madras le 14 février 1782, il fait sa jonction avec l'escadre du comte d'Orves et, ce dernier étant décédé peu après, il le remplace comme amiral en chef. Sa tactique est simple. C'est celle de la guerre à outrance. Pendant plus d'un an, sans relâche, il attaque, dès qu'elle se montre, l'escadre anglaise basée à Bombay. Les victoires succèdent aux victoires : Sadras, Negapatam, Gondalour. La plus complète est celle de Negapatam (16 juillet 1782), où presque tous les navires anglais sont désemparés. Suffren s'empare aussi de Trincomalé, excellent mouillage situé à Ceylan, que les Anglais avaient enlevé aux Hollandais. Il fait alors de Ceylan sa base d'opérations. L'appui des Hollandais, qui dans cette guerre sont les alliés de la France, lui est précieux, le dispensant de faire venir son intendance de la lointaine île de France. La récompense est à la mesure de l'exploit : rappelé en France à la fin de 1783, Suffren est reçu par Louis XVI. La reine le félicite et lui fait voir le Dauphin. Il est nommé chevalier du Saint-Esprit. Une place de vice-amiral est créée spécialement pour lui. Mais après toutes ces distinctions, il n'est plus guère question de Suffren. Serait-il tombé en disgrâce ? Il meurt en 1788. On ignore la cause de sa mort. Selon certains auteurs, il aurait été tué en duel.

Il est le meilleur marin que la France ait jamais envoyé dans l'océan Indien. La promptitude et la vivacité de ses actions sont remarquables. Cependant, malgré tout son talent il n'a pu mordre sérieusement sur le continent tenu trop solidement par les Anglais. Sa campagne n'a finalement que la valeur d'une brillante diversion.

Ni dans son aspect ni dans son comportement l'homme n'était commun. Son physique était très particulier. C'était presque celui d'un obèse. Chevalier de Malte il avait fait vœu de célibat. Il ne s'est jamais marié. On ne lui connaît pas d'aventure. Cependant, une abondante correspondance avec une mystérieuse cousine révèle des goûts et des désirs qui ne conviennent pas à l'état religieux. Enfin, il avait sa manière de commander : doux et bonhomme avec les matelots, il était au contraire extrêmement cassant et dur avec les officiers.

SUICIDE. Admis pour la première fois en 1778 dans le *Dictionnaire* de l'Académie française, le mot suicide est un mot nouveau.

La question de savoir s'il est permis de se tuer est souvent débattue par les philosophes. Le marquis d'Argens, Maupertuis et La Mettrie sont contre ; ils jugent le suicide comme une lâcheté. « Le suicide, écrit l'abbé Prévost, est le système des lâches » (cité à l'article « Mort » du *Dictionnaire de Trévoux*). Montesquieu et Voltaire seraient plutôt pour. Montesquieu (d'après Robert Favre, *La Mort au siècle des Lumières*, p. 472) au nom de l'utilité : celui qui ne trouve plus aucune utilité à son appartenance au corps social a parfaitement le droit de s'en retirer. Voltaire, au nom de la vertu ; il écrit dans *L'Orphelin de la Chine* (acte V, scène 5) :

Les criminels tremblants sont traînés au
[supplice.
Les mortels généreux disposent de leur
[sort.

Son article « Suicide » du *Dictionnaire philosophique* soutient la plupart des arguments favorables au suicide. Mais, fidèle à sa manière, l'auteur ironise et propose une thérapeutique : « Un moyen presque sûr de ne pas céder à l'envie de vous tuer, c'est d'avoir quelque chose à faire. » Car, ajoute-t-il, « ce sont les oisifs qui se tuent ». « Les Sauvages, écrit-il encore, ne s'avisent point de se tuer par dégoût de la vie. C'est un raffinement de gens d'esprit » (*Voltaire's Notebooks*, 1952, t. I, p. 281).

La position de D'Holbach est à remarquer. Pour ce philosophe, un tel débat est vain et les moralistes n'ont fait qu'embrouiller la question. Car celui qui se suicide n'est pas libre de son choix ; il est poussé par une force qu'il ne commande pas, celle de la nécessité inscrite dans la « nature ». Le processus est le suivant : rendu malheureux par la « nature », cet homme ne peut plus s'aimer lui-même ; il devient alors inutile et n'a plus qu'à se tuer : « Si la même force qui oblige tous les êtres intelligents à chérir leur existence, rend celle d'un homme si pénible et si cruelle qu'il la trouve odieuse et insupportable, il sort de son espèce, l'ordre est détruit pour lui, et en se privant de la vie, il accomplit un arrêt de la nature qui veut qu'il n'existe plus. Cette nature a travaillé pendant des milliers d'années à former dans le sein de la terre le fer qui doit trancher ses jours... L'homme ne peut aimer son être qu'à la condition d'être heureux ; dès que tout ce qui l'entoure lui devient incommode, il peut sortir d'un rang qui ne lui convient plus ; il est suspendu dans le vide ; il ne peut être utile ni à lui-même ni aux autres » (*Système de la nature*, première partie, Londres, 1781, *reprint* Fayard, Paris, 1990, p. 321-322).

Observons que d'Holbach ne dit pas : il se tue, mais qu'il dit seulement : il « sort de son espèce ».

Pour les philosophes des Lumières, à qui appartient la vie de l'homme ? A Dieu ? Certainement pas. Mais pas davantage à l'homme lui-même. Pour d'Holbach, elle appartient à la « nature ». Pour Rousseau, « sa vie n'est plus seulement un bienfait de la nature, mais un don conditionnel de l'État » (*Contrat social*, livre II, chap. v).

En 1773, un suicide fit beaucoup de bruit en France. Dans une lettre à son ami Horace Walpole, Mme du Deffand le relate ainsi : « Deux soldats, le jour de Noël, [...] se sont donné la satisfaction de se tuer de compagnie. Voilà la lettre de l'un des deux, et le testament qu'ils ont signé tous deux et écrit sur la table où ils avaient bu ensemble [...]. » Dans ce testament, pour justifier leur acte, les deux hommes se réclamaient des leçons de Voltaire. « Cette mort, ajoute Mme du Deffand, fera plus d'impression, et elle est mille fois plus éloquente que tous les écrits de Voltaire, d'Helvétius et de tous messieurs les athées ; ce sont les premiers martyrs de leurs systèmes et il n'est pas impossible qu'elle fasse des prosélytes » (*Correspondance complète de la marquise du Deffand avec ses amis...*, Paris, 2 vol., t. II, 1865, lettre 501, p. 384). Cette supposition s'est-elle vérifiée ? Nous l'ignorons. Le taux des suicides a-t-il augmenté dans les dernières années de l'Ancien Régime ? C'est probable, mais nous n'avons aucune donnée qui nous permette de l'affirmer. On ne commence à recenser les suicides que sous la Restauration. Dans son ouvrage intitulé *Le Suicide. Étude sociologique* (Paris, 1897), Émile Durkheim indiquait pour l'année 1827 un taux de 4,8 pour 100 000 habitants. Les taux de la fin de l'Ancien Régime sont très probablement inférieurs.

SULPICIENS. La Compagnie des prêtres de Saint-Sulpice est un institut de prêtres séculiers fondé au XVIIe siècle par M. Olier, curé de Saint-Sulpice de Paris. Sa fin principale est la formation du clergé. La Compagnie se compose de deux sortes de membres : les associés et les agrégés. Les premiers font serment de stabilité. Les agrégés peuvent quitter la Compagnie quand ils le veulent. Tous ceux des membres de la Compagnie qui sont destinés au ministère des séminaires font un noviciat de deux années à la maison de retraite d'Issy, appelée « solitude ».

En 1783, la Compagnie avait un effectif de 150 prêtres environ, et dirigeait 23 séminaires, 11 petits séminaires et la mission de Montréal au Canada. A Paris, Saint-Sulpice n'avait pas moins de 5 établissements.

Le supérieur du séminaire Saint-Sulpice à Paris est également le supérieur général de la congrégation. Il est élu par l'assemblée générale.

Le séminaire Saint-Sulpice de Paris est le séminaire le plus fameux de France. C'est celui des futurs évêques. Vers 1750, la discipline et les études commencent à s'y relâcher. Les fréquents séjours du cardinal de Fleury à Issy, où il aimait à venir se reposer des fatigues du pouvoir, auraient introduit dans la congrégation l'esprit de mondanité, à cause des nombreuses visites faites à ce prélat. Déjà, en 1745, Saint-Sulpice avait diminué le temps de l'oraison mentale, le réduisant d'une heure à une demi-heure. On signalera, en 1782, des « voyages inutiles » et des « aménagements superflus dans les chambres ». Mais cette même année 1782, l'assemblée générale porte au supériorat un prêtre de grande valeur, M. Emery. Celui-ci va en quelques années restaurer les études et la ferveur.

SYNODE. Le synode est l'assemblée diocésaine où se rendent tous les curés du diocèse sur la convocation de l'évêque. Le concile de Trente fait obligation aux évêques de réunir le synode tous les ans. L'usage de certains diocèses (par exemple celui d'Angers) veut que le synode se tienne deux fois par an.

L'évêque fait dans son synode ses règlements sur la discipline ecclésiastique et sur l'administration des sacrements. Cette réglementation est publiée sous le nom d'ordonnances synodales ou de statuts synodaux.

A en croire les *Nouvelles ecclésiastiques*, la tenue des synodes serait devenue irrégulière dans plusieurs diocèses à partir de 1760. En 1783, la gazette janséniste annonce en ces termes le synode qui va se tenir à Toulouse : « ... événement fort remarquable en ces temps où nous vivons ». Mais on sait que les « informations » des *Nouvelles ecclésias-*

tiques sont toujours tendancieuses, et qu'il est toujours prudent de les vérifier.

Dans les dernières années de l'Ancien Régime, plusieurs synodes, et en particulier ceux de Saint-Malo, Luçon, Rouen et Rodez, furent troublés par les revendications des curés, qui prétendaient partager avec l'évêque le pouvoir de légiférer.

T

TABAC. Entre 1674 et 1774, la consommation française de tabac est multipliée par dix. Cette augmentation est surtout le fait des villes. On note aussi de très grandes différences selon les régions. Sur les quarante « directions » (circonscriptions de l'administration du tabac), celles qui ont la plus forte consommation par ménage sont celles de Paris (6,05 livres), Saint-Malo (5,78), Lorient (5,63) et Marseille (4,37), et celles qui ont la plus faible : Langres, Alençon, Narbonne et La Rochelle (de 1,70 à 1,87).

Trois sortes de tabac sont manufacturés : les rôles et les carottes pour la chique, la poudre pour priser (c'est l'usage le plus répandu) et le scaferlati pour fumer la pipe. On ne fabrique ni cigares ni cigarettes.

Le monopole royal date de 1674. Depuis 1680, l'administration du monopole était régie par la ferme du tabac. La ferme est supprimée en 1720, puis rétablie l'année suivante. De 1723 à 1730, elle est régie par la Compagnie des Indes. En 1730, elle est réunie à la ferme générale (bail Carlier). Précisons que le monopole ne s'étend pas aux provinces suivantes : Flandre, Artois, Hainaut, Cambrésis, Alsace et Franche-Comté.

La ferme générale achète le tabac, le manufacture, le fait parvenir aux distributeurs et réprime la fraude et la contrebande. Les manufactures étaient au nombre de quatre au début du siècle. Elles sont dix en 1789, sept pour tous les tabacs (Paris, Dieppe, Le Havre, Morlaix, Tonneins, Sète et Valenciennes), deux pour le tabac à fumer (Toulouse, Nancy) et une pour le tabac à priser (Arles). Les manufactures emploient un grand nombre d'ouvriers. Celle de Tonneins en comptait 400 en 1730. Elle en a 1 200 en 1785 et 1 400 en 1789. Beaucoup d'entre eux sont des femmes et des enfants. En 1730, les salaires allaient de 3 à 20 sous par jour. L'inspecteur, c'est-à-dire le directeur de la manufacture, gagnait 2 000 livres par an.

L'organisation administrative est complexe, mais rationnelle et efficace. Au sommet siègent les trois « comités des tabacs », celui des achats, celui des manufactures et celui de l'acheminement vers les distributeurs. En dessous se trouvent les trois directeurs correspondant à chacun des trois comités. Le territoire est divisé en « directions » dont le nombre a varié au cours du siècle de quarante à quarante-cinq. Les directeurs de ces circonscriptions supervisent en 1782 55 « bureaux généraux » et 556 entrepôts servant 43 000 revendeurs munis de licences.

Au milieu du règne de Louis XIV, les tabacs consommés en France provenaient du Brésil, des îles d'Amérique, de Malte et de France. Ces différents fournisseurs vont très vite disparaître. Les colonies anglaises d'Amérique les remplacent. En 1772, le tabac américain, qui transite par l'Angleterre, représente la plus grande partie des achats de la ferme. Le reste est fourni par la Flandre française, les Pays-Bas et la Hollande. En 1786, les feuilles destinées à la manufacture de Tonneins viennent de la Virginie, du Maryland et d'Amersfort en Hollande. Au début du siècle, le tabac était cultivé en Normandie, Provence et Guyenne, mais un arrêt du Conseil du 29 décembre 1719 a interdit la culture dans ces différentes régions, l'autorisant seulement dans les provinces non soumises au monopole.

TABOUREAU DES RÉAUX, Louis Gabriel (1718-1782). Contrôleur général des Finances, il est issu d'une famille bourgeoise de Touraine anoblie en 1713. Il est généralement loué par les historiens, qui ne savent pas grand-chose de lui. Intendant de Hainaut (1764-1775), il aurait laissé dans sa généralité « les meilleurs souvenirs» (Louis Legrand, *Sénac de Meilhan et l'intendance du Hainaut-Cambrésis sous Louis XVI*, Paris, Belles-Lettres, 1868). Rien d'étonnant à cela : conservateur de tempérament, il était, disait-il, «pour le maintien des choses» (cité par Anne Debast, *Taboureau des Réaux et l'intendance du Hainaut [1764-1775]*, mémoire de maîtrise, université de Lille III, 1993). Son bref passage au Contrôle général (d'octobre 1776 à juillet 1777) n'a pas laissé de traces marquantes. S'il s'en va au bout de six mois, c'est parce qu'il ne peut pas supporter Necker, son directeur du Trésor. B. Faÿ le qualifie de «digne homme, fort honnête et compétent» (*Louis XVI ou la Fin d'un monde*, Paris, 1966). En tout cas il n'était pas homme de Cour. Il avait essayé de refuser le ministère, et avait même dit à Maurepas : «Monsieur le Comte, quand on a passé cinquante ans, on n'est plus propre aux affaires publiques» (B. Faÿ, *op. cit.*).

TAILLE. La taille est un impôt direct visant à frapper le revenu net et global du contribuable.

C'est le plus ancien des impôts directs. Les états généraux ont accepté, en 1439, l'établissement indéfini au profit du roi d'une taille permettant d'organiser une armée permanente.

Le clergé et la noblesse jouissent de l'exemption. Si la taille est personnelle, elle ne frappe que les roturiers. Dans les pays du Midi, où elle est réelle, seuls les biens roturiers lui sont sujets.

Chaque année, le roi fixe le montant de la taille. La décision est prise en Conseil, et intitulée «brevet de la taille». Du XVe au XVIIIe siècle, le chiffre a beaucoup augmenté. Il est passé de 1 500 000 livres en 1484 à 64 millions en 1780.

La taille est un impôt de répartition, c'est-à-dire que le roi impose l'ensemble des taillables, et que l'obligation est collective. Le Conseil fait la répartition entre les généralités, l'intendant de la généralité entre les élections et entre les communautés d'habitants de l'élection. Dans chaque paroisse, l'assiette est établie par des contribuables élus appelés «asséeurs».

Les asséeurs dressent le «rôle» de la taille, y portant le nom de chaque contribuable et le montant de la somme qu'il doit payer. Un élu vérifie le rôle, rectifie les cotes et paraphe. Le rôle a désormais la force d'une décision de justice.

De même que l'assiette, la collecte est faite par les contribuables eux-mêmes. Ces collecteurs sont désignés soit par élection, soit d'office, soit par adjudication. Des officiers, appelés receveurs des tailles, sont chargés d'encaisser les deniers recueillis par les collecteurs de leurs circonscriptions et de les transmettre aux receveurs généraux.

L'année taillable va d'octobre à octobre. La taille est payable en numéraire. Elle est quérable, c'est-à-dire que les collecteurs vont la percevoir chez les contribuables. En vertu du principe de solidarité, la responsabilité du paiement incombe au corps entier. En fait, en cas de non-paiement, les poursuites ne s'exercent pas contre l'ensemble de la communauté, mais seulement contre les notables.

La répartition et l'assiette de la taille comportaient de nombreux défauts et injustices. Au XVIIIe siècle, le gouvernement royal s'efforce d'y introduire plus de justice. Sous la Régence est mise en place dans certaines régions (les généralités du Limousin et de Châlons-sur-Marne, et quelques villes comme Lisieux) une taille plus équitable, appelée proportionnelle ou «tarifée», dont la répartition est faite d'après l'occupation des fonds, ou d'après l'industrie, ou la qualité, ou la profession des personnes. Il reste que la taille est, dans son principe même, un impôt inégal. Le roi le sait et le déplore. Ne pouvant, pour des raisons politiques, porter atteinte à l'exemption des deux premiers ordres, il crée des impôts nouveaux (comme le vingtième), dont nul n'est exempt.

TAPISSERIE. Les trois grandes manufactures de tapisseries sont les Gobelins (*voir ce nom*), Beauvais et Aubusson. Toutes les trois jouissent des privilèges des manufactures royales. Mais celle des Gobelins est la seule qui dépende entièrement de la direction des Bâtiments et qui travaille uniquement pour les commandes royales.

Les deux peintres J.-B. Oudry et François Boucher ont été étroitement associés aux destinées de l'art de la tapisserie. L'un et l'autre ont été directeurs artistiques des Gobelins. Oudry a dirigé Beauvais de 1726 à 1756. La plupart des grandes séries produites par les trois manufactures ont été exécutées d'après les tableaux ou les dessins de ces deux artistes. Citons, entre autres ouvrages, la série des *Chasses de Louis XV* (Oudry), exécutée par les Gobelins et reproduite librement par Aubusson, celle des *Chasses nouvelles* (Oudry), faite par Beauvais, les tapisseries de meubles intitulées les *Fables de La Fontaine* (Oudry), faites par Aubusson, et la série des *Dieux* (Boucher), exécutée aux Gobelins.

Le style de la tapisserie française du XVIIIᵉ siècle nous charme par son élégance et par la richesse de ses décors. L'une des principales innovations de cette époque est la mode des « alentours », lancée par les Gobelins. Ces « alentours » sont des encadrements. Ils consistent en tableaux tissés qui se détachent sur des fonds imités d'étoffes. Des cartouches, des trophées, des figures humaines ou animales en sont les ornements. Le procédé est employé pour la première fois dans l'*Histoire de don Quichotte* (d'après les cartons de Ch. A. Coypel).

Le défaut de ces tapisseries est de confondre l'art du peintre et celui du licier. Les peintres avaient le tort d'exiger une reproduction littérale de leurs œuvres. C'était nier le caractère propre de la tapisserie.

TARGET, Guy Jean-Baptiste (Paris, 1733 - Molières, 1806). Reçu en 1752 avocat au parlement de Paris, il se fait, par ses plaidoiries retentissantes, une réputation de jurisconsulte. Il est vrai qu'il est aussi un esprit « éclairé », « patriote », ami de Duport et familier du cercle du duc d'Orléans. Sa consultation pour la marquise d'Anglure provoque l'édit de no-

vembre 1787 sur l'état civil des protestants. En 1787, le garde des Sceaux Lamoignon le nomme au Comité de législation. Député à la Constituante, il est du Comité de constitution. On le retrouve sous le Consulat participant aux travaux préparatoires du Code civil. Le déshonneur de ce soi-disant grand avocat est d'avoir refusé de défendre Louis XVI. Il avait été l'un des principaux membres du Comité de la nouvelle Constitution française. Le roi, faussement accusé d'avoir violé cette Constitution, avait trouvé logique de désigner pour son défenseur un des pères de cette même Constitution. Target est aussi un adversaire implacable de l'Église romaine. Il a contribué à faire voter, en 1790, la suppression des vœux monastiques. Il sera l'un des premiers membres de l'Institut de France, refuge des idéologues.

TASCHEREAU DE BAUDRY, Gabriel (16 mars 1673 - 22 avril 1755). Seigneur de Baudry et autres lieux, il est resté un provincial jusqu'à l'âge de trente-sept ans. Il débuta comme lieutenant général de police de Tours. En 1710, il devient intendant des « maison et finances » de la princesse Palatine. C'est le début d'une grande carrière parisienne : il est reçu le 24 septembre 1715 au Conseil des finances et nommé, le 2 juillet 1720, lieutenant général de police de Paris. Sa lieutenance ne dure que deux ans (jusqu'en avril 1722) et n'est qu'un intermède entre deux périodes d'exercice du comte d'Argenson. Mais c'est un intermède agité : peu de temps après la nomination de Taschereau, il y a des émeutes et des morts rue Quincampoix. Le 1ᵉʳ août 1720, il fait procéder à l'ouverture solennelle de la Bourse de Paris. A l'issue de sa lieutenance, il est nommé conseiller d'État et acquiert une charge d'intendant des Finances. Son inventaire après décès révèle une fortune considérable. Le marquis d'Argenson le qualifie d'« homme déshonoré et d'une scandaleuse richesse ». Il se peut très bien qu'il ait largement profité du Système ainsi que de sa gestion des biens d'Orléans.

TENCIN, Pierre Guérin de (Grenoble, 22 août 1680 - Lyon, 2 mars 1758). Cardinal et ministre, il est l'un des cinq enfants d'Antoine Guérin, président du conseil supérieur de Chambéry, et de Louise de Buffevant. Après des études chez les oratoriens, il est reçu docteur de Sorbonne, et nommé archidiacre de Sens et abbé de Vézelay. Sa chance est d'avoir une sœur très intelligente et, de plus, liée intimement au ministre Dubois. Sur la recommandation de Mme de Tencin, il devient donc l'homme de confiance de Dubois. C'est le début d'une carrière brillante, succession remarquable de missions délicates, réussies et récompensées. En 1719, l'abbé de Tencin est chargé de convertir Law à la foi catholique et de recevoir son abjuration. En 1721, il est envoyé à Rome pour y négocier le chapeau de cardinal de Dubois. Ses succès lui valent l'épiscopat. Après trois années passées à Rome comme chargé d'affaires, il est nommé archevêque d'Embrun (2 juillet 1724). A ce titre, il assume la présidence du concile d'Embrun, et rend à Fleury le grand service de faire condamner l'évêque janséniste Soanen (1727). La liste de ses missions spéciales ne s'arrête pas là. Élevé à la pourpre le 23 février 1739, il participe au conclave de 1740, et réussit à faire élire le candidat de la France (Benoît XIV). Il en est remercié par l'archevêché de Lyon, le 20 juillet 1742, et par sa nomination de ministre d'État, le 26 août de la même année. Pendant près de dix ans, il va jouer un rôle important dans la direction de la politique étrangère de la France. C'est lui, par exemple, qui conseille en 1743 de soutenir l'action du Prétendant jacobite. Peut-être aurait-il pu succéder à Fleury, mais il semble ne l'avoir pas voulu. En revanche, il ambitionnait la feuille des bénéfices, et ne l'a pas obtenue, Boyer l'ayant demandée le premier. C'est le seul échec de sa carrière. En mai 1751, il quitte de lui-même le ministère et se retire dans son diocèse. Il est alors âgé de soixante et onze ans, et désire se ménager un espace entre la vie et la mort. Il a été très maltraité par les mémorialistes. Saint-Simon l'avait en piètre estime : «Un esprit entreprenant et hardi, qui le fit prendre pour un esprit vaste et mâle» (cité dans Saint-Simon, *La Cour du Régent*, Paris, Georges Crès, collection Gallia, p. 96). Le président Hénault le qualifiait ainsi : «... doux, insinuant, faux comme un jeton, ignorant comme un prédicateur...» (*Mémoires du président Hénault*, Paris, 1855). On peut au moins retenir de ces jugements qu'il était habile. Mais ne voir en lui qu'un arriviste serait trop le diminuer. Il avait une intelligence très fine et une connaissance intime des affaires ecclésiastiques. Il ne manquait pas non plus de courage. Il en fallait beaucoup pour affronter la secte janséniste, comme il le fit au concile d'Embrun, et pour s'exposer à ses coups.

TENCIN, Claudine Alexandrine Guérin de (Grenoble, 1681 - Paris, 4 décembre 1749). Elle s'est rendue célèbre par sa vie orageuse et par son salon littéraire. Destinée à l'Église (comme son frère, le futur cardinal), professe au couvent des augustines de Monfleury, près de Grenoble, elle supporte mal la vie claustrale et obtient en 1712 d'être relevée de ses vœux par le pape Clément XI. Elle est alors nommée chanoinesse au chapitre de Neuville, près de Lyon, mais ce canonicat n'est pour elle qu'une source de revenus. Elle vient à Paris chez sa sœur, Mme de Ferriol, et entreprend aussitôt une carrière galante des plus remplies. Le Régent, Dubois, Fontenelle, Bolingbroke, pour ne citer que les principaux, se succèdent dans ses faveurs. Ayant pris pour amant en titre le chevalier Destouches, elle a de lui un enfant qu'elle abandonne et qui sera d'Alembert. En 1717, elle s'installe chez elle, rue Saint-Honoré. L'année suivante, elle commence à tenir son salon, qui durera jusqu'à sa mort. En 1733, après la mort de Mme de Lambert, elle recueille les amis de celle-ci. Sa vie privée est désormais plus rangée. S'il faut appeler les choses par leur nom, elle avait été pendant de longues années une femme perdue de mœurs et une redoutable intrigante, pour ne pas dire une aventurière. Un scandale éclata en 1726, après le suicide de l'un de ses amants, le conseiller au Grand Conseil La Fresnaye. Celui-ci avait laissé un testament où il accusait sa maîtresse de l'avoir menacé d'assassinat et de l'avoir volé. Elle fut arrêtée et passa quelques jours à la Bastille. L'accusation était fort vraisemblable : elle aimait beaucoup l'argent. On sait par exemple que, pendant le Système, elle avait tiré profit de ses relations galantes avec les ministres pour spéculer au bon moment et tripler sa fortune. Évidemment, elle n'était pas une intrigante ordinaire : elle a créé le premier salon de réputation européenne. Elle écrivait des romans qui, de l'avis des meilleurs critiques, supporteraient la comparaison avec *La Princesse de Clèves*. Elle a littéralement fasciné par son intelligence les plus grands écrivains de son temps, dont Marivaux et Montesquieu. Ce dernier disait d'elle : « Elle ne songe à avoir aucune sorte d'esprit, mais elle a l'esprit avec lequel on en a de toutes les sortes suivant que le hasard l'exige. » On doit ajouter que, par son habileté, elle contribua puissamment à l'élévation de son frère le cardinal.

TERCIER, Jean-Pierre (Paris, 1704 - *id.*, 21 janvier 1767). Premier commis des Affaires étrangères, il est aussi l'un des principaux agents du Secret du roi. Envoyé en poste en Pologne en 1729 comme secrétaire du marquis de Monti, il avait été d'un secours précieux pour le roi Stanislas, l'aidant à se cacher et à s'évader à travers les lignes ennemies. Retenu pendant dix-huit mois prisonnier par les Russes, il n'avait pu rentrer en France qu'en 1736, sa santé étant très altérée. En 1748, il fait partie des négociateurs d'Aix-la-Chapelle. En 1749, il est nommé premier commis des Affaires étrangères et censeur royal. En 1754, il est initié au Secret. Sachant toutes les langues de l'Europe, connaissant à fond les affaires de Pologne, de Turquie et de Russie, il s'y révèle un collaborateur indispensable. C'est lui qui organise en 1757 la correspondance secrète entre Louis XV et la tsarine Élisabeth. Ses Mémoires politiques servent à l'instruction du Dauphin. Il est moins heureux dans ses fonctions de cen-

seur royal, ayant commis l'imprudence d'accorder le privilège à l'ouvrage d'Helvétius, *De l'esprit* (1758). Le 10 août, le Conseil du roi révoque le privilège et Tercier perd sa place de censeur. On peut s'expliquer cette bévue. Helvétius était maître d'hôtel de la reine Marie Leszczyńska. Or, depuis l'aventure de Pologne, Tercier était le client et le pensionné du roi Stanislas. Tout ce qui venait de l'entourage de la reine ne pouvait être que bon pour lui. Le 27 février 1759, il perd aussi (par le fait de Choiseul) sa place de premier commis. Mais le roi lui garde sa confiance : il demeure à la tête du Secret. L'affaire d'Éon achève d'user ses forces. Il meurt, épuisé par le travail, le 21 janvier 1767.

TERNAY, Charles Henri Louis d'Aviau de (1723 - 15 décembre 1780). Lieutenant général, issu d'une ancienne famille noble du Poitou, il est l'un des chefs les plus habiles et les plus prudents qu'ait possédés la marine royale. Entré aux gardes à quinze ans, enseigne en 1746, il fait campagne à Saint-Domingue et en Louisiane, accomplit à Malte un noviciat de trois ans, puis rejoint la marine, où il est nommé en 1758 capitaine de vaisseau. Mis à part cinq années à l'île de France comme gouverneur de cette colonie (1772-1777), il fait toute sa carrière dans l'Atlantique. C'est un nerveux qui sait se contrôler. Chacune de ses missions est une réussite. En 1758, il convoie des secours à Louisbourg. En 1762, envoyé à Terre-Neuve pour y détruire les établissements anglais de pêche, il s'empare de Saint-Jean et remplit parfaitement ses instructions. Nommé lieutenant général le 7 décembre 1778, il remplace d'Orves au commandement de l'escadre des Antilles. Son plus beau titre de gloire est d'avoir commandé en 1780 l'escorte du corps expéditionnaire de Rochambeau et d'avoir amené sans encombre, en évitant avec soin tout engagement, ses vingt-huit transports de troupes jusqu'au « finisterre » de Rhode Island. Il est emporté le 15 décembre 1780 par l'épidémie de typhoïde qui ravage le corps expéditionnaire. Son nom est lié à celui de La Pérouse, dont il a été, depuis les débuts de la carrière du futur explorateur, le protecteur, puis le chef et enfin l'ami.

TERRAY, Joseph Marie, abbé (Boën, 1715 - Paris, 1778). Contrôleur général des Finances, il descend d'une famille forézienne qui s'est élevée en un siècle de la paysannerie à la noblesse. Son père, Antoine Terray, directeur général des gabelles, avait été anobli en 1720 par charge de chancellerie. Son oncle François Terray avait été premier médecin du roi, puis conseiller au parlement de Paris. Le futur ministre a fait de solides études à Juilly, et reçu la tonsure. Le 17 février 1736, il succède à son oncle dans sa charge comme conseiller-clerc. C'est un clerc de vie fort peu cléricale. Jouisseur grossier, il passe d'une maîtresse à l'autre. Mais le magistrat est très actif et très compétent. Rapporteur des édits bursaux, seul conseiller à ne pas avoir démissionné en 1756, il est bien noté de la Cour. La recommandation de Maupeou en fait un ministre. Le 23 décembre 1769, il est nommé contrôleur général. «... esprit net, décidé, remarquablement juste, voyant dans le grand et mettant cependant de l'ordre et de l'économie en tout [...] caractère énergique et indépendant [...] il répond exactement aux besoins de la situation » (Marcel Marion, *Histoire financière de la France*, t. I, 1715-1789, Paris, 1914). Situation déplorable : la presque totalité des recettes de l'année est dépensée par anticipation. Dans un premier temps, Terray pare au plus pressé. Il prend les mesures de circonstance destinées à combler les trous et à remettre à flot le Trésor royal. Ce sont, entre autres choses, la rallonge du bail des postes, l'impôt sur les bénéfices de la ferme générale, et le moratoire des emprunts de l'État. Ces mesures impopulaires le firent surnommer Vide-Gousset. Dans un deuxième temps, la réforme Maupeou l'ayant débarrassé de l'obstacle parlementaire, le contrôleur général s'attaque à une réforme en profondeur de la fiscalité. Le premier vingtième est rendu permanent, le second prorogé jusqu'en 1781. Les intendants reçoivent des instructions pour établir une assiette équitable du vingtième et de la capitation. Dans le domaine économique, Terray ne se montre pas moins efficace. La régie des blés, instituée en 1771, est un système ingénieux et souple, qui permet à l'administration d'intervenir pour approvisionner les marchés, s'il en est besoin, et pour régulariser les prix. Réformateur impitoyable, d'une sévérité cruelle et parfois cynique, traquant tous les abus, il s'est fait trop d'ennemis. Louis XVI ne sait pas garder un ministre impopulaire. Le 24 août 1774, il renvoie Terray en même temps que Maupeou. Ce double départ suscite à Paris une joie immodérée. Les deux ministres sont brûlés en effigies. En route pour sa terre de Lamothe-Tilly, au passage du bac de Choisy, le ministre des Finances déchu manque de peu d'être jeté à l'eau par la foule des mécontents. Il laissait des caisses pleines et un budget équilibré

TESTAMENT. Le testament est l'acte par lequel une personne déclare sa dernière volonté.

Les formes en sont définies par le droit. En pays coutumier, les deux principaux modes sont le testament olographe et le testament authentique. Le testament olographe doit être écrit entièrement de la main du testateur (art. 289 de la coutume de Paris). Le testament authentique peut être passé de quatre manières différentes : en présence de deux notaires, en présence d'un notaire et de deux témoins, en présence d'un curé et d'un notaire, et en présence d'un curé et de trois témoins. Il doit être signé par le testateur et par les témoins. Le notaire est tenu de faire figurer la qualité, la demeure et la paroisse du testateur. En pays de droit écrit sont surtout pratiqués le testament mystique ou secret — équivalent de l'olographe, et dont l'écriture doit être confirmée par sept témoins — le testament nuncupatif oral, c'est-à-dire déclaré à haute voix par le testateur en présence de sept témoins, et le testament nuncupatif écrit, déclaré de la même manière mais dressé par le notaire. Le droit écrit encourage la pratique du testament.

Dans les pays de droit coutumier, les jurisconsultes se montrent moins favorables, craignant toujours que les biens du défunt ne sortent de la famille.

Rédigée à l'initiative du chancelier d'Aguesseau, l'ordonnance de 1735 introduit quelques modifications allant dans le sens de l'unification du droit français : datation obligatoire pour le testament olographe, signature obligatoire du testateur pour le testament mystique et suppression de tout testament purement oral.

La disposition des biens que laisse le testateur est le principal objet des testaments. En fait, les institutions d'héritiers n'y tiennent qu'une place réduite. La plus grande partie des actes est consacrée aux formules et aux dispositions d'ordre religieux. La rédaction commence par l'invocation : « Au nom de Dieu » ou « Au nom du Père, du Fils et du Saint-Esprit ». Suit presque toujours la formule sur l'incertitude de l'heure de la mort (« rien n'étant plus certain que la mort, et rien de plus incertain que l'heure d'icelle »). Viennent après la « recommandation de l'âme » (à Dieu, au Christ, à la Vierge, au saint patron du testateur, à tous les saints, à la « Cour céleste de Paradis »), l'élection de sépulture, l'ordonnance des obsèques, les demandes de messes, les fondations pieuses (s'il y en a) et enfin, après l'institution des héritiers, les legs pies et les aumônes.

L'examen et la comparaison des testaments ont permis de réaliser d'intéressantes études sur les attitudes devant la mort et à l'égard des fins dernières. A travers l'évolution des formules, on a pu observer en particulier les progrès de la sécularisation. Plus on avance dans le siècle, plus les testaments se dépouillent de leur caractère religieux. L'invocation disparaît. Les recommandations se réduisent. A Paris, après 1750, il n'y a presque plus d'élections de sépulture. A Angers, en 1786-1787, sur 158 testaments retrouvés, 16 % sont entièrement profanes, ne comprenant ni invocations, ni recommandations, ni demandes de messes, ni dons aux pauvres. Même la formule sur l'incertitude de l'heure de la mort a disparu. Les seuls pays où le testament religieux se pratique jusqu'en 1789 (et même au-delà) sont la Flandre, l'Artois et la Franche-Comté.

THÉ. Introduit en France au milieu du XVIIe siècle, l'usage du thé est lent à se répandre. Le produit vient de Chine. Il est fort coûteux. On lit dans le *Nouveau Cuisinier royal et bourgeois* (1715) : « Le thé n'est pas si commun que le café, à cause de son prix qui est beaucoup plus cher. »

Le lancement se fait par les salons. Dans celui de Mme de Tencin, au milieu de la pièce, une théière de cuivre trône sur une table de marbre. Chez le prince de Conti, la comtesse de Boufflers, sa maîtresse officielle, sert elle-même le thé aux invités. On appelle cet usage de servir le thé sans les domestiques, le thé « à l'anglaise ».

Car l'anglomanie fait le succès du thé (*voir* ANGLOMANIE). Au début de l'acte III de *L'Anglomanie* de Saurin (1772), la mise en scène prévoit l'installation sur la scène d'une table pour le thé. Sous le règne de Louis XVI, la mode est au thé. « Une mode qui se répand à Paris, écrit la baronne d'Oberkirch (*Mémoires*, Paris, 1970), est celle du thé dans l'après-midi. Quelques étrangers l'ont apportée et chacun les imite. »

En 1766, la France importait de Chine 2 100 000 livres de thé. Ce chiffre signifie que, déjà à cette date, la consommation n'était plus réservée à une petite minorité.

THÉÂTRE. Le théâtre est l'objet d'un goût très vif. Il est, de tous les genres littéraires, le plus élevé en dignité. Il est le divertissement le plus prisé.

Une si grande faveur est surprenante. La production théâtrale est en effet, dans son ensemble, d'une remarquable médiocrité.

Considérons d'abord la tragédie. Voltaire et ses émules font effort pour la ranimer. Leurs remèdes achèvent de la tuer.

Pourtant Voltaire sait ce que doit être une tragédie : une action où se développent les caractères, et dont les passions humaines font la force et la vie. Mais il n'a pas le souffle créateur. « Son malheur, écrit Gustave Lanson [...] fut de n'avoir pas assez de génie pour exécuter ses idées » (*Histoire de la littérature française*, Paris, Hachette, 1895, p. 642). De génie et de temps : il écrit *Zaïre* en dix-sept jours. Il a beau multiplier les artifices et les effets (des spectres dans *Ériphyle* et dans *Sémiramis* ; un coup de canon dans *Adélaïde du Guesclin*), l'ennui demeure. Les autres auteurs tragiques (Lanoue, Lemierre, Belloy, Saurin, Ducis) copient Voltaire, et sont encore plus mauvais que lui si la chose est possible. Quant à leurs imitations du théâtre anglais, elles sont piteuses (voir par exemple le *Beverlei* de Saurin en 1768). Ils interprètent Shakespeare comme des librettistes d'opéra.

La comédie ne se porte pas mieux. La comédie satirique sent l'huile. La *Métromanie* de Piron (1738) est la peinture trop lourde d'un travers trop spécial. *Le Méchant* de Gresset (1745) et le *Cercle* de Poinsinet sont des satires de mœurs. La comédie de caractères n'a plus cours. Elle est remplacée par la comédie larmoyante, puis par le drame. La Chaussée crée la première (*Mélanide*, 1748) et Diderot le second, avec *Le Fils naturel* et *Le Père de famille*. De l'une et de l'autre le rire est éliminé. Il n'y a plus que du pathétique. L'une et l'autre sont déclamatoires et ennuyeux à souhait. Enfin, dans l'une et dans l'autre, les caractères sont remplacés par les conditions. On dit que le *Philosophe sans le savoir* de Sedaine (1765) est, de tous les drames produits, le moins insupportable. Pourtant, le mélo n'y manque pas et l'action en est pauvre. Les comédies à ariettes, qu'on appelle « opéras-comiques » sont beaucoup plus divertissantes. Elles se complaisent dans les sujets populaires. Charles Favart en est le grand auteur et sa femme, la belle Mme Favart, la principale interprète. Cela est plaisant, bien que conventionnel.

Comparés à toute cette production, le théâtre de Marivaux et celui de Beaumarchais font figure de miracles. La comédie de Marivaux est une comédie d'analyse des sentiments, et une comédie poétique. Marivaux est le poète de l'amour et l'analyste exquis du cœur féminin. La comédie de Beaumarchais se rattache au genre satirique, mais elle s'élève au-dessus de tous les genres. C'est une comédie profondément émouvante, chaque personnage ayant une conscience aiguë de son destin. L'invention géniale du valet protecteur et principal personnage bouleverse l'économie traditionnelle de l'action comique.

Le théâtre du Grand Siècle voulait transporter et divertir. Celui-ci est didactique. Il enseigne. La scène est une chaire, une tribune. C'est la confusion des genres. Cet enseignement est celui de la philosophie des Lumières. On dirait que les auteurs n'ont qu'une idée en tête : prêcher les idées nouvelles. Les rois sont constamment rabaissés (« Est-ce pour conquérir que le ciel fit les rois », Marmontel, *Numitor*, acte IV, scène 4). La république est sans cesse exaltée. Le despotisme est toujours flétri. Dans le *Guillaume Tell* de Lemierre, sous le nom de la citadelle d'Altorf, c'est la Bastille qui est clairement désignée et vouée à l'opprobre :

Regardez cette tour
Qui des hauteurs d'Altorf domine sur ce
                  [bourg,
Ce fort dont le nom seul est l'insulte
                  [publique
Et le triomphe affreux du pouvoir
                  [despotique.

Les prêtres sont dénoncés comme des imposteurs. *Mahomet ou le Fanatisme* a donné le ton. Dans la *Caliste* de Colardeau, le prêtre Frigose est le traître de la pièce :

Ce monstre fait servir à son ambition
Les dehors imposants de la religion.
Le crédule Génois tremble sous
                  [l'anathème.

Enfin la religion « naturelle » est toujours présentée comme la seule digne d'estime (« Mon dogme est d'adorer le Dieu de l'univers », Collin d'Harleville, *Dorlange*, 1789).

Le message de la comédie et du drame

n'est pas différent. Les thèmes de la bonté naturelle de l'homme et du « bon sauvage » sont développés à tout propos. Lemierre loue

> La douce humanité, plus instinct que vertu ;
> Ce premier sentiment qui ne s'est jamais
> [tu,
> Né devant nous, avec nous, dans l'âme
> [de notre être.

Afin d'exalter l'égalité, les auteurs multiplient à plaisir les mésalliances. Par exemple, la *Nanine* de Voltaire, fille de paysan, épouse un grand seigneur qui est son maître. Enfin la noblesse est vilipendée, l'oisiveté proscrite, l'utilité élevée à la hauteur d'un dogme. Un personnage des *Deux Amis* (de Beaumarchais) déclare :

> Utile, voilà le mot ! Qu'un homme soit philosophe, qu'il soit savant, qu'il soit sobre, économe ou brave ; eh bien [...] tant mieux pour lui. Mais qu'est-ce que je gagne à cela, moi ? L'utilité où nos talents et nos vertus sont pour les autres est la balance où je pèse leurs mérites.

Le plus étonnant est que le public ne s'enfuie pas, et que même il en redemande. Les théâtres sont de plus en plus nombreux. Il y en avait deux à Paris en 1715. Il y en aura cinq en 1754 et dix en 1774. Dans toutes les grandes villes, on construit des théâtres magnifiques. Pour un spectacle si prisé, pour des représentations si utiles au progrès des Lumières, aucun décor n'est assez beau. Les plus grands architectes sont sollicités. Gabriel construit à Versailles le théâtre du Palais (1770), Soufflot, le Grand Théâtre de Lyon (1756), Victor Louis, celui de Bordeaux (1780), Crucy, celui de Nantes, Peyre et Wailly, le nouveau Théâtre-Français (inauguré le 9 avril 1782) et Lenoir le nouvel Opéra (1781).

Faire jouer chez soi la comédie ou bien la jouer soi-même avec ses amis sont parmi les divertissements préférés non seulement des nobles, mais aussi des bourgeois. C'est ce qu'on appelle le « théâtre de société ». La mode fait fureur. « Il n'était pas, dit Bachaumont (*Mémoires secrets*), de procureur qui, dans sa bastide, n'eût un tréteau et une troupe de comédiens. » La Pompadour a

son théâtre à Bellevue. Le prince de Condé a le sien à Chantilly (construit en 1775). On peut citer aussi ceux de Voltaire, rue Traversière et à Ferney, ceux des demoiselles de Verrières à Auteuil et rue de la Chaussée-d'Antin, et beaucoup d'autres. Il arrive souvent qu'une pièce soit représentée d'abord sur une scène privée. En 1770, le *Pygmalion* de J.-J. Rousseau est représenté à Lyon, la première fois chez le prévôt des marchands, la seconde fois chez l'intendant de Flesselles.

Les innovations dans le décor et dans le costume accroissent l'effet magique du théâtre. Servandoni invente la perspective oblique et les points de vue multiples. Il crée ce qu'on appellera dans le métier « la plantation du décor ». Lekain et Mlle Clairon militent pour l'exactitude des costumes. Mme Favart lance le costume paysan.

Nous connaissons les chiffres des entrées payantes à la Comédie-Française pendant toute la durée du siècle. Ils nous donnent une indication sur l'audience du théâtre à Paris. Les grands succès font une trentaine de représentations et réunissent de 25 000 à 30 000 spectateurs. La plupart des pièces dépassent rarement les 20 représentations et les 20 000 spectateurs. Après 1760, la courbe des entrées est en hausse continuelle, mais les pièces s'usent plus vite. Le *Warwick* de La Harpe (1763), très grand succès pourtant, fait tout juste quinze représentations.

On connaît mal la composition sociale du public. Si l'on en croit Grimm, les spectacles de la Comédie-Française et de la Comédie-Italienne ne sont pas fréquentés par les petites gens : « Ce n'est point le peuple, écrit-il, qui fréquente chez nous le spectacle, c'est une coterie particulière de gens du monde, de gens d'art et de lettres [...], c'est l'élite de la nation [*sic*], à laquelle se joint un très petit nombre de gens qui tiennent au peuple par leur état et par leur profession » (*Correspondance littéraire*, vol. 46, p. 82). Selon d'autres témoignages, il semble qu'il y ait eu à Paris deux publics, un de gens riches et de condition pour le théâtre littéraire, et l'autre pour les farces et pantomimes des théâtres des foires Saint-Germain et Saint-Laurent. Cette séparation des publics vient sans doute d'abord du prix des places, mais peut-être aussi du fait que le théâtre littéraire, devenu trop prêcheur et trop moralisateur, ne sait plus divertir le public populaire.

THÉOLOGIE. Le mot théologie a au XVIIIe siècle le même sens qu'aujourd'hui. Il signifie une discipline où les vérités de la religion chrétienne se trouvent interprétées, élaborées et ordonnées en un corps de connaissances.

La théologie est l'objet de nombreux enseignements. Elle est professée dans les facultés de théologie, dans les séminaires, dans les maisons d'études des principaux instituts religieux et dans les collèges les plus importants. La production théologique est très abondante. Cependant, il faut noter qu'elle concerne surtout la théologie morale et la théologie sacramentaire, et qu'il y a relativement peu de nouveaux traités de théologie dogmatique. La science elle-même ne fait pas de grands progrès. Les ouvrages publiés sont, pour la plupart, des manuels à l'intention des étudiants des facultés de théologie et des séminaires. Parmi les manuels les plus répandus figure celui du lazariste Pierre Collet, *Institutiones theologicae* [...] *ad usum seminariorum* (2 vol., 1764).

On distingue deux méthodes, la scolastique et la positive. La scolastique utilise toute la tradition, ainsi que le raisonnement. La positive recherche surtout la preuve de la conformité de l'enseignement de l'Église avec la Bible et les saints pères. La scolastique est en discrédit, la positive en faveur, bien qu'elle soit plus faible. En 1759, le P. Suret, général des doctrinaires, conseille à ses religieux de rejeter la scolastique, cette théologie « débile », écrit-il, « qui ne fait que poser des problèmes, qui traite de manière superficielle les points essentiels, pour ne s'occuper ensuite que des opinions pour ou contre... » (cité dans Jean de Viguerie, *Une œuvre d'éducation sous l'Ancien Régime. Les pères de la Doctrine chrétienne*, Paris, 1976, p. 447). En revanche, il recommande la « solide et sublime » théologie positive.

Les grands traités parus au début du siècle, en théologie dogmatique et morale (Tournely, *Tractatus de universa theologia morali*, terminé par Collet, 17 vol., 1725-1761 ; Paul Gabriel Antoine, *Theologia dogmatica*, 1723, 2 vol. et *Theologia moralis universa*, 1726, 5 vol. ; Collet, *Institutiones theologicae*, 2 vol., 1742) sont fidèles dans l'ensemble à l'enseignement de saint Thomas. Les congrégations sont à cet égard très partagées. Les lazaristes — au moins au début du siècle — enseignent le thomisme, mais ce n'est pas le cas des oratoriens ni des doctrinaires. Quant aux régents jésuites, ils suivent Suarez (1548-1617), théologien de la Compagnie et semi-nominaliste. Le thomisme ne peut que décliner : depuis la mort du P. Massoulié (1706), il n'y a plus en France de grand commentateur de saint Thomas.

Nous connaissons mal l'état de la théologie à la fin de l'Ancien Régime. Il semble toutefois que les études soient déclinantes, si l'on en juge par un manuel publié en 1789 pour les séminaires, la *Theologia dogmatica et moralis* de Bailly. La science de ce Bailly est inanimée et desséchée. De plus, ses références sont douteuses. Il invoque plus souvent les autorités de Descartes et de Locke que celle de saint Thomas.

THIARD, Henri de, comte de Bissy (1657-1737). Évêque de Meaux, ayant succédé dans ce siège à Bossuet à la mort de ce dernier en 1704, abbé de Saint-Germain-des-Prés (1704), cardinal à partir de 1715, il est surtout connu pour son opposition ferme, constante et très vive au parti janséniste. Il participe en 1720 aux conférences avec Noailles pour l'établissement du corps de doctrine. En 1725, allié à Fleury, il s'emploie à faire échouer les timides tentatives du duc de Bourbon pour une conciliation. En 1733, il forme le projet, qui n'aboutira pas, d'un concile national qui accepterait canoniquement la bulle *Unigenitus*. Prélat bienfaisant il fait construire de ses deniers à Paris le nouveau marché Saint-Germain (1721-1727). Il ne néglige pas pour autant son diocèse, et son nom est attaché à la publication d'un Missel de Meaux.

THIROUX DE CROSNE, Louis (1736 - Paris, 28 avril 1794). Lieutenant général de police de Paris, il est le fils d'un fermier général des postes. Avocat du roi au Châtelet, reçu conseiller au parlement de Paris le 5 septembre 1758, il est nommé maître des requêtes en 1761 et rapporte à ce titre plusieurs affaires au Conseil, dont celle de la révision du procès Calas (1763) et celle des dissensions à l'intérieur de la congrégation de Saint-Maur (1765). Intendant de Rouen de 1767 à 1771, il contribue à l'embellissement de cette ville. Son loyalisme le fait désigner par Maupeou en 1771 comme président du Conseil supérieur de Rouen, et le 11 août 1785 comme lieutenant général de police de Paris en remplacement de Lenoir. Il se signale dans cette dernière fonction en faisant transférer les ossements du cimetière des Innocents dans les catacombes. On ne sait pas très bien quel a été son rôle dans les journées critiques de l'affaire Réveillon et de la prise de la Bastille. Lors de l'émeute (*voir* RÉVEILLON), il était subordonné au duc du Châtelet, colonel des gardes françaises. Il témoignera plus tard de l'inaction suspecte de ce grand seigneur. Il démissionne le 16 juillet 1789, émigre en Angleterre, revient en France au moment de la Terreur, est arrêté, enfermé à Picpus, condamné par le Tribunal révolutionnaire et guillotiné le 28 avril 1794.

THOMAS, Antoine Léonard (Clermont-Ferrand, 1er octobre 1732 - Château d'Oullins, près de Lyon, 17 septembre 1785). Littérateur et spécialiste de l'éloge académique, il débute dans la vie comme professeur au collège de Beauvais à Paris. La pratique de cet emploi lui donne l'usage de la rhétorique officielle. Quand l'Académie française, en 1759, commence à mettre au concours l'éloge des hommes célèbres de la na-

tion, il entre tout de suite dans l'esprit du genre. De 1759 à 1765, il compose six éloges, et tous sont primés. Celui de Sully a un grand retentissement. C'est un manifeste politique. L'auteur appelle de ses vœux l'octroi d'une constitution. La philosophie l'adopte. Il est sacré philosophe. En 1766, l'Académie française l'élit parmi ses membres. En 1770 commence sa période neckérienne. Il entre au service des Necker, auxquels il a été présenté par d'Angiviller. Il orne le salon de Madame. Il guide la plume de Monsieur. L'*Éloge de Colbert* serait en grande partie de lui. Quand paraît un livre de Necker, Mme Necker écrit à Thomas et lui donne mission d'encenser. Il fait cela très bien. Il n'avait lui-même aucun talent. On attribue à Voltaire les deux vers suivants :

Ce Thomas assommant, quand sa lourde
[éloquence
Souvent, pour ne rien dire, ouvre une
[bouche immense...

Selon Mme de Genlis, « M. Necker avait beaucoup d'esprit et aurait été un bon écrivain s'il ne se fût formé à l'école emphatique de M. Thomas » (cité par Bruno Denoyelles, *Le Salon de Mme Necker*, mémoire de maîtrise, université de Lille, 1990). Thomas est donc l'une des utilités de la philosophie. Il fait partie de ces pompeux médiocres qu'elle utilisait et, en échange, faisait valoir. Est-il vraiment philosophe ? On peut se le demander. Montazet, archevêque de Lyon, était de ses amis et composa ainsi son épitaphe : « Homme rare par ses talents, excellent par ses vertus, il couronna sa vie laborieuse et pure par une mort édifiante et chrétienne. »

TIERS ÉTAT. Le tiers état est l'un des trois ordres qui constituent la monarchie.

A la différence des deux premiers ordres, le Tiers n'a pas vraiment de personnalité sociale. Ce n'est pas en effet une catégorie sociale mais l'ensemble de la population, moins les quelque cinq cent mille personnes composant le clergé et la noblesse. Ou plutôt c'est un ensemble de catégories sociales de conditions très différentes, allant de la bourgeoisie des offices et de celle du négoce au petit peuple des journaliers des campagnes. On ne peut donc le définir que négativement, comme la population n'appartenant ni au clergé ni à la noblesse. Cependant il ne se confond pas tout à fait avec la roture, car les anoblis récents y sont inclus.

Il est vrai que le Tiers, comme le clergé et la noblesse, a sa hiérarchie interne des dignités. Mais les degrés de dignité des membres du troisième ordre tiennent à la profession et au métier et non à l'ordre. Par exemple les notaires précèdent les procureurs, qui ont eux-mêmes le pas sur les huissiers.

En revanche, le tiers état est bien une réalité juridique et politique. Il est représenté dans les états particuliers. La forme de sa représentation varie selon les pays. En Bourgogne, la chambre du Tiers compte 55 députés. C'est la moins nombreuse. En Languedoc, les députés du Tiers représentent 46 suffrages, c'est-à-dire avec le vote par tête (pratiqué dans cette assemblée) autant de voix que les députés du clergé et de la noblesse réunis. On notera toutefois le caractère incomplet et quelque peu illusoire de ces représentations du Tiers. Les campagnes en effet ne sont pas représentées. Les députés sont élus par les villes, et par les villes seulement. En Bretagne par exemple, les députés du Tiers sont ceux de 40 villes de la province.

A partir de 1787 se développe, animée par le parti dit « national », une vive campagne en faveur d'une représentation plus nombreuse et plus équitable du Tiers. Les pétitions assiègent le ministère. Les pamphlets se multiplient. Le texte le plus virulent est la brochure publiée par Sieyès en janvier 1789, *Qu'est-ce que le tiers état ?* La triple question posée dans cet ouvrage et la réponse donnée sont restées célèbres : « Qu'est-ce que le tiers état ? Tout. Qu'a-t-il été jusqu'à présent dans l'ordre politique ? Rien. Que demande-t-il ? Devenir quelque chose. » On observera qu'en fait les trois réponses sont fausses. Surtout la troisième. L'intention du Tiers dans la pensée de l'auteur, n'est pas d'augmenter son pouvoir, mais de faire disparaître les ordres.

La monarchie n'est pas indifférente à cette revendication. Déjà, lors de la création (en 1778 et 1787) des assemblées provinciales, elle avait montré sa bonne volonté en faveur du Tiers, doublant sa représentation et lui accordant le vote par tête. Cependant, au sujet de la composition des futurs états généraux, le gouvernement ne donne au Tiers qu'une satisfaction très partielle. Le résultat du Conseil du 27 décembre 1788 accorde le doublement, mais non le vote par tête. Cependant, un suffrage quasi universel est institué dans les assemblées primaires des villages. On pourrait donc s'attendre que la paysannerie serait largement représentée aux états généraux. Il n'en est rien. Les 578 députés du Tiers sont presque tous des bourgeois. Il y a parmi eux 200 avocats et une centaine de commerçants, banquiers et manufacturiers.

TINSEAU, Jean-Antoine de (? - Nevers, 24 septembre 1782). Évêque réputé pour ses vertus et pour sa science, il fut, au début de sa carrière ecclésiastique, vicaire général de Besançon et abbé de Béthanie dans le même diocèse (nommé à cette abbaye en 1743). D'abord évêque de Beauvais, il fut transféré en 1751 sur le siège de Nevers et gouverna ce dernier diocèse pendant trente et un ans. Ses diocésains l'appelaient le « Vénérable ».

TITRE CLÉRICAL. Le titre clérical, appelé aussi patrimonial ou sacerdotal, est un titre de rente exigé des ecclésiastiques avant leur ordination au sous-diaconat. C'est une preuve que le nouvel ordonné aura des moyens d'existence suffisants et qu'il pourra mener une vie digne de son état. La plupart des diocèses demandent une rente d'au moins 150 livres.

Le titre clérical est constitué soit par le père du candidat aux ordres, soit par un parent, soit par quelque autre bienfaiteur. Le contrat de constitution du titre est passé devant notaire. Il se présente comme une constitution de rente viagère, mais parfois d'un viager conditionnel : en effet, il peut être précisé que la rente cessera lorsque le titulaire sera pourvu d'un bénéfice de revenu équivalent ou supérieur. Le titre est publié au prône comme les bans de mariage. Bien que l'insinuation ne soit pas obligatoire, elle est souvent pratiquée.

Une rente de 150 livres ne représentait pas un revenu suffisant pour vivre dans l'aisance, mais à une époque où le pain valait 3 sous la livre, un tel revenu n'était tout de même pas méprisable. Pour beaucoup de prêtres habitués et de petits bénéficiers, c'était un précieux complément de ressources.

TOILES PEINTES. Au XVIIᵉ siècle, on appelait toiles peintes ou indiennes des tissus de coton à fleurs, feuillages et oiseaux coloriés importés des Indes. Afin de répondre à une demande toujours croissante, on s'était mis à fabriquer en France des toiles imprimées imitant les toiles peintes. Cependant, les indiennes coûtaient cher, et les tissus de coton pour les imprimer étaient également fort coûteux. En 1686, le gouvernement avait interdit l'importation et la fabrication pour empêcher la sortie de numéraire.

Cette prohibition est maintenue pendant la première moitié du XVIIIᵉ siècle. Mais la demande est si forte qu'il y a beaucoup d'entrées en contrebande ou par permissions spéciales. Le gouvernement cède peu à peu. Vers 1740, le contrôle se relâche. Puis on ferme les yeux. Enfin l'arrêt du Conseil du 5 septembre lève les défenses. C'est le résultat d'une campagne menée par les économistes libéraux, et en particulier par l'abbé Morellet, auteur de *Réflexions sur les avantages de la libre fabrication des toiles peintes en France* (1758). Mais c'est aussi l'aboutissement logique des progrès intervenus dans la filature du coton et dans l'art de l'impression. Enfin, l'intérêt des négociants négriers a joué en faveur de la libéralisation. Les indiennes servaient en effet de monnaie d'échange dans le trafic des esclaves.

L'arrêt du Conseil est à peine publié que se fondent partout de nombreuses manufactures d'indiennes. En 1789, on en dénombrera cent sept, la plupart établies à Rouen, Lyon et dans la région parisienne. La plus connue et la plus prospère est celle qui est créée en 1760 à Jouy sur la Bièvre par Oberkampf (*voir ce nom*). Il faut mentionner aussi celle de Langevin à Nantes, qui date de 1759 et travaille principalement pour la traite et pour les Antilles.

TOLÉRANCE. « Condescendance qui fait supporter ce qu'on blâme », telle est la définition de la tolérance dans le *Dictionnaire* de Restaut (1785), qui s'inspire lui-même du *Dictionnaire de l'Académie française* de 1762.

Définition très réductrice. En fait, le mot veut dire beaucoup plus. La tolérance est bien plus qu'un comportement. Elle est, depuis 1750 environ (avec le bonheur, la bienfaisance, l'égalité et quelques autres concepts), l'une des idées-forces du siècle.

Le contenu de l'idée est différent selon que le mot est employé par les philosophes des Lumières ou par les auteurs chrétiens.

Le système philosophique de la tolérance s'est élaboré à partir de 1750 dans le feu du grand débat d'opinion autour de la tolérance civile des protestants. On peut se faire une idée assez complète de ce système en lisant les *Lettres à un grand-vicaire sur la tolérance* de Turgot (1753-1754), le *Conciliateur* de Loménie de Brienne (1754), l'article « Tolérance » de l'*Encyclopédie*, dont l'auteur est le pasteur Romilli, et le *Traité de la tolérance* de Voltaire (1763).

D'après ces différents ouvrages, les principes de la tolérance philosophique sont au nombre de quatre :

— ne pas faire à autrui ce que vous ne voudriez pas qu'on vous fît ;

— la vérité est subjective et par conséquent « nul n'a le droit de donner sa raison pour règle » (Y. Tailhé, *L'Essai sur la tolérance chrétienne*, 1760, p. 12) ;

— toute religion n'est qu'une « opinion » parmi d'autres ;

— l'État ne doit jamais intervenir

dans les affaires qui regardent le salut éternel.

Les philosophes ne définissent pas la tolérance. Ou plutôt ils la définissent négativement comme le contraire de ce qu'ils appellent le «fanatisme», et qui est le zèle abusif et furieux de ceux qui veulent imposer aux autres leurs propres opinions.

Mais leur tolérance n'est pas que négative. Ils lui accordent une valeur positive. Par elle, explique Voltaire, vient enfin «le régime de la raison qui éclaire lentement, mais infailliblement tous les hommes» (*Traité de la tolérance*, 1760, p. 12). Elle renforce le lien social. Elle fait cesser l'état de guerre «inséparable de l'état de nature» (Y. Tailhé, *op. cit.*).

Enfin, la tolérance philosophique est active. Elle combat l'intolérance et la réprime. Selon Romilli, les souverains éclairés «doivent réprimer ces discours téméraires qui pourraient porter dans les cœurs la licence et le dégoût des devoirs». La tolérance ne vaut pas pour tous : «Il faut, écrit Voltaire, [...] que les hommes commencent par n'être pas fanatiques pour mériter la tolérance.»

La tolérance chrétienne est un peu différente. Elle est une idée chère à certains apologistes comme Lefranc de Pompignan, La Luzerne, Jacob Nicolas Moreau (*Sur les principes, les règles et les bornes de la tolérance*, 1785), la marquise de Sillery (*La Religion considérée comme l'unique base du bonheur*, 1787) et le pasteur Antoine Court (*Lettre sur la tolérance civile des protestants de France*, 1759).

Les auteurs chrétiens distinguent la tolérance ecclésiastique de la tolérance civile. Ils rejettent la première et prônent la seconde. Pas question d'admettre l'erreur au sein de la religion, mais il est possible et même souhaitable de tolérer des religions différentes au sein d'un même État. Nos auteurs chrétiens se flattent d'être ici plus tolérants que les philosophes, puisqu'ils admettent toutes les autres opinions sans faire aucune exception : «Depuis trente ans, écrit Moreau, les Philosophes nous prêchent la tolérance qu'ils ne pratiquent pas. Les vrais

Tolérants, les Tolérants raisonnables et sensés sont aujourd'hui nos Évêques.»

Aujourd'hui certes, mais non dans le passé. Les tolérants chrétiens abominent les croisades, la Ligue et les persécutions contre les protestants. Ils condamnent toutes les «violences faites au nom de la Religion». Mais, pour eux, ce n'est pas l'Église qui en est responsable. Ce sont les princes. «Que c'est au Prince, écrit Moreau, et non à l'Église, que l'on doit imputer l'intolérance et la Persécution qui ont fait le malheur de plusieurs États chrétiens.»

Les principes de la tolérance chrétienne, telle que la conçoivent ces auteurs, sont d'abord l'Évangile et ensuite ce qu'ils appellent la «liberté de conscience» et dont nous ne savons pas très bien ce qu'ils entendent par là. Veulent-ils dire que l'on est libre de choisir n'importe quelle religion ? Ils ne sont pas assez explicites sur ce point.

Les influences conjuguées des deux systèmes de tolérance, le philosophique et le chrétien, ont exercé une action profonde sur les esprits. Après 1770, tout le monde est tolérant ou prétend l'être. L'État lui-même tend à le devenir. Par l'édit de 1787, l'état civil est rendu aux protestants.

TONSURE. La tonsure consiste à couper les cheveux en forme de couronne. C'est une cérémonie par laquelle on est admis dans le clergé. Ce n'est pas un ordre sacré, mais on l'exige pour être promu aux ordres et pour posséder des bénéfices. Tous les ans, les évêques procèdent aux tonsures. Des lettres de tonsure sont délivrées aux nouveaux clercs et enregistrées dans les registres des insinuations ecclésiastiques.

Beaucoup de jeunes gens se font tonsurer dans le seul dessein d'accéder aux bénéfices. Des parents font tonsurer leurs jeunes enfants dans l'espoir que ceux-ci pourront un jour recueillir quelque bon bénéfice. L'âge requis est seulement de sept ans. Certains évêques tentent de réagir contre les abus. Suivant l'esprit du concile de Trente, qui requiert l'âge de quatorze ans pour posséder un bénéfice, ils attendent cet âge pour tonsurer. Les statuts synodaux de plusieurs diocèses imposent aux candidats à la tonsure une retraite de préparation au séminaire.

Au début du siècle, une minorité de tonsurés accédaient au sacerdoce. La proportion augmente ensuite progressivement. « C'est la preuve d'un changement de signification de la tonsure, qui devient peu à peu la première démarche d'un véritable engagement sacerdotal » (Dominique Dinet, « Les ordinations sacerdotales dans les diocèses d'Auxerre, Langres et Dijon [XVIIᵉ-XVIIIᵉ siècle] », *Revue d'histoire de l'Église de France*, t. LXVI, 1980).

TORTURE. La torture, appelée question, fait partie de la procédure pénale. Elle est destinée à obtenir la preuve légale, c'est-à-dire le plein aveu de l'accusé. Elle est réglementée par les douze articles du titre IX de l'ordonnance criminelle de 1670. Ce texte rappelle d'abord que la question n'est applicable que dans le cas de « preuve considérable » et seulement s'il s'agit de crimes méritant la peine de mort. L'ordonnance distingue ensuite la question préparatoire et la question préalable. La question préparatoire est appliquée pour obtenir l'aveu en cours de procès. Elle est ordonnée par jugement interlocutoire. La question préalable, ordonnée par la sentence définitive, doit servir à obtenir de l'accusé, juste avant l'exécution, des informations sur ses complices. Il est précisé que les tourments doivent être modérés et ne laisser « aucune déformation des membres ». Enfin — disposition très importante — l'application de la question est soumise à l'autorisation des parlements.

La torture était pratiquée soit par extension (poids attachés aux pieds), soit par pression (brodequins serrant les pieds), soit par ingestion d'huile ou d'eau.

Les magistrats du XVIIIᵉ siècle sont peu enclins à ordonner l'application de la question. Dans le ressort du parlement de Rennes, de 1750 à 1780, 11 accusés sur 6 000 sont soumis à la torture. D'ailleurs sur les 11 questions administrées, une seule confession est obtenue. On a donc pu écrire que « la question n'exerce plus en Bretagne après 1750 aucune incidence réelle sur l'issue des procès » (Bernard Mer, « Réflexions sur la jurisprudence criminelle des parlements de Bretagne [...] », *Mélanges J. Yver*, 1976). Les études faites sur d'autres parlements (Flandre, Roussillon) aboutissent à des conclusions analogues. Certains philosophes (Diderot, Voltaire) ont mené campagne contre la torture, mais on doit constater que l'abandon progressif de cette cruelle pratique commence dès les années 1730, c'est-à-dire bien avant le début de la grande offensive philosophique. Lorsque, le 24 août 1780, une déclaration royale abolit la question préparatoire, il est évident que la loi ici entérine l'usage.

TOUCHER ROYAL. On appelle « toucher royal » la cérémonie au cours de laquelle le roi de France touche les malades des écrouelles. Le rite est accompli à Reims après le sacre. Il est ensuite renouvelé chaque année aux vigiles des grandes fêtes. Les rois de France sont réputés thaumaturges par la vertu de l'onction du sacre. Les écrouelles sont une maladie scrofuleuse. Il s'agit d'une forme d'adénite tuberculeuse.

Louis XV touche les malades à Reims le 29 octobre 1722, quatre jours après son sacre, Louis XVI le 14 juin 1775, trois jours seulement après avoir été oint. Nous connaissons dans ses moindres détails le toucher de Louis XVI. Le roi alla à l'abbaye de Saint-Remy. Il entendit une première messe et communia. Il pria ensuite devant la châsse de saint Marcoul exposée dans le chœur, entendit une seconde messe et toucha les malades, au nombre de 2 400, dans le jardin du monastère. Il était précédé de tous les médecins de sa maison et entouré du duc de Noailles et du prince de Beauvau, capitaine des gardes du corps. Le toucher se faisait de la façon suivante : le premier médecin appuyait sa main sur la tête du malade, dont le prince de Beauvau tenait les mains jointes. Le roi touchait les mains en disant : « Dieu te guérisse, le Roi te touche. »

Saint Marcoul est un saint guérisseur dont le culte est, depuis le XIᵉ siècle, associé au rite du toucher royal. Autrefois, les rois se rendaient au prieuré de Corbeny, où les reliques du saint étaient conservées. Mais Louis XIV avait changé cet usage. Depuis son sacre, le roi ne faisait plus le « voyage de Corbeny ». La châsse du saint était transportée à Reims.

Au XVIIIᵉ siècle, le fait nouveau le plus important est la quasi-disparition du toucher royal dans l'intervalle des sacres. Louis XV observe le rite jusqu'en 1738, mais, à partir de cette date, il cesse complètement. Quant à Louis XVI, il semble bien qu'il ne toucha plus jamais les malades après son sacre. En tout cas, la cérémonie n'est jamais mentionnée par les gazettes après 1775. Comment expliquer ces abstentions ? Pour Louis XV, la raison est simple. Le roi ne peut pas toucher les malades s'il n'est pas en état de grâce. Or on sait que les confesseurs de Louis XV lui refusaient l'absolution. Pour Louis XVI, le motif est probablement d'ordre philosophique. Ce prince se dit « éclairé », détaché des préjugés et des superstitions. Si, malgré les avis contraires de Turgot, il a tenu à se faire sacrer et à toucher les malades après son sacre, c'est plutôt sans doute pour honorer une tradition que pour accomplir un rite essentiel à la royauté.

« Dieu te guérit. » Nous connaissons seulement cinq cas de guérison : deux pour le règne de Louis XV (un « homme d'Avesnes », guéri en 1722 après le toucher du sacre, et une Irlandaise nommée Hélène Mac Namarah, guérie en 1734, après avoir été « touchée » par le roi à Versailles). Les trois malades guéris sous le règne de Louis XVI avaient été touchés par ce prince lors de son sacre. Ils se nommaient Remy Rivière, Marie Nicole Pendieur et « la fille d'Antoine Loilet ». Ce très petit nombre de guérisons a de quoi surprendre. En 1609, le médecin Du Laurens estimait à 1 500 le nombre des guérisons opérées par la vertu du « toucher royal ». Il se peut que Louis XV et Louis XVI aient contribué à faire d'autres miraculés, mais s'il y en avait eu un grand nombre, cela se saurait. Il est sûr qu'au XVIIIᵉ siècle le roi thaumaturge s'efface.

TOULOUSE. Toulouse est ville de parlement et métropole ecclésiastique (siège d'un archevêché). Mais elle n'a ni cour des aides ni intendance. Son importance dans l'État est donc moindre que celle de Bordeaux.

Ses privilèges municipaux sont anciens et prestigieux. Les capitouls, ses magistrats, sont juges et administrateurs. Le capitoulat anoblit. Les huit capitouls sont réputés élus. En fait, le roi les désigne après diverses sélections opérées par l'administration dans une liste de quarante-huit candidats.

De toutes les grandes villes du royaume, Toulouse est celle dont la population a le moins augmenté. Il y avait 43 000 habitants à la date de 1695 ; il y en aura 53 000 en 1790, soit un accroissement d'à peine dix mille habitants, dû à l'immigration, le mouvement naturel étant fortement déficitaire. Cette immigration est d'ailleurs faible par rapport à l'immigration bordelaise. Toulouse n'est pas un pôle d'attraction.

Il faut dire que l'économie marche au ralenti. Deux petites manufactures fondées par Colbert, l'une de tabac et l'autre de poudre, et une fabrique d'étoffes de soie fondée en 1764 et employant deux cents ouvriers, voilà toute l'industrie de Toulouse à la veille de la Révolution. Le commerce, il est vrai, montre plus de vitalité. Toulouse importe les laines d'Espagne et les revend à Lodève, Castres et Carcassonne. Elle fait aussi le trafic (clandestin) des piastres d'argent, qu'elle recède aux négociants marseillais pour les besoins du commerce d'Orient. Enfin elle exporte les grains par le canal du Midi vers le Languedoc et la Provence.

Ce n'est pourtant pas la marchandise qui détient la plus grande partie de la fortune toulousaine. C'est la noblesse. Cette noblesse toulousaine (de magistrature ou de cloche) représente 12 % de la population de la ville à la fin de l'Ancien Régime, mais ces 12 % possèdent les deux tiers de la fortune globale (Jean Sentou, *Fortunes et groupes sociaux à*

Toulouse sous la Révolution [*1789-1799*] *- Essai d'histoire statistique*, Toulouse, Privat, 1969). Dans aucune ville de France, on ne trouve un pourcentage si élevé. Ces fortunes nobles sont essentiellement terriennes. Les plus importantes sont celles des grandes familles parlementaires, les Riquet de Bonrepos, les Rességuier, les Guillermin, les du Bourg et les Rey de Saint-Géry.

Toulouse est ville de l'esprit. Peu de cités possèdent autant d'institutions, autant de sociétés vouées aux lettres et aux arts libéraux. Son université — si l'on en juge par le nombre des inscriptions (401 en droit et 241 en théologie, en 1789) — est l'une des moins décadentes. Son Collège royal de chirurgie accueille de trois cents à quatre cents élèves. Elle a deux collèges d'humanités, trois académies (Académie royale des belles-lettres ou jeux Floraux, Académie royale des sciences, inscriptions et belles-lettres instituée en 1746, et Académie royale de peinture, sculpture et architecture), un Salon de peinture, qui fait concurrence à celui de Paris, dix imprimeurs (dont les principaux sont Baour et Douladoure) et de nombreux artistes, dont les plus remarquables sont le peintre J.-B. Despax et le sculpteur François Lucas.

La maçonnerie se manifeste très tôt à Toulouse : dès 1735. On compte douze loges en 1789 et quelque six cents maçons. Toutefois, il ne semble pas que l'influence des Lumières ait pénétré en profondeur. On a noté que l'accord de la religion et de la science était le thème préféré des membres de l'Académie des sciences, inscriptions et belles-lettres (Michel Taillefer, *Une académie interprète des Lumières, l'Académie des sciences, inscriptions et belles-lettres de Toulouse au XVIIIᵉ siècle*, Paris, 1984). Il est vrai qu'après 1760 certains académiciens des jeux Floraux se plaisent à développer les sujets, à la mode, de la tolérance et de la lutte contre le « fanatisme ». On voit même cette académie accorder l'un de ses prix (en 1771) au *Discours en vers* déiste et filandreux du philosophe La Harpe sur le sujet « Portrait du Sage ». Mais il n'est pas exact de dire, comme l'a écrit Jacques Godechot

(*Démographie et subsistances en Languedoc*), qu'« à partir de 1762 les odes et poèmes religieux disparaissent » de cette académie « au profit des œuvres historiques et philosophiques ». En effet, cette société continue à attribuer jusqu'en 1789 son prix, fondé en 1739, du Lis d'argent, pour un « Sonnet à la Vierge ».

Toulouse avait été nommée « Toulouse la sainte ». Elle mérite toujours son nom. Cinquante confréries, dont plusieurs de pénitents, y entretiennent le goût des cérémonies et des exercices de dévotion. L'Aa (Association des Amis), société secrète religieuse vouée au culte eucharistique et au perfectionnement de la société chrétienne, travaille également à la sanctification des quelque cinq cents personnes qui s'y affilient de 1720 à 1789. Enfin, la pratique religieuse, à la différence de ce que nous voyons à Bordeaux et dans plusieurs autres grandes villes, est ici générale. La conduite de la vie est-elle pour autant demeurée chrétienne ? On en doute quand on constate le grand nombre des abandons d'enfants (40 % des enfants nés dans la paroisse Saint-Pierre-de-Cuisines de 1750 à 1792). Il est vrai que la plupart de ces enfants sont des enfants légitimes et que la cause de leur abandon est la misère (Godechot, *op. cit.*).

Quoi qu'il en soit, le catholicisme toulousain irrite la philosophie. L'erreur judiciaire de la condamnation de Jean Calas (1762) sera présentée par Voltaire comme la preuve du « fanatisme » des magistrats toulousains.

L'aspect de la ville ancienne n'est pas transformé. Si l'on met à part la nouvelle façade du Capitole (par l'architecte Guillaume Cammas), les principales réalisations du nouvel urbanisme sont des cours (cours Dillon) et des jardins : Jardin-Royal et Grand-Rond. Ces nouveaux aménagements ne sont pas dans la ville, mais à côté.

Finalement, Toulouse n'est qu'assez peu une ville des Lumières. Elle ne connaît ni croissance urbaine ni croissance économique. Elle ne construit pas de quartier nouveau. Son université n'est pas déliquescente. Ses académiciens respectent la religion et ses habitants, dans leur très grande majorité, gardent la fidélité à la foi catholique.

TOULOUSE, Louis Alexandre de Bourbon, comte de (Versailles, 6 juin 1678 - Rambouillet, 1er décembre 1737). Duc de Damville, de Penthièvre, de Châteauvillain et de Rambouillet, pair, amiral et grand veneur de France, gouverneur de Bretagne, gouverneur de Guyenne, il est le fils naturel (légitimé par lettres de novembre 1681) de Louis XIV et de Mme de Montespan. Il se mariera sur le tard (22 février 1723) avec Marie Victoire Sophie de Noailles, veuve de Louis de Pardaillan d'Antin.

Il avait montré dans sa jeunesse une réelle valeur militaire, servant au siège de Mons dès l'âge de treize ans, blessé en 1704 au combat naval de Malaga, quatre de ses pages ayant été tués à ses côtés. En 1717, comme son frère, le duc du Maine, il est privé de sa qualité de prince du sang. Mais le Régent l'aime bien et le distingue son frère. En 1715, il a été nommé chef du Conseil de la marine. En 1718, sa préséance sur les autres ducs et pairs lui est conservée (à titre purement personnel), alors que la même prérogative est enlevée au duc du Maine. Saint-Simon ne le croit pas très intelligent, mais admire ses qualités de caractère : «... un homme fort court, mais l'honneur, la vertu, la droiture, la vérité, l'équité même» (*Mémoires*).

TOURAINE. La Touraine est province et gouvernement. La généralité de Tours en excède largement les limites, puisqu'elle englobe l'Anjou et le Maine.

«La Touraine, écrit le géographe Gibrat (*Traité de la géographie moderne*, Toulouse, 1984), est si agréable et si fertile, qu'on l'appelle le "Jardin de la France".» Cependant l'activité industrielle est très réduite. La manufacture de soie de Tours souffre de la concurrence lyonnaise et décline inexorablement.

Le diocèse de Tours a compté un grand nombre d'appelants, mais l'influence janséniste n'a pu pénétrer en profondeur, la forte activité missionnaire déployée tout au long du siècle par les jésuites et les lazaristes l'ayant sans cesse combattue.

Résidence de Mme Dupin, protectrice des Lumières, le château de Chenonceaux, non loin de Tours, a été longtemps l'un des châteaux les plus philosophiques de France. L'abbé de Saint-Pierre y fit de longs séjours, et Jean-Jacques Rousseau y servit de secrétaire à la maîtresse des lieux.

TOURNEMINE, René Joseph de (Rennes, 1661 - Paris, 1739). Jésuite, directeur des *Mémoires de Trévoux*, il était entré dans la Compagnie en 1680. En 1702, après quinze ans de professorat, on lui confie la direction des *Mémoires*, qui sont la revue des jésuites. En 1719, il est nommé bibliothécaire du collège Louis-le-Grand. Il quitte alors la direction de la revue, mais continue d'y collaborer activement. Son immense culture, alliée à de grands talents de diplomate, fait le succès des *Mémoires*. Il n'a jamais publié de livre. Tout son œuvre consiste en dissertations et en recensions publiées dans les *Mémoires* et dans le *Mercure de France*. On a recensé quatre-vingt-quatre titres de dissertations sur tous les sujets, la plupart entrant dans les trois catégories suivantes : Écriture sainte, patrologie et philosophie. L'examen de la partie philosophique montre la faiblesse et l'incertitude du P. Tournemine dans ce domaine. Sa philosophie se réduit à un vague éclectisme, avec une préférence pour Descartes, dont il admet l'innéité des idées de l'âme et de Dieu. Sur l'union de l'âme et du corps et sur quelques autres points, il fait voir son peu d'attachement aux thèses de l'école. Par exemple, il qualifie l'hylémorphisme de «termes obscurs». Il avait connu Voltaire quand celui-ci était élève à Louis-le-Grand. Il lui témoignera toujours une affection véritable. Dans une lettre de 1738, adressée à un confrère, il évoque «l'amitié paternelle qui [l']attache à lui depuis [son] enfance» (cité dans *Dictionnaire de théologie catholique*, fascicule 141, article «Tournemine»). Voltaire lui a écrit plusieurs fois et sur le ton le plus affectueux. « L'inal-térable amitié dont vous m'honorez, lui disait-il, me sera chère toute ma vie » (*Ibid.*). Mais il ne tint pas cette pro-messe. Piqué par certaines attaques des *Mémoires*, il se vengea en plaçant dans la bouche des bons pères cette méchante épigramme : «C'est notre Père Tourne-mine. Il croit tout ce qu'il imagine » (*Ibid.*).

TOURNY, Louis Urbain Aubert, marquis de (Paris, 1695 - *id.*, 1760). Maître des requêtes, intendant, il est célèbre pour avoir embelli Limoges et transformé Bordeaux. Avocat au parlement de Paris, puis conseiller au Châtelet, ensuite au Grand Conseil, il est nommé maître des requêtes en 1719, intendant de Limoges en 1730 et intendant de Guyenne en 1743. Il dote le Limousin de manufac-tures de bougies et de tissus, et orne la ville de Limoges d'une place, d'un cours et d'une porte monumentale. A Bor-deaux, il donne sa pleine mesure. C'est un homme d'une « humeur impétueuse », acharné au travail jour et nuit, et, selon son propre dire, «zélé amateur du bien public ». Sa politique de grands travaux est l'aspect le plus remarquable de son administration. Avec la collaboration de Jacques Ange Gabriel, il crée la place Royale, le tour de ville, la façade des quais, les allées qui portent aujourd'hui son nom et plusieurs quartiers neufs. En butte à l'opposition de la jurade et du Parlement, il se retire en 1757 et finit sa vie à Paris. Il avait été nommé en 1755 conseiller d'État.

TOURS. Ville archiépiscopale, chef-lieu d'une généralité, Tours est l'une des rares villes importantes du royaume, dont la population diminue au cours du siècle, passant de 30 000 habitants vers 1700 à 23 000 à la veille de la Révolu-tion. Il est vrai que son activité écono-mique demeure constamment médiocre, et que sa manufacture de soie, malgré les encouragements prodigués par les inten-dants, ne progresse pas. La ville n'a ni université ni académie, mais une société d'agriculture. Le souffle de l'urbanisme

nouveau aère la cité : un nouveau pont est ouvert à la circulation en 1737 ; les rues du Bac et Traversaine sont entière-ment reconstruites.

TOUSSAINT, François Vincent (Paris, 21 décembre 1715 - Berlin, 22 juin 1772). Littérateur philosophe, auteur des *Mœurs*, il serait « d'extraction modeste ». Ses parents donnaient dans le jansénisme convulsionnaire. Lui-même avait com-posé dans sa jeunesse un poème en l'honneur du diacre Pâris. Reçu en 1741 avocat au parlement de Paris, il est bien-tôt contraint d'abandonner le barreau pour des raisons de santé. Il se consacre alors à des travaux littéraires. En associa-tion avec Diderot et Eidous, il traduit le *Medicinal Dictionary* de James. Les *Mœurs* paraissent au début de 1748. Grand succès et succès de scandale. Bar-bier écrit : «Chacun se demande : avez-vous lu les *Mœurs* ? » (*Journal*, Paris, 1866). Par un arrêt du Parlement du 6 mai 1748, l'ouvrage est condamné à être brûlé par la main du bourreau. Tous-saint se réfugie à Bruxelles. Il y travaille d'abord pour l'*Encyclopédie* (1750-1753), donnant tous les articles de juris-prudence. Ensuite (1753-1756), il dirige le *Journal étranger*, où il a remplacé Grimm. Le 4 mars 1751, Frédéric II l'avait nommé membre étranger de son académie. Plusieurs fois, il l'avait invité à Berlin. Après maintes sollicitations, Toussaint accepte enfin l'invitation royale. En 1764, il s'installe à Berlin. Il y demeurera jusqu'à sa mort. Sa charge consiste à enseigner la rhétorique et la lo-gique aux élèves de l'Académie des nobles. Il participe aux travaux de l'aca-démie de Berlin, donnant à cette compa-gnie plusieurs mémoires sur des ques-tions de morale, comme *La Sensibilité pour autrui* et *La Bienfaisance considé-rée comme agissante*. Il publie aussi de nombreuses traductions d'ouvrages an-glais et allemands. C'est ainsi qu'il tra-duit le romancier Coventry et le poète Gellert. Pour être complet, il faut signa-ler aussi son œuvre de mémorialiste. Ses *Mémoires secrets pour servir à l'histoire de la Perse* (1745) sont en fait une chronique du règne de Louis XV, mais les noms y sont d'emprunt. Toussaint republiera cet ouvrage sous le titre suivant : *Anecdotes curieuses de la cour de France sous le règne de Louis XV*. Dans cette nouvelle version, les noms d'emprunt sont remplacés par les noms réels. Sauf quelques tirades contre le « zèle outré » des parlementaires, et quelques plaidoyers en faveur de la tolérance civile, cette œuvre n'a rien de séditieux.

Le scandale des *Mœurs* est dû surtout à la nouveauté. Le public n'était pas encore bien habitué au réductionnisme de la pensée « éclairée ». L'auteur traite de Dieu et de la vertu, mais les deux se confondent. Son Dieu n'est que la vertu personnifiée. Aimer Dieu, pour lui, n'est rien d'autre que d'aimer la vertu. Le culte doit être tout intérieur, et ne pas s'enfermer dans les pompes et les cérémonies. Si Dieu est la vertu, la vertu est « la fidélité constante à remplir les objets que la raison nous dicte ». Il ne reste donc pas grand-chose ni de Dieu, dépouillé de la plupart de ses attributs, ni de la vertu, privée de sa disposition au bien. Dans la troisième partie des *Mœurs* (intitulée « Les vérités sociales ») et dans ses mémoires publiés dans le *Recueil des Mémoires de l'académie de Berlin*, Toussaint, à la suite de l'abbé de Saint-Pierre, pose les principes de la morale sociale des Lumières. Il enseigne les trois vertus de cette morale, à savoir l'« humanité » (affection naturelle de l'homme pour ses semblables), la sensibilité (« Plus on est sensible, plus on existe ») et la bienfaisance, c'est-à-dire « l'humanité tendre et affectueuse qui, dans la crainte de ne pas faire assez, croit ne pouvoir jamais faire trop ». Au total, l'auteur des *Mœurs* serait plutôt moins antireligieux que les autres philosophes (on l'appelait « le capucin de la secte philosophique »). Cela ne veut pas dire qu'il ne le soit pas. Certaines de ses formules sont à la limite du blasphème (« On aime Dieu comme sa maîtresse »). Cependant, il est surtout très anticlérical et hostile aux moines.

On est étonné de le voir mourir en chrétien. C'est pourtant ce qu'il fit. Il reçut les sacrements et, avant de les recevoir, déclara sa foi.

TRAITÉ DE COMMERCE FRANCO-ANGLAIS. *Voir* **COMMERCE FRANCO-ANGLAIS (traité de).**

TRAITÉ DE LA HAYE. *Voir* **HAYE (traité de La).**

TRAITÉ DE PARIS. *Voir* **PARIS (traité de).**

TRAITÉ DE L'ESCURIAL. *Voir* **ESCURIAL (traité de l').**

TRAITE DES NOIRS. La traite des Noirs est le commerce des esclaves.

Dans le domaine atlantique, ce commerce est triangulaire (on dit aussi « circuiteux » : les navires de traite partent des ports français avec leur cargaison de troc, chargent les esclaves sur les côtes d'Afrique, vont les vendre aux Antilles et repartent vers la France avec leur fret de retour (sucre, café et autres produits tropicaux). La durée moyenne de ces voyages de traite est de dix-huit mois. Il y a aussi une traite de l'océan Indien pour fournir en esclaves les plantations des îles Bourbon et de France.

La traite avait commencé au siècle précédent, mais c'est à partir de 1715 qu'elle devient l'un des éléments principaux du commerce atlantique. Nantes, Bordeaux, La Rochelle et Le Havre sont les quatre places de traite. Avec 1 427 expéditions négrières de 1715 à 1789, Nantes est le premier port négrier mondial. Viennent ensuite La Rochelle (427 expéditions), Le Havre (399) et Bordeaux (393). L'apogée se situe dans les années 1775-1780 (à Nantes en 1777, d'après Jean Meyer). Au total, de 1715 à 1789, plus d'un million de Noirs ont été de cette manière transportés aux Antilles et vendus comme esclaves aux colons de ces îles.

L'armement pour la traite nécessite des capitaux considérables. Les banques font d'importantes avances, mais la base du financement est « locale et familiale » (Jean-Michel Deveau, *La Traite rochelaise*, Paris, 1990). Les grands noms négriers nantais sont ceux des Laurencin, Grou, Montaudoin, Mac Namara, Clark et Walsh. Antoine Walsh arme à lui seul vingt-huit navires négriers. La forme de société la plus souvent pratiquée est celle par intéressement, qui permet de moduler les parts à volonté.

La traite exploite d'abord le Sénégal. Ensuite, elle se déplace vers le sud. La Côte d'Ivoire, le Togo, le Dahomey et le Congo sont les territoires les plus productifs.

Le navire négrier est organisé de la manière suivante : les cales du fond pour les marchandises, l'entrepont pour les esclaves, le gaillard d'arrière pour les officiers et les femmes esclaves. Au départ de France, on embarque la cargaison de troc : armes, eau-de-vie, vin, biscuits, papier, ambre, clous de girofle, couteaux, peignes et miroirs. A l'arrivée en Afrique commence la traite proprement dite. Les esclaves achetés sont marqués au fer rouge avant d'embarquer. Le nombre d'esclaves par navire négrier varie de trois cents à quatre cents. Les esclaves sont enfermés, tant que les côtes d'Afrique sont en vue. On les fait monter sur le pont deux fois par jour et l'alimentation comporte des vivres frais. Malgré ces précautions, la mortalité moyenne est de 15 %. Il y a des suicides et des révoltes (17 révoltes pour les 427 expéditions de La Rochelle). Les officiers choisissent des Noires pour les servir à table et au lit.

Les profits sont énormes, les bénéfices pouvant atteindre de 700 à 800 %. Les armateurs réinvestissent dans la banque, les assurances, la guerre de course, la pêche hauturière, les habitations de Saint-Domingue et les châteaux et les terres de France. C'est ainsi que la traite contribue pour une bonne part à la transformation de l'économie française en économie capitaliste.

Les traitants ne semblent pas avoir éprouvé de scrupules de conscience. Ils pensent être utiles à la fois à leur patrie, aux colons et aux Noirs eux-mêmes. «La négritude, écrit Mellier, maire de Nantes, est une grande région d'Afrique dont les peuples sont si nombreux qu'il leur serait difficile de subsister si, par le trafic des esclaves, ils n'étaient pas déchargés tous les ans d'une partie de ceux qui les habitent» (cité par Gaston-Martin, *Nantes au XVIIIᵉ siècle, l'ère des négriers*, Paris, 1931).

TRAITÉ DE VERSAILLES (premier). *Voir* **VERSAILLES (premier traité de).**

TRAITÉ DE VERSAILLES (deuxième). *Voir* **VERSAILLES (deuxième traité de).**

TRAITÉ DE VIENNE (troisième). *Voir* **VIENNE (troisième traité de).**

TRAPPE (la). Situé dans le Perche, le monastère Notre-Dame de la Maison-Dieu de la Trappe est une abbaye cistercienne réformée en 1662 par l'abbé de Rancé. La règle trappiste est l'une des plus austères qui puissent se voir dans l'Église. Le régime de vie est fait de silence perpétuel, de travail manuel et d'une abstinence continuelle de viande et de poisson. Cela explique sans doute pourquoi la réforme de Rancé ne s'est pas étendue en France. Une seule abbaye, celle de Sept-Fons, a suivi l'exemple de la Trappe. Dom Malachie d'Inguimbert, moine cistercien de la Trappe de Buon Solazzo en Italie, puis évêque de Carpentras (1683-1754), consacra plusieurs ouvrages à la défense et à la justification de l'œuvre de Rancé.

TRAVAIL (horaires de). Nous n'avons sur les horaires de travail que des indications rares et fragmentaires. Les documents sont souvent muets à ce sujet. Quant aux historiens du travail, cette question ne paraît pas les avoir beaucoup intéressés.

On trouve quelquefois des horaires dans les statuts des communautés. Ainsi les statuts des potiers d'étain de Paris, de 1613, renouvelés en 1742, permettent de faire travailler en toute saison de 5 heures du matin à 8 heures du soir. Il semble bien qu'une telle journée ne soit pas exceptionnelle. Nous savons qu'au milieu du siècle, à Paris, à Rouen et à Lyon, les artisans commencent le travail à 4 ou 5 heures du matin, pour finir à 9 ou 10 heures. Si l'on compare ces horaires avec ceux du Moyen Âge, ils apparaissent comme beaucoup plus lourds. La journée de travail est beaucoup plus longue sous Louis XV que sous Saint Louis. On notera aussi que l'interdiction du travail de nuit, très souvent inscrite dans les statuts médiévaux, n'est pas reproduite dans ceux des XVIIe et XVIIIe siècles.

Pour les manufactures, les rares horaires que nous possédons ne sont pas différents. Dans les manufactures d'hôpitaux créées par Trudaine en Auvergne après 1730, la journée de travail commence à 4 heures en été, à 5 heures en hiver. Pour augmenter la part du travail, l'intendant d'Auvergne réduit celles des promenades et des exercices de piété. A Valenciennes, dans les années 1720-1730, l'ouvroir des dentellières de la maison de charité fonctionne de la manière suivante : les « filles pauvres » pensionnaires se lèvent à 5 heures. Elles ont ensuite une heure d'école. Puis elles se mettent au travail à l'ouvroir à partir de 7 heures en été et 7 heures 45 en hiver. A midi, en toute saison, elles descendent au réfectoire. Elles reprennent le travail à 2 heures de l'après-midi, pour ne le quitter qu'à 7 heures et demie du soir en toute saison, ce qui fait en moyenne dix heures de travail par jour (Philippe Guignet, *Mines, manufactures et ouvriers du Valenciennois au XVIIIe siècle*, New York, 1977).

A la veille de la Révolution, la plupart des ouvriers des manufactures travaillent entre dix et douze heures. Les plus longues journées sont celles des ouvriers de la soierie lyonnaise, assis à leur métier pendant dix-sept ou dix-huit heures par jour.

TRAVAIL (idée de l'obligation pour tous de travailler). Au siècle des Lumières s'impose cette idée que tous doivent travailler sous peine de faute grave, le mot travail étant pris dans le sens ordinaire de la langue classique, celui d'une occupation active et donnant de la peine.

Philosophes, théologiens, moralistes, économistes, tous proclament cette obligation. Mais tous ne la démontrent pas de la même manière. Il y a en fait deux

théories, celle des auteurs se réclamant du christianisme et celle des auteurs s'inspirant de la « philosophie ». Pour les premiers, l'obligation n'est rien de moins qu'un précepte divin, une sorte de onzième commandement de Dieu. « Le Créateur, prononce le moraliste Le Pileur d'Apligny, changea [...] la première destination de l'homme en lui imposant la nécessité du travail » (*Essais historiques sur la morale des Anciens et des Modernes*, Paris, 1772, p. 301). A l'appui de leur thèse, ces auteurs invoquent plusieurs citations de l'Écriture, dont celle-ci extraite de saint Paul (2 Th., 3, 10 *sq*) : « ... si quelqu'un ne veut pas travailler, qu'il ne mange pas. » Pour les auteurs « philosophes » (l'abbé de Saint-Pierre, le marquis de Mirabeau, Morelly, Faignet de Villeneuve, notamment) le travail est moins une obligation morale qu'une nécessité naturelle. « Il est dans la nature de l'homme de travailler, écrit le marquis de Mirabeau. La raison est que la nature de l'Homme est essentiellement active » (*L'Ami des hommes*). « ... L'homme, écrit Morelly, est une créature faite pour agir et pour agir utilement » (*Code de la nature ou le Véritable Esprit de ses Lois*, 1755, publié par E. Dolléans, 1910, p. 34). Cette idée de l'homme travailleur vient de la philosophie d'Épicure. La sagesse épicurienne en effet n'est pas dans la contemplation de la vérité, mais, selon la formule de l'épicurien moderne Gassendi, dans « la préparation au bonheur et art de la vie » (cité par Olivier René Bloch, dans *La Philosophie de Gassendi*, Paris, 1971, p. 54). Cette conception de l'homme travailleur et trouvant le bonheur dans le travail a été transmise aux Lumières par les libertins du siècle précédent. Dans la cité utopique des Sévarambes, imaginée par le libertin Denis Veiras, tous les citoyens doivent travailler manuellement huit heures par jour.

Il y a toutefois un écart entre la théorie et la pratique. Les théoriciens des Lumières veulent que tout le monde travaille, mais en pratique ils réservent le travail aux pauvres. Leur raisonnement est à peu près celui-ci : puisqu'il n'est permis à personne de ne pas travailler, les pauvres doivent travailler. S'ils ne veulent pas, on les y forcera. C'est ce que fait la déclaration royale de 1724, lorsqu'elle enjoint « à tous Mendiants [...] de prendre un employ pour subsister », sous peine d'enfermement. On va s'orienter peu à peu vers une généralisation du travail forcé, seule solution efficace, pense-t-on, pour « rendre les pauvres utiles ». « Ce travail, écrit en 1775 Loménie de Brienne à propos du travail des mendiants, doit être forcé, car des gens [les mendiants] qui ont mérité d'y être condamnés, ne s'y soumettraient pas volontairement, et ils n'ont pas lieu de se plaindre lorsque la punition ne consiste qu'à les forcer à ce dont la nature et la société leur font un devoir » (cité par Christian Paultre, *De la répression de la mendicité et du vagabondage en France*, Paris, 1906). A ces considérations de caractère moral (si l'on peut dire) viennent s'en ajouter d'autres plus pragmatiques. L'économie nationale a besoin d'une main-d'œuvre pauvre et laborieuse : « Dans une nation libre », écrit un certain Granet, lieutenant général de la sénéchaussée de Toulon, « dans une nation libre où il n'est pas permis d'avoir des esclaves, les plus sûres richesses consistent à disposer d'une multitude de pauvres laborieux » (cité par Georges Rigault, *Histoire générale des frères des Écoles chrétiennes*, Paris, 1938, t. II, p. 431).

D'autres pauvres sont visés : les pauvres par vœu, les moines. On leur reproche leur oisiveté. « Pourquoi, demande d'Holbach, laisser croupir tant de cénobites dans une léthargie fatale à eux-mêmes et qui les rend nuls pour la société [...]. Des travaux utiles devraient remplacer de trop longues prières » (*Ethocratie*, Amsterdam, 1776, p. 102). Le commandement du travail se substitue à celui de la prière. On voit des évêques supprimer des fêtes chômées. Pour les évêques eux-mêmes, travailler est plus utile que prier. « L'Église toujours compatissante, écrit l'évêque de Poitiers à ses diocésains, s'est déterminée à augmenter le nombre des jours consacrés au travail » (cité dans Jean de Vigue-

rie, « L'idée de l'obligation du travail dans la France des Lumières », *Bulletin de la société française d'histoire des idées et d'histoire religieuse*, nº 9, 1992). Consacrés au travail, plutôt qu'à Dieu, à moins que le travail ne soit Dieu.

TRAVERS, Nicolas (Nantes, 10 août 1674 - *id.*, 13 octobre 1750). Prêtre, théologien, canoniste et historien, il était le septième enfant d'ouvriers brodeurs. Il fait ses études à l'Oratoire de Nantes, puis au séminaire dirigé par Jean de La Noë Mesnard, le père du jansénisme nantais. Ordonné prêtre en 1702, il exerce pendant quelques années les fonctions de vicaire dans diverses paroisses, dont celle de Saint-Saturnin de Nantes, puis, en 1729, choisit de se retirer du ministère et de se consacrer à la prière et à l'étude. Son œuvre d'historien érudit jette les fondements de l'histoire scientifique de Nantes et du pays nantais. Elle comporte pour l'essentiel une *Histoire abrégée des évêques de Nantes*, publiée en 1729, et une *Histoire civile, politique et religieuse de la ville et comté de Nantes*, qui ne sera publiée qu'en 1836. Dans l'œuvre du canoniste, la pièce maîtresse est l'ouvrage intitulé *Les Pouvoirs légitimes du premier et du second ordre dans l'administration des sacrements et le gouvernement de l'Église* (Nantes, 1744). La doctrine qui s'y exprime est celle du plus pur richérisme. L'auteur affirme tout simplement l'égalité foncière de l'évêque et du prêtre. De sorte que, selon lui, « les fonctions aujourd'hui réservées aux évêques peuvent être déléguées à de simples prêtres », par exemple le ministère de la confirmation. Thèses trop audacieuses. L'évêque de Nantes obtient une lettre de cachet contre leur auteur, qui est interné pendant près de trois ans (1745-1748) d'abord chez les augustins de Candé, ensuite chez ceux de Savenay. Après sa libération, il se retire dans sa maison de campagne près de Nantes. C'est là qu'il mourra deux ans plus tard d'une maladie de langueur. L'homme avait du talent et du courage, même si les fondements de sa doctrine étaient discutables. L'érudition bretonne lui doit beaucoup. La longue peine de détention qui lui fut infligée témoigne d'une dureté inquiétante.

TRÉMOLIÈRES, Pierre Charles (Cholet, 1703 - Paris, 1739). Peintre, il avait été l'élève de Lemoyne et de Boucher. Il collabora à la décoration de l'hôtel Soubise en des compositions mythologiques des plus aimables. Son talent se résume bien dans les cinq trumeaux exécutés par lui pour cette demeure princière : *Diane dérobant à l'Amour son carquois* (1737), l'*Hymen d'Hercule et d'Hébé* (1738), *Minerve enseignant à une nymphe l'art de la tapisserie* (1737), *Les Caractères de Théophraste* (1737) et un *Paysage*. Riches en couleurs riantes et brillantes, bien adaptées à leur fonction décorative, les peintures de cet artiste méritent la comparaison avec celles de Boucher, de Natoire et de Van Loo.

TRÉSORIERS DE FRANCE. Les trésoriers de France sont des officiers de finance. Ils ont la double charge de gouverner le domaine royal et d'administrer la taille. Ils exercent leurs fonctions dans le cadre des généralités, formant le bureau des finances (*voir* FINANCES) de chaque généralité.

Leur création date de l'édit d'Henri II de janvier 1551. A l'origine, ils avaient seulement la charge du domaine. Leur nombre n'a cessé de croître. Il est passé de douze en 1621, dans chaque généralité, à trente en 1775.

En ce qui concerne le domaine, leur juridiction connaît précisément des affaires suivantes :

1. tous les procès et différends pour raison du domaine ;

2. la vente et adjudication des fossés et emplacements des fortifications ;

3. toutes les matières d'aubaine, bâtardise et déshérence ;

4. les épaves ;

5. le recouvrement des amendes dues au roi.

En matière d'impôts, ils collaborent avec l'intendant pour l'administration et la répartition de la taille.

L'office de trésorier de France est vénal et casuel. Il est réputé immeuble et entre dans les propres de succession. Il confère la noblesse personnelle et la noblesse transmissible, si la charge est exercée par deux générations successives.

TRESSAN, Louis Élisabeth de La Vergne, comte de (Le Mans, 4 novembre 1705 - Paris, 31 octobre 1783). Littérateur, il fut dans son enfance le compagnon de jeux du roi Louis XV, dont la gouvernante, la duchesse de Ventadour, était sa propre tante. C'était là bien partir dans la vie. Mais l'homme était trop changeant : il essaya plusieurs carrières et ne persévéra dans aucune. On le vit diplomate en Italie, militaire pendant la campagne des guerres de Succession de Pologne et d'Autriche, et finalement grand maréchal de la petite cour du roi Stanislas à Lunéville. Ce dernier emploi, qu'il occupa jusqu'à la mort du roi, marqua le sommet de sa réussite.

La liste de ses relations littéraires et mondaines n'offre pas moins de variété. Jeune homme, il fréquenta la société de Fontenelle au Palais-Royal. Ensuite il fut de la Société de Pantin, sorte de club de libertins, où se perpétuaient les habitudes libertines de la Régence. Mais cela ne l'empêcha nullement d'être admis dans le cercle de la reine Marie Leszczynska, et d'y être grandement apprécié, la reine raffolant de sa compagnie et l'appelant « le plus aimable des vauriens ». Enfin, pendant son séjour en Lorraine, il organisa l'académie de Nancy et prononça le discours d'inauguration de cette compagnie savante. Il réussit à être à la fois l'ami de Voltaire et celui de Palissot. Il réfuta (en assez mauvais vers) *L'Homme-Machine* de La Mettrie, mais il correspondit avec d'Alembert et publia un *Éloge de Maupertuis*. Il avait un pied dans les deux camps et cela ne le gênait pas.

On lui doit — c'est son plus grand mérite — d'avoir en quelque sorte redécouvert et fait connaître au public les romans de chevalerie. Ce fut pendant son séjour à Rome et à la suite de ses fréquentes visites à la bibliothèque du Vatican que se développa chez lui le goût de la littérature chevaleresque. A l'instigation du marquis de Paulmy, qui publiait la « Bibliothèque des romans », il donna dans cette collection de nombreux extraits de ces anciens ouvrages, retranscrits par lui en français moderne. Ce fut d'abord une *Traduction libre d'Amadis de Gaule* (1787). Vinrent ensuite *Roland furieux, poème héroïque de l'Arioste* (1788) et les *Corps d'extraits de romans* (quatre volumes publiés en 1788 et 1789) contenant, parmi d'autres œuvres, le *Roman de la Rose*, *Huon de Bordeaux* et le *Petit Jehan de Saintré*. L'expression « traduction libre », employée par l'auteur, convient tout à fait : il ne se contente pas de moderniser le langage ; il l'expurge et modifie même l'intrigue. Voici comment il s'en justifie dans l'Avertissement de l'*Amadis* : « Plusieurs aventures de ce Roman sont écrites avec des expressions supportables à peine dans la langue latine ; il est même étonnant que des Cours, aussi polies que l'étaient celles de François Ier et de Henri II, n'eussent pas déjà banni des Ouvrages d'agrément, des expressions grossières, des images maussades et révoltantes, dont la sécheresse et le mauvais ton n'ont dû plaire en aucun temps […]. Je n'ai ajouté dans la narration que ce que j'ai cru nécessaire pour mieux lier les événements […]. J'ai cru devoir mettre un peu plus de vraisemblance dans le récit de plusieurs actions de guerre » (*Traduction libre d'Amadis*, Évreux, 1796, p. VII et VIII). Quoi que l'on pense de tels procédés, il faut rendre justice à Tressan. Alors que le goût antique dominait despotiquement les lettres, il sut réveiller l'intérêt pour les œuvres romanesques oubliées du Moyen Âge.

TRIBUNAL DES MARÉCHAUX DE FRANCE ou **TRIBUNAL DU POINT D'HONNEUR.** Juridiction militaire qui connaissait, sans appel, de tous les différends entre gentilshommes sur des questions d'honneur.

TRICHET, Marie Louise, en religion sœur Marie-Louise de Jésus (Poitiers, 1684 - Saint-Laurent-sur-Sèvre, Poitou, 28 avril 1759). Première supérieure générale de la congrégation des Filles de la Sagesse, elle était la fille d'un procureur au présidial de Poitiers. A l'âge de dix-huit ans, elle se confie à la direction spirituelle du P. de Montfort, qui l'engage à servir les malades de l'hôpital. Le 2 février 1703, elle reçoit des mains de son directeur l'habit religieux du nouvel institut, fondé par lui, des Filles de la Sagesse. Sa mère s'insurge et veut lui faire quitter cet habit, mais l'évêque de Poitiers intervient et lui permet de le garder. Pendant dix années, aucune postulante ne se présentant, elle reste la seule sœur du nouvel institut. En 1713 se présente enfin une première compagne. A partir de 1722, les postulantes affluent. Désignée par le fondateur comme la supérieure, elle va gouverner la congrégation jusqu'à sa mort. Quarante établissements (écoles et maisons de charité) sont fondés sous son généralat. En 1720, elle avait transféré le siège de l'institut de Poitiers à Saint-Laurent-sur-Sèvre, où se trouvait le tombeau du P. de Montfort.

TRINITAIRES. Les trinitaires sont une congrégation de chanoines réguliers. Ils ont été institués au XIIe siècle pour racheter les captifs chrétiens, aux mains des Infidèles. Ils s'intitulent chanoines réguliers de la Sainte-Trinité, de la Rédemption des Captifs. On les appelle aussi mathurins, en raison de l'église de ce nom, qui est la leur à Paris.

L'ordre est divisé en deux branches, l'une de chaussés, l'autre de déchaussés (réformés). En 1771, Clément XIV supprimera les déchaussés.

A la fin de l'Ancien Régime, l'ordre est en décadence. Il comptait en 1790 trois cent dix religieux. Une seule maison, celle de Marseille, était convenablement peuplée, avec quinze religieux. Aucune des autres maisons ne dépassait l'effectif de cinq.

L'œuvre de rédemption des captifs est en léthargie. Les offrandes recueillies pour cette œuvre s'élevaient en 1785 à 300 000 livres, ce qui suffisait à peine pour la maintenir.

TRONCHIN, Théodore (Genève, 24 mai 1709 - Paris, 30 novembre 1781). Médecin, il est citoyen de Genève, mais il tient à la France par une branche de sa famille et par de nombreux épisodes de sa carrière. Ses cousins, les Tronchin de Lyon, sont des puissants banquiers. Lui-même, après des études à Cambridge et à Leyde, et un long séjour de vingt années à Amsterdam, va fréquenter souvent Paris et Versailles. Il y passe d'abord près d'une année en 1756, puis y revient, dix ans plus tard, pour s'établir définitivement au Palais-Royal, avec le titre de premier médecin du duc d'Orléans. Peu de praticiens ont eu plus de succès. « Ses salons, écrit Luynes (*Mémoires* [...] *sur la cour de Louis XV*), n'ont pas assez de sièges pour les visiteurs. » Et Réaumur, qui fut son patient et son ami, de témoigner : « Il est regardé ici comme une divinité. Il fait des miracles. » Voltaire, qu'il a soigné pendant près de soixante ans, l'appelle son « cher Esculape » et fait sa publicité. Il est l'ami de Jaucourt et de toute la philosophie. Mais que vaut sa médecine ? Il est partisan actif de la variolisation. En 1756, il inocule avec succès les deux enfants du duc de Chartres, et en 1765 ceux de l'infant de Parme. Cela contribue beaucoup à son succès. Les confrères jaloux critiquent ses méthodes. Chomel écrit « qu'on ne lui avait vu traiter que des femmes, des vaporeuses et des mélancoliques ». De fait, il est habile à séduire la clientèle fortunée. On ne peut pour autant nier sa compétence. C'est un précurseur en matière de psychothérapie et de naturisme. Il possède l'art de ne pas nuire. Il s'insurge contre la vie sédentaire, le sommeil trop prolongé, la température de serre chaude, le port des perruques. Il proclame les bienfaits de la marche et les vertus thérapeutiques des séjours à la campagne.

TROY, François de. *Voir* **DE TROY, François.**

TROY, Jean-François de. *Voir* **DE TROY, Jean-François.**

TRUDAINE, Daniel Charles, sieur de Montigny et Champigny (Paris, 1703 - *id.*, 1769). Fils d'un prévôt des marchands, il est sans doute l'un des meilleurs administrateurs que la France ait jamais possédés. Reçu en 1721 conseiller au parlement de Paris, il exerce cette charge jusqu'en 1727, date de sa nomination de maître des requêtes. Après un bref passage à l'intendance d'Auvergne, il est nommé, en 1734, intendant des Finances. C'est le début de sa grande carrière. A partir de 1756, il cumulera la charge d'intendant des Finances avec celles de conseiller d'État, de conseiller au Conseil royal des finances, et de conseiller au Conseil du commerce. Pendant trente-cinq ans (jusqu'à sa mort, en janvier 1769), il est l'âme du Contrôle général et l'une des meilleures têtes du Conseil. Sa compétence s'exerce principalement dans le domaine de ce que nous appelons aujourd'hui l'équipement. Il restera fameux pour avoir donné l'impulsion décisive à la construction du nouveau réseau routier français. Le corps des Ponts et Chaussées lui doit son existence. Il en fonde l'École en 1747, et lui donne son statut en 1750. L'arrêt de 1744 sur les mines est rendu à son initiative et à celle d'Orry. Enfin, en 1760, avec son ami Bertin, alors contrôleur général, il crée le comité et les sociétés d'agriculture. C'était une forte personnalité. Son buste par Lemoyne immortalise un visage taillé à coups de serpe (arcades sourcilières énormes, gros nez épais, yeux petits et perçants). Il était inflexible, mais sans sévérité. « Ce qu'on appelle en lui dureté, disait son contemporain Bourgeois de Boynes, est bien plutôt de la fermeté » (cité par Pierre Gaxotte, *Le Siècle de Louis XV*, Paris, 1933, p. 382).

TUBEUF, Pierre François, baron de l'Aigle et de (1733-1795). Concessionnaire de mines, il est originaire de Normandie. Il obtient en 1773 et 1774 les concessions des mines de charbon de Barjac, Alais et Saint-Ambroix. Il en expulse les petits exploitants et les reprend comme ouvriers. Mais ceux-ci se montrent indociles et fomentent des émeutes. Il se heurte également à plusieurs grands seigneurs (dont le maréchal de Castries), qui font valoir leurs privilèges de hauts justiciers aux droits du concessionnaire. En définitive, l'exploitation périclite. Tubeuf obtient d'autres concessions, une près de Paris, une autre dans le Cotentin. Il n'y réussit pas davantage, soit faute de minerai en quantité suffisante, soit faute de capitaux. Il finit par renoncer et par émigrer en Virginie.

TUILES (journée des). On a donné le nom de «journée des Tuiles» à l'émeute de Grenoble du samedi 7 juin 1788, réaction à l'ordonnance royale du 8 mai démembrant les ressorts des parlements et créant une «cour plénière» pour l'enregistrement des édits royaux. Ce jour-là, pendant la distribution des lettres de cachet aux parlementaires, les troupes commandées par le duc de Clermont-Tonnerre, lieutenant général de la province du Dauphiné, furent assaillies par des émeutiers que la basoche excitait, et dont les plus forcenés étaient des ouvriers et des paysans venus à Grenoble pour le marché du samedi. Des pierres et des tuiles furent lancées sur les patrouilles, et l'hôtel du Commandement fut pillé. Rien de semblable n'avait été vu en France depuis les journées de la Fronde.

TURBILLY, Louis François de Menon, marquis de (1717-1776). Agronome, il est surtout connu pour son *Mémoire sur les défrichements*, publié en 1760. Il y explique comment, ayant hérité de son père en 1737 un domaine (situé en Anjou entre Baugé et La Flèche) de 3 000 arpents (environ 1 000 hectares), dont la plus grande partie était inculte, il l'améliora par des défrichements et des drainages et en fit une propriété modèle. Il mentionne aussi plusieurs innovations : achat de taureaux reproducteurs et de moutons flandrins, création d'un haras, introduction de cultures nouvelles comme le chanvre et le lin, et même fondation d'un prix d'agriculture pour les paysans. Écrit de manière simple et claire et avec enthousiasme, le livre connaît un grand succès. On sait aujourd'hui que le marquis exagérait quelque peu l'ampleur de ses réalisations et qu'il n'avait défriché

que 100 arpents sur les 2 250 incultes. Par ailleurs, son agriculture n'est guère révolutionnaire. Il ne propose nulle part un véritable assolement-rotation. Cependant, son action a eu valeur d'exemple et son rôle ne se limite pas à l'Anjou. Ami et conseiller du ministre Bertin, il inspire la circulaire aux intendants du 22 août 1760, les invitant à créer des sociétés d'agriculture. Il est également à l'origine de l'arrêt du Conseil du 16 avril 1761, en faveur des défrichements.

TURGOT, Anne Robert Jacques, baron de l'Aulne (Paris, 1727 - *id.*, 1781). Contrôleur général des Finances, c'est un idéologue devenu homme d'État. Issu d'une très ancienne famille de robe, fils d'un prévôt des marchands, il se destine d'abord à l'Église. Après des études chez les jésuites du collège Louis-le-Grand et au collège du Plessis, il se forme à la théologie. Pensionnaire de la Maison et société de Sorbonne au titre de candidat à la licence, il devient prieur de cette maison en 1749. Au début de 1751, il renonce à la carrière ecclésiastique, ayant sans doute perdu non seulement la vocation, mais aussi la foi. Cependant, il restera célibataire et vivra uniquement pour la réalisation de ses idées. De 1752 à 1774, il poursuit parallèlement les deux carrières d'écrivain et de serviteur du roi, incarnant un type somme toute assez rare sous l'Ancien Régime d'administrateur-philosophe. Ses ouvrages principaux sont ses *Lettres à un grand-vicaire sur la tolérance* (1753-1754), premier exposé en date du système de la tolérance éclairée, quelques articles de l'*Encyclopédie*, par exemple «Foires et Marchés» et «Fondations», et les *Réflexions sur la formation et la distribution des richesses* (1758), où il se révèle un disciple fervent mais original de la religion physiocratique. Sa carrière professionnelle présente moins d'originalité. Conseiller au parlement de Paris, puis maître des requêtes (à l'âge de vingt-deux ans), il est nommé, le 8 août 1761, intendant du Limousin. La mesure la plus nouvelle de toute son administration est la suppression des corvées. Il faut signaler aussi la création d'une école vétérinaire à Limoges et les encouragements donnés à l'agronomie, en sa qualité de président de l'académie locale d'agriculture. Tous ces mérites n'auraient pas fait de lui un ministre si la secte philosophique, à laquelle il appartenait de toutes ses fibres, n'avait intrigué pour lui et si l'abbé de Veri, son ancien condisciple de Sorbonne, ne l'avait poussé auprès de Maurepas. Sa nomination au ministère de la Marine, le 2 juillet 1774, puis celle au Contrôle général, le 24 août, plongent dans la joie tous ses amis philosophes, et en particulier Voltaire et Julie de Lespinasse, dont il est l'un des familiers. Il est le grand homme des Lumières, celui qui, de concert avec un roi éclairé, va régénérer le royaume. Il veut répondre à cette attente et, en vingt mois de ministère, secondé par ses amis Dupont de Nemours, l'abbé Beaudeau et Condorcet, il déploie une activité formidable et multiplie les réformes. Ses mesures principales sont l'établissement de la pleine liberté du commerce des grains, le 13 septembre 1774, la suppression des maîtrises et des jurandes et celle de la corvée, et la création d'une Caisse d'escompte (1776). En abolissant d'un seul coup la réglementation prudente qui alliait à une liberté relative un contrôle du commerce des grains, il provoque un certain dérèglement des approvisionnements. Au mois d'avril 1775, des émeutes se produisent. Des magasins et des convois de blé sont pillés. Le ministre réprime ces actions avec dureté, persuadé qu'il s'agit d'un complot contre sa personne et contre le progrès qu'il incarne. Sa manière d'être et de faire le dessert auprès de la Cour. A la fois timide et cassant, quelque peu méprisant, doté d'une « élocution pénible, difficile et obscure » (Montyon), il n'a pas l'étoffe du politicien qui sait durer. Son « Mémoire sur les municipalités », présenté au roi au printemps 1776, effraie le souverain. Il y parle de constitution, et y tient pour périmée la distinction traditionnelle des ordres. Il est renvoyé le 12 mai 1776, et en éprouve une grande amertume. La goutte le tuera quatre ans plus tard, le 10 mars 1781.

TURPIN DE CRISSÉ ET SANZAY, Henri Roland Lancelot, marquis de (Beauce, 1716-Vienne, 1793). Lieutenant général, c'est un cavalier. Colonel de Turpin-Hussards en 1747, inspecteur de cavalerie en 1758, il sera nommé lieutenant général sur le tard, en 1780, à l'âge de soixante-quatre ans. Il participe aux trois guerres du règne de Louis XV, et s'illustre particulièrement à Crefeld, en 1758, et à Luynen, en 1760. Dumouriez le mentionne dans sa *Galerie* et lui accorde une appréciation favorable. Il émigre dans l'armée de Condé et meurt en exil à Vienne. Il est l'auteur de plusieurs ouvrages de théorie militaire, dont un *Essai sur l'art de la guerre*, publié en 2 volumes en 1754.

U

UNIFORME. L'adoption de l'uniforme dans la plupart des armées européennes date des années 1660-1670.

En France, sous le règne de Louis XV, à l'exception des gardes françaises vêtus de bleu, rouge et blanc, tous les régiments d'infanterie français portent des habits, des vestes et des culottes blanches.

Parements et boutons varient selon les régiments. Les boutons sont de cuivre ou d'étain. Pour trente-cinq régiments les parements et les doublures sont rouges, pour dix-huit bleus et pour un seul noirs.

Les régiments étrangers ne sont pas vêtus de blanc. Les régiments allemands portent l'habit bleu avec des parements bleus, jaunes ou rouges. Les régiments suisses et irlandais ont l'habit rouge, rehaussé de bleu chez les suisses, de bleu, blanc, vert, jaune ou noir selon les corps chez les irlandais. Le Royal-Italien porte l'habit gris-brun à parements rouges.

Les uniformes de la cavalerie présentent une plus grande variété. La moitié des régiments (trente sur soixante) sont vêtus de gris-blanc à parements rouges, sauf le régiment Commissaire-Général, dont les parements sont noirs. Quinze régiments arborent des habits bleus, cinq des habits rouges, deux des habits gris. Les régiments allemands de hussards ont l'habit bleu ou rouge, le régiment irlandais de Fitzjames l'habit rouge, les dragons l'habit rouge ou l'habit bleu. Les habits des gendarmes de la garde, des chevau-légers et des mousquetaires, unités de la Maison du roi, sont d'écarlate (*voir* MAISON MILITAIRE).

Ce qui domine en somme dans les uniformes de l'armée française, ce sont les trois couleurs qui seront dans les siècles suivants celles de la France : le blanc, le bleu et le rouge.

UNIGENITUS (bulle). La constitution *Unigenitus Dei Filius* promulguée par le pape Clément XI, et publiée à Rome le 8 septembre 1713, condamnait cent une propositions extraites du livre du janséniste Quesnel, *Réflexions morales sur le Nouveau Testament*. Le 15 février 1714, sur l'injonction de Louis XIV, le parlement de Paris l'avait enregistrée sans pour autant l'approuver. La déclaration royale du 24 mars 1730 l'imposera comme loi du royaume.

La lecture des propositions condamnées ne laisse aucun doute sur l'inspiration janséniste du livre de Quesnel. Les vingt-cinq premières propositions supposent que la grâce efficace est le principe de tout bien, et que sans cette grâce aucun bien ne peut être fait.

Les controverses interminables soulevées par la bulle remplissent la première moitié du siècle. Les opposants ont à leur tête le cardinal de Noailles, archevêque de Paris. Le parti de l'opposition se manifeste par l'appel : douze évêques et trois mille autres ecclésiastiques appellent en 1717 de la sentence du pape au concile universel.

La littérature contre la bulle est incroyablement abondante. Il n'est pas un document qui dans l'histoire de l'Église ait provoqué autant de controverses. La bulle a été attaquée en d'innombrables écrits de tous formats, depuis les feuilles volantes jusqu'aux in-folio. *Les Règles de l'équité naturelle* de Nicolas Petit-pied, et les sept mémoires successifs de Quesnel pour se justifier, figurent parmi les principaux de ces écrits.

La bulle est diabolisée par cette défense, qui voit en elle l'« ouvrage du diable » et l'« essai des tentations de l'Antéchrist ». « Cet affreux décret, selon un auteur du temps, renverse la religion tout entière. » La violence de ce refus divise profondément l'Église de France et l'affaiblit.

UNIVERSITÉS. En 1789, la France compte vingt-deux universités : par ordre de création, Paris, Toulouse, Montpellier, Orléans, Angers, Perpignan, Avignon, Grenoble, Orange, Aix-en-Provence, Besançon, Poitiers, Caen, Bordeaux, Valence, Nantes, Bourges, Reims, Douai, Nancy, Dijon et Pau. L'université de Nancy est en fait celle de Pont-à-Mousson, transférée en 1768 dans la capitale de la Lorraine après le départ des jésuites. Il y avait une université à Cahors. Elle a été supprimée en 1751. Les facultés de droit de Nantes ont été transférées à Rennes en 1735. Dijon et Pau ont été créées en 1722. Après l'Espagne, la France est le pays d'Europe le mieux pourvu en universités.

Il est vrai que le cursus universitaire demeure la filière obligatoire pour accéder à un grand nombre de fonctions civiles et ecclésiastiques. Sans le titre de docteur en médecine, nul n'a le droit d'exercer cet art. Tout officier d'une justice royale ou même seigneuriale doit justifier d'un titre universitaire. Par le droit dit de l'« expectative des gradués », un certain nombre de bénéfices sont réservés aux possesseurs de degrés universitaires. Enfin les bénéfices les plus importants (les évêchés par exemple) ne peuvent être pourvus que par des gradués. Les universités jouent par là un rôle social : elles ouvrent les carrières au savoir et au mérite.

Les universités sont des corps. Elles ont comme tous les corps droit de collège et d'assemblée. Ces collèges académiques et ces assemblées ne sont pas des fictions : ils se réunissent et délibèrent. A Angers par exemple, pendant toute la durée du siècle le collège de l'université se réunit deux fois par mois. Le corps de chaque université est composé non seulement des professeurs, mais aussi des étudiants et des officiers (le procureur général, le secrétaire général, les bedeaux...), ainsi que des « suppôts » (libraires, imprimeurs, messagers). Lors des processions et des rentrées solennelles, les corps des universités se font voir dans toute leur majesté. Les docteurs régents sont revêtus de leurs robes et de leurs fourrures.

Ces belles apparences dissimulent mal un réel déclin.

La nature même de l'institution n'est plus comprise de ses propres membres. Le sens corporatif, le sens du « métier de l'étude », s'est perdu. Comme le dit un professeur poitevin, on se contente « d'accomplir les lois » du corps « sans les connaître ». Les nations, qui avaient été les formes les plus vivantes de la communauté, périclitent. Elles sont devenues des sortes d'amicales, dont les bureaux se renouvellent par cooptation.

Les « beaux privilèges » dont jouissaient autrefois tous les membres indistinctement sont contestés par les villes et par l'administration royale. Ils sont rognés, limités. On limite aux seuls professeurs le bénéfice des exemptions fiscales les plus intéressantes (taille et aides). Lors de l'avènement de Louis XVI, certaines universités attendent en vain le renouvellement de leurs privilèges.

La provincialisation entraîne une baisse de prestige. Le temps n'est plus où les universités attiraient de nombreux professeurs et étudiants étrangers. Le recrutement est devenu local. Pour les notables, le grand avantage d'une université est sa proximité qui diminue les frais des études des enfants.

Les bâtiments sont vétustes, la plupart datant des XVe et XVIe siècles. Seules font exception les Grandes Écoles de Caen, construites en 1701, et la nouvelle faculté de droit de Paris, œuvre de Soufflot.

Les revenus sont médiocres (la plupart des universités n'ayant pas plus de 6 000 livres par an) et les professeurs mal payés. Avec 2 000 livres de gages annuels, les professeurs orléanais et douaisiens sont les mieux rémunérés de tout le royaume.

Enfin, les effectifs étudiants sont faibles. Toutes facultés réunies, une université de province compte en moyenne de 400 à 500 étudiants. Paris annonce 5 000 étudiants en 1789, mais il faut compter dans ce nombre les élèves des collèges artiens. La tendance à la baisse, amorcée à la fin du siècle précédent, se confirme. Poitiers, qui avait plus de 1 000 étudiants en 1550, ne dépasse pas 300 en 1789. La faculté de médecine de Montpellier, où les immatriculations augmentent au cours du siècle (passant de 30 à 80 par an, de 1715 à 1789), est une exception remarquable. Les universités subissent la concurrence des académies, des écoles techniques et professionnelles de plus en plus nombreuses, et, pour les études religieuses, des séminaires. Leurs diplômes n'ont pas très bonne réputation, passant pour être distribués avec complaisance, même si ce n'est pas toujours le cas. « Le relâchement, écrit en 1784 le jurisconsulte Guyot, s'est introduit dans plusieurs universités [...] et on les accuse avec trop de fondement de conférer les degrés à des sujets qui ne les méritent pas » (Pierre Jacques Guillaume Guyot cité par Jean de Viguerie, « Quelques remarques sur les universités françaises au dix-huitième siècle », *Revue historique*, juillet-septembre 1979, p. 29-49). D'ailleurs les échecs sont rarissimes : à Cahors, 13 en un demi-siècle, pour 1 566 candidats à la licence en droit.

Toutefois, l'enseignement n'a pas trop démérité. Il reste dans toutes les disciplines d'un niveau honorable. Quelques grands noms illustrent l'enseignement de la médecine, de la physique et du droit français.

La philosophie des Lumières n'aime guère les universités, mais elle ne les combat pas ouvertement comme elle le fait pour les collèges. D'ailleurs, l'enseignement universitaire est loin d'être fermé à l'esprit nouveau. Les Lumières avaient pénétré même dans la faculté de théologie de Paris. Une preuve éclatante en fut donnée en 1751 par les thèses audacieuses que soutinrent cette année-là les abbés Loménie de Brienne et de Prades.

URSULINES. Les ursulines sont des religieuses enseignantes. La première congrégation d'ursulines a été fondée en 1533 à

Brescia en Italie par Angèle de Merici. Elle est placée sous le patronage de sainte Ursule — d'où son nom — et de ses compagnes, les onze mille vierges martyres. Neuf congrégations d'ursulines ont été érigées en France au XVIIᵉ siècle, à l'imitation de la congrégation italienne. Toutes les neuf subsistent au XVIIIᵉ siècle. Les deux plus nombreuses sont celle qui dépend du monastère de Bordeaux et celle qui dépend du monastère du faubourg Saint-Jacques de Paris. Les sept autres sont celles d'Avignon, Toulouse, Dole, Arles, Lyon, Dijon et Tulle. Au XVIIIᵉ siècle se forment encore quelques petites congrégations locales, comme celle de Mussy-l'Évêque, née en 1768 dans le diocèse de Langres (Dominique Dinet, « Une congrégation nouvelle à la fin de l'Ancien Régime. Les ursulines de Mussy-l'Évêque », *Les Religieuses enseignantes XVIᵉ-XXᵉ siècle*, Presses de l'université d'Angers, 1981). Si l'on rassemble toutes leurs congrégations, les ursulines n'ont pas moins de 800 maisons dans le royaume.

La règle est celle de saint Augustin. Presque toutes les congrégations sont régulières, leurs sœurs vivant cloîtrées et faisant des vœux solennels. La plupart des congrégations ajoutent un quatrième vœu, celui d'instruire gratuitement les petites filles.

En ce siècle de crise morale et religieuse, les ursulines gardent leur ferveur première. Aussi bien ne sont-elles pas touchées par la crise des vocations. Malgré un léger fléchissement, le recrutement demeure abondant et régulier. L'effectif total (en comptant les monastères des Pays-Bas, qui dépendent de la congrégation de Bordeaux) serait de 10 000 religieuses à la veille de la Révolution. Il s'agit donc de la famille religieuse féminine la plus nombreuse en France.

Elles sont aussi par le nombre de leurs écoles et par celui de leurs élèves le premier ordre enseignant féminin. Chacun de leurs établissements est divisé en deux parties, le pensionnat pour les demoiselles et la petite école, externat pour les petites filles pauvres. L'*Exercice spi-*

rituel pour les pensionnaires des religieuses ursulines de la congrégation de Bordeaux est un précieux document. On y voit que les ursulines formaient avec intelligence la foi de leurs pensionnaires, leur enseignant « la manière de méditer » et ajoutant chaque jour à la leçon de catéchisme « une demi-heure de doctrine méthodique expliquée ».

UTILITÉ. La notion d'utilité est essentielle à la philosophie des Lumières. Elle est liée à celle de travail, mais surtout à celle de bonheur. Pour être utile, travailler ne suffit pas ; il faut servir au bonheur. L'homme est utile quand il se rend lui-même heureux, sans nuire au bonheur des autres. « … cherchons, dit le P. Buffier, cherchons le moyen de procurer mon bonheur en procurant le leur, ou du moins sans y jamais nuire » (*Traité de la société civile…*, 1726, p. 15). Ce moyen c'est l'utilité, selon une voie déjà enseignée par Spinoza : « … que chacun s'aime soi-même, écrivait ce philosophe, qu'il recherche l'utile qui lui est réellement utile » (*Éthique*, IV, 7).

Mais qu'est-ce que l'utile ? Le plus souvent, philosophes et littérateurs éclairés ne le définissent que par son contraire : ils dénoncent les états et les professions inutiles, c'est-à-dire les mendiants, les domestiques et les moines, tous occupés à un « service de mollesse et d'inutilité » (Faignet de Villeneuve, *L'Économe politique*, 1763, p. 122). Pourquoi sont-ils inutiles ? Parce qu'ils sont « oisifs » et par conséquent « nuls pour l'État », comme le dit l'économiste Melon en parlant des domestiques (*Essai politique sur le commerce*, 1734, p. 48). Pour être utile on doit travailler, mais ce travail doit être profitable à l'État.

On observe qu'à partir de 1740 environ l'utilité s'applique très souvent à la force physique, et que l'homme jugé utile est un homme vigoureux. « Tout Citoyen, écrit Morelly, contribuera pour sa part à l'utilité publique selon ses forces, ses talents ou son âge » (*Code de la Nature*, 1746, éd. Dolléans, « Lois fondamentales et sacrées », III). Pour Faignet de Villeneuve, un bon gouvernement veille à ne pas gaspiller l'énergie physique de ses sujets : chacun sera donc occupé proportionnellement à sa « vigueur » : « Au lieu d'assujettir les pauvres gens à des brevets d'apprentissage, à des chédœuvres [*sic*] et autres frais qui les éloignent le plus souvent des occupations utiles, notre police deviendrait sur cela plus sage et plus fructueuse, si elle dirigeait la destination et l'emploi des ouvriers, en sorte que chacun fût occupé d'une manière proportionnée à sa vigueur » (*L'Économe politique, op. cit.*, p. 122). Le grand avantage de l'esclavage est précisément de rendre plus facile cette répartition rationnelle. Pourquoi, demande l'économiste Melon, réserver cet avantage aux colonies ? pourquoi ne pas l'étendre à la métropole ? « L'usage des Esclaves autorisé dans nos colonies, écrit-il, n'est contraire ni à la Religion, ni à la Morale. Ainsi nous pouvons examiner s'il serait plus utile de l'étendre partout » (*Essai politique sur le commerce, op. cit.*, p. 48).

L'utilité se confond avec le bien : « J'entendrai par bien, dit Spinoza, ce que nous savons avec certitude nous être utile » (*Éthique*, IV, Définitions). Les théoriciens des Lumières font de ce principe une très large application. Leur morale c'est l'utilité. Tous le pensent, beaucoup le disent, mais les physiocrates sont les plus explicites à ce sujet : « ... le juste et l'honnête, déclare Boesnier de l'Orme, sont absolument la même chose que l'utile » (cité par Georges Weulersse, *La Physiocratie sous les ministères de Turgot et Necker, 1774-1781*, p. 131). « Les vices, écrit Lemercier de La Rivière, sont en nous ce qui nous dégrade, ce qui nous nuit à nous-mêmes ; les crimes ce qui nuit directement aux autres ; les vertus ce qui devient utile à tous » (*De l'instruction publique...*, Stockholm, 1775, p. 73). Telle sera donc la morale des Lumières : celui qui est inutile n'est pas vertueux.

Étant le bien, l'utilité revêt les attributs du bien. Le discours des Lumières associe presque toujours l'utile à l'« agréable », l'utile au « raisonnable ». L'éducation, selon l'abbé Delille, vise à « rendre l'homme agréable et utile dans la société » (*Journal d'éducation*, mai 1776, p. 17-18). « L'espérance d'une autre vie est, selon l'abbé de Saint-Pierre, très raisonnable et utile même à la société humaine » (*Projet pour perfectionner l'éducation*, Paris, 1728, p. 206). L'utilité récupère tout, même l'espérance.

Et rien ne vaut que par elle et en elle. C'est elle qui oriente les spéculations de l'esprit ; c'est elle qui définit les limites des différentes disciplines. Les mathématiques — prenons cet exemple — n'existent qu'utilement : « ... elles permettent de dépasser les préjugés » (Jean-Pierre de Crousaz, *Réflexions sur l'utilité des mathématiques*, 1715) ; elles « confèrent l'étendue d'esprit » (André Pierre de Prémontval, *Discours sur l'utilité des mathématiques*, 1743). Ainsi naît un nouveau savoir qui ne trouve plus en lui-même sa propre justification. L'utile le commande, le dirige et fixe ses bornes. « L'utile, écrit Diderot, circonscrit tout ; ce sera l'utile qui, dans quelques siècles, donnera des bornes à la physique expérimentale » (*Pensées sur l'interprétation de la nature*, 1754, n° 6). Sortie de l'utilité, la science n'a plus de raison d'être.

Ainsi voyons-nous que l'utile ne donne pas seulement le but, la mission, le sens, mais encore l'existence : il n'est pas possible que quelque chose d'inutile puisse exister. Car l'inutile c'est le non nécessaire, soit l'impossible ou l'absurde. « ... il est clair, dit Voltaire, que tout ce qui existe et tout ce qui se fait, est nécessaire ; car s'il n'était pas nécessaire, il serait inutile » (lettre à un destinataire inconnu, vers 1770, *Correspondance*, Pléiade, t. X, 1986, p. 314). Dans une telle perspective, prendre le parti de l'utile est d'une nécessité absolue. Il ne s'agit rien moins en effet que de lutter contre le néant et de conserver toutes choses dans l'être. L'utile est le démiurge. De même dans cette perspective, l'inutile n'est pas seulement regrettable ou déplorable ; c'est la plus grave des menaces. On le qualifie d'ailleurs de « dangereux ». A Sparte, rappelle le chevalier de Ramsay, « toutes les connaissances qui ne servaient pas aux bonnes mœurs, étaient regardées comme des occupations inutiles et dangereuses » (*Les Voyages de Cyrus*, t. I, p. 119). « Le travail, écrit Loménie de Brienne, oppose une habitude laborieuse à une habitude oisive, l'école d'une profession utile à l'école d'une profession dangereuse » (*Mémoire sur la mendicité*, 1775).

On veillera donc à tout « rendre utile », à ce que tout soit utile, ou le devienne davantage. Ce sera d'abord la grande mission de l'instruction : « L'instruction, écrit d'Holbach, est l'art de modifier, de façonner et d'instruire les enfants de manière à devenir des hommes utiles et agréables à leurs familles, à leur patrie et capables de se procurer le bonheur à eux-mêmes » (*La Morale universelle...*, Amsterdam, 1776, t. III, p. 53). C'est aussi le rôle du gouvernement qui ne fabrique pas des citoyens utiles comme l'éducation, mais peut transformer en utiles des inutiles. Par exemple il peut « rendre les Pauvres valides utiles » (l'expression est de l'abbé de Montlinot dans son *Discours* primé par l'académie d'agriculture de Soissons en 1779) en les mettant au travail. Il pourrait aussi prendre en main les moines et les inviter à sortir de leur état d'inutilité si dommageable à l'État ; il leur conseillerait de travailler plus et de prier moins : « Des travaux utiles peuvent remplacer de trop longues prières... » (D'Holbach, *Éthocratie*, 1776, p. 102). Si les inutiles regimbent, s'ils ne veulent pas de leur plein gré devenir utiles, on les y contraindra ; il y va de la santé publique et de l'existence même de la cité. Pour les mendiants par exemple, Loménie de Brienne préconise la solution du travail forcé : « Ce travail, écrit-il, doit être forcé [...] et ils [les mendiants] n'ont pas lieu de se plaindre, lorsque la punition ne consiste qu'à les forcer à ce dont la nature et la société leur font un devoir » (*Mémoire sur la mendicité*, cité *supra*). Quant aux moines, on ne peut pas encore les forcer, mais ils sont avertis : « Le temps de la vengeance publique, écrit Delisle de Sales, approche enfin, les puissances commencent à sortir de leur léthargie ; et puisque la philosophie a fait tant de progrès autour des trônes, il faut bien qu'avant un demi-siècle, il n'y ait plus de moines en France ou qu'ils deviennent utiles » (*De la philosophie de la nature*, 1777, t. VI, p. 109).

Cependant la relation avec le bonheur ne devra jamais être perdue de vue. La philosophie des Lumières ne dit pas seulement : est utile ce qui sert au bonheur. Elle dit aussi : pas d'utilité sans bonheur. Car « l'homme, écrit d'Holbach, ne peut aimer son être qu'à la condition d'être heureux ». Il faut donc proscrire le malheur, si l'on veut être utile, et si le malheur vient quand même, alors il vaut mieux disparaître : « ... dès que tout ce qui entoure [l'homme], continue d'Holbach, lui devient incommode, dès que ses idées lugubres n'offrent plus que des peintures affligeantes à son imagination, il peut sortir d'un rang qui ne lui convient plus ; il est suspendu dans le vide ; il ne peut être utile ni à lui-même, ni aux autres » (*Système de la Nature*, première partie, Londres, 1781, *reprint* Fayard, 1990, p. 322). Telle est la sagesse de l'utilité. Le malheur, la souffrance et le sacrifice n'y trouvent pas leur place. Il faut être heureux ou mourir.

Il faut être utile ou rien. Le siècle tout entier doit subir cette loi et la subit effectivement. Nul ne s'insurge contre elle. Et nous voyons même les plus suspects d'inutilité protester (d'ailleurs en vain) de leur utilité. Au chapitre national des Prémontrés en 1777, l'un des supérieurs de cet ordre religieux, le P. L'Ecuy, se félicite de l'« heureuse destination de son ordre » qui, dit-il, « ne le borne point à une vie stérilement pieuse » [*sic*], mais « l'appelle aux travaux évangéliques ». Et de conclure par cette exhortation : « Que ces travaux nous soient chers, surtout parce qu'ils sont utiles à l'Église, à l'État, à nos frères » (cité par Xavier Lavagne d'Ortigue, « La vocation prémontrée à l'époque des Lumières », in *La Vocation religieuse et sacerdotale en*

France, XVIIᵉ-XIXᵉ siècle, Angers, 1979, p. 60).

Nul ne s'insurge, sauf peut-être la philosophie des Lumières elle-même. Dans les *Pensées sur l'interprétation de la nature* de Diderot, on peut lire cette curieuse réflexion : « Il n'y a qu'un moyen de rendre la philosophie recommandable aux yeux du vulgaire ; c'est de la lui montrer accompagnée de l'utilité. Le vulgaire demande toujours "à quoi cela sert-il ?" et il ne faut jamais se trouver dans le cas de lui répondre : "à rien" ; il ne sait pas que ce qui éclaire le philosophe et ce qui sert au vulgaire, sont deux choses fort différentes, puisque l'entendement du philosophe est souvent éclairé par ce qui nuit et obscurci par ce qui sert » (*Pensées...*, 1754, XIX). Si nous comprenons bien, la philosophie n'aurait pas à se soumettre à la dictature de l'utile, dictature par elle-même décrétée ; un autre utile existerait pour elle, différent de l'utile du « vulgaire ».

V - W

VALENCIENNES. Chef-lieu d'une généralité, gérée par un magistrat jouissant de prérogatives considérables, Valenciennes, ville de 20 000 habitants, est la capitale du Hainaut. Les deux industries du tissage du lin et de la fabrication des dentelles dominent l'activité économique. Bien que protégée par un appareil corporatif puissant et de fonctionnement relativement démocratique, la condition ouvrière se dégrade (Philippe Guignet, *Mines, manufactures et ouvriers du Valenciennois au XVIIIᵉ siècle*, New York, 1977). A la fin du règne de Louis XV, un tiers des habitants sont réduits à l'aumône. L'urbanisme nouveau impose sa marque : Valenciennes se dote d'une place Royale où se dresse la statue de Louis XV. Il existe ici une tradition artistique puissante : la confrérie locale de Saint-Luc des peintres et des sculpteurs assure la formation des jeunes artistes. Antoine Watteau et son neveu Louis Watteau, dit Watteau de Lille, tous deux

originaires de Valenciennes, sont l'un et l'autre passés par cette école.

VALINCOUR, Jean-Baptiste Henri du Trousset de (Paris, 1ᵉʳ mars 1653 - *id.*, 4 janvier 1730). La carrière littéraire de ce membre de l'Académie française appartient au règne de Louis XIV. Elle a produit peu de fruits, et le seul ouvrage de Valincour, des *Lettres à la marquise de *** sur la « Princesse de Clèves »* (1678), fut attribué à un autre. L'homme avait d'autres mérites : il savait se faire apprécier des grands hommes et admettre dans leur familiarité. Il fut l'ami de Racine, de son fils Louis, de Boileau et plus tard du chancelier d'Aguesseau. Il plaisait par sa douceur et par sa résignation. Un incendie ayant dévoré sa bibliothèque, il déclara : « Je n'aurais guère profité de mes livres, si je ne savais pas les perdre. » Il fut même estimé de Saint-Simon, qui le qualifie d'« homme d'infiniment d'esprit ». Il mérita ainsi d'être élu à l'Académie française en 1699 à la succession de Racine. Il sera aussi de l'Académie des sciences à cause de ses travaux sur la marine. Curieusement, vers le milieu de sa vie, cet homme de lettres s'est changé en scientifique. Sa place auprès du comte de Toulouse est à l'origine de cette conversion. Nommé précepteur de ce prince, puis secrétaire de ses commandements, il se donna pour tâche de le préparer à l'exercice de sa charge d'amiral de France, et composa pour son instruction un *Traité des prises* et un *Mémoire sur la marine de France* (1725), vigoureuse protestation contre l'abandon où le gouvernement, par esprit d'économie mal entendue et par désir de complaire à l'Angleterre, laissait la marine de guerre. Valincour n'est pas un grand esprit, mais c'est un esprit moderne ; il a compris que l'âge des humanités allait sur sa fin et que l'avenir était aux sciences et à leurs applications techniques. Dans son discours prononcé en 1717 à l'Académie française pour la réception du cardinal de Fleury, il salue l'avènement des « arts utiles » : « L'Algèbre même, écrit-il, et la Géométrie, du haut de leurs spéculations les plus abstraites, sont descendues dans les boutiques et dans le ateliers ; elles y dirigent les Arts utiles à la vie, elles montent sur les Vaisseaux dont elles dirigent la construction [...], elles vont aux extrémités du monde [...] ouvrir de toutes parts de nouvelles voies au Commerce. » N'est-ce pas déjà le langage de l'*Encyclopédie* ?

VALLAYER-COSTER, Mme (1744-1818). Peintre de portraits, de natures mortes et de fleurs, elle a cherché à imiter Chardin. Médiocre dans ses portraits, elle montre un vrai talent dans la nature morte, bien que lui fassent défaut la fermeté et la puissance. On aura une bonne idée de sa manière avec ses *Instruments de musique*, et ses *Attributs de la peinture, de la sculpture et de l'architecture* qui furent ses morceaux de réception à l'Académie, figurèrent au Salon de 1771 et se trouvent aujourd'hui au Louvre.

VAN LOO, Charles André, dit **Carle** (Nice, 1705 - Paris, 1765). Peintre, il est issu d'une lignée de peintres. Il est formé par son frère Jean-Baptiste, le portraitiste, qui l'emmène avec lui étudier à Rome et à Turin. Il tire grand parti de ce séjour ; on lui prête des aventures romanesques, mais ces galanteries ne semblent pas l'avoir empêché de travailler. Il acquiert alors de grandes connaissances dans son art, tout en restant, chose étonnante, parfaitement illettré.

Grand prix de peinture de 1724, il est employé la même année avec son frère à la restauration de la galerie de François Ier à Fontainebleau. Puis il revient en Italie comme pensionnaire du roi, peint à Rome la fresque de *La Glorification de saint Isidore*, et fait ensuite un long séjour à Turin où il exécute plusieurs commandes de la cour de Savoie.

De retour en France, il entreprend sa carrière académique. L'Académie le reçoit en 1735 avec pour morceau de réception *Apollon écorchant Marsyas*. Nommé professeur, il est chargé de la direction de l'École royale des élèves protégés (1749), puis est élu par l'Académie recteur en 1754 et directeur en 1763. En 1762 le roi le nomme son « premier peintre », et Grimm le qualifiait en 1755 de « premier peintre d'Europe ».

Souvent comparé à Boucher, Carle Van Loo ne le vaut pas dans le genre léger. Il est plus à l'aise et plus heureux dans le genre grave. Cependant ses grandes compositions religieuses, comme *Le Mariage de la Vierge* et la *Vierge avec l'Enfant Jésus*, et ses peintures mythologiques, telles que *Le Sacrifice d'Iphigénie* ou *Énée portant son père Anchise dans l'incendie de Troie*, bien que d'un pinceau habile, nous touchent moins qu'une *Halte de chasse* (1737), tableau plein de charme.

VARIOLE. La variole, appelée vulgairement vérole, est le premier facteur de mortalité en Europe. Celui qui en est atteint a une chance sur sept d'en mourir. S'il n'en meurt pas, il peut rester défiguré ou aveugle. La maladie commence par une période d'incubation de douze à quatorze jours, suivie de l'éruption. La phase de la suppuration est la dernière ; c'est la phase critique, celle de la mort éventuelle. Le mal sévit à l'état endémique, mais il peut prendre une forme épidémique. Ainsi en 1723, une épidémie de variole a tué à Paris 20 000 personnes.

La pratique empirique de l'inoculation existait depuis des siècles en Orient. Elle consistait en des piqûres de pus varioleux. La première inoculation pratiquée en Europe par un médecin a lieu en Angleterre en 1721, lorsque lady Montagu fait inoculer sa fille. En France, les débuts de l'inoculation sont beaucoup plus tardifs. La première inoculation (pratiquée sur un enfant de quatre ans) date du 1er avril 1754. Le 12 mars 1756, le duc d'Orléans fait inoculer ses enfants par le médecin genevois Tronchin. Le corps médical reste longtemps partagé. Les adversaires de la « vaccine » tirent argument des risques importants qui selon eux subsistent. En fait, la variole artificielle ne tue qu'un sujet sur trois cents, mais ses adversaires produisent des chiffres beaucoup plus importants.

Trois événements vont décider de la victoire de l'inoculation. D'abord en

1765, le docteur Girod inaugure en Franche-Comté, avec l'appui de l'intendant Lacoré, une grande campagne d'inoculation. Entre 1765 et 1787, il vaccinera 33 619 personnes. Le deuxième événement décisif est la mort de Louis XV de la petite vérole le 10 mai 1774, et le troisième l'inoculation de Louis XVI et de ses frères le 18 juillet 1774 par le chirurgien militaire Richard. La cause est gagnée. Cependant, le nombre des inoculés sous le règne de Louis XVI est assez faible ; on l'estime approximativement à soixante-dix mille.

VAUCANSON, Jacques de (Grenoble, 24 février 1709 - Paris, 21 novembre 1782). Le nom de Jacques de Vaucanson reste attaché à la construction des automates. Fils d'un ouvrier gantier, il étudie chez les jésuites de sa ville natale. Son génie se révèle de bonne heure. Lors d'un séjour à Paris en 1735, la vue de la statue du Flûteur dans le jardin des Tuileries lui inspire l'idée de construire un automate qui joue des airs. Ce premier chef-d'œuvre est présenté à l'Académie des sciences en 1738. Suivront un joueur de galoubet, s'accompagnant du tambourin et exécutant une vingtaine de menuets et de contredanses, un joueur d'échecs, un canard barbotant, mangeant et même digérant et, pour la représentation de la *Cléopâtre* de Marmontel, un aspic s'élançant avec des sifflements vers le sein de l'actrice.

Dans un siècle aussi utilitaire, il n'était pas convenable de réserver un tel talent à des fabrications inutiles, sinon frivoles. Il fallait que Vaucanson servît les « arts utiles ». On le nomma en 1741 inspecteur des manufactures à soie et chargé de perfectionner les techniques et les machines de cette industrie. Il inventa donc deux nouvelles machines pour le tirage et le moulinage. Mais les ouvriers lyonnais s'insurgèrent contre ces innovations, et l'inventeur fut obligé de quitter la ville. Ce fut le fabricant Henri Deydier, d'Aubenas, qui installa les nouvelles machines dans sa manufacture et en démontra l'efficacité.

Élu en 1748 à l'Académie des sciences, Vaucanson donnera dans les *Mémoires* de cette compagnie plusieurs descriptions très bien faites et très bien écrites de ses différentes inventions.

VAUGIRAULD, Jean de (1680-1758). Évêque d'Angers, il est originaire de ce même diocèse. Il y a été chanoine de la cathédrale et grand vicaire, avant d'en être l'évêque. Il y a même été curé (à Saint-Martin de Beaupreau, de 1705 à 1709), ce qui est exceptionnel dans une carrière épiscopale. Il y meurt en 1758 après vingt-sept années d'un épiscopat fécond (1731-1758), pendant lequel il a constamment observé la résidence, ne s'étant absenté qu'une seule fois pour un court voyage en 1742. C'est avant tout un pasteur. Il visite quatre fois son diocèse dans son entier. C'est le pasteur des petits, des pauvres et des enfants. Il veut les rendre plus dévots, augmenter en eux la vie intérieure. Il emploie les moyens appropriés, les retraites, les missions, les sociétés pieuses. Il fait prêcher des retraites spécialisées, une pour les soldats, une autre pour les étudiants. Il donne au jubilé de 1751 une solennité extraordinaire. Il crée — c'est son initiative la plus originale — une congrégation dite des Hommes, qu'il place sous le patronage de l'Immaculée Conception. Cette société connaît le plus grand succès et rassemble bientôt plus d'un millier d'hommes, dont beaucoup d'artisans. Elle a ses offices, ses processions, mais son but principal est de fortifier les âmes par le fréquent recours aux sacrements de pénitence et d'eucharistie. Pour la campagne des missions intérieures, campagne qu'il relance et réactive, l'évêque embauche les jésuites de La Flèche et mobilise même ses chanoines qu'il envoie prêcher dans tous les points du diocèse. L'épiscopat de cet évêque doux, opiniâtre et miséricordieux (il laisse tous ses biens aux hôpitaux) marque le couronnement de la réforme catholique dans le diocèse d'Angers.

VAUVENARGUES, Luc de Clapiers, marquis de (Aix-en-Provence, 6 août 1715 - Paris, 28 mai 1747). C'est l'une des rares hautes figures de ce siècle. Il est issu d'une ancienne famille de la noblesse provençale. Son père, Joseph de Clapiers, était premier consul d'Aix. Sa vie est brève, triste, cachée. On ne sait presque rien de ses études. Il passe dix années dans l'armée. Ce sont dix années de désillusions. La vie de garnison (Besançon, Arras, Metz) l'accable par sa médiocrité. La guerre le meurtrit. Les souffrances supportées pendant la campagne et la terrible retraite de Prague (1742) le laissent sans forces et presque infirme. Il donne sa démission à Metz le 4 février 1744. Il sollicite un poste dans une ambassade, mais la baisse de sa vue, suite de la petite vérole, l'empêche d'entrer dans la carrière diplomatique. En 1745, il vient à Paris et publie l'année suivante un recueil de ses écrits. Le livre contient les œuvres suivantes : *Maximes, Introduction à la connaissance de l'esprit humain, Réflexions sur divers sujets, Conseils à un jeune homme, Réflexions critiques sur quelques poètes, Méditation sur la foi* et *Prière*. La critique se montre bienveillante, sans plus. Les seules félicitations chaleureuses viennent de Voltaire qui lui écrit : « Il y a des choses qui ont affligé ma philosophie [...]. N'importe, tout le reste m'enchante » (février 1746, cité dans *Œuvres complètes de Vauvenargues*, préface et notes de Henry Bonnier, 2 vol., Paris, 1968). C'est l'honneur de Voltaire d'avoir discerné ce génie. En mai 1746 la santé de Vauvenargues s'aggrave. A partir de janvier 1747, il garde la chambre. Il meurt le 28 mai 1747 dans un modeste appartement garni de l'hôtel de Tours. Nul n'assiste à ses derniers moments. Les seules joies qui aient éclairé sa vie sont celles de l'amitié. Il eut deux grands amis : Hippolyte de Seytres, que la mort lui enleva, et Saint-Vincens, avec lequel il échangea une abondante correspondance. Le 30 mai 1746 il écrivait à ce dernier : « Rien ne m'est plus cher que notre amitié ; elle est la plus douce de mes consolations dans les maux qui m'accablent » (*ibid.*).

Au milieu d'un siècle épicurien, Vauvenargues pratique le stoïcisme. Il avait seize ans lorsque la lecture de Sénèque et de Plutarque avait enflammé son âme. Dans sa vie comme dans son œuvre, il honore et cultive la sagesse des stoïques, cet athlétisme de la vertu. Il a beaucoup loué la gloire, mais sa gloire à lui n'est que la pratique de la vertu. « Pratiquons la vertu, c'est tout, écrit-il. La gloire [...] élèvera si haut nos sentiments que vous apprendrez d'elle-même à vous en passer, si les hommes vous la refusent ; car quiconque est grand par le cœur, puissant par l'esprit, a les meilleurs biens... » (*Discours sur la gloire adressés à un ami*. Second discours). Il juge sévèrement son époque, condamnant son « esprit frivole » et critiquant sa vanité : « Détrompons-nous de cette grande supériorité que nous nous accordons sur tous les siècles » (*ibid.*).

Le stoïcisme de Vauvenargues est-il chrétien ? La question a été débattue. Les philosophes ont voulu faire croire qu'il était mort en philosophe. Suard a même raconté qu'il avait refusé les secours de la religion. Mais Suard avait quatorze ans à la mort de Vauvenargues. Son témoignage est suspect. Dans la *Méditation sur la foi* on peut lire ceci : « Heureux ceux qui ont une foi sensible, et dont l'esprit se repose dans les promesses de la Religion [...]. Les gens du monde sont désespérés si les choses ne réussissent pas selon leurs désirs [...]. Seigneur, ceux qui espèrent en vous, s'élèvent sans peine au-dessus de ces réflexions accablantes [...]. Ô Christ, prenez-moi sous votre aile ! Esprit saint soutenez-moi jusqu'à mon dernier soupir. » L'homme qui a écrit cette invocation ne pouvait pas ne pas mourir en chrétien.

VAUX, Noël de Jourda, comte de (château de Vaux, près du Puy-en-Velay, 1705 - Grenoble, 14 septembre 1788). Lieutenant général des armées, maréchal de France, il est l'une des plus pures figures parmi les généraux français du XVIIIe siècle. Il a été nommé lieutenant général en 1759 et maréchal de France en 1783, et a servi le roi pendant soixante-quatre ans, depuis ses débuts en 1724 comme lieutenant au régiment d'Auvergne, jusqu'à sa mort. C'est un spécialiste de la Corse. Il y fait campagne une première fois en 1738 et 1739, et y revient en 1769 comme commandant en chef, pour achever la soumission et la pacification de l'île, ce qu'il réussit parfaitement, ayant su « faire marcher la confiance avec les troupes » (Michel Antoine, *Louis XV*). Il est également remarquable par son brio, son courage et surtout son esprit offensif dans la défense des postes et des places. Sa défense héroïque du couvent de Guersamuni en Corse en 1739, devant deux mille partisans corses, est restée célèbre. En 1743, il participe à la défense de Prague. En 1747, attaqué au village de Vouet, il met en fuite ses dix mille adversaires. Enfin, chargé en 1760 de la défense de Göttingen, il multiplie les sorties, et oblige le prince Frédéric à lever le siège. Il sera moins à l'aise dans les troubles civils. Nous retrouvons ce patriarche de l'armée à l'assemblée des notables de 1787, où il siège comme député de la noblesse, et en juillet 1788 à Grenoble, où Brienne l'envoie rétablir l'ordre. Sa réputation de rigueur est telle que les révoltés du Dauphiné s'inquiètent vivement : « Le nom seul de M. de Vaux, écrit le chevalier de Mautort, fit trembler tous les habitants ; on s'imagina voir arriver à sa suite tous les attributs de la vengeance » (*Mémoires*, Paris, 1895). Mais le maréchal n'est plus que l'ombre de lui-même ; il est épuisé par l'âge et par la maladie. Il arrive à peine à contenir l'indiscipline des jeunes officiers. Pour le reste, il laisse faire : l'assemblée de Vizille (21 juillet) se tient avec son autorisation. Il meurt peu de temps après. Sa mémoire sera honorée. On fera de lui ce grand éloge qu'« il n'avait jamais demandé, ni obtenu de grâce pour sa famille ».

VÉNERIE. La vénerie est l'art de chasser avec un équipage et une meute de chiens courants. Le mot équipage englobe à la fois les hommes et les chiens. Ce genre de chasse est aussi appelé « chasse à cor et à cri » ou chasse royale. De nos jours, nous parlons de « chasse à courre ». L'art de la vénerie comprend toutes les es-

pèces de chasse que l'on peut faire avec des chiens courants.

C'est l'art royal par excellence. Louis XV et Louis XVI furent l'un et l'autre veneurs dans l'âme. Louis XV avait commencé à chasser à l'âge de douze ans. Il savait rembucher un dix-cors ; il décidait de l'assemblée ; il décidait de l'attaque. Il allait lancer le cerf. Cavalier remarquable, il piquait hardiment à la queue des chiens.

La Grande Vénerie constitue l'un des départements de la Maison du roi. Le grand veneur est à sa tête. Cette haute charge a été exercée successivement par le comte de Toulouse, le duc de Penthièvre (1738-1755), le prince de Lamballe (1755-1768) et à nouveau le duc de Penthièvre. Le grand veneur supervise tous les équipages royaux, mais il a la responsabilité particulière des équipages du cerf. Au-dessous du grand veneur, on trouve les offices suivants : un lieutenant ordinaire, quatre lieutenants par quartier, quatre sous-lieutenants par quartier, six gentilshommes, dix-huit valets limiers (pour tenir en laisse les chiens limiers) et des valets de chiens. Le roi a deux meutes, chacune d'au moins cent chiens : la grande meute et la petite (créée en 1730), dont les deux commandants successifs seront les deux célèbres veneurs Lasmastres et d'Yauville. Les chasses à courre du chevreuil, du lièvre, du sanglier, du loup, du daim ont chacune leurs équipages spéciaux.

Dans son *Traité de la vénerie* (1788), d'Yauville explique comment Louis XV améliora la qualité de ses meutes en utilisant des « bâtards anglais bien vigoureux et bien chassans ». Le roi s'occupa aussi à faire tracer de nouvelles routes de chasse dans ses forêts. Il fit construire les pavillons de chasse de Saint-Hubert, du Butard, de Fausse-Repose et de la Muette.

Le XVIIIe siècle est l'un des grands siècles de la vénerie française. Le marquis de Montrevel (en Bresse), le comte de Méré et le marquis de Boulogne (en Lorraine) et l'archevêque Arthur Richard de Dillon (au château de Haute-Fontaine, près de Compiègne) comptent après le roi parmi les meilleurs veneurs français.

VENTADOUR, Charlotte Éléonore Magdeleine de La Mothe-Houdancourt, duchesse de (1656 - 16 décembre 1744). Mariée le 14 mars 1671 à Louis Charles de Lévis, duc de Ventadour, dont elle sera veuve en 1717, elle est la fille de Philippe de La Mothe-Houdancourt, duc de Cardone, et de Louise de Prie, gouvernante des Enfants de France. Ayant succédé à sa mère dans cette charge (1704), elle reçoit donc le périlleux honneur d'élever le roi Louis XV durant les sept premières années de la vie de ce prince. Elle-même n'ayant eu qu'une fille, son expérience des enfants est des plus limitées. Aussi demande-t-elle conseil à son amie, Mme de Maintenon. Mais la générosité de sa nature compense largement son défaut de talents pédagogiques. Prenant en pitié le petit roi solitaire, elle ne lui marchande pas l'affection. Il est aussi très probable que Louis XV doit à sa «chère maman», comme il dira toujours, sa première formation religieuse, et que ce fut une formation solide. Les mauvaises langues de la Cour prêtaient à la duchesse une jeunesse orageuse, mais son âge avait alors «dépassé de beaucoup celui de la galanterie» (Saint-Simon, *Mémoires*). C'était une femme charitable (en 1741, par exemple, elle distribuera aux pauvres la totalité de son revenu de l'année) et animée d'une foi confiante. C'était à Dieu qu'elle se confiait pour trouver la force d'accomplir sa mission. «Dieu me soutiendra, disait-elle, s'il veut la conservation de ce précieux enfant.» Louis XV lui restera toujours très attaché. Il lui confiera l'éducation de ses filles aînées, et celle du Dauphin.

VERBERCKT, Jacques ou Jacob Verbrecht (Anvers, 1704 - Paris, 1771). Sculpteur sur bois, anversois d'origine, il a exécuté dans son atelier, d'après les dessins des Gabriel, la plupart des boiseries du château de Versailles. Il est notamment l'auteur des huit panneaux de lambris de la chambre de la reine (1735-1736), des lambris du cabinet d'Angle

ou cabinet de travail de Louis XV (1760) et des boiseries de l'alcôve du cabinet de musique de Madame Adélaïde (1767). Ces différentes réalisations comptent parmi les chefs-d'œuvre du style rocaille.

Verberckt avait épousé en secondes noces Madeleine Legoupil, fille du sculpteur sur bois André Legoupil, employé lui aussi à la décoration de Versailles.

VERGENNES, Charles Gravier, comte de (Dijon, 20 décembre 1719 - Versailles, 13 février 1787). Secrétaire d'État aux Affaires étrangères, il est de modeste naissance. Fils d'un maître des comptes de Dijon, il appartient à la première génération noble de sa famille. L'ambassadeur Chavigny, son grand-oncle, le forme à la carrière diplomatique et l'emmène avec lui à Lisbonne (1740-1743) et à Francfort. Le premier poste diplomatique du jeune homme est celui de Coblence (1750-1752). Il aura ensuite l'ambassade de Constantinople (1755-1768), puis celle de Stockholm (1771-1774). On ne peut pas dire que ces différentes missions aient été de brillantes réussites. Vergennes se fait surtout remarquer par sa prudence et par son goût de la temporisation. Par exemple à Constantinople, il ne montre guère d'empressement à pousser les Turcs à la guerre contre les Russes. A Stockholm, il se tient le plus possible à l'écart de la préparation du coup d'État de Gustave III. Il a cependant une très grande qualité : il obéit aux instructions. Choiseul dit de lui : «Si nous lui demandions la tête du vizir, il nous dirait que cela est dangereux, mais il nous l'enverrait.» Sa nomination au ministère surprend tout le monde. Il ne l'a pas sollicitée. Maurepas en est le principal auteur. Sa politique est fondée sur la fidélité à l'alliance espagnole. Elle est fidèle aussi à l'alliance autrichienne mais avec une conviction sensiblement moindre, ce qui vaut à Vergennes l'inimitié de la reine. La grande faute du ministre est d'avoir poussé Louis XVI à la guerre contre l'Angleterre, guerre terriblement coûteuse, et qui ne procure à la

France aucun avantage territorial important. L'homme prudent, le temporisateur s'est alors transformé en belliciste. Il n'avait aucune sympathie pour les Insurgents, mais son anglophobie était quasi obsessionnelle. Son ancienneté dans les fonctions de ministre et sa manière habile de capter la confiance du roi font de lui peu à peu l'un des personnages les plus importants du gouvernement royal. Sa doctrine politique est celle du despotisme éclairé. Il ne croit pas à la distinction des trois ordres et la qualifie de «fictive» dans un mémoire au roi du 3 mai 1781. Partisan de Maupeou, il avait fermement déconseillé le rappel des parlements. S'il contribue au renvoi de Turgot, puis à celui de Necker, ce n'est pas seulement parce que ces deux ministres sont hostiles à la guerre, c'est aussi parce que, selon lui, ils veulent détruire les institutions louisquatorziennes. En 1781, après la mort de Maurepas, il éprouve la «tentation du ministériat» (Jean-François Labourdette, *Vergennes, ministre principal de Louis XVI*, Paris, Desjonquières, 1990). Nommé en 1783 chef du Conseil royal des finances, il fait créer un comité des finances, devant lequel les secrétaires d'État viennent rendre compte de leur gestion. Il soutient Calonne. Sa mort prive le contrôleur général d'un appui précieux qui aurait pu lui permettre de réussir et de sauver la monarchie. Apprenant la nouvelle-Louis XVI déclare : «J'ai perdu le seul ami sur lequel je pouvais compter, le seul ministre qui ne me trompa jamais» (cité dans J.-F. Labourdette, *op. cit.*).

VÉRI, Joseph Alphonse de (Séguret, diocèse de Vaison, 16 octobre 1724 - Avignon, 28 août 1799). Prêtre, abbé de Saint-Satur en Berry, ami et conseiller de Maurepas, il était issu de l'ancienne famille comtadine des marquis de Véri. Chanoine de Narbonne à vingt et un ans, docteur de Sorbonne, député du diocèse d'Embrun à l'assemblée du clergé de 1745, nommé grand vicaire de Bourges en 1749 aussitôt après son ordination sacerdotale, il paraissait promis à la plus brillante des carrières ecclésiastiques, et

naturellement destiné à l'épiscopat. Mais, en 1752, cette ascension est interrompue. Pour des raisons que nous ignorons, l'abbé quitte le diocèse de Bourges et se met à voyager en Europe. Il ne sera donc pas évêque. Il ne sera pas non plus diplomate, bien que la diplomatie l'ait tenté. Il doit se contenter d'une charge d'auditeur de rote à Rome. Après un long séjour romain, il revient à Paris (1772). L'avènement de Louis XVI et le retour de Maurepas aux affaires marquent le début de la période la plus importante de sa vie. L'abbé et le ministre s'étaient connus à Bourges, lors de l'exil de ce dernier. L'abbé exerce sur le ménage Maurepas un ascendant extraordinaire. «M. de Maurepas, disait-on, ne fait rien sans consulter sa femme et Mme de Maurepas n'agit que suivant les conseils de l'abbé de Véri.» C'est l'abbé qui fait accepter Turgot à Maurepas, et qui va jouer entre les deux hommes, pendant tout le temps du ministère Turgot, le rôle ingrat de «raccommodeur perpétuel». Il aurait pu à ce moment-là devenir ministre. Encore eût-il fallu qu'il le souhaitât vraiment. Le roi se contente de le nommer en 1778 l'un des quatre membres du clergé de la nouvelle assemblée provinciale du Berry. Cette fonction l'occupe et l'intéresse pendant cinq ans. Il en démissionne en 1783. Réfugié dans le Comtat en septembre 1789, il est arrêté et incarcéré à Avignon le 29 décembre 1793 (bien qu'il ait prêté le serment liberté-égalité). La chute de Robespierre le sauve de la guillotine. A sa mort, six années plus tard, il exerçait les fonctions de président de la Société philanthropique d'Avignon.

L'abbé de Véri — on l'aura deviné — est un esprit «éclairé». Turgot et Loménie de Brienne avaient été ses condisciples en Sorbonne. Il n'a pas plus de religion qu'eux. Il admire Voltaire et Rousseau. Nommé abbé de Saint-Satur, il avait fait tous ses efforts pour obtenir la suppression de sa propre abbaye, malgré les protestations des moines. Il ne goûtait que les arts — il avait favorisé les débuts de Greuze — et n'avait qu'une passion, celle d'écrire. Demeuré longtemps inédit, son *Journal* a été publié en 1928 par le baron Jean de Witte. Il s'y montre un grand admirateur de Turgot et un censeur sévère pour Louis XVI, tout en admirant le courage de ce prince au milieu des épreuves.

VERNET, Joseph (Avignon, 1714 - Paris, 1789). Peintre, il est d'une famille d'artistes : son père était peintre décorateur, ses trois frères sont peintres. Lui-même deviendra le paysagiste le plus célèbre du XVIIIᵉ siècle.

A l'âge de vingt-deux ans, il était parti étudier en Italie, suivant en ceci les conseils de père. C'est de ce séjour italien que date la fameuse anecdote de la traversée en mer : une tempête s'étant levée, le jeune Vernet se fit attacher à un mât pour mieux observer les effets des éléments déchaînés.

Les premières études qu'il envoie d'Italie ont peu de succès, mais l'indifférence du public ne dure pas ; bientôt on est frappé par le naturel de ses petits tableaux : *Coups de vent, Tempête, Brouillard.* Dès son retour en France il est agréé à l'Académie avec un *Port de mer au coucher du soleil* (1753). Ses détracteurs l'accusant de manquer de caractère, il lui faut rechercher l'anecdote et le drame ; on veut des images bien horribles ; on lui commande des naufrages où l'on voit des malheureux s'agiter sur des rochers, tandis qu'un navire désemparé chavire. Et comme les gens ne sont jamais contents, certains lui feront alors le reproche d'accorder trop d'importance aux personnages, au détriment du paysage.

Vernet sait peindre aussi une nature tranquille dans de belles compositions équilibrées, recherchées actuellement pour leur valeur décorative.

En 1753, le marquis de Marigny, directeur des Bâtiments du roi, commande à l'artiste les vues de vingt-deux ports de France. La pénurie des finances l'empêche d'en faire plus de quinze.

A la fin sa vie, Vernet se laisse aller à la facilité : il se met à produire industriellement des *Tempêtes* et des *Calmes*, qu'il vend par paires aux amateurs français et étrangers.

VÉROLE (petite). *Voir* **VARIOLE.**

VÉRON DUVERGER DE FORBONNAIS, François. *Voir* **FORBONNAIS, François Véron Duverger de.**

VERRE. Le verre est complexe. La silice, la chaux et des bases alcalines (soude ou potasse) entrent dans sa fabrication. Le mémoire de Bosc d'Antic (1760) donne la meilleure formule (selon cet auteur) :

« Parties égales de la meilleure soude, de sable blanc ou de grès, de casson de la meilleure espèce, et cinq onces pour cent de manganèse. »

Les fours sont à bois. Les bois sans écorce sont préférés, parce qu'ils ne pétillent pas.

La fabrication est le fait soit des gentilshommes verriers, soit des manufactures royales. Les principales verreries des gentilshommes verriers se trouvent en Normandie et en Lorraine. En Normandie, les quatre familles Caqueray, Bossard, Le Vaillant et Bongars exercent leur art depuis le XIVᵉ siècle. La verrerie de La Haye (Le Vaillant et Caqueray associés) est la plus importante de cette province. Le journal de Le Vaillant de Charny est une précieuse chronique des campagnes de fabrication. Nous y voyons que l'équipe verrière normande se composait de deux cueilleurs de verre (qui prenaient la paraison au bout de leur canne), de trois « boissiers » qui la soufflaient, de trois ouvriers et d'un apprenti appelé « gamin », tous nobles. Les journées étaient de douze heures, le temps de fabriquer cent vingt plats.

Les deux grandes manufactures sont celle de Saint-Gobain (*voir ce nom*) et la verrerie royale de Saint-Louis.

Les verres produits sont des vitrages, des miroirs, des verres à boire et des bouteilles. Les verres à boire imitent les verres taillés et gravés de Bohême. En 1781, la verrerie de Saint-Louis commence à produire du cristal anglais. La production des bouteilles devient très abondante, le XVIIIᵉ siècle marquant le début de l'importance économique de la bouteille pour le transport et la conservation des vins. Certaines manufactures fabriquent jusqu'à un million de bouteilles par jour. Les bouteilles sont moins ventrues qu'au siècle précédent, mais plus épaisses et plus résistantes.

VERSAILLES (château de). Pendant les deux règnes de Louis XV et de Louis XVI, l'aspect extérieur du château de Versailles ne subit pas de modifications majeures. Aucun des nombreux « grands projets » (reconstruction du château du côté de la cour) n'aboutit. La seule réalisation est celle de l'aile de gouvernement (1775) par Gabriel.

La plupart des changements et des aménagements nouveaux sont intérieurs. On remanie les plans, on diversifie les fonctions des pièces. Seuls restent à peu près inchangés les galeries et salons d'apparat et de réception du temps de Louis XIV : galerie des Glaces, salon de la Guerre, salon de la Paix et grands appartements de Louis XIV. La chambre de Louis XIV, située au centre du château, sert toujours de cadre au lever du roi et à son coucher. Les aménagements nouveaux concernent les appartements personnels de Louis XV et de Marie Leszczyńska, les cabinets du roi, qui sont comme une annexe de ses appartements, ses petits appartements où ne sont admis que les intimes, et les cabinets et petits appartements de la reine, ainsi que les appartements du Dauphin, des filles de Louis XV et de ses maîtresses. Louis XV a inauguré un nouveau style de vie royale. Il a une vie privée en marge de sa vie publique. D'où l'importance prise par les cabinets et petits appartements.

Le principal maître d'œuvre de tous les travaux est le premier architecte du roi. La place est tenue successivement par Robert de Cotte, Jacques III Gabriel, Jacques Ange Gabriel et Richard Mique. De nombreux artistes les secondent. Presque tous les murs étant recouverts de boiseries, les sculpteurs sur bois ont un rôle très important. Les noms de Jacques Verberckt et de J.-A. Rousseau sont ceux qui reviennent le plus souvent.

Ne peuvent être mentionnées ici que les principales réalisations : sous le règne de Louis XV, le salon d'Hercule, avec les peintures de François Le Moyne, l'Opéra de Gabriel inauguré le 16 mai 1770 pour le mariage du Dauphin, les embellissements de la chambre de Louis XV, l'agrandissement du cabinet du Conseil (1755), la chambre de Marie Leszczyńska, et les appartements nouveaux du roi (cabinets et petits appartements) aménagés au deuxième étage dans la partie du château située entre la cour de Marbre et les deux cours intérieures, la cour des Cerfs et la petite cour du Roi. C'est là que le roi reçoit pour ses soupers. La salle à manger est ornée de deux tableaux invitant à la bonne chère, le *Déjeuner de jambon* de Lancret et le *Déjeuner d'huîtres* de J.-F. De Troy. A côté des appartements privés du roi se trouve la chambre de Madame Adélaïde, pièce dont les boiseries réalisées par Verberckt sont parmi les plus harmonieuses de toutes celles de cet artiste. Pour le règne de Louis XVI, il faut citer notamment la bibliothèque du roi (dernière réalisation de Jacques Ange Gabriel), et les petits appartements de Marie-Antoinette (la bibliothèque, la méridienne, la nouvelle bibliothèque et le cabinet intérieur ou cabinet doré) dus au talent de Richard Mique.

La disposition générale du parc est immuable. Les trois seules réalisations nouvelles sont le bassin de Neptune, le bosquet du Dauphin et celui des Bains d'Apollon. Lors de la replantation de 1776, on conserve fidèlement le plan du parc de Louis XIV.

Enfin on ne saurait oublier la Nouvelle Ménagerie et le jardin botanique du Grand Trianon, le Petit Trianon de Gabriel (1762-1764) et le Hameau de Marie-Antoinette, œuvre de Richard Mique.

Deux styles se sont succédé dans le cours de ce siècle : le rocaille et le néoclassique. Dans le rocaille, Yves Bottineau distingue deux manières, l'une plus majestueuse, celle du « grand goût » (salon d'Hercule, chambre de Marie Leszczyńska, cabinet du Conseil), l'autre moins solennelle (petits appartements), l'une et l'autre riches et raffinées, mais toujours discrètes : « ... le ton dans la demeure du

souverain est empreint de retenue »
(Yves Bottineau, *Versailles, miroir des princes*, Paris, 1989). Le style néoclassique fait ses débuts avec le Petit Trianon.

« On n'a rien vu, écrira Chateaubriand, quand on n'a pas vu la pompe de Versailles » (*Mémoires d'outre-tombe*, t. I, Bruxelles, 1849, p. 158). Mais si l'extraordinaire château impressionne toujours, il a perdu un peu de sa force d'attraction. Louis XV et Louis XVI l'habitent peu, séjournant les trois quarts de l'année dans les autres résidences royales et dans les petits châteaux. Versailles avait été la vitrine de la royauté. Ce n'est plus qu'une demi-vitrine — le roi vivant le plus souvent dans son particulier — et une vitrine trop souvent vide.

Versailles représente une époque brillante et glorieuse de la monarchie française, mais non la plus humaine : trop de bureaucratie, trop de centralisation, trop d'éloignement à l'égard du peuple.

Et cette époque est brève : guère plus d'un siècle. Si bien que la tradition de ce palais est courte. Deux rois seulement y sont morts. A côté du Louvre, de Compiègne, de Fontainebleau et de tant d'autres résidences de nos rois, Versailles est pauvre en souvenirs. Le merveilleux palais n'a pas eu le temps de vieillir. On le conserve aujourd'hui comme une jeune morte. Le décor est parfait, mais l'âme est inachevée.

VERSAILLES (paix de). La paix de Versailles, signée le 3 septembre 1763, met fin à la guerre d'Indépendance américaine, guerre qui avait opposé l'Angleterre aux États-Unis et à leurs alliés, la France et l'Espagne.

Par les dispositions de ce traité, l'Angleterre reconnaît l'indépendance de ses treize colonies d'Amérique. La France cède la Dominique aux Anglais en échange de la petite île de Tobago et d'un agrandissement autour de Pondichéry. Elle obtient de l'Angleterre la restitution de ses comptoirs du Sénégal cédés en 1763 et de l'archipel de Saint-Pierre-et-Miquelon occupé par les Anglais en 1778. Enfin elle se fait libérer

des clauses du traité d'Utrecht limitant sa souveraineté sur Dunkerque (interdiction de fortifier la ville et obligation de supporter la présence permanente d'un contrôleur anglais). L'Espagne quant à elle reçoit Minorque et les deux Florides.

Vergennes avait conduit la négociation. L'opinion le jugea sévèrement. Il lui fut reproché de n'avoir pas assez exigé. Il est certain que les avantages obtenus sont minces par rapport à l'effort consenti pour la guerre et aux succès remportés. Mais le ministre voulait avoir les mains libres en Europe centrale et orientale, afin de pouvoir s'opposer aux ambitions de la Russie et de l'Autriche sur la Turquie. Ce fut très probablement la raison pour laquelle il fit hâter la conclusion de la paix avec l'Angleterre.

VERSAILLES (premier traité de). Le traité de Versailles signé le 1er mai 1756 entre la France et l'Autriche est le traité du fameux « renversement des alliances ». Après une hostilité deux fois séculaire, une alliance défensive est conclue entre les deux puissances : au cas où l'une des deux serait attaquée en Europe par un tiers, l'autre lui porterait secours avec une armée de vingt-quatre mille hommes.

Pour les premières conversations, Mme de Pompadour avait servi d'intermédiaire. Ensuite le traité avait été négocié secrètement par l'abbé de Bernis pour la France et par Starhemberg pour l'Autriche.

VERSAILLES (deuxième traité de). Le traité de Versailles du 1er mai 1757 entre la France et l'Autriche renforce l'alliance conclue un an plus tôt entre les deux puissances et la transforme de défensive en offensive. La France s'engage résolument au côté de l'Autriche afin de l'aider à recouvrer la Silésie. Elle promet d'apporter des subsides et de ne pas traiter isolément. L'Autriche quant à elle promet de constituer un morceau des Pays-Bas en principauté indépendante au profit de l'infant don Philippe, gendre de Louis XV. Mais l'octroi de ce territoire est subordonné à la conquête de la Silésie, conquête dont personne ne doute, mais qui ne sera jamais réalisée.

VERSAILLES (ville de). Versailles est l'une des grandes villes du royaume, et une ville en continuelle expansion : sa population passe de 25 000 habitants en 1700 à 40 000 en 1790. Le roi y attire de nouveaux habitants par des dons de terrains à bâtir et par de nombreux privilèges (exonération de la taille, du logement des gens de guerre et de la milice). La ville est l'hôtellerie de l'Europe. On y recense en 1784 neuf mille hôtes de passage ; c'est la principale ressource. Car on ne peut pas dire que Versailles vive des fournitures de la Cour, la plupart des approvisionnements du château venant de Paris.

Versailles est aussi d'une certaine manière la capitale politique de la France : le roi y fait sa résidence ordinaire ; les quatre secrétaires d'État ont leurs logements dans le château et leurs bureaux dans les hôtels situés rue de la Surintendance.

Trois grandes avenues partent du château. La plus grande, dite du Château (actuelle avenue de Paris), partage la ville en deux parties. Celle qui est à gauche, lorsqu'on arrive de Paris, s'appelle le « Vieux Versailles », et celle qui est à droite la « Ville Neuve ».

L'accroissement de la ville rendit nécessaire la création d'une nouvelle paroisse. Construite en 1726-1727, la nouvelle église Saint-Louis fut érigée en paroisse en 1730.

VESTIER, Antoine (Avallon, 1740 - Paris, 1824). Peintre portraitiste, il fut influencé par l'école anglaise et lui prit son charme spontané et sa fraîcheur d'inspiration. Certains de ses portraits de femmes, comme celui de sa propre fille peignant, font penser à Reynolds et à Gainsborough. Au début de la Révolution, il fit le portrait de Latude (Salon de 1789) et la célébrité du modèle valut à la toile et à son auteur un immense succès.

VESTRIS, Gaetano Apollino Baldassare (Florence, 18 avril 1729 - Paris, 17 septembre 1808). Il fut le plus célèbre danseur de son temps. On l'appelait « le dieu de la Danse ». Ayant débuté en 1748 à l'Académie royale de musique sous les auspices de son maître Louis Dupré, il devint dès 1751 « danseur seul », et en 1761 adjoint et survivancier de Barthélemy Lany, maître et compositeur des ballets de l'Opéra, pour lui succéder en 1770. Il remplit cette fonction jusqu'en 1776, redevint alors premier danseur et ne se retira définitivement qu'en 1781. L'art de la danse fut vraiment transformé par lui : il fit une révolution en créant la danse en action (selon les principes de Noverre) et en supprimant les masques, les paniers et autres accoutrements qui gênaient les danseurs et empêchaient le public d'apprécier leur sveltesse. Son incroyable et constant succès lui avait un peu tourné la tête : « Il n'y a que trois grands hommes en Europe, disait-il, [...] le roi de Prusse, M. de Voltaire et moi » (cité dans F. Hoefer, *Nouvelle Biographie générale*, t. 46, article « Vestris »). Il était devenu un personnage officiel et une autorité mondaine : toutes les jeunes femmes de la Cour, avant leur présentation, prenaient quelques leçons de lui pour faire les trois révérences protocolaires. Son fils et son petit-fils marcheront sur ses traces et seront des danseurs aussi réputés que lui-même l'avait été.

VESTRIS, Françoise Marie Rosette Gourgaud, dite Madame (Marseille, 7 avril 1743 - Paris, 5 octobre 1804). Sœur aînée de l'acteur Dugazon, femme de l'acteur Angelo Vestris, actrice elle-même, elle doit sa grande carrière autant à ses protections qu'à ses talents. Engagée dans une troupe française au service du duc de Wurtemberg, elle devient la favorite de ce prince. Comme elle accorde aussi ses bontés à son camarade Vestris, le duc, les ayant surpris ensemble, les oblige à se marier et les renvoie en France. Elle va conter ses malheurs au duc de Duras, premier gentilhomme de la Chambre, devient sa maîtresse et débute sous sa protection à la Comédie-Française le 19 décembre 1768. Le 11 février 1769 elle est admise par ordre sociétaire à part entière. La faveur dont elle jouit lui donne de l'arrogance. Le 30 mai 1772, Papillon de La Ferté, intendant des Menus, indique dans son *Journal* que « les comédiens se plaignent et s'insurgent de la hauteur de Mme Vestris, protégée du duc de Duras » (*Journal de Papillon de la Ferté* [...] [*1756-1780*], publié par Ernest Boysse, Paris, 1887). Elle n'en a cure. Jalouse du talent de Mlle Saint-Val, l'aînée, elle obtient contre elle un ordre d'exil à trente lieues de Paris. Elle règne dès lors sans partage. Le rôle d'Irène dans la mémorable représentation du 30 mars 1778 l'associe au triomphe de Voltaire. C'est elle qui, s'avançant sur la scène après le couronnement du buste, lit le compliment versifié :

    Aux yeux de Paris enchanté,
    Reçois en ce jour un hommage
    Que confirmera d'âge en âge
    La sévère postérité.

Les changements politiques ne l'embarrassent pas. Elle avait été la protégée de la Cour et de la reine. Elle sera une fervente révolutionnaire et ne cessera de recevoir jusqu'à sa retraite, en 1803, les hommages et les encensements. Elle les méritait d'une certaine manière par son intelligence et son habileté. Mais elle manquait de ce feu qui anime les grands talents. En 1799, *Le Censeur dramatique* écrira sur elle ces lignes sévères : « Il a toujours manqué à cette actrice ce qui est indispensable pour jouer la tragédie, une âme. »

VICAIRES. Les vicaires sont des prêtres qui aident les curés, dont ils remplissent toutes les fonctions en leur absence et sous leur autorité. Ils sont amovibles et n'ont pour titre que l'approbation épiscopale.

Un vicaire doit toujours être approuvé par l'évêque. Il peut être nommé par l'évêque, mais aussi par le curé. La déclaration royale du 29 janvier 1686 a permis aux évêques d'établir dans les paroisses un ou plusieurs vicaires. Dans certains diocèses (par exemple les diocèses bretons), les évêques n'usent pas de cette prérogative. Là où ils en usent, leurs nominations suscitent parfois des litiges avec les curés, ceux-ci ne voulant

pas recevoir les vicaires désignés par l'évêque.

Un édit de mai 1768 fixe à 200 livres la « portion congrue » des vicaires.

La province de Bretagne a un vocabulaire particulier. Elle appelle « recteurs » ses curés, et curés ses vicaires.

VICAIRES (grands). Les grands vicaires ou vicaires généraux sont les vicaires de l'évêque. Leur fonction est d'assister ce dernier dans l'exercice de sa juridiction volontaire. Ils sont nommés par commission de l'évêque, et leur pouvoir cesse par la mort ou la démission de celui-ci. Leur nombre varie selon le choix de l'évêque et selon l'étendue du diocèse. Ils sont souvent choisis parmi les membres du chapitre. L'évêque les emploie souvent pour faire à sa place les visites pastorales.

La charge de grand vicaire constitue une étape obligée dans la carrière des ecclésiastiques destinés à l'épiscopat. Tous les grands vicaires ne deviennent pas évêques, mais tous les évêques ont été grands vicaires.

On ne doit pas confondre les vicaires généraux de l'évêque avec ceux nommés par le chapitre pendant la vacance du siège, afin d'exercer le pouvoir de juridiction.

VICQ D'AZYR, Félix (Valognes, 23 avril 1748 - Paris, 20 juin 1794). Médecin, il est considéré comme l'un des fondateurs de l'anatomie comparée. Il s'était en effet proposé d'éclairer l'anatomie et la physiologie humaine par la comparaison des mêmes organes et des mêmes fonctions chez les animaux. Professeur d'anatomie à la faculté de médecine de Paris depuis 1773, il entre à l'Académie des sciences en 1774 et fonde en 1776 avec Lassone et les encouragements de Turgot la Société royale de médecine, destinée à éclairer le gouvernement sur les besoins de l'hygiène et de la santé publiques. Nommé en 1789 premier médecin de la reine, il pouvait tout craindre de la Terreur, qui l'épargna. La Révolution lui sera néanmoins fatale. Obligé d'assister à la fête de l'Être suprême, il y prendra froid, contractera une pneumonie et mourra douze jours plus tard.

VIEN, Joseph Marie (Montpellier, 1716 - Paris, 1809). Peintre, il fut l'élève de Natoire et obtint en 1745 le grand prix de l'Académie. Lors de son séjour à Rome, il étudia les peintures récemment découvertes dans les fouilles. Il y chercha son inspiration et, plus tard, s'efforça d'éveiller chez les jeunes artistes la curiosité des antiquités.

De retour en France, il dut s'y prendre à deux fois pour être agréé à l'Académie, cette compagnie lui ayant reproché ce qu'elle appelait son manque de style. Ce fut l'appui de Boucher qui, à sa seconde candidature, lui permit d'obtenir l'agrément (avec une toile intitulée *L'Embarquement de sainte Marthe*). En 1754 il est reçu et la même année nommé adjoint à professeur. C'est l'époque où Mme de Pompadour lui demande des compositions légères qu'elle fait graver sur des pierres dures (par exemple *Marchandes d'amour*, *L'Amour qui s'envole*).

En 1775, il devient directeur de l'Académie de France à Rome. Son enseignement y est fondé sur l'étude de la nature et sur celle de l'Antiquité. Il y forme plusieurs élèves, dont le plus illustre est Louis David. C'est Vien qui a dissuadé David de continuer à pasticher Boucher. C'est lui qui lui a donné le goût des formes dépouillées, à l'imitation des monuments antiques.

Les principales toiles de Vien et les plus connues appartiennent au genre de la peinture d'histoire et mythologique. Il faut citer en particulier *Dédale attachant des ailes à Icare* et *Saint Denis prêchant aux Gaulois*.

La femme et le fils de Vien s'adonnèrent aussi à la peinture, mais dans le genre de la miniature et dans celui du portrait.

VIENNE (troisième traité de). Le troisième traité de Vienne, signé le 2 mai 1737 par la France et l'Autriche, met fin à la guerre de Succession de Pologne. Les préliminaires en avaient été arrêtés dès le mois d'octobre 1735. L'Angleterre et la Hollande ratifient le traité en novembre 1738. Les ratifications de l'Empereur, de Louis XV, du roi de Sardaigne, de la reine d'Espagne, de l'Électeur-roi et de la tsarine interviennent entre le 30 décembre 1738 et le 26 mai 1739. Les principales clauses du traité, à savoir la cession de la Lorraine au roi Stanislas et celle de la Toscane au duc François de Lorraine, époux de Marie-Thérèse, héritière de Charles VI, avaient déjà reçu leur exécution.

VIGNE. La superficie du vignoble français semble avoir diminué au cours du siècle de façon importante. Vauban indique, pour 1700, 6 millions d'arpents, soit 2,6 millions d'hectares. Expilly donne en 1778 le chiffre de 4 millions d'arpents, soit 2 millions d'hectares.

L'édit du 5 juin 1731 qui interdit de planter de nouvelles vignes et ordonne d'arracher celles qui viennent d'être plantées, est sans doute pour beaucoup dans cette diminution. Il faut noter cependant que la mesure n'a pas été appliquée avec rigueur, et qu'à partir de 1759, la doctrine libérale ayant gagné du terrain, elle n'a plus été appliquée du tout. De sorte que la qualité n'a pas été préservée, comme l'auraient souhaité les auteurs de l'édit : la « trop grande abondance de plants de vignes, disait ce texte, multipliait tellement la quantité des vins, qu'ils en détruisaient la valeur et la réputation dans beaucoup d'endroits ». L'édit étant inopérant, la dégradation se poursuit. On observe en particulier l'avilissement des vignobles des environs de Paris (Sèvres, Suresnes, Meudon, Issy, Argenteuil) et de ceux de l'Orléanais et de la Touraine. D'ailleurs, la demande est trop forte pour que la qualité de certains crus puisse y résister. C'est le cas pour les crus parisiens, mais aussi pour le beaujolais qui fait au XVIIIe siècle son entrée sur le marché de la capitale. D'une manière générale, l'augmentation de la consommation populaire de vin, augmentation très forte et continue tout au long du siècle, ne peut que favoriser les progrès d'une viticulture médiocre et d'une vinification peu soignée. Il faut ajouter que, dans la hausse générale des prix, le cours du vin est un de ceux qui augmentent le moins (14 % environ entre 1715 et

1789). Une telle conjoncture n'est pas faite pour encourager les viticulteurs à perfectionner leurs produits. Seuls résistent, parce que produisant pour l'exportation, les vins de Bordeaux, Bourgogne, Mâconnais, Jurançon, Frontignan et Alsace. Les vins de Champagne connaissent un succès croissant dans toute l'Europe (*voir* CHAMPAGNE).

Comme toutes les branches de l'agriculture, la viticulture bénéficie des apports de la recherche scientifique. Le *Traité sur la culture de la vigne* de Bidet est écrit selon les principes de la nouvelle école agronomique. Le but de cet excellent ouvrage, le meilleur de tous ceux publiés dans le siècle, est de fournir au vigneron les connaissances nécessaires pour améliorer la qualité de sa production.

VILLE. On entend par ville dans l'ancienne France une communauté d'habitants dotée de la personnalité juridique et représentée par un groupe de magistrats et d'officiers municipaux, appelé « corps de ville » (*voir* VILLES [administration des]). Les remparts ne sont pas la caractéristique exclusive des villes car il existe des « bourgs fermés ». Le nombre des habitants n'est pas non plus un critère. Avec ses 365 habitants, Cadenet en Provence a néanmoins le statut de « ville ».

Le royaume de France compte environ un millier de communautés correspondant à cette définition de la ville. Il y a entre elles de très grandes différences de population. Avec 650 000 habitants, Paris est hors catégorie. Les grandes villes (entre 40 000 et 150 000 habitants) sont au nombre de neuf : Lyon, Marseille, Bordeaux, Nantes, Rouen, Lille, Toulouse, Strasbourg et Versailles. On a ensuite vingt-cinq villes de 20 000 à 40 000 habitants, une cinquantaine de villes moyennes de 10 000 à 20 000 habitants et enfin plusieurs centaines de petites villes de moins de 10 000 habitants.

Par rapport à la population totale du royaume, les citadins constituent vraiment une petite minorité. Mais cette minorité a tendance à grossir. On observe

un petit mouvement d'urbanisation : en 1650, 18,8 % de la population habitaient en ville, en 1790, presque 20 %. Il est vrai que ce mouvement ne bénéficie qu'à un petit nombre de villes, Bordeaux par exemple, dont la population fait plus que doubler en un siècle. La grande majorité des villes ne connaissent qu'un accroissement très faible. Quand il y a une véritable augmentation, celle-ci est due à l'immigration, le mouvement naturel de la plupart des populations urbaines demeurant toujours légèrement déficitaire.

La grande révolution des villes est la transformation de leur aspect. Nous les voyons s'ouvrir et s'aérer. Beaucoup de remparts sont abattus et remplacés par des promenades. De grandes places, d'où rayonnent de larges avenues, sont aménagées. On construit des hôtels de ville, des palais épiscopaux, des intendances, des théâtres et des hôtels particuliers, et même, dans les plus grandes villes (Paris, Lyon, Nantes, Bordeaux), des quartiers nouveaux. L'urbanisme des Lumières est géométrique et uniforme, ce qui ne l'empêche pas d'être harmonieux et gracieux.

Artisans et domestiques forment les groupes les plus nombreux de la population urbaine. Il n'est pas rare que les domestiques représentent le quart des habitants d'une ville. A Bayeux par exemple, ils sont à la veille de la Révolution 686 sur 2 491 habitants. Il faut noter aussi la place importante tenue par les gens de loi. A Besançon, les gens de justice et leurs familles représentent 8 % de la population.

Bien que les forces de police soient en nombre dérisoire, les villes sont généralement sûres et tranquilles. La criminalité reste faible et les émeutes sont rares. Cependant la société urbaine n'a pas la consistance de celle des campagnes. Car elle contient une population flottante d'immigrés et de déracinés. La ville est le lieu des naissances illégitimes et des abandons d'enfants. On y observe aussi un fort développement de la prostitution et de l'ivrognerie. Tout cela va de pair avec la déchristianisation. Alors que les campagnes demeurent le plus souvent fidèles à la pratique religieuse, on note dans les grandes villes à la veille de la Révolution des taux élevés, pouvant aller jusqu'à 40 %, d'abstention du devoir pascal.

VILLEROY, François de Neufville, duc de (Lyon, 7 avril 1644 - Paris, 18 juillet 1730). Pair et premier maréchal de France, il avait été institué par Louis XIV, dans son testament, gouverneur de Louis XV. Le Régent respecte ce choix. Le duc de Villeroy est confirmé dans cette charge par arrêt du parlement de Paris, et commence ses fonctions le 15 février 1717. Il les exercera pendant cinq ans.

Le personnage est très décoratif, mais nul. « Magnifique en tout », dit Saint-Simon (*Mémoires*), « fait exprès pour présider un bal », mais rien de plus. Un sot et un radoteur, c'est l'avis de tous les mémorialistes et de tous les historiens. Le seul indulgent est Voltaire, qui le qualifie de « très honnête homme » et de « bon ami ». Peut-être n'a-t-il rien appris à son élève, si ce n'est le maintien.

Il agace le Régent par ses airs d'ange gardien, et par ses ostensibles précautions contre un éventuel empoisonnement (il a toujours sur lui la clef du garde-manger). Un jour, le 10 août 1722, il passe les bornes. Comme le Régent demande à parler au roi en tête à tête, il s'y oppose. Le soir même il est disgracié, jeté *manu militari* dans une voiture et expédié dans sa terre de Neufville. Informé de cet exil, Louis XV manifeste un grand chagrin. Cela tendrait à prouver que le gouverneur n'était pas un mauvais homme.

VILLES (administration des). Les communautés d'habitants des villes ont des municipalités organisées.

Les régimes municipaux des villes sont très variés. Toutefois, on retrouve dans la plupart des villes sous les noms différents les trois organes suivants : l'assemblée générale, le conseil des notables, appelé aussi conseil politique, et le magistrat ou corps de ville.

A l'image du royaume et à l'image des provinces, les villes sont des répu-

bliques, c'est-à-dire qu'elles sont composées d'états et de corps. Les états sont les ordres et les catégories sociales. Les corps sont les communautés de métiers, les compagnies d'officiers, les paroisses et, dans certaines villes, les quartiers. L'assemblée générale est la réunion des députés des états et des corps. Le nombre de ces députés varie de quarante à une centaine. Ils sont cinquante à Sens, cent à Dieppe. L'assemblée générale de Nantes avec ses quelque trois cents députés est probablement l'une des plus nombreuses. L'élection du corps de ville est la fonction principale de l'assemblée générale. En Provence, où la démocratie municipale est une réalité, les affaires de la communauté lui sont soumises.

Le conseil des notables, ou conseil politique, est encore moins nombreux et donc plus facile à réunir. Il entoure et assiste le corps de ville. En Provence et en Languedoc, il représente les différentes catégories sociales. Par exemple à Lectoure, il se compose de six nobles, de six avocats et de six bourgeois.

Le corps de ville, appelé magistrat dans le Nord et dans l'Est, consulat ou jurade dans le Midi, se compose d'un petit nombre d'échevins ou jurats ou consuls. Le premier magistrat porte des titres différents selon les régions. Il s'intitule prévôt des marchands (à Paris et à Lyon par exemple) ou maire ou mayeur. Dans plusieurs villes du Midi, la présidence est assurée par un collège de consuls (appelés à Toulouse capitouls). Le corps de ville administre la cité. Il est élu, comme nous l'avons vu, par l'assemblée générale. Les élections sont très fréquentes, le renouvellement des magistrats ayant lieu tous les ans ou tous les deux ans.

Ce sont là les caractéristiques très générales du régime municipal. Si l'on regarde de plus près, on s'aperçoit qu'il n'y a pas deux régimes semblables. On voit aussi que les mécanismes sont lourds, compliqués, lents à fonctionner. Ainsi à Abbeville, lorsqu'il s'agit d'affaires importantes, on est obligé de convoquer trois assemblées successives. La question est d'abord discutée par le corps de ville ; ensuite elle est portée devant le corps municipal « composé », c'est-à-dire augmenté des anciens maires ; enfin, on convoque une assemblée générale. Sauf en Provence, il est rare que les élections soient vraiment libres. Le plus souvent, le premier magistrat est désigné par le seigneur ou par le roi sur une liste de trois noms proposée par le corps électoral. Presque partout, une oligarchie de familles confisque le pouvoir municipal.

Les charges changent plusieurs fois de statut. Elles sont tantôt électives, tantôt vénales. Dans les périodes de difficultés financières et de guerre, le pouvoir royal supprime les élections, érige les charges en titre d'office et les vend. C'est le cas de 1722 à 1724, de 1733 à 1737, de 1742 à 1747 et de 1771 à 1789. Ces changements de statut discréditent les institutions municipales et affaiblissent le prestige des magistrats. Après 1750, beaucoup d'offices demeurent invendus. Pour racheter et réunir les offices créés, certaines villes (Angers par exemple) dépensent des sommes importantes qui seraient mieux employées au service de la communauté. Une réforme est tentée en 1764-1765 par le contrôleur général Laverdy pour régulariser les régimes municipaux. Les édits d'août 1764 et mai 1765 abolissent la vénalité, mettent fin aux ventes d'offices et instituent un régime uniforme pour toutes les villes de 4 500 habitants et plus, avec élection au scrutin secret dans une assemblée de notables. Mais cette réforme est annulée par Terray en 1771.

Les villes jouissent d'une autonomie administrative et financière. Elles entretiennent une force de police ou une milice bourgeoise. Elles exercent des pouvoirs de justice. Elles tirent des revenus de leurs domaines et lèvent des impôts. Cependant, Louis XIV, par l'édit de 1683, les a soumises à une tutelle financière très pointilleuse. Le régime est le suivant : les dépenses ordinaires doivent être couvertes par les recettes ordinaires, qui sont les deniers patrimoniaux et les droits d'octroi concédés par le roi. Si les dépenses excèdent les recettes, l'inten-

dant les rogne ou permet de lever un impôt. Les comptes et les budgets de certaines villes sont soumis à un contrôle étroit. Par exemple, le compte des octrois d'Abbeville est vérifié deux fois, d'abord par la chambre des trésoriers de France de la généralité, ensuite par la Chambre des comptes. Le budget annuel n'est arrêté qu'avec l'assentiment du procureur du roi fiscal. D'autres villes jouissent d'une assez grande liberté. C'est le cas de Lyon où le consulat garde des attributions fort étendues et en particulier le droit d'user presque sans contrôle des deniers publics.

VINCENT, François André (Paris, 1746 - id., 1816). Peintre, il fit, bien que protestant, une carrière académique. Grand prix de peinture de 1768, il passa trois ans à l'École royale des élèves protégés, et trois ans à l'Académie de France à Rome. Agréé à l'Académie de France à Rome en 1774, il y fut reçu en 1775 et y devint adjoint à professeur en 1785 et professeur en 1792. Élève de Vien, il adopta la manière néoclassique et fit de l'imitation de l'Antiquité la religion de son art. Sa renommée éclipsa un moment la gloire de David. Dans son tableau le plus célèbre, *Zeuxis choisissant pour modèles les plus belles filles de la ville de Crotone*, exposé au Salon de 1789, les attitudes, les arrangements de draperies et le personnage de Zeuxis rappellent à s'y méprendre le style de David, mais sans la force de ce dernier. Vincent est un antiquisant mou.

VINGTIÈME. Le vingtième est un impôt direct sur le revenu des contribuables. Il est perçu sans exemption ni privilège sur tous les sujets du roi.

Son institution date de l'édit de Marly de mai 1749. Le contrôleur général Machault, qui en a eu l'idée, entend le faire servir au remboursement des dettes de l'État. Il remplace le dixième militaire.

Le prélèvement opéré est de 5 % sur les revenus nets. Ces revenus sont classés en quatre catégories. Il y a un vingtième des revenus des propriétaires et usufruitiers de biens fonciers, un vingtième des revenus mobiliers, un vingtième des revenus commerciaux et industriels et un vingtième des revenus des charges et offices. Ni le travail ni le salaires ne sont frappés.

Le rôle est dressé à partir des déclarations des contribuables. On utilise au début les déclarations faites pour le dixième. Des contrôleurs du vingtième vérifient les déclarations.

Le vingtième se multiplie et devient quasi permanent. Les nécessités de la guerre de Sept Ans obligent à créer en 1756 un deuxième vingtième, puis un troisième en 1760. Les deux premiers sont régulièrement prorogés à partir de 1763. L'édit de novembre 1771 prolonge le premier pour une durée indéfinie et le deuxième jusqu'en 1780. En revanche, le troisième vingtième n'a duré que trois ans.

Peu d'impôts ont suscité autant d'opposition. Le clergé refuse de payer. Le gouvernement royal bataille pendant deux ans et finit par céder. Le clergé sera exempté. Les cours souveraines n'ont cessé de dénoncer le vingtième comme l'ouvrage et la provocation du despotisme. En 1749, le parlement de Paris a refusé d'enregistrer l'édit de Marly par 106 contre 49. Chaque prorogation donnera lieu à des remontrances et à des négociations laborieuses. Ne pouvant obtenir la suppression de l'imposition, les cours empêchent le renouvellement des déclarations et décrètent les cotes fixes au risque de fixer les injustices. Enfin les pays d'états obtiennent de s'abonner à des tarifs avantageux. Ainsi l'Artois s'abonne au premier vingtième pour 450 000 livres.

Le produit du vingtième s'élève en 1754 à 11 661 000 livres, celui des deux premiers vingtièmes à 51 millions en 1789. Ces sommes sont modiques. Elles auraient été considérablement augmentées si le gouvernement avait pu proportionner l'imposition aux revenus effectifs. Il en fut empêché par l'opposition des magistrats.

VINTIMILLE DU LUC, Charles Gaspard Guillaume de (Le Luc, 15 novembre 1655 - Paris, 13 mars 1746). Archevêque de Pa-

ris de 1729 à 1746, fils de François, maréchal de camp, et d'Anne de Forbin, il a déjà derrière lui une longue carrière épiscopale lorsqu'il est nommé au siège de Paris. Il a été évêque de Marseille (1684-1708) et archevêque d'Aix (1708-1729). C'est un homme « aimable, modéré, partisan de la paix » (E. Préclin, *Les Jansénistes du XVIIIe siècle*, Paris, 1929). Théologiquement, il se rattache plutôt au « tiers parti » méridional, ni janséniste ni moliniste. Vis-à-vis des jansénistes, son attitude est ferme, quoique sans sévérité excessive. Son instruction pastorale du 29 septembre 1729 invite son chergé à accepter la constitution *Unigenitus*. Son ordonnance du 29 octobre enjoint aux prédicateurs et aux confesseurs de se présenter à l'archevêché dans les quatre mois pour obtenir de nouveaux pouvoirs. En fait, il ne refuse l'approbation qu'à trente ecclésiastiques sur onze cents. Cependant, les agitations des appelants le contraignent vite à prendre des mesures plus rigoureuses. C'est ainsi qu'il condamne en 1731 les prétendus miracles du cimetière Saint-Médard, et qu'il interdit en 1732, sous peine d'excommunication, la lecture des *Nouvelles ecclésiastiques*. Son œuvre la plus durable est liturgique. Elle consiste dans la publication d'un nouveau Missel et d'un nouveau Bréviaire de Paris (1736 et 1738). Ces ouvrages sont révolutionnaires. Les livres liturgiques néogallicans du siècle précédent supprimaient certains textes de la liturgie romaine. Ceux-ci changent presque tous et de plus modifient le calendrier liturgique. Les principaux auteurs des textes nouveaux sont Charles Coffin (pour les hymnes), le P. Vigier, oratorien de Saint-Magloire, et Mesenguy, un appelant. Néanmoins l'inspiration est plus antiromaine que janséniste. Ces livres sont copiés dans près de quatre-vingts diocèses. Mgr de Vintimille peut donc être considéré comme l'un des principaux fauteurs de cette révolution liturgique néogallicane qui va contribuer à diminuer pendant plus d'un siècle l'intensité de la communion avec le siège romain.

VINTIMILLE DU LUC, Pauline Félicité de Nesle, comtesse de (1712 - Versailles, 1741). Elle est la deuxième en date des maîtresses déclarées de Louis XV, et la sœur cadette de la première. « Visage de grenadier, col de grue, odeur de singe », ainsi la décrit un contemporain (cité par Paul del Perugia, *Louis XV*, 1976, p. 112). Le portrait est peu flatteur mais il est vrai. Mme de Vintimille est franchement laide. Toutefois, elle a de l'esprit, de la hardiesse et de la décision. Sa liaison avec le roi commence fin 1738 ou au début de 1739. Elle est déjà la maîtresse du roi lorsqu'elle épouse, le 27 septembre 1739, Jean-Baptiste Félix Hubert, marquis de Vintimille, comte du Luc, mestre de camp. Elle est nommée, après ce mariage, dame du palais de la Dauphine. A la fin de 1740, elle se trouve grosse des œuvres du roi. Grossesse difficile. Elle accouche le 2 septembre 1741 d'un garçon qui sera le comte du Luc, et meurt quelques jours après (le 9 septembre). D'après le *Journal* d'Argenson, le corps, transporté à Paris à l'hôtel Villeroy, aurait été laissé sans garde et profané par le « peuple ». Louis XV éprouve une grande peine de cette mort. Il demeure prostré pendant six semaines. Mme de Vintimille est celle des sœurs Nesle qu'il a le plus aimée.

VISITATION (ordre de la). L'ordre de la Visitation est un institut religieux féminin fondé en 1610 par saint François de Sales et par sainte Jeanne de Chantal. C'est un ordre régulier : les religieuses suivent la règle de saint Augustin, prononcent des vœux solennels. Elles sont divisées en trois catégories : les choristes, les associées et les domestiques. Implanté en France et en Italie, l'ordre compte 115 monastères en France en 1715 et 123 en 1789. La vocation des visitandines est à la fois contemplative et active. Les religieuses tiennent des pensionnats de jeunes filles, mais en limitent les effectifs qui ne dépassent jamais la vingtaine d'élèves.

La crise des vocations commence à sévir dans les années 1735-1740. Elle ne cesse de s'aggraver. On compte 1 364 visitandines en 1730 et 943 en 1790 (Roger Devos, *Les Visitandines d'Annecy aux XVIIᵉ et XVIIIᵉ siècles*, Annecy, 1973). Ce déclin est dû principalement à la mauvaise volonté des familles. Les visitandines recrutent leurs postulantes dans leurs pensionnats. Elles ont même institué (pour encourager les vocations) un noviciat dit « du petit habit », étape intermédiaire entre le pensionnat et le véritable noviciat. Mais lorsque les jeunes filles manifestent le désir d'entrer au noviciat, leurs parents font opposition et les reprennent.

Les monastères de la Visitation sont des foyers rayonnants de vie spirituelle. Leur spiritualité est celle de l'École française, et plus particulièrement du courant jésuite mystique. Depuis les révélations faites en 1673 à Marguerite Marie Alacoque, visitandine du monastère de Paray-le-Monial, la dévotion au Sacré-Cœur est devenue le bien spirituel de l'ordre tout entier. D'abord les religieuses individuellement, puis les monastères se consacrent au Sacré-Cœur. A partir de 1780, la communion du premier vendredi du mois est un exercice de règle. Les plus grands maîtres spirituels du siècle, et en particulier le P. de Caussade et le P. Picot de La Clorivière, ont entretenu des relations étroites avec les monastères de la Visitation.

VIVANT DENON, Dominique. *Voir* **DENON, Dominique Vivant,** baron.

VIVIEN, Joseph (Lyon, 1657 - Bonn, 1734). Peintre, il peut être considéré comme le premier pastelliste au sens véritable du terme : il donne au pastel la valeur d'un mode d'expression aussi fort que la peinture à l'huile. Ses nombreux portraits lui ont fait une réputation comparable à celle de Rigaud. On l'appela le Van Dyck français. Après la mort de Louis XIV, qui l'avait anobli et comblé de faveurs, il accepte les invitations des Électeurs de Bavière et de Cologne et propage le goût français en Rhénanie. Sa dernière œuvre est un portrait allégorique intitulé *La Famille électorale de Bavière* (1734).

VOCATION. Le catholicisme du XVIIIe siècle se fait une idée très exigeante de la vocation en général et de la vocation à l'état ecclésiastique en particulier. On y reconnaît la marque de la théologie augustinienne : nul ne doit prendre un état sans y être spécialement appelé par Dieu. « La vocation, écrit un auteur anonyme du début du siècle, est un acte de la providence divine par lequel Dieu fait connaître ceux qu'il choisit pour le service de son Église. »

Les vocations sacerdotales et religieuses sont donc examinées avec le plus grand soin. Dans les instituts religieux, la sélection est très sévère. Par exemple chez les doctrinaires, un novice sur deux est renvoyé. Dans les séminaires, on applique les règles de discernement posées par Tronson dans sa *Forma cleri* (1727). Selon cet auteur, les indices d'une véritable vocation sont au nombre de quatre :

— une vie innocente,
— l'aptitude,
— l'appel de l'évêque,
— l'intention droite (« *non propter honores aut otium* »).

On ne peut toutefois empêcher qu'il y ait des vocations impures. L'attrait des bénéfices et la pression de la famille remplacent quelquefois l'appel de Dieu. Dans *L'Écolier chrétien* (1783), le lazariste Collet met en garde les jeunes gens contre ces forces mauvaises : « Dans un siècle malheureux, écrit-il, où l'on ne consulte que la cupidité, l'espérance d'un bon Bénéfice qui s'avance et qui ne demande que la tonsure, devient une preuve invincible de vocation. Un jeune homme n'est pas l'aîné de sa nombreuse famille : ou s'il l'est, il n'a point de talent pour le monde ; il n'est pas riche et sa condition demande qu'il fasse des études ; il n'en faut pas davantage, son sort est décidé. On le conduit à l'Autel comme une victime qui doit y être immolée et qui ne sait à quoi on la destine. »

Cette sorte de pression est-elle fréquente ? Les philosophes répondent par l'affirmative. Ils soutiennent que la plupart des moines et des religieuses ont été enfermés dans les cloîtres contre leur gré. C'est le thème de *La Religieuse* de Diderot (écrite en 1758) et de la *Mélanie* de La Harpe (écrite en 1778). Mais il y a là beaucoup d'exagération. La crise des vocations est bien une réalité, mais elle vient non pas des « vocations » forcées, finalement assez peu nombreuses, mais des vocations contrariées par l'opposition des familles. Celles-ci, en effet, subissent l'influence de la propagande philosophique contre les vœux de religion et contre le célibat sacerdotal, et cherchent à détourner leurs enfants de la vie consacrée. Nous savons par exemple que, dans l'ordre de la Visitation, près de la moitié des religieuses ont eu à vaincre l'opposition de leurs familles. Mais il faudrait compter aussi toutes les vocations étouffées. Nous tenons là l'une des principales causes du dépeuplement des maisons religieuses et des séminaires.

VŒUX DE RELIGION. Les vœux de religion sont des promesses faites à Dieu par ceux qui s'engagent dans la vie religieuse. La prononciation des vœux marque l'entrée dans l'état religieux. C'est ce qu'on appelle la profession. Les vœux sont faits à Dieu et au supérieur. La formule est rédigée et signée par le nouveau profès.

Les trois vœux de religion sont ceux de pauvreté, d'obéissance et de chasteté. Les instituts réformés y ajoutent souvent un quatrième vœu de stabilité.

On distingue les vœux solennels et les vœux simples. Les vœux solennels sont prononcés publiquement et selon certaines formalités. Ce sont les vœux des ordres monastiques et des congrégations de chanoines et de clercs réguliers. Les vœux simples sont des promesses faites sans solennité. On les prononce dans certains instituts séculiers, comme la Mission et la Doctrine chrétienne. Il y a aussi des congrégations sans vœux, mais avec de simples promesses (par exemple l'Oratoire). La distinction entre vœux solennels et vœux simples est importante quant aux effets : les vœux solennels entraînent la mort civile et l'exemption de la juridiction des évêques. Les vœux simples n'ont pas en principe ces effets.

L'âge des vœux avait été fixé à seize ans par le concile de Trente. L'édit du 3 mars 1768, sur proposition de la commission des réguliers, le relève à vingt et un ans pour les hommes et à dix-huit pour les femmes. Cette mesure contribue à ralentir le recrutement des ordres religieux.

L'esprit des Lumières est contraire à tout ce qui veut être perpétuel. Il est contraire à l'indissolubilité du mariage. Il est contraire aux fondations. Il est contraire aux vœux de religion. Les religieux eux-mêmes supportent mal leurs propres vœux. Les demandes de dispense et d'annulation se multiplient. En 1773, la compagnie des prêtres de Saint-Sulpice supprime le serment de ses «associés». En 1776, la congrégation de la Doctrine chrétienne supprime les vœux.

VOISENON, Claude Henri de Fuzée, abbé de (château de Voisenon, près de Melun, 8 juillet 1708 - id., 22 novembre 1755). Littérateur, il fut le type même de l'abbé de salon. Sa vie se passa tout entière dans les compagnies mondaines, sauf un curieux intermède de deux années comme grand vicaire de Boulogne auprès de son parent, Mgr Henriot. Ses œuvres, ses romans, ses contes (comme *Le Sultan Misapouf et la Princesse Grisemine*, 1746), ses comédies, dont la meilleure serait *La Coquette fixée* (1746), portent trop la marque de la légèreté ambiante. L'amitié dont l'honora Voltaire — qui l'appelait son «cher ami Greluchon» et lui écrivit des centaines de lettres — est encore son meilleur titre de gloire. Mais il charmait par ses bons mots, dont certains sont plaisants, sinon drôles. Ainsi, comme le poète J.-B. Rousseau reprochait un jour à Voltaire d'avoir plagié l'un de ses vers, l'abbé intervint et dit à son ami : «Rendez-lui son vers et qu'il s'en aille.» Ce personnage peu édifiant et de petit talent fut pourtant comblé de faveurs et d'honneurs. Cela n'étonnera que ceux qui ne connaissent pas le goût de ce siècle pour la médiocrité. Le roi donna à l'abbé de Voisenon

l'abbaye de Jars. Il fut élu en 1763 à l'Académie française, et Choiseul lui fit même donner une place parmi les précepteurs des Enfants de France.

VOLNEY, Constantin François de Chassebœuf, comte de (Craon, 3 février 1757 - Paris, 25 avril 1820). Il se fait appeler Volney à partir de 1787. Ce philosophe de la seconde génération des Lumières sera l'un des membres les plus illustres du groupe des idéologues. Il est le fils d'un avocat angevin. Orphelin de mère à l'âge de deux ans, élevé par deux vieilles gouvernantes, mis ensuite en pension à Ancenis, puis à Angers, il a une enfance triste et solitaire. Venu à Paris en 1775, il y étudie en même temps la médecine et la langue arabe. Son ami Cabanis l'introduit chez les d'Holbach. Les deux jeunes gens sont accueillis chez Mme Helvétius à Auteuil, et même pendant un temps logés chez elle. C'est l'origine du groupe d'Auteuil, d'où sortiront plusieurs des idéologues. A l'âge de vingt-six ans, Volney fait un petit héritage et décide de le dépenser en voyageant. Il part pour l'Orient et y reste deux années entières. Il arrive à Alexandrie en janvier 1783 et rembarque à Gaza en janvier 1785, ayant parcouru l'Égypte, la Syrie et la Palestine. Son *Voyage en Syrie et en Égypte* (1787) est son premier ouvrage publié. A la description attentive du pays s'ajoute une philosophie de l'histoire. Volney trouve l'Orient misérable. Il n'y découvre que saleté, servitude et dégradation générale de l'esprit humain. Les causes en sont, selon lui, le «despotisme sans frein» des Turcs, et l'islam «qui ne proposa jamais que tenir l'homme dans une éternelle enfance». Le succès de l'ouvrage est très grand. Volney fait désormais partie des grandes consciences. Il entre en politique active. Il joue un rôle important dans la préparation du bouleversement politique de la France. Pendant les derniers mois de 1788 (d'août à novembre), il fait à Rennes de l'agitation révolutionnaire, publiant dans cette ville un journal polémique, intitulé *La Sentinelle du peuple*, rempli de violentes attaques contre la noblesse. Le

19 mars 1789, le tiers état d'Angers l'élit député aux États généraux. Son activité parlementaire intense ne l'empêche pas d'écrire. En septembre 1791 paraît le livre qui fera le plus pour sa réputation, *Les Ruines ou Méditations sur les révolutions des empires*. Le style en est déclamatoire. L'idée est la même que celle du *Voyage* : la superstition est la cause unique du déclin des civilisations. Il faut aller à la conclusion pour trouver une note d'espoir. On y lit cette promesse : «Tout est sauvé si le peuple est éclairé.» Les deux épisodes principaux de la vie de Volney pendant la Révolution sont, après la publication des *Ruines*, un séjour en Corse et un emprisonnement. Il passe treize mois en Corse (1792-1793). Son intention était d'y fonder une plantation d'agrumes. Il achète un domaine et entreprend de le clore, selon les principes de l'agriculture éclairée. Aussitôt, les bergers lui rendent la vie impossible et il est obligé de s'en aller. Le seul résultat positif de ce séjour en Corse sera l'amitié nouée avec le clan Bonaparte. La prison dure à peu près le temps de la Grande Terreur : 26 brumaire an II - 4 fructidor an III (16 novembre 1793 - 16 septembre 1794). Officiellement Volney a été arrêté pour dettes : il n'avait pas payé son domaine de Corse. Libéré, il est nommé professeur à l'École normale. Ses *Leçons d'histoire* de l'École jugent l'histoire selon l'«utilité», la définissant comme «un immense recueil d'expériences morales et sociales». Cependant, comme Descartes, Malebranche ou Fontenelle, Volney se méfie de l'histoire. Elle est, dit-il, «le produit le plus dangereux que la chimie de l'intellect ait élaboré [...], il fait rêver et enivre les peuples, leur engendre de faux souvenirs, exagère leurs réflexes [...] et rend les nations amères, superbes, insupportables et vaines». L'avènement de l'ami Bonaparte marque le début de la carrière officielle. Volney est le conseiller intime du Premier consul. Bien que désapprouvant le sacre, il est fait sénateur et comte d'Empire. Son ralliement à la Restauration lui vaut d'être confirmé pair héréditaire et lui mérite

une place avantageuse dans le *Dictionnaire des girouettes*. Il meurt le 25 avril 1820, «très décidément incrédule» (cité par Jean Gaulmier, *Un grand témoin de la Révolution et de l'Empire, Volney*, Paris, 1959). Cela n'empêche pas le clergé de la paroisse Saint-Sulpice de célébrer ses funérailles religieuses.

VOLTAIRE, François Marie Arouet, dit (Paris, 21 novembre 1694 - *id.*, 30 mai 1778). Sixième et dernier enfant de François Arouet, d'abord notaire au Châtelet de Paris, ensuite receveur des épices à la Chambre des comptes, et de Marie Marguerite Daumart, l'un et l'autre originaires du Poitou, Voltaire connaît très tôt la célébrité littéraire. A vingt-quatre ans il écrit *Œdipe*, sa première tragédie. C'est un succès. A vingt-neuf ans il publie *La Henriade*. C'est un triomphe. Le portrait de Largillière date de cette époque. Il montre un jeune homme charmant, intrépide, avec sur le visage un léger pli de tristesse. Il en sait déjà beaucoup sur les hommes, sur les femmes et sur la vie. Les jésuites, ses maîtres au collège Louis-le-Grand, lui ont tout appris de la culture antique. Son professeur favori, le P. Porée, l'a initié à la pratique du style. Il n'avait pas treize ans lorsque son parrain — étrange parrain — l'abbé de Châteauneuf, amant de la courtisane octogénaire Ninon de Lenclos, l'a présenté à sa maîtresse et aux grands seigneurs libertins de la société du Temple, chez le grand prieur de Vendôme. Sorti du collège, il devait faire son droit, mais après de telles initiations il n'est pas étonnant que le droit le rebute. Le marquis de Châteauneuf, le frère de l'étrange parrain, ambassadeur à La Haye, l'emmène avec lui en Hollande. Il y fait la cour à Olympe Dunoyer, dite Pimpette, fille d'un réfugié français. Cour si pressante que le scandale éclate et qu'il faut le rapatrier de toute urgence. Ce sont ensuite, entre dix-huit et trente ans, les trois grandes découvertes successives : la prison, la vie de château et le génie de l'Angleterre. La prison (de la Bastille) où il est emprisonné deux fois, la première pendant onze mois (mai 1717 - avril 1718) pour une satire injurieuse contre le Régent, la seconde pendant huit jours pour avoir voulu se venger du chevalier de Rohan qui l'avait fait bastonner par ses laquais : se voir embastillé à cet âge et pour si peu, c'est quelque chose qu'on n'oublie pas. La vie de château est celle de Saint-Ange chez Caumartin, de Sully-sur-Loire chez le duc de Sully, de Bélebat chez Mme de Prie et de la Source chez Bolingbroke. Vie gracieuse et libre et surtout seigneuriale : il n'en voudra jamais d'autre. Quant à l'Angleterre, où il promet d'aller pour sortir de prison (1726), elle libère son génie. Il y rencontre les plus grands écrivains d'Europe (au moment la veine littéraire de la France s'épuisait). Il lit Newton. Il travaille énormément et rentre en France en 1729 avec l'*Histoire de Charles XII*, quatre tragédies et les *Lettres philosophiques*, dites aussi *anglaises*. A peine revenu, il faut repartir. La publication des *Lettres* (1734) lui vaut un nouvel exil. Une lettre de cachet est lancée contre lui. La marquise du Châtelet, sa maîtresse (depuis l'année précédente), lui offre un refuge. Il l'accepte.

Ce refuge est le château de Cirey en Champagne, à proximité de la Lorraine. Les dix années de Cirey (1734-1744) sont une nouvelle période de la vie de Voltaire. Ce sont dix années de « retraite instable » (Raymond Naves, *Voltaire, l'homme et l'œuvre*, Paris, 1951), dix années de grand amour avec Mme du Châtelet. Les deux amants se comprennent et se complètent. La marquise est une savante. Elle lui apprend la physique. Il lui enseigne l'histoire. Tous deux travaillent comme des forcenés. Il écrit notamment les *Éléments de la philosophie de Newton*, le *Discours en vers sur l'homme* et les tragédies de *Mahomet* et de *Mérope*. Entre deux livres, quelques escapades : deux voyages à Paris, deux en Hollande, un à Bruxelles et les premières randonnées en Allemagne. Les relations avec Berlin ont commencé : la première lettre à Voltaire du futur Frédéric II date du 8 août 1736.

Les quatorze années suivantes (1744-1758) ont été appelées le « temps des désillusions ». Ce n'est pas mal trouvé. Voltaire, alors au faîte de sa gloire, est réclamé par les cours et comblé d'honneurs officiels, mais ces temps de faveur ne durent pas et suivent bientôt les déceptions cruelles. Grâce à la Pompadour et grâce au marquis d'Argenson, Versailles s'ouvre à lui. Il est nommé gentilhomme ordinaire de la Chambre et historiographe du roi. Il fournit en comédies les fêtes royales. Cependant, le roi ne l'aime pas. Très vite, sa faveur décline. Après un bref passage à la cour de Sceaux, il est reçu à celle de Lorraine à Lunéville (1748-1749). Il y éprouve deux grandes peines : la trahison d'abord et la mort ensuite de Mme du Châtelet. La trahison : elle le trompe avec le poète Saint-Lambert. La mort : enceinte en janvier 1749 — Voltaire tient à se dire le père —, elle accouche d'une petite fille et meurt huit jours après. Voltaire est un moment inconsolable : « J'ai perdu, dit-il, la moitié de moi-même. » Le 23 juillet 1750 il arrive à la cour de Berlin où l'invite son élève et ami Frédéric II. Le séjour commence très favorablement : dignité de chambellan, dîner tous les soirs avec le roi, et, pour unique obligation, corriger les poèmes de Frédéric. Mais, là aussi, la désillusion vient vite. Voltaire commet la faute de ridiculiser Maupertuis, président de l'Académie de Berlin. Il tombe en disgrâce, il s'en va. Frédéric pousse le ressentiment jusqu'à le faire arrêter à Francfort, ordonnant même de fouiller ses bagages (mai-juin 1753). La Prusse étant indésirable et la France fermée, Voltaire ne sait où aller. Il séjourne successivement à Strasbourg, Colmar, à l'abbaye de Senones, où dom Calmet lui ouvre la bibliothèque du monastère, et finalement se tourne vers Genève, où il arrive le 11 décembre 1754. Il achète sur le territoire genevois la propriété des Délices. Va-t-il enfin être chez lui et trouver le repos ? Il le croit, mais la République n'est pas l'asile qu'il espérait. Elle prend ombrage des représentations théâtrales qui ont lieu aux Délices. Elle s'irrite de l'article « Genève » de l'*Encyclopédie*, article rédigé par d'Alembert, mais inspiré par Voltaire. Il faut quitter la Suisse. En 1758, Voltaire achète le domaine de Ferney dans le pays de Gex au royaume de France. En 1761, il s'y installe définitivement.

La longue retraite de Ferney (dix-huit années) est la dernière période et la plus sédentaire de sa vie. Il ne va plus voir personne, mais tout le monde vient à lui. Toute l'Europe royale, littéraire et mondaine pèlerine à Ferney. C'est l'époque de la plus intense activité épistolaire. De Ferney, le roi Voltaire dirige par lettres la propagande philosophique. A Paris, ses intimes, Thieriot, d'Argental et Pont de Veyle, s'occupent de monter ses pièces. Ses « frères » en philosophie, d'Alembert, Damilaville, Marin, Helvétius et Condorcet, appliquent ses consignes d'action. La grande entreprise est la dénonciation des erreurs judiciaires. Voltaire s'engage dans nombre d'affaires, dont les principales sont les affaires Byng, Calas, Sirven, Perra de Lyon, Martin de Bar et Montbailli de Saint-Omer. Il publie en 1763 le *Traité de la tolérance* et en 1764 le *Dictionnaire philosophique*, extraordinaire instrument de propagande. Il se multiplie contre « l'infâme », c'est-à-dire le fanatisme clérical.

L'année 1778 est celle de l'apothéose, bientôt suivie de la mort. Il arrive à Paris le 10 février 1778. On le reçoit partout comme un demi-dieu. Le 30 mars, il assiste à la sixième représentation de sa tragédie *Irène*, et son buste est couronné sur la scène. Il use en trois mois les années qui lui restent à vivre. Atteint de strangurie[1] latente, il s'éteint le 30 mai 1778 après vingt jours de lit.

Cette vie est une vie à part, vie de gloire incessante, mais aussi de solitude. Pas ou peu de famille : il n'a guère connu sa mère, morte quand il avait sept ans ; pour toute affection familiale, il n'a eu que celle de sa nièce, Mme Denis. Il ne s'est pas marié. Il a eu quelques amis fidèles, mais surtout beaucoup d'ennemis acharnés, qu'il multipliait à plaisir par ses critiques féroces et injustes. Vie

de proscrit et d'errant pendant de longues années. Vie d'homme riche (à quarante ans il avait déjà 8 000 livres de rente), mais dont il a peu profité, acharné qu'il était à travailler et à lutter. Vie de perpétuel malade (il est couché à peu près la moitié du temps). Vie dont la « tranquille paix » est absente.

L'œuvre peut être classée en cinq catégories : l'œuvre littéraire, composée de *La Henriade*, du théâtre, des contes et romans ; l'œuvre historique, dont les pièces maîtresses sont l'*Histoire de Charles XII*, *Le Siècle de Louis XIV* et l'*Essai sur les mœurs* ; l'œuvre philosophique proprement dite, comprenant principalement les *Lettres philosophiques*, les *Dialogues*, *La Bible enfin expliquée* et le *Dictionnaire philosophique* ; l'œuvre militante ou fugitive, c'est-à-dire les innombrables pamphlets contre les abus du despotisme (par exemple le *Cri du sang innocent*, au sujet de la condamnation du chevalier de La Barre), contre la « superstition » et le « fanatisme » (*La Canonisation de saint Cucufin*) et les satires en vers (*Le Mondain*) ; et enfin l'œuvre épistolaire, l'immense correspondance (plus de dix mille lettres), qui est sans doute la partie la plus vivante et la plus attachante.

Voltaire cherche toujours à plaire et il plaît presque toujours. Son ironie n'agace pas ; elle fait souvent sourire. Il n'y a pas assez d'attendrissement. Il y a trop d'idéologie. Il n'y a pas de poésie du tout. Son cœur est trop fanatique. Charmant conteur certes, historien vivant assurément, mais voulant toujours à toute force nous servir ses thèses. On se lasse. Dans les œuvres de prose cela passe encore. Dans le théâtre, c'est insupportable.

Le système voltairien est fondé sur une conception de l'homme. C'est une conception matérialiste et empiriste. Voltaire n'est pas du tout persuadé que l'âme soit immortelle (« Je suis corps et je pense, je n'en sais pas davantage », *Treizième Lettre philosophique*). Il est certain que toutes nos idées naissent des sensations.

---

1. Trouble de la miction.

Il croit que Dieu existe, mais s'intéresse assez peu à cet homme-matière, que d'ailleurs il n'a pas créé. La condition humaine est malheureuse. Le monde est une « farce » (« ... et Dieu merci, je regarde ce monde comme une farce qui devient quelquefois tragique », à Bernis, 22 décembre 1766), un océan de vanité « Ainsi tout est vanité, à commencer par le pape et à finir par moi... », à la marquise de Florian, 8 avril 1769), une absurdité (« ... Les hommes qui, non contents de tant de discordes que leurs intérêts allument, se font de nouveaux maux par des intérêts chimériques et des absurdités inintelligibles », *L'Ingénu*, éd. Garnier, p. 351). Le « fanatisme » des prêtres et le despotisme des tyrans ne font qu'aggraver cette misère. Les prêtres sont des imposteurs (« Les prêtres ne sont pas ce qu'un vain peuple pense — Notre crédulité fait toute leur science », *Œdipe*), surtout les prêtres chrétiens qui trompent leur monde en faisant de Jésus un dieu (Jésus « cacha à ses contemporains qu'il était fils de Dieu », *Dictionnaire philosophique*, article « Christianisme »). Que peut-on faire pour les hommes ? On peut certes améliorer le mode de gouvernement et pour cela s'inspirer de la Constitution anglaise (« La nation Anglaise est la seule de la terre, qui soit parvenue à régler le pouvoir des rois en leur résistant », *Huitième Lettre anglaise*). Mais il n'y a pas de gouvernement idéal (« ... vous en conclurez qu'il n'y a pas plus de vertu dans les républiques que dans les monarchies », à M. le chevalier de R. X., 20 septembre 1760). Quant à l'égalité, c'est une vérité incontestable, mais qu'il vaut mieux ne pas appliquer (« Le genre humain tel qu'il est, ne peut subsister, à moins qu'il n'y ait une infinité d'hommes utiles qui ne possèdent rien du tout », *Dictionnaire philosophique*, article « Égalité »). Ce qu'il faut faire, si l'on veut vraiment améliorer le sort des hommes, c'est lutter contre le « fanatisme », c'est imposer la tolérance. On se heurtera ici à la très forte résistance des chrétiens, qui ont toujours « été les plus intolérants de tous les hommes » (*Dic-*

tionnaire philosophique, article « Tolérance »). Le combat sera rude. Mais il est permis d'espérer. L'examen de l'histoire du genre humain montre que la raison progresse, qu'il y a des siècles éclairés (ceux de Périclès, d'Auguste, de la Renaissance et de Louis XIV, ce dernier ayant même été « le plus éclairé qui fût jamais »). La victoire est donc possible. Les courageux philosophes, les intrépides « frères » ne savent-ils pas combattre ? (« Nous sommes un corps de braves chevaliers défenseurs de la vérité... ») La victoire est certaine si l'on vise les élites (« ... ils pourront faire brûler quelques bons livres, mais nous les écraserons dans la société, nous les réduirons à être sans crédit dans la bonne compagnie et c'est la bonne compagnie seule qui gouverne les opinions », à Helvétius, 27 octobre 1768). Le monde sera donc amélioré. Sera-t-on heureux pour autant ? C'est finalement la seule question qui n'est pas vraiment résolue. Voltaire ne conçoit guère que de très petits bonheurs (« cultiver son jardin », comme Candide, s'occuper, travailler). Il ne déconseille pas formellement le suicide. Il y voit le « courage de sortir d'une maison mal bâtie qu'on désespère de raccommoder » (à Mme du Deffand, 3 mars 1754). Il propose surtout de se résigner à l'inexorable fatalité : « Résignons-nous à la destinée qui se moque de nous et qui nous emporte. Vivons tant que nous pourrons et comme nous pourrons. Nous ne serons jamais aussi heureux que les sots, mais tâchons de l'être à notre manière. Tâchons... quel mot ! Rien ne dépend de nous ; nous sommes des horloges, des machines... » (à Mme du Deffand, 2 juillet 1754). Tel est le dernier mot de la sagesse voltairienne. Ce n'est pas une promesse d'espérance.

VOYER, Marc René de, comte puis marquis d'Argenson (Venise, 4 novembre 1652 - Paris, 2 mai 1721). Garde des Sceaux de France, il est le fils de René II d'Argenson, ambassadeur à Venise, disgracié en 1657. Son père — absorbé par la dévotion — n'ayant sollicité pour lui aucun emploi, il se contente pour ses débuts de l'office de lieutenant général du présidial d'Angoulême. Mais, remarqué par Caumartin à l'occasion d'une commission des Grands Jours[1], il est extrait de sa province, nommé maître des requêtes (1694), lieutenant général de police de la ville, obtient la vicomté et prévôté de Paris (1697-1718), et est enfin élevé, le 26 janvier 1718, à la double dignité de garde des Sceaux (en remplacement de d'Aguesseau) et de président du Conseil des finances (en remplacement du duc de Noailles). Parmi ses titres de gloire, il a celui d'avoir expulsé en 1709 les religieuses de Port-Royal, et celui d'avoir en 1718 réprimé la conspiration de Cellamare. Il est donc passé à la postérité comme un homme terrible. On a même dit qu'il faisait peur par son seul aspect et que « sa figure effrayante retraçait celle des trois juges des Enfers ».

VOYER, René Louis de, marquis d'Argenson, surnommé **d'Argenson la Bête** (Paris, 18 octobre 1694 - *id.*, 26 janvier 1757). Il est le fils aîné du précédent. Nommé en 1720 maître des requêtes, il commence par faire un stage auprès de son beau-père, M. Méliand, intendant de Lille, pour « se mettre en train d'intendance ». Désigné l'année suivante pour l'intendance du Cambrésis et du Hainaut, il demeure cinq ans dans ce poste, et rejoint ensuite le Conseil d'État. Il brigue un ministère, mais Fleury, qui se méfie de ses opinions philosophiques — il a fréquenté autrefois la société de l'Entresol —, ne lui donne rien. Nommé le 18 novembre 1744 (après la mort du cardinal) secrétaire d'État aux Affaires étrangères, il échoue dans cette carrière active. Des changements s'opèrent sous ses yeux. Il ne les voit pas. Il ne perçoit pas la volonté de puissance du roi de Prusse et ne réalise pas que l'alliance austro-anglaise est en train de s'effriter. Le roi se débarrasse de lui le 10 janvier 1747. Libre de s'adonner à la lecture et à l'écriture, ses passions dominantes, il s'accommode bien de sa disgrâce. Il laissera cinquante-

six volumes de manuscrits, dont un *Journal*, et des *Considérations sur le gouvernement de la France*, ouvrages publiés après sa mort. Ses préférences politiques vont à une sorte de despotisme éclairé très atténué, mélangé d'utopie sociale : que tous les privilèges soient anéantis et que ne possèdent la terre que ceux qui la cultivent. Ami de Voltaire, dont il a été autrefois le condisciple à Louis-le-Grand, il en partage l'antichristianisme mais non le cynisme. Observateur cruel de son siècle, il constate l'épuisement du génie national et le dessèchement des mœurs. Il voudrait combattre ce qu'il appelle « la paralysie du cœur ». Mais qu'est-ce pour lui que le « cœur » ? Y a-t-il jamais eu dans sa propre vie une place pour un amour véritable ? Marié, sans avoir été consulté, à une femme qu'il n'aime pas, il s'en sépare très vite. Il avait été libertin toute sa vie, il le restera jusqu'à sa mort. S'est-il converti à sa dernière heure ? Voltaire semblait le craindre : « Je voudrais bien savoir, écrivait-il, si Monsieur d'Argenson est mort en philosophe ou en poule mouillée. »

VOYER, Marc Pierre de, comte d'Argenson (Paris, 16 août 1696 - *id.*, 28 août 1764). Ministre de la Guerre, il est le fils cadet du lieutenant de police du même nom, et le frère du précédent. Successivement avocat, avocat du roi au Châtelet, conseiller au Parlement, maître des requêtes, il franchit très vite toutes les étapes du *cursus honorum*. Viennent ensuite les grands emplois : la lieutenance de police de Paris (1720 et 1722-1724), et l'intendance de Paris (1741). Ce sont les marchepieds du ministère. Le 28 août 1742, le comte d'Argenson entre au Conseil d'en haut. Le 1er janvier 1743, il est nommé secrétaire d'État à la Guerre. Il exercera cette dernière charge pendant quinze ans.

Il trouve à son arrivée une situation plus que médiocre. Les grandes pertes subies pendant la retraite d'Allemagne ont démoralisé l'armée. Le nouveau ministre

---

1. Les Grands Jours royaux étaient des délégations ambulantes du parlement de Paris qui allaient exercer dans les régions troublées une justice rigide.

restaure la confiance et réorganise le commandement. Il n'est pas exagéré d'attribuer à ses mérites une grande part des succès des campagnes de 1744 et 1745. Un cadeau royal en témoigne. A l'issue de la bataille de Fontenoy, Louis XV offre à son ministre, pour le remercier des services rendus, les huit canons pris à l'ennemi. La paix revenue, le comte d'Argenson fonde l'École militaire et crée le corps des grenadiers royaux. Ayant dans ses attributions, depuis 1749, le département de Paris, il se préoccupe de l'embellissement de la capitale et forme le premier projet de la future place Louis-XV.

Sa disgrâce, survenue le 1er février 1757 (en même temps que celle de Machault, son ennemi juré), a été expliquée diversement. L'antipathie de la marquise de Pompadour a été sans doute le facteur principal et déterminant. Mais ce n'est pas le seul. Louis XV aurait nourri des griefs précis contre son ministre au sujet de l'administration de Paris. Il lui aurait reproché de ne pas avoir assez surveillé le Parlement et d'avoir laissé se développer la propagande séditieuse.

Quelles qu'en soient les raisons, ce renvoi est une faute. Le comte d'Argenson est un des rares hommes d'État dont ait jamais disposé Louis XV. Il a la grandeur et la fermeté d'âme. « Personne n'est plus prudent, écrivait Mme du Deffand, n'a l'air moins mystérieux, et n'est plus exempt de fausseté [...]. L'élévation de ses sentiments, les lumières de son esprit répondent assez de sa droiture et de sa probité, indépendamment de tout autre principe. »

Exilé dans sa terre des Ormes (dont il avait fait l'acquisition en 1729), il aurait, nous dit-on, mal supporté sa disgrâce. Peut-être parce que, conscient de ses mérites, il en voyait mieux que personne l'absurdité et l'injustice. Avait-il les sentiments religieux qui lui auraient permis de dominer son infortune ? On peut se le demander. Parce qu'il était du cercle de la reine, on le range ordinairement dans le parti dévot. Curieux dévot, à qui Diderot et d'Alembert dédient en 1751 le premier volume de l'*Encyclopédie*, et au-

quel Voltaire adresse des lettres remplies de louanges. Certes les « philosophes » avaient tout intérêt à le flatter. Mais s'il avait été leur ennemi implacable, l'auraient-ils à ce point caressé ?

VOYER, Antoine René de, marquis de Paulmy d'Argenson (Valenciennes, 1722 - Paris, 1787). Ambassadeur et secrétaire d'État à la Guerre, il avait commencé en 1746, à l'âge de vingt-quatre ans, une carrière diplomatique. Il avait accompagné en Allemagne le duc de Richelieu chargé de demander pour le Dauphin la main de la princesse de Saxe. Il aura ensuite trois ambassades, celle de Suisse (1748-1750), celle de Pologne (1762-1764), interrompue précipitamment par l'arrivée des Russes à Varsovie, et celle de Venise (1766-1780). Entre la Suisse et la Pologne s'étendent les années de son passage au gouvernement. Il était depuis octobre 1751 adjoint à son oncle d'Argenson, secrétaire d'État à la Guerre. Il lui succède après sa disgrâce (3 février 1757) et entre au Conseil d'en haut (8 février). Mais de telles fonctions ne conviennent ni à ses capacités ni à son tempérament : il démissionne au bout d'un an (3 mars 1758). Les lettres l'attirent plus que la politique. Il possède une belle bibliothèque et ne cesse de l'enrichir d'ouvrages rares. Nommé en 1755 gouverneur de l'Arsenal, il y avait installé ses livres. Ils s'y trouvent encore aujourd'hui et forment le fonds de la bibliothèque de l'Arsenal. Le marquis de Paulmy siégeait à l'Académie française depuis 1748. Il était aussi l'un des membres de l'Académie des inscriptions et belles-lettres.

WAILLY, Charles de (Paris, 1729 - *id.*, 1798). Architecte, il avait été l'élève de Blondel, Lejay et Servandoni. Il remporte le grand prix d'architecture en 1752 et le partage avec Moreau. Comme Servandoni, il avait des talents divers : architecte, peintre (il exposa à plusieurs reprises au Salon) et décorateur d'intérieur. On lui doit la construction de l'Odéon et du quartier qui le borde (avec Peyre), l'aménagement du port et de la ville de Port-Vendres, plusieurs hôtels à Paris (Mme Denis, hôtel d'Argenson). Ses décors étaient très soignés (hôtel d'Argenson, château des Ormes, Odéon, palais Spinola à Gênes). Très demandé à l'étranger, il travailla à Cassel, mais refusa le poste d'architecte de Saint-Pétersbourg que Catherine II lui proposa.

Il finit sa vie comblé d'honneurs : conservateur du Museum, membre de l'Institut, après avoir joué un rôle actif comme commissaire des arts pour la Belgique et la Hollande.

WATELET, Claude Henri (Paris, 1718 - id., 12 janvier 1786). Littérateur et dessinateur, il succède à son père, à l'âge de vingt-deux ans, dans la charge de receveur général des finances de la généralité d'Orléans. Sa grande fortune lui permet de jouer les mécènes et de se livrer plus facilement à ses dispositions naturelles pour les arts. Les dessins qu'il rapporte de ses voyages en Italie et en France lui servent à graver des vignettes pour les œuvres littéraires qu'il compose. Son poème *L'Art de peindre*, illustré de cette manière, et précédé de *Réflexions sur les différentes parties de la peinture*, lui ouvre en 1760 les portes de l'Académie française. Il compose aussi des romans et des comédies. Enfin, il est connu pour avoir lancé en France la mode des jardins anglais. Lié avec tous les milieux de finance, et en particulier avec la famille de F. G. Roslin, fermier général, il est aussi l'ami des philosophes. Plusieurs articles d'art et d'esthétique représentent sa contribution à l'*Encyclopédie*. Sa propriété du Moulin-Joli, près de Paris, est fréquentée par le monde des lettres et des arts. C'est là, en 1772, que Julie de Lespinasse rencontre pour la première fois le comte de Guibert. Mme Geoffrin et Mme Necker l'ont compté parmi les plus fidèles habitués de leurs salons respectifs. Il a même été du tout premier cercle de Mme Necker. Cela lui vaudra l'utile protection du ministre. En 1780 plusieurs financiers sont compromis, et certains embastillés. Watelet échappe à toute poursuite. « ... le singulier, écrit Bachaumont (*Mémoires secrets*), c'est

que M. Watelet, d'une réputation au moins très équivoque en finance, est un des douze conservés par M. Necker... »

WATTEAU, Antoine (Valenciennes, 1684 - Nogent-sur-Marne, 1721). Il est l'un des plus grands peintres de ce siècle. Fils d'un maître couvreur, après un court apprentissage dans l'atelier du peintre valenciennois Albert Gérin, il se rend à Paris à l'âge de dix-huit ans et s'efforce d'y gagner sa vie en raccommodant des vieux tableaux et en faisant des images de dévotion. Il « débite, dira-t-il, à longueur de journée des saints Nicolas pour gagner sa soupe » (cité dans *Tout l'œuvre peint de Watteau*, introduction par P Rosenberg, Paris, 1982). Cela toutefois ne l'empêche pas de suivre l'enseignement de l'Académie et d'obtenir en 1709 le deuxième prix de peinture.

Les influences qui s'exercent sur lui sont très diverses. C'est dans la galerie du Luxembourg qu'il découvre Rubens et dans le cabinet du financier Crozat les maîtres italiens. De sorte que dans son œuvre, selon l'expression de Delacroix, « Venise et la Flandre se trouvent réunies ». Il est enfin très marqué par deux maîtres français, ses contemporains : Claude Gillot, qui lui donne le goût de la comédie italienne, et Claude Audran, conservateur de la galerie du Luxembourg, qui lui confie les clefs de ce musée et l'initie au charme des chinoiseries.

Dans ses premières toiles, il avait traité des sujets d'actualité. Témoin dans sa province natale des combats de la guerre de Succession d'Espagne, il s'était plu à peindre le spectacle de l'arrière et celui des bivouacs des camps volants animés par la présence pittoresque des maraudeurs et des vivandières.

Installé dans la capitale, il est séduit par les comédiens italiens, leurs gestes expressifs, leurs grimaces et leurs déguisements. C'est l'époque du *Mezzetin jouant de la guitare* et du très célèbre *Gilles* (le seul personnage qu'il ait représenté grandeur nature).

L'irréel de la comédie l'amène à celui des « fêtes galantes » : dans un jardin ou dans un bois, des hommes et des femmes sont réunis, conversant, faisant de la musique, échangeant des propos d'amour, certains d'entre eux étant travestis en personnages de théâtre. Ces compositions sont les plus réputées de toutes celles de l'artiste. La plus connue est *L'Embarquement pour Cythère* (1717).

C'est à son retour de Londres (où il est allé consulter un spécialiste de la «consomption», c'est-à-dire de la tuberculose) qu'il brosse rapidement son ultime chef-d'œuvre, *L'Enseigne de Gersaint* (1720). Malgré le caractère prosaïque du sujet, l'artiste atteint ici les sommets de la peinture.

L'art de Watteau est très complet, alliant un dessin très ferme à de beaux coloris. Il dessine l'album à la main, d'après nature. Son œuvre exprime tantôt une tendre poésie, tantôt l'esprit parisien de son époque.

Dispersées par les marchands, ses toiles sont plus nombreuses à l'étranger qu'en France. Sa ville natale, Valenciennes, n'en possède aucune. *Le Camp volant* (1710) est à Moscou, *Les Comédiens-Italiens* à Berlin, *Les Comédiens-Français* (v. 1715) à New York, *La Réunion de plein air* (1717) à Dresde et *L'Enseigne de Gersaint* à Berlin.

Dans son *Histoire de la peinture française au XVIIIe siècle* (1934), Alfred Leroy consacrait un chapitre à ce qu'il appelait «l'école de Watteau», école dans laquelle il faisait entrer Lancret, Pater, Quillard, Pesne, Octavien et quelques autres. On peut toutefois dire que si Watteau a été imité, il n'a pas été continué. Son secret a été perdu avec lui. Il a légué à de nombreux peintres le goût du joli et l'attrait pour les fêtes galantes, mais non sa manière qui est inimitable. Il est mort phtisique à l'âge de trente-sept ans. Il fut un artiste prédestiné, et son œuvre porte la marque de cette inspiration qui n'est donnée qu'au génie.

WATTEAU, Louis, dit **Watteau de Lille** (Valenciennes, 1731 - Lille, 1798). Il est l'un de ces rares peintres qui préfèrent une carrière provinciale aux honneurs de Paris et de la Cour. Après avoir reçu la formation de l'Académie royale de pein-

ture et de sculpture, il rentre dans sa patrie, s'installe à Lille en 1770 et s'y fait connaître comme peintre de genre. Ses *Heures du jour* (aujourd'hui au musée de Valenciennes) sont d'aimables mais talentueuses pastorales. Il y représente des paysans idéalisés, mais avec moins de sentimentalisme que n'en met Greuze dans de pareils sujets. Plus tard, il se lance dans la peinture d'événements. Sa relation de la *Quatorzième Expérience aérostatique de Blanchard et Lépinard* (26 août 1785) et son *Retour des aéronautes* (musée Comtesse de Lille) constituent de précieux documents. Louis Watteau est le peintre d'un bonheur tranquille que rien ne semble devoir troubler.

WENDEL, Charles de (1708-1784). Maître de forges, il a succédé en 1737 à son père Jean Martin (fondateur de la dynastie des Wendel) qui avait acquis en 1704 la seigneurie et la forge en faillite d'Hayange. Lui-même achète les forges de Hombourg-l'Évêque, de Sainte-Fontaine et de Saint-Louis, améliore les installations et livre à l'État des fournitures d'artillerie. A sa mort, l'entreprise est dirigée par sa veuve — que l'on appelle Mme d'Hayange — en attendant de l'être par son fils Ignace.

WENDEL, Ignace François de (1741-1795). D'abord officier d'artillerie, il devient ensuite le troisième maître de forges de la famille, et celui qui transforme l'entreprise familiale de son père Charles en un vaste empire industriel. Le groupe qu'il constitue avec Mégret de Sérilly, Baudard de Saint-James et quelques autres financiers obtient l'adjudication des manufactures royales d'armes de Charleville, Mouzon, Mohon, le Moulin-Blanc et Tulle. En 1780, le même groupe se fait confier la direction des fonderies de canons d'Indret. En 1782, le groupe Wendel-Sérilly s'associe avec un autre groupe financier pour la construction de la nouvelle usine du Creusot. Les premiers canons du Creusot sortent en 1789. A cette date, Ignace de Wendel contrôle une grande partie de la sidérurgie française. Aux talents de financier et de gestionnaire, il ajoute une grande capacité d'innovation. C'est lui qui a effectué en 1769, de concert avec Jars, la première coulée de fonte au coke. Au début de la Révolution, il émigre. Le nouveau régime l'en punit en mettant ses forges sous séquestre. Son fils François devra les racheter (en 1803).

WILLERMOZ, Jean-Baptiste. (Saint-Claude, 1730 - Lyon, 1824). Haute autorité de la maçonnerie lyonnaise, c'est un homme qui s'est fait lui-même. Né dans une famille pauvre et nombreuse (treize enfants), ayant débuté comme apprenti chez un mercier, il réussit à devenir l'un des premiers négociants d'étoffes de soie de la place de Lyon. Son initiation dans la maçonnerie date de 1750, mais on a peine à suivre son itinéraire maçonnique, tant il est compliqué : il découvre d'abord les hauts grades, puis les rose-croix ; ensuite il donne dans la maçonnerie illuminée, adhère en 1767 à Versailles à l'ordre des élus Cohens fondé par Martinez Pasqualis, enfin rencontre en 1771 Claude de Saint-Martin. Déçu par ces différentes expériences, il finit par fonder sa propre maçonnerie, celle dite des Directoires (sur le modèle de la maçonnerie régulière allemande). La loge de la Bienfaisance, fondée en 1774, est le centre de ses opérations.

Willermoz n'est pas un matérialiste. Il déplore que l'esprit encyclopédique ébranle la foi traditionnelle. Il veut continuer à pratiquer et à croire, mais à la condition que le voile se lève dès cette vie entre le monde de l'au-delà et celui d'ici-bas. C'est pourquoi il se livre à des pratiques d'occultisme et de spiritisme. Imprégné de pensée naturaliste, il croit la nature animée et cherche à percer ses secrets en utilisant le somnambulisme. Pour se procurer des sujets somnambules, il magnétise lui-même des jeunes filles. Curieux spectacle que celui de cet habile homme d'affaires adonné à des pratiques bizarres et questionnant des somnambules pour se renseigner sur le monde des esprits.

Y

YORKTOWN (capitulation de). La capitulation de Yorktown (Virginie), le 19 octobre 1781, de l'armée anglaise du général Cornwallis devant l'armée franco-américaine fait triompher la cause de l'Indépendance américaine. Elle intervient à l'issue d'une opération de grande envergure, au cours de laquelle le théâtre de la guerre s'est déplacé du nord au sud, où le parti anglais dominait. Fin mars 1781, la décision est prise d'aller le combattre chez lui et plus précisément à Yorktown, sur les rives de la Chesapeake, où ses forces étaient retranchées. Le corps expéditionnaire de Rochambeau marche vers le sud et parcourt 250 lieues en deux mois. Le 14 septembre, il est à Williamsburg (à trois lieues de Yorktown) où l'armée de Washington le rejoint le même jour. Pendant ce temps, le comte de Grasse oblige l'escadre anglaise à s'éloigner vers les Antilles et ferme avec sa flotte l'entrée de la Chesapeake. L'investissement de Yorktown est achevé le 29 septembre. Cornwallis capitule le 19 octobre. Les vainqueurs font huit mille prisonniers.

YOUNG, Arthur (Londres, 11 septembre 1741 - *id.*, 20 avril 1820). Il est l'auteur des *Voyages en France*, précieuse source d'information sur la France des dernières années de l'Ancien Régime.

Fils de pasteur, il étudie à l'école de Lavenham, mais ne poursuit pas longtemps ses études et dès l'âge de dix-sept ans se lance dans la vie active. Après avoir tâté du journalisme et de la comptabilité, il choisit l'agriculture et devient en 1763 agriculteur exploitant, bientôt doublé d'un agronome. Il publie en 1773 un traité intitulé *Rural Economy* et édite à partir de 1784 des *Annals of Agriculture*. Cependant, l'agronomie n'est que l'une de ses nombreux centres d'intérêt. Il écrit sur l'économie politique, voyage et relate ses voyages (*Tour in Ireland*, 1780). Il est vraiment curieux de toutes choses. D'une curiosité non d'humaniste mais d'encyclopédiste, non pas tournée vers la nature humaine mais vers les arts utiles. Le monde n'est pas pour lui un théâtre, mais une vaste manufacture.

Ses premiers contacts avec des Français datent de 1784. Il fait cette année-là connaissance des deux frères La Rochefoucauld voyageant en Angleterre pour leur éducation, sous la conduite de leur précepteur, M. de Lazowski. Trois ans plus tard, Lazowski invite Young à se joindre à lui et à ses élèves pour un voyage vers les Pyrénées. Le 15 mai 1787, Young passe pour la première fois le Channel. Ce premier voyage en France dure de mai à novembre 1787. Il sera suivi de deux autres, en 1788 et en 1789-1790. Il publiera ensuite un très grand nombre d'ouvrages et occupera un moment des fonctions officielles dans le Bureau d'agriculture créé en 1793 par Pitt.

La relation des voyages en France a été publiée pour la première fois en 1792 à Bury Saint Edmunds, sous le titre suivant : *Travels in France during the Years 1787, 1788 and 1789* (2 vol.). L'auteur décrit minutieusement l'état de l'agriculture dans toutes les provinces qu'il traverse, et note les progrès de l'agriculture nouvelle. Mais il observe aussi les autres secteurs de l'économie, et relate ses visites de manufactures.

Young est un esprit éclairé, pour qui les considérations de productivité passent avant toutes les autres, même celles d'humanité. Significative à cet égard, la condamnation qu'il porte contre les droits communaux et contre la petite exploitation paysanne autarcique. Il s'agit pour lui d'un non-sens économique : « Les droits communaux, écrit-il, donnent ordinairement aux classes du peuple qui n'ont pas de propriétés le pouvoir d'envahir celles des autres. » Et à propos de la petite exploitation paysanne : « Un paysan vivant avec sa famille sur son bien, pourvoyant à tous ses besoins par sa propre industrie, sans recourir à l'échange, offre, il est vrai, un tableau de bonheur rural, mais incompatible avec les exigences de la société moderne » (éd. Lesage, t. II, p. 379).

La France apparaît à Young comme le pays des incompréhensibles contrastes : d'un côté des réalisations admirables (les routes du Languedoc, la digue de Cherbourg, les grandes manufactures de coton...), de l'autre la routine, l'archaïsme, la pauvreté, l'ignorance. Un jour, près de Béziers, un brave homme lui demande s'il y a des rivières en Angleterre. Il en reste pantois et fait ce commentaire : « Cette ignorance incroyable, quand on la compare aux lumières si communément répandues en Angleterre, doit être attribuée comme tout le reste au gouvernement. »

Les historiens français citent beaucoup Young. Il est leur référence principale pour cette période. On peut vraiment dire que, depuis deux siècles, nous voyons la France de Louis XVI avec des lunettes d'Anglais.

YVON, Claude (Mamers, 15 avril 1714 - Paris, 1791). Abbé, collaborateur de l'*Encyclopédie*, il écrit pour ce dictionnaire plusieurs articles de théologie, dont les articles « Dieu » et « Âme ». Le premier tome de l'*Encyclopédie* annonce qu'il prépare avec l'abbé de Prades « un ouvrage sur la Religion ». Soupçonné d'avoir pris part à la thèse de l'abbé de Prades, menacé d'une lettre de cachet, il se réfugie en Hollande où il collabore au *Journal encyclopédique* de Marc Michel Rey. Revenu en France, il se réconcilie avec l'autorité ecclésiastique et obtient un canonicat de l'église de Coutances, et la place d'historiographe du comte d'Artois. Dans son ouvrage *La Liberté de conscience resserrée dans des bornes légitimes* (1754-1755), il soutient la thèse de l'abstention de l'État dans les affaires de doctrine. En 1776, il publie l'*Accord de la philosophie avec la religion*. Il avait offert ce livre à l'assemblée du clergé de 1775. L'abbé Bergier en parle dans sa correspondance et n'y trouve rien à redire sur le fond.

QUATRIÈME PARTIE

CHRONOLOGIE

Dates	Vie politique et sociale en France	Vie culturelle en France
1715	**1er septembre :** mort de Louis XIV. **2 septembre :** le parlement de Paris annule le testament de Louis XIV et attribue la régence au duc d'Orléans. **15 septembre :** déclaration royale instituant la polysynodie. **28 septembre :** première séance du Conseil de régence. **25-29 octobre :** assemblée du clergé de France.	Lesage : *Histoire de Gil Blas de Santillane* (V, VI). Rameau : *Cantates*. **13 octobre :** mort de Malebranche.
1716	**1er février :** ordonnance créant l'administration provinciale des Ponts et Chaussées. **Mars :** Bienville occupe en Louisiane le territoire des Natchez. **2 mai :** lettres patentes portant création de la Banque générale. **Août :** début du rapprochement franco-anglais. Mission de l'abbé Dubois à La Haye. Il y rencontre le secrétaire d'État anglais, Stanhope. **Octobre :** deuxième rencontre entre Dubois et Stanhope. **Décembre :** six parlements, dont celui de Paris, révoquent leur acceptation de la bulle *Unigenitus*.	J.-B. Rousseau : *Cantates*. **3 mars :** première représentation publique d'*Athalie* de Racine à la Comédie-Française, salle des Fossés-Saint-Germain. **28 avril :** mort, à Saint-Laurent-sur-Sèvre, de saint Louis-Marie Grignion de Montfort. **18 mai :** première représentation par les comédiens-italiens de *L'Heureuse Surprise* de Luigi Riccoboni.
1717	**4 janvier :** traité de La Haye : triple alliance entre France, Angleterre et Provinces-Unies. **1er février :** traité de commerce, navigation et marine entre la France et les villes hanséatiques. **2 février :** Henri François d'Aguesseau est nommé chancelier de France. **15 février :** Louis XV passe aux hommes[1]. **1er mars :** les quatre évêques de Mirepoix, Boulogne, Montpellier et Senez appellent au concile de la constitution *Unigenitus*. **13 mars :** cinq autres évêques adhèrent à l'appel. **7 mai-20 juin :** séjour à Paris du tsar Pierre. **Août :** lettres patentes créant la Compagnie d'Occident.	Massillon : *Petit Carême*. Destouches : *L'Envieuse*. Crébillon père : *Sémiramis*. Marivaux : *Homère travesti*, poème burlesque. 1re édition des *Mémoires* de Retz. Stahl : *Théorie du phlogistique*. Pitton de Tournefort : *Traité de la matière médicale*. Watteau : *L'Embarquement pour Cythère*. François Couperin le Grand : *L'Art de toucher le clavecin*. **17 mai :** Voltaire est écroué à la Bastille.

___

1. Le soin de son éducation passe des femmes aux hommes.

Vie politique et sociale dans le monde[1]	Vie culturelle dans le monde	Dates
15 décembre : traité de commerce anglo-espagnol : l'Espagne ouvre à l'Angleterre le commerce américain. • **ANGLETERRE, septembre :** insurrection jacobite en Écosse. • **ESPAGNE, 29 novembre :** pragmatique réduisant les libertés des Baléares et de la Catalogne.	Brook Taylor (géomètre anglais) : *Methodus incrementorum directa et inversa.* Cet ouvrage introduit le calcul aux différences finies, qu'il appelle incréments. Filippo Juvara est nommé architecte de la cour de Piémont. Début de la construction, sur plans de Robert de Cotte, du château de Brühl pour l'Électeur de Cologne. Haendel : première suite de *Water Music.*	1715
5 juin : traité de Westminster : alliance défensive entre l'Angleterre et l'Empereur. **9 octobre :** convention de Hanovre entre la France et l'Angleterre. • **ANGLETERRE,** fin de l'insurrection jacobite. Bill de septennalité. • **ESPAGNE,** Alberoni est nommé Premier ministre. **16 janvier :** pragmatique privant la Catalogne et les Baléares de leurs Cortes et de leurs députations.	Alexander Pope : *Lettre d'Héloïse à Abélard.* **14 novembre :** mort de Leibniz à Hanovre. Début des travaux de l'architecte français Le Blond à Saint-Pétersbourg. Giovanni Battista Tiepolo : *Le Sacrifice d'Isaac.*	1716
Voyage du tsar Pierre le Grand : il visite la France, la Hollande et l'Allemagne. **4 janvier :** triple alliance de La Haye (France, Angleterre et Provinces-Unies). **15 août :** traité d'Amsterdam (France, Russie, Prusse). **16 août :** victoire de Belgrade : les Turcs sont battus par l'armée impériale. **22 août :** débarquement espagnol en Sardaigne.	Fondation de l'*Academia portuguesa.* Colin Campbell transforme Burlington House : naissance du style palladien. Jean-Sébastien Bach est nommé *Konzertmeister* du prince Léopold d'Anhalt à Coethen. Haendel : seconde suite de *Water Music.*	1717

---

1. Cette colonne indique en premier lieu les événements survenus dans les relations internationales, et ensuite les faits de l'histoire politique des différents pays. Le classement des pays suit l'ordre alphabétique.

Dates	Vie politique et sociale en France	Vie culturelle en France
1718	**18 janvier** : Marc René d'Argenson est nommé garde des Sceaux. **28 janvier** : le chancelier d'Aguesseau est exilé à Fresnes. **26 août** : lit de justice cassant plusieurs décisions du Parlement. **28 août** : promulgation de la lettre *Pastoralis Officii*, excommuniant les appelants. **Septembre** : Dubois est nommé secrétaire d'État. **15 septembre** : « Acte d'union pour la défense des libertés de la Bretagne ». **23 septembre** : dissolution des Conseils de conscience, affaires étrangères, dedans du royaume, et guerre. **Décembre** : découverte de la conspiration de Cellamare. **4 décembre** : déclaration royale qui convertit la Banque générale en Banque royale.	Fénelon : *Dialogues sur l'éloquence*. Étienne François Geoffroy, dit l'aîné : *Des différents rapports observés en chimie entre différentes substances*. Antoine Claude Mollet commence la construction de l'hôtel d'Évreux (futur palais de l'Élysée). **18 février** : André Cardinal Destouches succède à Michel Richard Delalande comme surintendant de la Musique du roi. **10 avril** : Voltaire sort de la Bastille. **18 novembre** : première représentation d'*Œdipe* de Voltaire.
1719	Épidémie de variole à Paris. **9 janvier** : la France déclare la guerre à l'Espagne. Conjuration de Pontcallec. **15 avril** : mort de Mme de Maintenon. **22 avril** : arrêt du Conseil : la valeur des billets de la Banque royale ne pourra être diminuée. **Mai** : édit réunissant la Compagnie des Indes et de la Chine à la Compagnie d'Occident, et ordonnant que la compagnie soit désormais nommée Compagnie des Indes. **Juin** : la Bourse est installée rue Quincampoix. Le Système de Law est à son apogée. Folie spéculative. **16 juin** : l'armée française, commandée par le duc de Berwick, s'empare de Fontarabie. **21 juillet** : mort de la duchesse de Berry, fille du Régent. **1er août** : l'armée française s'empare de Saint-Sébastien. **27 août** : cassation du bail des fermes.	Abbé Dubos : *Réflexions critiques sur la poésie et la peinture*. **2 décembre** : mort à Amsterdam du père Pasquier Quesnel.

Vie politique et sociale dans le monde	Vie culturelle dans le monde	Dates
1er juillet : les Espagnols débarquent en Sicile. **2 août :** traité de la Quadruple-Alliance (Empereur, France, Angleterre, Provinces-Unies) signé à Cokpit. **11 août :** l'amiral anglais Byng détruit la flotte espagnole à la hauteur de Syracuse et du cap Passaro. **11 décembre :** en campagne contre la Norvège, le roi Charles XII est tué au siège de Frederikshall. • **RUSSIE, 26 juin :** le tsarévitch Alexis, après avoir été torturé, meurt dans un cachot de la forteresse Saint-Pierre-et-Saint-Paul.	Haendel : *Acis and Galatea*, cantate.	**1718**
Juillet : les troupes russes du général Apraxine envahissent le territoire suédois. **20 novembre :** traité de Stockholm entre l'Angleterre et la Suède : la Suède cède Brême et Verden. • **ESPAGNE, 5 décembre :** disgracié, le cardinal ministre Alberoni est dépouillé de toutes ses prérogatives et expulsé d'Espagne. • **PRUSSE, 22 mars :** le roi Frédéric-Guillaume Ier demande aux nobles de son royaume d'affranchir leurs serfs. • **SUÈDE, 10 mars :** le baron de Goertz, ancien confident du roi Charles XII, est décapité.	Daniel De Foe : *Life and Surprising Adventure of Robinson Crusoe*. Christian von Wolff : *Pensées philosophiques sur Dieu*. Premières fouilles méthodiques à Herculanum. Mort en Russie d'Alexandre Le Blond, architecte français. Fondation à Londres de la Royal Academy of Music.	**1719**

Dates	Vie politique et sociale en France	Vie culturelle en France
1719	**Septembre :** découverte de la conjuration de Pontcallec. Les arrestations commencent. **Octobre :** les actions de la Compagnie des Indes atteignent 300 % de gain.	
1720	**Janvier :** traité de Madrid, mettant fin à la guerre. **5 janvier :** Law est nommé contrôleur général des Finances. **13 mars :** le cardinal de Noailles accepte de signer une explication (appelée « accommodement ») de la bulle *Unigenitus*. **22 mars :** une ordonnance de police interdit les rassemblements rue Quincampoix. **25 mars :** exécution à Nantes du marquis de Pontcallec et de trois de ses acolytes. **21 mai :** banqueroute partielle. L'action de la Compagnie est réduite à 5 000 livres, et le billet de la Banque à la moitié de sa valeur. **7 juin :** le chancelier d'Aguesseau est rappelé d'exil. **9 juin :** Dubois est sacré archevêque de Cambrai. **Juillet :** début de la peste de Marseille. **17 juillet :** bousculade rue Quincampoix : quinze personnes sont étouffées. **21 juillet :** déclaration royale exilant le Parlement à Pontoise. **4 août :** déclaration royale interdisant toute attaque contre la bulle, et tout nouvel appel. **10 septembre :** les quatre évêques renouvellent leur appel. **Octobre :** fin de la peste à Marseille. **Décembre :** Law quitte la France. **4 décembre :** après une vive résistance, le parlement de Paris enregistre la déclaration du 4 août. **20-24 décembre :** incendie de Rennes.	Louis Racine : *La Grâce* (poème). Watteau : *L'Enseigne de Gersaint*. **15 février :** première représentation d'*Artémise* de Voltaire. **16 octobre :** première représentation d'*Annibal* de Marivaux. **17 octobre :** première représentation d'*Arlequin poli par l'amour* de Marivaux. **20 octobre :** Rosalba Carriera est reçue à l'Académie royale de peinture et de sculpture.

Vie politique et sociale dans le monde	Vie culturelle dans le monde	Dates
		1719
21 janvier : traité de Stockholm entre la Suède et la Prusse : la Suède cède à la Prusse Stettin et une partie de la Poméranie. **26 janvier :** le roi Philippe V d'Espagne annonce son adhésion à la Triple-Alliance. **16 novembre :** traité de Pruth entre la Russie et la Turquie. • **ANGLETERRE, septembre :** scandale de la South Sea Company.	Achèvement de la construction du Teatro Filarmonico de Vérone (architecte : Francesco Bibiena). Domenico Scarlatti est nommé maître de chapelle de Jean V de Portugal à Lisbonne. J.-S. Bach : *Sonates pour clavecin et violon obligé.*	1720

Dates	Vie politique et sociale en France	Vie culturelle en France
1721	Fondation d'un comptoir de la Compagnie des Indes à Mahé sur la côte de Malabar. **21 janvier :** arrêt du Conseil confiant à la coalition des frères Pâris une enquête sur la liquidation de la Banque et de la Compagnie. **Février :** conférence diplomatique de Cambrai. **21 mars :** traité secret d'alliance entre la France et l'Espagne. **Mai :** la peste venue de Marseille atteint le Languedoc. **16 juillet :** Dubois est élevé au cardinalat. **28 novembre :** exécution à Paris, en place de Grève, du bandit Cartouche.	Montesquieu : *Lettres persanes*. Delisle de La Drevetière : *Arlequin sauvage*. La Bibliothèque royale est installée rue de Richelieu à Paris. Jean Courtonne : hôtel du duc de Noirmoutier, rue de Grenelle ; hôtel de Matignon, rue de Varennes. Début des grands travaux d'urbanisme à Nantes : démolition des remparts et construction du cours Saint-Pierre. **18 juillet :** mort de Watteau à Nogent-sur-Marne. **Décembre :** visite de Voltaire au château de la Source, chez lord Bolingbroke.
1722	**28 février :** d'Armenonville est nommé garde des Sceaux. Disgrâce du chancelier d'Aguesseau. **2 mars :** Marie Anne Victoire, infante d'Espagne, fiancée de Louis XV, fait son entrée à Paris. **14 juin :** Louis XV quitte Paris et s'installe à Versailles. **11 juillet :** déclaration royale rendant obligatoire, pour l'accès aux bénéfices, la signature du Formulaire antijanséniste d'Alexandre VII. **Août :** Dubois obtient le titre de « principal ministre ». **15 août :** Louis XV fait sa première communion. **25 octobre :** Louis XV est sacré à Reims.	Alexis Piron : *Arlequin Deucalion*. Antoine Houdar de La Motte : *Romulus. Le Spectateur français*. Giardini : premiers plans du palais Bourbon. Rameau : *Traité d'harmonie*. Création des universités de Pau et de Dijon. **3 mai :** première représentation de *La Surprise de l'amour* de Marivaux.
1723	Assemblée du clergé de France. **Février :** Fleury est nommé ministre d'État. **22 février :** lit de justice au parlement de Paris : le roi y déclare sa majorité. **Août :** épidémie de petite vérole à Paris.	Voltaire : *La Ligue* (premier titre de *La Henriade*). Houdar de La Motte : *Inès de Castro*. Jean-Baptiste Rousseau : *Odes, Cantates, Épigrammes*. Paul Gabriel Antoine : *Theologia dogmatica*. Jean-Baptiste Sénac : *Nouveau Cours*

Vie politique et sociale dans le monde	Vie culturelle dans le monde	Dates
27 mars : traité secret de Madrid entre la France et l'Espagne : assistance mutuelle en cas d'agression. **13 juin :** traité de Madrid : triple alliance France-Espagne-Angleterre. **10 septembre :** traité de Nystad entre la Suède et la Russie : la Suède cède au tsar la Livonie, l'Estonie, l'Ingrie, une partie de la Carélie et du district de Finlande. • **ANGLETERRE, 4 avril :** Robert Walpole est nommé premier lord de la Trésorerie. • **ROME, 19 mars :** mort du pape Clément XI. **5 mai :** élection du pape Innocent XIII. • **RUSSIE, 22 octobre :** Pierre le Grand prend le titre d'empereur de Russie.	Lady Montague rapporte de Constantinople en Angleterre la pratique orientale de l'inoculation du virus de la petite vérole. Teodoro Ardemano, architecte et peintre du roi, commence la construction du palais de la Granja à Madrid. Filippo Juvara, architecte de la cour de Piémont, achève la construction du palais Madame à Turin. Jean-Sébastien Bach : *Concertos brandebourgeois.*	1721
Juillet-septembre : guerre entre la Russie et la Perse : Pierre le Grand conquiert tout le littoral sud de la mer Caspienne. **21 octobre :** chute de la ville d'Ispahan, capitale de l'Empire perse, assiégée par les Afghans ; reddition du shah Hussein, fin de la dynastie des Çoufis. • **AUTRICHE**, création de la Compagnie d'Ostende par l'empereur Charles VI. • **RUSSIE, 16 février :** oukase du tsar Pierre le Grand attribuant exclusivement au souverain le droit de désigner son successeur. • **CHINE, 20 décembre :** mort de l'empereur Khang-hi et avènement de son fils Yong-tcheng.	Daniel De Foe : *A Journal of the Plague Year* (Journal de l'année de la peste). Ludvig Holberg (Danemark) : *Erasmus Montanus* et *Le Potier d'airain*, comédies. Johann David Koelher : *Historische Münzbelustigungen* (Amusements numismatiques) ; 22 volumes, dont la publication s'échelonnera jusqu'en 1735. Haendel : *Ottone*, opéra. J.-S. Bach : *Le Clavecin bien tempéré*, 1er livre.	1722
• **PIÉMONT**, publication du *Code Victorien* par le roi Victor-Amédée II. • **CHINE**, persécution antichrétienne dans le Fou-Kien.	Jean-Jacques Bodmer (Suisse) : *Discours des peintres.* Ludovico Antonio Muratori : *Rerum italicarum scriptores* ; 28 volumes, dont la publication s'échelonnera jusqu'en 1738. Johann Georg Eckhart : *Corpus historicum medii aevi, sive scriptores*	1723

Dates	Vie politique et sociale en France	Vie culturelle en France
1723	**10 août :** mort du cardinal Dubois. Le duc d'Orléans le remplace. **2 décembre :** mort du duc d'Orléans. Le duc de Bourbon lui succède comme principal ministre.	*de chimie suivant les principes de Newton et de Stahl.* François Le Moyne : *Transfiguration* (chapelle des Jacobins). **6 avril :** première représentation de *La Double Inconstance* de Marivaux.
1724	**Mars :** le louis est ramené de 24 à 20 livres, et l'écu de 6 à 5 livres. **14 mai :** « déclaration concernant la religion » : mesures de rigueur contre les protestants ; les enfants seront baptisés dans les vingt-quatre heures suivant la naissance : les prédicants seront passibles de la peine de mort. Déclaration royale obligeant toutes les communautés d'habitants à créer des écoles. **18 juillet :** « déclaration concernant les mendiants et les vagabonds » : ceux qui peuvent travailler seront enrôlés dans les Ponts et Chaussées. **24 septembre :** arrêt du Conseil portant « établissement d'une Bourse dans la Ville de Paris » (cette mesure consacre l'existence officielle de la Bourse de Paris). **29 octobre :** le Conseil d'en haut décide secrètement de rompre les fiançailles du roi avec l'infante.	Fondation du club de l'Entresol. Montesquieu écrit le *Dialogue de Sylla et d'Eucrate* (publié en 1745). N. A. Coypel : *Arion monté sur le dauphin.* **5 février :** première représentation du *Prince travesti ou l'Illustre Aventurier* de Marivaux. **8 juillet :** première représentation de *La Fausse Suivante ou le Fourbe puni* de Marivaux. **6 octobre :** mort de Dufresny. **10 décembre :** première représentation du *Dénouement imprévu* de Marivaux.
1725	**Février :** Louis XV est malade pendant trois jours. On craint la petite vérole. **12 mai :** renvoyée en Espagne, l'infante quitte la France. **29 mai :** le roi annonce son mariage avec Marie Leszczyńska. **5 juin :** déclaration royale instituant la taxe du cinquantième, impôt en nature sur tous les revenus.	Béat Louis de Muralt : *Lettres sur les Anglais et les Français et les voyages.* Anne Danican Philidor inaugure, à la salle des Suisses aux Tuileries, la première saison officielle d'auditions musicales appelées « Concert spirituel ». **5 mars :** première représentation de *L'Île des esclaves*, de Marivaux.

Vie politique et sociale dans le monde	Vie culturelle dans le monde	Dates
	res... gestas enarrantes, Leipzig, 2 vol. Pietro Giannone : *Istoria civile del Regno di Napoli Libri XL* (Histoire civile du royaume de Naples). Achèvement du palais du Haut-Belvédère à Vienne, construit pour le prince Eugène de Savoie par l'architecte Lukas von Hildebrandt. Achèvement de l'église d'Einsiedeln en Suisse par l'architecte Kaspar Moosbrugger. J.-S. Bach est nommé Cantor de l'église Saint-Thomas de Leipzig. J.-S. Bach : *Passion selon saint Jean* et *Magnificat*.	1723
23 juin : deuxième traité de Constantinople entre la Russie et la Turquie (grâce à la médiation de Bonnac, ambassadeur de France à Constantinople). • **ESPAGNE, janvier :** le roi Philippe V abdique en faveur de son fils aîné qui prend le nom de Louis Ier. **31 août :** le roi Louis Ier meurt de la petite vérole. Philippe V revient sur le trône. • **ROME, 7 mars :** mort du pape Innocent XIII. **29 mai :** élection du pape Benoît XIII.	Anthony Collins : *Discourse of the Grounds and Reasons of the Christian Religion* (Discours sur les fondements de la religion chrétienne), Londres. Germain Boffrand travaille à la construction du palais épiscopal de Würzburg. James Gibbs construit le *Fellows Building* de Cambridge. Pietro Bonaventura Metastasio fait représenter à Naples sa *Didone abbandonata*, tragédie lyrique.	1724
1er avril et 30 mai : traités d'alliance entre l'Espagne et l'Empereur. **23 septembre :** traité de Hanovre entre la France, l'Angleterre et la Prusse (promesse d'assistance mutuelle en cas d'agression). • **ROME,** jubilé décrété par le pape Benoît XIII. • **RUSSIE, 28 janvier :** mort de Pierre	Jonathan Swift : *Drapier's Letters* (Lettres d'un drapier), pamphlet. Giovanni Battista Vico : *Principi di una nuova Scienza intorno alla natura delle nazione* (Principes d'une nouvelle science au sujet de la nature des nations), Naples. **5 février :** Catherine Ire, impératrice de Russie, remet au capitaine Vitus Bering ses ordres pour l'expédition	1725

Dates	Vie politique et sociale en France	Vie culturelle en France
1725	**12 juillet :** « émotion populaire » au faubourg Saint-Antoine : les boulangers sont pillés. **5 septembre :** mariage du roi. **2 octobre :** assemblée du clergé de France. **Décembre :** nouvelle mutation monétaire. Le louis est ramené à 14 livres, l'écu à 3 livres 10 sols. **2 décembre :** une escadre française, partie de Pondichéry, commandée par le chevalier de Pardaillan, reconquiert Mahé, d'où les marchands français avaient été expulsés à l'instigation des Anglais.	**19 août :** première représentation de *L'Héritier de village* de Marivaux. **Décembre :** Voltaire est bâtonné par les laquais du chevalier de Rohan.
1726	Assemblée du clergé de France. **Janvier :** le louis est relevé à 24 livres, l'écu à 6 livres. La valeur de la livre demeurera inchangée jusqu'en 1785. **26 février :** ordonnance royale rétablissant la milice. **12 juin :** le duc de Bourbon est renvoyé. **16 juin :** Louis XV supprime la fonction de « principal ministre », mais charge Fleury, son ancien précepteur, d'en tenir le rôle. **19 août :** premier bail de la ferme générale (bail Carlier). **5 novembre :** Fleury reçoit le chapeau de cardinal.	Montesquieu écrit l'*Essai sur le goût*, qui sera publié en 1757. Rollin : *Traité des études*. P. Anselme : *Histoire généalogique et chronologique de la maison de France*. Père Paul Gabriel Antoine : *Theologia moralis universa*. Rameau : *Nouveau Système de musique théorique*. J. Servandoni transforme la mise en scène de l'Opéra. Fondation à Paris de la loge Saint-Thomas, première loge maçonnique française. **17 avril :** Voltaire est enfermé à la Bastille. **2 mai :** Voltaire s'embarque à Calais pour l'Angleterre. Il y séjournera jusqu'en février 1729.
1727	**1er mai :** mort à Paris du diacre François Pâris. **3 mai :** premier miracle sur la tombe de François Pâris, au cimetière Saint-Médard. **9 mai :** mort à Reims du chanoine appelant Gérard Rousse. **Juillet :** suppression du cinquantième. **7 juillet :** premier miracle sur la tombe de Gérard Rousse. **14 août :** naissance d'Élisabeth Louise et d'Henriette Anne, filles ju-	Destouches : *Le Philosophe marié*. Boulainvilliers : publication posthume, à La Haye, des *Mémoires présentés au duc d'Orléans* et de l'*Histoire de l'ancien gouvernement de la France*, et, à Londres, de l'*État de la France*. Chevalier de Ramsay : *Les Voyages de Cyrus*. **20 septembre :** première représentation de *L'Île de la Raison ou les Petits Hommes* de Marivaux.

Vie politique et sociale dans le monde	Vie culturelle dans le monde	Dates
le Grand. Son épouse lui succède sous le nom de Catherine Iʳᵉ.	qui doit le conduire jusqu'en Alaska par le Kamtchatka. Francesco de Sanctis : escalier de la Trinité-des-Monts, place d'Espagne à Rome. Giovanni Battista Piazzetta, peintre de l'école vénitienne : *Gloire de saint Dominique* (église de San Giovanni e Paolo à Venise).	**1725**
6 août : traité d'alliance entre la Russie et l'Empereur : assistance mutuelle en cas d'agression. Maurice de Saxe est élu roi par les États de Courlande.	Jonathan Swift : *Travels... by Samuel Gulliver* (Voyages de Gulliver). James Thomson : *The Seasons* (Les Saisons), poème. James Gibbs achève la construction de l'église Saint-Martin-in-the-Fields à Londres (plan circulaire). Joseph Effner achève la construction du château et des pavillons du parc de Nymphenbourg (Bavière). Antonio Vivaldi : *Les Quatre Saisons*. Haendel : *Alessandro nell'Indie* (Alexandre aux Indes), opéra.	**1726**
14 mars : traité d'alliance entre la France et la Suède. **16 avril :** traité de Copenhague : alliance France-Angleterre-Danemark. **31 mai :** préliminaires de Paris entre l'Autriche et les puissances maritimes (Angleterre et Provinces-Unies) sous les auspices de la France. **19 août :** Maurice de Saxe, roi élu de Courlande, est chassé de ce pays par les troupes russes. Déclaration de guerre de l'Espagne à l'Angleterre.	**20 mars :** mort à Londres d'Isaac Newton. Stephen Hales, *Vegetable Staticks* (Statique des végétaux). James Bradley découvre le mouvement particulier de l'étoile γ dans la constellation du Dragon et en établit la loi.	**1727**

Dates	Vie politique et sociale en France	Vie culturelle en France
1727	melles de Louis XV et de Marie Leszczyńska. **14 août :** retour en grâce du chancelier d'Aguesseau. **16 août :** ouverture du concile d'Embrun. **17 août :** Germain Louis de Chauvelin est nommé garde des Sceaux. **23 août :** Chauvelin est nommé secrétaire d'État aux Affaires étrangères. **26 septembre :** clôture du concile d'Embrun. Soanen, évêque de Senez, est condamné par le concile, déclaré suspens et relégué à La Chaise-Dieu.	**31 décembre :** première représentation de *La Seconde Surprise de l'Amour* de Marivaux.
1728	**Juin :** début de l'assemblée de Soissons, conférence diplomatique entre la France, l'Espagne et l'Autriche. **28 juillet :** naissance de Louise Marie, troisième enfant de Louis XV et de Marie Leszczyńska. **11 octobre :** le cardinal de Noailles se rétracte, et publie une acceptation pure et simple de la bulle.	Voltaire : *La Henriade*, publiée à Londres. Antoine François Prévost achève la rédaction des *Mémoires et aventures d'un homme de qualité*. Débuts du journal janséniste, *les Nouvelles ecclésiastiques*. Chardin : *La Raie dépouillée*. Jacques III Gabriel commence la construction de l'hôtel de Peyrenc de Moras (aujourd'hui musée Rodin). **24 janvier :** Montesquieu est élu à l'Académie française. **Mars :** J.-J. Rousseau s'enfuit de Genève. **22 avril :** première représentation du *Triomphe de Plutus* de Marivaux. **20 mai :** Montesquieu est à Luxembourg, où il est présenté à l'empereur Charles VI. Il commence un voyage en Europe.
1729	**4 avril :** mort du cardinal de Noailles. **31 mai :** exécution à Paris, en place de Grève, du bandit Nivet et de ses complices. **4 septembre :** naissance du Dauphin. **9 novembre :** traité de Séville entre la France, l'Espagne et l'Angleterre. La possession du duché de Parme est attribuée à don Carlos, infant d'Espagne.	Voltaire est de retour à Paris. Le duc de Saint-Simon rédige ses *Mémoires*. Pierre Bouguer : *Essai d'optique sur la gradation de la lumière*. **Avril :** J.-J. Rousseau est recueilli par Mme de Warens. **27 avril :** J.-J. Rousseau abjure le protestantisme à Turin. **Octobre :** Montesquieu arrive en Angleterre.

Vie politique et sociale dans le monde	Vie culturelle dans le monde	Dates
• **ANGLETERRE, 22 juin :** mort du roi George Ier. Avènement du roi Georges II. • **RUSSIE, 17 mai :** mort de l'impératrice Catherine Ire. Pierre II, petit-fils de Pierre le Grand, lui succède.		**1727**
6 mars : convention du Prado : le roi d'Espagne adhère aux préliminaires de Paris et arrête les hostilités contre l'Espagne. **14 juin :** ouverture du congrès de Soissons. Toutes les puissances européennes y sont représentées, y compris la Russie. • **DANEMARK,** incendie de Copenhague.	Fondation de l'Académie d'Upsal (Suède). Ephraïm Chambers : *Cyclopaedia or the Dictionary of Arts and Sciences.* Filippo Raguzzini : place San Ignazio à Rome. Ignace Kilian Dientzenhofer : achèvement de l'église Saint-Jean-Népomucène à Prague. Matthaus Daniel Pöppelmann : achèvement du château de Zwinger à Dresde. William Hogarth : *Une scène de « Beggar's Opera ».* John Gay : *The Beggar's Opera.* Pietro Bonaventura Metastasio : *Catone,* tragédie lyrique.	**1728**
Juillet : fin du congrès de Soissons. **9 novembre :** traité de Séville : alliance défensive (dirigée contre l'Autriche) entre la France, l'Espagne et l'Angleterre. • **PERSE, 2 octobre :** bataille de Damaghan : Achref, l'usurpateur afghan du trône, est vaincu par les troupes de Nâdir au service de Tahmasp II, roi légitime.	Les deux physiciens anglais Stephen Gray et Granville Wheler découvrent la conductibilité électrique et la propriété des corps isolants. Domenico Rossi : achèvement de l'église des Jésuites de Venise. J.-S. Bach : *Passion selon saint Matthieu.*	**1729**

Dates	Vie politique et sociale en France	Vie culturelle en France
1730	Assemblée du clergé de France. **20 mars :** Philibert Orry est nommé contrôleur général des Finances. **24 mars :** déclaration royale : les bénéfices des ecclésiastiques ayant refusé de signer le *Formulaire* sont déclarés vacants. **3 avril :** enregistrement en lit de justice de la déclaration du 24 mars. **14 mai :** remontrances du parlement de Bretagne sur la déclaration du 24 mars. **17 mai :** remontrance du parlement de Normandie sur la déclaration du 24 mars. **30 août :** naissance de Philippe duc d'Anjou, deuxième fils de Louis XV.	Réaumur réalise l'échelle thermométrique. Boulainvilliers : *La Vie de Mahomet.* **23 janvier :** première représentation du *Jeu de l'amour et du hasard* de Marivaux. **15 février :** première mention du nom de Chardin (dans une commande de tableaux, faite par Alexandre de Rothenbourg, ambassadeur de France à Madrid). **11 décembre :** première représentation de *Brutus* de Voltaire.
1731	**Février :** ordonnance sur les donations. **5 février :** déclaration royale précisant la compétence des prévôts des maréchaux et dressant la liste des cas prévôtaux. **10 mars :** arrêt du Conseil confirmant la juridiction de l'Église (affaire du refus de sacrements). **Juillet :** début des « convulsions » au cimetière Saint-Médard. **13 août :** vingt-trois curés parisiens présentent une requête à Mgr de Vintimille, archevêque de Paris, en vue d'obtenir l'examen de cinq « miracles » survenus au cimetière Saint-Médard. **5 septembre :** arrêt du Conseil pour faire cesser toutes contestations au sujet de la bulle *Unigenitus.* **7 septembre :** arrêt du parlement de Paris : les ministres de l'Église sont comptables au roi de l'exercice de leurs fonctions (affaire du refus de sacrements). **8 septembre :** l'arrêt du Parlement est cassé par le Conseil du roi.	Marivaux : *La Vie de Marianne.* Prévost : *Le Philosophe anglais* (t. I et II). *Manon Lescaut.* Voltaire : *Charles XII. Discours sur la tragédie.* Terrasson : *Sethos.* Lemoyne : *L'Assomption de la Vierge* (église Saint-Sulpice) ; début de la composition du salon d'Hercule. Chardin : *La Table de cuisine* ; *Les Attributs des arts* ; *Les Attributs des sciences.* Création de l'Académie de chirurgie. La Bibliothèque du roi recueille les collections de la Colbertine. Fleury ferme le club de l'Entresol. **Août :** Montesquieu rentre à La Brède, ayant achevé son périple européen. **9 novembre :** première représentation de *La Réunion des amours* de Marivaux.

Vie politique et sociale dans le monde	Vie culturelle dans le monde	Dates
• **ANGLETERRE**, William Stanhope est nommé secrétaire d'État. • **RUSSIE, 30 janvier :** mort du tsar Pierre II. **21 mars :** l'impératrice Anna Ivanovna succède à Pierre II. • **ROME, 21 février :** mort du pape Benoît XIII. **12 juillet :** élection du pape Clément XII. • **SAVOIE-SARDAIGNE, 3 septembre :** le roi Victor-Amédée II abdique en faveur de son fils Charles-Emmanuel. • **TURQUIE, 1er octobre :** le sultan Ahmed III est renversé par les janissaires et remplacé par son neveu, le prince Mahmoud, qui devient Mahmoud Ier. • **PERSE, janvier :** vainqueur des Afghans, le shah de Perse Tahmasp II fait son entrée à Ispahan.	**26 avril :** mort de Daniel De Foe. Jean-Christophe Gottsched : *Essai d'art poétique critique pour les Allemands*, Leipzig. Albert de Haller (Suisse) : *Les Alpes*, poème. Charles Linné : *Hortus uplandicus*. Giovanni Battista Vaccarini : premiers travaux de la façade de la cathédrale de Catane, chef-d'œuvre du baroque tardif. Hildebrandt : belvédère supérieur de la résidence à Vienne du Prince Eugène. William Hogarth : *La Famille Wollaston*.	1730
10 mars : ouverture de la succession de Parme par la mort du dernier duc Farnèse. **16 mars :** second traité de Vienne : l'Angleterre et l'Espagne reconnaissent la Pragmatique, c'est-à-dire les dispositions prises par l'empereur Charles VI pour que sa fille Marie-Thérèse recueille à sa mort tout l'héritage Habsbourg. **22 juillet :** les Provinces-Unies reconnaissent à leur tour la Pragmatique. **22 juillet :** accord austro-espagnol signé à Vienne : Charles VI confirme les droits de don Carlos, fils du roi d'Espagne, sur les duchés de Parme et de Plaisance.	Jethro Tull : *Essay on Horse-Hoeing Husbandry*. William Hogarth : *The Harlot's Progress* (La Vie d'une courtisane).	1731

Dates	Vie politique et sociale en France	Vie culturelle en France
1732	**27 janvier :** ordonnance royale fermant le cimetière Saint-Médard. **Mars :** naissance de Marie Adélaïde, quatrième fille de Louis XV. **3 mai :** mandement de l'archevêque de Paris condamnant les *Nouvelles ecclésiastiques*. **14 mai :** arrestation des conseillers Pucelle et Titon, qui avaient combattu la déclaration du 24 mars 1730. **16 mai :** les Chambres des enquêtes et des requêtes amorcent une grève judiciaire pour défendre le droit du Parlement d'intervenir dans les affaires religieuses. **20 juin :** démissions des Chambres des enquêtes et des requêtes. **5 juillet :** les démissions des chambres sont reprises. **18 août :** déclaration royale, dite de Discipline, restreignant le droit de remontrance du Parlement, et interdisant aux magistrats de délibérer sur les affaires religieuses. Le Parlement refuse d'enregistrer. **3 septembre :** lit de justice à Versailles pour l'enregistrement de la déclaration de Discipline. **4 septembre :** les Chambres des enquêtes et des requêtes décident de continuer à suspendre l'exercice de la justice. **7 septembre :** 139 conseillers sont arrêtés et dispersés dans douze villes de province. **11 novembre :** les parlementaires exilés sont rappelés. Fin de l'affaire de la déclaration de Discipline.	Lesage : *Histoire de Guzmán d'Alfarache, nouvellement traduite et purgée des préjugés superflus*. Destouches : *Le Glorieux*. Maupertuis : *Discours sur les différentes figures des astres*. Pluche : *Le Spectacle de la nature*. Edme Bouchardon : *Le Faune endormi*. Boucher : *Vénus commandant à Vulcain des armes pour Énée*. Servandoni : portail de l'église Saint-Sulpice et tribune de l'orgue. **12 mai :** première représentation du *Triomphe de l'amour* de Marivaux. **8 juin :** première représentation des *Serments indiscrets* de Marivaux. **20 juillet :** première représentation de *L'École des mères* de Marivaux. **13 août :** première représentation de *Zaïre* de Voltaire.
1733	**25 avril :** le parlement de Paris supprime deux ouvrages du chanoine Claude Le Peletier, prouvant que la bulle est règle de foi. **1er mai :** l'arrêt du Parlement du 25 avril est cassé par le Conseil du roi. Naissance de Thérèse Victoire, cinquième fille de Louis XV. **12 septembre :** la diète de Pologne élit roi Stanislas Lesczyński, candidat de la France.	Voltaire : *Le Temple du goût*. Prévost : *Le Pour et le Contre, ouvrage périodique d'un goût nouveau*. Abbé de Saint-Pierre : *Ouvrages de politique*. Début de la publication de l'*Histoire littéraire de la France*, par les bénédictins de Saint-Maur. Charles François de Cisternay du Fay découvre les deux sortes d'électricité.

Vie politique et sociale dans le monde	Vie culturelle dans le monde	Dates
16 janvier : traité de Hamadan : la Perse cède à la Turquie la Géorgie et l'Arménie. • **NAPLES, 9 novembre :** naissance de l'institut religieux des Rédemptoristes, fondé par Alphonse de Liguori.	Benjamin Franklin publie sous le nom de Richard Saunders son premier *Almanach du Bonhomme Richard*, recueil de morale pratique et de proverbes. Hermann Boerhave : *Elementa Chemiae...* (Éléments de chimie), Leyde. James Bradley découvre la *nutation*, par laquelle on explique mieux qu'on ne l'avait fait jusqu'alors la précession des équinoxes. Trezzini : projet des douze palais des Ministères à Saint-Pétersbourg. Giovanni Battista Tiepolo : *Abraham et les Anges* ; *Agar et Ismaël* (ces deux toiles pour San Rocco de Venise) ; fresques à la chapelle Colleone de Bergame. Francesco Geminiani : *Concerti grossi* (1er recueil).	1732
1er février : mort d'Auguste II, Électeur de Saxe et roi de Pologne. La succession de Pologne est ouverte. **Août-octobre :** opérations militaires de la guerre de Succession de Pologne. **Juillet :** début d'hostilités entre la Perse et la Turquie. **19 août :** convention de Varsovie entre la tsarine et l'Empereur : les deux souverains s'engagent à faire	Alexander Pope : *Essai sur l'homme.* Fondation à Londres de la *Society of Dilettanti* (archéologie antique). John Kay invente la navette volante, perfectionnement du métier à tisser. **21 août :** fondation à Boston de la *Saint John's Lodge*, première loge maçonnique d'Amérique. François de Cuvilliés : achèvement des « chambres riches » de la Résidence de Munich.	1733

Dates	Vie politique et sociale en France	Vie culturelle en France
1733	**26 septembre :** traité de Turin, concluant une alliance entre la France et la Savoie contre l'Autriche. **29 octobre :** début de la guerre de Succession de Pologne : l'armée française passe le Rhin. **7 novembre :** traité de l'Escurial concluant une alliance entre la France et l'Espagne contre l'Autriche. **17 novembre :** déclaration royale rétablissant l'impôt du dixième afin de financer la guerre contre l'Autriche.	Rameau écrit son premier opéra, *Hippolyte et Aricie*. Jean Marie Leclair entre à la Musique du roi. Jacques III Gabriel fournit le plan de l'aile nouvelle du palais des États à Dijon. **6 juin :** première représentation de *L'Heureux Stratagème* de Marivaux. **12 juillet :** mort de Mme de Lambert.
1734	Assemblée du clergé de France. La liaison de Louis XV et de Louise de Mailly devient quasi officielle. La maîtresse est logée dans les Petits Appartements. **Mai :** guerre de Succession de Pologne. Le roi Stanislas est obligé de se retrancher à Dantzig, où il est assiégé par les Russes. **27 mai :** le comte de Plelo, ambassadeur de France au Danemark, est tué à Dantzig. Il s'était enfermé dans cette ville pour animer sa résistance. **12 juin :** le maréchal de Berwick, commandant de l'armée française, est tué devant Philippsbourg. **17 juin :** mort à Turin du maréchal de Villars. **29 juin :** bataille de Parme. Victoire franco-sarde sur les Impériaux. **Juillet :** capitulation de Philippsbourg devant l'armée française. Occupation de la Lombardie par l'armée française. **19 septembre :** victoire française de Guastalla sur les Impériaux.	Voltaire : *Lettres philosophiques.* Montesquieu : *Considérations sur les causes de la grandeur des Romains et de leur décadence.* Marivaux : *Le Cabinet du philosophe.* Dubos : *Histoire critique de l'établissement de la monarchie française dans les Gaules.* Réaumur : *Histoire des insectes.* Achèvement à Versailles des Petits Appartements de la cour des Cerfs et du bassin de Neptune. **18 janvier :** première représentation d'*Adélaïde du Guesclin* de Voltaire. **30 janvier :** Boucher présente à l'Académie *Renaud et Armide dans les plaisirs.* **3 mai :** lettre de cachet contre Voltaire. **Juin :** Voltaire est à Cirey chez Mme du Châtelet. **10 juin :** arrêt du Parlement ordonnant de brûler les *Lettres philosophiques* et d'en rechercher l'auteur. **6 août :** première représentation de *La Méprise* de Marivaux. **6 novembre :** première représentation du *Petit-Maître corrigé* de Marivaux.
1735	Assemblée du clergé de France. Ordonnance de d'Aguesseau sur les testaments. Transfert à Rennes des facultés de droit de Nantes. **Octobre :** préliminaires de Vienne,	Prévost : *Le Doyen de Killerine* (t. I). Du Halde : *Description de la Chine.* L'abbé Nollet commence à Paris son cours de physique newtonienne. Départ de l'expédition Bouguer, Go-

Vie politique et sociale dans le monde	Vie culturelle dans le monde	Dates
élire Auguste III de Saxe, fils d'Auguste II, au trône de Pologne. **12 septembre :** Stanislas Leszcsyński est élu roi de Pologne. **24 septembre :** contre-élection d'Auguste III. **Décembre :** les troupes espagnoles de l'infant don Carlos achèvent de chasser les Autrichiens du royaume des Deux-Siciles.	Alberto Churriguera : Plaza Mayor de Salamanque. Giovanni Battista Pergolesi : *La Serva Padrona*, opéra bouffe. Pietro Locatelli : *Caprices énigmatiques*, opus 9. Haendel : *Orlando*, opéra. Georg Philipp Telemann : *Musique de table*.	1733
Opérations militaires de la guerre de Succession de Pologne. **30 avril :** décret d'Aranjuez par lequel le roi Philippe V d'Espagne fait de son fils don Carlos le roi des Deux-Siciles. **10 mai :** don Carlos fait à Naples une entrée triomphale. **15 mai :** don Carlos publie le décret d'Aranjuez et prend le nom de Charles VII. **Novembre :** l'armée espagnole achève de chasser les Impériaux du royaume de Naples.	Vassili Kirolovitch Trediakovski : *Méthode de la nouvelle versification russe*. Johann Albert Bengel : *Novum Testamentum graecum...* (édition critique du Nouveau Testament), Tubingen. Achèvement de *All Soul's College* à Oxford. Pietro Bonaventura Metastasio : *La Clemenza di Tito*, tragédie lyrique. J.-S. Bach : *Oratorio de Noël*. Haendel : *Concerti grossi*, opus 3.	1734
Guerre de Succession de Pologne : les opérations militaires se poursuivent jusqu'en octobre. Négociations tout au long de l'année entre les principales puissances afin de mettre fin à la guerre :	Charles Linné : *Systema Naturae sive regna tria naturae, systematice proposita, per classes, ordines, genera et species* (Système de la nature, ou les trois règnes rangés par classes, ordres et genres), Leyde.	1735

Dates	Vie politique et sociale en France	Vie culturelle en France
1735	jetant les bases d'un traité de paix entre la France et l'Autriche.	din, La Condamine pour le Pérou afin de mesurer un arc de méridien. François Boucher reçoit sa première commande de la direction des Bâtiments du roi : quatre peintures en grisaille pour la chambre de la reine à Versailles. **30 mars-7 mai :** séjour de Voltaire à Paris, en compagnie de Mme du Châtelet. **9 mai :** première représentation de *La Mère confidente* de Marivaux. **11 août :** première représentation de *La Mort de César* de Voltaire, au collège d'Harcourt. **23 août :** première représentation des *Indes galantes*, opéra de Rameau.
1736	**15 janvier :** le Dauphin passe aux hommes. **16 mai :** naissance de Thérèse Félicité (« Madame Sixième »). **4 septembre :** après délibération du Conseil, toute tenue de loge maçonnique est interdite. **30 septembre :** déclaration de Meudon. Stanislas Leszczyński accepte de remettre l'administration des duchés de Lorraine et de Bar à un intendant qu'il choisira de concert avec le roi de France. **11 novembre :** Philibert Orry est nommé ministre d'État.	Liturgies néogallicanes : publication du *Bréviaire de Paris* et du *Missel de Troyes*. Voltaire : *Défense du mondain*, poème. Crébillon fils : *Les Égarements du cœur et de l'esprit*, roman. Jean Astruc : *De morbis venereis libri sex*. François Boucher : tapisseries de Beauvais : *Les Fêtes italiennes ou Fêtes de village à l'italienne*. **11 janvier :** première représentation du *Legs* de Marivaux. **27 janvier :** première représentation d'*Alzire* de Voltaire. **Avril :** départ pour la Laponie de l'expédition Maupertuis-Clairaut. Le but de l'expédition est de mesurer un arc de méridien. **Juillet :** l'expédition Maupertuis-Clairaut arrive à Tornio. **17 août :** mort à Saumur de sainte Jeanne Delanoue, fondatrice des Servantes des Pauvres. **10 octobre :** première représentation de *L'Enfant prodigue* de Voltaire.
1737	**1er janvier :** suppression du dixième. **15 février :** confirmation de la cession des duchés de Lorraine et de Bar à Stanislas Leszczyński.	Fondation de la Société française d'agriculture. **16 mars :** première représentation des *Fausses Confidences* de Marivaux.

Vie politique et sociale dans le monde	Vie culturelle dans le monde	Dates
1er février : convention de préliminaires proposée par la France. **28 février :** l'Angleterre et les Provinces-Unies proposent un plan de pacification. **3 octobre :** signature à Vienne des préliminaires de paix.	Egid Quirin Asam : décor sculpté de l'église Saint-Jean-Népomucène de Munich. Giovanni Battista Piazzetta : *L'Assomption* (commande de l'Électeur de Cologne, aujourd'hui au Louvre). William Hogarth : *La Piscine de Bethesda* et *Le Bon Samaritain*. Giovanni Battista Pergolesi : *Olimpiade*, opéra. Tomaso Albinoni : *Sinfonie a quattro*.	1735
12 février : mariage de François, duc de Lorraine, et de Marie-Thérèse d'Autriche. **Juillet :** les troupes russes s'emparent de la Crimée. Guerre russo-turque. **24 septembre :** François, duc de Lorraine, cède à la France le duché de Bar. **17 octobre :** traité de Constantinople entre la Turquie et la Perse. La Turquie rend toutes ses conquêtes. • **AUTRICHE, 21 avril :** mort à Vienne du Prince Eugène. • **CHINE**, mort de l'empereur Yong-tcheng. Avènement de son fils K'ien-long. • **PERSE, 20 mars :** Nãdir-Chah est proclamé roi de Perse.	Léonard Euler : *Mechanica, sive motus scientia, analytice exposita* (Mécanique, ou la science du mouvement, exposée selon la méthode de l'analyse), Saint-Pétersbourg. Alessandro Galilei : façade de Saint-Jean-de-Latran. Giorgio Massari : églises des Gesuiti de Venise. Giovanni Battista Tiepolo : premier grand cycle de fresques à Udine. William Hogarth : *Les Quatre Heures de la journée* (quatre toiles). Giovanni Battista Pergolesi : *Stabat Mater*.	1736
Continuation de la guerre russo-turque. L'Autriche intervient dans le conflit en application de l'accord austro-russe (1726).	Ignazio de Luzan : *La Poetica, o Reglas de la poesia en general...* (La poétique, ou règles de la poésie), Saragosse.	1737

Dates	Vie politique et sociale en France	Vie culturelle en France
1737	**21 février :** Amelot de Chailloux, nouveau secrétaire d'État aux Affaires étrangères, prête serment pour sa charge. **22 février :** Chauvelin est exilé à Bourges. **20 mars :** Philibert Orry est nommé directeur général des Bâtiments du roi. **29 juillet :** le conseiller au Parlement Carré de Montgeron est embastillé pour avoir osé remettre au roi un exemplaire de son ouvrage sur les miracles du diacre Pâris.	**18 août :** ouverture du Salon du Louvre. Chardin y expose sept tableaux qui sont tous des scènes de genre. Désormais les Salons auront lieu chaque année. **24 août :** première représentation de *Castor et Pollux*, opéra de Rameau.
1738	Réforme du bail des Postes : la gestion du service est confiée au contrôle général. Le duc d'Antin devient grand maître de la maçonnerie française. **6 janvier :** Jean-Frédéric Phélypeaux, comte de Maurepas, est nommé ministre d'État. **Pâques :** pour la première fois, Louis XV ne fait pas ses Pâques. **2 mai :** traité de paix entre la France et l'Autriche (troisième traité de Vienne). **28 juin :** Victoire, Sophie, Thérèse et Louise, filles de Louis XV, arrivent à l'abbaye de Fontevrault, où le roi les envoie pour qu'elles y soient éduquées. Règlement concernant la procédure du Conseil. **Juillet :** les relations conjugales entre Louis XV et son épouse cessent définitivement.	Voltaire : *Éléments de la philosophie de Newton. Discours sur l'homme.* Début de la publication par dom Bouquet du *Recueil des historiens des Gaules et de la France.* Rouelle commence son cours public de chimie. **7 juillet :** première représentation de *La Joie imprévue* de Marivaux. **18 août-10 septembre :** Salon du Louvre.
1739	Pauline Félicité de Mailly devient la maîtresse du roi. Les Français de la Nouvelle-France commencent à occuper la vallée de l'Ohio. **29 août :** Élisabeth, fille de Louis XV, épouse par procuration l'infant Philippe. **Septembre :** Louis XV achète le château de Choisy.	Prévost : *Le Philosophe anglais.* D'Argens : *Lettres chinoises.* Jean-Baptiste Sauvé, dit La Noue : *Mahomet II*, tragédie. Bouchardon : *L'Amour taillant son arc dans la massue d'Hercule* (commande du roi). Plans de la fontaine de Grenelle (commande de la Ville de Paris). Rameau : *Les Fêtes d'Hébé, ou les Talents lyriques*, opéra-ballet. *Dardanus*, tragédie lyrique.

Vie politique et sociale dans le monde	Vie culturelle dans le monde	Dates
2 mai : conclusion du traité définitif mettant fin à la guerre de Succession de Pologne.	Charles Linné : *Genera plantarum earumque characteres naturales...* (Les genres des plantes et leurs caractères naturels...), Leyde. Ferdinando Fuga : achèvement du palais de la Consulta à Rome.	**1737**
Printemps : guerre entre la Russie et l'Autriche d'une part, et la Turquie d'autre part. Campagne des Turcs contre l'Autriche. **18 novembre :** l'Angleterre et la Hollande ratifient le troisième traité de Vienne (confirmation du traité de 1737 mettant fin à la guerre de Succession de Pologne). • **PERSE**, Nâdir-Chah, roi de Perse, fait la conquête d'une partie de l'Indoustan.	Feyjoo y Montenegro commence la publication (qui sera poursuivie jusqu'en 1748) de son *Teatro critico sopra los errores comunes* (Madrid). Le pape Clément XII publie la bulle *In eminenti* portant condamnation de la franc-maçonnerie. Le réformateur anglais John Wesley voyage en Allemagne. Il y étudie la doctrine des Frères moraves. Daniel Bernoulli : *Hydrodynamica, seu de viribus et motibus fluidorum* (Strasbourg). Baehr : *Frauenkirche* (Dresde). Haendel : *Saül* et *Israel in Egypt*, oratorios. *Concertos for the Harpsicord or Organ*, opus 4. *Faramondo*, opéra.	**1738**
Août : guerre austro-turque : les Turcs assiègent Belgrade. **1er septembre :** préliminaires de paix de Belgrade entre la Turquie et l'Autriche. **18 septembre :** paix de Belgrade entre la Russie et la Turquie. **Octobre :** l'Angleterre déclare la guerre à l'Espagne. **22 novembre :** l'amiral anglais Edward Vernon s'empare de la ville de Porto Bello en Nouvelle-Espagne (Mexique).	Mikhaïl Vassilievitch Lomonossov : *Ode sur la prise de Khotin*. David Hume : *Treatise upon Human Nature* (Traité de la nature humaine). Fondation de l'université de Stockholm. Travaux du palais de la Granja (Madrid). François de Cuvilliés : pavillon de chasse d'Amalienburg (parc de Nymphenburg à Munich). Giovanni Battista Tiepolo : *Vie de saint Dominique* (Gesuiti de Venise).	**1739**

Dates	Vie politique et sociale en France	Vie culturelle en France
1739		**13 janvier :** première représentation des *Sincères* de Marivaux. **6 septembre-30 septembre :** salon. Boucher expose *Psyché dans le palais de l'Amour*. Chardin expose six tableaux, dont *La Pourvoyeuse* et *La Dame qui prend du thé*.
1740	Assemblée du clergé de France. **Juillet :** une escadre est envoyée aux Antilles afin de surveiller les mouvements des Anglais. **23 septembre :** émotion populaire à Paris, à cause d'une disette momentanée. Le carrosse de Fleury est assailli par une troupe de miséreux.	Mme du Deffand ouvre son salon. Prévost : *Histoire d'une Grecque moderne*. Charles Bonnet découvre la parthénogenèse des pucerons. Boucher : *Le Triomphe de Vénus*. **22 août :** ouverture du Salon, « pour durer trois semaines ». **11-15 septembre :** première rencontre à Clèves de Voltaire et de Frédéric II. **19 novembre :** première représentation de *L'Épreuve* de Marivaux. **27 novembre :** Chardin est présenté au roi, et lui offre deux tableaux : *Le Bénédicité* et *La Mère laborieuse*.
1741	**Janvier :** en mer des Antilles, une escadre britannique canonne un détachement de quatre navires français. **Février :** Charles Fouquet, comte de Belle-Isle, chef du parti anti-autrichien, est désigné pour représenter la France à la diète de Francfort, qui doit élire le nouvel empereur. **Mai :** traité de Nymphenburg : alliance de la France et de la Prusse contre l'Autriche. Frédéric II promet son appui à Charles-Albert, candidat de la France à la couronne impériale. **11 juillet :** le Conseil d'en haut prend la décision de déclarer la guerre à l'Autriche.	Duclos : *Histoire de Madame de Luz*. P. André : *Essai sur le Beau*. Boucher : douze tableaux pour le château de Choisy. Rameau : *Pièces de clavecin* écrites pour les habitués du salon du fermier général La Pouplinière. J.C. Soufflot présente à l'Académie des beaux-arts de Lyon son *Mémoire sur l'architecture gothique*. **17 mars :** mort de J.-B. Rousseau. **Avril :** première représentation à Lille de *Mahomet*, tragédie de Voltaire. **12 mai :** première représentation de *Mélanie*, comédie de La Chaussée.

Vie politique et sociale dans le monde	Vie culturelle dans le monde	Dates
	Les collections du Vatican sont rendues accessibles au public. Domenico Scarlatti : *Esercizi*. Haendel : *Suzanna*, oratorio. J.-S. Bach : *Chorals du Dogme*.	1739
Continuation de la guerre anglo-espagnole : l'Angleterre prépare une expédition contre l'Amérique espagnole. **22 décembre :** Frédéric II, roi de Prusse, envahit la Silésie, possession autrichienne. • **AUTRICHE, 27 octobre :** mort de l'empereur Charles VI. • **PRUSSE, 31 mars :** mort de Frédéric-Guillaume Iᵉʳ, roi de Prusse ; avènement de Frédéric II. • **ROME, 6 février :** mort du pape Clément XII. **17 août :** élection du pape Benoît XIV. • **RUSSIE, 28 octobre :** mort d'Anna Ivanovna, impératrice de Russie. Ivan VI (un enfant au maillot) lui succède. Régence de Biren, duc de Courlande. **28 novembre :** révolution de palais : le régent Biren est renversé. Il est remplacé par la régente Anna Leopoldovna, duchesse de Brunswick.	Samuel Richardson : *Pamela ou la Vertu récompensée*, Londres. Frédéric II : *L'Anti-Machiavel ou Essai de critique sur* Le Prince *de Machiavel*, La Haye. Giulio Galli-Bibiena : *L'Architettura e Prospettive* (ouvrage définissant les principes de l'architecture baroque). Haendel : *Twelve Grand Concertos*, opus 6.	1740
Printemps : l'amiral anglais Vernon bloque Carthagène en Nouvelle-Espagne. **10 avril :** victoire prussienne de Molwitz sur les Autrichiens. **18 mai :** début de la guerre de Succession d'Autriche : traité de Nymphenburg (triple alliance de la France, de l'Espagne et de la Bavière contre l'Autriche). **7 juin :** convention d'alliance franco-prussienne contre l'Autriche. **Juillet :** poussée par la France, la Suède attaque la Russie. **19 septembre :** accord entre la France et la Saxe contre l'Autriche.	**15-16 juin :** l'explorateur Vitus Bering, parti du Kamtchatka, repère les côtes de l'Alaska. Approbation par le pape de l'institut religieux des Passionnistes, fondé par Paul de la Croix. Bernardo Vittone : Santa Maria di Piazza (Turin). Pietro Longhi (peintre vénitien) : *Il Concerto*. Carl Philipp Emanuel Bach est nommé claveciniste du roi Frédéric II de Prusse. Haendel : *The Messiah*, oratorio.	1741

Dates	Vie politique et sociale en France	Vie culturelle en France
1741	**29 août :** déclaration royale rétablissant le dixième pour financer la guerre. **11 septembre :** mort de Mme de Vintimille, maîtresse du roi. Louis se retire pendant dix jours à Saint-Léger. **Novembre :** les troupes françaises entrent en Bohême.	
1742	Joseph Dupleix est nommé gouverneur général des établissements français en Inde. Assemblée générale du clergé de France. **Juin :** retraite sur Prague des troupes françaises commandées par Broglie. **11 juin :** paix de Breslau. Frédéric II se retire de la guerre. **Juin-juillet :** pillage des blés en Anjou. **28 juillet :** traité de Berlin entre la Prusse et l'Autriche, garantissant à la Prusse la possession de la Silésie. **Août :** Marie-Anne de Mailly, marquise de La Tournelle, devient la maîtresse du roi. **4 novembre :** Louise de Mailly, ancienne maîtresse du roi, est éloignée de Versailles à la demande de sa sœur, Mme de La Tournelle. **Décembre :** les troupes françaises, commandées par Belle-Isle, font retraite depuis Prague jusqu'à Egra en Hongrie.	Louis Racine : *La Religion*, poème en VI chants. Marivaux : *La Vie de Marianne* (10ᵉ et 11ᵉ parties). Prévost : *Histoire de Guillaume le Conquérant*. **9 août :** Le *Mahomet* de Voltaire est joué à Paris. **25 août-21 septembre :** salon. Boucheron expose le *Repos de Diane sortant du bain avec une de ses compagnes*, et Pigalle expose *Mercure*.
1743	Jean Baptiste de Machault est appelé à l'intendance du Hainaut. **2 janvier :** capitulation de Chevert à Prague. **29 janvier :** mort du cardinal de Fleury. **30 janvier :** Louis XV annonce qu'il gouvernera seul.	D'Alembert : *Traité de dynamique*. J.-J. Rousseau : *Dissertation sur la musique moderne*. Première publication d'E.G. Morelly : *Essai sur l'esprit humain*. **20 février :** première représentation de *Mérope* de Voltaire. Succès triomphal.

Vie politique et sociale dans le monde	Vie culturelle dans le monde	Dates
22 novembre : capitulation de Prague devant l'armée française. • **AUTRICHE, 25 juin :** Marie-Thérèse, fille de l'empereur Charles VI et héritière de ses États, est couronnée reine de Hongrie. • **RUSSIE, 6 décembre :** coup d'État : Ivan VI est détrôné. La fille de Pierre le Grand est proclamée impératrice sous le nom d'Élisabeth Ire.		1741
Continuation de la guerre de Succession d'Autriche. **24 janvier :** Charles-Albert, Électeur de Bavière, est élu empereur, sous le nom de Charles VII, par la diète de Francfort. **22 février :** le nouvel empereur est couronné. **11 juin :** préliminaires de paix de Breslau entre l'Autriche et la Prusse. **28 juillet :** traité de Berlin entre l'Autriche et la Prusse, qui garde la Silésie. • **ANGLETERRE, 11 février :** démission de Walpole de sa charge de Premier ministre. • **JAPON,** les *Cent Articles de Kwampo,* code publié par le shogun Yoshiimune.	Henry Fielding : *The History of Joseph Andrews,* roman satirique. Edward Young commence la publication de ses *Pensées nocturnes* divisées en *Nuits.* Condamnation définitive des rites chinois par le pape Benoît XIV. Alessandro Bibiena : partie du château de Mannheim. **13 avril :** création à Dublin du *Messie* de Haendel.	1742
Continuation de la guerre de Succession d'Autriche. **13 septembre :** traité de Worms : alliance de l'Autriche, de la Sardaigne et de l'Angleterre contre la France. • **AUTRICHE, 12 mai :** Marie-Thérèse est couronnée à Prague.	Ferdinando Fuga : façade de Sainte-Marie-Majeure. Giovanni Battista Piranesi publie sa première série de planches : *Prima Parte di architettura e prospettive.*	1743

Dates	Vie politique et sociale en France	Vie culturelle en France
1743	**1er février :** édit relatif aux peines à infliger aux esclaves dans les colonies. La peine de mort est prévue pour les esclaves surpris en marronnage avec des armes. **27 juin :** défaite française à Dettingen. Les Anglais restent maîtres du champ de bataille, mais les pertes sont lourdes des deux côtés. **25 octobre :** traité de Fontainebleau entre la France et l'Espagne. C'est le premier « Pacte de famille ». **15 novembre :** traité de Worms : alliance offensive (contre la France) de l'Angleterre, de l'Autriche et de la Sardaigne. **12 novembre :** le marquis d'Argenson est nommé secrétaire d'État aux Affaires étrangères. **13 novembre :** retour de Louis XV à Paris. Il va séjourner dans la capitale jusqu'au 19 novembre. **7 décembre :** mort de la duchesse de Châteauroux.	**27 juin-23 août :** mission diplomatique officieuse de Voltaire à La Haye auprès du roi de Prusse. Il est logé au palais de la Vieille-Cour, propriété du roi. **5 août-fin août :** Salon du Louvre. **19 août :** inauguration de la place Royale à Bordeaux (actuelle place de la Bourse).
1744	**14 janvier :** arrêt du Conseil portant règlement pour l'exploitation des mines de houille (« charbon de terre »). L'arrêt rappelle que le roi est propriétaire du tréfonds. **15 mai :** ordonnance portant déclaration de guerre contre le roi d'Angleterre. **26 avril :** ordonnance portant déclaration de guerre contre la reine de Hongrie. **Mai :** Louis XV part pour le front. La campagne contre les Anglo-Hollandais est ouverte en Flandre. **3-9 août :** émeutes ouvrières à Lyon. Les ouvriers de la Fabrique protestent contre les statuts imposés par les marchands fabricants. **7 août :** Louis XV tombe malade à Metz. **13 août :** Louis XV fait publiquement son amende honorable et renvoie la duchesse de Châteauroux. **14 août :** Louis XV est mourant. **20 août :** Louis XV est rétabli.	Hénault : *Abrégé chronologique de l'histoire de France.* Fondation par Trudaine du Bureau central de dessin (première ébauche de l'École des ponts et chaussées). *Catalogus codicum manu scriptorum Bibliothecae regiae* (premier inventaire du fonds latin de la Bibliothèque royale).

Vie politique et sociale dans le monde	Vie culturelle dans le monde	Dates
		1743
Continuation de la guerre de Succession d'Autriche. **5 juin :** alliance défensive et offensive franco-prussienne. **11 août :** les Autrichiens sont battus à Velletri (Italie) par les Espagnols. **2 septembre :** Frédéric II s'empare de Prague et fait prisonniers les douze mille hommes de la garnison.	Ludovico Antonio Muratori publie les premiers volumes de ses *Annali d'Italia, dal principio dell'era volgare fino all'anno 1500* (Annales d'Italie, depuis le commencement de l'ère vulgaire jusqu'en l'an 1500), Venise. J.-S. Bach : *Le Clavecin bien tempéré* (2e livre).	1744

Dates	Vie politique et sociale en France	Vie culturelle en France
1744	**28 septembre :** mort à Fontevrault de Thérèse, fille de Louis XV. **8 novembre :** capitulation de Fribourg en Brisgau devant l'armée française, en présence du roi.	
1745	**23 février :** mariage du Dauphin avec l'infante Marie Raphaëlle. **25 février :** bal masqué à Versailles à l'occasion du mariage du Dauphin. Louis XV rencontre pour la première fois Jeanne Antoinette d'Étiolles. **11 mai :** victoire de Fontenoy. **Juin :** en Nouvelle-France, Louisbourg capitule devant les Anglais. **20 juin :** la citadelle de Tournai se rend aux Français. **15 juillet :** capitulation de Bruges et d'Audenarde qui se rendent aux Français. **10 septembre :** Jeanne Antoinette d'Étiolles, marquise de Pompadour, est installée à Versailles. **5 décembre :** le contrôleur général Orry est renvoyé. **6 décembre :** Machault d'Arnouville, intendant de Valenciennes, est nommé contrôleur général.	Voltaire : *Poème de Fontenoy.* Diderot : *Essai sur le mérite et la vertu.* Dezallier d'Argenville : *Abrégé de la vie des peintres.* Charles Bonnet : *Traité d'insectologie.* P. Humbert : *Pensées chrétiennes.* **27 novembre :** première représentation du *Temple de la gloire*, opéra de Rameau et Voltaire.
1746	Échec de l'expédition française contre l'Acadie. **21 avril :** traité de Dresde : convention de neutralité entre la France et l'Électeur-roi de Saxe, Auguste III. **16 juin :** défaite française à Plaisance. **28 juin :** lettres patentes concernant les coutumes des lieux et villes du pays d'Artois. **22 juillet :** mort de la Dauphine Marie Raphaëlle. **Septembre :** Mahé de La Bourdonnais s'empare de l'établissement anglais de Madras. **11 octobre :** victoire française de Rocoux sur les Anglo-Hollandais. **30 novembre :** les Austro-Sardes passent le Var, frontière du royaume, et envahissent la Provence.	Condillac : *Essai sur l'origine des connaissances humaines.* Vauvenargues : *Maximes. Introduction à la connaissance de l'esprit humain. Réflexions sur quelques sujets.* Voisenon : *Le Sultan Misapouf et la Princesse Grisemine,* conte. Boucher : *Vénus qui ordonne à Vulcain des armes pour Énée.* Chardin : *Dame lisant.* Ch. A. Coypel : *Le Sacrifice d'Abraham.* La Poix de Fréminville : *Pratique universelle pour la rénovation des terriers.* **10 mars :** première représentation de *La Coquette fixée*, comédie de Voisenon. **Du vendredi saint au lundi de Pâques**, Diderot compose les *Pensées philosophiques.*

Vie politique et sociale dans le monde	Vie culturelle dans le monde	Dates
		1744
Guerre de Succession d'Autriche : affrontements dans le nord de la France et aux Pays-Bas. **20 janvier :** mort de l'empereur Charles VII. **19 avril :** traité de Füssen entre Marie-Thérèse et Maximilien-Adalbert, fils de l'empereur Charles VII, et Électeur de Bavière. • **ANGLETERRE, 18 juillet :** le prétendant Charles Édouard Stuart débarque à Ardna-Murcham en Écosse. **20 septembre :** le prétendant remporte sur les troupes de George II la victoire de Preston-Pam.	**19 octobre :** mort à Dublin de Jonathan Swift. **15 avril :** le savant suédois Emmanuel Svedenborg est gratifié à Londres d'une vision divine. **13 janvier :** début de la construction à Potsdam du château de Sans-Souci, maison de campagne de Frédéric II (architecte : Knobelsdorff). Achèvement du château royal de Christianborg à Copenhague. Bartolomeo Francesco Rastrelli : achèvement du palais Vorontzov à Saint-Pétersbourg. Francesco Guardi : *Déposition de croix* (Munich). Giovanni Battista Piranesi : *Prigioni* (Prisons).	1745
Guerre de Succession d'Autriche. **26 juillet :** traité d'alliance et de défense réciproque entre la Russie et l'Autriche. **30 septembre :** victoire de Frédéric II sur les Autrichiens à Sohr en Bohême. **5-10 décembre :** Gênes se soulève contre l'Autriche et chasse les troupes d'occupation autrichiennes. **25 décembre :** paix de Dresde entre l'Autriche et la Prusse. Frédéric II conserve la Silésie et se fait confirmer son acquisition de la Frise orientale. • **ANGLETERRE, 27 avril :** le prétendant Charles Édouard est battu à Culloden par le duc de Cumberland. • **EMPIRE, 15 septembre :** François de Habsbourg-Lorraine, grand-duc de Toscane, est élu empereur par la	William Collins : *Ode au soir*. João Frederico Ludovice : achèvement du chœur de la cathédrale d'Evora (Portugal). Bernardo Bellotto, dit Canaletto : *La Tamise vue de la terrasse de Richmond House*. Haendel : *Judas Maccabaeus*, oratorio.	1746

Dates	Vie politique et sociale en France	Vie culturelle en France
1746		**9 mai :** Voltaire est élu à l'Académie française. **6 août :** première représentation du *Préjugé vaincu* de Marivaux. **25 août :** ouverture du Salon du Louvre, «pour durer un mois».
1747	Assemblée du clergé de France. **10 janvier :** disgrâce du marquis d'Argenson, secrétaire d'État aux Affaires étrangères. **21 janvier :** le marquis de Puisieux est nommé secrétaire d'État aux Affaires étrangères. **9 février :** mariage du Dauphin avec Marie Josèphe de Saxe. **14 mai :** la flotte de l'amiral de La Jonquière est anéantie par une escadre anglaise au large du cap Ortegal (Espagne). **3 juin :** les troupes austro-sardes repassent le Var, évacuant la Provence. **2 juillet :** Maurice de Saxe remporte sur les Anglo-Hollandais la victoire de Lawfeld. Louis XV assiste à la bataille. **Août :** ordonnance sur les substitutions. **16 septembre :** prise de Bergen op Zoom par l'armée française commandée par Lowendal. **25 octobre :** bataille navale du cap Finisterre. L'escadre française de l'amiral de Létanduère est détruite par les Anglais.	Voltaire écrit *Zadig*. Gresset : *Le Méchant*, comédie. La Mettrie : *L'Homme-Machine*. Maupertuis : *Essai de philosophie morale*. Quentin de La Tour : Portrait de Maurice de Saxe. C.F. Cassini de Thury : *Nouvelle Carte qui comprend les principaux triangles qui servent de fondement à la description géométrique de la France*. Achèvement de la place Royale de Valenciennes. **16 janvier :** la troupe d'amateurs montée par Mme de Pompadour joue *Tartufe* dans le théâtre des Petits Cabinets. **15 mars :** première représentation à Versailles des *Fêtes de l'Hymen et de l'Amour*, ballet de Rameau. **28 mai :** mort de Vauvenargues. **Août :** *La Prude*, comédie de Voltaire, est jouée à Anet. **25 août :** Salon («pour durer un mois»). Boucher y expose *L'Enlèvement d'Europe*. **17 novembre :** mort de Lesage.
1748	Assemblée du clergé de France. **30 avril :** prise de Maëstricht par Maurice de Saxe. **Juillet :** l'amiral anglais Boscawen met le siège devant Pondichéry que défend Dupleix. **2 juillet :** lettres patentes portant confirmation de l'Académie royale de chirurgie. **14 octobre :** les Anglais lèvent le siège de Pondichéry. **18 octobre :** traité de paix d'Aix-la-Chapelle, entre la France, l'Angleterre et les états généraux des Pays-Bas.	Montesquieu : *De l'esprit des lois*. F.V. Toussaint : *Les Mœurs*. Diderot : *Les Bijoux indiscrets*. *Mémoires sur différents sujets de mathématiques*. Pigalle achève les deux statues de *Mercure* et de *Vénus*. Louis XV, qui les avait commandées, les offre à Frédéric II. **5 février :** première représentation à Paris de *Denys le Tyran*, tragédie de Marmontel. **29 février :** première représentation de *Zaïs*, ballet de Rameau.

Vie politique et sociale dans le monde	Vie culturelle dans le monde	Dates
diète de Francfort. Il prend le nom de François Ier. • **ESPAGNE, 9 juillet :** mort de Philippe V.		**1746**
Guerre de Succession d'Autriche. Une armée russe se montre en Franconie. • **PERSE, 24 mai :** Nādir, shah de Perse et restaurateur de l'Empire iranien, est assassiné par un colonel de sa garde.	Ludovico Antonio Muratori : *La Regolata devozione* (La Dévotion réglée). Giovanni Battista Martini : *Sonate d'intavolatura per l'organo ed il cembalo.* J.-S. Bach : *L'Offrande musicale.*	**1747**
Fin mars : guerre de Succession d'Autriche : les représentants des puissances belligérantes se réunissent en congrès à Aix-la-Chapelle. **30 octobre :** traité de paix d'Aix-la-Chapelle mettant fin à la guerre. • **PRUSSE,** Samuel Cocceji est nommé chancelier de Prusse.	Samuel Richardson : *Clarissa Harlowe*, roman. Frederic Gottlieb Klopstock publie les trois premiers chants de sa *Messiade*, poème religieux. **1er janvier :** mort de Jean Bernoulli. Léonard Euler : *Introductio in analysim infinitorum.* Alphonse de Liguori : *Theologia moralis.* Début des travaux de la place et du palais d'Amalienborg à Copenhague. Thomas Gainsborough : *The Chaterhouse.*	**1748**

Dates	Vie politique et sociale en France	Vie culturelle en France
1748	**10 décembre :** arrestation à l'Opéra de Charles Édouard, le prétendant Stuart.	**12 juillet :** le bureau de la Ville de Paris commande à Bouchardon des modèles et des dessins pour une statue équestre de Louis XV. **29 août :** première représentation à Paris de la *Sémiramis* de Voltaire. La pièce est très mal accueillie du public. **1er septembre :** la fête des Sacrés-Cœurs de Jésus et Marie est célébrée solennellement à Paris pour la première fois (dans l'église paroissiale Saint-Sulpice).
1749	Mandement de Mgr de La Motte, évêque d'Amiens, « à l'effet de priver des sacrements les personnes rebelles à la Constitution », et exigeant des mourants un billet de confession avant l'extrême-onction. **24 avril :** renvoi de Maurepas, ministre de la Marine. **30 avril :** Rouillé remplace Maurepas à la Marine. **Mai :** édits de Marly portant suppression du dixième, et instituant le nouvel impôt du vingtième. **24 mai :** Machault est nommé ministre d'État. **Juin :** sur l'ordre de La Galissonnière, gouverneur de la Nouvelle-France, Joseph de Celoron de Blainville prend possession de la vallée de l'Ohio au nom du roi de France. **20 juin :** mort de Charles Coffin, recteur de l'université de Paris. Les derniers sacrements lui ont été refusés parce qu'il n'a pas voulu donner le nom de son confesseur. **Août :** édit sur les établissements et les acquisitions des gens de mainmorte. **Octobre :** les états de Bretagne refusent de voter le don gratuit du vingtième. **Décembre :** mouvements de colère populaire à Paris contre des arrestations jugées arbitraires. La police a arrêté des jeunes gens inoffensifs, qu'elle a pris pour des malfaiteurs.	Diderot : *Lettre sur les aveugles.* Condillac : *Traité des systèmes.* Buffon commence la publication de son *Histoire naturelle.* Premiers travaux d'aménagement du quartier nouveau de Lyon, entre la Croix-Rousse et le Rhône. **22 février :** première représentation de l'*École de la jeunesse* de La Chaussée. **Mai :** *Naïs, opéra pour la Paix,* livret de Cahuzac et musique de Rameau. **16 juin :** première représentation de *Nanine,* comédie de Voltaire. **10 septembre :** mort de Mme du Châtelet, l'amie de Voltaire. **5 décembre :** première représentation de *Zoroastre,* opéra de Rameau. **Décembre :** le marquis de Vandières, ayant la survivance de la direction des Bâtiments, part pour l'Italie afin d'y étudier les arts. Il est accompagné de Cochin et de Soufflot.

Vie politique et sociale dans le monde	Vie culturelle dans le monde	Dates
		1748
• **AUTRICHE**, l'impératrice Marie-Thérèse crée la commission des Écoles.	Henry Fielding : *Tom Jones*, roman. Samuel Johnson : *Irène*, tragédie. Gerard Van Swieten est nommé président de la faculté de médecine de Vienne. Svedenborg commence la publication de ses *Arcana coelestia*. Giovanni Battista Piranesi : *Invenzioni capriciose di carceri*. Thomas Gainsborough : *Mr. and Mrs. Andrews*. J.-S. Bach : *L'Art de la fugue*.	1749

Dates	Vie politique et sociale en France	Vie culturelle en France
1750	**24 mai :** à dix heures du soir, tremblement de terre à Bordeaux et dans tout le Sud-Ouest. Quelques morts près de Lourdes. Une voûte de la cathédrale de Tarbes se fend. **Juin :** épidémie de « suette » à Beauvais. **25 juin :** ouverture de l'assemblée générale du clergé de France. L'assemblée proteste contre le vingtième, et fait valoir l'immunité du clergé. **17 août :** déclaration royale enjoignant à tous les bénéficiers de donner dans les six mois la déclaration des biens et revenus de leurs bénéfices. Cependant le vingtième des biens du clergé n'est plus exigé. **Novembre :** édit portant création d'une noblesse militaire, le grade d'officier général conférant désormais la noblesse de droit. **27 novembre :** d'Aguesseau remet sa démission de chancelier. **10 décembre :** Lamoignon de Blancmesnil est nommé chancelier.	Duhamel du Monceau : *Traité de la culture des terres.* Pigalle : *Vénus donnant un message à Mercure.* **12 janvier :** première représentation d'*Oreste* de Voltaire. **11 février :** première représentation de *La Force du naturel*, comédie de Néricault Destouches. **23 juillet :** Voltaire arrive à Berlin. **12 août :** l'université de Paris procède à la remise des prix fondés par Louis Le Gendre et Charles Coffin.
1751	Aux Indes, le protectorat français est étendu au Carnatic. **Janvier :** édit portant création d'une École royale militaire. **Mars :** ouverture du jubilé ordonné par le pape Benoît XIV. **4 mars :** remontrances du parlement de Paris contre les refus de sacrements. **24 mars :** déclaration royale donnant à l'archevêque de Paris la haute main sur l'administration de l'Hôpital général (de manière à éliminer de cette administration les jansénistes et les fidèles du Parlement). **20 juillet :** le parlement de Paris enregistre la déclaration du 24 mars, mais avec des modifications qui la défigurent. **12 septembre :** naissance du duc de Bourgogne, premier fils du Dauphin. **21 novembre :** le roi supprime tous les arrêts et arrêtés rendus par le Parlement depuis le 20 juillet.	Publication du premier volume de l'*Encyclopédie.* Première édition à Berlin du *Siècle de Louis XIV* de Voltaire, sous le nom de M. de Francheville.

Vie politique et sociale dans le monde	Vie culturelle dans le monde	Dates
• **AUTRICHE, automne :** le prince de Kaunitz est envoyé en France comme ambassadeur. **7 novembre :** ordonnance unifiant la monnaie dans les États héréditaires. • **ROME,** le pape Benoît XIV proclame le jubilé.	Isaac Wilkinson inaugure à Bersham la fabrication en grand de fonte au coke. Francesco Guardi : *Capricci.* Joshua Reynolds séjourne en Italie. **28 juillet :** mort de J.-S. Bach. Joseph Haydn : *Messe en fa majeur.*	1750
• **PROVINCES-UNIES, 22 octobre :** mort de Guillaume IV, stathouder des Pays-Bas. Avènement de Guillaume V. • **ROME, 18 mai :** bulle *Providas* du pape Benoît XIV, renouvelant l'interdiction d'adhérer à la franc-maçonnerie. • **CHINE,** une armée chinoise rétablit l'ordre au Tibet après les émeutes fomentées par le parti droungar (antichinois).	Carlo Goldoni (Venise) : *La Locandiera,* comédie. Henry Fielding : *Amelia,* roman. Thomas Gray : *Elegy Written in a Country Churchyard.* **26 novembre :** mort à Rome du père Léonard de Port-Maurice, frère mineur, célèbre prédicateur de missions. Ferdinando Fuga : palais Corsini (Rome).	1751

Dates	Vie politique et sociale en France	Vie culturelle en France
1751	**24 novembre :** le Parlement et les avocats se mettent en grève. **28 novembre :** sur l'ordre du roi, le Parlement reprend son service ordinaire. **23 décembre :** arrêt du Conseil suspendant la levée des 1 500 000 livres demandées à l'assemblée du clergé de 1750.	
1752	Guerre franco-anglaise aux Indes pour la possession du Carnatic. Les Français sont battus, et le Carnatic repasse sous influence anglaise. **10 février :** mort à Versailles de Madame Henriette, fille de Louis XV. **18 avril :** arrêt de règlement du parlement de Paris, défendant aux curés de refuser les sacrements. **29 avril :** arrêt du Conseil, statuant que « les juges séculiers n'excèdent point les bornes de l'autorité qui leur est confiée en imposant aux ministres de l'Église des lois sur des matières purement spirituelles ». **15 décembre :** en manière de protestation contre les refus de sacrements, le parlement de Paris saisit le temporel de l'archevêché de Paris.	Voltaire : *Diatribe du Docteur Akakia. La Loi naturelle*, poème. *Micromégas*. Prévost : traduction française de *Clarissa Harlowe*, de Richardson. Boucher : *Odalisque blonde*. J.-J. Rousseau : *Le Devin du village*, opéra. Début de la construction de la place Royale à Nancy (aujourd'hui, place Stanislas). Jacques Ange Gabriel : École militaire de Paris. **7 février :** arrêt du Conseil ordonnant la suppression des deux premiers volumes de l'*Encyclopédie*. **24 février :** première représentation de *Rome sauvée*, tragédie de Voltaire. **1er août :** première représentation à l'Académie royale de musique par la troupe des Bouffons italiens de *La Serva Padrona* de Pergolèse. Ce spectacle déclenche la querelle des Bouffons, qui oppose aux partisans de l'opéra français ceux de l'opéra italien.
1753	**5 mai :** le Parlement suspend son service ordinaire. **11 mai :** déclaration royale transférant le parlement de Paris dans la ville de Pontoise. **3 juillet :** capitulation de Fort-Nécessité, poste anglais de la vallée de l'Ohio. **18 septembre :** lettres patentes en forme de commission, portant établissement d'une chambre des vacations dans le couvent des Grands-Augustins à Paris (afin de remédier à la suspension de la justice).	Buffon : *Discours sur le style*. Grimm commence à publier la *Correspondance littéraire*. Jean Astruc : *Conjectures sur les mémoires originaux dont il paraît que Moïse s'est servi pour composer le livre de la Genèse*. P.M.A. Laugier : *Essai sur l'architecture*. Boucher : *Le Lever du soleil*. Chardin présente au Salon une série de natures mortes. Cassanea de Mondonville : *Titon et l'Aurore*, opéra.

Vie politique et sociale dans le monde	Vie culturelle dans le monde	Dates
		1751
Juin : les ministres des Électeurs se réunissent en congrès à Hanovre. Il leur est demandé s'il convient d'élire Joseph, fils de l'impératrice Marie-Thérèse, à la dignité de roi des Romains.	Mikhaïl Vassilievitch Lomonossov, physicien et poète russe : *Épître sur l'utilité du verre*. Fondation à Madrid de l'Académie royale San Ferdinando. **Juin :** Benjamin Franklin fait à Philadelphie l'expérience dite du cerf-volant, prouvant l'identité de la matière électrique et de la foudre.	1752
• **AUTRICHE**, rappelé de son ambassade en France, le prince de Kaunitz est nommé chancelier d'Autriche.	Robert Wood : *The Ruins of Palmyra* (Londres). Tobie Mayer : *Tables lunaires*. Charles Linné : *Species plantarum*. François de Cuvilliés : théâtre de la Résidence (Munich). Jean Nicolas Jadot : début de la construction du palais de l'Académie de Vienne. Giovanni Battista Tiepolo : fresques de l'évêché de Würsburg. Joshua Reynolds : *Le Commodore Keppel*.	1753

Dates	Vie politique et sociale en France	Vie culturelle en France
1754	**22 janvier :** le comte de Stahremberg, nouvel ambassadeur d'Autriche, présente ses lettres de créance. Il sera l'un des artisans du renversement des alliances. **28 mai :** affaire Jumonville en Amérique : Joseph Coulon de Jumonville, officier français, envoyé comme messager auprès d'un détachement d'Anglais, est abattu par ces derniers sans sommation. **28 juillet :** Rouillé passe de la Marine aux Affaires étrangères. Machault, déjà garde des Sceaux et contrôleur général, est nommé à la Marine. **23 août :** à trois heures et demie du matin, naissance du duc de Berry, qui sera le roi Louis XVI. **26 août :** le duc de Berry est ondoyé par l'abbé de Chabannes, aumônier du roi. **4 septembre :** rentrée du parlement de Paris, rappelé d'exil. **5 septembre :** déclaration royale ordonnant le silence autour de la constitution *Unigenitus*. Le Parlement triomphe. Le clergé est humilié. **3 décembre :** Mgr de Beaumont, archevêque de Paris, est exilé à Conflans pour avoir enfreint la déclaration du silence.	Morelly : *Code de la nature.* Condillac : *Traité des sensations.* Fréron fonde *L'Année littéraire.* Fondation du *Journal de médecine, chirurgie, pharmacie.* Boucher : *Vénus et Vulcain.* **6 avril :** rétractation de l'abbé de Prades. **24 août :** bénédiction de la nouvelle église Saint-Louis de Versailles, église paroissiale commandée par le roi. **13 novembre :** première représentation des *Sybarites*, opéra de Rameau. **23 décembre :** première représentation du *Triumvirat*, neuvième et dernière tragédie de Crébillon père, âgé à cette date de quatre-vingt-un ans.
1755	**10-11 janvier :** graves inondations dans le Montpelliérain. **janvier :** Vergennes est nommé ambassadeur en Turquie. **1er mars :** une assemblée de vingt-six prélats suspend par provision la nécessité des billets de confession, sous réserve d'une décision définitive réservée au clergé. **18 mars :** arrêt de règlement du parlement de Paris, déniant à la bulle *Unigenitus* le caractère et les effets d'une règle de foi. **4 avril :** arrêt du Conseil cassant l'arrêt du Parlement du 18 mars. **26 mai :** exécution à Valence du bandit Louis Mandrin. **Fin mai :** réunion de l'assemblée du	Condillac : *Cours d'études*, tome premier. J.-J. Rousseau publie le *Discours sur l'origine et les fondements de l'inégalité parmi les hommes.* Greuze : *Le Père de famille expliquant la Bible à ses enfants.* Fragonard : *Le Repos en Égypte.* **10 janvier :** les états de Bretagne inaugurent solennellement à Rennes le monument érigé en l'honneur de la convalescence et de la victoire du roi, et représentant Louis XV, la Santé et la Bretagne (œuvre de Lemoyne). **19 janvier :** première représentation à Paris, par l'Académie royale de

Vie politique et sociale dans le monde	Vie culturelle dans le monde	Dates
• **AFRIQUE DU SUD. LE CAP**, publication du *Code noir*.	David Hume : *History of England under the House of Stuart*, Londres, 2 vol. (le second volume paraîtra en 1756). Johann Joachim Winckelmann ; *Gedanken über die Nachahmung der griesch-Kunstwerke* (Réflexions sur l'imitation de l'art grec), Dresde. Luigi Vanvitelli : clocher de l'église du sanctuaire de Lorette. Dominique Zimmermann : achèvement de l'église de pèlerinage de la Wies, triomphe du rococo bavarois. L'ébéniste anglais Thomas Chippendale publie *The Gentleman and Cabinet Maker's Director*, recueil de cent soixante planches gravées. Pietro Domenico Paradisi : *Douze Sonates*.	1754
18 juin : traité entre le roi d'Angleterre George II et le Landgrave de Hesse-Cassel, par lequel l'Angleterre prend à sa solde un corps de huit mille Hessois. **30 septembre :** traité anglo-russe de Saint-Pétersbourg (assistance mutuelle en cas de conflit). Conflit algéro-tunisien : Tunis est pillé par les Algérois. • **PORTUGAL, 1er novembre :** tremblement de terre à Lisbonne. Le séisme est suivi d'un incendie gigantesque.	Samuel Johnson : *English Dictionary*, Londres, 2 vol. in-f°. Léonard Euler : *Institutiones calculi differentialis...*, Berlin. Gaetano Chiaveri : achèvement de l'église de la cour de Saxe à Dresde. Thomas Gainsborough : *Woburn Pictures*. Joseph Haydn : *Quatuor n°1*.	1755

Dates	Vie politique et sociale en France	Vie culturelle en France
1755	clergé de France, qui demande l'arbitrage du pape dans le conflit opposant le clergé au Parlement. **10 juin :** deux navires français sont capturés par les Anglais près de Terre-Neuve. **Juillet :** le roi rappelle son ambassadeur à Londres. **9 juillet :** victoire française de la Monongahela en Amérique. **Septembre :** début des négociations secrètes franco-autrichiennes pour le renversement des alliances. Stahremberg rencontre Bernis. **5 septembre :** déportation des Acadiens par les Anglais (le « grand dérangement »). **10 octobre :** déclaration royale ordonnant que les actes du Grand Conseil seraient exécutés sans l'autorisation des parlements.	musique, de *Daphnis et Alcimadure* de Mondonville. **10 février :** mort à Paris de Montesquieu. **Mars :** premières inoculations d'enfants par Tenon, chirurgien de la Salpêtrière. **2 mars :** mort à Paris du duc de Saint-Simon, l'auteur des *Mémoires*. **20 août :** première représentation à Paris de *L'Orphelin de la Chine*, de Voltaire. **16 novembre :** naissance du comte de Provence, 3e fils du Dauphin. **26 novembre :** dédicace de la statue de Louis XV sur la place Royale de Nancy.
1756	**1er mai :** traité de Versailles consacrant le renversement des alliances et créant une alliance défensive entre la France et l'Autriche. **20 mai :** combat naval de Port-Mahon. La flotte anglaise est obligée de se retirer. **9 juin :** Louis XV déclare la guerre au roi de Grande-Bretagne. **29 juin :** le maréchal de Richelieu reçoit la reddition de la garnison anglaise du fort Saint-Philippe. Les Français occupent Minorque. **7 juillet :** déclaration royale créant un second vingtième. **28 août :** Frédéric II envahit la Saxe, alliée de la France et de l'Autriche. **10 décembre :** déclaration royale dite de Discipline : toute interruption de la justice est interdite aux magistrats du Parlement. **13 décembre :** lit de justice au parlement de Paris, et enregistrement de la déclaration de Discipline. Démission de la plus grande partie des membres du parlement de Paris.	Voltaire : *Essai sur les mœurs*. Abbé Coyer : *La Noblesse commerçante*. Chevalier d'Arc : *La Noblesse militaire*. Construction de la place d'Alliance à Nancy. **26 avril :** Tronchin inocule la petite vérole au duc de Chartres et à Mademoiselle. Buache présente au roi sa carte de « tous les lieux de l'Europe occidentale qui ont éprouvé un mouvement intérieur de la terre ». **14 décembre :** le roi regarde pour la première fois dans le télescope construit pour lui par dom Noël, et qu'il a fait installer au château de la Muette.

Vie politique et sociale dans le monde	Vie culturelle dans le monde	Dates
		1755
16 janvier : traité de White-Hall, dit aussi de Westminster : alliance entre la Prusse et l'Angleterre. **25 mars :** traité d'alliance austro-russe (alliance offensive et défensive contre la Prusse). **1er mai :** traité de Versailles entre la France et l'Autriche. **29 août :** Frédéric II envahit la Saxe. Début de la guerre de Sept Ans. **1er octobre :** les Autrichiens sont battus à Lowositz en Saxe par l'armée prussienne. **15 octobre :** capitulation de l'armée saxonne à Pirna devant l'armée prussienne. • **ANGLETERRE, décembre :** William Pitt entre au gouvernement comme principal secrétaire d'État, chargé des Affaires étrangères. • **PARME, 22 juin :** Guillaume Dutillot est nommé contrôleur général. • **PORTUGAL, 5 mai :** Sebastião José Carvalho e Melo, futur marquis de Pombal, est nommé secrétaire d'État aux Affaires du royaume.	Salomon Gesner (Suisse) : *Idyllen*. Rastrelli fils : palais de Tsarkoïe Selo (Russie). Début de la construction de l'abbatiale de Saint-Gall (Suisse). Giovanni Battista Piranesi : *Antichità romane*. Thomas Gainsborough : *Portrait de Charles Hamilton*.	1756

Dates	Vie politique et sociale en France	Vie culturelle en France
1757	**5 janvier :** attentat de Damiens. Le roi est légèrement blessé. **1er février :** le comte d'Argenson et Machault sont renvoyés. **28 mars :** exécution de Damiens. **2 avril :** un terrible ouragan ravage une partie de la France. Au Havre, il provoque l'incendie du théâtre. **1er mai :** second traité de Versailles entre la France et l'Autriche (alliance offensive). **28 juin :** Bernis est nommé secrétaire d'État aux Affaires étrangères. **1er septembre :** pour calmer l'opposition parlementaire, le roi revient sur ses édits et déclarations de décembre 1756, et fait des concessions. **23 septembre :** les Anglais s'emparent du fort de l'île d'Aix devant Rochefort. Ils l'évacuent huit jours après. **5 novembre :** défaite des Franco-Autrichiens, battus par Frédéric II à Rossbach.	Diderot : *Le Fils naturel.* Moreau : *Mémoire pour servir à l'histoire des Cacouacs.* Palissot : *Petites Lettres sur de grands philosophes.* Fondation de la Compagnie d'Anzin. **9 janvier :** mort de Fontenelle. **31 mai :** première représentation à l'Académie royale de musique des *Surprises de l'amour*, opéra-ballet de Rameau. **17 octobre :** mort de Réaumur. **15 décembre :** J.-J. Rousseau est chassé de l'Ermitage par Mme d'Épinay.
1758	Assemblée du clergé de France. **Mars :** vague de froid dans le sud de la France. La Durance et le Rhône sont pris par le gel. Des voitures ont pu y rouler. **14 mars :** l'armée française capitule à Minden devant l'armée hanovrienne. **Avril :** le maréchal de Belle-Isle est nommé secrétaire d'État à la Guerre. **5-7 avril :** débarquement anglais à l'île d'Aix. **1er mai :** le duc de Bourgogne passe aux hommes. Le duc de La Vauguyon est nommé son gouverneur. **5 juin :** débarquement des troupes anglaises à Cancale. Repoussées par les milices, elles rembarquent entre le 11 et le 12 juin. **8 juillet :** en Amérique, victoire française de Fort-Carillon sur les Anglais. **9 juillet :** les Anglais s'emparent de Cherbourg. **26 juillet :** en Nouvelle-France, capi-	Diderot publie *Le Père de famille*, drame, et inaugure sa chronique des *Salons.* Voltaire : *Candide.* J.-J. Rousseau : *Lettre à d'Alembert sur son article « Genève » dans le tome VII de l'Encyclopédie.* Malfilatre : *Le Soleil fixe au milieu des planètes*, ode. Quesnay : *Tableau économique.* Boucher : *Amoureux dans un parc.* **10 août :** un arrêt du Conseil révoque le privilège du livre intitulé *De l'esprit*, que vient de publier Helvétius. **30 décembre :** arrêt du Conseil révoquant le privilège de l'*Encyclopédie.*

Vie politique et sociale dans le monde	Vie culturelle dans le monde	Dates
2 février : confirmation du traité d'alliance austro-russe de 1756. **1er mai :** second traité de Versailles. **6 mai :** les Autrichiens sont battus par les Prussiens sous les murs de Prague. **30 août :** les Prussiens sont défaits à Jaegersdorf par les Russes du maréchal Apraxine. C'est la première victoire des Russes dans une guerre véritablement européenne. **5 novembre :** victoire de Frédéric II à Rossbach sur l'armée des Cercles et le corps auxiliaire français. • **ANGLETERRE, avril :** William Pitt démissionne du gouvernement. **Juin :** William Pitt revient au pouvoir comme principal secrétaire d'État. Il se réserve la direction de la guerre.	Le père Martini commence la publication de sa *Storia della musica*. Robert Wood : *The Ruins of Baalbec...*, Londres, grand in-F°., planches. Palliardi : Notre-Dame-du-Bon-Secours à Prague. Giovanni Battista Tiepolo : décoration de la villa Valmanara à Vicence. Mort à Madrid de Domenico Scarlatti.	1757
21 janvier : capitulation devant l'armée russe de la ville prussienne de Koenigsberg. **25 août :** bataille indécise de Zorsdorf entre Russes et Prussiens. **14 octobre :** le maréchal autrichien Daun bat Frédéric II à Hochkirchen. • **ROME, 8 mai :** mort du pape Benoît XIV. **9 juillet :** élection du pape Clément XIII.	Père Isla de la Torre : *Historia del famoso predicador Fray Gerundio de Campazas*, roman satirique. Svedenborg : *De caelo et inferno ex auditis et visis* (Description du ciel et de l'enfer, d'après ce que l'auteur en a vu et entendu), Londres. Fondation de l'Académie russe des beaux-arts. Giovanni Battista Tiepolo et son fils Giovanni Domenico : fresques de la Casa Rezzonico à Venise.	1758

Dates	Vie politique et sociale en France	Vie culturelle en France
1758	tulation de Louisbourg devant les Anglais. **15 août :** les Anglais évacuent Cherbourg. **11 septembre :** combat de Saint-Cast. Un corps de débarquement anglais est taillé en pièces sur le rivage de la baie de Saint-Cast, près de Saint-Malo. **9 octobre :** le roi accepte la démission de Bernis des Affaires étrangères. **Octobre :** le roi ordonne des *Te Deum* pour célébrer les victoires de Fort-Carillon et de Bretagne. **3 décembre :** Choiseul est nommé secrétaire d'État aux Affaires étrangères.	
1759	**4 mars :** Étienne de Silhouette est nommé contrôleur général. **17 mars :** création du Mérite militaire, destiné à récompenser les officiers nés dans un pays où la religion protestante est établie. **Mai :** édit sanctionnant le parlement de Besançon pour son opposition aux mesures fiscales, et supprimant vingt offices de ce parlement. **Juin :** les Anglais envahissent la Nouvelle-France. **25 juin :** les Anglais mettent le siège devant Québec. **8 juillet :** déclaration portant création d'une poste de ville à Paris. **18-19 août :** défaite de la flotte française à Lagos. **17 septembre :** capitulation de Québec. **20-22 novembre :** bataille des Cardinaux : la flotte française détruite par les Anglais. **23 novembre :** Bertin remplace Silhouette au contrôle général. **6 décembre :** mort de Louise Élisabeth, épouse de l'infant Philippe, et fille aînée de Louis XV. **Décembre :** ouverture de négociations entre la France et l'Angleterre.	D'Alembert : *Éléments de philosophie*. Lacurne de Saint-Palaye commence la publication de ses *Mémoires sur l'ancienne chevalerie*. Chamousset : *Observations sur la liberté du commerce des grains*. Boissier de Sauvages : *Pathologia methodica*. J. N. Moreau fait le projet, agréé par Silhouette, d'un « cabinet des Chartes ». Boucher : *Madame de Pompadour*. Greuze : *La Jeune Fille qui pleure son oiseau mort*. Monsigny : *Les Aveux indiscrets*, opéra. **15 mars :** passage au périhélie de la comète de Halley. **30 avril :** première représentation à Paris du *Venceslas* de Marmontel.

Vie politique et sociale dans le monde	Vie culturelle dans le monde	Dates
		1758
Continuation de la guerre de Sept Ans. **12 août :** Frédéric II est battu à Kunersdorf par les Autrichiens. • **ESPAGNE, 6 octobre :** roi de Naples sous le nom de Charles VII, don Carlos est appelé au trône d'Espagne par la mort (le 10 août précédent) de son frère aîné Ferdinand VI. Il prend le nom de Charles III. Il cède à son fils Ferdinand la couronne de Naples. Celui-ci prend le nom de Ferdinand IV. • **PARME,** Guillaume Dutillot est nommé principal ministre. • **PORTUGAL, 3 septembre :** les jésuites profès sont condamnés au bannissement. • **ROME, 3 septembre :** censure du Saint-Office contre l'*Encyclopédie* de Diderot et d'Alembert.	Lawrence Sterne : *The Life and Opinions of Tristram Shandy, Gentleman*, York, t. I et II (les autres volumes seront publiés de 1760 à 1767). Carlo Goldoni : *Les Rustres*, comédie. Ouverture du British Museum. Albert de Haller (Suisse) commence la publication de ses *Experimenta physiologiae corporis humani*. Kaspar Friedrich Wolff : travaux sur l'épigenèse de l'embryon du poulet. **29 novembre :** mort de Nicolas Bernoulli. Thomas Gainsborough : *Portrait de William Wollaston*. **14 avril :** mort de Haendel à Londres.	1759

Dates	Vie politique et sociale en France	Vie culturelle en France
1760	Assemblée du clergé de France. **Février :** édit créant un troisième vingtième, ainsi qu'une double et troisième capitation pour certains contribuables. **27 avril :** tentative de Levis pour reprendre Québec. **10 juillet :** victoire française de Corbach sur Ferdinand de Brunswick. **15 août :** les Anglais mettent le siège devant Pondichéry. **8 septembre :** capitulation de Montréal. **15 octobre :** victoire française de Clostercamp sur F. de Brunswick. Le chevalier d'Assas et le lieutenant Dubois ont donné l'éveil en poussant le cri fameux « A moi Auvergne ».	J.-J. Rousseau : *Julie ou la Nouvelle Héloïse.* Voltaire commence sa vie à Ferney. Marquis de Mirabeau : *Théorie de l'impôt.* Pierre Bouguer : *Traité d'optique sur la gradation de la lumière.* Boissier de Sauvages décrit le typhus exanthématique. Gossec : *La Messe des morts.* **2 mars :** première représentation des *Philosophes*, comédie de Palissot. **26 juillet :** première représentation de *L'Écossaise*, comédie de Voltaire, dirigée contre Fréron. **14 août :** première représentation du *Soldat magique*, opéra de Philidor. **3 septembre :** première représentation de *Tancrède*, tragédie de Voltaire.
1761	**14 janvier :** reddition de Pondichéry aux Anglais par Lally-Tollendal. **21 mars :** victoire de Grunberg remportée par le duc de Broglie sur le prince F. de Brunswick. **26 mars :** Louis XV propose l'ouverture d'une négociation de paix à Augsbourg. **6 avril :** mort à cent huit ans et deux mois de la sœur Sabot de la congrégation de Saint-Joseph. **7 mai :** tentative de débarquement anglais à Belle-Isle. **21 juillet :** lit de justice à Paris : enregistrement de la prorogation de l'édit de février 1760 établissant le troisième vingtième. **31 juillet :** Turgot est nommé intendant de Limoges. **6 août :** le procureur général du parlement de Paris est reçu appelant comme d'abus des brefs et bulles du Saint-Siège concernant la Compagnie de Jésus. **15 août :** traité dit « Pacte de famille » renouvelant l'alliance franco-espagnole. **18 novembre :** les cérémonies du baptême sont suppléées au duc de Berry.	Besoigne : *Principes de la justice chrétienne, ou Vies des justes.* Clairaut : Premier mémoire sur la théorie de l'achromatisme. Greuze : *L'Accordée de village.* **Février :** le dixième volume de la collection des *Historiens de la France* est présenté au roi. **18 février :** première représentation du *Jardinier et son seigneur*, opéra de Philidor. Première représentation du *Père de famille*, comédie de Diderot. **28 avril :** Louis XV approuve le plan de la nouvelle église de la Madeleine (Paris) par Contant d'Ivry. **22 août :** première représentation du *Maréchal*, opéra-comique en un acte de Philidor. **17 septembre :** première représentation d'*On ne s'avise jamais de tout*, opéra-comique de Sedaine et Monsigny. **29 décembre :** première représentation de *Zulime* de Voltaire.

Vie politique et sociale dans le monde	Vie culturelle dans le monde	Dates
Continuation de la guerre de Sept Ans. **9-13 octobre :** Berlin pris et occupé par les armées russe et autrichienne. **3 novembre :** terrible défaite autrichienne à Torgau, en Saxe, devant l'armée prussienne. • **ANGLETERRE, 25 octobre :** mort du roi George II ; avènement de George III. **26 octobre :** John Stuart, comte de Bute, est nommé membre du Conseil. • **AUTRICHE, 14 décembre :** création du Conseil d'État (pour les affaires intérieures).	James Macpherson : *Fragments of Ancient Poetry collected in the Highlands of Scotland and translated from the Gaelic, or Erse language* (ces textes seront connus sous le nom de *Poèmes d'Ossian*). Stanislas Jérôme Konarski : *Des moyens infaillibles pour établir des réformes dans les diètes de Pologne en abolissant le « liberum veto ».* Carl Gustav Tessin : achèvement du palais royal de Stockholm. Canaletto : *La Place Saint-Marc.* Joshua Reynolds : *La Comtesse Spencer et sa fille.* Johann Christian Bach est nommé organiste de la cathédrale de Milan.	**1760**
Continuation de la guerre de Sept Ans. • **ANGLETERRE, 5 octobre :** William Pitt quitte le ministère et résigne tous ses emplois. • **RUSSIE, 25 décembre :** mort de l'impératrice Élisabeth Iʳᵉ de Russie. Son neveu lui succède sous le nom de Pierre III.	Carlo Gozzi (Italie) : *L'Amour des trois Oranges*, comédie. *Le Corbeau*, comédie. Jean-Joachim Winckelmann : *Anmerkungen über die Baukunst der Alten* (Remarques sur l'architecture des Anciens), Leipzig. Antoine Raphaël Mengs : *Apollon sur le Parnasse entouré des neuf Muses* (fresque à la villa Albani à Rome). Luigi Boccherini : premiers *Quatuors.* Haydn : premières *Symphonies* (*Le Matin, Le Midi, Le Soir*).	**1761**

Dates	Vie politique et sociale en France	Vie culturelle en France
1761	**5 décembre :** *Compte rendu des constitutions des Jésuites*, présenté au parlement de Bretagne par La Chalotais. **30 décembre :** une assemblée extraordinaire du clergé, réunie à l'initiative du roi, se prononce en faveur des Jésuites.	
1762	Assemblée du clergé de France. **4 février :** les Anglais s'emparent de la Martinique. Capitulation de Fort-Royal. **12 février :** arrêt du parlement de Rouen, déclarant nuls les vœux des Jésuites, et les expulsant des maisons qu'ils occupent. **9 mars :** condamné à mort par le parlement de Toulouse, Jean Calas subit le supplice de la roue. **6 août :** arrêt du parlement de Paris, semblable à celui du parlement de Rouen, du 12 février. **7 septembre :** arrêt du Conseil autorisant les habitants des campagnes à produire des étoffes dont la fabrication était jusqu'alors réservée aux villes. **4 octobre :** Feydeau de Brou est nommé garde des Sceaux. **3 novembre :** préliminaires de paix à Fontainebleau, entre la France et l'Angleterre.	J.-J. Rousseau : *Du contrat social, ou Principes du droit politique. Émile, ou De l'éducation.* L'abbé Expilly commence la publication de son *Dictionnaire géographique, historique et politique des Gaules et de la France.* Duhamel du Monceau : publication du dernier volume de son *Traité de la culture des terres.* Jacques Ange Gabriel commence les travaux de construction du Petit Trianon. **Janvier :** publication du premier volume des planches de l'*Encyclopédie.* **19 juin :** mort de Crébillon père. **8 juillet :** première représentation de *Sancho Pança*, opéra de Philidor.
1763	**Février :** édit du roi portant règlement pour les collèges qui ne dépendent pas des universités, et créant les bureaux d'administration. **10 février :** traité de Paris entre la France, l'Espagne et l'Angleterre. La France abandonne aux Anglais ses possessions d'Asie, et celles, continentales, d'Amérique du Nord. **Avril :** édit du roi supprimant le troisième vingtième et la double capitation, mais maintenant le troisième vingtième jusqu'au 1er janvier 1770. **25 mai :** déclaration royale permet-	Voltaire : *Traité de la tolérance.* La Chalotais : *Essai d'éducation nationale.* Aménagement de la place de Jaude, à Clermont-Ferrand. **Mars :** le *Tableau allégorique des vertus, formant le portrait du roi* d'Amédée Van Loo est présenté à Louis XV par le marquis de Marigny. **20 juin :** inauguration de la statue de Louis XV (par Bouchardon) au milieu de la nouvelle place Louis-XV à Paris.

Vie politique et sociale dans le monde	Vie culturelle dans le monde	Dates
		1761
2 janvier : l'Espagne déclare la guerre à l'Angleterre. **5 mai :** traité de paix entre la Russie et la Prusse. La Russie restitue la Prusse orientale. **19 juin :** traité d'alliance et d'assistance mutuelle entre la Prusse et la Russie. **15 août :** les Anglais s'emparent de La Havane, capitale de l'île de Cuba, possession espagnole. **3 novembre :** préliminaires de Fontainebleau, mettant fin aux hostilités entre le roi d'Angleterre et les rois de France et d'Espagne. • **ANGLETERRE, 2 juin :** publication du premier numéro du *North Briton*, journal polémique de John Wilkes. • **RUSSIE, 5 janvier :** mort de la tsarine Élisabeth Iʳᵉ. Son neveu Pierre III lui succède. **9 juillet :** révolution de palais en Russie : l'épouse de Pierre III, Sophie d'Anhalt-Zerbst, détrône son mari et prend sa place sous le nom de Catherine II.	Olivier Goldsmith : *The Citoyen of the World*. Carlo Goldoni : *La Princesse Turandot*, comédie. Antonio Soler (Espagne) : *Llave de la modulaçion y antigüedades de la musica* (Clé de la modulation et antiquités de la musique). James Stuart et Nicolas Revett publient le premier des quatre volumes de leurs *Antiquities of Athens*. Niccolo Salvi : achèvement des travaux de la fontaine de Trevi à Rome. Rastrelli : reconstruction du palais d'Hiver à Saint-Pétersbourg. Joshua Reynolds : *Nelly O'Brien*. Séjour de Johann Christian Bach à Londres. Gluck : *Orfeo ed Euridice*, opéra.	1762
Fin de la guerre de Sept Ans. **10 février :** traité de Paris mettant fin aux hostilités entre le roi d'Angleterre et les rois de France et d'Espagne. **15 février :** traité d'Hubertsbourg mettant fin au conflit austro-prussien. • **POLOGNE, 3 octobre :** mort d'Auguste III de Saxe, roi de Pologne. • **PORTUGAL (BRÉSIL),** Rio de Janeiro est désigné comme nouvelle capitale en lieu et place de Bahia.	Gotthold-Ephraïm Lessing : *Minna de Barnhelm*, drame. Mgr Jean Nicolas de Hontheim, doyen du chapitre de Saint-Simeon de Trèves, publie à Bouillon, sous le pseudonyme de Justinus Febronius, son *De statu Ecclesiae liber*. Egidio Romualdo Duni (Naples) : *Le Milicien*, opéra français.	1763

Dates	Vie politique et sociale en France	Vie culturelle en France
1763	tant la libre circulation des grains à l'intérieur du royaume. **31 mai :** lit de justice pour l'enregistrement de l'édit d'avril. **Octobre :** René Charles de Maupeou est nommé vice-chancelier et garde des Sceaux. **21 novembre :** déclaration royale édulcorant les mesures fiscales de l'édit d'avril. **13 décembre :** L'Averdy remplace Bertin au contrôle général.	**22 juin :** feu d'artifice tiré à Paris à l'occasion de l'inauguration de la statue du roi et de la publication de la paix. **4 juillet :** première représentation des *Fêtes de la Paix*, opéra de Favart et Philidor. **6 septembre :** Bougainville part de Saint-Malo afin d'explorer l'hémisphère austral. **Septembre :** salon : Falconet expose son *Pygmalion*. **Novembre :** première représentation de *Warwick*, tragédie de La Harpe.
1764	**1ᵉʳ février :** remontrances du parlement de Bretagne dénonçant les excès du pouvoir. C'est le début du grand conflit entre le duc d'Aiguillon, commandant de la province, et cette cour. **7 avril :** édit royal transformant le collège de La Flèche en école militaire préparatoire. **15 avril :** mort à Versailles de Mme de Pompadour. **4 juin :** le Conseil du roi casse la sentence de condamnation de Calas. **Début juillet :** Louis XV convoque à Versailles plusieurs parlementaires bretons et les admoneste. **Juillet :** édit royal permettant dans certaines conditions la sortie des grains hors du royaume. **3 août :** déclaration royale réorganisant la répression du vagabondage, et créant les « dépôts de mendicité ». **11 août :** remontrances du parlement de Bretagne faisant le procès de la monarchie administrative. **26 novembre :** édit royal supprimant la Compagnie de Jésus dans le royaume de France.	Voltaire : *Sentiments du citoyen*, pamphlet publié anonymement contre Rousseau. *Dictionnaire philosophique portatif*. Soufflot : début de la construction de l'église Sainte-Geneviève (futur Panthéon) et de l'église de la Madeleine. J. F. Blondel : début des travaux d'aménagement de la place d'Armes à Metz. **2 janvier :** première représentation à la Comédie-Italienne du *Sorcier* de Philidor. Mort de Leclair. **8 mars :** première représentation à l'Opéra-Comique de *Rose et Colas* de Sedaine et Monsigny. **6 septembre :** le roi pose la première pierre de l'église Sainte-Geneviève (futur Panthéon).

Vie politique et sociale dans le monde	Vie culturelle dans le monde	Dates
		1763
• **ANGLETERRE, 5 avril :** le Parlement vote le Sugar Act imposant des taxes supplémentaires sur de nombreux produits à l'importation, dont les sucres. • **PARME, 25 octobre :** loi interdisant de vendre ou de donner aucun bien à l'Église. • **POLOGNE, 7 septembre :** Stanislas Poniatowski est élu roi de Pologne.	Horace Walpole : *Castel of Otrante*, roman. **Juin :** sortie à Brescia (Italie) du premier numéro de *Il Caffè*, publication périodique. Cesare Bonesana, marquis de Beccaria : *Trattato dei delitti e delle pene* (Traité des délits et des peines), Milan. Fondation de la *Société économique basque* à Vergara en Biscaye. Johann Joachim Winckelmann : *Geschichte der Kuns des Alterthums* (Histoire de l'art dans l'Antiquité), Dresde. Achèvement du palais royal de Madrid, commencé en 1738 sur les plans de Juvara. Robert Adam : vestibule de Syon House (Middlesex). Victor Louis : plans pour les aménagements intérieurs du palais royal de Varsovie. Création à Saint-Pétersbourg du musée de l'Ermitage. **26 octobre :** mort de William Hogarth. **12 septembre :** mort de Jean-Philippe Rameau. Gluck : *La Rencontre imprévue*, opéra. Création à Londres des Bach-Abel Concerts par Johann Christian Bach et Carl Friedrich Abel.	1764

Dates	Vie politique et sociale en France	Vie culturelle en France
1765	**26 avril :** le parlement de Bretagne s'oppose ouvertement au roi : il suspend la levée d'un nouvel impôt (les deux sols pour livre additionnels aux droits de la Ferme générale). **Mai :** réforme municipale de Laverdy : édit royal supprimant les offices municipaux et instituant l'élection des officiers. **Juin :** suppression et dispersion du parlement de Pau. **Juillet :** assemblée générale du clergé de France. **11 novembre :** arrestation des cinq principaux meneurs de l'opposition parlementaire bretonne, dont La Chalotais et son fils. **17 novembre :** le parlement de Bretagne, n'ayant pas voulu accepter les deux sols pour livre additionnels, est dispersé. **20 décembre :** mort à Fontainebleau du dauphin Louis.	Mably : *Observations sur l'histoire de France.* Fragonard : *Crésus et Callirhoé.* **1er juillet :** l'assemblée du clergé de France recommande aux évêques d'instaurer dans leurs diocèses la fête du Sacré-Cœur et de promouvoir cette dévotion. **2 décembre :** première représentation à la Comédie-Française du *Philosophe sans le savoir* de Sedaine.
1766	**6 janvier :** Louis XV fait son testament spirituel. **16 janvier :** première séance du nouveau parlement loyaliste de Bretagne, appelé par dérision le « bailliage d'Aiguillon ». **9 février :** clôture de la Mission des pères montfortains aux Sables-d'Olonne. La procession mobilise plusieurs milliers de personnes. **23 février :** mort à Lunéville de Stanislas Leszczyński, roi de Pologne et duc de Lorraine. **28 février :** la Lorraine devient une province du royaume : la cour souveraine de Nancy enregistre l'édit royal prononçant la prise de possession du duché. **3 mars :** « discours de la Flagellation » : par cette déclaration lue en sa présence au parlement de Paris,	Dulaurens : *Le Compère Mathieu, ou les Bigarrures de l'esprit humain,* roman. Fragonard : *Le Baiser à la dérobée.* Boucher : *Le Joueur de flageolet.* **Septembre :** départ de Falconet pour la Russie, où il doit exécuter la statue de Pierre le Grand.

Vie politique et sociale dans le monde	Vie culturelle dans le monde	Dates
• **ANGLETERRE ET COLONIES ANGLAISES D'AMÉRIQUE, mars :** le Parlement vote le Stamp Act, établissant un droit de timbre sur tous les actes ayant valeur légale. Ce droit doit être perçu aussi bien dans les colonies américaines qu'en métropole. **30 juin :** Charles Watson Wentworth, marquis de Rockingham, est appelé à former le nouveau ministère. **Août :** troubles à Boston ; la population manifeste contre le Sugar Act et contre le Stamp Act. **28 octobre :** les représentants de neuf des treize colonies américaines, réunis à New York, signent un accord : ils sont convenus d'arrêter les importations tant que les mesures prises en 1764 et 1765 n'auront pas été abrogées. • **AUTRICHE, 18 août :** mort de François Ier, empereur d'Allemagne et grand-duc de Toscane. Son fils Joseph, déjà roi des Romains, lui succède à l'empire, son fils Léopold comme grand-duc de Toscane. • **ROME, 6 février :** bulle du pape instituant la fête du Sacré-Cœur.	**4 avril :** mort de Michel Lomonossov, père de la littérature russe. Thomas Percy : *Relics of Ancient English Poetry.* Egidio Romualdo Duni (Naples) : *L'École de la jeunesse*, opéra français ; *La Fée Urgèle*, opéra français. Carlo Goldoni : *L'Éventail*, comédie. Carlo Gozzi : *Fiabe* (Fables). James Watt fait les premières découvertes qui l'amèneront à concevoir sa machine à vapeur. Plans de l'architecte français Guimard pour la résidence de Laeken en Belgique. Joshua Reynolds : *Lady Sarah Bunbury.*	**1765**
• **ANGLETERRE, mai :** abrogation du Stamp Act. **Juillet :** William Pitt accepte de former le nouveau ministère. • **ESPAGNE, 23 mars :** grave émeute à Madrid. A l'issue de la répression, le comte d'Aranda est nommé président du Conseil de Castille. • **RUSSIE, 14 décembre :** ouverture des travaux de la Grande Commission pour le code.	Oliver Goldsmith : *The Vicar of Wakefield*, roman. Gotthold-Ephraïm Lessing : *Laocoon* (essai sur l'art antique). Egidio Romualdo Duni (Naples) : *La Clochette*, opéra.	**1766**

Dates	Vie politique et sociale en France	Vie culturelle en France
1766	Louis XV répond aux prétentions des magistrats et rappelle les principes de la monarchie française. **9 mai :** exécution à Paris de Lally-Tollendal, ancien gouverneur des Indes françaises, condamné à mort pour « abus d'autorité et exactions ». **25 mai-31 juillet :** édits royaux créant la commission des réguliers pour la réformation des ordres religieux. **1er juillet :** exécution à Abbeville du chevalier de La Barre, condamné à mort pour sacrilège.	
1767	**13 mars :** mort à Versailles de Marie-Josèphe de Saxe, veuve du Dauphin. **30 octobre :** arrêt du Conseil accordant à certains marchands l'exemption de la milice et le privilège du port de l'épée.	Voltaire : *L'Ingénu.* D'Holbach : *Le Christianisme dévoilé.* Philidor : *Ernelinde*, opéra. Fragonard : *L'Escarpolette.* Grétry s'installe à Paris. Début de la construction de l'hôtel de ville de Tours. La bibliothèque de l'Arsenal est ouverte au public. **29 janvier :** première représentation d'*Eugénie*, drame de Beaumarchais. La pièce est sifflée. **22 décembre :** mort à Roquemaure, près d'Avignon, du père Bridaine, célèbre missionnaire et prédicateur.
1768	**3 mars :** édit royal reculant l'âge des vœux de religion à vingt et un ans pour les hommes et à dix-huit pour les femmes.	Carmontelle : premier volume des *Proverbes.* Quesnay : *Physiocratie.*

Vie politique et sociale dans le monde	Vie culturelle dans le monde	Dates
		1766
• **ANGLETERRE**, le Duty Act est voté par le Parlement : des taxes sont établies sur les produits étrangers importés par les colonies américaines. **17 juin :** le navigateur Samuel Wallis découvre le premier l'île de Tahiti, nommée par lui Île du roi Georges. • **ESPAGNE, 31 mars :** expulsion des jésuites. • **HONGRIE,** *Urbanicum* (réglementation nouvelle réduisant les charges de la paysannerie). • **NAPLES, 5 novembre :** expulsion des jésuites. • **PARAGUAY,** expulsion des jésuites et fin de la république théocratique fondée par eux. • **POLOGNE, 3 juin :** réunis à Radom, les confédérés catholiques polonais élisent Radziwill maréchal général. • **RUSSIE,** réunion à Moscou de la commission chargée par l'impératrice de la réforme législative. • **TOSCANE, 18 septembre :** loi établissant la liberté du commerce des céréales.	Laurence Sterne : *The Sentimental Journey* (Le Voyage sentimental). Christophe-Martin Wieland : *Geschichte des Agathon*, roman. John Runciman : *Le Roi Lear dans la tempête.* Mort de Telemann. Gluck : *Alceste*, opéra. Wolfgang Amadeus Mozart : *An Die Freude* (A la Joie).	1767
30 octobre : la Turquie déclare la guerre à la Russie. • **ANGLETERRE, 28 mars :** élection	Carlo Gozzi (Venise) : *Il Sognatore italiano* (Le Rêveur italien), comédie. Gotthold-Ephraïm Lessing : *La Dra-*	1768

Dates	Vie politique et sociale en France	Vie culturelle en France
1768	**Mai :** début de la liaison de Louis XV avec Jeanne Bécu, future Mme du Barry. **15 mai :** par le traité de Versailles, la République de Gênes abandonne à la France ses droits sur la Corse. **24 juin :** mort de la reine Marie Leszczyńska. **18 septembre :** le premier président de Maupeou est nommé chancelier. **Octobre :** le comte de Saint-Priest est envoyé comme ambassadeur en Turquie.	Falconet achève la statue de Pierre le Grand. Achèvement du Petit Trianon.
1769	Conquête définitive de la Corse. Paoli, chef de la résistance corse, est contraint de s'exiler en Angleterre. **22 avril :** Mme du Barry est présentée officiellement au roi et à la famille royale. **Juillet :** l'ancien parlement de Bretagne est partiellement rappelé. **22 décembre :** l'abbé Terray est nommé contrôleur général des Finances.	Dorat : *Les Baisers, précédés du mois de mai,* poème. Saint-Lambert : *Les Saisons,* poème. Lemierre : *La Peinture,* poème. Boucher : *L'Abbé de Saint-Non en costume espagnol.* Nicolas Joseph Cugnot invente une voiture à vapeur. **Juin :** lettres patentes créant l'Académie royale de musique. **20 août :** première représentation, à la Comédie-Italienne, du *Huron,* opéra-comique de Grétry.

Vie politique et sociale dans le monde	Vie culturelle dans le monde	Dates
de l'opposant John Wilkes à la Chambre des communes. • **NAPLES, 1er janvier :** Bernardo Tanucci est nommé premier secrétaire d'État. • **PARME, 7 février :** expulsion des jésuites. **Mars :** constitution réformant le système d'enseignement. • **POLOGNE,** naissance à Bar (en Podolie) de la confédération de ce nom contre la Russie et pour la défense de la foi catholique.	*maturgie, ou Observations critiques sur plusieurs pièces de théâtre tant anciennes que modernes,* journal périodique publié par l'auteur pendant son séjour à Hambourg. Léonard Euler : *Institutiones calculi integralis,* 1er vol., Saint-Pétersbourg. Lazaro Spallanzani : *Prodromi di un'opera da imprimersi sopra il riproduzioni animali,* Modène. **26 août :** James Cook met à la voile de Plymouth pour son premier voyage dans les mers australes. **8 juin :** l'archéologue allemand Johann Joachim Winckelmann est assassiné à Trieste. James Hargreaves (Stanhill, comté de Lancastre, Angleterre) invente le métier à filer le coton et l'appelle *spinning jenny* (« Jeannette la fileuse »). François de Cuvilliés : achèvement de la façade des Théatins de Munich. Robert Adam : Kenwood House (Highgate). Haydn : *Symphonie n° 49 en fa mineur,* dite « La Passione ». Mozart : *Bastien et Bastienne,* opéra allemand, Vienne.	**1768**
25-28 août : rencontre à Neisse, en Silésie, de l'empereur Joseph II et du roi Frédéric II de Prusse. **Septembre :** victoires russes sur les Turcs : la Bessarabie, la Moldavie et la Valachie sont ouvertes à l'invasion russe. L'armée russe conquiert la Crimée. Le sultan du Maroc Muhamad ibn Abd Allah oblige les Portugais à évacuer Mazagan. • **BAVIÈRE, 24 juillet :** un décret de l'Électeur Max Joseph exige des formalités civiles pour la célébration des mariages. • **ROME, 2 février :** mort du pape Clément XIII. **18 mai :** élection du pape Clément XIV.	Richard Chandler : *Ionian Antiquities,* 1er vol. **10 avril :** James Cook reconnaît Tahiti. James Watt commence la construction de sa machine à vapeur. Guillaume III Coustou : statues de Mars et de Vénus pour le château de Sans-Souci. Haydn : *Symphonie n° 39 en sol mineur; Quatuors,* opus 9, 17 et 20. Début du voyage de Mozart en Italie.	**1769**

Dates	Vie politique et sociale en France	Vie culturelle en France
1769		
1770	Assemblée du clergé de France. **4 avril :** ouverture, devant la cour des Pairs, du procès du duc d'Aiguillon. **5 avril :** madame Louise de France, fille de Louis XV, entre au carmel de Saint-Denis. **16 mai :** mariage du Dauphin avec Marie-Antoinette d'Autriche. **29 mai :** une terrible bousculade à Paris, rue Royale, au cours des fêtes du mariage du Dauphin, fait plusieurs centaines de victimes. **27 juin :** Louis XV arrête le procès du duc d'Aiguillon, et déclare sa conduite irréprochable. **14 juillet :** arrêt du Conseil suspendant l'exportation hors du royaume. Il y a des risques de pénurie. **Été :** pour aider le parti patriote, Choiseul envoie en Pologne une mission d'officiers commandée par Dumouriez. **Novembre :** édit royal interdisant la correspondance entre les parlements. **27 novembre :** Terray prescrit aux intendants de recommander la culture de la pomme de terre. **10 décembre :** le parlement de Paris suspend son service ordinaire. **24 décembre :** Choiseul est renvoyé.	D'Holbach : *Le Système de la nature.* Abbé Baudrand : *L'Âme sanctifiée ou la Religion pratique.* Rousseau revient à Paris. **30 mai :** mort de Boucher. **30 septembre :** première représentation de *Hamlet*, tragédie de Ducis. **27 octobre :** première représentation des *Deux Avares*, opéra-comique de Grétry.
1771	**Nuit du 19 au 20 janvier :** ayant persisté dans son opposition à l'édit de novembre 1770, le parlement de Paris est dispersé. Les magistrats sont exilés. **Février :** édit royal partageant le res-	Diderot : *Le Fils naturel.* Poinsinet : *Le Cercle, ou Soirée à la mode,* comédie. Abbé Baudrand : *L'Âme sur le Calvaire.* Houdon : *Morphée*, buste en plâtre.

Vie politique et sociale dans le monde	Vie culturelle dans le monde	Dates
• TOSCANE, 2 mars : un décret du grand-duc Pierre-Léopold restreint le droit ecclésiastique de mainmorte, c'est-à-dire le droit de l'Église d'accroître son patrimoine.		1769
Guerre russo-turque. Février : avec l'appui de navires britanniques, les Russes débarquent sur la côte occidentale de la Grèce. 7-8 juillet : la flotte russe est coulée par les Russes dans la baie de Tchesmé, près du détroit de Chio. 8 juillet : l'armée russe victorieuse de l'armée turque à la Larga sur le Danube. • ANGLETERRE ET COLONIES AMÉRICAINES, 5 mars : la Chambre des communes supprime le Duty Act. Une seule taxe est maintenue, celle du thé. 5 mars : « Massacre de Boston » : les habitants de Boston ayant manifesté contre les taxes, quatre manifestants sont blessés par les soldats chargés du maintien de l'ordre. • AUTRICHE, 17 octobre : un décret interdit de prononcer des vœux de religion avant l'âge de vingt-quatre ans. • DANEMARK, janvier : Jean Frédéric Struensee est nommé conseiller d'État. 14 septembre : suppression de la censure des livres. 27 décembre : suppression du Conseil d'État. • SARDAIGNE, le roi Charles-Emmanuel III publie le *Corpus carolinum*. • TOSCANE, 3 février : suppression des corporations.	Olivier Goldsmith : *The Deserted Village*, poème. Geoffroy August Bürger (Allemagne) : *Léonore*, ballade. Friedrich Gottlieb Klopstock : *L'Almanach des Muses*. Édition de l'*Encyclopédie* (de Diderot) à Livourne. Mathias Claudius commence la publication du *Wandsbecker Bote* (Le Messager de Wandsbeck [Sleswig]). Johann Gottfried Herder : *Essai sur l'origine du langage*. Catherine II de Russie achète une partie de la collection Crozat (premier fonds du musée de l'Ermitage). Alberto Churriguera : église d'Orgaz (Espagne). Gluck : *Paride ed Elena*, opéra. Haydn : *Sonate en la* bémol majeur. Mozart : premier *Quatuor à cordes*.	1770
Continuation de la guerre russo-turque. 6 juillet : convention de Constantinople : alliance austro-turque. • DANEMARK, 18 juillet : Jean Fré-	Carlo Goldoni : *Le Bourru bienfaisant*, comédie. Friedrich Gottlieb Klopstock : *Odes*. Tobias George Smollett : *Expedition of Humphrey Clinker*, roman.	1771

Dates	Vie politique et sociale en France	Vie culturelle en France
1771	sort du parlement de Paris entre ce parlement renouvelé et six Conseils supérieurs. **Mars :** Vergennes est nommé ambassadeur en Suède. **9 avril :** dissolution de la cour des aides de Paris. **13 avril :** installation du nouveau parlement de Paris par le chancelier Maupeou. **14 mai :** mariage du comte de Provence avec Louise Marie-Josèphe de Savoie. **6 juin :** le duc d'Aiguillon est nommé secrétaire d'État aux Affaires étrangères, charge vacante depuis le renvoi de Choiseul. **Novembre :** édit royal prorogeant le premier vingtième sans limitation de temps, et prorogeant le second jusqu'au 1er janvier 1781. Édit recréant les offices municipaux.	**26 octobre :** première représentation de *Zémire et Azor*, opéra-comique de Grétry. **29 octobre :** la *Flore* part de Brest pour un périple d'observations scientifiques dans l'Atlantique Nord.
1772	Assemblée du clergé de France. **Février :** édit royal supprimant de nombreux offices. **18 février :** réforme de la Marine royale : création de huit régiments sous la dénomination de corps royal de la marine. **Juillet :** le roi donne l'ordre de pourvoir à l'établissement en France des Acadiens chassés par les Anglais. **22 septembre :** inauguration par le roi du pont de Neuilly, œuvre de l'ingénieur Perronet. **29-30 décembre :** incendie de l'Hôtel-Dieu de Paris. L'édifice est presque entièrement détruit.	J.-J. Rousseau : *Dialogues*. Lagrange : *Addition à l'algèbre d'Euler*. **13 février :** le lieutenant de vaisseau Yves Joseph de Kerguelen Trémarec découvre l'une des îles qui porteront son nom, et en prend possession au nom du roi. **8 octobre :** retour de la *Flore* à Dunkerque.
1773	**Avril-mai :** émeutes à Toulouse et à Montpellier. Les émeutiers pillent les magasins de blé. **9 mai :** émeute du pain à Bordeaux. **16 novembre :** mariage à Versailles	Voyage de Diderot en Russie. Bernardin de Saint-Pierre : *Voyage à l'île de France*. Houdon : bustes de Catherine II et de Diderot.

Vie politique et sociale dans le monde	Vie culturelle dans le monde	Dates
déric Struensee est nommé Premier ministre. • **PARME, 14 novembre :** le ministre « éclairé » Guillaume Dutillot reçoit notification de son renvoi. • **POLOGNE, 3 novembre :** Stanislas Poniatowski, roi de Pologne, est enlevé par les confédérés de Bar. • **RUSSIE, juillet-août :** peste de Moscou.	Pietro Verri : *Meditazioni sull'economia politica*, Milan. **12 juillet :** James Cook rentre de son voyage dans les mers australes. Il aborde à Douvres. Richard Arkwright (Angleterre) prend un brevet d'invention pour sa machine à filer le coton. Josiah Wedgwood, manufacturier, fonde la manufacture de faïence d'Etruria, village créé par lui (près de Newcastle-under-Lyme). Thomas Gainsborough : *La Charrette de foin*. Antoine Raphaël Mengs (Allemagne) : fresques à la bibliothèque Vaticane. Haydn : *Sonate en* ut *mineur pour piano, Requiem*. Mozart : première *Messe, Ascanio in Alba*, opéra, *La Betulia liberata*, musique symphonique.	1771
19 février : accord entre la Russie et la Prusse pour le partage de la Pologne. **23 avril :** le maréchal russe Souvorof s'empare de la citadelle de Cracovie tenue par des officiers français. **15 août :** capitulation des confédérés de Bar devant l'armée russe à Czenstochowa. **Août :** traité de Vienne entre l'Autriche, la Prusse et la Russie pour le partage de la Pologne. • **DANEMARK, 17 janvier :** conjuration au Danemark : les conjurés exigent et obtiennent l'arrestation de Struensee. **28 avril :** Struensee est décapité à Copenhague. • **SUÈDE, 21 août :** révolution royale : le roi Gustave III contraint les États d'accepter une nouvelle constitution.	Jean Gaspard Lavater (Suisse) : *Von der physiognomonik* (De la physiognomonique). Joseph Priestley (Angleterre) découvre l'azote et le protoxyde d'azote. **13 juillet :** James Cook quitte Plymouth pour un second voyage dans l'hémisphère austral. Robert Adam : Register House (Édimbourg). Haydn : *Missa Sancti Nicolaï, Symphonie n° 44*, dite « *Funèbre* », *Symphonie n° 45*, dite « *Les Adieux* ». Mozart : premier cycle de *Six Sonates*.	1772
• **ANGLETERRE ET COLONIES AMÉRICAINES, 16 décembre :** « Boston Tea Party » : pour protester contre le Tea Act, une bande de patriotes bostoniens jettent à la mer une cargaison de thé venue d'Angleterre.	Oliver Goldsmith : *She Stoops to Conquer, or the Mistakes of a Night* (Elle s'abaisse pour conquérir...), comédie. Christophe Martin Wieland (Allemagne) : *Les Abdérites*, roman comique.	1773

Dates	Vie politique et sociale en France	Vie culturelle en France
1773	du comte d'Artois avec Marie-Thérèse de Savoie.	Gossec devient directeur du Concert spirituel. Achèvement du bâtiment oriental de la place Royale à Paris. **20 novembre :** arrivée de Gluck à Paris.
1774	**2 janvier :** renouvellement du bail de la ferme générale. Terray obtient une augmentation annuelle des recettes de l'État, de vingt millions de livres. **27 avril :** Louis XV tombe malade à Trianon où il séjourne. **28 avril :** il est transporté à Versailles. **29 avril :** la maladie du roi est identifiée : c'est la variole. **8 mai :** le roi fait appeler son confesseur, l'abbé Maudoux, et se confesse à lui. **10 mai :** mort du roi Louis XV, à Versailles, à trois heures et quart de l'après-midi. Avènement du roi Louis XVI. **12 mai :** Louis XVI écrit à Maurepas et lui demande son conseil et son soutien. **2 juin :** démission du duc d'Aiguillon. **8 juin :** Vergennes remplace d'Aiguillon aux Affaires étrangères. **12 juin :** Choiseul est reçu à Versailles, mais le roi lui adresse à peine la parole. **20 juillet :** Turgot est nommé secrétaire d'État à la Marine, en remplacement de Bourgeois de Boynes. **24 août :** « Saint-Barthélemy des ministres » : Terray et Maupeou sont renvoyés. Turgot est nommé au contrôle général. Miromesnil devient garde des Sceaux.	Lavoisier découvre l'oxygène et crée la chimie moderne. Greuze : *Le Gâteau des rois*. **19 avril :** première représentation d'*Iphigénie en Aulide*, opéra de Gluck, à l'Académie royale de musique, en présence du Dauphin et de la Dauphine.

Vie politique et sociale dans le monde	Vie culturelle dans le monde	Dates
• **ROME, 27 juillet :** le pape Clément XIV signe le bref *Dominus ac Redemptor* supprimant la Compagnie de Jésus. • **RUSSIE, avril :** début de la révolte de Pougatchev et des cosaques de l'Oural. • **SARDAIGNE, 20 février :** mort du roi Charles-Emmanuel III. Son fils lui succède sous le nom de Victor-Amédée III.	Johann Wolfgang Goethe : *Goetz von Berlichingen*, drame historique en cinq actes. Gaspardo Melchiore Jovellanos : *El Delincuende honorado* (Le Criminel par honneur), comédie. Antonio Canova expose à Venise son premier ouvrage de sculpture : *Orphée et Eurydice*. Johann Christoph Bach : *Die Kindheit Jesus ; La Résurrection de Lazare*. Mozart : *Symphonies en* mi *bémol et en* ut *majeur*.	1773
21 juillet : traité de paix de Kaïnardji entre la Russie et la Turquie. La Russie acquiert plusieurs territoires. • **ANGLETERRE ET COLONIES AMÉRICAINES, mai et juin :** le Parlement vote les Coercitive Acts qui limitent la liberté des colonies américaines. **13 juin :** la Chambre des communes vote le Quebec Act qui dispense les catholiques canadiens du serment du Test. **5 septembre :** réunion à Philadelphie des représentants des Treize Colonies. • **AUTRICHE, 4 décembre :** ordonnance de l'impératrice réformant l'enseignement. • **ROME, 22 septembre :** mort du pape Clément XIV. • **RUSSIE, janvier :** Gregori Potemkine est élevé à la dignité de favori en titre de l'impératrice Catherine II.	Goethe : *Les Souffrances du jeune Werther*, roman. **4 avril :** mort d'Oliver Goldsmith. Joseph Priestley et Carl Wilhelm Scheele (chimiste suédois) découvrent l'oxygène. Scheele découvre l'azote. Francis Wheatley (peintre anglais) : *Paysage avec un char à foin*. Georges Romney : *La Nymphe bocagère*. Gluck : *Orphée*, opéra. Haydn : *Sonates* dédiées au prince Esterházy. Mozart : *Symphonies en* sol *mineur et en* la *majeur*.	1774

Dates	Vie politique et sociale en France	Vie culturelle en France
1774	**1er septembre :** Louis XVI, qui avait vécu à Choisy et à la Muette depuis son avènement, revient à Versailles. **13 septembre :** arrêt du Conseil établissant la liberté du commerce des grains. **12 novembre :** lit de justice : le roi réinstalle l'ancien parlement de Paris, supprime les Conseils supérieurs, et rétablit la Cour des aides et le Grand Conseil.	
1775	Assemblée du clergé de France. **7 février :** arrivée à Versailles de l'archiduc Maximilien, frère de la reine. **Fin avril :** la hausse du prix du blé provoque des émeutes à Dijon et à Beaumont-sur-Oise. C'est le début de la «guerre des Farines». **2 mai :** incidents près de Paris. Les émeutiers parviennent jusque dans la cour du château de Versailles. **3 mai :** émeutes à Paris, où l'on pille les boulangeries. **6 mai :** émeutes à Meaux. Lettre circulaire de Turgot invitant les intendants à suspendre la corvée en nature. **10 mai :** fin de la «guerre des Farines». **11 juin :** le roi Louis XVI est sacré à Reims. **14 juin :** le roi touche les écrouelles. **Juin :** mémoire de Turgot adressé au roi «Sur la tolérance». **21 juillet :** Malesherbes remplace La Vrillière au secrétariat d'État à la Maison du roi. **Septembre :** la princesse de Lamballe est nommée surintendante de la Maison de la reine. **Octobre :** l'assemblée du clergé de France adresse au roi un «mémoire sur l'éducation» et publie un *Avertissement aux fidèles sur les effets de l'incrédulité*. **27 octobre :** le comte de Saint-Germain est nommé secrétaire d'État à la Guerre. **15 décembre :** ordonnance réduisant les effectifs de la Maison militaire du roi.	Louis Sébastien Mercier : *La Brouette du vinaigrier*, drame. Restif de La Bretonne : *Le Paysan perverti ou les Dangers de la ville*. Houdon : bustes de Turgot, Gluck et Sophie Arnould. **23 janvier :** première représentation du *Barbier de Séville*, de Beaumarchais. **2 avril :** arrêt du Conseil supprimant le privilège de *L'Année littéraire* de Fréron.

Vie politique et sociale dans le monde	Vie culturelle dans le monde	Dates
		1774
4 mai : la Turquie cède la Bukovine à l'Autriche. • **ANGLETERRE ET COLONIES AMÉRICAINES, 10 mai :** réunion à Philadelphie du second Congrès continental. **15 juin :** Georges Washington est nommé par le Congrès général en chef des armées continentales. **23 août :** le roi George III déclare les colons américains rebelles. **13 novembre :** Montréal (Canada) capitule devant l'armée du Congrès américain. **30 décembre :** assaut infructueux de l'armée du Congrès contre Québec. • **AUTRICHE, janvier-août :** révolte agraire en Bohême. • **ESPAGNE,** loi réprimant la mendicité et le vagabondage. • **ROME, 15 février :** élection du pape Pie VI. Le nouveau pape proclame le jubilé. • **RUSSIE, 10 janvier :** le révolté Pougatchev est décapité à Moscou. • **CHINE,** l'empereur K'ien-long soumet les montagnards Miaotseu de la Chine du Sud, achevant ainsi l'unité chinoise.	Frédéric Maximilien de Klinger : *Sturm und Drang* (Tempête et inquiétude), drame. Richard Brinsley Butler Sheridan : *The Rivals* (Les Rivaux), comédie. Don Pedro Rodriguez, comte de Camponanès : *Discurso sobre la educacion de los artisanos...* **30 juillet :** revenant de son deuxième voyage, James Cook débarque à Plymouth. **1er juin :** l'association Boulton-Watt est constituée en Angleterre (du nom de ces deux ingénieurs) pour la fabrication en série des machines à vapeur. Georges Romney : *Mrs. Carwardine et son fils.* Haydn : *Il Ritorno di Tobia,* oratorio. Mozart : *La Finta giardiniera,* opéra ; cinq *Concertos pour violon.*	1775

Dates	Vie politique et sociale en France	Vie culturelle en France
1776	**Janvier :** création de la Caisse d'escompte. Six édits réalisent les vues de Turgot, abolissant la corvée royale et supprimant les maîtrises et jurandes. **21 janvier :** l'opuscule de Boncerf, *Inconvénients des droits féodaux* (où s'exprime la pensée de Turgot), est condamné par le Parlement. **13 mars :** lit de justice au parlement de Paris pour l'enregistrement des édits de janvier. **25 mars :** ordonnance réformant la discipline militaire et instituant la punition des coups de plat de sabre. **28 mars :** création de dix écoles royales militaires. **12 mai :** renvoi de Turgot. Il est remplacé par Clugny. **30 juin :** création de la Loterie royale de France. **27 septembre :** ordonnance royale réformant l'administration des ports et des arsenaux. **Septembre :** la survivance de la charge de premier écuyer de la reine est donnée à Jules de Polignac, époux de la favorite de la reine. **22 octobre :** Jacques Necker est nommé directeur général du Trésor royal.	Mirabeau publie en Hollande l'*Essai sur le despotisme.* Brongniart : hôtel de Courcelles à Paris. **Juin-juillet :** Jouffroy d'Abbans fait marcher un bateau à vapeur sur le Doubs. **Septembre :** représentation au château de Brunoy chez Monsieur, pour la visite de la reine, du *Divertissement de l'hôte et de l'hôtesse*, écrit par Voltaire à cette occasion. **13 octobre :** course de chevaux à Fontainebleau entre le comte d'Artois et le duc de Chartres.
1777	**7 janvier :** lancement du premier emprunt Necker. **18 avril :** l'empereur Joseph II, voyageant incognito sous le nom du comte de Falkenstein, arrive à Paris. **26 avril :** La Fayette s'embarque pour l'Amérique. **29 juin :** Necker est nommé directeur général des Finances. **30 août :** la reine écrit à sa mère que son mariage est enfin consommé. **27 septembre :** démission du comte de Saint-Germain, ministre de la Guerre.	Lancement du premier quotidien, le *Journal de Paris* le 1er janvier. Publication du nouveau bréviaire néogallican de Saint-Vanne. Pigalle : monument du maréchal de Saxe. **23 septembre :** première représentation, à l'Académie royale de musique, d'*Armide*, drame héroïque de Gluck.

Vie politique et sociale dans le monde	Vie culturelle dans le monde	Dates
17 mars : les troupes anglaises évacuent Boston. **4 juillet** : la déclaration d'Indépendance des États-Unis d'Amérique est votée par le Congrès. **27 août** : Washington est battu par les Anglais à Long Island. • **ESPAGNE**, le comte de Floridablanca est nommé secrétaire d'État aux Affaires étrangères. • **NAPLES, octobre** : le marquis Bernardo Tanucci, ministre «éclairé», est renvoyé du ministère. • **SÉNÉGAL**, constitution de l'État théocratique musulman du Fouta-Djalon.	Edward Gibbon : *History of Decline and Fall of Roman Empire* (Histoire du déclin et de la chute de l'Empire romain), 1er volume. Thomas Paine : *Common Sense* (pamphlet attaquant la constitution politique de l'Angleterre). Adam Smith : *An Inquiry on the Nature and Causes of the Wealth of Nations* (Recherches sur la nature et les causes de la richesse des nations), Londres. William Chambers : Kew Gardens, chef-d'œuvre d'architecture chinoise ; Somerset House à Londres. Francisco Goya est introduit par Mengs à la cour de Madrid. Il exécute des cartons de tapisserie. Mozart : *Sérénade en ré mineur*, dite *Haffner. Divertimento pour sept instruments.*	1776
17 octobre : première grande victoire des Insurgents d'Amérique : le général anglais Howe est vaincu à Saratoga. **15 novembre** : le Congrès des États-Unis vote les Articles de confédération. • **BAVIÈRE, 30 décembre** : mort de Max III Joseph, Électeur de Bavière. Ce prince ne laisse pas d'enfants. • **HONGRIE**, Joseph Urmanyi élabore le *Ratio educationis*, projet de réforme générale de l'enseignement. • **PORTUGAL, 24 février** : mort du roi Joseph Ier. Sa fille, dona Maria, lui succède. Démission du marquis de Pombal. • **RUSSIE**, terrible incendie à Saint-Pétersbourg.	Thomas Chatterton (Angleterre) : *Poèmes supposés avoir été écrits à Bristol au xve siècle par Thomas Rowley.* Sheridan : *L'École de la médisance*, comédie. Carl Wilhelm Sheele (Suède) : *Traité chimique de l'Air et du Feu*, Upsal. Giuseppe Piermarini : Début de la construction de la Villa Reale à Monza. Gluck : *Armide*, opéra. Mozart : *Concerto en mi bémol pour piano.*	1777

Dates	Vie politique et sociale en France	Vie culturelle en France
1778	**6 février :** traité d'amitié et de commerce conclu entre le roi et les États-Unis d'Amérique. **17 juin :** sans qu'il y ait eu déclaration de guerre, la frégate la *Belle-Poule* est attaquée par les Anglais. **12 juillet :** arrêt du Conseil établissant une assemblée provinciale en Berry. **27 juillet :** combat naval d'Ouessant, opposant les deux flottes française et anglaise. L'affaire tourne plutôt à l'avantage des Français. **Août :** la reine suggère la médiation de la France pour arrêter le conflit entre l'Autriche et la Bavière. **12 novembre :** arrêt du Parlement défendant les associations et attroupements des compagnons des arts et métiers. **19 décembre :** naissance de Marie-Thérèse Charlotte, premier enfant de Louis XVI et de Marie-Antoinette.	Parny : *Poésies érotiques.* Moheau : *Recherches et Considérations sur la population de la France.* Fragonard : *Le Verrou.* Peyre commence la construction de l'Odéon à Paris. **30 mars :** apothéose de Voltaire : le buste de l'écrivain est couronné sur la scène du Théâtre-Français, lors de la sixième représentation d'*Irène*, lui-même étant présent. **30 mai :** mort de Voltaire à Paris. **2 juillet :** mort de Jean-Jacques Rousseau à Ermenonville. **Août :** lettres patentes portant établissement d'une Société royale de médecine.
1779	**8 février :** le roi et la reine vont à Notre-Dame de Paris afin de remercier Dieu de la délivrance de la reine. Ils ne sont guère applaudis. **12 avril :** convention d'Aranjuez établissant une alliance offensive de l'Espagne et de la France contre l'Angleterre. **Avril :** mise au point d'un plan de débarquement franco-espagnol en Angleterre. **11 juillet :** arrêt du Conseil établissant une assemblée provinciale en Haute-Guyenne. **Août :** guerre aux Antilles. Bouillé s'empare de Saint-Vincent et de Grenade. L'amiral d'Estaing, envoyé au secours des Insurgents, n'arrive pas à battre la flotte anglaise. **14 août :** la flotte franco-espagnole de débarquement arrive en vue de Plymouth. **Août :** édit du roi portant suppression du droit de mainmorte et de la servitude personnelle dans les domaines du roi. **10-15 septembre :** retour à Brest de	Carmontelle : *L'Abbé de plâtre*, comédie. Étienne Bezout : *Théorie générale des équations algébriques.* Gossec : *Te Deum.* **18 mai :** première représentation, à l'Académie royale de musique, d'*Iphigénie en Tauride*, tragédie lyrique de Gluck. **24 septembre :** première représentation, à l'Académie royale de musique, d'*Écho et Narcisse*, drame lyrique de Gluck. **6 décembre :** mort à Paris de J.-B. Chardin.

Vie politique et sociale dans le monde	Vie culturelle dans le monde	Dates
Continuation de la guerre d'Indépendance américaine. **6 février :** traité d'amitié et de commerce entre la France et les États-Unis. Début de la guerre de Succession de Bavière : **14 janvier :** convention par laquelle l'Électeur palatin Charles-Théodore, héritier de la Bavière, renonce à son héritage en faveur de l'Autriche et sur les instances de cette puissance. **Juillet :** Frédéric II de Prusse envahit le territoire des Habsbourg. • **ANGLETERRE, 11 mai :** mort, dans son château de Hayes (comté de Kent), de William Pitt, comte de Chatham.	Johann Gottfried Herder : *Stimmender Voelker* (Voix des peuples), recueil de chants populaires. Vicente Garcia de la Huerta : *Rachel*, tragédie. Ouverture du théâtre de la Scala à Milan (architecte : Giuseppe Piermarini). Achèvement de l'Opéra de Bayreuth (architectes : Giuseppe et Carlo Bibiena). **10 janvier :** mort à Upsal de Charles Linné. Mozart : *Les Petits Riens*, ballet ; *Concerto pour flûte et harpe* ; *Symphonie concertante en* mi *bémol* ; deuxième cycle de *Six Sonates*.	**1778**
Guerre d'Indépendance américaine. **3 mars :** la défaite américaine de Briar's Creek permet aux Anglais d'achever la reconquête de la Géorgie. Suite et fin de la guerre de Succession de Bavière, dite « guerre des patates ». **13 mai :** paix de Teschen entre l'Autriche et la Prusse.	Samuel Johnson publie les premiers volumes de ses *Lives of the English Poets* (Vies des poètes anglais). Carl Wilhelm Scheele (Suède) commence la publication de ses *Opuscula physica et chemica*. **13 février :** le capitaine James Cook est assassiné par un indigène dans la baie de Karakakoua, île d'Owhywhee (îles Sandwich-Hawaii). Crompton (Angleterre) invente une nouvelle machine à filer plus perfectionnée que la « spinning jenny » de Hargreaves. Mort de l'ébéniste anglais Thomas Chippendale. Antonio Canova : *Dédale et Icare*. Joshua Reynolds : *Countess of Bute*. Mozart : *Concerto en* mi *bémol majeur* ; *Concerto en* ré *majeur* ; *Messe du Couronnement*.	**1779**

Dates	Vie politique et sociale en France	Vie culturelle en France
1779	la flotte française de débarquement, décimée par le scorbut et la petite vérole. **Septembre-octobre :** grave épidémie de dysenterie dans presque toutes les régions du royaume.	
1780	**13 février :** déclaration royale sur la taille et la capitation. Ces impositions ne pourront être changées que par des lois enregistrées par les parlements. **19 mars :** la commission des réguliers est dissoute. **21 mars :** un incident fait scandale au faubourg Saint-Antoine : le carrosse du prince de Lambesc renverse et blesse un prêtre portant le viatique. **2 mai :** le corps expéditionnaire envoyé au secours des Insurgents et commandé par Rochambeau quitte Brest. **Juin :** assemblée générale du clergé de France. **13 juillet :** le corps expéditionnaire commence son débarquement à Newport. **24 août :** déclaration royale abolissant la question préparatoire. Déclaration royale renouvelant l'édit de mainmorte de 1749. **14 octobre :** renvoi de Sartine, secrétaire d'État à la Marine.	Restif de La Bretonne commence la publication des *Contemporaines ou Aventures des plus jolies femmes du temps présent.* Delille : *Les jardins*, poème. Antoine Bertin : *Les Amours*, poèmes érotiques. David : *Bélisaire demandant l'aumône.* Fragonard : *Le Baiser à la dérobée.* Richard Mique : Théâtre de la reine au Petit Trianon. **7 avril :** inauguration du Grand-Théâtre de Bordeaux, construit par Victor Louis : représentation d'*Athalie* de Racine.
1781	**Février :** Necker publie le *Compte Rendu*, apologie de sa gestion. **20 avril :** échec pour Necker : le parlement de Paris refuse d'enregistrer les lettres patentes relatives à la création d'une assemblée provinciale en Bourbonnais. **22 mai :** édit de Ségur. Ce règlement porte que nul ne pourra être proposé à une sous-lieutenance s'il n'a fait preuve de quatre générations de noblesse. **19 mai :** Necker envoie sa démission, qui est acceptée. **25 mai :** François Joly de Fleury, in-	Fourcroy : *Leçons d'histoire naturelle et de chimie.* Houdon présente au Salon la statue de Voltaire assis. David présente au Salon *Les Funérailles de Patrocle.* Mique commence les travaux du hameau de Trianon. **23 janvier :** première représentation d'*Iphigénie en Tauride* de Piccinni. **8 juin :** incendie de l'Opéra (du Palais-Royal). **27 octobre :** inauguration du nouvel Opéra construit par l'architecte Le-

Vie politique et sociale dans le monde	Vie culturelle dans le monde	Dates
		1779
Guerre d'Indépendance américaine. **Décembre :** l'Angleterre déclare la guerre aux Provinces-Unies. **Début juin :** rencontre à Mohilev en Ukraine de l'empereur Joseph II, voyageant sous le nom du comte de Falkenstein, et de l'impératrice Catherine II. • **ANGLETERRE**, troubles en Irlande. Le Parlement abolit le Test Act en Irlande : les catholiques irlandais vont pouvoir accéder aux emplois publics. **Juin :** Gordon Riots (émeutes organisées par lord Gordon pour protester contre l'abolition du Test Act en Irlande). • **AUTRICHE, 29 novembre :** mort de l'impératrice Marie-Thérèse.	Christophe Martin Wieland : *Oberon*, épopée. Gotthold-Ephraïm Lessing ; *Nathan le Sage*, drame en vers. Giuseppe Piermarini : place de l'Archevêché à Milan. Mozart : *Zaïde*, opéra. Haydn : *Symphonie* dite « la Chasse ». Carl Philipp Emanuel Bach : *Quattro Sinfonie*.	1780
Guerre d'Indépendance américaine. **19 octobre :** capitulation à Yorktown du général anglais Cornwallis. Guerre anglo-hollandaise. **Août :** 13 : combat naval de Doggersbank : la flotte hollandaise est victorieuse. • **AUTRICHE, 13 octobre :** édit de tolérance établissant l'égalité des protestants et des catholiques. **29 novembre :** édit de tolérance publié par les gouverneurs généraux des Pays-bas : le libre exercice du culte protestant est autorisé. • **NAPLES**, le marquis Domenico	**15 février :** mort de Gotthold-Ephraïm Lessing. Emmanuel Kant : *Critique de la raison pure*, Riga. **13 mars :** découverte de la planète Uranus par l'astronome hanovrien William Herschel. Jean Rodolphe Fuessli le Jeune (Zurich) : *Le Cauchemar*. Joshua Reynolds : *La Mort de Didon*. Thomas Gainsborough : *Portrait du roi Georges III et de la reine Charlotte*. Mozart : *Idomeneo*, opéra ; *Gran Partita*, musique symphonique ; *Six Sonates pour piano et violon*.	1781

Dates	Vie politique et sociale en France	Vie culturelle en France
1781	tendant de Bourgogne, est nommé contrôleur général des Finances. Arrêt du Parlement ordonnant que l'ouvrage de Raynal, *Histoire philosophique des deux Indes*, soit lacéré et brûlé par la main du bourreau. **Fin juillet :** visite à Versailles de l'empereur Joseph II. **19 octobre :** capitulation de Yorktown : Cornwallis, général de l'armée anglaise de Virginie, se rend à Rochambeau. **22 octobre :** naissance à Versailles de Louis Joseph Xavier François, Dauphin. **21 novembre :** mort de Maurepas.	noir dans le temps record de quatre-vingt-dix jours.
1782	**17 février :** victoire du bailli de Suffren à Sadras aux Indes sur l'amiral anglais Hughes. **9 mars :** déclaration royale défendant aux curés de s'assembler sans permission. **12 avril :** bataille des Saintes aux Antilles : de Grasse vaincu et fait prisonnier. **30 avril :** ordre est donné à Rochambeau de rejoindre Saint-Domingue. **20 mai :** arrivée à Versailles en visite incognito du grand-duc Paul de Russie, voyageant sous le nom de comte du Nord. **6 juillet :** nouvelle victoire de Suffren à Nagapatam. **25 août :** Suffren s'empare de Trinquemale, l'un des plus beaux ports de l'Inde. **Septembre :** on apprend la faillite du prince de Guéméné. Le total des rentes viagères dues s'élève à plus de deux millions de livres. **Octobre :** assemblée générale extraordinaire du clergé de France : un don gratuit de 15 millions de livres est accordé au roi pour les dépenses de la guerre.	J.-J. Rousseau : *Confessions, suivies des Rêveries d'un promeneur solitaire*, ouvrage posthume publié à Genève. Condorcet : *Réflexions sur l'esclavage*. Riesener devient ébéniste du roi. Début de la construction de l'enceinte des Fermiers généraux. **9 avril :** inauguration du nouveau théâtre de l'Odéon, construit par Peyre et Wailly. C'est la reine qui préside à l'inauguration. **10 septembre :** M. Émery est élu supérieur général de la Compagnie de Saint-Sulpice.
1783	**20 janvier :** signature à Versailles des préliminaires de paix entre la France et la Grande-Bretagne. **23 février :** Vergennes est nommé	Mirabeau : *Ma conversion ; Erotika Biblion*. Florian : *Galatée*.

Vie politique et sociale dans le monde	Vie culturelle dans le monde	Dates
Caracciolo, adepte des Lumières, est nommé vice-roi de Sicile.	Haydn : *Six Quatuors russes.*	**1781**
Continuation de la guerre anglo-hollandaise. Continuation de la guerre d'Indépendance américaine. **Décembre :** l'empereur Joseph II oblige les Provinces-Unies à retirer leurs troupes des places de la « Barrière ». • **ANGLETERRE, 27 février :** les Communes demandent au roi George III et au Premier ministre lord North d'arrêter la guerre en Amérique. **20 mars :** démission du ministère North ; début du second ministère Rockingham. **1er juillet :** mort subite du marquis de Rockingham, Premier ministre. **Août :** William Petty, comte de Shelburne, est nommé Premier ministre. • **AUTRICHE, 22-25 mars :** visite à Vienne du pape Pie VI. • **NAPLES, 27 mars :** Domenico Caracciolo, vice-roi de Sicile, supprime le Saint-Office, principal tribunal de l'île.	Vittore Alfieri (Piémont) : *Mérope,* tragédie ; *Saül,* tragédie. Derzavine (Russie) : *Felitsa,* poème. **13 janvier :** première représentation à Mannheim des *Brigands,* drame de Friedrich von Schiller. **12 avril :** mort à Vienne du poète italien Metastasio. **17 mars :** Mort de Daniel Bernoulli, médecin et mathématicien (à Bâle en Suisse). James Watt invente la machine à vapeur à double effet. **Janvier :** mort à Londres de Johann Christian Bach. Mozart : *Die Entführung aus dem Serail* (L'Enlèvement au sérail), opéra ; *Messe en ut mineur* ; premiers des *Six Quatuors* dédiés à Haydn. **12 juillet :** première représentation à Vienne de *L'Enlèvement au sérail.* L'empereur Joseph y assiste.	**1782**
3 septembre : traité de Versailles mettant fin à la guerre d'Indépendance américaine. Continuation de la guerre anglo-hollandaise.	Vittorio Alfieri (Piémont) : *Antigone,* tragédie ; *Agamennon,* tragédie ; *Oreste,* tragédie. George Crabbe : *The Village,* poèmes.	**1783**

Dates	Vie politique et sociale en France	Vie culturelle en France
1783	président du conseil des finances. Cette nomination fait de lui le ministre dominant. **19 mars :** arrêt du Conseil établissant une École des mines. **30 mars :** démission du contrôleur général Joly de Fleury. Il est remplacé le même jour par Henry François de Paule Lefèvre d'Ormesson. **Avril :** premier emprunt lancé par Lefèvre d'Ormesson. **Juin :** visite en France du comte de Haga (Gustave III de Suède). **3 septembre :** paix de Versailles entre la France et la Grande-Bretagne. Le Sénégal est rendu à la France. L'interdiction de fortifier Dunkerque est levée. **Octobre :** nouvel emprunt lancé par d'Ormesson. **10 novembre :** d'Ormesson est renvoyé. Il est remplacé par Calonne.	Lavoisier découvre la composition de l'eau. David : *Andromaque*. Brongniart commence la construction des ailes de l'École militaire. **16 avril :** mort à Rome de saint Benoît Joseph Labre. **5 juin :** premier envol d'une montgolfière à Annonay. **19 septembre :** envol d'une montgolfière à Versailles, en présence du roi. **23 septembre :** première représentation en privé, chez le comte d'Artois, du *Mariage de Figaro*. **21 octobre :** Pilâtre de Rozier et le marquis d'Arlande s'envolent de la Muette en montgolfière. **29 octobre :** mort à Paris de d'Alembert.
1784	**Janvier :** édit contenant affranchissement, en faveur des Juifs, du péage corporel et autres droits analogues auxquels ils étaient assujettis. **14 mars :** arrêt du Conseil ordonnant des distributions de secours en raison de la durée excessive du froid et du débordement des rivières. **30 mai :** drame de l'adultère à Aix-en-Provence : le président Bruny d'Entrecasteaux assassine sa jeune femme. **18 juin :** déclaration réformant les études de chirurgie. **22-24 juillet :** le prince de Condé inaugure au nom du roi les travaux des trois canaux de Bourgogne, du Centre et du Rhône au Rhin. **Août :** édit portant établissement d'une nouvelle caisse d'amortissement. **11 août :** prélude à l'affaire du Collier : lors d'une entrevue nocturne, dans un bosquet de Versailles, une certaine Rose Legay se fait passer pour la reine auprès du cardinal de Rohan. **Octobre :** les Provinces-Unies refu-	Bernardin de Saint-Pierre : *Études de la nature*. Rivarol : *Discours sur l'universalité de la langue française*. René Just Haüy : *Essai d'une théorie sur la structure des cristaux applicable à tous les genres de substances cristallisées*. Laplace et Lavoisier : *Mémoire sur la chaleur*. Ledoux : théâtre de Besançon. Chalgrin achève Saint-Philippe-du-Roule. David : *Bélisaire*. **26 avril :** première représentation des *Danaïdes*, opéra de Salieri. **27 avril :** première représentation publique (à la Comédie-Française) du *Mariage de Figaro* de Beaumarchais. **30 juillet :** mort de Diderot.

Vie politique et sociale dans le monde	Vie culturelle dans le monde	Dates
23 décembre : l'empereur Joseph II rend visite au pape Pie VI à Rome. • **ANGLETERRE, février :** chute du ministère Shelburne. Formation du ministère North-Fox. **18 décembre :** à la suite de la démission du ministère North-Fox, William Pitt (le second Pitt) est appelé à former le nouveau ministère. • **AUTRICHE, 13 février :** édit des gouverneurs généraux des Pays-Bas supprimant les maisons religieuses jugées inutiles. • **NAPLES, février :** tremblement de terre de Messine.	Fondation de l'Académie russe par Catherine II. **7 septembre :** mort à Saint-Pétersbourg du mathématicien allemand Léonard Euler. **7 mai :** Peter Onions (Angleterre) fait breveter son procédé de *puddlage* pour la production de fer en barres. James Barry : *Les Progrès de la culture humaine*, série de fresques dans la grande salle de l'Académie des arts de Londres. Mozart : *Symphonie en ut majeur*, dite *« Linz »* ; *Duos pour violon et alto*. Antonio Salieri : *Les Danaïdes*, opéra.	**1783**
Fin de la guerre anglo-hollandaise. Conflit diplomatique entre l'Autriche et les Provinces-Unies. **23 août :** le gouverneur des Pays-Bas autrichiens exige des Hollandais l'ouverture de l'Escaut. • **ANGLETERRE,** Bill de l'Inde voté par la Chambre des communes. Cette loi instaure en Inde anglaise un système de double gouvernement, par la Compagnie des Indes et par une commission ministérielle.	**16 avril :** première représentation à Mannheim d'*Intrigue et Amour*, drame de Schiller. Johann Gottfried Herder : *Ideen Philosophie der Geschicht der Menschen* (Idées sur la philosophie de l'histoire de l'humanité). John Wesley : *Sermon sur la charité*. Sir Joshua Reynolds est nommé peintre du roi. Mozart : *Quintette en mi bémol* ; *Sonate en ut mineur*.	**1784**

Dates	Vie politique et sociale en France	Vie culturelle en France
1784	sent d'ouvrir l'Escaut à la flotte autrichienne, et demandent la protection de la France. **31 octobre :** ordonnance royale établissant le code de recrutement de la marine. **20 novembre :** Louis XVI demande à Joseph II de ne plus exiger des Provinces-Unies la réouverture de l'Escaut. **Décembre :** Calonne lance un emprunt de 125 millions à 5 %.	
1785	**14 avril :** arrêt du Conseil portant établissement d'une nouvelle Compagnie des Indes. **27 mai :** instruction sur les moyens de suppléer à la disette des fourrages, «suite à la sécheresse extrême qui règne depuis le début de l'année». **Juin :** assemblée générale du clergé de France. **16 juin :** le Comité d'administration de l'agriculture, créé par Vergennes, tient sa première séance. **5 septembre :** lettres patentes portant attribution au Parlement de l'affaire dite «affaire du Collier». **10 novembre :** traité de Fontainebleau : alliance entre la France et les Provinces-Unies.	La Société royale des sciences et arts de Metz donne comme sujet de concours la question suivante : «Est-il des moyens de rendre les Juifs plus utiles et plus heureux en France?» David expose au Salon le *Serment des Horaces*. G. Jacob remeuble pour la reine le château de Saint-Cloud. **15 juin :** Pilâtre de Rozier se tue en essayant de traverser la Manche en montgolfière. **21 août :** mort de Pigalle.
1786	**31 mai :** le parlement de Paris rend son jugement dans l'affaire du Collier. Le cardinal de Rohan est «déchargé d'accusation». **2-28 juin :** voyage de Louis XVI à Cherbourg. Le roi, parti de Rambouillet, visite Caen, Le Havre, Rouen et Cherbourg. **20 août :** Calonne remet au roi un mémoire intitulé *Précis d'un plan d'amélioration des finances*. Il y propose d'établir l'égalité proportionnelle dans la répartition de l'impôt. **Septembre :** la portion congrue des curés est portée de 500 à 700 livres. **26 septembre :** traité de commerce entre la France et l'Angleterre (traité Eden-Rayneval).	Mirabeau : *Lettre remise à Frédéric Guillaume II*. Condorcet : *Vie de Turgot*. J. B. Clootz : *Vœux d'un gallophile*. Victor Louis commence la construction du théâtre du Palais-Royal (actuelle Comédie-Française). **8 août :** Jacques Balmat et Michel Gabriel Paccard réalisent la première ascension du mont Blanc.

Vie politique et sociale dans le monde	Vie culturelle dans le monde	Dates
		1784
23 juillet : une ligue des princes allemands (Fürstenbund) s'oppose aux prétentions de l'Autriche sur la Bavière. **8 novembre :** accord entre Joseph II et les états généraux des Provinces-Unies. Traité de commerce entre l'Autriche et la Prusse. • **PROVINCES-UNIES, automne :** le parti « patriote » chasse de La Haye le stathouder Guillaume V et prend le contrôle d'Utrecht.	Emmanuel Kant : *Fondements de la métaphysique des mœurs.* Edmund Cartwright (Angleterre) invente un nouveau métier à tisser la laine. Giacomo Quarenghi : achèvement du théâtre de l'Ermitage à Saint-Pétersbourg. Haydn : *Symphonies n°s 82 à 87.* Mozart : *Concerto en ré mineur* ; *Ode funèbre* ; *Quatuor en ut majeur.*	1785
• **AUTRICHE, 21 février :** Joseph II prescrit l'emploi de la langue nationale dans les cérémonies du culte catholique. • **PAYS-BAS, 16 octobre :** création des « séminaires généraux » destinés à remplacer les séminaires diocésains. • **PRUSSE, 17 août :** mort du roi Frédéric II ; avènement de Frédéric-Guillaume II. • **TOSCANE, 18 septembre :** ouverture du synode projanséniste de Pistoie.	Goethe voyage en Italie. Goya : *Charles III en chasseur.* Haydn : *Symphonie* dite « *la Reine* ». Mozart : *Les Noces de Figaro*, opéra : première représentation au mois de mai à Vienne ; *Concerto en ut mineur* ; *Symphonie en ré majeur*, dite « *de Prague* ».	1786

Dates	Vie politique et sociale en France	Vie culturelle en France
1786	**6 novembre :** arrêt du Conseil ordonnant l'essai, pendant une période de trois ans, du remplacement de la corvée par une prestation en argent. **29 décembre :** les lettres de convocation de l'assemblée des notables sont rédigées au Conseil.	
1787	**13 février :** mort de Vergennes. **22 février :** réunion de l'assemblée des notables. **23 février :** Calonne présente aux notables un train de six édits de réforme. **31 mars :** Calonne s'adresse à l'opinion et publie ses projets. **8 avril :** Calonne et Miromesnil sont renvoyés. Bouvard de Fourqueux est nommé contrôleur général. Le président François Chrétien de Lamoignon est nommé garde des Sceaux. **23 avril :** le roi se rend à l'assemblée des notables. **1er mai :** Loménie de Brienne est nommé chef du Conseil royal des finances, Laurent de Villedeuil, contrôleur général. **25 mai :** séance de clôture de l'assemblée des notables. **5 juin :** création d'un nouveau Conseil royal des finances et du commerce. **23 juin :** édit de création des assemblées provinciales. On y votera par tête, et le tiers aura la moitié des sièges. **2 juillet :** la déclaration du 18 juin, généralisant l'emploi du papier timbré, est présentée à la cour des Pairs, qui oppose une vive résistance. **26 juillet :** remontrances de la cour des Pairs demandant le retrait de la déclaration sur le timbre, et la convocation des états généraux. **30 juillet :** l'édit établissant la « subvention territoriale » est présenté au parlement de Paris. **6 août :** lit de justice à Versailles pour l'enregistrement de l'édit sur la « subvention territoriale ». **17 août :** le comte d'Artois, qui se	Sénac de Meilhan : *Considérations sur l'esprit et les mœurs.* Bernardin de Saint-Pierre : *Paul et Virginie.* Florian : *Estelle.* Parny : *Chansons madécasses* et *Poésies fugitives.* Sade écrit à la Bastille *Les Infortunes de la vertu.* David : *Mort de Socrate.* Ledoux : Pavillons d'octroi du mur des Fermiers généraux. Premiers travaux du pont de la Concorde à Paris. Publication du nouveau bréviaire de la congrégation de Saint-Maur. **8 juin :** première représentation de *Tarare*, opéra de Salieri, livret de Beaumarchais. **3 août :** le naturaliste Saussure accomplit la première ascension scientifique du mont Blanc. **Août :** La Pérouse découvre le détroit qui portera son nom.

Vie politique et sociale dans le monde	Vie culturelle dans le monde	Dates
		1786
Septembre : l'armée prussienne intervient en Hollande et rétablit le pouvoir du stathouder Guillaume V. • **AUTRICHE, 1er janvier :** Joseph II modifie le système administratif et judiciaire des Pays-Bas. **26 avril :** les États de Brabant protestent contre les réformes de Joseph II. Promulgation du *Code Joséphin*. • **RUSSIE,** voyage triomphal de Catherine II en Crimée. • **TOSCANE, 20-21 mai :** tumulte de Prato (émeute populaire contre Scipion Ricci, évêque janséniste de Pistoie). • **ÉTATS-UNIS D'AMÉRIQUE, 14 mai :** réunion à Philadelphie de la Convention des États-Unis. **17 septembre :** la Convention vote la constitution des États-Unis.	Goethe : *Iphigénie en Tauride*, tragédie. Schiller : *Don Carlos*, drame. **1er août :** mort à Pagani (royaume de Naples) de saint Alphonse de Liguori. Giuseppe Piermarini : achèvement des jardins publics de Milan. Construction du Guildhall de Londres (imitation du gothique). Haydn : *Les Sept Paroles du Christ en croix* ; *Plainte de l'Allemagne sur la mort de Frédéric le Grand*, pour voix de baryton avec orchestre. Mozart : *Don Giovanni*, opéra ; *Petite Musique de nuit* ; *Quintette en sol mineur* ; *Rondo en la mineur*.	1787

Dates	Vie politique et sociale en France	Vie culturelle en France
1787	rendait à la Cour des aides pour y faire enregistrer l'édit du 30 juillet, est hué par la foule. **20 août :** manifestations à Paris. La maison d'un commissaire de police est attaquée. **13 septembre :** le gouvernement capitule et renonce à l'impôt du timbre et à la subvention territoriale. **Novembre :** édit de tolérance accordant l'état civil aux protestants. **19 novembre :** lit de justice pour l'enregistrement de l'édit autorisant un nouvel emprunt de 420 millions en cinq ans. Le roi promet des états généraux pour 1792. **20 novembre :** le duc d'Orléans, qui a protesté contre l'enregistrement, est exilé à Villers-Cotterêts.	
1788	**13 avril :** remontrances du parlement de Paris, protestant contre le lit de justice du 19 novembre. **17 avril :** réponse du roi au Parlement : une «aristocratie de magistrats» serait contraire aux «intérêts de la nation». **29 avril :** arrêt du parlement de Paris : la perception du vingtième ne pourra se faire que d'après les rôles existants. **6 mai :** arrestation des deux principaux meneurs du parlement de Paris, les conseillers Duval d'Éprémesnil et Goislard de Montsabert. **8 mai :** lit de justice à Versailles pour l'enregistrement de six édits transformant l'ordre judiciaire et politique, et dépouillant les parlements du contrôle législatif et fiscal. Création d'une «Cour plénière». **9 mai :** émeutes à Rennes contre les édits. **15 juin :** remontrances de l'assemblée du clergé contre les édits de mai. **7 juin :** «Journée des Tuiles» à Grenoble. **19 juin :** émeute à Pau contre les édits. **5 juillet :** Loménie de Brienne ac-	Lagrange : *Mécanique analytique*. Abbé Barthélemy : *Voyage du jeune Anacharsis en Grèce*. David : *Les Amours de Pâris et d'Hélène*. **7 février :** La Pérouse écrit de Botany Bay sa dernière lettre au ministre de la Marine. Il ne donnera plus de nouvelles. **17 février :** mort de Quentin de La Tour. **16 avril :** mort de Buffon.

Vie politique et sociale dans le monde	Vie culturelle dans le monde	Dates
		1787
9 février : Joseph II entre en guerre contre la Turquie. **15 avril :** traité d'alliance entre les Provinces-Unies et la Prusse. **Juillet :** la Suède déclare la guerre à la Russie. **13 août :** alliance défensive de la Prusse et de l'Angleterre contre la France. **Octobre :** convention anglo-prussienne dirigée contre la France. • **ANGLETERRE,** fondation de la colonie pénitentiaire de Botany Bay sur la côte orientale de l'Australie. • **ESPAGNE, décembre :** mort de Charles III ; avènement de Charles IV.	Goethe : *Egmont*, tragédie. Kant : *Critique de la raison pratique.* Starov : achèvement du palais de Tauride à Saint-Pétersbourg, pour le prince Potemkine. **14 décembre :** mort à Hambourg de Carl Philipp Emanuel Bach. Haydn : *Symphonie d'Oxford.* Mozart : *Symphonie « Jupiter »*; *Adagio et fugue en* ut *mineur*; *Concerto en* ré, dit *« du Couronnement »*; *Trios en* ut *majeur* et *en mi majeur*; *Sonate en* fa *majeur*; *Trio en* mi *bémol.*	1788

Dates	Vie politique et sociale en France	Vie culturelle en France
1788	corde le droit d'imprimer toute suggestion sur les états généraux. **13 juillet :** averse de grêle qui détruit la récolte dans toute la France, au nord de la Loire, de l'Anjou à la Flandre. **8 août :** arrêt du Conseil fixant au 1er mai 1789 la réunion des états généraux. La « Cour plénière » est suspendue jusqu'à cette date. **16 août :** arrêt du Conseil suspendant pour six semaines les paiements de l'État. **25 août :** Brienne donne sa démission, qui est acceptée. **26 août :** Necker est nommé directeur général des Finances. **27 août :** Necker est nommé ministre d'État. **27 et 28 août :** émeutes à Paris : les manifestants obligent les commerçants à fermer boutique et à illuminer les rues en l'honneur du départ de Brienne. **14 septembre :** renvoi de Lamoignon. Les sceaux sont donnés à Barentin. **23 septembre :** déclaration royale : la réforme judiciaire est abandonnée. **16-28 septembre :** émeutes à Paris. Lamoignon est brûlé en effigie. **6 novembre :** convoqués pour la deuxième fois, les notables sont réunis à Versailles et consultés sur la double représentation du tiers. **10 novembre :** seconde réunion du « Club constitutionnel ». Mirabeau, Duport et Condorcet en sont les principaux membres. **27 décembre :** le Conseil d'en haut décide que le tiers aura autant de députés que les deux autres ordres réunis. Cette décision est publiée sous la forme d'un « résultat du Conseil ».	
1789	**Janvier :** l'abbé Sieyès publie *Qu'est-ce que le tiers état ?* **24 janvier :** lettres patentes pour le règlement des élections aux États généraux. **Mars :** début des élections aux États généraux.	Lavoisier : *Traité élémentaire de chimie.* Jussieu : *Genera plantarum secundum ordines naturales disposita juxta methodum in Horto Regio Parisiensi exaratam, anno 1774.* Girodet, premier Grand Prix de

Vie politique et sociale dans le monde	Vie culturelle dans le monde	Dates
		1788
• **SUÈDE, février :** le roi Gustave III fait voter par la diète la loi fondamentale, dite « de justice et d'amour », l'autorisant à exercer le pouvoir à sa guise. • **ÉTATS-UNIS D'AMÉRIQUE, janvier :** premières élections fédérales.	Vittore Alfieri : *Marie Stuart*, tragédie. William Blake : *Songs of Innocence and of Experience*, poèmes. Mozart : *Concerto en* la *majeur* ; *Quintette en* la *majeur* ; *Quatuor en* ré *majeur*.	1789

Dates	Vie politique et sociale en France	Vie culturelle en France
1789	**Mars-avril :** très nombreuses émeutes frumentaires dans toute la France (près de 400). La foule exige la taxation, pille les greniers, attaque les maisons des notables. **26-27-28 avril :** émeute au faubourg Saint-Antoine à Paris. La cause est une menace de baisse de salaire à la manufacture de papiers peints Réveillon. **Mai-juin :** les émeutes frumentaires continuent. **4 mai :** procession du Saint-Sacrement à Versailles pour l'ouverture des États généraux. **5 mai :** séance d'ouverture des États généraux. **6 mai :** le Tiers s'installe dans la salle commune des États et commence sa réclamation pour la vérification des pouvoirs en commun et le vote par tête. **25 mai :** arrivée aux États des députés de Paris. **4 juin :** mort à Meudon de Louis Joseph Xavier François, Dauphin, âgé de sept ans. **10 juin :** le Tiers somme les deux autres ordres de se réunir à lui. **13 juin :** trois curés poitevins rejoignent le Tiers. **17 juin :** le Tiers prend le titre d'Assemblée nationale. **19 juin :** la majorité du clergé vote la réunion au Tiers. **20 juin :** serment du Jeu de paume. Les députés du Tiers jurent de ne pas se séparer « jusqu'à ce que la constitution du royaume soit établie et affermie sur des bases solides ». **23 juin :** séance royale aux États. Le roi ordonne aux trois ordres de délibérer par chambres séparées. Le Tiers est prié de se retirer afin de délibérer à part. Il refuse. **24-25-26 juin :** la majorité du clergé, ainsi que quarante-sept députés de la noblesse, rejoignent le Tiers. **27 juin :** le roi ordonne lui-même la fusion des trois ordres. L'Ancien Régime n'existe plus.	Rome, pour *Joseph vendu par ses frères*.

Vie politique et sociale dans le monde	Vie culturelle dans le monde	Dates
4 mars : réunion du Congrès. **6 avril :** Washington est élu président des États-Unis.		**1789**

Dates	Vie culturelle dans le monde	Vie politique et sociale dans le monde
1795		

CINQUIÈME PARTIE

BIBLIOGRAPHIE

CINQUIÈME PARTIE

BIBLIOGRAPHIE

ABRÉVIATIONS

BSHM : *Bulletin de la Société d'histoire moderne*
RHD : *Revue historique de droit français et étranger*
RHMC : *Revue d'histoire moderne et contemporaine*
RHLF : *Revue d'histoire littéraire de la France*

I. BRÈVE HISTOIRE DE L'HISTOIRE

LES PROGRÈS DE L'INVESTIGATION

Le premier historien véritable de la France des Lumières est Voltaire avec son *Précis du siècle de Louis XV* (1769). Jusqu'au lendemain de la guerre de 1870, c'est-à-dire pendant près d'un siècle, les historiens de la France des Lumières vont écrire cette histoire à la manière et selon la méthode de Voltaire, utilisant peu les sources manuscrites, se servant beaucoup des mémoires du temps, préférant aux analyses les récits et les tableaux, enfin multipliant les considérations générales et les jugements de valeur. De sorte que les ouvrages de ces premiers historiens, qu'il s'agisse de ceux de Chateaubriand ou de Joseph Droz, de Tocqueville ou d'Henri Martin, s'ils peuvent intéresser l'histoire de l'histoire, ne nous sont plus d'une grande utilité pour notre connaissance du XVIIIᵉ siècle.

Tout change à partir de Taine. La parution en 1875 du premier volume (consacré à l'Ancien Régime) des *Origines de la France contemporaine* marque le début de l'investigation scientifique. Désormais, nul n'est historien s'il ne dépouille les archives. On continue à donner la priorité à l'histoire politique, institutionnelle et administrative, mais les études sont désormais solidement fondées sur les sources. Certaines ont encore aujourd'hui valeur de références, par exemple l'ouvrage de P. Viollet, *Le Roi et ses ministres pendant les trois derniers siècles de la monarchie* (Paris, 1912).

Au XXᵉ siècle, pendant l'entre-deux-guerres, une seconde révolution historiographique se produit : les nouvelles méthodes sont appliquées à des domaines jusqu'alors inexplorés. Quatre ouvrages en particulier méritent d'être cités ; en voici les auteurs et les titres : Henri Sée, *La Vie économique et les classes sociales au XVIIIᵉ siècle* (1924), Daniel Mornet, *Les Origines intellectuelles de la Révolution française*, Ch. E. Labrousse, *Esquisse du mouvement des prix et des revenus en France au XVIIIᵉ siècle* et Pierre Gaxotte, *Le Siècle de Louis XV*, les trois derniers de ces ouvrages ayant paru la même année : 1933.

Les années 1955-1980 constituent une troisième période décisive, années très actives et très fécondes, les historiens défrichant avec ardeur les territoires ouverts à l'exploration par les pionniers des années trente. Il en résulte une production abondante d'ouvrages importants, thèses de doctorat ès-lettres pour la plupart. Citons seulement à titre d'exemple les travaux de Michel Antoine sur les institutions, ceux de Robert Mauzi et de Jean Ehrard sur les idées, de François Bluche, Yves Durand, André Corvisier, Maurice Garden et Maurice Gresset sur la société, de Jacques Dupâquier et Jean-Pierre Poussou sur la population, de Nicole Castan sur la criminalité, de Michel Vovelle sur la déchristianisation. Nous pouvons dire que pendant ces vingt-cinq années l'histoire du XVIIIᵉ siècle français a vraiment pris corps, devenant l'un des secteurs les plus vivants de la recherche historique. Tous les travaux de cette période ont en commun d'être fondés sur des dépouillements considérables ; leurs auteurs ont remué d'énormes quantités d'archives. Ces ouvrages sont conçus pour la plupart selon la méthode quantitative et dans une perspective sociologique. Ils définissent moins qu'ils ne comptent ; ils ne retiennent des faits que leurs catégories et leur répétition. Ils ont tendance à tout expliquer par la société ; par exemple, la question de la composition sociale d'une congrégation religieuse ou d'une cour souveraine leur paraît beaucoup plus importante que celle de la nature de cette congrégation ou de cette cour. Certains secteurs sont très fréquentés, par exemple l'histoire sociale ou l'histoire démographique ; d'autres sont délaissés, comme l'histoire politique, celle de la guerre et surtout la biographie.

Depuis 1980 environ, l'activité de la recherche s'est ralentie. C'est l'effet d'une crise générale qui affecte toute la recherche historique française et non pas seulement les recherches sur le XVIIIᵉ siècle. On travaille moins, les interprétations ne se renouvellent pas ; l'exploration piétine et l'imagination s'essouffle. Les tentatives de lancement d'une « histoire des mentalités » n'ont guère abouti. Il semble que le quantitatif, le sériel et le sociologique aient fait leur temps, mais on vit encore sur cet acquis, faute de mieux.

Heureusement, compensation fort bienvenue, les historiens étrangers qui s'intéressent à notre histoire sont de plus en plus nombreux. On ne peut pas ne pas remarquer la part croissante, depuis 1975 environ, de la production historique étrangère (principalement anglo-saxonne) consacrée à la France des Lumières. Cet accroissement est particulièrement net dans les domaines de l'histoire économique et sociale où les études de St. L. Kaplan, O.H. Hufton, C. Jones, Shelby T. Mac Cloy, Th. Mc Stay Adams et R.M. Schwartz font autorité, de l'histoire religieuse où s'imposent les noms, sinon toujours les conclusions, de B.R. Kreiser, Geoffrey Adams, J. Mac Manners et T. Tackett, et de l'histoire de la vie intellectuelle abondamment renouvelée par les études de John Lough, R. Darnton, Benedetta Craveri, Carminella Biondi et Mario Matucci, et par les très nombreuses contributions de savants de tous les pays aux *Studies on Voltaire and the Eighteenth Century*. On se réjouirait davantage de cet apport étranger, si souvent neuf et original, si l'on ne devait aussi déplorer l'amoindrissement de l'apport français.

Un dernier fait doit être signalé : la fin du genre histoire de France. Les publications nouvelles portant précisément sur l'histoire de la France au

XVIII° siècle sont devenues de plus en plus rares, jusqu'à disparaître complètement. Les deux dernières datent de 1961 (Alfred Cobban, *A History of Modern France*, t. I, *Old Regime and Revolution, 1715-1799*) et 1970 (Galiano, Philippe, Sussel, *La France des Lumières, 1715-1789*). Depuis, on a écrit des *Ancien Régime* des *Siècle des Lumières* et des *Dix-Huitième Siècle*, mais plus d'histoires de France, comme si la France et son histoire n'étaient plus des objets dignes d'étude. Le présent livre renoue avec un genre presque oublié.

LES INTERPRÉTATIONS SUCCESSIVES

Le premier jugement d'ensemble porté par un historien sur le XVIII° siècle français est celui de Voltaire dans son *Précis du siècle de Louis XV* (1769). C'est un jugement très sévère, du moins en ce qui concerne le régime politique, judiciaire et législatif : « ... de quelque côté qu'on jette les yeux, écrit l'auteur, on trouve la contrariété, la dureté, l'incertitude, l'arbitraire » (p. 129). Le même Voltaire distingue les « bons » hommes politiques (le Régent, Choiseul) des « mauvais » et ose classer Louis XV parmi ces derniers avec Dubois et Fleury : il « avait le malheur, écrit-il du roi, de trop regarder ses serviteurs comme des instruments qu'il pouvait briser à son gré » (p. 417). Pour l'auteur du *Précis*, le seul mérite de ce siècle — mais c'est un bien grand mérite — est d'avoir fait progresser l'esprit humain : « ... les préjugés se sont dissipés [...], les esprits se sont éclairés... » (p. 430) ; l'*Encyclopédie* est une « gloire éternelle pour la nation » (p. 431). Toutes les disciplines de l'esprit se seraient perfectionnées, à l'exception — déplorable exception — de la littérature : « Une foule d'écrivains s'est égarée dans un style recherché, violent, inintelligible ou dans la négligence totale de la grammaire. On a beaucoup écrit dans ce siècle. On avait du génie dans l'autre » (p. 434).

Voltaire fait école. Après la Révolution, le genre du *Précis*, qui est aussi le genre du *Siècle de Louis XIV*, mélange de récits, de tableaux et de considérations générales, est cultivé par un certain nombre d'auteurs dans des ouvrages dont les dates de publication s'échelonnent de 1838 à 1867 : Chateaubriand, *Analyse raisonnée de l'histoire de France, depuis la bataille de Poitiers sous le roi Jean en 1356, jusqu'à la Révolution de 1789, Études ou Discours historiques*, t. IV (Paris, 1838), Joseph Droz, *Histoire du règne de Louis XVI pendant les années où l'on pouvait prévenir ou diriger la Révolution française* (Paris, 1839), Alexis de Tocqueville, *Histoire philosophique du règne de Louis XV* (Paris, 1847, 2 vol.) et *L'Ancien Régime et la Révolution* (Paris, 1856), Henri Martin, *Histoire de France depuis les temps les plus reculés jusqu'en 1789*, t. XVI (concernant le XVIII° siècle) (Paris, 1860) et Jules Michelet, *Histoire de France*, dont le tome IV, concernant la période allant de 1691 à 1789, parut en 1867. Ces cinq auteurs voient presque tout en mal et en noir. Chateaubriand donne le ton : « Le règne de ce prince, écrit-il de Louis XV, est l'époque la plus déplorable de l'histoire. » Les accusations les plus fortes sont celles portées contre la monarchie (« cette monarchie criminelle », écrit Michelet, t. V, p. 451) et contre le gouvernement royal généralement qualifié de « despotique » : « L'invincible royauté du

XVIIe siècle, écrit Henri Martin, n'est plus au XVIIIe siècle qu'un despotisme tracassier, impuissant, qui n'a plus la force d'être une tyrannie. » Les parlements sont loués pour s'être opposés à la tyrannie. La mémoire de Maupeou est flétrie, ce ministre ayant établi « le joug du despotisme » (J. Droz) et porté atteinte, selon Tocqueville, aux lois fondamentales du royaume : « Les Parlements sont dissous. En attaquant l'inviolabilité des juges, la couronne montre que les lois fondamentales ne sont pas immuables » (*Histoire philosophique du règne de Louis XV*, p. 529). Mais c'est au roi Louis XV que ces historiens procurateurs réservent les plus terribles reproches de leurs réquisitoires. Ils reconnaissent ses dons et ses qualités, mais c'est pour mieux le confondre : n'a-t-il pas gâché tous ses talents ? Ils l'accablent, ils le méprisent, et, reprenant à leur compte tous les ragots des nouvelles à la main et de la littérature clandestine, il n'est pas de vice dont ils ne le taxent. Quelques citations caractéristiques ; Joseph Droz : « Sa faiblesse rendit ses qualités inutiles, et l'avilit jusqu'à le faire descendre jusqu'aux plus ignobles turpitudes » ; Tocqueville : « Son esprit est juste, éclairé, et il abandonne la vérité qui lui apparaît, n'ayant pas le courage de lutter contre l'erreur qui l'obsède » ; Michelet : « Il n'était pas cruel, mais mortellement sec, hautain, impertinent [...]. Sa face était d'un croque-mort. Dans ses portraits d'alors, l'œil gris, terne, vitreux, fait peur. C'est d'un animal à sang froid. Méchant ? Non, mais impitoyable. C'est le néant, le vide, un vide insatiable et par là très sauvage. » Louis XVI est nettement mieux traité : on s'accorde à louer sa vertu ; Michelet lui-même lui reconnaît un fond d'humanité : « Sous ses formes un peu rudes le fond chez lui était la sensibilité [...]. Morne, muet, dur d'apparence, il n'en avait pas moins quelques torrents de larmes. » Mais on convient aussi, et Michelet ne fait pas exception, que ces belles qualités de cœur n'ont servi et ne pouvaient servir à rien, faute d'intelligence et surtout de caractère. D'ailleurs la Révolution était écrite ; il n'était au pouvoir de personne de l'empêcher. Louis XVI n'avait plus qu'un seul moyen de réparer les fautes de l'Ancien Régime : se sacrifier lui-même : « Ni les vertus de Louis XVI, écrit Tocqueville, ni la gloire acquise par la guerre d'Amérique, ni l'amour du roi pour son peuple, ni les institutions libérales qu'il concède, ne pourront cicatriser cette plaie, et la souillure de la couronne ne sera lavée que par le sang du juste montant au ciel par les degrés de l'échafaud. »

La démoralisation, si l'on en croit ces historiens, accompagne la dégradation politique, le roi, la Cour et les privilégiés donnant l'exemple de l'indignité. « Quand on cherche les personnages, écrit Chateaubriand, on est réduit à fouiller les antichambres du duc de Choiseul, les garde-robes des Pompadour et des du Barry, noms qu'on ne sait comment élever à la dignité de l'histoire. » Pour Joseph Droz la France était alors « avilie au-dedans, humiliée au-dehors » et Louis XV portait l'entière responsabilité d'un tel abaissement. Tocqueville accuse la Régence où « toute pudeur, toute décence disparaissent » et l'influence désastreuse de la Pompadour : « ... avec elle la honte, les revers, la perte de notre influence politique, l'amoindrissement des hommes, la confusion dans tous les pouvoirs ». Henri Martin dénonce la Cour : « La cour de Versailles, écrit-il, renouvelle les derniers jours de ces antiques empires d'Asie éteints dans le paroxysme de l'orgie. Après nous le déluge. Cette parole du roi est répétée d'une commune voix par la noblesse, par le haut clergé, par la finance, par toutes les classes supérieures de la société. »

Quant aux classes inférieures, la vision qu'en donnent ces historiens n'est pas plus consolante. La misère accable le peuple : « Une multitude de Français était misérable » (Droz) ; « Le peuple était plongé dans la misère, écrasé sous le poids des impôts » (Tocqueville).

Lamentable description : un régime abâtardi, une démoralisation générale, une société injuste et cruelle. Que reste-t-il de bon ? N'y a-t-il pas au moins ces fameuses « lumières », d'où les droits de l'homme sont issus ? Tous ces historiens (à l'exception de Chateaubriand) sont des sectateurs des droits de l'homme. Ne vont-ils pas, comme l'avait fait Voltaire, louer au moins les philosophes ? Or ils ne le font pas, ou s'ils le font, ce n'est pas sans réserves. Le seul qui approuve la philosophie sans restriction est Michelet : « Plus l'autorité tombe et descend dans la honte, écrit-il, plus le libre esprit monte, allume le fanal immortel qui nous guide encore. » Chez les autres, les réserves et les réticences l'emportent sur l'admiration. Droz estime les philosophes « très habiles à détruire, très inhabiles à reconstruire ». Tocqueville les accuse d'avoir contribué au déclin : « ... à force de déprécier la nation dans leurs écrits, ils avaient rendu les Français honteux d'eux-mêmes [...]. La postérité, ce juge équitable du passé, impute au philosophisme d'avoir perverti le peuple en prétendant l'éclairer. » Même Henri Martin, qui a pourtant un faible pour les philosophes (« ils valent bien mieux que leurs doctrines »), se fait très sévère à l'égard de la philosophie, n'ayant pas de mots assez durs contre « le matérialisme pratique de la Régence », contre « la philosophie sensualiste, fille et non mère de la décomposition morale, négation du passé tout entier » et contre le « déisme chrétien de Locke, devenu le déisme épicurien chez Voltaire » et aboutissant « au scepticisme pur ou au panthéisme naturaliste dans la secte philosophique ».

Donc, pendant une grande partie du XIXᵉ siècle, les jugements portés sur la France des Lumières par les historiens les plus autorisés ont été presque toujours des jugements négatifs, quand ils n'étaient pas des condamnations sans appel. Même si l'on ne partage pas ce point de vue, même si l'on déplore cette façon moralisante de voir les choses, un rejet aussi massif, aussi catégorique doit donner à réfléchir. Les historiens d'aujourd'hui n'ont pas le droit de l'ignorer. Il serait normal qu'ils s'interrogent sur les raisons d'une répulsion aussi unanimement partagée.

Nous avons vu que la période séparant la guerre de 1870 de celle de 1914-1918 avait vu naître et se développer une histoire moins moralisante et plus scientifique, fondée sur l'exploitation systématique des sources d'archives. Ces nouveaux historiens ne se présentent pas en juges, mais plutôt en cliniciens ; ils cherchent à diagnostiquer et à expliquer. Leurs appréciations sont plus détachées, plus nuancées, plus objectives que celles de leurs prédécesseurs. C'est le cas en particulier de l'interprétation de Taine et de celle des collaborateurs de l'*Histoire de France* de Lavisse.

Le diagnostic de Taine au tome I (intitulé l'*Ancien Régime* et publié en 1875) de ses *Origines de la France contemporaine* est un diagnostic de crise. Comme ses prédécesseurs, il constate que tout est dérangé, que rien ne va plus, mais il ne se borne pas comme eux à constater : il analyse le mal et s'efforce de l'expliquer. La crise selon lui est double : elle est sociale et intellectuelle. La crise sociale vient de la démission des privilégiés : ceux-ci ne méritent plus leurs privilèges, parce qu'ils ont oublié leur fonction de service : « Séparés du peuple, ils abusent de lui ; chefs nominaux, ils ont désappris l'office de chefs effectifs » ; quant à la crise intellectuelle, elle aurait pour cause principale une conception nouvelle, simpliste et réductrice de l'homme : à force de « suivre en toute recherche […] la méthode des mathématiques », on aurait fabriqué un « homme abstrait », un homme qui n'existe pas. Telles sont les conclusions du docteur Taine. Son examen présente un caractère de grande nouveauté. Pour la première fois est porté sur le XVIIIe siècle français un regard d'historien objectif, inspiré non par des sentiments ou des considérations de morale, mais par l'esprit d'analyse et de raisonnement.

A la différence de Taine, passionné d'histoire sociale, les collaborateurs de l'*Histoire de France* de Lavisse (Henri Carré, Philippe Sagnac et Ernest Lavisse lui-même pour les tomes VIII-2 et IX de la série, parus en 1909 et 1910-1911) mettent l'accent sur l'histoire politique, sans d'ailleurs négliger les autres aspects de l'histoire. Eux aussi font un diagnostic, mais qui porte principalement sur la maladie politique du royaume. Diagnostic de faiblesse : le régime est incapable de se reprendre et se débat dans des difficultés sans remèdes. La paresse de Louis XV (thème repris des historiens du siècle précédent) aggrave cette impuissance. Il s'y ajoute l'opposition parlementaire, véritable chancre de la monarchie. Les historiens libéraux du XIXe siècle avaient approuvé l'action des parlements. Lavisse et les historiens républicains de son école la désapprouvent. Ils sont même très sévères pour les cours souveraines, les accusant d'imposture et d'hypocrisie : « Le parlement de Paris, écrit Henri Carré, se donnait l'air d'un protecteur de la nation contre l'arbitraire de la royauté. » En revanche, la révolution royale de 1771 est applaudie et la réforme Maupeou, c'est logique, est louée : « C'était, dit Henri Carré, une réforme utile en soi. » Le règne de Louis XV, grande nouveauté, n'est plus condamné en bloc. Le coup d'État de 1771 n'est d'ailleurs pas pour ces auteurs le seul point positif. Ne parlent-ils pas d'« amélioration de la vie rurale », allant même jusqu'à écrire que « la condition des fermiers et des métayers est en général bien meilleure » ? Après plus d'un siècle de mépris, c'est le début d'une réhabilitation. Il est intéressant qu'elle vienne d'historiens de gauche et républicains.

Il n'est pas non plus sans intérêt de comparer *Les Origines* et l'*Histoire de France* de Lavisse. La méthode de Lavisse et de ses collaborateurs est celle, analytique et expérimentale, des *Origines*. Mais, à la différence de Taine, les auteurs de l'*Histoire de France* ne recherchent pas les causes. Taine avance une explication de la crise. Tout en constatant une maladie politique, les auteurs de l'*Histoire de France* ne semblent nullement soucieux d'en retrouver l'origine. Ils se séparent aussi de Taine dans leurs jugements sur la philosophie des Lumières. C'est tout juste si l'auteur des *Origines* consent à donner à cette forme de pensée le nom de philosophie. Au contraire, Lavisse et ses collaborateurs prennent ici la suite de Michelet et entreprennent de réhabiliter les Lumières mal aimées depuis si longtemps des historiens. Ils le font avec emphase. « Les écrits des Philosophes répandus partout, écrit par exemple Henri Carré, opposèrent au vieux monde, au fanatisme populaire, à la magistrature pesante et cruelle, au système atroce des procédures et des peines, les idées de tolérance, de liberté et d'humanité. » Enfin, Carré, Sagnac et Lavisse contredisent le pessimisme de Taine. Ce dernier voit tout se défaire ; il va jusqu'à parler de dissolution de la France : « Déjà, écrit-il, avant l'écroulement final, la France est dissoute, et elle est dissoute parce que les privilégiés ont oublié leur caractère d'hommes publics. » Carré, Sagnac et Lavisse ne voient rien d'aussi grave. Certes, le régime est malade, mais tout ne va pas si mal. Il y a de bons ministres, des réformes utiles, des progrès sociaux et économiques. Et d'ailleurs un pays n'est pas si mal en point qui est capable de concevoir les idées bienfaisantes de liberté, d'égalité et de tolérance. Taine et Lavisse : à trente années de distance, deux interprétations opposées du siècle des Lumières, la première très proche de celle des historiens libéraux du XIXe siècle, mais beaucoup plus critique et beaucoup mieux argumentée, la seconde annonçant les grandes réhabilitations du XXe siècle.

La période 1914-1945 est marquée par l'histoire marxiste et par l'interprétation de Pierre Gaxotte dans son *Siècle de Louis XV* (1933). Pour les historiens marxistes, dont Ch. E. Labrousse et G. Lefebvre sont les chefs de file, toute la réalité du XVIIIe siècle français se ramène à la formation d'une nouvelle société de classes par le moyen de la prolétarisation des ouvriers et des paysans. Pour Pierre Gaxotte, il s'agit de réviser le procès fait depuis plus d'un siècle à la France de Louis XV. Lavisse avait commencé la révision, mais d'une manière timide et comme honteuse. Gaxotte annonce la couleur. Tout en se défendant de « vouloir le moins du monde réhabiliter un temps sans vertu », il s'en prend d'emblée aux historiens malveillants et prétend réagir contre ce qu'il juge être leur partialité et leur manque d'esprit critique : « … on n'a regardé, dit-il, ni au choix des moyens, ni à la valeur des témoignages, ni à la qualité des anecdotes ». Entreprise de tromperie : les Français ont été abusés. « Pendant tout un siècle, [ils] ont eu la faiblesse de croire que leur histoire commençait en 1789. Aussi n'ont-ils vu dans les soixante-quinze ans qui ont précédé qu'une période de désorganisation durant laquelle la monarchie s'usa avant de s'écrouler. » Il convient de rétablir enfin la vérité. Gaxotte s'y emploie. Il fait apparaître l'intelligence, la lucidité et le courage de Louis XV, l'enrichissement du pays, la floraison merveilleuse des arts, l'efficacité remarquable de l'administration royale. Il ne masque pas pour autant les aspects moins glorieux du règne, la désastreuse guerre de Sept Ans, la crise politique, les querelles religieuses, mais enfin pour lui ce n'est pas un temps de décadence. Par la magie de ses évocations, un nouveau XVIIIe siècle renaît sous nos yeux et c'est le siècle le plus civilisé qui fût jamais. On est très loin de la condamnation de Chateaubriand (« l'époque la plus déplorable de notre histoire ») et du constat désolé de Taine (« … la France est dissoute »). Ce n'est pas que Gaxotte ne voie pas — il n'est pas un historien naïf, ni inconscient — la fatigue du régime et l'usure de la société, mais il pense que ces maux n'étaient pas irrémédiables. La preuve en est selon lui par le coup d'État de 1771 : on pouvait réparer ; la preuve est qu'on l'a fait. Si l'Ancien Régime a fini par basculer, ce n'est pas de sa faute, c'est à cause des multiples agressions dont il a été victime, celles du clan philosophique d'une part, celles de l'opposition parlementaire d'autre part. Il n'est pas mort de ses maladies, on l'a tué.

Lavisse, Marx et Gaxotte : pendant une soixantaine d'années (des années trente aux années quatre-vingt-dix) les historiens se sont partagés entre ces trois écoles. Les uns — ils ont été les plus nombreux — ont suivi les thèses marxistes, les autres ont adhéré aux thèses révisionnistes de Lavisse et de Gaxotte, de Lavisse quand ils se disaient de gauche et adeptes eux-mêmes des Lumières, de Gaxotte quand ils se rangeaient à droite et n'aimaient pas trop les Lumières.

Les historiens délibérément marxistes et ceux qui l'étaient sans le savoir — espèce assez commune — se sont adonnés pendant longtemps aux travaux d'histoire économique et sociale. Dans les dernières années, on les a vus s'orienter surtout vers ce qu'ils appellent (sans pouvoir la définir exactement) l'« histoire des mentalités ». L'histoire politique, celle des institutions et même celle des idées les intéressaient beaucoup moins. A leurs yeux en effet, les événements politiques et la production philosophique et littéraire ne sont que les effets secondaires et de surface de la véritable histoire, celle de la lutte des classes. Chez eux, tout part de la lutte des classes et tout y aboutit. Toute politique est politique de classe, toute culture de classe, toute religion de classe. Les conclusions de leurs travaux vont toujours dans ce sens. Ainsi Maurice Garden conclut sa thèse monumentale sur *Lyon et les Lyonnais au XVIIIe siècle* (1971) par ces mots : « ... c'est bien une société de classes qui se forme tout au long du XVIIIe siècle en dépit de la force des traditions. »

Le disciple le plus fidèle de Pierre Gaxotte, spécialiste comme son maître du règne de Louis XV, est aujourd'hui Michel Antoine. Comme Pierre Gaxotte, Michel Antoine accorde au personnel politique et administratif de ce règne une certaine considération. Au roi lui-même et à plusieurs de ses ministres (Bertin, Machault, par exemple), il concède intelligence, bonne volonté, lucidité, compétence et même capacité de concevoir des projets salvateurs, des plans qui auraient pu sauver la monarchie. Cependant, l'analyse du régime va plus au fond chez cet auteur que chez Gaxotte. Il démontre en effet que le règne de Louis XV consolide la transformation opérée par Louis XIV de la monarchie française en monarchie administrative. Il y voit d'ailleurs une belle réussite : « Le règne de Louis XV, écrit-il, constitue un des moments les plus brillants de l'histoire administrative de la France. » Il loue le roi Louis XV d'avoir choisi le parti de l'action administrative et d'avoir ainsi donné à la monarchie la possibilité de s'amender elle-même.

Telles étaient dans les dernières années, telles sont encore aujourd'hui les interprétations dominantes. Les verrons-nous un jour céder la place à des vues plus nouvelles ? Il faudrait pour cela que les historiens renoncent aux idéologies et aux partis pris de droite ou de gauche. Il faudrait qu'ils se proposent d'expliquer et non de juger. Il faudrait surtout accorder plus d'importance qu'on ne l'a fait jusqu'ici à la manière de penser des gens, à leurs croyances, à leurs idées, à leurs opinions, au lieu de les traiter toujours comme s'ils n'avaient que des comportements et des appétits. On peut craindre que les conditions d'un tel renouvellement ne soient pas encore remplies. « L'histoire, a écrit Fustel de Coulanges, n'étudie pas seulement les faits matériels et les institutions ; son véritable objet d'étude est l'âme humaine ; elle doit aspirer à connaître ce que cette âme a cru, a pensé, a senti aux différents âges de la vie du genre humain » (*La Cité antique*, p. 103). Les historiens français devraient bien méditer cette belle sentence.

II. BIBLIOGRAPHIE

ÉTUDES D'ENSEMBLE ET OUVRAGES DE SYNTHÈSE

Nous avons énuméré plus haut (voir *Histoire de l'histoire*) les principaux ouvrages anciens, antérieurs à 1914, constituant des synthèses de l'histoire de la France au XVIIIᵉ siècle. A l'exception des *Origines* de Taine et de l'*Histoire de France* de Lavisse, tous ces ouvrages sont aujourd'hui largement dépassés. *Le Siècle de Louis XV* de Pierre Gaxotte (Paris, 1933, nouvelles éditions en 1958 et 1974), remarquablement écrit, est encore très utilisable. De même le *XVIIIᵉ Siècle* de Roland Mousnier (dans *Histoire de la France*, sous la direction de Marcel Reinhard, Paris, 1954). Entre 1954 et 1971 ont paru plusieurs études d'ensemble de valeur inégale. Ce sont, dans l'ordre chronologique de leur publication, d'Alfred Cobban, *A History of Modern France*, t. I : *Old Regime and Revolution 1715-1799* (Londres, 1961), d'Hubert Méthivier, *Le Siècle de Louis XV* (collection « Que sais-je ? », n° 1229, Paris, 1966), excellent résumé comme tous ceux faits par cet auteur, de Robert Mandrou, *La France aux XVIIᵉ et XVIIIᵉ siècles* (volume n° 33 de la collection « Nouvelle Clio », Paris, 1967) et enfin de Paul Galiano, Robert Philippe et Philippe Sussel, *La France des Lumières, 1715-1789* (Paris, 1970), ouvrage assez peu scientifique, mais doté d'une chronologie et d'un dictionnaire qui peuvent rendre service. Signalons enfin, de Daniel Roche, *La France des Lumières* (Paris, 1993), ouvrage où il est peu question des Lumières (3 pages seulement sur 651). C'est tout pour l'histoire de France proprement dite. Mais on peut aussi consulter des ouvrages plus généraux, replaçant l'histoire de la France des Lumières à l'intérieur de l'histoire de l'Europe ou de l'histoire du monde à la même époque. Ainsi, par exemple, Suzanne Pillorget, *Apogée ou déclin des sociétés d'ordres (1610-1787)* (Paris, 1969), Roland Mousnier et E. Labrousse, *Le XVIIIᵉ Siècle. L'époque des Lumières (1715-1815)* (Paris, 1959) et, plus récent, Albert Soboul, Guy Lemarchand et Michèle Fogel, *Le Siècle des Lumières* (collection « Peuples et Civilisations », 2 vol., Paris, 1977-1978), ouvrage d'esprit nettement marxiste, mais clair et documenté. Enfin, il ne faut pas oublier les manuels et traités consacrés à l'Ancien Régime, tels par exemple Hubert Méthivier, *L'Ancien Régime* (collection « Que sais-je ? », Paris, 1961), Pierre Goubert, *L'Ancien Régime* (2 vol., Paris, 1969) et E. Le Roy Ladurie, *L'Ancien Régime 1610-1770* (Paris, 1991).

HISTOIRE POLITIQUE

Les rois et leur entourage

La vie et la personnalité de Louis XV avaient été déjà bien étudiées par Pierre Gaxotte dans son *Siècle de Louis XV* (1933) cité et commenté plus haut. Les derniers biographes de ce prince ont été Pierre Lafue (*Louis XV, la victoire de l'unité monarchique*, Paris, 1952), Paul del Perugia (*Louis XV*, Paris, 1975) et Michel Antoine (*Louis XV*, Paris, 1989). Le troisième est incontestablement le meilleur. Le deuxième (Paul del Perugia) manque parfois de rigueur et de méthode, mais il a de l'intuition et le Louis XV qu'il nous restitue n'est peut-être pas très éloigné du personnage réel. Sur le mariage de ce roi, on lira Pierre de Nolhac, *Le Mariage de Louis XV d'après des documents nouveaux et une correspondance inédite de Stanislas Leszczyński* (Paris, 1900) et Gauthier-Villars, *Louis XV et Marie Leszczyńska* (Paris, 1900). Dans notre étude intitulée « Le roi et le public. L'exemple de Louis XV » (*Revue historique*, 1988, p. 23-24), nous avons essayé de montrer comment Louis XV comprenait la représentation royale.

La personnalité de Louis XVI est encore mal connue. Ce ne sont pourtant pas les biographies qui manquent, mais, si l'on veut toujours justifier le roi ou l'excuser : on cherche peu à le connaître ; on se soucie très peu de ce qu'il pensait. L'ancien ouvrage de l'abbé Proyart (*Louis XVI et ses vertus aux prises avec la perversité de son siècle...*, 5 vol., Paris, 1808) appartient au genre hagiographique. Dans les cinquante dernières années ont paru six biographies : Pierre Lafue, *Louis XVI. L'échec de la révolution royale* (Paris, 1942), Maurice de La Fuye, *Louis XVI* (Paris, 1943), A. Leroy, *Louis XVI, le roi malgré lui* (Paris, 1961) Bernard Faÿ, *Louis XVI ou la fin d'un monde* (Paris, 1966), Évelyne Lever, *Louis XVI* (Paris, 1985) et Éric Le Nabour, *Louis XVI ou le pouvoir et la fatalité* (Paris, 1988). Aucun de ces ouvrages n'est satisfaisant. Le premier véritable biographe de Louis XVI n'est peut-être pas encore né. Toutefois, nous disposons déjà de quelques études scientifiques sur certains aspects de la vie et de la pensée de ce prince : Pierrette Girault de Coursac, *L'Éducation d'un roi : Louis XVI* (Paris, 1972), Michel Bottin, « Louis XVI et la réforme de l'Ancien Régime » (*Mémoire*, 1987, n° 6, p. 3-22) et Jean de Viguerie, « Les idées politiques de Louis XVI » (*Annuaire-Bulletin de la Société de l'histoire de France*, 1983, p. 71-82).

La seule biographie de la reine Marie Leszczyńska est celle de la comtesse d'Armaillé (*La Reine Marie Leszczyńska*, Paris, 1901). En revanche, on a beaucoup écrit sur Marie-Antoinette, mais le seul travail sérieux est celui de Pierre de Nolhac (*La Reine Marie-Antoinette*, Paris, 1890, nouvelle édition en 1929). Tout ce qui est venu ensuite (Stefan Zweig, *Marie-Antoinette*, Paris, 1933, F.W. Kenyon, *Marie-Antoinette*, Paris, 1956, Évelyne Lever, *Marie-Antoinette*, Paris, 1991 et Jean Chalon, *Chère Marie-Antoinette*, Paris, 1988) n'y a rien ajouté. Sur les dauphins, on lira Emmanuel de Broglie (*Le Fils de Louis XV, Louis, Dauphin de France*, Paris, 1877) et Paul Bruchon (« Louis, Joseph, Xavier, François, Dauphin de France, 21 octobre 1781-4 juin 1789 », *Bulletin de la Société des amis de Meudon*, 1989, n° 181, p. 973-984). L'épouse du Dauphin et belle-fille de Louis XV, Marie-Josèphe de Saxe, a fait l'objet d'une biographie honorable de Casimir Stryenski : *La Mère des trois derniers Bourbons, Marie-Josèphe de Saxe et la cour de Louis XV* (Paris, 1902). Mais ce sont les filles de Louis XV qui ont le plus retenu l'attention des historiens. On peut lire, sur elles, Casimir Stryenski, *Mesdames de France, filles de Louis XV* (3ᵉ édition, Paris, 1902) et Simone Poignant, *L'Abbaye de Fontevrault et les filles de Louis XV* (Paris, 1966), ouvrage aimable où l'auteur a tiré le meilleur parti d'une documentation assez maigre. Plusieurs biographies ont été consacrées à Madame Louise, la dernière fille, devenue carmélite. Citons, entre autres, Léon de La Brière, *Madame Louise de France* (Paris, 1900) et la très bonne étude de Bernard Hours, *Madame Louise, princesse au Carmel* (Paris, 1987). Sur don Philippe, infant de Parme, gendre de Louis XV, nous avons le livre de Casimir Stryenski (*Le Gendre de Louis XV*, Paris, 1904) et sur la fille de ce dernier, petite-fille de Louis XV, Isabelle de Bourbon-Parme, le récent ouvrage d'Ernest Sanger, *Isabelle de Bourbon-Parme, petite-fille de Louis XV* (Paris, 1991). La dernière biographie en date de Madame Élisabeth, sœur de Louis XVI, est celle de Noëlle Destremau (*Une sœur de Louis XVI, Madame Élisabeth*, Paris, 1983). Elle est bien documentée. Il faut la préférer à celle d'Y. de La Vergne (*Madame Élisabeth de France, d'après des documents inédits*, Paris, 1936). Quant aux Orléans, ils sont encore bien mal connus. Les derniers livres en date sont, sur le Régent, celui de Jean Meyer (*Le Régent*, Paris, 1985) et, sur Philippe-Égalité, celui d'Hubert Lamarle (*Philippe-Égalité, « Grand Maître » de la Révolution*, Paris, 1989), mais il n'existe aucune étude sur le duc Louis ni sur le duc Louis-Philippe, fils et petit-fils du Régent. En revanche, la duchesse de Berry, fille du Régent, a fait l'objet d'une bonne étude biographique d'Henri Carré : *Mademoiselle, fille du Régent, duchesse de Berry (1695-1719)* (Paris, 1936). Le duc de Penthièvre, fils du comte de Toulouse, a été étudié par Honoré Bonhomme (*Le Duc de Penthièvre. Sa vie. Sa mort. 1725-1793...*, Paris, 1869).

La littérature concernant les maîtresses de Louis XV est, cela va de soi, très abondante. On peut déplorer qu'elle ne soit pas plus critique. Finalement, le meilleur ouvrage sur Mme de Pompadour est celui, déjà ancien, de Pierre de Nolhac (*Madame de Pompadour et la politique d'après des documents inédits*, Paris, 1926). Ceux du duc de Castries (*La Pompadour*, Paris, 1983) et de Danielle Gallet (*Madame de Pompadour ou le pouvoir féminin*, Paris, 1985) ne le valent pas. Les principaux historiens de Mme du Barry sont Charles Vatel (*Histoire de Mme du Barry*, 3 vol., Versailles, 1883), Claude Saint-André (*Madame du Barry d'après des documents inédits*, Paris, 1909) et A. Fauchier-Magnan (*Les Dubarry. Histoire d'une famille au XVIIIᵉ siècle*, Paris, 1934). On verra aussi le catalogue de l'exposition « La comtesse du Barry à Marly-le-Roi » (1992) et celui de l'exposition « Madame du Barry. De Versailles à Louveciennes » (Paris, 1992). Le sujet des petites maîtresses n'a pas été épuisé par l'ouvrage du comte M. Fleury, *Louis XV et les petites maîtresses* (Paris, 1899). En revanche, l'article de Michel Antoine, « Les bâtards de Louis XV » (*Revue des Deux Mondes*, 1ᵉʳ août 1961, p. 452-464), article repris dans le recueil du même auteur, *Le Dur Métier de roi* (Paris, 1986, p. 293-313), constitue une mise au point définitive.

La Cour a été négligée par les historiens. Le bon livre de J.F. Solnon (*La Cour de France*, Paris, 1987) est une histoire générale. Les ouvrages de Jacques Levron (*La Vie quotidienne à la cour de Versailles aux XVIIe et XVIIIe siècles*, Paris, 1965) et de Colette Ziegler (*Les Coulisses de Versailles. Louis XV et sa Cour*, Paris, 1965) ne présentent qu'un intérêt anecdotique. On manque d'études sérieuses sur la Maison du roi. Les seules études scientifiques sont relatives à la vénerie (Françoise Vidron, *La Vénerie royale au XVIIIe siècle*, Paris, s.d.), aux différentes musiques (Marcelle Benoit, *Versailles et les musiciens du roi, étude institutionnelle et sociale, 1661-1733*, Paris, 1971), aux pages (François Bluche, « Les pages de la Grande Écurie » dans *Les Cahiers nobles*, 1957), et aux fêtes (A.C. Gruber, *Les Grandes Fêtes et leur décor à l'époque de Louis XVI*, Paris, 1972).

Les institutions et le gouvernement intérieur

Il existe de nombreux ouvrages généraux d'histoire des institutions. Sans vouloir déprécier les autres traités, ceux d'Émile Chénon (*Histoire générale du droit français public et privé, des origines à 1815*, t. II, fasc. 1, Paris, 1929), de François Olivier-Martin (*Histoire du droit français, des origines à la Révolution*, Paris, 1948, nouvelle édition en 1984) et de Roland Mousnier (*Les Institutions de la France sous la monarchie absolue*, 2 vol., Paris, 1974 et 1975) nous paraissent être les plus clairs et les plus utiles. On pourra les compléter avec le dictionnaire de Marcel Marion (*Dictionnaire des institutions de la France aux XVIIe et XVIIIe siècles*, Paris, 1969).

Pour bien comprendre l'institution monarchique, il faut toujours se reporter à *La Monarchie d'Ancien Régime* de Georges Pagès (Paris, 1941). La question du sacre a fait l'objet d'études de Jean de Viguerie (« Les serments du sacre des rois de France et spécialement le serment du royaume », Hermann Weber (« Le sacre de Louis XVI et la crise de l'Ancien Régime »), Alain Charles Gruber (« Le décor des derniers sacres dans la cathédrale de Reims »), publiées dans *Le Sacre des rois, Actes du colloque international d'histoire sur les sacres et couronnements royaux*, Reims, 1975 (Paris, 1985), et Marina Valenssie, « Rappresentazione del potere e ideologia della regalità nella Francia moderna : il "sacre" di Luigi XVI » (*Annali della Fondazione Luigi Einaudi*, 1982, vol. 16, p. 141-192) ; toucher royal est étudié dans notre article intitulé « Miracles à Corbeny. Étude sur les miracles de saint Marcoul, suivie de quelques remarques sur le toucher royal aux dix-septième et dix-huitième siècles » (*Studi e Fonti di storia lombarda. Quaderni milanesi*, « Ricerche sul miracolo », n° 16, 1988, p. 5-32). Les travaux de Jean-Pierre Brancourt (*Le Duc de Saint-Simon et la monarchie*, Paris, 1971) et de Claire Saguez-Lovisi (*Les Lois fondamentales au XVIIIe siècle. Recherches sur la loi de dévolution de la couronne*, Paris, 1984) montrent bien comment la monarchie était jugée et interprétée par les théoriciens politiques et par les philosophes des Lumières. Par contre l'article de S.H. Madden, « L'idéologie constitutionnelle en France : le lit de justice » (*Annales ESC*, janvier-février 1982, p. 32-63), loin d'éclairer la question qu'il prétend traiter, ne fait que la rendre plus confuse.

Mis à part l'ouvrage d'Henri Regnault intitulé *Les Ordonnances civiles du chancelier d'Aguesseau* (2 vol., Paris, 1929, 1938) et celui de François Olivier-

Martin, *Les Lois du roi* (Paris, 1945-1946), toutes les études relatives aux lois du roi portent sur les lettres de cachet : Frantz Funck-Brentano, *Les Lettres de cachet à Paris. Étude suivie d'une liste des prisonniers de la Bastille (1659-1789)* (Paris, 1903), François-Xavier Emmanuelli, « Ordres du roi et lettres de cachet en Provence à la fin de l'Ancien Régime. Contribution à l'histoire du climat social et politique » (*Revue historique*, n° 512, octobre-décembre 1974, p. 357-393) et Claude Quétel, *De par le roi. Essai sur les lettres de cachet* (Paris, 1981).

Sur le Conseil du roi, l'ouvrage définitif est la thèse de Michel Antoine, *Le Conseil du roi sous le règne de Louis XV* (Genève, 1970). Le recueil d'articles du même auteur, intitulé *Le Dur Métier de roi. Essai sur la civilisation politique de la France d'Ancien Régime* (Paris, 1986), éclaire pareillement plusieurs questions importantes de politique et d'administration. Sur la fonction ministérielle, nous ne disposons que d'ouvrages anciens, de bonne qualité sans doute, mais qu'il faudrait renouveler (comte de Luçay, *Les Secrétaires d'État depuis leur institution jusqu'à la mort de Louis XV*, Paris, 1881 ; P. Viollet, *Le Roi et ses ministres pendant les trois derniers siècles de la monarchie* (Paris, 1912), et Auguste Dumas, *L'Action des secrétaires d'État sous l'Ancien Régime* (Aix-en-Provence, 1954). La remarque s'applique aussi aux études particulières concernant le contrôle général des Finances (Marcel Marion, *Machault d'Arnouville. Étude sur l'histoire du contrôle général des Finances de 1749 à 1754*, Paris, 1891, et A.J. Bourde, *Deux Registres (H 1520-1521) du contrôle général des Finances aux Archives nationales. Contribution à l'étude du ministère Orry* (Cannes, 1965). En revanche, il existe des études récentes sur les bureaux des ministères ; on verra en particulier Jean-Pierre Samoyault, *Les Bureaux du secrétariat d'État des Affaires étrangères sous Louis XV* (Paris, 1971), C. Piccioni, *Les Premiers Commis des Affaires étrangères aux XVIIe et XVIIIe siècles* (Paris, 1928), et Anne Buot de l'Épine, « Les bureaux de la Guerre à la fin de l'Ancien Régime » (*RHD*, 1976, p. 533-558).

Le genre biographique étant fort peu cultivé en France, on connaît mal les carrières, les personnalités et les idées du personnel politique de la monarchie. Cependant, le dictionnaire de Michel Antoine (*Le Gouvernement et l'administration sous Louis XV. Dictionnaire biographique*, Paris, 1978) représente une précieuse base de départ pour des recherches dans ce domaine. Par ailleurs, il existe un certain nombre de biographies, de mérites très inégaux. Nous les mentionnons dans l'ordre alphabétique des noms des ministres concernés. Sur le chancelier d'Aguesseau, outre la thèse, citée plus haut, d'Henri Regnault, nous avons une mince étude de Georges Frêche (dans Georges Frêche et Jean Sudreau, *Un chancelier gallican : Daguesseau, et un cardinal diplomate : François Joachim de Pierre de Bernis*, Paris, 1969) et l'excellente thèse d'Isabelle Storez : *Le Chancelier d'Aguesseau, étude biographique* (université de Lille III, 1992). Bernis a été étudié par F. Masson (*Le Cardinal de Bernis depuis son ministère (1758-1794). La suppression des jésuites*, Paris, 1884) et par Jean Sudreau dans l'ouvrage que nous venons de citer à propos de d'Aguesseau. Bourgeois de Boynes, ministre de la Marine, fait l'objet d'un court article de Patrick Villiers (« Pierre Étienne Bourgeois de Boynes : un Orléanais, secrétaire d'État à la

Marine du 17 avril 1771 au 23 juillet 1774», *Bulletin de la Société archéologique de l'Orléanais*, 1988, n° 81, p. 24-32). Pour Breteuil, voir R.M. Rampelberg, *Aux origines du ministère de l'Intérieur, le ministre de la Maison du roi (1783-1788), Baron de Breteuil* (Paris, 1976). Sur Calonne on a deux biographies bien faites, mais qui ne prennent pas, semble-t-il, toute la mesure de ce personnage talentueux et lucide : Pierre Jolly, *Calonne, 1734-1802* (Paris, 1949) et Lacour-Gayet, *Calonne. Financier, réformateur, contrerévolutionnaire, 1734-1802* (Paris, 1963). Le duc de Castries a écrit une biographie de son ancêtre, le ministre de la Marine de Louis XVI : *Maréchal de Castries, serviteur de trois rois* (Paris, 1979). On attend toujours une grande biographie scientifique de Choiseul. Les essais de Maugras (*Le Duc et la Duchesse de Choiseul, leur vie intime, leurs mœurs et leur temps*, Paris, 1904), de Roger H. Soltau (*The Duke of Choiseul : The Lothian Essay*, Oxford, 1908), de Rohan Butler (*Choiseul, Father and Son*, Oxford, 1980) et d'Annie Brierre (*Le Duc de Choiseul : la France sous Louis XV*, Paris, 1986) ne méritent pas cette appellation. L'unique biographie que nous ayons du cardinal Dubois est aujourd'hui très vieillie (le P. Bliard, *Dubois cardinal, premier ministre (1656-1723)*, 2 vol., Paris, s.d.). Que nul n'ait songé à la refaire est étonnant. De même, on est surpris de l'indigence de la bibliographie concernant le cardinal de Fleury, qui gouverna le royaume pendant seize ans, et pour lequel il n'existe qu'un seul ouvrage — d'ailleurs médiocre — portant sur l'ensemble de sa vie, celui du comte Maxime de Sars, *Le Cardinal de Fleury, apôtre de la paix* (Paris, 1942). Pour Law, on consultera les deux biographies les plus complètes (H.M. Hyde, *John Law, un honnête aventurier*, Paris, 1949, et R. Trintzius, *John Law et la naissance du dirigisme*, Paris, 1950) ainsi que les ouvrages relatifs au Système (voir *infra*). Claude Sturgill est l'auteur d'une biographie de l'excellent ministre de la Guerre de la Régence, Claude Le Blanc : *Claude Le Blanc, Civil Servant of the King* (Gainesville, 1975). Le chancelier Maupeou lui-même n'a pas été très étudié ; les historiens se sont surtout intéressés à son conflit avec les parlements et à ses réformes ; on trouvera néanmoins des éléments biographiques dans l'ouvrage de Jules Flammermont, *Le Chancelier Maupeou et les parlements* (Paris, 1885). Ministre réformateur et réputé progressiste, Necker a comme il se doit beaucoup plus de succès. Les ouvrages le concernant sont nombreux. Signalons seulement les trois plus récents : H. Grange, *Les Idées de Necker* (Lille, 1973), Jean Egret, *Necker, ministre de Louis XVI* (Paris, 1975) et Ghislain de Diesbach, *Necker ou la faillite de la vertu* (Paris, 1987), ce dernier étant le plus amusant des trois. Il n'existe en revanche, à notre connaissance, aucune biographie de Maurepas, qui joua pourtant un rôle important d'abord comme ministre de la Marine, ensuite comme «mentor» du jeune Louis XVI. Pour Louis Phélypeaux, comte de Saint-Florentin, marquis, puis duc de La Vrillière, ministre sans interruption de 1725 à 1775, on trouvera des indications dans Luc Boisnard, *Les Phélypeaux. Une famille de ministres sous l'Ancien Régime* (Paris, 1986). L'ouvrage de Louis Mention sur le comte de Saint-Germain, ministre de la Guerre (*Le Comte de Saint-Germain et ses réformes*, Paris, 1884), est superficiel. De bien meilleure qualité sont les travaux de Jacques Michel et du marquis de Ségur sur Sartine et sur le maréchal de Ségur, ministre de la Guerre (Jacques Michel, *Sartine, du Paris de Louis XV à la marine de Louis XVI*, Paris, 1984, 2 vol. ; marquis de Ségur, *Le Maréchal de Ségur*, Paris, 1895). Sur Terray, voir R. Girard, *L'Abbé Terray et la liberté du commerce des grains*. La carrière et l'œuvre de Turgot ont fait l'objet de plusieurs ouvrages, articles et communications (Dr G. Hugues, *Essai sur l'administration de Turgot dans la généralité de Limoges*, Paris, 1859, J.C. Gignoux, *Turgot*, Paris, 1945, Edgar Faure, *La Disgrâce de Turgot*, Paris, 1961, *Turgot, économiste et administrateur*, Limoges, 1982), mais la seule étude envisageant l'ensemble de sa vie et de sa personnalité est celle, très vieillie, de J.M. Tissot : *Turgot, sa vie, son administration, ses ouvrages* (Paris, 1862). En revanche, il existe deux biographies de Vergennes : J. de Mayer, *Vie publique et privée de Charles Gravier, comte de Vergennes* (Paris, 1789) et J.F. Labourdette, *Vergennes, ministre principal de Louis XVI* (Paris, 1990). Tel est le bilan — on voit qu'il est assez maigre — de la bibliographie biographique ministérielle. Il serait évidemment à souhaiter que d'autres études viennent enrichir nos connaissances dans ce domaine et qu'au moins des ministres importants, comme le comte d'Argenson ou l'abbé Terray, trouvent enfin leurs biographes.

On peut formuler le même vœu en ce qui concerne les hauts personnages de Cour et certaines figures qui, sans exercer de fonctions ministérielles, ont cependant approché le roi, ont exercé une influence sur lui, ou bien ont joué d'une autre manière un rôle politique important. Car les études biographiques dans ce secteur sont également très rares. Elles sont vite passées en revue. On a un bon travail récent sur le duc de Croÿ, l'ami de Louis XV. C'est l'ouvrage de Marie-Pierre Dion, *Emmanuel de Croÿ, 1718-1784. Itinéraire intellectuel et réussite nobiliaire au siècle des Lumières* (Bruxelles, 1987). Le livre de M. Pollitzer sur le duc de Richelieu (*Le Maréchal galant : Louis-François-Armand, duc de Richelieu*, Paris, 1952) est utile, mais ne va pas au fond. Avec *La Princesse de Lamballe* de Michel de Decker (Paris, 1979), la liste est pratiquement close. Cependant, il faut y ajouter les nombreux livres consacrés à Mirabeau et à La Fayette. Le *Mirabeau* du duc de Castries (Paris, 1960) renouvelle l'histoire de ce personnage avant la Révolution. L'auteur montre que les tares de la famille peuvent expliquer, sinon excuser les frasques du fils aîné. La dernière biographie de La Fayette est celle d'Olivier Bernier (*La Fayette, héros des deux mondes*, Paris, 1988) mais on lira aussi de Paul Pialoux « La Fayette, esquisse d'un portrait » (*Actes du 48ᵉ congrès de la Fédération des Sociétés savantes du Centre*, Brioude, 1989, p. 161-199).

L'étude du gouvernement central n'est pas complète sans celle des assemblées du clergé, seules assemblées représentatives à l'échelon national, jusqu'à la réunion des états généraux de 1789. Malheureusement, ces assemblées n'ont pas bénéficié, comme celles du XVIIᵉ siècle, des études remarquables du P. Pierre Blet. Il faut se contenter de l'ouvrage général et très vieilli d'I. Bourlon, *Les Assemblées du clergé de France sous l'Ancien Régime* (Paris, 1907) et de l'étude institutionnelle de Gabriel Lepointe, *L'Organisation et la Politique financière du clergé de France sous le règne de Louis XV* (Paris, 1934). Les agents généraux du clergé ont fait l'objet des travaux suivants : E. Besniers, *Les Agents généraux du clergé de France, spécialement de 1780 à 1785* (Paris, 1939), C. Lecouffe, *Les Agents généraux du clergé de 1770 à 1780* (Paris, 1953) et Michel Claverie, *Le Rapport des agents généraux du clergé de France à l'assemblée de 1765* (Paris, 1976).

Sur les institutions judiciaires, on dispose depuis peu d'une bonne synthèse d'Arlette Lebigre : *La Justice du roi : la vie judiciaire dans l'ancienne France* (Paris, 1988). Sur la juridiction parlementaire, à défaut d'un ouvrage d'ensemble, nous avons l'article très utile de Nicole Castan, « Les parlements français à la fin de l'Ancien Régime : pouvoir et pratique judiciaire » (*Commentaire*, 1985, p. 615-631). La plupart des travaux sur les différents parlements sont antérieurs à 1914 : Amable Floquet, *Histoire du parlement de Normandie* (Rouen, 1842 ; le tome VI concerne notre période), E. Michel, *Histoire du parlement de Metz* (Paris, 1845), E.F. de Lacuisine, *Le Parlement de Bourgogne depuis son origine jusqu'à sa chute* (2ᵉ édition, Dijon, 1857, t. II), Ch. Boscheron-Desportes, *Histoire du parlement de Bordeaux* (Paris, 1877, t. II), Jean-Baptiste Dubédat, *Histoire du parlement de Toulouse* (Toulouse, 1885, t. II), A. Estignard, *Le Parlement de Franche-Comté de son installation à Besançon à sa suppression, 1674-1792* (t. I, Paris-Besançon, 1892). Il faut préciser que tous ces auteurs ont tendance à s'intéresser beaucoup plus aux conflits des cours avec l'autorité royale qu'au fonctionnement des juridictions. On peut d'ailleurs en dire autant de deux ouvrages plus récents, celui d'A. Le Moy (*Le Parlement de Bretagne et le pouvoir royal au XVIIIᵉ siècle*, Angers, 1909) et celui de Jean Egret (*Le Parlement de Dauphiné et les affaires publiques dans la deuxième moitié du XVIIIᵉ siècle*, Grenoble, 1970). Nous revenons sur l'opposition parlementaire dans la partie de cette bibliographie consacrée aux événements politiques. Le parlement Maupeou et les conseils supérieurs ont été étudiés par Robert Villers dans sa thèse intitulée *L'Organisation du parlement de Paris et des conseils supérieurs d'après la réforme de Maupeou (1771-1774)* (Paris, 1937). On lira aussi sur le même sujet M. Le Griel, *Le Conseil supérieur de Clermont-Ferrand* (Paris, 1908).

Sur les cours des aides il faudra voir la thèse récente de Christine Mengès, *La Cour des aides et finances de Montauban* (université de Toulouse I, 1991), travail dont on doit souhaiter qu'il puisse être imprimé prochainement. Sur les bailliages et présidiaux et autres justices royales, on consultera M. Missoffe, *Les Officiers de justice du bailliage royal d'Avesnes (1661-1790)* (Paris, 1935) et Yves Thomas, « Note sur la chambre de police du Châtelet de Paris à l'époque de Louis XVI (1774-1789) » (*RHD*, 1976, p. 361-378). Les justices seigneuriales sont négligées par les historiens. On a cependant deux bonnes études : Jacques Henri Bataillon, *Les Justices seigneuriales du bailliage de Pontoise à la fin de l'Ancien Régime* (Paris, 1942) et Lauranson-Rozas, « Les justices seigneuriales en Forez à la fin de l'Ancien Régime » (*Études d'histoire*, université de Saint-Étienne, 1988-1989, p. 37-79).

Le droit pénal et la justice criminelle ont suscité d'intéressants travaux parmi lesquels il importe de citer A. Laingui, *La Responsabilité pénale dans l'ancien droit, XVI-XVIIIᵉ siècle* (Paris, 1970), Gérard Aubry, *La Jurisprudence criminelle du Châtelet de Paris sous le règne de Louis XVI* (Paris, 1971), Nicole Castan, *Justice et répression en Languedoc à l'époque des Lumières* (Paris, 1980), Louis Bernard Mer, *Quelques Observations sur la procédure criminelle au XVIIIe siècle* (Publications du Centre de recherches historiques de l'université de Rennes, n° 1, 1984). Cette dernière étude fait justice d'un certain nombre d'idées reçues concernant l'emploi de la torture. Dans son *Justice et répression...*, Nicole Castan étudie le régime carcéral. Il faudrait suivre cet exemple. Pour l'instant, la seule prison dont l'étude tente les historiens est la Bastille. On lira le bon livre de Claude Quétel, *La Bastille. Histoire vraie d'une prison légendaire* (Paris, 1989). Enfin, sur toutes ces questions de droit et de justice criminelle, on ne manquera pas de se reporter à l'excellent manuel de J.M. Carbasse, *Introduction historique au droit pénal* (Paris, 1990).

L'histoire générale des finances royales au XVIIIe siècle est présentée par R. Stourm (*Les Finances de l'Ancien Régime et de la Révolution*, Paris, 1885) et par Marcel Marion (*Histoire financière de la France*, t. I : *1715-1789*, Paris, 1914), ainsi que par Alain Guéry dans son article « Les finances de la monarchie française sous l'Ancien Régime » (*Annales ESC*, 1976, p. 216-239). Charles Gomel a traité de la crise financière de la fin de l'Ancien Régime dans *Les Causes financières de la Révolution. Les derniers contrôleurs généraux* (Paris, 1893), mais il faudrait revenir sur le sujet. Dans son article intitulé « Quelques nouvelles sources pour l'administration des finances au XVIIIe siècle » (*RHD*, 1969, p. 408-440), Aline Logette a présenté les apports des fonds d'Ormesson et Moreau de Beaumont. Sur les intendants des finances, on lira Françoise Mosser, *Les Intendants des finances du XVIIIe siècle. Les Lefèvre d'Ormesson et le « département des impositions » (1715-1777)* (Genève-Paris, 1978). Enfin, sur les comptes généraux des recettes et sur les prévisions des dépenses, on dispose de l'ouvrage de F. Braesch, *Les Recettes et les Dépenses du Trésor pendant l'année 1789. Le compte rendu au roi de mai 1788. Le dernier budget de l'Ancien Régime* (Paris, 1936) et de l'article de Michel Morineau, « Budgets de l'État et gestion des finances royales en France au XVIIIe siècle » (*Revue historique*, 1980, p. 289-336).

L'histoire fiscale ne suscite pas de nombreuses vocations de chercheurs. Les études dont on dispose sont de bonne qualité mais déjà anciennes et auraient besoin d'être complétées et renouvelées. Ce sont principalement les quatre ouvrages suivants : Marcel Marion, *Les Impôts directs sous l'Ancien Régime, principalement au XVIIIe siècle* (Paris, 1910), d'Orgeval-Dubouchet, *La Taille en Bourgogne au XVIIIe siècle* (Dijon, 1938), J. Piel, *Essai sur la réforme de l'impôt direct au XVIIIe siècle. La taille proportionnelle dans les généralités de Caen et d'Alençon* (Caen, 1937) et Jean Villain, *Le Recouvrement des impôts directs sous l'Ancien Régime* (Paris, 1952).

La Caisse d'escompte, préfiguration de la banque d'État, est étudiée dans R. Bigo, *La Caisse d'escompte (1776-1793) et les origines de la Banque de France* (Paris, 1928). Quant à la transformation du mécanisme des finances royales à la fin de l'Ancien Régime, elle fait l'objet de l'étude de J.F. Bosher,

French Finances, 1770-1795. From Business to Bureaucracy (Cambridge, 1970).

Deux bonnes études de synthèse relativement récentes présentent des panoramas complets de l'administration. Ce sont de François Dumont, *L'Administration provinciale au XVIIIe siècle* (cours de DES de droit, 1962-1963) et de Maurice Bordes, *L'Administration provinciale et municipale en France au XVIIIe siècle* (Paris, 1972). Il faut y ajouter le recueil collectif ayant pour auteurs Jacques Phytilis, Nadia Kisliakoff, Henri Spitteri et Georges Frêche, et intitulé *Questions administratives dans la France du XVIIIe siècle* (Paris, 1965) et les travaux de Vida Azimi, spécialiste d'histoire de l'administration, et par exemple son article intitulé « La discipline administrative sous l'Ancien Régime » (*RHD*, 1987, p. 45-71).

L'institution des gouverneurs continue à ne pas intéresser les historiens. Depuis la publication de G. Hippeau, *Le Gouvernement de Normandie aux XVIIe et XVIIIe siècles, documents inédits tirés des archives du château d'Harcourt* (9 vol., 1863-1869), il n'y a eu sur cette question aucune étude marquante. En revanche, la question des états particuliers des provinces est illustrée par une abondante et riche bibliographie, dont on ne peut présenter ici que des échantillons. Il faut lire d'abord de H. Gilles, « État actuel des travaux sur les états provinciaux » (*Actes du 111e congrès national des Sociétés savantes*, Poitiers, 1986, Ph. et Hist., III, p. 31-52) et de René Pillorget, « Les pouvoirs des assemblées d'état au cours des Temps modernes » (*Les Assemblées d'état*, colloque de Poitiers, Association des historiens modernistes des universités, 1980, n° 4, p. 21-38). On consultera ensuite le recueil collectif intitulé *Études sur l'histoire des assemblées d'états* (Paris, 1966) et les deux études modèles de Rébillon et d'Appolis sur les états de Bretagne et de Languedoc : A. Rébillon, *Les États de Bretagne de 1661 à 1789* (Paris, 1932) et Émile Appolis, « Les états de Languedoc au XVIIIe siècle » dans *L'Organisation corporative du Moyen Âge à la fin de l'Ancien Régime* (Paris, 1937, p. 131-148). Les états pyrénéens ont fait l'objet de nombreuses publications parmi lesquelles celle de G. Pène, *Les Attributions financières des états du pays et comté de Bigorre aux XVIIe et XVIIIe siècles* (Bordeaux, 1962).

Pierre Renouvin, connu plus tard pour ses travaux d'histoire des relations internationales, avait consacré sa thèse aux assemblées provinciales (*Les Assemblées provinciales de 1787, origines, développement et résultats*, Paris, 1921). On verra aussi sur ce même sujet L. de Lavergne, *Les Assemblées provinciales sous Louis XVI* (Paris, 1864) et D. Lachaze, *L'Assemblée provinciale de Berry* (Paris, 1908).

Sur les intendants, il existe quelques bonnes études de synthèse. Le travail de P. Ardascheff, *Les Intendants de province sous Louis XVI*, traduit du russe, n'a pas vieilli malgré sa date : 1909. L'article de Maurice Bordes « Les intendants de Louis XV » (*Revue historique*, janvier-mars 1960, p. 45-63) dressait il y a plus de trente ans l'état de la question. Pour avoir une mise au point plus récente, on lira de F.X. Emmanuelli, *Un mythe de l'absolutisme bourbonien : l'intendance, du milieu du XVIIe siècle à la fin du XVIIIe siècle* (Aix-en-Provence, 1981). Une bibliographie complète des travaux sur les différentes intendances et sur les intendants serait interminable. Dans son

Histoire générale du droit français (1929, *op. cit.*), Émile Chénon en dressait déjà une très longue liste. On s'y reportera. Cependant, les études sont très inégales. Douze intendances (sur trente-deux) ont fait l'objet de travaux de valeur. Voici ces travaux classés selon l'ordre alphabétique des noms des généralités :

Aix-en-Provence : François-Xavier Emmanuelli, *Pouvoir royal et vie régionale en Provence au déclin de la monarchie. Psychologie, pratique administrative, défrancisation de l'intendance d'Aix (1745-1790)* (Lille, 1974, 3 vol.) ; Auch : Maurice Bordes, *D'Étigny et l'administration de l'intendance d'Auch (1751-1767)* (Auch, 1957) ; Bordeaux : M. Lhéritier, *Tourny, intendant de Bordeaux* (Paris, 1920), Louis Desgraves, « L'intendant Claude Boucher et l'administration de la généralité de Bordeaux de 1720 à 1743 » (*Positions des thèses de l'École des chartes*, 1946, p. 9-19, 87-98) ; Bretagne : Henri Fréville, *L'Intendance de Bretagne (1689-1790). Essai sur l'histoire d'une intendance en pays d'états au XVIIIᵉ siècle* (Rennes, 1953, 3 vol.) ; Caen : Jacqueline Musset, *L'Intendance de Caen : structure, fonctionnement et administration sous l'intendant Esmangart (1775-1783)* (Caen, 1985) ; Chalons : H. d'Arbois de Jubainville, *L'Administration des intendants, d'après les archives de l'Aube* (Paris, 1880) ; Dijon : François Dumont, *L'Intendant de Dijon et le Mâconnais* (*Mémoires de la Société pour l'histoire du droit et des institutions des anciens pays bourguignons, comtois et romands*, 1939, p. 145-194) ; Franche-Comté : M. Piquard, « Charles-André de Lacoré, intendant de Franche-Comté (1761-1784) » (*Annales littéraires de Franche-Comté*, 1946, p. 7-29) ; Hainaut : Louis Legrand, *Sénac de Meilhan et l'intendance du Hainaut et du Cambrésis sous Louis XVI* (Valenciennes, 1868) ; Orléans : L. Guérin, *L'Intendant de Cypierre et la vie économique de l'Orléanais (1760-1785)* (Paris, 1938) et C. Chatagnier, *La Généralité d'Orléans sous l'intendance de Louis Guillaume Jubert de Bouville (1713-1731)* (*Bulletin de la Société archéologique et historique de l'Orléanais*, 4ᵉ trim. 1961) ; Poitou : A. Barbier, *Les Intendants de Poitou* (*Mémoires de la Société des antiquaires de l'Ouest*, t. VII, 184) ; Tours : F. Dumas, *La Généralité de Tours au XVIIIᵉ siècle, administration de l'intendant Du Cluzel (1766-1783)* (Paris, 1894).

J. Ricommard est l'auteur de nombreux travaux sur les subdélégués des intendants. On en trouvera un résumé dans son article « Les subdélégués des intendants aux XVIIᵉ et XVIIIᵉ siècles » (*Information historique*, 1962 et 1963).

L'administration des Ponts et Chaussées et la grande entreprise royale de construction des routes ont été étudiées par Eugène Vignon (*Études historiques sur l'administration des voies publiques avant 1790*, 4 vol., Paris, 1862-1880) et par Jean Petot (*Histoire de l'administration des Ponts et Chaussées [1599-1815]*, Paris, 1958). On consultera aussi *Les Routes de France depuis les origines jusqu'à nos jours* (Paris, 1959) et Franck Imberdis, *Le Réseau routier de l'Auvergne au XVIIIᵉ siècle* (Paris, 1967). Pour les messageries royales, voir Eugène Vaillé, *Histoire générale des postes françaises* (t. V et VI, Paris, 1947-1955) et P. Davenas, *Les Messageries royales* (Paris, 1937).

L'histoire de l'administration des villes a toujours suscité l'intérêt des chercheurs. La lieutenance de police de Paris a été étudiée par Marc Chassaigne (*La Lieutenance générale de police de Paris*, Paris, 1906), Hugues de Montbas (*La Police parisienne sous Louis XVI*, Paris, 1949) et le comte Maxime de Sars (*Lenoir, lieutenant de police, 1732-1807*, Paris, 1948). Mais ces travaux sont dépassés depuis la publication des trois études de Suzanne Pillorget : « René Hérault de Fontaine, procureur général au Grand Conseil (1718-1722) et lieutenant général de police de Paris (1725-1739). Histoire d'une fortune » (*Actes du 93ᵉ congrès national des Sociétés savantes*, Tours, 1968, section d'histoire moderne et contemporaine, t. I, Paris, 1971, p. 287-311), « Gabriel Taschereau de Baudry, notable tourangeau et lieutenant général de police de Paris (1673-1755) » (*Actes du 95ᵉ congrès national des Sociétés savantes*, Reims, 1970, section d'histoire moderne et contemporaine, t. II, Paris, 1974, p. 345-360) et *Claude-Henri Feydeau de Marville, lieutenant général de police de Paris (1740-1747)* (Paris, 1978). Dans la bibliographie de son ouvrage publié en 1970 (*L'Administration provinciale et municipale...*, *op. cit.*), Maurice Bordes avait recensé les principaux travaux antérieurs à cette date, concernant l'administration des autres villes que Paris. On se contentera ici de mentionner quelques-unes des études les plus importantes publiées après 1970 : Georges Fournier, « Sur l'administration municipale de quelques communautés languedociennes de 1750 à 1791 » (*Annales du Midi*, 1972, p. 459-481), François-Xavier Emmanuelli, *Introduction à l'histoire du XVIIIᵉ siècle communal en Provence* (*Annales du Midi*, 1975, p. 157-200), Guy Saupin, *La Vie municipale à Nantes sous l'Ancien Régime* (thèse dactyl., Nantes, 1981), Jacques Maillard, *Le pouvoir municipal à Angers de 1657 à 1789* (Angers, 1984) et Philippe Guignet, *Le Pouvoir dans la ville au XVIIIᵉ siècle* (Paris, 1990), excellent ouvrage. On ne manquera pas de consulter aussi les différentes histoires des villes (voir *infra*).

Sur les communautés villageoises, les ouvrages anciens d'A. Babeau (*Le Village sous l'Ancien Régime* (Paris, 1882) et *Les Assemblées générales des communautés d'habitants en France du XIIIᵉ siècle à la Révolution* (Paris, 1893) sont encore utilisables. Parmi les travaux des cinquante dernières années, méritent d'être mentionnés J. Boyreau, *Le Village en France au XVIIIᵉ siècle* (Paris, 1955), A. Zink, *Azereix. La vie d'une communauté rurale à la fin du XVIIIᵉ siècle* (Paris, 1969), J.P. Gutton, *Villages du Lyonnais sous la monarchie (XVIᵉ-XVIIIᵉ siècle)* (Lyon, 1978) et Michel Derlange, *Les Communautés d'habitants en Provence au XVIIIᵉ siècle (1680-1789)* (thèse dactyl., Nice, 1979). On lira aussi les deux études de synthèse d'Albert Soboul : « La communauté rurale (XVIIIᵉ-XIXᵉ siècle). Problèmes de base » (*Revue de synthèse*, 1957, p. 283-315) et « Problèmes de la communauté rurale en France (XVIIIᵉ-XIXᵉ siècle). Ethnologie et histoire. Forces productives et problèmes de transition » (Paris, 1975).

Les principaux événements de l'histoire politique. Les « affaires »

L'ouvrage fondamental pour l'histoire de la Régence reste celui de dom Henri Leclercq, *Histoire de la Régence pendant la minorité de Louis XV* (Paris, 1921, 3 vol.). Le recueil collectif intitulé *La Régence* (Centre aixois d'études et de recherches sur le XVIIIᵉ siècle, Paris, 1970) n'est pas consacré à l'histoire politique mais à des questions d'histoire de l'art ou de la pensée. L'étude de M. Benoît *La Polysynodie* (Paris, 1928) sera utilisée faute de mieux. Le gros livre de S. Carreyre, *Le Jansénisme durant la Régence* (Paris, 1929-1933, 3 vol.), avait été qualifié par V.L. Tapié (*XVIIIᵉ Siècle* de Clio) d'«ouvrage capital». Capital certes, mais de lecture austère et difficile.

Les travaux les plus judicieux sur le Système de Law sont ceux déjà anciens de Paul Harsin (*La Banque et le Système de Law*, La Haye, 1933), «Les Mémoires du duc d'Antin et le système de Law» (*BSHM*, 1962, p. 14-15). On verra aussi E.J. Hamilton, «Prices and wages at Paris under John Laws System» (*Quaterly Journal of Economics*, 1935-1936, t. II, p. 42-70) et la compilation signée par Edgar Faure, *La Banqueroute de Law* (Paris, 1977), ainsi que l'article très neuf de Philippe Haudrère: «Un aspect de l'échec du Système de Law: les "réalisations" en 1719 et 1720» (*L'Information historique*, 1980, p. 23-25).

Pas plus que la personnalité du cardinal de Fleury (voir *supra*) l'histoire de son ministère et celle de la France sous son gouvernement n'ont intéressé les historiens. «Aucun livre ou aucun article important, écrivait en 1952 V.L. Tapié, n'a été consacré à l'histoire intérieure de la France à l'époque du cardinal de Fleury.» Quarante ans plus tard, on peut faire à peu près la même constatation. Il faut signaler toutefois l'ouvrage (qu'avait oublié Tapié) de Georges Hardy, *Le Cardinal de Fleury et le mouvement janséniste* (Paris, 1925).

A partir de 1749-1750 commence une période très troublée. Les «affaires» se succèdent et l'opposition parlementaire se fait tous les ans plus virulente. L'affaire des enlèvements d'enfants vient d'être étudiée pour la première fois de manière scientifique par Arlette Farge et Jacques Revel (*Logiques de la foule. L'affaire des enlèvements d'enfants*, Paris, 1988). L'histoire de l'opposition parlementaire a fait l'objet de nombreux travaux (sans compter ceux consacrés aux différents parlements; voir *supra*). Bornons-nous à citer les principaux: E. Glasson, *Le Parlement de Paris, son rôle politique depuis le règne de Charles VII jusqu'à la Révolution* (Paris, 1901), L. Cahen, *Les Querelles religieuses et parlementaires sous Louis XV* (Paris, 1913), Jean Egret, *Louis XV et l'opposition parlementaire* (Paris, 1970) (bonne synthèse malgré un certain préjugé en faveur des parlements), Roger Bickart, *Les Parlements et la notion de souveraineté nationale au XVIIIᵉ siècle* (Paris, 1932) et Paolo Alatri, «Parlements et lutte politique en France au XVIIIᵉ siècle» (*Transactions of the IVth International Congress on the Enlightenment*, Yale, 1976, t. I, p. 77-108). Certains épisodes de la guerre parlementaire ont été examinés dans des études particulières: Henry Légier-Desgranges, *Madame de Moysan et l'extravagante affaire de l'hôpital général (1749-1758)* (Paris, 1954), Philippe Godard, *La Querelle du refus des sacrements (1730-1765)* (Paris, 1937), Monique Cuilleron, *Contribution à l'étude de la rébellion des cours souveraines sous le règne de Louis XV. Le cas de la cour des aides de Montauban* (Paris, 1983) et John Woolbridge, «La conspiration du prince de Conti (1755-1757)» (*Dix-Huitième Siècle*, 1985, p. 97-109). La question de l'attentat de Damiens mériterait d'être reprise à partir des pièces du procès. En attendant, on se reportera aux deux ouvrages les plus récents: Pierre Retat (dir.), *L'Attentat de Damiens.*

Discours sur l'événement au XVIIIᵉ siècle (Paris, Lyon, 1979) et Dale K. Van Kley, *The Damiens Affair and the Unraveling of the Ancient Regime. 1750-1770* (Princeton, 1984). L'histoire de l'expulsion des jésuites aurait, elle aussi, bien besoin d'un renouvellement. Les études d'A.G. Saint-Pries (*Histoire de la chute des jésuites au XVIIIᵉ siècle*, Paris, 1844), du P. de Rochemonteix (*Le Père Lavalette à la Martinique* (Paris, 1908) et de Jean Egret («Le procès des jésuites devant les parlements de France (1761-1770)», *Revue historique*, 1950, p. 1-27) sont très vieillies. Toutefois, le travail plus récent de Dale K. Van Kley (*The Jansenists and the Expulsion of the Jesuits from France*, New Haven, 1975) jette une lumière nouvelle sur un aspect de l'affaire. L'accusation du «pacte de famine», reprise par l'historien Henri Martin, a été réduite à néant par L. Biollay (*Le Pacte de famine*, Paris, 1885), C. Bord (*Le Pacte de famine*, Paris, 1887) et plus récemment par Steven L. Kaplan (*Le Complot de famine : histoire d'une rumeur au XVIIIᵉ siècle*, Paris, 1982). L'affaire d'Aiguillon a été étudiée par Bathélemy Pocquet (*Le Duc d'Aiguillon et La Chalotais*, Paris, 1900-1901, 3 vol.) et par Marcel Marion (*La Bretagne et le duc d'Aiguillon*, Paris, 1898). Enfin le coup de force de 1771, la réforme Maupeou et l'action des trois ministres Maupeou, Terray, d'Aiguillon sont traitées dans Jules Flammermont, *Le Chancelier Maupeou et les parlements* (Paris, 1886), dans Lucien Laugier, *Un ministère réformateur sous Louis XV. Le triumvirat (1770-1774)* (Paris, 1975, très complet, mais trop peu critique et tournant à l'apologie) et dans l'article récent de Michel Antoine, «Sens et portée des réformes du chancelier de Maupeou» (*Revue historique*, nᵒ 583, juillet-septembre 1992, p. 39-61).

Pour le règne de Louis XVI, outre les histoires générales de ce règne et les biographies du roi (voir *supra*), il faut consulter l'ouvrage collectif intitulé *Le Règne de Louis XVI et la guerre d'Indépendance américaine* (*Actes du colloque international de Sorèze* (1976), Dourgne, 1977). La question de savoir si le gouvernement de la fin de l'Ancien Régime s'apparente à ceux du despotisme éclairé a été examinée par C.B.A. Behrens (*Society, Government and the Enlightenment : the Experiences of Eighteenth Century France and Prussia*, New York, 1985) et par René Pillorget («Y a-t-il eu un essai de despotisme éclairé entre 1770 et 1789?», *Vu de haut*, 1986, p. 25-34). L'histoire du ministère Turgot, sur laquelle on avait déjà l'ouvrage d'Edgar Faure (*La Disgrâce de Turgot*, Paris, 1961), a été renouvelée par Pierre Foncin dans son *Essai sur le ministère de Turgot* (Paris, 1989). Le dogmatisme économique et l'irréalisme de ce ministre sont la véritable cause de l'agitation dite de la «guerre des Farines» étudiée par R. Darnton, «Le lieutenant de police J.P. Lenoir, la guerre des Farines (1775) et l'approvisionnement de Paris à la veille de la Révolution» (*RHMC*, octobre-décembre 1969, p. 610-624) et plus récemment par Vladimir Ljublinski (*La Guerre des Farines*, Grenoble, 1979). Le livre de Paul et Pierrette Girault de Coursac (*Marie-Antoinette et le scandale de Guines*, Paris, 1962) embrouille cette affaire au lieu de la démêler. L'affaire du *Mariage de Figaro* est exposée par Claude Petitfrère dans *1784 : le scandale du Mariage de Figaro, prélude à la Révolution française* (Bruxelles, 1989) et celle du Collier par un grand nombre d'ouvrages dont le meilleur est l'un des plus anciens : F. Funck-Brentano, *L'Affaire du Collier* (Paris, 1901). L'attention des historiens s'est toujours portée et se porte encore aujourd'hui sur les dernières années avant la Révolution : 1787, 1788 et le début de 1789. On a deux très bonnes descriptions de cette période critique ; ce sont les ouvrages d'Aimé Cherest (*La Chute de l'Ancien Régime, 1787-1789*, Paris, 1884, 2 vol.) et de Jean Egret (*La Pré-Révolution française, 1787-1788*, Paris, 1962). *La Fin de l'Ancien Régime* (Paris, 1970, collection «Que sais-je ?») d'Hubert Méthivier est à la fois un résumé et une tentative d'explication. *La Chute de la monarchie* de Michel Vovelle (Paris, 1992) innove par la période considérée : 1787-1792. Cependant, il serait intéressant de plonger dans le détail de ces temps troublés. Nous connaissons bien les événements du Dauphiné grâce à de nombreuses publications, parmi lesquelles il faut citer Jean Egret, *Le Parlement de Dauphiné...* (*op. cit.*), Jean Sgard, *Les Trente Récits de la journée des Tuiles (1788 à Grenoble)* (Grenoble, 1988) et le recueil collectif intitulé *Les Débuts de la Révolution française en Dauphiné, 1788-1791* (Grenoble, 1788), et ceux de Bretagne par l'ouvrage de B. Pocquet, *Les Origines de la Révolution en Bretagne* (Paris, 1885, 2 vol. ; à compléter avec les travaux de Roger Dupuy et en particulier son article intitulé «La Révolution a-t-elle commencé à Rennes [hiver 1789] ?», *L'Histoire*, 1988, p. 79-82). En revanche, on manque d'études sur le gouvernement à cette époque, sur l'état d'esprit du personnel politique et sur les assemblées des notables. Par exemple, sur la seconde expérience Necker, il faut se contenter de l'article ancien de J. Flammermont, «Le second ministère de Necker» (*Revue historique*, 1891). En ce qui concerne les élections aux États généraux, la manipulation des assemblées électorales a très bien été montrée par Augustin Cochin («Comment furent élus les députés aux États généraux ?» et «La Campagne électorale de 1789 en Bourgogne», études publiées en 1921 et rééditées en 1979 par Jean Baechler dans *L'Esprit du jacobinisme*, Paris, 1979). Il faudrait continuer les recherches de Cochin et les étendre à d'autres régions.

Politique étrangère, guerres, armée, marine, annexions, colonies

L'histoire de la politique étrangère de la France sous le règne de Louis XV n'a pas beaucoup attiré les chercheurs dans ces dernières années. On dispose depuis peu d'une étude d'ensemble exacte et précise : Lucien Bély, *Les Relations internationales en Europe (XVII-XVIIIe siècle)* (Paris, 1992), qui vient heureusement renouveler les ouvrages anciens d'Émile Bourgeois (*Manuel historique de politique étrangère*, t. I, Paris, 1939), Jacques Droz (*Histoire diplomatique de 1648 à 1919*, Paris, 1958) et Gaston Zeller (*Histoire des relations internationales*, t. III, *Les Temps modernes* ; t. II, *De Louis XIV à 1789*, Paris, 1955). Mais les recherches récentes demeurent très peu nombreuses. Sur la plupart des questions, il faut recourir à des ouvrages anciens, de bonne qualité certes pour nombre d'entre eux, mais qu'il conviendrait de rafraîchir. Pour la politique étrangère de la Régence, il n'y a rien de nouveau depuis l'ouvrage de dom Leclercq (*Histoire de la Régence*, 1921, *op. cit.*) ; pour la politique de Fleury, rien de nouveau non plus depuis l'étude de Paul Vaucher, *Robert Walpole et la politique de Fleury (1731-1742)* (Paris, 1924). Les publications du duc de Broglie (*Le Secret du roi. Correspondance secrète de Louis XV avec ses agents diplomatiques* [*1752-1774*], Paris, 1878, 2 vol.) et de Michel Antoine et Didier Ozanam (*Correspondance secrète du comte de Broglie avec Louis XV* [*1756-1774*], Paris, 1956) ont éclairé la question du Secret du roi sans pouvoir en percer complètement le mystère. Le vieux livre d'E. Bourgeois *La Diplomatie secrète au XVIIIe siècle* (Paris, 1910) n'a pas été remplacé. Pour la diplomatie pendant la guerre de Succession d'Autriche, et au moment du renversement des alliances, on doit toujours se reporter aux ouvrages d'Edgar Zevor (*Le Marquis d'Argenson et le ministère des Affaires étrangères du 18 novembre 1744 au 10 janvier 1747*) et de Richard Waddington (*Louis XV et le renversement des alliances. Préliminaires de la guerre de Sept Ans* [*1754-1756*]) qui datent, le premier de 1880 et le second de 1896. De la même époque datent tous les autres travaux essentiels : Albert Vandal, *Louis XV et Élisabeth de Russie* (Paris, 1882), duc de Broglie, *Frédéric II et Louis XV* (Paris, 1885), vicomte Maurice Boutry, *Choiseul à Rome. Lettres et mémoires inédits* (Paris, 1906), Alfred Bourguet, *Le Duc de Choiseul et l'alliance espagnole* (Paris, 1906) et Albert Sorel, *La Question d'Orient au XVIIIe siècle* (Paris, 1878).

L'histoire de la politique étrangère sous le règne de Louis XVI a été moins délaissée que celle du règne précédent ; elle a bénéficié des anniversaires (bicentenaire de l'Indépendance américaine en 1976 et de la mort de Vergennes en 1987). Sur les relations franco-américaines, on disposait déjà du très sérieux ouvrage d'Henri Doniol (*Histoire de la participation de la France à l'établissement des États-Unis d'Amérique*, Paris, 1886, 5 vol.), mais plusieurs études récentes sont venues renouveler le sujet, par exemple celle de William Stinchcombe, « L'alliance franco-américaine après l'Indépendance » et celle de Georges Livet, « Conrad Alexandre Gérard, premier ambassadeur de France près les États-Unis d'Amérique », l'une et l'autre publiées dans les *Actes du colloque international de Sorèze : Le règne de Louis XVI et la guerre d'Indépendance américaine* (*op. cit.*). Sur la politique de Vergennes, les études de Gustave Fagniez (« La politique de Vergennes et la diplomatie de Breteuil [1744-1787] », *Revue historique*, 1922) et Robert Salomon (*La Politique orientale de Vergennes* [*1780-1784*], Paris, 1935) ont été largement complétées par le colloque de Paris de 1987 (*Vergennes et la politique extérieure de la France*, publié par la *Revue d'histoire diplomatique*, 1987, n°s 3 et 4) et par l'ouvrage cité *supra* de J.F. Labourdette sur Vergennes. Pour les relations franco-suédoises l'ouvrage principal demeure celui d'Auguste Geoffroy, *Gustave III et la cour de France* (Paris, 1867, 2 vol.), et pour les relations franco-suisses celui de Philippe Gern, *Aspects des relations franco-suisses au temps de Louis XVI, diplomatie, économie, finances* (Neuchâtel, 1970).

Pour terminer cette rapide revue bibliographique de la politique étrangère, peut-être peut-on signaler que l'on manque de biographies de diplomates. Cependant, Claire Bénazet-Béchu prépare un dictionnaire biographique, et nous avons, en attendant, son précieux travail sur les « Ambassadeurs et ministres de France de 1748 à 1791. Étude institutionnelle et sociale» (*Positions des thèses de l'École des chartes*, 1982, p. 19-28).

L'histoire militaire a été complètement renouvelée pendant les trente dernières années. Nous disposons de deux synthèses récentes (André Corvisier, *Armées et sociétés en Europe de 1494 à 1789*, Paris, 1976) et *Histoire militaire de la France* sous la direction d'André Corvisier, t. II : *De 1715 à 1871* (sous la direction de Jean Delmas, Paris, 1992) qui ne dispensent pas de recourir aux ouvrages anciens d'Albert Babeau (*La Vie militaire sous l'Ancien Régime*, Paris, 1880), d'Albert Latreille (*L'Œuvre militaire de la Révolution; les derniers ministres de la Guerre de la monarchie*, Paris, 1914) et d'Émile-Georges Léonard (*L'Armée et ses problèmes au XVIIIᵉ siècle*, Paris, 1958), mais y ajoutent beaucoup. L'étude de Louis Tuetey, *Les Officiers sous l'Ancien Régime* (Paris, 1908) n'est plus d'une grande utilité ; les contributions de Jean Chagniot à *L'Officier français des origines à nos jours*, sous la direction de Claude Croubois (Paris, 1987) l'ont comme effacée. Les débuts de l'École militaire ont été étudiés par Robert Laulan (*L'École militaire, 1751-1788*, Paris, 1950 et « La fondation de l'École militaire et Mme de Pompadour», *RHMC*, avril-juin 1974, p. 284-300), l'édit de Ségur et la réaction nobiliaire par David D. Bien dans « La réaction aristocratique avant 1789 : l'exemple de l'armée» (*Annales ESC*, mars-avril 1974, p. 505-534), les bas-officiers par le général Bernard Deschard dans *Les Bas-Officiers de l'armée royale du milieu du XVIIIᵉ siècle au début de la Révolution. Études institutionnelles et sociologiques* (thèse dactyl. de 3ᵉ cycle, université de Paris IV, 1986). Une seule lacune, et c'est toujours la même : on manque de biographies d'officiers. Maurice de Saxe est le seul personnage qui suscite à intervalles réguliers des vocations de biographes. John Manchip White est l'un de ses derniers historiens (*Maurice de Saxe*, Paris, 1967) avec J.P. Bois (*Maurice de Saxe*, Paris, 1993). Sur Lowendal, il faut signaler — c'est le seul — l'ouvrage ancien du marquis de Sinety, *Vie du maréchal de Lowendal* (Paris, 2 vol., 1868).

Nous connaissons bien les soldats par les travaux d'André Corvisier (*L'Armée française de la fin du XVIIᵉ siècle au ministère de Choiseul. Le soldat*, Paris, 1964, 2 vol.) et de Jean-Pierre Bois (*Les Vieux Soldats à l'hôtel royal des Invalides au XVIIIᵉ siècle*, thèse dactyl., université de Paris IV, 1981). Pour les milices, on doit toujours se reporter aux travaux anciens de Jacques Gebelin (*Histoire des milices provinciales, 1688-1791*, Paris, 1882) et de Georges Girard (*Racolage et milice*, Paris, 1922), mais l'ouvrage récent de Jean Chagniot a fort bien analysé les relations entre l'armée et la société : *Paris et l'armée au XVIIIᵉ siècle. Étude politique et sociale* (Paris, 1985).

Pour connaître l'armement et les corps particuliers (génie, cavalerie, artillerie, infanterie), on consultera le *Dictionnaire d'histoire et d'art militaire* d'André Corvisier (Paris, 1988), W. Reid, *Histoire des armes* (trad. de l'anglais, Paris, 1976), H. de Weck, *La Cavalerie à travers les âges* (Lausanne, 1980), le numéro spécial de la *Revue historique des armées* intitulé *Le Génie* (1966, nº 1), Anne Blanchard, *Les Ingénieurs du Roy, de Louis XIV à Louis XVI* (Montpellier, 1979), Jean Merley, « Les manufactures d'armes de guerre en France en 1785 » (*Bulletin du centre d'histoire régionale. Université de Saint-Étienne*, 1979, nº 1, p. 13-39) et en matière de vexillologie Pierre Charrié, *Drapeaux et Étendards du roi* (Paris, 1989). Les questions de santé sont étudiées par Monique Chermette-Lucenet dans sa thèse, *Les Problèmes de santé de l'armée de terre française au XVIIIe siècle* (Lille, 1986).

On disposait déjà d'importants travaux d'histoire maritime, mais ce secteur de la recherche fait depuis quelques années d'importants progrès. L'ouvrage de Martine Acerra, José Merino et Jean Meyer, *Les Marines de guerre européennes. XVIIe-XVIIIe siècle* (Paris, 1985) permet des comparaisons d'ordre quantitatif. Les deux ouvrages classiques de Georges Lacour-Gayet, *La Marine militaire de la France sous le règne de Louis XV* (Paris, 1902) et *La Marine militaire de la France sous le règne de Louis XVI* (Paris, 1905) doivent être maintenant complétés avec les travaux suivants : René Estienne, *La Marine royale sous le ministère du duc de Choiseul (1761-1766)* (*Positions des thèses de l'École des chartes*, 1979), Patrick Villiers, *La Marine de Louis XVI*, t. I : *De Choiseul à Sartine* (Grenoble, 1985), Étienne Taillemite, «Le maréchal de Castries et les réformes de la marine» (*Chronique d'histoire maritime*, n° 13, 1er septembre 1986), Ullane Bonnel, «Fleurieu et la marine de son temps» (*Chroniques du pays beaujolais*, bulletin n° 15, 1991, p. 33-37) et *La Marine au temps de Suffren* (*Revue historique des armées*, n° 4, 1983, p. 3-71). On lira aussi avec intérêt l'étude originale et neuve de Bernard Lutun, *Une autre marine (1765-1789)* (Paris, 1993). Pour l'administration, il faut toujours se reporter à l'ouvrage ancien de G. Dagnaud, *L'Administration centrale de la marine sous l'Ancien Régime* (Nancy-Paris, 1913), mais notre connaissance du personnel de commandement a été complètement renouvelée par les travaux d'Étienne Taillemite («La marine et ses chefs pendant la guerre d'Indépendance américaine», *Revue historique des armées*, n° 4, 1983, p. 20-31 et «Le recrutement des officiers de vaisseau au XVIIIe siècle : une politique incohérente», *Neptunia*, mars 1986) et de Michel Vergé-Franceschi (*Les Élèves de l'École royale de marine du Havre au XVIIIe siècle*, thèse de 3e cycle, Paris, 1980 et *Les Officiers généraux de la marine royale, 1715-1774. Origines, conditions, services*, Lille, 1990, 4 vol.). L'étude de Marc Perrichet sur les marins («Les gens de mer dans la France de l'Ancien Régime», *Actes du colloque tenu à Paris en 1980 par l'Association des historiens modernistes des universités*, Paris, 1981) est également très neuve. Sur les intendants de marine, on a l'ouvrage de Claude Aboucaya, *Les Intendants de marine sous l'Ancien Régime. Contribution à l'étude du département, du port et de l'arsenal de la marine de Toulon* (Gap, 1958). Au total, beaucoup de travaux importants et sérieux, et nous aurions une connaissance approfondie de la marine de guerre si dans ce domaine, comme dans d'autres, le secteur de la biographie était plus souvent fréquenté par les historiens. Il existe toutefois quelques bonnes études biographiques récentes, parmi lesquelles il faut citer Étienne Taillemite, «La Gallissonnière (1693-1756)» (*Cols bleus*, n° 1482, 30 juillet 1977), Jacques Michel, *La Vie aventureuse et mouvementée de Charles-Henri, comte d'Estaing* (Paris, 1976), Paul Chack, *L'Homme d'Ouessant : du Chaffault* (Paris, 1931), André Vovart, *L'Amiral du Chaffault (1708-1794), du Canada au Maroc,* *d'Ouessant aux prisons de Nantes* (Paris, 1931) et Roger Glachant, *Suffren et le temps de Vergennes* (Paris, 1976).

L'étude de la théorie militaire, spéculation pourtant très révélatrice de la philosophie d'une époque et de sa conception de l'homme, n'attire guère les historiens. Le livre d'Eugène Carrias — d'ailleurs de bonne qualité — *La Pensée militaire française* (Paris, 1960) n'a pas été remplacé. Il faut noter cependant un travail collectif récent sur Guibert (Jean-Paul Charnay et coll., *Guibert ou le soldat philosophe*, château de Vincennes, 1981) et l'article intéressant, mais contestable d'Yves Gras, « Les guerres limitées du XVIIIe siècle » (*Revue historique des armées*, 1970, n° 1, p. 22-36).

La parente pauvre de la recherche est la guerre elle-même. On s'occupe beaucoup du soldat, du marin, du cheval, du bateau, mais peu de ce qu'ils font. Pour l'histoire, pourtant essentielle, des opérations militaires, il faut toujours se reporter à des ouvrages très anciens : général Pajol, *Les Guerres sous Louis XV* (Paris, 1881, 7 vol.), J. Colin, *Les Campagnes du maréchal de Saxe* (Paris, 1907, 4 vol.) et *Louis XV et les jacobites. Le projet de débarquement en Angleterre de 1743-1744* (Paris, 1901), et Richard Waddington, *La Guerre de Sept Ans* (Paris, 1898-1908, 5 vol.). La seule guerre dont l'étude ait été récemment renouvelée est celle de l'Indépendance américaine (à l'occasion du bicentenaire). Le numéro spécial de la *Revue historique des armées* : *Indépendance des États-Unis d'Amérique* (1976, n° 4) et les articles d'André Corvisier et du général Fonteneau dans le recueil (*op. cit.*) *Le Règne de Louis XVI et la guerre d'Indépendance américaine* apportent un grand nombre d'éléments nouveaux. Mais il faudrait revenir sur les opérations et les batailles des guerres de Succession d'Autriche et de Sept Ans. Il serait à souhaiter que l'on fasse des études de batailles. On pourrait prendre comme modèle celle de Jean Chagniot, « Une panique : les gardes françaises à Dettingen » (*RHMC*, janvier-mars 1977, p. 78-95).

L'histoire de la réunion de la Lorraine a été étudiée par le comte d'Haussonville (*Histoire de la réunion de la Lorraine à la France*, t. IV, 1860), qu'il faut compléter avec l'article de Michel Antoine, « L'"intendance" de Lorraine sous le règne de Stanislas » (dans *Le Dur Métier de roi, op. cit.*, p. 181-197), et l'histoire de la conquête et de l'annexion de la Corse par Louis Villat (*La Corse de 1768 à 1789*, Besançon, 1925, 2 vol.).

Pour l'histoire générale des colonies, il faut toujours consulter Georges Hanotaux et A. Martineau, *Histoire des colonies françaises et de l'expansion de la France dans le monde* (Paris, 1929-1934, 6 vol.). Les travaux de Jean Tarrade ont apporté des compléments très précieux sur les questions administratives et commerciales : « L'administration coloniale en France à la fin de l'Ancien Régime : projets de réforme » (*Revue historique*, janvier-mars 1963, p. 103-123) et *Le Commerce colonial de la France à la fin de l'Ancien Régime* (Paris, 1973). Pour l'histoire de l'Inde française, on dispose de l'ouvrage classique d'A. Martineau, *Dupleix et l'Inde française* (Paris, 1925-1927, 4 vol.), mais il faut y ajouter maintenant la thèse de Philippe Haudrère, *La Compagnie française des Indes au XVIIIe siècle (1719-1795)* (Paris, 1989, 4 vol.) qui a rendu caducs tous les travaux antérieurs portant sur le sujet. Sur les îles de France et Bourbon, peu de publications, peu de recherches. On utilisera Jean Farchi, *Petite Histoire de l'île Bourbon* (Paris,

1937), P. Crepin, *Mahé de La Bourdonnaye, gouverneur général des îles de France et Bourbon* (Paris, 1922) et Philippe Haudrère, *La Bourdonnais. Marin et aventurier* (Paris, 1992). Marcel Giraud a consciencieusement étudié l'histoire de la Louisiane (« La Compagnie d'Occident, 1717-1718 », *Revue historique*, 1961, p. 23-56 et *Histoire de la Louisiane française*, t. III et IV, Paris, 1966 et 1974). La Guyane n'a pas encore trouvé son Marcel Giraud. En attendant, il faudra se contenter du médiocre ouvrage de Paul Jean-Louis et Jean Hauger, *La Guyane française. Historique* (s.l., 1962). L'histoire de la Nouvelle-France (Canada français) a fait l'objet de plusieurs études d'ensemble de qualité, dont celles de F.X. Garneau, *Histoire du Canada* (Paris, 1913), Claude de Bonnault, *Histoire du Canada français* (Paris, 1950), qui rend bien l'esprit de l'ancienne colonie, Lionel Groulx, *Histoire du Canada français depuis la découverte*, t. I : *Le Régime français* (Montréal-Paris, 1960) et Guy Frégault, *Le XVIIIe Siècle canadien. Études* (Montréal, 1968). On consultera aussi les publications suivantes, traitant de diverses questions d'histoire canadienne : Jean-Claude Dubé, *Claude-Thomas Dupuy, intendant de la Nouvelle-France (1678-1738)* (Montréal et Paris, 1969), Michel Brunet, *Les Canadiens après la conquête (1759-1775)* (Montréal, 1969), Louise Dechêne, *Habitants et Marchands de Montréal au XVIIe siècle* (Paris, 1974 ; va jusqu'en 1730), R. Douville et J.D. Casanova, *La Vie quotidienne en Nouvelle-France. Le Canada de Champlain à Montcalm* (Paris, 1964) et Jean Berenger, Yves Durand et Jean Meyer, *Pionniers et colons en Amérique du Nord* (Paris, 1974). On se reportera aussi à la riche collection de la *Revue d'histoire de l'Amérique française*. Pour l'histoire des Antilles, l'ouvrage collectif dirigé par Pierre Pluchon, *Histoire des Antilles et de la Guyane* (Paris, 1982) a comblé une importante lacune. Rédigés par Gabriel Debien et par Pierre Pluchon, les chapitres concernant le XVIIIe siècle son excellents. Le titre est néanmoins trompeur, car il est fort peu question de la Guyane avant le pénitencier. Sur les questions des habitations et des esclaves, on dispose des études fouillées de Gabriel Debien : *Études antillaises (XVIIIe siècle), Cahiers des Annales*, 1956) et *Les Esclaves aux Antilles françaises (XVIIe-XVIIIe siècle)* (Basse-Terre, Fort-de-France, 1974). On verra aussi les articles de Charles Frostin (« Les colons de Saint-Domingue et la métropole », *Revue historique*, avril-juin 1967, p. 383-414) et d'Édith Geraud-Llorca, « La coutume de Paris outre-mer : l'habitation antillaise sous l'Ancien Régime » (*RHD*, 1982, p. 207-259). L'histoire de Saint-Pierre-et-Miquelon est assez bien connue grâce aux travaux de Jean-Yves Ribault : « La population des îles Saint-Pierre-et-Miquelon de 1763 à 1793 » (*Positions des thèses de l'École des chartes*, 1960) et *La Vie dans l'archipel sous l'Ancien Régime* (1962).

SOCIÉTÉ ET VIE CULTURELLE

La société

Les deux cours de Roland Mousnier et Albert Soboul, professés l'un et l'autre en 1969, *Société française de 1770 à 1789* et *La Société française dans la seconde moitié du XVIIIe siècle. Structures sociales, cultures et modes* *de vie* (Paris, CDU, 1969) restent les deux dernières synthèses de l'histoire sociale de la France au XVIIIᵉ siècle. Encore ne concernent-ils que les trente dernières années de ce siècle.

Sur le sujet de la famille, bien que visant trop à l'édification, l'ouvrage ancien de Charles de Ribbe (*Les Familles et la société en France avant la Révolution d'après des documents originaux*, Paris, 1874, 2 vol.) est toujours à voir. Cependant le livre de base est maintenant celui de René Pillorget, *La Tige et le Rameau. Familles anglaise et française, 16ᵉ-18ᵉ siècle* (Paris, 1979). On consultera le numéro des *Annales ESC* (juillet-octobre 1972), *Famille et Société*. Dans les publications des vingt dernières années, on retiendra comme les plus intéressants les travaux suivants : Alain Lottin, J.R. Machuelle, S. Malolepsy, K. Pasquier, G. Savelon, *La Désunion du couple sous l'Ancien Régime. L'exemple du Nord* (Villeneuve-d'Ascq, 1975), Maurice Gresset, *Une famille nombreuse au XVIIIᵉ siècle* (Toulouse, 1981), Arlette Farge et Michel Foucault, *Le Désordre des familles. Lettres de cachet des archives de la Bastille* (Paris, 1982) et Alain Collomp, *La Maison du père. Famille et village en Haute-Provence aux XVIIᵉ et XVIIIᵉ siècles* (Paris, 1983).

L'ouvrage, salué en son temps comme très neuf, de Philippe Ariès, *L'Enfant et la vie familiale sous l'Ancien Régime* (Paris, 1973) a quelque peu vieilli. Sa thèse de la découverte de l'enfant aux XVIIᵉ et XVIIIᵉ siècles ne paraît plus aussi convaincante. L'analyse plus récente de Marcel Grandière, « Regard sur l'enfant au XVIIIᵉ siècle » (*Éducation et pédagogies au siècle des Lumières*, Angers, 1985) est à préférer. On consultera aussi le numéro spécial des *Annales de démographie historique*, intitulé *Enfant et Sociétés* (1973, études de J.N. Biraben, E. Hélin, J.M. Gouesse et A. Chamoux). La question des enfants illégitimes a fait l'objet de nombreuses études, dont celles d'Alain Lottin (« Naissances illégitimes et filles-mères à Lille au XVIIIᵉ siècle », *RHMC*, 1970, p. 278-322), J. Depauw (« Amour illégitime et société à Nantes au XVIIIᵉ siècle », *Annales ESC*, 1972, p. 1155-1182) et M.C. Phan (« Les déclarations de grossesse en France, XVIIᵉ-XVIIIᵉ siècle », *RHMC*, janvier-mars 1975, p. 61-88). Quant aux enfants abandonnés, ils ne le sont pas des historiens, qui ne cessent de s'y intéresser. Nous avons sur cette question plusieurs études d'ensemble (Léon Lallemand, *Histoire des enfants abandonnés et délaissés*, Paris, 1885 ; Jean Sandrin, *Enfants trouvés, enfants ouvriers, 17ᵉ-19ᵉ siècle*, Paris, 1982 ; Maurice Capul, *Abandon et marginalité : les enfants placés sous l'Ancien Régime*, Toulouse, 1989 ; et P. Aragon, « L'enfant délaissé au siècle des Lumières », *Histoire, Économie et Société*, n° 3, 1987, p. 397 et suiv.) et de très nombreuses études régionales, dont on ne peut dresser la liste exhaustive. Nous citerons seulement celles qui nous ont paru les plus marquantes : Eugène Mabille, *De la condition des enfants trouvés au XVIIIᵉ siècle dans la généralité de Bordeaux* (Bordeaux, 1909), François Lebrun, « Naissances illégitimes et abandons d'enfants en Anjou au XVIIIᵉ siècle » (*Annales ESC*, 1972, p. 1183-1199), N. Arnaud-Duc, « L'entretien des enfants abandonnés en Provence sous l'Ancien Régime » (*RHD*, 1969, p. 29-66), Jean-Pierre Bardet, « Enfants abandonnés et enfants assistés à Rouen dans la deuxième moitié du XVIIIᵉ siècle » (*Hommage à Marcel Reinhard*, 1973, p. 19-47), Antoinette

Chamoux, « L'enfance abandonnée à Reims à la fin du XVIIIe siècle » (*Enfant et Sociétés*, numéro spécial, *op. cit.*), Claude Delasselle, « Les enfants abandonnés à Paris au XVIIIe siècle » (*Annales ESC*, 1975, p. 187-218), Élisabeth Sablayrolles, *L'Enfance abandonnée à Strasbourg au XVIIIe siècle et la fondation de la Maison des enfants-trouvés* (Strasbourg, 1976), et diverses études parues dans *L'Enfant abandonné*, numéro spécial cité *supra* de la revue *Histoire, Économie et Société*.

Pour la connaissance du droit privé, celui des personnes, des familles et des biens, il importe de consulter l'*Histoire du droit privé* de Paul Ourliac et Jehan de Malafosse (t. III, *Le Droit familial*, 1968). Il faut y ajouter la remarquable synthèse de Jean Yver, *Égalité entre héritiers et exclusion des enfants dotés. Essai de géographie coutumière* (Paris, 1966) et, pour un exemple local, l'excellent ouvrage de Xavier Martin, *Le Principe d'égalité dans les successions roturières en Anjou et dans le Maine* (Paris, 1972).

Nous manquons d'une bonne étude d'ensemble sur l'institution féodale au XVIIIe siècle. Le travail de J.Q.C. Mackrell, *The Attack on Feudalism in Eighteenth Century France* (Londres, 1973) n'en tient pas lieu. Il existe en revanche de bonnes études régionales, dont les suivantes : Jean de La Monneraye, *Le Régime féodal et les classes rurales dans le Maine au XVIIIe siècle* (Paris, 1922, Jean Bastier, *La Féodalité au siècle des Lumières dans la région de Toulouse, 1730-1790* (Paris, 1975 ; livre très intelligent et qui associe l'histoire des institutions à l'histoire sociale), Bernard Quilliet, « Les fiefs parisiens et leurs seigneurs parisiens au XVIIIe siècle » (*Histoire, Économie et Société*, n° 4, p. 565-580) et Guy Lemarchand, *La Fin du féodalisme dans le pays de Caux* (Paris, 1989). Les monographies de seigneuries sont malheureusement rares, ce qui donne du prix à celles de Serge Dontenwill (*Une seigneurie sous l'Ancien Régime : l'Étoile en Brionnais du XVIe au XVIIIe siècle* [1575-1778], Roanne, 1973), J.F. Labourdette (« L'administration d'une grande terre au XVIIIe siècle. Le comté de Laval », *Bulletin de la Commission historique et archéologique de la Mayenne*, octobre-décembre 1977, p. 54-169) et Jean Gallet (« Recherches sur la seigneurie : foires et marchés dans le Vannetais du XVIe au XVIIIe siècle », *Mélanges de la Société d'histoire et d'archéologie de Bretagne*, 1972-1974, t. 52, p. 133-166).

On observe non sans une certaine surprise que l'histoire de la noblesse a beaucoup attiré les chercheurs dans ces dernières années. Le « Que sais-je ? » de Jean Meyer, *La Noblesse française à l'époque moderne (XVIe-XVIIIe siècle)* (Paris, 1991) donne le dernier mot de la question, mais la lecture de ce petit ouvrage ne dispense pas de celle des synthèses antérieures, qui sont les études d'Henri Carré (*La Noblesse de France et l'opinion publique au XVIIIe siècle*, Paris, 1920) et de Guy Chaussinand-Nogaret (*La Noblesse au XVIIIe siècle, de la féodalité aux Lumières*, Paris, 1976). *La Vie quotidienne de la noblesse française au XVIIIe siècle* de François Bluche (Paris, 1973) est bien écrite et comporte des vues pénétrantes. Celle de J.M. Constant (*La Vie quotidienne de la noblesse française aux XVIIe et XVIIIe siècles*, Paris, 1985) ne la vaut pas. On verra enfin Jean Lassaigne, *Les Assemblées de la noblesse de France aux XVIIe et XVIIIe siècles* (Paris, 1965) et Pierre Lubat, *Le Droit de chasse en Dauphiné sous l'Ancien Régime* (Grenoble, 1941).

La pensée nobiliaire et les diverses théories au sujet de la noblesse ont fait l'objet de plusieurs études récentes et pleines d'intérêt : Marcel de La Bigne de Villeneuve, *La Dérogeance de la noblesse sous l'Ancien Régime* (Paris, 1977), A. Devyver, *Le Sang épuré. Les préjugés de race chez les gentilshommes français de l'Ancien Régime (1560-1720)*, R. Moro, *Il tempo dei Signori. Mentalità, ideologia, dottrine della nobiltà francese di Antico Regime* (Milan-Rome, 1980), Guy Chaussinand-Nogaret, « Un aspect de la pensée nobiliaire au XVIIIᵉ siècle. L'"antinobiliarisme" » (*RHMC*, 1982, p. 442-453) et D. Venturino, « L'ideologia nobiliare nella Francia di Antico Regime. Note sul dibattito storiografico recente » (*Studi storici*, t. I, 1988, p. 61-101).

On ne connaît pas assez bien la vie et les mœurs ainsi que les fortunes de la grande noblesse. Une étude portant sur les ducs et pairs serait la bienvenue. Le travail de François Bluche, *Les Honneurs de la Cour* (Paris, 1957) permet de compter la noblesse « présentée ». Diverses catégories de noblesses ont été étudiées dans les ouvrages suivants : François Bluche, *Les Magistrats du parlement de Paris au XVIIIᵉ siècle* (Paris, 1986, éd. revue et augmentée) et *Les Magistrats du Grand Conseil au XVIIIᵉ siècle (1690-1791)* (Paris, 1966), Guy Richard, *Noblesse d'affaires au XVIIIᵉ siècle* (Paris, 1974) et Jean-François Solnon, *215 Bourgeois-Gentilshommes au XVIIIᵉ siècle. Les secrétaires du roi à Besançon* (Paris, 1980), ainsi que Monique Cubells, *La Provence des Lumières. Les parlementaires d'Aix au XVIIIᵉ siècle* (Paris, 1984).

On a quelques bonnes études de noblesses provinciales, parmi lesquelles on citera celles de Jean Fournée (*Études sur la noblesse rurale du Cotentin et du bocage normand*, Boulogne-sur-Seine, 1957), Robert Forster (*The Nobility of Toulouse in the Eighteenth Century. A Social and Economic Study*, John Hopkins University, 1960), Jean Meyer (*La Noblesse bretonne au XVIIIᵉ siècle*, Paris, 1966, 2 vol.) et Jean Nicolas (*La Savoie au XVIIIᵉ siècle. Noblesse et bourgeoisie*, Paris, 1978). Mais les études sur des personnages et sur des familles sont trop rares. Citons les principales : Louis de Loménie, *Les Mirabeau. Nouvelles études sur la société française au XVIIIᵉ siècle* (Paris, 1889, 5 vol.), Robert Forster, *The House of Saulx-Tavannes. Versailles and Burgundy, 1700-1830* (Baltimore-Londres, 1971), Jean-François Labourdette, *Conseils à un duc de La Trémoille à son entrée dans le monde* (*Enquêtes et Documents*, 1973), Philippe Béchu, « Noblesse d'épée et tradition militaire au XVIIIᵉ siècle » (*Histoire, Économie et Sociétés*, 1983, p. 507-548; article consacré à la famille de Scépeaux) et *Les Demeures parisiennes du marquis d'Armaillé. Étude sur la noblesse provinciale à Paris au XVIIIᵉ siècle* (mémoire de DEA, université de Lille III, 1991, dactyl.), et Norbert Dufourcq, *Nobles et Paysans aux confins de l'Anjou et du Maine. La seigneurie de Venevelles* (Paris, 1988).

Les gens de justice ont été étudiés par le baron Francis Delbeke (*L'Action politique et sociale des avocats au XVIIIᵉ siècle*, Paris, 1927), Leonard R. Berlanstein (*The Barristers of Toulouse in the Eighteenth Century* [*1740-1793*], Baltimore, 1975) et Jean-Pierre Poisson (« Le notariat parisien à la fin du XVIIIᵉ siècle. Matériaux et orientations pour une étude socio-économique et des idées politiques » *Dix-Huitième Siècle*, 1975, p. 105-127), les financiers par Yves Durand (*Les Fermiers généraux au XVIIIᵉ siècle*, Paris,

1971) et par Guy Chaussinand-Nogaret (*Les Financiers de Languedoc au xvIII^e siècle*, Paris, 1970), les ouvriers par Philippe Guignet (*Mines, Manufactures et Ouvriers du Valenciennois au xvIII^e siècle. Contribution à l'histoire du travail dans l'ancienne France*, New York, 1977) et les domestiques par Albert Babeau (*Les Artisans et les Domestiques d'autrefois*, Paris, 1886), Marc Botlan (« Domesticité et domestiques à Paris dans la crise [1770-1790] », *Positions des thèses de l'École des chartes*, 1976, p. 27-35), Jean-Pierre Gutton (*Domestiques et Serviteurs dans la France d'Ancien Régime*, Paris, 1981) et Jacqueline Sabattier, *La Relation maître-domestique à Paris au xvIII^e siècle : recherches sur les mentalités* (thèse de l'École des hautes-études en sciences sociales, 1981, publiée en 1984 sous le titre *Figaro et son maître. Les domestiques au xvIII^e siècle*). Bien entendu, pour la connaissance de tous les groupes sociaux, il faudra aussi consulter les histoires des villes et les études d'histoire sociale régionale (voir *infra*).

Les trois ouvrages classiques sur les corporations sont anciens tous les trois : Étienne Martin Saint-Léon, *Histoire des corporations de métiers depuis leurs origines jusqu'à leur suppression en 1791* (Paris, 1922), François Olivier-Martin, *L'Organisation corporative de la France d'Ancien Régime* (Paris, 1938) et E. Coornaert, *Les Corporations en France avant 1789* (Paris, 1941, réédité en 1968). La question mériterait d'être revue.

L'histoire des villes a été renouvelée depuis une dizaine d'années par quelques bonnes études d'ensemble. Ce sont les ouvrages de Jean Meyer (*Études sur les villes en Europe occidentale* [*milieu du xvII^e siècle à la veille de la Révolution française*] - *Généralités France*, t. I, Paris, 1983) et de Bernard Lepetit (*Les Villes dans la France moderne* [*1740-1840*], Paris, 1988). Il faut y joindre le tome III de l'*Histoire de la France urbaine* (dir. G. Duby), intitulé *La Ville classique, de la Renaissance aux Révolutions* (dir. E. Le Roy Ladurie, Paris, 1981) et le recueil de travaux *Pouvoir, Ville et Société en Europe, 1650-1750* (*Actes du colloque international du CNRS, Strasbourg, 1983*, publiés par Georges Livet et Bernard Vogler). En revanche, les monographies d'histoire urbaine concernant les villes du xvIII^e siècle sont encore peu nombreuses. Dix villes seulement ont fait l'objet d'études complètes et scientifiques. Nous citons ces études en les classant selon l'ordre alphabétique des villes concernées : Mohammed El Kordi, *Bayeux aux xvII^e et xvIII^e siècles. Contribution à l'histoire urbaine de la France* (Paris, 1970), Josette Pontet-Fourmigué, *Bayonne, un destin de ville moyenne à l'époque moderne* (Biarritz, 1990), François-Georges Pariset (sous la dir. de), *Bordeaux au xvIII^e siècle* (Bordeaux, 1968), Jean-Claude Perrot, *Genèse d'une ville moderne : Caen au xvIII^e siècle* (Paris-La Haye, 1975, 2 vol.), Maurice Garden, *Lyon et les Lyonnais au xvIII^e siècle* (Paris, 1970), Henry Ricalens, *Moissac, du début du règne de Louis XIII à la fin de l'Ancien Régime. Contribution à l'histoire économique et sociale du bas Quercy* (Toulouse, 1994), Daniel Ligou, *Montauban à la fin de l'Ancien Régime et au début de la Révolution, 1787-1794* (Paris, 1958), Jean Chagniot, *Paris au xvIII^e siècle* (*Nouvelle Histoire de Paris*, Paris, 1988), Jean-Pierre Bardet, *Rouen aux xvII^e et xvIII^e siècles. Les mutations d'un espace social* (Paris, 1983, 2 vol.), Philippe Petout, *Saint-Malo aux xvII^e et xvIII^e siècles* (thèse de 3e cycle, Rennes, 1982), T.J.A. Le Goff, *Vannes et sa* *région. Ville et campagne dans la France du XVIIIᵉ siècle* (Loudéac, 1989), Fernand Evrad, *Versailles, ville du roi (1770-1789)* (Paris, s.d.), P. Breillat, *Ville nouvelle, capitale modèle, Versailles* (Versailles, 1986). Bien qu'elles ne traitent que certains aspects du sujet, on peut ajouter à cette liste les études de Marcel Couturier (*Recherches sur les structures sociales de Châteaudun, 1525-1789*, Paris, 1969) et d'Anne Lefebvre-Teillard (*La Population de Dole au XVIIIᵉ siècle*, Paris, 1969). Compte tenu de ce petit nombre de monographies, les chapitres consacrés au XVIIIᵉ siècle dans les histoires des villes françaises publiées depuis une trentaine d'années par les éditions Privat à Toulouse, par celles du Beffroi à Dunkerque et par d'autres éditeurs rendent de grands services. Certaines de ces histoires de villes sont en plusieurs volumes, et la part consacrée au siècle des Lumières y est très importante. C'est le cas en particulier de l'*Histoire de Besançon* (sous la dir. de Claude Fohlen, Paris, 1965) et de l'*Histoire de Lille* (sous la dir. de Louis Trénard) dont le volume intitulé *L'Ère des révolutions* (Toulouse, 1991) couvre la période 1715-1851. Signalons aussi le tome III de l'*Histoire de Strasbourg* de Georges Livet et Francis Rapp, tome intitulé *Strasbourg de la guerre de Trente Ans à Napoléon* (Strasbourg, 1981).

Pendant deux décennies (de 1960 à 1980 environ), les historiens français se sont beaucoup appliqués à l'étude de ce qu'ils appelaient les «structures sociales». L'un des premiers à employer cette expression avait été Georges Lefebvre dans ses *Études orléanaises* dont le tome I avait pour titre *Contribution à l'étude des structures sociales de la fin du XVIIIᵉ siècle* (Paris, 1962). Nous avons déjà cité les ouvrages d'Anne Lefebvre-Teillard et de Marcel Couturier. Mais on doit mentionner aussi les travaux suivants: François Furet, «Structures sociales parisiennes au XVIIIᵉ siècle, l'apport d'une série fiscale» (*Annales ESC*, septembre-octobre 1961, p. 939-958), Adeline Daumard et François Furet, *Structures et relations sociales à Paris au XVIIIᵉ siècle* (Paris, 1961; ouvrage critiquable parce que fondé principalement sur des sources fiscales), Jean Sentou, *Fortunes et groupes sociaux à Toulouse sous la Révolution. Essai d'histoire statistique* (Toulouse, 1969; comporte une étude des groupes sociaux à la veille de la Révolution), Jacqueline Bayon-Tollet, «Structures sociales d'une ville du haut Languedoc à la fin du XVIIIᵉ siècle, Le Puy-en-Velay» (*Actes du 98ᵉ congrès national des Sociétés savantes*, Saint-Étienne, 1973, section d'histoire moderne, 1975, nº 2, p. 73-103), Jean Meyer, «Structure sociale des villes bretonnes à la fin de l'Ancien Régime» (*Actes du 96ᵉ congrès national des Sociétés savantes*, Toulouse, 1971, section d'histoire moderne, 1976, t. II, p. 483-499), Jean Tarrade, «La population de Poitiers au XVIIIᵉ siècle. Essai d'analyse socioprofessionnelle d'après les contrats de mariage» (*Bulletin de la Société des antiquaires de l'Ouest*, 1974, p. 331-362), J.P. Lethuillier, «Les structures socioprofessionnelles à Falaise à la fin du XVIIIᵉ siècle» (*Revue d'histoire économique et sociale*, 1977, p. 42-69). Des travaux plus récents combinent l'étude des «structures sociales» avec celle des institutions urbaines. Citons, entre autres, de Jean-Paul Marque, *Institution municipale et groupes sociaux: Gray, petite ville de province, 1690-1790* (Paris, 1979), de Frédéric Laur, *Pouvoir et société à Millau de 1632 à 1789* (Montpellier,

1985) et de Philippe Guignet la thèse déjà citée *supra, Le Pouvoir dans la ville au XVIIIe siècle.*

Les travaux portant sur les sociétés rurales sont beaucoup moins nombreux. E. Le Roy Ladurie est l'auteur de la partie consacrée au XVIIIe siècle dans le tome II (*L'Âge classique*) de l'*Histoire de la France rurale* dirigée par G. Duby et A. Wallon (Paris, 1975). C'est la dernière synthèse parue sur la question. Les études régionales sont celles de François Dutacq («Les paysans de la généralité de Lyon à la fin de l'Ancien Régime», *Revue bimestrielle des cours et conférences*, n° 12, 30 mai 1935, p. 289-306), P. de Saint-Jacob (*Les Paysans de la Bourgogne du nord au dernier siècle de l'Ancien Régime*, Paris, 1960), Paul Bois (*Les Paysans de l'Ouest*, Paris, 1960), E. Le Roy Ladurie (*Les Paysans du Languedoc*, Paris, 1960), Abel Poitrineau (*La Vie rurale en basse Auvergne au XVIIIe siècle* [*1726-1789*], Aurillac, 1965, 2 vol.; ouvrage témoignant d'une compréhension intime du monde rural), G. Lemarchand («Structure sociale d'après les rôles fiscaux et conjoncture économique dans le pays de Caux : 1690-1789», *BSHM*, 1969), Dominique Rosselle (*Le Long Cheminement des progrès agricoles. Le Béthunois du milieu du XVIe siècle au début du XIXe siècle*, thèse dactyl., Lille, 1984) et Jean-Pierre Jessenne (*Pouvoir au village et Révolution. Artois, 1760-1848*, Lille, 1987). Il faut évidemment ajouter à cette liste les quelques travaux portant sur l'histoire économique, sociale et démographique de certaines provinces comme ceux de François Lebrun sur l'Anjou et d'Alain Molinier sur le Vivarais (voir *infra*). Mais même en tenant compte de ces travaux, le bilan demeure assez maigre et il faut convenir que la société paysanne est encore assez mal connue, non seulement dans sa composition, mais aussi dans ses mœurs et dans sa religion.

La bibliographie de la pauvreté et du paupérisme est relativement abondante. Les deux ouvrages fondamentaux sont ici ceux de Jean-Pierre Gutton *La Société et les pauvres. L'exemple de la généralité de Lyon, 1534-1789* (Paris, 1971) et de O.H. Hufton, *The Poor of Eighteenth Century France, 1750-1789* (Oxford, 1974). Il faut y ajouter l'ouvrage de Jeffry Kaplow, *Les Noms des rois. Les pauvres de Paris à la veille de la Révolution* (Paris, 1974), l'article très éclairant de Charles Engrand, «Paupérisme et condition ouvrière dans la seconde moitié du XVIIIe siècle : l'exemple amiénois» (*RHMC*, juillet-septembre 1982, p. 376-410) et celui de Guy Thuillier, «Un observateur des misères sociales : Leclerc de Montlinot (1732-1801), suivi des comptes de la maison de travail de la généralité de Soissons (1781-1786)» (*Bulletin d'histoire de la Sécurité sociale*, 1989, p. 7-55). Sur la politique et les institutions d'assistance, on dispose d'un grand nombre d'études. Les principaux ouvrages traitant l'ensemble de la question sont ceux de Camille Bloch (*L'Assistance et l'État en France à la veille de la Révolution* [*généralités de Paris, Rouen, Alençon, Orléans, Châlons, Soissons, Amiens*], *1764-1790*, Paris, 1908 et Genève, 1974), Shelby T. Mac Cloy (*Government Assistance in Eighteenth Century France*, Durham, 1946), Robert M. Schwartz (*Policing the Poor in XVIIIth Century France*, Chapel Hill, University of North Carolina, 1988) et Maurice Capul (*Internat et internement sous l'Ancien Régime*, Paris, 1984, 4 vol.). Il existe aussi plusieurs études régionales, dont les suivantes : Gaston Valran, *Assistance et éducation en Provence aux 18ᵉ et 19ᵉ siècles* (Paris, 1900), F. Buchalet, *L'Assistance publique à Toulouse au XVIIIᵉ siècle* (Toulouse, 1904), Colin Jones, *Charity and Bienfaisance: The Treatment of the Poor in the Montpellier Region 1740-1815* (New York, 1983), Joseph Estienne, « L'hôpital général des pauvres de Paris aux 17ᵉ et 18ᵉ siècles » (*Revue de l'Assistance publique à Paris*, 1953), J. Melot, « Les pensionnaires de Saint-Lazare aux XVIIᵉ et XVIIIᵉ siècles. L'œuvre de M. Vincent parmi les aliénés et les correctionnaires » (*Mission et charité*, 1961, p. 49-55), Louis Trénard, « Pauvreté, charité, assistance à Lille, 1708-1790 » (*Actes du 97ᵉ congrès national des Sociétés savantes*, Nantes, 1972, section d'histoire moderne, t. I, p. 473-498) et Jean Meyer, « Pauvreté et assistance dans les villes bretonnes de l'Ancien Régime » (*ibid.*, p. 445-460). La question particulière de la mendicité et de sa répression a toujours été et est encore très étudiée. Les deux synthèses classiques de F. Mourlot (*La Question de la mendicité à la fin de l'Ancien Régime*, Paris, 1903) et de Christian Paultre (*De la répression de la mendicité et du vagabondage en France sous l'Ancien Régime*, Paris, 1906 et Genève, réimpr., 1975) sont maintenant renouvelées par le récent ouvrage de Thomas Mc Stay Adams, *Bureaucrats and Beggars, French Social Policy in the Age of Enlightenment* (Oxford, 1990). Dans *L'État et la mendicité dans la première moitié du XVIIIᵉ siècle. Auvergne, Beaujolais, Forez, Lyonnais* (Lyon, 1973), J.P. Gutton a fait le point sur la législation et sur les institutions d'assistance et de répression. Pour la seconde moitié du siècle (la plus intéressante), il faut se reporter à l'ouvrage de Mc Adams que nous venons de citer. Depuis 1960, on a publié plusieurs études régionales dont voici quelques-unes : R. Liris, « Mendicité et vagabondage en basse Auvergne à la fin du XVIIIᵉ siècle » (*Revue d'Auvergne*, 1965, p. 65-78), L. Merle, *L'Hôpital du Saint-Esprit de Niort (1665-1790). Contribution à l'histoire de la lutte contre la mendicité sous l'Ancien Régime* (Niort, 1966), J.P. Gutton, « Les mendiants dans la société parisienne au début du XVIIIᵉ siècle » (*Mélanges d'histoire André Fugier*, Lyon, 1968, p. 133-143), E. Guéguen, « La mendicité au pays de Vannes dans la deuxième moitié du XVIIIᵉ siècle » (*Bulletin de la Société polymatique du Morbihan*, 1970), V. Boucheron, « La montée du flot des errants de 1760 à 1789 dans la généralité d'Alençon » (*Annales de Normandie*, 1971, p. 55-87) et Jean Valette, « La notion de mendicité et de pauvreté dans le diocèse de Bordeaux à la fin de l'Ancien Régime » (*Colloque sur l'histoire de la Sécurité sociale. Actes du 109ᵉ congrès national des Sociétés savantes*, Dijon, 1984, p. 175-183). En revanche, nous manquons de monographies portant sur les dépôts de mendicité créés en 1768. Il n'existe à notre connaissance qu'une seule étude, celle de M. Deschamps, *Le Dépôt de mendicité de Rouen, 1768-1820* (DES Caen, 1965, résumé dans *Bulletin de la Société française d'histoire des hôpitaux*, 1968, p. 24-25). Quant aux ateliers de charité créés par Turgot en 1775, ils ont été étudiés par Jean-Louis Harouel (*Les Ateliers de charité dans la province de la haute Guyenne*, Paris, 1969) et par J. Planel-Arnoux, « Les ateliers de charité dans la généralité de Caen jusqu'en 1775 » (*Journées d'histoire du droit, pays de l'Ouest*, Tours, 1972, *RHD*, 1973, p. 564-565).

La démographie

Les ouvrages généraux les plus sûrs sont ici ceux de Jacques Dupâquier : *La Population française aux XVIIᵉ et XVIIIᵉ siècles* (Paris, 1979) et *Histoire de la population française*, t. II : *De la Renaissance à 1789* (Paris, 1988). Les monographies classiques d'E. Gautier (*Crulai. Démographie d'une paroisse normande aux XVIIᵉ et XVIIIᵉ siècles*, Paris, 1958), Jean Ganiage (*Trois Villages d'Île-de-France au XVIIIᵉ siècle*, Paris, 1963) et Marcel Lachiver (*La Population de Meulan du XVIIᵉ au XIXᵉ siècle [vers 1600-1870]. Étude de démographie historique*, Paris, 1969) conservent toute leur valeur. On consultera aussi le recueil collectif *Hommage à Marcel Reinhard. Sur la population française aux XVIIIᵉ et XIXᵉ siècles* (Paris, 1973).

La démographie urbaine est une branche très développée de la démographie historique. On verra sur ce sujet les travaux importants de Roger Mols (*Introduction à la démographie historique des villes d'Europe*, Louvain-Gembloux, 1954-1956, 3 vol.), Paul Bairoch (« Population urbaine et taille des villes en Europe de 1600 à 1970. Présentation de séries statistiques », *Revue d'histoire économique et sociale*, 1976, p. 304-335) et Jacques Dupâquier (« Le réseau urbain du Bassin parisien au XVIIIᵉ siècle et au début du XIXᵉ siècle. Essai de statistique », *Actes du 100ᵉ congrès national des Sociétés savantes*, Paris, 1975, section d'histoire moderne, p. 125-134). Jacques Depauw a étudié l'immigration féminine à Nantes (« Immigration féminine, professions féminines et structures urbaines à Nantes au XVIIIᵉ siècle », *Enquêtes et Documents*, 1972, p. 37-60) et Jean-Pierre Poussou l'immigration et la croissance bordelaise (*Bordeaux et le Sud-Ouest au XVIIIᵉ siècle. Croissance économique et attraction urbaine*, Paris, 1983). Il faudra évidemment consulter aussi les histoires des villes mentionnées plus haut.

Sur l'exode rural et les migrations montagnardes, nous avons l'excellent livre d'Abel Poitrineau, *Remues d'hommes. Les migrations montagnardes en France, 17ᵉ-18ᵉ siècle* (Paris, 1983) et l'ouvrage de Jean Pitié, *L'Homme et son espace : l'exode rural en France du XVIᵉ siècle à nos jours* (Paris, 1987).

Sur l'histoire démographique de la famille, du mariage et de l'enfant, un précieux état de la question avait été présenté en 1975 par André Armengaud dans son ouvrage *La Famille et l'enfant en France et en Angleterre du XVIᵉ au XVIIIᵉ siècle. Aspects démographiques* (Paris, 1975). Une mise à jour serait nécessaire, mais on peut encore s'y reporter ; le livre comporte une abondante bibliographie. Parmi les publications postérieures on se bornera à signaler l'ouvrage intéressant (mais confus) de Jacques Gélis, *L'Arbre et le fruit. La naissance dans l'Occident moderne, XVIᵉ-XIXᵉ siècle* (Paris, 1984). L'étude des débuts du malthusianisme n'a pas été vraiment renouvelée depuis les travaux de Noonan, J.L. Flandrin et Antoinette Chamoux, travaux mentionnés dans la bibliographie d'André Armengaud.

Pour l'histoire des disettes et des mortalités épidémiques, on consultera Jacques Godechot et Suzanne Moncassin, *Démographie et subsistances en Languedoc (du XVIIIᵉ siècle au début du XIXᵉ siècle)* (Paris, 1965), Ch. Carrière, M. Courdurié, F. Rebuffat, *Marseille, ville morte. La peste de 1720* (Marseille, 1968), et François Lebrun, *Les Hommes et la mort en Anjou* *aux 17e et 18e siècles* (Paris, 1971). Ces questions sont moins étudiées aujourd'hui qu'elles ne l'ont été.

Celle de l'alimentation ne l'a jamais été de façon sérieuse (tout au moins pour le XVIIIe siècle) sauf par Alain Molinier dans sa thèse, *Stagnations et croissance. Le Vivarais aux XVIIe et XVIIIe siècles* (Paris, 1985) où plusieurs chapitres sont consacrés au sujet. On peut consulter aussi l'ouvrage collectif intitulé *Pour une histoire de l'alimentation. Recueil de travaux présentés par J.J. Hémardinquer* (*Cahiers des Annales*, n° 28, 1970).

Les mœurs

La bibliographie dans ce domaine n'est pas aussi riche qu'on pourrait l'attendre. On doit toujours se reporter à l'imposante collection d'Alfred Franklin (27 volumes), intitulée *La Vie privée d'autrefois*, mais l'éclairage n'est pas très neuf, ce travail datant du début du siècle. Les ouvrages de la collection « La vie quotidienne » ne sont pas tous sans mérite, bien que tous ceux des dernières années soient trop rapidement écrits, et que leurs auteurs considèrent visiblement l'histoire de la vie quotidienne comme un genre mineur. Signalons, dans cette collection, Charles Kunstler, *La Vie quotidienne sous Louis XV* (Paris, 1953) et *La Vie quotidienne sous la Régence* (Paris, 1960), Guy Chaussinand-Nogaret, *La Vie quotidienne des Français sous Louis XV* (Paris, 1979), Jean Meyer, *La Vie quotidienne en France au temps de la Régence* (Paris, 1979), François Bluche, *La Vie quotidienne au temps de Louis XVI* (Paris, 1980 ; l'un des meilleurs volumes de la collection), Paul Butel, J.-P. Poussou, *La Vie quotidienne à Bordeaux au XVIIIe siècle* (Paris, 1980 ; la vie religieuse est sacrifiée) et André Bendjebbar, *La Vie quotidienne en Anjou au XVIIIe siècle* (Paris, 1983 ; presque rien sur la religion). D'autres ouvrages du même genre ont été publiés hors de la collection « La vie quotidienne », mais souffrent des mêmes défauts. Ce sont par exemple, de Jules Marie Richard, *La Vie privée dans une province de l'Ouest, Laval aux XVIIe et XVIIIe siècles* (Paris, 1922), de Claude Grimmer, *Vivre à Aurillac au XVIIIe siècle* (Aurillac, 1983) et de Bernard Martin, *La Vie en Poitou dans la seconde moitié du XVIIIe siècle : Mazeuil (Vienne), paroisse du Mirebalais* (Maulévrier, 1988).

Sur la sociabilité et les relations sociales quotidiennes, on a quelques bons travaux, malheureusement trop rares. Il s'agit des travaux d'Yves Castan *Honnêteté et relations sociales en Languedoc (1750-1780)* (Paris, 1974) et *Vivre ensemble. Ordre et désordre en Languedoc (XVIIe-XVIIIe siècle)*, présenté par N. et Y. Castan (Paris, 1981), de Jean-Pierre Gutton *La Sociabilité villageoise dans l'ancienne France* (Paris, 1979), et d'Arlette Farge *Vivre dans la rue au XVIIIe siècle à Paris* (Paris, 1979) et *Le Cours ordinaire des choses dans la cité du XVIIIe siècle* (Paris, 1994, petit recueil de documents d'archives commentés). Notons que ces ouvrages concernent les catégories populaires principalement. Il semble que l'on pourrait étudier aussi la sociabilité aristocratique et la sociabilité cléricale.

Dans leur ouvrage *La Femme au dix-huitième siècle* (Paris, 1935, 2 vol.) Edmond et Jules de Goncourt ont analysé avec une grande finesse le rôle des femmes et les mœurs féminines. Maurice Rat, dans *Les Femmes sous la Régence* (Paris, 1961), traite du même sujet.

Il faut citer enfin certains ouvrages étudiant des aspects particuliers des mœurs : la mode, le jeu, la manière de se vêtir, de se loger, le luxe. Sur les modes, on lira A. Puis, *Essai sur les mœurs, les goûts et les modes au XVIIIe siècle* (Paris, 1914), sur le costume, Jules Quicherat, *Histoire du costume en France depuis les temps les plus reculés jusqu'à la fin du XVIIIe siècle* (Paris, 1875), R.A. Weigert, *Galerie des modes et costumes français (1778-1787)* (Paris, s.d.) et Daniel Roche, *La Culture des apparences : une histoire du vêtement, XVIIe-XVIIIe siècle* (Paris, 1989), sur le logement, Annick Pardailhé-Galabrun, *La Naissance de l'intime : 3 000 foyers parisiens aux XVIIe et XVIIIe siècles* (Paris, 1988), et Benoît Garnot, « Le logement populaire au XVIIIe siècle : l'exemple de Chartres » (*RHMC*, avril-juin 1989, p. 186-210), sur le jeu, *Le Jeu au XVIIIe siècle* (ouvrage collectif, Aix-en-Provence, 1976) et sur le luxe H. Baudrillart, *Histoire du luxe privé et public depuis l'Antiquité jusqu'à nos jours*, t. IV : *Le Luxe dans les Temps modernes* (Paris, 1880). Enfin la chanson, miroir des mœurs, a été étudiée par Mathias Tresch dans son ouvrage intitulé *Évolution de la chanson française savante et populaire*, t. I : *Des origines à la Révolution française* (Paris, 1926).

La criminalité intéresse beaucoup les historiens (en tout cas beaucoup plus que ne les intéressent l'honnêteté ou la sainteté). Signalons d'abord deux recueils d'études : sous la direction de Jean Imbert, *Quelques Procès criminels des XVIIe et XVIIIe siècles* (Paris, 1964) et A. Abbiateci, F. Billacois, Y. Castan, P. Petrovitch, Y. Bongert, N. Castan, *Crimes et criminalité en France aux XVIIe et XVIIIe siècles* (*Cahiers des Annales*, n° 3, Paris, 1971). Il faut mentionner ensuite les principales études sur la criminalité dans différentes régions : P. Dautricourt, *La Criminalité et la répression au parlement de Flandres au XVIIIe siècle* (Lille, 1912), Anne Castaing, *L'Enfance délinquante à Lille au XVIIIe siècle* (Lille, 1912), B. Boutelet, « Étude par sondage de la criminalité dans le bailliage du Pont-de-l'Arche (XVIIe-XVIIIe siècles). De la violence au vol en marchant vers l'escroquerie » (*Annales de Normandie*, 1962, p. 235-262), A. Margot, « La criminalité dans le bailliage de Mamers (1695-1750) » (*Annales de Normandie*, 1972, p.185-224), J. Lecuir, « Criminalité et moralité : Montyon, statisticien du parlement de Paris » (*RHMC*, juillet-septembre 1974, p. 445-493), A. Farge et A. Zysberg, « La violence à Paris au XVIIIe siècle » (*Annales ESC*, septembre-octobre 1979), Solange Guilleminot, *Litiges et criminalité dans le présidial de Caen au XVIIIe siècle* (thèse de 3e cycle, dactyl., 1986), Nicole Castan, *Les Criminels de Languedoc. Les exigences d'ordre et les voies du ressentiment dans une société prérévolutionnaire (1750-1790)* (Paris, 1980 ; excellente étude montrant bien l'ampleur de la crise sociale à la fin de l'Ancien Régime) et Virginie Couillard, « La criminalité à Vendôme, 1714-1789 » (*Annales de Bretagne*, 1989, n° 3, p. 269-296). Certaines formes de criminalité ont fait l'objet d'études particulières. Le brigandage a été étudié par F. Funck-Brentano (*Les Brigands*, Paris, s.d.), le vol d'aliments par Arlette Farge (*Le Vol d'aliments à Paris au XVIIIe siècle*, Paris, 1974), la contrebande par M.H. Bouquin et E. Hepp (*Aspects de la contrebande au XVIIIe siècle*, Paris, 1969) et par Yves Durand (« La contrebande du sel au XVIIIe siècle aux frontières de Bretagne, du Maine et de l'Anjou », *Histoire* *sociale*, université d'Ottawa, s.d., p. 227-269). Enfin, pour avoir une vue d'ensemble du droit pénal, de la jurisprudence criminelle et de la répression des crimes, il faut d'abord consulter le très bon manuel de Jean-Marie Carbasse, *Introduction historique au droit pénal* (Paris, 1990) dans sa deuxième partie intitulée « Le droit pénal de l'Ancien Régime, XIIIe-XVIIIe siècle ». On y ajoutera les études régionales qui sont nombreuses. Citons, entre autres, A. Demogue, « La criminalité et la répression en Champagne au XVIIIe siècle » (*Travaux de l'académie de Reims*, CXXV, 1909), L.B. Mer, « Réflexions sur la jurisprudence criminelle du parlement de Bretagne... » (*Mélanges J. Yver*, 1976, p. 505-530), Daniel Ulrich, « La répression en Bourgogne au XVIIIe siècle » (*RHD*, 1972, p. 398-437), Nicole Castan, *Justice et répression en Languedoc à l'époque des Lumières* (Paris, 1980) et Iain A. Cameron, *Crime and Repression in the Auvergne and the Guyenne, 1720-1790* (New York, 1981). L'ouvrage d'André Zysberg sur les galériens (*Les Galériens. Vies et destins de 60 000 forçats sur les galères de France, 1680-1748* (Paris, 1987) mérite une mention particulière à cause de l'ampleur de la documentation dépouillée.

Galanterie et prostitution sont des aspects non négligeables des mœurs, surtout en ce siècle. La prostitution parisienne a été étudiée par Raoul Veze, *La Galanterie parisienne au XVIIIe siècle d'après les rapports de police et les mémoires du temps* (Paris, 1905) et par Erica Marie Benabou, *La Prostitution et la police des mœurs au XVIIIe siècle* (Paris, 1987). Il n'existe à notre connaissance aucune étude scientifique sur la prostitution dans les grandes villes de province.

La fréquence des émotions populaires et la forme qu'elles prennent sont également caractéristiques des mœurs. On lira sur ce sujet Y.M. Bercé, *Fête et révolte : les mentalités populaires du XVIe au XVIIIe siècle* (Paris, 1976), H. Hours, « Émeutes et émotions populaires dans les campagnes du Lyonnais au XVIIIe siècle » (*Cahiers d'histoire*, 1964) et Arlette Farge et Jacques Revel, *Logiques de la foule. L'affaire des enlèvements d'enfants* (Paris, 1988).

L'économie

Les ouvrages d'ensemble les plus récents et les plus complets ne sont déjà plus de la première jeunesse. L'*Histoire économique et sociale de la France*, t. II : *Des derniers temps de l'âge seigneurial aux préludes de l'âge industriel*, d'E. Labrousse, et les *Économies et sociétés préindustrielles*, t. II : *1650-1780*, de Pierre Léon, datent de 1970. L'article très éclairant (à l'époque) de François Crouzet, « Angleterre et France au XVIIIe siècle. Croissances comparées » (*Annales ESC*, avril-juin 1966, p. 254-291) est plus ancien. Cependant, un ouvrage et des articles dernièrement parus ont pris en compte les travaux récents. Il s'agit de Paul Butel, *L'Économie française au XVIIIe siècle* (Paris, 1993), Paul Bairoch, « L'économie française dans le contexte européen à la fin du XVIIIe siècle » (*Revue économique*, 1989, p. 939-964) et J.-P. Poussou, « Le dynamisme de l'économie française sous Louis XVI » (*ibid.*, p. 965-984). On verra aussi le bon résumé de F. Bayard et Ph. Guignet, *L'Économie française aux XVIe, XVIIe et XVIIIe siècles* (Paris-Gap, 1992).

Si l'on considère la masse des archives et l'ampleur du sujet, l'histoire de l'agriculture manque d'historiens. Les seuls ouvrages d'ensemble sont ceux d'Edmond Soreau (*L'Agriculture du XVIIe siècle à la fin du XVIIIe siècle* (Paris, 1952) et d'E. Le Roy Ladurie et H. Neveux (t. II de l'*Histoire de la France rurale*, sous la direction de G. Duby et A. Wallon, Paris, 1975). Il est vrai que les premiers chapitres d'Octave Festy, *L'Agriculture pendant la Révolution française. Les conditions de production et de récolte des céréales. Étude d'histoire économique* (Paris, 1947) concernent l'Ancien Régime et sont bien utiles. Il est vrai que l'on dispose aussi de l'étude d'histoire quantitative de J.-C. Toutain, *Le Produit de l'agriculture française de 1700 à 1958* (*Cahiers de l'ISEA*, n° 115, 1961) et que l'on peut faire son profit des observations toujours intelligentes de Jean Meuvret dans *L'Agriculture en Europe aux XVIIe et XVIIIe siècles, études d'histoire économique* (*Cahiers des Annales*, 1971) et des remarques suggestives de Michel Morineau dans ses deux études, « Y a-t-il eu une révolution agricole en France au XVIIIe siècle ? » (*Revue historique*, avril-juin 1968, p. 299-306) et « Les faux-semblants d'un démarrage économique : agriculture et démographie au XVIIIe siècle » (*Cahiers des Annales*, 1971).

Les travaux sur les différentes cultures sont remarquablement rares. La production céréalière a été étudiée par H. Neveux (« Les mouvements longs de la production céréalière en France du XIVe au XVIIIe siècle », *Bulletin du département d'histoire économique de l'université de Genève*, 1977-1978, n° 8, p. 17-25), la pomme de terre par Michel Morineau (« La pomme de terre au XVIIIe siècle », *Annales ESC*, 1970, p. 1767-1785), mais nous n'avons aucune étude scientifique sur les autres cultures. L'ouvrage de Roger Dion, *Histoire de la vigne et du vin en France des origines au XIXe siècle* (Paris, 1959) est trop général. Celui de René Gandilhon, *Naissance du champagne, Dom Pierre Pérignon*, concerne surtout le siècle précédent. L'élevage est un peu mieux partagé grâce aux travaux excellents de Jacques Mulliez (voir en particulier sa contribution intitulée « Bertin. L'administration des Haras et l'élevage du cheval [1763-1780] » dans Guy Ferry et Jacques Mulliez, *L'État et la rénovation de l'agriculture au XVIIIe siècle* [Paris, 1970]) et aux travaux contenus dans les *Actes du colloque international L'élevage et la vie pastorale dans les montagnes de l'Europe au Moyen Âge et à l'époque moderne* (Clermont-Ferrand, 1984). Sur les forêts, il faut, et de beaucoup, préférer l'article clair et net de Michel Devèze, « Les forêts françaises à la veille de la Révolution de 1789 » (*RHMC*, 1966, p. 241-272) aux élucubrations prétentieuses d'Andrée Corvol dans son ouvrage *L'Homme et l'Arbre sous l'Ancien Régime* (Paris, 1984 ; titre alléchant mais trompeur, puisqu'il s'agit essentiellement des forêts de la basse Bourgogne).

Les dernières études d'ensemble concernant la vaine pâture sont celles de Henri Sée (« La question de la vaine pâture en France à la fin de l'Ancien Régime », *Revue d'histoire économique et sociale*, 1914) et de Jean Meuvret (« La vaine pâture et le progrès agronomique avant la Révolution », *Bulletin de la société d'histoire moderne*, 1969, n° 9, p. 8-10).

Les travaux d'histoire rurale régionale se comptent sur les doigts de la main. Voici les principaux parus depuis quarante ans : J. Dupâquier, *La Propriété et l'exploitation foncière à la fin de l'Ancien Régime dans le*

Gâtinais septentrional (Paris, 1956), R. Baehrel, *Une croissance : la basse Provence rurale (fin du XVIᵉ siècle-1789)* (Paris, 1961, 2 vol.), Pierre Goubert, « Recherches d'histoire rurale dans la France de l'Ouest » (*Bulletin de la Société d'histoire moderne*, 1965, nᵒ 2, p. 2-6), L. Merle, *La Métairie et l'évolution agraire de la Gâtine poitevine de la fin du Moyen Âge à la Révolution* (Paris, 1968), Alain Contis, « L'agriculture graulhetoise [Tarn] au XVIIIᵉ siècle » (*Revue du Tarn*, série 3, nᵒ 129, p. 5-22) et D. Rosselle, *Le Béthunois, le lent cheminement des progrès agricoles du milieu du XVIᵉ au début du XIXᵉ siècle* (Lille, 1984, dactyl.). Mais on consultera aussi les études d'histoire sociale régionale citées plus haut, les histoires des provinces et les travaux (que nous mentionnerons à la fin de cette rubrique « économie ») concernant l'histoire économique et sociale de certaines régions.

Pour le produit de la dîme et pour l'histoire de la rente foncière, on verra P. Deyon, *Contribution à l'étude des revenus fonciers en Picardie. Les fermages de l'hôtel-Dieu d'Amiens et leurs variations de 1515 à 1789* (Lille, 1970, dactyl.) et J. Goy et E. Le Roy Ladurie, *Les Fluctuations du produit de la dîme : conjoncture décimale et domaniale de la fin du Moyen Âge au XVIIIᵉ siècle* (Paris, 1972).

Il n'existe pas d'ouvrage d'ensemble sur l'histoire industrielle de la France au XVIIIᵉ siècle. Il faut recourir aux ouvrages d'histoire économique ou bien à des études concernant une période beaucoup plus longue ou au contraire plus restreinte, comme par exemple celle de T.S. Ashton, *La Révolution industrielle (1760-1830)* (trad. franç., 1955) ou celle de Pierre Léon, « L'industrialisation en France en tant que facteur de croissance économique, du début du XVIIIᵉ siècle à nos jours » (*Première Conférence d'histoire économique*, Paris, 1960).

Concernant la révolution technique et l'introduction des machines, les travaux de Charles Ballot, bien qu'anciens, gardent toute leur valeur : « La révolution technique et les débuts de la grande exploitation dans la métallurgie française. L'introduction de la fonte au coke en France et la fondation du Creusot » (*Revue d'histoire des doctrines économiques et sociales*, 1912, p. 28-62) et *L'Introduction du machinisme dans l'industrie française* (Lille-Paris, 1923).

L'exploitation du charbon a été étudiée par Marcel Rouff (*Les Mines de charbon en France au XVIIIᵉ siècle, 1744-1791. Étude d'histoire économique et sociale*, Paris, 1922) et par Reed Geiger (*The Anzin Coal Company 1800-1833, Big Business in the Early Stages of the French Industrial Revolution*, University of Delaware Press, 1971 ; où l'on trouve un rappel des commencements de cette compagnie), la métallurgie par Bertrand Gille (*Les Origines de la grande industrie métallurgique en France*, Paris, 1947) et (*Les Forges françaises en 1772*, Paris, 1960), par Jean Yves Andrieux (*Forges et hauts-fourneaux de Bretagne, du XVIIᵉ au XIXᵉ siècle : Côtes-du-Nord*, Rennes, 1986, dactyl.) et par Jean Merley (« Les manufactures d'armes de guerre en France en 1785 », *Bulletin du Centre d'histoire régionale*, université de Saint-Étienne, 1979, nᵒ 1, p. 13-39).

Pour l'industrie lainière, on dispose des travaux de Tihomir J. Markovitch « L'industrie française au XVIIIᵉ siècle. L'industrie lainière à la fin du règne de Louis XV et sous la Régence » (*Économies et Sociétés*, t. II, nᵒ 8, 1968) et

Histoire des industries françaises. Les industries lainières de Colbert à la Révolution (Paris, 1976); pour l'industrie cotonnière, des vieux articles de Ch. Schmidt («Les débuts de l'industrie cotonnière en France, 1760-1786», *Revue d'histoire économique et sociale*, 1914, n° 1, p. 26-55, est l'un des principaux) heureusement renouvelés par la thèse de Serge Chassagne, *Le Coton et ses patrons* (Paris, 1991). Sur le secteur en pleine expansion de la toile peinte, voir Edgar Depitre, *La Toile peinte en France au XVIIᵉ et au XVIIIᵉ siècle, Industrie, Commerce, Prohibitions* (Paris, 1912) et Serge Chassagne, *Oberkampf. Un entrepreneur capitaliste au siècle des Lumières* (Paris, 1980). Il existe aussi quelques études sur des régions textiles ou sur des manufactures. Citons, entre autres, celle de François Dornic, *L'Industrie textile dans le Maine et ses débouchés internationaux (1630-1815)* (Le Mans, 1955) et celle de Gérard Gayot, «Un empire drapier à Sedan au XVIIIᵉ siècle : l'entreprise des Poupart de Neuflize» (*Pays sedanais*, année 51, 1986, p. 2-26).

L'industrie verrière est étudiée dans Claude Pris, *La Manufacture royale des glaces de Saint-Gobain, 1665-1830. Une grande entreprise sous l'Ancien Régime* (Lille, 1975, 2 vol.) et dans Maurice Hamon et Dominique Perrin, *Au cœur du XVIIIᵉ siècle industriel. Condition ouvrière et tradition villageoise à Saint-Gobain* (Paris, 1993 ; travail d'une remarquable précision), l'industrie de la porcelaine dans Siegfried Ducret, *La Porcelaine des manufactures européennes du 18ᵉ siècle* (Zurich, 1971) et celle du sel dans Gianfranca Vegliante, *Arc-et-Senans [Doubs] et les salines en Franche-Comté, 1775-1843, approche méthodologique d'une manufacture de sel comtoise à la fin du XVIIIᵉ siècle* (thèse dactyl., Besançon, 1986).

La vieille histoire du commerce d'Émile Levasseur (*Histoire du commerce de la France, 1ʳᵉ partie : avant 1789*, Paris, 1911) n'a pas été remplacée, mais plusieurs travaux ont ouvert des perspectives nouvelles. On citera entre autres Pierre Léon (sous la direction de), *Aires et structures du commerce français au XVIIIᵉ siècle* (*Centre d'histoire économique et sociale de la région lyonnaise*, 5, 1975) et L. Meignen, «Le commerce extérieur de la France à la fin de l'Ancien Régime : déficit apparent, prospérité réelle, mais fragile» (*RHD*, 1978, p. 583-614). Sur le commerce de contrebande, on lira Marcelin Defourneaux, «La contrebande du tabac en Roussillon dans la seconde moitié du XVIIIᵉ siècle», *Annales du Midi*, avril-juin 1970, p. 171-179). Quant aux transports, la question ne semble pas avoir été renouvelée depuis la publication de l'étude de Letaconnoux, «Les transports en France au XVIIIᵉ siècle» (*Revue d'histoire moderne*, t. XI, 1908-1909, p. 97-114 et 269-292). La flotte de commerce a été évaluée par Ruggiero Romano dans l'article intitulé «Per una valutazione della flotta mercantile europeana alla fine del secolo XVIII» (*Studi in onore di Amintore Fanfani*, V, Milan, 1962, p. 573-593).

Pour une vue d'ensemble de la politique commerciale, l'article de G. Rambert «La France et la politique commerciale au XVIIIᵉ siècle» (*RHMC*, 1959, p. 269-288) peut être utilisé. Le monopole du commerce du tabac fait l'objet du très intéressant ouvrage de Jacob M. Price, *France and the Chesapeake. A History of the French Tobacco Monopoly 1674-1791, and of its Relationship to the British and American Tobacco Trade* (University of Michigan, 1973). Sur le commerce des céréales, on a le vieil ouvrage de

G. Afanassiev, *Le Commerce des céréales en France au XVIII⁰ siècle* (Paris, 1894), mais la question de l'approvisionnement et de la politique des subsistances a été complètement renouvelée par les savants travaux de Steven L. Kaplan : *Le Pain, le Peuple et le Roi. La bataille du libéralisme sous Louis XV* (Paris, 1976) et *Les Ventres de Paris. Pouvoir et approvisionnement dans la France d'Ancien Régime* (Paris, 1988).

Pour l'histoire des grands ports et des principales places de commerce, on se reportera à la bibliographie (*supra*) de l'histoire des villes correspondantes. On y ajoutera les études suivantes traitant spécialement du commerce : Jean Meyer, *L'Armement nantais dans la deuxième moitié du XVIII⁰ siècle* (Paris, 1969), François Lebrun, « Le commerce nantais à la fin de l'Ancien Régime » (*Bulletin de la Société archéologique et historique de Nantes*, 1987, p. 23-41), Paul Butel, *La Croissance commerciale bordelaise dans la seconde moitié du XVIII⁰ siècle* (thèse, 1973) et *Les Négociants bordelais, l'Europe et les Îles au XVIII⁰ siècle* (Paris, 1974), Charles Carrière, *Les Négociants marseillais au XVIII⁰ siècle* (Aix-Marseille, 1974, 2 vol.), E. Garnault, *Le Commerce rochelais au XVIII⁰ siècle* (La Rochelle, 1887-1900, 5 vol.), H. Robert, *Les Trafics coloniaux du port de La Rochelle au XVIII⁰ siècle (1713-1789)* (*Mémoires de la Société des antiquaires de l'Ouest*, t. IV, Poitiers, 1960), P. Dardel, *Commerce, industrie et navigation à Rouen et au Havre au XVIII⁰ siècle* (Rouen, 1966), L. Chaumeil, « Abrégé de l'histoire de Lorient de la fondation (1666) à nos jours » (*Annales de Bretagne*, 1939, p. 88-103) et G. Gaigneux, *Lorient, 300 ans d'histoire* (Quimper, 1966). Dernière venue de ces grandes monographies de ports de commerce, l'étude consacrée à Dunkerque par Christian Pfister-Langanay (*Ports, navires et négociants à Dunkerque [1662-1792]*, 1985, sans nom d'éditeur) n'est pas la moins intéressante.

Sur la traite négrière, l'école historique française se montre assez discrète. Jean Mettas est l'auteur d'un précieux *Répertoire des expéditions négrières françaises au XVIII⁰ siècle* (Paris, 1978, 2 vol.), mais la seule étude d'ensemble ayant un caractère véritablement scientifique est celle d'un historien américain : R.L. Stein, *The French Slave Trade in Eighteenth Century. An Old Regime Business* (Madison, The University of Wisconsin Press, 1979). Le livre de Jean Meyer, *Esclaves et Négriers* (Paris, 1986) est bien court (175 pages) et ne concerne pas que le XVIII⁰ siècle. Quant à celui de Liliane Crété, *La Traite des nègres sous l'Ancien Régime* (Paris, 1989), il appartient au genre de la vulgarisation médiocre. En revanche, il existe deux ouvrages savants sur la traite nantaise et sur la rochelaise. Ce sont ceux de Gaston-Martin *Nantes au XVIII⁰ siècle, l'ère des négriers (1714-1774) d'après des documents inédits* (Paris, 1931) et de Jean-Michel Deveau, *La Traite des Noirs à La Rochelle au XVIII⁰ siècle* (thèse soutenue en 1987 et publiée à Paris en 1990 sous le titre *La Traite rochelaise*).

Le commerce (florissant) avec la péninsule ibérique a été étudié par Matilde Alonso Perez (*Le Commerce franco-espagnol en Méditerranée [1780-1806]*, thèse dactyl., Poitiers, 1986), les colonies commerçantes françaises l'ont été par Louis Miard (*Présences françaises en Espagne, à Bilbao et autour de cette ville, dans la seconde moitié du XVIII⁰ siècle*, thèse dactyl., Rennes, 1988) et par J.F. Labourdette (*La Nation française à Lisbonne de 1669 à 1790. Entre colbertisme et libéralisme*, Paris, 1988).

L'histoire monétaire ne suscite pas de nombreuses vocations. Les seules études sont celles de Louis Dermigny («La France à la fin de l'Ancien Régime : une carte monétaire», *Annales ESC*, avril-juin 1955, p. 480-493), Guy Thuillier («La réforme monétaire de 1785», *ibid.*, septembre-octobre 1971, p. 1031-1052) et Bruno Collin («La pénurie de numéraire en Bas-Languedoc à la fin de l'Ancien Régime», *Cahiers numismatiques*, septembre 1982 ; «Charles Alexandre de Calonne et la réforme monétaire de 1786», *Métal pensant*, 1987 ; *Approches d'histoire monétaire et financière de la France à l'époque moderne*, Montpellier, 1990, 4 vol. dactyl.).

L'histoire de la banque intéresse davantage les chercheurs. Elle a donné lieu à plusieurs travaux de valeur. Nous mentionnons les principaux dans l'ordre chronologique de leur parution : Jean Bouchary, *Les Manieurs d'argent à Paris à la fin du XVIIIe siècle* (Paris, 1939-1940, 3 vol.) et *Les Compagnies financières à Paris à la fin du XVIIIe siècle* (Paris, 1940-1942, 2 vol.), Herbert Lüthy, *La Banque protestante en France de la révocation de l'édit de Nantes à la Révolution* (Paris, 1959-1961, 2 vol.), Jean Bouvier et H. Germain-Martin, *Finances et financiers de l'Ancien Régime* (Paris, 1969, «Que sais-je?»), François Hincker, *Expériences bancaires sous l'Ancien Régime* (Paris, 1974), Claude-Frédéric Lévy, *Capitalistes et pouvoir au siècle des Lumières* (Paris, 1969 et 1979, 2 vol.). Sur la lettre de change, on verra H. Levy-Bruhl, *Histoire de la lettre de change en France aux XVIIe et XVIIIe siècles* (Paris, 1933), sur les premiers essais de banque d'État, P. Harsin, *Crédit public et banque d'État en France du XVIe au XVIIIe siècle* (Paris, 1933) et R. Bigo, *La Caisse d'escompte (1776-1793) et les origines de la Banque de France* (Paris, 1928) et sur les monts-de-piété, Jean-Pierre Gutton, «Lyon et le crédit populaire sous l'Ancien Régime : les projets de monts-de-piété» (*Studi in onore di Federigo Melis*, 1978, p. 147-154). Les monographies de banques et de banquiers sont très rares. Celle de Robert Dubois-Corneau sur Pâris de Montmartel (*Pâris de Montmartel, banquier de la Cour, receveur des rentes de la Ville de Paris, 1690-1766. Origine et vie des frères Pâris, munitionnaires des vivres et financiers*, Paris, s.d.) et celle de Guy Antonetti sur les débuts de la banque Greffulhe (*Une maison de banque à Paris au XVIIIe siècle, Greffulhe-Montz et Cie (1789-1793)*, Paris, 1963) sont d'autant plus précieuses.

L'histoire des prix et celle des salaires avaient été lancées de façon retentissante, il y a plus de cinquante ans, par la thèse d'E. Labrousse, *Esquisse du mouvement des prix et des revenus en France au XVIIIe siècle* (Paris, 1933, 2 vol.) mais ce bel exemple n'a guère été suivi. Signalons toutefois les études de Georges et Geneviève Frêche, *Les Prix des grains, des vins et des légumes à Toulouse (1486-1868). Extraits des mercuriales suivis d'une bibliographie d'histoire des prix* (Paris, 1967) et de Michel Morineau, «Budgets populaires en France au XVIIIe siècle» (*Revue d'histoire économique et sociale*, 1972, p. 449-493). On peut y ajouter Yves Durand, «Recherches sur les salaires des maçons à Paris au XVIIIe siècle» (*Revue d'histoire économique et sociale*, 1966, p. 468-480) et Jean Fourastié, «Quelques réflexions sur le mouvement des prix et le pouvoir d'achat des salaires en France depuis le XVIIIe siècle » (*Bulletin de la Société d'histoire moderne et contemporaine*, mars-avril 1953).

Ceci peut paraître étonnant, mais l'histoire du travail et des conditions de travail est plutôt délaissée. Il faut se reporter au vieux livre d'E. Levasseur, *Histoire des classes ouvrières et de l'industrie en France avant 1789* (t. II, Paris, 1901) et à l'*Histoire générale du travail* (Paris, s.d.) qui est en effet très générale. Les seules études régionales de valeur montrant bien les conditions de travail sont celle, ancienne, de J. Godart, *L'Ouvrier en soie. Monographie du tisseur lyonnais. Étude historique, économique et sociale* (Lyon, 1899) et celle, récente et d'une érudition impeccable, de Philippe Guignet, *Mines, Manufactures et Ouvriers du Valenciennois au XVIIIe siècle. Contribution à l'histoire du travail dans l'ancienne France* (New York, 1977).

Doivent figurer dans ce chapitre de l'économie les principales études consacrées à l'agronomie et à la théorie économique. Le sujet de l'agronomie a été traité de manière exhaustive par A.J. Bourde dans son ouvrage *Agronomes et agronomie en France au XVIIIe siècle* (Paris, 1967, 3 vol.). Il semble toutefois que cet auteur, brillant par ses analyses, manque un peu d'esprit de synthèse. Depuis la publication de cet ouvrage, il n'est paru aucune étude importante sur le sujet, si ce n'est deux ouvrages consacrés à Duhamel du Monceau : *Conférences sur Henri-Louis Duhamel du Monceau prononcées à Pithiviers dans le cadre des manifestations de son bicentenaire* (Pithiviers, 1984) et Catherine Portal, *Un savant pithivérien [Loiret] du XVIIIe siècle : Henri-Louis Duhamel du Monceau* (thèse de pharmacie, Tours, 1984, dactyl.).

Nous n'avons pas d'étude d'ensemble de la pensée économique française au XVIIIe siècle, mais on peut se servir utilement de P. Harsin, *Les Doctrines monétaires et financières du XVIe au XVIIIe siècle* (Paris, 1928), bien que cet ouvrage ne traite qu'une partie de la question. Le néomercantilisme de Melon a été étudié par J. Bouzinac, *J.F. Melon, économiste* (Toulouse, 1906), les débuts du libéralisme par Simone Meyssonier *Genèse de la pensée libérale en France au XVIIIe siècle*, t. I : *De Boisguilbert à Montesquieu* ; t. II : *Vincent de Gournay, rôle et influence* (thèse dactyl., Paris, École des hautes études, 1987) et l'école physiocratique par G. Weulersse dans ses deux livres demeurés classiques, *Le Mouvement physiocratique en France de 1756 à 1770* (Paris, 1910, 2 vol.) et *La Physiocratie sous les ministères de Turgot et de Necker* (Paris, 1950). On a quelques études d'inégale qualité sur des membres de l'école physiocratique : *François Quesnay et la physiocratie* (Paris, 1958, 2 vol. ; intéressant), Veron Duverger, *Étude sur Forbonnais par son petit-neveu* (Paris, 1900), G. Fleury, *François Veron de Forbonnais, 1722-1800* (Mamers-Le Mans, 1916), et Pierre Jolly, *Dupont de Nemours, soldat de la liberté* (Paris, 1956 ; faible et confus). Sur la pensée économique des dernières années de l'Ancien Régime on verra Jean Airiau, *L'Opposition aux physiocrates à la fin de l'Ancien Régime. Aspects économiques et politiques d'un libéralisme éclectique* (Paris, 1965) et Dujarric de La Rivière, *Lavoisier économiste* (Paris, 1959). Signalons enfin l'ouvrage suivant (qui touche autant à l'histoire du droit qu'à celle de la pensée économique) de Chantal Gaillard, *Le Débat sur la propriété au XVIIIe siècle,*

t. I : *De la défense à la limitation*, t. II : *De la limitation à l'abolition* (Paris, 1987, 2 vol.).

On mentionnera pour finir sur ce chapitre économique les principales études d'histoire économique et sociale régionale parues depuis le début du siècle. Ce sont : pour l'Anjou, François Lebrun, *Les Hommes et la mort en Anjou aux XVII*e *et XVIII*e *siècles* (Paris, 1971), sur le Béarn, Christian Desplat, *Pau et le Béarn au XVIII*e *siècle : groupes sociaux, attitudes sociales et comportements* (Rennes, 1978, dactyl.), sur la Bretagne, Henri Sée, *Études sur la vie économique en Bretagne, 1772-An III* (Paris, 1930), et T.J.A. Le Goff, *Vannes et sa région. Villes et campagnes dans la France au XVIII*e *siècle* (traduit de l'anglais, Loudéac, 1989), sur la Flandre, M. Braure, *Lille et la Flandre wallonne au XVIII*e *siècle* (Paris, 1933), sur la Lorraine, Guy Cabourdin, *Quand Stanislas régnait en Lorraine* (Paris, 1980), sur l'Orléanais, Georges Lefebvre, *Études orléanaises I - Contribution à l'étude des structures sociales à la fin du XVIII*e *siècle* (Paris, 1962), sur la Provence, René Baehrel, *Une croissance : la basse Provence rurale (fin du XVI*e *siècle-1789)* (Paris, 1961 ; *op. cit.* au sujet de l'histoire rurale), sur la Savoie, Jean Nicolas, *La Savoie au XVIII*e *siècle. Noblesse et bourgeoisie* (Paris, 1978, 2 vol.), sur le Midi toulousain, Georges Frêche, *Toulouse et la région Midi-Pyrénées au siècle des Lumières, v. 1670-1789* (Paris, 1974), sur le Velay, J. Merley, *La Haute Loire de la fin de l'Ancien Régime aux débuts de la troisième République (1776-1786)* (Le Puy, 1974) et, sur le Vivarais, l'ouvrage d'Alain Molinier déjà cité. Assez maigre bilan si l'on considère non pas la qualité des travaux, mais les régions qui n'ont pas été étudiées, c'est-à-dire le plus grand nombre.

Le clergé et la religion

On consultera d'abord les ouvrages généraux d'histoire de l'Église et du christianisme : Albert Dufourcq, *L'Avenir du christianisme*, t. X : *Voltaire et les martyrs de la Terreur, 1689-1799* (Paris, 1954), Edmond Préclin et Eugène Jarry, *Les Luttes politiques et doctrinales aux XVII*e *et XVIII*e *siècles* (t. 19 de l'*Histoire de L'Église* de Fliche et Martin, Paris, 1955-1956), A. Latreille, E. Delaruelle, J.R. Palanque, *Histoire du catholicisme en France*, t. II : *Sous les Rois Très-Chrétiens* (Paris, 1960) et Jean Delumeau, *Le Catholicisme entre Luther et Voltaire* (Paris, 1971). Concernant la France au XVIIIe siècle, les études d'ensemble sont celles de Jean Quéniart (*Les Hommes, l'Église et Dieu dans la France du XVIII*e *siècle*, Paris, 1978) et de Jean de Viguerie (« Quelques aspects du catholicisme des Français au XVIIIe siècle », *Revue historique*, juillet 1981, p. 335-370, et *Le Catholicisme des Français dans l'ancienne France*, Paris, 1988). L'ouvrage de Philippe Loupès, *La Vie religieuse en France au XVIII*e *siècle* (Paris, 1993), est un honnête résumé.

L'épiscopat est étudié par A. Sicard (*L'Ancien Clergé de France*, Paris, 1893-1903, 3 vol.) et par Michel Peronnet (*Les Évêques de l'ancienne France*, Lille, 1977, 2 vol.), mais on a trop peu de monographies d'évêques. Signalons les rares qui existent : Louis d'Illiers, *Deux Prélats d'Ancien Régime, les Jarente* (Monaco, 1948), L. Dutil, « Un prélat d'Ancien Régime : Arthur Richard Dillon, archevêque de Toulouse » (*Annales du Midi*, 1941,

p. 51-77) et «Philosophie et religion : Loménie de Brienne, archevêque de Toulouse» (*Annales du Midi*, 1948, p. 33-70), J. de Viguerie, «Les évêques d'Angers et la réforme catholique» (*L'Évêque dans l'histoire de l'Église*, Angers, 1984, p. 91-109) et Christophe Coupry, «Sociabilité et libéralisme économique d'un prélat réformiste : Mgr de Boisgelin (1732-1804)» (*Bulletin de la Société française d'histoire des idées et d'histoire religieuse*, n° 5, 1988, p. 25-42).

Le clergé paroissial commence à être bien connu grâce à un bon nombre d'études de valeur. Les principales synthèses sont celles de P. de Vaissière (*Curés de campagne de l'ancienne France*, Paris, 1932) et de Michel Vernus (*Le Presbytère et la Chaumière, curés et villageois dans l'ancienne France [XVII-XVIIIe siècle]*, Rioz, 1986), mais il faut avoir lu aussi l'article de Charles Berthelot du Chesnay, «Le clergé diocésain français au XVIIIe siècle et les registres d'insinuation ecclésiastique» (*RHMC*, 1963, p. 241-270). L'ouvrage de Rosie Simon-Sandras, *Les Curés à la fin de l'Ancien Régime* (Paris, 1986) ne mérite pas qu'on s'y arrête. Parmi les études régionales, on signalera celles de Charles Berthelot du Chesnay (*Les prêtres séculiers en haute Bretagne au XVIIIe siècle*, Rennes, 1974 ; excellent travail), Guy Mandon (*Les Curés du Périgord au XVIIIe siècle. Contribution à l'étude du clergé paroissial sous l'Ancien Régime*, thèse dactyl., Bordeaux, 1979) et Gilles Deregnaucourt (*De Fénelon à la Révolution. Le clergé paroissial de l'archevêché de Cambrai*, Lille, 1991).

Sur les chapitres, on a la thèse de Philippe Loupès, *Chapitres et chanoines de Guyenne aux XVIIe et XVIIIe siècles* (Paris, 1985).

On s'est beaucoup intéressé, pendant ces dernières années, à la formation du clergé diocésain, à son recrutement et à sa composition sociale. Si l'histoire des séminaires n'a guère été renouvelée depuis l'ouvrage d'A. Degert, *Histoire des séminaires français* (Paris, 1912, 2 vol.), on ne peut en dire autant de celle des vocations, sur laquelle le recueil collectif *La Vocation religieuse et sacerdotale en France, XVIIe-XIXe siècle* (université d'Angers, 1979) donne un éclairage vraiment neuf. Sur le recrutement et la composition sociale, outre les études régionales signalées plus haut, il faut mentionner les travaux suivants : Yves Marie Le Pennec, «Le recrutement des prêtres dans le diocèse de Coutances au XVIIIe siècle» (*Revue départementale, Manche*, 1970, p. 191-234), Louis Perouas, «L'évolution du clergé dans les pays creusois depuis 450 ans» (*Revue d'histoire de l'Église de France*, janvier-juin 1978, p. 5-27) et T. Tackett, «Histoire sociale du clergé diocésain dans la France du XVIIIe siècle» (*RHMC*, avril-juin 1979, p. 198-235).

A défaut d'un ouvrage d'ensemble sur le clergé régulier, on consultera Léon Lecestre, *Abbayes, prieurés et couvents d'hommes en France. Liste générale d'après les papiers de la commission des réguliers en 1768* (Paris, 1902) et Pierre Chevallier, *Loménie de Brienne et l'ordre monastique, 1766-1789* (Paris, 1959-1960, 2 vol.). Sur les ordres religieux fondés avant la réforme catholique, il faut voir, quand elles existent, les histoires générales de ces différents ordres (par exemple, pour les dominicains, le P. Daniel Antonin Mortier, *Histoire des maîtres généraux de l'ordre des frères prêcheurs*, Paris, 1903-1914, 7 vol.) et les études portant sur l'histoire de ces ordres à l'époque moderne ou plus spécialement au XVIIIᵉ siècle, études dont voici les principales : pour les bénédictins, dom G. Charvin, *Contribution à l'étude du temporel de la congrégation de Saint-Maur au XVIIIᵉ siècle, 1730-1786* (*Revue Mabillon*, 1955, p. 259-281 et 1956, p. 33-61), Gérard Michaux, *La Congrégation bénédictine de Saint-Vanne et Saint-Hydulphe de la commission des réguliers à la suppression des ordres religieux (1766-1790)* (thèse, Nancy, 1979, 2 vol.) et Philippe Loupès, « Le temporel de l'abbaye de Saint-Sever aux XVIIᵉ et XVIIIᵉ siècles » (*Colloque international de Saint-Sever*, 1985-1986, p. 129-141); pour les prémontrés, X. Lavagne d'Ortigue, « Quelques vues sur l'ordre des Prémontrés en France et dans le Saint Empire à la fin du XVIIIᵉ siècle » (*Analecta Praemonstratensia*, 1971, p. 33-41); sur les bénédictins et les prémontrés de Normandie, *Aspects du monachisme en Normandie (IVᵉ-XVIIIᵉ siècles)* (Paris, 1982); sur les réguliers de Bretagne, Georges Minois, *Les Religieux en Bretagne sous l'Ancien Régime* (Rennes, 1989); sur Fontevrault, Patricia Lusseau, *L'Abbaye royale de Fontevrault aux XVIIᵉ et XVIIIᵉ siècles* (Maulévrier, 1986); sur les moines, moniales, religieux et religieuses en Bourgogne, le bon livre de Dominique Dinet, *Vocation et fidélité. Le recrutement des réguliers dans les diocèses d'Auxerre, Langres et Dijon (XVIIᵉ-XVIIIᵉ siècle)* (Paris, 1988); enfin, sur le Carmel, M.-Th. Notter, « Le Carmel de Blois (1625-1790); essai de sociologie religieuse » (*Annales de Bretagne et des pays de l'Ouest*, 1978, p. 53-67) et Annie-France Renaudin, « Histoire des carmélites parisiennes aux XVIIᵉ et XVIIIᵉ siècles... » (*Positions des thèses de l'École des chartes*, 1990, p. 141-151). Sur la question des vœux de religion il faut voir, de l'abbé Raynaud, *La Réclamation contre les vœux de religion dans le diocèse de Toulouse* (Toulouse, 1959).

L'ouvrage de Paul Pisani, *Les Compagnies de prêtres du XVIᵉ au XVIIIᵉ siècle* (Paris, 1928) présente l'ensemble des instituts religieux masculins issus de la réforme tridentine. L'histoire des jésuites n'a guère été renouvelée depuis l'ouvrage ancien d'Henri Fouqueray, *Histoire de la Compagnie de Jésus en France, des origines à la suppression, 1528-1762* (Paris, 1922, 5 vol.). Le répertoire du P. Pierre Delattre (*Les Établissements des jésuites en France depuis quatre siècles. Répertoire topo-bibliographique*, Enghien, 1940) rend de très grands services, mais ne remplace pas une histoire de la Compagnie. Sur les pères de la Doctrine chrétienne ou doctrinaires, voir Jean de Viguerie, *Une œuvre d'éducation sous l'Ancien Régime. Les pères de la Doctrine chrétienne en France et en Italie (1592-1792)* (Paris, 1976), sur les théatins, R. Darricau, *Les Clercs réguliers théatins à Paris. Sainte-Anne-la-Royale, 1644-1793* (Rome, 1961), sur les barnabites, Orazio Premoli, *Storia dei Barnabiti dal 1700 al 1825* (Rome, 1925), sur les frères des Écoles chrétiennes, Georges Rigault, *Histoire générale de l'institut des frères des Écoles chrétiennes*, t. II : *Les Disciples de saint Jean-Baptiste de La Salle dans la société du XVIIIᵉ siècle* (Paris, 1938) et Y. Poutet, *Le XVIIᵉ Siècle et les origines lasalliennes*, t. II : *L'Expansion* (Paris, 1970). Mais l'histoire de l'Oratoire de France (si l'on met à part l'histoire de ses collèges et de son enseignement) reste à faire. Faute de mieux, on pourra toujours consulter Michel Leherpeur, *L'Oratoire de France* (Paris, 1926) et André George, *L'Oratoire* (Paris, 1928).

Les instituts féminins issus de la réforme catholique n'ont pas fait l'objet d'une étude d'ensemble. A défaut, on pourra voir l'essai de synthèse de Jean de Viguerie, « Une forme nouvelle de vie consacrée : enseignantes et hospitalières en France aux XVIIe et XVIIIe siècles » (dans l'ouvrage collectif sous la direction de Danielle Haase-Dubosc et Éliane Viennot, *Femmes et pouvoirs sous l'Ancien Régime*, Paris, 1991, p. 175-196). Les ursulines ont été étudiées par Gabrielle Gueudre (en religion la mère Marie de Chantal) dans *Histoire de l'ordre des ursulines en France* (Paris, 1963, 2 vol.), les visitandines par Étienne Catta (*La Vie d'un monastère sous l'Ancien Régime. La Visitation Sainte-Marie de Nantes (1630-1792)*, Paris, 1954), Roger Devos (*Les Visitandines d'Annecy aux XVIIe et XVIIIe siècles*, Annecy, 1973) et Marie-Ange Duvignacq (« L'ordre de la Visitation à Paris aux XVIIe et XVIIIe siècles », *Positions des thèses de l'École des chartes*, 1987, p. 77-87). Quelques travaux récents de bonne qualité concernent les Servantes des pauvres de Saumur (M.C. Guillerand-Champenier, *Les Servantes des pauvres de la Providence de Saumur de 1736 à 1816. Quatre-vingts ans de fidélité à Jeanne Delanoue*, Chambray-lès-Tours, 1985), les Filles de la Sagesse (Charles Besnard, *La Vie de la sœur Marie-Louise de Jésus [1684-1759]*, *première supérieure des Filles de la Sagesse instituées par M. Louis Marie Grignion de Montfort*, Rome, 1985), les sœurs de la Doctrine chrétienne de Nancy (*Histoire des sœurs de la Doctrine chrétienne de Nancy, pour l'éducation des filles à la campagne*, t. I : *Les Sœurs vatelottes du diocèse de Toul, XVIIe-XVIIIe siècle*, sous la direction de l'abbé Jacques Bombardier et de sœur Anne-Marie Lepage, Nancy, 1987) et les sœurs de Saint-Joseph (Marguerite Vacher, *Des « régulières » dans le siècle. Les sœurs de Saint-Joseph du P. Médaille aux XVIIe et XVIIIe siècles*, Clermont-Ferrand, 1991). Signalons enfin l'excellent article de Nicole Berezin, « Les Filles de la Charité au XVIIIe siècle » (*Bulletin de la Société française d'histoire des idées et d'histoire religieuse*, n° 4, 1987, p. 5-29).

Principalement occupée de composition sociale et de « mentalités », l'histoire religieuse ne s'est guère intéressée aux études ecclésiastiques et à l'histoire de la théologie et de la philosophie chrétienne. Citons les quelques trop rares études parues depuis une trentaine d'années : Raymond Darricau, « La formation des professeurs de séminaire au début du XVIIIe siècle, d'après un directoire de M. Jean Bonnet (1664-1735) » (*Divus Thomas*, 1964, p. 52-79), Jacques Vier, « Le rayonnement doctrinal et littéraire de l'Église de France au XVIIIe siècle » (*Pensée catholique*, 1959, p. 79-96), Jean de Viguerie, « L'enseignement des jésuites et les progrès du déisme en France aux dix-septième et dix-huitième siècles » (*Permanences*, août-septembre 1969, p. 9-15) et « Les études ecclésiastiques en France aux XVIIe et XVIIIe siècles (philosophie et théologie) » (*Scripta Theologica*, janvier-avril 1986, p. 215-226), Marie-Christine Varachaud, *Le Père Houdry S. J. (1631-1729), Prédication et Pénitence* (Paris, 1993) et *Un théologien au siècle des Lumières, Bergier. Correspondance présentée par Ambroise Jobert* (Paris, 1987).

Pour l'histoire de l'apologétique, question pourtant capitale, on vit toujours sur l'ouvrage d'Albert Monod, *De Pascal à Chateaubriand. Les défenseurs français du christianisme de 1670 à 1801*, dont les mérites sont indiscutables, mais qui date de 1916. Notons cependant l'essai de renouvellement de Sylviane Albertan-Coppola («L'apologétique catholique française à l'âge des Lumières», *Revue d'histoire des religions*, 1988, p. 151-180) et l'étude d'Olivier Lamblin, *Le Journal ecclésiastique (1760-1786)* (mémoire de DEA, université de Lille III, 1992). La prédication a été étudiée par A. Bernard (*Le Sermon au XVIIIe siècle. Étude historique et critique sur la prédication en France de 1715 à 1789*, Paris, 1901), par l'abbé Jules Candel (*Les Prédicateurs français pendant la première moitié du XVIIIe siècle, de la Régence à l'*Encyclopédie *[1715-1760]*, Paris, 1904) et par F. Roudaut (*La Prédication en langue bretonne à la fin de l'Ancien Régime*, thèse, Rennes, 1975). Sur Massillon, voir *Études sur Massillon réunies par Jean Ehrard et Abel Poitrineau* (*Actes de la Journée Massillon*, Clermont-Ferrand, 1975). Lefranc de Pompignan a été récemment étudié par Guillaume Robichez (*J.J. Lefranc de Pompignan. Un humaniste chrétien au siècle des Lumières*, Paris, 1987).

La vie religieuse des populations retient, depuis près d'un demi-siècle, l'attention des historiens. L'ouvrage qui a déclenché ce mouvement de recherches a été l'*Introduction à l'histoire de la pratique religieuse en France* (Paris, 2 vol., 1942 et 1945) de Gabriel Le Bras. On a répertorié les visites pastorales, mais finalement les études fondées sur une exploitation systématique de ces visites ne sont pas nombreuses. On ne voit que Bernard Peyrous, *Les Visites pastorales des archevêques de Bordeaux (1680-1789), doctrine canonique et pratique pastorale* (DES, Bordeaux, 1972, 2 vol.) et Marie-Hélène et Michel Froeschlé-Chopard, *Atlas de la réforme pastorale en France. Les évêques en visite dans les diocèses* (Paris, 1986). Il est vrai que les histoires religieuses de diocèses et de paroisses (voir *infra*) font également usage de cette source. Sur l'enseignement du catéchisme, voir Raymond Darricau, «Les catéchismes au XVIIIe siècle dans les diocèses de l'Ouest (Province ecclésiastique de Bordeaux)» (*Annales de Bretagne et des pays de l'Ouest*, 1974, p. 599-615) et sur la préparation à la première communion, l'étude d'Odile Robert, «Fonctionnement et enjeux d'une institution chrétienne au XVIIIe siècle» (*La Première Communion*, 1987, p. 77-113). Le grand mouvement des missions paroissiales commence à être assez bien connu grâce aux travaux de Marc Vénard («Les missions des oratoriens d'Avignon aux XVIIe et XVIIIe siècles» (*Revue d'histoire de l'Église de France*, 1961, p. 16-39), Jean de Viguerie (*Une œuvre d'éducation...*, *op. cit.* et «Les missions des montfortains dans l'Ouest au XVIIIe siècle. Quelques informations nouvelles» (*Enquêtes et Documents*, 1980, p. 81-92), Louis Pérouas (éditeur du *Mémoire des missions des montfortains dans l'Ouest*, Fontenay-le-Comte, 1964) et par les études rassemblées dans le recueil intitulé *Prédication et théologie populaire au temps de Grignion de Montfort* (*Annales de Bretagne et des pays de l'Ouest*, 1974, n° 3). Sur le sujet de la déchristianisation, se reporter aux études de Jean-Pierre Gutton, Dominique Dinet et Jean de Viguerie dans le recueil *Christianisation et déchristianisation* (université d'Angers, 1986).

Depuis la publication en 1964 de l'article «France» du *Dictionnaire de spiritualité* (article dû à Jacques Le Brun), l'histoire de la spiritualité n'a fait que peu de progrès. L'excellent livre du P. Joseph de Guibert, *La Spiritualité de la Compagnie de Jésus. Esquisse historique*, est antérieur (Rome, 1953). Signalons Louis Antoine, *Deux Spirituels au siècle des Lumières, Ambroise de Lombez, Philippe de Madiran* (Paris, 1975) et Jean de Viguerie, « La crainte, l'espérance et la confiance dans l'ancienne dévotion (XVIIᵉ et XVIIIᵉ siècles) » dans *Le Jugement, le Ciel et l'Enfer dans l'histoire du christianisme* (université d'Angers, 1989, p. 109-121).

Pour l'histoire de la piété chrétienne l'*Histoire littéraire du sentiment religieux* d'Henri Bremond (rééd., Paris, 1967, 11 vol.) n'est pas d'une grande utilité, cet ouvrage traitant surtout du XVIIᵉ siècle. On voudra bien nous permettre de citer nos propres travaux sur ce sujet : « La dévotion populaire à la messe en France aux XVIIᵉ et XVIIIᵉ siècles » (*Histoire de la messe*, Angers, 1980) et « Les psaumes dans la piété française » (*Una Voce*, nº 124, septembre-octobre 1985, p. 180-191). L'histoire de la dévotion au Sacré-Cœur aurait bien besoin d'être rajeunie : on est toujours obligé de se contenter de l'ouvrage d'A. Hamon, *Histoire de la dévotion au Sacré-Cœur* (Paris, 1923-1940, 5 vol.). Les dévotions exprimées par les demandes et les fondations de messes ont été étudiées par Michel Vovelle (*Piété baroque et déchristianisation en Provence au XVIIIᵉ siècle*, Paris, 1973) et par nous-même (« Les fondations et la piété du peuple fidèle. Les saluts fondés à Angers aux XVIIᵉ et XVIIIᵉ siècles », *Annales de Bretagne et des pays de l'Ouest*, 1974, p. 589-599, et « Les fondations et la foi du peuple fidèle. Les fondations de messes en Anjou aux XVIIᵉ et XVIIIᵉ siècles », *Revue historique*, 1976, octobre-décembre, p. 289-321). L'intérêt des clauses religieuses des testaments pour l'étude de la piété chrétienne a été mis en évidence par les différents travaux qui viennent d'être cités, ainsi que par ceux de Pierre Chaunu (*La Mort à Paris. 16ᵉ, 17ᵉ, 18ᵉ siècles*, Paris, 1978), Bernard Vogler (« Le testament alsacien au XVIIIᵉ siècle », *RHMC*, juillet-septembre 1979, p. 438-447) et Marie-Claude Bardet (« La pratique testamentaire à Civray [haut Poitou] de 1776 à 1805 », *Pratiques religieuses, mentalités, spiritualités*, colloque de Chantilly [1986], 1988, p. 175-182). Sur la fréquentation des sanctuaires de pèlerinage et sur la diminution sensible du nombre des guérisons miraculeuses, voir Jean de Viguerie, *Notre-Dame-des-Ardilliers. Le pèlerinage de Loire* (Paris, 1986) et Bruno Maës, *Notre-Dame-de-Liesse. Huit siècles de libération et de joie* (Paris, 1991) ; sur les confréries (qui bénéficiaient ces dernières années d'un renouveau d'intérêt), voir Jean Adher, *Les Confréries de pénitents avant 1789* (Toulouse, 1897), Maurice Agulhon, *Pénitents et francs-maçons de l'ancienne Provence* (Paris, 1968), *Les Confréries de pénitents (Dauphiné, Provence)* (actes du colloque de Buis-les-Baronnies, octobre 1982, 1988) et *Les Confréries, l'Église et la cité, cartographie des confréries du Sud-Est* (actes du colloque de Marseille, 1985). Enfin, sur la question de la « religion populaire », auberge espagnole de l'histoire religieuse dans la décennie 1975-1985, plusieurs ouvrages et recueils d'études ont été publiés — citons entre autres *La Piété populaire de 1610 à nos jours* (*Actes du 99ᵉ congrès national des Sociétés savantes*, Paris, 1976), *Le Christianisme populaire. Les dossiers de l'histoire*, sous la direction de Bernard Plongeron et Robert Pannet (Paris, 1976), *La Religion populaire. Aspects du christianisme populaire à travers l'histoire, textes réunis par Y.M. Hilaire* (Lille, 1981) et M.H. Froeschlé-Chopard, *La*

Religion populaire en Provence orientale au XVIII*ᵉ siècle* (Paris, 1980) — mais sans jamais arriver à définir le concept. On ferait mieux de s'intéresser à la sainteté, qui est abandonnée par les historiens, et sur le sujet de laquelle nous ne pouvons citer que notre étude, «La sainteté au XVIII*ᵉ* siècle» (*Histoire de la sainteté*, Angers, 1982, p. 119-131), en y ajoutant toutefois les principales études scientifiques publiées sur saint Benoît Labre à l'occasion du deuxième centenaire de sa mort : Joseph Richard, *Le Vagabond de Dieu. Saint Benoît Labre* (Paris, 1976) et *Benoît Labre. Errance et sainteté. Histoire d'un culte. 1783-1983* (sous la dir. de Y.M. Hilaire, Paris, 1984).

Il existe quelques travaux de synthèse — malheureusement trop rares — portant sur l'histoire religieuse des diocèses, des régions et des villes. Voici les principaux : Th. Schmitt, *L'Organisation ecclésiastique et la pratique religieuse dans l'archidiaconé d'Autun de 1650 à 1750* (Autun, 1957), A. Schaer, *L'Organisation ecclésiastique et la pratique religieuse dans le chapitre rural Ultra Colles Ottonis en haute Alsace sous l'Ancien Régime (1648-1789)* (thèse, Strasbourg, 1959), John Mac Manners, *French Ecclesiastical Society under the Ancient Regime* (Manchester, 1960), Louis Pérouas, *Le Diocèse de La Rochelle de 1648 à 1724. Sociologie et pastorale* (Paris, 1964), André Dupuy, *La Vie diocésaine dans la province ecclésiastique d'Auch (1650-1776). Recherches et problèmes* (thèse, Bordeaux, 1969), Arlette Playoust-Chaussy, *La Vie religieuse dans le diocèse de Boulogne au* XVIII*ᵉ siècle (1725-1790)* (Arras, 1976), Louis Châtellier, *Tradition chrétienne et renouveau catholique dans l'ancien diocèse de Strasbourg* (Paris, 1981 ; la meilleure de toutes ces études) et Jean-Paul Besse, *Le Diocèse de Tulle de la réforme catholique à l'ère des Lumières (1559-1789)* (thèse dactyl., Angers, 1984). On peut y ajouter l'ouvrage de Louis Pérouas, *Les Limousins, leurs saints, leurs prêtres du* XV*ᵉ au* XX*ᵉ siècle* (Paris, 1988). On consultera aussi les chapitres consacrés au XVIII*ᵉ* siècle dans les volumes de la collection «Histoire religieuse des provinces de France» (seuls volumes parus : Orléanais, Normandie, Touraine, Maine) dirigée par dom Oury, et dans la collection «Histoire des diocèses de France» (dirigée d'abord par E. Jarry et J.R. Palanque, puis par B. Plongeron et A. Vauchez).

L'intérêt pour le jansénisme suscitait, il n'y a pas encore longtemps, le zèle des chercheurs, ceux-ci ne paraissant pas rebutés par les difficultés de cette question. Il y a eu d'abord les ouvrages d'Edmond Préclin (*Les Jansénistes et la Constitution civile du clergé*, Paris, 1929), de l'abbé Paul Ardoin (*La Bulle* Unigenitus *dans les diocèses d'Aix, Arles, Marseille, Fréjus, Toulon*, Marseille, 1936, 2 vol.) et de S. Carreyre (*Le Jansénisme durant la Régence, op. cit.*). Sont venus ensuite les excellents travaux de René Taveneaux, qui a complètement renouvelé le sujet : *Le Jansénisme en Lorraine, 1640-1789* (Paris, 1960), *Jansénisme et prêt à intérêt. Introduction, choix de textes et commentaires* (Paris, 1977) et *La Vie quotidienne des jansénistes* (Paris, 1973). Depuis, rien n'a paru de vraiment très important. Les deux ouvrages de B. Robert Kreiser (*Miracles, Convulsions and Ecclesiastical Politics in Early Eighteenth Century* (Princeton, 1978) et Daniel Vidal (*Miracles et Convulsions jansénistes au* XVIII*ᵉ siècle*, Paris, 1987) ne sont à mentionner que pour mémoire.

Le chapitre v («Les déserts, 1685-1800») rédigé par Ph. Joutard et D. Ligou de l'*Histoire des protestants en France* (Toulouse, 1977) donne une connaissance claire et élémentaire de la question protestante. On peut aussi partir de l'ouvrage de S. Mours et D. Robert, *Le Protestantisme en France du XVIIIᵉ siècle à nos jours* (Paris, 1972). Les affaires Calas et Sirven ont été éclairées d'un jour nouveau par les études de David Bien, *The Calas Affair, Persecution, Toleration and Heresy in 18th Century Toulouse* (Princeton, 1962) et de Jean Bastier, «L'affaire Sirven devant la justice seigneuriale de Mazamet» (*RHD*, 1971, p. 601-611). Il faut voir aussi les *Actes des journées d'étude sur l'édit de 1787* (*Bulletin de la Société d'histoire du protestantisme français*, 1988) et le récent ouvrage de Geoffrey Adams concernant la participation des protestants à la lutte pour la tolérance : *The Huguenots and French Opinion 1685-1787. The Enlightenment Debate on Toleration* (Laurier University Press, 1991).

L'histoire des juifs est délaissée, ce qui paraît curieux. On manque de synthèses scientifiques. On ne dispose guère que d'ouvrages généraux pour «grand public»; celui de Philippe Bourdrel, *Histoire des juifs de France* (Paris, 1974), paraît encore le plus acceptable. L'étude de Pierre-André Meyer, *La Communauté juive de Metz au XVIIIᵉ siècle* (Nancy, 1994) est intéressante et solide.

L'enseignement et l'éducation

Très fréquenté pendant de longues années, ce domaine de recherches l'est aujourd'hui un peu moins.

Le *Dictionnaire de pédagogie et d'instruction primaire* de Ferdinand Buisson (Paris, 1887, 4 vol.) peut rendre encore de grands services. On consultera aussi avec profit, dans l'*Histoire mondiale de l'éducation* (sous la direction de Gaston Mialaret et Jean Vial, t. II, Paris, 1981) et dans l'*Histoire générale de l'enseignement et de l'éducation en France* (sous la direction de René Rémond, t. II, Paris, 1981), les chapitres relatifs au XVIIIᵉ siècle. Une vue d'ensemble de l'éducation dans l'ancienne France est présentée dans deux ouvrages très différents de conception, mais en quelque sorte complémentaires, celui de R. Chartier, M.-M. Compère et D. Julia, *L'Éducation en France du XVIᵉ au XVIIIᵉ siècle* (Paris, 1976) et celui de Jean de Viguerie, *L'Institution des enfants. L'éducation en France, 16e-18e siècle* (Paris, 1978). L'étude de Jacques Lelièvre, «L'éducation en France, du XVIᵉ au XVIIIᵉ siècle» (*Recueils de la Société Jean-Bodin, L'Enfant*, cinquième partie, p. 179-235), n'offre d'intérêt que par son abondante bibliographie. En revanche, il y a beaucoup à prendre dans les actes des trois colloques publiés sous les titres suivants : *Histoire de l'enseignement de 1610 à nos jours* (*Actes du 95ᵉ congrès national des Sociétés savantes*, Reims, 1970, section d'histoire moderne et contemporaine, t. I, Paris, 1974), *Education and Enlightenment*, International Standing Conference for the History of Education, 6th Session Wolfenbüttel, 1984, 3 vol.) et *Éducation et pédagogies au siècle des Lumières* (Angers, 1985). Le titre de l'ouvrage de Martine Sonnet, *L'Éducation des filles au temps des Lumières* (Paris, 1987), est un titre trompeur : cette étude ne traite que des écoles parisiennes de filles. Sur la politique scolaire de la monarchie, voir Jean Morange, Jean-François

Chassaing, *Le Mouvement de réforme de l'enseignement en France, 1760-1798* (Paris, 1974) et Jean de Viguerie, «La monarchie française et l'instruction publique» (dans *Le Miracle capétien*, Paris, 1987, p. 188-198).

Pour la théorie pédagogique, l'ouvrage de Gabriel Compayré, *Histoire critique des doctrines de l'éducation en France depuis le seizième siècle jusqu'à nos jours* (Paris, 1879, 2 vol.), ne suffit plus. Celui de G. Snyders, *La Pédagogie en France aux XVIIe et XVIIIe siècles*, donne une image caricaturale de l'ancienne manière d'enseigner, et d'ailleurs concerne plus la théorie que la pratique. Nous avons maintenant un panorama complet de la théorie grâce à la thèse de Marcel Grandière, *L'Idéal pédagogique en France au XVIIIe siècle (1715-1789)* (thèse dactyl., Lille, 1991, 4 vol.). Nous renvoyons aussi à nos propres analyses : «Tableau de la théorie pédagogique pendant la première moitié du dix-huitième siècle» (*The Making of Frenchmen...*, numéro spécial de *Réflexions historiques*, été-automne 1980, p. 55-63) et «Le mouvement des idées pédagogiques aux XVIIe et XVIIIe siècles» (dans *Histoire mondiale de l'éducation, op. cit.*, p. 273-299). Bien entendu, il faut également se reporter aux ouvrages traitant des idées pédagogiques des différents philosophes des Lumières (voir *infra*), par exemple le livre de Jean Château, *Jean-Jacques Rousseau. Sa philosophie de l'éducation* (Paris, 1962).

On dispose de plusieurs études d'ensemble concernant à la fois les petites écoles, leurs méthodes et leurs résultats (l'alphabétisation). Nous les citons dans l'ordre chronologique de leur publication : abbé Allain, *L'Instruction primaire en France avant la Révolution d'après les travaux récents et des documents inédits* (Paris, 1881), Marcel Blanc, *Essai sur l'enseignement primaire avant la Révolution* (Forcalquier, 1954), F. Furet, J. Ozouf, *Lire et écrire. L'alphabétisation des Français de Calvin à Jules Ferry* (Paris, 1977, 2 vol.), Jean Quéniart, «Les apprentissages scolaires élémentaires au 18e siècle : faut-il réformer Maggiolo?» (*RHMC*, 1977) et Bernard Grosperrin, *Les Petites Écoles sous l'Ancien Régime* (Rennes, 1984). Les ouvrages déjà cités de G. Rigault et d'Y. Poutet sur les frères des Écoles chrétiennes entrent dans cette catégorie des ouvrages généraux sur l'enseignement des petites écoles, ainsi que le recueil intitulé *Les Frères des Écoles chrétiennes et leur rôle dans l'éducation populaire* (Montpellier, 1981). Il faut citer ensuite les principales études régionales concernant cet enseignement, à savoir (toujours dans l'ordre chronologique de parution) P. Fayet, *Recherches historiques et statistiques sur les communes et les écoles de la Haute-Marne* (Langres, Paris, 1879), Louis Robin, *Les Petites Écoles et leurs régents en Saintonge et en Aunis avant la Révolution (1685-1789)* (La Rochelle, 1968), Dominique Julia, «L'enseignement primaire dans le diocèse de Reims à la fin de l'Ancien Régime» (*Histoire de l'enseignement de 1610 à nos jours, op. cit.*, p. 385-455), Maurice Garden, «Écoles et maîtres, Lyon au 18e siècle» (*Cahiers d'histoire*, 1976), Jean-Louis Mesnard, «Les petites écoles dans les Mauges au XVIIIe siècle» (*Annales de Bretagne et des pays de l'Ouest*, 1976, n° 1), J. Perrel, «L'enseignement féminin sous l'Ancien Régime : les écoles populaires en Auvergne, Bourbonnais et Velay» (*Cahiers d'histoire*, 1978), J.-C. Lauffenburger, *Les Petites Écoles de l'élection de Troyes au 18e siècle*

(Paris, 1978), J.-P. Latrobe, « Les écoles des sœurs d'Ernemont au 18ᵉ siècle » (*Cahiers d'histoire de l'enseignement*, 1978), H. Chisick, « L'éducation élémentaire dans un contexte urbain sous l'Ancien Régime : Amiens aux 17ᵉ et 18ᵉ siècles » (*Bulletin de la Société des antiquaires de Picardie*, 1980-1981), P. Pinard, « Un réformateur de l'enseignement élémentaire populaire en Poitou au 18ᵉ siècle, Mgr de La Poype de Vertrieu » (*L'Information historique*, 1982), André Sarazin, « L'alphabétisation en Anjou au XVIIIᵉ siècle d'après les registres paroissiaux » (dans *Éducation et pédagogies au siècle des Lumières, op. cit.*), Dominique Blanc, « Les saisonniers de l'écriture : régents de village en Languedoc au XVIIIᵉ siècle » (*Annales ESC*, 1988, p. 867-895) et René Grevet, *École, pouvoirs et société (fin XVIIᵉ siècle-1815). Artois, Boulonnais/Pas-de-Calais* (Lille, 1991).

Sur l'enseignement technique (écoles des manufactures, écoles d'ingénieurs, écoles militaires, pensionnats des frères) le dernier ouvrage est celui de Frederik B. Artz, *The Development of Technical Education in France (1500-1850)* (Massachusetts Institute of Technology, 1966).

Il existe plusieurs ouvrages généraux sur les collèges et leur enseignement : Henri Lantoine, *Histoire de l'enseignement secondaire en France aux XVIIᵉ et XVIIIᵉ siècles* (Paris, 1874), abbé Augustin Sicard, *Les Études classiques avant la Révolution* (Paris, 1887 ; toujours utile), Marie-Madeleine Compère, Dominique Julia, *Les Collèges français, 16ᵉ-18ᵉ siècle. Répertoire*, I : *France du Midi*, II : *France du Nord* (Paris, 1984-1985 ; très utile) et Pierre Costabel, *L'Enseignement classique au XVIIIᵉ siècle. Collèges et universités* (Paris, 1986 ; de faible intérêt). On doit ajouter les ouvrages traitant des collèges des congrégations enseignantes et de leur enseignement, soit Paul Lallemand, *Essai sur l'histoire de l'éducation dans l'ancien Oratoire de France* (Paris, 1887), André Schimberg, *L'Éducation morale dans les collèges de la Compagnie de Jésus en France sous l'Ancien Régime (XVIᵉ, XVIIᵉ et XVIIIᵉ siècles)* (Paris, 1913) et Jean de Viguerie, *Une œuvre d'éducation sous l'Ancien Régime. Les pères de la Doctrine chrétienne... (op. cit.)*. Notons que l'ouvrage de Lallemand a beaucoup vieilli et que celui de Schimberg ne concerne que l'« éducation morale ». Il est étonnant que nous ne disposions d'aucune synthèse sur l'enseignement des jésuites français au XVIIIᵉ siècle.

Quelques bonnes monographies de collèges permettent de combler en partie cette lacune, et en particulier celles du P. Camille de Rochemonteix, *Un collège de jésuites aux XVIIᵉ et XVIIIᵉ siècles. Le collège Henri-IV de La Flèche* (Le Mans, 1889, 4 vol.) et de Gustave Dupont-Ferrier, *Du collège de Clermont au lycée Louis-le-Grand (1563-1920)* (Paris, 1924, 2 vol.). Sur les collèges de l'Oratoire, il faut citer Charles Hamel, *Histoire de l'abbaye et du collège de Juilly depuis les origines jusqu'à nos jours* (Paris, 1888), Étienne Broglin, *De l'Académie royale à l'institution. Le collège de Juilly (1745-1828)* (thèse dactyl., Paris-Sorbonne, 1980, excellent ouvrage, malheureusement non publié), A. Bachelier, *Essai sur l'Oratoire à Nantes aux XVIIᵉ et XVIIIᵉ siècles* (Paris, 1934), Jean Flouret, *Cinq Siècles d'enseignement secondaire à La Rochelle (1504-1972). Historique du lycée Fromentin...* (Paris, 1973) et Jacques Millard, *L'Oratoire à Angers aux XVIIᵉ et XVIIIᵉ siècles* (Paris, s. d.). Les collèges de l'université de Paris mériteraient des études : on a seulement le vieil ouvrage de Jules Quicherat, *Histoire de*

Sainte-Barbe, collège, communauté, institution... (Paris, 1860). Signalons enfin la bonne étude de J. Fabre de Massaguel, *L'École de Sorèze de 1758 au 19 fructidor an VI* (Toulouse, 1958).

Certaines études régionales considèrent à la fois les petites écoles et les collèges. Ce sont, entre autres, les ouvrages suivants : Armand Bellée, *Recherches sur l'instruction publique dans le département de la Sarthe avant et après la Révolution* (Paris, 1875), Léon Maître, *L'Instruction publique dans le comté nantais avant 1789* (Nantes, 1882), Maurice Bordes, *Contribution à l'étude de l'enseignement et de la vie intellectuelle dans les pays de l'intendance d'Auch au XVIIIᵉ siècle* (Auch, 1958), Louis Borne, *L'Instruction publique en Franche-Comté avant 1792* (Besançon, 1953, 2 vol.), Bernard Lavillat, *L'Enseignement à Besançon au XVIIIᵉ siècle (1674-1792)* (Paris, 1977) et R. Seve, J. Perrel, *L'Enseignement sous l'Ancien Régime en Auvergne : Bourbonnais et Velay* (s.l., 1977).

Quelques études (trop rares) ont été consacrées à la substance de l'enseignement donné dans les collèges. Ce sont, outre les ouvrages cités plus haut sur les congrégations enseignantes, les articles du P. de Dainville, éminent spécialiste du sujet (« L'enseignement de l'histoire dans les collèges des jésuites du XVIᵉ au XVIIIᵉ siècle », *Entre nous*, 1952, nᵒ 185, p. 85-96 ; « Foyers de culture scientifique dans la France méditerranéenne du XVIᵉ au XVIIIᵉ siècle », *Revue d'histoire des sciences*, nᵒ 3, p. 289-300 ; « L'enseignement des sciences dans les collèges des jésuites de l'ancienne France », *D'hier à aujourd'hui*, 1957, p. 5-19) et les travaux d'Annie Bénard (*Les Traités de rhétorique au XVIIIᵉ siècle*, thèse, Paris IV, 1973), J.-Cl. Chevalier (« La grammaire générale et la pédagogie au XVIIIᵉ siècle » *Revue française de linguistique*, janvier 1972, p. 40-51) et L.W.B. Brockliss (« Philosophy Teaching in France 1660-1740 », *History of Universities*, 1981, nᵒ 1, p. 131-168).

Les études sur les universités sont encore dans l'enfance. Les universités de Paris et de Douai sont les deux seules ayant fait l'objet de monographies scientifiques (Ch. Jourdain, *Histoire de l'université de Paris au XVIIᵉ et au XVIIIᵉ siècle*, Paris, 1862-1866, 2 vol., et Louis Trenard, *De Douai à Lille... Une université et son histoire*, Lille, 1978). L'article de Jean de Viguerie « Quelques remarques sur les universités françaises au XVIIIᵉ siècle » (*Revue historique*, juillet-septembre 1979, p. 29-49) résulte d'un effort louable pour renouveler le sujet, mais il est trop optimiste. Le travail de Patrick Ferté, *L'Université de Cahors au XVIIIᵉ siècle (1700-1751)* (Cahors, 1974), concerne une institution moribonde. Toutefois, les historiens ont manifesté quelque intérêt pour les facultés de droit et pour leurs enseignements. Il faut citer ici Lucien Michon, *Histoire de la faculté de droit de Poitiers (1806-1899)* (Poitiers, 1900), Émile Chenon, *Les Anciennes Facultés de droit de Rennes (1735-1792)* (Rennes, 1890), Richard L. Kagan, « Law Students and Legal Careers in Eighteenth Century France » (*Past and Present*, nᵒ 68, août 1975, p. 38-72 ; à utiliser avec prudence parce qu'il ne cite pas ses sources), Hugues Cocard, « Professeurs et étudiants de la faculté de droit d'Angers au XVIIIᵉ siècle » (*Annales de Bretagne et des pays de l'Ouest*, 1979, nᵒ 1, p. 39-43), Christian Chêne, *L'Enseignement du droit français en pays de droit écrit (1679-1793)* (Paris, 1982) et Xavier Martin, « Un effort pédagogique à l'université d'Angers : les actes subrérogatoires de droit français (1766-1777) » (*Annales d'histoire des facultés de droit et de la science juridique*, 1985/2, p. 63-89).

La pensée

Le mieux est de consulter d'abord les historiens de la philosophie : E. Bréhier, *Histoire de la philosophie*, t. II : *La Philosophie moderne*, 2e partie, *Le Dix-Huitième Siècle* (Paris, 1930), *Histoire de la philosophie*, t. II : *De la Renaissance à la révolution kantienne*, sous la direction d'Y. Bellaval (Paris, 1973).

Toute la pensée du siècle ne se ramène pas aux Lumières. Il y a en particulier un courant cartésien, dont les historiens ne parlent jamais ; voir sur ce sujet le P. Gaston Sortais, *Le Cartésianisme chez les jésuites français des XVIIe et XVIIIe siècles* (Archives de philosophie, 1929, vol. VI, cahier 3).

Sur les Lumières elles-mêmes, il existe quelques études d'ensemble. Voici les principales dans l'ordre chronologique de parution : Joseph Fabre, *Les Pères de la Révolution. De Bayle à Condorcet* (Paris, 1916, réimpr. Genève, 1970), Daniel Mornet, *La Pensée française au XVIIIe siècle* (Paris, 1926) et *Les Origines intellectuelles de la Révolution française, 1715-1787* (Paris, 1933, plusieurs fois réédité), Paul Hazard, *La Pensée européenne au XVIIIe siècle. De Montesquieu à Lessing* (Paris, 1946, 3 vol., qui ne vaut pas *La Crise de la conscience européenne*, Paris, 1935, du même auteur), Antoine Adam, *Le Mouvement philosophique dans la première moitié du XVIIIe siècle* (Paris, 1967), Ernst Cassirer, *La Philosophie des Lumières* (Paris, 1970, trad. de l'allemand ; ouvrage toujours recommandé chaleureusement dans toutes les bibliographies, mais on se demande bien pourquoi : ses démonstrations nous paraissent obscures et confuses) et Georges Gusdorf, *Les Sciences humaines et la pensée occidentale*, t. IV : *Les Principes de la pensée au siècle des Lumières* (Paris, 1971), t. V : *Dieu, la nature et l'homme au siècle des Lumières* (Paris, 1972 ; de loin préférable à tous les ouvrages précédents). Voir aussi *Qu'est-ce que les Lumières ?* (numéro spécial de *Dix-Huitième Siècle*, n° 10, 1978) et surtout lire attentivement de Xavier Martin, *Nature humaine et Révolution du Siècle des Lumières au Code Napoléon* (Bouère, 1994) qui révèle enfin et analyse avec une rigueur implacable la véritable signification de la pensée des Lumières.

Sur les trois principales sources des Lumières françaises, à savoir la pensée de Lucrèce, celle de Spinoza et celle de Bayle, on consultera les travaux suivants : C.A. Fusil, « Lucrèce et les philosophes du XVIIIe siècle » (*RHLF*, 1928, p. 194-210 ; ne va pas au fond du sujet), Paul Vernière, *Spinoza et la pensée française avant la Révolution* (Paris, 1954, 2 vol. ; consciencieux mais trop « littéraire » : les thèses de Spinoza ne sont pas définies avec netteté), et P. Retat, *Le Dictionnaire de Bayle et la lutte philosophique au XVIIIe siècle* (Paris, 1971).

On dispose de quelques études sur certains aspects importants des Lumières. Le spinozisme a été étudié par P. Janet, *Le Spinozisme en France* (Paris, 1883), le sensualisme par Victor Cousin (*La Philosophie sensualiste au XVIIIe siècle*, Paris, 1841), le matérialisme par M. Dommanget (*Le Curé Meslier*, Paris, 1965), Roland Desné (*Les Matérialistes français de 1750 à*

1800. Textes choisis et présentés par Roland Desné, Paris, 1965), M. Benitez-Rodriguez, *Contribution à l'étude de la littérature matérialiste clandestine en France au 18e siècle*, thèse dactyl., Nanterre, 1979), par Olivier Bloch et ses collaborateurs dans le recueil intitulé *Le Matérialisme du XVIIIe siècle et la littérature clandestine* (Paris, 1982) et dans *Le Matérialisme des Lumières* (*Dix-Huitième Siècle*, n° 24, 1992) et l'idée de nature par Jean Ehrard (*L'Idée de nature en France dans la première moitié du XVIIIe siècle*, Paris, 1963). Sur le thème de l'âme animale, il faut lire L.C. Rosenfield, *From Beast-Machine to Man-Machine. The Theme of Animal Soul in French Letters from Descartes to La Mettrie* (Oxford-New York, 1941); sur l'anthropologie, l'ouvrage malheureusement très incomplet de Michèle Duchet, *Anthropologie et histoire au siècle des Lumières* (Paris, 1971); sur l'illuminisme, Adolphe Franck, *La Philosophie mystique en France au milieu du XVIIIe siècle. Saint Martin et son maître Martinez Pasqualis* (Paris, 1866) et *Lumières et illuminisme. Textes réunis par Mario Matucci* (Pise, 1984). On verra aussi J. Deprun, *La Philosophie de l'inquiétude en France au XVIIIe siècle* (Paris, 1979) et Robert Favre, *La Mort dans la littérature et la pensée françaises au siècle des Lumières* (Lyon, 1978). Enfin, nous avons sur l'athéisme les travaux de J.S. Spink (*French Free Thought from Gassendi to Voltaire*, Londres, 1960) et d'Alan Charles Kors (*Atheism in France 1650-1729*, t. I: *The Orthodox Sources of Disbelief*, Princeton, 1990) et sur le déisme ceux de C.J. Betts (*Early Deism in France: From to So Called "deistes" of Lyon (1564) to Voltaire's "Lettres Philosophiques"*, La Haye, 1984), d'Hermann Ley (*Geschichte der Aufklärung und des Atheismus*, t. V, 1: *Französische Aufklärung...*, Berlin, 1986) et de Bernard Cottret (*Le Christ des Lumières. Jésus de Newton à Voltaire*, Paris, 1990). Sur les idées de tolérance et de travail et sur l'ethnodifférentialisme des Lumières nous nous permettons de renvoyer à nos propres études: «La tolérance à l'ère des Lumières» (*La Tolérance*, Presses de l'université Paris-Sorbonne, 1985), «L'idée de l'obligation du travail dans la France des Lumières (*Bulletin de la Société française d'histoire des idées et d'histoire religieuse*, n° 9, 1992) et «Les "lumières" et les peuples. Conclusion d'un séminaire» (*Revue historique*, juillet-septembre 1993).

L'ouvrage le plus clair, le plus complet, le plus simple sur l'*Encyclopédie* est celui de Pierre Grosclaude, *Un audacieux message*, l'Encyclopédie (Paris, 1951). Mais les études de René Humbert (*Les Sciences sociales dans l'Encyclopédie*, Paris, 1929) et Jacques Proust (*Diderot et l'Encyclopédie*, Paris, 1967) sont des compléments indispensables, ainsi que celle de John Lough (*The Contributors to the* Encyclopédie, Londres, 1972). Les travaux de R. Darnton (*L'Aventure de l'Encyclopédie (1775-1800). Un best-seller au siècle des Lumières*, Paris, 1982) et «L'arbre de la connaissance: la stratégie épistémologique de l'*Encyclopédie*» (*Le Grand Massacre des chats. Attitudes et croyances dans l'ancienne France*, Paris, 1985, p. 176-199) ont apporté des lumières nouvelles sur la genèse de l'entreprise encyclopédique, sur les éditions successives et sur l'*Encyclopédie méthodique*.

Pour connaître les philosophes, le mieux est encore de les lire, quand il existe de bonnes éditions récentes et complètes, ce qui, à vrai dire, n'est pas toujours le cas. Par ailleurs, la littérature concernant les philosophes est très abondante, et il faut faire un choix en essayant de repérer les ouvrages les plus scientifiques et les moins conformistes.

La collection des *Studies on Voltaire and the Eighteenth Century*, publiée par la *Voltaire Foundation* (Oxford), compte à ce jour 287 volumes parus, dont une partie concerne **Voltaire**.

L'ouvrage de Gustave Desnoiresterres, *Voltaire et la société au XVIIIᵉ siècle* (Paris, 1867-1876, 8 vol.) est toujours considéré, malgré son ancienneté, comme la bible en matière d'études voltairiennes. On lira cependant avec profit le Voltaire de R. Naves (*Voltaire, l'homme et l'œuvre*, Paris, 1951). La dernière biographie en date est celle de Jacques Bréhant, *L'Envers du roi Voltaire : quatre-vingts ans de la vie d'un mourant* (Paris, 1989), mais c'est un court essai auquel il faut préférer le *Voltaire en son temps* de René Vaillot, dont le t. II (*Avec Madame du Châtelet*) a paru en 1988 (Oxford). Voir aussi les catalogues de deux expositions consacrées à Voltaire à l'occasion du deuxième centenaire de sa mort : *Voltaire, voyageur de l'Europe* (musée de l'Île-de-France, Sceaux, 1978) et *Voltaire : un homme, un siècle* (Bibliothèque nationale, 1979). Certaines périodes de sa vie ont fait l'objet d'études particulières, comme celles d'Henri Beaune (*Voltaire au collège, sa famille, ses études, ses premiers amis. Lettres et documents inédits*, Paris, 1867), d'Henri Bellugou (*Voltaire et Frédéric II au temps de la marquise du Châtelet*, Paris, 1963) et du Cercle d'études ferneysiennes, *Ferney-Voltaire : pages d'histoire* (Annecy, 1984).

Il semble que l'on manque d'ouvrages de synthèse — mais une telle synthèse est-elle réalisable ? — sur la pensée de Voltaire. *La Philosophie de Voltaire* d'Ernest Bersot date de 1848 (Paris). La meilleure étude — mais elle ne concerne qu'un aspect — est celle de René Pomeau, *La Religion de Voltaire* (Paris, 1956). On verra aussi Paul Hazard, « Voltaire et Spinoza » (*Modern Philology*, 1940-1941, p. 351-364), C. Luporini, *Voltaire et les Lettres philosophiques. Il concetto della storia e l'Illuminismo* (Florence, 1955) et D. Hadidi, *Voltaire et l'Islam* (Paris, 1974).

Entre toutes les biographies de **Montesquieu**, il est sans doute permis de préférer celle de J. Starobinsky, *Montesquieu par lui-même* (Paris, 1953) et celle de Robert Shackleton, *Montesquieu. Biographie critique* (Grenoble, 1977). Il faut cependant connaître celle de Pierre Barrière, *Un grand provincial, Charles Louis de Secondat, baron de La Brède et de Montesquieu* (Bordeaux, 1946). La pensée politique de l'auteur de l'*Esprit des lois* a été scrutée par un très grand nombre d'auteurs, dont J. Dedieu, *Montesquieu et la tradition politique anglaise en France : les sources anglaises de l'*Esprit des lois (Paris, 1909), Louis Althusser, *Montesquieu. La politique et l'histoire* (Paris, 1959), E. Carcassonne, *Montesquieu et le problème de la constitution française au XVIIIᵉ siècle* (Paris, 1927), Simone Goyard-Luce, *La Philosophie du droit de Montesquieu* (Paris, 1973) et les auteurs du recueil intitulé *Montesquieu et la Révolution* (*Dix-Huitième Siècle*, n° 21, 1989).

Les biographies de **Diderot** sont rares et anciennes : Joseph Reinach, *Diderot* (Paris, 1894), Franco Venturi, *Jeunesse de Diderot, 1713-1753* (Paris, 1939), Daniel Mornet, *Diderot : l'homme et l'œuvre* (Paris, 1951). Mais presque tous les principaux aspects de sa pensée et de son œuvre ont fait l'objet d'études scientifiques : son éthique (Pierre Hermand, *Les Idées* *morales de Diderot*, Paris, 1923), l'*Encyclopédie* (J. Proust, *Diderot et l'*Encyclopédie, *op. cit.*), l'influence anglaise (C. Dédéyan, *L'Angleterre dans la pensée de Diderot*, Paris, 1958), la philosophie de la nature (Paul Vernière, édition critique du *Rêve de d'Alembert*, Paris, 1951) et l'esthétique (Jacques Chouillet, *La Formation des idées esthétiques de Diderot, 1745-1763*, Lille, 1973, 2 vol. ; *Diderot et l'art de Boucher à David. Les salons : 1759-1787*, Paris, 1984 et J.-M. Bardez, *Diderot et la musique : valeur de la contribution d'un mélomane*, Paris, 1975). Il faut ajouter à ces ouvrages les recueils publiés à l'occasion du deuxième centenaire de la mort : *Diderot* (par H.R. Jauss, J. Starobinsky, M. Hobson, J. Chouillet et *al.*, Paris, 1984), *Diderot* (études de D. Bourel, S. Goyard-Gabre, N. Grimaldi, D. Leduc et *al.*, Paris, 1984), *Diderot : 1713-1784* (colloque international... actes réunis par Anne-Marie Chouillet, Paris, 1985) et *Recherches sur Diderot et l'*Encyclopédie (n° 1, octobre 1986).

L'auteur des *Confessions* est encore son meilleur biographe. Signalons cependant Saint-Marc Girardin, *Jean-Jacques Rousseau : sa vie et ses ouvrages* (Paris, 1875), Arthur Chuquet, *J.-J. Rousseau* (Paris, 1893), Daniel Mornet, *Rousseau. L'homme et l'œuvre* (Paris, 1950), Jean Guéhenno, *Jean-Jacques* (Paris, 1948-1952, 3 vol.), *Jean-Jacques Rousseau (1712-1778) : pour le 250ᵉ anniversaire de sa naissance* [textes de A. Soboul, D. Ligou...] (Gap, 1963) et Dr Jacques Borel, *Génie et folie de Jean-Jacques Rousseau* (Paris, 1966). Voir aussi le catalogue de l'exposition *Jean-Jacques Rousseau, 1712-1778* (Bibliothèque nationale, 1962). Sont enfin à consulter Marcel Bouchard, *L'Académie de Dijon et le premier discours de Rousseau* (Paris, 1950) et Pierre Grosclaude, *J.-J. Rousseau et Malesherbes. Documents inédits* (Paris, 1960).

La religion de Jean-Jacques est étudiée dans P.M. Masson, *La Religion de Jean-Jacques Rousseau* (Paris, 1916), sa philosophie de l'existence et son anthropologie par Pierre Burgelin (*La Philosophie de l'existence de J.-J. Rousseau*, Paris, 1952) et B. Baczko (*Rousseau, solitude et communauté*, Paris, 1974), sa politique par R. Derathe (*Jean-Jacques Rousseau et la science politique de son temps*, Paris, 1950, 2ᵉ édition, 1970) et Michel Launay (*Jean-Jacques Rousseau, écrivain politique : 1712-1762*, Grenoble, 1972 et *Le Vocabulaire politique de Jean-Jacques Rousseau*, Paris, 1977). L'ouvrage le plus objectif sur la pédagogie de l'*Émile* est celui de Jean Chateau, *Jean-Jacques Rousseau. Sa philosophie de l'éducation* (Paris, 1962). Enfin, comme il importe de recueillir l'avis d'un philosophe, on ne saurait trop conseiller la lecture des pages consacrées à Rousseau par Jacques Maritain dans ses *Trois Réformateurs* (Paris, 1925) : « Jean-Jacques ou le saint de la nature » (p. 131-241). Il est probablement difficile de faire mieux dans le diagnostic.

La bibliographie des autres philosophes — nous allons la passer en revue en observant l'ordre alphabétique — est abondante et en rapide et constante augmentation, mais elle manque d'ouvrages de synthèse scientifiques et récents. La seule vue d'ensemble sur la personnalité et l'œuvre de **d'Alembert** est ancienne et sa valeur est médiocre (J. Bertrand, *D'Alembert*, Paris, 1889). Les actes du colloque international de 1988 sur le marquis d'Argens (*Le Marquis d'Argens*, actes édités par Jean-Louis Vissière, Aix-en-Provence, 1990) ont renouvelé notre connaissance du personnage. Pour **Boulainvilliers**, il faut maintenant ajouter au grand livre de R. Simon, *Henry de Boulainvilliers : historien, politique, philosophe, astrologue (1658-1722)* (Paris, 1941, rééd. en 1947) la récente thèse de Diego Venturino, *Le Ragioni della tradizione. Nobiltà e mondo moderno in Boulainvilliers (1658-1722)* (Turin, 1993). Sur **Chamfort**, on lira Julien Teppe, *Chamfort, sa vie, son œuvre, sa pensée* (Paris, 1950), John Renwick, *Chamfort devant la postérité (1794-1984)* (Oxford, 1986) et Claude Arnaud, *Chamfort* (Paris, 1988), sur **Cabanis**, Lehec et Cazeneuve, *Cabanis* (Paris, 1956, 2 vol.) et sur **Condillac**, Baguenault de Puchesse, *Condillac. Sa vie, sa philosophie, son influence* (Paris, 1910) et Roger Lefèvre, *Condillac* (Paris, 1966). La biographie de **Condorcet** par le docteur Robinet (*Condorcet. Sa vie, son œuvre*, Paris, s.d.) a le mérite d'exister. Les études sur ce philosophe ont été récemment renouvelées, non point par l'ouvrage d'Élisabeth et Robert Badinter, *Condorcet : un intellectuel en politique* (Paris, 1989) mais par les deux publications suivantes : *Colloque international. Condorcet, mathématicien, économiste, philosophe, homme politique* (Paris, 1989) et Gilles-Gaston Granger, *La Mathématique sociale du marquis de Condorcet* (Paris, 1989, rééd. de 1956). On lira aussi avec intérêt de Thierry Boisset, *Sophie de Condorcet, femme des Lumières (1764-1822)* (Paris, 1988). **Dom Deschamps** est maintenant mieux connu grâce aux travaux de Jean Wahl (*Cours sur l'athéisme éclairé de dom Deschamps, Studies on Voltaire...*, vol. 52, 1967), de Jacques d'Hondt et de ses collaborateurs (*Dom Deschamps et sa métaphysique*, publié sous la direction de Jacques d'Hondt, Paris, 1974). L'**abbé Dubos** a été bien étudié par Alfred Lombard dans sa thèse intitulée *L'Abbé Dubos, initiateur de la pensée moderne (1670-1742)* (Paris, 1913). Sur **Duclos**, voir Paul Meister, *Charles Duclos* (Paris, 1956) et sur **Dumarsais**, Werner Krauss, « L'énigme de Dumarsais » (*RHLF*, octobre-décembre 1962, p. 514-522). Sur **Helvétius**, sur sa vie et son œuvre, il n'existe, semble-t-il, aucun ouvrage d'ensemble satisfaisant. Ni Albert Keim (*Helvétius, sa vie et son œuvre*, Paris, 1917), ni Irving Louis Horowitz (*Claude Helvétius : Philosopher of Democracy and Enlightenment*, New York, 1954), ni Ian Cumming (*Helvétius, sa vie et sa place dans l'histoire de l'éducation*, Londres, 1955) ne vont au fond du sujet. Pas plus d'ailleurs que K. Momdjian, *La Philosophie d'Helvétius* (Moscou, 1955). Cependant, un article de Didier Ozanam a jeté une lumière nouvelle sur l'affaire de l'*Esprit* : « La disgrâce d'un premier commis : Tercier et l'affaire de l'*Esprit* (1758-1759) » (*Bibliothèque de l'École des chartes*, 1955, p. 140-170). **Fontenelle** reste mal connu ; il n'existe pas d'étude portant sur l'ensemble de sa vie et de son œuvre, d'étude scientifique s'entend. Signalons le catalogue de l'exposition *Fontenelle, 1657-1757... organisée pour le 3ᵉ centenaire de sa naissance et le 2ᵉ centenaire de sa mort* (Bibliothèque nationale, Paris, 1957). D'**Holbach** est traité avec plus de considération, mais de toutes les études qui lui sont consacrées (citons entre autres René Hubert, *D'Holbach et ses amis*, Paris, 1928 ; R. Naville, *Paul Thiry d'Holbach et la philosophie scientifique au XVIIIᵉ siècle*, Paris, 1943, rééd. en 1967 ; A.C. Kors, *D'Holbach's Coterie, an Enlightenment in Paris*, Paris, 1977 et Denis Lecompte, *Marx et le baron d'Holbach*, Paris, 1983), aucune ne dégage vraiment (à notre avis) l'extrême importance de ce grand théoricien des Lumières. Sur **La Mettrie**, voir R. Boissier, *La Mettrie, médecin, pamphlétaire et philosophe* (Paris, 1931), Pierre Lemée, *J. Offray de La Mettrie. Sa vie, son œuvre* (Paris, 1954) et A. Vartanian, *La Mettrie's* L'Homme-Machine (1960). Sur **La Harpe**, le spécialiste actuel est Christopher Todd (voir en particulier son étude *Voltaire's Disciple : J.F. La Harpe*, 1972), mais le travail tout récent de Jeong Dong-Jun, *Jean-François de La Harpe* (Lille, 1991, dactyl.) devra également être consulté. **Linguet** a fait l'objet d'une bonne étude de Darline Gay Levy, *The Ideas and Careers of Simon-Nicolas-Henri Linguet. A Study in Eighteenth Century French Politics* (*Urbana*, III, 1980). La pensée de **Mably** est analysée dans B. Coste, *Mably, pour une utopie du bon sens* (Paris, 1975). Sur **Malesherbes**, outre l'excellent livre cité plus haut de Pierre Grosclaude, voir *Malesherbes, le pouvoir et les Lumières. Textes réunis et présentés par Marek Wyrwa* (Paris, 1989). **Morelly** a été remis à la mode par Nicolas Wagner (*Morelly, le « philosophe méconnu »*, thèse dactyl., Paris, 1974, et « État actuel de nos connaissances sur Morelly. Biographie, accueil et fortune de l'œuvre », *Dix-Huitième Siècle*, n° 10, p. 259-268). Les travaux de Guy Antonetti ont permis d'identifier le personnage qui, jusqu'alors, n'était qu'un nom : « Étienne-Gabriel Morelly : l'homme et sa famille » (*RHLF*, mai-juin 1983, p. 390-402) et « Étienne-Gabriel Morelly : l'écrivain et ses protecteurs » (*RHLF*, janvier-février 1984, p. 19-53). Sur l'utopie morellienne, les études se sont récemment multipliées ; on citera entre autres Frances D. Fergusson, « Morelly and Ledoux : two examples of Utopian town planning and political theory in XVIIIth century France » (*French Studies*, 1979, p. 13-26), Walter Bernardi, *Morelly e Dom Deschamps. Utopia e ideologia nel Secolo dei Lumi* (Saggi filosofici, Florence, 1979) et « Legge naturale e ideologia : il caso Morelly » (*Il Newtonianismo nel Settecento*, Rome, 1983, p. 93-103), Abdelaziz Labib, « Utopie, savoir et droit chez Morelly » (*Revue des études philosophiques*, novembre 1987, p. 9-20) et Nadia Minerva, « De l'utopie littéraire à l'utopisme réformateur : la *Basiliade* et le *Code de la Nature* de Morelly » (*Actes du 7ᵉ congrès international des Lumières*, Budapest, 1987, Oxford, 1989). Sur l'**abbé de Prades** et sur son affaire, nous disposons de deux bonnes études récentes, celle de John S. Spink, « Un abbé philosophe : l'affaire de J.M. de Prades » (*Dix-Huitième Siècle*, n° 3, 1971, p. 145-180) et celle de Jean-François Combes-Malavialle, « Vues nouvelles sur l'affaire de Prades » (*Dix-Huitième Siècle*, n° 20, 1988, p. 377-396). Sur l'**abbé Raynal**, les actes du récent colloque de Wolfenbüttel (*Lectures de Raynal. L'Histoire des deux Indes en Europe et en Amérique au XVIIIᵉ siècle* éditées par Hans Jurgen Lüsebrink et Manfred Tietz, The Voltaire Foundation, Oxford, 1991) ont apporté nombre d'éléments nouveaux, complétant ainsi heureusement les deux ouvrages d'Anatole Feugère (*Un précurseur de la Révolution, l'abbé Raynal (1713-1796). Documents inédits*, Angoulême, 1912) et de H. Wolpe (*Raynal et sa machine de guerre, l'Histoire des deux Indes et ses perfectionnements*, Paris, 1957). L'ouvrage de Matter sur **Louis Claude de Saint-Martin** (*Saint-Martin, le philosophe inconnu* (Paris, 1920) date un peu, de même que les deux seules biographies existantes de l'**abbé de Saint-Pierre**, celle de Molinari (*L'Abbé de Saint-Pierre, membre exclu de* *l'Académie française. Sa vie et ses œuvres... Avec des notes et des éclaircissements*, Paris, 1857) et celle de Joseph Drouet (*L'Abbé de Saint-Pierre. L'homme et l'œuvre*, Paris, 1912). La biographie de **Volney** par Jean Gaulmier (*Un grand témoin de la Révolution et de l'Empire, Volney*, Paris, 1959) mérite la même observation.

Les idées-forces ou, si l'on préfère, les valeurs des Lumières ont fait l'objet de quelques études malheureusement trop rares. L'idée de bonheur a été étudiée par Robert Mauzi (*L'Idée du bonheur au XVIIIᵉ siècle*, 3ᵉ édition, Paris, 1967), celle d'égalité par André Delaporte (*L'Idée d'égalité en France au XVIIIᵉ siècle*, Paris, 1987), celle de nature par Jean Ehrard (*L'Idée de nature en France dans la première moitié du XVIIIᵉ siècle*, Paris, 1963, 2 vol.) et par Nicole Dockes, « Un ordre naturel communautaire au XVIIIᵉ siècle » (*Ordre, nature, propriété*. Études coordonnées par Gérard Klotz, Lyon, 1985), l'idée de race et le racisme des Lumières par T. Simart (*Étude critique sur la formation de la doctrine des races au XVIIIᵉ siècle et son expansion au XIXᵉ*, Bruxelles, 1922), J. Barzun (*The French Race : Theories of its Origin and their Social and Political Implications prior the Revolution*, New York, Londres, 1932), Léon Poliakov (*Le Mythe aryen. Essai sur les sources du racisme et des nationalismes*, Paris, 1971 ; voir aussi, sous la direction du même, *Hommes et Bêtes. Entretien sur le racisme*, actes du colloque de Cerizy-la-Salle de 1973, Paris, 1975 et *Le Développement de l'antisémitisme en Europe aux Temps modernes (1700-1850)*, thèse de lettres, Paris, 1968), Carminella Biondi (« *Mon frère, tu es mon esclave !* » *Teorie schiaviste e dibattiti antropologico-razziali nel Settecento francese*, Pise, 1973) et Louis Trénard (« Les fondements de l'idée de race au XVIIIᵉ siècle », *L'Information historique*, 1981, p. 165-173), ces différents travaux étant complétés par ceux tout récents de Xavier Martin, relatifs au réductionnisme anthropologique des secondes Lumières : « Anthropologie et Code Napoléon » (*Bulletin de la Société française d'histoire des idées et d'histoire religieuse*, nᵒ 1, 1984, p. 39-62), « Sur l'essor et l'essence de l'individualisme libéral en France » (*ibid.*, nᵒ 3, 1986, p. 37-86) et « Anthropologie et Déclaration des droits de l'homme en 1789 » (*ibid.*, nᵒ 5, p. 43-51), et par le livre de Pierre Pluchon, *Nègres et Juifs au XVIIIᵉ siècle. Le racisme au siècle des Lumières* (Paris, 1984). L'idée de tolérance a été analysée par Jean de Viguerie dans « La tolérance à l'ère des Lumières » (*La Tolérance*, XIIIᵉ colloque de l'Institut de recherches sur les civilisations de l'Occident moderne, nᵒ 11, Paris, 1986, p. 43-55) et par Jean Pomeau, « Une idée neuve au XVIIIᵉ siècle : la tolérance » (actes des journées d'études sur l'édit de 1787, Paris, 1987, *Bulletin de la Société d'histoire du protestantisme français*, avril-juin 1988, p. 196-206). A notre connaissance, il n'existe pas d'étude sur l'idée de bienfaisance et il n'y en a pas non plus sur l'idée pourtant capitale d'utilité, mais sur celle d'obligation du travail on pourra consulter Jean de Viguerie, « L'idée de l'obligation du travail dans la France des Lumières » (*Bulletin de la Société française d'histoire des idées et d'histoire religieuse*, nᵒ 9, 1992, p. 25-34).

Voilà pour les Lumières. Il faudrait y joindre une bibliographie des antiphilosophes ; elle serait assez vite faite, ces auteurs n'ayant guère été étudiés. Il faut mentionner E. Patry, *L'« Anti-Lucrèce » du cardinal de*

Polignac (Auch, 1872), *Les Antivoltairiens. Fréron, Desfontaines, La Beaumelle, Nonnotte, Guénée, Guyon, Sabatier de Castres* (Paris, s.d.) et les deux ouvrages qui ont été consacrés à Fréron, celui de Charles Monselet, *Fréron ou l'illustre critique. Sa vie, ses écrits, sa correspondance, sa famille, etc.* (Paris, 1864) et celui de Jean Balcou, *Fréron contre les philosophes* (Genève, 1975).

Les sciences

Un panorama complet de l'histoire des sciences au XVIIIe siècle est présenté par A.A. Wolf dans son *History of Science, Technology and Philosophy in the 18th Century* (Londres, 1952). Pour avoir une vue générale du progrès des sciences en France, le mieux est de consulter les tomes XIV et XV de l'*Histoire de la nation française* dirigée par Gabriel Hanotaux (Paris, 1924), consacrés à l'histoire des sciences.

Pour l'histoire des mathématiques, l'ouvrage très clair de Ferdinand Hoefer, *Histoire des mathématiques depuis les origines jusqu'au commencement du dix-neuvième siècle* (Paris, 1895) est toujours utilisable. On y ajoutera cependant l'*Histoire du calcul* de René Taton (Paris, 1957) et le très intéressant article de Jean Dhombres, «Mathématisation et communauté scientifique française (1775-1825)» (*Archives internationales d'histoire des sciences*, n° 117, 1986, p. 249-293). Il existe deux études d'ensemble sur l'histoire de la chimie, celle d'Hélène Metzger, *Les Doctrines chimiques en France du début du XVIIe siècle à la fin du XVIIIe siècle* (Paris, 1923) et celle de B. Wojtkoviak, *Histoire de la chimie* (Paris, 1984). Pour l'histoire des sciences naturelles et des sciences de la vie, on dispose de trois bons ouvrages : Daniel Mornet, *Les Sciences de la nature en France au XVIIIe siècle* (Paris, 1911), Émile Guyénot, *Les Sciences de la vie au XVIIe et au XVIIIe siècle* (Paris, 1941) et Jacques Roger, *Les Sciences de la vie dans la pensée française du XVIIIe siècle* (Paris, 1963). A voir aussi les trois ouvrages suivants traitant d'aspects importants de l'histoire des sciences : Maurice Daumas, *Les Instruments scientifiques au XVIIe et au XVIIIe siècle* (Paris, 1953), Roland Mousnier, *Progrès scientifique et technique au XVIIIe siècle* (Paris, 1958) et *Enseignement et Diffusion des sciences en France au XVIIIe siècle* (sous la dir. de René Taton, Paris, 1964).

On consultera aussi les quelques études consacrées aux différents savants, soit, pour Buffon, les ouvrages d'Humbert-Bazile, *Buffon, sa famille, ses collaborateurs et ses familiers* (Paris, 1863) et de Louis Dimier, *Buffon* (Paris, 1919); pour Clairaut, l'excellent travail de Pierre Brunet, *La Vie et l'Œuvre de Clairaut* (Paris, 1952); pour Lagrange, l'article de René Taton, «Le départ de Lagrange de Berlin et son installation à Paris en 1787» (*Revue d'histoire des sciences*, janvier-mars 1988); pour Laplace, H. Andoyer, *L'Œuvre scientifique de Laplace* (Paris, 1902); pour Lavoisier, Mc Kie, *Lavoisier* (New York, 1952) et Maurice Daumas, *Lavoisier, théoricien et expérimentateur* (Paris, 1955); pour Maupertuis, Pierre Brunet, *Maupertuis* (Paris, 1929) et *Maupertuis et ses correspondants. Lettres inédites...*, par M. l'abbé A. Le Sueur (Montreuil-sur-Mer, 1896); pour Monge, René Taton, *L'Œuvre scientifique de Monge* (Paris, 1951) et pour l'abbé Nollet, Dr Jean Torlais, *Un physicien au siècle des Lumières, l'abbé Nollet* (Paris, 1954).

Dans son ouvrage *Hommes d'autrefois et d'aujourd'hui* (Paris, 1966), Jean Rostand consacre trois chapitres à des savants du XVIIIᵉ siècle : Charles Bonnet, Réaumur et Maupertuis.

Pour l'ensemble des sciences humaines, on se reportera aux ouvrages déjà cités de Georges Gusdorf. L'histoire de l'histoire a fait l'objet depuis une vingtaine d'années de nombreux travaux presque tous de bonne qualité. Citons entre autres G. Lefebvre, *La Naissance de l'historiographie moderne* (Paris, 1971), Michèle Duchet, *Anthropologie et Histoire au siècle des Lumières* (Paris, 1971), Jean-Marie Goulemot, *Discours, histoire et révolutions : représentations de l'histoire et discours sur les révolutions de l'âge classique aux Lumières* (Paris, 1975), Bernard Grosperrin, *La Représentation de l'histoire de France dans l'historiographie des Lumières* (thèse, Paris, 1978) et « L'histoire et le modèle historique dans le Traité des études de Rollin » (*Cahiers d'histoire*, 1971, p. 161-174), René Pillorget, « L'imaginaire historique à la veille de la Révolution » (*Revue universelle*, 1988, nᵒ 138, p. 20-35). On n'oubliera pas pour autant de recourir aux ouvrages plus anciens de L. Lemarie, *Les Assemblées franques et les historiens réformateurs du XVIIIᵉ siècle* (Paris, 1906) et de N. Edelman, *Attitudes of Seventeenth Century France towards the Middle Ages* (New York, 1946). Nous ne connaissons que trois monographies d'historiens, celle de dom Edmond Martène par J. Daoust, *Dom Martène, un géant de l'érudition bénédictine*, collection « Figures monastiques », s.d.), celle de Nicolas Fréret par Renée Simon, *Nicolas Fréret, académicien* (*Studies on Voltaire...*, vol. 17, Genève, 1961) et celle de Jacob Nicolas Moreau par Dieter Gembicki, *Histoire et politique à la fin de l'Ancien Régime : Jacob Nicolas Moreau, 1717-1803* (Genève, 1979).

La géographie du temps des Lumières est généralement assez médiocre et ne brille le plus souvent que par les statistiques et les cartes. Son spécialiste est Numa Broc, auteur de *La Géographie des philosophes. Géographes et voyageurs français au XVIIIᵉ siècle* (Paris, 1975) et de l'article intitulé « Un géographe dans son siècle, Philippe Buache (1700-1773) » (*Dix-Huitième Siècle*, 1971, p. 222-235).

L'Histoire universelle des voyages de Pierre Jacques Charliat (t. III : *Le Temps des grands voiliers*, Paris, 1955) donne un résumé commode de l'histoire des explorations françaises. On consultera aussi le numéro de la revue *Dix-Huitième Siècle* intitulé *L'Œil expert, voyager, explorer* (nᵒ 22, 1990). Les explorations en Guyane ont été étudiées par Henri Froidevaux (*Explorations françaises à l'intérieur de la Guyane pendant le second quart du XVIIIᵉ siècle (1720-1742)*, Paris, 1895). On connaît très bien maintenant le voyage de La Pérouse grâce aux études récentes de Catherine Gaziello (*L'Expédition de La Pérouse, 1785-1788. Réplique française aux voyages de Cook*, Paris, 1984) et de John Dunmore (*La Pérouse, explorateur du Pacifique*, Paris, 1986), mais nous manquons d'études critiques sur le voyage de Bougainville, sur celui de Kerguelen et sur les expéditions de La Verendrye en Amérique du Nord. Sur l'expédition de Maupertuis en Laponie, on dispose du travail récent de Jean-Pierre Martin, *La Figure de la terre : récit de l'expédition française en Laponie suédoise, 1736-1737* (Cherbourg, 1987). Sur les voyages en Orient et sur l'attitude des hommes des Lumières vis-à-vis de l'Islam, voir René Étiemble, *L'Orient philosophique au XVIIIᵉ siècle* (cours dactyl., CDU, 1956-1957) et O. Bonnerot, *Le Prophète et la guerre : Mahomet dans la pensée des Lumières* (dans *La Bataille, l'armée, la gloire* [1475-1871], Clermont-Ferrand, 1985).

Pour achever ce chapitre des sciences, il reste à présenter les principaux travaux concernant la médecine, la chirurgie et la pharmacie. Le tour est assez vite fait. La meilleure histoire générale de la médecine est celle des Drs Maurice Bariety et Charles Coury : *Histoire de la médecine* (Paris, 1963). Il faut recourir aussi aux travaux anciens mais toujours valables du Dr Cabanès (par exemple ses *Remèdes d'autrefois*, Paris, 1905) et du Dr Paul Delaunay, *Le Monde médical parisien au XVIIIᵉ siècle* (Paris, 1906) et *La Vie médicale aux XVIᵉ, XVIIᵉ et XVIIIᵉ siècles* (Paris, 1935). On consultera également le numéro des *Annales ESC* (septembre-octobre 1977) intitulé *Médecins, médecine et société en France aux XVIIIᵉ et XIXᵉ siècles.* Sur les épidémies, se rapporter aux travaux de J.P. Peter, « Médecine, épidémies et société en France à la fin du XVIIIᵉ siècle, d'après les archives de l'Académie de médecine » (*Bulletin de la Société d'histoire moderne*, 1970, 14ᵉ série, nᵒ 14, p. 2-9) et de Jean Meyer, « Une enquête de l'Académie de médecine sur les épidémies, 1774-1794 » (*Annales ESC*, 1966, p. 726-749). D'intéressantes observations sur le même sujet se trouvent dans la thèse de François Lebrun, *Les Hommes et la mort en Anjou...* (*op. cit.*). On trouvera également de nombreuses descriptions et identifications de maladies dans la thèse de Georges Delbos, *Faycelles en Quercy* (Toulouse, 1969, dactyl.). En attendant la synthèse très souhaitable sur la question de la petite vérole et de l'inoculation, on lira non sans intérêt le petit livre bien fait de Pierre Darmon, *La Variole, les nobles et les princes. La petite vérole mortelle de Louis XV* (Paris, 1989).

Les bibliographies de la chirurgie et de l'apothicairerie sont encore très minces. Signalons deux travaux assez récents : Toby Gelfand, « Deux cultures, une profession : les chirurgiens français au XVIIIᵉ siècle » (*RHMC*, juillet-septembre 1980, p. 468-484) et Édith Pivert, *Contribution à la présentation et à l'étude des ordonnances de l'hôtel-Dieu Saint-Jean d'Angers aux 17ᵉ et 18ᵉ siècles* (thèse de médecine, Angers, 1985, dactyl.).

Enfin, sur la folie et la manière de la traiter, l'ouvrage de Michel Foucault, *Folie et déraison. Histoire de la folie à l'âge classique* (Paris, 1961) fait toujours autorité.

La vie intellectuelle : le livre, les journaux, les sociétés, la culture, l'opinion publique

Les deux ouvrages de base sur ce sujet sont celui de Daniel Mornet, *Les Origines intellectuelles de la Révolution française (1715-1787)*, déjà cité, et celui de Pierre Barrière, *La Vie intellectuelle en France du XVIᵉ siècle à l'époque contemporaine*, Paris, 1961. Avec ses *Origines culturelles de la Révolution française* (Paris, 1991), Roger Chartier a tenté, mais en vain, de renouveler le sujet. On ne retiendra pas davantage le récent livre de Daniel Roche, *Les Républicains des lettres. Gens de culture et Lumières au XVIIIᵉ siècle* (Paris, 1988). Ni Mornet ni Barrière ne sont encore remplacés. Il faut leur adjoindre l'excellente étude de Pierre Grosclaude sur Lyon : *La Vie* *intellectuelle à Lyon dans la deuxième moitié du XVIIIe siècle. Contribution à l'histoire littéraire de la province* (Paris, 1933), à compléter avec Louis Trénard, *Lyon, de l'*Encyclopédie *au préromantisme. Histoire sociale des idées* (Paris, 1958, 2 vol.).

La production livresque est étudiée par Robert Estivals (*La Statistique bibliographique de la France sous la monarchie au XVIIIe siècle*, Paris, 1965). C'est l'ouvrage fondamental. Sur la censure et sur l'administration de la Librairie, on verra Hugues Bonnin de la Bonninière de Beaumont, «L'administration de la Librairie et la censure de 1699 à 1750» (*Positions des thèses de l'École des chartes*, 1966), N. Herrmann-Mascard, *La Censure des livres à Paris à la fin de l'Ancien Régime (1750-1789)* (Paris, 1968), ainsi que R.E.A. Waller, *The Relations between Men of Letters and the Representatives of Authority in France 1715-1723* (Oxford, 1971) et Myongcheol Jou, *Les Gens du livre embastillés (1750-1789)* (thèse dactyl., Paris IV).

Sur le commerce du livre et sur sa diffusion, les principales études sont celles de Roger Chartier, «Livre et espace. Circuits commerciaux et géographie culturelle de la librairie lyonnaise au XVIIIe siècle» (*Revue française d'histoire du livre*, 1971, p. 77-108) et de Nathalie Renier, «Les libraires et imprimeurs parisiens au milieu du XVIIIe siècle (1740-1751) : une étude économique et sociale» (*Positions des thèses de l'École des chartes*, 1988, p. 153-162). On lira aussi de Michel Vernus, «Une page de l'histoire du livre dans le Jura, les Tonnet imprimeurs-libraires dolois (1714-1781)» (*Revue française d'histoire du livre*, avril-mai 1980, p. 271-297). Sur le commerce des livres clandestins, le bon livre de J.P. Belin, *Le Commerce des livres prohibés à Paris de 1750 à 1789* (Paris, 1913), rend toujours de grands services.

La sociologie du livre (ainsi que bien d'autres questions d'histoire du livre) est l'objet des études présentées dans le recueil intitulé *Livre et société dans la France du XVIIIe siècle* (sous la direction de François Furet, 2 vol., Paris, 1965 et 1970). Sous le titre *Culture et société urbaine dans la France de l'Ouest au 18e siècle* (Lille, 2 vol., 1977), la thèse de Jean Quéniart analyse la composition d'un certain nombre de bibliothèques dans les différents milieux sociaux. Mais cette utile entreprise n'a eu que peu d'imitateurs. Le seul travail postérieur comparable est celui de Michel Marion, *Recherches sur les bibliothèques privées à Paris au milieu du XVIIIe siècle (1750-1759)* (Paris, 1978). Il existe toutefois d'autres études qui, bien que moins systématiques, apportent une contribution utile à la sociologie du livre et de la lecture, par exemple Roger Chartier, «Représentations et pratiques : lectures paysannes au XVIIIe siècle» (*Lectures et lecteurs dans la France d'Ancien Régime*, Paris, 1987), Robert Darnton, *Bohème littéraire et Révolution. Le monde des livres au XVIIIe siècle* (Paris, 1983), Claude Labrosse, *Lire au XVIIIe siècle* (Lyon, 1985), et *Livre et Lumières dans les Pays-Bas français de la Contre-Réforme à la Révolution* (Valenciennes, 1987). On consultera également avec profit l'ouvrage collectif intitulé *Histoire des bibliothèques françaises. Les bibliothèques sous l'Ancien Régime, 1530-1789* (sous la dir. de Claude Jolly, Paris, 1988).

En matière d'histoire de la presse, la vieille *Bibliographie historique et critique de la presse périodique*... d'Eugène Hatin (Paris, 1966) peut toujours servir de base de départ, mais elle est largement dépassée depuis la publication des dictionnaires de Jean Sgard, *Dictionnaire des journalistes (1600-1789)* (Grenoble, 1976) et *Dictionnaire des journaux*, Paris, 1991), et de l'ouvrage de Pierre Retat, *Le Journalisme d'Ancien Régime* (Lyon, 1982), auquel il faut ajouter «La presse périodique en France au dix-huitième siècle» (*Dix-Huitième Siècle*, 1969, p. 89-105) et le travail de Claude Labrosse et Pierre Retat, avec la collaboration d'Henri Duranton, *L'Instrument périodique. La fonction de la presse périodique au dix-huitième siècle* (Lyon, 1985).

De toutes les gazettes, la mieux connue est actuellement le *Journal de Trévoux*, auquel ont été consacrés quatre ouvrages : Dumas, *Histoire du* Journal de Trévoux (1936), Alfred R. Desautels, *Les Mémoires de Trévoux et le mouvement des idées au XVIIIᵉ siècle, 1701-1734* (Rome, 1956), J.N. Pappas, *Berthier, Journal de Trévoux and the Philosophers* (*Studies on Voltaire...*, t. III, 1965) et *Études sur la presse : les Mémoires de Trévoux* (Lyon, 1973, 1975, 2 vol.). Les *Nouvelles ecclésiastiques* ont été étudiées par J.C.A. Havinga (*Les* Nouvelles ecclésiastiques *dans leur lutte contre l'esprit philosophique*, Amersfoort, 1925), *L'Année littéraire* l'a été par P. Van Thiegem (L'Année littéraire *(1754-1790) comme intermédiaire en France des littératures étrangères*, Paris, 1917), *La Gazette* par Gilles Feyel, «*La Gazette* à travers ses impressions en province, 1631-1752» (thèse, université de Paris I, 1981). Cyril B. O'Keefe étudie les journaux de critique dans *Contemporary Reactions to the Enlightenment (1728-1762). A Study of Three Critical Journal : the Jesuit* Journal de Trévoux, *the Jansenist* Nouvelles ecclésiastiques *and the Secular* Journal des Savants, Genève, 1974, mais il n'existe aucun travail sur le *Mercure de France*. Signalons l'étude récente d'Olivier Lamblin sur le *Journal ecclésiastique* de l'abbé Dinouart : *Étude du* Journal ecclésiastique (mémoire de DEA, Lille, 1992, dactyl.). On souhaiterait que puissent être analysés de la même manière le *Journal économique* et le *Journal encyclopédique*. La presse provinciale est maintenant mieux connue ; on en a une vue générale grâce à l'excellent article de Gilles Feyel, «La presse provinciale au XVIIIᵉ siècle : géographie d'un réseau» (*Revue historique*, septembre 1985, p. 353-374) et surtout grâce au recueil publié sous la direction de Jean Sgard, *La Presse provinciale au XVIIIᵉ siècle* (Grenoble, 1983). Enfin pour la presse clandestine il faut toujours se reporter à Eugène Hatin, *Les Gazettes de Hollande et la presse clandestine aux XVIIᵉ et XVIIIᵉ siècles* (Paris, 1865).

Il n'existe pas d'étude de synthèse sur l'institution académique. Beaucoup d'ouvrages ont été publiés sur l'Académie française, mais aucun n'est vraiment satisfaisant. Ceux de Lucien Brunel (*Les Philosophes de l'Académie française au XVIIIᵉ siècle*, Paris, 1884) et de Gaston Boissier (*L'Académie française sous l'Ancien Régime*, Paris, 1909) demeurent les plus recommandables malgré leur ancienneté. L'Académie des sciences est mieux partagée ; sa bibliographie comporte au moins trois bons travaux, celui, ancien, de Joseph Bertrand (*L'Académie des sciences et les académiciens de 1665 à 1793*, Paris, 1869) et ceux plus récents de R. Hahn (*The Anatomy of a Scientific Institution : the Paris Academy of Sciences 1666-1803*, University of

California, 1971) et David Sturdy («Les sciences en France sous Louis XVI», *Le Règne de Louis XVI et la guerre d'Indépendance américaine, op. cit.*, p. 215-229; traite surtout de l'organisation financière de l'Académie). Les académies provinciales ont fait l'objet d'une étude d'ensemble, celle de Daniel Roche (*Le Siècle des Lumières en province. Académies et académiciens provinciaux, 1680-1789*, Paris, La Haye, 1978, 2 vol.), mais cet ouvrage est surtout sociologique; une analyse plus approfondie du discours académique serait à faire. Quelques études particulières ont été publiées sur les différentes académies. Signalons celles de Roger Tisserand (*L'Académie de Dijon de 1740 à 1793*, Paris, 1936), de Pierre Barrière (*L'Académie de Bordeaux, centre de culture internationale au XVIIIᵉ siècle [1712-1792]*, Bordeaux-Paris, 1951), de Christian Desplat (*Un milieu socioculturel provincial. L'Académie de Pau au dix-huitième siècle*, Pau, 1971) et de Michel Taillefer (*Une académie interprète des Lumières, l'académie des sciences, inscriptions et belles-lettres de Toulouse au XVIIIᵉ siècle*, Paris, 1984; excellente analyse).

Le sujet des salons est probablement jugé futile; on ne dispose actuellement d'aucune étude de synthèse récente et scientifique. Heureusement, les ouvrages anciens ne sont pas sans mérites; on lira donc avec profit Feuillet de Conches, *Les Salons de conversation au XVIIIᵉ siècle* (Paris, 1882), L. Battifol et A. Hallays, *Les Grands Salons littéraires des XVIIᵉ et XVIIIᵉ siècles* (Paris, 1928), Henriette Tassé, *Les Salons français* (Avignon, 1939), Roger Picard, *Les Salons littéraires et la société française (1617-1789)* (New York, 1943) et surtout la dernière étude en date donnant une vue d'ensemble, celle de Marguerite Glotz et Madeleine Maire, *Salons du XVIIIᵉ siècle* (Paris, 1945). Il existe quelques études sur la vie et la personnalité des hôtesses des salons, mais très rarement sur les salons eux-mêmes. Trois livres sont consacrés à Mme de Tencin: Pierre Maurice Masson, *Une vie de femme au XVIIIᵉ siècle: Mme de Tencin (1682-1749)* (Paris, 1909), Alexandrine de Tencin, Charles de Coynart, *Les Guérin de Tencin (1520-1758)* (Paris, 1911) et René de La Croix de Castries, *La Scandaleuse Madame de Tencin, 1682-1749* (Paris, 1986), mais aucun à son salon, bien qu'il soit question parfois du salon dans ces différents ouvrages. Sur Mme du Deffand et son salon, voir le bon livre de Benedetta Craveri, *Madame du Deffand et son monde* (Paris, 1987), sans négliger de recourir à Antoine Fargeton, *Une famille du XVIIIᵉ siècle à la ville et aux champs: ces dames du Deffand et de Lespinasse, nées Vichy* (Moulins, 1975). Le salon de Mme Geoffrin est étudié par Albert Tornezy, *Un bureau d'esprit au XVIIIᵉ siècle: le salon de Mme Geoffrin* (Paris, 1895) et celui de Mme Dupin par Honoré Bonhomme, «Madame Dupin de Chenonceaux: sa vie, sa famille, son salon, ses amis (1709-1799), d'après des lettres et des documents inédits» (*Revue britannique*, nᵒ 3, 1872, p. 115-188). L'attachante personnalité de Mlle de Lespinasse a été bien analysée par le marquis de Ségur, *Julie de Lespinasse* (Paris, 1906) et par René de La Croix de Castries, *Julie de Lespinasse* (Paris, 1985), sans oublier le Dr Cabanès, *Poitrinaires et grandes amoureuses. Julie de Lespinasse...* (Paris, 1927). Enfin Mme Necker et son salon font l'objet de deux études anciennes et qui ont l'une et l'autre quelque peu vieilli: comte d'Haussonville, *Le Salon de*

Mme Necker (Paris, 1888, 2 vol.) et Gambier-Parry, *Mrs Necker, Her Family, Her Friends* (Édimbourg, 1913).

Pour toute recherche sur la franc-maçonnerie, on consultera les deux dictionnaires publiés sous la direction de Daniel Ligou, le spécialiste accrédité de la question : *Dictionnaire universel de la franc-maçonnerie. Hommes illustres - Pays - Rites - Symboles* (Paris, 2 vol., 1974) et *Dictionnaire de la franc-maçonnerie* (Paris, 1987). L'historique le plus complet a été donné par Pierre Chevallier dans son *Histoire de la franc-maçonnerie française* (t. I, Paris, 1974), mais la lecture de Gaston Martin (*La Franc-Maçonnerie française et la préparation de la Révolution*, Paris, 1926) et de Bernard Faÿ (*La Franc-Maçonnerie et la révolution intellectuelle du XVIIIᵉ siècle*, Paris, 1961) alimentent bien davantage la réflexion. On verra aussi deux publications plus récentes : *La Franc-Maçonnerie française. Textes et pratiques (XVIIIᵉ-XIXᵉ siècle)* présentée par Gérard Gayot (Paris, 1980 ; il y a toujours à prendre dans ce genre d'ouvrage) et *La Franc-Maçonnerie* (*Dix-Huitième Siècle*, numéro spécial, 1987). On tiendra compte également de Ran Halévy, *Les Loges maçonniques dans la France d'Ancien Régime. Aux origines de la sociabilité démocratique* (*Cahiers des Annales*, 1984). Le livre de Janet Mac Kay, comme son titre l'indique (*Sociability, Friendship and the Enlightenment among Women Freemasons in XVIIIth Century France*, thèse, Arizona State University, 1986), porte sur les loges féminines. On a aussi quelques études, mais encore trop peu nombreuses, sur les régions et quelques (trop rares) monographies de loges. Citons, entre autres, le répertoire d'Alain Le Bihan, *Francs-Maçons parisiens du Grand Orient de France, fin du XVIIIᵉ siècle* (Paris, 1966), Gérard Gayot, « Protestants et francs-maçons à Sedan, XVIIIᵉ siècle » (*RHMC*, juillet-septembre 1971, p. 415-430), Jean-Luc Quoy-Bodin, *Étude sociale des loges militaires du Grand Orient de France de 1773 à 1793, principalement en Île-de-France* (thèse dactyl., Paris IV, 1975) et Louis Amiable, *Une loge maçonnique avant 1789. La loge des Neuf Sœurs. Augmenté d'un commentaire et de notes critiques de Charles Porset* (Paris, 1988). L'article de Bruno Blanvillain, « La franc-maçonnerie en Anjou pendant la deuxième moitié du XVIIIᵉ siècle » (*Annales de Bretagne et des pays de l'Ouest*, nº 4, 1985, p. 411-418) peut être utile, ainsi que celui de Johel Coutura, « L'activité d'une loge de Bordeaux entre 1780 et 1782 » (*Dix-Huitième Siècle*, nº 21, 1989, p. 265-276), qui donne quelques indications sur les thèmes de discussion en loge.

On s'est beaucoup intéressé depuis quelque temps à la « culture populaire » sans la définir jamais très précisément. Les bases les plus sûres dans ce domaine sont fournies par les ouvrages de Charles Nisard, *Histoire des livres populaires ou de la littérature de colportage depuis l'origine de l'imprimerie jusqu'à l'établissement de la commission d'examen des livres du colportage* (Paris, 1852, 2 vol.) et Geneviève Bollème, *Les Almanachs populaires aux XVIIᵉ et XVIIIᵉ siècles* (Paris-La Haye, 1969). On peut aussi utiliser Robert Mandrou, *De la culture populaire aux 17ᵉ et 18ᵉ siècles. La bibliothèque bleue de Troyes* (Paris, 1964 ; rapide). Quant aux ouvrages plus récents, le concept de culture populaire y paraît incertain et le support documentaire peu consistant. On se demande si cette « culture populaire» n'est pas une sorte de fourre-tout : voir en particulier Robert Muchembled, *Culture populaire et culture des élites dans la France moderne (XVe-XVIIIe siècle)* (Paris, 1978), Daniel Roche, *Le Peuple de Paris. Essai sur la culture populaire du XVIIIe siècle* (Paris, 1981) et Benoît Garnot, *Le Peuple au siècle des Lumières. Échec d'un dressage culturel* (Paris, 1990).

Sur le sujet de la culture féminine on lira avec profit Suzanne Pillorget, « La femme et la culture durant les Temps modernes» (dans *La Femme à l'époque moderne, XVIe-XVIIIe siècles*, Paris, 1985, p. 73-82).

La question de l'opinion publique a été étudiée par Bernard Faÿ (*Naissance d'un monstre : l'opinion publique*, Paris, 1965) et par Mona Ozouf («Public Opinion at the End of the Old Regime», *Journal of Modern History*, 1988, vol. 60, suppl. au n° 3, p. S 1 à S 21). D'autres travaux seraient nécessaires.

Les lettres

L'*Histoire de la langue française* de Ferdinand Brunot est l'ouvrage capital sur la langue française ; on consultera les tomes II, III et IV (1905, rééd. en 1966). Mais on verra aussi G. Harnois, *Les Théories du langage en France de 1660 à 1821* (Paris, 1933) et J.-P. Seguin, *La Langue française au XVIIIe siècle* (Paris, Bruxelles, Montréal, 1972). Sur le sujet particulier de la grammaire, on lira G. Sahlin, *César Chesneau Du Marsais et son rôle dans l'évolution de la grammaire générale* (Paris, 1928).

Les néologismes et l'interaction de l'idéologie et de la langue sont étudiés par F. Gohin (*Les Transformations de la langue française pendant la deuxième moitié du XVIIIe siècle (1740-1789)*, Paris, 1902), Jean Robert Armogathe («Néologie et idéologie dans la langue française du XVIIIe siècle», *Dix-Huitième Siècle*, n° 5, 1973, p. 17-28) et le *Dictionnaire des usages sociopolitiques (1770-1815)* (Paris, 1988, fasc. 3).

Il existe de nombreuses histoires de la littérature française, mais on s'adressera de préférence à celle publiée sous la direction de Louis Petit de Julleville (*Histoire de la langue et de la littérature françaises*, t. VI : *Dix-Huitième Siècle*, Paris, 1898) et à l'ouvrage excellent de Jacques Vier, *Histoire de la littérature française au XVIIIe siècle* (t. I : *L'Armature intellectuelle et morale*, Paris, 1965 et t. II : *Les Genres littéraires et l'éventail des sciences humaines*, Paris, 1970). Sans négliger pour autant de lire et de relire les *Causeries du lundi* de Sainte-Beuve (Paris, 1857-1872, 15 vol.) et *Le XVIIIe Siècle* d'E. Faguet. Certains travaux de la critique moderne ne sont pas complètement dépourvus d'intérêt, comme par exemple celui publié sous la direction de Béatrice Didier et Jacques Neef et intitulé *Sade, Rétif, Beaumarchais, Laclos. La fin de l'Ancien Régime* (Presses universitaires de Vincennes-Saint-Denis, 1991, «Manuscrits modernes», 203 p.).

Un article intéressant de Robert Darnton porte sur les événements littéraires («The facts of literary life in eighteenth century France», *Mentalità e cultura politica nella svolta del 1789, Studi settecenteschi*, n° 10, 1989, p. 11-51) et l'ouvrage de Paul Bénichou sur la condition et le rôle de l'écrivain : *Le Sacre de l'écrivain, 1750-1830. Essai sur l'avènement d'un pouvoir spirituel laïque dans la France moderne* (Paris, 1973). Plus le siècle avance, plus la littérature semble fascinée par l'Angleterre. L'ouvrage de Joséphine Grieder, *Anglomanie in France 1740-1789. Fact, Fiction and Political Discourse* (Paris, Genève, 1985) donne en appendice une liste chronologique des œuvres littéraires (romans, histoires et nouvelles) relatives aux Anglais.

Le roman est étudié par F. Ch. Green, *La Peinture des mœurs de la bonne société dans le roman français de 1715 à 1761* (Paris, 1924), Georges May, *Le Dilemme du roman. Étude critique sur les rapports du roman et de la critique (1715-1761)* (New-Haven, Paris, 1963), Henri Coulet, *Le Roman jusqu'à la Révolution* (Paris, 1970) et René Demoris, « Les Fêtes galantes chez Watteau et dans le roman contemporain » (*Dix-Huitième Siècle*, 1971, p. 337-357). Bien que la poésie n'ait de poésie que le nom, Robert Sabatier dans *La Poésie au dix-huitième siècle* (Paris, 1975) réussit à éveiller un certain intérêt en sa faveur. Le théâtre est, de tous les genres, le plus étudié. L'introduction de J. Truchet à l'édition de la Pléiade du *Théâtre du xviiie siècle* (Paris, 1972-1974) est une excellente synthèse. Le vieil ouvrage de Léon Fontaine, *Le Théâtre et la philosophie au xviiie siècle* (Paris, 1879) est toujours utilisable. Sur la comédie, voir Victor du Bled, *La Comédie de société au xviiie siècle* (Paris, 1893), Gustave Desnoiresterres, *La Comédie satirique au xviiie siècle* (Paris, 1885) et Guy Boquet, « La comédie italienne sous la Régence : Arlequin poli par Paris (1716-1725) » (*RHMC*, avril-juin 1977, p. 189-214). La comédie vaudeville a été étudiée par Auguste Font, *Favart, l'opéra-comique et la comédie vaudeville aux xviie et xviiie siècles* (Paris, 1894) et le drame par Félix Gaiffe : *Le Drame en France au xviiie siècle* (Paris, 1910). Le genre tragique n'a pas encore trouvé son courageux analyste. Les historiens préfèrent étudier les aspects matériels, économiques, administratifs. L'ouvrage de Germain Bapst, *Essai sur l'histoire du théâtre. La mise en scène, le décor, le costume, l'architecture, l'éclairage, l'hygiène* (Paris, 1893) reste précieux. Sur la Comédie-Française, on verra Jules Bonassies, *La Comédie-Française. Histoire administrative (1658-1757)* (Paris, 1874) et Claude Alasseur, *La Comédie-Française au xviiie siècle. Étude économique* (Paris, 1967) ; sur le théâtre des Tuileries, Albert Babeau, *Le Théâtre des Tuileries sous Louis XIV, Louis XV et Louis XVI* (Paris, 1895), et sur le théâtre de Sceaux, Adolphe Jullien, *Les Grandes Nuits de Sceaux. Le théâtre de la duchesse du Maine* (Paris, 1876). Deux ouvrages plus récents étudient le public du théâtre : celui de John Lough, *Paris Theatre Audiences in the Seventeenth and Eighteenth Century* (Londres, 1957) et celui de Henri Lagrave, *Le Théâtre et son public à Paris de 1715 à 1750* (Paris, 1972). On manque de biographies d'acteurs, et l'on ne peut citer dans ce domaine que l'ouvrage d'Edmond de Goncourt, *Les Actrices du xviiie siècle. Mademoiselle Clairon d'après ses correspondances et les rapports de police du temps* (Paris, 1890), celui d'Edmond et Jules de Goncourt, *Les Actrices du xviiie siècle. Sophie Arnould d'après sa correspondance et ses mémoires inédits* (Paris, 1902), les portraits de Sophie Arnould et de Favart dans A. Houssaye, *Portraits du dix-huitième siècle* (Paris, 1854) et enfin la biographie d'Adrienne Lecouvreur par W. de Spens (*Adrienne Lecouvreur, la tragédienne amoureuse*, Paris, 1958). Pour les autres acteurs et actrices, on se reportera au *Dictionnaire des comédiens-*

français (ceux d'hier). Biographie, bibliographie, iconographie (s.l., 1913, 2 vol.).

Il n'est pas de notre propos, ni d'ailleurs dans l'esprit de cet ouvrage, de dresser la bibliographie particulière de chacun des écrivains français de ce siècle. Rappelons que pour les écrivains philosophes nous avons déjà donné une bibliographie succincte (voir *supra*). Des autres nous ne retiendrons ici que les plus connus, en indiquant pour chacun le ou les travaux qui nous ont paru les plus importants dans les trente dernières années. Nous suivrons l'ordre alphabétique des noms d'écrivains : **Beaumarchais** : *Beaumarchais*, numéro spécial de la *RHLF* (septembre-octobre 1984), Patrice Roussel, *Beaumarchais, le Parisien universel* (Paris, 1983) et René Pomeau, *Beaumarchais ou la bizarre destinée* (Paris, 1987) ; **Cazotte** : Claude Taittinger, *Monsieur Cazotte monte à l'échafaud* (Paris, 1988) ; **André Chénier** : J.M. Gerbault, *André Chénier* (Paris, 1959) et *André Chénier, 1762-1794* (catalogue de l'exposition de la Bibliothèque nationale, 1962) ; **Duclos** : Paul Meister, *Charles Duclos, 1704-1772* (Genève, 1956) ; **Dufresny** : François Moureau, *Un singulier moderne : Dufresny, auteur dramatique et essayiste (1657-1724)* (Lille, 1979) ; **Fontenelle** : Alain Niderst, *Fontenelle à la recherche de lui-même, 1657-1702* (Paris, 1972) ; **Choderlos de Laclos** : Laurent Versini, *Laclos et la tradition. Essai sur les sources et la technique des* Liaisons dangereuses (Paris, 1968) ; **Lesage** : Charles Dédéyan, *A.R. Lesage : Gil Blas* (cours de Sorbonne, Paris, 1956) ; **Marivaux** : Frédéric Deloffre, *Une préciosité nouvelle. Marivaux et le marivaudage* (Paris, 1967) ; **Prévost** : Jean Sgard, *Prévost, romancier* (Paris, 1968) ; Rétif de La Bretonne : Pierre Testud, *Rétif de La Bretonne et la création littéraire* (Lille, 1975) ; **Jean-Baptiste Rousseau** : Henry Gaubbs, *Jean-Baptiste Rousseau ; His Life and Works* (Princeton, 1941) ; **Sade** : Alice M. Laborde, *Le Mariage du marquis de Sade* (Paris, 1988) ; **Bernardin de Saint-Pierre** : Laurent Versini, « Bernardin de Saint-Pierre et Choderlos de Laclos » (*RHLF*, 1989, p. 811-824) ; **Sénac de Meilhan** : Pierre Escoube, *Sénac de Meilhan, 1763-1803. De la France de Louis XVI à l'Europe des émigrés* (Paris, 1984). Enfin, pour les poètes dits « créoles », Parny, Bertin et Léonard, voir Raphaël Barquisseau, *Les Poètes créoles au XVIIIᵉ siècle* (Paris, 1949).

Pour finir sur ce chapitre des lettres, nous citerons quelques travaux relatifs à l'influence des civilisations et des littératures étrangères sur les lettres françaises : A.C. Hunter, *J.A. Suard, un introducteur de la littérature anglaise en France* (Paris, 1925), J. Lux, « Les Anglais dans les comédies françaises du XVIIIᵉ siècle » (*Revue politique et littéraire-Revue bleue*, 27 mai et 10 juin 1911), Albert Lortholary, *Le Mirage russe en France au XVIIIᵉ siècle* (Paris, 1951), Pierre Martino, *L'Orient dans la littérature française du XVIIᵉ au XVIIIᵉ siècle* (Paris, 1906), Olivier H. Bonnerot, *La Perse dans la littérature française du XVIIIᵉ siècle : de l'image au mythe* (Paris, 1988), Henri Cordier, *La Chine en France au XVIIIᵉ siècle* (Paris, 1910) et *Appréciation par l'Europe de la tradition chinoise à partir du XVIIIᵉ siècle* (Paris, 1983).

Les arts

On peut ici commencer par la lecture de *L'Art du XVIIIᵉ siècle* de J. et E. de Goncourt (Paris, 1882, 2 vol.).

L'*Histoire de l'art*, sous la direction d'Albert Châtelet et de Bernard Philippe Groslier (Paris, 1985) est l'une des histoires générales les plus récentes et les plus scientifiques. On verra dans le tome II de cet ouvrage les trois premiers chapitres consacrés à l'art baroque, au rococo et à l'art néoclassique. Comme l'indique son titre, l'ouvrage de W.G. Kalnein et M. Levey, *Art and Architecture of the Eighteenth Century in France* (Pelican History of Art, 1972) concerne l'ensemble des arts du XVIIIᵉ siècle français. Le catalogue de l'exposition *Louis XV : un moment de perfection de l'art français* (hôtel de la Monnaie, Paris, 1974) est une excellente illustration des arts sous le règne de Louis XV. Le mouvement de retour à l'Antiquité a été étudié par Louis Hautecœur (*Rome et la renaissance de l'Antiquité à la fin du XVIIIᵉ siècle*, Paris, 1912) et par Pierre-Georges Pariset (*L'Art néoclassique*, Paris, 1974). L'étude la plus récente sur le mécénat est celle de Sophie Jugie-Pertrac, « Le duc d'Antin, directeur général des Bâtiments du roi (1708-1736) » (*Positions des thèses de l'École des chartes*, 1986, p. 93-100). Les influences philosophiques n'ont guère été analysées : l'article de C.A. Fusil, « Lucrèce et les littérateurs, poètes et artistes du XVIIIᵉ siècle » (*RHLF*, 1930, p. 171-176) est un peu mince pour un sujet aussi vaste.

Sur les styles, nous avons les ouvrages commodes de Claude Frégnac (*Les Styles français de Louis XIII à Napoléon*, Paris, 1975), F. Kimball, *Le Style Louis XV* (Paris, 1949) et Philippe Jullian (*Le Style Louis XVI*, textes de Philippe Jullian, s.d., Paris) et l'article de F. Kimball, « Les influences anglaises dans la formation du style Louis XVI » (*Gazette des Beaux-Arts*, 1931).

Pour une connaissance générale de la peinture, on lira Louis Réau, *Histoire de la peinture française au XVIIIᵉ siècle* (Paris et Bruxelles, 2 vol., 1925 et 1926), Alfred Leroy, *Histoire de la peinture française au XVIIIᵉ siècle (1700-1800). Son évolution et ses maîtres* (Paris, 1934 ; lecture à notre avis plus suggestive que celle de Réau) et A. Châtelet et J. Thuillier, *La Peinture française de Le Nain à Fragonard* (Paris, 1964). L'excellent ouvrage de Jean Locquin, *La Peinture d'histoire en France de 1747 à 1785. Étude sur l'évolution des idées artistiques dans la seconde moitié du XVIIIᵉ siècle* (Paris, 1912) n'a rien perdu de son intérêt, de même que le précieux *Inventaire des tableaux commandés et achetés par la Direction des bâtiments du roi (1709-1792)* (Paris, 1901) dressé par Fernand Engerand. Enfin, pour certains peintres, malheureusement une minorité, on dispose de bonnes monographies ou de catalogues complets de leurs œuvres. Ces peintres sont les suivants : **François Boucher**, Alexandre Ananoff, avec la collaboration de Daniel Wildenstein, *François Boucher* (Lausanne, Paris, 1975, 2 vol.) et *François Boucher, 1703-1770* (catalogue de l'exposition du Grand Palais, 1986-1987) ; **Charles Antoine Coypel**, I. Jamieson, *Charles Antoine Coypel, premier peintre de Louis XV et auteur dramatique (1694-1752)* (Paris, 1930) ; **Chardin** (*Chardin*, Paris, 1963) ; **David**, A. Schnapper, *David, témoin de son temps* (Fribourg, 1980) ; **Hubert Robert**, Jean de Cayeux, *Hubert Robert 1733-1808* (Paris, 1989) ; **Claude Gillot**, Bernard Populus,

Claude Gillot (1673-1722) (Paris, 1930); **Quentin de La Tour**, A. Leroy, *Maurice Quentin de La Tour et la société française au XVIIIe siècle* (Paris, 1953) et A. Besnard et G. Wildenstein, *La Tour* (Paris, 1961); **François Le Moyne**, Jean-Luc Bordeaux, *François Le Moyne and His Generation 1688-1737* (Neuilly, 1984); **Vallayer-Coster**, M. Roland-Michel, *Anne Vallayer-Coster* (Paris, 1970) et **Watteau**, *Tout L'Œuvre peint de Watteau*, introduction par Pierre Rosenberg (Paris, 1982) et *Watteau : 1684-1721* (exposition, Paris, Grand Palais, 1984-1985). Les actes du colloque du Grand Palais de 1984 ont été publiés par François Moureau et Margaret Morgan Grasselli sous le titre suivant : *Antoine Watteau (1684-1721). Le peintre, son temps et sa légende* (Paris-Genève, 1987).

Sur la gravure, on consultera Roger Portalis et Henri Beraldi, *Les Graveurs du XVIIIe siècle* (Paris, 1880-1882, 3 vol.). Le meilleur spécialiste de la sculpture est François Souchal, dont on ne saurait trop recommander l'étude consacrée aux frères **Slodtz** (*Les Slodtz, sculpteurs et décorateurs du roi, 1685-1764* (Paris, 1967) et l'article consacré à **Coustou**, « L'"Apothéose de saint François-Xavier" de Guillaume Coustou (1716-1777) » (*Hommage à J. Adhémar, Gazette des Beaux-Arts*, 1988, p. 43-48). Sur la sculpture religieuse, voir les principaux ouvrages consacrés aux retables, et entre autres V.L. Tapié, J.P. Le Flem et A. Pardailhé-Galabrun, *Retables baroques de Bretagne* (Paris, 1972), Jacques Salbert, *Les Ateliers de retabliers lavallois aux XVIIe et XVIIIe siècles. Étude historique et artistique* (Paris, 1976) et Michèle Ménard, *Une histoire des mentalités religieuses aux XVIIe et XVIIIe siècles. Mille retables de l'ancien diocèse du Mans* (Paris, 1980).

Sur l'architecture, l'ouvrage de base demeure celui de Louis Hautecœur, *Histoire de l'architecture classique en France*, t. III : *La Première Moitié du XVIIIe siècle. Le style Louis XV* (Paris, 1950), t. IV : *Seconde Moitié du XVIIIe siècle (1750-1792)* (Paris, 1952), mais il faut tenir compte des publications postérieures, soit E. Kaufmann, *L'Architecture au siècle des Lumières* (Paris, 1963), C. Norbert-Schulz, *Architecture du baroque tardif et du rococo* (Paris, 1979), A. Braham, *The Architecture of the French Enlightenment* (Londres, 1980), Perouse de Montclos, *L'Architecture à la française, XVIe, XVIIe et XVIIIe siècles* (Paris, 1982) et *Concours de l'Académie royale d'architecture au XVIIIe siècle* (Paris, 1984), et R. Middleton, D. Watkins, *Architecture moderne. Du néoclassicisme au néogothique, 1750-1870* (Paris, 1983). Deux expositions ont illustré le talent de Germain **Boffrand** (voir le *Catalogue de l'exposition Germain Boffrand, 1667-1754, l'aventure d'un architecte indépendant*, organisée à Paris, mairie du IVe arrondissement, Paris, 1986, et celui d'**Alexandre-Théodore Brongniart**, *Alexandre-Théodore Brongniart (1739-1813). Architecture et décor*, musée Carnavalet, 22 avril-13 juillet 1986). **Jacques Ange Gabriel**, l'architecte préféré de Louis XV, a été étudié par Ch. Tadgell (*Jacques Ange Gabriel*, Londres, 1979), par le comte E. de Fels (*Ange-Jacques Gabriel, premier architecte du roi, d'après des documents inédits* (Paris, 1924) et dans *Les Gabriel*, ouvrage collectif présenté par Michel Gallet et Yves Bottineau (Paris, 1982). A **Claude Nicolas Ledoux** sont consacrés deux ouvrages récents : *L'œuvre et les rêves de Claude Nicolas*

Ledoux (Paris, s.d.) et Michel Gallet, *Claude Nicolas Ledoux, 1736-1806* (Paris, 1980).

On verra aussi les études réalisées sur les principaux monuments construits à cette époque. Pour la capitale, on lira Robert Laulan, *L'École militaire de Paris. Le monument, 1751-1788* (Paris, 1951), René Héron de Villefosse, *L'Anti-Versailles ou le Palais royal de Philippe-Égalité* (Paris, 1974) et Pierre Chevallier et Daniel Rabreau, *Le Panthéon* (Paris, 1977). Les publications sur Versailles sont nombreuses ; nous citons ici les principales dans l'ordre chronologique : Pierre de Nolhac, *Le Château de Versailles sous Louis XV* (Paris, 1898) et *Histoire du château de Versailles* (Paris, 1911-1918, 3 vol.), Henri Racinais, *Un Versailles inconnu. Les petits appartements des rois Louis XV et Louis XVI au château de Versailles* (Paris, 1950, 2 vol.), Gérald Van der Kemp, *Le Parc de Versailles* (Versailles, 1967), Alfred et Jeanne Marie, *Versailles au temps de Louis XV* (Paris, 1984), Pierre Verlet, *Le Château de Versailles* (Paris, 1985), *Actes du colloque Versailles* (Versailles, 1985, 2 vol. ; fait le point sur les enquêtes actuelles), Hélène Himelfarb, « Versailles, fonctions et légendes » (dans « Les lieux de mémoire », sous la direction de Pierre Nora, *La Nation*, Paris, 1986 ; c'est l'étude qui dégage le mieux la signification du palais et de la Cour) et Yves Bottineau, *Versailles, miroir des princes* (Paris, 1989 ; l'influence de Versailles). Parmi les nombreuses études sur les autres châteaux royaux, signalons celle du comte de Franqueville sur la Muette (*Le Château de la Muette*, Paris, 1915), celle d'Alfred et Jeanne Marie sur Marly (*Marly*, Paris, 1947) et celle de J.M. Moulin sur Compiègne (*Le Château de Compiègne*, Paris, 1987).

L'ouvrage de P. Lavedan, J. Hugueney et P. Henrat, *L'Urbanisme à l'époque moderne, XVIᵉ-XVIIᵉ-XVIIIᵉ siècles* (Paris, 1982) est une bonne vue d'ensemble. On pourra lire aussi de Jean-Louis Harouel *L'Embellissement des villes. L'urbanisme français au XVIIIᵉ siècle* (Paris, 1993). Sur l'urbanisme nantais, voir Pierre Lelièvre, *L'Urbanisme et l'architecture à Nantes au 18ᵉ siècle* (Nantes, 1942), sur l'urbanisme bourguignon Pierre Bodineau, *L'Urbanisme dans la Bourgogne des Lumières* (Dijon, 1986) et sur l'urbanisme, outre l'ouvrage de Pariset cité *supra*, Christian Taillar, André Kumurdjan, *Bordeaux classique* (Toulouse, 1987). Au travail de Daniel Rabreau, *Le Théâtre et l'embellissement des villes en France au XVIIIᵉ siècle* (thèse dactyl., Paris VI, 1978), il faut maintenant ajouter la thèse récemment soutenue (1992) de Christian Taillar sur Victor Louis (Paris IV). Sur les places et en particulier sur les places royales on verra l'article de Louis Hautecœur, « Les places en France au XVIIIᵉ siècle » (*Gazette des Beaux-Arts*, 1957) et le catalogue de l'exposition *De la place Louis-XV à la place de la Concorde* (17 mai-14 août 1982, musée Carnavalet). Pour toutes ces questions d'urbanisme, on se reportera aussi aux histoires des villes mentionnées plus haut dans la partie de cette bibliographie consacrée à la société.

Sur les jardins, on lira avec profit la préface par Jurgis Baltrusaitis et l'introduction par Monique Mosser du catalogue de l'exposition *Jardins en France, 1760-1820. Pays d'illusion, terre d'expériences* (hôtel de Sully, 1977).

Le spécialiste du mobilier est Pierre Verlet, dont les différents ouvrages couvrent la presque totalité du sujet : *Les Meubles du XVIIIᵉ siècle* (2 vol., Paris, 1956), *Le Mobilier royal français* (2 vol., Paris, 1946 et 1955) et *L'Art du meuble à Paris au XVIIIᵉ siècle* (Paris, 1958, collection « Que sais-je ? », nᵒ 775). On tiendra également compte de la publication plus récente de P. Kjellberg, *Le Mobilier français* (t. I et II, Paris, 1980) et du très bel ouvrage collectif, *Les Ébénistes du XVIIIᵉ siècle français* (Paris, 1963).

Le travail de Guillemette Guillemé-Brulon et Claire Dauguet, *Faïences françaises* (Paris, 1988) est précieux, parce qu'il fait le tour complet des ateliers, des marques et des styles.

Pour l'histoire de la musique, on ne saura se dispenser de lire les pages consacrées au XVIIIᵉ siècle dans *La Musique française* de Norbert Dufourcq (Paris, 1970). Deux autres ouvrages proposent une vue d'ensemble : P. Daval, *La Musique en France au XVIIIᵉ siècle* (Paris, 1961) et Jean Mongrédien, *La Musique en France, des Lumières au romantisme* (Paris, 1985). Certains genres musicaux ont fait l'objet d'études particulières : le concerto (Arthur Hutchings, *The Baroque Concerto*, Londres, 1961), la symphonie (Barrys Brook, *La Symphonie française dans la seconde moitié du XVIIIᵉ siècle*, Paris, 1962, 3 vol. ; ouvrage remarquable), le grand motet (Jean Mongrédien et Yves Ferraton, *Actes du colloque international de musicologie sur le grand motet français [1663-1792]*, Paris, 1986), l'opéra et l'opéra-comique (René Dumesnil, *L'Opéra et l'Opéra-Comique*, Paris, 1947, collection « Que sais-je ? », nᵒ 278, M. Barthélemy, *Métamorphoses de l'opéra français au siècle des Lumières*, Arles, 1990, et Georges Cucuel, *Les Créateurs de l'opéra-comique français*, Paris, 1914) et la chanson (France Vernillat et Jacques Charpentreau, *La Chanson française*, Paris, 1971, collection « Que sais-je ? », nᵒ 1453). La thèse de Sylvette Millot, *Le Violoncelle en France au XVIIIᵉ siècle* (Lille-Paris, 1975, 2 vol.) devrait servir de modèle à des études sur les autres instruments. Parmi les travaux concernant les différents musiciens, signalons G. Favre, *Boieldieu, sa vie, son œuvre* (Paris, 1945, 2 vol.) ; *François Couperin* (*Dix-Septième Siècle*, numéro spécial, nᵒ 82, 1969) ; Marc Pincherle, *J.-M. Leclair, l'Aîné* (Paris, 1952) ; sur Rameau, P.M. Masson, *L'Opéra de Rameau* (Paris, 1930), P. Berthier, *Réflexions sur la vie et l'art de J.-Ph. Rameau* (Paris, 1957), J. Matignon, *Rameau* (Paris, 1961), C.M. Girdlestone, *Jean-Philippe Rameau* (Paris, 1962) et *Jean-Philippe Rameau* (Paris, 1965) et sur Rousseau, Julien Tiersot, *J.-J. Rousseau* (Paris, 1912). Voir aussi l'étude très neuve de J.M. Duhamel, « Les musiciens étrangers en France » (*L'Information historique*, nᵒ 46, 1984, p. 149-158). Enfin, la vie et les institutions musicales ont fait l'objet de plusieurs travaux. On lira en particulier : sur la musique à Versailles, Marcelle Benoît, *Versailles et les musiciens du roi. Étude institutionnelle et sociale, 1661-1733* (Paris, 1971) et Norbert Dufourcq, *La Musique à la cour de Louis XIV et de Louis XV, d'après les mémoires de Sourches et de Luynes (1681-1758)* (Paris, 1978) ; sur le Concert spirituel, C. Pierre, *Histoire du Concert spirituel, 1725-1790* (Paris, 1975) ; sur les différents orchestres et les concerts publics ou privés, Adam Carse, *The Orchestra in the XVIIIth Century* (Cambridge, 1940), Michel Brenet, *Les Concerts en France sous l'Ancien Régime* (Paris, 1900 ; ouvrage de base), Lionel de La Laurencie, *La Vie musicale en province au*

XVIIIe siècle (Paris, 1906) et Georges Cucuel, *La Pouplinière et la musique de chambre au XVIIIe siècle* (Paris, 1913), enfin sur les académies musicales E. Campardon, *L'Académie royale de musique au XVIIIe siècle* (Paris, 1884, 2 vol.) et H. Burton, « Les académies de musique au XVIIIe siècle » (*Revue de musicologie*, décembre 1955, vol. 37, p. 122-147).

III. LES SOURCES ET LES INSTRUMENTS D'ÉTUDE ET DE RECHERCHE

LES SOURCES MANUSCRITES

Aux **Archives nationales** à Paris, les séries et les sous-séries les plus riches pour le XVIIIe siècle sont les suivantes : E (Conseil du roi) à compléter avec V 6 (au total 250 000 pièces pour le seul règne de Louis XV), F 7 (police générale), F 12 (commerce et industrie), F 14 (Ponts et Chaussées), F 17 (instruction publique) [ces quatre dernières sous-séries étant surtout utiles pour dresser l'état de la France à la fin de l'Ancien Régime], G 1 (Ferme générale), G 2 (Régie générale des aides), G 7 (correspondance entre le contrôleur général et les intendants ; malheureusement, les minutes ou copies de lettres du contrôleur général s'arrêtent en 1747), G 8 (agence générale du clergé), G 9 (commissions des réguliers et des secours), H 1 (pays d'états ; fonds qui semble riche et encore peu exploité), H 2 (bureau de la Ville de Paris), H 3 (ancienne université de Paris et collèges de cette université, au total 826 articles où l'on peut encore faire des découvertes), H 5 V (ordres religieux et congrégations d'hommes de Paris), H 5 VI (communautés de femmes de Paris), K (cartons des rois : K 136 à 159 pour Louis XV et K 160 à 164 pour Louis XVI ; par exemple la liasse n° 8 du carton K 163 contient des lettres de Hue de Miromesnil à Louis XVI de 1785 à 1787), KK 1 (comptes royaux), L (monuments ecclésiastiques de Paris : archevêché, cathédrale, paroisses, ordres monastiques), M I (ordres militaires et hospitaliers), M II (universités et collèges), M III (titres nobiliaires), MM II (universités et collèges), O 1 (Maison du roi) et surtout dans cette série O 1 I (secrétariat d'État à la Maison du roi), P (Chambre des comptes), R (papiers des princes) et surtout dans cette série R R 3 (maison de Conty), X 1 A et X 1 B (Parlement [de Paris] civil), X 2 A (Parlement criminel, registres d'arrêts), X 2 B (minutes de procès ; on y trouve des procès divers classés alphabétiquement, par exemple ceux de Beaumarchais, Cartouche, Damiens, du chevalier de La Barre, du duc de La Force et de l'affaire du Collier), Y (Châtelet de Paris et prévôté ; cette série contient entre autres les insinuations au greffe du Châtelet des actes notariés dérogeant à la coutume de Paris, ainsi que le fonds très riche des commissaires au Châtelet) et Z I A (cour des aides de Paris ; cette dernière série ayant beaucoup souffert de l'incendie du palais de justice en 1776).

Aux **archives des départements**, les chercheurs s'intéressant à l'histoire du XVIIIe siècle ont à consulter principalement les séries B (parlements, sénéchaussées, présidiaux, chambres des comptes), C (intendances, bureaux des finances, états provinciaux), E (notaires, seigneuries, familles), E Supplément (registres paroissiaux), G (clergé séculier) et H (clergé régulier). Dans toutes ces séries, mais surtout dans B, C et E, la masse des documents inexploités est encore très abondante. Ne pas oublier que les deux séries révolutionnaires L et Q peuvent apporter des informations utiles.

Les **archives communales** sont maintenant presque partout bien conservées, bien classées, facilement consultables. Les documents concernant l'histoire du XVIIIᵉ siècle sont à rechercher dans les séries AA (correspondance des corps de ville), BB (administration), CC (comptabilité), EE (affaires militaires), FF (justice et police), GG (cultes, assistance et instruction) et HH (commerce et industrie).

Les **archives hospitalières**, très riches en documents de toute nature non seulement sur les institutions, mais encore sur les malades, sur la médecine et sur la pharmacie, sur les instituts religieux hospitaliers, sur les petites écoles d'hôpitaux et sur les pauvres renfermés, sont conservées pour une part dans les dépôts départementaux et communaux, et pour l'autre part dans les hôpitaux eux-mêmes.

On pourra consulter aussi les archives des grands corps savants, celles des instituts religieux et des diocèses, celles des entreprises et celles des particuliers. Parmi les archives des corps savants, le dépôt de l'Académie nationale de médecine se recommande par sa richesse. On peut y consulter entre autres le fonds Vicq d'Azyr (archives de la Société royale de médecine). Quelques instituts religieux ont conservé ou reconstitué leurs archives. C'est le cas en particulier de l'Oratoire et de Saint-Sulpice. Chaque diocèse a ses archives qui sont surtout contemporaines, mais où l'on trouve aussi un nombre non négligeable de documents datant de l'Ancien Régime, entrés après les confiscations révolutionnaires et le plus souvent récupérés dans les presbytères à la mort des curés). Signalons à ce propos que le *Guide des archives diocésaines françaises* de Jacques Gadille date de 1971 et aurait besoin d'une sérieuse remise à jour. Parmi les fonds privés les plus importants d'archives d'entreprises figure celui, remarquablement conservé, de Saint-Gobain. Quant aux archives de particuliers et des familles, si un bon nombre de ces fonds sont déposés dans les archives ou les bibliothèques publiques (par exemple les archives d'Argenson à la bibliothèque universitaire de Poitiers), la plupart se trouvent encore dans des demeures privées. C'est le cas, entre autres, des archives de Serrant, conservées au château de Serrant (Maine-et-Loire). Certains propriétaires ont adopté une solution intermédiaire : gardant leurs papiers chez eux, ils en autorisent le microfilmage par les services des Archives. Malgré les guerres et les destructions révolutionnaires, l'ensemble de ces fonds des particuliers forme une masse énorme, encore mal connue, parfois de leurs propriétaires eux-mêmes, et souvent peu exploitée. L'historien du XVIIIᵉ siècle ne saurait se dispenser d'y recourir, ces fonds étant riches en correspondances, livres de raison et journaux de famille, documents peu nombreux dans les archives publiques. A titre d'exemple, la plus grande partie de la correspondance personnelle connue de Calonne est actuellement conservée chez l'un de ses descendants.

Rappelons enfin que les sources manuscrites ne se trouvent pas seulement dans les archives. Les bibliothèques publiques de Paris (Nationale, Mazarine, l'Arsenal, l'Institut et Sainte-Geneviève) mais aussi celles de province — nous pensons en particulier aux merveilleuses bibliothèques d'Angers, d'Amiens, du musée Calvet à Avignon, de l'Inguimbertine à Carpentras et de Toulouse — contiennent de très abondantes collections de manuscrits, dont la consultation est facilitée par l'*Inventaire des manuscrits des bibliothèques publiques*, instrument de travail précieux, mais qui aurait besoin d'une fréquente remise à jour.

SOURCES IMPRIMÉES. PUBLICATIONS DE DOCUMENTS

Comme il n'est pas possible de donner ici une analyse même succincte de la masse énorme des sources imprimées, nous nous limiterons à quelques informations sur les catégories suivantes : Inventaires et catalogues, Publications de documents, Mémoires du temps, Périodiques, Œuvres complètes des philosophes des Lumières.

Inventaires et catalogues des sources imprimées

On consultera d'abord le *Catalogue de l'histoire de France* publié par la Bibliothèque nationale (1855-1932, 23 vol.). Les cotes des documents datant du XVIIIe siècle commencent par les lettres Lc et Ld.

Plusieurs bibliothèques publiques (par exemple Angers et Narbonne) possèdent des inventaires imprimés de leurs fonds anciens. Il faut cependant savoir que la plupart de ces inventaires datent d'avant 1914, et que beaucoup d'ouvrages sont entrés depuis.

Dans *Le Siècle des Lumières. Bibliographie chronologique* (Genève, 8 vol. publiés, le dernier paru en 1991 et recensant la production de la période 1757-1760), Pierre M. Conlon répertorie par ordre chronologique tous les écrits de toute sorte, imprimés en France au cours du siècle. La *Bibliographie de la littérature française du dix-huitième siècle* d'Alexandre Cioranescu (Paris, 1969, 3 vol.) fait le même travail, mais, comme son nom l'indique, pour les ouvrages à caractère littéraire seulement, et dans l'ordre alphabétique des auteurs.

Publications de documents : collections publiées au XVIIIe ou par la suite

• lois : Imbert, Jourdan, Decrusy et Tallandier, *Recueil général des anciennes lois françaises depuis l'an 420 jusqu'à la Révolution* (Paris, s.d., 28 vol., les tomes 21 à 28 pour le XVIIIe siècle) ;
• cours souveraines : *Remontrances du parlement de Paris au XVIIIe siècle*, publiées par J. Flammermont (Paris, 1888-1898, 3 vol. in-4°, collection des *Documents inédits de l'histoire de France*) et [Dionis du Séjour], *Mémoires pour servir à l'histoire du droit public de la France en matière d'impôts ou Recueil de ce qui s'est passé de plus intéressant à la cour des aides de Paris depuis 1756 jusqu'au mois de juin 1775* (Bruxelles, 1779, in-4°) ;
• jurisprudence : Jean-Baptiste Denisart, *Collection de décisions nouvelles et de notions relatives à la jurisprudence* (Paris, 1754-1756, 6 vol. in-12) ;
• affaires étrangères : Jean Rousset de Missy, *Recueil historique d'actes, négociations, mémoires et traités depuis la paix d'Utrecht jusqu'au second*

congrès de Cambrai (La Haye, 1728-1755, 23 vol. in-12) et la collection des *Instructions aux ambassadeurs et ministres de France depuis les traités de Westphalie jusqu'à la Révolution française*, recueil dont la publication, commencée en 1883 par A. Sorel, continue aujourd'hui ;

• armée : *Les Contrôles de troupes de l'Ancien Régime*, par André Corvisier (Paris, 3 vol., 1968 et 1970) ;

• clergé : *Collection des procès-verbaux des assemblées générales du clergé de France depuis l'année 1560 jusqu'à présent, rédigés par ordre de matières et réduits à ce qu'ils ont d'essentiel : ouvrage composé sous la direction de M. l'évêque de Mâcon, autorisé par les assemblées de 1762 et 1765 et imprimé par ordre du clergé* (Paris, 1767-1778, 8 tomes en 9 vol.) ;

• sciences : *Histoire de l'Académie royale des sciences*, collection des travaux de l'Académie (108 vol. in-4° en 1790) ;

• arts : *Archives de l'art français* (1851, 1860, 1861, 1862) et *Nouvelles Archives de l'art français* (dans cette collection figurent, entre autres, les correspondances du marquis de Marigny et du comte d'Angiviller).

Mémoires du temps

Il existe deux répertoires de mémoires publiés, le premier dans la *Bibliographie de l'histoire de France* de G. Monod (Paris, 1888, p. 343-357), le second dans l'ouvrage de Daniel Mornet, *Les Origines intellectuelles de la Révolution française* (Paris, 1933, p. 505-512). Cette seconde liste compte 310 titres de mémoires, livres de raison et livres-journaux. Une mise à jour serait nécessaire, comme celle publiée en 1989 par A. Fierro sous le titre *Mémoires de la Révolution*. Parmi les études critiques sur la littérature de témoignage, il sera bon de consulter l'ouvrage de Charles Aubertin, *L'Esprit public au XVIIIᵉ siècle. Étude sur les mémoires et les correspondances politiques des contemporains (1715-1789)* et l'article récent d'Arnaud de Maurepas, « L'œil, l'oreille et la plume : la sensibilité testimoniale dans le *Journal* de Barbier (1718-1762) », *Histoire, Économie et Société* (n° 4, 1991).

Périodiques

L'*Almanach royal* donne pour chaque année l'état complet de la France officielle, soit la liste exhaustive des charges de cour, politiques, ecclésiastiques et militaires, avec les noms de leurs titulaires.

On consultera aussi les collections des journaux et gazettes du temps. Celle du *Mercure de France* est particulièrement riche d'informations sur la vie de la Cour et sur les arts et les spectacles.

Œuvres complètes des philosophes des Lumières

La lecture des philosophes des Lumières est indispensable à qui veut acquérir une juste compréhension de ce siècle. Non pas une lecture partielle dans des morceaux choisis selon une sélection souvent très orientée, mais une lecture intégrale. C'est pourquoi nous jugeons utile d'indiquer ici les éditions des œuvres complètes des principaux philosophes.

Diderot apparaît comme le mieux pourvu. Nous avons en effet quatre éditions de ses œuvres complètes :

Œuvres complètes [par Naigeon], Paris, 1798, 15 vol. in-8° ;

Œuvres complètes, Introduction par Jules Assézat, Paris, 1875-1877, 20 vol. in-8° ;

Œuvres complètes. Édition chronologique. Introduction de Roger Lewinter. Édition réalisée par la Société encyclopédique française et P. Dandy, Paris, Le Club français du livre, 1969-1973, 15 vol. ;

Œuvres complètes, Paris, Herman, 1975-1986, 25 vol.

Nous disposons aussi d'une bonne édition critique de la correspondance : Denis Diderot, *Correspondance* (publiée par Georges Roth et Jean Varloot, Paris, 15 vol. 1955-1968).

Voltaire a seulement trois éditions, toutes les trois anciennes :

Œuvres complètes de Voltaire avec des avertissements et des notes par Condorcet, imprimées aux frais de M. de Beaumarchais par les soins de M. Decroix, de l'imprimerie de la Société littéraire typographique, s.l., 1785-1789, 70 vol. in-8° (édition connue sous le nom d'édition de Kehl) ;

Œuvres complètes, édition Beuchot, Paris, 1829-1834, 70 vol. in-8° ;

Œuvres complètes de Voltaire, nouvelle édition conforme pour le texte à l'édition Beuchot, Paris, 1877-1885, 52 vol. in-8°.

Une édition nouvelle serait nécessaire. Il est vrai que nous disposons d'une édition récente et excellente de toute la correspondance : *Correspondance de Voltaire*, éd. Théodore Besterman, Paris, Bibliothèque de la Pléiade, 1977-1988, 12 vol. (21 000 lettres).

Dans les années qui ont suivi immédiatement la mort de Rousseau, les œuvres complètes de ce philosophe ont fait l'objet de plusieurs éditions successives, depuis celle de Londres (1781, 31 vol. in-18°) jusqu'à celle de Bruxelles (1837-1838, 4 vol. gr. in-8°). On utilisera de préférence l'édition récente de la Bibliothèque de la Pléiade (Paris, 1986, 2 vol. in-8°). Nous disposons aussi de la *Correspondance complète de Jean-Jacques Rousseau* (éd. par R.A. Leigh, 50 vol., Genève, puis Oxford, 1965-1991).

Les *Œuvres complètes* d'Helvétius ont été publiées par Didot à Paris, en 1795 (14 vol. in-8°). Il faut y ajouter l'excellente édition critique récente de la correspondance, intitulée *Correspondance générale d'Helvétius* (édition critique préparée par Peter Allan, Alan Denard, Marie-Thérèse Inguenaund, Jean Orsoni et David Smith, University of Toronto Press, Toronto et Buffalo, The Voltaire Foundation, Oxford, 3 vol., 1981, 1984 et 1991).

Signalons aussi les *Œuvres complètes* de Fontenelle (3 vol.) dans le « Corpus des œuvres de philosophie en langue française » aux éditions Fayard, et *Les Œuvres philosophiques* de La Mettrie dans le même *Corpus* (1987, 2 vol.).

Il n'existe à notre connaissance aucune édition des œuvres complètes de d'Holbach.

DICTIONNAIRES ET OUVRAGES DE RÉFÉRENCE

La liste qui suit n'est pas exhaustive, mais on peut la considérer comme le fonds minimum de la bibliothèque idéale. Il s'agit en effet des livres que tout historien du XVIIIe siècle devrait toujours avoir à portée de la main et que toutes les bibliothèques, et à plus forte raison celles des universités, devraient toujours présenter en accès libre aux professeurs et aux étudiants.

Dictionnaires

Dictionnaires encyclopédiques :
   Encyclopédie ou Dictionnaire raisonné des sciences, des arts et des métiers de Diderot et d'Alembert (Paris, 1751-1772, 17 vol. in-f°, 11 vol. de planches, 5 vol. de supplément et une table analytique en 2 vol.);
   Encyclopédie méthodique de Charles Panckoucke (Paris, 1791-1832, 126 vol. in-4°, 40 vol. de planches et de cartes);
   Chenaye (F.C.) et collaborateurs, *Le Grand Vocabulaire françois...* (Paris, 1767).

Dictionnaires historiques et géographiques :
   Claude Marin Saugrain, *Dictionnaire universel de la France ancienne et moderne et de la Nouvelle-France... dans lequel on trouvera sur chaque lieu le nombre des habitants, leurs mœurs, coutumes et négoces particuliers...* (Paris, Saugrain l'aîné, 3 vol. in-f°, 1726);
   abbé Jean-Joseph d'Expilly, *Dictionnaire géographique, historique et politique des Gaules et de la France* (Paris, 1762-1770, 6 vol. in-f° [incomplet, le septième volume n'ayant jamais paru, faute de financement]);
   abbé Louis Moréri, *Le Grand Dictionnaire historique, ou le mélange curieux de l'histoire sacrée et profane* (Lyon, 1674). Vingt éditions furent données de cet ouvrage. La meilleure est la vingtième et dernière (Paris, 1759, 10 vol. in-f°, et 3 vol. de supplément).

Cartes :
   « Les diocèses de France des origines à la Révolution, d'après les travaux de dom Dubois» (*Annales ESC*, 1965, n° 4, p. 680);
   G. Arbellot, J.-P. Goubert, Y. Palazot et J. Mallet, *Carte des généralités, subdélégations et élections en France à la veille de la Révolution de 1789* (Paris, 1986).

Dictionnaires de droit et des institutions :
   Durand de Maillane, *Dictionnaire de droit canonique et de pratique bénéficiale...* (Lyon, 1770, 4 vol. in-4°);
   J.N. Guyot, *Répertoire universel et raisonné de jurisprudence civile, criminelle, canonique et bénéficiale* (Paris, 1784-1785, 17 vol. in-4°, réédité par Merlin en 1807 et 1827);
   Edme de La Poix de Fréminville, *Dictionnaire ou traité de la police générale des villes, bourgs, paroisses et seigneuries de la campagne* (Paris, 1758, 588 p.).

Dictionnaire d'économie :
Jacques Savary des Bruslons, *Dictionnaire universel de commerce* (2 vol. in-f°, Paris, 1723 et 1 vol. de supplément en 1730).

Dictionnaires de religion :
Charles-Louis Richard, *Dictionnaire universel des sciences ecclésiastiques* (1760, 6 vol. in-f°);
Dictionnaire de théologie catholique..., fondé par A. Vacant et E. Mangenot (Paris, 1903-1950, 15 tomes en 30 vol. in-4°);
Dictionnaire d'histoire et de géographie ecclésiastiques, fondé par Mgr Baudrillart en 1902 (n'est pas encore achevé).

Dictionnaires de la langue et de la littérature :
Dictionnaire universel français et latin (appelé «Dictionnaire de Trévoux», Trévoux, 6 vol. in-f°, 1721 et 1 vol. de supplément en 1752);
Dictionnaire de l'Académie française (dans ses éditions successives de 1718, 1740, 1762 et 1778, 2 vol. in-4°);
Dictionnaire des lettres françaises publié sous la direction du cardinal Grente (*Le Dix-Huitième Siècle*, Paris, 1960, 2 vol.).

Ouvrages de référence

• noblesse : Henri Jougla de Morenas, *Grand Armorial de France. Catalogue général des armoiries des familles nobles de France* (Paris, 1934-1949, 6 vol. in-f°);
• armée : *Chronologie historique militaire* (Paris, 1760-1778, 8 vol. in-4°, excellent recueil biographique sur les officiers généraux);
• religion : *Gallia christiana in provincias ecclesiasticas distributa... opera et studio Dionysii Sammarthani presbyteri et monachi ordinis sancti Benedicti e congregatione Sancti Mauri nec non monachorum ejusdem congregationis* (Paris, 1715-1785, 13 vol. in-f° et t. 14, 15 et 16 publiés de 1856 à 1870);
le P. Hippolyte Hélyot, *Histoire des ordres monastiques, religieux et militaires de l'un et l'autre sexe qui ont été établis jusqu'à présent...* (Paris, 1714-1719, 8 vol. in-4°);
Achille Peigné-Delacourt, *Tableau des abbayes et monastères d'hommes en France à l'époque de l'édit de 1768 relatif à l'assemblée générale du clergé. Liste des abbayes royales de filles* (Arras, 1875, in-4°);
• institutions : Claude Pocquet de Livonnière, *Règles du droit français* (Paris, 5e édition, 1766, in-12);
Claude Fleury, *Institution au droit ecclésiastique de France* (Paris, 1767, in-12; la première édition de ce traité date de 1677);
Traité historique et chronologique du sacre et couronnement des rois et des reines de France depuis Clovis Ier jusqu'à présent (...) (par Mr Menin, conseiller au parlement de Metz, Paris, 1723, in-12).

BIBLIOGRAPHIES

Il n'existe qu'une seule bibliographie générale du XVIIIᵉ siècle, celle de Charles du Peloux, intitulée *Répertoire général des ouvrages modernes relatifs au dix-huitième siècle français (1715-1789)* (Paris, 1926, et supplément, 1927). L'ancienneté relative de cet ouvrage et ses lacunes obligent à recourir aux bibliographies de l'histoire de France. Ces bibliographies sont les suivantes :

Bibliographie de l'histoire de France, catalogue méthodique et chronologique des sources et des ouvrages relatifs à l'histoire de France depuis les origines jusqu'en 1789, par G. Monod, Paris, 1888, 1 vol. ;

Bibliographie des travaux publiés de 1866 à 1897 sur l'histoire de la France de 1500 à 1789 par E. Saulnier... et A. Martin, Paris, 2 vol., publications de la Société d'histoire moderne : 1 - 1932, 2/1 - 1936, 2/2 - 1938 ;

Répertoire méthodique de l'histoire moderne et contemporaine de la France pour l'année 1898, rédigé sous la direction de G. Brière et P. Caron et publié par la *Revue d'histoire moderne et contemporaine*, Paris, 1899 ;

Bibliographie annuelle de l'histoire de France (par Caron, Saulnier, Martin), publication annuelle parue de 1898 à 1913, avec une interruption de 1907 à 1909 ;

P. Caron et H. Stein, *Répertoire bibliographique de l'histoire de France*, publication annuelle parue de 1923 à 1938, recensant les travaux parus de 1920 à 1931 ;

Bibliographie annuelle de l'histoire de France du Vᵉ siècle à 1939, par Colette Albert (un volume chaque année depuis 1956 ; l'année 1953 est la première dont la production ait été recensée).

La comparaison des dates montre qu'une partie de la production historique des XIXᵉ et XXᵉ siècles, plus précisément celle des années 1907-1909, 1914-1919 et 1932-1952, n'a fait l'objet d'aucun recensement. Il sera donc nécessaire, pour combler ces lacunes, de consulter les fichiers des bibliothèques ainsi que les bibliographies des grands manuels concernant le XVIIIᵉ siècle (par exemple celui de Préclin et Tapié). L'ouvrage récent d'Yves Durand, *La Société française au 18ᵉ siècle* (Paris, 1992), est en fait une bibliographie à l'usage des étudiants préparant les concours de recrutement de l'enseignement secondaire.

Outre les bibliographies de l'histoire de France, il conviendra de consulter certaines bibliographies spécialisées dans certains domaines de l'histoire ou dans des disciplines autres que l'histoire : pour l'histoire de la noblesse, G. Saffroy, *Bibliographie généalogique, héraldique et nobiliaire de la France* (Paris, 1968, 2 vol. in-4°) ; pour l'histoire des villes, Ph. Dollinger et Ph. Wolff, *Bibliographie d'histoire des villes de France* (Paris, 1967) ; pour la littérature, René Rancœur, *Bibliographie de la littérature française : 16ᵉ-20ᵉ siècle* (publication annuelle, dont la parution a commencé en 1953 sous le titre de *Bibliographie littéraire de la France*) et Alexandre Cioranescu, *Bibliographie de la littérature française du dix-huitième siècle* (Paris, 1969, 3 vol.) ; pour l'histoire de l'art, le *Répertoire d'art et d'archéologie (de l'époque paléochrétienne à 1939)*, publié sous la direction du Comité français d'histoire de l'art, CNRS (4 numéros par an, classement par période). Enfin, pour la philosophie, voir la *Bibliographie de la philosophie*, bulletin trimestriel publié par l'Institut international de philosophie (paraît depuis 1937).

Il existe des bibliographies des travaux concernant les plus importants des philosophes des «Lumières». Ce sont pour Voltaire, Mary-Margaret H. Barr, *Quarante Années d'études voltairiennes. Bibliographie analytique des livres et articles internationale 1926-1965* (Paris, 1968); pour Diderot, Frederick A. Spear, *Bibliographie de Diderot. Répertoire analytique international* (2 vol., 1980 et 1988; dépouillement jusqu'en 1986 inclus); pour Rousseau, Jo, Ann, E. Mc Eachern, *Bibliography of the Writings of Jean-Jacques Rousseau to 1800* (2 vol., Oxford; deuxième volume publié en 1989 et concernant l'*Émile*).

ORGANISATION DE LA RECHERCHE

Il existe plusieurs sociétés savantes spécialisées dans l'étude du XVIIIᵉ siècle. Citons entre autres la Société française d'étude du XVIIIᵉ siècle, la Société Jean-Jacques Rousseau, la Société internationale d'étude du dix-huitième siècle (The international Society for eighteenth century) fondée en 1967, organisatrice des «Congrès des Lumières», et la Società italiana di studi sul secolo XVIII. En France, trois centres de recherche contribuent également au progrès des études: le Centre d'études du XVIIIᵉ siècle (université de Lyon II), le Centre aixois d'études et de recherches sur le XVIIIᵉ siècle (CAER), organisateur depuis 1977 de plusieurs colloques internationaux, et le Centre de recherches sur l'Europe du XVIIIᵉ siècle (université d'Angers). Enfin les principales publications périodiques spécialisées françaises et étrangères sont les suivantes :

Dix-Huitième Siècle, revue annuelle publiée par la Société française d'étude du XVIIIᵉ siècle (cf. *supra*; depuis 1969);

Bulletin de la Société française d'étude du XVIIIᵉ siècle (trimestriel);

Annales de la Société Jean-Jacques Rousseau;

Studies on Voltaire and the Eighteenth Century, travaux publiés par The Voltaire Foundation (286 volumes parus en 1991);

Studi settecenteschi (Pavie);

Wolfenbütteler Studien zu Aufklärung (Wolfenbüttel);

The Eighteenth Century. Theory and Interpretation (Lubbock);

Eighteenth-Century Studies (Philadelphie);

Eighteenth-Century Life (Baltimore).

Il faut noter que la plupart de ces sociétés, centres de recherches et publications périodiques sont principalement tournés vers la littérature et que les problématiques de la philosophie et de l'histoire leur demeurent trop souvent étrangères.

II. Références bibliographiques :
Le monde au XVIIIᵉ siècle

GÉNÉRALITÉS

R. Mousnier, E. Labrousse et M. Bouloiseau, *Le XVIIIᵉ Siècle. Histoire générale des civilisations*, t. V, Paris, 1953 ;
The Old Regime 1713-1763, vol. VII de la *New Cambridge Modern History*, 1957 ;
The American and French Revolution 1763-1799, vol. VIII de la *New Cambridge Modern History*, 1965.

L'EUROPE

LES RELATIONS INTERNATIONALES

G. Zeller, *Les Temps modernes, II : De Louis XIV à 1789*, dans la collection « Histoire des relations internationales », publiée sous la direction de P. Renouvin, Paris, 1955.
L. Bély, *Les Relations internationales en Europe, XVIIᵉ-XVIIIᵉ siècle*, Paris, 1992.
M.S. Anderson, « Eighteenth-Century Theories of the Balance of Power », *Studies in Diplomatic History*, Londres, 1970, p. 183-198.
D.B. Horn, *Great Britain and Europe in the Eighteenth Century*, Oxford, 1967.
H.H. Kaplan, *The First Partition of the Poland*, New York, 1962.
C. Duffy, *The Army of Frederick the Great*, New York, 1974.
R. Waddigton, *La Guerre de Sept Ans, histoire diplomatique et militaire*, Paris, 1889.

LES RÉGIMES POLITIQUES ; LA VIE POLITIQUE

F. Bluche, *Le Despotisme éclairé*, Paris, 1970.
F. Valsecchi, *L'Assolutismo illuminato in Austria e in Lombardia*, Bologne, 1931-1933, 2 vol.
P. Gaxotte, *Frédéric II*, rééd., Paris, 1973.

G. Desdevises du Dezert, *Les Institutions de l'Espagne au XVIIIe siècle*, Paris, 1927.

V.L. Tapié, *L'Europe de Marie-Thérèse. Du baroque aux Lumières*, Paris, 1973.

I. de Madariaga, *Russia in the Age of Catherine the Great*, New Haven, Londres, 1981.

J.F. Noël, *Le Saint Empire*, Paris, 1976.

Cl. Nordmann, *Gustave III. Un démocrate couronné*, Lille, 1986.

M.M. Martinet et B. Cottret, *Partis et Factions dans l'Angleterre du premier XVIIIe siècle*, Paris, 1987, rééd. 1990.

LA CIVILISATION

Outre les ouvrages généraux cités plus haut :

E. Préclin et E. Jarry, *Les Luttes politiques et doctrinales aux XVIIe et XVIIIe siècles*, dans *Histoire de l'Église* fondée par A. Fliche et V. Martin, t. XIX, 2 vol., Paris, 1955 et 1956.

B. Cottret, *Le Christ des Lumières. Jésus de Newton à Voltaire, 1660-1760*, Paris, 1990 ;

J. Delumeau, *L'Italie de Botticelli à Bonaparte*, Paris, 1974.

Johnson's England. An Account of Life and Manners of His Age, édité par A.S. Tuberville, 2 vol., Oxford, 1933, rééd. en 1965 et en 1967.

J.F. Labie, *George Frédéric Haendel*, Paris, 1981.

J.V. Hocquard, *La Pensée musicale de Mozart*, Paris, 1958.

POPULATION, ÉCONOMIE, SOCIÉTÉ

R. Mols, *Introduction à la démographie historique des villes d'Europe du XIVe au XVIIIe siècle*, Louvain, 1955.

Population in History. Essays in Historical Demography, édité par D.V. Glass and Dec Eversley, Londres, 1965.

P. Léon, *Économies et sociétés préindustrielles*, t. II : *1650-1780*, Paris, 1970.

E. Pawson, *The Early Industrial Revolution. Britain in the Eighteenth Century*, Londres, 1979.

M. Augé-Laribé, *La Révolution agricole*, Paris, 1955.

LES MONDES EXTRA-EUROPÉENS

Outre les ouvrages généraux cités plus haut :

A. Miquel, *L'Islam et sa civilisation, VIIe-XXe siècle*, Paris, 1968.

J. Gernet, *Le Monde chinois*, Paris, 1972.

P.E. Will, *Bureaucratie et famine en Chine au XVIIIe siècle*, Paris, 1980.

S. Ienaga, *History of Japan*, Tokyo, 1953.

F. Mauro, *Le Brésil du XVe siècle à la fin du XVIIIe siècle*, Paris, 1977.

A. Kaspi, *Révolution ou guerre d'indépendance ? La naissance des États-Unis*, Paris, 1972.

ABOUCAYA Claude, *Les Intendants de marine sous l'Ancien Régime. Contribution à l'étude du département du port et de l'arsenal de Toulon*, Gap, 1958.

ACERRA Martine, *Rochefort et la construction navale française (1661-1815)*, Paris, Librairie de l'Inde, 1993, 4 vol.

ACERRA Martine, Merino José et Meyer Jean, *Les Marines de guerre européennes, XVIIᵉ-XVIIIᵉ siècle*, Paris, Presses universitaires Paris-Sorbonne, 1985.

Actes du colloque Versailles, Versailles 1985, 2 vol.

ADAM Antoine, *Le Mouvement philosophique dans la première moitié du XVIIIᵉ siècle*, Paris, Sedes, 1967.

ADAMS Geoffrey, *The Huguenots and French Opinion 1685-1787. The Enlightenment Debate on Toleration*, Laurier University Press, 1991.

ADHER Jean, *Les Confréries de pénitents avant 1789*, Toulouse, 1897.

AFANASSIEV G., *Le Commerce des céréales en France au XVIIIᵉ siècle*, Paris, 1894.

AGUESSEAU Henri-François d', *Fragments sur l'origine et l'usage des remontrances*, dans *Œuvres*, t. X, Paris, 1779-1789, 13 vol.

—, *Mémoire sur le bref par lequel le pape a condamné le Cas de conscience*, dans *Œuvres*, t. VIII, Paris, 1779-1789, 13 vol.

AGULHON Maurice, *Pénitents et Francs-Maçons dans l'ancienne Provence*, Paris, Fayard, 1968.

AIRIAU Jean, *L'Opposition aux physiocrates à la fin de l'Ancien Régime. Aspects économiques et politiques d'un libéralisme éclectique*, Paris, 1965.

ALASSEUR Claude, *La Comédie française au XVIIIᵉ siècle. Étude économique*, Paris, École des hautes études en sciences sociales, 1967.

ALATRI Paolo, «Parlements et lutte politique en France au XVIIIᵉ siècle»,

Transactions of the IVth international Congress on the Enlightenment, Yale, 1976, t. I, p. 77-108.

ALBERTAN-COPPOLA Sylviane, « L'apologétique catholique française à l'âge des Lumières », *Revue d'histoire des religions*, 1988, p. 151-180.

ALLAIN (abbé), *L'Instruction primaire en France avant la Révolution d'après les travaux récents et des documents inédits*, Paris, 1881.

ALONSO-PEREZ Matilde, *Le Commerce franco-espagnol en Méditerranée (1780-1806)*, thèse, Lille, université de Lille, 1987.

ALTHUSSER Louis, *Montesquieu. La Politique et l'histoire*, Paris, PUF, 1959.

AMIABLE Louis, *Une loge maçonnique avant 1789. La loge des Neuf Sœurs*, augmenté d'un commentaire et de notes critiques de Charles Porset, Paris, Édimag, 1989.

ANANOFF Alexandre et WILDENSTEIN Daniel, *François Boucher*, Lausanne-Paris, La Bibliothèque des arts, 1975, 2 vol.

ANDERSON M.S., « Eighteenth Century Theories of the Balance of Power », *Studies in Diplomatic History*, Londres, 1970, p. 183-198.

ANDOYER H., *L'Œuvre scientifique de Laplace*, Paris, 1902.

ANDRIEUX Jean-Yves, *Forges et hauts fourneaux de Bretagne, du XVIIe au XIXe siècle*, Saint-Herblain, éd. Cid, 1987.

ANTOINE Louis, *Deux Spirituels au siècle des lumières : Ambroise de Lombez, Philippe de Madian*, Paris, Lethielleux, 1975.

Antoine Michel, « Les bâtards de Louis XV », *La Revue des Deux Mondes*, 1er août 1961, p. 452-464

—, *Le Conseil du roi sous le règne de Louis XV*, Paris-Genève, Droz, 1970.

—, *Le Dur Métier de roi*, Paris, PUF, 1986.

—, *Le Gouvernement et l'administration sous Louis XV. Dictionnaire biographique : 1717-1774*, Paris, CNRS, 1979.

—, *Louis XV*, Paris, Fayard, 1989.

ANTOINE Michel et OZANAM Didier, *Correspondance secrète du comte de Broglie avec Louis XV (1756-1774)*, Paris, 1956.

ANTONETTI Guy, « Étienne-Gabriel Morelly : l'écrivain et ses protecteurs », *RHLF*, janvier-février 1984, p. 19-53.

—, *Une maison de banque à Paris au XVIIIe siècle, Greffulhe-Montz et Cie (1789-1793)*, Paris, Cujas, 1963.

APPOLIS Émile, « Les états de Languedoc au XVIIIe siècle », dans *L'Organisation corporative du Moyen Âge à la fin de l'Ancien Régime*, Paris, 1937, p. 131-148.

ARAGON P., « L'enfant délaissé au siècle des Lumières », *Histoire, Économie et Société*, 1987, n° 3, p. 397 et suiv.

ARBOIS de Jubainville H., *L'Administration des intendants d'après les archives de l'Aube*, Paris, 1880.

ARC (chevalier d'), *La Noblesse militaire, ou le Patriote français*, 1756.

ARDASCHEFF P., *Les Intendants de province sous Louis XVI*, 1909.

ARDOUIN Paul (abbé), *La Bulle Unigenitus dans les diocèses d'Aix, Arles, Marseille, Fréjus, Toulon*, Marseille, 1936, 2 vol.

ARGENSON René Louis de Voyer (marquis d'), *La France au milieu du XVIIIe siècle (1747-1757)*, d'après les *Mémoires et journal inédit*, extraits publiés, avec notice bibliographique, par Armand Brette et précédés d'une introduction par Edme Champion, Paris, 1898.

ARIÈS Philippe, *L'Enfant et la vie familiale sous l'Ancien Régime*, Paris, Seuil, 1973.

ARMAILLÉ (comtesse d'), *La Reine Marie Leszczynska*, Paris, 1901.

ARMENGAUD André, *La Famille et l'enfant en France et en Angleterre du XVIe au XVIIIe siècle. Aspects démographiques*, Paris, SEDES, 1975.

ARMOGATHE Jean Robert, « Néologie et idéologie dans la langue française du XVIIIe siècle », *Dix-Huitième Siècle*, n° 5, 1973, p. 17-28.

ARNAUD Claude, *Chamfort*, Paris, Laffont, 1988.

ARNAUD-DUC N., « L'entretien des enfants abandonnés en Provence sous l'Ancien Régime », *RHD*, 1969, p. 29-66.

ASHTON T.S., *La Révolution industrielle (1760-1830)*. Trad. franç., 1955.

AUBERTIN Charles, *L'Esprit public au XVIIIe siècle. Étude sur les Mémoires et les correspondances politiques des contemporains (1715-1789)*, Paris, Slatkine, 1968 ; reprod. en fac-similé de l'édition de Paris, 1873.

AUBRY Gérard, *La Jurisprudence criminelle du Châtelet de Paris sous le règne de Louis XVI*, Paris, LGDJ, 1971.

AUGÉ-LARIBÉ M., *La Révolution agricole*, Paris, 1955.

AZIMI Vida, « La discipline administrative sous l'Ancien Régime », *RHD*, 1987, p. 45-71.

—, *Un modèle administratif de l'Ancien Régime. Les commis de la ferme générale et de la régie générale des aides*, Paris, CNRS, 1987.

BABEAU Albert, *Les Artisans et les domestiques d'autrefois*, Paris, 1886.

—, *Les Assemblées générales des communautés d'habitants en France du XIIIe siècle à la Révolution*, Paris, 1893.

—, *Le Théâtre des Tuileries sous Louis XIV, Louis XV et Louis XVI*, Paris, 1895.

—, *Un village sous l'Ancien Régime*, Paris, 1882.

—, *La Vie militaire sous l'Ancien Régime*, Paris, 1880.

BACHAUMONT Louis, *Mémoires historiques et littéraires*, bibliothèque des Mémoires, 1885.

BACHELIER A., *Essai sur l'Oratoire à Nantes aux XVIIe et XVIIIe siècles*, Paris, 1934.

BACZKO Bronislaw, *Rousseau, solitude et communauté*, Paris, École des hautes études en sciences sociales, 1974.

BADINTER Robert, *Condorcet : un intellectuel en politique, 1743-1794*, Paris, Fayard, 1989.

BAEHREL René, *La Basse-Provence rurale de la fin du XVIe siècle à 1789 :*

une croissance, Paris, École des hautes études des sciences sociales, 1961 ; réimpr., 1988, 2 vol.

BAGUENAULT DE PUCHESSE, *Condillac. Sa vie, sa philosophie, son influence*, Paris, 1910.

BAIROCH Paul, « L'économie française dans le contexte européen à la fin du XVIIIe siècle », *Revue économique*, 1989, p. 939-964.

—, « Population urbaine et taille des villes en Europe de 1600 à 1970. Présentation de séries statistiques », *Revue d'histoire économique et sociale*, 1976, p. 304-335.

BALCOU Jean, *Fréron contre les philosophes*, Genève, Droz, 1975.

BALLOT Charles, *L'Introduction du machinisme dans l'industrie française*, Paris, Slatkine, 1978 ; reprod. en fac-similé de l'édition de Paris, 1923.

—, « La révolution technique et le début de la grande exploitation dans la métallurgie française. L'introduction de la fonte au coke en France et la fondation du Creusot », *Revue d'histoire des doctrines économiques et sociales*, 1912, p. 28-62.

BAPST Germain, *Essai sur l'histoire du théâtre. La Mise en scène, le décor, le costume, l'architecture, l'éclairage, l'hygiène*, Paris, 1893.

BARBIER A., *Les Intendants de Poitou*, t. VII : *Mémoires de la Société des antiquaires de l'Ouest*, 1884.

BARBIER Edmond, *Journal historique et anecdotique de la Régence et du règne de Louis XV*, Paris, 1866, t. I.

BARDET Jean-Pierre, « Enfants abandonnés et enfants assistés à Rouen dans la deuxième moitié du XVIIIe siècle », dans *Hommage à Marcel Reinhard*, 1973, p. 19-47.

—, *Rouen aux XVIIe et XVIIIe siècles. Les Mutations d'un espace social*, Paris, SEDES, 1983, 2 vol.

BARDET Marie-Claude, « La pratique testamentaire à Civray (haut Poitou) de 1776 à 1805 », *Pratiques religieuses, mentalités, spiritualités, colloque de Chantilly, 1986*, 1988, p. 175-182.

BARDEZ Jean-Michel, *Diderot et la musique : valeur de la contribution d'un mélomane*, Paris, Champion, 1975.

BARIÉTY Maurice et COURY Charles, *Histoire de la médecine*, Paris, PUF, 1963.

BARQUISSEAU Raphaël, *Les Poètes créoles au XVIIIe siècle*, Paris, 1949.

BARR Mary-Margaret H., *Quarante Années d'études voltairiennes. Bibliographie analytique des livres et articles internationaux 1926-1965*, Paris, 1968.

BARRIÈRE Pierre, *L'Académie de Bordeaux, centre de culture internationale au XVIIIe siècle (1712-1792)*, Bordeaux-Paris, éd. Bière, 1951.

—, *Un grand provincial, Charles Louis de Secondat, baron de La Brède et de Montesquieu*, Bordeaux, 1946.

—, *La Vie intellectuelle en France du XVIe siècle à l'époque contemporaine*, Paris, Albin Michel, 1961.

BARTHÉLEMY Maurice, *Métamorphoses de l'opéra français au siècle des Lumières*, Arles, Actes Sud, 1990.

BARZUN J., *The French Race : Theories of its Origin and their Social and Political Implication Prior the Revolution*, New York, Londres, 1932.

BASTIER Jean, « L'affaire Sirven devant la justice seigneuriale de Mazamet », *RHD*, 1971, p. 601-611.

—, *La Féodalité au siècle des Lumières dans la région de Toulouse (1730-1790)*, Paris, Bibliothèque nationale, 1975.

BATAILLON Jacques Henri, *Les Justices seigneuriales du bailliage de Pontoise à la fin de l'Ancien Régime*, Paris, 1942.

BATTIFOL L. et HALLAYS A., *Les Grands Salons littéraires des XVIIᵉ et XVIIIᵉ siècles*, Paris, 1928.

BAUDRILLART Henri, *Histoire du luxe privé et public depuis l'Antiquité jusqu'à nos jours*, t. IV : *Le Luxe dans les temps modernes*, Paris, 1880.

BAUDRILLART Mgr, *Dictionnaire d'histoire et de géographie ecclésiastique*, 1902.

BAYARD F. et GUIGNET Ph., *L'Économie française aux XVIᵉ, XVIIᵉ, et XVIIIᵉ siècles*, Paris-Gap, 1992.

BAYON-TOLLET Jacqueline, *Structures sociales d'une ville du haut Languedoc à la fin du XVIIIᵉ siècle, le Puy en Velay*, actes du 98ᵉ congrès national des Sociétés savantes, Saint-Étienne, 1973, section histoire moderne, 1975, nᵒ 2, p. 73-103.

BAZILE-HUMBERT, *Buffon, sa famille, ses collaborateurs et ses familiers*, Paris, 1863.

BEAUME Henri, *Voltaire au collège, sa famille, ses études, ses premiers amis. Lettres et documents inédits*, Paris, 1967.

BÉCHU Philippe, *Les Demeures parisiennes du marquis d'Armaillé. Étude sur la noblesse provinciale à Paris au XVIIIᵉ siècle*, mémoire de DEA, université de Lille-III, 1991.

—, « Noblesse d'épée et tradition militaire au XVIIIᵉ siècle », *Histoire, économie et société*, 1983, p. 507-548.

BEHRENS C.B.A., *Society, Government and the Enlightenment : the Experience of Eighteenth Century France and Prussia*, New York, 1985.

BELIN Jean-Paul, *Le Commerce des livres prohibés à Paris de 1750 à 1789*, thèse complémentaire pour le doctorat ès lettres, Paris, Lenox, 1913.

BELLAVAL Y., *Histoire de la philosophie*, t. II : *De la renaissance à la révolution kantienne*, Paris, Gallimard, 1973.

BELLÉE Armand, *Recherches sur l'instruction publique dans le département de la Sarthe avant et après la Révolution*, Paris, 1875.

BELLUGOU Henri, *Voltaire et Frédéric II au temps de la marquise du Châtelet*, Paris, 1963.

BÉLY Lucien, *Les Relations internationales en Europe (XVIIᵉ-XVIIIᵉ siècle)*, Paris, PUF, 1992.

BENABOU Erica-Marie, *La Prostitution et la police des mœurs au XVIIIᵉ siècle*, Paris, Perrin, 1987.

BÉNARD Annie, *Les Traités de rhétorique au XVIIIᵉ siècle*, thèse, Paris-IV, 1973.

BENDJEBBAR A., *La Vie quotidienne en Anjou au XVIIIᵉ siècle*, Paris, Hachette, 1983.

BÉNICHOU Paul, *Le Sacre de l'écrivain 1750-1830. Essai sur l'avènement d'un pouvoir spirituel laïque dans la France moderne*, Paris, Corti, 1985.

BENITEZ-RODRIGUEZ M., *Contribution à l'étude de la littérature matérialiste clandestine en France au dix-huitième siècle*, thèse, Nanterre, 1979.

BENOÎT M., *La Polysynodie*, Paris, 1928.

BENOÎT Marcelle, *Versailles et les musiciens du roi. Étude institutionnelle et sociale 1661-1733*, Paris, Picard A. et J., 1971.

BERCÉ Yves-Marie, *Fête et révolte : les mentalités populaires du XVIᵉ au XVIIIᵉ siècle*, Paris, Hachette, coll. «Pluriel», 1994.

BÉRENGER Jean, DURAND Yves et MEYER Jean, *Pionniers et colons en Amérique du Nord*, Paris, 1974.

BEREZIN Nicole, «Les Filles de la Charité au XVIIIᵉ siècle», *Bulletin de la Société française d'histoire des idées et d'histoire religieuse*, 1987, n° 4, p. 5-29.

BERGERON Louis, «Croissance urbaine et société à Paris au XVIIIᵉ siècle», dans *La Ville au XVIIIᵉ siècle*, Édisud, 1975.

BERLANSTEIN Leonard R., *The Barristers of Toulouse in the Eighteenth Century (1740-1793)*, Baltimore, 1975.

BERNARD A., *Le Sermon au XVIIIᵉ siècle. Étude historique et critique sur la prédication en France de 1715 à 1789*, Paris, 1901.

BERNARDI Walter, «Legge naturale e ideologia : il caso Morelly», dans *Il Newtonianismo nel Settecento*, Rome, 1983, p. 93-103.

—, *Morelly e Dom Deschamps. Utopia e ideologia nel Secolo dei Lumi, Saggi filosofici*, Florence, 1979.

BERNIER Olivier, *La Fayette, héros des deux mondes*, trad. de l'américain, Paris, Payot, 1988.

BERNIS François Joachim de Pierre (cardinal de), *Mémoires*, publiés par FRÉDÉRIC Masson, Paris, 1878, 2 vol.

—, *Mémoires et lettres*, Paris, Mercure de France, 1986.

BERNOS Marcel, «La pastorale des laïcs dans l'œuvre de Pierre Collet», dans *Vincent de Paul*, Rome, Edizioni vincenziane, 1983.

BERSOT Ernest, *La Philosophie de Voltaire*, Paris, 1848.

BERTHELOT DU CHESNAY Charles, «Le clergé diocésain français au XVIIIᵉ siècle et les registres d'insinuation ecclésiastique», *RHMC*, 1963, p. 241-270.

—, *Les Prêtres séculiers en Haute-Bretagne au XVIIIᵉ siècle*, Presses universitaires de Rennes-II, 1984.

BERTHIER P., *Réflexions sur la vie et l'art de J.P. Rameau*, Paris, 1957.

BERTRAND Joseph, *L'Académie des sciences et les académiciens de 1665 à 1793*, Paris, 1869.

—, *D'Alembert,* Paris, 1889.

BESNARD Charles, *La Vie de la sœur Marie-Louise de Jésus (1684-1759), première supérieure des Filles de la Sagesse instituée par M. Louis Marie Grignion de Montfort*, Rome, 1985.

Besniers E., *Les Agents généraux du clergé de France, spécialement de 1780 à 1785*, Paris, 1939.

BESSE Jean-Paul, *Le Diocèse de Tulle de la réforme catholique à l'ère des Lumières (1599-1789)*, thèse dactyl., Angers, 1984.

BETTS C.J., *Early Deism in France : from to so-called « deistes » of Lyon (1564) to Voltaire's « Lettres Philosophiques »*, La Haye, 1984.

Bibliographie annuelle de l'histoire de France du Ve siècle à 1958, Paris, CNRS, 1953- .

BICKART Roger, *Les Parlements et la notion de souveraineté nationale au XVIIIe siècle*, thèse de droit, Paris, 1932.

BIEN DAVID D., *L'Affaire Calas : hérésie, persécution, tolérance à Toulouse au XVIIIe siècle*, Toulouse, Eché, 1987.

—, « La réaction aristocratique avant 1789 : l'exemple de l'armée », *Annales ESC,* mars-avril 1974, p. 505-534.

BIGO R., *La Caisse d'escompte (1776-1793) et les origines de la Banque de France*, Paris, 1928.

BIOLLAY L., *Le Pacte de famine*, Paris, 1885.

BIONDI Carminella, *« Mon frère, tu es mon esclave ! » Teori schiaviste e dibattiti antropologico-razziali nel Settecento francese*, Pise, 1973.

BLANC Dominique, « Les saisonniers de l'écriture : régents de village en Languedoc au XVIIIe siècle », *Annales ESC*, 1988, p. 867-895.

BLANC Marcel, *Essai sur l'enseignement primaire avant la Révolution*, Forcalquier, 1954.

BLANCHARD Anne, *Les Ingénieurs du Roy de Louis XIV à Louis XVI*, Montpellier, 1979.

BLANVILLAIN Bruno, « La franc-maçonnerie en Anjou pendant la deuxième moitié du XVIIIe siècle », *Annales de Bretagne et des pays de l'Ouest*, 1985, n° 4, p. 411-198.

BLIARD P., *Dubois cardinal de Fleury, apôtre de la paix*, Paris, 1942.

BLOCH Camille, *L'Assistance et l'État en France à la veille de la Révolution (généralités de Paris, Rouen, Alençon, Orléans, Châlons, Soissons, Amiens) 1764-1790*, Paris, 1908 et Genève, Droz, 1974.

BLOCH Olivier René, « Le matérialisme des Lumières », *Dix-Huitième Siècle*, n° 24, 1992.

— (dir.), *Le Matérialisme du XVIIIe siècle et la littérature clandestine, actes*, Paris, Vrin, 1982.

—, *La Philosophie de Gassendi*, Paris, 1971.

BLUCHE François, *Le Despotisme éclairé*, Paris, 1970; nouv. éd. rev. et augm., Hachette, coll. « Pluriel », 1985.

—, *Les Honneurs de la cour*, Paris, 1957.

—, *Les Magistrats du Grand Conseil au XVIIIe siècle (1690-1791)*, Paris, 1966.

—, *Les Magistrats du parlement de Paris au XVIIIe siècle*, éd. rev. et augm., Paris, Economica, 1986.

—, « Les pages de la Grande Écurie », *Les Cahiers nobles*, 1957.

—, *La Vie quotidienne au temps de Louis XVI*, Paris, Hachette, 1980.

—, *La Vie quotidienne de la noblesse française au XVIIIe siècle*, Paris, Hachette, 1973.

BODINEAU Pierre, *L'Urbanisme dans la Bourgogne des Lumières*, université de Dijon, Centre de recherches historiques, 1986.

BOIS Jean-Pierre, *Les Vieux Soldats à l'hôtel royal des Invalides au XVIIIe siècle*, université de Paris-IV, 1981.

—, *Maurice de Saxe*, Paris, Fayard, 1992.

BOIS Paul, *Les Paysans de l'Ouest*, Paris, 1960.

BOISGELIN, *Opinion sur la suppression des ordres monastiques*, Paris, 1790.

BOISNARD Luc, *Les Phélypeaux. Une famille de ministres sous l'Ancien Régime*, Paris, Sédopols, 1987.

BOISSEL Thierry, *Sophie de Condorcet, femme des Lumières (1764-1822)*, Paris, Presses Renaissance, 1988.

BOISSIER Gaston, *L'Académie française sous l'Ancien Régime*, Paris, 1909.

BOISSIER R., *La Mettrie, médecin, pamphlétaire et philosophe*, Paris, 1931.

BOISSIER DE SAUVAGES François, *Chefs-d'œuvre de Sauvages*, Paris, 1771.

BOLLÊME Geneviève, *Les Almanachs populaires aux XVIIe et XVIIIe siècles : essai d'histoire sociale*, Paris-La Haye, Mouton-De Gruyter, 1969.

BOMBARDIER Jacques et LEPAGE Anne-Marie, *Histoire des sœurs de la Doctrine chrétienne de Nancy, pour l'éducation des filles à la campagne*, t. I : *Les Sœurs vatelottes du diocèse de Toul XVIIe-XVIIIe siècle*, Nancy, 1987.

BONASSIES Jules, *La Comédie-Française. Histoire administrative (1658-1757)*, Paris, 1874.

BONCERF Pierre François, *Les Inconvénients des droits féodaux*, Paris et Londres, 1776.

BONHOMME Honoré, *Le Duc de Penthièvre. Sa vie. Sa mort. 1725-1793...*, Paris, 1869.

—, *Madame Dupin de Chenonceaux : sa vie, sa famille, son salon, ses amis (1709-1799)*.

BONIN DE LA BONNINIÈRE DE BEAUMONT Hugues, « L'administration de la Librairie et la censure de 1699 à 1750 », *Positions des thèses de l'École des chartes*, 1966.

BONNAULT Claude de, *Histoire du Canada français*, Paris, 1950.

BONNEFOY François, *Les Armes de guerre portatives en France, de l'indépendance à la primauté (1660-1789)*, Paris, Librairie de l'Inde, 1991.

BONNEL Ullane, «Fleurieu et la marine de son temps», *Chroniques du pays beaujolais*, bulletin n° 15, 1991, p. 33-37.

—, «La marine au temps de Suffren», *Revue historique des armées*, n° 4, 1983, p. 3-71.

BONNEROT Olivier H., *Le Prophète et la guerre : Mahomet dans la pensée des Lumières dans la Bataille, l'armée, la gloire (1475-1871)*, Clermond-Ferrand, 1985.

—, *La Perse dans la littérature et la pensée françaises au XVIIIᵉ siècle : de l'image au mythe*, Paris, Champion, 1988.

BOQUET Guy, «La comédie italienne sous la Régence : Arlequin poli par Paris (1716-1725)», *RHMC*, avril-juin 1977, p. 189-214.

BORD C., *Le Pacte de famine*, Paris, 1887.

BORDEAUX Jean-Luc, *François Le Moyne (1688-1737) and his Generation*, Neuilly, Arthéna, 1984.

BORDES Maurice, *L'Administration provinciale et municipale en France au XVIIIᵉ siècle*, Paris, CDU-Sedes, 1973.

—, *Contribution à l'étude de l'enseignement et de la vie intellectuelle dans les pays de l'intendance d'Auch au XVIIIᵉ siècle*, Auch, 1958.

—, *D'Étigny et l'administration de l'intendance d'Auch (1751-1767)*, Auch, 1957.

BOREL Jacques, *Génie et folie de Jean-Jacques Rousseau*, Paris, Corti, 1966.

BORNE Louis, *L'Instruction publique en Franche-Comté avant 1792*, Besançon, 1953, 2 vol.

BOSHER J.F., *French Finances, 1770-1795. From Business to Bureaucracy*, Cambridge, 1970.

BOSCHERON DES PORTES Charles Bon François, *Histoire du parlement de Bordeaux depuis sa création jusqu'à sa supression 1451-1790*, Paris, MÉGARIOTIS, 1980 ; réimpr. de l'édition de Bordeaux, 1877-1878.

BOTLAN Marc, «Domesticité et domestiques à Paris dans la crise (1770-1790)», *Positions des thèses de l'École des chartes*, 1976, p. 27-35.

BOTTIN Michel, «Louis XVI et la réforme de l'Ancien Régime», *Mémoire*, 1987, n° 6, p. 3-22.

BOTTINEAU Yves, *Versailles, miroir des princes*, Paris, Arthaud, 1989.

BOUCHARD Marcel, *L'Académie de Dijon et le premier discours de Rousseau*, Paris, 1950.

BOUCHARY Jean, *La Compagnie des eaux de Paris et l'entreprise de l'Yvette*, Paris, M. Rivière, 1946.

—, *Les Compagnies financières à Paris à la fin du XVIIIᵉ siècle*, Paris, 1940-1942, 3 vol.

BOUCHERON V., «La montée du flot des errants de 1760 à 1789 dans la généralité d'Alençon», *Annales de Normandie*, 1971, p. 55-87.

BOUGAINVILLE, *Voyage autour du monde*, publié par René Antona, Paris, Gallimard, 1975.

BOURDE A.J., *Agronomes et agronomie en France au XVIIIe siècle*, Paris, 1967, 3 vol.

—, *Deux Registres (H 1520-1521) du Contrôle général des finances aux Archives nationales. Contribution à l'étude du ministère Orry*, Cannes, 1965.

BOURDREL Philippe, *Histoire des juifs de France*, Paris, Albin Michel, 1974.

BOURGEOIS Émile, *La Diplomatie secrète au XVIIIe siècle*, Paris, 1910.

—, *Manuel historique de politique étrangère*, Paris, 1939, 4 vol.

BOURGUET Alfred, *Le Duc de Choiseul et l'alliance espagnole*, Paris, 1906.

BOURLON I., *Les Assemblées du Clergé de France sous l'Ancien Régime*, Paris, 1907.

BOURQUIN M.H. et HEPP E., *Aspects de la contrebande au XVIIIe siècle*, Paris, 1969.

BOUTARIC, *Traité des droits féodaux et des matières seigneuriales*, Toulouse, 1741.

BOUTELET B., « Étude par sondage de la criminalité dans le bailliage du Pont de l'Arche (XVII-XVIIIe siècle). De la violence au vol en marchant vers l'escroquerie », *Annales de Normandie*, 1962, p. 235-262.

BOUTRY Maurice (vicomte), *Choiseul à Rome. Lettres et Mémoires inédits*, Paris, 1906.

BOUVIER Jean et GERMAIN-MARTIN H., *Finances et financiers de l'Ancien Régime*, Paris, PUF, « Que sais-je ? », 1969.

BOUZINAC J., *J.-F. Melon, économiste*, Toulouse, 1906.

BOYREAU J., *Le Village en France au XVIIIe siècle*, Paris, 1955.

BRAESCH F., *Les Recettes et les dépenses du Trésor pendant l'année 1789. Le compte-rendu au roi de mai 1788. Le dernier budget de l'Ancien Régime*, Paris, 1936.

BRAHAM A., *The Architecture of the French Enlightenment*, Londres, 1980.

BRANCOURT Jean-Pierre, *Le Duc de Saint-Simon et la monarchie*, Paris, Cujas, 1971.

BRAURE M., *Lille et la Flandre wallonne au XVIIIe siècle*, Paris, 1933.

BRÉHANT Jacques, *L'Envers du roi Voltaire : quatre-vingts ans de la vie d'un mourant*, Paris, Nizet, 1989.

BRÉHIER E., *Histoire de la philosophie, t. II, La Philosophie moderne, II, Le Dix-Huitième siècle*, Paris, 1930.

BREILLAT Pierre, *Ville nouvelle, capitale modèle, Versailles*, Versailles, Art Lys, 1986.

BREMOND Henri, *Histoire littéraire du sentiment religieux*, Paris, Armand Colin, 1967, rééd. 11 vol.

BRENET Michel, *Les Concerts en France sous l'Ancien Régime*, Paris, 1900.

BRIÈRE M.M.G. et CARON P., *Répertoire méthodique de l'histoire moderne et contemporaine de la France pour l'année 1898*.

BRIERRE Annie, *Le Duc de Choiseul : la France sous Louis XV*, Paris, Albatros, 1986.

BROCKLISS L.W.B., « Philosophie Teaching in France 1660-1740 », *History of Universities*, 1981, n° 1, p. 131-168.

BROC Numa, *La Géographie des philosophes. Géographes et voyageurs français du XVIIIe siècle*, Strasbourg, Association des presses universitaires de Strasbourg, 1975.

—, « Un géographe dans son siècle : Philippe Buache (1700-1773) », *Dix-Huitième Siècle*, 1971, p. 222-235.

BROGLIE Charles Jacques Victor Albert (duc de), *Frédéric II et Louis XV*, Paris, 1885, 2 vol.

—, *Le Secret du roi. Correspondance secrète de Louis XV avec ses agents diplomatiques (1752-1774)*, Paris, 1878, 2 vol.

BROGLIE Emmanuel de, *Le Fils de Louis XV, Louis Dauphin de France*, Paris, 1877.

BROGLIN Étienne, *De l'Académie royale à l'Institution. Le collège de Juilly (1745-1828)*, thèse Paris, Sorbonne, 1980.

BROOK Barrys, *La Symphonie française dans la seconde moitié du XVIIIe siècle*, Paris, 1962, 3 vol.

BRUCHON Paul, « Louis Joseph Xavier François, dauphin de France, 21 octobre 1781-4 juin 1789 », *Bulletin de la Société des amis de Meudon*, 1989, n° 181, p. 973-984.

BRUHIER Jacques-Jean, préface du *Traité des aliments* de Louis Lémery, rééd., Paris, 1702, t. I.

BRUNEL Lucien, *Les Philosophes et l'Académie française au XVIIIe siècle*, Paris, 1884.

BRUNET Michel, *Les Canadiens après la conquête (1759-1775)*, Montréal, 1969.

BRUNET Pierre, *Maupertuis*, Paris, 1929.

—, *La Vie et l'œuvre de Clairaut*, Paris, 1952.

BRUNOT Ferdinand, *Histoire de la langue française*, 1905-1937, rééd. en 1966, 10 vol.

BUCHALET F., *L'Assistance publique à Toulouse au XVIIIe siècle*, Toulouse, 1904.

BUFFON Georges-Louis Leclerc de, *Œuvres choisies*, Tours, Mame, 1872, t. II.

—, *Œuvres complètes*, Paris, Labigre-Duquesne, t. I.

BUISSON Ferdinand, *Dictionnaire de pédagogie et d'instruction primaire*, Paris, 1887, 4 vol.

BUOT DE L'ÉPINE Anne, « Les bureaux de la Guerre à la fin de l'Ancien Régime », *RHD*, 1976, p. 533-558.

BURGELIN Pierre, *La Philosophie de l'existence de Jean-Jacques Rousseau*, Paris, 1952.

BURTON H., « Les Académies de musique au XVIIIe siècle », *Revue de musicologie*, décembre 1955, volume 37, p. 122-147.

BUTEL Paul, *La Croissance commerciale dans la deuxième moitié du XVIIIe siècle*, thèse, 1973.

—, *L'Économie française au XVIIIe siècle*, Paris, Sedes, 1993.

—, *Les Négociants bordelais, l'Europe et les Iles au XVIIIe siècle*, Paris, Aubier-Montaigne, 1974.

BUTEL Paul et POUSSOU Jean-Pierre, *La Vie quotidienne à Bordeaux au XVIIIe siècle*, Paris, Hachette, 1980.

BUTLER Rohan, *Choiseul, Father and Son*, Oxford, 1980.

CABANÈS (Dr), *Mœurs intimes du passé*, Paris, 1926, vol. IV.

—, *Poitrinaires et grandes amoureuses. Julie de Lespinasse*, Paris, 1927.

—, *Remèdes d'autrefois*, Paris, 1905.

CABOURDIN Guy, *Quand Stanislas régnait en Lorraine*, Paris, Fayard, 1980.

CABROL Étienne, *Annales de Villefranche-de-Rouergue*, Villefranche, 1860.

CAHEN L., *Les Querelles religieuses et parlementaires sous Louis XV*, Paris, 1913.

CAILLY Claude, *Mutations d'un espace proto-industriel, le Perche aux XVIIIe et XIXe siècles*, Fédération des amis du Perche, 1993, 2 vol.

Campan Jeanne Louise, *Mémoires sur la vie privée de Marie-Antoinette*, Paris, 1823.

—, *Mémoires*, éd. J. Chalon, Paris, Mercure de France, 1979.

CAMPARDON E., *L'Académie royale de musique au XVIIIe siècle*, Paris, 1884, 2 vol.

CANDEL Jules, *Les Prédicateurs français pendant la première moitié du XVIIIe siècle, de la Régence à l'Encyclopédie (1715-1760)*, Paris, 1904.

CAPUL Maurice, *Abandon et marginalité : les enfants placés sous l'Ancien Régime*, Toulouse, Privat, 1989, 2 vol.

—, *Internat et internement sous l'Ancien Régime*, Paris, CTNERHI, 1984, 4 vol.

CARBASSE Jean-Marie, *Introduction historique au droit pénal*, Paris, PUF, 1990.

CARCASSONNE E., *Montesquieu et le problème de la constitution française au XVIIIe siècle*, Paris, 1927.

CARON Pierre et STEIN Henri, *Répertoire bibliographique de l'histoire de France*, 1923-1928. Réimpr. Scientia Antiquariat K. Schill, 1972.

CARRÉ Henri, *Mademoiselle, fille du Régent, duchesse de Berry (1695-1719)*, Paris, 1936.

—, *La Noblesse de France et l'opinion publique au XVIIIe siècle*, Paris, Slatkine, 1978 ; reprod. en fac-similé de l'édition de Paris, 1920.

CARREYRE Jean, *Le Jansénisme durant la Régence*, Paris, 1926-1933, 3 vol.

CARRIAS Eugène, *La Pensée militaire française*, Paris, 1960.

CARRIÈRE Charles, *Négociants marseillais au XVIIIe siècle*, Aix-Marseille, Institut d'histoire de la Provence, 1974, 2 vol.

CARRIÈRE Ch., Courdurié M., Rebuffat F., *Marseille, ville morte. La Peste de 1720*, Marseille, 1968. Nouv. éd. rev. et augm., Garçon J.-M., 1988.

CARSE Adam, *The Orchestra in the XVIIIth Century*, Cambridge, 1940.

CASSIRER Ernst, *La Philosophie des Lumières*, Paris, Fayard, 1970.

CASTAING Anne, *L'Enfance délinquante à Lille au XVIIIe siècle*, Lille, 1912.

CASTAN Nicole, *Les Criminels de Languedoc. Les exigences d'ordre et les voies du ressentiment dans une société prérévolutionnaire (1750-1790)*, Toulouse, Publications de l'université de Toulouse-le-Mirail, 1980.

—, *Justice et répression en Languedoc à l'époque des Lumières*, Paris, Flammarion, 1980.

—, «Les parlements français à la fin de l'Ancien Régime : pouvoir et pratique judiciaire», *Commentaire*, 1985, p. 615-631.

CASTAN Yves, *Le Diocèse de Toulouse*, Paris, Beauchesne, «Histoire des diocèses de France».

—, *Honnêteté et relations sociales en Languedoc (1750-1780)*, Paris, 1974.

CASTAN Yves et Nicole, *Vivre ensemble. Ordre et désordre en Languedoc au XVIIIe siècle*, Paris, Gallimard, 1981.

CASTRIES Armand (comte de Charlus et duc de), «Journal de mon voyage en Amérique», dans *Papiers de famille*, Paris, France-Empire, 1977.

CASTRIES René de La Croix de, *Julie de Lespinasse*, Paris, Albin Michel, 1985.

—, *Maréchal de Castries, serviteur de trois rois*, Paris, Albatros, 1979.

—, *Mirabeau*, Paris, Fayard, 1960.

— *La Pompadour*, Paris, Albin Michel, 1983.

—, *La Scandaleuse Mme de Tencin 1682-1749*, Paris, Perrin, 1986.

CATTA Étienne, *La Vie d'un monastère sous l'Ancien régime. La Visitation Sainte-Marie de Nantes (1630-1792)*, Paris, 1954.

CAYEUX Jean de, *Hubert Robert 1733-1808*, Paris, Fayard, 1989.

CENTRE AIXOIS D'ÉTUDES ET DE RECHERCHES SUR LE XVIIIe SIÈCLE, *La Régence*, Aix-en-Provence, Édisud, 1970.

CERCLE D'ÉTUDES FERNEYSIENNES, ACADÉMIE CANDIDE, *Ferney, Voltaire : pages d'histoire*, Annecy, Cercle d'études ferneysiennes, 1984.

CHACK Paul, *L'Homme d'Ouessant : du Chaffault*, Paris, 1931.

CHAGNIOT Jean, *Paris au XVIIIe siècle, nouvelle histoire de Paris*, Paris, Association des publications historiques de la Ville de Paris, 1988.

—, *Paris et l'armée au XVIIIe siècle. Étude politique et sociale*, Paris, Economica, 1985.

—, «Une panique : les gardes françaises à Dettinger», *RHMC*, janvier-mars 1977.

CHALON Jean, *Chère Marie-Antoinette*, Paris, Perrin, 1988.

CHAMFORT, *Maximes et Pensées*, Paris, Mercure de France, 1905.

CHAPUISAT E., *Necker (1732-1804)*, Paris, librairie Sirey, 1939.

CHARLIAT Pierre-Jacques, t. III : *Le Temps des grands voiliers*, Paris, 1955.

CHARNAY Jean-Paul (dir.), *Guibert ou le Soldat philosophe*, Château de Vincennes, 1981.

CHARRIÉ Pierre, *Drapeaux et étendards du roi*, Paris, Léopard d'or, 1989.

CHARTIER Roger, « Livre et espace. Circuits commerciaux et géographie culturelle de la librairie lyonnaise au XVIIIe siècle », *Revue française d'histoire du livre*, 1971.

—, *Les Origines culturelles de la Révolution française*, Paris, Seuil, 1990.

—, « Représentations et pratiques : lectures paysannes au XVIIIe siècle », dans *Lectures et lecteurs dans la France d'Ancien Régime*, Paris, Seuil, 1987.

CHARTIER R., COMPÈRE M.M. et JULIA D., *L'Éducation en France du XVIe au XVIIIe siècle*, Paris, 1976.

CHARVIN dom G., « Contribution à l'étude du temporel de la congrégation de Saint-Maur au XVIIIe siècle 1730-1786 », *Revue Mabillon*, 1955, p. 259-281 et 1956, p. 33-61.

CHASSAGNE Serge, *Le Coton et ses patrons, France (1760-1840)*, Paris, École des hautes études en sciences sociales, 1991.

—, *Oberkampf, un entrepreneur capitaliste au siècle des Lumières*, Paris, Aubier-Montaigne, 1980.

CHASSAIGNE Marc, *La Lieutenance générale de police de Paris*, 1906.

CHASSAING Jean-François et MORANGE Jean, *Le Mouvement de réforme de l'enseignement en France 1760-1798*, Paris, PUF, 1974.

CHATAIGNIER C., « La généralité d'Orléans sous l'intendance de Louis Guillaume Jubert de Bouville (1713-1731) », *Bulletin de la société archéologique et historique de l'Orléanais*, Orléans, 1961.

CHÂTEAU Jean, *Jean-Jacques Rousseau. Sa philosophie de l'éducation*, Paris, 1962.

CHATEAUBRIAND François René de, *Analyse raisonnée de l'histoire de France, depuis la bataille de Poitiers sous le roi Jean en 1356 jusqu'à la Révolution de 1789, Études ou Discours historiques, t. IV*, Paris, 1838.

CHÂTELET Albert et GROSLIER Bernard Philippe, *L'Histoire de l'art*, Paris, Larousse, 1985, 2 vol.

CHÂTELET Albert et THUILLIER Jean, *La Peinture française de Le Nain à Fragonard*, Paris, 1964.

CHÂTELLIER Louis, *Tradition chrétienne et renouveau catholique dans le cadre de l'ancien diocèse de Strasbourg (1650-1770)*, Association des presses universitaires de Strasbourg, 1981.

—, « Une société de lecture de journaux à Strasbourg au milieu du XVIIIe siècle », *Bulletin de la Société académique du Bas-Rhin*, 1973-1974.

CHAUDON dom Louis-Mayeul, *Dictionnaire antiphilosophique*, Paris, 1767-1769.

—, *Dictionnaire historique*, Paris, 1766.

CHAUMEIL L., « Abrégé de l'histoire de Lorient de la fondation (1666) à nos jours », *Annales de Bretagne*, 1939, p. 88-103.

CHAUNU Pierre, *La Mort à Paris, XVIᵉ, XVIIᵉ, XVIIIᵉ siècle*, Paris, Fayard, 1978.

CHAUSSINAND-NOGARET Guy, *Les Financiers de Languedoc au XVIIIᵉ siècle*, Paris, École des hautes études en sciences sociales, 1970.

—, *La Noblesse au XVIIIᵉ siècle : de la féodalité aux Lumières*, Paris, 1976 ; nouv. éd., Complexe, 1990.

—, « Un aspect de la pensée nobiliaire au XVIIIᵉ siècle. "L'antinobiliarisme" », *RHMC*, 1982, p. 442-453.

—, *La Vie quotidienne des Français sous Louis XV*, Paris, Hachette, 1979.

CHENAYE F.C. (dir.), *Le Grand Vocabulaire français...*, Paris, 1767.

CHÊNE Christian, *L'Enseignement du droit français en pays de droit écrit (1679-1793)*, Paris, Droz, 1982.

CHÉNON Émile, *Les Anciennes facultés de droit de Rennes (1735-1792)*, Rennes, 1890.

—, *Histoire générale du droit français public et privé, des origines à 1815*, t. II, fasc. 1, Paris, 1929.

CHÉREL Albert, *Fénelon au XVIIIᵉ siècle en France, 1715-1820. Son prestige, son influence*, Paris, Slatkine, 1970 ; reprod. en fac-similé de l'édition de Paris, 1917.

CHEREST Aimé, *La Chute de l'Ancien Régime, 1787-1789*, Paris, 1884, 2 vol.

CHERMETTE-LUCENET Monique, *Les Problèmes de santé de l'armée de terre française au XVIIIᵉ siècle*, Lille, 1986.

CHEVALLIER J.-Cl., « La grammaire générale et la pédagogie au XVIIIᵉ siècle », *Revue française de linguistique*, janvier 1972, p. 40-51.

CHEVALLIER Pierre, *Histoire de la franc-maçonnerie française*, t. I : *La Maçonnerie, école de l'égalité : 1725-1799*, Paris, Fayard, 1974.

—, *Loménie de Brienne et l'ordre monastique, 1766-1789*, Paris, 1959-1960, 2 vol.

CHEVALLIER Pierre et RABREAU Daniel, *Le Panthéon*, Paris, CNMHS, 1977.

CHISICK H., « L'éducation élémentaire dans un contexte urbain sous l'Ancien Régime : Amiens aux XVIIᵉ et XVIIIᵉ siècles », *Bulletin de la Société des antiquaires de Picardie*, 1980-1981.

CHODERLOS DE LACLOS Pierre, *Les Liaisons dangereuses*, Le Livre de Poche, 1987.

CHOUILLET Jacques, *Diderot et l'art de Boucher à David. Les Salons : 1759-1781*, Paris, Musées nationaux, 1984.

—, *La Formation des idées esthétiques de Diderot 1745-1763*, Paris, Armand Colin, 1973, 2 vol.

Christianisation et déchristianisation, Presses de l'université d'Angers, 1986.

CHUQUET Arthur, *Jean-Jacques Rousseau*, Paris, 1893.

CIORANESCU Alexandre, *Bibliographie de littérature française du dix-huitième siècle*, Paris, CNRS, 1969, 3 vol.

CLAVERIE Michel, *Le Rapport des agents généraux du clergé de France à l'assemblée de 1765*, Paris, PUF, 1976.

COBBAN Alfred, *A History of Modern France*, t. I : *Old Regime and Revolution 1715-1799*, Londres, 1961.

COCARD Hugues, « Professeurs et étudiants de la faculté de droit d'Angers au XVIIIe siècle », *Annales de Bretagne et des Pays de l'Ouest*, 1979, n° 1, p. 39-43.

COCHIN Augustin, *L'Esprit du jacobinisme*, Paris, PUF, 1979.

COLIN J., *Les Campagnes du maréchal de Saxe*, Paris, 1907, 4 vol.

—, *Louis XV et les jacobites. Le projet de débarquement en Angleterre de 1743-1744*, Paris, 1901.

COLIN J. et REBOUL F., *Histoire militaire et navale*, dans *Histoire de la nation française* de Gabriel Hanotaux, t. VII, Paris, Plon-Nourrit, 1925.

COLLIN Bruno, *Approches d'histoire monétaire et financière de la France à l'époque moderne,* Montpellier, 1990, 4 vol. dactyl.

—, « Charles-Alexandre de Calonne et la réforme monétaire de 1786 », *Métal pensant,* 1987.

—, « La pénurie de numéraire en bas Languedoc à la fin de l'Ancien Régime », *Cahiers numismatiques,* septembre 1982.

COLLOMP Alain, *La Maison du père. Famille et villages en Haute-Provence aux XVIIe et XVIIIe siècles*, Paris, PUF, 1983.

COMBES-MALAVIALLE Jean-François, « Vues nouvelles sur l'affaire de Prades », *Dix-Huitième Siècle*, 1988, n° 20, p. 377-396.

COMBLES, *École du jardin potager*, Paris, 1780.

COMPAYRÉ Gabriel, *Histoire critique des doctrines de l'éducation en France depuis le seizième siècle jusqu'à nos jours*, Paris, 1879, 2 vol.

COMPÈRE Marie-Madeleine, JULIA Dominique, *Les Collèges français XVIe-XVIIIe siècle. Répertoire*, 1. *France du Midi*, 2. *France du Nord et de l'Ouest*, Paris, CNRS, 1983-1988.

Conférences sur Henri-Louis Duhamel du Monceau prononcées à Pithiviers dans le cadre des manifestations de son bicentenaire, Pithiviers, 1984.

CONLON Pierre M., *Le Siècle des Lumières. Bibliographie chronologique*, Genève, Droz, 1983-1991, 8 vol.

CONSTANT Jean-Marie, *La Vie quotidienne de la noblesse française aux XVIIe et XVIIIe siècles*, Paris, Hachette, 1985.

CONTIS Alain, « L'agriculture graulhetoise (Tarn) au XVIIIe siècle », *Revue du Tarn*, série 3, n° 129, p. 5-22.

COORNAERT Émile, *Les Corporations en France avant 1789*, Paris, 1941 ; rééd. 1968.

CORDIER Henri, *Appréciation par l'Europe de la tradition chinoise à partir du XVIIIe siècle*, actes, dans *La Chine au temps des Lumières*, Paris, Belles-Lettres, 1983.

—, *La Chine en France au XVIIIe siècle*, Paris, 1910.

Correspondance générale d'Helvétius, Oxford, The Voltaire Foundation, 1981, 1984, 1991, 3 vol.

CORVISIER André, *L'Armée française de la fin du XVIIᵉ siècle au ministère de Choiseul. Le Soldat*, Paris, 1964, 2 vol.

—, *Armées et sociétés en Europe de 1494 à 1789*, Paris, 1976.

—, « Aux approches de l'édit de Ségur : le cas du sieur de Mongautier (1729) », *Actualité de l'histoire*, n° 22, février 1958.

—, *Les Contrôles de troupes de l'Ancien Régime*, Paris, Service historique de l'armée de terre, 1970, 3 vol.

—, *Dictionnaire d'art et d'histoire militaires*, Paris, PUF, 1988.

—, *Histoire militaire de la France*, dir. Jean Delmas, t. II : De 1715 à 1871, Paris, PUF, 1992.

—, « Les officiers retirés en Bretagne au milieu du XVIIIᵉ siècle », *Actes du 103ᵉ congrès national des Sociétés savantes*, 1978, t. I.

CORVOL Andrée, *L'Homme et l'arbre sous l'Ancien Régime*, Paris, Economica, 1984.

COSTABEL Pierre, *L'Enseignement classique au XVIIIᵉ siècle. Collèges et universités*, Paris, Hermann, 1986.

COSTE Brigitte, *Mably : pour une utopie du bon sens*, Paris, Klincksieck, 1975.

COTTRET Bernard, *Le Christ des Lumières. Jésus, de Newton à Voltaire, 1680-1760*, Paris, Cerf, 1990.

COUILLARD Virginie, « La criminalité à Vendôme, 1714-1789 », *Annales de Bretagne*, 1989, n° 3, p. 269-296.

COULET Henri, *Le Roman jusqu'à la Révolution*, Paris, Armand Colin, 1985.

COUPRY Christophe, *Avant-projet de doctorat sur la pensée politique et religieuse de Mgr de Boisgelin (1732-1804)*, mémoire de DEA, université de Lille-III, 1988.

—, « Sociabilité et libéralisme économique d'un prélat réformiste : Mgr de Boisgelin (1732-1804) », *Bulletin de la Société française d'histoire des idées et d'histoire religieuse*, 1988, n° 5, p. 25-42.

COUSIN Victor, *La Philosophie sensualiste au XVIIIᵉ siècle*, Paris, 1941.

COUTURIER Marcel, *Recherches sur les structures sociales de Chateaudun 1525-1789*, Paris, École des hautes études en sciences sociales, 1969.

COYER (abbé), *La Noblesse commerçante*, 1756.

COYNART Charles et TENCIN Alexandre de, *Les Guérin de Tencin (1520-1758)*, Paris, 1911.

CRAVERI Benedetta, *Madame du Deffand et son monde*, Paris, Seuil, 1986.

CRÉBILLON fils, *Les Égarements du cœur et de l'esprit*, Paris, 1739.

CREPIN P., *Mahé de La Bourdonnaye, Gouverneur général des îles de France et Bourbon*, Paris, 1922.

CRÉQUY (marquise de), *Souvenirs*, t. V, Fournier Jeunes.

CRÉTÉ Liliane, *La Traite des nègres sous l'Ancien Régime : le nègre, le sucre et la toile*, Paris, Perrin, 1989.

« Crimes et criminalité en France aux XVIIe et XVIIIe siècles », *Cahiers des Annales*, n° 3, 1971.

CROUBOIS Claude (dir.), *L'Officier français des origines à nos jours*, Paris, 1987.

CROUZET François, « Angleterre et France au XVIIIe siècle. Croissances comparées », *Annales ESC*, avril-juin 1966, p. 254-291.

CROŸ Emmanuel (duc de), *Journal inédit 1718-1784*, Paris, 1906-1907, 4 vol.

CUBELLS Monique, *La Provence des Lumières. Les Parlementaires d'Aix au XVIIIe siècle*, Paris, Maloine, 1984.

CUCUEL Georges, *Les Créateurs de l'opéra-comique français*, Paris, 1914.

—, *La Pouplinière et la musique de chambre au XVIIIe siècle*, Paris, Slatkine, 1971 ; reprod. en fac-similé de l'édition de Paris, 1913

CUILLERON Monique, *Contribution à l'étude de la rébellion des cours souveraines sous le règne de Louis XV : le cas de la cour des aides et finances de Montauban*, Paris, PUF, 1983.

CUMMING Ian, *Helvétius, sa vie et sa place dans l'histoire de l'éducation*, Londres, 1955.

DAGNAUD G., *L'Administration centrale de la marine sous l'Ancien Régime*, Nancy-Paris, 1913.

DAINVILLE P. de, « L'enseignement de l'histoire dans les collèges des jésuites du XVIe au XVIIIe siècle », *Entre-nous*, 1952, n° 185, p. 85-96.

—, « L'enseignement des sciences dans les collèges des jésuites de l'Ancienne France », *D'hier à aujourd'hui*, 1957, p. 5-19.

—, « Foyers de culture scientifique dans la France méditerranéenne du XVIe au XVIIe siècle », *Revue d'histoire des sciences*, n° 3, p. 289-300.

DAOUST J., *Dom Martène, un géant de l'érudition bénédictine*.

DARDEL Pierre, *Commerce, industrie et navigation à Rouen et au Havre au XVIIIe siècle*, Rouen, 1966.

DARMON Pierre, *La Variole, les nobles et les princes. La Petite Vérole mortelle de Louis XV*, Paris, Complexe, 1989.

DARNTON Robert, « L'arbre de la connaissance : la stratégie épistomologique de l'Encyclopédie », *Le Grand Massacre des chats. Attitudes et croyances dans l'ancienne France*, Paris, Laffont, 1985, p. 176-199.

—, *L'Aventure de l'Encyclopédie (1775-1800). Un best-seller au siècle des Lumières*, Paris, Perrin, 1982.

—, *Bohème littéraire et révolution. Le monde des livres au XVIIIe siècle*, Paris, Seuil, 1983.

—, « The facts of literary life in eigtheenth century France (Mentalità e cultura politica nella svolta del 1789) », *Studi settecenteschi*, 1989, n° 10, p. 11-51.

—, « Le lieutenant de police J.-P. Lenoir, la guerre des farines (1775) et l'approvisionnement de Paris à la veille de la Révolution », *RHMC*, octobre-décembre 1969, p. 610-612.

—, « Un commerce de livres sous le manteau en province à la fin de l'Ancien Régime », *Revue française d'histoire du livre*, t. V, 1975.

DARRICAU Raymond, « Les catéchismes au XVIIIe siècle dans les diocèses de l'Ouest (province ecclésiastique de Bordeaux) », *Annales de Bretagne et des Pays de l'Ouest*, 1974, p. 599-615.

—, *Les Clercs réguliers théatins à Paris. Sainte-Anne la Royale 1644-1793*, Rome, 1961.

—, « La formation des professeurs de séminaires au début du XVIIIe siècle, d'après un Directoire de M. Jean Bonnet (1664-1735) », *Divus Thomas*, janvier-mars 1964, p. 52-79.

—, « Les préoccupations pastorales des assemblées du clergé de France à la veille de la Révolution (1775-1789) », *Le Règne de Louis XVI et la guerre d'Indépendance américaine, actes du colloque international de Sorèze*, 1976, s.n.-n.l.

DAUMARD Adeline et FURET François, *Structures et relations sociales à Paris au XVIIIe siècle*, Paris, 1961.

DAUMAS Maurice, *Les Instruments scientifiques au XVIIe et au XVIIIe siècle*, Paris, 1953.

—, *Lavoisier, théoricien et expérimentateur*, Paris, 1955.

DAUTRICOURT P., *La Criminalité et la répression au Parlement de Flandres au XVIIIe siècle*, Lille, 1912.

DAVAL P., *La Musique en France au XVIIIe siècle*, Paris, 1961.

DAVENAS P., *Les Messageries royales*, Paris, 1937.

Les Débuts de la Révolution française en Dauphiné, 1788-1791, Grenoble, 1788.

DEBIEN Gabriel, *Les Esclaves aux Antilles françaises (XVIIe-XVIIIe siècle)*, Basse-Terre, Fort de France, 1974.

—, « Études antillaises (XVIIIe siècle) », *Cahiers des Annales*, 1956.

DECHÊNE Louise, *Habitants et marchands de Montréal au XVIIe siècle*, Paris, 1974.

DECKER Michel de, *La Princesse de Lamballe : mourir pour la reine*, Paris, Perrin, 1979.

DÉDÉYAN Charles, *L'Angleterre dans la pensée de Diderot*, Paris, CDU, 1958.

—, *A.R. Lesage : Gil Blas*, cours de Sorbonne, Paris, 1956.

DEDIEU J., *Montesquieu et la tradition politique anglaise en France : les sources anglaises de « L'Esprit des lois »*, Paris, 1909.

DEFOURNEAUX Marcelin, « La contrebande du tabac en Roussillon dans la seconde moitié du XVIIIe siècle », *Annales du Midi*, avril-juin 1970, p. 171-179.

DEGERT A., *Histoire des séminaires français*, Paris, 1912, 2 vol.

DELAPORTE André, *L'Idée d'égalité en France dans la première moitié du XVIIIe siècle*, Paris, 1963, 2 vol.

DELASSELLE Claude, « Les enfants abandonnés à Paris au XVIIIe siècle », *Annales ESC*, 1975, p. 187-218.

DELATTRE Pierre, *Les Établissements des Jésuites en France depuis quatre siècles*, répertoire topo-bibliographique, Enghien, 1940.

DELAUNAY Paul (Dr), *Le Monde médical parisien au XVIIIe siècle*, Paris, 1906.

—, *La Vie médicale aux XVIe, XVIIe et XVIIIe siècles*, Paris, 1935.

DELBEKE Francis, *L'Action politique et sociale des avocats au XVIIIe siècle*, Paris, 1927.

DELBOS Georges, *Fayelles en Quercy*, Toulouse, 1969.

DELOFFRE Frédéric, *Une préciosité nouvelle. Marivaux et le marivaudage. Étude de langue et de style*, Paris, 1955.

DEL PERUGIA Paul, *Louis XV*, Paris, Albatros, 1976.

DELUMEAU Jean, *Le Catholicisme entre Luther et Voltaire*, Paris, PUF, 1971.

—, *L'Italie de Botticelli à Bonaparte*, Paris, Armand Colin, 1974.

DEMOGUE A., « La criminalité et la répression en Champagne au XVIIIe siècle », *Travaux de l'académie de Reims*, CXXV, 1909.

DEMORIS René, « Les fêtes galantes chez Watteau et dans le roman contemporain », *Dix-Huitième Siècle*, 1971, p. 337-357.

DENISART Jean-Baptiste, *Collection de décisions nouvelles et de notions relatives à la jurisprudence*, Paris, 1754-1756, 6 volumes in-12.

DENOYELLES Bruno, *Les Salons de Mme Necker*, mémoire de maîtrise, université de Lille, 1990.

DEPAUW Jacques, « Amour illégitime et société à Nantes au XVIIIe siècle », *RHMC*, janvier-mars 1975, p. 61-88.

—, « Immigration féminine, professions féminines et structures urbaines à Nantes au XVIIIe siècle », *Enquêtes et Documents*, 1972, p. 37-60.

DEPITRE Edgar, *La Toile peinte en France aux XVIIe et au XVIIIe siècles, Industrie, Commerce, Prohibitions*, Paris, 1912.

DEPRUN Jean, *La Philosophie de l'inquiétude en France au XVIIIe siècle*, Paris, Vrin, 1979.

DERATHE Robert, *Jean-Jacques Rousseau et la science politique de son temps*, Paris, Vrin, 1950, 4e éd., 1988.

DEREGNAUCOURT Gilles, *De Fénelon à la Révolution. Le clergé paroissial de l'archevêque de Cambrai*, Lille, Presses universitaires de Lille, 1991.

DERLANGE Michel, *Les Communautés d'habitants en Provence au XVIIIe siècle (1680-1789)*, Nice, 1979.

DERMIGNY Louis, « La France à la fin de l'Ancien Régime : une carte monétaire », *Annales ESC*, avril-juin 1955, p. 480-493.

DESAUTELS Alfred R., *Les Mémoires de Trévoux et le mouvement des idées au XVIIIe siècle 1701-1734*, Rome, 1956.

DESCHAMPS M., *Le Dépôt de mendicité de Rouen, 1768-1720*, DES, Caen,

1965. Résumé dans *Bulletin de la Société française d'histoire des hôpitaux*, 1968, p. 24-25.

DESCHARD Bernard, *Les Bas-Officiers de l'armée royale du milieu du XVIIIe siècle au début de la Révolution. Études institutionnelles et sociologiques*, thèse de 3e cycle, université de Paris-IV, 1986.

Description historique de la ville de Paris et de ses environs, t. IX, 1765.

DESDEVISES DU DEZERT G., *Les Institutions de l'Espagne au XVIIIe siècle*, Paris, 1927.

DESGRAVES Louis, « L'intendant Claude Boucher et l'administration de la généralité de Bordeaux de 1720 à 1743 », *Positions des thèses de l'École des chartes*, 1946, p. 9-19, 87-98.

DESNÉ Roland, *Les Matérialistes français de 1750 à 1800*, textes choisis et présentés par Roland Desné, Paris, Buchet-Chastel, 1965.

DESNOIRESTERRES Gustave Le Brisoys, *La Comédie satirique au XVIIIe siècle*, Paris, Slatkine, 1970 ; reproduction en fac-similé de l'éd. de Paris, 1885.

—, *Voltaire et la société au XVIIIe siècle*, Paris, Slatkine, 1967 ; reproduction en fac-similé de l'éd. de Paris, 1871-1876, 8 vol.

DESPLAT Christian, *Pau et le Béarn au XVIIIe siècle : groupes sociaux, attitudes sociales et comportements*, Rennes, 1978.

—, *Un milieu socio-culturel provincial. L'Académie royale de Pau au dix-septième siècle*, Pau, Marrimpouey, 1971.

DESTREMAU Noëlle, *Autour des dynasties françaises*, III : *Une sœur de Louis XVI, Madame Élisabeth, Paris*, Nouvelles éditions latines, 1983.

La Désunion du couple sous l'Ancien Régime. L'exemple du Nord, Villeneuve-d'Ascq, 1975.

DEVEAU Jean-Michel, *La Traite des Noirs à La Rochelle au XVIIIe siècle*, Paris, 1939-1940, 3 vol.

—, *La Traite rochelaise*, Paris, Karthala, 1990.

DEVÈZE Michel, « Les forêts françaises à la veille de la Révolution de 1789 », *RHMC*, 1966, p. 241-272.

DEVOS Roger, *Mémoires et documents : L'origine sociale des visitandines d'Annecy aux XVIIe et XVIIIe siècles*, Annecy, Académie salésienne, 1973.

DEVYVER André, *Le Sang épuré : préjugés de race chez les gentilshommes français de l'Ancien Régime (1560-1720)*, université de Bruxelles, 1974.

DEYON Pierre, *Contribution à l'étude des revenus fonciers en Picardie. Les Fermages de l'hôtel-Dieu d'Amiens et leurs variations de 1515 à 1789*, Lille, 1970.

DHOMBRES Jean, « Mathématisation et communauté scientifique française (1775-1825) », *Archives internationales d'histoire des sciences*, 1986, n° 117, p. 249-293.

Dictionnaire des comédiens-français (ceux d'hier). Biographie, bibliographie, iconographie, s. l., 1913, 2 vol.

Dictionnaire des usages socio-politiques (1770-1815), fasc. 3, Paris, Klincksieck, 1988.

Dictionnaire universel français et latin de Trévoux, 1704-1771.

Diderot, études de Bourel D., Goyard-Favre S., Grimaldi N., Leduc D. et *al.*, Paris, 1984.

Diderot, par Jauss H.R., Starobinsky J., Hobson M., Chouillet J. et *al.*, Paris, 1984.

Diderot : 1713-1784 : actes, colloque international Diderot, Paris, Sèvres, Reims, Langres, 4-11 juillet 1984, éd. Anne-Marie Chouillet, Paris, Aux amateurs de livres, 1985.

DIDEROT Denis, *Correspondance*, éd de Georges Roth et Jean Varloot, Paris, 1955-1968, 15 vol.

—, *Lettre sur les aveugles*, éd. Assézat, 1875, t. II.

—, *Pensées philosophiques. Œuvres complètes*, éd. Assézat, 1875, t. I.

—, *Le Rêve de d'Alembert. Entretien entre d'Alembert et Diderot et suite de l'Entretien*, édition critique [...] de Paul Vernière, Paris, Didier, 1951.

DIDEROT et d'ALEMBERT, *Encyclopédie ou Dictionnaire raisonné des Sciences, des Arts et des Métiers*, Paris, 1751-1752, 17 vol.

DIESBACH Ghislain de, *Necker ou la Faillite de la vertu*, Paris, Perrin, 1987.

DIMIER Louis, *Buffon*, Paris, 1919.

DINET Dominique, « La déchristianisation des pays du sud-est du Bassin parisien au XVIIIe siècle », dans *Christianisation et déchristianisation*, Angers, Publications du Centre de recherches d'histoire religieuse et d'histoire des idées, 1986.

—, « Les ordinations sacerdotales dans les diocèses d'Auxerre, Langres et Dijon (XVIIe-XVIIIe siècle) », *Revue d'histoire de l'Église de France*, t. LXVI, 1980.

—, « Une congrégation nouvelle à la fin de l'Ancien Régime. Les ursulines de Mussy-l'Évêque », dans *Les Religieuses enseignantes (XVIe-XXe siècle)*, Presses de l'université d'Angers, 1981.

—, *Vocation et fidélité, Le recrutement des réguliers dans les diocèses d'Auxerre, Langres et Dijon (XVIIe-XVIIIe siècle)*, Paris, Economica, 1988.

DION Marie-Pierre, *Emmanuel de Cröy, 1718-1784. Itinéraire intellectuel et réussite nobiliaire au siècle des Lumières*, université de Bruxelles, 1987.

DION Roger, *Histoire de la vigne et du vin en France des origines au XIXe siècle*, Paris, 1959.

DIONIS DU SÉJOUR, *Mémoires pour servir à l'histoire du droit public de la France [...]. Recueil de ce qui s'est passé de plus intéressant à la cour des aides de Paris*, Bruxelles, 1779.

DOCKES Nicole, « Un ordre naturel communautaire au XVIIIe siècle » dans *Ordre, nature, propriété*, Lyon, Presses universitaires de Lyon, 1985.

DOLLINGER Philippe et WOLFF Philippe, *Bibliographie d'histoire des villes de France*, Paris, Klincksieck, 1967.

DOMMANGET M., *Le Curé Meslier*, Paris, 1965.

DONIOL Henri, *Histoire de la participation de la France à l'établissement des États-Unis d'Amérique*, Paris, 1886, 5 vol.

DONTENWILL Serge, *Une seigneurie sous l'Ancien Régime : l'Étoile en Brionnais du XVIe au XVIIIe siècle (1575-1778)*, Roanne, Centre d'études foréziennes, 1973.

DORNIC François, *L'Industrie textile dans le Maine et ses débouchés internationaux (1630-1815)*, Le Mans, 1955.

DOUVILLE R. et CASANOVA J.D., *La Vie quotidienne en Nouvelle France. Le Canada de Champlain à Montcalm*, Paris, 1964.

DROUET Joseph, *L'Abbé de Saint-Pierre. L'homme et l'œuvre*, Paris, 1912.

DROZ Jacques, *Histoire diplomatique de 1648 à 1919*, Paris, Dalloz, 1958 ; 3e éd., 1972.

DROZ Joseph, *Histoire du règne de Louis XVI pendant les années où l'on pouvait prévenir ou diriger la Révolution française*, Paris, 1839.

DUBÉ Jean-Claude, *Claude-Thomas Dupuy, Intendant de la Nouvelle France (1678-1738)*, Montréal et Paris, Fides, 1969.

DUBÉDAT Jean-Baptiste, t. II : *Histoire du Parlement de Toulouse*, Toulouse, 1885.

DU BLED Victor, *La Comédie de société au XVIIIe siècle*, Paris, 1893.

DUBOIS-CORNEAU Robert, *Pâris de Montmartel, Banquier de la Cour, Receveur des Rentes de la Ville de Paris, 1690-1766. Origine et vie des frères Pâris, munitionnaires des vivres et financiers*, Paris, s.d.

DUBY Georges, *Histoire de la France rurale*, t. II : *L'Âge classique des paysans de 1340 à 1789*, Paris, Seuil, 1975.

DUCHET Michèle, *Anthropologie et histoire au siècle des Lumières*, Paris, Flammarion, 1978.

DUCRET Siegfried, *La Porcelaine des manufactures européennes du XVIIIe siècle*, Zurich, 1971.

DUFFY C., *The Army of Frederick the Great*, New York, 1974.

DUFOURCQ Albert, *L'Avenir du christianisme*, t. X : *Voltaire et les martyrs de la Terreur 1689-1799*, Paris, 1954.

DUFOURCQ Norbert, *Musique à la cour de Louis XIV et de Louis XV, d'après les Mémoires de Sourches et de Luynes (1681-1758)*, Paris, Picard A. et J., 1970.

—, *La Musique française*, éd. rev., Paris, Picard A. et J., 1970.

—, *Nobles et paysans aux confins de l'Anjou et du Maine. La seigneurie des d'Espaigne de Venevelles à Luché-Pringé*, Paris, Picard A. et J., 1988.

DUHAMEL J.M., « Les musiciens étrangers en France », *L'Information historique*, 1984, n° 46, p. 149-158.

DUHAMEL DU MONCEAU Henri Louis, *Traité de la culture des terres suivant les principes de M. Tulle*, Paris, 1750-1762, 6 vol. in-12.

DUJARRIC DE LA RIVIÈRE, *Lavoisier économiste*, Paris, 1959.

DUMAS, *Histoire du Journal de Trévoux*, 1936.

DUMAS Auguste, *L'Action des secrétaires d'État sous l'Ancien Régime*, université d'Aix-en-Provence, 1954.

DUMAS F., *La Généralité de Tours au XVIIIe siècle, administration de l'intendant Du Cluzel (1766-1783)*, Paris, 1894.

DUMESNIL René, *L'Opéra et l'opéra-comique*, Paris, PUF, « Que-sais-je ? », n° 278, 1947.

DUMONT François, *L'Administration provinciale au XVIIIe siècle*, cours de DES de droit, 1962-1963.

—, « L'intendant de Dijon et le Mâconnais », dans *Mémoires de la Société pour l'histoire du droit et des institutions des anciens pays bourguignons, comtois et romands*, Dijon, 1939, p. 145-194.

DUMOURIEZ, *Galerie des aristocrates militaires*, Paris, 1790.

DUNMORE John, *La Pérouse, explorateur du Pacifique*, Paris, Payot, 1986.

DUPÂQUIER Jacques, « Les caractères originaux de l'histoire démographique française au XVIIIe siècle », *Revue d'histoire moderne et contemporaine*, avril-juin 1976.

—, *Histoire de la population française*, t. II : *De la Renaissance à 1789*, Paris, PUF, 1988 ; 2e éd, 1991.

—, *La Population française aux XVIIe et XVIIIe siècles*, Paris, PUF, 1979.

—, *La Propriété et l'exploitation foncière à la fin de l'Ancien Régime dans le Gâtinais septentrional*, Paris, 1956.

—, « Le réseau urbain du Bassin parisien au XVIIIe siècle et au début du XIXe siècle. Essai de statistique », *Actes du 100e congrès national des Sociétés savantes*, Paris, 1975, section histoire moderne, p. 125-134.

DU PELOUX Charles, *Répertoire général des ouvrages modernes relatifs au dix-huitième siècle français (1715-1789)*, Paris, 1926 et suppl., 1927.

DUPONT-FERRIER Gustave, *Du collège de Clermont au lycée Louis-le-Grand (1563-1920)*, Paris, 1924, 2 vol.

DUPUY André, *La Vie diocésaine dans la province ecclésiastique d'Auch (1650-1776). Recherches et problèmes*, thèse, Bordeaux, 1969.

DURAND Yves, « La contrebande du sel au XVIIIe siècle aux frontières de Bretagne, du Maine et de l'Anjou », dans *Histoire sociale*, université d'Ottawa, p. 227-269.

—, *Les Fermiers généraux au XVIIIe siècle*, Paris, PUF, 1971.

—, « Recherches sur les salaires des maçons à Paris au XVIIIe siècle », *Revue d'histoire économique et sociale*, 1966, p. 468-480.

—, *La Société française au XVIIIe siècle : Institutions et société*, Paris, Sedes, 1992.

DURAND DE MAILLANE, *Dictionnaire de droit canonique et de pratique béné-ficiale...*, Lyon, 1770.

DUTACQ François, « Les paysans de la généralité de Lyon à la fin de l'Ancien Régime », *Revue bimestrielle des cours et conférences*, n° 12, 30 mai 1935, p. 289-306.

DUTIL L., « Philosophie et religion : Loménie de Brienne, archevêque de Toulouse », *Annales du Midi*, 1948, p. 33-70.

—, « Un prélat d'Ancien Régime : Arthur Richard Dillon, archevêque de Toulouse », *Annales du Midi*, 1941, p. 51-77.

DUVERGER Veron, *Étude sur Forbonnais par son petit-neveu*, Paris, 1900.

DUVIGNACQ Marie-Ange, « L'ordre de la Visitation à Paris aux XVIIᵉ et XVIIIᵉ siècles », *Positions des thèses de l'École des chartes*, 1987, p. 77-87.

DUVIGNACQ-GLESSGEN Marie-Ange, *L'Ordre de la Visitation à Paris aux XVIIᵉ et XVIIIᵉ siècles*, Paris, Cerf, 1994.

Les Ébénistes du XVIIIᵉ siècle français, Paris, 1963.

EDELMAN N., *Attitudes of Seventeenth Century France towards the Middle Ages*, New York, 1946.

Education and Enlightenment, International Standing Conference for the History and Education, 6th Session, Wolfenbüttel, 1984, 3 vol.

Éducation et pédagogies au siècle des Lumières, Angers, 1985.

EGRET Jean, *Louis XV et l'opposition parlementaire*, Paris, Armand Colin, 1970.

—, *Necker, ministre de Louis XVI*, Paris, Champion, 1975.

—, *Le Parlement de Dauphiné et les affaires publiques dans la deuxième moitié du XVIIIᵉ siècle*, Grenoble, Horvath, 1970.

—, *La Pré-Révolution française 1787-1789*, Paris, PUF, 1962.

—, « Le procès des jésuites devant les parlements de France 1761-1770 », *Revue historique*, juillet-septembre 1950, p. 1-27.

EHRARD Jean, *L'Idée de nature en France dans la première moitié du XVIIIᵉ siècle*, Paris, Slatkine ; réimpr. de l'éd. de Paris, 1963, 2 vol.

EL KORDI Mohammed, *Bayeux aux XVIIᵉ et XVIIIᵉ siècles. Contribution à l'heure urbaine de la France*, Paris, École des hautes études en sciences sociales, 1970.

EMMANUELLI François Xavier, « Introduction à l'histoire du XVIIIᵉ siècle communal en Provence », *Annales du Midi*, 1975, p. 157-200.

—, « Ordres du roi et lettres de cachet en Provence à la fin de l'Ancien Régime. Contribution à l'histoire du climat social et politique », *Revue historique*, octobre-décembre 1974, n° 512, p. 357-393.

—, *Pouvoir royal et vie régionale en Provence au déclin de la monarchie, psychologie, pratique administrative, défrancisation de l'intendance d'Aix (1745-1790)*, Lille, 1974.

—, *Un mythe de l'absolutisme bourbonien : l'Intendance du milieu du XVIIᵉ siècle à la fin du XVIIIᵉ siècle (France, Espagne, Amérique)*, université d'Aix-Marseille-I, Secrétaria, 1981.

« Enfant et sociétés », étude de J. N. Biraben, E. Hélin, J. M. Gouesse et A. Chamoux, numéro spécial des *Annales de démographie historique*, 1973.

ENGERAND Fernand, *Des tableaux commandés et achetés par la Direction des bâtiments du roi (1709-1792)*, Paris, 1901.

ENGRAND Charles, « Paupérisme et condition ouvrière dans la seconde moitié du XVIIIᵉ siècle : l'exemple amiénois », *Revue d'histoire moderne et contemporaine*, juillet-septembre 1982.

ESCOUBE Pierre, *Sénac de Meilhan 1763-1803. De la France de Louis XV à l'Europe des émigrés*, Paris, Perrin, 1984.

ESTIENNE Joseph, « L'hôpital général des pauvres de Paris aux XVIIe et XVIIIe siècles », *Revue de l'Assistance publique à Paris*, 1953.

ESTIENNE René, « La marine royale sous le ministère du duc de Choiseul (1761-1766) », *Positions des thèses de l'École des chartes*, 1979.

ESTIGNARD A., t. I : *Le Parlement de Franche-Comté de son installation à Besançon à sa suppression, 1674-1792*, Paris-Besançon, 1892.

ESTIVALS Robert, *La Statistique bibliographique de la France sous la monarchie au XVIIIe siècle*, Paris-La Haye, Mouton-De Gruyter, 1965.

ÉTIEMBLE René, *L'Orient philosophique au XVIIIe siècle*, CDU, 1956-1957.

Études sur l'histoire des assemblées d'états, Paris, 1966.

EVRAD Fernand, *Versailles, ville du Roi 1770-1789*, Paris, s. d.

EXPILLY Jean-Joseph (abbé), *Dictionnaire géographique, historique et politique des Gaules et de la France*, Paris, 1762-1770, 6 vol.

FABRE Joseph Amant, *Les Pères de la Révolution. De Bayle à Condorcet*, Paris, Slatkine, 1970 ; reprod. en fac-similé de l'éd. de Paris, 1908.

FABRE DE MASSAGUEL J., *L'École de Sorèze de 1758 au 19 Fructidor an VI*, Toulouse, 1958.

FAGNIEZ Gustave, « La politique de Vergennes et la diplomatie de Breteuil (1744-1787) », *Revue historique*, 1922.

FAGUET E., *Le XVIIIe siècle*.

FAIGUET DE VILLENEUVE Joachim, *L'Économie politique*, Paris, 1763.

FARCHI Jean, *Petite Histoire de l'île Bourbon*, Paris, 1937.

FARGE Arlette, *Le Cours ordinaire des choses dans la cité du XVIIIe siècle*, Paris, Seuil, 1994.

—, *Vivre dans la rue : une anthropologie de Paris au XVIIIe siècle*, Paris, Gallimard, 1979.

—, *Le Vol d'aliments à Paris au XVIIIe siècle*, Paris, 1974.

FARGE Arlette et FOUCAULT Michel, *Le Désordre des familles : lettres de cachet des archives de la Bastille*, Paris, Gallimard, 1982.

FARGE Arlette et REVEL Jacques, *Logiques de la foule. L'Affaire des enlèvements d'enfants*, Paris, Hachette, 1988.

FARGE Arlette et ZYSBERG André, « La violence à Paris au XVIIIe siècle », *Annales ESC*, septembre-octobre 1979.

FARGERON Antoine, *Une famille du XVIIIe siècle à la ville et aux champs : ces dames du Deffand et de Lespinasse, nées Vichy*, Moulins, 1975.

FAUCHIER-MAGNAN A., *Les Dubarry. Histoire d'une famille au XVIIIe siècle*, Paris, 1934.

FAURE Edgar, *La Banqueroute de Law*, Paris, Gallimard, 1977.

—, *La Disgrâce de Turgot : 12 mai 1776*, Paris, Gallimard, 1961.

—, *Turgot, économiste et administrateur*, université de Limoges, Publication de la faculté de droit, 1982.

FAVRE G., *Boieldieu, sa vie, son œuvre*, Paris, 1945, 2 vol.

FAVRE Robert, *La Mort au siècle des Lumières*, Lyon, Presses universitaires de Lyon, 1978.

FAŸ Bernard, *La Franc-Maçonnerie et la révolution intellectuelle du XVIIIe siècle*, Paris, La Librairie française, 1961.

—, *Louis XVI ou la Fin du monde*, Paris, 1966.

—, *Naissance d'un monstre : l'opinion publique*, Paris, 1965.

FAYET P., *Recherches historiques et statistiques sur les communes et les écoles de la Haute-Marne*, Langres, Paris, 1879.

FELS (comte E. de), *Ange-Jacques Gabriel, premier architecte du roi, d'après des documents inédits*, Paris, 1924.

FERGUSSON D., « Morelly and Ledoux : two examples of Utopian town planning and political theory in XVIIIth century France », *French Studies*, 1979, p. 13-26.

FERRIÈRE Claude-Joseph, *Dictionnaire de droit et de pratique*, Paris, 1740.

FERRIÈRES-MARSAY Henriette de Mombielle d'Hus (marquise de), *Souvenirs en forme de Mémoires (1744-1837)*, Saint-Brieuc, 1910.

FERRY Guy et MULLIEZ Jacques, *L'État et la rénovation de l'agriculture au XVIIIe siècle*, Paris, PUF, 1970.

FERTÉ Patrick, *L'Université de Cahors au XVIIIe siècle (1700-1751) : le coma universitaire au siècle des Lumières*, Cahors, Ferté P., 1975.

FESTY Octave, *L'Agriculture pendant la Révolution française. Les Conditions de production et de récolte des céréales. Études d'histoire économique*, Paris, 1947.

FEUGÈRE Anatole, *Un précurseur de la Révolution, l'abbé Raynal (1713-1796), Documents inédits*, Angoulême, 1912.

FEUILLET DE CONCHES, *Les Salons de conversation au XVIIIe siècle*, Paris, 1882.

FEYEL Gilles, « La presse provinciale au XVIIIe siècle : géographie d'un réseau », *Revue historique*, septembre 1985, p. 353-374.

—, *La Gazette à travers ses impressions en province, 1631-1752*, thèse, université de Paris-I, 1981.

FIERRO Alfred, *Mémoires de la Révolution*, Paris, Service des travaux historiques de la Ville de Paris, 1988.

FLAMMERMONT Jules, *Le Chancelier Maupeou et les Parlements*, Paris, 1886.

—, « Le second ministère de Necker », *Revue historique*, 1891.

FLEURY Claude, *Institution au droit ecclésiastique de France*, Paris, 1767.

FLEURY G., *François Véron de Forbonnais 1722-1800*, Mamers-le-Mans, 1916.

FLEURY M., *Louis XV et les petites maîtresses*, Paris, 1889.

FLOQUET Amable, *Histoire du Parlement de Normandie*, Rouen, 1842.

FLOURET Jean, « Cinq siècles d'enseignement secondaire à La Rochelle (1504-1972) », dans *Historique du lycée Fromentin...*, Paris, 1973.

FOHLEN Claude, *Histoire de Besançon*, Paris, Cêtre, 1981, 2 vol.

FONCIN Pierre, *Essai sur le ministère de Turgot*, Paris, Mégariotis Reprints, 1989.

FONT Auguste, *Favart, L'Opéra-comique et la comédie vaudeville aux XVIIe et XVIIIe siècles*, Paris, Slatkine, 1970 ; reprod. en fac-similé de l'éd. de Paris, 1894.

FONTAINE Léon, *Le Théâtre et la philosophie au XVIIIe siècle*, Paris, 1879.

FORSTER Robert, *The House of Saulx-Tavannes, Versailles and Burgundy, 1700-1830*, Baltimore-Londres, 1971.

—, *The Nobility of Toulouse in the Eighteenth Century. A Social and Economic Study*, John Hopkins University, 1960.

FOUCAULT Michel, *Histoire de la folie à l'âge classique*, Paris, Gallimard, 1976.

FOUQUERAY Henri, *Histoire de la Compagnie de Jésus en France des origines à la suppression, 1528-1762*, Paris, 1922, 5 vol.

FOURASTIÉ Jean, «Quelques réflexions sur le mouvement des prix et le pouvoir d'achat des salaires en France depuis le XVIIIe siècle», *Bulletin de la Société d'histoire moderne et contemporaine*, mars-avril 1953.

FOURNÉE Jean, *Études sur la noblesse rurale du Cotentin et du Bocage normand*, Boulogne-sur-Seine, 1957.

FOURNIER Georges, «Sur l'administration municipale de quelques communautés languedociennes de 1750 à 1791», *Annales du Midi*, 1972, p. 459-481.

FRANCK Adolphe, *La Philosophie mystique en France au milieu du XVIIIe siècle. Saint Martin et son maître Martinez Pasqualis*, Paris, 1866.

«François Couperin», *Dix-Huitième Siècle*, numéro spécial, n° 82, 1969.

François Quesnay et la physiocratie, Paris, INED, 1958, 2 vol.

FRANKLIN Alfred Louis, *Paris sous la Régence*, Paris, Plon Nourrit, 1897.

—, *La Vie privée d'autrefois*, Paris, Slatkine, 1980 ; réimpr. de l'éd. de Paris, 1888.

FRANQUEVILLE (comte de), *Le Château de la Muette*, Paris, 1915.

FRÊCHE Geneviève, *Les Prix des grains, des vins et des légumes à Toulouse (1486-1868). Extraits des mercuriales suivis d'une bibliographie d'histoire des prix*, Paris, 1967.

FRÊCHE Georges, *Toulouse et la région Midi-Pyrénées au siècle des Lumières, v. 1670-1789*, Paris, Cujas, 1974.

FRÊCHE Georges et SUDREAU Jean, *Un chancelier gallican : d'Aguesseau et un cardinal diplomate : François Joachim de Pierre de Bernis*, Paris, 1969.

FREDERIK B., *The Development of Technical Education in France (1500-1850)*, Massachusetts Institute of technology, 1966.

FRÉGAULT Guy, *Le XVIIIe siècle canadien. Études*, Montréal, 1968.

FRÉGNAC Claude, *Les Styles français de Louis XIII à Napoléon*, Paris, Hachette, 1975.

FRÉRON, *Lettres sur quelques écrits de ce temps*, Paris, Slatkine, 1966; reprod. en fac-similé de l'éd. de Paris, 1749-1754.

FRÉVILLE Henri, *L'Intendance de Bretagne (1689-1790). Essai sur l'histoire d'une intendance en pays d'états au XVIIIᵉ siècle*, Rennes, 1953, 3 vol.

FROESCHLÉ-CHOPARD Marie-Hélène, *Atlas de la réforme pastorale en France de 1550 à 1790 : les évêques en visite dans les diocèses*, Paris, CNRS, 1986.

—, *La Religion populaire en Provence orientale au XVIIIᵉ siècle*, Paris, Beauchesne, 1980.

FROIDEVAUX Henri, *Explorations françaises à l'intérieur de la Guyane pendant le second quart du XVIIIᵉ siècle (1720-1742)*, Paris, 1895.

FROSTIN Charles, « Les colons de Saint-Domingue et les métropoles », *Revue historique*, avril-juin 1967, p. 383-414.

FUNCK-BRENTANO Frantz, *L'Affaire du Collier*, Paris, 1901.

—, *Les Brigands*, Paris, Tallandier, 1978.

—, *Les Lettres de cachet à Paris. Études suivie d'une liste des prisonniers de la Bastille (1659-1789)*, Paris, 1903.

FURET François (dir.), *Livre et société dans la France du XVIIIᵉ siècle*, Paris, 1965 et 1970.

—, « Structures sociales parisiennes au XVIIIᵉ siècle, l'apport d'une série fiscale », *Annales ESC*, septembre-octobre 1961, p. 939-958.

FURET François, OZOUF Jacques, *Lire et écrire. L'Alphabétisation des Français de Calvin à Jules Ferry*, Paris, Minuit, 1977, 2 vol.

FUSIL C.A., « Lucrèce et les littérateurs, poètes et artistes du XVIIIᵉ siècle », *RHLF*, 1930, p. 171-176.

—, « Lucrèce et les philosophes du XVIIIᵉ siècle », *RHLF*, 1928, p. 194-210.

GADILLE Jacques, *Guide des archives diocésaines françaises*, 1971.

GAIFFE Félix, *Le Drame en France au XVIIIᵉ siècle*, Paris, 1910.

GAIGNEUX G., *Lorient, 300 ans d'histoire*, Quimper, 1966.

GAILLARD Chantal, *Le Débat sur la propriété au XVIIIᵉ siècle*, t. I : *De la défense à la limitation*, t. II : *De la limitation à l'abolition*, Paris, 1987, 2 vol.

GALIANO Paul, ROBERT Philippe et SUSSEL Philippe, *La France des Lumières, 1715-1789*, Paris, 1970.

GALLET Danielle, *Madame de Pompadour ou le Pouvoir féminin*, Paris, Fayard, 1985.

GALLET Jean, « Recherches sur la seigneurie : foires et marchés dans le Vannetais du XVIᵉ au XVIIIᵉ siècle », *Mélanges de la Société d'histoire et d'archéologie de Bretagne, 1972-1974*, t. 52, p. 133-166.

GALLET Michel, *Claude-Nicolas Ledoux 1736-1806*, Paris, Picard A. et J., 1980.

—, *Demeures sous Louis XVI*, Paris, Le Temps, 1964.

GALLET Michel et BOTTINEAU Yves, *Les Gabriel*, Paris, 1982.

GAMBIER-PARRY, *Mrs Necker, her Family, her Friends*, Édimbourg, 1913.

GANDILHON René, *Naissance du champagne*, Dom Pierre Pérignon.

GANIAGE Jean, *Trois Villages d'Ile-de-France au XVIIIe siècle*, Paris, 1963.

GARDEN Maurice, «Écoles et maîtres, Lyon au XVIIIe siècle», *Cahiers d'histoire*, 1976.

—, *Lyon et les Lyonnais au XVIIIe siècle*, Paris, Les Belles Lettres, 1970.

GARNAULT E., *Le Commerce rochelais au XVIIIe siècle*, La Rochelle, 1887-1900, 5 vol.

GARNEAU François-Xavier, *Histoire du Canada*, Paris, 1913.

GARNOT Benoît, *Les Cordonniers d'Angers au XVIIIe siècle*, mémoire de maîtrise, université d'Angers, 1973.

—, «Le logement populaire au XVIIIe siècle : l'exemple de Chartres», *RHMC*, avril-juin 1989, p. 186-210.

—, *Le Peuple au siècle des Lumières. Échec d'un dressage culturel*, Paris, Imago, 1990.

—, *Un déclin : Chartres au XVIIIe siècle*, Paris, Bibliothèque nationale, 1990.

GAUBBS Henry, *Jean-Baptiste Rousseau : his Life and Works*, Princeton, 1941.

GAULMIER Jean, *Un grand témoin de la Révolution et de l'Empire, Volney*, Paris, 1959.

GAULOT Paul, *Un ami de la reine*, Paris, Paul Ollendorf, 1892.

Gauthier-Villars, *Louis XV et Marie Leszczynska*, Paris, 1900.

—, *Le Mariage de Louis XV d'après des documents nouveaux et une correspondance inédite de Stanislas Leszczynski*, Paris, 1900.

GAUTIER E., *Crulai. Démographie d'une paroisse normande aux XVIIe et XVIIIe siècles*, Paris, 1988.

GAXOTTE Pierre, *Frédéric II*, nouv. éd., Paris, Fayard, 1953.

—, *Le Siècle de Louis XV*, Paris, Fayard, 1933.

GAYOT Gérard, *La Franc-maçonnerie française. Textes et pratiques (XVIIIe-XIXe siècle)*, Paris, Gallimard, 1980.

—, «Protestants et francs-maçons à Sedan, XVIIIe siècle», *RHMC*, juillet-septembre 1971, p. 415-430.

—, «Un empire drapier à Sedan au XVIIIe siècle : l'entreprise des Poupart de Neuflize», dans *Pays sedanais, année 51*, 1986, p. 2-26.

GAY LEVY Darline, *The Ideas and Careers of Simon-Nicolas-Henri Longuet. A Study in Eighteenth Century French Politics*, Urbana, III, 1980.

GAZIELLO Catherine, *L'Expédition de La Pérouse : 1785-1788. Réplique française aux voyages de Cook*, Paris, Comité des travaux historiques et scientifiques, 1984.

GEBELIN Jacques, *Histoire des milices provinciales, 1688-1791*, Paris, 1882.

GEIGER Reed, *The Anzin Coal Company 1800-1833, Big Business in the Early Stages of the French Industrial Revolution*, University of Delaware Press, 1971.

GELFAND Toby, «Deux cultures, une profession : les chirurgiens français au XVIIIe siècle», *RHMC*, juillet-septembre 1980, p. 468-484.

GÉLIS Jacques, *L'Arbre et le fruit. La Naissance dans l'Occident moderne XVIᵉ-XIXᵉ siècle*, Paris, Fayard, 1984.

GEMBICKI Dieter, *Histoire et politique à la fin de l'Ancien Régime : Jacob Nicolas Moreau (1717-1803)*, Genève, Nizet, 1979.

GEOFFROY Auguste, *Gustave III et la cour de France*, Paris, 1867, 2 vol.

GEORGE André, *L'Oratoire*, Paris, 1928.

GÉRAUD-LLORCA Édith, « La coutume de Paris outre-mer : l'habitation antillaise sous l'Ancien Régime », *RHD,* 1982, p. 207-259.

GERBAULT J.M., *André Chénier*, Paris, 1959.

GERN Philippe, *Aspects des relations franco-suisses au temps de Louis XVI, diplomatie, économie, finance*s, Neuchâtel, Baconnière, 1970.

GERNET Jacques, *Le Monde chinois*, nouv. éd. rev. et augm., Paris, Armand Colin, 1990.

GIBRAT Jean-Baptiste, *Traité de la géographie moderne*, 1784.

GIDE Charles et RIST André, *Histoire des doctrines économiques depuis les physiocrates jusqu'à nos jours*, Paris, 1926.

GIGNOUX J.-C., *Turgot*, Paris, 1945.

GILLE Bertrand, *Les Forges françaises en 1772*, Paris, École des hautes études en sciences sociales, 1960.

—, *Les Origines de la grande industrie métallurgique en France*, Paris, 1947.

GILLES H., « État actuel des travaux sur les États provinciaux », *Actes du 111ᵉ congrès national des Sociétés savantes*, Ph. et Hist., III, p. 31-52.

GIRARD Georges, *Racolage et milice*, Paris, 1922.

GIRARD R., *L'Abbé Terray et la liberté du commerce des grains*, Paris, 1924.

GIRAUD Marcel, « La compagnie d'Occident, 1717-1718 », *Revue historique*, 1961, p. 23-56.

—, *Histoire de la Louisiane française*, t. 3 et 4, Paris, 1966 et 1974.

GIRAULT DE COURSAC Pierrette, *L'Éducation d'un roi : Louis XVI*, Paris, Gallimard, 1972.

GIRAULT DE COURSAC Paul et Pierrette, *Marie-Antoinette et le scandale de Guines*, Paris, Gallimard, 1962.

GIRDLESTONE Cuthbert, *Jean-Philippe Rameau*, Paris, Desclée de Brouwer, 1983.

GLACHANT Roger, *Suffren et le temps de Vergennes*, Paris, 1976.

GLASSON E., *Le Parlement de Paris, son rôle politique depuis le règne de Charles VII jusqu'à la Révolution*, Paris, 1901.

GLOTZ Marguerite et MAIRE Madeleine, *Salons du XVIIIᵉ siècle*, Paris, Nouvelles éditions latines, 1949.

GOBET, *Les Anciens Minéralogistes du royaume de France*, Paris, 1779, 2 vol.

GODART J., *L'Ouvrier en soie. Monographie du tisseur lyonnais. Étude historique, économique et sociale*, Lyon, 1899.

GODARD Philippe, *La Querelle du refus des sacrements (1730-1765)*, thèse de droit, Paris, 1937.

GODECHOT Jacques et MONCASSIN Suzanne, *Démographie et subsistances en Languedoc (du XVIIIe siècle au début du XIXe siècle)*, Paris, 1965.

GOHIN F., *Les Transformations de la langue française pendant la deuxième moitié du XVIIIe siècle (1740-1789)*, Paris, 1902.

GOMEL Charles, *Les Causes financières de la Révolution. Les derniers contrôleurs généraux*, Paris, 1893.

GONCOURT Edmond de, *Les Actrices du XVIIIe siècle. Mademoiselle Clairon d'après ses correspondances et les rapports de police du temps*, Paris, 1890.

GONCOURT Edmond et Jules de, *Sophie Arnould d'après sa correspondance et ses Mémoires inédits*, Paris, Aujourd'hui, 1985 ; texte conforme à celui de l'éd de Paris, 1877.

—, *La Femme au dix-huitième siècle*, Paris, 1935, 2 vol.

GORSE (duc de), *Les Coulisses de Versailles. Louis XV et sa cour*, Paris, 1965.

GOUBERT Pierre, *L'Ancien Régime*, Paris, 1969, 2 vol.

—, *Les Danse et les Motte de Beauvais*, Paris, SEVPEN, 1959.

—, « Recherches d'histoire rurale dans la France de l'Ouest », *Bulletin de la Société d'histoire moderne*, 1965, n° 2, p. 2-6.

GOULEMOT Jean-Marie, *Discours, histoire et révolutions : Représentations de l'histoire et discours sur les révolutions de l'Âge classique aux Lumières*, Paris, 1975.

GOY Joseph et LE ROY LADURIE Emmanuel, *Les Fluctuations du produit de la dîme : conjoncture décimale et domaniale de la fin du Moyen Âge au XVIIIe siècle*, Paris, Mouton-De Gruyter, 1972.

GOYARD-FABRE Simone, *La Philosophie du droit de Montesquieu*, Paris, Klincksieck, 1973.

—, *La Philosophie des Lumières en France*, Paris, Klincksieck, 1972.

GRANDIÈRE Marcel, *L'Idéal pédagogique en France au XVIIIe siècle (1715-1789)*, thèse dactylographiée, Lille, 1991.

—, « Regards sur l'enfant au XVIIIe siècle », dans *Éducation et pédagogies au siècle des Lumières*, Angers, 1985.

GRANGE Henri, *Les Idées de Necker*, Lille, Klincksieck, 1974.

GRANGER Gilles-Gaston, *La Mathématique sociale du marquis de Condorcet*, nouv. éd. rev. et corrigée, Paris, O. Jacob, 1989.

GRAS Yves, « Les guerres limitées du XVIIIe siècle », *Revue historique des armées*, 1970, n° 1, p. 22-36.

GREEN F. Ch., *La Peinture des mœurs de la bonne société dans le roman français de 1715 à 1761*, Paris, 1924.

GRENTE (cardinal), *Dictionnaire des lettres françaises*, Paris, 1960, 2 vol.

GRESSET Jean-Baptiste, *Ver-Vert*, Paris, Librairie des bibliophiles, 1872.

GRESSET Maurice, *Gens de justice à Besançon*, Paris, Bibliothèque nationale, 1970.

—, *Une famille nombreuse au XVIIIᵉ siècle*, Toulouse, Privat, 1981.

GREVET René, *Écoles, pouvoirs et société (fin XVIIᵉ siècle-1815), Artois, Boulonnais/Pas de Calais*, Lille, Presses universitaires de Lille, 1991.

GRIEDER Joséphine, *Anglomania in France (1740-1789). Fact, Fiction and Political Discourse*, Genève, 1985.

GRIMMER Claude, *Vivre à Aurillac au XVIIᵉ siècle*, Aurillac, 1983.

GROSCLAUDE Pierre, *Jean-Jacques Rousseau et Malesherbes. Documents inédits*, Paris, Fischbacher, 1960.

—, *Malesherbes, témoin et interprète de son temps*, Paris, Fischbacher, 1964.

—, *Un audacieux message*, l'«Encyclopédie», Paris, Nouvelles éditions latines, 1951.

—, *La Vie intellectuelle à Lyon dans la deuxième moitié du XVIIIᵉ siècle. Contribution à l'histoire littéraire de la province*, Paris, 1933.

GROSPERRIN Bernard, «L'histoire et le modèle historique dans le Traité des Études de Rollin», *Cahiers d'histoire*, 1971, p. 161-174.

—, *Les Petites Écoles sous l'Ancien Régime*, Rennes, Ouest-France, 1984.

—, *La Représentation de l'histoire de France dans l'historiographie des Lumières*, thèse, Paris, 1978.

GROULX Lionel-Adolphe, *Histoire du Canada français depuis la découverte*, t. I : *Le Régime français*, Montréal-Paris, Fides, 1976.

GRUBER Alain-Charles, *Les Grandes Fêtes et leur décor à l'époque de Louis XVI*, Paris, Droz, 1972.

GUÉGUEN E., «La mendicité au pays de Vannes dans la deuxième moitié du XVIIIᵉ siècle», *Bulletin de la Société polymatique du Morbihan*, 1970.

GUÉHENNO Jean, *Jean-Jacques : histoire d'une conscience*, nouv. éd., Paris, Gallimard, 1962, 2 vol.

GUÉRIN L., *L'Intendant de Cypierre et la vie économique de l'Orléanais (1760-1785)*, Paris, 1938.

GUÉRY Alain, «Les finances de la monarchie française sous l'Ancien Régime», *Annales ESC*, 1976, p. 216-239.

GUEUDRE Gabrielle, *Histoire de l'ordre des ursulines en France*, Paris, 1963, 2 vol.

GUIBERT Joseph de, *La Spiritualité de la Compagnie de Jésus. Esquisse historique*, Rome, 1953.

GUIGNET Philippe, *Mines, manufactures et ouvriers du Valenciennois au XVIIIᵉ siècle : contribution à l'histoire du travail dans l'ancienne France*, New York, Arno Press, 1977.

—, *Le Pouvoir dans la ville au XVIIIᵉ siècle : pratiques politiques, notabilité et éthique sociale de part et d'autre de la frontière franco-belge*, Paris, École des hautes études en sciences sociales, 1990.

GUILLEMINOT Solange, *Litiges et criminalité dans le présidial de Caen au XVIIIe siècle*, thèse de 3e cycle, 1986.

GUILLERAND-CHAMPENIER Marie-Claude, *La Vie féminine consacrée en Anjou (1660-1812)*, thèse dactyl., université de Lille, 1992.

—, *Les Servantes des Pauvres de la Providence de Saumur de 1736 à 1816. Quatre-vingts ans de fidélité à Jeanne Delanoue*, Chambray-les-Tours, 1985.

GUILLERMÉ-BRULON Dorothée et Dauguet Claire, *Les Faïences françaises*, Paris, Baschet, 1988.

GUSDORF Georges, *Les Sciences humaines et la pensée occidentale*, t. IV : *Les Principes de la pensée au siècle des Lumières*, Paris, Payot, 1971.

—, *Les Sciences humaines et la pensée occidentale, t. V : Dieu, la nature et l'homme au siècle des Lumières*, Paris, Payot, 1972.

GUTTON Jean-Pierre, *Domestiques et serviteurs en France sous l'Ancien Régime*, Paris, Aubier-Montaigne, 1981.

—, *L'État et la mendicité dans la première moitié du XVIIIe siècle. Auvergne, Beaujolais, Forez, Lyonnais*, Lyon, Centre d'études foréziennes, 1973.

—, « Lyon et le crédit populaire sous l'Ancien Régime : les projets de Monts de piété », dans *Studi in onore di Federigo Melis*, 1978, p. 147-154.

—, « Les mendiants dans la société parisienne au début du XVIIIe siècle », dans *Mélanges d'histoire André Fugier*, Lyon, 1968, p. 133-143.

—, *La Sociabilité villageoise dans l'ancienne France*, Paris, 1979.

—, *La Société et les pauvres. L'exemple de la généralité de Lyon, 1534-1789*, Paris, Les Belles-Lettres, 1971.

—, *Villages du Lyonnais sous la monarchie (XVIe-XVIIIe siècle)*, Lyon, 1978.

GUYÉNOT Émile, *Les Sciences de la vie au XVIIe et au XVIIIe siècle*, Paris, 1941.

GUYOT J.N., *Répertoire universel et raisonné de jurisprudence civile, criminelle, canonique et bénéficiale*, Paris, 1784-1785, réédité par Merlin en 1807 et 1827.

HAASE-DUBOSC Danielle et VIENNOT Éliane, *Femmes et pouvoirs sous l'Ancien Régime*, Paris, Rivages, 1991.

HADIDI Djavad, *Voltaire et l'Islam*, Paris, POF, 1974.

HAHN R., *The Anatomy of a Scientific Institution : The Paris Academy of Sciences 1666-1803*, University of California, 1971.

HALÉVY Ran, « Les loges maçonniques dans la France d'Ancien Régime. Aux origines de la sociabilité démocratique », *Cahiers des Annales*, 1984.

HAMEL Charles, *Histoire de l'abbaye et du collège de Juilly depuis les origines jusqu'à nos jours*, Paris, 1888.

HAMILTON E.J., « Prices and wages at Paris under John Laws System », *Quaterly Journal of Economics*, 1935-1936, t. 2, p. 42-70.

HAMON A., *Histoire de la dévotion au Sacré-Cœur*, Paris, 1923-1940, 5 vol.

HAMON Maurice, *Du soleil à la terre. Une histoire de Saint-Gobain*, Paris, Jean-Claude Lattès, 1988.

HAMON Maurice, PERRIN Dominique, *Au cœur du XVIIIe siècle industriel. Condition ouvrière et tradition villageoise à Saint-Gobain*, Paris, 1993.

HANOTAUX Gabriel, *Histoire de la nation française*, Paris, 1924.

HANOTAUX Georges et MARTINEAU A., *Histoire des colonies françaises et de l'expansion de la France dans le monde*, Paris, 1929-1934, 6 vol.

HARDY Georges, *Le Cardinal de Fleury et le mouvement janséniste*, Paris, 1925.

HARNOIS G., *Les Théories du langage en France de 1660 à 1821*, Paris, 1933.

HAROUEL Jean-Louis, *Les Ateliers de charité dans la province de la Haute-Guyenne*, Paris, 1969.

HARSIN Paul, *La Banque et le Système de Law*, La Haye, 1933.

—, *Crédit public et Banque d'État en France du XVIe au XVIIIe siècle*, Paris, 1933.

—, *Les Doctrines monétaires et financières du XVIe au XVIIIe siècle*, Paris, 1928.

—, «Les Mémoires du duc d'Antin et le système de Law», *BSHM*, 1962, p. 14-15.

HATIN Eugène, *Bibliographie historique et critique de la presse périodique française,* Paris, Erasmo, 1960.

—, *Les Gazettes de Hollande et la presse clandestine aux XVIIe et XVIIIe siècles*, Paris, 1865.

Haudrère Philippe, *La Bourdonnais. Marin et aventurier*, Paris, 1992.

—, *La Compagnie française des Indes au XVIIIe siècle (1719-1795)*, Paris, Librairie de l'Inde, 1989, 4 vol.

—, «Un aspect de l'échec du Système de Law : les "réalisations" en 1719 et 1720», *L'Information historique*, 1980, p. 23-25.

HAUSSONVILLE Gabriel Paul-Othenin de Cléron (comte d'), *Le Salon de Mme Necker : d'après des documents tirés des archives de Coppet*, Paris, Slatkine 1970 ; reprod. en fac-similé de l'éd. de Paris, 1882, 2 vol.

HAUSSONVILLE Joseph de Cléron (comte d'), *Histoire de la réunion de la Lorraine à la France*, Paris, 1859, t. IV.

HAUTECŒUR Louis, *Histoire de l'architecture classique en France*, t. III : *La Première Moitié du XVIIIe siècle. Le style Louis XV*, Paris, Picard A. J., 1950 ; t. IV : *Seconde Moitié du XVIIIe siècle 1750-1792*, Paris, Picard A. J., 1952.

—, *Rome et la renaissance de l'Antiquité à la fin du XVIIIe siècle*, Paris, 1912.

HAVINGA J.C.A., *Les «Nouvelles ecclésiastiques» dans leur lutte contre l'esprit philosophique*, Amersfort, 1925.

HAZARD Paul, *La Crise de la conscience européenne*, Paris, 1935.

—, *La Pensée européenne au XVIIIe siècle de Montesquieu à Lessing*, Paris, Boivin, 1946, 3 vol.

HELVÉTIUS Claude Hadrien, *De l'esprit*, présentation de F. Châtelet, Paris, 1973.

—, *De l'homme, de ses facultés intellectuelles et de son éducation*, Paris, 1792 ; rééd. Paris, Fayard, 1989.

—, *Œuvres complètes*, Paris, 1795.

HÉLYOT Hippolyte, *Histoire des ordres monastiques, religieux et militaires de l'un et l'autre sexe qui ont été établis jusqu'à présent...*, Paris, 1714-1719.

HÉNAULT Jean-François, *Mémoires*, Paris, 1855.

HÉRICOURT Louis de, *Les Lois ecclésiastiques*, Paris, 1721.

HÉRISSAY Jacques, *Les Aumôniers de la guillotine*, Paris, 1954.

HERMAND Pierre, *Les Idées morales de Diderot*, Paris, 1923.

HERMANN-MASCARD Nicole, *La Censure des livres à Paris à la fin de l'Ancien Régime (1750-1789)*, Paris, 1968.

HÉRON DE VILLEFOSSE René, *L'Anti-Versailles ou le Palais-Royal de Philippe Égalité*, Paris, 1974.

HÉZECQUES, *Souvenirs du comte d'Hézecques, page à la cour de Louis XVI*, présentés par E. Bourassin, Paris, Tallandier, 1987.

HILAIRE Yves-Marie (dir.), *Benoît Labre, errance et sainteté : Histoire d'un culte (1783-1983)*, Paris, 1984.

—, *La Religion populaire. Aspects du christianisme populaire à travers l'histoire*, université de Lille, 1981.

HIMELFARB Hélène, « Versailles, fonctions et légendes », dans *Les Lieux de mémoire, La Nation*, sous la dir. de Pierre Nora, Paris, Gallimard, 1986.

HINCKER François, *Expériences bancaires sous l'Ancien Régime*, Paris, 1974.

HIPPEAU G., *Le Gouvernement de Normandie au XVIIe et XVIIIe siècle, documents inédits tirés des archives du château d'Harcourt*, 1863-1869, 9 vol.

Histoire de l'enseignement de 1610 à nos jours, vol. 1 de l'*Histoire moderne et contemporaine*, actes du 95e congrès national des Sociétés savantes, Reims, 1970, Paris, 1974.

HOCQUARD J.V., *La Pensée musicale de Mozart*, Paris, 1958.

HOEFER Ferdinand, *Histoire des mathématiques depuis les origines jusqu'au commencement du dix-neuvième siècle*, Paris, 1895.

HOEFER Ferdinand, *Nouvelle Biographie générale*, Paris, Firmin-Didot, 1857, 46 vol.

HOLBACH Paul Henri, *Le Christianisme dévoilé ou Examen des principes et des effets de la religion chrétienne*, textes choisis de P. H. d'Holbach, Paris, Éditions sociales, 1957, 2 vol.

Hommage à Marcel Reinhard, Sur la population française aux XVIIIe et XIXe siècles, Paris, 1973.

HONDT Jacques d' (dir.), *Dom Deschamps et sa métaphysique*, Paris, 1974.

HORN D.B., *Great Britain and Europe in the Eighteenth Century*, Oxford, 1967.

HOROWITZ Irving Louis, *Claude Helvétius : philosopher of Democracy and Enlightenment*, New York, 1954.

HOURS Bernard, *Madame Louise, princesse au carmel (1737-1787)*, Paris, Cerf, 1987.

—, « Religion, ambition et sociabilité dans les *Souvenirs de Jacob-Nicolas Moreau* », *Mélanges offerts à Bernard Grosperrin*, Bibliothèque des études savoisiennes, université de Savoie, t. I.

HOURS H., « Émeutes et émotions populaires dans les campagnes du Lyonnais au XVIIIᵉ siècle », *Cahiers d'histoire*, 1964.

HOUSSAYE A., *Portraits du dix-huitième siècle*, Paris, 1854.

HUBERT René, *D'Holbach et ses amis*, Paris, 1928.

HUE François, *Dernières Années du règne et de la vie de Louis XVI*, Paris, 1860.

HUFTON O.H., *The Poor of Eighteenth Century France, 1750-1789*, Oxford, 1974.

HUGUES G. (Dr), *Essai sur l'administration de Turgot dans la généralité de Limoges*, Paris, 1859.

HUMBERT René, *Les Sciences sociales dans l'Encyclopédie*, Paris, 1929.

HUNTER A.C. et SUARD J.A., *Un introducteur de la littérature anglaise en France*, Paris, 1925.

HUTCHINGS Arthur, *The Baroque Concerto*, Londres, 1961.

HUXLEY Aldous, « Crébillon fils », dans *L'Olivier et autres essais*, traduction de Jules Castiès, Paris, 1946.

IAIN A. Cameron, *Crime and Repression in the Auvergne and the Guyenne, 1720-1790*, New York, 1981.

IENAGA S., *History of Japan*, Tokyo, 1953.

ILLIERS Louis d', *Deux Prélats d'Ancien Régime, les Jarente*, Monaco, 1948.

IMBERDIS Franck, *Le Réseau routier de l'Auvergne au XVIIIᵉ siècle*, Paris, 1967.

IMBERT Jean, *Quelques procès criminels des XVIIᵉ et XVIIIᵉ siècles*, Paris, 1964.

« Indépendance des États-Unis d'Amérique », *Revue historique des armées*, 1976, n° 4.

JAMIESON I., *Charles Antoine Coypel, Premier Peintre de Louis XV et auteur dramatique (1694-1752)*, Paris, 1930.

JANET P., *Le Spinozisme en France*, Paris, 1883.

JARS Antoine, *Voyages métallurgiques, ou Recherches et observations sur les mines et forges de fer*, textes rassemblés par Gabriel Jars, Lyon, 1774-1781, 3 vol.

Jean-Jacques Rousseau 1712-1778 : pour le 250ᵉ anniversaire de sa naissance, textes de A. Soboul, D. Ligou..., Gap, 1963.

JEONG Dong-Jun, *Jean-François de La Harpe*, université de Lille, 1991.

JESSENNE Jean-Pierre, *Pouvoir au village et Révolution. Artois 1760-1848*, Lille, Presses universitaires de Lille, 1987.

JOLLY Claude (dir.), *Histoire des bibliothèques françaises*, vol. II : *Les Bibliothèques sous l'Ancien Régime 1530-1789*, Paris, Promodis-éd. du Cercle de la Librairie, 1988.

JOLLY Pierre, *Calonne 1734-1802*, Paris, 1949.

—, *Dupont de Nemours, soldat de la liberté*, Paris, 1956.

JONES Colin, *Charity and Bienfaisance : The Treatment of the Poor in the Montpellier Region 1740-1815*, New York, 1983.

JOUGLA DE MORENAS Henri, *Grand Armorial de France. Catalogue général des armoiries des familles nobles de France*, Paris, 1934-1949, 6 vol.

JOURDAIN Ch., *Histoire de l'université de Paris au XVIIe et au XVIIIe siècle*, Paris, 1862-1866, 2 vol.

JOU Myongcheol, *Les Gens du livre embastillés (1750-1789)*, thèse, Paris-IV, 1986.

JOUTARD Ph. et LIGOU D., *Histoire des Protestants en France*, Toulouse, 1977.

JUGIE-BERTRAC Sophie, « Le duc d'Antin, directeur général des Bâtiments du Roi (1708-1736) », *Positions des thèses de l'École des chartes*, 1986, p. 93-100.

JULLIEN Adolphe, *Les Grandes Nuits de Sceaux. Le Théâtre de la duchesse du Maine*, Paris, 1876.

JULLINA Philippe, *Le Style Louis XVI*, Paris, s.n., s.d.

KAGAN Richard L., « Law students and legal careers in eighteenth century France », *Past and Present*, août 1975, n° 68, p. 38-72.

KALNEIN W.G. et LEVEY M., *Art and Architecture of the Eighteenth Century in France, Pelican History of Art*, 1972.

KAPLAN H.H., *The First Partition of the Poland*, New York, 1962.

KAPLAN Steven L., *Le Complot de famine : histoire d'une rumeur au XVIIIe siècle*, Paris, Armand Colin, 1982.

—, *Le Pain, le peuple et le roi. La bataille du libéralisme sous Louis XV*, Paris, Perrin, 1986.

—, *Les Ventres de Paris. Pouvoir et approvisionnement dans la France d'Ancien Régime*, Paris, 1988.

KAPLOW Jeffry, *Les Noms des rois. Les pauvres de Paris à la veille de la Révolution*, Paris, 1974.

KASPI André, *Révolution ou guerre d'indépendance ? La naissance des États-Unis*, Paris, 1972.

KAUFMANN, *L'Architecture au siècle des Lumières*, Paris, 1963.

KEIM Albert, *Helvétius, sa vie et son œuvre*, Paris, 1917.

KENNET L., « L'expédition Rochambeau-Ternay : un succès diplomatique », *Revue historique des armées*, « Indépendance des États-Unis d'Amérique » (numéro spécial), 1976, n° 4.

KENYON F.W., *Marie-Antoinette*, Paris, 1956.

KIMBALL F., « Les influences anglaises dans la formation du style Louis XVI », *Gazette des beaux-arts*, 1931.

—, *Le Style Louis XV*, Paris, 1949.

KJELLBERG Pierre, *Le Mobilier français*, Paris, Le Prat G., 1980, 2 vol.

KLEY VAN DALE K., *The Damiens Affair and the Unralling of the Unravelling of the Ancient Regime. 1750-1770*, Princeton, 1984.

—, *The Jansenists and the Expulsion of the Jesuits from France*, New Haven.

KLOTZ Gérard, *Ordre, nature, propriété*, Lyon, Presses universitaires de Lyon, 1985.

KORS Alan Charles, *Atheism in France 1650-1729*, t. I : *The Orthodox Sources of Disbelief*, Princeton, 1990.

—, *D'Holbach's Coterie, an Enlightenment in Paris*, Paris, 1977.

KREISER Robert B., *Miracles, Convulsions and Ecclesiastical Politics in Early Eighteenth Century*, Paris, Princeton, 1978.

KUNSTLER Charles, *La Vie quotidienne sous la Régence*, Paris, Hachette, 1960.

—, *La Vie quotidienne sous Louis XV*, Paris, 1953.

LABIB Abdelaziz, « Utopie, savoir et droit chez Morelly », *Revue des études philosophiques*, 1987, p. 9-20.

LABIE Jean-François, *George Frédéric Haendel*, Paris, Laffont, 1981.

LA BIGNE DE VILLENEUVE Marcel de, *La Dérogeance de la noblesse sous l'Ancien Régime*, Paris, Sédopols, 1977.

LA BRIÈRE Léon de, *Madame Louise de France*, Paris, Hachette, 1900.

LABORDE Alice M., *Le Mariage du marquis de Sade*, Paris, Slatkine, 1988.

LABOURDETTE Jean-François, « L'administration d'une grande terre au XVIIIᵉ siècle. Le comté de Laval », *Bulletin de la Commission historique et archéologique de la Mayenne*, octobre-décembre 1977, p. 54-169.

—, « Conseils à un duc de La Trémoille à son entrée dans le monde », *Enquêtes et documents*, 1973.

—, *Vergennes, ministre principal de Louis XVI*, Paris, Desjonquères, 1990.

—, « Vergennes ou la tentation du "ministériat" », *Revue historique*, n° 245.

LABROSSE Claude, *Lire au XVIIIᵉ siècle : « La Nouvelle Héloïse » et ses lecteurs*, Lyon, Presses universitaires de Lyon-CNRS, 1985.

—, *Livre et Lumières dans les Pays-Bas français de la Contre-Réforme à la Révolution*, Valenciennes, 1987.

LABROSSE Claude, RETAT Pierre et DURANTON Henri, *L'Instrument périodique. La fonction de la presse au dix-huitième siècle*, Lyon, Presses universitaires de Lyon, 1985.

LABROUSSE Ernest, *Esquisse du mouvement des prix et des revenus en France au XVIIIᵉ siècle*, Paris, Archives contemporaines, 1984 ; rééd. de l'éd. Dalloz, 1933.

— (dir.), *Histoire économique et sociale de la France, t. II : Des derniers temps de l'âge seigneurial aux préludes de l'âge industriel*, Paris, PUF, 1970.

LA CHALOTAIS Louis René de Caradeuc de, *Compte rendu des constitutions des Jésuites des 1ᵉʳ, 3, 4 et 5 décembre 1761, en exécution de l'arrêt de la cour du 17 août précédent*, 1761-1762, in 4°, 71 p., B.N. Ld 39 375.

LACHAZE D., *L'Assemblée provinciale de Berry*, Paris, 1908.

LACHIVER Marcel, *La Population de Meulan du XVIIe au XIXe siècle (vers 1600-1870), Étude de démographie historique*, Paris, 1969.

LACOUR-GAYET Georges, *Calonne. Financier, réformateur, contre-révolutionnaire, 1734-1802*, Paris, 1963.

—, *La Marine militaire de la France sous le règne de Louis XV*, Paris, Champion, 1902 ; 2e éd. rev et corrigée, 1910.

—, *La Marine militaire de la France sous le règne de Louis XVI*, Paris, 1905.

LACUISINE E.F., t. II : *Le Parlement de Bourgogne depuis son origine jusqu'à sa chute*, Dijon, 2e édition, 1857.

LAGARDE André et MICHARD Laurent, *XVIIIe siècle, les grands auteurs français du programme : anthologie et histoire littéraire*, nouv. éd., Paris, Bordas, 1985.

LAGRAVE Henri, *Le Théâtre et le public à Paris de 1715 à 1750*, Paris, Klincksieck, 1973.

LAFUE Pierre, *Louis XV : la victoire de l'unité monarchique*, Paris, 1952.

—, *Louis XVI : l'échec de la révolution royale*, Paris, 1942.

LA FUYE Maurice de, *Louis XVI*, Paris, 1943.

LA GUESLE Jacques de, *Les Remontrances de messire Jacques de la Guesle*, Paris, 1611.

LAINGUI André, *La Responsabilité pénale dans l'ancien droit, XVIe-XVIIIe siècle*, Paris, 1970.

LA LAURENCIE Lionel de, *La Vie musicale en province au XVIIIe siècle*, Paris, 1913.

LALLEMAND Léon, *Histoire des enfants abandonnés et délaissés*, Paris, 1885.

LALLEMAND Paul, *Essai sur l'histoire de l'éducation dans l'ancien oratoire de France*, Genève, Mégariotis Reprints, réimpr. de l'éd. de Paris, 1887.

LA MARLE Hubert, *Philippe Égalité « Grand Maître » de la Révolution : le rôle politique du premier sérénissime frère du Grand Orient de France*, Paris, Nouvelles éditions latines, 1989.

LAMBERT Mme de, *Avis d'une mère à son fils et à sa fille*, Paris, 1739, 4e éd.

LAMBLIN Olivier, *Le Journal ecclésiastique (1760-1786)*, mémoire de DEA, université de Lille-III, 1992.

LA METTRIE Julien Offroy de, *L'Homme-Machine*, présentation et notes de Gérard Delaloye, Paris, Jean-Jacques Pauvert, 1966.

LA MONNERAYE Jean de, *Le Régime féodal et les classes rurales dans le Maine au XVIIIe siècle*, Paris, 1922.

LAMY Firmin, *L'Ancien Sept-Fons (1132-1789)*, abbaye de Sept-Fons, 1937.

LANSON Gustave, *Histoire de la littérature française*, Paris, Hachette, éd. complète de 1850 à 1950, 42e éd., 1967 ; éd. remaniée et complétée pour la période 1850-1950, Paris, Hachette-Classiques, 1986.

LANTOINE Henri, *Histoire de l'enseignement secondaire en France aux XVIIe et XVIIIe siècles*, Paris, 1874.

LA POIX DE FRÉMINVILLE Edme de, *Dictionnaire ou Traité de la police générale des villes, bourgs et seigneuries de la campagne*, Paris, 1758.

LASSAIGNE Jean, *Les Assemblées de la noblesse de France aux XVIIe et XVIIIe siècles*, Paris, 1965.

LA TOUR DU PIN Henriette-Lucy de, *Mémoires de la marquise de La Tour du Pin : 1778-1815*, éd. Christian de Liedekerke-Beaufort, nouv. éd., Paris, Mercure de France, 1989.

LATREILLE Albert, *L'Œuvre militaire de la Révolution ; les derniers ministres de la Guerre de la monarchie*, Paris, 1914.

LATREILLE A., DELARUELLE E., PALANQUE J.R., *Histoire du catholicisme en France : Sous les rois très chrétiens*, Paris, 1960.

LATROBE J.-P., « Les écoles des sœurs d'Ernemont au XVIIIe siècle », *Cahiers d'histoire de l'enseignement*, 1978.

LAUFFENBURGER Jean-Claude, *Les Petites Écoles de l'élection de Troyes au XVIIIe siècle*, Paris, 1978.

LAUGIER Lucien, *Un ministère réformateur sous Louis XV : Le triumvirat (1770-1774)*, Paris, La Pensée universelle, 1975.

LAULAN Robert, *École militaire de Paris. Le monument (1751-1788), chef-d'œuvre de Gabriel*, Paris, Picard A. et J., 1950.

—, « La fondation de l'École militaire et Mme de Pompadour », *RHMC*, avril-juin 1974, p. 284-300.

LAUNAY Michel, *Jean-Jacques Rousseau, écrivain politique : 1712-1762*, Grenoble, 1972.

—, *Le Vocabulaire politique de Jean-Jacques Rousseau*, Paris, 1977.

LAUR Frédéric, *Pouvoir et société à Millau de 1632 à 1789*, Montpellier, 1985.

LAURANDON-ROZAS Christian, « Les justices seigneuriales en Forez à la fin de l'Ancien Régime », *Études d'histoire*, université de Saint-Étienne, 1988-1989, p. 37-79.

LAVAGNE D'ORTIGUE Xavier, *De la Bretagne à la Silésie. Mémoires d'exil de Hervé-Julien Le Sage (1791-1800)*, Paris, Beauchesne, 1983.

—, « Quelques vues sur l'ordre des Prémontrés en France et dans le Saint Empire à la fin du XVIIIe siècle », *Analecta Praemonstratensia*, 1971, p. 33-41.

LAVEDAN P., HUGUENEY J. et HENRAT P., *L'Urbanisme à l'époque moderne, XVIe-XVIIe-XVIIIe siècle*, Paris, 1982.

LAVERGNE L. de, *Les Assemblées provinciales sous Louis XVI*, Paris, 1864.

LA VERGNE V. de, *Madame Élisabeth de France, d'après des documents inédits*, Paris, Téqui, 1936.

LAVILLAT Bernard, *L'Enseignement à Besançon au XVIIIe siècle (1674-1792)*, Paris, Les Belles-Lettres, 1977.

LAVISSE Ernest, *Histoire de France*, t. IX, Paris, Tallandier, 1983.

—, *Louis XIV : 1643-1715, histoire d'un grand règne*, Paris, Laffont, « Bouquins », 1989.

LAVOISIER MC KIE, *Lavoisier*, New York, 1952.

LEBIGRE Arlette, *La Justice du roi : la vie judiciaire dans l'ancienne France*, Paris, Albin Michel, 1988.

LE BIHAN Alain, *Francs-maçons parisiens du Grand Orient de France, fin du XVIIIᵉ siècle*, Paris, 1966.

LE BRAS, « Sociologie de la pratique religieuse dans les campagnes françaises », dans *Études de sociologie religieuse*, t. I, Paris, 1955.

LEBRUN François, « Le commerce nantais à la fin de l'Ancien Régime », *Bulletin de la Société archéologique et historique de Nantes*, 1987, p. 23-41.

—, *Les Hommes et la mort en Anjou aux XVIIᵉ et XVIIIᵉ siècles*, Paris-La Haye, Mouton, 1971.

—, « Naissances illégitimes et abandons d'enfants en Anjou au XVIIIᵉ siècle », *Annales ESC*, 1972, p. 1183-1199.

LECESTRE Léon, *Abbayes, prieurés et couvents d'hommes en France. Liste générale d'après les papiers de la commission des réguliers en 1768*, Paris, 1902.

LECLERCQ Henri, *Histoire de la Régence pendant la minorité de Louis XV*, Paris, 1921, 3 vol.

LECOMPTE Denis, *Le baron d'Holbach et Karl Marx : de l'antichristianisme à un athéisme premier et radical*, Paris, Cerf, 1983.

LECOUFFE C., *Les Agents généraux du Clergé de 1770 à 1780*, Paris, 1953.

Lectures de Raynal : l'Histoire des deux Indes en Europe et en Amérique au XVIIIᵉ siècle. Actes du colloque de Wolfenbüttel, édité par Hans-Jürgens Lüsebrink et Manfred Tietz, Oxford, The Voltaire Foundation, 1991.

LECUIR J., « Criminalité et moralité : Montyon, statisticien du parlement de Paris », *RHMC*, juillet-septembre 1974, p. 445-493.

LEFEBVRE Georges, *Études orléanaises*, I : *Contributions à l'étude des structures sociales à la fin du XVIIIᵉ siècle*, Paris, Comité des travaux historiques et scientifiques, 1962 ; II : *Subsistances et maximum (1789, an IV)*, 1963.

—, *Naissance de l'historiographie moderne*, Paris, Flammarion, 1971.

LEFEBVRE-TEILLARD Anne, *La Population de Dole au XVIIIᵉ siècle*, Paris, PUF, 1969.

LEFÈVRE Roger, *Condillac*, Paris, 1966.

LEFLON Jean, *M. Emery*, Paris, Bonne Presse, 1944.

LE GOFF, *Vannes et sa région. Ville et campagne dans la France du XVIIIᵉ siècle*, Loudéac, 1989.

LEGRAND Louis, *Sénac de Meilhan et l'intendance du Hainaut-Cambrésis sous Louis XVI*, Paris, Belles-Lettres, 1868.

LE GRIEL M., *Le Conseil supérieur de Clermont-Ferrand*, Paris, 1908.

LÉGUIER-DESGRANGES Henry, *Madame de Moysan et l'extravagante affaire de l'hôpital général (1749-1758)*, Paris, 1954.

LEHEC et CAZENEUVE, *Cabanis*, (2 vol.), Paris, 1956.

Leherpeur Michel, *L'Oratoire*, Paris, 1926.

Lelièvre Jacques, « L'éducation en France, du XVIe au XVIIIe siècle », dans *Recueils de la Société Jean Bodin, L'Enfant*, cinquième partie, p. 179-235.

Lelièvre Pierre, *L'Urbanisme et l'architecture à Nantes au XVIIIe siècle*, thèse, Nantes, 1942.

Le Maistre de Claville Charles François Nicolas, *Traité du vrai mérite de l'homme considéré dans tous les âges et dans toutes les conditions avec des principes d'éducation propres à former les jeunes gens à la vertu*, 10e édition, Paris, 1777.

Lemarchand Guy, *La Fin du féodalisme dans le Pays de Caux*, Paris, Comité des travaux historiques et scientifiques, 1989.

—, « Structure sociale d'après les rôles fiscaux et conjoncture économique dans le pays de Caux : 1690-1789 », *BSHM*, 14e série, n° 12, 1969.

Lemarie L., *Les Assemblées franques et les historiens réformateurs du XVIIIe siècle*, Paris, 1906.

Lemée Pierre, *J. Offroy de La Mettrie. Sa vie, son œuvre*, Paris, 1954.

Lemonnier Jean-Pierre, *Les Sources de l'histoire des idées politiques et du gouvernement du roi Louis XVI dans les dépôts publics d'archives de Paris*, mémoire de maîtrise dactyl., université d'Angers, 1981.

Le Moigne François-Yves (dir.), *Histoire de Metz*, Toulouse, Privat, 1986.

Le Moy A., *Le Parlement de Bretagne et le pouvoir royal au XVIIIe siècle*, Genève, Mégariotis Reprints, 1981 ; réimpr. de l'éd. d'Angers, 1909.

Le Nabour Éric, *Louis XVI ou le Pouvoir et la fatalité*, Paris, Lattès, 1988.

Lenoir Jean-Charles Pierre, « Essai sur la guerre des farines », publié par Robert Darnton, dans « La guerre des farines et l'approvisionnement de Paris », *RHMC*, octobre-décembre 1969.

Léon Pierre, « Aires et structures du commerce français au XVIIIe siècle », *Centre d'histoire économique et sociale de la région lyonnaise*, 5, 1975.

—, *Économies et sociétés pré-industrielles, 1650-1780*, Paris, Armand Colin, 1970, 2 vol.

—, *L'Industrialisation en France en tant que facteur de croissance économique, du début du XVIIIe siècle à nos jours (Première conférence d'histoire économique)*, Paris, 1960.

— (dir.), *Papiers d'industriels et de commerçants lyonnais. Lyon et le grand commerce au XVIIIe siècle*, université de Lyon, s.d.

Léonard Émile-Georges, *L'Armée et ses problèmes au XVIIIe siècle*, Paris, 1958.

Le Pennec Yves-Marie, « Le recrutement des prêtres dans le diocèse de Coutances au XVIIIe siècle », *Revue du département de la Manche*, 1970, p. 191-234.

Lepetit Bernard, *Les Villes dans la France moderne (1740-1840)*, Paris, École des hautes études en sciences sociales, 1988.

Le Pileur d'Apligny, *Essais historiques sur la morale des anciens et modernes*, Paris, 1772.

Lepointe Gabriel, *L'Organisation et la politique financière du clergé de France sous le règne de Louis XV*, Paris, Librairies du recueil Sirey, 1934.

Leroy Alfred, *Histoire de la peinture française au XVIIIᵉ siècle (1700-1800). Son évolution et ses maîtres*, Paris, 1934.

—, *Louis XVI, Le roi malgré lui*, Paris, 1961.

—, *Maurice Quentin de La Tour et la société française au XVIIIᵉ siècle*, Paris, 1953.

Le Roy Ladurie Emmanuel, *L'Ancien Régime (1610-1770)*, Paris, Hachette, coll. « Pluriel », 1993.

—, *Les Paysans de Languedoc*, Paris, École des hautes études en sciences sociales, 1985, 2 vol.

Lespinard Bernadette, « Aspects du grand motet dans les années 1760-1770 », *Le Grand Motet français*, Paris, 1986.

Lespinasse Julie de, *Lettres inédites à Condorcet, à d'Alembert, à Guibert, au comte de Crillon*, publiées par Charles Henry, Paris, 1887.

Le Sueur Achille, *Maupertuis et ses correspondants. Lettre inédites du grand Frédéric, du prince Henri de Prusse, de La Beaumelle...*, Paris, Slatkine, 1971 ; reprod. en fac-similé de l'éd. de Montreuil-sur-Mer, 1896.

Letaconnoux, « Les transports en France au XVIIIᵉ siècle », *Revue d'histoire moderne*, 1908-1909, t. XI, p. 97-114 et 269-292.

Lethuillier J.-P., « Les structures socio-professionnelles à Falaise à la fin du XVIIIᵉ siècle », *Revue d'histoire économique et sociale*, 1977, p. 42-69.

Levasseur Pierre Émile, *Histoire des classes ouvrières et de l'industrie en France avant 1789*, Paris, 1901, 2 vol.

—, *Histoire du commerce de la France*, 1ʳᵉ partie : « avant 1789 », Paris, 1911.

—, *Histoire générale du travail*, Paris, s.n., s.d.

Lever Évelyne, *Louis XVI*, Paris, Fayard, 1985.

—, *Marie-Antoinette*, Paris, Fayard, 1991.

Lévis (duc de), *Souvenirs et portraits*, s.d.

Levron Jacques, *La Vie quotidienne à la cour de Versailles aux XVIIᵉ et XVIIIᵉ siècles*, nouv. éd., Paris, Hachette, 1972.

Lévy Claude-Frédéric, *Capitalistes et pouvoir au siècle des Lumières*, Paris, Mouton-De Gruyter, 1969 et 1979, 3 vol.

Levy Bruhl, *Histoire de la lettre de change en France aux XVIIᵉ et XVIIIᵉ siècles*, Paris, 1933.

Ley Hermann, *Geschichte der Aufklarung und des Atheismus*, t. V, 1 : *Französische Aufklärung...*, Berlin, 1986.

Lhéritier M., *Tourny, intendant de Bordeaux*, Paris, 1920.

Ligne Charles-Joseph de, *Mémoires, lettres et pensées*, Paris, F. Bourin, 1989.

Ligou Daniel, *Dictionnaire de la franc-maçonnerie*, Paris, PUF, 1987.

—, *Dictionnaire universel de la franc-maçonnerie. Hommes illustres, pays, rites, symboles*, Paris, 1974, 2 vol.

—, *Montauban à la fin de l'Ancien Régime et au début de la Révolution, 1787-1794*, Paris, M. Rivière, 1958.

LIRIS R., «Mendicité et vagabondages en basse Auvergne à la fin du XVIIIᵉ siècle», *Revue d'Auvergne*, 1965, p. 65-78.

LIVET Georges et RAPP Francis, *Histoire de Strasbourg*, t. III : *Strasbourg de la guerre de Trente Ans à Napoléon*, Strasbourg, Dernières Nouvelles d'Alsace, 1981.

LIVET Georges et VOGLER Bernard, *Pouvoir, ville et société en Europe, 1650-1750, Actes du colloque international du CNRS*, Strasbourg, Société savante Alsace Est, 1983.

LJUBLINSKI Vladimir, *La Guerre des farines*, Grenoble, 1979.

LOCQUIN Jean, *La Peinture d'histoire en France de 1747 à 1785. Étude sur l'évolution des idées dans la seconde moitié du XVIIIᵉ siècle*, Paris, 1912.

LOGETTE Aline, «Quelques nouvelles sources pour l'administration des finances au XVIIIᵉ siècle», *RHD*, 1969, p. 408-440.

LOMBARD Alfred, *L'Abbé Dubos, initiateur de la pensée moderne (1670-1742)*, Paris, 1913.

LOMBEZ Ambroise de, *Traité de la paix intérieure*, Toulouse, 1860.

LOMÉNIE DE BRIENNE Étienne Jacques de, *Mémoire sur la mendicité*, Paris, 1775.

LOMÉNIE DE BRIENNE Louis de, *Les Mirabeau. Nouvelles études sur la société française au XVIIIᵉ siècle*, Paris, 1870-1878, 5 vol.

LORTHOLARY Albert, *Le Mirage russe en France au XVIIIᵉ siècle*, Paris, Vrin, 1951.

LOTTIN Alain, «Naissances illégitimes et filles mères à Lille au XVIIIᵉ siècle», *RHMC*, 1970, p. 278-322.

LOUANDRE, *Histoire ancienne et moderne d'Abbeville et de son arrondissement*, Abbeville, imprimerie d'A. Boulanger, 1834.

LOUGH John, *The Contributors to the Encyclopedie*, Londres, 1972.

—, *Paris Theatre Audience in the Seventeenth and Eighteenth Century*, Londres, 1957.

LOUIS XVI, *Lettres*, publiées par Barnabé Chauvelot, Paris, 1862.

LOUPÈS Philippe, «L'assistance paroissiale aux pauvres malades dans le diocèse de Bordeaux au XVIIIᵉ siècle», *Annales du Midi*, janvier-mars 1972, t. 84, n° 106.

—, *Chapitres et chanoines de Guyenne aux XVIIᵉ et XVIIIᵉ siècles*, Paris, Fédération d'histoire du Sud-Ouest, 1985.

—, «Le temporel de l'abbaye de Saint-Sever aux XVIIᵉ et XVIIIᵉ siècles», *Colloque international de Saint-Sever*, 1985-1986, p. 129-141.

— *La Vie religieuse en France au XVIIIᵉ siècle*, Paris, Sedes, 1993.

LUBAT Pierre, *Le Droit de chasse en Dauphiné sous l'Ancien Régime*, Grenoble, 1941.

LUÇAY (comte de), *Les Secrétaires d'État depuis leur institution jusqu'à la mort de Louis XV*, Paris, 1881.

LUPORINI C., *Voltaire e le lettres philosophiques. Il concetto della storia e l'Illuminismo*, Florence, 1955.

LUPPÉ (comte de), *Les Jeunes Filles à la fin du XVIIIe siècle*, Paris, Édouard Champion, 1925.

LUSSEAU Patricia, *L'Abbaye royale de Fontevraud aux XVIIe et XVIIIe siècles*, Maulévrier, Hérault, 1986.

LÜTHY Herbert, *La Banque protestante en France de la révocation de l'édit de Nantes à la Révolution*, Paris, 1959-1961, 2 vol.

LUTUN Bernard, *De l'École des ingénieurs-constructeurs de la Marine à l'École polytechnique (1765-1801)*, thèse dactyl. déposée à la Bibliothèque nationale, 2 vol.

LUX J., « Les Anglais dans les comédies françaises du XVIIIe siècle », *Revue politique et littéraire-Revue bleue*, 27 mai et 10 juin 1911.

LUYNES Charles-Philippe d'Albert (duc de), *Mémoires sur la cour de Louis XV, 1735-1758*, Paris, Didot, 1860-1865, 17 vol.

LYONNET Henry, *Dictionnaire des comédiens français*, Genève, 1911-1912.

MABILLE Eugène, *De la condition des enfants trouvés au XVIIIe siècle dans la généralité de Bordeaux*, Bordeaux, 1909.

MAC CLOY Shelby T., *Government Assistance in Eighteenth Century France*, Durham, 1946.

MC EACHERN Jo et ANN E., *Bibliography of the Writings of Jean-Jacques Rousseau to 1800*, Oxford, 1989, 2 vol.

MAC KAY Janet, *Sociability, Friendship and the Enlightenment among Women Freemasons in XVIII th Century France*, thèse, Arizona State University, 1986.

MACKRELL J.Q.C., *The Attack on Feudalism in Eighteenth Century France*, Londres, 1973.

MAC MANNERS John, *French Ecclesiastical Society under the Ancient Regime*, Manchester, 1960.

MC STAY Adams Thomas, *Bureaucrats and Beggars, French Social Policy in the Age of Enlightenment*, New York, Oxford, 1990.

MADARIAGA S. de, *Russia in the Age of Catherine the Great*, New Haven, Londres, 1981.

MADDEN S.H., « L'idéologie constitutionnelle en France : le lit de justice », *Annales ESC*, janvier-février 1982, p. 32-63.

MAËS Bruno, *Notre-Dame de Liesse. Huit siècles de libération et de joie*, Paris, OEIL, 1991.

MAÎTRE Léon, *L'Instruction publique dans le comté nantais avant 1789*, Nantes, 1882.

Malesherbes, le pouvoir et les Lumières, textes réunis et présentés par MAREK Wyrna, Paris, France-Empire, 1989.

MANCHIP WHITE John, *Maurice de Saxe*, Paris, 1967.

MANDON Guy, *Les Curés du Périgord au XVIIIe siècle. Contribution à l'étude* *du clergé paroissial sous l'Ancien Régime*, thèse pour le doctorat de 3ᵉ cycle, Bordeaux, 1979, 5 vol. dactyl.

MANDROU Robert, *De la culture populaire aux XVIIᵉ et XVIIIᵉ siècles. La Bibliothèque bleue de Troyes*, Paris, Stock, 1964.

—, *La France aux XVIIᵉ et XVIIIᵉ siècles*, Paris, PUF, 4ᵉ éd. rev., « Nouvelle Clio », n° 33, 1988.

MARAIS Mathieu, *Journal et Mémoires*, publ. par M. de Lescure, Paris, 1863-1868, 4 vol.

MARGOT A., « La criminalité dans le bailliage de Mamers (1695-1750) », *Annales de Normandie*, p. 185-224, 1972.

MARIE Alfred et Jeanne, *Marly*, Paris, 1947.

—, *Versailles au temps de Louis XV*, Paris, Imprimerie nationale, 1984.

Marion Marcel, *La Bretagne et le duc d'Aiguillon*, Paris, 1898.

—, *Dictionnaire des institutions de la France aux XVIIᵉ et XVIIIᵉ siècles*, Paris, 1969.

—, *Histoire financière de la France*, t. I : 1715-1789, Paris, 1914.

—, *Les Impôts directs sous l'Ancien Régime, principalement au XVIIIᵉ siècle*, Paris, 1910.

—, *Machault d'Arnouville. Étude sur l'histoire du contrôle général des finances de 1749 à 1754*, Paris, 1891.

MARION Michel, *Recherche sur les bibliothèques privées à Paris au milieu du XVIIIᵉ siècle (1750-1759)*, Paris, Comité des travaux historiques et scientifiques, 1978.

MARITAIN Jacques, *Les Trois Réformateurs : Luther, Descartes, Rousseau*, Paris, Plon, 1925.

MARKOVITCH J. Tihomir, « L'industrie française au XVIIIᵉ siècle. L'industrie lainière à la fin du règne de Louis XV et sous la Régence », *Économies et Sociétés*, t. II, n° 8, 1968.

—, *Les Industries lainières en France de Colbert à la Révolution*, Genève, Droz, 1976.

MARMONTEL Jean-François, *Mémoires*, t. II, Paris, Maurice Tourneux, 1891.

MARQUE Jean-Pierre, *Institution municipale et groupes sociaux : Gray, petite ville de province, 1690-1790*, Paris, Belles Lettres, 1979.

Le Marquis d'Argens, actes du colloque international de 1988 édités par Jean-Louis Vissière, Aix-en-Provence, 1990.

MARTIN Bernard, *La Vie en Poitou dans la seconde moitié du XVIIᵉ siècle : Mazeuil (Vienne), paroisse du Mirebalais*, Maulévrier, Hérault, 1988.

MARTIN Gaston, *La Franc-Maçonnerie française et la préparation de la Révolution*, Paris, 1926.

—, *Nantes au XVIIIᵉ siècle, l'ère des négriers (1714-1774) d'après des documents inédits*, Paris, 1931.

MARTIN Germain, *Les Associations ouvrières au XVIIIᵉ siècle (1700-1792)*, Paris, Rousseau, 1900.

MARTIN Henri, *Histoire de France depuis les temps les plus reculés jusqu'en 1789*, t. XVI, Paris, 1860.

MARTIN Jean-Pierre, *La Figure de la terre : récit de l'expédition française en Laponie suédoise 1736-1737*, Cherbourg, 1987.

MARTIN Xavier, « Anthropologie et Code Napoléon », *Bulletin de la Société française d'histoire des idées et d'histoire religieuse*, 1984, n° 1, p. 39-62.

— *Nature humaine et Révolution française. Du siècle des Lumières au Code Napoléon*, DMM, Bouère.

—, *Le Principe d'égalité dans les successions roturières en Anjou et dans le Maine*, Paris, PUF, 1972.

—, « Tension prérévolutionnaire en Anjou », *Courrier de l'Ouest*, 25 janvier 1989.

—, « Un effort pédagogique à l'université d'Angers : les actes subrégatoires de droit français (1766-1777) », *Annales d'histoire des facultés de droit et de science juridique*, 1985, p. 63-89.

MARTIN SAINT-LÉON Étienne, *Histoire des corporations de métiers depuis leurs origines jusqu'à leur suppression en 1791*, Paris, Slatkine, 1974 ; reprod. en fac-similé de l'éd. de Paris, 1922

MARTINEAU A., *Dupleix et l'Inde française*, Paris, 1925-1927, 4 vol.

MARTINET Marie-Madeleine et COTTRET Bernard, *Partis et factions dans l'Angleterre du premier XVIIIᵉ siècle*, Paris, Presses universitaires Paris-Sorbonne, 1987 ; rééd., 1990.

MARTINO Pierre, *L'Orient dans la littérature française du XVIIᵉ au XVIIIᵉ siècle*, Paris, 1906.

MASSILLON Jean-Baptiste, *Mémoires*, Paris, 1805.

—, *Petit Carême suivi de sermons divers*, Paris, Delagrave, 1875.

MASSIN Jean et Brigitte, *Wolfgang Amadeus Mozart*, Paris, Fayard, 1970.

MASSON F., *Le Cardinal de Bernis depuis son ministère (1758-1794). La suppression des jésuites*, Paris, 1884.

MASSON Maurice, *Une vie de femme au XVIIIᵉ siècle : Mme de Tencin (1682-1749)*, Paris, 1909.

MASSON P.M., *L'Opéra de Rameau*, Paris, 1930.

—, *La Religion de Jean-Jacques Rousseau*, Paris, 1916.

MATIGNON J., *Rameau*, Paris, 1961.

MATTER, *Saint Martin, le Philosophe inconnu*, Paris, 1920.

MATUCCI Mario (textes réunis par), *Lumières et illuminisme*, Pise, 1984.

MAUGRAS Gaston, *Le Duc et la duchesse de Choiseul, leur vie vie intime, leurs amis et leur temps* Paris, Plon-Nourrit, 1903, 2 vol.

MAUREPAS Arnaud de, « L'œil, l'oreille et la plume : la sensibilité testimoniale dans le Journal de Barbier (1718-1762) », *Histoire, Économie et Société*, n° 4, 1991.

MAURO F., *Le Brésil du XVᵉ siècle à la fin du XVIIIᵉ siècle*, Paris, 1977.

MAUTORT (chevalier de), *Mémoires*, Paris, Plon-Nourrit, 1895.

MAUZI Robert, *L'Idée du bonheur dans la littérature et la pensée françaises au XVIIIᵉ siècle*, Paris, Slatkine, 1979 ; réimpr. de l'éd. de Paris, 1960.

MAY Georges, *Le Dilemme du roman. Étude critique sur les rapports du roman et de la critique (1715-1761)*, New Haven, Paris, 1963.

MAYER J. de, *Vie publique et privée de Charles Gravier, comte de Vergennes*, Paris, 1789.

« Médecins, médecine et société en France aux XVIIIe et XIXe siècles », *Annales ESC*, septembre-octobre 1977.

MEIGEN L., « Le commerce extérieur de la France à la fin de l'Ancien Régime : déficit apparent, prospérité réelle, mais fragile », *RHD*, 1978, p. 583-614.

MEISTER Paul, *Charles Duclos 1704-1772*, Genève, 1956.

MELON Jean-François, *Essai politique sur le commerce*, Paris, 1734.

MELOT J., *Les Pensionnaires de Saint-Lazare aux XVIIe et XVIIIe siècles*.

MÉNARD Michèle, *Une histoire des mentalités religieuses aux XVIIe et XVIIIe siècles. Mille retables de l'ancien diocèse du Mans*, Paris, Beauchesne, 1980.

MENDELSSOHN Moses, « Sur la question : que signifie éclairer ? », *Berlinische Monatschrift*, septembre 1784.

MENGÈS Christine, *La Cour des aides et finances de Montauban*, thèse dactyl., université de Toulouse-I, 1991.

MENIN, *Traité historique et chronologique du sacre et couronnement des Rois et des Reines de France depuis Clovis Ier jusqu'à présent [...]*, Paris, 1723.

MENTION Louis, *Le Comte de Saint Germain et ses réformes*, Paris, 1884.

MER Bernard, « Quelques observations sur la procédure criminelle au XVIIIe siècle », *Publications du Centre de recherches historiques de Rennes*, n° 1, 1984.

—, « Réflexions sur la jurisprudence criminelle du parlement de Bretagne [...] », *Mélanges J. Yver*, 1976, p. 505-530.

MERCIER Sébastien, *Le Tableau de Paris*, Paris, éd. Maspero, 1979.

MERLE L., *L'Hôpital du Saint-Esprit de Niort (1665-1790). Contribution à l'histoire de la lutte contre la mendicité sous l'Ancien Régime*, Niort, Lussaud, 1966.

—, *La Métairie et l'évolution agraire de la Gâtine poitevine de la fin du Moyen Âge à la Révolution*, Paris, École des hautes études en sciences sociales, 1959.

MERLEY Jean, *La Haute-Loire de la fin de l'Ancien Régime aux débuts de la Troisième République (1776-1886)*, Le Puy, 1974.

—, « Les manufactures d'armes de guerre en France en 1785 », *Bulletin du Centre d'histoire régionale*, université de Saint-Étienne, 1979, n° 1, p. 13-19.

MESNARD Jean-Louis, « Les petites écoles dans les Mauges au XVIIIe siècle », *Annales de Bretagne et des Pays de l'Ouest*, n° 1, 1976.

MÉTHIVIER Hubert, *L'Ancien Régime*, Paris, PUF, « Que sais-je ? », n° 925, 1990.

—, *La Fin de l'Ancien Régime*, Paris, PUF, « Que sais-je ? », n° 1411, 1989.

—, *Le Siècle de Louis XV*, Paris, PUF, « Que sais-je ? », n° 1229, 1991.

METTAS Jean, *Répertoire des expéditions négrières françaises au XVIIIe siècle*, Paris, Société française d'histoire d'outre-mer, 1987, 2 vol.

METZGER Hélène, *Les Doctrines chimiques en France du début du XVIIe siècle à la fin du XVIIIe siècle*, Paris, 1923.

MEUVRET Jean, « L'agriculture en Europe aux XVIIe et XVIIIe siècles, études d'histoire économique », *Cahiers des Annales*, 1971.

—, « La vaine pâture et le progrès agronomique avant la Révolution », *Bulletin de la Société d'histoire moderne*, n° 9, 1969, p. 8-10.

MEYER Jean, *L'Armement nantais dans la seconde moitié du XVIIIe siècle*, Paris, École des hautes études en sciences sociales, 1969.

—, *Esclaves et négriers*, Paris, Gallimard, 1986.

—, *Études sur les villes en Europe occidentale : milieu du XVIIe siècle à la veille de la Révolution française*, Paris, CDU-Sedes, 1983-1984, 2 vol.

—, *Histoire de Rennes*, Toulouse, Privat, 1972.

—, *La Noblesse française à l'époque moderne (XVIe-XVIIIe siècle)*, Paris, PUF, « Que sais-je ? », n° 830, 1991.

—, « Pauvreté et assistance dans les villes bretonnes de l'Ancien Régime », *Actes du 97e congrès national des Sociétés savantes, Nantes, 1972*, Section d'histoire moderne, t. I, p. 445-460.

—, *Le Régent : 1674-1723*, Paris, Ramsay, 1985.

—, « Structure sociale des villes bretonnes à la fin de l'Ancien Régime », *Actes du 96e congrès national des Sociétés savantes, Toulouse, 1971*, Section d'histoire moderne, t. II, 1976, p. 483-499.

—, « Une enquête de l'Académie de médecine sur les épidémies 1774-1794 », *Annales ESC*, 1966, p. 726-749.

—, *La Vie quotidienne en France au temps de la Régence*, Paris, Hachette, 1979.

MEYER Pierre-André, *La Communauté juive de Metz au XVIIIe siècle : histoire et démographie*, Nancy, Serpenoise, 1993.

MEYSSONIER Simone, *La Balance et l'horloge : la genèse de la pensée libérale en France au XVIIIe siècle*, Paris, Passion, 1989.

MIALARET Gaston et VIAL Jean, *Histoire mondiale de l'éducation*, t. II : *De 1515 à 1815*, Paris, PUF, 1981.

MIARD Louis, *Présences françaises en Espagne, à Bilbao et autour de cette ville, dans la seconde moitié du XVIIIe siècle*, Rennes, 1988.

MICHAUX Gérard, *La Congrégation bénédictine de Saint-Vanne et Saint-Hydulphe de la commission des réguliers à la suppression des ordres religieux (1766-1790)*, thèse dactyl., Nancy, 1979.

MICHEL E., *Histoire du Parlement de Metz*, Paris, 1845.

MICHEL Jacques, *Sartine, du Paris de Louis XV à la marine de Louis XV*, Paris, 1984, 2 vol.

—, *La Vie aventureuse et mouvementée de Charles-Henri, comte d'Estaing (1729-1794) : Général, corsaire, amiral*, Paris, Michel J., 1976.

MICHELET Jules, *Histoire de France*, Paris, 1833-1867, 18 vol.

MICHON Lucien, *Histoire de la faculté de droit de Poitiers (1806-1899)*, Poitiers, 1900.

MIDDLETON R., WATKINS D., *Architecture moderne. Du néo-classicisme au néo-gothique 1750-1870*, Paris, 1983.

MIGUEL A., *L'Islam et sa civilisation, VIIᵉ-XXᵉ siècle*, Paris, 1968.

MILLARD Jacques, *L'Oratoire à Angers aux XVIIᵉ et XVIIIᵉ siècles*, Paris, s.d.
—, *Le Pouvoir municipal à Angers de 1657 à 1789*, Angers, 1984.

MILLOT Sylvette, *Le Violoncelle en France au XVIIIᵉ siècle*, Lille-Paris, 1975, 2 vol.

MINERVA Nadia, « De l'utopie littéraire à l'utopisme réformateur : la *Basiliade* et le *Code de la nature* de Morelly », *Actes du 7ᵉ Congrès international des Lumières, Budapest, 1987*, Oxford, 1989.

MINOIS Georges, *Les Religieux en Bretagne sous l'Ancien Régime*, Rennes, éditions Ouest-France université, 1989.

MIQUEL A., *L'Islam et sa civilisation, VIIᵉ-XXᵉ siècle*, Paris, 1968.

MIRABEAU (marquis de), *L'Ami des hommes, ou Traité de la population*, Avignon, 1756.

MISSOFFE M., *Les Officiers de justice du bailliage royal d'Avesnes (1661-1790)*, Paris, Champion, 1934.

MOLETTE Charles, *Guide des sources de l'histoire des congrégations féminines françaises de vie active*, Paris, Éditions de Paris, 1974.

MOLINARI, *L'Abbé de Saint-Pierre, membre exclu de l'Académie française. Sa vie et ses œuvres... Avec des notes et des éclaircissements*, Paris, 1857.

MOLINIER Alain, *Stagnations et croissance : le Vivarais aux XVIIᵉ et XVIIIᵉ siècles*, Paris, École des hautes études en sciences sociales, 1985.

MOLS Roger, *Introduction à la démographie historique des villes d'Europe du XIVᵉ au XVIIIᵉ siècle*, Louvain-Gembloux, éd. Duculot, 1954-1956, 3 vol.

MOMDJIAN, *La Philosophie d'Helvétius*, Moscou, 1955.

MONGRÉDIEN Jean, *La Musique en France des Lumières au romantisme : 1798-1830*, Paris, Flammarion, 1986.

MONGRÉDIEN Jean et FERRATON Yves, *Le Grand Motet français (1663-1792) : actes*, colloque international de musicologie, Paris, 3-8 juillet 1984, Centre d'étude de la musique française aux XVIIIᵉ et XIXᵉ siècles, Paris, Presses universitaires Paris-Sorbonne, 1986.

MONOD Albert, *De Pascal à Chateaubriand. Les Défenseurs français du christianisme de 1670 à 1802*, Paris, Slatkine, 1970 ; reprod. en fac-similé de l'éd. de Paris, 1916.

MONOD G., *Bibliographie de l'histoire de France, catalogue méthodique et chronologique des sources et des ouvrages relatifs à l'histoire de France depuis les origines jusqu'en 1789*, Paris, 1888.

MONSELET Charles, *Fréron ou l'Illustre critique. Sa Vie, ses écrits, sa correspondance, sa famille, etc.*, Paris, 1864.

MONTBAS Hugues de, *La Police parisienne sous Louis XVI*, Paris, 1949.

MONTLINOT (abbé de), *Discours qui a remporté le prix à la Société royale d'agriculture de Soissons, en l'année 1779...*, Lille, 1779.

MORAND Paul, *Choix de textes du prince de Ligne*, Paris, Mercure de France, 1963.

MOREAU Jacob Nicolas, « Discours sur la justice ou des devoirs du prince réduits à un seul principe » dans *Leçons de morale, de politique et de droit public, puisées dans l'Histoire de notre monarchie*, Versailles, 1773.

MORELLY, *Code de la nature*, Paris, 1755

MORÉRI Louis (abbé), *Le Grand Dictionnaire historique, ou le Mélange curieux de l'histoire sacrée et profane*, Lyon, 1674 et Paris, 1759, 10 vol. in-folio et 3 vol. de suppl.

MORINEAU Michel, « Budgets de l'État et gestion des finances royales en France au XVIIIᵉ siècle », *Revue historique*, 1980, p. 289-336.

—, « Budgets populaires en France au XVIIIᵉ siècle », *Revue d'histoire économique et sociale*, 1972, p. 449-493.

—, « Les faux-semblants d'un démarrage économique : agriculture et démographie au XVIIIᵉ siècle », *Cahiers des Annales*, 1971.

—, « La pomme de terre au XVIIIᵉ siècle », *Annales ESC*, 1970, p. 1767-1785.

—, « Y a-t-il eu une révolution agricole en France au XVIIIᵉ siècle ? », *Revue historique*, avril-juin 1968, p. 299-306.

MORNET Daniel, *Diderot : l'homme et l'œuvre*, Paris, 1951.

—, *Les Origines intellectuelles de la Révolution française 1715-1787*, Paris, 1933 ; rééd., Manufacture, 1989.

—, *La Pensée française au XVIIIᵉ siècle*, Paris, 1926 ; rééd., Armand Colin, 1973.

—, *Rousseau. L'homme et l'œuvre*, Paris, 1950.

—, *Les Sciences de la nature en France au XVIIIᵉ siècle*, Paris, 1911.

MORO R., *Il tempo dei Signori. Mentalità, ideologia, dottrine della nobiltà francese di Antico Regime*, Milano-Roma, 1980.

MORTIER Daniel Antonin, *Histoire des maîtres généraux de l'ordre des frères prêcheurs*, Paris, 1903-1914, 7 vol.

MOSSER Françoise, *Les Intendants des finances du XVIIIᵉ siècle. Les Lefèvre d'Ormesson et le « département des impositions » (1715-1777)*, Genève-Paris, Droz, 1978.

MOULIN J.M., *Le Château de Compiègne*, Paris, Musées nationaux, 1987.

MOUREAU François, *Un singulier moderne : Dufresny, auteur dramatique et essayiste (1657-1724)*, Lille, 1979 ; rééd. Klincksieck, 1980.

MOURLOT F., *La Question de la mendicité à la fin de l'Ancien Régime*, Paris, 1903.

MOURS S. et ROBERT D., *Le Protestantisme en France du XVIIIᵉ siècle à nos jours*, Paris, 1972.

MOUSNIER Roland, *Les Institutions de la France sous la monarchie absolue (1598-1789)*, Paris, PUF, 1974 et 1975, 2 vol.

—, *Progrès scientifique et technique au XVIIIᵉ siècle*, Paris, 1958.

—, *Société française de 1770 à 1789*, Paris CDU, 1969.

MOUSNIER Roland et LABROUSSE Ernest, *Le XVIIIe siècle. L'époque des Lumières (1715-1815)*, Paris, PUF, 1985.

MOUSNIER Roland, LABROUSSE Ernest et BOULOISEAU Marc, *Le XVIIIe siècle, Histoire générale des civilisations*, t. V, 1953.

MUCHEMBLED Robert, *Culture populaire et culture des élites dans la France moderne (XVe-XVIIIe siècle)*, Paris, Flammarion, 1978.

MUSSET Jacqueline, *L'Intendance de Caen : structure, fonctionnement et administration sous l'intendant Esmangart (1775-1783)*, Caen, 1985.

NAVES Raymond, *Voltaire : l'homme et l'œuvre*, Paris, 1951.

NAVILLE R., *Paul Thiry d'Holbach et la philosophie scientifique au XVIIIe siècle*, Paris, 1943 ; rééd. 1967.

NEVEUX H., « Les mouvements longs de la production céréalière en France du XIVe au XVIIIe siècle, *Bulletin du département d'histoire économique de l'université de Genève*, 1977-1978, n° 8, p. 17-25.

NICOLAS Jean, *La Savoie au XVIIIe siècle : noblesse et bourgeoisie*, Paris, Maloine, 1977, 2 vol.

NIDERST Alain, *Fontenelle à la recherche de lui-même (1657-1702)*, Paris, Nizet, 1972.

NISARD Charles, *Histoire des livres populaires ou de la littérature de colportage depuis l'origine de l'imprimerie jusqu'à l'établissement de la commission d'examen des livres de colportage*, Paris, 1864, 2 vol. in-12.

NOËL Georges, *Madame de Grafigny (1695-1758)*, Paris, 1913.

NOËL J.F., *Le Saint Empire*, 2e éd. rev., Paris, PUF, 1986.

NOLHAC Pierre de, *Le Château de Versailles sous Louis XV*, Paris, 1898.

—, *Histoire du château de Versailles*, Paris, 1911-1918, 3 vol.

—, *Louis XV et Mme de Pompadour*, Paris, Calmann-Lévy, 1924.

—, *Madame de Pompadour et la politique d'après des documents inédits*, Paris, 1926.

—, *Le Mariage de Louis XV d'après des documents nouveaux et une correspondance inédite de Stanislas Leczinski*, Paris, 1900.

—, *La Reine Marie-Antoinette*, Paris, 1890 ; nouv. éd., 1929.

NORBERG-SCHULZ Christian, *Architecture du baroque tardif et du rococo*, Paris, 1979.

NORDMANN Claude, *Gustave III. Un démocrate couronné*, Lille, Presses universitaires de Lille, 1986.

NOTTER Marie-Thérèse, « Le carmel de Blois (1625-1790), essai de sociologie religieuse », *Annales de Bretagne et des pays de l'Ouest*, 1978, p. 53-67.

OBERKIRCH Henriette Waldner de Freunstein, *Mémoires sur la cour de Louis XVI et la société française avant 1789*, éd. par Suzanne Burkard, nouv. éd., Paris, Mercure de France, 1989.

« L'Œil expert, voyager, explorer », *Dix-Huitième Siècle*, n° 22, 1990.

O'KEEFE Cyril B., *Contemporary Reactions to the Enligthtenment (1728-1762). A Study of Three Critical Journal : the Jesuit « Journal de*

Trévoux », *the Jansenist « Nouvelles ecclésiastiques »* and the Secular *« Journal des savants »*, Genève, 1974.

OLIVIER-MARTIN François, *Histoire du droit français, des origines à la Révolution*, Paris, CNRS, 1948 ; nouv. éd., 1984.

—, *Les Lois du roi*, Paris, 1945-1946.

—, *L'Organisation corporative de la France d'Ancien Régime*, Paris, 1938.

ORGEVAL-DUBOUCHET, *La Taille en Bourgogne au XVIIIe siècle*, Dijon, 1938.

ORIEUX Jean, *Voltaire ou la Royauté de l'esprit*, Paris, Flammarion, 1966.

OURLIAC Paul et MALAFOSSE Jehan de, *L'Histoire du droit privé*, t. III : *Le Droit familial*, 1968.

OZANAM Didier, « La disgrâce d'un premier commis : Tercier et l'affaire de l'*Esprit* (1758-1759) », *Bibliothèque de l'École des chartes*, 1955, p. 140-170.

OZOUF Mona, « Public opinion at the end of the Old Regime », *Journal of Modern History*, 1988, vol. 60, suppl. au n° 3, p. S 1 à S 21.

PAGÈS Georges, *La Monarchie d'Ancien Régime*, Paris, 1941.

PAJOL (général), *Les Guerres sous Louis XV*, Paris, 1881, 7 vol.

PANCKOUCKE Charles, *Encyclopédie méthodique, 1791-1832*, Paris, 126 vol.

PAPILLON DE LA FERTÉ Denis Pierre, *Journal (1756-1780)*, publié avec une introduction et des notes par Ernest Boysse, Paris, 1887.

PAPPAS J.N., *Études sur la presse : les Mémoires de Trévoux*, Lyon, 1973, 2 vol.

PARDAILHÉ-GALABRUN Annik, *La Naissance de l'intime : 3 000 foyers parisiens XVIIe-XVIIIe siècle*, Paris, PUF, 1988.

PARISET François-Georges, *L'Art néoclassique*, Paris, PUF, 1974.

—, *Histoire de Bordeaux*, t. V : *Bordeaux au XVIIIe siècle*, Bordeaux, Fédération historique du Sud-Ouest, 1968.

PATRY E., *L'Anti-Lucrèce du cardinal de Polignac*, Auch, 1872.

—, *Les Antivoltairiens. Fréron, Desfontaines, La Beaumelle, Nonnotte, Guénée, Guyon Sabatier de Castres*, Paris, s.d.

PAUL Jean-Louis et HAUGER Jean, *La Guyane française, Historique*, s.l., s.n., 1962.

PAUTRE Christian, *De la répression de la mendicité et du vagabondage en France sous l'Ancien Régime*, Paris, 1906 ; réimpr., Genève, 1975.

PAWSON E., *The Early Industrial Revolution. Britain in the Eighteenth Century*, Londres, 1979.

PEIGNÉ-DELACOURT Achille, *Tableau des abbayes et monastères d'hommes en France à l'époque de l'édit de 1768 relatif à l'assemblée générale du clergé. Liste des abbayes royales de filles*, Arras, 1875.

PÈNE G., *Les Attributions financières des états du pays et comté de Bigorre aux XVIIe et XVIIIe siècles*, Bordeaux, 1962.

PÉRONNET Michel, *Les Évêques de l'ancienne France*, Lille, 1977, 2 vol.

PÉROUAS Louis, *Le Diocèse de La Rochelle de 1648 à 1724. Sociologie et pastorale*, Paris, 1964.

—, « L'évolution du clergé dans les pays creusois depuis 450 ans », *Revue d'histoire de l'Église de France*, janvier-juin 1978, p. 5-27.

—, *Les Limousins, leurs saints, leurs prêtres du XVᵉ au XXᵉ siècle*, Paris, Cerf, 1988.

—, *Mémoire des missions des Montfortains dans l'Ouest*, Fontenay-le-Comte, 1964.

PÉROUSE DE MONTCLOS Jean-Marc, *L'Architecture à la française, XVIᵉ, XVIIᵉ et XVIIIᵉ siècle*, Paris, Picard A. et J., 1982.

—, *Les Prix de Rome : Concours de l'Académie royale d'architecture au XVIIIᵉ siècle*, Paris, Berger-Levrault, 1984.

PERREL J., « L'enseignement féminin sous l'Ancien Régime : les écoles populaires en Auvergne, Bourbonnais et Velay », *Cahiers d'histoire*, 1978.

PERRICHET Marc, *Les Gens de mer dans la France de l'Ancien Régime*, actes du colloque tenu à Paris en 1980 par l'Association des historiens modernistes des universités, Paris, 1981.

PERROD Pierre Antoine, *L'Affaire Lally-Tollendal. Une erreur judiciaire au XVIIIᵉ siècle*, Paris, Klincksieck, 1976.

PERROT Jean-Claude, *Genèse d'une ville moderne. Caen au XVIIIᵉ siècle*, Paris-La-Haye, Mouton, 1975.

PETER J.P., « Médecine, épidémies et sociétés en France à la fin du XVIIIᵉ siècle, d'après les archives de l'Académie de médecine », *BSHM*, 14ᵉ série, n° 14, 1970, p. 2-9.

PETIT DE JULLEVILLE Louis, *Histoire de la langue et de la littérature françaises*, t. VI : *Dix-Huitième Siècle*, Paris, 1898.

PETITFRÈRE Claude, *1784 : Le Scandale du « Mariage de Figaro », prélude à la Révolution française ?*, Bruxelles, Complexe, 1989.

PETOT Jean, *Histoire de l'administration des Ponts et Chaussées (1599-1815)*, Paris, 1958.

—, *Les Routes de France depuis les origines jusqu'à nos jours*, Paris, 1959.

PETOUT Philippe, *Saint-Malo aux XVIIᵉ et XVIIIᵉ siècles*, thèse de 3ᵉ cycle, Rennes, 1982.

PEYROUS Bernard, *Les Visites pastorales des archevêques de Bordeaux (1680-1789) : doctrine canonique et pratique pastorale*, DES, Bordeaux, 1972, 2 vol.

PFISTER-LANGANAY Christian, *Ports, navires et négociants à Dunkerque (1662-1792)*, s.l.-s.n., 1985.

PHYTILIS Jacques et KISLIAKOFF Nadia, *Questions administratives dans la France au XVIIIᵉ siècle*, Paris, PUF, 1965.

PIALES Jean-Jacques, *Traité de l'expectative des gradués*, 1757.

PIALOUX Paul, « La Fayette, esquisse d'un portrait », *Actes du 48ᵉ Congrès de la Fédération des sociétés savantes du Centre*, Brioude, 1989, p. 161-199.

PICARD Roger, *Les Salons littéraires et la société française (1617-1789)*, New York, 1943.

PICCIONI, *Les Premiers Commis des Affaires étrangères aux XVII⁰ et XVIII⁰ siècles*, Paris, 1928.

PICOT Michel, *Mémoires pour servir à l'histoire ecclésiastique pendant le XVIII⁰ siècle*, Paris, 1855-1859.

PIDANSAT DE MAIROBERT, *L'Observateur anglais ou Correspondance secrète entre Milord « All Eye » et Milord « All Ear »*. *A Londres 1778-1786*.

PIEL J., *Essai sur la réforme de l'impôt direct au XVIII⁰ siècle : la taille proportionnelle dans les généralités de Caen et d'Alençon*, Caen, 1937.

PIERRE Constant, *Histoire du Concert spirituel (1725-1790)*, Paris, Société française de musicologie, 1975.

PILLORGET René, « L'imaginaire historique à la veille de la Révolution », *Revue universelle*, 1988, n° 138, p. 20-35.

—, « Les pouvoirs des assemblées d'État au cours des temps modernes », *Les Assemblées d'État*, colloque de Poitiers, Association des Historiens modernistes des universités, 1980, n° 4, p. 21-38.

—, *La Tige et le rameau. Familles anglaise et française (XVI⁰-XVIII⁰ siècle)*, Paris, Calmann-Lévy, 1979.

—, « Y a-t-il eu un essai de despotisme éclairé entre 1770 et 1789 ? », *Vu de haut*, 1986, p. 25-34.

PILLORGET Suzanne, *Apogée ou Déclin des sociétés d'ordres (1610-1787)*, Paris, 1969.

—, *Claude-Henri Feydeau de Marville, lieutenant général de police de Paris (1740-1747)*, Paris, Pedone A., 1978.

—, *La Femme et la culture durant les Temps Modernes, dans la Femme à l'époque moderne : XVI⁰-XVIII⁰ siècle : actes*, colloque, Paris, 11-12 mai 1984, Association des historiens modernistes des universités, Paris, Presses universitaires Paris-Sorbonne, 1985, p. 73-82.

—, « Gabriel Taschereau de Baudry, notable tourangeau et lieutenant général de police de Paris (1673-1755) », *Actes du 95⁰ congrès national des Sociétés savantes, Reims, 1970*, Section d'histoire moderne et contemporaine, Paris, 1974, t. II, p. 287-311.

—, « René Hérault de Fontaine, procureur général au Grand Conseil (1718-1722) et lieutenant général de police de Paris (1725-1739). Histoire d'une fortune », *Actes du 93⁰ congrès national des Sociétés savantes, Tours, 1968*, Section d'histoire moderne et contemporaine, Paris, 1971, t. I, p. 287-311.

PINARD P., « Un réformateur de l'enseignement élémentaire populaire en Poitou au XVIII⁰ siècle, Mgr de La Poype de Vertrieu », *L'Information historique*, 1982.

PINCHERLE Marc, *Jean-Marie Leclair l'Aîné*, Paris, Aujourd'hui, 1985.

PIQUARD M., « Charles-André de Lacoré, intendant de Franche-Comté (1761-1784) », *Annales littéraires de Franche-Comté*, 1946, p. 7-29.

PIRON Alexis, *Arlequin-Deucalion*, Paris 1722.

PISANI Paul, *Les Compagnies de prêtres du XVIe au XVIIIe siècle*, Paris, 1928.

PITIÉ Jean, *L'Homme et son espace : l'exode rural en France du XVIe siècle à nos jours*, Paris, CNRS, 1987.

PIVERT Édith, *Contribution à la présentation et à l'étude des ordonnances de l'hôtel-Dieu Saint-Jean d'Angers aux XVIIe et XVIIIe siècles*, thèse de médecine, Angers, 1985.

PLANEL-ARNOUX J., «Les ateliers de charité dans la généralité de Caen jusqu'en 1775», *Journées d'histoire du droit : Pays de l'Ouest*, Tours, 1972, *RHD*, 1973, p. 564-565.

PLAYOUST-CHAUSSIS Arlette, *La Vie religieuse dans le diocèse de Boulogne au XVIIIe siècle*, t. II : *1725-1790*, Arras, Commission départementale d'histoire des archives, 1976.

PLONGERON Bernard et PANNET Robert, *Le Christianisme populaire. Les Dossiers de l'histoire*, Paris, 1976.

PLUCHON Pierre, *Histoire des Antilles et de la Guyane*, Paris, 1982.

—, *Nègres et juifs au XVIIIe siècle. Le Racisme au siècle des Lumières*, Paris, Tallandier, 1984.

POCQUET DE LIVONNIÈRE Claude, *Règles du droit français*, Paris, 1756.

POCQUET DU HAUT-JUSSÉ Barthélemy, *Le Duc d'Aiguillon et La Chalotais*, Paris, 1900-1901, 3 vol.

—, *Les Origines de la Révolution en Bretagne*, Paris, 1885, 2 vol.

POIGNANT Simone, *L'Abbaye de Fontevrault et les filles de Louis XV*, Paris, 1966.

POISSON Jean-Pierre, *Le Notariat parisien à la fin du XVIIIe siècle. Matériaux et orientations pour une étude socio-économique et des idées politiques*, XVIIIe siècle, 1975.

POITRINEAU Abel, *Remues d'hommes, essai sur les migrations montagnardes en France (XVIIe-XVIIIe siècle)*, Paris, Aubier-Montaigne, 1983.

—, *La Vie rurale en basse Auvergne au XVIIIe siècle (1726-1789)*, Marseille, Laffitte Reprints, 1979; réimpr. de l'édition de Paris, 1965.

POLIAKOV Léon, *Le Développement de l'antisémitisme en Europe aux temps modernes (1700-1850)*, thèse de lettres, Paris, 1968.

—, *Hommes et bêtes : entretien sur le racisme*, actes du colloque de Cerisy-la-Salle, mai 1973, Paris, Mouton-De Gruyter, 1976.

—, *Le Mythe aryen : essai sur les sources du racisme et des nationalismes*, Paris, Calmann-Lévy, 1971.

POLIN Claude et ROUSSEAU Claude, *Les Illusions de l'Occident*, Paris, Albin Michel, 1981.

POLLITZER Marcel, *Le Maréchal galant : Louis-François-Armand, duc de Richelieu*, Paris, Nouvelles éditions latines, 1952.

POMEAU Jean, «Une idée neuve au XVIIIe siècle : la tolérance», actes des journées d'études sur l'édit de 1787, Paris, 1987, *Bulletin de la Société d'histoire du protestantisme français*, avril-juin 1988, p. 196-206.

POMEAU René, *Beaumarchais ou la Bizarre destinée*, Paris, PUF, 1987.

—, *La Religion de Voltaire*, éd. rev., Paris, Nizet, 1974.

PONTET Josette, « Morale et ordre public à Bayonne au XVIIIᵉ siècle », *Bulletin de la Société des sciences, lettres et arts de Bayonne*, 1974, n° 130.

PONTET-FOURMIGUÉ Josette, *Bayonne, un destin de ville moyenne à l'époque moderne*, Biarritz, J. et D., 1990.

POPULUS Bernard, *Claude Gillot (1673-1722)*, Paris, 1930.

PORTAL Catherine, *Un savant pithivérien [Loiret] du XVIIIᵉ siècle : Henri-Louis Duhamel du Monceau*, thèse de pharmacie, Tours, 1984.

PORTALIS P. et BERALDI H., *Les Graveurs du XVIIIᵉ siècle*, Paris, 1880-1882, 3 vol.

POTEZ Henri, *L'Élégie en France avant le romantisme (de Parny à Lamartine, 1778-1820)*, Paris, 1897.

POTHIER Robert-Joseph, *Traité de la puissance maritale, Œuvres, 1817-1820*, t. VIII.

« Pour une histoire de l'alimentation : Recueil de travaux présentés par J.J. Hemardinquer », *Cahiers des Annales*, n° 28, 1970.

POUSSOU Jean-Pierre, *Croissance économique et attraction urbaine : Bordeaux et le Sud-Ouest au XVIIIᵉ siècle*, Paris, École des hautes études en sciences sociales, 1983.

—, « Le dynamisme de l'économie française sous Louis XVI », *Revue économique*, 1989, p. 965-984.

POUTET Y., *Le XVIIᵉ siècle et les origines lasalliennes*, t. II : *L'Expansion*, Paris, 1970.

PRÉCLIN Edmond, *Les Jansénistes du XVIIIᵉ siècle et la Constitution civile du clergé*, Paris, Librairie universitaire Y. Gaulber, 1929.

PRÉCLIN Edmond et JARRY Eugène, *Les Luttes politiques et doctrinales aux XVIIᵉ et XVIIIᵉ siècles*, t. XIX de l'*Histoire de l'Église depuis les origines jusqu'à nos jours* d'Augustin Fliche et Mgr Martin, Paris, 1955-1956, 2 vol.

PRÉVOST Antoine-François, *Manon Lescaut*, Paris, Garnier, 1965

PRICE Jacob M., *France and the Chesapeake. A History of the French Tobacco Monopoly 1674-1791, and of its Relationship to the British and American Tobacco Trade*, University of Michigan, 1973.

PRIS Claude, *La Manufacture royale des glaces de Saint-Gobain (1665-1830). Une grande entreprise sous l'Ancien Régime*, université de Lille-III, 1975, 3 vol.

PROUST Jacques, *Diderot et l'« Encyclopédie »*, Paris, Armand Colin, 1962.

PROYART (abbé), *Louis XVI et ses vertus aux prises avec la perversité de son siècle...*, Paris, 1808, 5 vol.

—, *Vie de Madame Louise de France, religieuse carmélite*, Bruxelles, 1793, t. I.

—, *Vie du dauphin, père de Louis XVI*, Paris, 1777, 2 vol. in-12.

PUIS A., *Essai sur les mœurs, les goûts et les modes au XVIIIᵉ siècle*, Paris, 1914.

Quarré-Reybourbon, *Biographie artésienne. Un régicide. Étude historique*, Béthune, 1886.

Quéniart Jean, « Les apprentissages scolaires élémentaires au XVIIIe siècle : faut-il réformer Maggiolo ? », *RHMC*, 1977.

—, *Culture et société urbaines dans la France de l'Ouest au XVIIIe siècle*, Rennes, Presses universitaires de Rennes-II, 1978.

—, *Les Hommes, l'Église et Dieu dans la France du XVIIIe siècle*, Paris, 1978.

Quétel Claude, *La Bastille. Histoire vraie d'une prison légendaire*, Paris, Laffont, 1989.

—, *De par le Roy : essai sur les lettres de cachet*, Toulouse, Privat, 1981.

Quicherat Jules, *Histoire de Sainte-Barbe, collège, communauté, institution...*, Paris, 1860.

—, *Histoire du costume en France depuis les temps les plus reculés jusqu'à la fin du XVIIIe siècle*, Paris, 1875.

Quilliet Bernard, « Les fiefs parisiens et leurs seigneurs parisiens au XVIIIe siècle », *Histoire, Économie et Sociétés*, n° 4, p. 565-580.

Quoy-Bodin Jean-Luc, *Étude sociale des loges militaires du Grand Orient de France de 1773 à 1793, principalement en Ile-de-France*, thèse, Paris-IV, 1975.

Rabreau Daniel, *Le Théâtre et l'embellissement des villes en France au XVIIIe siècle*, thèse, Paris-VI, 1978.

Racinais Henri, *Un Versailles inconnu. Les petits appartements des rois Louis XV et Louis XVI au château de Versailles*, Paris, 1950, 2 vol.

Rambert V., « La France et la politique commerciale au XVIIIe siècle », *RHMC*, 1959, p. 269-288.

Rampelberg René-Marie, *Aux origines du ministère de l'Intérieur, le ministre de la Maison du Roi*, Paris, Economica, 1976.

Rancœur René, *Bibliographie de la littérature française : XVIe-XXe siècle*, Paris, Armand Colin, publication annuelle.

Rat Maurice, *Les Femmes sous la Régence*, Paris, 1961.

Raynaud (abbé), *La Réclamation contre les vœux de religion dans le diocèse de Toulouse*, Toulouse, 1959.

Réau Louis, *Histoire de la peinture française au XVIIIe siècle*, Paris et Bruxelles, Van Oest, 1925 et 1926, 2 vol.

Rébillon A., *Les États de Bretagne de 1661 à 1789*, Paris, 1932.

Recherches sur Diderot et l'« Encyclopédie », n° 1, octobre 1986.

Regnault Henri, *Les Ordonnances civiles du chancelier d'Aguesseau*, Paris, 1929, 1938, 2 vol.

Le Règne de Louis XVI et la guerre d'Indépendance américaine, actes du colloque international de Sorèze, 1976, Dourgne, 1977.

Reid W., *Histoire des armes*, Paris, Gründ, 1987.

Reinach Joseph, *Diderot*, Paris, 1894.

Reinhard Marcel, *Histoire de la France*, Paris, 1954.

RÉMOND René (dir.), *Histoire générale de l'enseignement et de l'éducation en France*, t. II, Paris, 1981.

RENAUDIN Annie-France, « Histoire des carmélites parisiennes aux XVIIe et XVIIIe siècles... », *Positions des thèses de l'École des chartes*, 1990, p. 141-151.

RENAULDON Joseph, *Dictionnaire des fiefs et des droits seigneuriaux utiles et honorifiques*, 1765.

RENIER Nathalie, « Les libraires et imprimeurs parisiens au milieu du XVIIIe siècle (1740-1751) : une étude économique et sociale », *Positions des thèses de l'École des chartes*, 1988, p. 153-162.

RENOUVIN Pierre, *Les Assemblées provinciales de 1787, origines, développement et résultats*, Paris, 1921.

RENWICK John, *Chamfort devant la postérité (1794-1984)*, Oxford, 1986.

RESTIF DE LA BRETONNE, *L'Enfance de Monsieur Nicolas*, éd. par Gilbert Rouger, Paris, Club des libraires de France, 1970.
—, *Les Nuits de Paris*, Paris, Hachette, 1960.

RÉTAT Pierre, *L'Attentat de Damiens. Discours sur l'événement au XVIIIe siècle*, Paris-Lyon, CNRS, 1980.
—, *Le Dictionnaire de Bayle et la lutte philosophique au XVIIIe siècle*, Paris, 1971.
—, *Le Journalisme d'Ancien Régime*, Lyon, 1982.
—, « La presse périodique en France au dix-huitième siècle », *Dix-Huitième Siècle*, 1969, p. 89-105.

RIBAULT Jean-Yves, « La population des îles Saint-Pierre-et-Miquelon de 1763 à 1793 », *Position des thèses de l'École des chartes*, 1960.
—, *La Vie dans l'archipel sous l'Ancien Régime*, 1962.

RIBBE Charles de, *Les Familles et la société en France avant la Révolution d'après des documents originaux*, Paris, 1874, 2 vol.

RICALENS Henry, *Moissac, du début du règne de Louis XIII à la fin de l'Ancien Régime. Contribution à l'histoire économique et sociale d'une ville du Bas-Quercy*, Toulouse, Presses de l'Institut d'études politiques de Toulouse, 1994.

RICHARD Charles-Louis, *Dictionnaire universel des sciences ecclésiastiques*, 1760.

RICHARD Guy, *Noblesse d'affaires au XVIIIe siècle*, Paris, Armand Colin, 1974.

RICHARD Joseph, *Le Vagabond de Dieu. Saint Benoît Labre*, Paris, 1976.

RICHARD Jules-Marie, *La Vie privée dans une province de l'Ouest, Laval aux XVIIe et XVIIIe siècles*, Paris, 1922.

RIGAULT Georges, *Histoire générale de l'institut des frères des Écoles chrétiennes*, t. II : *Les Disciples de saint Jean-Baptiste de la Salle dans la société du XVIIIe siècle*, Paris, Plon, 1938.

RIVAROL Antoine, « Lettres à M. Necker » (1788), dans *Œuvres*, Paris, 1852.

ROBERT H., « Les trafics coloniaux du port de La Rochelle au XVIIIe siècle

(1713-1789) », *Mémoires de la Société des antiquaires de l'Ouest*, t. 4, Poitiers, 1960.

ROBERT Odile, « Fonctionnement et enjeux d'une institution chrétienne au XVIIIᵉ siècle », dans *La Première Communion : quatre siècles d'histoire*, dir. Jean Delumeau, Paris, Desclée de Brouwer, 1987, p. 77-113.

ROBICHEZ Guillaume, *J.-J. Lefranc de Pompignan : un humaniste chrétien au siècle des Lumières*, Paris, Sedes, 1987.

ROBIN Louis, *Les Petites Écoles et leurs régents en Saintonge et en Aunis avant la Révolution (1685-1789)*, La Rochelle, 1968.

ROBINET André, *Dom Deschamps et sa métaphysique*, publié sous la direction de Jacques d'Hondt, Paris, 1974.

ROBINET Jean-François, *Condorcet. Sa vie, son œuvre*, Paris, 1887

ROCHE Daniel, *La Culture des apparences : une histoire du vêtement, XVIIᵉ-XVIIIᵉ siècle*, Paris, Fayard, 1989.

—, *La France des Lumières*, Paris, Fayard, 1993.

—, *Le Peuple de Paris. Essai sur la culture populaire au XVIIIᵉ siècle*, Paris, Aubier-Montaigne, 1981.

—, *Les Républicains des lettres. Gens de culture et Lumières au XVIIIᵉ siècle*, Paris, Fayard, 1988.

—, *Le Siècle des Lumières en province. Académies et académiciens provinciaux, 1680-1789*, Paris, La Haye, Mouton, 1978.

ROCHEMONTEIX Camille de, *Un collège de jésuites aux XVIIᵉ et XVIIIᵉ siècles. Le Collège Henri IV de La Flèche*, Le Mans, 1889, 4 vol.

ROCHEMONTEIX P. de, *Le Père Lavalette à la Martinique*, Paris, 1908.

ROCOLLE Pierre, *2 000 ans de fortification française*, t. II : *Du XVIᵉ siècle au mur de l'Atlantique*, 2ᵉ éd. rev. et augm., Paris, Lavauzelle, 1989.

ROGER Jacques, *Les Sciences de la vie dans la pensée française du XVIIIᵉ siècle*, Paris, A. Colin, 1963 ; 2ᵉ éd. complétée, 1971.

ROLAND-MICHEL M., *Anne Vallayer-Coster*, Paris, 1970.

ROLAND Jeanne Manon (Mme), « Une éducation bourgeoise du XVIIIᵉ siècle », dans *Mémoires*, éd. Paul de Roux, Paris, Mercure de France, 1986.

ROLLIN Charles, *Traité des études*, 1726.

ROMANO Ruggiero, « Per una valutazione della flotta mercantile europeana alla fine del secolo XVIII », *Studi in onore di Amintore Fanfani*, V, Milan, 1962, p. 573-593.

ROSENFIELD L.C., *From Beast-Machine to Man-Machine. The Theme of Animal Soul in French Letters from Descartes to La Mettrie*, Oxford-New York, 1941.

ROSSELLE Dominique, *Le Long Cheminement des progrès agricoles. Le Béthunois du milieu du XVIᵉ siècle au début du XIXᵉ siècle*, thèse, Lille, 1984.

ROSTAND Jean, *Hommes d'autrefois et d'aujourd'hui*, Paris, Gallimard, 1966.

ROUBO André Jacob, *L'Art du menuisier*, Paris, 1769-1775, 4 vol.

ROUDAULT F., *La Prédication en langue bretonne à la fin de l'Ancien Régime*, thèse, Rennes, 1975.

ROUFF Marcel, *Les Mines de charbon en France au XVIIIe siècle, 1744-1791. Étude d'histoire économique et sociale*, Paris, 1922.

ROUSSEAU Jean-Jacques, *Confessions*, éd. Gagnebin, Paris, 2 vol.

—, *Émile ou l'Éducation*, Paris, Garnier, s.d.

ROUSSEL Patrice, *Beaumarchais, le Parisien universel*, Paris, 1983.

ROUSSET DE MISSY Jean, *Recueil historique d'actes, négociations, mémoires et traités depuis la paix d'Utrecht jusqu'au second congrès de Cambrai*, La Haye, 1728-1755, 23 vol.

SABATIER Robert, *Histoire de la poésie française des origines à nos jours*, t. IV, *La Poésie au dix-huitième siècle*, Paris, Albin Michel, 1975.

SABATTIER Jacqueline, *La Relation maître-domestique à Paris au XVIIIe siècle : recherches sur les mentalités*, thèse, Paris, École des hautes études en sciences sociales, 1981.

SABLAYROLLES Élisabeth, *L'Enfance abandonnée à Strasbourg au XVIIIe siècle et la Fondation des enfants trouvés*, Strasbourg, Librairie Istra, 1976.

SAFFROY Gaston, *Bibliographie généalogique, héraldique et nobiliaire de la France des origines à nos jours*, Paris, Saffroy, 1974, 5 vol.

SAGNAC Philippe, *La Formation de la société française moderne*, t. II, Paris, PUF, 1946.

SAGUEZ-LOVISI Claire, *Les Lois fondamentales au XVIIIe siècle. Recherches sur la loi de dévolution de la couronne*, Paris, PUF, 1984.

SAHLIN G., *César Chesneau Du Marsais et son rôle dans l'évolution de la grammaire générale*, Paris, 1928.

SAINT-ANDRÉ Claude, *Madame du Barry d'après les documents inédits*, Paris, 1909.

SAINTE-BEUVE, *Les Causeries du lundi*, Paris, 1857-1872, 15 vol.

SAINT-FOIX Germain François Poullain de, *Essais historiques sur Paris*, Paris, 1754-1757.

SAINT-JACOB Pierre de, *Les Paysans de la Bourgogne du Nord*, Paris, Bernégaud et Privat, 1960.

SAINT-MARC Girardin, *Jean-Jacques Rousseau : sa vie et ses ouvrages*, Paris, 1875.

SAINT-MARTY L., *Histoire populaire du Quercy. Des origines à 1800*, nouv. éd., Cahors, Quercy recherche, 1983.

SAINT-SIMON, *La Cour du régent*, Paris, Georges Crès, s.d.

SAINT-SIMON Louis de Rouvroy (duc de), *Mémoires : 1694-1752*, Paris, éd. Boislisle, 1829-1830.

SAINT PRIES A.G., *Histoire de la chute des jésuites au XVIIIe siècle*, Paris, 1844.

SALBERT Jacques, *Les Ateliers de retabliers lavallois aux XVIIe et XVIIIe siècles. Études historiques et artistiques*, Paris, Klincksieck, 1976.

SALLIER, *Annales françaises*, Paris, 1813.

SALOMON Robert, *La Politique orientale de Vergennes (1780-1784)*, Paris, 1935.

SAMOYAULT Jean-Pierre, *Les Bureaux du secrétariat d'État des Affaires étrangères sous Louis XV*, Paris, Pedone A., 1971.

SANDRIN Jean, *Enfants trouvés, enfants ouvriers, XVIIe-XIXe siècle*, Paris, 1885.

SANGER Ernst, *Isabelle de Bourbon-Parme, petite-fille de Louis XV*, Paris, Louvain, Duculot, 1991.

SARAZIN André, « L'alphabétisation en Anjou au XVIIIe siècle d'après les registres paroissiaux », dans *Éducation et pédagogies au siècle des Lumières*, Angers, 1985.

SARS Maxime de, *Le Cardinal de Fleury, apôtre de la paix*, Paris, 1942.
—, *Lenoir, lieutenant de police, 1732-1807*, Paris, 1948.

SAUGRAIN, *Dictionnaire universel de la France ancienne et moderne et de la Nouvelle France... dans lequel on trouvera sur chaque lieu le nombre des habitants, leurs mœurs, coutumes et négoces particuliers...*, Paris, 1726, 3 vol., in-folio.

SAULNIER E. et MARTIN A., *Bibliographie des travaux publiés de 1866 à 1897 sur l'histoire de la France de 1500 à 1789.*

SAUPIN Guy, *La Vie municipale à Nantes sous l'Ancien Régime*, thèse dactylographiée, Nantes, 1983.

SAVARY DES BRÛLONS Jacques, *Dictionnaire universel du commerce*, Paris, 1723-1730.

SCHAER A., *L'Organisation ecclésiastique et la pratique religieuse dans le chapitre rural Ultra Colles Ottonis en Haute Alsace sous l'Ancien Régime (1648-1789)*, thèse, Strasbourg, 1959.

SCHIMBERG André, *L'Éducation morale dans les collèges de la Compagnie de Jésus en France sous l'Ancien Régime (XVIe, XVIIe et XVIIIe siècle)*, Paris, 1913.

SCHMIDT Ch., « Les débuts de l'industrie cotonnière en France, 1760-1786 », *Revue d'histoire économique et sociale*, 1914, n° 1, p. 26-55.

SCHMITT Th., *L'Organisation ecclésiastique et la pratique religieuse dans l'archidiaconé d'Autun de 1650 à 1750*, Autun, 1957.

SCHNAPPER Antoine, *David, Témoin de son temps*, Fribourg, Office du livre, 1979.

SCHWARTZ Robert M., *Policing the Poor in XVIIIth century France*, Chapel Hill, University of North Carolina, 1988.

SÉCHÉ Léon, *Les Derniers Jansénistes depuis la ruine de Port-Royal jusqu'à nos jours (1710-1870)*, Paris, 1890-1891.

SÉCHER R., *La Chapelle-Basse-Mer, village vendéen*, Paris, Perrin, 1986.

SÉE Henri, *Études sur la vie économique en Bretagne, 1772-An III*, Paris, Imprimerie nationale, 1930.

—, « La question de la vaine pâture en France à la fin de l'Ancien Régime », *Revue d'histoire économique et sociale*, 1914.

—, *La Vie économique et les classes sociales au XVIIIᵉ siècle*, 1924.

SEGUIN J.-P., *La Langue française au XVIIIᵉ siècle*, Paris, Bruxelles, Montréal, 1972.

SÉGUR Louis Philippe (comte de), *Mémoires ou Souvenirs et Anecdotes*, Paris, 1824.

SÉGUR Philippe Henri (marquis de), *Mémoires* , Paris, 1895.

SÉGUR Pierre (marquis de), *Julie de Lespinasse*, Paris, 1906.

—, *Le Maréchal de Ségur*, Paris, 1895.

SÉNAC DE MEILHAN Gabriel, *Du gouvernement des mœurs et des conditions en France avant la Révolution*, Paris, 1797.

SENTOU Jean, *Fortunes et groupes sociaux à Toulouse sous la Révolution (1789-1799). Essai d'histoire statistique*, Toulouse, Privat, 1969.

SÈVE Roger, PERREL Jean et CHAPELLE Jean, *L'Enseignement sous l'Ancien Régime en Auvergne, Bourbonnais et Velay*, Clermont-Ferrand, CRDP, 1977.

SEVELINGUES M. de, « *Journal de Son Éminence* », *Mémoires secrets et correspondance inédite du cardinal Dubois, premier ministre*, Paris, 1819, 2 vol.

SGARD Jean, *Dictionnaire des journaux (1600-1789)*, Grenoble, 1976.

— (dir.), *Dictionnaire des journaux*, Paris, Universitas, 1991, 2 vol.

—, *La Presse provinciale au XVIIIᵉ siècle*, Grenoble, 1983.

—, *Prévost romancier*, Paris, 1968.

—, *Les Trente Récits de la journée des Tuiles*, Grenoble, PUG, 1988.

SHACKLETON Robert, *Montesquieu. Biographie critique*, Grenoble, PUG, 1977.

SICARD Augustin, *L'Ancien Clergé de France*, Paris, 1893-1903, 3 vol.

—, *Les Études classiques avant la Révolution*, Paris, Librairie académique Didier, 1887.

SIMART T., *Étude critique sur la formation de la doctrine des races au XVIIIᵉ siècle et son expansion au XIXᵉ siècle*, Bruxelles, 1922.

SIMON Renée, « Nicolas Fréret, académicien », *Studies on Voltaire...*, vol. 17, Genève, 1961.

—, *Un révolté du Grand Siècle : Henry de Boulainvilliers, historien, politique, philosophe, astrologue (1658-1722)*, Paris, 1941, rééd. en 1947.

SIMON-SANDRAS Rosie, *Les Curés à la fin de l'Ancien Régime*, Paris, PUF, 1988.

SINETY (marquis de), *Vie du maréchal de Lowendal*, Paris, 1868, 2 vol.

SNYDERS G., *La Pédagogie en France aux XVIIᵉ et XVIIIᵉ siècles*, Paris, 1879, 2 vol.

SOBOUL Albert, « La communauté rurale (XVIIIᵉ-XIXᵉ siècle). Problèmes de base », *Revue de synthèse*, 1957, p. 283-315.

—, « Problèmes de la communauté rurale en France XVIIIᵉ-XIXᵉ siècle » dans

Ethnologie et histoire. Forces productives et problèmes de transition, Paris, 1975.

—, *La Société française dans la seconde moitié du XVIIIe siècle. Structures sociales, cultures et modes de vie*, Paris, CDU, 1969.

SOBOUL Albert, LEMARCHAND Guy et FOGEL Michèle, *Le Siècle des Lumières, l'essor, 1715-1750*, Paris, PUF, 1977-1978, coll. « Peuples et Civilisations », 2 vol.

SOLNON Jean-François, *La Cour de France*, Paris, Fayard, 1987.

—, *215 Bourgeois gentilhommes au XVIIIe siècle. Les secrétaires du roi à Besançon*, Paris, Les Belles-Lettres, 1980.

SOLTAU Roger H., *The Duke of Choiseul : The Lothian Essay*, Oxford, 1908.

SONNET Martine, *L'Éducation des filles au temps des Lumières*, Paris, Cerf, 1987.

SOREAU Edmond, *L'Agriculture aux XVIIe et XVIIIe siècles*, Paris, De Boccard, 1952.

SOREL Albert, *La Question d'Orient au XVIIIe siècle*, Paris, 1878.

—, *Recueil des instructions aux ambassadeurs de France en Autriche, des traités de Westphalie à la Révolution française*, Paris, 1884.

SORTAIS Gaston, « Le cartésianisme chez les jésuites français des XVIIe et XVIIIe siècles », *Archives de philosophie*, vol. VI, cahier 3, 1929.

SOUCHAL François, *Les Slodtz, sculpteurs et décorateurs du roi (1685-1764)*, Paris, De Boccard, 1967.

—, « L'"Apothéose de saint François Xavier" de Guillaume Coustou (1716-1777) », *Hommage à J. Adhémar, Gazette des beaux-arts*, 1988, p. 43-48.

SPEAR Frederick A., *Bibliographie de Diderot, Répertoire analytique international*, 1980 et 1988, 2 vol.

SPENS W. de, *Adrienne Lecouvreur, la tragédienne amoureuse*, Paris, Gallimard, 1958.

SPINK John S., *French Free Thought from Gassendi to Voltaire*, Londres, 1960.

—, « Un abbé philosophe : l'affaire de J.M. de Prades », *Dix-Huitième Siècle*, n° 3, 1971, p. 145-180.

STAAL DE LAUNAY Marguerite Jeanne de, *Mémoires*, Paris, 1755.

STAROBINSKY J., *Montesquieu par lui-même*, Paris, 1953.

STEIN R.L., *The French Slave Trade in Eighteenth Century. An Old Regime Business*, Madison, The University of Wisconsin Press, 1979.

STOREZ Isabelle, *Le Chancelier d'Aguesseau, Étude biographique*, thèse dactyl., université de Lille-III, 1992.

—, *L'Égalité dans l'œuvre des jurisconsultes jansénistes*, mémoire de DEA, Angers, s.d.

—, « Pascal et l'égalité », *Bulletin de la Société française d'histoire des idées et d'histoire religieuse*, n° 2, 1985

—, *La Philosophie politique du chancelier d'Aguesseau*, mémoire de maîtrise, Angers, 1981.

STOURM R., *Les Finances de l'Ancien Régime et de la Révolution*, Paris, 1885.

STRYENSKI Casimir, *Le Gendre de Louis XV*, Paris, 1904.

—, *La Mère des trois derniers Bourbon, Marie-Josèphe de Saxe et la cour de Louis XV*, Paris, 1902.

—, *Mesdames de France, filles de Louis XV*, Paris, 1902.

STURGILL Claude C., *Claude Le Blanc, civil servant of the King*, Gainesville, 1975.

TACKETT Timothy, « Histoire sociale du clergé diocésain dans la France du XVIIIᵉ siècle », *RHMC*, avril-juin 1979, p. 198-235.

TADGELL Ch., *Jacques-Ange Gabriel*, Londres, 1979.

TAILLARD Christian, *Bordeaux classique*, Toulouse, Eché, 1987.

TAILLEFER Michel, *Une académie interprète des Lumières : l'Académie des sciences et inscriptions et belles-lettres de Toulouse au XVIIIᵉ siècle*, Paris, CNRS, 1985.

TAILLEMITE Étienne, « La Gallissonnière (1693-1756) », *Cols bleus*, n° 1482, 30 juillet 1977.

—, « Le maréchal de Castries et les réformes de la marine », *Chronique d'histoire maritime*, n° 13, 1ᵉʳ septembre 1986.

—, « La marine et ses chefs pendant la guerre d'Indépendance américaine », *Revue historique des armées*, 1983, n° 4, p. 20-31.

—, « Le recrutement des officiers de vaisseau au XVIIIᵉ siècle : une politique incohérente », *Neptunia*, mars 1986.

TAINE, *Les Origines de la France contemporaine*, Paris, 1875-1893.

TAITTINGER Claude, *Monsieur Cazotte monte à l'échafaud*, Paris, Perrin, 1988.

TAPIÉ Victor-Lucien, *L'Europe de Marie-Thérèse. Du Baroque aux Lumières*, Paris, Fayard, 1973.

TAPIÉ Victor-Lucien, Le Flem J.-P., Pardailhé-Galabrun A., *Retables baroques de Bretagne*, Paris, 1972.

TARRADE Jean, « L'administration coloniale en France à la fin de l'Ancien Régime : Projets de réforme », *Revue historique*, janvier-mars 1963, p. 103-123.

—, *Le Commerce colonial de la France à la fin de l'Ancien Régime : l'évolution du régime de l'exclusif de 1763 à 1789*, Paris, université de Poitiers, 1973.

—, « La population de Poitiers au XVIIIᵉ siècle. Essai d'analyse socio-professionnelle d'après les contrats de mariage », *Bulletin de la Société des antiquaires de l'Ouest*, 1974, p. 331-332.

TASSÉ Henriette, *Les Salons français*, Avignon, 1939.

TATON René, « Le départ de Lagrange de Berlin et son installation à Paris en 1787 », *Revue d'histoire des sciences*, janvier-mars 1988.

—, *Enseignement et diffusion des sciences en France au XVIIIᵉ siècle*, Paris, Hermann, 1986.

—, *Histoire du calcul*, Paris, 1957.

—, *L'Œuvre scientifique de Monge*, Paris, 1951.

TAVENEAUX René, *Le Jansénisme en Lorraine : 1640-1789*, Paris, Vrin, 1960.

—, *Jansénisme et prêt à intérêt, Introduction, choix de textes et commentaires*, Paris, Vrin, 1977.

—, *La Vie quotidienne des jansénistes aux XVIIe et XVIIIe siècles*, Paris, Hachette, 1973.

TEISSEYRE Charles, « Le catalogue de la bibliothèque du couvent des dominicains de Bordeaux au XVIIIe siècle », *Revue française d'histoire du livre*, n° 54, janvier-mars 1987.

TEPPE Julien, *Chamfort, sa vie, son œuvre, sa pensée*, Paris, 1950.

TESTUD Pierre, *Rétif de La Bretonne et la création littéraire*, Genève, Droz, 1977.

THOMAS Yves, « Note sur la chambre de police du Châtelet de Paris à l'époque de Louis XVI (1774-1789) », *RHD*, 1976, p. 361-378.

THUILLIER Guy, « La réforme monétaire de 1785 », *Annales ESC*, septembre-octobre 1971, p. 1031-1052.

TIERSOT Julien, *Jean-Jacques Rousseau*, Paris, 1912.

TIMBAL Pierre-Clément et CASTALDO André, *Histoire des institutions et des faits sociaux*, 7e éd., Paris, Dalloz, 1985.

TISSERAND Roger, *L'Académie de Dijon de 1740 à 1793*, Paris, 1936.

TISSOT J.M., *Turgot, sa vie, son administration, ses ouvrages*, Paris, 1862.

TOCQUEVILLE Alexis de, *L'Ancien régime et la Révolution*, Paris, 1856.

—, *Histoire philosophique du règne de Louis XV*, Paris, 1847, 2 vol.

TODD Christopher, *Voltaire's Disciple : J.F. La Harpe*, 1972.

TORLAIS Jean, *Un physicien au siècle des Lumières, l'abbé Nollet : 1700-1770*, Paris, Jonas, 1987.

TORNEZY Albert, *Un bureau d'esprit au XVIIIe siècle : le salon de Mme Geoffrin*, Paris, 1895.

TOUSSAINT François Vincent, *Les Mœurs*, Paris, 1748.

TOUTAIN Jean-Claude, « Le produit de l'agriculture française de 1700 à 1958 », *Cahiers de l'ISMEA*, n° 115, 1961.

Tout l'œuvre peint de Watteau, introduction par P. Rosenberg, Paris, Flammarion, 1982.

TRÉNARD Louis, *De Douai à Lille, une université et son histoire*, Lille, Presses universitaires de Lille, 1978.

—, *L'Ère des révolutions*, Toulouse, Privat, 1991.

—, « Les fondements de l'idée de race au XVIIIe siècle », *L'Information historique*, 1981, p. 165-173.

—, *Histoire de Lille*, Toulouse, Privat, 1982.

—, *Lyon, de l'Encyclopédie au préromantisme. Histoire sociale des idées*, Paris, PUF, 1958, 2 vol.

—, « Pauvreté, charité, assistance à Lille, 1708-1790 », dans *Actes du 97e congrès national des Sociétés savantes, Nantes, 1972*, Section d'histoire moderne, t. I, p. 473-498.

TRESCH Mathias, *Évolution de la chanson française savante et populaire*, t. I : *Des Origines à la Révolution française*, Paris, 1926.

TRINTZIUS, *John Law et la naissance du dirigisme*, Paris, 1950.

TRUCHET Jacques, *Théâtre du XVIIIe siècle*, Paris, Gallimard, « Bibl. de la Pléiade », 1973-1974, 2 vol.

TUETEY Louis, *Les Officiers sous l'Ancien Régime*, Paris, 1958.

TURGOT Anne Robert Jacques, « Première lettre à un grand vicaire... », *Œuvres de Turgot*, t. I, publiés par Guy Schelle, Paris, 1913.

—, *Mémoire sur les mines et carrières*, Paris, s. d.

ULRICH Daniel, « La répression en Bourgogne au XVIIIe siècle », *RHD*, 1972, p. 398-437.

Un théologien au siècle des Lumières, Bergier. Correspondance présentée par Ambroise Jobert, Lyon, Centre André Latreille, 1987.

VACANT A. et MANGEROT E., *Dictionnaire de théologie catholique...*, Paris, 1903-1950, 15 vol.

VACHER Marguerite, *Des régulières dans le siècle. Les sœurs de Saint-Joseph de P. Médaille aux XVIIe et XVIIIe siècles*, Clermond-Ferrand, 1991.

VAILLÉ Eugène, *Histoire générale des postes françaises*, t. V et VI, Paris, 1947-1955.

VAILLOT René, *Voltaire en son temps*, t. II : *Madame du Châtelet*, Oxford, 1988.

VAISSIÈRE P. de, *Curés de campagne de l'ancienne France*, Paris, 1932.

VALENSISE Marina, « Rappresentazione del potere e ideologia della regalità nella Francia moderna : il "sacre" di luigi XVI », *Annali della Fondazione Luigi Einaudi*, 1982, vol. 16, p. 141-192.

VALETTE Jean, « La notion de mendicité et de pauvreté dans le diocèse de Bordeaux à la fin de l'Ancien Régime », colloque sur l'histoire de la Sécurité sociale. *Actes du 109e congrès national des Sociétés savantes*, Dijon, 1984, p. 175-183.

VALRAN Gaston, *Assistance et éducation en Provence aux XVIIIe et XIXe siècles*, Paris, 1900.

VALSECCHI F., *L'Absolutismo illuminato in Austria e in Lombardia*, Bologne, 1931-1933, 2 vol.

VANDAL Albert, *Louis XV et Élisabeth de Russie*, Paris, 1882.

VAN DER KEMP Gérald, *Le Parc de Versailles*, Versailles, Art Lys, 1967.

VAN THIEGHEM Paul, *« L'Année littéraire » (1754-1790), comme intermédiaire des littératures étrangères*, Paris, F. Rieder, 1917.

VARACHAUD Marie-Christine, « Le péché dans la doctrine du P. Houdry », *Bulletin de la Société française d'histoire des idées et d'histoire religieuse*, 1989, n° 6, p. 37-61.

—, *Le Père Houdry S. J. (1631-1729). Prédication et pénitence*, préface de Jean de Viguerie, Paris, Beauchesne, 1993.

VARTANIAN Aram, *La Mettrie's « L'Homme-Machine »* — *A study in the Origins of an Idea*, Princeton, 1960.

VATEL Charles, *Histoire de Mme du Barry*, Versailles, 1883, 3 vol.

VAUCHER Paul, *Robert Walpole et la politique de Fleury (1731-1742)*, Paris, 1924.

VEGLIANTE Gianfranca, *Arc-et-Senans [Doubs] et les salines en Franche-Comté, 1775-1843, approche méthodologique d'une manufacture de sel comtoise à la fin du XVIIIᵉ siècle*, thèse de 3ᵉ cycle, université de Besançon, 1986.

VÉNARD Marc, « Les missions des Oratoriens d'Avignon aux XVIIᵉ et XVIIIᵉ siècles », *Revue d'histoire de l'Église de France*, 1961, p. 16-39.

VENTURINO Diego, *L'alternativa nobiliare. Storia, Religione e Politica nel pensiero di H. de Boulainvilliers*, Turin, 1989.

VENTURI Franco, *Jeunesse de Diderot 1713-1753*, Paris, 1939.

VERGÉ-FRANCESCHI Michel, *Les Élèves de l'École royale de marine du Havre au XVIIIᵉ siècle*, thèse de 3ᵉ cycle, Paris, 1980.

—, *Les Officiers généraux de la marine royale : 1715-1774, origines, conditions, services*, Lille, Librairie de l'Inde, 1990, 7 vol.

VÉRI (abbé de), *Journal*, Paris, éd. J. de Witte, 1928.

VERLET Pierre, *L'Art du meuble à Paris au XVIIIᵉ siècle*, Paris, PUF, « Que sais-je ? », nᵒ 775, 1958.

—, *Le Château de Versailles*, Paris, 1985.

—, *Les Meubles du XVIIIᵉ siècle*, Paris, 1956, 2 vol.

—, *Le Mobilier royal français*, Paris, 1946 et 1955, 2 vol.

—, *Versailles*, Paris, Fayard, 1961.

VERNIÈRE Paul, *Spinoza et la pensée française avant la Révolution*, 2ᵉ éd., Paris, PUF, 1982, 2 vol.

VERNILLAT France et CHARPENTREAU Jacques, *La Chanson française*, PUF, « Que sais-je ? », nᵒ 1453, Paris, 1971.

VERNUS Michel, *Le Presbytère et la Chaumière, Curés et villageois dans l'ancienne France, XVIIᵉ-XVIIIᵉ siècle*, Rioz, 1986.

—, « Une page de l'histoire du livre dans le Jura, Les Tonnet imprimeurs-libraires dolois (1714-1781) », *Revue française d'histoire du livre*, avril-mai 1980, p. 271-297.

VERSINI Laurent, « Bernardin de Saint-Pierre et Choderlos de Laclos », *RHLF*, 1989, p. 811-824.

—, *Laclos et la tradition. Essai sur les sources et la technique des « Liaisons dangereuses »*, Paris, 1968.

VEZE Raoul, *La Galanterie parisienne au XVIIIᵉ siècle d'après les rapports de police et les Mémoires du temps*, Paris, 1905.

VIDAL Daniel, *Miracles et convulsions jansénistes au XVIIIᵉ siècle : le mal et sa connaissance*, Paris, PUF, 1987.

VIDRON Françoise, *La Vénerie royale au XVIIIᵉ siècle*, Paris, s.d.

VIER Jacques, *Histoire de la littérature française au XVIIIᵉ siècle*, t. I : *L'Ar-*

mature intellectuelle et morale, Paris, Armand Colin, 1965 ; t. II : *Les Genres littéraires et l'éventail des sciences humaines*, 1970.

—, « Le rayonnement doctrinal et littéraire de l'Église de France au XVIIIe siècle », *La Pensée catholique*, 1959, p. 76-96.

VIGÉE-LEBRUN Élisabeth, *Souvenirs*, Paris, 1835-1837.

VIGNON E., *Études historiques sur l'administration des voies publiques avant 1790*, Paris, 1862-1880, 4 vol.

VIGUERIE Jean de, *Le Catholicisme des Français dans l'ancienne France*, Paris, Nouvelles éditions latines, 1988.

—, « La crainte, l'espérance et la confiance dans l'ancienne dévotion (XVIIe et XVIIIe siècle) », dans *Le Jugement, le Ciel et l'enfer dans l'histoire du christianisme*, université d'Angers, 1989, p. 109-121.

—, « La dévotion populaire à la messe en France au XVIIe et XVIIIe siècle », dans *Histoire de la messe*, Angers, 1980.

—, « L'enseignement des jésuites et les progrès du déisme en France aux dix-septième et dix-huitième siècles », *Permanences*, août-septembre 1969, p. 9-15.

—, « Les études ecclésiastiques en France aux XVIIe et XVIIIe siècles (philosophie et théologie) », *Scripta Theologica*, janvier-avril 1986, p. 215-226.

—, « Les évêques d'Angers et la Réforme catholique », dans *L'Évêque dans l'histoire de l'Église*, Angers, 1984, p. 91-109.

—, « Les fondations et la foi du peuple fidèle. Les fondations de messes en Anjou aux XVIIe et XVIIIe siècles », *Revue historique*, octobre décembre 1976, p. 289-321.

—, « Les fondations et la piété du peuple fidèle. Les saluts fondés à Angers aux XVIIe et XVIIIe siècles », *Annales de Bretagne et des pays de l'Ouest*, 1974, p. 589-599.

—, « L'idée de l'obligation du travail dans la France des Lumières », *Bulletin de la Société française d'histoire des idées et d'histoire religieuse*, 1992, n° 9, p. 25-34.

—, « Les idées politiques de Louis XVI », dans *Annuaire-Bulletin de la Société de l'histoire de France*, 1983, p. 71-82.

—, *L'Institution des enfants. L'Éducation en France (XVIe-XVIIIe siècle)*, Paris, Calmann-Lévy, 1978.

— « Les "Lumières" et les peuples. Conclusion d'un séminaire », *Revue historique*, juillet-septembre 1994, p. 161-189.

—, « Les missions des montfortains dans l'Ouest au XVIIIe siècle. Quelques informations nouvelles », *Enquêtes et documents*, 1980, p. 81-92.

—, « La monarchie française et l'instruction publique », dans *Le Miracle capétien*, Paris, Perrin, 1987, p. 188-198.

—, *Notre-Dame-des-Ardilliers à Saumur : le pèlerinage de Loire*, Paris, OEIL, 1986.

—, « Les psaumes dans la piété catholique française (v. 1660-1789) », *Actes du colloque international de musicologie sur le grand motet français*, Paris, 1986

—, « Les psaumes dans la piété française », *Una Voce*, septembre-octobre 1985, n° 124, p. 180-191.

—, « Quelques aspects du catholicisme des Français au XVIIIe siècle », *Revue historique*, juillet 1981, p. 335-370.

—, « Quelques remarques sur les universités françaises du dix-huitième siècle », *Revue historique*, juillet-septembre 1979.

—, « La sainteté au XVIIIe siècle », dans *Histoire de la sainteté*, Angers, 1982, p. 119-131.

—, « La tolérance à l'ère des Lumières », dans *La Tolérance*, 13e colloque de l'Institut de recherche sur les civilisations de l'Occident moderne, Paris, Presses universitaires de Paris-Sorbonne, 1986, n° 11, p. 43-55.

—, *Une œuvre d'éducation sous l'Ancien Régime. Les pères de la Doctrine chrétienne en France et en Italie (1592-1792)*, Paris, Nouvelle Aurore, 1976.

VILLAIN Jean, *Le Recouvrement des impôts directs sous l'Ancien Régime*, Paris, 1952.

VILLAT Louis, *La Corse de 1768-1789*, Besançon, 1925, 2 vol.

—, « Louis XVI et les origines des mouvements révolutionnaires », *Revue bimestrielle des cours et conférences*, 15 mars 1934.

VILLERS Robert, *L'Organisation du parlement de Paris et des conseils supérieurs d'après la réforme de Maupeou (1771-1774)*, Paris, 1937.

VILLIERS Patrick, *La Marine de Louis XVI*, Grenoble, 1985, 2 vol.

—, « Pierre Étienne Bourgeois de Boynes, un Orléanais secrétaire d'État à la Marine du 17 avril 1771 au 23 juillet 1774 », *Bulletin de la Société archéologique de l'Orléanais*, 1988, n° 81, p. 24-32.

VINCENT M., *Mission et charité*, Paris, 1961.

VIOLLET P., *Le Roi et ses ministres pendant les trois derniers siècles de la monarchie*, Paris, 1912.

VITROLLES (baron de), *Mémoires*, Paris, 1950, 2 vol.

La Vocation religieuse et sacerdotale en France XVIIe-XIXe siècle, université d'Angers, 1979.

VOGLER Bernard, « Le testament alsacien au XVIIIe siècle », *RHMC*, juillet-septembre 1979, p. 438-447.

VOLTAIRE, *Dictionnaire philosophique*, art. « Méchant », Paris, Flammarion, 1964.

—, *Discours en vers sur l'homme*, Paris, 1738.

—, *La Henriade*, rééd. Owen R. Taylor, 2e éd., 1970.

—, « L'homme aux quarante écus », dans *Romans et Contes*, Paris, Garnier, 1914.

—, *Lettres anglaises* ou *Lettres philosophiques sur l'Angleterre*, édition critique par Gustave Lanson, Paris, Hachette, 1915.

—, *Précis du Siècle de Louis XV*, Paris, 1769.

— *Traité de la tolérance*, Paris, 1764

VOVART André, *L'Amiral du Chaffault (1708-1794), du Canada au Maroc, d'Ouessant aux prisons de Nantes*, Paris, 1931.

VOVELLE Michel, *Nouvelle Histoire de la France contemporaine*, t. I : *La Chute de la monarchie : 1787-1792*, Paris, Seuil, 1972.

—, *Piété baroque et déchristianisation en Provence au XVIIIᵉ siècle*, Paris, Seuil, 1973.

—, *Mémoires et journal inédit, publiés par la Société de l'histoire de France*, t. IX, 1867.

Waddington Richard, *La Guerre de Sept Ans, histoire diplomatique et militaire*, Paris, 1898-1908, 5 vol.

—, *Louis XV et le renversement des alliances. Préliminaires de la guerre de Sept Ans (1754-1756)*, 1896.

Wagner Nicolas, *Morelly, le «philosophe méconnu»*, Paris, Klincksieck, 1979.

Wahl Jean, «Cours sur l'athéisme éclairé de Dom Deschamps», *Studies on Voltaire*, vol. 52, 1967.

Waller R.E.A, *The Relations between Men of Letters and the Representives of Authority in France 1715-1723*, Oxford, 1971.

Wallon Henri, *Histoire du tribunal révolutionnaire de Paris avec le journal de ses actes*, Paris, 1880-1882.

Watteau 1684-1721, exposition, Paris Grand Palais, 1984-1985.

Weber Herman, «Le sacre de Louis XVI», *Le Règne de Louis XVI et la guerre d'Indépendance américaine*, actes du colloque international de Sorèze, Dourgne, 1977.

Weck H. de, *La Cavalerie à travers les âges*, Lausanne, 1980.

Weigert R.A., *Galerie des modes et costumes français (1778-1787)*, Paris, s.d.

Werner Kraus, «L'énigme de Dumarsais, *RHLF*, 1962.

Weulersse Georges, *Le Mouvement physiocratique en France de 1756 à 1770*, Paris, Alcan, 1910, 2 vol.

—, *La Physiocratie sous les ministères de Turgot et de Necker*, Paris, PUF, 1950.

Wildenstein G., Besnard A., *La Tour*, Paris, 1961.

Will Pierre-Étienne, *Bureaucratie et famine en Chine au XVIIIᵉ siècle*, Paris, Mouton-De Gruyter, 1980.

Wojtkowiak Bruno, *Histoire de la chimie : de l'alchimie à la chimie moderne*, 2ᵉ éd., Paris, Technique et documentation, 1988.

Wolf A.A., *History of Science, Technology and Philosophy in the 18th Century*, Londres, 1952.

Wolpe Hans, *Raynal et sa machine de guerre : L'histoire des Deux Indes et ses perfectionnements*, Paris, Litec, 1957.

Woolbridge John, « La conspiration du prince de Conti (1755-1757)», *Dix-Huitième Siècle*, 1985, p. 97-109.

Young Arthur, *Voyages en France en 1787, 1788 et 1789*, première traduction par Henri Sée, Paris, Armand Colin, 1931, 3 vol.

Yver Jean, *Égalité entre héritiers et exclusion des enfants dotés. Essai de géographie coutumière*, Paris, 1966.

ZELLER Gaston, *Histoire des relations internationales*, publié sous la direction de P. Renouvin, t. II : *De Louis XIV à 1789*, t. III : *Les Temps modernes*, Paris, 1955.

ZEVOR Edgar, *Le Marquis d'Argenson et le ministère des Affaires étrangères du 18 novembre 1744 au 10 janvier 1747*, 1880.

ZIEGLER Colette, *Les Coulisses de Versailles. Louis XV et sa cour*, Paris, 1965.

ZINK Anne, *Azereix : la vie d'une communauté rurale à la fin du XVIIIe siècle*, Paris, École des hautes études en sciences sociales, 1969.

ZWEIG Stéphane, *Marie-Antoinette*, Paris, 1933.

ZYSBERG André, *Les Galériens du roi : Vies et destins de 60 000 forçats sur les galères de France (1680-1748)*, Paris, Seuil, 1987.

IV. Filmographie

SUR LA RÉGENCE

Bossu (*Le*), René Sti (1934)
Bossu (*Le*), Jean Delannoy (1944)
Bossu (*Le*), André Hunebelle (1959)
Manon Lescaut, Arthur Robinson (1926)
Que la fête commence, Bertrand Tavernier (1975)

SUR LE RÈGNE DE LOUIS XV

Cartouche, Jacques Daroy (1934)
Cartouche, roi de Paris, Guillaume Radot (1948)
Cartouche, Philippe de Broca (1962)
Gaspard de Besse, André Hugon (1935)
Madame du Barry (*La Du Barry*), Ernst Lubitsch (1919)
Madame du Barry, Christian-Jaque (1954)
Madame du Barry, William Dieterle (1934)
Mandrin, Henri Fescourt (1923)
Mandrin, bandit gentilhomme, René Jayet (1947)
Chevalier sans loi (*Le*), (*Le avventure di Mandrin*), Mario Soldati (1952)
Mandrin, Jean-Paul Le Chanois (1962)
Tulipe noire (*La*), Christian-Jaque (1963)
Voltaire, John Adolfi (1933)

SUR LE RÈGNE DE LOUIS XVI[1]

Collier de la reine (*Le*), Gaston Ravel (1929)
Affaire du Collier de la reine (*L'*), Marcel l'Herbier (1945)
Cagliostro, Richard Oswald (1929)
Cagliostro (*Black Magic*), Gregory Ratoff (1949)

---

1. Les problèmes coloniaux sont évoqués dans les multiples versions du *Dernier des Mohicans*.

Deux Orphelines (Les), D.W. Griffith (1921)
Deux Orphelines (Les), Maurice Tourneur (1932)
Deux Orphelines (Les), Carmine Gallone (1942)
Figaro, Gaston Ravel (1929)
John Paul Jones, maître des mers (John Paul Jones), John Farrow (1959)
La Fayette, Jean Dréville (1961)
Marie-Antoinette, W.S. Van Dyke (1938)
Marie-Antoinette, Jean Delannoy (1955)
Remontons les Champs-Élysées, Sacha Guitry (1938)
Si Versailles m'était conté, Sacha Guitry (1953)

INDEX

N

O

TABLE DES MATIÈRES

Deuxième partie

LES ÉVÉNEMENTS HORS DE FRANCE

L'EUROPE

LES MONDES EXTRA-EUROPÉENS
(1715-1789)

Troisième partie

DICTIONNAIRE

Quatrième partie

CHRONOLOGIE

Cinquième partie

BIBLIOGRAPHIE

DÉPÔT LÉGAL : AVRIL 1995
N° ÉDITEUR : L 04810

ACHEVÉ D'IMPRIMER POUR
LES ÉDITIONS ROBERT LAFFONT
SUR LES PRESSES DE
BPC PAPERBACKS LTD
AYLESBURY (GRANDE-BRETAGNE)
Printed in Great Britain